# LA GLORIEUSE HISTOIRE DES CANADIENS

Recherche et statistiques : Pierre Bruneau
Recherche et rédaction : Léandre Normand
Rédaction du texte *La naissance d'une
  équipe sportive* : François Huot
Rédaction du texte *Les Canadiens sont là !* :
  Marc Robitaille
Révision des tableaux et des statistiques :
  Carole Lavergne-Kershaw


Coordination de la production : Diane Denoncourt
Coordination de l'édition : Linda Nantel
Conception graphique : Jean-François Lejeune
Infographie : Solange Laberge
Traitement des images : Mélanie Sabourin
Retouche photo : Patrick Thibault
Techniciens, support technique : Mario Paquin,
  Jean Angrignon Sirois
Couverture : Val Mitrofanow et François Daxhelet
Révision et correction : Ginette Patenaude,
  Sylvie Tremblay, Robert Pellerin, Céline Sinclair,
  Denis Poulet

Catalogage avant publication de la Bibliothèque nationale du Canada

Bruneau, Pierre
    La glorieuse histoire des Canadiens

    1. Canadiens de Montréal (Équipe de hockey) — Histoire.
    2. Hockey — Clubs — Québec (Province) — Montréal — Histoire.
    I. Normand, Léandre. II. Titre.

GV848.M6B78 2003   796.962'64'0971428   C2003-941700X

Dépôt légal : 4e trimestre 2003
Bibliothèque nationale du Québec

ISBN 2-7619-1860-6

DISTRIBUTEURS EXCLUSIFS :

• Pour le Canada et
  les États-Unis :
  MESSAGERIES ADP*
  955, rue Amherst,
  Montréal, Québec
  H2L 3K4
  Tél. : (514) 523-1182
  Télécopieur : (514) 939-0406
  * Filiale de Sogides ltée

Gouvernement du Québec - programme de crédit d'impôt pour l'édition
de livres — Gestion SODEC — www.sodec.gouv.qc.ca

L'Éditeur bénéficie du soutien de la Société de développement
des entreprises culturelles du Québec pour son programme d'édition.

Conseil des Arts    Canada Council
du Canada          for the Arts

Nous remercions le Conseil des Arts du Canada de l'aide accordée à
notre programme de publication.

Nous reconnaissons l'aide financière du gouvernement du Canada par
l'entremise du Programme d'aide au développement de l'industrie
de l'édition (PADIÉ) pour nos activités d'édition.

Ce livre a nécessité des milliers d'heures de recherche,
mais malgré tout le soin apporté à sa rédaction, il est
possible que des erreurs ou des omissions aient échappé
à notre attention. Les lecteurs en mesure de fournir des
renseignements qui permettraient d'y remédier sont priés
de les communiquer aux auteurs, à l'adresse électronique
suivante :
Courriel : edhomme@sogides.com
Site Internet : www.edhomme.com

Pierre Bruneau • Léandre Normand

# LA GLORIEUSE HISTOIRE DES CANADIENS

LES ÉDITIONS DE L'HOMME

# REMERCIEMENTS

La réalisation d'un livre de l'envergure de *La glorieuse histoire des Canadiens* s'avère une tâche impossible sans l'étroite collaboration et les encouragements d'un grand nombre de personnes. En ce qui a trait aux encouragements, ils sont venus de partout, de nos familles, de nos amis, mais d'abord d'un homme qui a cru à notre projet dès le départ et qui s'est chargé de le faire connaître avec beaucoup de conviction. L'enthousiasme de notre éditeur Pierre Bourdon nous a servi de motivation chaque fois que le travail nous semblait trop lourd. Il a été sans aucun doute notre meilleur vendeur à l'intérieur de la boîte comme à l'extérieur.

Parmi les collaborateurs de la première heure, il faut souligner également l'aide précieuse que Pierre Bruneau a spontanément reçue de Jean-Guy Maltais, de Jeannine Rivard et de Denise Paquet de la Bibliothèque nationale du Québec pour la recherche, ainsi que celle de Claude Nolet et d'André Daunais, pour la sélection de photos.

Pour l'entrée et la correction de données statistiques, Pierre Bruneau s'est formé une belle équipe, dont le travail est très méritoire : Marie-Line Bourgeois, Sabrina Saint-Denis, Jessica Saint-Denis et Danielle Bruneau.

À mon arrivée, je me suis tourné vers François Huot et Marc Robitaille. François Huot m'a permis d'utiliser les fruits de sa recherche et a accepté de rédiger une introduction à l'historique détaillé des Canadiens. Connaissant la belle plume de Marc Robitaille qui m'avait charmé par ses *Histoires d'hiver* et son *Enfance bleu-blanc-rouge*, je tenais à ce qu'il nous offre un texte qui nous rappelle l'atmosphère et l'enthousiasme qui entouraient les exploits de nos Glorieux, ce qu'il a réussi admirablement. De plus, il a nous a énormément aidé à mettre en contexte les diverses époques de la merveilleuse histoire des Canadiens et à déterminer l'importance à accorder à chacun des grands noms qui l'ont bâtie. Et en prime, il nous a refilé quelques anecdotes savoureuses que nous nous sommes empressés d'intégrer au récit.

L'organisation des Canadiens de Montréal nous a réservé un accueil enthousiaste, à commencer par le président Pierre Boivin. Même réaction de la part du vice-président marketing et ventes, Ray Lalonde, et du chef de section des Publications, Carl Lavigne. Tous ont respecté intégralement le contenu du livre sans la moindre intervention et se sont empressés de nous faciliter la tâche. Mentionnons également leur grande contribution au lancement et à la distribution du livre.

Pour la collecte des photos, nous avons pu compter sur un autre appui important des Canadiens de Montréal. D'abord, sur celui de Bob Fisher, un homme fort sympathique, photographe officiel des Canadiens, et de sa collaboratrice Marie-Christine Boucher, qui nous ont ouvert toutes grandes les portes de la photothèque des Canadiens. Imaginez un instant une pièce de quelque 60 x 100 pi, meublée de classeurs mur à mur que nous avons dépouillés un à un en un temps record, avec l'aide Val Mitrofanow qu'on appelait à la rescousse chaque fois qu'on était à bout de ressources. Sans les trucs et l'aide de l'ami Bob, le défi de choisir des illustrations parmi des milliers de photos, de films et de diapositives aurait constitué une tâche insurmontable en si peu de temps. Puis il y a eu ce grand photographe, Denis Brodeur, qui nous a permis de consulter ses archives photos de grande valeur. Ensuite, la contribution d'Alain Brouillard et de Bernard Brault nous a aidés à compléter notre documentation photographique.

Soulignons également la contribution de mes amis collectionneurs, dont les pièces agrémentent nombre de textes. Erle Schneidman fut le premier à accepter spontanément de partager ses trésors, mais l'accord de Frédéric Morency et de Marc Juteau a été aussi empressé.

Il ne faut pas oublier la collaboration sporadique mais appréciée des Guy Montpetit (Service de toponymie de la Ville de Montréal), André Périard, Benoît Coutu et Bernard Dubé. Il y en a d'autres probablement qu'on oublie. Puissent-ils considérer nos remerciements comme s'ils leur étaient personnellement adressés.

Les derniers remerciements vont à Carole Lavergne-Kershaw et à Diane Denoncourt, coordonnatrice de la production aux Éditions de l'Homme. Je connaissais bien la première, une grande amie, ainsi qu'une collaboratrice et une conseillère indispensable depuis de longues années. Grâce à elle, tant Pierre Bruneau que moi-même avons pu corriger des erreurs importantes et en éviter d'autres. J'ai appris à connaître la seconde, dévouée à son travail, attentive et ouverte aux suggestions. Un merci tout à fait spécial à ces deux précieuses complices.

Enfin, un merci chaleureux à la dynamique équipe des Éditions de l'Homme. Ils sont bien une vingtaine à avoir participé à l'une ou l'autre des étapes de la production de ce livre et, à défaut de mentionner tous leurs noms, je voudrais les saluer amicalement.

LÉANDRE NORMAND

4

# TABLE DES MATIÈRES

Quand j'ai signé mon premier contrat avec le Tricolore, c'était le 3 octobre 1953. J'étais loin de me douter que cinquante ans plus tard j'aurais l'honneur de signer la préface d'un ouvrage consacré aux Canadiens de Montréal. Moi qui ai toujours été un joueur d'équipe avant tout, je considère cette tâche comme un privilège, compte tenu des grands noms qui ont jalonné le parcours de cette organisation devenue, depuis, ma seconde famille.

Bien que j'aie accroché mes patins en 1971, après une carrière de dix-huit années comme hockeyeur, j'ai eu la chance de continuer à œuvrer au sein de l'organisation pendant plus de vingt ans à titre d'administrateur et, maintenant, d'ambassadeur. J'ai donc été en mesure de saisir l'engouement que suscitaient, et suscitent encore, les Canadiens chez les amateurs de hockey partout au pays et même à l'étranger. C'est donc avec un regard averti et intéressé que j'ai lu cet ouvrage.

Que vous soyez un fervent supporteur, un nostalgique de l'équipe de rêve de l'édition 1957-1958 (que plusieurs n'hésitent pas à qualifier de meilleure équipe de l'histoire du hockey) ou encore un amateur friand de statistiques, vous prendrez plaisir, tout comme moi, à lire La glorieuse histoire des Canadiens, appelé à devenir l'ouvrage de référence incontournable sur les Canadiens.

De Newsy Lalonde, la première supervedette des Canadiens, à Guy Lafleur, en passant par Maurice Richard, des Flying Frenchmen aux premiers Européens, les auteurs passent en revue tous les joueurs ayant endossé le chandail tricolore depuis 1909 et qui ont fait des Canadiens l'équipe de sport professionnel qui a soulevé le plus d'enthousiasme chez les amateurs de hockey.

À l'aide d'anecdotes, de tractations diverses entre organisations, de statistiques complètes, de drames humains, d'exploits sportifs, d'exemples de courage et de dépassement de soi, les auteurs relatent dans ses moindres détails et avec des photos spectaculaires, la grande et la petite histoire de cette dynastie sportive.

Ils nous introduisent dans les coulisses du hockey et nous font partager les espoirs, les joies et les déceptions de tous ceux qui ont porté fièrement le chandail des Canadiens. Ils nous invitent à suivre, de saison en saison, le cheminement d'une organisation devenue, avec le temps et grâce à ses joueurs légendaires, une équipe mythique.

La lecture de cet ouvrage m'a rappelé des souvenirs heureux, mais des moments nostalgiques aussi, d'une équipe qui a marqué l'imagination de tout un peuple et produit des héros devenus plus grands que nature.

JEAN BÉLIVEAU

# POUR AJOUTER À NOS SOUVENIRS

Par Léandre Normand

**U**n livre sur l'histoire des Canadiens de Montréal représente une tâche colossale. Ce n'est pas sans raison que par deux fois j'ai refusé à Pierre Bruneau de collaborer avec lui à la réalisation de ce projet qu'il caressait depuis une quinzaine d'années et auquel il travaillait concrètement depuis cinq ou six ans. Ce rêve avait pris naissance à la lecture du livre de Claude Mouton intitulé *Toute l'histoire illustre et merveilleuse du Canadien*. Inspiré par la qualité de cet ouvrage, s'est alors promis qu'un jour il publierait un ouvrage semblable. Il a alors commencé à visiter presque quotidiennement les archives des journaux et de la Bibliothèque nationale, compilant une montagne de statistiques et de données relatives à l'histoire du célèbre club de hockey. Tenace, il me tenait au courant de ses découvertes, tout en sachant que je ne voulais rien entendre de son projet. J'avais beau le prévenir que les

journaux aussi se trompaient et que les journalistes ne détiennent pas le monopole de la vérité (je suis bien placé pour le savoir), inlassablement, il me répétait, preuve à l'appui, que tous les journaux ne peuvent pas se tromper en même temps. Il faut avouer que plusieurs de ses découvertes venaient à l'encontre des affirmations que l'on véhicule encore aujourd'hui, notamment au sujet des chandails de l'équipe.

Pierre continuait de me faire part de ses démarches auprès de plusieurs éditeurs qui toutes se soldaient par un refus. Jacques Beauchamp, le grand bâtisseur des pages sportives du *Journal de Montréal* et partisan avoué des Canadiens, fut le seul à s'intéresser à son projet. Malheureusement, son décès a ramené notre « rêveur » à la case départ. Personne d'autre ne semblait s'intéresser à la publication de son histoire de nos Glorieux, mais sans se **9** décourager, Pierre a continué à compiler ses statistiques match par match et à photocopier des milliers de pages de journaux. À ses frais il va sans dire.

Puis François Huot s'est enthousiasmé pour le projet et a accepté d'en assumer la rédaction. Ensemble, ils ont trouvé un éditeur, les Éditions de l'Homme, et François s'est attelé à la tâche sans trop se douter lui non plus de l'ampleur du projet. Quelques mois plus tard, il s'est trouvé un nouveau boulot et a dû se désister, me demandant de prendre la relève. C'était en février 2000.

J'étais tenté, mais j'hésitais encore. Ma réflexion a tout naturellement réveillé mes souvenirs d'enfance. Je me suis vu allongé sur le plancher de la cuisine familiale à Palmarolle à écouter la description des matchs des Canadiens à la radio. Pour m'aider à visualiser ces matchs, j'avais toujours devant moi la revue *François* (quelques-uns d'entre vous se rappellent sûrement de cette revue destinée aux jeunes garçons, tandis que les filles avaient leur *Claire*) ouverte à la page où apparaissaient de minuscules photos de tous les joueurs des Canadiens. Je pouvais ainsi passer d'une photo à l'autre au rythme des passes, des tirs ou des mises en échec. D'autres fois, je sortais plutôt mes photos Bee Hive, obtenues de mes frères, en prenant bien soin de placer bien en évidence celles de Jacques Plante et de Doug Harvey, mes deux préférés. Cela se passait à la fin des années 1950 et les Canadiens vivaient l'une des périodes les plus fabuleuses de leur histoire.

Puis, je me revois quelques années plus tard tenter de suivre les parties de hockey à la télévision, bien installé chez un voisin en compagnie d'une dizaine de jeunes et d'adultes des environs. Les revenus modestes de mon père ne lui permettaient pas d'acheter un téléviseur, le nouveau

gadget de l'heure, et c'est dans le brouhaha des discussions et des cris que je suivais tant bien que mal les exploits de mes héros.

Entre les parties, je «gérais» une véritable ligue de hockey, constituée d'immenses boîtes de carton que j'avais transformées en autant de véritables patinoires aux couleurs de chacune des équipes. Avec les figurines en caoutchouc que l'on trouvait dans les boîtes de céréales Post (ma mère était bien contente de voir que j'aimais beaucoup les céréales), je disputais de véritables parties de hockey. Les figurines rouges étaient réservées aux Canadiens, les bleues aux Maple Leafs et les autres clubs se partageaient les blanches, moins éclatantes. En ma qualité de dirigeant plénipotentiaire de cette ligue de garage maison, j'élaborais les stratégies, je choisissais les compteurs, je décidais des punitions et même du pointage des rencontres. Comme dans la vraie vie, les Canadiens jouissaient d'un avantage certain au sommet du classement, tant chez les clubs que chez les joueurs, il va sans dire.

Finalement, j'ai cédé à la demande de François et de Pierre me remémorant les exploits de Guy Lafleur et de sa bande de la fin des années 1970. Ce fut certainement l'époque la plus glorieuse de l'histoire du Tricolore, même si la précédente m'a davantage marqué, à cause de mon jeune âge. Devenu journaliste sportif dans mon Abitibi natale, j'avais développé un regard plus critique sur les performances du Tricolore, mais mon intérêt n'avait en rien diminué.

J'ai cédé, mais j'ai voulu revoir les textes et les écrire à ma façon. J'ai donc tout repris, réalisant l'ampleur de la tâche à mesure que j'avançais. Souvent, j'ai voulu tout abandonner mais chaque fois Pierre me répétait : «Le pire est fait, le reste sera facile. ». Quel menteur ! Ou plutôt quel passionné ! Il ne voulait pas que tout son travail de recherche et son impressionnante quantité de données restent là, inutiles. Il ne voulait surtout pas que cette merveilleuse histoire des Canadiens, racontée plusieurs fois de bien des façons, ne soit pas remise à jour, à la lueur des nouvelles informations obtenues.

Toute cette opération de recherche nous a permis nous rendre compte de la qualité de l'ouvrage de Claude Mouton. Un homme extraordinaire que j'avais connu en cyclisme bien avant, et revu à maintes occasions depuis. Plus on avançait dans la rédaction de cet ouvrage plus on constatait la justesse et la pertinence des informations recueillies par Claude, contrairement à plusieurs guides dits officiels. Et Dieu sait que nous en avons consulté des documents ! Avec les moyens dont il disposait à l'époque, cet homme-orchestre des Canadiens a réalisé une œuvre colossale. Nous n'avons que complété les années manquantes et documenté davantage les récits, grâce au patient travail de Pierre, mais toujours, le livre rédigé par Claude Mouton est demeuré notre point de départ. Et nous en sommes tous les deux très fiers.

Près de quatre ans plus tard, plus de dix ans dans le cas de Pierre, nous revoici avec cet historique des Canadiens de Montréal. Notre objectif premier est demeuré le même tout au long de ces années, soit montrer la place importante que tient cette équipe dans notre histoire. Si le récit des faits marquants et des anecdotes reliés à chacune des années ne suffit pas à démontrer la domination de cette équipe aux yeux des plus sceptiques, le texte sur les grandes dynasties du hockey tranche la question sans la moindre équivoque.

Le Canadien de Montréal est sans aucun doute la plus grande dynastie sportive du $XX^e$ siècle, et la plupart d'entre nous en sommes tous convaincus, malgré les difficultés que l'équipe éprouve depuis ces dernières années, mais il fallait le dire avec des mots et l'illustrer de photos qui éveilleront plusieurs souvenirs. On a souvent tendance à oublier les beaux moments qui ont marqué notre vie, pris que nous sommes dans le rythme trépidant de la vie d'aujourd'hui. En reliant le passé et le présent, nous redécouvrirons l'une des plus belles histoires vécues à ce jour, celle des Canadiens de Montréal.

# LA NAISSANCE D'UNE GRANDE ÉQUIPE SPORTIVE

Par François Huot, journaliste

## LE HOCKEY AU DÉBUT DU XXᵉ SIÈCLE

À la fin du XIXᵉ siècle, le hockey nord-américain s'est développé surtout au Canada et reste encore une affaire de joueurs amateurs. Mais la professionnalisation de ce sport apparaît rapidement au début du XXᵉ siècle. Parmi les facteurs favorisant cette évolution, il y a évidemment la popularité croissante de ce sport, qui incite les propriétaires d'équipes à s'adjoindre les meilleurs joueurs... moyennant finance, évidemment ! Par ailleurs, la construction d'arénas — non chauffés, au début, pour permettre la formation de glace naturelle — libère le hockey des contraintes climatiques, mais pousse les frais d'exploitation à la hausse. Dans ce contexte, la conquête du public par l'engagement des meilleurs joueurs devient un élément essentiel d'une bonne gestion du hockey. L'ama-

teurisme est, de ce fait, condamné à disparaître. La naissance du Canadien en 1909 accélérera la professionnalisation de ce sport, qui aura officiellement commencé en 1908 avec la création de la OPHL ou « Ontario Professional Hockey League ».

Au début du XXᵉ siècle, Montréal est la grande ville du hockey au pays et ce sport est en pleine effervescence : ligues et équipes apparaissent et disparaissent à un rythme effréné, inconnu aujourd'hui. La coupe Stanley, remise annuellement depuis 1893 à la meilleure équipe de hockey au pays, n'est pas attribuée au terme d'un calendrier régulier et de rondes éliminatoires, mais à l'occasion de « défis » lancés à l'équipe détentrice de la coupe. Seules quelques bonnes équipes ont ainsi le droit de se lancer dans la course, qui est réglementée par deux commissaires ou fiduciaires impartiaux.

**13**

À l'époque, la division des tâches entre joueurs, administrateurs et entraîneurs n'est pas aussi nette qu'aujourd'hui. Des individus – à l'instar de Mario Lemieux de nos jours – cumulent différents rôles. Ainsi, à l'automne de 1910, des porte-couleurs de l'Association nationale de hockey, insatisfaits du plafond salarial qu'on veut leur imposer, menacent de créer une nouvelle ligue. Leur mouvement échouera, mais deux d'entre eux réaliseront ce projet un an plus tard... en Colombie-Britannique.

Pour le meilleur et pour le pire, sport et argent marchent main dans la main en décembre 1909, quand le Canadien est créé de toutes pièces un samedi après-midi dans une chambre d'hôtel du centre-ville de Montréal. La naissance du Canadien n'est pas le fruit du long travail de francophones, d'un mouvement social ou d'une volonté populaire. Non! Le Canadien doit sa création à une « opération stratégique » menée grâce à la fortune d'un Canadien d'origine irlandaise, John Ambrose O'Brien, qui peut compter sur l'appui et l'argent de son père, Michael John. John Ambrose O'Brien veut une « machine de guerre » pour conquérir le public francophone et contrer le National, un club francophone qui, après des années d'efforts, vient d'être admis au sein de l'Association canadienne de hockey, une ligue professionnelle. Quand les francophones franchissent enfin le seuil du hockey professionnel, ils y entrent divisés !

**LES QUESTIONS D'ARGENT**

L'année 1909 est une grande année dans l'histoire du hockey montréalais et canadien. Montréal possède deux grandes équipes – les Wanderers et les Shamrocks – au sein de l'Association de hockey de l'est du Canada (AHEC).

Comme c'est souvent le cas à l'époque, cette ligue est désignée sous son nom anglais : Eastern Canada Hockey Association (ECHA). Cette ligue avait le mot « amateur » dans son nom jusqu'en 1908, moment où les Wanderers – une équipe créée en 1904 par six joueurs – crèvent l'abcès de l'amateurisme plus ou moins larvé en se déclarant ouvertement professionnels. La Ligue suit et enlève le mot « amateur » de son nom.

Les Wanderers sont fameux en raison de leurs récents exploits, particulièrement de leurs conquêtes de la coupe Stanley en 1906, 1907 et 1908 ! Quant aux Shamrocks, il s'agit d'une équipe issue du club sportif irlandais, le Shamrock. Les Bulldogs de Québec et les Senators d'Ottawa sont les deux clubs membres de l'AHEC.

À Montréal, les matchs sont disputés à l'Arena de Westmount, une patinoire intérieure située à l'angle des rues Sainte-Catherine et Wood, à faible distance de l'emplacement où sera érigé en 1924 le légendaire Forum. L'Arena de Westmount est une magnifique patinoire intérieure de 6000 sièges inaugurée le 31 décembre 1898, la première en Amérique conçue pour le hockey.

Bien que situé à Westmount, cet aréna est considéré comme celui de Montréal. Il est d'ailleurs dirigé par une société ayant pour nom « Montreal Arena Company ». La patinoire et la compagnie sont souvent désignées par le simple mot anglais Arena. Près de 6000 spectateurs peuvent assister aux matchs et les revenus sont divisés inégalement entre les propriétaires de l'Arena et les équipes. Selon la version la plus répandue, l'Arena touchait 60 % des profits et les équipes, 40 %.

Montréal abrite par ailleurs un autre aréna, le Jubilee, situé dans l'est de la ville. Mais ne voilà-t-il pas

que Patrick Doran, le principal propriétaire du Jubilee, réussit en 1909 à acheter du groupe dirigé par Fred Strachan la concession des Wanderers pour la somme de 750 $. Doran entend évidemment faire jouer son équipe au Jubilee. Cette manœuvre déplaît aux autres propriétaires parce que le Jubilee ne contient que 3 000 sièges, ce qui entraînerait une baisse de leurs revenus ! Il y a de la bisbille dans l'air du hockey en cet automne de 1909 à quelques mois du début de la saison de hockey.

Le 13 novembre, la Ligue tient une réunion, au cours de laquelle on doit justement étudier la question de l'admission de nouvelles équipes, dont une équipe francophone nationale, Le National. Cette équipe est celle de l'Association athlétique d'amateurs, un organisme qui a pris en 1902 la relève d'une association qui portait le même nom et qui avait été créée en 1894 pour promouvoir le sport chez les Canadiens français.

La réunion s'annonce houleuse, car certains représentants d'équipes, surtout ceux d'Ottawa, veulent profiter de l'occasion pour contester la légalité de la vente des Wanderers par Strachan. Selon Ottawa, Fred Strachan n'avait pas le droit de revendre la concession. Mais la contestation est rapidement écartée : Fred Strachan, qui représente alors Patrick Doran, cloue le bec des protestataires lorsqu'il dépose un document indiquant qu'il a tous les droits sur la concession. Quant à l'interdiction de la revendre, il ne s'agissait que d'une entente verbale... Bref, Strachan avait le droit de vendre et

*John Ambrose O'Brien*

Doran, celui d'acheter ! Et les Wanderers sont au Jubilee de Doran pour y rester !

Devant la tournure des événements, Ottawa demande et obtient l'ajournement de la réunion au samedi 25 novembre. Le lendemain, les adversaires de Strachan et de Doran annoncent officiellement la formation d'un nouveau club, le All-Montreal.

## PENDANT CE TEMPS À RENFREW, EN ONTARIO...

Les événements de Montréal ne sont pas sans intéresser certains habitants de Renfrew, en Ontario. Renfrew est une petite communauté agricole de 3 000 habitants reconnue pour la qualité de son beurre et surtout de ses crémeries. Celles-ci sont si importantes que l'équipe locale de hockey s'appelle les Creamery Kings. C'est une équipe solide qui a déjà réalisé en 1907 l'exploit de battre par 9 à 5 les champions de la coupe Stanley, les fameux Ottawa Silver Seven, vainqueurs de la coupe en 1903, 1904 et 1905. Renfrew a aussi l'avantage d'abriter quelques familles de millionnaires, dont celle de Michael John O'Brien.

Comme dans les belles histoires, Michael John O'Brien est né pauvre, mais il est devenu riche grâce à son labeur et à son flair. Son fils John Ambrose, né en mai 1885, est un passionné de hockey, qui a joué dans des équipes junior, intermédiaire et senior de Renfrew.

Entendant parler de ce qui se trame à Montréal, l'un des propriétaires des Creamery Kings, Jim Barnett, appelle son ami Ambrose O'Brien, qui se trouve à La Tuque, et lui demande de se rendre à Montréal afin d'essayer de profiter de l'élargissement de la Ligue pour y faire admettre les Creamery Kings.

Barnett et O'Brien sont deux passionnés de hockey. Dans son livre intitulé *The Renfrew Millionaires*, Frank Cosentino raconte que les deux hommes, tous deux fils de millionnaires, rêvent du jour où leur équipe locale remportera la coupe Stanley. Un tel rêve n'est pas impossible à l'époque où l'attribution de la coupe n'est liée ni à une ligue ni à un calendrier, mais à des défis lancés par les meilleurs aux détenteurs du trophée. Il suffit qu'une équipe engage quelques excellents joueurs pour qu'elle puisse espérer décrocher la coupe et le prestige lié à sa conquête.

L'occasion est trop belle pour la laisser filer. Aussi Ambrose O'Brien se retrouve-t-il à Montréal pour la réunion du 25 novembre 1909 qui doit, entre autres sujets, porter sur l'acceptation de nouveaux clubs dont le National. Une fois les demandes déposées, le représentant du club

*Jimmy Gardiner*

d'Ottawa, Dave Mulligan, indique qu'il est souhaitable que la Ligue s'agrandisse et que le premier pas consiste à repartir à neuf. Aussi suggère-t-il que chaque club démissionne. Donnant l'exemple, il présente la démission de son club. Le président d'assemblée annonce alors que le fonctionnement de la Ligue est désormais impossible. Aussitôt, les représentants des Bulldogs de Québec et des Shamrocks présentent à leur tour la démission de leur club. Le représentant des Wanderers, surpris mais ne voulant pas rester seul, donne finalement lui aussi la démission de son club. Le piège est désormais bien en place, les Wanderers n'ont qu'à bien se tenir...

Le représentant du club Ottawa, qualifié par le *Montreal Star* de « conspirateur au beau parler », demande et obtient un ajournement de quelques minutes qu'il met à profit pour former une nouvelle ligue avec les Bulldogs de Québec et les Shamrocks. La vieille ligue est morte, vive la Canadian Hockey Association (CHA). Informé de ce qui se passe, le National rédige en vitesse une demande d'adhésion à la nouvelle ligue. Il est accepté après avoir promis par deux fois de disputer ses matchs à l'Arena Westmount et non au Jubilee de Patrick Doran.

La Ligue compte dès lors quatre clubs — les Bulldogs de Québec, les Senators d'Ottawa ainsi que le National et les Shamrocks de Montréal. On en veut cinq. Il y a quatre prétendants : Renfrew, les Wanderers de Doran, les All-Montreal, des adversaires de Doran, et un club de Cornwall en Ontario. On élimine en premier deux clubs ontariens, soit Cornwall et Renfrew. Restent sur les rangs une nouvelle équipe anglophone de Montréal, les All-Montreal, ainsi que les Wanderers...

Un article paru le lendemain de la réunion (soit le 26 novembre) dans le quotidien *La Presse* raconte comment le choix fut effectué : « La lutte se fit donc entre les Wanderers et le All-Montreal. Ottawa insista pour que tous les clubs de la Ligue de la Canadian Hockey Association jouassent (*sic*) à l'Arena [Westmount]. Les représentants du All-Montreal déclarèrent que c'était **17**

*Les deux ligues prennent forme dans le même hôtel, Le Windsor, à quelques chambres de distance.*

là qu'ils entendaient jouer. Les Wanderers, voyant qu'il s'agissait là pour eux d'une question de vie ou de mort, consentirent finalement eux aussi à jouer à l'Arena. Finalement, le All-Montreal fut admis et les Wanderers, laissés à la porte. M. Doran, du Jubilee, propriétaire de la franchise des Wanderers, se trouve donc à avoir été joué par les magnats et reste avec un club sur les bras. »

Les choses ne devaient pas en rester là. Les exclus de la CHA ne sont pas sans moyens. Doran possède un aréna et une équipe prestigieuse, les Wanderers ; quant aux O'Brien père et fils, dont la fortune repose en bonne partie sur les mines d'argent de l'Ontario, ils possèdent les équipes de deux villes minières, Cobalt et Haileybury. Et ils ont de l'argent, beaucoup d'argent... Bref, Doran et O'Brien n'entendent pas sortir penauds de l'affaire.

## LES COUPS BAS

Dans son livre intitulé *Richard, Béliveau, Lafleur... Toute l'histoire illustre et merveilleuse du Canadien de Montréal* publié en 1986, l'ancien directeur des relations publiques du Canadien, Claude Mouton, raconte la suite de la réunion du 25 novembre, qui ressemble à un véritable coup d'État.

Alors qu'il était assis dans le hall d'entrée de l'hôtel Windsor, O'Brien aurait été rejoint par le gérant des Wanderers, Jimmy Gardiner. Furieux, Gardiner aurait dit à O'Brien : « Pourquoi ne formerions-nous pas une nouvelle ligue ? Vous possédez Cobalt et Haileybury et représentez Renfrew. Nous, nous avons les Wanderers. Peut-être que

nous pourrions aussi former une équipe de Canadiens français et créer une rivalité quelconque, avec l'aide du joueur Jack Laviolette, qui est propriétaire d'un établissement sur la rue Notre-Dame, le Jack's Cage, où se rassemblent la plupart des joueurs de hockey francophones de Montréal. Il possède une bonne équipe amateur qui dispute des joutes hors-concours dans la région de Montréal. »

La suggestion de Gardner ne tombe pas dans l'oreille d'un sourd. Les deux compères agissent rapidement et organisent une réunion plus ou moins secrète le jeudi 2 décembre à Montréal. C'est là que sont dessinés les grands traits de la National Hockey Association of Canada (NHA). Celle-ci aura au moins quatre clubs — les Wanderers de Patrick Doran et trois équipes liées à Ambrose O'Brien. Une concession a par ailleurs été accordée à un groupe de Toronto, étant entendu que cette ville n'aurait pas d'équipe lors de la première saison en raison de l'absence d'une patinoire adéquate.

Aux yeux du journaliste sportif du quotidien *The Gazette* qui couvre l'événement, la surprise de cette rencontre n'est pas tant la création d'une nouvelle ligue que l'annonce que le National et une autre équipe de la CHA pourraient se joindre à celle-ci ! Bref, on se doute bien que des tractations de coulisses ont lieu afin, entre autres choses, d'attirer le National, la seule équipe professionnelle francophone.

Hasard ou nécessité ? Deux jours plus tard, soit le samedi 4 décembre, les deux ligues se réunissent séparément à l'hôtel Windsor. La NHA occupe la chambre 129 alors que la CHA a son quartier général à quelques pas, dans la chambre 135. Officiellement, chacune se réunit pour établir son calendrier de matchs de la saison suivante. En fait, on commence la journée par des négociations et des tractations, chaque ligue tentant de semer la zizanie au sein du groupe adverse en essayant d'attirer des équipes de la ligue concurrente. Sans surprise, les négociations échouent.

N'ayant pu séduire le National, les dirigeants de la NHA décident carrément de créer un club francophone pour faire opposition au National auprès du public francophone. Le journal *Le Canada* raconte ainsi comment fut créé le Canadien: «M. McCafferty, qui nous parut l'orateur de la séance, déclara que tous les magnats de la National Association avaient compté jusqu'à la dernière minute sur le National, qui n'avait pas cru bon d'abandonner la Canadian Association, et proposa en conséquence que la franchise d'un club canadien-français en opposition au National fût accordée à M. Hare, de Cobalt. Celui-ci se leva aussitôt pour déclarer qu'il acceptait de risquer une somme considérable pour former un club canadien-français, sans pareil au pays. M. Jack Laviolette, présent à l'assemblée, fut nommé gérant de la nouvelle équipe avec des pouvoirs très étendus. On s'occupa ensuite de baptiser le nouveau club. "Le Canadien" fut le nom préféré des délégués présents. »

Jack Laviolette, décrit par le quotidien *The Gazette* comme étant «le plus fameux joueur canadien français », joue un rôle clé au sein de la nouvelle ligue de hockey. Outre ses fonctions au sein du Canadien, il est aussi désigné membre de l'exécutif de la NHA. Par ailleurs, il a la tâche, avec trois autres membres, de rédiger une constitution pour la Ligue.

Le fil des événements montre bien que la naissance du Canadien n'est pas survenue par hasard, qu'un scénario avait été préparé au cas où le National ne quitterait pas la CHA. La création du Canadien, c'était en quelque sorte le «plan B» du duo O'Brien-Doran. Quant à l'apparente spontanéité de Tommy Hare pour mettre sur pied la nouvelle franchise, on en saisit mieux la nature quand on sait que Hare était un employé de la famille O'Brien! Par ailleurs la «somme considérable» avancée pour garantir les salaires des joueurs est venue des poches de J. Ambrose O'Brien et non de T. C. Hare. Sur cette question, le journaliste Charles Mayer, qui a écrit l'histoire des Canadiens entre 1916 et 1955 dans son livre intitulé *L'épopée des Canadiens*, écrit: «Au sujet de l'argent fourni, Jack Laviolette a déclaré qu'il avait toujours fait affaire avec J. Ambrose O'Brien. »

En fait, il semble que T. C. Hare n'ait été un prête-nom que pour quelques heures seulement. En tout cas, deux quotidiens anglophones, *The Gazette* et le *Montreal Daily Star*, indiquent dans leur édition du 6 décembre qu'un groupe de sportifs canadiens-français possède maintenant la franchise. *The Gazette* écrit: «Un dernier développement est survenu quand un groupe de sportifs canadiens-français a acquis la concession du Canadien, laissant M. Hare avec sa seule concession du Cobalt. »

Bien qu'on ne sache à peu près rien de ce «groupe de sportifs canadiens-français », il apparaît que Tommy Hare n'a plus aucun rôle à jouer pour le Canadien. D'ailleurs, dans un procès qui aura lieu quelques jours plus tard, les représentants du Canadien comparaissant devant le juge Bruneau sont le secrétaire du club, Eddie McCafferty, et le joueur-entraîneur-gérant Jack Laviolette!

**19**

*L'amitié qui lie Jack
Laviolette et Didier Pitre
facilite l'adhésion de
ce dernier aux Canadiens.*

Dès le 4 décembre, Jack Laviolette, sans doute fort bien préparé, passe à l'action. Quelques minutes à peine après avoir été nommé gérant du Canadien, il amorce la construction de son équipe. Il demande et obtient un privilège dont le Canadien profitera pendant des années : « M. Laviolette, rapporte le journaliste du *Canada* qui assistait à la réunion, demanda ensuite à l'assemblée la prérogative de pouvoir engager les Canadiens français dont il aurait besoin, sans qu'aucune opposition ne lui soit faite. Les quatre autres clubs s'engagèrent à respecter cette demande du représentant du Canadien et à donner congé à ceux qu'ils avaient déjà engagés. M. Laviolette aura donc le choix, et pas un seul club adversaire n'aura le droit de faire signer un Canadien français avant que Jack n'ait déclaré officiellement que son équipe est complète. »

### L'AFFAIRE PITRE

Au maraudage des équipes succède celui des joueurs, qui s'annonce houleux car, écrit *The Gazette*, « les excellents joueurs canadiens-français ne sont pas nombreux ». Mais Jack Laviolette a de solides atouts en main : ses amitiés, les dollars de la famille O'Brien et l'oreille de quelques journalistes, qui présentent comme faits acquis des choses qui ne le sont aucunement. Ainsi les quotidiens *The Gazette* et *La Presse* indiquent dans leur édition du lundi 6 décembre, donc seulement quelques heures après la fondation du club Canadien, que celui-ci peut compter sur les services de Didier Pitre. *La Presse* parle même de

plusieurs autres joueurs : « La fondation du Canadien privera le National de trois bons joueurs, car ce dernier comptait sur les services de Lalonde, Pitre et Poulin, qui porteront maintenant les couleurs du Canadien. »

Or, le lundi 6 décembre, Didier Pitre n'a encore signé aucun contrat pour la saison qui s'annonce. Mais il est évident que Jack Laviolette espère mettre la main sur cet excellent joueur, qui est aussi l'un de ses amis. Le National souhaite également engager Didier Pitre. Bref, les deux équipes sont engagées dans une course effrénée pour obtenir les faveurs de Pitre qui, au début de décembre 1909, est chez lui à Sault St. Marie en Ontario. Invité de toutes parts, Pitre annonce qu'il prend le train le 11 décembre vers Montréal. Pour court-circuiter le National, le Canadien décide d'envoyer ses négociateurs à Ottawa de façon à obtenir un contrat avec Pitre avant qu'il n'arrive à Montréal. Le président du National, Adolphe Lecours, a vent de la manœuvre et décide de clouer le bec au Canadien en se rendant un peu plus loin, à North Bay, afin de négocier le contrat avant que le train n'arrive à Ottawa. Le plan fonctionne comme prévu : Didier Pitre signe avec le National un contrat de « onze cents piastres » en vertu duquel il s'engage à jouer pour le National au cours de la saison 1909-1910, soit entre le 11 décembre 1909 et le 8 mars 1910. Pour sceller davantage l'engagement de Pitre, le National lui verse un acompte de 77,20 $ à la signature du contrat.

Mais Jack Laviolette est un homme décidé qui n'a pas froid aux yeux. Faisant fi du contrat entre le National et

Pitre, il propose un contrat de 1 700 $ à Pitre. Et s'il y a une amende à payer ? Pas de problème ! C'est le Canadien qui paiera ! Et Didier Pitre – toujours le 11 décembre – signe un contrat avec le Canadien, qui l'engage pour la période du 11 décembre 1909 au 10 mars 1910.

Pitre offre au président du National de lui rembourser l'argent versé lors de la signature du premier contrat. Ce dernier refuse, indiquant qu'il doit d'abord consulter le bureau de direction. Celui-ci n'entend pas laisser carte blanche à Pitre et, le 16 décembre, engage l'avocat Victor Martineau pour obtenir une injonction obligeant Pitre à respecter son contrat avec le National.

Assuré de l'appui et des dollars du Canadien, Pitre s'en moque. Aussi déclaret-il au rédacteur sportif de *La Presse* le 19 décembre : « Tout ce qu'on peut me faire est de me condamner à une amende de 50 $. Il est certain qu'une autre action sera prise le deuxième mois, et l'on me condamnera de nouveau à une amende de 50 $. Ce sera donc un montant de 100 $ en tout, puisque la saison de la Ligue ne dure que sept semaines. Et n'allez pas croire que ce montant sortira de ma poche. Le Canadien savait ce qu'il faisait en m'engageant et c'est lui qui paiera l'amende. »

Le journaliste de *La Presse* ajoute que Pitre lui aurait déclaré : « Le National m'a envoyé un mot pour me dire d'assister à la pratique de samedi, mais je n'y suis pas allé. Je serai lundi soir à celle du Canadien au Jubilee. »

Le National ne lâche pas le morceau et se tourne vers les tribunaux. Le 4 janvier, la veille du premier match

*Didier Pitre*

prévu pour le Canadien, le juge A. A. Bruneau de la Cour supérieure accorde au National l'injonction interlocutoire interdisant à Didier Pitre de jouer pour « les Canadiens ». Le lendemain matin, le *Montreal Daily Star* publie sur huit colonnes un titre consacré à l'affaire : « 2000 $ d'amende et 60 jours de prison si Pitre joue ». Le journal tire son information de l'avis de Harry J. Trilhey, un avocat défini comme un expert en hockey. Mais l'avocat indique par ailleurs que Pitre pourra jouer si la Cour d'appel le lui permet. C'est ce qui se produit.

Le jugement de la Cour d'appel est rendu le 25 février en faveur de Pitre. La cour statue que, dans les circonstances, la Cour supérieure n'avait pas le pouvoir d'accorder une telle injonction.

Tout compte fait, Jack Laviolette sort gagnant de sa partie de bras de fer avec le National. Quant à Pitre, qui occupe la position de « défenseur avant » (*cover*), il connaît une bonne saison avec 11 buts en 12 parties. Le 11 mars, il établit un record en devenant le premier défenseur du Canadien à marquer trois buts dans un match.

L'affaire Pitre illustre bien la lutte entre les clubs des associations rivales. Elle ne laisse pas les éditorialistes indifférents ; ceux-ci y voient, sinon une lutte fratricide, du moins une attaque contre la véritable équipe canadienne-française, le National : « Ce n'est donc plus une lutte de famille, entre frères, c'est plutôt une guerre acharnée entre un petit groupe mixte et l'Association représentative des Canadiens français. Dans les circonstances, il incombe à tous nos patriotes de supporter **21** loyalement le club de hockey du National et, de même que dans le passé, on a fait des appels au patriotisme pour la crosse, même au point de vue professionnel, de même aujourd'hui il nous faut recommencer ces appels en faveur du hockey... »

### DEUX DÉBUTS DE SAISON

La CHA amorce sa saison le 30 décembre 1909. Mais il n'y a même pas 1 000 spectateurs au premier match. Par contre, la NHA fait salle comble au Jubilee le 5 janvier 1910 pour la première partie de son calendrier, qui oppose le Canadien et les Silver Kings de Cobalt. Pitre soulève la foule et le Canadien l'emporte difficilement 7 à 6.

Dans la foulée du processus judiciaire et de la popularité du Canadien, les clubs de la NHA continuent leur campagne pour débaucher les meilleurs joueurs des équipes de la CHA. Le 7 janvier, le *Montreal Herald* rapporte que les Comets de Haileybury ont l'intention d'offrir un si beau contrat à Art Ross du All-Montreal qu'il serait « contraire à la nature humaine de le refuser ». Par ailleurs, le journaliste indique que d'autres joueurs de la CHA seront contactés dans le cadre d'une attaque concertée afin d'affaiblir la CHA.

De leur côté, les Creamery Kings de Renfrew ont amorcé leur campagne de maraudage contre leurs adversaires naturels, Ottawa. À un certain moment, quatre joueurs d'Ottawa semblent sur le point de passer aux Creamery Kings. L'affaire échoue, mais la victoire coûte cher à Ottawa, qui doit offrir des salaires de près de 2 000 $ aux joueurs. Ceux-ci sont dans une situation idéale : deux équipes ennemies s'arrachent leurs talents ! Si Ottawa et les équipes de la CHA souffrent, il en est de même des

équipes de la NHA, qui doivent aussi suivre le mouvement de hausse salariale.

Rapidement, on se rend compte que la situation du hockey n'est pas saine. Il y a de quoi : Montréal a cinq équipes professionnelles de hockey, deux dans la NHA (le Canadien et les Wanderers) et trois dans la CHA (le National, le All-Montreal et les Shamrocks). Trop d'équipes et, surtout, trop de matchs ! Si on additionne le nombre de parties devant être disputées à Montréal par les deux ligues entre la fin de décembre et le début du mois de mars, on atteint le chiffre jamais vu de 32 parties. Si on y ajoute les 15 matchs des joueurs amateurs de niveau senior, le grand total s'élève à 47. Montréal a beau être la capitale du hockey, on se doute bien que le public n'ira pas voir des matchs trois ou quatre soirs par semaine !

La situation n'est pas viable, comme le laisse entendre *La Presse* dans son édition du 13 janvier 1910 : « Le projet des deux associations rivales, la Nationale et la Canadienne, est une fois de plus sur le tapis en dépit de la saison avancée. Certains clubs se plaignent que d'autres sont trop faibles et leur font perdre de l'argent. On dit que, cette fois, le club Ottawa n'imposera pas sa volonté aux autres, mais qu'il sera forcé de suivre les autres ou de rester seul. »

C'était mal connaître ce qui se tramait en coulisse où Ottawa, encore une fois, allait fort bien tirer son épingle du jeu. Le dimanche 16 janvier 1910, Ottawa rejoint en douce l'Association nationale de hockey, qui, lit-on dans *La Presse* du lendemain, « s'est créé la réputation de "ligue payante" ». En fait il n'y eut pas fusion mais désertion des clubs Ottawa et Shamrocks lors d'une réunion « discrète » à laquelle le National participait aussi. Mais, au lieu de demander son admission, le National « différa de remplir cette formalité en déclarant qu'il [devait] s'entendre avec les dirigeants du Canadien avant de réclamer sa place au soleil dans la Nationale ».

Il y eut bien des négociations pour une fusion du National avec le Canadien, mais elles échouèrent sur la question de la patinoire. Le Canadien, dont la somme des salaires des joueurs atteignait près de 9 000 $, insistait pour que les parties soient disputées au Jubilee. Devant cette exigence, rapporte *Le Canada*, « le National refusa d'en entendre davantage, disant que s'il consentait à prendre des obligations aussi lourdes, il lui fallait de toute nécessité jouer dans un vaste patinoir (*sic*), dont les recettes élevées lui permettraient de faire honneur à ses engagements ».

Lors d'une réunion ultérieure tenue le 16 janvier, un nouveau calendrier des matchs fut établi. Quant à ceux déjà disputés, on n'en conserva que deux, disputés la veille de la « fusion ». Pour ces matchs — un par ligue — le hasard avait bien fait les choses, car du côté de la moribonde CHA, ce sont les deux clubs « déserteurs » (Ottawa et Shamrocks) qui s'étaient affrontés.

Le début officiel du club Canadien — le vrai, cette fois, et non le match du 5 janvier entre le Canadien et les Silver Kings de Cobalt — a lieu le 19 janvier 1910 : c'est un match contre les Creamery Kings de Renfrew. Le Canadien perd cette partie (4-9) au cours de laquelle l'une des futures grandes vedettes du club, Newsy Lalonde, compte

néanmoins trois buts. Quelques semaines plus tard (le 17 février), Lalonde sera envoyé aux Creamery Kings de Ambrose O'Brien pour les aider à conquérir le championnat et la coupe Stanley. Malgré l'apport extraordinaire de Lalonde — il marquera 22 buts en 5 parties —, les Creamery Kings ne gagneront pas la coupe Stanley, qui sera enlevée par les Wanderers.

La première saison du Canadien est désastreuse, l'équipe ne l'emportant que 2 matchs sur 12. Quand vient l'heure des bilans, Ambrose O'Brien ne reçoit pas que des roses, surtout de la part du quotidien *Le Devoir*, qui se distingue par son esprit critique. Le 21 mars 1910, un journaliste écrit en page 3 un texte qui en dit long sur l'esprit qui animait certains observateurs : « ...le Canadien [...] n'a pas représenté les couleurs des Canadiens-Français (*sic*) mais les intérêts financiers de M. O'Brien. Il eût été facile de former une équipe plus efficace que celle-là chez les "canayens". On ne l'a pas voulu et pour cause. Le Renfrew devait avoir le pas sur l'équipe montréalaise. M. O'Brien n'a monté un club de hockey formé de Canadiens français que pour créer l'émulation, récolter la galette dans l'Est et pousser de l'avant le Renfrew qui lui tenait à cœur. C'était son affaire, mais je le regrette sincèrement pour les nôtres qui traînent à la queue de la Ligue. »

## L'APPELLATION « CANADIEN »

Si le Canadien doit son origine à une suggestion de Jimmy Gardiner à Ambrose O'Brien — « Pourquoi ne formerions-nous pas une nouvelle ligue ? » — c'est aussi à Jimmy **23**

**On offre la possibilité d'acheter des actions du club aux partisans par l'intermédiaire des journaux.**

Gardiner qu'il doit son appellation. Pourquoi? Tout simplement parce que ce dernier, alors gérant des Wanderers, avait participé en 1908 aux négociations infructueuses pour l'achat des Wanderers par le Club Athlétique Canadien. Ce club, incorporé le 14 septembre 1908, avait pour vocation d'encourager «l'athlétisme et le sport dans la province de Québec... ». Si le club avait surtout à cœur de s'occuper de boxe et de lutte, la crosse et le hockey l'intéressaient également.

Le *Star* de Montréal rapporte dans son édition du 7 novembre 1908 les propos d'un administrateur du Club athlétique qui permettent de déduire que les Canadiens français voulaient prendre leur place au sein du monde du hockey: «L'année dernière [saison 1907-1908], il n'y avait pas d'équipe francophone et les gens de cette origine ont manifesté très peu sinon aucun intérêt, sauf lorsque les Shamrocks jouaient, et ils ont appuyé cette équipe simplement parce qu'elle comptait des joueurs de leur nationalité. S'il y avait une équipe proprement francophone, cela aurait non seulement un effet sur les assistances aux matchs, mais créerait un intérêt pour ce sport auprès des Canadiens français. » Cet intérêt des francophones pour les Shamrocks se comprend mieux quand on sait que cette équipe avait en son sein deux excellents joueurs francophones, Didier Pitre et Jack Laviolette.

Cet administrateur – dont le nom n'est malheureusement pas cité – ajoute que le Club athlétique est en négociations depuis un mois avec les responsables des Wanderers afin d'acheter cette équipe et de lui donner

un nouveau nom, le «Club Athlétique Canadien ». Les négociations ont échoué et, finalement, le club fut vendu à Patrick Doran, le propriétaire de l'aréna Jubilee.

On peut raisonnablement penser que le terme «Canadien» trouve son origine dans ces négociations. D'ailleurs, selon Ambrose O'Brien, c'est Jimmy Gardiner qui, le 25 novembre 1909, a avancé ce nom lors de leur rencontre. C'est logique, car ayant participé aux négociations infructueuses avec le Club Athlétique Canadien, Jimmy Gardiner devait être au courant du projet de ce club de créer une équipe canadienne-française et de lui donner le nom de Club Athlétique Canadien. La suggestion d'appeler «Canadien» le club mis sur pied le 4 décembre 1909 est donc davantage un emprunt au Club Athlétique Canadien qu'une création originale de Jimmy Gardiner. Mais celui-ci a quand même eu la bonne idée de reprendre le nom de Canadien, qui, ironie de l'histoire, deviendra propriété du Club Athlétique Canadien en novembre 1910 quand il va acheter la concession de Haileybury des mains du millionnaire Ambrose O'Brien. C'est donc en 1910-1911 que le Canadien devient réellement un club de propriété canadienne-française. Au fil des ans, le club changera souvent de propriétaire, mais restera — tous sports et pays confondus — l'un des plus grands clubs sportifs professionnels du XXe siècle.

# LES CINQ DOMICILES DES CANADIENS

Le Canadien a connu cinq domiciles officiels depuis sa fondation en 1909. D'abord, l'aréna Jubilee, sur Sainte-Catherine Est, entre les rues Malborough et Seaver (devenues Alphonse-D.-Roy et Omer-Ravary en 1984) dans le quartier Hochelaga. L'équipe y dispute ses matchs locaux à sa première saison, pour ensuite y revenir deux saisons, de 1917 à 1919, lorsque l'Arena de Westmount est détruit par le feu.

L'Arena de Westmount — situé à l'emplacement de l'actuelle Place Alexis-Nihon à l'angle de Sainte-Catherine et Wood — est le deuxième domicile officiel des Canadiens. Il abritait aussi les Wanderers au moment de l'incendie. Les Canadiens y restent huit saisons et c'est à cet endroit que l'équipe s'approprie sa première coupe Stanley, en 1916, contre Portland.

Après la destruction du Jubilee, les partisans montréalais apprennent avec soulagement la construction de l'aréna Mont-Royal, au coin de Mont-Royal et Saint-Urbain, qui servira aux parties locales du club de 1919 à 1926. Les Canadiens auraient pu y célébrer la conquête de leur deuxième coupe Stanley, en 1924, mais le match décisif (qui procure la précieuse coupe au Tricolore) doit être transféré à Ottawa, en raison de la température trop douce qui a fait fondre la glace naturelle. Au départ des Canadiens, le terrain de l'aréna Mont-Royal — troisième édifice lié à l'histoire de l'équipe — est vendu et transformé en immeuble commercial et résidentiel, lequel sera la proie d'un incendie en 2000.

Le Tricolore avait déjà disputé un match au Forum (Atwater et Sainte-Catherine), en raison du manque de glace à l'aréna Mont-Royal en décembre 1924. Il revient au Forum pour de bon en 1926, pour y demeurer jusqu'en 1996. Le Forum est l'édifice le plus identifié à l'histoire des **25**

*Le Jubilee est inauguré en grande pompe en janvier 1909 avec une grande mascarade à laquelle participent 2 000 patineurs masqués et costumés. L'aréna n'a pas été reconstruit après l'incendie de 1919, faisant place à un édifice lié à la construction.*

Glorieux, avec ses fantômes qui ont meublé l'imaginaire de nombreuses générations. Le Tricolore y vit bon nombre de ses plus grands exploits qui le mènent à 22 conquêtes de la coupe Stanley. L'édifice a vécu deux transformations majeures, en 1949 et en 1968. Aujourd'hui converti en centre de divertissement, propriété de la firme Canderel, il renferme de multiples salles de cinéma, restaurants et ainsi que d'autres lieux et boutiques dédiés aux loisirs.

Le Centre Molson, devenu le Centre Bell en 2002-03, se situe au cœur du centre-ville. Il est situé à proximité de la gare Windsor, sur de la Gauchetière, et est accessible par deux stations de métro, Bonaventure et Lucien-L'Allier. Depuis l'ouverture de cet amphithéâtre — cinquième résidence officielle du CH — considéré comme l'un des plus prestigieux en Amérique du Nord, ses murs n'ont encore été témoins d'aucune grande conquête, mais ont tout de même connu quelques bons moments, dont cette longue ovation au Rocket lors de l'ouverture.

## L'ARÉNA JUBILEE

Ce *patinoir* (c'est ainsi qu'on désigne les arénas à l'époque) est considéré comme l'un des plus beaux et des plus spacieux à Montréal. Il a des similitudes avec l'Arena de Westmount avec ses allures de théâtre et il peut accueillir 3 000 personnes assises mais n'est pas pourvu de glace artificielle. Il est cependant doté d'une salle de réunions, de deux pièces réservées aux joueurs, d'une salle à manger, de deux vestiaires, de plusieurs autres pièces de différentes dimensions et d'une estrade pour les musiciens. Plusieurs rangées de sièges en gradins permettent aux amateurs d'assister aux matchs de hockey. De plus, la glace est éclairée par 240 lampes à incandescence.

La construction de l'édifice — en acier pour les supports mais en brique et en bois pour le reste — est complétée le 12 décembre 1908. Une grande mascarade souligne l'inauguration officielle, le 11 janvier suivant, avec 2 000 patineurs masqués et costumés, le déploiement de drapeaux de tous les pays, les décorations et la musique de circonstance, des concours, des prix pour les plus beaux costumes et courses sur patins.

Le propriétaire du Jubilee, Patrick Doran, également propriétaire des Wanderers, joue un rôle important dans la naissance du Canadien, lui offrant au départ un domicile pour disputer ses matchs locaux. Avantage déterminant dans la guerre à finir que se livrent les deux nouvelles ligues, la Nationale et la Canadienne, en 1909.

Le Canadien perd son premier match officiel le 26 janvier au compte de 8 à 4 aux mains des Senators d'Ottawa, devant 3 000 personnes. Il avait cependant gagné 7-6 contre Cobalt, aussi devant une salle comble, le 5 janvier, lors du premier lancement des activités de la NHA. Ce résultat fut par la suite annulé lors du réaménagement de la Ligue. Les Wanderers aussi disputent leurs parties locales au Jubilee.

Les Canadiens reviennent au Jubilee en 1917-18. Didier Pitre compte en supplémentaire et procure une victoire de 6-5 aux Canadiens lors du premier match marquant le retour le 5 janvier 1918. Lors de son dernier affrontement au Jubilee, l'équipe remporte le championnat de l'Est du Canada. Elle battra aussi Ottawa en finale de la LNH pour remporter la coupe O'Brien, mais la série pour la coupe Stanley contre Seattle sera interrompue à cause de la grippe espagnole.

L'aréna est détruit par le feu l'après-midi du 23 avril 1919, ainsi que quelques hangars à foin et à grains du voisi-

*L'aréna de Westmount, deuxième domicile officiel des Canadiens, a été occupé par un garage,*
*puis par une usine d'armement avant de devenir la Place Alexis-Nihon.*

nage. Un fil électrique défectueux serait à l'origine du sinistre. Les pertes, estimées à 25 000 $, ne sont que partiellement couvertes par les assurances.

Aujourd'hui l'espace est occupé par des entreprises de construction, sans lien direct avec le hockey.

### L'ARENA DE WESTMOUNT

Un groupe de sportifs dirigé par le président du MAAA, Ed Shepard, décide de former un syndicat en septembre 1898, sous le nom de Montreal Arena Company. Le groupe veut ériger une patinoire pouvant contenir 6 000 places assises et accueillir jusqu'à 8 000 spectateurs à temps pour la saison de hockey.

L'édifice, qui a coûté 75 000 $, est inauguré le 31 décembre de la même année. Près de 2 000 personnes se rassemblent par un froid sibérien pour assister à une rencontre non officielle.

Une clôture haute de 4 pi encercle la patinoire pour éviter que la rondelle ne s'égare trop souvent chez les spectateurs et on rembourre les colonnes à proximité de cette clôture pour protéger les joueurs. Une fanfare joue aussi d'office lors des arrêts de jeu.

L'aréna est rénové en 1908, mais ce n'est que deux ans plus tard que le Canadien y élit domicile. Il perd sa première rencontre, 5-3 face à Ottawa devant 5 000 spectateurs.

Première coupe Stanley contre les Rosebuds de Portland en mars 1916.

Le 2 janvier 1918, l'édifice est anéanti par le feu. La cause reste inconnue, mais le feu aurait pris naissance à proximité du vestiaire des Wanderers, qui perdent tout leur équipement et doivent se retirer de la Ligue. Le feu prive

aussi le Canadien d'une partie de son équipement, mais le club parvient à se réorganiser. Il retourne au Jubilee. Une demi-douzaine d'autres clubs accusent aussi des pertes matérielles, ainsi que le surintendant de l'édifice qui y laisse ses meubles — il résidait dans l'annexe — et son automobile. Les pertes sont évaluées à 150 000 $. L'installation de la glace artificielle, réalisée trois ans plus tôt, avait nécessité un déboursé de plus de 50 000. Avec Toronto, Montréal était la seule ville canadienne à posséder pareil avantage.

On songe à reconstruire mais, finalement, les propriétaires y renoncent. Selon les recherches effectuées par Pierre Vennat, de *La Presse*, l'édifice est remplacé par un garage et recyclé en usine d'armement pendant la Deuxième Guerre mondiale, avant d'être vendu — ainsi que le terrain de stationnement adjacent — à la société Alexis-Nihon. Celle-ci y construit un centre commercial, une tour à bureaux, en plus d'aménager un nouveau stationnement.

### L'ARÉNA MONT-ROYAL

Un nouvel édifice moderne réalisé en l'espace de trois mois, avec son toit cathédrale et ses 8 000 places, accueille les partisans du Canadien le 10 janvier 1920, tandis que les ouvriers effectuent encore quelques travaux de dernière minute. Le Canadien s'est engagé auprès de la Mount Royal Arena Co. à disputer pendant cinq ans tous ses matchs locaux dans cette bâtisse réaménagée sur le site réservé depuis 1912 à la patinoire du All-Montreal Rink, entre les rues Saint-Urbain et Clark, mais avec façade sur la rue du Mont-Royal. Le club doit cependant se résigner à disputer son match inaugural, prévu pour le 27 décembre, à Ottawa. **27**

*L'aréna Mont-Royal a été occupée
par des commerces hétéroclites
après le déménagement des Canadiens.
Depuis l'incendie de 2000, Provigo
a récupéré le terrain pour y aménager
un marché d'alimentation.*

Les travaux, bien qu'exécutés rondement, ne sont pas achevés à cette date.

Qu'à cela ne tienne, les supporteurs du Bleu-Blanc-Rouge sont soulagés de constater que leurs favoris ont un nouveau domicile après les incendies qui ont ravagé le Westmount et le Jubilee. Glace artificielle ou pas, l'important, c'est d'avoir un toit, une bonne équipe et une fanfare pour l'ambiance. Les amateurs se chargeront bien du reste. Les joueurs aussi, puisque lors du match d'ouverture contre les St. Patricks de Toronto, Newsy Lalonde sème l'hystérie dans la foule avec une performance de six buts dans un gain de 14-7 des Canadiens. Le total de 21 filets de cette rencontre figure encore au chapitre des records de la Ligue nationale. La frénésie des Montréalais est telle qu'on doit refuser l'accès à plus de 1 000 personnes, selon l'évaluation du grand responsable de l'équipe, George Kennedy.

L'absence de glace artificielle prive les Canadiens des célébrations entourant la conquête d'une deuxième coupe Stanley avec leurs partisans en 1924. C'est à Ottawa que les joueurs triomphent des Tigers de Calgary, à l'occasion du dernier match de la finale. Plusieurs autres rencontres ont aussi été reportées précédemment, faute de glace appropriée. Les propriétaires, Tom Duggan, Hector Racine et Louis Gosselin, qui y étaient allés d'un investissement de 100 000 $ pour la construction, décident alors de doter la **28** patinoire de glace artificielle, une facture de 40 000 $.

Manque de veine, la «nouvelle glace» n'est pas encore prête pour l'ouverture de la saison le 29 novembre. Le Tricolore réagit rapidement et choisit d'inaugurer le nouveau Forum, le domicile des Maroons, sis à proximité de l'ancien Arena de Westmount, lequel fait l'envie de bien du monde — les Canadiens y compris — avec ses 13 000 places. Cette fois, c'est au tour de Billy Boucher d'y jouer les héros devant 8 500 personnes, avec une performance de 3 buts, lors d'une autre dégelée servie aux St. Patricks de Toronto, cette fois au compte de 7 à 1.

Mais cette année-là, le Tricolore dispute ses autres matchs locaux sur Mont-Royal. Cependant, la direction de l'équipe met de la pression sur les actionnaires de la compagnie Mount, afin qu'ils augmentent la capacité de l'édifice. On acquiesce à cette demande et on annonce à l'été 1925 qu'une nouvelle bâtisse pouvant accueillir 12 000 personnes sera aménagée un peu au sud de l'ancienne. L'architecte Raoul Gariépy est mis à contribution et des obligations sont offertes aux gens d'affaires. Une opération de l'ordre de 650 000 $ au moins. Les Canadiens devront consentir à signer un bail de 15 ans.

Le projet n'aboutit pas et on propose plutôt d'ajouter 1 500 sièges aux 8 000 existants. L'offre est loin de satisfaire le club de hockey, qui propose plutôt de se défaire de son contrat en cours, moyennant un dédommagement de 50 000 $. L'aréna en demande plutôt 100 000 $ et entreprend une poursuite de 180 000 $ contre l'équipe. Pendant ce temps, le Tricolore, faisant fi de son entente, signe un bail avec le Forum, qui deviendra son quatrième domicile, et ce, pour longtemps.

Les Canadiens sont condamnés à verser une forte indemnisation à l'aréna Mont-Royal. Ils en appellent du montant, puis les propriétaires de l'édifice contestent le nouveau jugement à leur tour. C'est finalement la Cour suprême qui sera appelée à trancher en 1929, trois ans après le départ de l'équipe.

Après le déménagement du Canadien, l'aréna Mont-Royal demeure le domicile de diverses ligues locales et on essaie même d'en faire une école de hockey permanente. Les revenus n'étant plus les mêmes, il faudra se résigner à vendre l'édifice en 1938, pour le convertir en fabrique. Divers commerces, sans lien commun, s'établissent graduellement dans les espaces réaménagés, jusqu'à ce qu'un incendie – d'origine suspecte – vienne détruire cet autre lieu de l'histoire du Tricolore en février 2000. L'édifice abritait alors un organisme d'aide aux femmes violentées, le Chaînon, ainsi qu'un bar, un garage, un entrepôt et des commerces de métallurgie et d'extermination.

Depuis, on y a reconstruit une vaste épicerie. L'aréna Mont-Royal ne connut qu'un seul gérant (sauf pendant un bref intermède) tout au long du séjour des Canadiens, Oscar Benoît, un homme qui ne manquait pas d'idées pour populariser son aréna. Il y présenta également de nombreux programmes de lutte et de boxe, qui attirèrent les plus grands, tels Yvon Robert et Jack Dempsey. Même l'unique Caruso y donna un spectacle qui fit salle comble.

## LE FORUM

Le Forum, c'est l'histoire de 22 des 24 coupes Stanley des Canadiens. Ce sont les exploits légendaires du Rocket. Ceux de Howie Morenz, Aurèle Joliat, Jean Béliveau, Guy Lafleur et des autres. Les prouesses défensives des Hainsworth, Durnan, Plante, Dryden et Roy. Le cercueil de Morenz au centre de la patinoire en 1937 et des milliers de fans qui défilent en silence. La fameuse émeute de 1955. La réconciliation de Ronald Corey et de Guy Lafleur, lorsque celui-ci prend sa retraite. Les bras au ciel de Patrick Roy et ses derniers mots à l'oreille du président Corey, un soir de décembre 1995. C'est encore et surtout ces tours de patinoire des joueurs portant la coupe Stanley à bout de bras devant des milliers de partisans euphoriques. Bref, le Forum de Montréal, c'est le domicile des joies et des revers de tous ces Glorieux qui ont façonné la belle histoire du hockey pendant 70 ans, de 1926 à 1996.

La toute première version du Forum, alors surnommé «patinoir du Montagnard», se limite à une piste ovale recouverte pour le patin à roulettes, avec une surface glacée à ciel ouvert au centre. Inauguré en grande pompe devant 5 000 personnes le 9 novembre 1908, l'édifice de 2 étages éclairé de 10 000 lumières est situé sur l'ancien terrain des Sulpiciens, entre les rues Atwater et Closse, au coin de Sainte-Catherine.

Quelques années plus tard, en 1923, William Northey reçoit du Canadian Arena le mandat de préparer un projet d'édifice de 12 000 sièges. L'organisation avait acquis le terrain formant le quadrilatère Sainte-Catherine, Lambert-Closse, Saint-Luc (maintenant de Maisonneuve) et Atwater. Jugé trop ambitieux, l'édifice est réduit à 9 300 places. John Archibald dessine les plans de cette **29**

*Le Forum a connu plusieurs transformations depuis l'arrivée des Canadiens en 1924, d'abord en 1949, puis en 1968 et finalement en 1996, lorsque l'équipe est déménagée au Centre Molson.*

bâtisse de deux étages destinée aux Maroons, aussi propriété du Canadian Arena. Mais, comme on le verra plus loin, ce sont les Canadiens qui inaugurent l'édifice, en 1924, avant de s'y établir à demeure en 1926.

Considéré à l'époque comme l'édifice le plus adéquat pour les matchs de hockey, sa construction est complétée, au coût de 1,25 million, en un peu plus de cinq mois. En avance sur l'horaire et à temps pour le match du 29 novembre entre le Canadien et les St. Pats de Toronto. Une partie remportée aisément par le Tricolore au compte de 7 à 1.

La Foundation Company est mandatée pour d'importantes rénovations, de l'ordre de 600 000 $ en 1949, alors que la Dominion Bridge du Canada fournit l'acier nécessaire à l'érection d'un second étage. La capacité des sièges est portée à 13 551, mais les colonnes qui obstruent la vue de bon nombre de spectateurs font jaser. Pourtant, les joueurs des Canadiens, déjà conquérants de quatre coupes Stanley de 1930 à 1946, trouvent moyen d'ajouter neuf autres bannières avant que la direction de l'équipe — propriété du Canadian Arena depuis 1935 — décide de procéder à une véritable cure de rajeunissement. On considère la possibilité d'une nouvelle construction sur un autre site pendant un certain temps, pour finalement opter pour une modernisation de l'édifice existant.

L'architecte Ken Sedleigh trace les plans du Forum rénové et on met la société Stone & Wesbster au défi de

réaliser les travaux entre les deux saisons à l'été 1968. Les vapeurs du champagne d'une 15e coupe Stanley ne sont pas encore dissipées que les ouvriers envahissent déjà la place pour procéder aux travaux. De l'édifice original, on ne conserve que la structure, les gradins et les bancs. Encore qu'il faille soulever le toit et enlever les colonnes qui le soutenaient. La toiture repose désormais sur des poutres aux extrémités. On prévoit une dizaine de loges corporatives, on aménage une vaste galerie de presse, les guichets de vente des billets sont regroupés et les accès améliorés par l'ajout d'escaliers mobiles. L'élimination des colonnes donne aussi 2 400 sièges supplémentaires, ce qui porte la capacité totale à 18 200. On aménage une vingtaine de nouvelles salles de toilette, des boutiques et deux clubs privés. Évalués à 9,5 millions, les travaux nécessitent 3 600 tonnes d'acier, 2 500 verges cubes de béton, 16 000 kilomètres de tuyaux. Seul le système de réfrigération de la patinoire demeure inchangé.

Le 2 novembre 1968, le Canadien inaugure un Forum « rajeuni », en signant une victoire de 2-1 sur les Red Wings de Detroit, 118 jours après le début des travaux de rénovation. Jean Béliveau se distingue avec le premier but inscrit à l'histoire du nouvel édifice.

Le Tricolore remportera neuf autres coupes dans ce lieu aux mille prouesses. Le 11 mars 1996, l'équipe y gagne un dernier match, 4 à 1 contre les Stars de Dallas. Andrei Kovalenko ferme le dernier chapitre de la maison, avec un but à 13 min 56 s de la deuxième période. Le lendemain, quelque 150 articles chargés de l'histoire de l'illustre Forum sont mis à l'encan, rapportant plus de 400 000 $ à Centraide et à l'Association des Anciens Canadiens. Trois jours plus tard, on déménage (du moins on essaie) les fantômes du Forum au Centre Molson.

Mais l'histoire du Forum de Montréal, ne se limite pas à celle des Canadiens et de leurs Légendes. On y a aussi vu se dérouler des combats mémorables de lutte et de boxe, des prestations inoubliables de Céline Dion et les Beatles, des spectacles rock, les ovations au Rocket, les Jeux olympiques avec Nadia Comaneci en 1976, les matchs du Canadien junior, ceux des ligues professionnelles de l'Est et senior, des matchs de soccer et de crosse, ainsi que, à une certaine époque, des tournois de quilles et de billard.

Après le départ du Canadien, la compagnie Paramount Pictures réservera l'édifice pour le tournage d'un film, reportant de quelques mois sa transformation. Depuis mai 2001, le Forum — propriété de la société Canderel qui l'a renommé Forum Pepsi — est devenu un centre de divertissement, avec ses 22 salles de cinéma, ses restaurants thématiques, ses boutiques spécialisées. L'histoire passée des Canadiens est soulignée par le cercle de mise en jeu central avec ses deux gros logos, quelques bancs ainsi qu'un bronze de Maurice Richard.

## LE CENTRE BELL

Le rapport commandé en 1989 à la firme Daniel Arbour et associés est sans équivoque pour le président des Canadiens et son équipe. Il faut oublier le Forum si on souhaite se mettre au diapason des amphithéâtres luxueux qui servent désormais de résidence aux conces-sions sportives. Le coût des rénovations serait exorbitant et, de toute façon, les améliorations qu'on pourrait y apporter seraient nettement insuffisantes pour atteindre les objectifs de l'organisation.

Finalement, la Brasserie Molson, propriétaire du club, porte son choix sur un terrain au centre-ville, près de la gare Windsor, offrant de multiples avantages, dont celui d'être situé à proximité de deux stations de métro (Bonaventure et Lucien-L'Allier), des gares de train de banlieue et des autoroutes, en plus d'être entouré d'un immense réseau de galeries souterraines avec magasins et restaurants.

C'est un consortium de firmes d'architectes — Lemay et associés, ainsi que LeMoyne Lapointe Magne — qui est chargé de préparer les plans de la prochaine résidence des Glorieux, au 1260, de la Gauchetière Ouest. Les ingénieurs de SNC-Lavalin entreprennent ensuite de donner forme au concept, une affaire de 270 millions. Première pelletée de terre le 22 juin 1993, à peine quelques jours après la conquête de la 24e coupe Stanley. Selon l'échéancier prévu, le nouveau Forum, qu'on nommera Centre Molson, avant de lui donner le nom de Centre Bell en septembre 2002, doit être prêt en moins de trois ans.

Ce qui est fait le 16 mars 1996, tout juste après que le capitaine Pierre Turgeon ait « allumé » la glace de mille feux avec le flambeau transmis de capitaine en capitaine, quatre jours plus tôt au Forum. Un geste qui provoque une explosion de couleurs pour marquer le passage de l'ancien temple au nouveau. Autre symbole de lien entre la légende et le temps présent, cette troisième ovation chaleureuse à l'endroit du Rocket à quelques jours d'intervalle. Les Canadiens disputent leur premier match de la Ligue nationale dans leur nouveau domicile, contre les **31**

*Le Centre Bell,*
*domicile actuel des Glorieux.*

Stars de Dallas, le soir même. Vincent Damphousse donne le ton avec le premier but de l'histoire du Centre, et les Canadiens gagnent 4-2.

Considéré comme l'un des amphithéâtres de sport et divertissement les plus prestigieux en Amérique du Nord, le Centre Bell offre 21 273 sièges à différents niveaux et 135 loges corporatives, avec des salons de grand luxe considérés comme une source indispensable de financement pour les équipes de sport en raison de la hausse vertigineuse du coût des contrats d'athlètes. Les gradins tout en hauteur éloignent cependant les amateurs du jeu et on a dû installer des micros à la hauteur de la patinoire afin que les spectateurs entendent le bruit de la rondelle qui frappe la bande. De plus, l'étroitesse des corridors restreint un peu la circulation du public. Les 580 places de stationnement, plus 15 000 autres dans un rayon de 500 mètres, et ses 12 entrées sur les diverses façades de l'édifice, le Centre Bell est relativement facile d'accès. La passerelle de presse peut accommoder 300 journalistes et accueillir 4 chaînes de télévision et autant de chaînes radio. Cinq studios pour la télévision, deux chambres noires, une salle de transmission de photos et une salle de conférence sont aussi à la disposition des médias lors des rencontres. Quelque 450 écrans de télévision sont aussi répartis à la grandeur de l'édifice, à l'intention du public et des spécialistes.

Pour le bénéfice des visiteurs et des partisans, le Centre dispose de 4 restaurants, 39 comptoirs alimentaires et 11 kiosques de souvenirs.

Comme au Forum, le Centre a été aménagé pour la présentation de spectacles musicaux et autres, pouvant accueillir de 2 000 à 23 000 spectateurs.

Mais il ne faut pas perdre de vue que le Centre Bell est d'abord le domicile de la glorieuse organisation des Canadiens de Montréal. Plusieurs murales thématiques, diverses statues de bronze et de multiples photos rappellent, à différents endroits, les grandes réalisations et les légendes des Canadiens.

Un temple du XXe siècle qui n'a pas encore beaucoup d'histoire, si ce n'est la première finale de la Coupe du Monde entre les États-Unis et le Canada en 1996. Mais un temple déjà fort fréquenté par les amateurs de hockey, avec une moyenne annuelle d'assistance qui dépasse les 20 000 personnes par match depuis maintenant quatre ans. Ce fut aussi la meilleure de la Ligue, en 2002-03, avec 25 parties à guichets fermés sur les 41 présentées au Centre.

Cependant, pour que les fantômes du Forum s'y sentent aussi à l'aise, il faudra attendre un peu...

# DE BLEU, DE BLANC, DE ROUGE

**L**e chandail bleu, blanc et rouge des Canadiens est à ce point relié à l'histoire de l'équipe qu'on a souvent l'impression qu'il existe depuis toujours. Ce n'est pas tout à fait le cas. On est même loin de la version originale, bien que les couleurs et la forme actuelles existent depuis maintenant quatre-vingt-dix ans, à plusieurs variantes près.

Les chandails illustrés ici sont ceux portés par les joueurs lors des rencontres disputées à Montréal.

**33**

**1909-10**

**1910-11**

**1911-12**

**1912-13**

**1912-13**

**1913-1915**

### 1909-10

Le premier chandail du nouveau club Canadien (1) est de couleur bleue, avec un bandeau blanc à la poitrine et aux épaules.

### 1910-11

Le club utilise un chandail rouge décoré d'une feuille d'érable verte (2) sur laquelle on a inscrit un « C » et un « A » stylisés, pour Canadien et Athlétique.

### 1911-12

Chandail blanc traversé en diagonale par deux bandes, une bleue et une rouge (3). Même logo stylisé. Les joueurs ne portent pas encore de numéro au dos mais en ont un au bras gauche.

### 1912-13

Le Canadien porte un chandail semblable à celui des Senators d'Ottawa, à rayures horizontales bleues, blanches et rouges. Une feuille d'érable marquée des lettres « CAC » pour Club Athlétique Canadien orne le devant (4). Ce chandail, surnommé « chandail de barbier », suscite une certaine confusion lors des matchs opposant les Canadiens et les Senators. Une plainte de ceux-ci oblige le club montréalais à redessiner un chandail rouge avec une large bande bleue à la poitrine, décorée d'un énorme « C » blanc (5). Ce modèle sera porté seulement lors des parties contre Ottawa.

### 1913 À 1916

Première version du chandail bleu-blanc-rouge tel que nous le connaissons encore aujourd'hui. On a ajouté un

7 — 1915-16

8 — 1916-17

9 — 1917-1923

10 — 1918

11 — 1923-24

12 — 1924-25

«A» à l'intérieur du «C» (6). Les manches sont entièrement rouges, mais avec une bande blanche aux poignets; la même bande blanche orne le bas du chandail.

Pour la version 1915-16, on a ajouté le bandeau bleu aux manches et le «C» est devenu rouge (7). Par contre, le col passe du blanc au bleu.

### 1916 À 1924

En 1916, un «H» pour Hockey remplace le «A» (8). La modification est liée à l'acquisition du club par le Canadien Hockey Club que dirige George Kennedy.

Les Canadiens font son entrée dans la Ligue nationale en 1917-18 avec un chandail au logo mieux défini et aussi avec le numéro des joueurs inscrits au dos (9).

Le feu à l'Arena de Westmount oblige l'équipe à emprunter les chandails du club Hochelaga de la Ligue de la Cité, pour le match du 5 janvier 1918 contre Ottawa. Les maillots sont rouges avec une large bande blanche au milieu de la poitrine (10).

En 1923-24, le Canadien conserve ses couleurs, mais revient au «C» blanc (11), plus quelques changements mineurs.

### 1924-25

Le club s'affiche en «champion du monde» à la suite de sa première conquête de la coupe Stanley dans la Ligue nationale, remplaçant le CH par un gros globe terrestre au centre du chandail (12). Le logo officiel est plutôt apposé aux manches, une particularité que l'on conservera environ jusqu'en 1935.

13     **1925-1953**

14     **1935-1938**

15     **1935-1938**

16     **1938-1941**

17     **1941-1945**

18     **1945-46**

### 1925 À 1941

On revient au logo CH et au « C » rouge en 1925-26. C'est la version qui se rapproche le plus du chandail actuel (13).

    À compter de décembre 1935, on utilise un chandail blanc pour les parties au Forum contre Detroit, afin d'éviter toute confusion avec celui des Red Wings, également rouge. Il existe deux versions de ce chandail, qui ressemble étrangement à celui porté par les joueurs de l'équipe lors des parties de balle-molle (14-15). Les photos de l'époque ne permettent pas de déterminer si les petites bandes rouges et bleues sur le dessus des épaules sont destinées aux joueurs d'avant ou aux défenseurs. Ce chandail blanc sera également porté lors des matchs contre Detroit en 1936-37 et 1937-38.

    Les petites bandes sont disparues en 1938-39 (16). Jusqu'en 1940-41, la version blanche du chandail montréalais **36** ne portera d'autres « décorations » que celles que l'on retrouve aux poignets et au bas du chandail, plus le logo, bien sûr. Ce chandail sera aussi utilisé contre certaines équipes au Forum en 1940-41.

### 1941 À 1946

Modification importante au chandail blanc pour la saison 1941-42, alors que de son côté le modèle foncé reste inchangé (17). Une large bande rouge décore les épaules. Un lacet ferme le col. Cette version, qui se rapproche beaucoup du modèle blanc d'aujourd'hui, sera utilisée jusqu'en 1945.

    En février 1945, on déplace la bande des épaules au milieu de la poitrine et on la tisse en bleu plutôt qu'en rouge (18). Une modification qui demeurera jusqu'en novembre 1946. Le lacet disparaît du col pour un an. Les joueurs montréalais utilisent surtout la version rouge pour les parties locales, mais on les retrouve aussi vêtus de blanc lors de quelques matchs.

**1946-1974**

**1974-2003**

## 1946 À 1974

Les Canadiens optent en priorité pour le chandail blanc lors des matchs locaux, de novembre 1946 jusqu'à la campagne 1951-52, mais utilisent aussi l'autre version à l'occasion de certaines rencontres. On en profite pour ramener le lacet au col et la bande rouge aux épaules du chandail blanc (19). Certaines années, on remarque aussi une légère modification sur l'une des bandes blanches qui encerclent les manches du chandail rouge. À compter de 1952-53, le blanc sera utilisé pour tous les matchs locaux, et ce, jusqu'en décembre 1955. La Ligue suggérera alors l'emploi de la couleur foncée, donc le rouge au Forum, avant de ramener définitivement le blanc en 1970-71. Retour des numéros sur les manches en 1958-59, parfois au-dessus de la bande blanche, parfois à l'intérieur, la LNH n'ayant pas retenu jusqu'alors cette habitude datant de l'époque de la NHA.

## 1974 À AUJOURD'HUI

Le lacet au col disparaît pour de bon, les chandails sont plus amples pour dissimuler les pièces d'équipement devenues plus imposantes (20). On a ajouté les noms des joueurs en 1977-78. Mais les couleurs sont demeurées les mêmes. Le Tricolore a refusé de se doter d'un troisième chandail comme l'ont fait plusieurs autres équipes. À cause de la légende, mais aussi par respect pour tous ceux qui ont endossé ses couleurs et aussi pour les partisans, le club a décidé d'habiller ses porte-étendards de bleu, de blanc et de rouge. Une décision remise en question cette année avec l'utilisation lors de certains matchs d'une version moderne des chandails blanc et rouge de 1945 et 1946. Il ne s'agit pas vraiment d'un troisième chandail, mais plutôt d'un rappel de deux modèles d'époque.

L'histoire des Canadiens de Montréal, c'est d'abord cette fabuleuse collection de 24 coupes Stanley, souvent remportées de haute lutte. Mais c'est aussi les autres grandes victoires sur l'adversaire et sur soi-même, les joies, les peines, les petites anecdotes, les misères également qui ont meublé le quotidien de l'équipe au fil des ans.

C'est un peu tout cela que nous avons cueilli pour vous à diverses sources afin de vous le raconter à notre façon, avec tout le respect que nous devons à l'histoire, sans en cacher les aspects les moins agréables ni tenter de minimiser les coups d'éclat de nos héros d'enfance et de nos idoles actuelles.

Nous rapportons les faits marquants pour chacune des années ; Pas toujours les plus importants mais sûrement les plus pertinents. Nous y ajoutons des anecdotes joyeuses ou tristes, mais aussi des faits cocasses et des records importants avec, en plus, les classements annuels, la composition de l'équipe et les récipiendaires des trophées annuels.

Et pour finir, nous avons placé tout cela dans le contexte de la Ligue nationale, avec un résumé des principaux points marquants de chacune des saisons.

Cet historique détaillé, malgré quelques oublis inévitables, c'est le cœur du présent livre. À vous d'y ajouter vos propres faits marquants et vos anecdotes personnelles. **39**

*Première photo officielle de la formation initiale du Canadien lors de la création de l'équipe en 1909.*
*Jack Laviolette, homme à tout faire de l'organisation, est simplement présenté comme capitaine.*

# 1909 🅒 1910

*LES CANADIENS DE MONTRÉAL SONT AU NOMBRE DES CINQ CLUBS, AVEC RENFREW, COBALT, HAILEYBURY ET LES WANDERERS, UNE AUTRE ÉQUIPE DE MONTRÉAL, QUI FORMENT LA NOUVELLE LIGUE, LA NATIONAL HOCKEY ASSOCIATION (NHA). CELLE-CI ENTREPREND SES ACTIVITÉS EN JANVIER, APRÈS AVOIR ACCEPTÉ DEUX NOUVELLES ÉQUIPES, OTTAWA ET LES SHAMROCKS DE MONTRÉAL. LES CANADIENS NE GAGNENT QUE DEUX PARTIES, SUBISSANT, LE 26 FÉVRIER, CE QUI DEVIENDRA LA PIRE DÉGELÉE DE LEUR HISTOIRE, 15-3 CONTRE HAILEYBURY. LES WANDERERS REMPORTENT LA COUPE O'BRIEN POUR LE CHAMPIONNAT DE LA SAISON ET LA COUPE STANLEY CONTRE BERLIN (AUJOURD'HUI KITCHENER), DE LA LIGUE DE L'ONTARIO, TANDIS QUE LA PREMIÈRE VEDETTE DES CANADIENS, NEWSY LALONDE, PRÊTÉE À RENFREW EN COURS DE SAISON (LES DEUX CLUBS APPARTIENNENT À AMBROSE O'BRIEN), TERMINE AU PREMIER RANG DES COMPTEURS.*

## Newsy Lalonde, première supervedette

*Après avoir entrepris la saison à Montréal, Newsy Lalonde termine celle-ci dans l'uniforme des Creamery Kings de Renfrew.*

**É**douard Lalonde, mieux connu sous le surnom de Newsy, peut être qualifié de première supervedette de l'histoire des Canadiens et du hockey. Né à Cornwall, en Ontario, le 31 octobre 1887, Lalonde a hérité de son surnom après un court séjour dans une usine de papier journal. Il totalise 38 buts en 11 parties à sa première saison dans la NHA, en 1909-10, et décroche facilement le championnat des compteurs. Il obtient 22 de ses 38 buts en 5 matchs avec les Creamery Kings de Renfrew, auxquels Ambrose O'Brien, propriétaire des deux équipes, plus celles

● Newsy Lalonde revendique le premier but et le premier tour du chapeau de l'histoire du club, obtenus au premier match de l'équipe, contre Renfrew, le 19 janvier.

● La première victoire du club — aussi la première à domicile — est célébrée le 7 février contre les Comets de Haileybury, au compte de 9-5. C'est Didier Pitre qui obtient le but gagnant, à la deuxième période. Le club avait perdu ses quatre premières rencontres, dont son premier match local le 26 janvier, 8-4 contre Ottawa.

● Les Canadiens disputent leurs matchs locaux à l'aréna Jubilee, angle Malborough et Sainte-Catherine.
● Didier Pitre, l'un des premiers joueurs à signer un contrat, est également le mieux payé de l'équipe, à 1 700 $.

● Pitre est aussi l'auteur du but gagnant lors des deux seules victoires de l'équipe au cours de la saison. Lors de la seconde, le 11 mars, contre les Shamrocks, il devient le premier défenseur montréalais à obtenir trois buts, le dernier en prolongation.

*Jack Laviolette est à la fois joueur, entraîneur et gérant de la première édition du Canadien.*

**1909-1910**

de Haileybury et de Cobalt, a prêté ses services, en raison du peu de chances des Canadiens d'aspirer aux honneurs.

Newsy laissera sa marque dans cette ligue, puis dans la Ligue nationale, par ses exploits mais aussi par ses nombreuses volte-face. Joueur controversé, il n'hésitera pas à passer à l'Ouest parce que le Canadien n'aura pas accepté de lui accorder le salaire demandé ; il reviendra à Montréal un an plus tard ; il refusera ensuite de se présenter à l'équipe de Vancouver à laquelle on l'aura échangé en 1913-14 ; et il fera tout bonnement la grève l'année suivante, n'ayant pu arriver à un accord monétaire avec le Canadien.

Ses démêlés ne l'empêcheront pas de remporter six titres de champion compteur (deux dans la NHA, autant dans la Ligue nationale, un dans l'Ouest et un dans la Ligue professionnelle de Toronto) au cours de sa carrière. L'enfant terrible des Canadiens sera échangé à Saskatoon une dernière fois en 1922-23, en retour d'Aurèle Joliat, qui deviendra une autre figure légendaire du Canadien.

N'ayant gagné qu'une seule de ses sept premières rencontres en 1909-10, les Canadiens sont vite relégués au rang des pires équipes du nouveau circuit, d'où la décision de O'Brien de renforcer Renfrew, qui bataille pour le championnat avec les Wanderers de Montréal et les Senators d'Ottawa. Le total de 38 buts de Lalonde ne sera dépassé que 3 ans plus tard par Joe Malone, avec les Bulldogs de Québec. Newsy obtient jusqu'à 9 buts en un seul match, contre les Silver Kings de Cobalt.

La venue de Lalonde à Renfrew ne permet toutefois pas à sa nouvelle équipe de décrocher la coupe O'Brien. Celle-ci, ainsi que la coupe Stanley, iront aux puissants Wanderers de Montréal, inspirés par leurs vedettes Ernie Russell, Harry Hyland et Riley Hearn.

42

| JOUEURS |
| --- |
| Art Bernier |
| Joseph Bougie |
| Jos Cattarinich |
| Ed Chapleau |
| Ed Décarie |
| Teddy Groulx |
| Newsy Lalonde |
| M. Larochelle |
| Jack Laviolette (C) |
| Edgar Leduc |
| Edward Millaire |
| Didier Pitre |
| George Poulin |
| Patsy Séguin |
| **ENTRAÎNEUR** |
| Jack Laviolette |

⚫ Le gardien Larochelle est expulsé de ce match du 11 mars en temps supplémentaire et c'est Laviolette lui-même qui le remplace, devenant le premier joueur à remporter une victoire à la fois comme gérant et comme gardien.

⚫ Laviolette demande au gardien Jos Cattarinich de le remplacer au poste de gérant après seulement trois parties.

⚫ Lors de la dégelée de 15-3 infligée par Haileybury, deux joueurs des Comets, Alex Currie et Nick Bawlf, obtiennent respectivement six et cinq buts. Évidemment, Currie est le premier à obtenir six buts contre les Canadiens. Deux autres accompliront pareil exploit : Gordon Roberts en 1911-12 et Frank Nighbor en 1916-17. En saison régulière, Bernie Morris a également réussi cet exploit en 1916-17.

⚫ Première grève dans l'histoire des Canadiens, alors que les joueurs, n'ayant pas été payés pour leur match précédent, refusent d'affronter les Wanderers le 9 mars 1910.
⚫ Le 9 mars 1910. Laviolette fait valoir aux joueurs qu'ils ne peuvent laisser tomber les partisans et, après discussions, les contestataires révisent leur position avec la promesse formelle de toucher leur plein salaire au prochain match.

| TROPHÉES |
| --- |
| **COUPE STANLEY** |
| Wanderers de Montréal |
| **COUPE O'BRIEN** |
| Wanderers de Montréal |
| **MEILLEUR COMPTEUR** |
| Newsy Lalonde |
| Creamery Kings de Renfrew |
| **MEILLEUR GARDIEN** |
| Riley Hern |
| Wanderers de Montréal |

*Le gardien de l'équipe, Jos Cattarinich, remplace Laviolette à titre de gérant après quelques parties.*

## UN MOIS POUR FORMER LE CLUB

Jack Laviolette, avec l'aide du secrétaire-trésorier Eddy McCaffery, met moins d'un mois pour réunir les éléments de la première édition du Canadien. On l'a mandaté pour recruter les membres de la nouvelle équipe, en plus d'agir comme gérant d'équipe (entraîneur), défenseur et capitaine du club. Natif de Belleville, en Ontario, Jean-Baptiste, dit Jack, Laviolette avait suivi sa famille à Valleyfield à l'âge de douze ans, où il avait acquis le goût du hockey en patinant sur la surface glacée des écluses que surveillait le père de Dider Pitre. Plus tard, il fera carrière avec le National de Montréal en 1903-04, l'American Soo de Sault Ste. Marie (Michigan) de 1904 à 1907, puis avec le Shamrocks de Montréal en 1907-08, avant de devenir l'homme de confiance de O'Brien chez le Canadien.

*Didier Pitre revendique le premier tour du chapeau réalisé par un défenseur des Canadiens.*

Laviolette réussit à convaincre le défenseur Didier Pitre, son grand copain d'enfance, à joindre le club, en renchérissant sur l'offre du National. Il place Jos Cattarinich devant le filet et fait appel à Newsy Lalonde comme maraudeur. Ed Décarie est choisi au centre, avec Arthur Bernier et Georges Poulin comme ailiers.

Mais l'engagement de ces joueurs fait l'objet de plusieurs menaces de poursuites. Le National voudrait bien retenir les services de Pitre, Lalonde et Décarie, tandis que le All-Montreal voudrait garder Poulin. Ces chicanes suscitent beaucoup d'intérêt auprès des amateurs de hockey et le Canadien fait les manchettes des journaux avant même de disputer sa première partie.

Finalement, Laviolette a le dernier mot et le club gagne son premier match 7-6 en prolongation contre Cobalt, le 5 janvier. La dissolution de la ligue rivale, la Canadian Hockey Association (CHA) et l'intégration de deux nouveaux clubs, les Shamrocks et les Senetors, forceront la NHA à tout reprendre, annulant du même coup les parties déjà jouées.

43

● La CHA, formée le 13 novembre 1909, regroupait les Senators d'Ottawa, les Bulldogs de Québec, les Shamrocks et le National de Montréal, ainsi que le All-Montreal. Frustrés d'être laissés de côté, les Wanderers de Montréal regroupent leurs forces avec Renfrew, Cobalt et Haileybury le 2 décembre suivant et décident de créer un club de francophones aux couleurs bleu et blanc (les Canadiens) pour faire concurrence au National. Peu après, les Senators et les Shamrocks désertent la CHA pour se joindre à la nouvelle NHA.

● Les matchs de l'époque sont constitués de deux périodes de 30 minutes.
● Chaque équipe est composée de sept joueurs : un gardien, un point et un *cover* (les défenseurs), un centre et ses deux ailiers, ainsi qu'un *rover*, sorte de maraudeur, libre de sa position.
● Le gardien de but n'est pas autorisé à se jeter sur la glace pour arrêter la rondelle, ni à s'agenouiller ou à s'asseoir. Il doit constamment rester debout.
● L'échelle des salaires varie de 5 000 $ pour les joueurs des Canadiens à 18 000 $ pour les

« riches » comme Renfrew.
● Le gardien des Wanderers, Riley Hern, réussit le seul blanchissage de la saison, une victoire de 5-0 contre Renfrew.
● Haileybury et Cobalt totalisent 23 buts dans une victoire de 14-9 des Comets.
● Le trophée de championnat de la nouvelle ligue est offert par la famille O'Brien. Il changera de vocation à quelques reprises par la suite, avant d'être retiré définitivement en 1950.
● La partie du 22 janvier entre Renfrew et les Shamrocks de Montréal est à égalité 1 à 1

après le temps réglementaire. Les Shamrocks veulent réintégrer Joe Hall dans leur alignement, lui qui avait été expulsé en cours de match. L'arbitre est d'accord, mais pas Renfrew ni l'arbitre adjoint. La rencontre est interrompue sans faire de vainqueur.
● *La Presse* fait état d'un déficit de 400 $ pour les Senators d'Ottawa dans son édition du 5 avril. Les parties pour la coupe Stanley présentées à Ottawa ont sauvé l'équipe d'un désastre financier, y lit-on.

## 1909-1910 — LA COUPE STANLEY CHANGE DE VOCATION

Lord Stanley of Preston, gouverneur général du Canada depuis 1888, acquiesce de bon gré à la demande de deux de ses fils qui lui réclament un trophée pour récompenser la meilleure équipe de hockey sur glace au pays.

On est en 1892 et le hockey sur glace est devenu le sport d'hiver le plus populaire au pays. Arthur et Algernon Stanley sont au nombre des inconditionnels de ce sport et ils ont même formé une équipe, les Rebels, qui se produit sur la patinoire privée du paternel à Rideau Hall. Arthur a aussi collaboré étroitement à la naissance d'une nouvelle association de hockey en Ontario. Lord Stanley charge un membre de son personnel de lui dénicher un symbole pouvant servir aux besoins. Celui-ci trouve un grand bol en argent pour une dizaine de guinées (environ 50 $) chez un marchand londonien.

C'est ainsi que la coupe Dominion Challenge fut offerte pour la première fois à l'équipe de hockey de l'Association athlétique amateur de Montréal (Montréal AAA), championne de l'Amateur Hockey Association (AHA), la meilleure ligue de hockey de l'époque. Malheureusement, Lord Stanley ne peut remettre lui-même la nouvelle récompense aux champions. Il doit retourner en Angleterre pour s'occuper de la succession de son frère, décédé avant la fin de la saison 1893.

Au milieu des années 1890, on prend vite l'habitude de désigner la Dominion Challenge Cup sous le nom de « coupe Stanley ». La nouvelle coupe demeurera l'emblème ultime du championnat du hockey amateur jusqu'en 1910, alors que les nouvelles ligues professionnelles (dont la NHA), mieux structurées, réussissent à se l'approprier au détriment des circuits amateurs qui ne font plus le poids.

Quant à la coupe Stanley, elle deviendra l'un des trophées sportifs les plus convoités en Amérique du Nord et l'un des symboles parmi les plus connus à travers le monde.

| | PJ | G | P | BP | BC |
|---|---|---|---|---|---|
| Montréal (Wanderers) | 12 | 11 | 1 | 91 | 41 |
| Ottawa (Senators) | 12 | 9 | 3 | 89 | 66 |
| Renfrew (Creamery Kings) | *12 | 8 | 3 | 96 | 54 |
| Cobalt (Silver Kings) | 12 | 4 | 8 | 79 | 104 |
| Haileybury (Comets) | 12 | 4 | 8 | 77 | 83 |
| Montréal (Shamrocks) | *12 | 3 | 8 | 52 | 95 |
| Montréal (Canadiens) | 12 | 2 | 10 | 59 | 100 |

*La partie du 22 janvier entre Renfrew et les Shamrocks est considérée nulle.

### MEILLEURS COMPTEURS

| | | PJ | B | PUN |
|---|---|---|---|---|
| Newsy Lalonde | Can./Ren. | 11 | 38 | 56 |
| Ernie Russell | Wanderers | 12 | 32 | 51 |
| Harry Smith | Hail./Cob. | 13 | 28 | 26 |
| Herb Clarke | Cobalt | 11 | 23 | 27 |
| Lester Patrick | Renfrew | 11 | 23 | 25 |
| Harry Hyland | Wanderers | 10 | 20 | 23 |
| Horace Gaul | Haileybury | 12 | 20 | 53 |
| Marty Walsh | Ottawa | 11 | 19 | 44 |
| Steve Vair | Cobalt | 12 | 19 | 8 |
| Bruce Ridpath | Ottawa | 12 | 16 | 32 |

*À cette époque, le quotidien* Montreal Herald *publie des caricatures des joueurs du Canadien pour illustrer ses textes.*

SCRAPS FROM A SCRAPPY GAME AT THE JUBILEE

# 1910 🅒 1911

COBALT, HAILEYBURY ET LES SHAMROCKS DE MONTRÉAL INTERROMPENT LEURS ACTIVITÉS, ET LES BULLDOGS DE QUÉBEC REPRENNENT LA CONCESSION DE COBALT. UN NOUVEAU GÉRANT D'ÉQUIPE (ENTRAÎNEUR), ADOLPHE LECOURS, UN NOUVEAU GARDIEN, GEORGES VÉZINA, LE RETOUR DE NEWSY LALONDE, PAR SUITE D'UNE DÉCISION DU PRÉSIDENT DE LA LIGUE, ET LA TRANSFORMATION DU DÉFENSEUR DIDIER PITRE EN ATTAQUANT COMME ROVER PERMETTENT AUX CANADIENS DE REMONTER AU CLASSEMENT ET DE TERMINER DEUXIÈMES. LES SENATORS D'OTTAWA DOMINENT LA SAISON ET DÉCROCHENT LA COUPE O'BRIEN, AVANT DE S'APPROPRIER LA COUPE STANLEY, BATTANT SUCCESSIVEMENT GALT ET PRINCE ARTHUR. MARTY WALSH, DES SENATORS, EST CHAMPION COMPTEUR, TANDIS QUE GEORGES VÉZINA CONSERVE LA MEILLEURE MOYENNE CHEZ LES GARDIENS.

## Le Canadien remplace...
## le Canadien

*Les nouveaux actionnaires de l'équipe offrent des actions au public par la voie des journaux.*

L'équipe financée par Ambrose O'Brien en 1909 utilisait la dénomination des Canadiens, empruntée au Club athlétique Canadien inc., un organisme créé en 1905 et incorporé trois ans plus tard. Se consacrant à la promotion de plusieurs sports auprès des Canadiens français, comme la boxe, la lutte et la crosse, le Club athlétique souhaite, en 1910, ajouter le hockey à son éventail. Il fait des démarches pour acheter les Wanderers, mais les discussions achoppent. Il décide donc de régler le problème de nom en demandant une concession à la NHA pour la saison 1910-11. Sous la gouverne de son secrétaire-trésorier George Kendall, mieux connu sous son nom de lutteur, George Kennedy, l'organisation obtient la concession de Haileybury, qui vient de cesser ses activités. Celle que dirige O'Brien devient alors automatiquement inopérante.

Parmi les actionnaires du Club athlétique, on retrouve notamment le maire de Montréal et son prédécesseur,

● Newsy Lalonde est désigné capitaine de l'équipe en remplacement de Jack Laviolette, tandis qu'Adolphe Lecours est nommé entraîneur par la nouvelle direction.

● Transformé de défenseur en joueur d'avant, Didier Pitre devient le premier compteur de cinq buts dans un match, lors d'une victoire de 9-2 contre les Wanderers, le 7 février.

● Pitre et Lalonde obtiennent tous les deux 19 buts au cours de la saison.

● Le quotidien La Presse, proche de l'équipe montréalaise, prend souvent parti pour celle-ci, réclamant des arbitres francophones par respect pour les partisans. Il faut savoir que le gérant de La Presse, Arthur Berthiaume, est aussi président honoraire des Canadiens.

**1910-1911**

James John Guérin et Louis Payette, le directeur de La Patrie, Jos Tarte, le gérant du Devoir, P. Delongchamps, et le sénateur Laurent-Olivier David. Pour trouver le financement requis par la nouvelle organisation, on offre des actions au public.

Finalement, le Club athlétique embauche les joueurs de l'ancienne organisation, qui ne sont liés que par des contrats d'un an. Il conserve le nom de « Canadiens de Montréal », tandis que la couleur du chandail des joueurs passe du bleu au rouge et que des bandes blanches et bleues ornent les manches, le col et le bas. Une feuille d'érable, elle-même marquée d'un gros C et d'un A, apparaît au centre du chandail.

Kennedy, devenu grand manitou de l'équipe de hockey, réclame le retour de Newsy Lalonde. Le joueur étoile voudrait bien lui aussi regagner son équipe originale, nettement améliorée grâce à la conversion du défenseur Didier Pitre en rover et à l'arrivée de Georges Vézina. O'Brien, toujours propriétaire du

| JOUEURS |
| --- |
| Art Bernier |
| Lorenzo Bertrand |
| Hector Dallaire |
| Newsy Lalonde (C) |
| Jack Laviolette |
| Eugène Payan |
| Évariste Payer |
| Didier Pitre |
| George Poulin |
| James Power |
| Georges Vézina |
| ENTRAÎNEUR |
| Adolphe Lecours |

**La Presse souligne la victoire des Canadiens lors de leur premier match contre Québec, le 7 janvier 1911.**

BRILLANTE VICTOIRE DES CANADIENS A QUEBEC

Notre club Canadien-Français administre une écrasante défaite au club de Québec, considéré invincible sur son terrain. ---Score de 4 à 1.

PAYAN, PITRE, VEZINA LES HEROS DE LA JOURNEE.

## Pour le Canadien

Voici les cadeaux promis aux joueurs du Canadien, s'ils triomphent, mercredi soir, des Wanderers:

La "Presse", $200.

Napoléon Hébert, manufacturier, 684 Parc Lafontaine, $10.

Ch. Laurin, entrepreneur-peintre, 536 Parc Lafontaine, $10.

O. David, carrossier, 7 Brébeuf, $10.

M. Théo. Bonin, de la Maison Bonin Frères, 669 rue Ste-Catherine-Est, un chapeau à chacun des joueurs.

D. Masson, jr., agent général, 1608 rue Ste-Catherine-Est, $10.

*La Presse offre 200 $ aux joueurs pour une victoire contre les Wanderers.*

● Les Canadiens alignent leur premier Rocket, James Power, libéré par les Bulldogs en février et aussitôt embauché par le club montréalais.

● Les Canadiens disputent maintenant leurs parties locales à l'Arena de Westmount, près de l'ancien Forum (au coin de Wood et Sainte-Catherine), conçu spécialement pour le hockey et pouvant accueillir 6 000 spectateurs assis, ce qui est beaucoup mieux que les 3 000 sièges du Jubilee.

● Le match prévu le 9 février à Renfrew est annulé, l'équipement des joueurs du Canadien étant resté à Ottawa.

On soupçonne un malin d'avoir détaché le wagon refermant les bagages des joueurs du reste du convoi ferroviaire. L'équipe montréalaise devra assumer un dédommagement à l'équipe rivale.

● Un service télégraphique relie maintenant Montréal et les régions éloignées pour les résultats des parties des Canadiens. Ainsi, les sportifs de Chicoutimi, de Hull ou de Val-d'Or peuvent commenter les performances lors des entractes des matchs locaux.

### TROPHÉES

| COUPE STANLEY |
| --- |
| Senators d'Ottawa |
| **COUPE O'BRIEN** |
| Senators d'Ottawa |
| **MEILLEUR COMPTEUR** |
| Marty Walsh |
| Senators d'Ottawa |
| **MEILLEUR GARDIEN** |
| Georges Vézina |
| Canadiens de Montréal |

Renfrew, s'y oppose et c'est finalement le président de la Ligue, Emmett Quinn, qui tranchera en autorisant Lalonde à jouer avec qui bon lui semble.

L'équipe connaît du succès sur la glace, ainsi qu'auprès des entreprises et des amateurs qui offrent diverses récompenses. De temps en temps, *La Presse* promet des sommes de 100 $ et 200 $ pour une victoire de l'équipe. La firme Bonin & Frère va jusqu'à s'engager à remettre un chapeau à chaque joueur si le club bat les Wanderers lors du match subséquent. Vaincus, les joueurs continueront à se promener nu-tête!

### VÉZINA TIENT TÊTE AUX CANADIENS

Les Canadiens entreprennent la saison avec un nouveau gardien, découvert lors d'une partie amicale, à Chicoutimi. Et c'est parce qu'il a tenu tête à son équipe que Laviolette lui offre un contrat.

On accordait peu de chances aux quelques amateurs de la région de Chicoutimi recrutés pour affronter une équipe professionnelle comme celle du Canadien — avec les Didier Pitre, Jack Laviolette et compagnie — lors de ce match de bonne entente disputé dix mois plus tôt, le 20 février 1910.

Mais le gardien de Chicoutimi, Georges Vézina, un jeunot de 23 ans qu'on remarque à sa tuque rouge, résista aux puissants tirs des protégés de l'entraîneur-joueur Jack Laviolette, au grand plaisir des spectateurs venus des quatre coins de la région applaudir les succès de l'équipe locale.

Vézina fit tant et si bien que Chicoutimi l'emporta par 11 à 5 sur le club montréalais. Selon *Le Progrès du Saguenay*, Jack Laviolette déclara après la partie que, à la suite d'un

*Georges Vézina attire l'attention des Canadiens par son brio lors d'un match hors-concours disputé à Chicoutimi.*

GEORGES VÉZINA
CANADIENS.

● Les matchs sont maintenant divisés en trois périodes de 20 minutes, séparées par des entractes de 10 minutes.
● Les équipes sont autorisées à effectuer des changements de joueurs lors des deux premières périodes.

● Chemin faisant, les Senators alignent 10 victoires consécutives et obtiennent un total de 122 buts en 16 parties, pour une incroyable moyenne de 7,63 buts par match.
● Le record de 23 buts dans une partie, établi l'année précédente, est porté à 24 le 24 janvier, dans un match remporté 19-5 par Ottawa contre Renfrew.

● Marty Walsh, champion compteur de la saison, marque 10 buts lors du premier match de la série de la coupe Stanley, gagné 13-4 par les Senators.
● Percy Lesueur obtient le seul jeu blanc de la saison, contre les Canadiens.

● Art Ross, un solide bagarreur des Wanderers, règle son compte à Eddie Oatman dans un match contre les Bulldogs, ce qui provoque une mêlée entre les deux formations. La police sera obligée d'intervenir pour ramener le calme.

**1910-1911**

court entraînement dirigé par Didier Pitre et lui-même, cette équipe pourrait triompher de n'importe quelle formation de la NHA.

C'est ainsi que Georges Vézina fut amené à signer un contrat avec le Canadien le 26 décembre 1910, en vue de la saison à venir.

### EUGÈNE PAYAN, JOUEUR BÉNÉVOLE

L'enthousiasme suscité par le club Canadien est contagieux, malgré le plafond salarial de 5 000 $ imposé par la Ligue. Le fils du maire de Saint-Hyacinthe, Eugène Payan, tient tellement à endosser l'uniforme montréalais qu'il offre ses services gratuitement, l'amour du sport et de l'équipe constituant ses uniques motivations. Il veut faire sa part pour aider les francophones à remporter le championnat de la Ligue. Les partisans apprécient cette générosité. On lui offrira finalement un contrat «payant» et il inscrira 12 buts en 16 matchs.

Par contre, les autres joueurs semblent peu apprécier la limite salariale. Jack Laviolette refuse de signer une entente lui rapportant moins de 1 500 $ et Newsy Lalonde exige 1 600 $. On parle de syndicat et de grève pour faire fléchir les dirigeants. Finalement, les joueurs signeront l'un après l'autre, leur projet de nouvelle ligue ayant été tué dans l'œuf par les propriétaires d'arénas (dont certains étaient aussi propriétaires d'équipes) qui ont refusé de louer leurs amphithéâtres à tout nouveau club.

Les propriétaires du Canadien gagnent sur tous les tableaux : amélioration de l'équipe au classement, grosses assistances, réduction de salaires et même «un bénéfice net de 4 000 $» en fin de saison, selon les dires du gérant, Adolphe Lecours.

Les joueurs raffineront leurs moyens de pression avec les années. Maintenant, les propriétaires n'ont plus la partie aussi facile depuis que les joueurs se sont regroupés au sein d'une association toute-puissante.

*Eugène Payan était prêt à jouer pour rien d'autre que le plaisir de porter l'uniforme montréalais.*

| | PJ | G | P | BP | BC |
|---|---|---|---|---|---|
| Ottawa (Senators) | 16 | 13 | 3 | 122 | 69 |
| **Montréal (Canadiens)** | 16 | 8 | 8 | 66 | 62 |
| Renfrew (Creamery Kings) | 16 | 8 | 8 | 91 | 101 |
| Montréal (Wanderers) | 16 | 7 | 9 | 73 | 88 |
| Québec (Bulldogs) | 16 | 4 | 12 | 65 | 97 |

**MEILLEURS COMPTEURS**

| | | PJ | B | PUN |
|---|---|---|---|---|
| Marty Walsh | Ottawa | 16 | 35 | 51 |
| Albert Kerr | Ottawa | 16 | 33 | 45 |
| Donald Smith | Renfrew | 16 | 26 | 49 |
| Bruce Ridpath | Ottawa | 16 | 23 | 54 |
| Odie Cleghorn | Renfrew | 16 | 20 | 66 |
| Newsy Lalonde | **Canadiens** | 16 | 19 | 63 |
| Didier Pitre | **Canadiens** | 16 | 19 | 22 |
| Ernie Russell | Wanderers | 11 | 18 | 56 |
| Jack Darragh | Ottawa | 16 | 18 | 36 |
| Frank Glass | Wanderers | 16 | 17 | 31 |

# 1911 ⒞ 1912

NEWSY LALONDE PASSE À LA NOUVELLE PACIFIC COAST HOCKEY ASSOCIATION (PCHA)
ET LES CANADIENS TERMINENT DE NOUVEAU DERNIERS, MAIS À SEULEMENT DEUX PARTIES DES
NOUVEAUX CHAMPIONS, LES BULLDOGS DE QUÉBEC. CEUX-CI AJOUTERONT LA COUPE STANLEY
À LEUR FICHE EN DOMINANT FACILEMENT L'ÉQUIPE DE MONCTON PAR DEUX MATCHS À ZÉRO.
SKENE RONAN, DES SENATORS, EST LE CHAMPION COMPTEUR D'UNE LIGUE QUI N'A PLUS
QUE QUATRE FORMATIONS DEPUIS LE RETRAIT DES CREAMERY KINGS DE RENFREW.
GEORGES VÉZINA CONSERVE DE NOUVEAU LA MEILLEURE MOYENNE CHEZ LES GARDIENS.

## Lalonde passe à l'Ouest

La création d'une nouvelle ligue dans l'Ouest donne un dur coup à la NHA en début de saison. Pas moins de 11 joueurs, soit presque la moitié des effectifs des équipes de l'Association de la Côte du Pacifique (PCHA), proviennent des formations de la NHA. Newsy Lalonde, la grande vedette des Canadiens, son coéquipier Georges Poulin, ainsi que Jimmy Gardner et plusieurs membres des Wanderers sont du nombre.

Mis sur pied par les frères Frank et Lester Patrick, deux anciens joueurs des Creamery Kings de Renfrew, le nouveau circuit regroupe Vancouver, Victoria et New Westminster.

Recruté par les Millionaires de Vancouver, Lalonde devient vite le joueur vedette du nouveau circuit, inscrivant 27 buts en 15 rencontres et terminant au premier rang des compteurs.

Les Canadiens encaissent mal le départ de Lalonde, comme en témoigne son dernier rang au classement, malgré les belles performances du gardien Vézina.

*Les Canadiens perdent leur grande vedette, Newsy Lalonde, au profit des Millionaires de Vancouver.*

49

● Jack Laviolette reprend son rôle de capitaine, à la suite du départ de Lalonde.

● Le 17 janvier 1912, les Canadiens remportent une première victoire en deux ans contre les Senators, et la direction de l'équipe invite les joueurs au restaurant Russel. Emballé par cette victoire, le président de la compagnie Prudential Realty, Georges Tessier, offre une somme d'argent (dont les journaux de l'époque ne mentionnent pas le montant

exact) à tirer parmi les joueurs. C'est Eugène Payan qui est l'heureux gagnant, tandis que les autres se partagent une prime de 50 $ offerte par l'avocat Maurice Ranger. Et Conn Jones, un magnat de Vancouver de passage à Montréal, de gratifier tous les joueurs d'un beau chapeau.

● Napoléon Dorval, actionnaire de l'équipe, devient gérant du club (entraîneur), mais il passe

beaucoup de temps à réaliser des croquis des joueurs, délaissant souvent son travail d'entraîneur. On fait appel à Billy Noseworthy pour le remplacer à quelques occasions. C'est lui qui est en fonction lors de la victoire de 5-4 contre Ottawa le 17 janvier.

● Alf Smith, ex-entraîneur à Renfrew, est aussi embauché à ce poste le 3 février. Montréal signe une deuxième victoire de suite contre Ottawa, par la marque décisive de 9-3.

Mais le nom de Smith disparaît du sommaire après cet unique match. On retrouvera son nom sur une liste avec Ottawa en 1918-19.

● Gordon Roberts, des Wanderers, devient le deuxième joueur à compter six fois dans un même match contre les Canadiens. Les Wanderers l'emportent 9 à 1.

● Le club accueille un nouveau venu, Louis Berlinguette, qui demeurera 12 ans avec l'équipe.

---

**1911-1912**

## ON LES APPELLE LES *FLYING FRENCHMEN*

Jack Laviolette avait le flair pour dénicher des joueurs électrisants, comme les Lalonde, Pitre et autres, qui se sont vite acquis une réputation de hockeyeurs déterminés à cause de leur style de jeu.

Grâce à l'équipe spectaculaire qu'il avait formée à l'origine, chaque fois que celle-ci se présentait à l'extérieur pour disputer un match, on se passait le mot chez les spectateurs : « Les *Flying Frenchmen* sont en ville. » Certains croient que cette appellation est née lors d'une victoire contre Ottawa, en janvier 1911, mais d'autres l'imputent à un scribe américain. Chose certaine, les journalistes anglophones de la région d'Ottawa, impressionnés par le style de Laviolette et celui de Pitre, qui « volaient littéralement sur la glace » ce soir-là, reprirent ce surnom qui est resté collé à l'équipe à travers les décennies.

C'est donc à cause de ces joueurs qu'encore aujourd'hui on fait parfois référence aux *Flying Frenchmen* pour désigner les Canadiens à l'étranger.

| JOUEURS | |
|---|---|
| 1 | Georges Vézina |
| 2 | Ernie Dubeau |
| 3 | Jack Laviolette (C) |
| 4 | Frank Glass |
| 5 | Didier Pitre |
| 6 | Edgar Leduc |
| | Alphonse Jetté |
| 7 | Eugène Payan |
| 8 | Louis Berlinguette |
| | Pierre Vézina |
| 9 | Hector Dallaire |
| 10 | Évariste Payer |
| **ENTRAÎNEUR** | |
| | Napoléon Dorval |

### DIDIER PITRE FAIT TREMBLER

Défenseur au gabarit imposant, Didier Pitre a été converti en maraudeur au milieu de la saison 1910-11. Son tir dévastateur terrorise les gardiens adverses. L'un d'eux, Percy Lesueur, des Senators d'Ottawa, demande à la Ligue l'autorisation de porter un masque pour se protéger des boulets de Pitre, qui effraient aussi les spectateurs situés dans sa mire de tir. Certains vont jusqu'à plonger derrière le dossier des sièges devant eux pour se protéger.

On rapporte que Riley Hern, cerbère des Wanderers, aurait fait l'impasse sur la saison 1911-12 pour ne pas avoir à affronter les tirs du colosse.

Pitre termine la saison au deuxième rang des compteurs, avec 28 buts en 18 parties.

*Le puissant tir de Didier Pitre effraie ses rivaux.*

● Les numéros font leur apparition au dos du chandail des joueurs, ainsi que sur l'épaule gauche, alors que le nombre de joueurs de chaque équipe est fixé à neuf.

● Le poste de maraudeur (*rover*) est supprimé afin de rendre le hockey plus intéressant pour le public et aussi plus économique pour les promoteurs. Un joueur de moins à payer !

● L'unique blanchissage de la saison est de nouveau réalisé contre les Canadiens, cette fois par le gardien des Wanderers, George Broughton. C'est la toute première fois que les Canadiens ne parviennent pas à marquer au moins un but devant leurs partisans.

● Skene Ronan, champion compteur de la Ligue, obtient 8 buts dans une victoire de 17 à 5 des Senators contre les Wanderers.

● Toute infraction majeure ou un total de trois mineures sera dorénavant accompagnée d'une amende de 5 $. Le joueur le plus sanctionné sera Ernie Russell avec 110 $, comparativement à 55 $ pour Ernest Dubeau et à 40 $ pour Didier Pitre.

● On autorise maintenant les changements de joueurs à toutes les périodes.

● Les Bulldogs font installer un grand tableau noir pour inscrire les noms et les numéros des joueurs, près des spectateurs, lors des matchs locaux.

● Deux équipes de Toronto, les Torontos et les Tecumsehs, tentent d'obtenir des concessions dans la NHA pour combler la perte de Renfrew. En janvier, on doit reporter les demandes à plus tard devant l'impossibilité de préparer la glace de la patinoire à temps pour le début de la saison.

| TROPHÉES | | | | | |
|---|---|---|---|---|---|
| **COUPE STANLEY** | | | | | |
| Bulldogs de Québec | | | | | |
| **COUPE O'BRIEN** | | | | | |
| Bulldogs de Québec | | | | | |
| **MEILLEUR COMPTEUR** | | | | | |
| Skene Ronan | | | | | |
| Senators d'Ottawa | | | | | |
| **MEILLEUR GARDIEN** | | | | | |
| Georges Vézina | | | | | |
| Canadiens de Montréal | | | | | |

| | PJ | G | P | BP | BC |
|---|---|---|---|---|---|
| Québec (Bulldogs) | 18 | 10 | 8 | 81 | 79 |
| Ottawa (Senators) | 18 | 9 | 9 | 99 | 93 |
| Montréal (Wanderers) | 18 | 9 | 9 | 95 | 96 |
| Montréal (Canadiens) | 18 | 8 | 10 | 59 | 66 |

| MEILLEURS COMPTEURS | | PJ | B | AMENDES |
|---|---|---|---|---|
| Skene Ronan | Ottawa | 18 | 35 | 5 $ |
| Didier Pitre | Canadiens | 18 | 28 | 40 |
| Ernie Russell | Wanderers | 18 | 27 | 110 |
| Albert Kerr | Ottawa | 18 | 24 | 35 |
| Odie Cleghorn | Wanderers | 17 | 23 | 0 |
| Joe Malone | Québec | 18 | 21 | 0 |
| Eddie Oatman | Québec | 18 | 20 | 20 |
| Jack McDonald | Québec | 17 | 18 | 0 |
| Art Ross | Wanderers | 18 | 16 | 35 |
| Gordon Roberts | Wanderers | 18 | 16 | 0 |

QUEBEC A MIEUX JOUE SAMEDI QUE LES WANDERERS MERCREDI

*Dessin des joueurs du Canadien publié dans* **La Presse.**

## UN ANGLO CHEZ LES FRANCOPHONES

L'organisation du Canadien avait obtenu de haute lutte l'exclusivité de l'embauche des joueurs francophones et mené quelques batailles épiques pour « récupérer » un Newsy Lalonde, par exemple. En contrepartie, le club n'était pas autorisé à avoir recours aux services d'anglophones parmi ses joueurs.

Il est pourtant le premier à transgresser l'entente en faisant appel à l'ex-capitaine des Wanderers, Frank Pud Glass, qui a participé à quatre séries de la coupe Stanley. C'est le tollé chez les autres équipes, notamment à Ottawa où les Senators portent plainte à la Ligue.

On se montre conciliant à la réunion de la NHA quelques jours plus tard et on autorise Glass à demeurer chez le Canadien. Le représentant d'Ottawa, M. Sparks, évite d'en rajouter lors de cette réunion, amusé de voir la formation montréalaise bafouer le règlement pour lequel elle s'était battue quelques années plus tôt.

Glass ne devient pas une menace avec son nouveau club, se contentant d'une fiche de 7 buts en 16 rencontres. Glass avait disputé sept saisons avec les Wanderers, mais il ne demeure qu'une saison avec le Canadien et disparaît ensuite du hockey professionnel.

*Le Canadien transgresse une entente conclue entre les clubs en embauchant un premier joueur anglophone.*

51

La rivalité entre la NHA et la PCHA est très forte et on s'enlève les joueurs à coups de dollars. La NHA compte deux nouveaux clubs à Toronto, les Blueshirts et les Tecumsehs. Les Canadiens, qui peuvent maintenant embaucher des anglophones, terminent à l'avant-dernier rang. Le club gagne sept des dix premiers matchs, mais perd huit des dix derniers. Les Bulldogs de Québec sont les maîtres incontestés du hockey. Ils décrochent le championnat de la saison et la coupe Stanley, balayant Sydney 2-0, avant de refuser le défi de Victoria de mettre la coupe à l'enjeu. Ils acceptent cependant de disputer une série hors-concours, qu'ils perdent deux matchs à un. Cette série marque le début des affrontements Est-Ouest pour la coupe Stanley. Joe Malone, des Bulldogs, est champion compteur et Vézina est devancé par Paddy Moran, aussi de Québec, chez les cerbères.

*La formation de 1912-13 dans son uniforme officiel.*

## Gros salaire pour l'enfant prodigue

*Newsy Lalonde est accueilli avec beaucoup de joie et la meilleure offre salariale à ce jour, à son retour de Vancouver.*

Le retour de Newsy Lalonde, en provenance des Millionaires de Vancouver, de la Ligue de la Côte du Pacifique, cause des remous chez le Canadien de plusieurs manières. Il signe un contrat qui l'assure du meilleur salaire accordé à un joueur jusqu'à ce jour, ce qui provoque beaucoup d'envie chez ses nouveaux coéquipiers, notamment Didier Pitre, alors vedette établie au sein de l'équipe. D'autant plus qu'avec Lalonde arrive Donald Smith, autre joueur étoile, arraché aux Aristrocrats de Victoria. L'engagement de Smith est favorisé

● Newsy Lalonde, revenu dans les bonnes grâces de l'équipe, reprend son titre de capitaine.

● Les avis étant toujours partagés entre la formule à six ou à sept joueurs, George Kennedy propose de disputer une moitié de saison à six et l'autre à sept. Le public tranche la question en se faisant plus clairsemé lorsque les clubs délèguent 14 joueurs sur la glace. Les lecteurs de *La Presse* confirmeront la

tendance en se prononçant largement pour la nouvelle formule à six par un vote populaire.

● En raison des plaintes du public montréalais, la Ligue désigne un juge de but local (qu'on appelle *umpire*), qui sera Léo Dandurand. Ce dernier se poste derrière le filet pour juger les buts.

● Toujours aussi engagé dans le développement du jeu, le quotidien *La Presse* fait pression depuis longtemps pour accélérer l'engagement d'un arbitre francophone. C'est encore Léo Dandurand qui deviendra le premier francophone invité à arbitrer un match de la NHA, à titre expérimental, le 5 mars 1913.

● Les Canadiens sont forcés de changer de chandail en pleine saison, parce qu'il prête à confusion avec celui des Senators d'Ottawa. Ces derniers ont porté plainte à la Ligue à la suite du match du 18 janvier 1913, alors que leurs partisans encourageaient les joueurs du club Canadien, croyant appuyer leur propre équipe, semble-t-il. Finalement, les Canadiens optent pour un uniforme rouge, avec une

**1912-1913**

| | | PJ | G | P | BP | BC |
|---|---|---|---|---|---|---|
| Québec (Bulldogs) | | 20 | 16 | 4 | 112 | 75 |
| Montréal (Wanderers) | | 20 | 10 | 10 | 93 | 90 |
| Ottawa (Senators) | | 20 | 9 | 11 | 87 | 81 |
| Toronto (Blueshirts) | | 20 | 9 | 11 | 86 | 95 |
| Montréal (Canadiens) | | 20 | 9 | 11 | 83 | 81 |
| Toronto (Tecumsehs) | | 20 | 7 | 13 | 59 | 98 |

**MEILLEURS COMPTEURS**

| | | PJ | B | AMENDES |
|---|---|---|---|---|
| Joe Malone | Québec | 20 | 43 | 25 $ |
| Tommy Smith | Québec | 18 | 39 | 36 $ |
| Harry Hyland | Wanderers | 20 | 27 | 23 $ |
| Newsy Lalonde | Canadiens | 18 | 25 | 51 $ |
| Frank Nighbor | Blueshirts | 19 | 25 | 15 $ |
| Didier Pitre | Canadiens | 17 | 24 | 75 $ |
| Punch Broadbent | Ottawa | 20 | 20 | 12 $ |
| Allan Davidson | Blueshirts | 20 | 19 | 61 $ |
| Donald Smith | Canadiens | 20 | 19 | 54 $ |
| Skene Ronan | Ottawa | 20 | 18 | 17 $ |
| Odie Cleghorn | Wanderers | 19 | 18 | 24 $ |

| JOUEURS | |
|---|---|
| 1 | Georges Vézina |
| 2 | Ernie Dubeau |
| 3 | Jack Laviolette |
| 4 | Newsy Lalonde (C) |
| 5 | Didier Pitre |
| 6 | Donald Smith |
| 7 | Eugène Payan |
| 8 | Louis Berlinguette |
| 9 | Hector Dallaire |
| | Fred Povey |
| 10 | Alphonse Jetté |
| 11 | Clayton Fréchette |
| | Hyacinthe Guèvremont |
| **ENTRAÎNEUR** | |
| | Napoléon Dorval |

par le nouveau règlement du circuit qui autorise le Canadien à employer deux joueurs anglophones et les autres formations à embaucher deux francophones en contrepartie.

Pitre songe sérieusement à s'exiler dans l'Ouest. Il vend même l'auto que ses supporters viennent de lui offrir. Mais George Kennedy fait avorter le projet de Pitre en l'échangeant contre les droits sur Goldie Prodgers — passé lui aussi à l'Ouest —, avec une clause permettant de le récupérer en cours de saison. Faut dire qu'on est en pleine bataille Est-Ouest, les deux circuits s'arrachant les joueurs à gros prix. Le président de la NHA, Emmet Quinn, annule la transaction avant le début de la saison et Pitre est forcé de jouer aux côtés de Lalonde. Il est évident qu'il n'est pas des plus heureux de la situation. Le club le suspend même pour trois matchs en fin de saison, retranchant automatiquement 450 $ de son salaire de 3 000 $.

Finalement, Lalonde et Pitre terminent la saison avec 25 et 24 buts respectivement, tandis que Donald Smith, qui s'était mis en vedette dès la première rencontre avec 4 filets, en obtient 19.

Tout ce va-et-vient a obligé le Canadien à défoncer le plafond salarial de 8 000 $ fixé par la Ligue. L'un des journalistes affectés à la couverture d'un match hors-concours entre les Canadiens et les Wanderers, inaugurant le nouvel aréna de Toronto le 21 décembre 1912, établit même le total des salaires des deux clubs en présence à quelque 25 000 $.

bande bleue au collet et un C sur fond blanc à l'avant, lors des matchs contre les Senators.
● Georges Vézina obtient le premier jeu blanc de sa carrière – le premier du club – contre Ottawa, lors d'une victoire de 6-0.

● De son côté, Donald Smith déjoue le gardien de Toronto, Harry Holmes, à quatre reprises lors de son premier match dans l'uniforme montréalais.
● Pour contrer les encouragements et les primes que le président des Wanderers, Sam Lichtenhein, distribue aux équipes rivales en vue de les inciter à battre les Canadiens, un autre homme

d'affaires offre 250 $ aux joueurs montréalais s'ils remportent le championnat. *La Presse* renchérit avec un montant similaire et demande aux partisans de l'équipe d'y aller de leur contribution.
● C'est aussi *La Presse* qui a organisé un défilé de 200 raquetteurs, en provenance d'une trentaine de clubs, à l'ouverture de la saison locale. Une

manifestation qu'elle maintiendra plusieurs années.
● Le phénomène des revendeurs existe aussi à cette époque. Quelques spéculateurs achètent des liasses de billets qu'ils revendent avant le début des parties aux amateurs qui n'ont pu s'en procurer plus tôt. À 5$ en après-midi, puis à 2$ et à 1,50$ à mesure qu'approche le début de la partie.

| TROPHÉES | |
|---|---|
| **COUPE STANLEY** | |
| Bulldogs de Québec | |
| **COUPE O'BRIEN** | |
| Bulldogs de Québec | |
| **MEILLEUR COMPTEUR** | |
| Joe Malone | |
| Bulldogs de Québec | |
| **MEILLEUR GARDIEN** | |
| Paddy Moran | |
| Bulldogs de Québec | |

## LALONDE, DE TOUS LES COMBATS

Lalonde n'est pas uniquement un bon compteur, il est capable de prendre les coups... et de les rendre.

Lors de la partie hors-concours du 21 décembre entre les Canadiens et les Wanderers, il fait montre de toute la détermination qu'on lui connaît en plaquant solidement Odie Cleghorn contre la bande, dans le feu de l'action. Sprague Cleghorn, le frère d'Odie, se porte aussitôt à la défense de celui-ci et assène un coup de bâton au visage de Lalonde, lui fendant le front et la joue. On l'expulse du match, mais les choses n'en resteront pas là.

À la fin de la rencontre, les spectateurs, davantage sympathiques aux Canadiens, s'en prennent aux Wanderers à leur retour au vestiaire. Lalonde en est quitte pour une visite à l'hôpital et 12 points de suture, tandis que Sprague Cleghorn, arrêté par la police, devra payer deux amendes de 50 $, l'une à la cour et l'autre à la Ligue.

*Les Canadiens doivent porter un chandail différent contre Ottawa en raison de la similitude des couleurs, mais ils reviennent à leur uniforme de « poteau de barbier » lors des rencontres avec les autres équipes, comme Québec.*

*Le Canadien offre les services de Donald Smith à Vancouver pour remplacer Lalonde, qui refuse d'aller jouer dans l'Ouest. L'offre sera cependant rejetée.*

● Les changements de joueurs sont désormais autorisés en tout temps et les équipes alternent de territoire à chaque période.

● On utilise pour la première fois des signaux pour indiquer les punitions et on oblige les arénas à installer un tableau d'affichage.

● Les Bulldogs de Québec se donnent une mascotte représentative de leur nom et susceptible de leur porter chance. Avec succès, semble-t-il, puisque l'équipe gagne une seconde coupe Stanley de suite. Et la mascotte trône à la place d'honneur sur la photo officielle de l'équipe.

● Mort de Patrick Doran, propriétaire du Jubilee, en décembre. Il s'affaisse, frappé de mort soudaine (crise cardiaque?) alors qu'il est occupé à préparer la glace de sa patinoire.

● Un total de quatre blanchissages au cours de la saison, lesquels vont au crédit de Clint Benedict (Ottawa), Paddy Moran (Québec), Harry Holmes (Blushorts de Toronto) et Vézina.

● Neuf buts de Joe Malone lors du premier match de la finale de la coupe Stanley contre les Millionaires de Sydney, champions des Maritimes. Les Bulldogs l'emportent 14-3.

**1912-1913**

*La lutte est vive entre les Canadiens et les Wanderers, l'autre équipe de Montréal, ainsi qu'avec Ottawa et Toronto pour l'exclusivité du deuxième rang de la Ligue. Il ne reste que trois matchs à disputer lorsque le Montreal Daily Star publie ce dessin plutôt original des joueurs du Tricolore pour annoncer une rencontre avec les Wanderers.*

Deux mois plus tard, Lalonde est de nouveau aux prises avec un autre de ses « bons amis ». Il s'agit cette fois de Joe Hall, des Bulldogs de Québec. Les deux n'en sont pas à leur premier accrochage, leurs formations entretenant une forte rivalité depuis l'arrivée de Québec dans la Ligue.

Lors de ce match du 22 février 1913, Lalonde bouscule son adversaire à quelques reprises, avant que Hall ne réplique par un double échec alors que Lalonde n'est pas en possession de la rondelle. Hall revient à la charge en deuxième période, frappant son rival au front avec son bâton. Il sera expulsé du jeu pour 20 minutes, pendant que Lalonde tente de reprendre ses esprits.

*Les Canadiens entreprennent la saison en force, mais perdent 8 de leurs 10 dernières rencontres pour se contenter de l'avant-dernier rang.*

# 1913 Ⓒ 1914

LA PCHA ET LA NHA S'ÉTANT ENTENDUES SUR LEUR TERRITOIRE RESPECTIF, LES CANADIENS TERMINENT EN PREMIÈRE PLACE DE LA NHA, À ÉGALITÉ AVEC LES BLUESHIRTS DE TORONTO. ON DÉCIDE DE LEUR FAIRE DISPUTER DEUX PARTIES POUR DÉTERMINER LE CHAMPION. CHAQUE ÉQUIPE GAGNE SON MATCH LOCAL, MAIS TORONTO L'EMPORTE AU TOTAL DES BUTS (6 À 2). NEWSY LALONDE EST LE PREMIER MARQUEUR DES CANADIENS AVEC 22 BUTS, MAIS TOMMY SMITH, DES BULLDOGS, EST CHAMPION COMPTEUR DE LA LIGUE AVEC 39. GEORGES VÉZINA EST LE MEILLEUR GARDIEN. TORONTO AJOUTERA LA COUPE STANLEY À LA COUPE O'BRIEN EN DISPOSANT DE VICTORIA, CHAMPION DE L'OUEST, PAR TROIS PARTIES À ZÉRO. LA LIGUE CONTINUE DE SANCTIONNER LES INFRACTIONS DE JEU DES JOUEURS PAR DES AMENDES. CELLES-CI RAPPORTENT 1290 $ À LA LIGUE ET LES PLUS PÉNALISÉS SONT LES JOUEURS D'OTTAWA, AVEC UN TOTAL DE 389 $.

## Lalonde est échangé, c'est Pitre qui partira

*Didier Pitre endosse maintenant l'uniforme des Millionaires de Vancouver.*

George Kennedy accepte d'échanger Newsy Lalonde aux Millionaires de Vancouver, en retour de Jimmy Gardner, plus une somme de 500 $, avant le début de la saison. Devant le refus de son joueur étoile de se présenter à sa nouvelle équipe, Kennedy offre les services de Donald Smith comme solution de rechange, mais Vancouver ne l'entend pas ainsi et refuse la proposition.

Finalement, après une promesse écrite par Lalonde aux frères Patrick, les dirigeants de l'Ouest acceptent de

● Newsy Lalonde obtient six buts et une passe dans un match contre les Wanderers le 10 janvier, et cinq autres buts contre la même équipe, un mois plus tard.

● Sitôt arrivé à Montréal, à la suite de l'échange avorté de Newsy Lalonde, Jimmy Gardner est nommé gérant (entraîneur) de l'équipe, succédant à « l'artiste » Napoléon Dorval. Précédemment, Gardner avait aussi dirigé les Wanderers.

● Les journaux francophones se plaignent régulièrement du mauvais sort infligé aux Canadiens par les arbitres anglophones. Ce qui n'empêche pas George Kennedy de déverser sa colère sur Léo Dandurand, à la première partie de

*Jimmy Gardner*

**1913-1914**

se rallier à une autre proposition. Cette offre leur assurerait les services de Didier Pitre pour l'année à venir, un joueur plutôt difficile à diriger à Montréal, tandis que Lalonde se présenterait à Vancouver la saison suivante.

Lalonde est bien heureux. Il peut poursuivre sa carrière à Montréal et sans être obligé de côtoyer Pitre.

Par ailleurs, la « guerre » contre Joe Hall, des Bulldogs de Québec, se poursuit de plus belle. Dès la première rencontre entre les deux formations, Lalonde remet la monnaie de sa pièce à son rival en lui fendant la tête d'un coup de bâton. Deux coéquipiers de Hall, Malone et Smith, répliquent aussitôt à coups de poing.

Au match suivant, lors d'une montée à l'emporte-pièce dont il a le secret, Lalonde est intercepté par Hall, qui en profite pour lui glisser quelques mots doux à l'oreille. Le jeu se poursuit jusqu'à ce que Lalonde soit de nouveau arrêté par un coup de bâton qui le projette sur la glace. Il se retrouve à l'infirmerie, tandis que George Kennedy reproche son manque de fermeté au président de la Ligue, duquel il avait réclamé un avertissement sérieux deux jours plus tôt pour éviter que la rivalité entre les deux joueurs ne dégénère en combat sanglant.

| JOUEURS | |
|---|---|
| 1 | Georges Vézina |
| 2 | Jack Laviolette |
| 3 | Ernie Dubeau |
| 4 | Newsy Lalonde |
| 5 | Donald Smith |
| 6 | Louis Berlinguette |
| 7 | Jimmy Gardner(C) |
| 8 | Hector Dallaire |
| 9 | Alphonse Jetté |
| 10 | Harry Scott |
| 12 | Clayton Fréchette |
| | Émile Marchildon |
| | Eugène Payan |
| 13 | Lorenzo Bertrand |
| | Émile Marchildon |
| 14 | Harry Scott |
| **ENTRAÎNEUR** | |
| | Jimmy Gardner |

THE MONTREAL DAILY STAR—WEDNESDAY, FEBRUARY 18, 1914.

# in Professional Lacrosse--New One I

A TRIO OF BRIGHT CANADIENS CAUGHT ON THE FLY. THE ONE ON THE LEFT WILL TAKE "NEWSY" LALONDE'S PLACE TO-NIGHT

*Le 18 février, Harry Scott (à gauche sur la photo) remplace Lalonde sur le premier trio, pour le reste de la saison. Il comptera huit buts en cinq parties.*

ce dernier comme arbitre, le 28 février. Dandurand se plaint au président de la NHA, Emmett Quinn, dans une lettre ouverte publiée dans le *Montreal Herald & Dailey* ; il accuse Kennedy de l'avoir saisi à la gorge et insulté publiquement. Sa missive demeurera lettre morte.

● Lalonde est mis K.-O. par Eddie Gérard le jour de la Saint-Valentin, au cours d'un match excessivement rude. Gérard lui sert un croc-en-jambe et Lalonde se casse la clavicule en tombant. Il est hors de combat pour le reste de

la saison, tout comme le joueur-entraîneur Jimmy Gardner, blessé au genou. Au total, cinq porte-couleurs du Canadien sortent de la patinoire sur une civière. Soixante-dix ans plus tard, jour pour jour, les joueurs des Canadiens connaîtront une autre soirée de la Saint-Valentin fort mouvementée.

● Le phénomène des revendeurs existe aussi à cette époque. Quelques spéculateurs achètent des liasses de billets qu'ils revendent avant le début des parties aux amateurs qui n'ont pu s'en procurer plus tôt. À 5 $ en après-midi, puis à 2 $ et à 1,50 $ à mesure qu'approche le début de la partie.

**TROPHÉES**

**COUPE STANLEY**
Blueshirts de Toronto

**COUPE O'BRIEN**
Blueshirts de Toronto

**MEILLEUR COMPTEUR**
Tommy Smith
Bulldogs de Québec

**MEILLEUR GARDIEN**
Georges Vézina
Canadiens de Montréal

*Le Canadien offre les services de Donald Smith à Vancouver pour remplacer Lalonde, qui refuse d'aller jouer dans l'Ouest. L'offre sera cependant rejetée.*

*Le deuxième match qui avait pour but de briser l'égalité au premier rang entre les Blueshirts de Toronto et les Canadiens au terme de la saison est présenté à Toronto sur une glace artificielle pour la première fois de l'histoire. Les Blueshirts l'emportent sans difficulté, 6-0.*

**1913-1914**

Pourtant, la Ligue continue d'imposer des punitions en argent plutôt qu'en temps pour essayer d'enrayer la violence. Elle récolte 1 290 $ d'amendes au cours de la saison, sur fond d'une rivalité déjà très forte entre Québec et Montréal.

## NOUVELLE PAIX ENTRE LA NHA ET LA PCHA

La surenchère qui oppose les deux circuits professionnels de hockey depuis quelques années fait bien l'affaire des joueurs, mais elle nuit considérablement au développement des deux ligues et de leurs équipes respectives. On en vient à un compromis en septembre 1914, au cours d'une rencontre tenue à Montréal.

On divise le Canada en deux régions protégées : la Ligue de la Côte du Pacifique pourra recruter des joueurs de Port Arthur jusqu'au Pacifique, tandis que le bassin des joueurs de la section plus à l'Est demeurera la propriété de la NHA. Chacune des ligues aura cependant le privilège de recruter trois joueurs

● Les passes sur les buts comptés sont dorénavant inscrites à la fiche des joueurs. Elles ne figurent toutefois pas au classement officiel des marqueurs. Il faudra attendre jusqu'en 1918-19, à la deuxième saison de la Ligue nationale, pour que cette pratique soit définitivement adoptée.

● La Ligue oblige maintenant les arénas à fournir un local réservé aux arbitres, en retrait des vestiaires des joueurs.

● Les Tecumsehs de Toronto adoptent le nom d'Ontarios.

● Jack Marshall, des Blueshirts de Toronto, en est à sa cinquième coupe Stanley, un exploit réalisé avec quatre équipes différentes : Winnipeg en 1901, le AAA de Montréal en 1902, les Wanderers en 1907 et en 1910, ainsi que Toronto en 1914. Personne ne rééditera cette performance.

● Tommy Smith inscrit pas moins de neuf buts contre le gardien Billy Nicholson le 21 janvier, devant ses partisans, à Québec, dans une victoire de 12-6. Il répète ainsi le fait d'armes réussi par Newsy Lalonde en 1909-10.

● Le phénomène des revendeurs de billets existe depuis fort longtemps. Le 20 février, les 3 500 billets du match Montréal/Toronto sont achetés en 90 minutes

par une poignée de personnes. À peine la vente terminée, les billets sont offerts dans la rue par les vendeurs de journaux à deux et trois fois le prix coûtant. Les amateurs, outrés, demandent au président Quinn de faire enquête.

● On inaugure un nouvel aréna à Québec lors du match d'ouverture, à la fin de décembre. Les Canadiens l'emportent 9-3 sur les Bulldogs devant 6 000 spectateurs, témoins d'une altercation Lalonde/Hall.

**1913-1914**

THE MONTREAL DAILY STAR—MONDAY, FEBRUARY 16, 1914.

May be Out in Two Weeks--World's Hockey Pre

AT THE ARENA SATURDAY NIGHT.

*Les journaux, tel le Montreal Daily Star, allient photos et dessins comme en témoigne cette illustration qui accompagne leur couverture des activités des Canadiens. En mortaise à droite, Newsy Lalonde, la grande vedette de l'époque.*

| | PJ | G | P | BP | BC |
|---|---|---|---|---|---|
| Toronto (Blueshirts) | 20 | 13 | 7 | 93 | 65 |
| **Montréal (Canadiens)** | 20 | 13 | 7 | 85 | 65 |
| Québec (Bulldogs) | 20 | 12 | 8 | 111 | 73 |
| Ottawa (Senators) | 20 | 11 | 9 | 65 | 71 |
| Montréal (Wanderers) | 20 | 7 | 13 | 102 | 125 |
| Toronto (Ontarios) | 20 | 4 | 16 | 61 | 118 |

**MEILLEURS COMPTEURS**

| | | PJ | B | *A | AMENDES |
|---|---|---|---|---|---|
| Tommy Smith | Québec | 20 | 39 | 6 | 27$ |
| Gordon Roberts | Wanderers | 20 | 31 | 13 | 13$ |
| Harry Hyland | Wanderers | 18 | 30 | 12 | 18$ |
| Jack McDonald | Ontarios | 20 | 27 | 8 | 14$ |
| Joe Malone | Québec | 17 | 24 | 4 | 17$ |
| Jack Darragh | Ottawa | 20 | 23 | 5 | 73$ |
| Allan Davidson | Blueshirts | 20 | 23 | 13 | 62$ |
| **Newsy Lalonde** | **Canadiens** | 14 | 22 | 5 | 23$ |
| Jack Walker | Blueshirts | 20 | 20 | 16 | 19$ |
| **Donald Smith** | **Canadiens** | 20 | 18 | 10 | 22$ |
| Skene Ronan | Ottawa | 19 | 18 | 5 | 65$ |

*De 1913-14 à 1916-17, les assistances, bien qu'ajoutées à la fiche des joueurs, ne comptent pas au classement officiel.

dans l'autre territoire. Les joueurs échangés qui refuseront de se présenter à leur nouvelle équipe seront automatiquement suspendus jusqu'à ce qu'ils obtiennent une libération de ladite équipe.

Autre point de l'entente, les vainqueurs des deux ligues s'affronteront désormais dans une série 3 de 5 pour déterminer le gagnant de la coupe Stanley.

# 1914 (C) 1915

*NEWSY LALONDE SUSPENDU ET DONALD SMITH VENDU AUX WANDERERS, LES CANADIENS ONT PERDU LEURS DEUX MEILLEURS MARQUEURS, MALGRÉ LE RETOUR DE DIDIER PITRE. LE CLUB ENCAISSE LA DÉFAITE À SES HUIT PREMIÈRES PARTIES ET TERMINE AU DERNIER RANG, TANDIS QUE LES SENATORS D'OTTAWA DÉCROCHENT LE CHAMPIONNAT, MAIS PERDENT CONTRE LES MILLIONAIRES DE VANCOUVER, TROIS MATCHS À ZÉRO, EN SÉRIE DE LA COUPE STANLEY. TOMMY SMITH EST DE NOUVEAU CHAMPION COMPTEUR, DEVANT PITRE, EN CE DÉBUT DE GUERRE MONDIALE.*

*Le Canadien réagit à la grève de Lalonde en le suspendant et en lui imposant une amende.*

## La grève de Newsy Lalonde

Le délai accordé par les Millionaires de Vancouver, au début de la saison 1913-14, pour que Lalonde se présente à l'équipe de l'Ouest, lui aura laissé le temps de changer d'idée et de refuser de se conformer à l'entente.

En novembre 1914, peu avant le début de la saison, le Canadien propose donc à Vancouver de garder Pitre une saison de plus. Ce dernier, appuyé par ses nombreux admirateurs qui veulent le revoir dans l'uniforme montréalais, refuse carrément. Vancouver n'a d'autre choix que de céder son contrat au Canadien, en retour d'une somme d'argent.

Mais Lalonde se laisse désirer à Montréal aussi, refusant l'offre du Canadien, laquelle s'apparente pourtant aux contrats signés par Pitre, Vézina, Laviolette et Smith. George Kennedy suspend son joueur étoile, lui imposant une amende de 100 $, plus 100 $ supplémentaires par semaine ratée, et il le remplace à titre de capitaine.

Trois jours plus tard, le Canadien vend le contrat de Donald Smith aux Wanderers. Décision risquée puisque le club, privé de ses deux meilleurs

61

● La grève de Lalonde provoque d'autres changements dans l'équipe. L'entraîneur Jimmy Gardner cumule la fonction de capitaine, en plus de disputer quelques matchs à l'aile gauche. L'année suivante, il exigera une augmentation pour toutes ses fonctions. Sa demande refusée, il rentrera chez lui.

● Vézina est expulsé d'un match contre les Bulldogs, au moment où les Canadiens mènent 3-2 en troisième. L'arbitre a jugé qu'il avait frappé Joe Hall — le « grand ami » de Lalonde — au passage, même si Vézina a plutôt heurté le poteau des buts. Laviolette le remplace, les Bulldogs égalisent, mais Vézina revient pour la période supplémentaire. Finalement Montréal perd 4-3 dans ce qui fut la plus longue prolongation de l'histoire de la NHA, soit 50 min 28 s.

● Didier Pitre marque cinq buts lors de la première victoire du Canadien, 7-2 contre les Wanderers, le 23 janvier.

● Les Canadiens ont aligné pas moins de six joueurs de langue anglaise au cours de la saison, malgré les restrictions imposées par la Ligue. Les joueurs concernés sont Donald Smith, Bert Hunt, Jimmy Gardner, Harry Scott, Eddie Lowrey et Nick Bawlf.

● Didier Pitre devient le premier joueur des Canadiens à atteindre le plateau des 100 buts en déjouant le gardien Percy Lesueur, des Ontarios de Toronto, à deux reprises, le 30 janvier. Il n'aura eu besoin que de 74 parties pour réussir son exploit.

● Un beau cadeau de Noël attend les partisans le 23 décembre, lorsqu'un nouveau défenseur, Albert Corbeau, se joint à l'équipe. Il endossera l'uniforme montréalais jusqu'en 1922.

● Les directeurs de l'Arena de Westmount annoncent en avril que l'édifice sera doté de glace artificielle pour la présentation des matchs locaux des Canadiens dès l'automne suivant.

● Des rumeurs font état que les joueurs des Canadiens et des Bulldogs se sont fait offrir des pots-de-vin. Le défenseur Harry Mummery confirme avoir été contacté par certains *gamblers* à cet effet.

## 1914-1915

*Didier Pitre a maintenant compté 100 buts avec les Canadiens.*

compteurs de l'année précédente, perd ses quatre premières parties, malgré le retour de Pitre. On revient sur la décision de suspendre Lalonde et Kennedy signe une entente secrète avec son joueur vedette, qui revient à la mi-janvier. Pas pour longtemps, puisque son jeu nonchalant incite Kennedy à le suspendre de nouveau, deux semaines plus tard, cette fois pour le reste de la saison. Au total, la grande vedette du hockey à l'époque n'aura disputé que six parties, obtenant seulement quatre buts, comparativement à Pitre, qui en totalise 30, au deuxième rang des compteurs.

Mauvaise saison sur toute la ligne pour le club montréalais, qui occupait le sommet de la Ligue un an plus tôt. Huit défaites de suite au départ et seulement six gains en 20 rencontres. Mince consolation, Georges Vézina parvient à conserver la deuxième moyenne chez les gardiens, malgré la piètre performance de l'équipe, et s'affirme comme le meilleur cerbère de l'époque.

### MENACE DE NOUVELLE LIGUE

Art Ross, joueur et l'un des administrateurs des Wanderers de Montréal, sème l'émoi auprès des dirigeants de la NHA en faisant part, à l'automne 1914, de son intention de former un nouveau circuit. Il offre des salaires de 800 $ aux joueurs con-

| JOUEURS | |
|---|---|
| **1** | Georges Vézina |
| **2** | Ernie Dubeau |
| **3** | Jack Laviolette |
| **4** | Newsy Lalonde |
| **5** | Didier Pitre |
| **6** | Donald Smith |
| | Nick Bawlf |
| **7** | Louis Berlinguette |
| **8** | Harry Scott |
| | Bert Hunt |
| **9** | Jimmy Gardner (C) |
| **10** | Alphonse Jetté |
| | Jack Fournier |
| | Bert Hunt |
| **11** | Albert Corbeau |
| **12** | Marcel Béliveau |
| | Ed Lowrey |
| **ENTRAÎNEUR** | |
| | Jimmy Gardner |

*Art Ross tente d'intéresser quelques joueurs établis à une nouvelle ligue et, suite à son échec, laisse croire aux Canadiens qu'il s'intéresse à eux.*

● Emmett Quinn est réélu président de la NHA.

● La Première Guerre mondiale est commencée depuis le 28 juillet et les équipes de hockey participent à l'effort de guerre, disputant quelques matchs d'exhibition au profit du fonds patriotique ou de différents hôpitaux.

● Tommy Smith – champion compteur de la Ligue la saison précédente – entreprend l'année avec les Ontarios de Toronto, pour lesquels il dispute 10 parties, obtenant 17 buts, puis il revient avec les Bulldogs à la mi-saison pour 9 autres matchs et 23 filets. Il termine de nouveau au premier rang des marqueurs, avec un total de 40 buts. Smith sera vendu au club Canadien le 7 janvier 1917.

● Tout un joueur, ce Tommy Smith ! Membre d'une famille de 13 enfants, il entreprit sa carrière avec les Vics d'Ottawa, de la Ligue fédérale amateur, en 1905-06, dont il fut le champion compteur. Ce petit joueur d'à peine 5 pi 6 po (certains guides parlent même de 5 pi 4 po) joua ensuite pour une dizaine d'équipes, dont Cobalt, Québec, Toronto et Montréal, dans la NHA.

● En plus de ses deux titres de champion marqueur avec Québec, Smith termine aussi au premier rang de la Ligue professionnelle de l'Ontario en 1908-09, avec les Indians de Brantford, obtenant 40 buts en 13 parties. Il jouera finalement 10 parties dans la LNH, en 1919-20, avec les Bulldogs, obtenant une seule passe.

● Joe Malone, la grande vedette des Bulldogs, s'inflige une sévère entorse à la cheville contre les Ontarios au début de janvier et il doit demeurer à l'écart du jeu pour un mois. Il ne pourra ajouter un cinquième championnat des marqueurs à sa fiche.

● La NHA perd son premier affrontement en coupe Stanley contre les représentants de la Ligue de la Côte du Pacifique, Ottawa s'inclinant 3 à 0 contre les Millionaires de Vancouver.

● Les Ontarios de Toronto changent de nouveau de nom pour adopter celui de Shamrocks en cours de saison.

| TROPHÉES |
| --- |
| **COUPE STANLEY** |
| Millionaires de Vancouver |
| **COUPE O'BRIEN** |
| Senators d'Ottawa |
| **MEILLEUR COMPTEUR** |
| Tommy Smith |
| Bulldogs de Québec |
| **MEILLEUR GARDIEN** |
| Clint Benedict |
| Senators d'Ottawa |

**1914-1915**

voités, ce qui représente une augmentation substantielle de 33 % par rapport à ceux que verse la Ligue rivale.

La réaction du président Quinn est immédiate. Ross est suspendu à la fin de novembre et son projet tombe à l'eau, mais il refuse de dévoiler le nom des quatre joueurs qui ont déjà signé des ententes avec lui et sa suspension sera finalement levée. Dans une lettre adressée à un ami, Ross dit vouloir jouer pour le Canadien. Il participe à un entraînement du club, mais signe finalement avec Ottawa, où il terminera la saison après avoir purgé sa suspension. Pourtant, Kennedy avait défendu sa cause auprès des autres clubs et de la Ligue pour que celle-ci passe outre au règlement qui limitait à deux le nombre d'anglophones avec le Canadien.

*Alfred Corbeau se joint au club, deux jours avant Noël.*

| | PJ | G | P | BP | BC |
| --- | --- | --- | --- | --- | --- |
| Ottawa (Senators) | 20 | 14 | 6 | 74 | 65 |
| Montréal (Wanderers) | 20 | 14 | 6 | 127 | 82 |
| Québec (Bulldogs) | 20 | 11 | 9 | 86 | 86 |
| Toronto (Blueshirts) | 20 | 8 | 12 | 66 | 84 |
| Toronto (Ont./Shamrocks) | 20 | 7 | 13 | 76 | 96 |
| Montréal (Canadiens) | 20 | 6 | 14 | 66 | 82 |

Le 3 février 1914, les Wanderers gagnent un match par défaut contre les Ontarios de Toronto.

| MEILLEURS COMPTEURS | | PJ | B | *A | PUN |
| --- | --- | --- | --- | --- | --- |
| Tommy Smith | Ont./Qué. | 19 | 40 | 4 | 43 |
| **Didier Pitre** | **Canadiens** | 20 | 30 | 4 | 15 |
| Gordon Roberts | Wanderers | 19 | 29 | 5 | 74 |
| Punch Broadbent | Ottawa | 20 | 24 | 3 | 115 |
| Harry Hyland | Wanderers | 19 | 23 | 6 | 49 |
| Cully Wilson | Blueshirts | 20 | 22 | 5 | 138 |
| Odie Cleghorn | Wanderers | 15 | 21 | 5 | 39 |
| Skene Ronan | Shamrocks | 18 | 21 | 4 | 55 |
| Sprague Cleghorn | Wanderers | 19 | 21 | 12 | 51 |
| Rusty Crawford | Québec | 20 | 18 | 8 | 30 |

* De 1913-14 à 1916-17, les assistances, bien qu'ajoutées à la fiche des joueurs, ne comptent pas au classement officiel.

*Déjà à cette époque, les joueurs étaient sollicités par les manufacturiers pour vanter leurs produits, comme ici le fabricant de lames Speed.*

# 1915  1916

PREMIÈRE
COUPE
STANLEY

PREMIER CHAMPIONNAT OFFICIEL POUR LES CANADIENS ET TITRE DE PREMIER MARQUEUR POUR NEWSY LALONDE, REVENU DANS LES BONNES GRÂCES DE L'ÉQUIPE, AVEC 28 BUTS. C'EST TOUTEFOIS DIDIER PITRE QUI RÉCOLTE LE PLUS DE POINTS (39) AU CLASSEMENT « NON OFFICIEL » DES COMPTEURS, AVEC 24 BUTS ET 15 PASSES. LES CANADIENS REMPORTENT AUSSI LEUR PREMIÈRE COUPE STANLEY, DISPOSANT DE PORTLAND PAR TROIS MATCHS À DEUX. IL NE RESTE QUE CINQ ÉQUIPES DANS LA NHA, PAR SUITE DU RETRAIT DES SHAMROCKS DE L'ONTARIO (EX-ONTARIOS ET EX-TECUMSEHS DE TORONTO). EN FIN DE SAISON, LE CLUB ATHLÉTIQUE, PROPRIÉTAIRE DES CANADIENS, VEND L'ÉQUIPE AUX SEPT ACTIONNAIRES DU CLUB DE HOCKEY CANADIEN, DONT LE PROMOTEUR EST GEORGE KENNEDY.

*La vente de l'équipe en pleine saison ne perturbe pas trop les joueurs qui y vont d'une première conquête de la coupe Stanley à la septième année d'existence du club.*

**1915 1916**

# Une première coupe Stanley

*Howard McNamara*

**L**es Canadiens ont connu une saison de misère en 1914-15 et George Kennedy est déterminé à remédier au problème avant la reprise. Il offre des contrats aux défenseurs Goldie Prodgers et Howard McNamara — lequel sera nommé capitaine —, ainsi qu'à Georges Poulin, Amos Arbour et, plus tard en saison, à Skene Ronan, champion compteur de la Ligue en 1911-12. Dans ce dernier cas, le Tricolore, n'ayant droit qu'à deux joueurs anglophones, doit demander une autorisation spéciale à la Ligue, mais il aligne déjà Ronan le 20 janvier, contre les Bulldogs, et ceux-ci déposent une plainte. La Ligue donne raison à Québec et enlève le point de la nulle aux Canadiens, en plus de le condamner à une amende de 100 $.

Newsy Lalonde est de retour, satisfait de son nouveau contrat. Il est le pivot d'un trio complété par Jack Laviolette à gauche et Didier Pitre à droite. Ce dernier récolte 39 points (24 buts et 15 passes), mais officiellement, Lalonde est champion compteur avec 28 buts, les aides n'étant pas encore comptabilisées.

Kennedy nomme même Lalonde gérant de l'équipe (entraîneur), en remplacement de Jimmy Gardner, qui choisit de devenir officiel à défaut d'une entente pour le renouvellement de son contrat.

Les débuts d'entraîneur sont cependant difficiles pour Lalonde, seulement 6 victoires en 11 parties. Début février, Kennedy lui sert un ultimatum qui

● Grande première dans l'histoire du club en ce 4 mars, à quelques jours de la série pour la coupe Stanley, alors que quatre joueurs — Lalonde, Pitre, Ronan et le défenseur, McNamara — y vont d'une performance de trois buts chacun, lors d'une dégelée de 15-5 servie aux Wanderers.

● La rivalité Québec/Montréal atteint parfois des sommets incroyables lors de certains matchs. Ainsi, la police doit intervenir lors de la rencontre du 26 février, alors que la foule

a envahi la patinoire pour faire un mauvais parti aux Bulldogs. Les joueurs des deux clubs s'étaient échangé plusieurs coups à tour de rôle au cours du match et la situation avait dégénéré en bagarre générale à la suite du but victorieux de Pitre, en supplémentaire.

● L'affaire Lalonde/Vancouver fait encore des soubresauts, les frères Patrick accusant les Canadiens de n'avoir jamais versé les 750 $ promis pour sa libération. Somme finalement acquittée un an plus tard.

● C'est au tour de Newsy Lalonde d'inscrire son 100e but pour les Canadiens, le 12 février contre Ottawa, à son 75e match avec ce club.

● Skene Ronan est arrêté par la police et accusé d'assaut sur Alf Skinner, des Blueshirts, au terme du match du 23 janvier. L'ancien joueur torontois avait peut-être des comptes à régler avec son ex-coéquipier qu'il étend sur la glace en l'atteignant au-dessus d'un œil avec son bâton, lors d'une montée au but. Les bagarres

violentes ne manquent pas tout au long de la saison entre les divers clubs et la police est aux aguets.

● La popularité du hockey est à ce point grande que les amateurs se donnent rendez-vous à certains endroits publics, comme au magasin de cigares Catta-Léo, le 15 mars, pour suivre le déroulement d'un match à Ottawa via le télégraphe.

| JOUEURS | |
|---|---|
| 1 | Georges Vézina |
| 2 | Howard McNamara (C) |
| 3 | Albert Corbeau |
| 4 | Newsy Lalonde |
| 5 | Didier Pitre |
| 6 | George Poulin |
| 7 | Jack Laviolette |
| 8 | Goldie Prodgers |
| 9 | Louis Berlinguette |
| 10 | Jack Fournier |
| | Skene Ronan |
| 11 | Amos Arbour |
| 12 | Skene Ronan |
| ENTRAÎNEUR | |
| Newsy Lalonde | |

| TROPHÉES |
|---|
| COUPE STANLEY |
| Canadiens de Montréal |
| COUPE O'BRIEN |
| Canadiens de Montréal |
| MEILLEUR COMPTEUR |
| Newsy Lalonde |
| Canadiens de Montréal |
| MEILLEUR GARDIEN |
| Clint Benedict |
| Senators d'Ottawa |

donne des résultats, puisque l'équipe remporte 10 des 11 matchs suivants et décroche le premier championnat de son histoire. Il mérite ainsi le droit d'affronter les Rosebuds de Portland pour l'obtention de la coupe Stanley, dans une série 3 de 5.

Cette série est disputée à Montréal. Portland remporte le premier match 2-0, les Montréalais arrachent les deux suivants 2-1 et 6-3, puis perdent le quatrième 6-5, avant de décrocher une victoire de 2 à 1 dans le match ultime, grâce à un but de Goldie Prodgers en milieu de troisième. Les deux gardiens en présence, Georges Vézina pour le Tricolore et Tom Murray devant le filet des Rosebuds, ont nettement dominé la série, multipliant les arrêts miraculeux à tour de rôle.

**1915 1916**

*La manchette de La Presse qui rapporte le titre décroché par les Canadiens.*

● La guerre oblige les équipes à réduire les salaires des joueurs en début de saison, incitant les frères Patrick et les équipes de l'Ouest, avec une quatrième équipe à l'horizon, à faire fi de leur entente avec la NHA et à se livrer à un maraudage sans précédent auprès des joueurs de l'Est. On fait notamment des offres à Didier Pitre, à Jack Laviolette et à Albert Corbeau, qui refusent tous trois de s'exiler.

● Les dirigeants de la NHA forcent Eddie Livingstone, déjà propriétaire des Blueshirts de Toronto, à se départir des Shamrocks, acquis la saison précédente, puisqu'il ne peut être propriétaire de deux équipes. Fort occupé par la guerre livrée aux équipes de l'Ouest pour la propriété de ses joueurs, il manque de temps pour vendre son club et décide simplement de le laisser tomber.

● L'augmentation du prix des billets pour la finale n'a pas entraîné de profits faramineux aux guichets. Les recettes des trois premières parties se chiffrent à 11 504 $, dont 3 834 $ vont à l'aréna et 2 500 $ aux visiteurs. La Ligue perçoit 555 $ et les officiels obtiennent 200 $, ce qui laisse 238 $ à chaque joueur des Canadiens et 208 $ à ceux de Portland. Les équipes et l'aréna se partagent aussi les profits des deux dernières rencontres, soit environ 1 500 $ chacun.

● Sprague Cleghorn, des Wanderers, est perdu pour la saison, à la suite d'une collision avec Ken Rendall, de Toronto.

● Clint Benedict est le premier gardien à réussir deux jeux blancs dans la même saison, les deux fois contre Québec.

● Selon les journaux de l'époque, le classement des clubs est désormais établi aux points, tenant compte des victoires (deux points) et des verdicts nuls (un point).

## "NEWSY" LALONDE GIVEN AN

### WHAT PART OF THE ARENA LOOKED LIKE AT ONE PERIOD SATURDAY DURING THE THIRD STANLEY CUP MATCH

*Le Montreal Daily Star rend hommage aux Canadiens pour leur première coupe Stanley.*

| | PJ | G | P | N | BP | BC | PTS |
|---|---|---|---|---|---|---|---|
| Montréal (Canadiens) | 24 | 16 | 7 | 1 | 104 | 76 | *32 |
| Ottawa (Senators) | 24 | 13 | 11 | 0 | 78 | 72 | 26 |
| Québec (Bulldogs) | 24 | 10 | 12 | 2 | 91 | 98 | *23 |
| Montréal (Wanderers) | 24 | 10 | 14 | 0 | 90 | 116 | 20 |
| Toronto (Blueshirts) | 24 | 9 | 14 | 1 | 97 | 98 | 19 |

*Le Canadien perd 1 point contre Québec (partie nulle du 20 janvier 1916) pour avoir aligné un joueur non autorisé (Skene Ronan).

### MEILLEURS COMPTEURS

| | | PJ | B | *A | PUN |
|---|---|---|---|---|---|
| Newsy Lalonde | Canadiens | 24 | 28 | 6 | 78 |
| Joe Malone | Québec | 24 | 25 | 10 | 21 |
| Cy Denneny | Toronto | 24 | 24 | 4 | 57 |
| Didier Pitre | Canadiens | 24 | 24 | 15 | 42 |
| Gordon Keats | Toronto | 24 | 22 | 7 | 112 |
| Corb Denneny | Toronto | 22 | 20 | 3 | 75 |
| Frank Nighbor | Ottawa | 23 | 19 | 5 | 26 |
| Russell Crawford | Québec | 22 | 18 | 5 | 54 |
| Gordon Roberts | Wanderers | 21 | 18 | 7 | 64 |
| Jack Darragh | Ottawa | 21 | 16 | 5 | 41 |
| Tommy Smith | Québec | 22 | 16 | 3 | 30 |

* De 1913-14 à 1916-17, les assistances, bien qu'ajoutées à la fiche des joueurs, ne comptent pas au classement officiel.

L'euphorie est à son comble. Les joueurs des deux équipes sont honorés au cours d'un banquet au Saint-Régis, Georges Vézina fait baptiser son dernier-né Stanley pour souligner l'événement et les membres de l'organisation sont traités en véritables héros.

C'est le début d'une longue série de conquêtes de la coupe Stanley.

### LE CLUB ATHLÉTIQUE VEND L'ÉQUIPE

La première conquête de la coupe Stanley ne sera pas versée au crédit du Club athlétique puisque, peu avant la fin de la saison et une dizaine de jours avant le début de la série finale, celui-ci se départit de ses intérêts dans l'équipe en les cédant à un groupe de sept hommes d'affaires, dirigé par George Kennedy.

Les nouveaux propriétaires sont, outre Kennedy, identifié comme promoteur, Napoléon Dorval, marchand, U.-P. Boucher, ingénieur civil, Raphaël Ouimet, journaliste, F.X. de Granpré, gérant, Hector Desloges, médecin, et Lorenzo Prince, gentilhomme, tous de Montréal. Certains d'entre eux, dont Kennedy, sont déjà associés à la direction de l'équipe, étant également membres du Club athlétique. La nouvelle corporation, The Canadian Hockey Club Inc., établit son capital social à 20 000 $, divisé en 2 000 actions de 10 $ chacune.

*Publicité du match Portland-Canadiens parue dans les journaux de l'époque.*

# 1916 ⓗ 1917

*LA SAISON EST DIVISÉE EN DEUX SEGMENTS DE DIX MATCHS POUR DONNER UNE CHANCE AUX ÉQUIPES PLUS FAIBLES DE SE REPRENDRE EN DEUXIÈME DEMIE. LES CANADIENS REMPORTENT LA PREMIÈRE PORTION — OTTAWA, LA SECONDE —, ET OBTIENNENT LA COUPE O'BRIEN POUR LE CHAMPIONNAT DE LA SAISON, AU TERME D'UNE SÉRIE DE DEUX PARTIES AU TOTAL DES POINTS. LE 228E BATAILLON DE L'ARMÉE EXPLOITE UNE CONCESSION À TORONTO MAIS SE RETIRE AVANT LA FIN, ENTRAÎNANT AVEC ELLE L'ÉQUIPE DES BLUESHIRTS DE TORONTO, SUSPENDUE PAR LA LIGUE. JOE MALONE, DE QUÉBEC, ET FRANK NIGHBOR, ARRACHÉ À LA LIGUE DU PACIFIQUE (PCHA) PAR OTTAWA, PARTAGENT LE CHAMPIONNAT DES COMPTEURS, TANDIS QUE CLINT BENEDICT, GARDIEN D'OTTAWA, CONSERVE LA MEILLEURE MOYENNE POUR UNE TROISIÈME SAISON. LE CANADIEN PERD LA COUPE STANLEY AUX MAINS DES METROPOLITANS DE SEATTLE, 3 À 1.*

## Arrive l'armée
## qui repart aussitôt

En temps de guerre, faut faire comme dans l'armée ! Le Tricolore a perdu plusieurs joueurs, appelés sous les drapeaux, notamment Howard McNamara, Goldie Prodgers, Amos Arbour et Skene Ronan. Les rumeurs veulent même que la Ligue suspende ses activités jusqu'à la fin du conflit. Elle accordera plutôt une concession à l'armée, celle des anciens Shamrocks de Toronto, sous le nom de 228e bataillon, poussant la courtoisie jusqu'à nommer un officier, le major Frank Robinson, à la présidence du circuit, en remplacement du président Emmet Quinn.

Troisième au classement de la première demi-saison, l'armée entreprend la deuxième moitié mais déclare forfait pour le match du 10 février à Québec. Et pour cause. Les joueurs, qui sont d'abord des soldats, sont déjà en route pour l'Europe. Lors d'une réunion plutôt orageuse, convoquée le lendemain pour sauver la saison, la Ligue se heurte au bouillant propriétaire de Toronto, Eddie Livingstone, qui veut qu'on organise des séries de deux parties entre les cinq équipes restantes, mais les autres propriétaires ne l'entendent pas ainsi. On décide finalement de compléter la saison à quatre clubs, suspendant la concession torontoise et redistribuant les joueurs des Blueshirts entre les équipes

● Deux nouveaux défenseurs s'ajoutent à la formation en début de saison pour remplacer les éléments recrutés par l'armée. Harry Mummery est un colosse de 220 livres, qui a gagné la coupe Stanley avec les Bulldogs en 1913. L'autre nouveau venu est William Couture (aussi connu sous le nom de Billy Coutu), qui sera le premier joueur banni de la LNH, en 1927, pour avoir agressé un athlète.

● L'acquisition de Tommy Smith, double champion compteur de la Ligue, ne donnera pas les résultats escomptés, celui-ci totalisant à peine 8 buts en 14 rencontres avec Montréal.

● La guerre oblige les équipes à resserrer leur budget. Les Canadiens sont contraints de réduire les salaires de vedettes comme Pitre, Corbeau, Laviolette et

*Tommy Smith*

Lalonde, qui n'apprécient pas l'offre et refusent les contrats présentés. Les négociations sont pénibles, mais on arrive finalement à un accord avant le début de saison.

● Pour la troisième et dernière fois de l'histoire des Canadiens, un joueur, Frank Nighbor, parvient à inscrire six buts en saison régulière contre eux, dans une victoire d'Ottawa au compte de 7 à 1.

● Les Canadiens obtiennent

un but « gratis » contre les Wanderers, lorsque James Roy, qui avait été mis à l'essai par le Tricolore avant de signer avec les Wanderers, lance son bâton à Corbeau, qui allait tirer au but. Cette pénalité, nommée *match foul*, accorde automatiquement un but à l'adversaire, selon les nouveaux règlements. Le quotidien *La Presse* fait état de la nouvelle règle en écrivant que « l'arbitre accordera un gaule... » (sic).

**1916-1917**

THE MONTREAL DAILY STAR: THURSDAY, JANUARY 11, 1917

ENS LOOK LIKE CHAMPS--SKI CLUB FOR ST. L

WHEN CANADIENS AND SOLDIERS (228TH BATTALION) MEET

*L'armée prend beaucoup de place en temps de guerre, mais les joueurs du 228ᵉ bataillon ne pourront compléter le calendrier puisqu'on les appelle au front.*

restantes. Les Canadiens, qui connaissent une deuxième demi-saison difficile, récupèrent ainsi Reg Noble et Arthur Brooks.

Mais l'effort de guerre ne s'arrête pas là. Chacune des équipes est tenue de contribuer financièrement au fonds patriotique en cours d'année, en versant 2,5 % des recettes des matchs. Ces sommes sont destinées à la Croix-Rouge et c'est le major Robinson qui veille lui-même à la perception des montants en envoyant des vérificateurs dans chaque ville.

## LES CANADIENS COURTISÉS PAR DEUX ARÉNAS

La popularité des Canadiens s'étant agrandie à la suite de la conquête de la coupe Stanley en 1916, l'aréna Jubilee, situé dans l'est de la ville, tente de ramener l'équipe au bercail au moment d'entreprendre la nouvelle saison. Le club y avait disputé ses matchs locaux lors de la première saison de la NHA, avant de déménager à l'Arena de Westmount, plus spacieux, l'année suivante.

L'offre est tentante, bien que la capacité du Jubilee soit restreinte. On essaie de négocier une réduction des prix avec le Westmount. Finalement, on en vient à une entente et le Canadien décide de poursuivre ses activités au même endroit, jusqu'à ce qu'un incendie le force à revenir au Jubilee au cours de la saison suivante.

| JOUEURS | |
|:---:|:---|
| 1 | Georges Vézina |
| 2 | Harry Mummery |
| 3 | Albert Corbeau |
| 4 | Newsy Lalonde (C) |
| 5 | Didier Pitre |
| 6 | Jack Laviolette |
| 7 | George Poulin |
| | Tommy Smith |
| 8 | Louis Berlinguette |
| 9 | Billy Coutu |
| 10 | Sarsfield Malone |
| | Reg Noble |
| 11 | Harold McNamara |
| | Jules Rochon |
| | Dave Creighton |
| | Reg Noble |
| | Joe Maltais |
| 12 | Dave Major |
| | Arthur Brooks |
| ENTRAÎNEUR | |
| | Newsy Lalonde |

| 1ʳᵉ DEMIE | PJ | G | P | BP | BC | MOY |
|:---|:---:|:---:|:---:|:---:|:---:|:---:|
| Montréal (Canadiens) | 10 | 7 | 3 | 58 | 38 | ,604 |
| Ottawa (Senators) | 10 | 7 | 3 | 56 | 41 | ,577 |
| Toronto (228ᵉ Bataillon) | 10 | 6 | 4 | 70 | 57 | ,551 |
| Toronto (Blueshirts) | 10 | 5 | 5 | 50 | 45 | ,526 |
| Montréal (Wanderers) | 10 | 3 | 7 | 56 | 72 | ,438 |
| Québec (Bulldogs) | 10 | 2 | 8 | 43 | 80 | ,350 |
| **2ᵉ DEMIE** | **PJ** | **G** | **P** | **BP** | **BC** | **MOY** |
| Ottawa (Senators) | 10 | 9 | 1 | 63 | 22 | ,712 |
| Québec (Bulldogs) | 10 | 8 | 2 | 54 | 47 | ,500 |
| Montréal (Canadiens) | 10 | 3 | 7 | 32 | 42 | ,439 |
| Montréal (Wanderers) | 10 | 2 | 8 | 38 | 65 | ,358 |
| Toronto (Blueshirts) | 4 | 2 | 2 | 14 | 16 | - |
| Toronto (228ᵉ bataillon) | 4 | 0 | 4 | 3 | 12 | - |

Les Bulldogs et les Wanderers gagnent une partie par défaut contre le 228ᵉ Bataillon.

● La NHA et les frères Patrick font la paix lors d'une rencontre à l'hôtel Windsor, le 28 octobre. Dernier point à résoudre, la somme de 750 $ à verser par les Canadiens en guise de dédommagement pour avoir conservé les services de Lalonde en 1914. La dette sera payée début novembre.

● Un représentant d'Ottawa aurait offert une prime de 500 $ aux joueurs des Canadiens à condition que ceux-ci parviennent à battre Québec lors du match du 24 février. Ottawa n'était alors qu'à un match des Bulldogs. Montréal mène 6-3 après deux périodes, mais perd 7-6 en prolongation. Pas de prime, mais Ottawa terminera tout de même premier pour la deuxième tranche du calendrier.

● Frank McGee, d'Ottawa, gagnant de quatre coupes Stanley avec les Silver Seven et les Senators, est tué à la guerre à l'âge de 24 ans. Il avait compté 14 buts dans un match de la finale en 1905. Il sera intronisé au Temple de la renommée en 1945.

● La présence d'une équipe de l'armée suscite quelques problèmes dans la Ligue. Ainsi, on reproche à Eddie Oatman d'avoir été embauché pour ses seuls talents de hockeyeur, sans réellement avoir été membre du 228e bataillon. D'autant plus qu'il a été réformé pour de drôles de raisons avant le départ de l'armée pour l'Europe. On aurait aussi promis un grade d'officier à Gordon Meeking s'il jouait au hockey, mais on lui retirera cette distinction par la suite, le jugeant non qualifié. Il sera aussi réformé.

## TROPHÉES

| COUPE STANLEY |
|---|
| Metropolitans de Seattle |
| **COUPE O'BRIEN** |
| Canadiens de Montréal |
| **MEILLEUR COMPTEUR** |
| Joe Malone |
| Bulldogs de Québec |
| Frank Nighbor |
| Senators d'Ottawa |
| **MEILLEUR GARDIEN** |
| Clint Benedict |
| Senators d'Ottawa |

### MEILLEURS COMPTEURS

| | | PJ | B | *A | PUN |
|---|---|---|---|---|---|
| Joe Malone | Québec | 19 | 41 | 8 | 15 |
| Frank Nighbor | Ottawa | 19 | 41 | 10 | 24 |
| Odie Cleghorn | Wanderers | 18 | 28 | 4 | 49 |
| Newsy Lalonde | Canadiens | 18 | 28 | 7 | 61 |
| Jack Darragh | Ottawa | 20 | 24 | 4 | 17 |
| Didier Pitre | Canadiens | 20 | 21 | 6 | 50 |
| Corb Denneny | Tor./Ott. | 20 | 19 | 2 | 35 |
| Eddie Gerard | Ottawa | 19 | 18 | 16 | 48 |
| Dave Ritchie | Québec | 19 | 17 | 10 | 20 |
| Eddie Oatman | 228e bat. | 12 | 17 | 7 | 12 |

*de 1913-14 à 1916-17. (Voir années antérieures)

## BATTUS PAR LES AMÉRICAINS

Les Canadiens étaient les champions en titre de la coupe Stanley. Ils avaient remporté la première portion du calendrier, devançant les Senators d'Ottawa grâce au système de moyenne instauré par la Ligue. Plus récemment, ils avaient disposé des Senators — champions de la seconde demie — dans une série de deux matchs au total des points (victoire de 5-2 et revers de 4-2) pour déterminer le champion de la coupe O'Brien.

La confiance règne au moment d'entreprendre la défense de la coupe Stanley contre les Metropolitans de Seattle, nouvelle formation de la Ligue de la Côte du Pacifique. Sans compter qu'on a acquis, en cours de saison, les services de Tommy Smith, des Bulldogs, deux fois champion compteur de la Ligue.

La confiance monte d'un cran au terme d'une première victoire de 8-4, dans laquelle Didier Pitre s'illustre avec quatre filets. La suite est une tout autre histoire. Les Metropolitans limitent le Tricolore à un but par match lors de victoires de 6 à 1, 4 à 1 et 9 à 1, et deviennent la première formation américaine à remporter la coupe Stanley. Bernie Morris y va d'une prestation de 14 buts en 4 parties, dont 6 dans le dernier match.

1916-1917

*Billy Coutu*

LA PRESSE, MONTREAL, LUNDI 12 MARS 1917

# LE CANADIEN EST CHAMPION DE LA N.H.A. POUR UNE AUTRE ANNEE

Il est sorti vainqueur de la série décisive avec le club Ottawa par un résultat de 7 à 6. Le score samedi à Ottawa a été de 4 à 2. Tommy Smith compte le point décisif. Ottawa a joué très brutalement.
Les arbitres contre le Canadien.

## EN ROUTE POUR SEATTLE

*Les Canadiens conservent leur titre de champions de la NHA.*

*LA NATIONAL HOCKEY LEAGUE ENTREPREND SES ACTIVITÉS AVEC QUATRE ÉQUIPES, LES CANADIENS ET LES WANDERERS DE MONTRÉAL, LES SENATORS D'OTTAWA ET LES ARENAS DE TORONTO. CEUX-CI ONT ÉTÉ APPELÉS À REMPLACER LES BULLDOGS DE QUÉBEC À LA DERNIÈRE MINUTE, LESQUELS ONT DÛ SUSPENDRE LEURS ACTIVITÉS POUR DES RAISONS FINANCIÈRES. LES CANADIENS DOMINENT LA PREMIÈRE DEMI-SAISON ET TORONTO BALAIE LA SECONDE. LES WANDERERS ONT DÛ INTERROMPRE LEURS ACTIVITÉS EN PREMIÈRE MOITIÉ, PAR SUITE DE L'INCENDIE DE L'ARENA DE WESTMOUNT. TORONTO A LE MEILLEUR SUR LE TRICOLORE DANS UNE SÉRIE DE DEUX PARTIES ENTRE LES CHAMPIONS DE DEMI-SAISON ET DÉCROCHE AUSSI LA COUPE STANLEY, EN DISPOSANT DIFFICILEMENT DES MILLIONAIRES DE VANCOUVER PAR TROIS PARTIES À DEUX. JOE MALONE, ACQUIS DES BULLDOGS PAR LE CANADIEN, TERMINE AU PREMIER RANG DES COMPTEURS AVEC 44 BUTS, UN RECORD QUI TIENDRA PENDANT 27 ANS.*

*Le premier blanchissage dans la LNH est réussi par Georges Vézina.*

## Une saison incroyable pour Joe Malone

*Le retrait des Bulldogs de Québec fait bien l'affaire des Canadiens, qui récupèrent l'excellent Joe Malone.*

Le retrait temporaire des Bulldogs de Québec — bien que détenteurs d'une concession dans la toute nouvelle Ligue nationale de hockey (LNH) — ne pouvait mieux tomber pour le Canadien, qui héritait des services de Joe Malone, champion compteur de la saison précédente dans la NHA, en plus de ceux de l'ennemi juré de Lalonde, Joe Hall.

Malone devait connaître sa saison la plus extraordinaire avec 44 buts, un record qui ne sera battu par Maurice Richard que 27 ans plus tard lors de sa fameuse saison de 50 buts. Malone conserve l'incroyable moyenne de 2,20 buts par match, marque qu'aucun autre joueur n'est passé proche d'égaler depuis. Cette même année, deux autres joueurs, Cy Denneny (Ottawa) et Lalonde, obtiennent aussi des moyennes de buts qui figurent toujours au sommet dans la LNH, soit 1,80 et 1,64. À titre comparatif, la meilleure moyenne de Wayne Gretzky pour une saison — celle de 1983-84 — est de 1,18, lorsqu'il marqua 87 buts en 74 matchs.

● George Kennedy est maintenant le seul propriétaire du club, selon les informations obtenues par Claude Mouton, auteur du livre *Toute l'histoire illustre et merveilleuse des Canadiens*.

● Georges Vézina revendique le premier blanchissage de l'histoire de la LNH, un gain de 9-0 contre Toronto. Il domine la Ligue pour le nombre de victoires (13) et la moyenne de buts (3,93).

● Quatre jours avant le début de la saison, les Canadiens et les Wanderers disputent un match hors-concours au profit des victimes d'une explosion survenue à Halifax un peu plus tôt.

● La performance de sept tours du chapeau et de trois parties de cinq buts de Joe Malone est un fait unique dans l'histoire du club. Égalé à deux reprises dans la Ligue, le record de sept tours du chapeau sera finalement porté à neuf par Mike Bossy en 1980-81.

● Joe Hall, l'ex-dur à cuire des Bulldogs, désormais membre des Canadiens, et Alf Skinner, des Arenas, sont arrêtés par la police de Toronto pour en être violemment venus aux coups lors du match du 28 janvier. Ils sont accusés d'assaut et écopent de sentences suspendues.

*George Kennedy*

**1917-1918**

George Kennedy décide de former un trio avec Lalonde au centre, flanqué de Malone, converti de centre à ailier gauche, et Didier Pitre à droite. Ils obtiendront respectivement 44, 23 et 17 buts, formant le trio le plus explosif de la Ligue, tout en propulsant les Canadiens au sommet du classement de la première demi-saison.

La saison incroyable de Joe Malone ne s'arrête pas là. Il établit aussi les premières marques de la nouvelle ligue pour le nombre de points (48), de matchs de trois buts (7), le plus grand nombre de buts dans une rencontre (5 à 3 reprises) et le plus de points dans un match (6), ainsi que les meilleurs totaux de buts et de points pour un ailier gauche, sans compter une séquence de 14 matchs consécutifs avec au moins un but.

Natif de Sillery, dans la région de Québec, Malone a endossé les couleurs des Bulldogs pendant neuf saisons, dont sept dans la NHA, avant de devenir membre des Canadiens lors de la suspension des activités de la concession québécoise. Il retournera chez les Bulldogs pour une saison deux ans plus tard, jusqu'au transfert de l'équipe à Hamilton en 1920-21. Après deux autres années avec les Tigers, il refusera de se présenter au camp d'entraînement du club, qui le suspendra avant de le céder de nouveau aux Canadiens. Il disputera 20 parties avec Montréal en 1922-23, obtenant un seul but, et encore neuf matchs l'année suivante sans obtenir aucun point.

Mais quelle carrière ! Quatre championnats des compteurs, dont trois avec les Bulldogs, en 1912-13 et 1916-17 (NHA), puis 1919-20 (LNH), en plus de celui de cette année avec les Canadiens.

## NAISSANCE DE LA LNH

La mise sur pied de la Ligue nationale de hockey est en partie le résultat de l'entêtement du Torontois Eddie Livingstone. Le propriétaire de la concession de Toronto s'est fait mettre à la porte de la NHA l'année précédente et, pour éviter de le reprendre, les dirigeants des autres équipes décident de former une nouvelle ligue. Initiative d'autant plus appropriée que Livingstone et son ami M. J. Quinn, propriétaire des Bulldogs de Québec, annoncent eux-mêmes la création d'une nou-

| JOUEURS | |
|---|---|
| 1 | Georges Vézina |
| 2 | Albert Corbeau |
| 3 | Joe Hall |
| 4 | Newsy Lalonde (C) |
| 5 | Didier Pitre |
| 6 | Jack Laviolette |
| 7 | Joe Malone |
| 8 | Louis Berlinguette |
| 9 | Billy Coutu |
| 10 | Billy Bell |
| 11 | Jack McDonald |
| 12 | Évariste Payer |
| **ENTRAÎNEUR** | |
| | Newsy Lalonde |

● Frank Calder, ex-secrétaire de la NHA, est élu au double poste de président et de secrétaire-trésorier à la fondation de la Ligue nationale. Il demeurera en poste jusqu'à sa mort, le 4 février 1943.

● Les gardiens de but ont désormais le droit de se jeter sur la glace pour arrêter un lancer.

● Les rencontres de la finale de la coupe Stanley entre les Arenas de Toronto et les Millionaires de Vancouver sont jouées selon les règlements des deux ligues en alternance ; l'Ouest utilise encore le *rover* tout en interdisant la passe avant. Chacune des équipes gagne les parties disputées selon les règlements de sa ligue et c'est Toronto qui a le meilleur en cinq.

● Les Wanderers (10) et les Arenas (9) totalisent 19 buts dans une même rencontre lors du match inaugural à Montréal, un record battu trois ans plus tard par les Canadiens (14) et les Leafs (7) avec 21 points.

● Fred Cyclone Taylor, le champion marqueur de la Ligue du Pacifique, utilise un bâton dont le manche est courbé, ce qui le rend plus maniable, prétend-il.

*Frank Calder*

## TROPHÉES

**COUPE STANLEY**
Arenas de Toronto
**COUPE O'BRIEN**
Arenas de Toronto
**MEILLEUR MARQUEUR**
Joe Malone
Canadiens de Montréal
**MEILLEUR GARDIEN**
Georges Vézina
Canadiens de Montréal

| 1RE DEMIE | PJ | G | P | N | BP | BC | PTS |
|---|---|---|---|---|---|---|---|
| Montréal (Canadiens) | 14 | 10 | 4 | 0 | 81 | 47 | 20 |
| Toronto (Arenas) | 14 | 8 | 6 | 0 | 71 | 75 | 16 |
| Ottawa (Senators) | 14 | 5 | 9 | 0 | 67 | 79 | 10 |
| Montréal (Wanderers) | 6 | 1 | 5 | 0 | 17 | 35 | 2 |

Le Canadien et Toronto gagnent une partie par défaut contre les Wanderers.

| 2e DEMIE | PJ | G | P | N | BP | BC | PTS |
|---|---|---|---|---|---|---|---|
| Toronto (Arenas) | 8 | 5 | 3 | 0 | 37 | 34 | 10 |
| Ottawa (Senators) | 8 | 4 | 4 | 0 | 35 | 35 | 8 |
| Montréal (Canadien) | 8 | 3 | 5 | 0 | 34 | 37 | 6 |

### MEILLEURS MARQUEURS

| | | PJ | B | A | PTS | PUN |
|---|---|---|---|---|---|---|
| Joe Malone | Canadiens | 20 | 44 | 4 | 48 | 30 |
| Cy Denneny | Ottawa | 20 | 36 | 10 | 46 | 80 |
| Reg Noble | Toronto | 20 | 30 | 10 | 40 | 35 |
| Newsy Lalonde | Canadiens | 14 | 23 | 7 | 30 | 51 |
| Corb Denneny | Toronto | 21 | 20 | 9 | 29 | 14 |
| Harry Cameron | Toronto | 21 | 17 | 10 | 27 | 28 |
| Didier Pitre | Canadiens | 20 | 17 | 6 | 23 | 29 |
| Eddie Gerard | Ottawa | 20 | 13 | 7 | 20 | 26 |
| Frank Nighbor | Ottawa | 10 | 11 | 8 | 19 | 6 |
| Jack Darragh | Ottawa | 18 | 14 | 5 | 19 | 26 |
| Harry Meeking | Toronto | 21 | 10 | 9 | 19 | 28 |

velle ligue en octobre, la Canadian Hockey Association, pour concurrencer la NHA. Cette ligue n'existera que dans l'imagination d'Eddie Livingstone et de son allié.

Menaces, poursuites et intimidations entre Livingstone et les autres équipes de la NHA. La guerre aidant, on parle même de suspendre les activités du hockey professionnel pendant un an. Ce sera finalement la NHA qui se sabordera pour faciliter la création d'un nouveau circuit, sans l'équipe de Livingstone, mais avec des clubs à Montréal (les Canadiens et les Wanderers), Ottawa (les Senators) et Québec (les Bulldogs). Le retrait inattendu des Bulldogs force le nouveau circuit à se tourner vers l'équipe des Arenas de Toronto, dirigée par Charles Querrie. « Nous devrions faire un vote de remerciements à l'endroit d'Eddie Livingstone pour nous avoir permis de solidifier la Ligue », rapportent les journaux de l'époque au lendemain de la formation de la Ligue, en attribuant ces propos au président des Canadiens, George Kennedy.

Une demande d'injonction à l'endroit de la concession d'Ottawa et de quelques joueurs du duo Livingstone-Quinn n'y fait rien et la Ligue nationale de hockey est officiellement créée le 22 novembre à l'hôtel Windsor de Montréal.

### AU FEU ! L'ARÉNA BRÛLE !

Les Wanderers et les Canadiens perdent leur domicile dans l'incendie de l'Arena de Westmount le 2 janvier. La cause de l'incendie, qui a pris naissance à proximité du vestiaire des Wanderers, est demeurée inconnue. Défectuosité électrique ou cigarette mal éteinte ? Impossible de le savoir puisque l'édifice, à la charpente et au toit en bois, ne mit qu'une vingtaine de minutes à s'écrouler, malgré les alarmes successives. La perte est estimée à environ 150 000 $.

Faute d'équipement et de fonds, les Wanderers doivent se résigner à déclarer forfait après seulement six matchs, tandis que les Canadiens, après avoir rescapé une demi-douzaine de paires de patins et emprunté les chandails de l'équipe d'Hochelaga pour le match suivant, survivent tant bien que mal en présentant leurs matchs locaux au Jubilee. Ancien joueur et dirigeant du club, Jos Cattarinich offre de vendre des billets du premier match à son magasin, rue Sainte-Catherine.

Les joueurs des Wanderers sont répartis entre les autres clubs et le Canadien récupère deux avants, Jack McDonald et Billy Bell.

# 1918 Ⓒ 1919

MONTRÉAL ET OTTAWA DOMINENT CHACUN UNE DEMI-SAISON, MAIS CE SONT LES CANADIENS
QUI REMPORTENT LA COUPE O'BRIEN POUR LE CHAMPIONNAT DE LA SAISON RÉGULIÈRE.
ILS TRIOMPHENT DES SENATORS EN CINQ PARTIES (4-1), DANS UNE SÉRIE RALLONGÉE EN
RAISON DU RETRAIT PRÉMATURÉ DE TORONTO POUR CAUSE DE DIFFICULTÉS FINANCIÈRES,
CE QUI AVAIT OBLIGÉ LA LIGUE À ÉCOURTER LA DEUXIÈME MOITIÉ DE SAISON. MALONE EST
DEVENU JOUEUR À MI-TEMPS ET C'EST LALONDE QUI REMPORTE LE TITRE DE PREMIER MARQUEUR
AVEC 32 POINTS (ON AJOUTE MAINTENANT LES PASSES AUX BUTS). TRAGÉDIE EN FINALE DE
LA COUPE STANLEY ENTRE LES CANADIENS ET SEATTLE. CHAQUE CLUB COMPTE DEUX GAINS,
MAIS LE MATCH DÉCISIF N'AURA JAMAIS LIEU. LA GRIPPE ESPAGNOLE FRAPPE CINQ JOUEURS
DU TRICOLORE, DONT JOE HALL, QUI SUCCOMBERA À L'ÉPIDÉMIE QUELQUES JOURS PLUS TARD.
C'EST LA SEULE FOIS QUE LA COUPE STANLEY N'A PAS ÉTÉ ATTRIBUÉE.

*Une fin tragique pour Joe Hall,
un joueur rude mais combien
efficace. La grippe espagnole
décime les Canadiens et la série
est interrompue.*

## Lalonde redevient le meilleur

*Newsy Lalonde
récupère son titre de
champion compteur et
vole la vedette en séries.*

**N**ewsy Lalonde ne voyait pas d'un bon œil l'acquisition de Joe
Malone par les Canadiens. Effectivement, il avait dû lui concéder le titre de première vedette de l'équipe lorsque l'ancien joueur
des Bulldogs remporta le championnat des marqueurs, à la première
année de la Ligue nationale.

La situation tourne à l'avantage de l'enfant terrible des Canadiens en 1918-19 lorsque Malone se trouve un emploi permanent à
Québec et qu'il annonce à la direction qu'il ne sera disponible que pour

77

● Patsy Séguin, membre de l'édition initiale de 1909-10, meurt à la guerre durant l'été 1918.

● Comble de malheur, le 24 avril, les Canadiens perdent en plus leur domicile lorsque le feu rase cette fois l'aréna Jubilee.

● On raconte qu'avant son départ pour Seattle, George Kennedy aurait fait assurer ses joueurs pour 1 000 $ chacun. Sage précaution en raison des ravages causés par la grippe espagnole.

● Newsy Lalonde devient le premier joueur à marquer quatre fois dans une finale de la coupe Stanley, obtenant tous les buts des Canadiens lors de la deuxième rencontre de la série.

● Autre première le 29 mars : Jack McDonald est le premier joueur à compter en prolongation en finale de la coupe Stanley.

**1918-1919**

les matchs à domicile et, éventuellement, les séries. Il ne fera cependant pas le voyage à Seattle et son absence sera significative.

Stimulé par la situation, Lalonde, toujours entraîneur de l'équipe, connaît une saison de 22 buts et 10 assistances, devançant la nouvelle recrue de l'équipe, Odie Cleghorn, et Frank Nighbor, d'Ottawa, par quatre points. Ancien joueur des Wanderers, Cleghorn avait été exempté de l'armée en 1917-18, à la condition de ne pas jouer au hockey. George Kennedy a fait appel à ses services pour remplacer Malone durant la présente saison.

C'est vraiment l'année de Lalonde, qui se met également en vedette lors de la série éliminatoire contre Ottawa. Avec 11 buts en 5 parties et 6 autres en 5 rencontres face à Seattle, il établit les premiers records significatifs des éliminatoires de cette LNH encore toute jeune. Il est notamment le premier joueur à marquer quatre buts dans un match, lors du deuxième affrontement de la finale, gagné 4-2 par les Canadiens.

Lalonde inscrit son nom dans le livre des records pour le plus grand nombre de buts en séries (17), le plus de points (19) et le plus de matchs de trois buts (3). Il faut également ajouter son total de buts autres qu'en finale (11), son total de points autres qu'en finale (13), en plus de ses records de buts et de points dans une partie des séries (5), réalisés lors du premier affrontement contre Ottawa, ainsi que celui du nombre de matchs de trois buts dans une seule série (2). Note intéressante, son record de cinq buts dans un match, lequel tient toujours, sera égalé une première fois par Maurice Richard lors des séries de 1943-44 et par trois autres joueurs par la suite.

Mais Newsy Lalonde est demeuré un joueur imprévisible. Le 11 janvier, il est en voie d'éclipser le record de cinq buts dans un match régulier, établi par Joe Malone, lorsqu'il décide de quitter la rencontre. Il a marqué à trois reprises en première et deux fois en deuxième, puis il confie l'équipe à son adjoint Jack Laviolette et se retire.

## UNE COUPE SANS CHAMPION

La grippe espagnole fait d'énormes ravages à l'automne 1918 et au printemps suivant. On dénombre jusqu'à 59 victimes en une seule journée à Montréal et près

| JOUEURS | |
|---|---|
| 1 | Georges Vézina |
| 2 | Albert Corbeau |
| 3 | Joe Hall |
| 4 | Newsy Lalonde (C) |
| 5 | Didier Pitre |
| 6 | Odie Cleghorn |
| 7 | Joe Malone |
| 8 | Louis Berlinguette |
| 9 | Billy Coutu |
| 10 | Jack McDonald |
| 11 | Fred Doherty |
| | Billy Bell |
| 12 | Amos Arbour |
| ENTRAÎNEUR | |
| Newsy Lalonde | |

● Clint Benedict, gardien d'Ottawa, établit un record avec son deuxième blanchissage dans une même saison, lors d'une victoire de 7-0 contre les Canadiens. Le premier avait aussi été réussi contre le Tricolore.

● La NHA est définitivement dissoute en début de saison, malgré une tentative d'Eddie Livingstone. Celui-ci essaie en vain de convaincre Ottawa de se ranger de son bord et cherche à relancer les Bulldogs de Québec, avec l'aide de Percy Quinn. Charlie Querrie, gérant de l'aréna de Toronto et propriétaire des Arenas, laisse Livingstone sans domicile, tandis que les propriétaires de Montréal,

Ottawa et Toronto signent une entente de cinq ans avec la Ligue nationale. Québec ne donne pas suite à son projet de retour et Livingstone se trouve isolé.

● La surface de la glace est maintenant divisée en trois zones avec l'introduction des lignes bleues. Des modifications de règlements relatifs aux punitions sont aussi apportées et les passes sont officiellement prises en compte.

**1918-1919**

| TROPHÉES | |
|---|---|
| COUPE STANLEY | |
| Pas de vainqueur (grippe espagnole) | |
| COUPE O'BRIEN | |
| Canadiens de Montréal | |
| MEILLEUR MARQUEUR | |
| Newsy Lalonde | |
| Canadiens de Montréal | |
| MEILLEUR GARDIEN | |
| Clint Benedict | |
| Senators d'Ottawa | |

# CINQ JOUEURS DU CANADIEN SOUFFRENT DE L'INFLUENZA

La partie qui devait avoir lieu, hier soir, entre le Canadien et le Seattle, pour décider du championnat du monde, n'a pas eu lieu

## CINQ JOUEURS DE MONTREAL SOUFFRENT DE L'INFLUENZA

Seattle 1er.—La partie de ce soir entre le Seattle et le Canadien, pour décider du championnat du monde n'aura pas lieu, et la série ne sera pas terminée, car cinq des joueurs des Canadiens souffrent de l'influenza. Les deux clubs étaient égaux, ayant chacun deux parties à leur crédit.

Newsy Lalonde, le capitaine du Canadien; Joe Hall; Bert Corbeau; Berlinguette et McDonald sont tous retenus à leur chambre au "Georgian Hotel", George Kennedy, le gérant du Canadien, souffre aussi de cette maladie.

La température des joueurs varie de 101 à 104 degrés de fièvre. On se prépare actuellement pour transporter les joueurs à l'hôpital.

Les joueurs du Canadien ne pourront pas être sur pied avant deux ou trois semaines, et par conséquent la joute de ce soir qui devait décider du championnat n'aura pas lieu, et la série mondiale ne sera pas continuée.

de 400 au total. On rapporte que le fléau, l'un des pires de l'histoire de l'humanité, a fauché plusieurs millions de personnes dans le monde.

Les Canadiens, parvenus en finale de la coupe Stanley contre les Metropolitans de Seattle, de la PCHA, n'y échapperont pas. Cinq joueurs doivent être hospitalisés ou alités, Newsy Lalonde, Louis Berlinguette, Billy Coutu, Jack McDonald et Joe Hall, ainsi que le propriétaire, George Kennedy. Affaibli par une forte fièvre lors du cinquième match, Hall doit être hospitalisé d'urgence et succombe à la maladie six jours plus tard. Les funérailles se déroulent à Vancouver et il est

● Cy Denneny dépasse Joe Malone à titre de meilleur compteur de l'histoire de la LNH avec 54 buts.

● Premiers au classement et champions de la coupe Stanley l'année précédente, les Arenas de Toronto connaissent une saison misérable et glissent au dernier rang, ne gagnant que 5 des 18 parties disputées, mais aucune sur les patinoires adverses. Le club inscrit une troisième marque négative avec seulement 10 points.

● Bernard Morris, membre du club de Seattle, dans la Ligue du Pacifique, est condamné par une cour martiale américaine pour avoir déserté l'armée américaine. Il est de citoyenneté canadienne.

● L'avion de Hobey Baker, devenu aviateur dans l'armée américaine, est abattu au-dessus de la France, en pleine guerre mondiale. Joueur universitaire réputé, Baker n'a jamais voulu se joindre aux professionnels. Il sera intronisé au Temple de la renommée de la Ligue en 1945

et, depuis 1981, le trophée attribué au meilleur joueur universitaire américain porte son nom.

**1918-1919**

enterré à Brandon, sa ville d'adoption. Les autres joueurs se remettent de la grippe, mais la série est interrompue et la coupe Stanley, pour l'unique fois de son histoire, demeure sur les tablettes.

La série était égale 2-2. Elle avait même fait l'objet d'un match nul de 0-0, le premier de l'histoire de la Ligue en séries. Le Canadien offre d'emprunter des joueurs aux Millionaires de Vancouver, mais devant l'objection de Seattle, on annule la série à quelques heures du match décisif.

### JACK LAVIOLETTE AMPUTÉ

Une année particulièrement éprouvante pour le Canadien, qui avait déjà perdu les services de l'un de ses joueurs vedettes — et de surcroît premier entraîneur de l'équipe —, Jack Laviolette, lors de l'intersaison. Laviolette a perdu le contrôle de sa voiture lors d'une promenade le 1er mai 1918 et celle-ci est allée percuter un poteau de fer. À l'hôpital, on a dû lui amputer le pied droit, qui était demeuré coincé sous la pédale de frein. Diverses activités organisées par ses amis ont permis de recueillir quelque 2 000 $ pour lui venir en aide.

Le Canadien lui fait remplir diverses tâches, mais il quittera l'équipe après quelques semaines. Au moment de partir pour Seattle en prévision de la finale, ses anciens coéquipiers lui remettent une autre bourse de 50 $ sur le quai de la gare.

## LAVIOLETTE EST BLESSÉ GRAVEMENT

**Son automobile de course dérape et frappe un poteau en fer.**

**A L'HOPITAL GENERAL**

| 1[RE] DEMIE | PJ | G | P | N | BP | BC | PTS |
|---|---|---|---|---|---|---|---|
| Montréal (Canadiens) | 10 | 7 | 3 | 0 | 57 | 50 | 14 |
| Ottawa (Senators) | 10 | 5 | 5 | 0 | 39 | 39 | 10 |
| Toronto (Arenas) | 10 | 3 | 7 | 0 | 42 | 49 | 6 |

| 2e DEMIE | PJ | G | P | N | BP | BC | PTS |
|---|---|---|---|---|---|---|---|
| Ottawa (Senators) | 8 | 7 | 1 | 0 | 32 | 14 | 14 |
| Montréal (Canadiens) | 8 | 3 | 5 | 0 | 31 | 28 | 6 |
| Toronto (Arenas) | 8 | 2 | 6 | 0 | 22 | 43 | 4 |

| MEILLEURS MARQUEURS | | PJ | B | A | PTS | PUN |
|---|---|---|---|---|---|---|
| Newsy Lalonde | Canadiens | 17 | 22 | 10 | 32 | 40 |
| Odie Cleghorn | Canadiens | 17 | 22 | 6 | 28 | 22 |
| Frank Nighbor | Ottawa | 18 | 19 | 9 | 28 | 27 |
| Cy Denneny | Ottawa | 18 | 18 | 4 | 22 | 58 |
| Didier Pitre | Canadiens | 17 | 14 | 5 | 19 | 12 |
| Alf Skinner | Toronto | 17 | 12 | 4 | 16 | 26 |
| Reg Noble | Toronto | 17 | 10 | 5 | 15 | 35 |
| Harry Cameron | Tor./Ott. | 14 | 11 | 3 | 14 | 35 |
| Jack Darragh | Ottawa | 14 | 11 | 3 | 14 | 33 |
| Ken Randall | Toronto | 15 | 8 | 6 | 14 | 27 |
| Sprague Cleghorn | Ottawa | 18 | 7 | 6 | 13 | 27 |

# 1919 ⓒ 1920

*RETOUR DES BULLDOGS DE QUÉBEC, QUI RÉCUPÈRENT JOE MALONE ET JACK MCDONALD. MALONE REMPORTE UN SECOND TITRE DES MARQUEURS DE LA LNH EN TROIS SAISONS, DEVANÇANT NEWSY LALONDE PAR 49 POINTS À 46. LES ARENAS DEVIENNENT LES ST. PATRICKS DE TORONTO. LES SENATORS DOMINENT LES DEUX PORTIONS DU CALENDRIER, ALORS QUE LEUR GARDIEN CLINT BENEDICT CONSERVE LA MEILLEURE MOYENNE POUR UNE DEUXIÈME ANNÉE DE SUITE. LA DOUBLE VICTOIRE D'OTTAWA ÉLIMINE LA NÉCESSITÉ D'UNE SÉRIE DE CHAMPIONNAT. EN FINALE DE LA COUPE STANLEY, LES SENATORS DISPOSERONT DE SEATTLE PAR TROIS PARTIES À DEUX. LA SÉRIE COMMENCE À OTTAWA, MAIS LES DEUX DERNIERS MATCHS DEVRONT ÊTRE PRÉSENTÉS SUR LA GLACE ARTIFICIELLE DE L'ARÉNA DE TORONTO.*

## Lalonde contre Malone

*La rivalité entre Lalonde et Malone permet aux deux joueurs de connaître une excellente saison.*

L a rivalité entre Lalonde et Malone reprend de plus belle en 1919-20, avec le retour des Bulldogs de Québec au hockey professionnel. Ceux-ci récupèrent leurs joueurs, éparpillés dans les autres équipes, notamment Joe Malone, qui connaîtra l'une des meilleures saisons de sa carrière.

Lalonde et Malone ont alors respectivement 31 et 29 ans et ils sont tous deux au sommet de leur carrière. En fait, si l'on tient compte des chiffres de la NHA, pendant six ans ils se sont échangé les titres de champion marqueur : en 1915-16 (Lalonde), 1916-17 (Malone), 1917-18 (Malone) et 1918-19 (Lalonde). Malone remportera un troisième championnat des marqueurs en quatre saisons, en 1919-20, mais Lalonde reviendra à la charge l'année suivante.

Ces deux vedettes furent les seuls joueurs de l'histoire de la Ligue nationale à avoir obtenu 100 buts en conservant une moyenne

● Le Tricolore inscrit deux nouveaux records offensifs au cours de l'année. D'abord le plus grand total de buts en une saison, soit 129, mais aussi dans un match, lors d'une victoire de 16 à 3 contre Québec. Durant cette partie, quatre joueurs obtiennent au moins trois buts chacun, Newsy Lalonde, Didier Pitre, Odie Cleghorn et Harry Cameron, lequel devient le premier défenseur à obtenir, à deux reprises, quatre buts dans un match.

● Les Canadiens complètent le premier tronçon de la saison, à deux points seulement d'Ottawa, mais ils faiblissent en seconde partie, terminant derrière Ottawa et Toronto.

● Les partisans des Canadiens accueillent avec joie la construction d'un nouvel aréna, à l'angle des rues Mont-Royal et Saint-Urbain, à la suite de l'incendie du Jubilee en avril. Mais l'aréna Mont-Royal ne sera prêt que le 10 janvier et l'équipe devra entreprendre sa saison locale à Ottawa, avant de remettre une rencontre avec les Bulldogs à deux reprises, puisqu'il n'y avait pas d'eau pour la glace. Finalement, les ouvriers installent les derniers bancs à l'aréna Mont-Royal à quelques minutes du début, mais, faute de places, plus d'un millier de spectateurs ne peuvent assister à ce duel tout en offensive contre Toronto, marqué d'une performance de 21 buts par les deux formations.

## 1919-1920

supérieure à un but par match. À la fin de leur carrière, ils présenteront des moyennes similaires : 1,25 en cinq saisons dans la LNH et 1,36 en 15 saisons dans diverses autres ligues pour Lalonde, comparativement à 1,14 en sept saisons dans la LNH et 1,35 en neuf ans dans les autres circuits pour Malone.

Cette année-là, les deux joueurs font montre de leur talent offensif, s'échangeant aussi quelques records, comme celui du plus grand nombre de buts dans une partie. Ainsi, lors du premier match disputé par les Canadiens à leur nouveau domicile, l'aréna Mont-Royal, le 10 janvier 1920, Lalonde éclate pour six buts, battant sa propre marque, tandis que les deux équipes, Montréal et Toronto, établissent aussi un record pour le total des buts, avec respectivement 14 et 7. Trois semaines plus tard, le 31 janvier, Malone réplique

### LE SAVIEZ-VOUS...

Le Canadien n'est pas la première équipe à jouer à l'aréna Mont-Royal. Cet honneur revient à des équipes de la Ligue de la Cité, soit McGill, Westmount, Victoria et MAAA, qui se sont affrontées le 7 janvier devant 1 800 personnes.

avec sept filets, également contre Toronto. Une marque qui a résisté aux attaques des autres joueurs de la Ligue depuis ce temps et qu'il a presque répétée lui-même moins de deux mois plus tard, signant une autre performance de six buts contre Ottawa.

La course au titre entre Lalonde et Malone prend une telle ampleur que le président du Canadien, George Kennedy, reproche à son joueur, qui est aussi l'entraîneur du club, de jouer de façon trop individualiste.

Malone devancera finalement le joueur du Canadien par 39 buts à 37 et remportera le titre de champion marqueur par 49 points à 46. Un duel épique que revivront les amateurs de hockey de la fin des années 1980 et du début des années 1990, entre Wayne Gretzky et Mario Lemieux.

| JOUEURS | |
|---|---|
| 1 | Georges Vézina |
| 2 | Albert Corbeau |
| 3 | Howard McNamara |
| 4 | Newsy Lalonde (C) |
| 5 | Didier Pitre |
| 6 | Odie Cleghorn |
| 7 | Donald Smith |
| 8 | Louis Berlinguette |
| 9 | Billy Coutu |
| 10 | Amos Arbour |
| 11 | Harry Cameron |
| 12 | Jack Coughlin |
| ENTRAÎNEUR | |
| Newsy Lalonde | |

*Goldie Prodgers refuse de jouer à Montréal.*

● Pour son retour au hockey professionnel, l'équipe de Québec adopte le nom d'Athlétiques, mais les partisans continuent à la désigner sous le surnom de « Bulldogs ». Le club ne connaît pas un grand succès (les vedettes de jadis, mis à part Malone, ont ralenti) et il ne gagne que 4 des 24 matchs disputés. La concession sera transférée à Hamilton l'année suivante.

● Les Arenas de Toronto appartiennent à de nouveaux intérêts et portent désormais le nom de « St. Patricks ».
● Cully Wilson, l'un des premiers mauvais garnements du circuit, avec 86 minutes de punition, a été embauché par Toronto à titre d'agent libre après avoir été banni de la Ligue de la Côte du Pacifique. Il s'assagira avec le temps, devenant même un adepte de l'horticulture à sa retraite.

● Malone reprend son titre de meilleur compteur de l'histoire de la Ligue, totalisant 90 buts en fin de saison.
● Première participation du Canada à un événement international, les Jeux olympiques de 1920 (les Jeux d'hiver ne débuteront officiellement qu'en 1924).

Les Falcons de Winnipeg, champions de la coupe Allan, n'accordent qu'un but en trois matchs contre 29 marqués, pour remporter l'or.
● La coupe Memorial est offerte pour récompenser la meilleure équipe junior. Le Canoe Club de Toronto est le premier club à y inscrire son nom.

| TROPHÉES | |
|---|---|
| **COUPE STANLEY** | |
| Senators d'Ottawa | |
| **COUPE O'BRIEN** | |
| Senators d'Ottawa | |
| **MEILLEUR MARQUEUR** | |
| Joe Malone | |
| Bulldogs de Québec | |
| **MEILLEUR GARDIEN** | |
| Clint Benedict | |
| Senators d'Ottawa | |

## JOUEURS RÉCALCITRANTS

Le Canadien éprouve quelques difficultés avec deux de ses joueurs en début de saison. Goldie Prodgers, ancien joueur du Canadien et ensuite membre de l'équipe du 228ᵉ bataillon en 1916-17, refuse de jouer pour Québec qui a acquis ses droits. On le cède au Canadien, mais il refuse aussi de jouer à Montréal qui l'échangera finalement aux St. Pats de Toronto en retour du défenseur Harry Cameron.

Pour sa part, Odie Cleghorn, deuxième compteur du circuit l'année précédente, estime mériter plus d'argent et fera la grève pendant quelques parties avant de se présenter à l'équipe.

Prodgers ne comptera que 8 buts à Toronto, tandis que Cleghorn en obtiendra 20.

| 1ᴿᴱ DEMIE | PJ | G | P | N | BP | BC | PTS |
|---|---|---|---|---|---|---|---|
| Ottawa (Senators) | 12 | 9 | 3 | 0 | 59 | 23 | 18 |
| Montréal (Canadiens) | 12 | 8 | 4 | 0 | 62 | 51 | 16 |
| Toronto (St. Patricks) | 12 | 5 | 7 | 0 | 52 | 62 | 10 |
| Québec (Bulldogs) | 12 | 2 | 10 | 0 | 44 | 81 | 4 |
| **2ᵉ DEMIE** | PJ | G | P | N | BP | BC | PTS |
| Ottawa (Senators) | 12 | 10 | 2 | 0 | 62 | 41 | 20 |
| Toronto (St. Patricks) | 12 | 7 | 5 | 0 | 67 | 44 | 14 |
| Montréal (Canadiens) | 12 | 5 | 7 | 0 | 67 | 62 | 10 |
| Québec (Bulldogs) | 12 | 2 | 10 | 0 | 47 | 96 | 4 |

| MEILLEURS MARQUEURS | | PJ | B | A | PTS | PUN |
|---|---|---|---|---|---|---|
| Joe Malone | Québec | 24 | 39 | 10 | 49 | 12 |
| Newsy Lalonde | Canadiens | 23 | 37 | 9 | 46 | 34 |
| Frank Nighbor | Ottawa | 23 | 26 | 15 | 41 | 18 |
| Corb Denneny | Toronto | 24 | 24 | 12 | 36 | 20 |
| Jack Darragh | Ottawa | 23 | 22 | 14 | 36 | 22 |
| Reg Noble | Toronto | 24 | 24 | 9 | 33 | 52 |
| Amos Arbour | Canadiens | 22 | 21 | 5 | 26 | 13 |
| Cully Wilson | Toronto | 23 | 20 | 6 | 26 | 86 |
| Didier Pitre | Canadiens | 22 | 14 | 12 | 26 | 6 |
| Punch Broadbent | Ottawa | 21 | 19 | 6 | 25 | 40 |
| Odie Cleghorn | Canadien | 21 | 20 | 4 | 24 | 30 |

*Odie fait la grève pour obtenir plus d'argent, puis se ravise après quelques parties.*

# 1920 1921

LA CONCESSION DE QUÉBEC EST VENDUE À HAMILTON ET LES BULLDOGS DEVIENNENT DES
TIGRES (TIGERS). OTTAWA DOMINE DE NOUVEAU LA PREMIÈRE DEMIE, PUIS TORONTO S'IMPOSE
DANS LA SECONDE AVANT DE S'INCLINER 5-0 ET 2-0 EN SÉRIE DE CHAMPIONNAT CONTRE
OTTAWA. LALONDE REPREND SON TITRE DE CHAMPION MARQUEUR AVEC 43 POINTS CONTRE
40 POUR BABE DYE, DE TORONTO. LES SENATORS CONSERVENT LA COUPE STANLEY, À LA FAVEUR
D'UNE VICTOIRE SERRÉE DE 2-1 DANS LE CINQUIÈME ET DÉCISIF MATCH DISPUTÉ AUX MILLIONAIRES
DE VANCOUVER. C'EST, UNE FOIS DE PLUS, CLINT BENEDICT QUI S'AVÈRE LE MEILLEUR GARDIEN DE
LA LIGUE, CONDUISANT DE NOUVEAU SON ÉQUIPE AUX GRANDS HONNEURS.

## Lalonde encore le meilleur

**N**ewsy Lalonde n'allait pas manquer une aussi belle occasion de reprendre du galon avec les difficultés de son « ami » Joe Malone à Québec.
Cette fois, on assiste à une lutte à quatre avec Cecil Babe Dye et Cy Denneny.

Dye, prêté aux Tigers de Hamilton par les St. Pats de Toronto et aussitôt
réclamé par ceux-ci après avoir marqué deux buts contre les Canadiens dans
le match d'ouverture, s'avère le meilleur franc-tireur du groupe avec 35 buts,
un de plus que Denneny et deux de plus que Lalonde, tandis que Malone
termine avec 28. Le nombre de passes accumulées par le joueur montréalais

*Lalonde l'emporte sur Joe
Malone, Babe Dye et Cy Denneny,
au terme d'une chaude lutte pour
le premier rang des marqueurs.*

85

● Harry Punch Broadbent et Sprague Cleghorn, deux joueurs d'Ottawa prêtés par la Ligue pour renforcer la nouvelle équipe de Hamilton (ex-Bulldogs), refusent de se présenter. Broadbent laisse même croire qu'il préférerait jouer pour les Canadiens, qui vont jusqu'à inscrire leur nom dans sa formation. Il ne se présentera jamais et ses droits seront finalement rendus aux Senators.
● La température clémente enregistrée en janvier 1921 force les Canadiens à reporter le match prévu contre Toronto

le 21 du mois. La glace naturelle de l'aréna Mont-Royal laisse apercevoir la terre à maints endroits.
● Tom Duggan, l'un des propriétaires de l'aréna Mont-Royal, promet 1 000 $ aux joueurs (environ 100 $ chacun) s'ils permettent à l'équipe de terminer devant Toronto en deuxième partie de saison, alors qu'il reste six matchs à jouer et que les deux clubs sont à égalité. En début de campagne, la direction avait aussi promis une prime de 200 $ par joueur pour un championnat. Toronto

devancera les Canadiens par deux points.
● Offusqués de la décision de l'arbitre d'accorder aux Canadiens un but qu'ils jugeaient hors-jeu, le président Ted Day et l'un des directeurs des Senators, Tommy Gorman, décident de retirer leur club de la glace lors du match du 26 janvier. Les joueurs sont condamnés par la Ligue à verser 500 $ au fonds Joe-Hall, créé pour venir en aide à la famille du joueur décédé de la grippe

espagnole deux ans plus tôt. Le même Tommy Gorman deviendra gérant des Canadiens en 1940.
● Le Hockey News, dans un numéro spécial consacré à l'histoire de la Ligue nationale en 1999, mentionne que le gérant Léo Dandurand interdisait à ses joueurs de conduire une automobile, prétextant que le volant pouvait occasionner des crampes aux mains et aux jambes. Il faut dire que la moyenne d'âge de l'équipe, la plus élevée du circuit, approchait alors les 31 ans.

**1920-1921**

lui permet de battre Dye par trois points et ainsi de reprendre son titre de champion marqueur.

La lutte est vive jusqu'à la fin entre ces quatre joueurs. Lalonde signe notamment une performance de cinq buts contre Hamilton le 16 février. Au dernier match de la saison, Denneny réplique avec six buts, également contre Hamilton, tandis que les Canadiens perdent 6-4 contre Toronto. Dye et Lalonde n'obtiennent aucun but dans ce match décisif pour le championnat, mais Lalonde parvient à préserver son titre devant Babe Dye. Le joueur des Canadiens n'a obtenu aucun point non plus lors du match précédent, une défaite de 1-0 contre les Senators et leur brillant gardien, Clint Benedict. Celui-ci devenait alors le premier cerbère du circuit à inscrire 10 jeux blancs au cours d'une carrière.

La performance de Lalonde est encore plus intéressante si on considère que le club a connu une première moitié de saison de seulement 4 victoires en 10 parties. La seconde moitié est plus intéressante avec une fiche de 9 en 14, ce qui lui octroie le deuxième rang, à seulement deux points des St. Pats, tandis que les Senators ont dégringolé au troisième rang. Ce sera une autre histoire en finale de la coupe O'Brien, alors que le gardien Benedict, des Senators, blanchit Toronto deux fois de suite pour mener son équipe à la finale de la coupe Stanley.

## LA RIVALITÉ MONTRÉAL/TORONTO

La rivalité s'est vite installée entre les formations de Toronto et de Montréal. L'une des premières chicanes met en cause l'ailier droit Cully Wilson, prêté par les St. Patricks aux Canadiens au terme de la première demi-saison. Kennedy emploie ce rapide patineur pour remplacer Lalonde et Pitre à l'occasion. Wilson, qui n'a obtenu que 2 buts en 8 parties avec Toronto, ne tarde pas à s'affirmer, marquant 6 filets en 11 matchs, tout en contribuant à la remontée au classement du Tricolore devant Toronto.

Il ne reste plus que quatre parties au calendrier et les deux formations doivent disputer un match le 28 février lorsque Wilson,

| JOUEURS | |
|---|---|
| 1 | Georges Vézina |
| 2 | Harry Mummery |
| 3 | Albert Corbeau |
| 4 | Newsy Lalonde (C) |
| 5 | Didier Pitre |
| 6 | Louis Berlinguette |
| 7 | Amos Arbour |
| 8 | Odie Cleghorn |
| 9 | Dave Ritchie |
| | Billy Bell |
| 10 | Jack McDonald |
| | Dave Campbell |
| 11 | Cully Wilson |
| ENTRAÎNEUR | |
| | Newsy Lalonde |

*Toronto regrette d'avoir prêté Cully Wilson aux Canadiens et lui ordonne de revenir à son équipe originale, en fin de saison. La cause est portée en appel, mais Wilson est contraint de terminer la saison dans les gradins, faute d'entente entre les deux formations.*

86

LA LIGUE • DANS LA LIGUE • DANS LA LIGUE • DANS LA LIGUE • DANS LA LIGUE • DANS LA LIG

● Malgré les efforts de la Ligue pour renforcer la nouvelle équipe des Tigers de Hamilton, devenue propriété de Percy Thompson, celle-ci termine les deux tranches de la saison avec des fiches peu enviables de 3-7 et 3-11.

● Le premier match de la finale de la coupe Stanley entre Ottawa et les Millionaires a attiré une foule fort respectable de plus de 10 000 personnes à Vancouver. Pour les cinq parties, toutes terminées avec un seul but d'écart, on rapporte la vente de quelque 51 000 billets.

● Sprague Cleghorn, l'un des deux joueurs d'Ottawa prêtés par la Ligue à Hamilton — l'autre était Broadbent —, joue finalement pour le St. Pats de Toronto durant une bonne partie de la saison, avant d'obtenir sa libération pour disputer la finale avec les Senators et remporter la coupe Stanley.

● Les Senators constituent la première équipe de la LNH et la deuxième depuis les Bulldogs de Québec en 1912-13 à remporter la coupe Stanley deux ans de suite.

● Doublé de six buts dans un match des frères Corb et Cy Denneny contre le cerbère Howie Lockart, de Hamilton. Le premier, le 26 janvier, pour le compte des St. Patricks de Toronto, dans une victoire de 10 à 3 ; le second, au dernier match de la saison, le 7 mars, gagné 12 à 6 par Ottawa.

| TROPHÉES |
| --- |
| **COUPE STANLEY** |
| Senators d'Ottawa |
| **COUPE O'BRIEN** |
| Senators d'Ottawa |
| **MEILLEUR MARQUEUR** |
| **Newsy Lalonde** |
| **Canadiens de Montréal** |
| **MEILLEUR GARDIEN** |
| Clint Benedict |
| Senators d'Ottawa |

dont le contrat stipule que les St. Pats doivent lui signifier un préavis de quelques jours avant de le rappeler, se voit intimer l'ordre de changer d'uniforme et de jouer pour Toronto. Il refuse et la cause est portée devant le président de la Ligue, Frank Calder, lequel ordonne à Wilson de se présenter à son équipe originale.

Les Canadiens en appellent de cette décision, mais au jour de l'audience, avec deux matchs à disputer, Toronto brille par son absence et Wilson doit compléter la saison dans les estrades. L'absence de Wilson se fait sentir chez le Tricolore, qui perd ses deux dernières parties et termine un match derrière Toronto.

Wilson se retrouvera à Hamilton la saison suivante, par suite d'une transaction.

*Punch Broadbent et Sprague Cleghorn sont prêtés à Hamilton, mais refusent de se présenter à la nouvelle équipe. Broadbent fait aussi faux bond aux Canadiens, après avoir pourtant affirmé qu'il préférait s'aligner avec l'équipe montréalaise.*

| 1<sup>RE</sup> DEMIE | | PJ | G | P | N | BP | BC | PTS |
| --- | --- | --- | --- | --- | --- | --- | --- | --- |
| Ottawa (Senators) | | 10 | 8 | 2 | 0 | 49 | 23 | 16 |
| Toronto (St. Patricks) | | 10 | 5 | 5 | 0 | 39 | 47 | 10 |
| Montréal (Canadiens) | | 10 | 4 | 6 | 0 | 37 | 51 | 8 |
| Hamilton (Tigers) | | 10 | 3 | 7 | 0 | 34 | 38 | 6 |

| 2<sup>E</sup> DEMIE | | PJ | G | P | N | BP | BC | PTS |
| --- | --- | --- | --- | --- | --- | --- | --- |
| Toronto (St. Patricks) | | 14 | 10 | 4 | 0 | 66 | 53 | 20 |
| Montréal (Canadiens) | | 14 | 9 | 5 | 0 | 75 | 48 | 18 |
| Ottawa (Senators) | | 14 | 6 | 8 | 0 | 48 | 52 | 12 |
| Hamilton (Tigers) | | 14 | 3 | 11 | 0 | 58 | 94 | 6 |

| MEILLEURS MARQUEURS | | PJ | B | A | PTS | PUN |
| --- | --- | --- | --- | --- | --- | --- |
| Newsy Lalonde | Canadiens | 24 | 33 | 10 | 43 | 36 |
| Babe Dye | Ham./Tor. | 24 | 35 | 5 | 40 | 32 |
| Cy Denneny | Ottawa | 24 | 34 | 5 | 39 | 10 |
| Joe Malone | Hamilton | 20 | 28 | 9 | 37 | 6 |
| Frank Nighbor | Ottawa | 24 | 19 | 10 | 29 | 10 |
| Reg Noble | Toronto | 24 | 19 | 8 | 27 | 54 |
| Harry Cameron | Toronto | 24 | 18 | 9 | 27 | 35 |
| Goldie Prodgers | Hamilton | 24 | 18 | 9 | 27 | 8 |
| Corb Denneny | Toronto | 20 | 19 | 7 | 26 | 29 |
| Jack Darragh | Ottawa | 24 | 11 | 15 | 26 | 20 |

# 1921 🇨 1922

*La Ligue nationale abandonne la formule des demi-saisons. Dorénavant, les deux premières équipes lutteront pour le droit de participer à la finale de la coupe Stanley contre les champions de l'Ouest. Ottawa conserve sa suprématie dans une lutte serrée contre Toronto et les Canadiens, maintenant propriété de Léo Dandurand, Jos Cattarinich et Louis Létourneau, suite au décès de George Kennedy. Hamilton termine au dernier rang. Punch Broadbent, des Senators, met fin à la domination Lalonde-Malone pour le championnat des marqueurs, devant son coéquipier Cy Denneny. Toronto surprend Ottawa 5-4 dans le premier match éliminatoire et annule 0-0 dans le second pour ensuite rééditer son triomphe de 1918 en disposant de Vancouver par trois parties à deux en finale de la coupe Stanley.*

## Le grand bâtisseur des Canadiens s'éteint

George Kendall, alias Kennedy, celui qui fut à la base de la concession accordée au Club athlétique Canadien en 1910 et qui devait ensuite se porter acquéreur de l'équipe en 1915 avec six autres hommes d'affaires avant d'en devenir l'unique propriétaire un peu plus tard, s'éteint à sa résidence au matin du 19 octobre 1921, à l'âge de 41 ans. Sa mort est attribuée aux séquelles de la grippe espagnole qui a décimé l'équipe au printemps 1919 et causé la mort du défenseur Joe Hall, bien que, officiellement, on ait diagnostiqué une cirrhose et une albuminurie (maladie des reins).

D'origine écossaise, cet ancien lutteur était considéré comme l'un des meilleurs promoteurs en Amérique, organisant avec autant de succès matchs de hockey et de crosse que combats de lutte. Il avait été aussi l'un des cinq fondateurs de la Ligue nationale de hockey, avec Frank Calder (secrétaire de la défunte NHA), S. E. Lichtenhein (Wanderers), Tommy Gorman (Senators), et M. J. Quinn (Bulldogs) en 1917.

Pour une raison difficile à expliquer, Kennedy n'a jamais été intronisé au Temple de la renommée, bien que les Canadiens et même la Ligue nationale

*La Presse fait état de la mort du bâtisseur des Canadiens à pleine page, dans son édition du 19 octobre.*

● Les choses ne vont plus aussi bien pour Newsy Lalonde avec les Canadiens. Le club perd cinq des sept premières parties, Dandurand critique ouvertement son joueur étoile et celui-ci abandonne l'équipe le 10 janvier. Il faudra l'intervention du président Calder pour réconcilier les deux parties. Lalonde est hué par le public à son retour au jeu et Dandurand doit le transformer en substitut. On rapporte que Lalonde aurait même livré quelques combats

aux frères Cleghorn dans le vestiaire de l'équipe.
● Lalonde obtient un dernier tour du chapeau avec l'équipe le 8 février.
● Premier joueur à obtenir 200 buts, Lalonde a eu besoin de seulement 184 parties pour y parvenir. Il termine sa carrière avec un total de 266 en 200 matchs.
● Le Tricolore, qui possède toujours les droits sur les joueurs francophones, tente d'acquérir Frank Boucher, d'Ottawa, «un Irlandais

unilingue anglophone», selon Tommy Gorman, gérant des Senators. Son frère Billy joue d'ailleurs à Montréal. Le président Calder tranchera en faveur des Senators, qui l'aligneront une saison avant qu'il ne s'en retourne dans l'Ouest pendant quatre ans. Il aura par la suite une brillante carrière avec les Rangers de New York, dont il

deviendra l'un des plus illustres entraîneurs et directeurs-gérants.
● Les frères Cleghorn établissent un record un peu particulier en obtenant chacun quatre buts dans un même match (une première pour deux frères) dans une victoire de 10-6 des Canadiens contre Hamilton en janvier.

*Les Canadiens tentent en vain d'obtenir les services de l'excellent Frank Boucher, dont le frère Billy évolue déjà à Montréal.*

**1921-1922**

lui doivent une grande part de leur survie au terme de la Première Guerre.

À sa mort, à quelques semaines d'une nouvelle saison, il fallait bien lui trouver un successeur. Le frère de Kennedy, Frank, est chargé de la succession au nom de la famille. Quelques groupes se montrent intéressés, mais la première offre vient de Tom Duggan, directeur de l'aréna Mont-Royal, qui avance 10 000 $. Léo Dandurand, Louis Létourneau et Jos Cattarinich (ancien joueur et gérant de l'équipe) sont aussi preneurs. Le trio exploite déjà une piste de courses à Cleveland et ne peut être sur place. Cecil Hart est chargé de faire une offre. Il dépose 11 000 $ en leur nom et la vente est concrétisée le 4 novembre, soit deux semaines après le décès de Kennedy, l'un des grands bâtisseurs de la plus célèbre dynastie sportive du XXᵉ siècle.

Léo Dandurand deviendra vite l'homme-orchestre des nouveaux propriétaires, cumulant les fonctions de gérant et d'entraîneur. Cecil Hart obtiendra un poste de directeur au sein de l'entreprise.

On dit que les nouveaux actionnaires récupérèrent leur mise dès la première année d'activité, grâce à un surplus de quelque 20 000 $.

**LES FRÈRES CLEGHORN RÉUNIS**

Le Canadien comptait déjà sur les services du cadet des deux frères Cleghorn, Odie, lequel avait complété sa première saison avec l'équipe, en 1918-19, au deuxième rang des marqueurs. Sprague, un robuste défenseur, avait aidé les Senators à remporter une seconde coupe Stanley d'affilée après avoir écoulé la saison régulière dans l'uniforme des St. Patricks de Toronto la saison précédente.

Mais voilà que ses droits sont de nouveau cédés aux Tigers de Hamilton auxquels il refuse encore de se présenter. Menacé de suspension par la Ligue, il sera finalement sauvé par Léo Dandurand, qui offre d'abord de racheter son contrat, pour ensuite proposer de l'acquérir des Tigers en

**LE SAVIEZ-VOUS...**
Premier match nul de l'histoire de la Ligue le 11 février, alors que la nouvelle limite de 20 minutes maximales laisse Toronto et Ottawa à égalité 4 à 4.

*À la mort de Kennedy, le trio Dandurand-Cattarinich-Létourneau fait une offre à la famille pour acheter l'équipe. Cecil Hart, qui leur avait servi d'intermédiaire, deviendra entraîneur du club, en 1926. Ce montage photos fut publié en 1928 par La Presse.*

| JOUEURS | |
|---|---|
| 1 | Georges Vézina |
| 2 | Sprague Cleghorn |
| 3 | Albert Corbeau |
| 4 | Newsy Lalonde (C) |
| 5 | Didier Pitre |
| 6 | Louis Berlinguette |
| 7 | Odie Cleghorn |
| 8 | Billy Bell |
| 9 | Billy Coutu |
| 10 | Billy Boucher |
| 11 | Jack McDonald |
| 12 | Phil Stevens |
| 13 | Edmond Bouchard |
| | Billy Boucher |
| **ENTRAÎNEUR** | |
| | Léo Dandurand |

JOS. CATTARINICH,
Vice-président du Canadien.

CECIL HART,
Gérant du Canadien.

LEO DANDURAND,
Secrétaire-trésorier du Canadien.

LOUIS LETOURNEAU,
Directeur du Canadien.

### LES PROPRIETAIRES ET LE GÉRANT DU CANADIEN

Jos. Cattarinich, Léo Dandurand et Louis Létourneau, trois sportsmen connus tant aux Etats-Unis qu'au Canada, sont les propriétaires du Canadien, l'ayant acheté en 1921 de la succession de feu George Kennedy. Ils en ont fait le club le plus populaire qui soit aujourd'hui. Léo Dandurand, le Napoléon du hockey, en a été le gérant jusqu'à il y a deux ans, alors que Cecil Hart lui a succédé.

● La Ligue nationale décide d'imiter la Ligue de la Côte du Pacifique en organisant une série qui opposera les deux premières équipes au classement pour déterminer son représentant à la finale de la coupe Stanley.

● Autres nouveautés dans les règlements : le temps supplémentaire est limité à 20 minutes, les gardiens peuvent désormais faire une passe avant à un coéquipier et les pénalités mineures sont réduites de trois à deux minutes. De son côté, la Ligue de la Côte du Pacifique adopte le tir de punition.

● Une nouvelle ligue est créée dans l'Ouest avec des concessions à Calgary, Edmonton, Regina et Saskatoon.

● Le champion marqueur du circuit, Punch Broadbent, est ce même joueur qui a laissé croire aux Canadiens qu'il souhaitait joindre leurs rangs après avoir refusé de se présenter à Hamilton. Il était finalement resté à Ottawa. L'année de son titre de champion marqueur, il établit un record de matchs consécutifs avec au moins un but, 16, record toujours valide.

● Le dernier match à sept joueurs est disputé le 25 mars. Toronto écrase alors Vancouver 6-0 dans la quatrième partie de la finale de la coupe Stanley, ce qui lui permet d'égaler la série avant de remporter le match ultime trois jours plus tard.

## 1921-1922

retour des services de son meilleur défenseur, Harry Mummery, et de ceux d'Amos Arbour.

Les deux Cleghorn font la pluie et le beau temps à Montréal cette saison-là, terminant premier et deuxième de l'équipe pour les points et les punitions, à tel point que le président Calder se sent obligé de donner un avertissement sévère à Sprague en janvier pour l'inciter à s'en tenir au jeu, sous peine d'être banni du hockey. Pourtant, quelques semaines plus tard, à la suite d'un match contre Ottawa, l'arbitre Lou Marsh qualifiera les frères Cleghorn de « disgrâce pour le hockey » dans son rapport à la Ligue. Ce soir-là, les joueurs de l'équipe devront être escortés par la police jusqu'à la gare.

*Les frères Odie et Sprague Cleghorn sont finalement réunis, grâce à l'intervention de Léo Dandurand.*

| TROPHÉES |
|---|
| **COUPE STANLEY** |
| St. Patricks de Toronto |
| **COUPE O'BRIEN** |
| St. Patricks de Toronto |
| **MEILLEUR MARQUEUR** |
| Harry Broadbent |
| Senators d'Ottawa |
| **MEILLEUR GARDIEN** |
| Clint Benedict |
| Senators d'Ottawa |

| | PJ | G | P | N | BP | BC | PTS |
|---|---|---|---|---|---|---|---|
| Ottawa (Senators) | 24 | 14 | 8 | 2 | 106 | 84 | 30 |
| Toronto (St. Patricks) | 24 | 13 | 10 | 1 | 98 | 97 | 27 |
| **Montréal (Canadiens)** | 24 | 12 | 11 | 1 | 88 | 94 | 25 |
| Hamilton (Tigers) | 24 | 7 | 17 | 0 | 88 | 105 | 14 |

| MEILLEURS MARQUEURS | | PJ | B | A | PTS | PUN |
|---|---|---|---|---|---|---|
| Harry Broadbent | Ottawa | 24 | 32 | 14 | 46 | 28 |
| Cy Denneny | Ottawa | 22 | 27 | 12 | 39 | 20 |
| Babe Dye | Toronto | 24 | 31 | 7 | 38 | 39 |
| Harry Cameron | Toronto | 24 | 18 | 17 | 35 | 22 |
| Joe Malone | Hamilton | 24 | 24 | 7 | 31 | 4 |
| Corb Denneny | Toronto | 24 | 19 | 9 | 28 | 28 |
| Reg Noble | Toronto | 24 | 17 | 11 | 28 | 19 |
| Sprague Cleghorn | Canadiens | 24 | 17 | 9 | 26 | 80 |
| Georges Boucher | Ottawa | 23 | 13 | 12 | 25 | 12 |
| **Odie Cleghorn** | Canadiens | 23 | 21 | 3 | 24 | 26 |

# 1922 ⓒ 1923

*La lutte entre Ottawa, Montréal et Toronto demeure vive et, cette fois, les Canadiens perdent le championnat par un seul point aux mains des Senators, ainsi que la série éliminatoire, deux parties à zéro, contre les mêmes Senators. Série marquée par la suspension de deux de ses joueurs. Clint Benedict domine les gardiens de la Ligue une cinquième année d'affilée, tandis que Babe Dye, des St. Pats, devance Cy Denneny à son tour pour le titre des marqueurs. Ottawa gagne la coupe Stanley pour la troisième fois en quatre ans, disposant des Maroons (ex-Milionaires) de Vancouver trois parties à une et des Eskimos d'Edmonton deux parties à zéro lors de séries consécutives, toutes disputées à Vancouver.*

## Newsy Lalonde échangé pour Aurèle Joliat

*Aurèle Joliat, un illustre inconnu, est échangé aux Canadiens pour les services de la grande vedette, Newsy Lalonde, ce qui crée toute une commotion dans les milieux du hockey.*

La nouvelle crée toute une commotion auprès des supporters de l'équipe et aussi dans les journaux. Le 3 novembre, Joe Cattarinich, vice-président des Canadiens, annonce que Newsy Lalonde vient d'être échangé aux Crescents de Saskatoon, de la Ligue de l'Ouest, en retour des droits sur un joueur amateur du nom d'Aurèle Joliat, plus 3 500 $.

La nouvelle surprend, car Joliat est un illustre inconnu qu'on dit sujet aux blessures. Pourtant, Lalonde n'est plus dans les bonnes grâces de Léo Dandurand depuis un certain temps et ses rapports avec les frères Cleghorn sont souvent houleux, rapporte-t-on. Qu'à cela ne tienne, le temps donnera raison aux Canadiens puisque Joliat deviendra l'un de ses plus illustres équipiers, procurant une coupe Stanley à l'équipe dès la saison suivante, et cela, même si Lalonde remportera un autre championnat des compteurs (son sixième et dernier) avec sa nouvelle formation.

◗ Dandurand effectue une autre transaction remarquée le 22 décembre en rapatriant Joe Malone, qui ne voulait plus jouer à Hamilton. Edmond Bouchard est le joueur cédé aux Tigers, qui ont déjà suspendu Malone devant son refus de jouer. Mais Malone est un joueur usé, il n'obtiendra qu'un but en 20 rencontres. Il essaiera de nouveau en 1923-24, disputant neuf parties sans obtenir le moindre point.

◗ Un autre grand nom de l'histoire du Tricolore, Didier Pitre, dernier membre de l'édition originale de l'équipe, tire sa révérence au terme de la saison. Il a 39 ans et vient de disputer 13 saisons au cours desquelles il a marqué 220 buts en saisons régulières, soit le deuxième total du club.

◗ La renommée des Canadiens n'a pas encore fait son œuvre puisque le défenseur Albert Corbeau ne veut plus jouer à Montréal et demande à être envoyé à Hamilton pour se rapprocher de sa famille.

Dandurand acquiesce à sa demande en cédant ses droits aux Tigers au début d'octobre.

◗ Le titre de capitaine est offert au vétéran gardien Georges Vézina, qui juge son poste sur la glace trop statique pour remplir ce rôle. L'honneur échoira finalement à Sprague Cleghorn.

◗ Le Tricolore bat Hamilton 5-4 lors du premier match sans pénalités de la Ligue nationale le 31 janvier.

◗ Malgré leur deuxième position au classement,

les Canadiens présentent la plus faible fiche offensive avec 73 buts en 24 parties, pour une moyenne d'un peu plus de trois buts par match.

◗ Le camp d'entraînement du Tricolore se tient à Grimsby, petite localité ontarienne dotée d'une glace artificielle. Le club répétera l'expérience à quelques reprises. Chaque fois, la délégation montréalaise est reçue avec tous les honneurs, le conseil municipal offrant même une réception aux joueurs.

**1922-1923**

| JOUEURS | |
|---|---|
| 1 | Georges Vézina |
| 2 | Sprague Cleghorn (C) |
| 3 | Billy Coutu |
| 4 | Aurèle Joliat |
| 5 | Billy Boucher |
| 6 | Louis Berlinguette |
| 7 | Odie Cleghorn |
| 8 | Edmond Bouchard |
| 9 | Billy Bell |
| 10 | Didier Pitre |
| 11 | Joe Malone |
| ENTRAÎNEUR | |
| Léo Dandurand | |

*Les Canadiens échappent le championnat de la saison par un seul point, avec une formation qui comprenait Louis Berlinguette, Didier Pitre, Sprague Cleghorn, Léo Dandurand (entraîneur), Georges Vézina, Dave Béland (soigneur), Billy Coutu, Aurèle Joliat, Billy Boucher, Edmond Bouchard et Odie Cleghorn.*

L'échange fait parler bien du monde également chez les autres équipes de la Ligue, qui auraient bien aimé, elles aussi, mettre la main sur le joueur le plus électrisant du circuit, lequel a grandement contribué à sa crédibilité. D'ailleurs, les rumeurs d'échange faisaient les délices des médias depuis déjà plusieurs mois, même si Lalonde répétait chaque fois qu'il préférait demeurer à Montréal.

Finalement, la transaction sera ratifiée par la Ligue, non sans l'adoption d'un nouveau règlement qui obligera désormais les équipes à offrir les services du joueur en cause aux autres formations du circuit avant de procéder à un échange avec un club d'une ligue concurrente.

Mécontent de l'entente, Lalonde accepte néanmoins son sort et demeure quatre ans à Saskatoon, avant de revenir dans la

*Les Canadiens cèdent Edmond Bouchard aux Tigers de Hamilton, pour les services d'un Joe Malone en fin de carrière.*

● La saison est marquée par la première radiodiffusion d'un match de hockey, réalisée par Foster Hewitt. Celui qui allait devenir la voix légendaire des Maple Leafs un peu plus tard utilise le téléphone pour décrire un match de la Ligue de l'Ontario, disputé en mars à l'aréna de Toronto et opposant Parkdale et Kitchener. De son côté, le *Hockey News* attribue cette première à Pete Parker, qui aurait devancé Hewitt de quelques jours lors d'une rencontre éliminatoire de la Ligue de l'Ouest.

● Frank King Clancy est le seul joueur de l'histoire à avoir joué aux six positions au cours d'un même match. En plus de couvrir toutes les positions offensives et défensives, Clancy — il avait 18 ans à l'époque — remplaça le gardien Clint Benedict, puni pour avoir cinglé, pendant deux minutes lors de la partie assurant la coupe Stanley aux Senators.

● Autre première, la série Ottawa/Vancouver, en demi-finale de la coupe Stanley, oppose deux groupes de frères : Cy Denneny et George Boucher, des Senators, font face à Corbett Denneny et Frank Boucher, de Vancouver, lors de la première mise en jeu officielle.

● Cy Denneny dépasse de nouveau Joe Malone pour le total des buts avec son 143e but. Il demeurera au sommet pendant 11 ans avant d'être surpassé par Howie Morenz le 14 décembre 1933.

● Eddie Gerard a gagné la coupe Stanley trois fois de suite avec deux équipes différentes, Ottawa en 1921, Toronto en 1922 et de nouveau Ottawa en 1923.

● New York et Boston, par l'intermédiaire du responsable de l'aréna Mont-Royal, Tom Duggan, se montrent intéressés à joindre les rangs de la Ligue nationale lors de la réunion du 27 février.

*Billy Boucher est le premier marqueur du club, le troisième de la Ligue, avec 24 buts et 31 points.*

LNH pour diriger les Americans de New York en 1926-27, endossant l'uniforme pour une rencontre.

Le joueur inconnu acquis en retour de Lalonde mesure à peine 5 pieds 6 pouces et ne pèse que 135 livres, mais il connaîtra une carrière de 16 ans avec les Canadiens, où il remportera trois coupes Stanley et le trophée Hart du joueur le plus utile à son équipe en 1933-34. Célèbre par sa fameuse casquette noire, il dominera aussi les compteurs du Tricolore pendant quatre saisons d'affilée au milieu des années 1930.

### SPRAGUE CLEGHORN ET BILLY COUTU SUSPENDUS PAR DANDURAND

Dandurand est un homme de principes qui rejette la violence inutile. Alors il n'hésite pas à suspendre deux de ses meilleurs défenseurs, Sprague Cleghorn — qui n'en est pas à ses premières frasques — et Billy Coutu, au terme du premier match des séries, perdu 2-0 contre Ottawa.

Coutu et Cleghorn ont délibérément frappé Cy Denneny et Lionel Hitchman et ont été chassés de la rencontre à tour de rôle. Indigné de la conduite de ses joueurs, Dandurand préfère risquer de perdre la série — ce qui arrivera effectivement — que de passer outre à des gestes aussi gratuits. En plus de la suspension, il leur impose une amende de 200 $ chacun.

*Léo Dandurand n'aime pas que son capitaine Sprague Cleghorn se comporte en bagarreur et n'hésite pas à le suspendre, ce qui lui fait perdre la série contre Ottawa.*

| TROPHÉES | |
|---|---|
| **COUPE STANLEY** | |
| Senators d'Ottawa | |
| **COUPE O'BRIEN** | |
| Senators d'Ottawa | |
| **MEILLEUR MARQUEUR** | |
| Babe Dye | |
| St. Patricks de Toronto | |
| **MEILLEUR GARDIEN** | |
| Clint Benedict | |
| Senators d'Ottawa | |

| | PJ | G | P | N | BP | BC | PTS |
|---|---|---|---|---|---|---|---|
| Ottawa (Senators) | 24 | 14 | 9 | 1 | 77 | 54 | 29 |
| Montréal (Canadiens) | 24 | 13 | 9 | 2 | 73 | 61 | 28 |
| Toronto (St. Patricks) | 24 | 13 | 10 | 1 | 82 | 88 | 27 |
| Hamilton (Tigers) | 24 | 6 | 18 | 0 | 81 | 110 | 12 |

| MEILLEURS MARQUEURS | | PJ | B | A | PTS | PUN |
|---|---|---|---|---|---|---|
| Babe Dye | Toronto | 22 | 26 | 11 | 37 | 19 |
| Cy Denneny | Ottawa | 24 | 23 | 11 | 34 | 28 |
| **Billy Boucher** | Canadiens | 24 | 24 | 7 | 31 | 55 |
| Jack Adams | Toronto | 23 | 19 | 9 | 28 | 42 |
| Mickey Roach | Hamilton | 23 | 17 | 10 | 27 | 8 |
| **Odie Cleghorn** | Canadiens | 24 | 19 | 6 | 25 | 18 |
| Georges Boucher | Ottawa | 24 | 14 | 9 | 23 | 58 |
| Reg Noble | Toronto | 24 | 1 | 11 | 23 | 47 |
| Cully Wilson | Hamilton | 23 | 16 | 5 | 21 | 46 |
| **Aurèle Joliat** | Canadiens | 24 | 12 | 9 | 21 | 37 |

*L'arrivée de Morenz stimule le Tricolore qui remportera la deuxième coupe Stanley de son histoire.*

# 1923  1924

DEUXIÈME
COUPE
STANLEY

LES SENATORS D'OTTAWA INSCRIVENT UN TROISIÈME CHAMPIONNAT CONSÉCUTIF EN SAISON
RÉGULIÈRE, MAIS CE SONT LES CANADIENS, DEUXIÈMES AU CLASSEMENT, QUI REMPORTENT
LA COUPE O'BRIEN EN LES BATTANT 1-0 ET 4-2. ENSUITE, LE TRICOLORE OBTIENT LA DEUXIÈME
COUPE STANLEY DE SON HISTOIRE EN SURCLASSANT LES MAROONS DE VANCOUVER ET LES TIGERS
DE CALGARY, PAR DEUX PARTIES À ZÉRO CHAQUE FOIS. BILLY BOUCHER ET AURÈLE JOLIAT
TERMINENT À DEUX ET QUATRE POINTS RESPECTIVEMENT DE CY DENNENY, CHAMPION MARQUEUR
POUR L'UNIQUE FOIS DE SA CARRIÈRE. UN NOUVEAU TROPHÉE INDIVIDUEL, DESTINÉ AU JOUEUR
LE PLUS UTILE, EST OFFERT PAR LE DOCTEUR DAVID HART EN L'HONNEUR DE SON FILS CECIL.
FRANK NIGHBOR, DES SENATORS, EN EST LE PREMIER RÉCIPIENDAIRE.

LE CLUB CANADIEN, CHAMPION DU MONDE AU JEU DE HOCKEY POUR 1924.

OGILVIE CLEGHORN   LEO DANDURAND   WILFRID COUTU   SPRAGUE CLEGHORN   GEORGES VEZINA   HOWARD MORENZ   WILLIAM BOUCHER   AUREL JOLIAT   SYLVIO-J. MANTHA

## LE CANADIEN BAT LE CALGARY PAR 3 A 0 DANS LA PARTIE FINALE POUR LE CHAMPIONNAT

LES GENS DE L'OUEST ONT JOUE D'UNE FAÇON TRES BRUTALE, ET MORENZ ET BOUCHER ONT ETE BLESSES

LA BAGUE RAPPORTE LE JOLI MONTANT DE $425

UN GERANT POPULAIRE

GRAND BANQUET AUX CHAMPIONS DU MONDE, MARDI, AU WINDSOR

Georges Vézina a été le héros de la soirée, jouant une partie phénoménale, surtout dans la deuxième période alors qu'il a subi un vrai bombardement.   **LA SERIE RAPPORTE $10,900**

**1923 1924**

# Howie Morenz,
# l'éclair venu de Stratford

*Les illustrateurs de La Presse ont trouvé une façon originale de rapporter le voyage victorieux du Bleu-Blanc-Rouge dans l'Ouest.*

Léo Dandurand doit user de toute sa force de persuasion pour convaincre Howie Morenz et son père de respecter l'entente conclue avec Cecil Hart un mois plus tôt. Influencé par l'équipe senior locale — pour laquelle il jouait depuis deux ans — et par son entourage, le jeune Morenz n'est plus certain d'avoir l'étoffe d'un joueur de hockey professionnel. D'autant plus qu'il a déjà refusé des offres généreuses des St. Pats de Toronto, des Sheiks de Saskatoon et des Tigers de Hamilton avant d'accepter celle de 1 600 $ des Canadiens.

Rassuré, Morenz se présente à l'entraînement en novembre et se taille rapidement un poste au centre d'un trio complété par Aurèle Joliat à gauche et Billy Boucher à droite. Il marque son premier but dès son premier match, devant 8 300 personnes à Ottawa, contre les champions en titre, les Senators, et il terminera la saison avec 13 buts en 24 parties. Boucher et Joliat en obtiendront respectivement 16 et 15 pour terminer troisième et cinquième chez les meilleurs marqueurs.

Vite devenu le favori de la foule avec son coup de patin sec et puissant, Morenz contribue largement à l'obtention d'une deuxième coupe Stanley (la première dans la LNH) par les Canadiens avec sept buts en six parties, d'abord contre les puissants Senators d'Ottawa, champions de la saison régulière pour une troisième saison d'affilée, et ensuite contre Vancouver et Calgary.

Celui qu'on surnomme l'Éclair de Stratford (*Stratford Streak*) deviendra au fil de sa carrière l'une des supervedettes de l'histoire des Canadiens et de

● *La Presse* mentionne dans un article publié le 28 mars 1924 que les séries éliminatoires des Canadiens contre Vancouver et Calgary ont rapporté 23 119,77 $, ce qui laisse 603,92 $ à chaque joueur, une fois les frais et les bourses des autres joueurs déduits. Somme appréciable pour l'époque !

● Pénalisé plusieurs fois par une température clémente, le Tricolore est obligé de remettre ou de transférer quelques matchs prévus à l'aréna Mont-Royal au début de la saison. Faute de glace artificielle, c'est encore le cas lors de la dernière rencontre de la coupe Stanley, le 25 mars contre Calgary.

● Joe Malone, l'un des plus illustres joueurs de l'histoire du Tricolore, dispute son dernier match le 23 janvier contre Hamilton. On lui remet une montre en or lors d'une fête en son honneur. Le président des Canadiens, Athanase David, souligne que « Malone méritait un souvenir tout comme les champions du monde ».

● Didier Pitre, maintenant à la retraite, choisit de demeurer près du jeu en devenant arbitre.

● La victoire des Canadiens contre Ottawa, champion en titre, lors de la finale de la LNH incite Léo Dandurand à réclamer une série éliminatoire entre les deux équipes championnes de l'Ouest avant qu'elles ne viennent à Montréal, prétextant que son club constituait en quelque sorte le champion défendant. Il accepte finalement d'accueillir et de rencontrer les deux équipes, moyennant une meilleure part des profits.

● Sylvio Mantha, défenseur du National, de la Ligue senior, entreprend une carrière de 13 saisons avec les Canadiens. Il s'affirmera comme l'un des meilleurs arrières des années 1920 et 1930.

| JOUEURS | |
|---|---|
| 1 | Georges Vézina |
| 2 | Sprague Cleghorn (C) |
| 3 | Billy Coutu |
| 4 | Aurèle Joliat |
| 5 | Billy Boucher |
| | Billy Bell |
| 6 | Odie Cleghorn |
| 7 | Howie Morenz |
| 8 | Sylvio Mantha |
| 9 | Joe Malone |
| | Billy Bell |
| | Bill Cameron |
| 10 | Bill Cameron |
| | Bobby Boucher |
| 11 | Bill Cameron |
| | Billy Bell |
| ENTRAÎNEUR | |
| | Léo Dandurand |

la Ligue, se hissant au premier rang des compteurs en 1933 avant d'être échangé aux Black Hawks de Chicago l'année suivante. Il terminera sa carrière à Montréal quelques années plus tard, après un bref séjour avec les Rangers. Morenz connaîtra une fin tragique, à la suite d'une fracture de la jambe gauche lors d'un match contre Chicago le 28 janvier 1937. Il décédera à l'hôpital peu après et sa dépouille sera exposée au Forum.

Morenz ne se contentera pas de remporter deux championnats des marqueurs (1927-28 et 1930-31) au cours de sa prodigieuse carrière. Il obtiendra trois fois le trophée Hart, attribué au joueur le plus utile, en plus d'être choisi deux ans de suite au centre de la première équipe d'étoiles — et une fois dans la deuxième — aux premières années de cette reconnaissance, créée en 1930-31. Contribution encore plus importante, il participera à trois conquêtes de la coupe Stanley avec les Canadiens.

### FIN DE SAISON DE RÊVE

Le Tricolore connaît un début de saison ardu. À la mi-saison, le club se retrouve au dernier rang, avec seulement 4 victoires en 13 parties. Jos Cattarinich et Louis Létourneau décident de secouer les troupes et offrent chacun une prime de 1 000 $ à partager entre les joueurs si l'équipe parvient à se qualifier pour les séries en terminant au moins deuxième. La fin de saison est incroyable, 9 victoires sur 11 en seconde moitié. Le club termine deuxième, six points derrière Ottawa et six devant Toronto.

Plus rien n'arrêtera cette équipe. Victoires de 1-0 et 4-2 contre Ottawa en finale de la Ligue et victoires contre Vancouver et Calgary, sans une seule défaite. Première coupe Stanley dans la LNH, mais deuxième d'une riche histoire.

*Georges Vézina est incontestablement le meilleur cerbère du circuit avec une moyenne de 1,97 but par match. Il s'agit d'un nouveau record défensif pour lui et le Tricolore.*

**1923 1924**

● De plus en plus sollicitée par les villes américaines, la LNH accepte d'accorder une concession à Boston pour la saison suivante.
● la Ligue réduit la largeur des jambières des gardiens à 12 pouces pour favoriser le jeu offensif. Le résultat est tout à l'opposé. Seul le champion marqueur, Cy

Denneny, parvient à dépasser le cap des 20 buts, avec 22.
● On tente également d'enrayer le jeu rude « à la Sprague Cleghorn » en portant de 15 $ à 50 $ l'amende d'une inconduite de partie (alors nommée *match foul*). De plus, seul le président pourra réintégrer le joueur fautif, qui est automatiquement suspendu. Pourtant, Cleghorn finit deuxième au vote du joueur le plus utile.

● Le champion marqueur de la saison précédente, Cecil Dye, surnommé Babe en raison de son attrait pour le baseball, surprend ses coéquipiers en début de saison en annonçant qu'il quitte le hockey afin de poursuivre une carrière professionnelle à la balle. Il modifiera ses plans un peu plus tard durant la

saison et reviendra avec les St. Pats de Toronto juste à temps pour terminer au sixième rang des marqueurs.
● Les Senators d'Ottawa inaugurent leur nouvel Auditorium, doté de glace artificielle, le 30 novembre par un match hors-concours contre les Eskimos d'Édmonton.

**1923 1924**

L'édition de *La Presse* du 4 mars confirme que les deux propriétaires ont respecté leur promesse, à un match de la fin de la saison.

### LA COUPE OUBLIÉE SUR LE TROTTOIR

Si l'épouse de Léo Dandurand n'avait pas prévu servir un punch de sa fabrication pour souligner la conquête de la coupe Stanley, lors d'une réception privée offerte aux joueurs, celle-ci aurait pu disparaître à jamais.

Au terme d'une réception à l'Université de Montréal, les joueurs s'amènent chez les Dandurand en auto avec le précieux trophée. Mais voilà qu'une panne de moteur les oblige à mettre l'épaule à la roue. Le capitaine, Sprague Cleghorn, responsable de la coupe, dépose celle-ci sur le sol pour aider ses coéquipiers. L'ivresse de la victoire aidant, les joueurs repartent en oubliant le fameux saladier sur le bord du chemin. Une fois rendu à destination, on se rend compte qu'il manque un élément important pour la suite des festivités.

Heureusement pour tout le monde, le célèbre emblème était demeuré bien sagement sur le trottoir. Ce n'est que la première d'une longue série de mésaventures du célèbre bol d'argent offert par Lord Stanley à la demande de ses fils.

*Sylvio Mantha entreprend une carrière de treize saisons à titre de défenseur.*

| TROPHÉES |
|---|
| COUPE STANLEY |
| Canadiens de Montréal |
| COUPE O'BRIEN |
| Canadiens de Montréal |
| TROPHÉE PRINCE-DE-GALLES |
| Canadiens de Montréal |
| (attribué ultérieurement par la LNH) |
| TROPHÉE HART |
| Frank Nighbor |
| Senators d'Ottawa |
| MEILLEUR MARQUEUR |
| Cy Denneny |
| Senators d'Ottawa |
| MEILLEUR GARDIEN |
| Georges Vézina |
| Canadiens de Montréal |

| | PJ | G | P | N | BP | BC | PTS |
|---|---|---|---|---|---|---|---|
| Ottawa (Senators) | 24 | 16 | 8 | 0 | 74 | 54 | 32 |
| Montréal (Canadiens) | 24 | 13 | 11 | 0 | 59 | 48 | 26 |
| Toronto (St. Patricks) | 24 | 10 | 14 | 0 | 59 | 85 | 20 |
| Hamilton (Tigers) | 24 | 9 | 15 | 0 | 63 | 68 | 18 |

**MEILLEURS MARQUEURS**

| | | PJ | B | A | PTS | PUN |
|---|---|---|---|---|---|---|
| Cy Denneny | Ottawa | 22 | 22 | 2 | 24 | 10 |
| Georges Boucher | Ottawa | 21 | 13 | 10 | 23 | 38 |
| Billy Boucher | Canadiens | 23 | 16 | 6 | 22 | 48 |
| Billy Burch | Hamilton | 24 | 16 | 6 | 22 | 6 |
| Aurèle Joliat | Canadiens | 24 | 15 | 5 | 20 | 27 |
| Babe Dye | Toronto | 19 | 16 | 3 | 19 | 23 |
| Jack Adams | Toronto | 22 | 14 | 4 | 18 | 51 |
| Reg Noble | Toronto | 23 | 12 | 5 | 17 | 79 |
| Howie Morenz | Canadiens | 24 | 13 | 3 | 16 | 20 |
| King Clancy | Ottawa | 24 | 8 | 8 | 16 | 26 |

# 1924 C 1925

NOMBREUX CHANGEMENTS AU HOCKEY PROFESSIONNEL. LA LNH ACCUEILLE UNE PREMIÈRE ÉQUIPE AMÉRICAINE, LES BRUINS DE BOSTON, ET ACCORDE UNE DEUXIÈME CONCESSION À MONTRÉAL, CELLE DES MAROONS, PENDANT QUE LE RETRAIT DE SEATTLE DE LA PCHA FORCE LES CLUBS RESTANTS, VANCOUVER ET VICTORIA, À JOINDRE LA LIGUE DE L'OUEST. LES TIGERS DE HAMILTON, BONS DERNIERS AU COURS DES QUATRE SAISONS PRÉCÉDENTES, DÉCROCHENT LE CHAMPIONNAT DE LA SAISON, MAIS LES JOUEURS REFUSENT DE DISPUTER LA FINALE CONTRE LES CANADIENS, VAINQUEURS DE TORONTO, POUR UNE QUESTION DE SALAIRES. LE TRICOLORE EST DÉSIGNÉ CHAMPION MAIS PERD LA SÉRIE DE LA COUPE STANLEY PAR TROIS PARTIES À UNE CONTRE LES COUGARS DE VICTORIA, DERNIÈRE ÉQUIPE HORS DE LA LNH À GAGNER CE TROPHÉE. SECOND TITRE DE MARQUEUR EN TROIS ANS POUR BABE DYE ET DOMINATION DU GARDIEN GEORGES VÉZINA.

## Champions par défaut

La lutte a été serrée tout au long de la saison entre les équipes établies de la Ligue, soit Hamilton, Toronto, les Canadiens et Ottawa. En fin de saison, seulement quatre points séparent le champion, Hamilton, et Ottawa, qui a remporté le titre au cours des trois saisons précédentes.

*Les joueurs des Canadiens s'amènent confiants à Vancouver pour y défendre leur championnat, au point d'y laisser la coupe à Montréal. Ils en reviendront sans titre.*

● La construction du Forum de Montréal – capable d'accueillir 13 000 spectateurs – intéresse beaucoup les Canadiens, mais les propriétaires de l'aréna Mont-Royal, où le club joue depuis la saison 1919-20, sont inquiets. Ils offrent 50 000 $ pour acheter l'équipe, mais la proposition est refusée. Finalement, le club amorce la saison au Forum, doté d'une glace artificielle, parce que celle de l'aréna Mont-Royal n'est pas prête. Toutes les autres parties seront jouées dans l'enceinte de la rue Mont-Royal. Ce sont les Maroons qui adopteront le Forum comme domicile.

● Aurèle Joliat, Howie Morenz et Billy Boucher terminent parmi les sept premiers compteurs de la Ligue, avec respectivement 41, 39 et 30 points. Joliat est deuxième pour les buts, avec 30.

● Le gardien Georges Vézina est au sommet de son art, conservant une moyenne de 1,87 point par match. Les Canadiens dominent largement ses rivaux en défensive.

● Une fois de plus, Sprague Cleghorn est impliqué dans une échauffourée, lors d'une partie contre Ottawa le 24 janvier. Georges Boucher et le bouillant défenseur du Canadien en viennent aux coups après une rude mise en échec du joueur des

*Sprague Cleghorn*

**1924-1925**

Troisièmes au classement (un seul point devant les Senators), les joueurs des Canadiens doivent, selon la nouvelle formule, affronter Toronto, qui a réussi à se faufiler au deuxième rang, un point derrière Hamilton et deux devant eux. Les Canadiens l'emportent 3-2 à Montréal et 2-0 à Toronto, obtenant le droit de se mesurer au détenteur du premier rang, qualifié automatiquement pour la finale.

Mais les choses ne tournent pas rond chez les Tigers. Bons derniers au classement l'année précédente, quand ils étaient à Québec, les nouveaux champions estiment mériter une hausse de salaires, d'autant plus que la Ligue vient de porter le calendrier à 30 matchs plutôt que 24, à cause de l'arrivée des Maroons et de Boston. Les contrats n'ayant pas été adaptés à cette nouvelle réalité, les joueurs réclament 200 $ supplémentaires pour disputer la finale contre les Canadiens et font la grève. La Ligue réplique avec une amende équivalente et, comme les joueurs ne bronchent pas, décide de les suspendre tout simplement. Hamilton y perdra même sa concession et les joueurs seront transférés aux Americans de New York, qui feront leur entrée dans la Ligue la saison suivante. La prochaine grève surviendra 67 ans plus tard, en 1992.

Les Canadiens se voient attribuer le championnat des séries par défaut et le trophée O'Brien qui va avec. Évidemment, l'équipe est automatiquement qualifiée pour disputer la finale de la coupe Stanley contre les champions de l'Ouest.

Le club part confiant, au point de laisser à Montréal la coupe remportée la saison précédente. Mais les Cougars de Victoria renversent les calculs et gagnent les deux premières parties, 5-2 et 3-1. Howie Morenz, avec trois buts, permet au Tricolore d'avoir le dessus 4-2 lors du troisième match, mais Victoria revient en force avec une victoire décisive de 6-1 dans l'ultime affrontement.

Les Cougars en sont quittes pour une victoire symbolique. La coupe suivra quelques jours plus tard... par la poste.

## CECIL HART, DES CANADIENS AUX MAROONS, PUIS AUX CANADIENS

Nouvelle acquisition de la Ligue, les Maroons décident d'offrir le poste de gérant à Cecil Hart, l'un des directeurs du Tricolore, celui-là même qui a obtenu la concession de l'équipe au profit du trio Dandurand-Cattarinich-Létourneau,

| JOUEURS | |
|---|---|
| 1 | Georges Vézina |
| 2 | Sprague Cleghorn (C) |
| 3 | Billy Coutu |
| 4 | Aurèle Joliat |
| 5 | Billy Boucher |
| 6 | Odie Cleghorn |
| 7 | Howie Morenz |
| 8 | Sylvio Mantha |
| 9 | John Matz |
| 10 | Fern Headley |
| 11 | René Lafleur |
| | Dave Ritchie |
| 12 | René Joliat |
| **ENTRAÎNEUR** | |
| Léo Dandurand | |

| TROPHÉES |
|---|
| **COUPE STANLEY** |
| Cougars de Victoria |
| **COUPE O'BRIEN** |
| **Canadiens de Montréal** |
| **TROPHÉE PRINCE-DE-GALLES** |
| **Canadiens de Montréal** |
| *(attribué ultérieurement par la LNH)* |
| **TROPHÉE HART** |
| Billy Burch |
| Tigers de Hamilton |
| **TROPHÉE LADY-BYNG** |
| Frank Nighbor |
| Senators d'Ottawa |
| **MEILLEUR MARQUEUR** |
| Babe Dye |
| St. Patricks de Toronto |
| **MEILLEUR GARDIEN** |
| Georges Vézina |
| **Canadiens de Montréal** |

Canadiens. Les joueurs des deux équipes s'en mêlent, ainsi que la foule qui envahit la glace. Cleghorn et Boucher sont suspendus, mais Cleghorn justifie son geste en prétextant qu'il a d'abord voulu aider son rival à se relever après la mise en échec, geste courtois auquel Boucher aurait répondu par un coup de poing en pleine figure.

● Pendant que son frère Sprague fait des siennes, Odie est appelé à remplacer le gérant Léo Dandurand pour quelques matchs au cours du mois de février, tout en continuant à jouer.

● Montréal compte deux équipes professionnelles pour la première fois depuis la disparition des Wanderers en 1918. Dandurand n'est pas trop content de l'arrivée des Maroons, mais il se rallie lorsqu'on l'assure que la nouvelle concession sera composée uniquement de joueurs anglophones, ce qui donnera naissance à une rivalité « toute naturelle » (et fort lucrative en plus) entre les deux formations.

● Le premier affrontement entre les deux formations montréalaises se solde par une victoire de 5-0 des Canadiens, devant 5 000 spectateurs, à l'aréna Mont-Royal. Aurèle Joliat est l'auteur d'une performance de quatre buts. Deux semaines plus tard, ils seront 11 000 au Forum lors d'un verdict nul de 1-1.

lors du décès de George Kennedy. C'est également Hart qui a convaincu le jeune Howie Morenz de signer avec les Canadiens l'année précédente. Hart se voit contraint de quitter l'organisation des Canadiens, avec laquelle il espère cependant demeurer en bons termes.

Mais les choses ne fonctionnent pas à son goût avec les Maroons. Il aimerait bien avoir un contrôle complet sur les joueurs, ce que les propriétaires lui refusent. Hart est finalement renvoyé le 9 février et, quelques semaines plus tard, on le retrouve de nouveau dans l'organisation des Canadiens, chargé de dépister les nouveaux talents, avec Howie Morenz, du côté de l'Ontario.

**1924-1925**

*Aurèle Joliat, Howie Morenz et Billy Boucher font la pluie et le beau temps dans la Ligue et terminent parmi les sept premiers marqueurs.*

● Premier match de 0-0 en saison, entre les gardiens Jake Forbes, de Hamilton, et Alex Connell, d'Ottawa, le 17 décembre. En série, les Canadiens avaient disputé un match sans point contre Seattle en 1919.

● Le même Connell établit un nouveau record du circuit avec sept jeux blancs au cours de la saison.
● Le premier match de la LNH disputé aux États-Unis oppose les Bruins — victorieux 2-1 — aux Maroons, à Boston, le 1er décembre 1924.

● Les concessions accordées aux Maroons et aux Bruins rapportent 15 000 $ chacune à la Ligue. Le Canadien reçoit 15 000 $ en dédommagement pour la perte du territoire, ce qui soulève l'envie des autres formations.
● Un nouveau trophée est offert à la Ligue par l'épouse du gouverneur général du Canada, Lady Byng, pour récompenser les joueurs

alliant esprit sportif et bonne qualité de jeu. Frank Nighbor, des Senators — premier récipiendaire du trophée Hart, attribué au joueur le plus utile, la saison précédente — remportera ce titre de joueur le plus gentilhomme deux années de suite.

## 1924-1925  LA TERRE TREMBLE PENDANT QU'ON SE BAT

Toute la partie est du Québec connaît un violent tremblement de terre le 28 février 1925. La secousse, dont l'épicentre se situe dans la région de Charlevoix, à l'embouchure de la rivière Saguenay, se fait sentir jusqu'à Ottawa, où les Canadiens disputent un match important aux Senators. Alors qu'ils suivent le déroulement d'un furieux combat entre Ed Gorman et Billy Boucher, au banc de punition, les spectateurs attribuent à une explosion les secousses ressenties dans l'aréna. Même la galerie de presse est secouée et quelques journalistes doivent saisir leurs machines à écrire à deux bras pour que celles-ci ne se retrouvent pas parmi les spectateurs.

Pendant ce temps, au Forum de Montréal, les spectateurs désertent le match entre Hamilton et les Maroons. On n'apprendra que plus tard la nature de cette turbulence.

| | PJ | G | P | N | BP | BC | PTS |
|---|---|---|---|---|---|---|---|
| Hamilton (Tigers) | 30 | 19 | 10 | 1 | 90 | 60 | 39 |
| Toronto (St. Patricks) | 30 | 19 | 11 | 0 | 90 | 84 | 38 |
| Montréal (Canadiens) | 30 | 17 | 11 | 2 | 93 | 56 | 36 |
| Ottawa (Senators) | 30 | 17 | 12 | 1 | 83 | 66 | 35 |
| Montréal (Maroons) | 30 | 9 | 19 | 2 | 45 | 65 | 20 |
| Boston (Bruins) | 30 | 6 | 24 | 0 | 49 | 119 | 12 |

### MEILLEURS MARQUEURS

| | | PJ | B | A | PTS | PUN |
|---|---|---|---|---|---|---|
| Babe Dye | Toronto | 29 | 38 | 8 | 46 | 41 |
| Cy Denney | Ottawa | 29 | 27 | 15 | 42 | 16 |
| Aurèle Joliat | Canadiens | 25 | 30 | 11 | 41 | 85 |
| Howie Morenz | Canadiens | 30 | 28 | 11 | 39 | 46 |
| Red Green | Hamilton | 30 | 19 | 15 | 34 | 81 |
| Jack Adams | Toronto | 27 | 21 | 10 | 31 | 67 |
| Billy Boucher | Canadiens | 30 | 17 | 13 | 30 | 92 |
| Billy Burch | Hamilton | 27 | 20 | 7 | 27 | 10 |
| Jimmy Herbert | Boston | 30 | 17 | 7 | 24 | 55 |
| Hooley Smith | Ottawa | 30 | 10 | 13 | 23 | 81 |

*Cecil Hart est embauché par les Maroons, en début d'année. Mécontent de son sort, il revient avec son club original, en fin de saison.*

*Pendant trois années consécutives, le Tricolore entreprend son camp d'entraînement dans la petite ville ontarienne de Grimsby.*

LA PRESSE, MONTREAL, LUNDI 24 NOVEMBRE 1924
CE SOIR, LE COMBAT ENTRE ROY ET McADAM---RUPTURE ENTRE CLOVIS DURAND ET SON GERANT SAM GIBB

1924-1925

Compliments

# La Patrie

(Photo No 15)
1927-1928

CECIL M. HART
Gérant --- Manager

**FEU GEORGES VEZINA**

Le plus fameux gardien de buts que le hockey a jamais vu, est né à Chicoutimi le 21 janvier 1887 et est mort le 27 mars 1926, après avoir joué pendant 16 ans pour le Canadien. Il a fait ses débuts avec ce club en 1903 et a joué sa dernière partie à l'ouverture de la saison 1925-26. Il est resté l'idole du public.

*LA CONCESSION DE HAMILTON EST TRANSFÉRÉE À NEW YORK ET ADOPTE LE NOM D'AMERICANS. LA LNH ACCEPTE UNE TROISIÈME ÉQUIPE AMÉRICAINE, LES PIRATES DE PITTSBURGH. OTTAWA REPREND SON TITRE DE CHAMPION, MAIS LES MAROONS GAGNENT LES SÉRIES ET LA DERNIÈRE COUPE STANLEY DISPUTÉE AUX REPRÉSENTANTS DE L'OUEST, TROIS MATCHS À UN CONTRE VICTORIA. NELS STEWARTS, LA GRANDE VEDETTE DES MAROONS, DÉCROCHE LES TITRES DE CHAMPION MARQUEUR ET DE JOUEUR LE PLUS UTILE, ALORS QUE FRANK NIGHBOR EST JUGÉ LE PLUS GENTILHOMME POUR UNE DEUXIÈME SAISON DE SUITE. LES CANADIENS, AFFECTÉS PAR LA PERTE DE GEORGES VÉZINA, TERMINENT DERNIER, MALGRÉ LES EFFORTS DE HOWIE MORENZ ET DE AURÈLE JOLIAT.*

**La Patrie *rapporte le décès du gardien du Tricolore avec émotion.***

# La mort de Georges Vézina

**G**eorges Vézina n'a manqué aucun match en quinze saisons avec les Canadiens. Six fois, il a conservé la meilleure moyenne chez les gardiens, trois fois à l'époque de la NHA et trois autres fois dans la nouvelle Ligue nationale. Il est devenu presque invincible depuis deux ans, conservant des moyennes inférieures à 2,00, ce qui en a fait le meilleur cerbère du hockey professionnel. Il a encore, à trente-huit ans, quelques bonnes années devant lui.

Mais Vézina n'est pas au mieux au camp de 1925. Il éprouve des ennuis de santé depuis quelque temps. Le 18 novembre, au terme d'un match contre Victoria, il se sent mal et son médecin le met au lit pour quelques jours, croyant qu'il souffre d'une bonne grippe. C'est avec une très forte fièvre qu'il se présente au match inaugural contre la nouvelle équipe de Pittsburgh, le

**GEORGES VEZINA, MORTELLEMENT ATTEINT PAR LA TUBERCULOSE, VEUT REVOIR LEO DANDURAND ET SES AMIS LES JOUEURS DU CANADIEN**

● Les Canadiens connaissent une saison misérable. La perte de Vézina est lourde et le club termine dernier, alignant 12 défaites consécutives en deuxième moitié de saison. L'arrivée des frères Alfred et Hector Lépine, de Wildor Larochelle et d'Albert Leduc ne peut sauver l'équipe du désastre.

● Les dirigeants des Canadiens font des pressions sur les propriétaires de l'aréna Mont-Royal pour qu'on augmente le nombre de sièges. Ceux-ci annoncent finalement d'importantes rénovations pour la saison suivante, en échange d'un bail de quinze ans.

● Furieux qu'on ait refusé un but à son équipe, lors d'un match contre Pittsburgh, Léo Dandurand saute sur la glace pour enguirlander l'arbitre. On lui donnera finalement raison.

● Le capitaine Billy Coutu est mis à l'amende pour avoir bousculé un arbitre lors d'un match. Léo Dandurand, l'un des propriétaires du club, se dit d'accord avec la sanction, en soulignant qu'un capitaine se doit de conserver son sang-froid en toute situation.

● Fini les camps d'entraînement et les réceptions à Grimsby. À la dernière minute, la direction décide de garder ses joueurs à Montréal.

*Billy Coutu remplace Sprague Cleghorn à titre de capitaine et, à l'instar de son prédécesseur, essuie les critiques de Léo Dandurand pour son comportement trop intempestif.*

**1925-1926**

28 du même mois. À bout de force, il s'écroule sur la glace à la deuxième période et doit quitter la partie.

Le véritable diagnostic tombe comme un couperet. C'est la tuberculose et seul un long repos peut encore lui sauver la vie. Hospitalisé, celui que l'on surnommait le Concombre de Chicoutimi s'éteint petit à petit. Il fait mander ses coéquipiers et Léo Dandurand à son chevet, pendant que ses supporters suivent assidûment la diffusion de ses bulletins de santé à la radio et dans les journaux.

Vézina s'éteint le 27 mars, tandis que l'équipe qu'il a menée à la conquête de deux coupes Stanley continue d'en arracher en son absence. Les condoléances et les dons à la famille arrivent de partout. Les pièces de son équipement sont mises à l'enchère et on organise diverses activités pour venir en aide à sa femme.

De leur côté, les propriétaires du Canadien — Dandurand, Létourneau et Cattarinich — décident de perpétuer sa mémoire en offrant un trophée à son nom pour honorer le gardien qui conserve la meilleure moyenne.

Vézina a disputé 328 matchs réguliers et 39 éliminatoires avec les Canadiens en 15 saisons. Il est passé à l'histoire comme l'un des plus grands cerbères du hockey. Son souvenir s'est aussi perpétué par ce trophée qui porte son nom, même si sa vocation a été modifiée au cours des années. Il était d'abord destiné aux gardiens de l'équipe ayant conservé la meilleure moyenne, alors que depuis la saison 1981-82, il est octroyé par vote au meilleur portier du circuit.

### LE TROPHÉE PRINCE-DE-GALLES ATTRIBUÉ DEUX FOIS

Le trophée Prince-de-Galles, ce mal-aimé dont on a changé la vocation une demi-douzaine de fois, fut attribué d'abord au gagnant du match inaugural du Madison Square Garden de New York, le 15 décembre 1925, entre les Americans et les Canadiens, selon les informations parues dans *La Presse* et *La Patrie* au début de décembre.

Les Canadiens gagnent le match 3-1, mais doivent attendre le 10 mars avant de recevoir le trophée. Les joueurs n'ont pas beaucoup de temps pour admirer cette magnifique pièce offerte par le représentant de la reine au Canada, puisque les Maroons en deviennent les nouveaux titulaires officiels en vertu de leur

| JOUEURS | |
|---|---|
| **1** | Georges Vézina |
| | Alphonse Lacroix |
| | Herb Rhéaume |
| **2** | Sylvio Mantha |
| **3** | Billy Coutu (C) |
| | Joe Matte |
| **4** | Aurèle Joliat |
| **5** | Billy Boucher |
| **6** | Howie Morenz |
| **7** | Hector Lépine |
| **8** | Albert Leduc |
| | Dave Ritchie |
| | Joe Matte |
| **9** | Roland Paulhus |
| **10** | Alphonse Lacroix |
| | Wildor Larochelle |
| **11** | Wildor Larochelle |
| | Alphonse Lacroix |
| | Alfred Lépine |
| **12** | John McKinnon |
| | Bill Holmes |
| | Dave Ritchie |
| **14** | Wildor Larochelle |
| **ENTRAÎNEUR** | |
| | Léo Dandurand |

● Pittsburgh fait signer un contrat à Lionel Conacher, qui deviendra l'un des plus grands athlètes au Canada. Conacher, qui s'est aussi illustré au football et à la crosse, sera choisi l'athlète par excellence de la première moitié du xxᵉ siècle.

● Cy Denneny termine au deuxième rang des marqueurs pour la quatrième fois en cinq ans, six points derrière la recrue des Maroons, Nels Stewart.
● Le record de 34 buts pour une recrue, établi par Stewart, tiendra le coup jusqu'à la saison 1970-71. Il deviendra aussi le premier joueur à

compter 300 buts et c'est nul autre que Maurice Richard qui battra son record de 324 buts en 1952.
● On augmente le nombre de matchs à 36 et on introduit les punitions à retardement pour éviter qu'une équipe ait moins de quatre joueurs sur la glace, en plus du gardien.

● L'ajout de nouvelles équipes – dotées d'arénas spacieux, comme à New York – augmente les profits des propriétaires et la convoitise des joueurs. On fixe la limite salariale à 35 000 $ par équipe.

| TROPHÉES | |
|---|---|
| COUPE STANLEY | Maroons de Montréal |
| COUPE O'BRIEN | Maroons de Montréal |
| TROPHÉE PRINCE-DE-GALLES | Maroons de Montréal |
| TROPHÉE HART | Nels Stewart / Maroons de Montréal |
| TROPHÉE LADY-BYNG | Frank Nighbor / Senators d'Ottawa |
| MEILLEUR MARQUEUR | Nels Stewart / Maroons de Montréal |
| MEILLEUR GARDIEN | Alex Connell / Senators d'Ottawa |

1925-1926

*Comme en témoigne cette page de journal, le trophée Prince-de-Galles était à l'enjeu lors du match d'ouverture du Madison Square Garden de New York, qui opposait les Canadiens et les Americans, le 15 décembre 1925.*

111

● La finale entre les Cougars de Victoria et les Maroons marque la fin des séries entre les champions de la LNH et ceux de l'Ouest pour l'obtention de la coupe Stanley. À partir de l'année suivante, la Ligue nationale conservera le précieux trophée en exclusivité.
● Clint Benedict, acquis des Senators la saison précédente, n'accorde aucun but à Victoria lors des deux premiers matchs de la finale, ainsi qu'au quatrième. Le gardien des Maroons décroche quatre jeux blancs au total durant les séries.
● L'officiel Mike Rodden s'amène à Montréal pour arbitrer un match entre les Canadiens et New York le 13 février. Une petite surprise l'attend à son inscription à l'hôtel Windsor. La police procède à son arrestation, car il est accusé d'assaut sur un spectateur pour un incident survenu lors d'un match précédent. Le lendemain, le juge le condamne à une amende de 20 $.

**1925-1926**

championnat des séries, acquis moins de trois semaines plus tard, Pour sa part, les Canadiens établissent une nouvelle marque pour le nombre de parties perdues, soit 24, et terminent au dernier rang.

Seul trophée de la Ligue à avoir été attribué deux fois la même année — puisqu'il avait été entendu que celui-ci serait remis à l'enjeu pour les séries —, le Prince-de-Galles sera ensuite accordé au champion de la Division américaine à compter de 1927-28 jusqu'en 1937-38. L'année suivante, et jusqu'en 1966-67, il sera de nouveau offert au champion de la saison, la Ligue ne comprenant que six équipes. Lors de l'expansion de 1967-68 et jusqu'en 1973-74, il sera l'apanage du champion de la Division de l'Est. De 1974-75 jusqu'en 1980-81, les champions en saison de l'Association Prince-de-Galles y inscriront leur titre, puis de 1981-82 jusqu'en 1992-93, les gagnants de la finale de cette association feront de même. Depuis 1993-94 et jusqu'au prochain changement, il est attribué au gagnant de la finale dans l'Association de l'Est, regroupant actuellement les divisions Nord-est, Atlantique et Sud-est.

Pas étonnant que les divers guides de la LNH et autres ne s'entendent pas sur l'année de sa première remise. Certains font remonter celle-ci à la saison 1923-24, alors qu'il n'a été introduit qu'en 1925. La Ligue nationale elle-même l'attribue aux Canadiens pour les années 1924 et 1925.

### LES FRÈRES CLEGHORN VENDUS

Dandurand se départit des deux frères Cleghorn avant le début de la saison. Il cède d'abord les droits du cadet, Odie, aux Americans de New York, l'une des nouvelles concessions de la Ligue. Celui-ci deviendra finalement joueur-entraîneur de l'autre nouvelle équipe, les Pirates de Pittsburgh. Puis à son tour, Sprague est cédé aux Bruins de Boston le 13 octobre. Les Cleghorn ont marqué le hockey à Montréal, à tel point qu'on leur organise une fête d'adieu le 7 novembre à l'hôtel Windsor.

Les deux frères ne seront plus réunis, si ce n'est dans la mort puisqu'ils décéderont à deux jours d'intervalle en juillet 1956.

| | PJ | G | P | N | BP | BC | PTS |
|---|---|---|---|---|---|---|---|
| Ottawa (Senators) | 36 | 24 | 8 | 4 | 77 | 42 | 52 |
| Montréal (Maroons) | 36 | 20 | 11 | 5 | 91 | 73 | 45 |
| Pittsburgh (Pirates) | 36 | 19 | 16 | 1 | 82 | 70 | 39 |
| Boston (Bruins) | 36 | 17 | 15 | 4 | 92 | 85 | 38 |
| New York (Americans) | 36 | 12 | 20 | 4 | 68 | 89 | 28 |
| Toronto (St. Patricks) | 36 | 12 | 21 | 3 | 92 | 114 | 27 |
| Montréal (Canadiens) | 36 | 11 | 24 | 1 | 79 | 108 | 23 |

**MEILLEURS MARQUEURS**

| | | PJ | B | A | PTS | PUN |
|---|---|---|---|---|---|---|
| Nels Stewart | Maroons | 36 | 34 | 8 | 42 | 119 |
| Cy Denneny | Ottawa | 36 | 24 | 12 | 36 | 18 |
| Carson Cooper | Boston | 36 | 28 | 3 | 31 | 10 |
| Jimmy Herbert | Boston | 36 | 26 | 5 | 31 | 47 |
| Howie Morenz | Canadiens | 31 | 23 | 3 | 26 | 39 |
| Jack Adams | Toronto | 36 | 21 | 5 | 26 | 52 |
| Aurèle Joliat | Canadiens | 35 | 17 | 9 | 26 | 52 |
| Billy Burch | New York | 36 | 22 | 3 | 25 | 33 |
| Hooley Smith | Ottawa | 28 | 16 | 9 | 25 | 53 |
| Frank Nighbor | Ottawa | 35 | 12 | 13 | 25 | 40 |

*Les frères Sprague et Odie Cleghorn sont dorénavant des adversaires du Canadien, le premier à titre de joueur-entraîneur de la nouvelle concession de Pittsburgh et le second comme membre des Bruins de Boston.*

112

# 1926 🅒 1927

LA LNH CONNAÎT UNE NOUVELLE EXPANSION, PORTANT LE NOMBRE DE SES ÉQUIPES À 10, ET ELLE OBTIENT L'EXCLUSIVITÉ DE LA COUPE STANLEY, TANDIS QUE LA LIGUE DE L'OUEST EST FORCÉE D'INTERROMPRE SES ACTIVITÉS. DEUX DES NOUVELLES CONCESSIONS, CELLES DES BLACK HAWKS DE CHICAGO ET DES COUGARS DE DETROIT, RÉCUPÈRENT LES JOUEURS DES ROSEBUDS DE PORTLAND ET DES COUGARS DE VICTORIA. L'AUTRE ÉQUIPE EST CELLE DES RANGERS DE NEW YORK, QUI REMPORTERONT LE TITRE DE LA DIVISION AMÉRICAINE, LA LIGUE AYANT RÉPARTI SES ÉQUIPES EN DEUX DIVISIONS. CHAMPIONS DE LA DIVISION CANADIENNE, LES SENATORS D'OTTAWA DÉCROCHENT LA COUPE STANLEY EN QUATRE PARTIES (2-0-2) CONTRE BOSTON EN FINALE. LES CANADIENS, DEUXIÈMES DE LEUR DIVISION, BATTENT LES MAROONS AU TOTAL DES BUTS, 2-1, AVANT DE PERDRE CONTRE OTTAWA. MORENZ TERMINE TROISIÈME DERRIÈRE BILL COOK (RANGERS) ET DICK IRVIN (CHICAGO).

*La disparition de la Ligue de l'Ouest permet aux Canadiens de mettre la main sur un gardien de talent, George Hainsworth, pour remplacer le regretté Georges Vézina.*

# George Hainsworth digne successeur de Vézina

L a mort de Georges Vézina laisse les Canadiens dans une bien piètre situation. Derniers au classement, il leur faut au plus vite trouver un gardien pour enfiler les jambières du Concombre de Chicoutimi.

L'homme capable de sauver la situation est à Saskatoon, dans la moribonde Ligue de l'Ouest, et il se nomme George Hainsworth. Sentant leur fin proche, les dirigeants des Crescents de Saskatoon vendent les droits de leur gardien aux St. Pats de Toronto. La disparition de la Ligue remet tout en question et Hainsworth, se considérant libre de toute attache, signe un contrat avec l'équipe de Dandurand. Les Canadiens auront finalement gain de cause auprès du président Calder, malgré les prétentions de Toronto, et Hainsworth deviendra l'un des grands gardiens de l'histoire du Tricolore, avec Vézina, Durnan, Plante, Dryden et Roy.

Gardien au petit gabarit (5 pi 6 po), Hainsworth a disputé trois saisons avec les Crescents après avoir joué 11 ans dans les

● La réputation des Canadiens fait déjà courir les foules à l'étranger, les autres équipes, américaines surtout, misant sur la présence de Morenz et des autres *Flying Frenchmen* dans leur publicité. Les Canadiens et les Maroons sont aussi les deux équipes à accueillir le plus de spectateurs.

● Howie Morenz est l'auteur de l'unique but marqué au deuxième match de la série quart de finale contre les Maroons, propulsant les Canadiens en demi-finale contre les champions de la saison, Ottawa.

● Les Canadiens échangent leur capitaine, Billy Coutu, aux Bruins de Boston et désignent Sylvio Mantha à sa place. Coutu sera banni à vie de la LNH au cours des séries de la même année pour avoir frappé l'arbitre Jerry LaFlamme.

● Léo Dandurand, sur les conseils de son médecin, cède le poste de gérant à Cecil Hart, qui l'a déjà remplacé à quelques reprises au cours de la saison précédente.

● L'excellent défenseur Herb Gardiner, une recrue de 35 ans, acquis de Calgary, de la défunte Ligue de l'Ouest,

mérite le trophée Hart à titre de joueur le plus utile.

● Le *Montreal Daily Star* organise des concours de vitesse autour de la patinoire pour divertir les spectateurs lors des matchs au Forum. Le petit jeu devient vite très payant pour Wilf Gizzy Hart, Howie Morenz, Babe Siebert — des Maroons — et quelques autres, qui se partagent des bourses de quelques centaines de dollars.

**1926-1927**

rangs des ligues seniors de l'Ontario, à Berlin et à Kitchener principalement. Il est déjà âgé de 31 ans lorsqu'il s'amène à Montréal, où il demeurera sept saisons, avant d'être échangé aux Maple Leafs de Toronto, en retour de Lorne Chabot en 1933. Il disputera trois saisons complètes avec les Leafs, avant que ceux-ci ne le congédient au début de la saison 1936-37. Hainsworth reviendra avec les Canadiens pour

quatre matchs cette même année, remplaçant Wilf Cude blessé.

À sa première saison avec le Canadien, Hainsworth permet au club de remonter au deuxième rang de sa division, conservant la meilleure moyenne du circuit et devenant, du même coup, le premier gardien à inscrire son nom sur le nouveau trophée Vézina, offert par le CH pour honorer la mémoire de son célèbre portier. Il décrochera cette récompense à ses trois premières saisons à Montréal, se taillant une réputation de quasi-invincibilité. Hainsworth blanchit ses adversaires à 14 reprises, une de moins que le record établi par Alex Connell la saison précédente avec Ottawa. Par contre, il établit une nouvelle marque avec 11 gains consécutifs.

### LES CANADIENS QUITTENT MONT-ROYAL POUR LE FORUM

Les travaux annoncés par la direction de l'aréna Mont-Royal ne sont pas exécutés à la satisfaction du Canadien, faute de financement. Ces derniers offrent un dédommagement de 50 000 $ pour quitter l'édifice de la rue Mont-Royal. On

**Chemin de fer National du Canada**
## CANADIEN vs OTTAWA
— DERNIÈRE JOUTE DE HOCKEY —
### Ottawa, lundi, 4 avril
PRIX RÉDUITS
Aller et Retour
DE MONTRÉAL **$5.90** TAXE COMPRISE

Les billets sont bons sur le train quittant la gare Bonaventure à 4.00 p.m., lundi, 4 avril. — Limite de retour 13 avril.

WAGON OBSERVATOIRE-CAFÉ-SALON ATTACHÉ À CE TRAIN
PRIX DU BILLET, 75c. UNE SEULE DIRECTION

Pour plus amples renseignements, réserve, etc., s'adresser au bureau des billets de la ville, 230, rue Saint-Jacques, Main 6721.

*Publicité des compagnies de chemin de fer offrant aux partisans d'accompagner l'équipe pour le dernier match du championnat.*

| JOUEURS | |
|---|---|
| 1 | Herb Gardiner |
| 2 | Sylvio Mantha (C) |
| 3 | Ambrose Moran |
| | Arthur Gauthier |
| | Peter Palangio |
| 4 | Aurèle Joliat |
| 5 | Billy Boucher |
| | Carson Cooper |
| | Arthur Gauthier |
| 6 | Arthur Gagné |
| 7 | Howie Morenz |
| 8 | Albert Leduc |
| 9 | Alfred Lépine |
| 10 | Wildor Larochelle |
| 11 | Gizzy Hart |
| | Léo Lafrance |
| 12 | George Hainsworth |
| 14 | George Hainsworth |
| | Peter Palangio |
| **ENTRAÎNEUR** | |
| | Cecil Hart |

*Les Canadiens délaissent l'aréna Mont-Royal pour le Forum, plus spacieux et plus moderne.*

La concession de Toronto est vendue à Conn Smythe au cours de la saison. Smythe a été engagé pour bâtir les Rangers, mais un différend avec les propriétaires a occasionné son renvoi de New York. Les St. Patricks s'appelleront désormais les Maple Leafs, passant du vert et blanc au bleu et blanc.

La disparition de la Ligue de l'Ouest, en raison de l'expansion du hockey dans l'Est, favorise l'arrivée d'excellents joueurs dans la LNH, qui a racheté tous les contrats. Les Bruins récupèrent Eddie Shore, des Eskimos d'Edmonton, tandis que les Rangers mettent la main sur Frank Boucher, ainsi que sur les frères Bill et Bun Cook, lesquels formeront l'un des trios les plus spectaculaires de l'histoire de la Ligue.

De leur côté, Chicago et Detroit obtiennent la formation presque complète des clubs de Portland et de Victoria. Parmi les joueurs achetés par les Black Hawks, on retrouve Dick Irvin, qui deviendra entraîneur des Canadiens 14 ans plus tard.

Lester Patrick, qui a mis sur pied la Ligue de la Côte du Pacifique en 1911 avec son frère Frank, prend la relève de Conn Smythe à la tête des Rangers et conduit l'équipe au championnat de la Division américaine.

La Ligue porte la part des joueurs à 45 % des recettes nettes des trois premiers matchs de la finale de la coupe Stanley, à raison de 60-40 en faveur des champions.

Avec une Ligue à 10 équipes, réparties en 2 divisions, les dirigeants de la LNH portent le nombre de matchs à 44, introduisant des séries à 6 clubs.

| TROPHÉES |
| --- |
| **COUPE STANLEY** |
| Senators d'Ottawa |
| **COUPE O'BRIEN** |
| Senators d'Ottawa |
| **TROPHÉE PRINCE-DE-GALLES** |
| Senators d'Ottawa |
| **TROPHÉE HART** |
| **Herb Gardiner** |
| **Canadiens de Montréal** |
| **TROPHÉE LADY-BYNG** |
| **Billy Burch** |
| Americans de New York |
| **TROPHÉE GEORGES-VÉZINA** |
| **George Hainsworth** |
| **Canadiens de Montréal** |
| **MEILLEUR MARQUEUR** |
| **Bill Cook** |
| Rangers de New York |

| DIVISION CANADIENNE | PJ | G | P | N | BP | BC | PTS |
| --- | --- | --- | --- | --- | --- | --- | --- |
| Ottawa (Senators) | 44 | 30 | 10 | 4 | 86 | 69 | 64 |
| Montréal (Canadiens) | 44 | 28 | 14 | 2 | 99 | 67 | 58 |
| Montréal (Maroons) | 44 | 20 | 20 | 4 | 71 | 68 | 44 |
| New York (Americans) | 44 | 17 | 25 | 2 | 82 | 91 | 36 |
| Toronto (St. Pats/Leafs) | 44 | 15 | 24 | 5 | 79 | 94 | 35 |
| DIVISION AMÉRICAINE | PJ | G | P | N | BP | BC | PTS |
| New York (Rangers) | 44 | 25 | 13 | 6 | 95 | 72 | 56 |
| Boston (Bruins) | 44 | 21 | 20 | 3 | 97 | 89 | 45 |
| Chicago (Black Hawks) | 44 | 19 | 22 | 3 | 115 | 116 | 41 |
| Pittsburgh (Pirates) | 44 | 15 | 26 | 3 | 79 | 108 | 33 |
| Detroit (Cougars) | 44 | 12 | 28 | 4 | 76 | 105 | 28 |

| MEILLEURS MARQUEURS | | PJ | B | A | PTS | PUN |
| --- | --- | --- | --- | --- | --- | --- |
| Bill Cook | NY Rangers | 44 | 33 | 4 | 37 | 58 |
| Dick Irvin | Chicago | 43 | 18 | 18 | 36 | 34 |
| Howie Morenz | Canadiens | 44 | 25 | 7 | 32 | 49 |
| Frank Fredrickson | Det./Bos. | 41 | 18 | 13 | 31 | 46 |
| Babe Dye | Chicago | 41 | 25 | 5 | 30 | 14 |
| Ace Bailey | Toronto | 42 | 15 | 13 | 28 | 82 |
| Frank Boucher | NY Rangers | 44 | 13 | 15 | 28 | 17 |
| Billy Burch | Boston | 42 | 18 | 6 | 24 | 17 |
| Duke Keats | Bos./Det. | 42 | 16 | 8 | 24 | 52 |

*Herb Gardiner est le récipiendaire du trophée Hart, dès sa première saison à Montréal.*

exige plutôt 100 000 $ et on intente une poursuite de 180 000 $ contre Dandurand et cie pour rupture de contrat.

Une décision de première instance, favorable à la direction de l'aréna, sera portée en appel par les Canadiens et la cause aboutira en Cour suprême quelques années plus tard.

Entre-temps, le club établit ses quartiers généraux au Forum, partageant le temps de glace avec les Maroons, qui y jouent depuis leur création, en 1924-25.

## PREMIÈRES FILIALES

Prévoyant, Léo Dandurand pense à la relève de son équipe. Il trace les premiers jalons d'un système de filiales en concluant des ententes avec les Hornets de Windsor, de la Ligue professionnelle canadienne, et les Reds de Providence, de la Ligue Can-Am, qu'il a aidé à mettre sur pied. Les accords prévoient que le Canadien pourra réclamer les deux meilleurs joueurs des clubs concernés, tout en s'engageant à leur prêter quelques hockeyeurs qui ne peuvent encore jouer pour l'équipe ou dont le rendement a ralenti.

C'est le début d'un vaste réseau de filiales qui permettra graduellement aux Canadiens de devenir la plus grande dynastie du hockey au fil des années.

*Sylvio Mantha est le nouveau capitaine du Tricolore, à la suite du départ de Billy Coutu pour Boston.*

*Léo Dandurand réplique à une offre de 50 000 $ des Americans de New York pour Howie Morenz, champion marqueur de la Ligue, en disant qu'il n'y a pas assez d'argent à Wall Street pour obtenir les joueurs du Canadien.*

# 1927 Ⓒ 1928

*Howie Morenz et Aurèle Joliat dominent les marqueurs de la Ligue et mènent les Canadiens au championnat de la Division canadienne. Premier joueur à obtenir 50 points en une saison, Morenz remporte aussi le trophée Hart, tandis que George Hainsworth conserve facilement le trophée Georges-Vézina. Les Maroons surprennent les Canadiens en demi-finale mais perdent par trois parties à deux face aux Rangers de New York en finale de la coupe Stanley. Ceux-ci avaient déjà éliminé les Bruins de Boston, champions de l'autre division.*

## Howie Morenz premier marqueur de 50 points

**Arthur Gagné complète un trio explosif avec Morenz et Joliat, et les trois terminent parmi les six meilleurs marqueurs du circuit.**

La Ligue nationale regroupe maintenant les meilleurs hockeyeurs professionnels disponibles. Frank Boucher et les frères Cook attirent les foules au Madison Square Garden de New York. Les Bruins de Boston misent sur Eddie Shore, Aubrey Dit Clapper, Cooney Weiland et Harry Oliver. Les Maroons récupèrent Hooley Smith et forment le puissant trio des « S » en l'associant à Nels Stewart et Babe Siebert. Mais à cette époque, qui marque le véritable début du hockey structuré, le plus illustre de tous joue pour les Canadiens de Montréal.

Howie Morenz sert de pivot à l'un des trios les plus explosifs de la Ligue, flanqué d'Aurèle Joliat à gauche et d'Arthur Gagné à droite. Il récolte 33 buts, tandis que Joliat et Gagné en inscrivent respectivement 28 et 20. Mieux encore, celui qui fut le meilleur joueur de l'époque est le premier à présenter une fiche de plus de 50 points. Son total de 51 constitue évidemment une nouvelle marque pour un joueur de centre. Il en profite pour égaler quatre autres records du circuit, dont ceux du nombre de passes (18), comme joueur et comme centre.

● Les Canadiens sont récipiendaires de la coupe O'Brien, désormais attribuée au champion de la Division canadienne, alors que le trophée Prince-de-Galles appartient à Boston, champion de la Division américaine. Depuis la création du Prince-de-Galles en 1925-26, les deux trophées récompensaient la même équipe.

● Pat Kennedy, l'un des adjoints de l'entraîneur Cecil Hart, est foudroyé par une crise cardiaque en se rendant à la messe de Noël le matin du

D'UN BUT À L'AUTRE

Dans les joutes du championnat de la NHL.

ÉCRIT SPÉCIALEMENT POUR "LA PATRIE" PAR

*Howie Morenz*

"HOWIE MORENZ EST LE MEILLEUR JOUEUR ENTRE TOUS" A DIT JACK ADAMS, GÉRANT DES DETROIT COUGARS

*C'est le début des populaires chroniques signées par les athlètes dans les journaux, alors que Morenz et Joliat font part de leurs commentaires aux lecteurs de La Patrie chaque semaine.*

25 décembre. Tous les joueurs assisteront aux funérailles de ce personnage légendaire du hockey, fort dévoué aux Canadiens dont il était devenu l'entraîneur adjoint en 1924.

● Le Tricolore est en demande partout au Québec pour des matchs d'exhibition et, chaque fois, c'est une fête grandiose à l'endroit de l'équipe, notamment à Chicoutimi et à Trois-Rivières.

● Les Canadiens se font blanchir quatre parties de suite en février et perdent les services de Pit Lépine pendant un mois, victime d'une fracture de la clavicule.

● Louis Berlinguette, ancien joueur des Canadiens de 1911 à 1923, troque le chandail tricolore pour le maillot rayé noir et blanc des arbitres.

## 1927-1928

Il ne faut pas se surprendre que Léo Dandurand clame haut et fort, dans *La Patrie* du 8 avril, « qu'il n'y a pas assez d'argent dans les coffres de Wall Street pour acheter les joueurs du Canadien ». C'était sa façon de répondre à une offre de 50 000 $ qu'auraient faite les Americans de New York pour les services de Morenz. C'est le double de la somme proposée un an plus tôt pour le même joueur.

Mais Dandurand reste intraitable, tant pour Morenz que pour ses coéquipiers Sylvio Mantha et Aurèle Joliat, dont la valeur marchande se situerait autour de 25 000 $, une somme très appréciable.

### LE SAVIEZ-VOUS...

Les saisons sont désormais plus hâtives et, dès octobre, les joueurs des Canadiens entreprennent leur entraînement au gymnase de la Palestre nationale. Le premier match est prévu pour le 15 novembre.

Morenz et son trio, ainsi que George Hainsworth, dominant devant le filet, propulsent les Canadiens au premier rang de la Division canadienne, devant les Maroons. Le Tricolore domine sur tous les fronts ou presque. Morenz est champion marqueur et récipiendaire du trophée Hart, attribué au joueur le plus utile. Joliat termine au deuxième rang des marqueurs et Gagné au sixième, tandis qu'Hainsworth n'accorde que 48 buts en 44 parties, inscrivant 13 coups de pinceau contre ses adversaires, ce qui lui vaut un deuxième trophée Georges-Vézina de suite.

### UNE COUPE POUR LA RIVALITÉ ANGLOS/FRANCOS

La famille de George Kendall (alias Kennedy) — propriétaire de l'équipe de 1917 à sa mort, en 1921 — offre, avec l'approbation de la Ligue, un nouveau trophée en son honneur en novembre 1927, à disputer entre les deux équipes montréalaises. On convient de décerner la coupe Kennedy à l'équipe qui aura conservé la meilleure fiche lors des matchs entre les Maroons et les Canadiens en saison régulière. Cette première année, la coupe sera départagée aux buts, les deux opposants ayant obtenu quatre victoires chacun.

La coupe Kennedy sera attribuée onze fois, jusqu'à la disparition des Maroons en 1937-38, donnant lieu à d'intenses rivalités entre les joueurs des deux formations, mais aussi à des affrontements mémorables entre les partisans francophones des Canadiens et les supporters anglophones des Maroons.

### JOUEURS

| | |
|---|---|
| 1 | Herb Gardiner |
| 2 | Sylvio Mantha (C) |
| 3 | Marty Burke |
| | Charles Langlois |
| 4 | Aurèle Joliat |
| 5 | Léo Lafrance |
| | George Patterson |
| 6 | Arthur Gagné |
| 7 | Howie Morenz |
| 8 | Albert Leduc |
| 9 | Alfred Lépine |
| 10 | Wildor Larochelle |
| 11 | Gizzy Hart |
| 12 | George Hainsworth |
| 14 | Léo Gaudreault |

### ENTRAÎNEUR

Cecil Hart

| DIVISION CANADIENNE | PJ | G | P | N | BP | BC | PTS |
|---|---|---|---|---|---|---|---|
| Montréal (Canadiens) | 44 | 26 | 11 | 7 | 116 | 48 | 59 |
| Montréal (Maroons) | 44 | 24 | 14 | 6 | 96 | 77 | 54 |
| Ottawa (Senators) | 44 | 20 | 14 | 10 | 78 | 57 | 50 |
| Toronto (Maple Leafs) | 44 | 18 | 18 | 8 | 89 | 88 | 44 |
| New York (Americans) | 44 | 11 | 27 | 6 | 63 | 128 | 28 |
| DIVISION AMÉRICAINE | PJ | G | P | N | BP | BC | PTS |
| Boston (Bruins) | 44 | 20 | 13 | 11 | 77 | 70 | 51 |
| New York (Rangers) | 44 | 19 | 16 | 9 | 94 | 79 | 47 |
| Pittsburgh (Pirates) | 44 | 19 | 17 | 8 | 67 | 76 | 46 |
| Detroit (Cougars) | 44 | 19 | 19 | 6 | 88 | 79 | 44 |
| Chicago (Black Hawks) | 44 | 7 | 34 | 3 | 68 | 134 | 17 |

### MEILLEURS MARQUEURS

| | | PJ | B | A | PTS | PUN |
|---|---|---|---|---|---|---|
| Howie Morenz | Canadiens | 43 | 33 | 18 | 51 | 66 |
| Aurèle Joliat | Canadiens | 44 | 28 | 11 | 39 | 105 |
| Frank Boucher | NY Rangers | 44 | 23 | 12 | 35 | 15 |
| George Hay | Detroit | 42 | 22 | 13 | 35 | 20 |
| Nels Stewart | Maroons | 41 | 27 | 7 | 34 | 104 |
| Arthur Gagné | Canadiens | 44 | 20 | 10 | 30 | 75 |
| Bun Cook | NY Rangers | 44 | 14 | 14 | 28 | 45 |
| Bill Carson | Toronto | 32 | 20 | 6 | 26 | 36 |
| Frank Finnigan | Ottawa | 38 | 20 | 5 | 25 | 34 |
| Bill Cook | NY Rangers | 43 | 18 | 6 | 24 | 42 |
| Duke Keats | Det./Chi. | 38 | 14 | 10 | 24 | 60 |

● L'entraîneur Lester Patrick, des Rangers de New York, décide d'enfiler lui-même les jambières du gardien Lorne Chabot, après que celui-ci eut été blessé à un œil lors du deuxième match de la finale contre les Maroons. Sans substitut, Patrick demande l'autorisation d'utiliser le gardien d'Ottawa, Alex Connell, présent au match, ce que les Maroons refusent. Menacé de perdre la rencontre par défaut, Patrick prend la

relève de son gardien et mène l'équipe à une victoire de 2-1 en supplémentaire.
● Alex Connell établit une marque qui tient toujours avec six blanchissages consécutifs devant le filet des Senators. Il sera aussi le premier gardien à totaliser 50 jeux blancs au cours d'une carrière.
● Les Rangers n'en sont qu'à leur deuxième saison dans la Ligue et pourtant ils constituent la deuxième formation américaine (la première dans la LNH) à s'approprier la coupe Stanley.

● Jack Adams devient entraîneur et gérant à Detroit. Il sera la tête dirigeante des Cougars et, plus tard, des Red Wings pendant 35 ans.
● Les passes avant sont désormais acceptées en zones défensive et neutre, et la largeur des jambières des gardiens est réduite de 12 à 10 pouces.
● Les prolongations au terme des matchs nuls sont réduites à 10 minutes et les 2 équipes

doivent changer de territoire après 5 minutes, comme on le fait déjà à la fin de chaque période.
● La présence du cirque Barnum & Bailey au Madison Square Garden de New York oblige la Ligue à présenter tous les matchs de la série finale au Forum, ce qui n'empêche pas les Rangers de disposer des Maroons en cinq parties.
● Les arbitres utilisent encore des clochettes pour signaler les buts et les infractions. Les sifflets viendront plus tard.

**1927-1928**

| TROPHÉES |
|---|
| COUPE STANLEY |
| Rangers de New York |
| COUPE O'BRIEN |
| Canadiens de Montréal |
| TROPHÉE PRINCE-DE-GALLES |
| Bruins de Boston |
| TROPHÉE HART |
| Howie Morenz |
| Canadiens de Montréal |
| TROPHÉE LADY-BYNG |
| Frank Boucher |
| Rangers de New York |
| TROPHÉE GEORGES-VÉZINA |
| George Hainsworth |
| Canadiens de Montréal |
| MEILLEUR MARQUEUR |
| Howie Morenz |
| Canadiens de Montréal |

Au total, les Canadiens se l'approprieront six fois — la dernière dans la controverse — contre cinq pour les Maroons. Chaque triomphe du Tricolore est souligné par un défilé des « Millionnaires » — cette organisation de sympathisants du Bleu-Blanc-Rouge — dans les rues de la ville, avec bannières et klaxons, ce qui ne manque pas d'occasionner quelques frictions entre les deux clans. *La Patrie* rapporte qu'on y va même de récompenses en argent à l'occasion, comme ce fut le cas lors d'une victoire des francos le 15 décembre, alors qu'on remit 100 $ à chaque joueur, encore à l'initiative de Louis Létourneau.

## UNE SOUSCRIPTION POPULAIRE POUR LE CANADIEN

L'enthousiasme des partisans du Tricolore est telle, en cette année de championnat, que le journal *La Patrie* fait appel à la population pour montrer aux joueurs jusqu'à quel point ils sont estimés. D'abord institué pour déterminer le joueur le plus populaire de l'équipe, le concours se transforme en souscription populaire à la suggestion de la direction du Canadien, qui souhaitait qu'on rende hommage globalement à toute l'équipe plutôt que de souligner les mérites d'un seul joueur.

« Nos joueurs méritent cette marque d'appréciation », s'exclame l'un des propriétaires du club, Louis Létourneau, en y allant de son don de 200 $. Les chèques arrivent de partout et l'objectif visé est vite dépassé puisqu'on recueille la somme de 3 172,15 $, plus divers prix, à répartir entre les joueurs. La remise se termine par un banquet au Club Saint-Denis au cours duquel chaque joueur reçoit une montre et une bourse en argent.

*Tandis que Morenz et Joliat signent des chroniques dans les journaux, Pit Lépine fait la publicité des cigarettes Buckingham.*

119

*Les Canadiens parviennent à conserver le titre de leur division en cette année qui marque le début de la Grande Dépression.*
*L'équipe est cependant éliminée par les Bruins qui disputeront une première finale tout américaine aux Rangers.*

# 1928 Ⓒ 1929

*Les Canadiens et les Bruins de Boston dominent leur division respective, alors que la Grande Dépression fait ses ravages. Le jeu défensif favorise les gardiens. Même le champion marqueur, Ace Bailey, des Maple Leafs, n'obtient que 32 points, dont 22 buts. Un seul autre joueur, Nels Stewart, des Maroons, marque plus de 20 buts. George Hainsworth est la grande vedette du circuit avec 22 blanchissages en 44 parties. Il conserve le trophée Vézina pour une troisième année consécutive. Cependant, Roy Worters, gardien des Americans de New York, remporte le titre de joueur le plus utile. Boston élimine le Tricolore en séries pour ensuite disputer une première finale tout américaine aux Rangers, qu'il gagnent par deux parties à zéro.*

## George Hainsworth réussit 22 blanchissages en 44 parties

*George Hainsworth déjoue tous les efforts de la Ligue pour favoriser le jeu offensif en blanchissant ses adversaires dans la moitié des matchs disputés.*

L a saison 1928-29 est celle des gardiens, malgré toutes les tentatives des dirigeants de la Ligue pour favoriser le jeu offensif. George Hainsworth, vainqueur du trophée Georges-Vézina lors des deux saisons précédentes, fait mieux encore avec 22 blanchissages en 44 matchs et une incroyable moyenne de ,92, deux marques qui n'ont même pas été approchées depuis. Le cerbère des Americans de New York, Roy Worters, en obtient 13, ainsi que le trophée Hart, et les Americans participent aux séries pour l'une des rares fois de leur existence. Cecil Tiny Thompson, gardien recrue

121

● En début de saison, la Ligue interdit aux joueurs d'écrire des chroniques ou autres textes destinés aux journaux. La directive ne fait pas trop l'affaire d'Howie Morenz et d'Aurèle Joliat qui, la saison précédente, signaient tous deux une rubrique dans *La Patrie*.

● Les Canadiens perdent seulement trois parties à l'extérieur, un record qui résiste toujours au temps.

● Les succès des Canadiens aidant, les assistances sont à la hausse au Forum, alors que le club attire plus de spectateurs que les Maroons, lesquels gagnent pourtant quatre rencontres sur six entre les deux clubs, les deux autres ayant été nulles. Les foules augmentent un peu partout, mais les débuts de la Grande Dépression commencent à faire des ravages à Ottawa.

● Le défenseur Herb Gardiner, gagnant du trophée Hart en 1926-27, est prêté par les Canadiens aux Black Hawks de Chicago en début de saison, à la condition qu'il agisse comme entraîneur seulement. Voyant qu'il est aussi utilisé comme joueur, Dandurand exige qu'il soit renvoyé à Montréal, où il disputera huit matchs, plus les séries, sans obtenir de points.

● Les Canadiens surprennent les Bruins 1-0 lors de l'ouverture du Garden de Boston, devant une foule record de 17 000 personnes.

● Première diffusion d'un match de hockey, en anglais et en français, à la radio de CJAD, le 22 décembre 1928. Les animateurs Arthur Dupont et Elmer Ferguson se limitent à la troisième période et au résumé du match, pour éviter que les amateurs ne restent chez eux plutôt que de venir au Forum.

● Les rumeurs de vente de Morenz refont surface, mais Louis Létourneau, l'un des actionnaires de l'équipe, répète que le *Stratford Strike* «n'est pas à vendre, ni pour or ni pour argent».

**1928-1929**

des Bruins de Boston, signe 12 jeux blancs et domine la Ligue avec 26 victoires. Il demeurera invaincu en séries, n'accordant que trois buts en cinq rencontres.

Pourtant, les records de six jeux blancs consécutifs et de 461 min 29 s sans buts réussis par Alex Connell l'année précédente demeurent intacts. La séquence d'invincibilité d'Hainsworth sera interrompue après 343 min 05 s.

*Manchette de la déclaration de Louis Létourneau au sujet de Morenz.*

Pas moins de 15 parties se terminent par un résultat de 0-0, dont six impliquant les Canadiens. Un grand total de 120 blanchissages sont réalisés en cours de saison, alors que les enfants pauvres de la Ligue, les Black Hawks de Chicago, inscrivent un record peu enviable de huit matchs sans marquer un seul but. Ils seront blanchis 20 fois au cours de la saison, n'inscrivant que sept victoires au total.

Hainsworth est le roi de cette année d'or pour les cerbères. Il permet notamment au Tricolore d'inscrire une séquence de 16 matchs consécutifs sans défaite (9 victoires et 7 nulles), conservant le trophée Vézina pour une troisième saison d'affilée. Il faudra attendre un autre portier du Canadien, Bill Durnan, pour que la performance des trois trophées consécutifs d'Hainsworth soit éclipsée, en 1946-47.

Cette saison 1928-29 est véritablement marquée du sceau des gardiens, puisque deux autres figures connues des Canadiens, Jacques Plante et Lorne Worsley, naissent en janvier et en mai.

## LES MILLIONNAIRES DU HOCKEY

Les fans des Canadiens — que l'on retrouve debout dans les sections populaires, celles des billets à 50 cents, depuis quelques années — décident de se regrouper pour diverses activités. On a vite fait de les surnommer les «Millionnaires», un

*Les Canadiens prêtent les services d'Herb Gardiner aux Hawks de Chicago qui promettent de s'en servir comme entraîneur seulement. Ils le font jouer et Gardiner est rapatrié à Montréal.*

| JOUEURS | |
|---|---|
| 1 | Marty Burke |
| 2 | Sylvio Mantha (C) |
| 3 | Gerry Carson |
| | Herb Gardiner |
| 4 | Aurèle Joliat |
| 5 | Léo Gaudreault |
| | Armand Mondou |
| 6 | Arthur Gagné |
| 7 | Howie Morenz |
| 8 | Albert Leduc |
| 9 | Alfred Lépine |
| 10 | Arthur Lesieur |
| | Georges Mantha |
| | George Patterson |
| | Wildor Larochelle |
| 11 | George Patterson |
| | Georges Mantha |
| 12 | George Hainsworth |
| 14 | Pete Palangio |
| | Arthur Lesieur |
| | Gerry Carson |
| 15 | Wildor Larochelle |
| **ENTRAÎNEUR** | |
| | Cecil Hart |

● Le format des séries est modifié. Les champions de division se mesurent dans une série trois de cinq, tandis que les deuxièmes et troisièmes de chaque division s'affrontent dans deux parties au total des buts. Les gagnants disputent un trois de cinq pour déterminer celui qui se mesurera au gagnant de l'autre série en finale de la coupe Stanley. Ce seront les Rangers, pour une première finale tout américaine.

● Cy Denneny, acquis des Senators, devient joueur entraîneur avec les Bruins.
● Le temps supplémentaire lors d'une égalité est fixé à dix minutes complètes et le match n'est plus interrompu au premier but.
● Pour favoriser le jeu offensif, on autorise maintenant la passe avant dans la zone offensive,

à la condition que le joueur qui la reçoit se trouve en zone neutre lorsque la passe est déclenchée.
● Pendant que les Canadiens disputent 16 matchs sans défaite, les Bruins en accumulent 13, et les Black Hawks passent 15 parties sans une seule victoire.
● Hal Winkler n'a disputé aucun match devant la cage des Bruins, remplacé par Tiny Thompson en début de saison. Pourtant, on a tenu à inscrire

son nom à titre de réserviste sur la coupe Stanley, en raison de ses services antérieurs. Ce fut aussi le cas de Charles Fortier en 1923-24, dont le nom figure sur la coupe Stanley même si on ne retrouve aucune participation de ce joueur avec les Canadiens. Le seul autre joueur à obtenir pareil honneur sera Vladimir Konstantinov, des Red Wings, en 1997-98.

**1928-1929**

peu par dérision, ce qui ne les empêche pas d'être reconnus et appréciés comme les meilleurs partisans de l'équipe.

On les entend manifester bruyamment à chaque match local. Ils sont aussi de toutes les fêtes du club, organisant eux-mêmes diverses manifestations en l'honneur des joueurs. Au nombre de 2000, selon les chiffres fournis, plusieurs d'entre eux se réunissent régulièrement au local du groupe, sur la rue Saint-Denis. Quelques-uns vont jusqu'à faire des recommandations précises à la direction du Canadien lors d'assemblées populaires improvisées. Les Millionnaires se donnent même une section affiliée dans la région de Trois-Rivières.

On dit aussi qu'ils attirent volontiers la sympathie des journalistes chargés de la couverture de l'équipe.

Étroitement liés à l'histoire du Tricolore pour une bonne partie de son existence, les Millionnaires représentent sans doute le premier *fan club* officiel de l'équipe, sous une forme grandement différente de celui d'aujourd'hui, bien que tout aussi appréciable.

| TROPHÉES | |
|---|---|
| COUPE STANLEY | |
| Bruins de Boston | |
| COUPE O'BRIEN | |
| Canadiens de Montréal | |
| TROPHÉE PRINCE-DE-GALLES | |
| Bruins de Boston | |
| TROPHÉE HART | |
| Roy Worters | |
| Americans de New York | |
| TROPHÉE LADY-BYNG | |
| Frank Boucher | |
| Rangers de New York | |
| TROPHÉE GEORGES-VÉZINA | |
| George Hainsworth | |
| Canadiens de Montréal | |
| MEILLEUR MARQUEUR | |
| Ace Bailey | |
| Maple Leafs de Toronto | |

| DIVISION CANADIENNE | PJ | G | P | N | BP | BC | PTS |
|---|---|---|---|---|---|---|---|
| Montréal (Canadiens) | 44 | 22 | 7 | 15 | 71 | 43 | 59 |
| New York (Americans) | 44 | 19 | 13 | 12 | 53 | 53 | 50 |
| Toronto (Maple Leafs) | 44 | 21 | 18 | 5 | 85 | 69 | 47 |
| Ottawa (Senators) | 44 | 14 | 17 | 13 | 54 | 67 | 41 |
| Montréal (Maroons) | 44 | 15 | 20 | 9 | 67 | 65 | 39 |
| DIVISION AMÉRICAINE | PJ | G | P | N | BP | BC | PTS |
| Boston (Bruins) | 44 | 26 | 13 | 5 | 89 | 52 | 57 |
| New York (Rangers) | 44 | 21 | 13 | 10 | 72 | 65 | 52 |
| Detroit (Cougars) | 44 | 19 | 16 | 9 | 72 | 63 | 47 |
| Pittsburgh (Pirates) | 44 | 9 | 27 | 8 | 46 | 80 | 26 |
| Chicago (B. Hawks) | 44 | 7 | 29 | 8 | 33 | 85 | 22 |

| MEILLEURS MARQUEURS | | PJ | B | A | PTS | PUN |
|---|---|---|---|---|---|---|
| Ace Bailey | Toronto | 44 | 22 | 10 | 32 | 78 |
| Nels Stewart | Maroons | 44 | 21 | 8 | 29 | 74 |
| Carson Cooper | Detroit | 43 | 18 | 9 | 27 | 14 |
| Howie Morenz | Canadiens | 42 | 17 | 10 | 27 | 47 |
| Andy Blair | Toronto | 44 | 12 | 15 | 27 | 41 |
| Frank Boucher | NY Rangers | 44 | 10 | 16 | 26 | 8 |
| Harry Oliver | Boston | 43 | 17 | 6 | 23 | 24 |
| Bill Cook | NY Rangers | 43 | 15 | 8 | 23 | 41 |
| Jimmy Ward | Maroons | 43 | 14 | 8 | 22 | 46 |

*La Ligue interdit à Morenz et à Joliat d'écrire des chroniques, mais ne peut les empêcher de faire la publicité du marchand-tailleur Carreau.*

# 1929  1930

TROISIÈME
COUPE
STANLEY

BOSTON CONSERVE SON EMPRISE SUR LA DIVISION AMÉRICAINE ET LA LIGUE ENTIÈRE REVOIT SES RÈGLEMENTS POUR FAVORISER LE JEU OFFENSIF. LES BRUINS ALIGNENT UN PUISSANT TRIO OFFENSIF EN COONEY WEILAND, CHAMPION MARQUEUR AVEC 43 BUTS ET 73 POINTS, DIT CLAPPER, 41 BUTS, ET NORM GAINER, 31 PASSES. CONSIDÉRÉE COMME LA MEILLEURE FORMATION DE LA PÉRIODE D'AVANT-GUERRE, CETTE ÉDITION DES BRUINS CONSERVE UN DOSSIER PRESQUE PARFAIT DE 38 VICTOIRES, 5 REVERS ET 1 NULLE, TOTALISANT 179 BUTS, 37 DE PLUS QUE LES CANADIENS, QUI SONT DEUXIÈMES. SON GARDIEN, TINY THOMPSON, ENLÈVE LE TROPHÉE VÉZINA. LES MAROONS, CHAMPIONS DE LA DIVISION CANADIENNE, NE RÉSISTERONT PAS AUX BRUINS EN SÉRIE, MAIS LES CANADIENS Y PARVIENDRONT EN FINALE DE LA COUPE STANLEY, PAR DEUX PARTIES À ZÉRO, APRÈS AVOIR ÉLIMINÉ LES HAWKS ET LES RANGERS.

LA PRESSE, MONTREAL, VENDREDI 4 AVRIL 1930

# LE CLUB DE HOCKEY CANADIEN EST CHAMPION DU MONDE

## LE BLEU BLANC ROUGE DEFAIT LE BOSTON PAR 4 A 3
### DANS LA DEUXIEME PARTIE DE LEUR SERIE ET REMPORTE
### LE TITRE DE CHAMPION DU MONDE ET LA COUPE STANLEY

Le Canadien a complètement déclassé le Boston dans les deux premières périodes qui se terminent par un score de 4 à 1, mais les hommes d'Art Ross fournissent un effort désespéré dans la période finale.

**Cecil Hart, le "Miracle man" du hockey**

## 1929 1930

# Une troisième coupe Stanley pour les Canadiens

*La Presse accorde une grande importance au nouveau championnat du club, avec une manchette au lendemain de la conquête et une photo d'équipe, pour les collectionneurs, quelques semaines plus tard.*

● Léo Dandurand et ses partenaires, qui ont payé le club de hockey Canadien 11 000 $ aux héritiers de George Kennedy, refusant une offre d'achat de 600 000 $ d'un groupe de financiers américains.

● Les Americans prêtent le gardien Roy Worters aux Canadiens pour le match du 27 février, que Montréal gagne 6-2 contre Toronto. Worters, joueur le plus utile la saison précédente, remplace Hainsworth, hospitalisé. Il conservera en souvenir son chandail et la rondelle du match.

● Les enchères pour Howie Morenz grimpent à 100 000 $, selon *Le Petit Journal*.
● Les Canadiens se défont de Herb Gardiner, de Art Gagné et de George Patterson au profit des Bruins de Boston, avant le début de la saison.

● Deux anciens des Canadiens, Albert Corbeau (1914-1922) et Odie Cleghorn (1918-1925), deviennent arbitres.

| JOUEURS | |
|---|---|
| 1 | George Hainsworth |
| | Roy Worters |
| | Tom Murray |
| 2 | Sylvio Mantha (C) |
| 3 | Marty Burke |
| 4 | Aurèle Joliat |
| 5 | Armand Mondou |
| 6 | Nick Wasnie |
| 7 | Howie Morenz |
| 8 | Albert Leduc |
| 9 | Alfred Lépine |
| 10 | Wildor Larochelle |
| 11 | Gord Fraser |
| | Bert McCaffrey |
| | Georges Mantha |
| 12 | Bert McCaffrey |
| | Georges Mantha |
| 14 | Gerry Carson |
| 15 | Gus Rivers |
| 16 | Gus Rivers |
| ENTRAÎNEUR | |
| | Cecil Hart |

1929 1930

Les Bruins ont constitué une formation dévastatrice avec le trio Dynamite (Weiland-Clapper-Gainor), une défensive robuste (Eddie Shore et Lionel Hitchman) et un gardien quasi imbattable (Tiny Thompson), qui s'apprête à ravir le trophée Vézina à George Hainsworth. Décrocher une deuxième coupe Stanley d'affilée paraît un jeu d'enfant pour cette édition que plusieurs considèrent toujours comme la meilleure d'avant-guerre. Les Bruins établiront pas moins de huit records cette année-là, notamment celui de la plus longue série victorieuse à domicile, 20 parties, un record toujours valide.

Les Maroons — champions de la Division canadienne ayant remporté plus de victoires que les Canadiens, malgré un même nombre de points — s'inclinent trois parties à une en demi-finale contre les Bruins. Pendant ce temps, le Tricolore dispose difficilement des Blacks Hawks et des Rangers pour se tailler une place en finale. Contre Chicago, meilleur deuxième de l'Américaine, la bataille est serrée. Wildor Larochelle obtient l'unique filet du premier affrontement, alors que le second se termine 2-2 grâce à un but d'Howie Morenz à la troisième supplémentaire, ce qui donne un verdict nul de 2-2 dans le match, mais un triomphe de 3-2 aux Canadiens au total des buts des deux rencontres. Une autre lutte vive attend l'équipe en demi-finale, puisque le premier

*Gus Rivers met fin au premier match de demi-finale contre les Rangers avec un but à la quatrième période supplémentaire.*

● La saison commence sur une note fort sombre, suite au krach de la Bourse de New York, survenu à la fin d'octobre. Plusieurs joueurs, dirigeants et compagnies y laissent tous leurs avoirs. L'économie mondiale mettra beaucoup de temps à s'en remettre.

● Clint Benedict se fait casser le nez par un tir de Morenz le 8 janvier. À son retour au jeu, en février, il porte un masque en cuir qui lui recouvre sommairement le visage. Il est le premier gardien à jouer avec un masque, mais il ne le conserve que pendant un seul match, préférant se retirer en fin de saison pour ne pas exposer davantage son nez fragile.

● On raconte que Nels Stewart, récipiendaire du trophée Hart et meilleur compteur de l'ère pré-Maurice Richard, aimait bien projeter le jus de sa chique de tabac au visage des gardiens avant de décocher un tir.

● Le nombre de joueurs autorisés à chaque équipe est porté de 12 à 15.
● Dorénavant les gardiens ne peuvent plus «geler» la rondelle, ils doivent s'en défaire immédiatement après un arrêt.
● Pour contrer la violence, on sanctionne désormais les bâtons élevés.

*La compagnie Radio Music Publishing, de Montréal, lance une chanson sur le hockey, qu'elle popularise en l'illustrant de la photo des vedettes de l'heure, notamment Pit Lépine et Aurèle Joliat.*

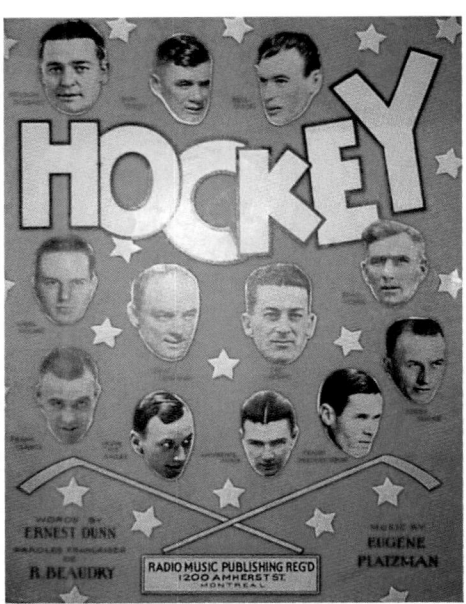

| TROPHÉES | |
|---|---|
| COUPE STANLEY | |
| Canadiens de Montréal | |
| COUPE O'BRIEN | |
| Maroons de Montréal | |
| TROPHÉE PRINCE-DE-GALLES | |
| Bruins de Boston | |
| TROPHÉE HART | |
| Nels Stewart | |
| Maroons de Montréal | |
| TROPHÉE LADY-BYNG | |
| Frank Boucher | |
| Rangers de New York | |
| TROPHÉE GEORGES-VÉZINA | |
| Tiny Thompson | |
| Bruins de Boston | |
| MEILLEUR MARQUEUR | |
| Cooney Weiland | |
| Bruins de Boston | |

match prend fin par un but de Gus Rivers, en quatrième prolongation de ce qui demeurera longtemps le match le plus long de l'histoire de la Ligue. Montréal s'adjuge la rencontre suivante, disputée à New York, au compte de 2-0, pour balayer la série, également par 2-0.

Privés des services de l'un des membres du trio Dynamite (Gainor), les Bruins sont surpris 3-0 par le Tricolore lors du premier match de la finale, disputé à Boston. Pourtant, l'équipe montréalaise avait perdu ses quatre parties face aux Bruins en saison régulière. Albert Leduc, qui n'avait obtenu que six buts en saison, ouvre le pointage au milieu de la deuxième et participe également au troisième filet, réussi par Pit Lépine, en fin de troisième.

L'appui des partisans aidant, les joueurs du Tricolore mènent déjà 4-1 après deux périodes de la seconde rencontre, mais les Bruins obtiennent deux buts rapides en début de troisième pour ramener le compte à 4-3. Attaquant sans répit, ils parviennent à égaler la marque en fin de partie, mais le filet de Marty

● La Ligue est forcée de restreindre son règlement de passes avant en décembre, après les avoir autorisées dans les trois zones. Certains attaquants ont en effet pris l'habitude de se poster devant le filet adverse pour cueillir le relais d'un coéquipier. On les oblige dorénavant à attendre que la rondelle traverse la ligne bleue, selon le règlement qu'on applique encore aujourd'hui.

● Les Rangers de New York deviennent la première équipe à emprunter l'avion afin d'aller disputer une rencontre à Toronto, le 13 décembre.

● Johnny McKinnon, de Pittsburgh, et Hap Day, de Toronto, s'inscrivent dans l'histoire de la Ligue avec quatre buts chacun dans un match, rééditant le record des défenseurs.

● D'autre part, les Pirates de Pittsburgh connaissent une saison misérable avec seulement cinq triomphes. Ils déménagent à Philadelphie la saison suivante, sans plus de succès, et l'équipe met tout bonnement un terme à ses activités après une seule année.

| DIVISION CANADIENNE | PJ | G | P | N | BP | BC | PTS |
|---|---|---|---|---|---|---|---|
| Montréal (Maroons) | 44 | 23 | 16 | 5 | 141 | 114 | 51 |
| Montréal (Canadiens) | 44 | 21 | 14 | 9 | 142 | 114 | 51 |
| Ottawa (Senators) | 44 | 21 | 15 | 8 | 138 | 118 | 50 |
| Toronto (Maple Leafs) | 44 | 17 | 21 | 6 | 116 | 124 | 40 |
| New York (Americans) | 44 | 14 | 25 | 5 | 113 | 161 | 33 |

| DIVISION AMÉRICAINE | PJ | G | P | N | BP | BC | PTS |
|---|---|---|---|---|---|---|---|
| Boston (Bruins) | 44 | 38 | 5 | 1 | 179 | 98 | 77 |
| Chicago (Black Hawks) | 44 | 21 | 18 | 5 | 117 | 111 | 47 |
| New York (Rangers) | 44 | 17 | 17 | 10 | 136 | 143 | 44 |
| Detroit (Cougars) | 44 | 14 | 24 | 6 | 117 | 133 | 34 |
| Pittsburgh (Pirates) | 44 | 5 | 36 | 3 | 102 | 185 | 13 |

| MEILLEURS MARQUEURS | | PJ | B | A | PTS | PUN |
|---|---|---|---|---|---|---|
| Cooney Weiland | Boston | 44 | 43 | 30 | 73 | 27 |
| Frank Boucher | NY Rangers | 42 | 26 | 36 | 62 | 16 |
| Dit Clapper | Boston | 44 | 41 | 20 | 61 | 48 |
| Bill Cook | NY Rangers | 44 | 29 | 30 | 59 | 56 |
| Hec Kilrea | Ottawa | 44 | 36 | 22 | 58 | 72 |
| Nels Stewart | Maroons | 44 | 39 | 16 | 55 | 81 |
| Howie Morenz | Canadiens | 44 | 40 | 10 | 50 | 72 |
| Normie Himes | NY Americans | 44 | 28 | 22 | 50 | 15 |
| Joe Lamb | Ottawa | 44 | 29 | 20 | 49 | 119 |
| Norm Gainor | Boston | 42 | 18 | 31 | 49 | 39 |

Barry est refusé, la rondelle ayant été poussée avec le patin. Contre toute attente, les Canadiens inscrivent une troisième fois leur nom sur la coupe Stanley.

## LÉPINE ET MORENZ S'ÉCLATENT

L'offensive a repris ses droits grâce aux modifications constantes apportées par la Ligue, le total de buts augmentant de 642 à 1301. La manne ne passe pas seulement dans le camp des Bruins, les joueurs des Canadiens récoltent aussi leur part.

C'est ainsi que Pit Lépine s'illustre avec 5 buts le 14 décembre au Forum, dans une victoire de 6-4 contre Ottawa, en plus de préparer l'autre filet, inscrit par Nick Wasnie.

Le 18 mars, au dernier match de la saison, devant 8 000 personnes au Forum, Howie Morenz ajoute aussi 5 buts à sa fiche, dans un gain de 8-3 contre les Americans de New York.

Mais on ne peut gagner sur tous les fronts. Cette année-là, Morenz voit son record de 51 points éclipsé par Coonie Weiland, qui en obtient 73.

1929 1930

HOWIE MORENZ

ALFRED LEPINE

*Howie Morenz et Pit Lépine signent chacun une performance de cinq buts.*

J. McKENNA.    C. HART.    P. LEPINE.    G. RIVERS.    A. LEDUC.    W. LAROCHELLE...    A. MONDOU.    N. WASNIE.    A. JOLIAT.

# 1930

QUATRIÈME
COUPE
STANLEY

# 1931

LES CANADIENS SONT DE RETOUR AU SOMMET DE LA DIVISION CANADIENNE,
GRÂCE AU BRIO D'HOWIE MORENZ, CHAMPION MARQUEUR AVEC 51 POINTS ET JOUEUR
LE PLUS UTILE DE LA LIGUE. IL S'AGIT D'UN TROISIÈME CHAMPIONNAT DE DIVISION EN
QUATRE ANS POUR L'ÉQUIPE MONTRÉALAISE, TANDIS QUE BOSTON DOMINE AISÉMENT
LA DIVISION AMÉRICAINE POUR UNE QUATRIÈME ANNÉE DE SUITE. MAIS LES BRUINS
S'INCLINENT PAR TROIS PARTIES À DEUX CONTRE LE TRICOLORE EN DEMI-FINALE.
MONTRÉAL GAGNE AUSSI EN CINQ PARTIES (3 À 2) CONTRE CHICAGO EN FINALE,
POUR REMPORTER UNE DEUXIÈME COUPE STANLEY D'AFFILÉE. FRANK BOUCHER EST
DÉSIGNÉ JOUEUR LE PLUS GENTILHOMME POUR UNE QUATRIÈME FOIS CONSÉCUTIVE,
ALORS QUE ROY WORTERS, GARDIEN DES AMERICANS, CONSERVE LA MEILLEURE
MOYENNE ET S'APPROPRIE LE TROPHÉE VÉZINA.

*Le tableau indicateur,
avec ses nombreux cadrans
pour le pointage et les pénalités,
est mis à l'essai pour la première
fois. Il deviendra obligatoire
trois ans plus tard.*

NSWORTH.     H. MORENZ.     J. GAGNON.     M. BURKE.     S. MANTHA.     G. MANTHA.     A. LESIEUR.     E. DUFOUR.     L. DANDURAND.

*Partout où il passe, même dans les grands magasins, Morenz attire les foules.*

**1930 1931**

# La légende de Morenz grandit

La crise économique laisse des traces profondes. On a besoin de héros pour surmonter la déprime. C'est ainsi que le nom d'Howie Morenz alimente les conversations pour qui ne veut pas se laisser gagner par les malheurs quotidiens qui frappent la population. Maintenant à sa huitième saison avec les Canadiens, Morenz compte un championnat des marqueurs à son actif. L'arrivée de Johnny Gagnon, dit le Chat — avec qui il forme un trio en compagnie d'Aurèle Joliat, lui aussi dans la force de l'âge —, lui permet de décrocher un deuxième championnat, assorti du titre de joueur le plus utile à son équipe.

Pour les amateurs de hockey, Morenz est l'équivalent de Babe Ruth au baseball. Réputé pour sa grande vitesse, d'où son surnom «Éclair de Stratford», mais aussi fameux manieur de bâton, capable de montées au filet électrisantes, on accourt le voir jouer et on se l'arrache. Les Shamrocks de Chicago, nouvelle concession de l'Association américaine (AHA), sollicitent ses services pour lancer leur équipe, mais Morenz résiste malgré les 12 000 $ offerts, avouant son amour pour les Canadiens en ces termes : «Jusqu'à ce que je ne sois plus en mesure de donner le meilleur de moi-même.» Son lancer qui frôle la tête des gardiens — on parle de *bean puck* comme on parle de *bean ball* au baseball —, le rend encore plus intimidant auprès de ses adversaires. On rapporte qu'un de ses buts typiques aurait causé le décès d'un partisan de St. Catharines, en Ontario, lors du dernier match des séries. Celui-ci aurait bondi de joie en criant «C'est inouï !» lors du but de Morenz, pour être aussitôt foudroyé par une crise cardiaque.

| MEILLEURS MARQUEURS | | P | JB | A | PTS | PUN |
|---|---|---|---|---|---|---|
| **Howie Morenz** | **Canadiens** | 39 | 28 | 23 | **51** | 49 |
| Ebbie Goodfellow | Detroit | 44 | 25 | 23 | 48 | 32 |
| Charlie Conacher | Toronto | 37 | 31 | 12 | 43 | 78 |
| Bill Cook | NY Rangers | 43 | 30 | 12 | 42 | 39 |
| Ace Bailey | Toronto | 40 | 23 | 19 | 42 | 46 |
| Joe Primeau | Toronto | 38 | 9 | 32 | 41 | 18 |
| Nels Stewart | Maroons | 42 | 25 | 14 | 39 | 75 |
| Frank Boucher | NY Rangers | 44 | 12 | 27 | 39 | 20 |
| Cooney Weiland | Boston | 44 | 25 | 13 | 38 | 14 |
| Bun Cook | NY Rangers | 44 | 18 | 7 | 35 | 72 |
| **Aurèle Joliat** | **Canadiens** | 43 | 13 | 22 | 35 | 73 |

132

● Louis Létourneau, l'un des membres du trio qui s'était porté acquéreur des Canadiens pour 11 000 $ à la mort de George Kennedy, décide de se départir de ses actions pour 150 000 $.

● L'entraîneur des Bruins innove en retirant sans succès son gardien au profit d'un sixième attaquant, peu avant la fin du deuxième match de demi-finale contre les Canadiens. Montréal l'emporte finalement 1-0 grâce à un but de Sylvio Mantha. Une nouvelle stratégie vient d'être lancée.

● Léo Dandurand suggère à Georges Mantha de renoncer à son habitude de conduire de petits avions, trouvant ce passe-temps trop dangereux. Sans trop de succès, semble-t-il !

● Morenz obtient le 200e but de sa carrière le 3 février, contre Toronto.
● Cinq des dix parties des Canadiens en séries nécessitent du temps supplémentaire, trois contre Boston (deux gains et un revers pour Montréal) et deux contre Chicago (deux défaites).

| JOUEURS | |
|---|---|
| 1 | George Hainsworth |
| 2 | Sylvio Mantha (C) |
| 3 | Marty Burke |
| 4 | Aurèle Joliat |
| 5 | Armand Mondou |
| | Jean Pusie |
| 6 | Nick Wasnie |
| | John Gagnon |
| 7 | Howie Morenz |
| 8 | Albert Leduc |
| | Jean Pusie |
| 9 | Alfred Lépine |
| 10 | Wildor Larochelle |
| 11 | Bert McCaffrey |
| | Arthur Lesieur |
| 12 | Georges Mantha |
| 14 | John Gagnon |
| | Nick Wasnie |
| 15 | Gus Rivers |
| 16 | Jean Pusie |
| 17 | Jean Pusie |
| ENTRAÎNEUR | |
| | Cecil Hart |

1930 1931

Cette année-là, Morenz obtient 51 points, dont 28 buts. Il est élu au centre de la première équipe d'étoiles. Joliat l'accompagne à l'aile gauche dans cette première sélection des étoiles de la saison, une initiative de la Ligue nationale pour intéresser davantage la population au hockey en cette période difficile. Un troisième joueur des Canadiens, le défenseur Sylvio Mantha, est nommé sur la seconde équipe.

Grâce à Morenz et à ses équipiers, les Canadiens, premiers de leur division, conservent la coupe Stanley, écartant les puissants Bruins de Boston, de nouveau champions de la Division américaine, eux dont on parlait comme de l'équipe de la décennie.

Après Lalonde, après Joliat, c'est maintenant au tour de Morenz d'ajouter quelques fleurons à cette équipe qui n'est encore qu'à l'aube de cette dynastie toute-puissante qu'elle deviendra.

*Le trio Gagnon-Morenz-Joliat et les autres membres des Flying Frenchmen électrisent les foules et les Canadiens se montrent plus gourmands que les autres clubs au guichet.*

133

● Les déboires des Pirates de Pittsburgh les forcent à déménager à Philadelphie où ils deviendront les Quakers, sans obtenir davantage de succès. Ils disparaîtront en fin de saison.

● Les Cougars de Detroit changent de nom pour «Falcons».

● La crise fait des ravages à Ottawa aussi. Le club se défait de plusieurs joueurs importants, notamment Frank King Clancy, échangé aux Leafs de Toronto en retour de deux joueurs secondaires et d'une somme de 35 000 $. La légende veut que le gérant des Leafs, Conn Smythe, ait gagné une forte somme aux courses de chevaux, ce qui lui aurait permis d'offrir ce montant substantiel aux Senators. Ceux-ci ne se remettront pas du départ de Clancy et le club disparaîtra quelques années plus tard.

● Nels Stewart, des Maroons, obtient les deux buts les plus rapides de l'histoire (record égalé mais non battu), en marquant deux fois en quatre secondes le 3 janvier 1931, dans une victoire de 5-3 contre Boston.

● Les nouveaux règlements stipulent que la rondelle doit pénétrer dans la zone adverse avant qu'un joueur à l'attaque ne puisse y entrer.

## 1930 1931

## LÉPINE MET FIN AUX ESPOIRS DES BLACK HAWKS DE CHICAGO

Les Black Hawks de Chicago participent à leur première série finale en cinq ans d'histoire. La série demi-finale contre les Rangers n'a pas été facile et le début de cette finale contre les Canadiens, encore moins. Mais la confiance revient après des gains de 2-1 à la deuxième supplémentaire du deuxième match et de 3-2 à la troisième supplémentaire du troisième. Chicago mène la série par deux parties à une et le quatrième match par 2-1, avec un peu moins de 20 minutes à jouer. Les effluves du champagne taquinent déjà les narines des joueurs lorsque Johnny Gagnon provoque l'égalité à 4 min 25 s, avec son deuxième but du match. Quelques minutes plus tard, Pit Lépine enlève les derniers espoirs aux Hawks avec deux autres buts, lesquels permettront aux Canadiens de niveler la série par ce gain de 4 à 2.

Chicago bataillera encore dans le cinquième match, présenté dans un Forum survolté, mais la chance est passée. Le Canadien l'emportera 2-0, sur des filets de Gagnon et d'Howie Morenz, pour cueillir sa quatrième coupe Stanley.

## LES CANADIENS COÛTENT PLUS CHER

Les *Flying Frenchmen* se distinguent des autres équipes de la Ligue, autant sur la glace qu'au guichet, partout où ils passent. Conscients du pouvoir d'attraction de l'équipe — en raison de cet accent francophone mêlé de jurons qui résonnent aux quatre coins de la patinoire, mais aussi en raison du jeu excitant des Morenz, Joliat, Mantha, Gagnon et cie —, les propriétaires, Léo Dandurand et Jos Cattarinich, n'hésitent pas à réclamer 5 % des recettes à l'entrée lors des matchs à l'extérieur. Les autres formations doivent se contenter de 3,5 %, ce qui ne fait pas le bonheur de tous.

La renommée ça se paie, mais faut dire que déjà les Canadiens attirent davantage que leurs rivaux.

| TROPHÉES |
| --- |
| COUPE STANLEY |
| Canadiens de Montréal |
| COUPE O'BRIEN |
| Canadiens de Montréal |
| TROPHÉE PRINCE-DE-GALLES |
| Bruins de Boston |
| TROPHÉE HART |
| Howie Morenz |
| Canadiens de Montréal |
| TROPHÉE LADY-BYNG |
| Frank Boucher |
| Rangers de New York |
| TROPHÉE GEORGES-VÉZINA |
| Roy Worters |
| Americans de New York |
| MEILLEUR MARQUEUR |
| Howie Morenz |
| Canadiens de Montréal |

*Deux buts de Pit Lépine lors du quatrième match de la finale et les beaux espoirs des Hawks s'envolent.*

| DIVISION CANADIENNE | PJ | G | P | N | BP | BC | PTS |
| --- | --- | --- | --- | --- | --- | --- | --- |
| Montréal (Canadiens) | 44 | 26 | 10 | 8 | 129 | 89 | 60 |
| Toronto (Maple Leafs) | 44 | 22 | 13 | 9 | 118 | 99 | 53 |
| Montréal (Maroons) | 44 | 20 | 18 | 6 | 105 | 106 | 46 |
| New York (Americans) | 44 | 18 | 16 | 10 | 76 | 74 | 46 |
| Ottawa (Senators) | 44 | 10 | 30 | 4 | 91 | 142 | 24 |
| DIVISION AMÉRICAINE | PJ | G | P | N | BP | BC | PTS |
| Boston (Bruins) | 44 | 28 | 10 | 6 | 143 | 90 | 62 |
| Chicago (Black Hawks) | 44 | 24 | 17 | 3 | 108 | 78 | 51 |
| New York (Rangers) | 44 | 19 | 16 | 9 | 106 | 87 | 47 |
| Detroit (Falcons) | 44 | 16 | 21 | 7 | 102 | 105 | 39 |
| Philadelphie (Quakers) | 44 | 4 | 36 | 4 | 76 | 184 | 12 |

# 1931 ⓒ 1932

*Nouvelle domination des Canadiens au sommet de la Division canadienne, alors que les puissants Bruins cèdent le premier rang de la Division américaine aux Rangers et glissent même au dernier échelon, avec une fiche inférieure à ,500. La Ligue, amputée des équipes de Philadelphie et d'Ottawa — cette dernière a pris congé pour un an — adopte un calendrier de 48 parties. Deux joueurs des Maple Leafs, Harvey Jackson et Joe Primeau, accaparent les premières places des marqueurs avec 53 et 50 points, devant Howie Morenz (49) et un autre Leaf, Charlie Conacher (48). Morenz est récipiendaire du trophée Hart pour la deuxième fois de suite. Les Canadiens gagnent leur premier match en demi-finale contre les Rangers, mais perdent les trois suivants. Toronto dispose ensuite de New York en trois parties d'affilée en finale.*

## Les riches contre les pauvres

*Howie Morenz passe au premier rang des marqueurs.*

La Grande Dépression, par suite du krach de 1929, laisse des traces profondes au sein de la population et les équipes professionnelles de hockey ne sont pas épargnées. Les Senators d'Ottawa, membres fondateurs de la Ligue nationale, croulent sous les dettes. Le bilan de la saison précédente indique un déficit de 50 000 $. Ainsi, cette équipe, considérée comme l'une des puissances du circuit au début de la décennie, demande de suspendre ses activités pour un an.

● Quatrième coupe O'Brien en cinq ans pour les Canadiens.
● Puisque les gardiens doivent se retirer du jeu pendant leurs punitions, c'est Albert Leduc qui est contraint de remplacer Hainsworth devant son filet

le 2 décembre, à Chicago, lorsque l'arbitre impose une pénalité à ce dernier. Le pauvre Leduc accorde un but et le Tricolore perd le match.

● Trois autres joueurs des Canadiens ont été appelés à remplacer leur gardien en pareilles circonstances : Jack Laviolettte en 1914-15, Sprague Cleghorn en 1921-22 et Charlie Sands en 1939-40.

*Albert Leduc joue au gardien, lors d'une punition à Hainsworth, le 2 décembre, contre Chicago.*

**1931-1932**

À Philadelphie, c'est encore pire. Transféré de Pittsburgh à Philadelphie la saison précédente, le club ne gagne que quatre parties, les assistances aux matchs sont anémiques et son rapport financier est à l'encre rouge foncé, 100 000 $ selon les uns, 175 000 $ selon les autres. Les dirigeants n'ont d'autre choix que de lancer la serviette et l'un des propriétaires, l'ancien boxeur champion du monde, Benny Leonard, se résigne à retourner dans le ring pour éponger sa perte.

À Toronto et à Montréal, la situation est beaucoup plus intéressante. Pendant que Conn Smythe relève le défi de faire construire un nouvel amphithéâtre (le Maple Leafs Garden) en pleine crise économique et dans un délai de cinq mois, en plus, les Canadiens attirent encore plus de spectateurs. La masse salariale

*George Hainsworth, dont on avait annoncé le décès par erreur au cours de l'été, obtient plutôt un nouveau record de blanchissages, en décembre.*

● Nouveau record pour George Hainsworth avec le 64ᵉ jeu blanc de sa carrière le 10 décembre, contre les Americans de New York. Il dépasse Alex Connell, ex-gardien des Senators, que les Red Wings ont réclamé à la dissolution d'Ottawa. Connell inscrira cependant un 150ᵉ gain quelques mois plus tard.

● Quatrième victoire des Canadiens en sept affrontements (4-2-1) contre les Maroons, pour le trophée Kennedy.

*Les principaux joueurs du club, comme Joliat et Mantha, endossent régulièrement divers produits de consommation. Pour la Bee Hive, c'est aussi le début des fameuses photos à commander par la poste.*

| JOUEURS | |
|---|---|
| 1 | George Hainsworth |
| 2 | Sylvio Mantha (C) |
| 3 | Marty Burke |
| 4 | Aurèle Joliat |
| 5 | Armand Mondou |
| 6 | Nick Wasnie |
| 7 | Howie Morenz |
| 8 | Albert Leduc |
| | Arthur Lesieur |
| 9 | Alfred Lépine |
| 10 | Wildor Larochelle |
| 11 | Dunc Munro |
| | Georges Mantha |
| 12 | Georges Mantha |
| | Dunc Munro |
| 14 | John Gagnon |
| 15 | Arthur Lesieur |
| | Gus Rivers |
| 16 | Art Alexandre |
| | Jean Pusie |
| ENTRAÎNEUR | |
| | Cecil Hart |

**1931-1932**

est directement proportionnelle à la qualité d'une équipe qui vient de remporter deux coupes Stanley de suite et qui est en voie de s'approprier une deuxième coupe O'Brien consécutive pour le championnat de la saison régulière. La grande vedette de l'équipe, Howie Morenz, termine au troisième rang des marqueurs avec 49 points, tout juste derrière 2 membres du fameux trio de la *Kid Line* des Maple Leafs, et il se voit attribuer le trophée Hart pour une deuxième année de suite, le troisième de sa carrière. Il est de nouveau élu au sein de la première équipe d'étoiles.

Mais le succès a un prix. Duncan Munro, un défenseur des Maroons qui est aussi entraîneur et gérant de l'équipe, réclame 5 000 $ pour signer un contrat à titre de joueur autonome pour les Canadiens.

Pendant ce temps, la popularité du club s'étend à l'Europe. Le gérant Léo Dandurand reçoit une offre du promoteur français Jeff Dickson, qui veut organiser une tournée européenne pour l'équipe à la fin de la saison. Intéressé, Dandurand fixe le coût à 25 000 $.

Gonflés à bloc par tant d'attentions, les joueurs du Tricolore y vont d'un quatrième championnat de division en cinq ans et entreprennent les séries avec confiance contre les Rangers de New York, nouveaux titulaires du titre de la Division américaine, alors que les puissants Bruins ont sombré au dernier rang. Victoire de 4-3 des Canadiens lors de la première rencontre, mais les champions « se font sortir » trois parties à une dans la série.

### GAGNON REND LA PAROLE À UN MUET

La passion du hockey a redonné la voix à un partisan du Tricolore, rapportent les médias de l'époque. Jean-Louis Lefebvre, soldat canadien de la Première Guerre mondiale, a perdu la voix lors d'un éboulement. Installé près de son appareil radio en ce 30 janvier 1932, lors d'un match Canadiens/Red Wings, il écoute la retransmission qu'en fait le commentateur Joseph-Arthur Dupont, de CKAC. Excité par le jeu, notre homme, qui a maintenant 40 ans, bondit de joie en criant lorsque Johnny Gagnon saisit une passe d'Howie Morenz pour

### LE SAVIEZ-VOUS...

Dans son édition du 15 juillet 1931, *La Presse* annonce par erreur le décès de George Hainsworth, ce qui cause beaucoup d'émoi chez les partisans.

137

GEORGES MANTHA
"Canadiens"

Played amateur hockey from 1925 to '29 with the Victoria Seniors and Bell Telephone of Montreal. Broke into pro in 1929 with the Canadiens where he has remained since. He is 5 feet 8 inches tall and weighs 163 pounds. Was born in Lachine, P. Q. in 1908. Georges is married and has two children.

CLOSE COVER BEFORE STRIKING MATCH

● Les joueurs des équipes dissoutes, Ottawa et Philadelphie, sont répartis entre les autres clubs, avec priorité aux quatrièmes de chaque division selon le classement de l'année précédente.
● La *Kid Line* des Leafs fait des ravages. L'ailier gauche Harvey Jackson (20 ans) termine au premier rang des marqueurs avec 53 points. Joe Primeau, joueur de centre surnommé « Gentleman Joe » (le plus vieux à 25 ans), termine deuxième et reçoit le trophée Lady-Byng. Charlie Conacher (22 ans), l'ailier droit du trio, est quatrième derrière Morenz, mais il domine pour les buts.

● Les préposés au nettoyage de la glace du Madison Square Garden s'exécutent en patins pour accélérer leur travail. Ce qui n'est pas encore d'usage courant chez les autres « chevaliers de la pelle » !
● Conn Smythe remplace son entraîneur Art Duncan par Dick Irvin, congédié à Chicago. Irvin gagnera la coupe Stanley dès la première année.

**1931-1932**

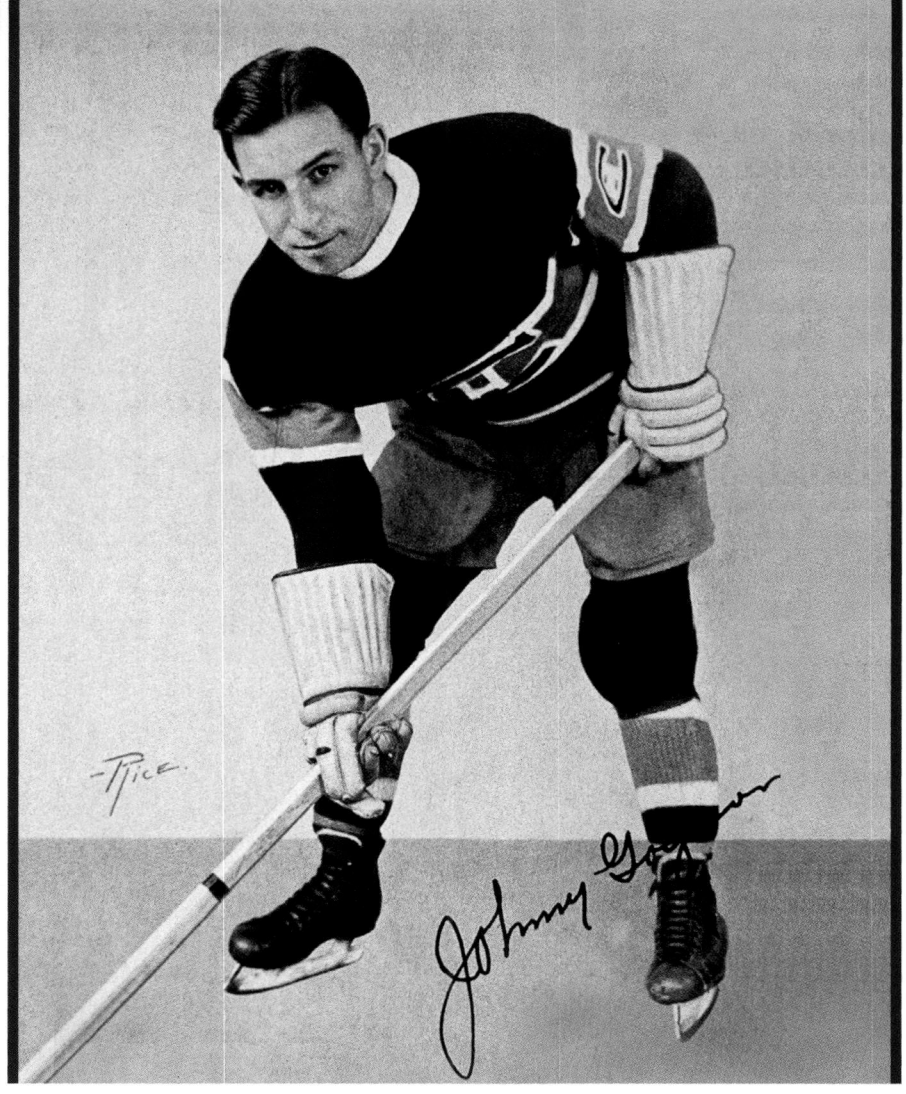

| TROPHÉES | |
|---|---|
| **COUPE STANLEY** | |
| Maple Leafs de Toronto | |
| **COUPE O'BRIEN** | |
| Canadiens de Montréal | |
| **TROPHÉE PRINCE-DE-GALLES** | |
| Rangers de New York | |
| **TROPHÉE HART** | |
| Howie Morenz | |
| Canadiens de Montréal | |
| **TROPHÉE LADY-BYNG** | |
| Joe Primeau | |
| Maple Leafs de Toronto | |
| **TROPHÉE GEORGES-VÉZINA** | |
| Charlie Gardiner | |
| Black Hawks de Chicago | |
| **MEILLEUR MARQUEUR** | |
| Harvey Jackson | |
| Maple Leafs de Toronto | |

*Johnny Gagnon*

● À la disparition des Quakers de Philadelphie, le président Frank Calder embauche Wilf Cude à titre de gardien d'utilité pour la Ligue. Celui-ci disputera quelques matchs à Boston et à Chicago, mais il passera la majeure partie de la saison dans un circuit mineur, la Ligue Can-Am. Le Tricolore retiendra ses services en 1933-34 et il complétera sa carrière à Montréal sept ans plus tard.

● Une première coupe Stanley à Toronto en dix ans avec les Maple Leafs. Les deux autres ont été l'œuvre des Arenas (1917-18) et des St. Patricks (1921-22).

● L'Association américaine a des visées sur la coupe Stanley et lance un défi à la LNH pour une série entre les champions des deux circuits. Refus catégorique du président Calder, qui se dit prêt à changer de trophée emblématique s'il le faut plutôt que de devoir affronter la Ligue rivale.

● Le Canada décroche la médaille d'or aux Jeux olympiques une quatrième fois de suite. Les Américains sont deuxièmes.

| DIVISION CANADIENNE | PJ | G | P | N | BP | BC | PTS |
|---|---|---|---|---|---|---|---|
| Montréal (Canadiens) | 48 | 25 | 16 | 7 | 128 | 111 | 57 |
| Toronto (Maple Leafs) | 48 | 23 | 18 | 7 | 155 | 127 | 53 |
| Montréal (Maroons) | 48 | 19 | 22 | 7 | 142 | 139 | 45 |
| New York (Americans) | 48 | 16 | 24 | 8 | 95 | 142 | 40 |

| DIVISION AMÉRICAINE | PJ | G | P | N | BP | BC | PTS |
|---|---|---|---|---|---|---|---|
| New York (Rangers) | 48 | 23 | 17 | 8 | 134 | 112 | 54 |
| Chicago (B. Hawks) | 48 | 18 | 19 | 11 | 86 | 101 | 47 |
| Detroit (Falcons) | 48 | 18 | 20 | 10 | 95 | 108 | 46 |
| Boston (Bruins) | 48 | 15 | 21 | 12 | 122 | 117 | 42 |

| MEILLEURS MARQUEURS | | PJ | B | A | PTS | PUN |
|---|---|---|---|---|---|---|
| Busher Jackson | Toronto | 48 | 28 | 25 | 53 | 63 |
| Joe Primeau | Toronto | 46 | 13 | 37 | 50 | 25 |
| **Howie Morenz** | **Canadiens** | 48 | 24 | 25 | 49 | 46 |
| Charlie Conacher | Toronto | 44 | 34 | 14 | 48 | 66 |
| Bill Cook | NY Rangers | 48 | 33 | 14 | 47 | 33 |
| Dave Trottier | Maroons | 48 | 26 | 18 | 44 | 94 |
| Hooley Smith | Maroons | 43 | 11 | 33 | 44 | 49 |
| Babe Siebert | Maroons | 48 | 21 | 18 | 39 | 64 |
| Dit Clapper | Boston | 48 | 17 | 22 | 39 | 21 |
| **Aurèle Joliat** | **Canadiens** | 48 | 15 | 24 | 39 | 46 |

*Arthur Alexandre arrive chez les Canadiens en fin de saison et ne disputera qu'une dizaine de parties avec l'équipe, n'obtenant aucun but.*

marquer son troisième but de la soirée. Gagnon venait de lui délier la langue après 15 années de silence.

Il ne fut probablement pas le seul à redonner la parole aux muets chez les Canadiens puisque, dans son livre consacré à Maurice Richard, Jean-Marie Pellerin attribue un autre « miracle » du genre au Rocket. L'heureux événement serait survenu lors d'une performance de quatre buts réalisée par le numéro 9 dans le premier match de la finale de 1957 contre Boston. Un vieil homme, victime précédemment d'une crise cardiaque qui l'avait paralysé, aurait poussé un cri terrible au quatrième but du Rocket, recouvrant lui aussi l'usage de la parole.

### PLEIN LA VUE !

Howie Morenz a Cy Denneny dans sa mire en fin de saison, bien déterminé à le surpasser pour le nombre de buts et de points. Les buts attendront un peu, mais pas le record de points. L'Éclair de Stratford connaît une fin de saison à couper le souffle avec des performances de quatre points — un but et trois passes — à chacune des trois dernières parties, contre les Americans, les Maroons et les Maple Leafs. Devant ses partisans du Forum, de surcroît.

L'électrisant joueur des Canadiens complète la saison avec 341 points, 8 de mieux que son prédécesseur, qu'il a dépassé à l'avant-dernière rencontre, grâce à une passe sur un but de Johnny Gagnon, réussi aux premières secondes du match.

Quelques semaines plus tôt, au lendemain du jour de l'An, Morenz avait vécu un autre moment historique en devenant le deuxième joueur de l'organisation — après Lalonde — à s'inscrire au club des 300 points chez les Canadiens.

Deux ans plus tard, Morenz abaissera aussi le record de buts de Denneny. À son tour, il sera ensuite surpassé par Nels Stewart, pour les buts en 1937 et pour les points en 1939. Mais sa renommée survivra.

*À cette époque, un simple carton à poinçonner servait de billet de saison.*

**1931-1932**

# 1932 🔴 1933

*Les Canadiens glissent au troisième rang de leur division et Toronto, stimulé par sa conquête de la coupe Stanley, termine premier, devant les Maroons. Dans la Division américaine, Boston partage le sommet avec Détroit. Le dernier match de la demi-finale Boston/Toronto se termine 1-0 en faveur des Leafs, à la sixième supplémentaire. Les Rangers vengent ensuite leur échec de l'année précédente contre les Leafs, par trois parties à une, après avoir éliminé les Canadiens et les Red Wings. Bill Cook, des Rangers, est champion marqueur avec 50 points, 6 de mieux que le gagnant de la saison 1931-32, Harvey Jackson, de Toronto. Carl Voss, des Red Wings, est le premier à mériter le titre de recrue de l'année. Retour des Senators d'Ottawa, qui finissent bons derniers.*

## Des débuts difficiles pour l'entraîneur Lalonde

*Lalonde en arrache à ses débuts comme entraîneur des Canadiens, ce qui ne l'empêche pas d'offrir ses vœux de bonne année aux partisans de l'équipe par l'intermédiaire des journaux.*

1933

E. C. (Newsy)
LALONDE
GÉRANT DU
CLUB DE HOCKEY
CANADIEN
offre à tous ses
amis et supporteurs
du club
SES MEILLEURS
SOUHAITS DE
BONNE ANNÉE

Les Canadiens ont beau accumuler les championnats et les coupes Stanley depuis cinq ans, l'arrivée de Newsy Lalonde à titre d'entraîneur ne se fait pas sans heurts. Première grande vedette de l'histoire du club, Lalonde avait poursuivi sa carrière de joueur dans la Ligue de l'Ouest après que le Tricolore eut cédé ses droits en retour du très prometteur Aurèle Joliat, puis il était devenu entraîneur dans la Ligue Can-Am. Il est donc un choix normal pour remplacer Cecil Hart, après le championnat qu'il a remporté l'année précédente à la barre des Reds de Providence, avec lesquels les Canadiens ont aussi une entente.

L'équipe montréalaise en arrache en début de saison. Le club gagne seulement 2 de ses 10 premières rencontres et la grogne règne parmi les joueurs, qui ne prisent pas beaucoup les méthodes du nouvel entraîneur. Les choses ne s'arrangent pas lorsque, au début de décembre, Lalonde suspend Pit Lépine pour indiscipline pendant deux parties.

● La puissance offensive des Canadiens fonctionne au ralenti. Le club marque seulement 92 buts en 48 parties, comparativement à 128 l'année précédente. Joliat finit au 6e rang des marqueurs, tandis que Morenz et Gagnon sont 10e et 11e. Cette année-là, Joliat devient le premier joueur des Canadiens à avoir disputé 400 parties.

● La fierté du club en prend un coup face aux Maroons, les ennemis jurés du Tricolore, deuxièmes au classement de la division, car trois joueurs — Baldy Northcott, Hooley Smith et Paul Haynes — précèdent Joliat chez les marqueurs. En plus, les Maroons reprennent la coupe Kennedy.

● Hainsworth a aussi connu de bons moments au cours de cette dernière saison passée à Montréal. Il réussit son 75e blanchissage contre les Bruins en mars, lors

d'un match sans pointage, au Forum. À son 71e, il avait déjà délogé Alex Cornell.

● Aurèle Joliat obtient son 300e point dans l'uniforme des Canadiens, sur un but de Pit Lépine contre Chuck Gardiner, des Black Hawks, le 12 janvier, devant ses partisans.

● Le Tricolore met fin à son entente avec son club-école des Reds de Providence au terme de la saison.

**1932-1933**

Au milieu de la saison, les Canadiens sont bons derniers et Dandurand menace de remplacer quelques joueurs réguliers par des recrues. Lalonde retire Morenz au profit de Pit Lépine au centre du premier trio, entre Joliat et Gagnon. Même Hainsworth, l'un des meilleurs cerbères de l'histoire du club, connaît des difficultés. Il concède 10 buts aux Bruins le 21 février, la pire raclée de sa carrière.

De son côté, le gérant Dandurand passe aux actes, multipliant les démarches pour secouer le club. Il rappelle trois joueurs de Providence, Wilfrid Gizzy Hart, Art Alexandre et Bobby Trapp, et il retire Marty Burke, Paul-Marcel Raymond et Walter McCartney de l'alignement. Quelques jours plus tard, il

| JOUEURS | |
|:---:|:---|
| 1 | George Hainsworth (C) |
| 2 | Sylvio Mantha |
|  | Harold Starr |
| 3 | Marty Burke |
|  | Bob Trapp |
|  | Harold Starr |
|  | Sylvio Mantha |
| 4 | Aurèle Joliat |
| 5 | Armand Mondou |
|  | Leo Murray |
|  | Gizzy Hart |
|  | Léo Bourgault |
| 6 | Léo Gaudreault |
|  | Hago Harrington |
|  | Gerry Carson |
| 7 | Howie Morenz |
| 8 | Albert Leduc |
| 9 | Alfred Lépine |
|  | Arthur Giroux |

*Premier casse-tête connu illustrant les joueurs des Canadiens.*

| DIVISION CANADIENNE | PJ | G | P | N | BP | BC | PTS |
|:---|:---:|:---:|:---:|:---:|:---:|:---:|:---:|
| Toronto (Maple Leafs) | 48 | 24 | 18 | 6 | 119 | 111 | 54 |
| Montréal (Maroons) | 48 | 22 | 20 | 6 | 135 | 119 | 50 |
| **Montréal (Canadiens)** | **48** | **18** | **25** | **5** | **92** | **115** | **41** |
| New York (Americans) | 48 | 15 | 22 | 11 | 91 | 118 | 41 |
| Ottawa (Senators) | 48 | 11 | 27 | 10 | 88 | 131 | 32 |
| **DIVISION AMÉRICAINE** | **PJ** | **G** | **P** | **N** | **BP** | **BC** | **PTS** |
| Boston (Bruins) | 48 | 25 | 15 | 8 | 124 | 88 | 58 |
| Detroit (Red Wings) | 48 | 25 | 15 | 8 | 111 | 93 | 58 |
| New York (Rangers) | 48 | 23 | 17 | 8 | 135 | 107 | 54 |
| Chicago (Black Hawks) | 48 | 16 | 20 | 12 | 88 | 101 | 44 |

● On autorise les équipes à envoyer un autre joueur purger les punitions infligées à leur gardien.

● Les Falcons de Detroit deviennent les Red Wings à l'arrivée d'un nouveau propriétaire, James Norris, un ancien joueur des Winged Wheelers de la Montreal Amateur Athletic Association (MAAA).

● Les Senators reprennent vie à Ottawa et rapatrient leurs joueurs, mais ils termineront en dernière place deux ans de suite avant de déménager à St. Louis.

● Ken Doraty marque l'unique filet du cinquième et ultime match de demi-finale, en faveur des Maple Leafs de Toronto contre les Bruins de Boston... à la sixième période supplémentaire. Un nouveau record qu'on croyait

inaccessible, mais qui sera battu trois ans plus tard par les Maroons et Detroit.

● Épuisés par une série longue et difficile contre Boston (quatre parties sur cinq en prolongation), les Leafs de Toronto s'avèrent une proie facile pour les Rangers en finale. Les New-Yorkais gagnent par trois parties à une, dont la dernière par

1-0 en supplémentaire, grâce à un but de Bill Cook lors d'une double pénalité aux Leafs.

● Un nouveau trophée, qui portera plus tard le nom du président Calder, est attribué au meilleur joueur de première année. Son récipiendaire, Carl Voss, a joué pour huit clubs différents au cours de sa carrière dans la LNH, dont sept à ses six dernières années. Il deviendra plus tard arbitre en chef de la Ligue.

| JOUEURS | |
|---|---|
| 10 | Wildor Larochelle |
| | Hago Harrington |
| 11 | Gerry Carson |
| | John Gagnon |
| 12 | Georges Mantha |
| | Léonard Grosvenor |
| 14 | John Gagnon |
| | Wildor Larochelle |
| 15 | Paul-Marcel Raymond |
| | Arthur Giroux |
| | Léo Bourgault |
| | Gizzy Hart |
| 16 | Walter McCartney |
| | Arthur Giroux |
| | Gizzy Hart |
| 17 | Art Alexandre |
| | Hago Harrington |
| ENTRAÎNEUR | |
| | Newsy Lalonde |

impose une amende de 200 $ à Gagnon pour son indifférence au jeu, après une défaite contre Chicago, et procède à une transaction en deux étapes avec les Senators pour obtenir les services de Léo Bourgault et Harold Starr.

Finalement, le Tricolore, que Dandurand évaluait à 300 000 $ en début de saison, termine au troisième rang et participe aux séries, où il gagne 6 parties sur 10 et en annule 2.

Menaces et modifications à l'équipe auront donné des résultats, même si le club ne fait pas long feu contre les Rangers en séries.

## LE GARDIEN HAINSWORTH CAPITAINE

Le gérant Léo Dandurand décide de confier le rôle de capitaine à son gardien George Hainsworth, en remplacement de Sylvio Mantha, au début de la saison. Il explique le choix de son portier en disant que celui-ci demeure sur la patinoire durant tout le match et se trouve ainsi avantagé par rapport à un autre joueur qui pourrait être au banc ou puni au moment d'avoir besoin d'intervenir.

Premier gardien de l'équipe à remplir un tel rôle, Hainsworth n'occupera pas cette fonction très longtemps puisqu'il sera échangé aux Maple Leafs de Toronto l'année suivante. Mantha reprendra alors le titre et le conservera jusqu'en fin de saison 1935-36.

Hainsworth ne sera pas le seul gardien à devenir capitaine chez les Canadiens puisque Bill Durnan a joué un rôle similaire en février 1948, lorsque Toe Blake s'est fracturé une jambe. Il est demeuré au poste jusqu'à la fin de l'année.

| MEILLEURS MARQUEURS | | | | | | |
|---|---|---|---|---|---|---|
| | | PJ | B | A | PTS | PUN |
| Bill Cook | NY Rangers | 48 | 28 | 22 | 50 | 51 |
| Busher Jackson | Toronto | 48 | 27 | 17 | 44 | 43 |
| Baldy Northcott | Maroons | 48 | 22 | 21 | 43 | 30 |
| Hooley Smith | Maroons | 48 | 20 | 21 | 41 | 66 |
| Paul Haynes | Maroons | 48 | 16 | 25 | 41 | 18 |
| Aurèle Joliat | Canadiens | 48 | 18 | 21 | 39 | 53 |
| Marty Barry | Boston | 48 | 24 | 13 | 37 | 40 |
| Bun Cook | NY Rangers | 48 | 22 | 15 | 37 | 35 |
| Nels Stewart | Boston | 47 | 18 | 18 | 36 | 62 |
| Howie Morenz | Canadiens | 46 | 14 | 21 | 35 | 32 |
| John Gagnon | Canadiens | 48 | 12 | 23 | 35 | 64 |
| Eddie Shore | Boston | 48 | 8 | 27 | 35 | 102 |
| Frank Boucher | NY Rangers | 47 | 7 | 28 | 35 | 4 |

*George Hainsworth est le premier gardien à exercer le rôle de capitaine chez le Tricolore. À cette époque, on n'appose pas de « C » sur le chandail du capitaine.*

143

● Earl Roche entreprend la saison avec les Maroons, mais après cinq parties, il joint les rangs des Bulldogs de Windsor dans la Ligue internationale américaine (IAHL). En janvier, il signe un contrat comme agent libre avec Boston, qui l'envoie ensuite à Ottawa après quelques matchs seulement, pour compléter une transaction. Trois clubs de la LNH plus une équipe mineure durant une même saison pour ce joueur de 23 ans !

● Reg Noble, l'unique joueur de la saison inaugurale de la LNH encore actif, dispute une dernière saison avec les Maroons, dont il a déjà porté les couleurs. Le Tricolore, pour qui il jouait dans la NHA, n'avait pas retenu ses services dans la Ligue nationale et il s'était alors aligné avec les St. Pats de Toronto, avant de passer aux Maroons et ensuite aux Cougars de Detroit.

Il s'agit de sa 16e saison dans la Ligue, mais il disputera une dernière campagne dans la IAHL.

● Le rude Eddie Shore, des Bruins, devient le premier défenseur à obtenir le trophée Hart, remis au joueur le plus utile. Il le gagnera 4 fois en 15 ans de carrière.

● Lionel Conacher, défenseur des Maroons élu dans la seconde équipe d'étoiles, poursuit plusieurs autres carrières en parallèle à cette époque. Il joue également

à la crosse, au football et au soccer, en plus d'être boxeur. Il sera plus tard choisi meilleur athlète du demi-siècle et siégera quelques années au Parlement canadien.

● Nels Stewart — grande vedette des Maroons, champion marqueur de la Ligue en 1925-26 et deux fois élu joueur le plus utile — est échangé aux Bruins de Boston.

● Les États-Unis mettent un terme à six championnats du monde consécutifs pour le Canada.

---

## 1932-1933

### MENACE DE GRÈVE

Les joueurs du Tricolore ne font pas trop de difficultés au président de la Ligue, qui a décidé d'imposer un plafond salarial de 70 000 $ par équipe et de 7 500 $ par joueur au début de la saison. Ailleurs, le bouillant Eddie Shore refuse de jouer pour moins de 10 000 $ à Boston ; il en gagnait 12 000 $ l'année précédente. Frank Boucher et Earl Siebert se révoltent aussi à New York, Reg Noble en fait autant à Detroit, Ollie Smith et Archie Wilcox protestent chez les Maroons, ainsi que Lorne Chabot et Harold Cotton à Toronto.

Chez les Canadiens, Johnny Gagnon et Aurèle Joliat refusent les offres de l'équipe, mais Gagnon se ravise le lendemain et Joliat fera de même un peu avant le début de la saison.

Finalement, tout rentre dans l'ordre. Le président Calder, après avoir menacé de suspendre les récalcitrants, demande aux équipes de lui soumettre les cas difficiles, qui seront jugés à la pièce avant que le jugement ne soit approuvé par le Bureau des gouverneurs.

| TROPHÉES | |
|---|---|
| **COUPE STANLEY** | |
| Rangers de New York | |
| **COUPE O'BRIEN** | |
| Maple Leafs de Toronto | |
| **TROPHÉE PRINCE-DE-GALLES** | |
| Bruins de Boston | |
| **TROPHÉE HART** | |
| Eddie Shore | |
| Bruins de Boston | |
| **TROPHÉE LADY-BYNG** | |
| Frank Boucher | |
| Rangers de New York | |
| **TROPHÉE GEORGES-VÉZINA** | |
| Tiny Thompson | |
| Bruins de Boston | |
| **MEILLEUR MARQUEUR** | |
| Bill Cook | |
| Rangers de New York | |
| **RECRUE DE L'ANNÉE** | |
| Carl Voss | |
| Red Wings de Detroit | |

*Johnny Gagnon et Aurèle Joliat refusent d'abord les offres des Canadiens, mais se ravisent avant le début de la saison.*

# 1933 [image: CH logo] 1934

*Toronto domine encore la Division canadienne — 11 points devant les Canadiens —, alors que deux membres de son meilleur trio, Charlie Conacher et Joe Primeau, accaparent de nouveau les premières places chez les marqueurs, avec respectivement 52 et 46 points. Le troisième membre, Harvey Jackson, finit septième, devant Aurèle Joliat, mais c'est ce dernier qui est désigné le plus utile à son équipe. Detroit est champion de l'autre division, mais Chicago inscrit son nom sur la coupe pour la première fois, grâce à des victoires contre les Canadiens, les Maroons et Detroit. Son gardien, Charlie Gardiner, qui a conservé la meilleure moyenne en saison, accorde un but ou moins dans cinq des huit parties. Il mourra d'une hémorragie cérébrale deux mois plus tard.*

*Morenz est maintenant la grande vedette de la Ligue.*

## Morenz au sommet

**H**owie Morenz a un peu ralenti et cette saison ne sera pas toujours facile pour lui. Mais elle lui apporte aussi quelques bons moments, notamment en cette avant-veille de Noël, devant ses partisans, alors qu'il éclipse le record de Cy Denneny, l'ex-vedette des Senators, avec son 249e but. L'Éclair de Stratford avait disputé son 400e match un mois plus tôt, et il lui tardait de marquer ce but qui le propulserait au sommet des meilleurs de la Ligue. Le 23 décembre, il y parvient, à 30 secondes de la fin du

145

Jules Dugal, un membre de l'organisation qui deviendra gérant plus tard, ainsi que le capitaine Sylvio Mantha, se partagent la tâche de l'entraîneur Lalonde durant sa suspension de deux parties.

● L'attaque vicieuse par-derrière d'Eddie Shore contre Irving Ace Bailey lors d'un match Toronto/Boston laisse Bailey dans un état

tellement précaire qu'on se met à craindre pour sa vie et à se préparer au pire. Chez les Canadiens, le soigneur Édouard Dufour prépare des brassards noirs pour les joueurs. Bailey se remet, mais Dufour meurt quelques jours plus tard, par suite de complications postopératoires reliées à ses problèmes d'ulcères

d'estomac. Ironiquement, les joueurs porteront les brassards qu'il avait lui-même fabriqués.

● L'incident Shore/Bailey incite les autres équipes à la prudence. C'est ainsi que la direction des Canadiens demande à ses joueurs de porter un casque protecteur en cuir, très impopulaire du reste. Tous les prétextes sont bons pour lui «faire prendre le bord».

● En raison du départ d'Hainsworth, Sylvio Mantha récupère son titre de capitaine.

● On fête Aurèle Joliat le 8 février, à l'occasion de son 500e match (saisons et séries) avec les Canadiens, lors d'une rencontre contre les Maroons: discours, acclamations de la foule, cadeaux et tout. Dans les

## 1933-1934

match; profitant d'une punition à son compagnon de trio, Aurèle Joliat, il lance une attaque de sa zone et file seul jusqu'au gardien John Roach qu'il déjoue d'un tir «vitriolique», selon l'expression employée par le journaliste Horace Lavigne, de *La Patrie*.

Morenz a connu un autre bon moment le 14 décembre, rejoignant Denneny. Ce soir-là, il n'est pas le seul à se réjouir, puisque Lorne Chabot, échangé aux Canadiens en retour des services d'Hainsworth, a blanchi ses anciens coéquipiers de Toronto une deuxième fois depuis la transaction. Le Tricolore avait signé une victoire de 1-0 à Toronto en début de saison et ce deuxième jeu blanc de suite pour Chabot, cette fois devant les fans de l'équipe, lui vaut la première étoile du match.

Quant à Morenz, il poursuivra sur sa lancée pour devenir le premier joueur à marquer 250 buts, cinq jours plus tard, cette fois en déjouant Tiny Thompson, des Bruins. Deux ans plus tôt, il avait aussi relégué Denneny au deuxième rang pour le nombre de points.

Le reste de la saison sera plus difficile pour Morenz et les partisans n'hésiteront pas à le huer à plusieurs reprises. Il est blessé à une cheville au début de janvier et ne reviendra au jeu qu'un mois plus tard. Il complète la saison avec seulement huit buts, sa pire production depuis son arrivée, et sera de nouveau blessé à une main lors du match décisif contre Chicago en quart de finale, alors que le club est éliminé dès la première ronde.

Il est donc normal que Morenz se questionne sur son avenir à Montréal devant les journalistes, au terme du dernier match, avec des rumeurs d'échange qui circulent allègrement.

Dandurand réglera son cas en l'expédiant aux Black Hawks de Chicago en octobre 1934, en compagnie de Lorne Chabot, son compagnon de réjouissance, un certain 14 décembre 1933.

## LA GUERRE CANADIENS/MAROONS

L'arrivée des Maroons, essentiellement formés de joueurs anglophones, en 1924-25 ravive beaucoup de passions entre les Montréalais des deux origines. Les occasions d'affrontement ne manquent pas, les soirs de match surtout.

| JOUEURS | |
|---|---|
| 1 | Lorne Chabot |
| | Wilf Cude |
| 2 | Sylvio Mantha (C) |
| 3 | Gerry Carson |
| 4 | Aurèle Joliat |
| 5 | John Gagnon |
| 6 | Georges Mantha |
| 7 | Howie Morenz |
| 8 | Wildor Larochelle |
| 9 | Alfred Lépine |
| 10 | Marty Burke |
| 11 | Léo Bourgault |
| 12 | Armand Mondou |
| 14 | John Riley |
| 15 | Paul-Marcel Raymond |
| | Samuel Godin |
| | John Portland |
| | Adèlard La France |
| 16 | Samuel Godin |
| | Paul Marcel Raymond |
| | Adélard Lafrance |
| 17 | John Portland |
| ENTRAÎNEUR | |
| | Newsy Lalonde |

146

**Aurèle Joliat**

faits, Joliat ne disputera réellement son 500e match que le 11 février, soit deux parties plus tard, contre Chicago.

⚫ Joliat est désigné le joueur le plus utile du circuit malgré sa huitième place au classement des marqueurs. Il est aussi élu dans la seconde équipe d'étoiles.

⚫ La crise économique fait encore des ravages. Les assistances baissent et le Tricolore présente un déficit de 25 000 $ en fin de saison. Les Maroons perdent 50 000 $, selon les journaux de l'époque. Pourtant la Ligue a imposé un nouveau plafond salarial de 65 000 $.

⚫ Le gardien Wilf Cude est prêté aux Red Wings par les Canadiens en janvier, en retour d'une somme d'argent appréciable. Avec la meilleure moyenne défensive, Cude mène les Wings au titre de la Division américaine et à la finale, contre Chicago.

⚫ La société Esso Imperial commandite maintenant le choix des trois étoiles après chaque partie.

| TROPHÉES | |
|---|---|
| **COUPE STANLEY** | |
| Black Hawks de Chicago | |
| **COUPE O'BRIEN** | |
| Maple Leafs de Toronto | |
| **TROPHÉE PRINCE-DE-GALLES** | |
| Red Wings de Detroit | |
| **TROPHÉE HART** | |
| **Aurèle Joliat** | |
| **Canadiens de Montréal** | |
| **TROPHÉE LADY-BYNG** | |
| Frank Boucher | |
| Rangers de New York | |
| **TROPHÉE GEORGES-VÉZINA** | |
| Charlie Gardiner | |
| Black Hawks de Chicago | |
| **MEILLEUR MARQUEUR** | |
| Charlie Conacher | |
| Maple Leafs de Toronto | |
| **RECRUE DE L'ANNÉE** | |
| Russ Blinco | |
| Maroons de Montréal | |

**1933-1934**

OFFICIAL PROGRAMME

NHL

FORUM

1933 SEASON 1934

5¢

**CANADIENS vs MONTRÉAL**
**Thursday, February 22nd, 1934**

*La rivalité entre les Maroons et les Canadiens fait les délices des journaux et des vendeurs de programmes, même à 5 cents l'exemplaire.*

147

● Les Maple Leafs dominent la Ligue en plusieurs domaines, grâce à une offensive à faire trembler tous les gardiens adverses. Charlie Conacher est champion marqueur avec 32 buts et 52 points, 6 de mieux que son compagnon de trio, Joe Primeau. Le club termine 11 points devant les Canadiens. Il sera encore plus menaçant lors des années 1940 avec quatre coupes en cinq ans, de 1945 à 1949.

● Ace Bailey ne jouera plus jamais au hockey après avoir été agressé par Eddie Shore, lequel sera suspendu pendant 16 rencontres.

● La Ligue organise un match d'étoiles contre les champions de la coupe Stanley, les Maple Leafs de Toronto, pour aider financièrement Bailey et sa famille. Toronto gagne 7–3 et on recueille 20 900 $. C'est le début des matchs d'étoiles. D'ailleurs Shore et Bailey feront la paix avant la rencontre.

● Autre tragédie dans la Ligue, le gardien vedette des Black Hawks de Chicago, Charles Gardiner, qui est aussi le capitaine du club, meurt d'une tumeur cancéreuse au cerveau quelques semaines après avoir donné une première coupe aux Hawks. Il avait aussi remporté le trophée Vézina, en plus d'être choisi au sein de la première équipe d'étoiles. Il avait à peine 30 ans. Il est aussi le seul gardien, capitaine de son équipe, à avoir inscrit son nom sur la coupe Stanley.

● La zone entourant le filet des gardiens est agrandie à 8 pi par 5 pi, tandis que la Ligue revient au système des deux arbitres, plutôt qu'un arbitre et un juge de lignes.

**1933-1934**

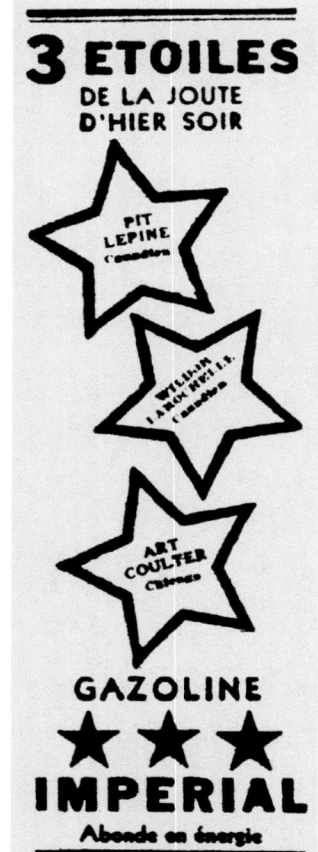

*La pétrolière Imperial entreprend de populariser le choix des trois étoiles à chaque rencontre. Une coutume qui s'est maintenue jusqu'à aujourd'hui.*

C'est le cas lors de la partie du 22 février 1934. Exaspéré de voir ses joueurs se faire tabasser sans pénalités par des Maroons plus robustes, le gérant Léo Dandurand veut demander des explications à l'un des officiels, lequel l'ignore. Il lance quelques bâtons sur la glace pour attirer son attention, mais c'est Reg Hooley Smith, un joueur des Maroons, qui s'interpose. Dandurand a tôt fait de lui asséner un direct pour l'étendre sur la glace. Smith revient à la charge, puis c'est au tour de l'entraîneur Newsy Lalonde de s'en mêler, en tentant d'atteindre le joueur des Maroons avec un bâton.

La pagaille ne tarde pas à se propager à la foule entre les partisans des Maroons, qui réclament les têtes de Dandurand et de Lalonde, et ceux des Canadiens, qui en veulent aux arbitres et aux joueurs adverses. Il faut l'intervention des placiers pour empêcher les partisans des Maroons d'envahir le vestiaire du Bleu-Blanc-Rouge, qui perd ce match décisif de la coupe Kennedy par le pointage de 1-0.

Le journal *La Patrie* rapporte dans son édition du lendemain que «...11 000 personnes avaient été témoins de scènes insurpassables dans l'histoire du hockey contemporain... ».

Dandurand, Lalonde et Smith écopent d'une amende de 100 $ et une suspension de deux matchs.

*Transaction-choc avant le début de la saison. Toronto et Montréal s'échangent leur gardien, Lorne Chabot et George Hainsworth.*

| DIVISION CANADIENNE | PJ | G | P | N | BP | BC | PTS |
|---|---|---|---|---|---|---|---|
| Toronto (Maple Leafs) | 48 | 26 | 13 | 9 | 174 | 119 | 61 |
| **Montréal (Canadiens)** | **48** | **22** | **20** | **6** | **99** | **101** | **50** |
| Montréal (Maroons) | 48 | 19 | 18 | 11 | 117 | 122 | 49 |
| New York (Americans) | 48 | 15 | 23 | 10 | 104 | 132 | 40 |
| Ottawa (Senators) | 48 | 13 | 29 | 6 | 115 | 143 | 32 |

| DIVISION AMÉRICAINE | PJ | G | P | N | BP | BC | PTS |
|---|---|---|---|---|---|---|---|
| Detroit (Red Wings) | 48 | 24 | 14 | 10 | 113 | 98 | 58 |
| Chicago (Black Hawks) | 48 | 20 | 17 | 11 | 88 | 83 | 51 |
| New York (Rangers) | 48 | 21 | 19 | 8 | 120 | 113 | 50 |
| Boston (Bruins) | 48 | 18 | 25 | 5 | 111 | 130 | 41 |

| MEILLEURS MARQUEURS | | PJ | B | A | PTS | PUN |
|---|---|---|---|---|---|---|
| Charlie Conacher | Toronto | 42 | 32 | 20 | 52 | 38 |
| Joe Primeau | Toronto | 45 | 14 | 32 | 46 | 8 |
| Frank Boucher | NY Rangers | 48 | 14 | 30 | 44 | 4 |
| Marty Barry | Boston | 48 | 27 | 12 | 39 | 12 |
| Cecil Dillon | NY Rangers | 48 | 13 | 26 | 39 | 10 |
| Nels Stewart | Boston | 48 | 21 | 17 | 38 | 68 |
| Busher Jackson | Toronto | 38 | 20 | 18 | 38 | 38 |
| **Aurèle Joliat** | **Canadiens** | **48** | **22** | **15** | **37** | **27** |
| Hooley Smith | Maroons | 47 | 18 | 19 | 37 | 58 |
| Paul Thompson | Chicago | 48 | 20 | 16 | 36 | 17 |

# 1934 CH 1935

*LES MAPLE LEAFS TERMINENT AU PREMIER RANG DE LA DIVISION CANADIENNE POUR UNE TROISIÈME ANNÉE DE SUITE, MAIS CE SONT LES MAROONS QUI FINISSENT DEUXIÈMES, AVEC UNE BONNE AVANCE SUR LES CANADIENS. BOSTON REFAIT LE COUP DE LA SAISON 1932-33, AU PREMIER RANG DE LA DIVISION AMÉRICAINE, APRÈS AVOIR OCCUPÉ LA DERNIÈRE PLACE L'ANNÉE PRÉCÉDENTE. SA PRIORITÉ SUR CHICAGO N'EST QUE D'UN POINT CEPENDANT. CHARLIE CONACHER CONSERVE SON TITRE DE PREMIER MARQUEUR AVEC UNE AVANCE DE 10 POINTS SUR SYD HOWE, PASSÉ À DETROIT EN COURS DE SAISON. LES MAROONS NE PERDENT PAS UN MATCH EN SÉRIES, DISPOSANT DE CHICAGO, NEW YORK ET TORONTO POUR LA SECONDE ET DERNIÈRE COUPE STANLEY DE LEUR HISTOIRE.*

## Morenz chassé de Montréal

*Morenz est au sommet de sa popularité à Montréal et les fans de l'équipe, mécontents de son départ, lui organisent une fête d'adieu.*

Howie Morenz, grande vedette des Canadiens depuis son arrivée en 1923 — il compte deux championnats des marqueurs, trois trophées Hart, autant de coupes Stanley et deux sélections au sein de la première équipe d'étoiles —, éprouve des difficultés depuis quelques saisons. Les blessures l'ont ralenti considérablement et il ne possède plus l'étincelle qui lui a valu le surnom d'« Éclair de Stratford ». Les partisans des Canadiens se montrent impatients à son endroit et ne manquent pas de huer son jeu à plusieurs occasions.

Léo Dandurand décide de venir à la rescousse de son joueur étoile en le cédant à une autre équipe au début d'octobre. Mais tant qu'à donner un coup, il en donne un bon pour secouer l'équipe et aussi pour étouffer la mésentente qui semble augmenter entre plusieurs joueurs et l'entraîneur Newsy Lalonde. C'est ainsi que Morenz, Lorne Chabot

● Bien avant que Wayne Gretzky ne rende le numéro 99 célèbre, Joe Lamb, Desse Roche et Léo Bourgault ont apposé ce numéro sur leur chandail, à tour de rôle, chez les Canadiens, au cours de la saison.

● Échangé avant le début du calendrier, Johnny Gagnon est rapatrié par le club en janvier. La foule lui accorde une ovation à son retour dans l'uniforme montréalais.

● Didier Pitre, premier joueur à signer un contrat avec les Canadiens en 1909 et l'une des premières grandes vedettes du club, meurt à l'été 1934, à cinquante ans, victime d'une indigestion aiguë.

● Secoué par la crise économique, le Tricolore fait l'objet de quelques rumeurs de vente. Au moins trois offres viennent de groupes de Montréal, dont celle d'Ernest Savard, ex-proprio du club de baseball, mais aussi de New York et de Cleveland, laisse-t-on entendre. Dandurand résiste.

● Un 500e match d'Aurèle Joliat dans l'uniforme des Canadiens, le 14 février, contre les Maroons. Il en profite pour inscrire le but qui assure la coupe Kennedy à son équipe, détenue depuis deux ans par les Maroons.

● Les Canadiens signent une entente avec les Castors de Québec, de la Ligue canado-américaine, qui deviennent ainsi une filiale d'une équipe de la LNH.

● L'espace d'un match, les joueurs des Canadiens ont failli endosser l'uniforme des Black Hawks, le 2 mars à St. Louis, alors que le déraillement du train retarde la livraison de l'équipement. Finalement, les chandails arrivent par avion, juste à temps pour la rencontre.

## 1934-1935

*Armand Mondou, le premier joueur à effectuer un tir de punition, en vertu de l'application d'un nouveau règlement.*

— l'un des meilleurs gardiens de la Ligue — et Marty Burke s'en vont à Chicago, en retour de Lionel Conacher — un athlète aux multiples talents —, Roger Jenkins et Leroy Goldsworthy. Conacher ne jouera jamais avec les Canadiens, cependant, puisqu'il sera cédé aux Maroons deux jours plus tard, en retour de deux autres joueurs.

L'échange de Morenz suscite toute une commotion chez les partisans, même si ceux-ci sont en partie responsables de son départ. De son côté, le principal intéressé croit « qu'un changement d'air fera du bien ».

Mais on ne laisse pas partir le meilleur marqueur de l'histoire de la LNH à ce jour sans lui organiser un dîner d'adieu. C'est à cette réception, selon ce que rapporte le quotidien *La Presse*, que Dandurand promet solennellement : « Tant que je serai associé aux Canadiens, aucun autre joueur ne portera le numéro 7, celui d'Howie. »

Les belles années de Morenz appartiennent au passé. Il jouera une seule saison complète avec les Black Hawks (1934-35), obtenant 8 buts en 48 parties. Ceux-ci le cèdent aux Rangers au milieu de la saison suivante, puis les fans du Canadien applaudissent son retour en septembre 1936, presque deux ans, jour pour jour, après l'avoir chassé de Montréal, alors que la direction rachète ses droits des Rangers.

Le numéro 7 sera officiellement retiré à son décès, en 1937.

### LALONDE EN A ASSEZ, IL ABANDONNE

Léo Dandurand effectue plus d'une quinzaine de transactions au cours de la seule saison 1934-35. Les tiraillements entre certains joueurs vedettes de l'équipe, notamment Johnny Gagnon, et l'entraîneur Newsy Lalonde l'incitent à passer à l'action.

| JOUEURS | |
|---|---|
| 1 | Wilf Cude |
| 2 | Sylvio Mantha (C) |
| 3 | Gerry Carson |
| 4 | Aurèle Joliat |
| 5 | Paul Runge |
| | Albert Leduc |
| 6 | Georges Mantha |
| 8 | Wildor Larochelle |
| 9 | Alfred Lépine |
| 12 | Bob McCulley |
| | Léo Bourgault |
| | Tony Savage |
| 22 | Nels Crutchfield |
| 33 | John Riley |
| 48 | Paul-Marcel Raymond |
| | Norm Collings |
| | John Gagnon |

| DIVISION CANADIENNE | PJ | G | P | N | BP | BC | PTS |
|---|---|---|---|---|---|---|---|
| Toronto (Maple Leafs) | 48 | 30 | 14 | 4 | 157 | 111 | 64 |
| Montréal (Maroons) | 48 | 24 | 19 | 5 | 123 | 92 | 53 |
| Montréal (Canadiens) | 48 | 19 | 23 | 6 | 110 | 145 | 44 |
| New York (Americans) | 48 | 12 | 27 | 9 | 100 | 142 | 33 |
| St. Louis (Eagles) | 48 | 11 | 31 | 6 | 86 | 144 | 28 |
| **DIVISION AMÉRICAINE** | **PJ** | **G** | **P** | **N** | **BP** | **BC** | **PTS** |
| Boston (Bruins) | 48 | 26 | 16 | 6 | 129 | 112 | 58 |
| Chicago (Black Hawks) | 48 | 26 | 17 | 5 | 118 | 88 | 57 |
| New York (Rangers) | 48 | 22 | 20 | 6 | 137 | 139 | 50 |
| Detroit (Red Wings) | 48 | 19 | 22 | 7 | 127 | 114 | 45 |

| MEILLEURS MARQUEURS | | PJ | B | A | PTS | PUN |
|---|---|---|---|---|---|---|
| Charlie Conacher | Toronto | 47 | 36 | 21 | 57 | 24 |
| Syd Howe | St. L./Det. | 50 | 22 | 25 | 47 | 34 |
| Larry Aurie | Detroit | 48 | 17 | 29 | 46 | 24 |
| Frank Boucher | NY Rangers | 48 | 13 | 32 | 45 | 2 |
| Busher Jackson | Toronto | 42 | 22 | 22 | 44 | 27 |
| Herb Lewis | Detroit | 47 | 16 | 27 | 43 | 26 |
| Art Chapman | NY Americans | 47 | 9 | 34 | 43 | 4 |
| Marty Barry | Boston | 48 | 20 | 20 | 40 | 33 |
| Sweeney Schriner | NY Americans | 48 | 18 | 22 | 40 | 6 |
| Nels Stewart | Boston | 47 | 21 | 18 | 39 | 45 |
| Paul Thompson | Chicago | 48 | 16 | 23 | 39 | 20 |

● Les Senators quittent de nouveau Ottawa, cette fois pour St. Louis où ils deviendront les Eagles. Sans beaucoup plus de succès cependant. Le club présente la pire fiche de la Ligue, avec 11 victoires en 48 parties, puis disparaît après une seule année d'activité.

● Frank Boucher remporte un septième Lady-Byng en huit ans, en qualité de joueur le plus gentilhomme du circuit. Il conservera le trophée en permanence et ce dernier sera remplacé par une reproduction.

● Le président Frank Calder approuve un nouveau patin tubulaire plus léger, mis au point par la compagnie CCM et destiné à protéger les joueurs des coupures aux pieds.

● Le plafond salarial des équipes est de nouveau réduit à 62 500 $ et celui des joueurs est ramené à 7 000 $.

● Charlie Conacher obtient son 12e tour du chapeau contre les Canadiens le 16 mars, avant de remplacer Hainsworth, blessé, devant la cage des Leafs. Il n'alloue aucun but pendant trois minutes.

● Tommy Gorman, entraîneur des Black Hawks, champions de la coupe Stanley l'année précédente, est congédié et aussitôt embauché par les Maroons. Il devient l'unique entraîneur à remporter la coupe deux ans de suite avec des équipes différentes.

● Lorne Chabot, acquis des Canadiens pour remplacer Charlie Gardiner, décédé peu après avoir donné une première coupe Stanley aux Black Hawks, conserve le trophée Vézina à Chicago, grâce à une moyenne de 1,80.

| JOUEURS | |
|---|---|
| 55 | John McGill |
| 64 | Armand Mondou |
| 75 | John Portland |
| | Tony Savage |
| | Des Roche |
| | Leroy Goldsworthy |
| 88 | Roger Jenkins |
| 99 | Joe Lamb |
| | Des Roche |
| | Léo Bourgault |
| **ENTRAÎNEUR** | |
| | Newsy Lalonde |
| | Léo Dandurand |

| TROPHÉES |
|---|
| **COUPE STANLEY** |
| Maroons de Montréal |
| **COUPE O'BRIEN** |
| Maple Leafs de Toronto |
| **TROPHÉE PRINCE-DE-GALLES** |
| Bruins de Boston |
| **TROPHÉE HART** |
| Eddie Shore |
| Bruins de Boston |
| **TROPHÉE LADY-BYNG** |
| Frank Boucher |
| Rangers de New York |
| **TROPHÉE GEORGES-VÉZINA** |
| Lorne Chabot |
| Black Hawks de Chicago |
| **MEILLEUR MARQUEUR** |
| Charlie Conacher |
| Maple Leafs de Toronto |
| **RECRUE DE L'ANNÉE** |
| Sweeney Schriner |
| Americans de New York |

*Le Tricolore termine troisième après un début de saison laborieux, alors que les rumeurs de vente de l'équipe se font nombreuses.*

Après le départ de Morenz, de Chabot et du défenseur Burke, c'est au tour de Gagnon de changer d'équipe. Il est cédé aux Bruins en retour de Joe Lamb, un autre ailier droit, qui se promènera de Boston à Montréal à Boston et finalement à St. Louis au cours de la même saison, sans disputer un seul match avec les Bruins.

La perte de toutes ces vedettes affecte le club, qui entreprend la saison avec quatre défaites d'affilée et qui gagne seulement 5 rencontres sur 16. Après 16 matchs, la fiche des Canadiens n'est que de 5 victoires et 3 nulles, contre 8 revers. Dandurand s'immisce même dans le travail de son entraîneur en lui suggérant quelques changements de trios en cours de match.

L'atmosphère ne s'améliore pas dans le vestiaire et les rumeurs ramènent Gagnon à Montréal. Lalonde en a assez. Épuisé par tant de grenouillages, il remet sa démission le 29 décembre. Dandurand tente de lui faire reconsidérer sa décision et lui offre un repos d'un mois. Mais Lalonde n'a pas l'intention de changer d'idée et, effectivement, il ne reviendra plus jamais derrière le banc de cette équipe. On peut dire qu'il aura été le premier entraîneur de l'histoire du Tricolore à céder sous la pression.

Lalonde a dirigé les Canadiens neuf saisons, en deux séquences, sur une période de près de 20 ans. Il n'aura gagné qu'une seule coupe Stanley, comme joueur-entraîneur, en 1915-16, avant la formation de la LNH, mais c'est d'abord en qualité de première grande étoile qu'il aura marqué cette équipe.

**ÉDITION** **La Patrie** **SOIR**

LE JOURNAL QUI PLAIT | AU LECTEUR ET PROFITE À L'ANNONCEUR

57e ANNÉE—No 172 — Temps probable: Beau et frais — MONTRÉAL, LUNDI 16 SEPTEMBRE 1935 — Le soleil se lève à 5 h. 40 (h.a.) et se couche à 6 h. 00 (h.a.) — 28 PAGES—PRIX: 2 SOUS

# LE CANADIEN EST VENDU

(LIRE EN PAGE 22)

# 1935 C 1936

INSPIRÉS PAR LEUR TITRE DE CHAMPIONS, LES MAROONS DEVANCENT TORONTO AU PREMIER RANG DE LA DIVISION CANADIENNE, ALORS QUE LES CANADIENS SONT BONS DERNIERS. LES RED WINGS, DESCENDUS AU DERNIER RANG L'ANNÉE PRÉCÉDENTE, SE RESSAISISSENT POUR REMONTER EN PREMIÈRE PLACE ET S'EMPARER DE LA COUPE STANLEY, UNE PREMIÈRE DANS LEUR HISTOIRE. LES WINGS SE CHARGENT D'ÉLIMINER LES CHAMPIONS EN TITRE, LES MAROONS, EN TROIS MATCHS DE SUITE, AVANT DE SE DÉFAIRE DES LEAFS DE TORONTO PAR TROIS PARTIES À UNE EN FINALE. DAVE SWEENEY SCHRINER, DES AMERICANS DE NEW YORK, NE MARQUE QUE 19 BUTS, MAIS AVEC LES 26 PASSES OBTENUES, IL FINIT PREMIER MARQUEUR DEVANT MARTY BARRY, DE DETROIT, ET PAUL THOMPSON, DE CHICAGO, ALORS QU'EDDIE SHORE EST JUGÉ LE PLUS UTILE POUR UNE DEUXIÈME SAISON DE SUITE.

## Dandurand vend les Canadiens à rabais au Canadian Arena

*Ébranlé par les déficits à répétition, Dandurand met un terme aux rumeurs et consent à se départir de l'équipe, mais non avant de réussir un dernier coup d'éclat.*

Le Tricolore traverse l'une des périodes les plus sombres de son histoire. La crise économique frappe à son plus fort et l'ombre d'une deuxième guerre mondiale se profile. De déficit en déficit — celui de la dernière saison est de 45 000 $ —, le duo Dandurand-Cattarinich semble incapable de reprendre le contrôle de la situation. En mars 1935, les journaux ont même laissé courir la rumeur que la concession pourrait être vendue à des hommes d'affaires de Cleveland.

Pour se donner du temps, Dandurand demande à la Ligue de suspendre les activités du club pour un an. Demande refusée. Ailleurs, on est bien conscient de l'attrait des joueurs francophones lorsque les Canadiens arrivent en ville. En mai, quelques jours après le refus de la Ligue, le Forum vient à la rescousse de la formation portant de 60 à 67,5 % le pourcentage des recettes au guichet versé à l'équipe.

153

● Léo Dandurand réussit un coup de maître avant de céder la propriété de l'équipe en obtenant les droits exclusifs sur les deux meilleurs joueurs francophones, et ce, pour les trois années suivantes.

● Grave accident de la route à Shawinigan pour le défenseur Nels Crutchfield, quelques semaines avant le début de la saison. Il s'en tire après 48 heures de coma, pendant que l'équipe organise une soirée-bénéfice pour aider à payer les dépenses occasionnées par l'accident. La carrière du prometteur étudiant de McGill est terminée.

● Aurèle Joliat est mécontent du contrat offert et « fait la grève » pendant quelques jours. Il est absent à l'ouverture du camp et se présente trois jours plus tard, après entente avec l'organisation. Heureuse décision puisqu'en décembre il devient le premier Tricolore à marquer un 400e point dans la Ligue.

● Sylvio Mantha endosse la laine tricolore pour un 500e match le 21 novembre et Aurèle Joliat obtient son 400e point un mois plus tard. Les deux établissent leur marque contre les Maroons.

● Les joueurs des Canadiens revêtent un uniforme blanc le 7 décembre, pour faire contraste avec celui des Red Wings. C'est le premier chandail blanc de l'équipe depuis la saison 1911-12. L'expérience sera répétée lors des rencontres ultérieures contre certaines autres équipes au Forum.

● Les Canadiens doivent céder la coupe Kennedy aux Maroons après un quatrième revers, le 8 février. Le Tricolore, qui a gagné le premier affrontement, n'a pu faire mieux qu'une partie nulle par la suite, perdant les autres rencontres.

● Premier match disputé un dimanche à Montréal, le 15 mars. Les Canadiens et les Maroons s'affrontent au Forum et ceux-ci l'emportent 3-1.

## 1935-1936

*Ernest Savard et le colonel Maurice Forget font partie, avec Louis Gélinas, du trio chargé d'administrer l'équipe au nom de la Canadian Arena.*

Finalement, Dandurand et son acolyte cèdent le club à trois nouveaux actionnaires, Ernest Savard, Louis Gélinas et Maurice Forget. Ceux-ci constituent une façade pour l'acheteur réel, la compagnie Canadian Arena, déjà propriétaire du Forum et des Maroons.

Le montant « connu » de la transaction surprend les experts. Seulement 175 000 $, annoncent les journaux, alors que l'offre de Cleveland, six mois plus tôt, était de 200 000 $, disait-on. Sans compter l'offre de 600 000 $ qu'aurait faite un groupe d'Américains en 1930, proposition balayée par le trio d'alors. Le profit ne doit pas être énorme puisque Dandurand et Cattarinich ont déboursé 150 000 $ pour les actions de Louis Létourneau quatre ans plus tôt. Plusieurs soupçonnent une entente secrète au moment de cette nouvelle transaction. En fait, le Canadian Arena a constitué un groupe distinct pour gérer les affaires du Tricolore.

Tandis que les anciens propriétaires concentrent leurs efforts et leurs dollars sur les courses de chevaux, activité en pleine expansion, la nouvelle direction procède à quelques changements dans l'équipe, sous la présidence d'Ernest Savard, également choisi comme gérant. Sylvio Mantha devient l'entraîneur de l'équipe, tout en continuant de jouer et on effectue plusieurs transactions pour relancer l'équipe. Sans grand succès, puisqu'elle terminera dernière, avec seulement 11 gains en 48 parties.

### TOE BLAKE PASSE DES MAROONS AUX CANADIENS

Les Maroons de Montréal ont mis à l'essai un jeune joueur de centre de 22 ans en février 1935, sans vraiment réaliser l'énorme potentiel de ce dénommé

| JOUEURS | |
|---|---|
| 1 | Wilf Cude |
| | Abbie Cox |
| 2 | Sylvio Mantha (C) |
| 3 | Walter Buswell |
| 4 | Aurèle Joliat |
| 5 | Armand Mondou |
| 6 | Georges Mantha |
| 8 | Wildor Larochelle |
| | Conrad Bourcier |
| | Max Bennet |
| | Paul-Émile Drouin |
| 9 | Alfred Lépine |
| | Cliff Goupille |
| 10 | Leroy Goldsworthy |

| TROPHÉES |
|---|
| **COUPE STANLEY** |
| Red Wings de Detroit |
| **COUPE O'BRIEN** |
| Maroons de Montréal |
| **TROPHÉE PRINCE-DE-GALLES** |
| Red Wings de Detroit |
| **TROPHÉE HART** |
| Eddie Shore |
| Bruins de Boston |
| **TROPHÉE LADY-BYNG** |
| Doc Rommes |
| Black Hawks de Chicago |
| **TROPHÉE GEORGES-VÉZINA** |
| Tiny Thompson |
| Bruins de Boston |
| **MEILLEUR MARQUEUR** |
| Sweeney Schriner |
| Americans de New York |
| **RECRUE DE L'ANNÉE** |
| Mike Karakas |
| Black Hawks de Chicago |

154

**Wilf Cude est le nouveau cerbère du Tricolore.**

● Mud Bruneteau marque l'unique but des Red Wings, son premier en séries, dans une victoire de 1-0 sur les Maroons, après 116 min 30 s de temps supplémentaire (6e période de prolongation). Le match, qui a duré 5 heures et 51 minutes, prend fin à 2 h 25. Beaucoup d'hommes se sont fait poser des questions en rentrant à leur domicile, dit-on. Detroit gagnera la série trois parties à zéro. Il s'agit toujours du plus long match de l'histoire de la LNH.

● La Ligue rachète la concession des Eagles de St. Louis et met fin aux activités de l'équipe en tenant un repêchage spécial pour répartir les joueurs entre les huit clubs restants.
● Cecil Tiny Thompson, des Bruins, est le premier cerbère crédité d'une passe.
● La Division américaine est mieux équilibrée que la canadienne puisque, pour une unique fois dans l'histoire

de la Ligue, toutes ses équipes terminent la saison avec une fiche supérieure à ,500.
● Troisième trophée Hart en quatre ans pour le « vilain » Eddie Shore, qui porte maintenant un casque protecteur en cuir.
● L'équipe olympique de Grande-Bretagne, formée en bonne partie de Canadiens d'origine, enlève la médaille d'or aux Jeux de Garmisch-Partenkirchen, après quatre victoires du Canada.

| JOUEURS | |
|---|---|
| 11 | John McGill |
| 12 | Paul Haynes |
| 14 | John Gagnon |
| 15 | Gaston Leroux |
| | Joffre Désilets |
| 16 | Arthur Lesieur |
| 17 | Jean Pusie |
| | Cliff Goupille |
| | Bill Miller |
| 18 | Irvine Frew |
| | Toe Blake |
| 19 | Paul Runge |
| | Jean-Louis Bourcier |
| | Bill Miller |
| 20 | Paul-Émile Drouin |
| 21 | Rosario Couture |
| | Rodrigue Lorrain |
| | Toe Blake |
| **ENTRAÎNEUR** | |
| | Sylvio Mantha |

| DIVISION CANADIENNE | PJ | G | P | N | BP | BC | PTS |
|---|---|---|---|---|---|---|---|
| Montréal (Maroons) | 48 | 22 | 16 | 10 | 114 | 106 | 54 |
| Toronto (Maple Leafs) | 48 | 23 | 19 | 6 | 126 | 106 | 52 |
| New York (Americans) | 48 | 16 | 25 | 7 | 109 | 122 | 39 |
| Montréal (Canadiens) | 48 | 11 | 26 | 11 | 82 | 123 | 33 |
| DIVISION AMÉRICAINE | PJ | G | P | N | BP | BC | PTS |
| Detroit (Red Wings) | 48 | 24 | 16 | 8 | 124 | 103 | 56 |
| Boston (Bruins) | 48 | 22 | 20 | 6 | 92 | 83 | 50 |
| Chicago (Black Hawks) | 48 | 21 | 19 | 8 | 93 | 92 | 50 |
| New York (Rangers) | 48 | 19 | 17 | 12 | 91 | 96 | 50 |

| MEILLEURS MARQUEURS | | PJ | B | A | PTS | PUN |
|---|---|---|---|---|---|---|
| Sweeney Schriner | NY Americans | 48 | 19 | 26 | 45 | 8 |
| Marty Barry | Detroit | 48 | 21 | 19 | 40 | 16 |
| Paul Thompson | Chicago | 45 | 17 | 23 | 40 | 19 |
| Charlie Conacher | Toronto | 44 | 23 | 15 | 38 | 74 |
| Bill Thoms | Toronto | 48 | 23 | 15 | 38 | 29 |
| Hooley Smith | Maroons | 47 | 19 | 19 | 38 | 75 |
| Doc Rommes | Chicago | 48 | 13 | 25 | 38 | 6 |
| Art Chapman | NY Americans | 47 | 10 | 28 | 38 | 14 |
| Herb Lewis | Detroit | 45 | 14 | 23 | 37 | 25 |
| Baldy Northcott | Maroons | 48 | 15 | 21 | 36 | 41 |

Hector *Toe* Blake, puisqu'ils l'ont cédé aux Reds de Providence, de la Ligue Can-Am, dès le début de la saison 1935-36.

Le Canadien, qui connaît une saison difficile, décide de rapatrier le gardien Lorne Chabot, lequel éprouve certains problèmes à Chicago après avoir connu une saison de rêve. Le même jour, l'équipe négocie avec les Maroons pour les services d'un joueur de centre, Bill Miller. Le lendemain, Toe Blake est vendu au Canadien et les deux formations montréalaises complètent finalement un marché à trois pour un. Chabot passe aux Maroons, en retour de Blake et Miller, qui jouent déjà avec le Tricolore. Les Maroons ajoutent en plus les droits d'un certain Ken Gravel, un ailier droit qu'on ne verra jamais dans la LNH.

Il s'agit certes de l'une des plus profitables transactions de l'histoire des Canadiens, puisque Blake devait remporter le titre des marqueurs et le trophée Hart en 1938-39, et remporter le titre de joueur le plus gentilhomme en 1945-46. Cinq fois, il sera choisi dans l'une des deux équipes d'étoiles et, surtout, il deviendra le plus marquant des entraîneurs du Tricolore avec huit coupes Stanley.

C'est ainsi qu'en février 1936, le Canadien vient d'acquérir le premier élément de la *Punch Line*, qui allait terroriser les gardiens adverses pendant plus d'une décennie et passer à l'histoire comme l'un des plus illustres trios.

*Pas assez bon pour les Maroons, Toe Blake passe aux Canadiens qui vient de trouver le premier élément de la célèbre **Punch Line**.*

155

CECIL HART REVIENT COMME ENTRAÎNEUR DES CANADIENS ET LE CLUB RAPATRIE LE GRAND HOWIE MORENZ POUR REFORMER LE FAMEUX TRIO JOLIAT-MORENZ-GAGNON. LE CLUB REMPORTE LE TITRE DE LA DIVISION CANADIENNE, MAIS PLEURE LA MORT DE MORENZ. EN DEMI-FINALE, LE TRICOLORE REVIENT DE L'ARRIÈRE APRÈS AVOIR PERDU SES DEUX PREMIERS MATCHS CONTRE DETROIT, POUR ENSUITE SE FAIRE ÉLIMINER À LA CINQUIÈME ET DERNIÈRE RENCONTRE, À CAUSE D'UN BUT DE HEC KILREA À 11 MIN 49 S DE LA TROISIÈME PÉRIODE SUPPLÉMENTAIRE. LES WINGS AVAIENT TERMINÉ EN TÊTE DE LA DIVISION AMÉRICAINE. CONTRE LES RANGERS, EN FINALE, DETROIT A DÛ, LUI AUSSI, REVENIR DE L'ARRIÈRE À DEUX REPRISES, AVANT DE GAGNER LE MATCH DÉCISIF. ALBERT BABE SIEBERT, UN ANCIEN DES MAROONS, EST LE JOUEUR LE PLUS UTILE ET SYL APPS SR, QUI A FAILLI ENLEVER LE TITRE DE CHAMPION MARQUEUR À SCHRINER DÈS SA PREMIÈRE SAISON, EST DÉSIGNÉ RECRUE DE L'ANNÉE.

## La mort d'un héros

*La mort de Morenz laisse Joliat et ses autres coéquipiers bien songeurs, tandis que Le Petit Journal publie plusieurs témoignages.*

**H**owie Morenz a visiblement beaucoup ralenti. L'Éclair de Stratford n'a plus ce coup de patin qui soulevait les foules au cours de ses belles années dans le chandail bleu-blanc-rouge. Il ne domine plus le jeu comme jadis, mais les comparaisons avec Babe Ruth, un autre grand de la même époque, tiennent toujours.

De plus, il est demeuré un héros à Montréal, même après son départ. C'est avec des cris de joie et une vive satisfaction que les partisans apprennent son retour dans la métropole canadienne au début de septembre 1936. Morenz a connu trois saisons de misère avec les Black Hawks et les Rangers, et il déclare

157

● Le Tricolore, qui détient une dizaine de points d'avance sur les Maroons au moment de la blessure de Morenz, connaît une véritable descente aux enfers par la suite. Il terminera la saison régulière avec un seul point d'avance sur ses rivaux, ne gagnant que 6 des 18 dernières parties.
● La malchance a continué de s'abattre sur le club après la mort de Morenz. Le médecin de l'équipe, J.-A. Forgues, meurt d'une indigestion aiguë lors du deuxième match des demi-finales, puis Aurèle Joliat vient près d'en faire autant,

victime d'une sérieuse attaque au foie, lors de la dernière rencontre des séries.
● Les clubs américains de la Ligue nationale refusent la permission aux Canadiens de disputer quelques parties le dimanche. L'expérience de l'année précédente ne sera pas renouvelée, puisque nos voisins veulent garder l'exclusivité de la journée du Seigneur.
● Le Tricolore met sur pied un véritable réseau de dépisteurs à la grandeur du pays et même en Angleterre.

● Howie Morenz avait subi une blessure au cartilage de la jambe droite moins de deux semaines avant la blessure qui le conduisit à l'hôpital le 28 janvier, mais le médecin de l'équipe avait réussi à le remettre sur pied rapidement.
● En décembre, les Canadiens organisent une promotion pour inciter les femmes à assister aux rencontres; elles ont accès au Forum gratuitement, à condition d'être accompagnées d'un homme.
● Le 650e match disputé par Aurèle Joliat dans l'uniforme des Canadiens est souligné

par une cérémonie spéciale au centre de la glace. On y va de discours et de cadeaux de circonstance, le tout retransmis en direct par le poste de radio CHLP.
● Le Tricolore obtient Babe Siebert dans un échange à quatre joueurs avec les Bruins en septembre. Celui-ci est nommé capitaine et connaît une excellente saison et, finalement, décroche le trophée Hart. Il est aussi nommé au sein de la première équipe d'étoiles.

**1936-1937**

« se sentir revivre » à l'annonce de son retour avec les Canadiens, où il retrouve ses compagnons de trio, Aurèle Joliat et Johnny Gagnon.

Même s'il n'a plus le brio qu'on lui a connu, le numéro 7 continue d'électriser la foule chaque fois qu'il touche à la rondelle. Pendant ce temps, l'équipe semble se ressaisir après quelques années difficiles et mène devant les Maroons au premier rang de sa division.

Le 24 janvier, Morenz inscrit son 271e but, contre Mike Karakas, des Black Hawks. Deux jours plus tard, alors que le CH augmente son avance à 10 points, il obtient une passe sur un but de son coéquipier Joliat. Il s'agit de son 472e point dans la LNH, lequel lui permet de se maintenir devant l'un de ses plus proches poursuivants, Nels Stewart, qui battra un jour son record.

C'est la dernière joie que Morenz procure aux partisans montréalais. Le 28 janvier, il se fracture la jambe gauche à plusieurs endroits, lorsque le défenseur des Hawks, Earl Seibert, retombe sur lui. Son patin est resté coincé dans la bande à la suite d'une mise en échec dans le coin de la patinoire.

| JOUEURS | |
|---|---|
| 1 | Babe Siebert (C) |
| 2 | Bill MacKenzie |
| 3 | Walter Buswell |
| 4 | Aurèle Joliat |
| 5 | Rodrigue Lorrain |
| 6 | Bill Miller |
| 7 | Howie Morenz |
| 8 | Roger Jenkins |
| | George Brown |
| 9 | Alfred Lépine |
| 10 | Paul Haynes |
| 11 | John McGill |
| 12 | Georges Mantha |
| 14 | John Gagnon |
| 15 | Joffre Désilets |
| 16 | Toe Blake |

● La Ligue modifie la formule de la ronde quart de finale avec une série deux de trois plutôt que deux matchs au total des points.

● Les Americans de New York, incapables de payer leurs dettes, sont repris par la Ligue, qui désigne un administrateur pour gérer le club.

● Les marqueurs de New York ont pris l'habitude d'accorder quatre et parfois cinq assistances sur un même but depuis quelques années. Les plaintes se succédant, la Ligue adopte un règlement qui fixe le maximum de passes à deux.

● L'ailier gauche Dave Schriner, des Americans de New York, remporte un deuxième championnat des marqueurs de suite. Il avait aussi été désigné recrue de l'année à son arrivée dans la Ligue en 1934-35.

● Les Red Wings de Detroit constituent la première équipe américaine à remporter la coupe Stanley deux ans de suite.

● Premier match diffusé d'un océan à l'autre le 7 novembre, alors que les Americans de New York signent un gain de 3-2 sur Toronto.

● Les Maple Leafs ont perdu plusieurs bons vétérans. Pour remplacer King Clancy, Joe Primeau, George Hainsworth et Lorne Chabot, ils font appel à Turk Broda, Syl Apps et Gordie Drillon, qui procureront bien d'autres émotions aux partisans de la Ville Reine.

*Babe Siebert ne tarde pas à s'illustrer avec les Canadiens, s'appropriant le trophée Hart à titre de joueur le plus utile.*

| JOUEURS | |
|---|---|
| 17 | Wilf Cude |
| | George Hainsworth |
| 18 | Armand Mondou |
| 19 | Paul Runge |
| | Armand Mondou |
| | Paul-Émile Drouin |
| | Rodrique Lorrain |
| | Cliff Goupille |
| 20 | Paul Runge |
| | Paul-Émile Drouin |
| | Armand Mondou |
| 21 | Wilf Cude |
| | Armand Mondou |
| ENTRAÎNEUR | |
| | Cecil Hart |

**1936-1937**

Morenz est admis à l'hôpital Saint-Luc et reçoit beaucoup de visiteurs, venus lui témoigner leur estime. À un point tel que l'un de ceux-ci compare sa chambre à « certains soirs sur Times Square ». L'hôpital doit renforcer ses règlements devant un tel va-et-vient. Le mélange de médicaments et d'alcool sera fatal pour Morenz dont on avait dû immobiliser la jambe en traction. Sa condition s'aggrave et, le 8 mars, on annonce son décès. Embolie cérébrale selon les uns, défaillance cardiaque selon les autres, les versions diffèrent. La cause précise de sa mort ne sera jamais vraiment éclaircie.

Chose certaine, c'est la stupeur dans la population montréalaise qui vient de perdre son héros. La dépouille de Morenz est exposée au centre de la patinoire du Forum. Les journaux rapportent que pas moins de 200 000 personnes se sont agglutinées dans les rues trois jours plus tard pour assister au passage du cortège funèbre.

*La dépouille de Morenz est exposée au centre de la patinoire et ses admirateurs sont très nombreux à lui rendre un dernier hommage.*

● Earl Robertson, un gardien sans expérience, est appelé à remplacer Norm Smith lors du premier match de la finale. Il perdra la rencontre 5-1, mais conduira les Red Wings à la coupe en blanchissant les Rangers lors des deux dernières rencontres. Il sera cédé aux Americans de New York moins d'un mois plus tard.

● Dave Kerr, cerbère des Rangers, n'accorde aucun but aux Maroons lors des deux

matchs de demi-finale, après avoir blanchi Toronto dans la première partie des séries. Il réussit ensuite un autre coup de pinceau contre Detroit en finale, pour totaliser quatre jeux blancs en neuf parties et conserver une moyenne de 1,08.

● Nels Stewart, champion marqueur de la Ligue à sa première saison, revient avec les Bruins en début

de campagne parce que les Americans n'ont pu débourser le montant de la transaction effectuée l'année précédente. Il dispute quelques matchs à Boston avant d'être de nouveau vendu aux Americans. Cette même année, il dépasse Morenz pour le nombre de buts durant une carrière, quelques jours après la mort de celui-ci.

C'est finalement Maurice Richard qui battra son record de 324 buts, plusieurs années plus tard.

● Les ligues Can-Am et International-American (IAHL) fusionnent pour former un nouveau circuit à deux divisions, la Ligue américaine (AHL), en opposition à l'Association américaine (AHA).

## 1936-1937

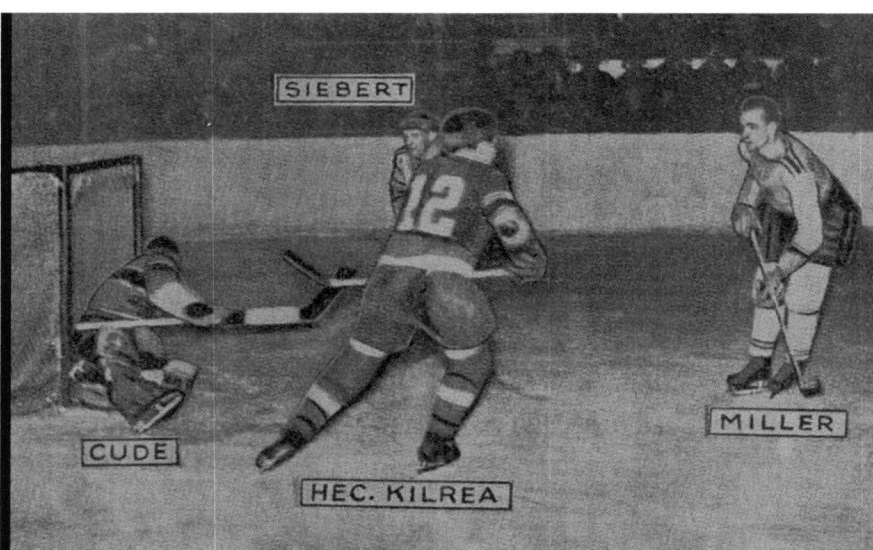

Le but de Hec Kilrea, à la troisième période supplémentaire du cinquième et dernier match de demi-finale, permet aux Red Wings d'écarter les Canadiens des séries.

### QUE LES VRAIS DIRIGEANTS SE LÈVENT

La question de la propriété des Canadiens a de nouveau fait surface en avril 1936 lorsque Tommy Gorman, gérant du Forum, a affirmé haut et fort que Cecil Hart, ancien entraîneur du Tricolore, pourrait bien être appelé à reprendre du service et que Howie Morenz, échangé deux ans plus tôt (une bévue selon lui), pourrait aussi jouer un rôle important au sein du club. Déclaration qui a eu le don de soulever l'ire du président de l'équipe, Ernest Savard.

Celui-ci nie les deux nouvelles avec force, allant jusqu'à affirmer que ni l'un ni l'autre ne serait de retour. D'où la querelle de propos qui s'ensuit, le second suggérant au premier de se mêler de ses affaires.

Faut croire que Gorman, également entraîneur des Maroons, l'autre club du Canadian Arena, était bien informé, puisque Hart devient entraîneur des Canadiens à la fin de juillet et que le club rachète le contrat de Morenz le 1er septembre, quelques mois avant que celui-ci ne connaisse une fin tragique.

160

### TROPHÉES

**COUPE STANLEY**
Red Wings de Detroit

**COUPE O'BRIEN**
Canadiens de Montréal

**TROPHÉE PRINCE-DE-GALLES**
Red Wings de Detroit

**TROPHÉE HART**
Babe Siebert
Canadiens de Montréal

**TROPHÉE LADY-BYNG**
Marty Barry
Red Wings de Detroit

**TROPHÉE CALDER**
Syl Apps
Maple Leafs de Toronto

**TROPHÉE GEORGES-VÉZINA**
Normie Smith
Red Wings de Detroit

**MEILLEUR MARQUEUR**
Sweeney Schriner
Americans de New York

| DIVISION CANADIENNE | PJ | G | P | N | BP | BC | PTS |
|---|---|---|---|---|---|---|---|
| Montréal (Canadiens) | 48 | 24 | 18 | 6 | 115 | 111 | 54 |
| Montréal (Maroons) | 48 | 22 | 17 | 9 | 126 | 110 | 53 |
| Toronto (Maple Leafs) | 48 | 22 | 21 | 5 | 119 | 115 | 49 |
| New York (Americans) | 48 | 15 | 29 | 4 | 122 | 161 | 34 |

| DIVISION AMÉRICAINE | PJ | G | P | N | BP | BC | PTS |
|---|---|---|---|---|---|---|---|
| Detroit (Red Wings) | 48 | 25 | 14 | 9 | 128 | 102 | 59 |
| Boston (Bruins) | 48 | 23 | 18 | 7 | 120 | 110 | 53 |
| New York (Rangers) | 48 | 19 | 20 | 9 | 117 | 106 | 47 |
| Chicago (Black Hawks) | 48 | 14 | 27 | 7 | 99 | 131 | 35 |

### MEILLEURS MARQUEURS

| | | PJ | B | A | PTS | PUN |
|---|---|---|---|---|---|---|
| Sweeney Schriner | NY Am. | 48 | 21 | 25 | 46 | 17 |
| Syl Apps | Toronto | 48 | 16 | 29 | 45 | 10 |
| Marty Barry | Detroit | 48 | 17 | 27 | 44 | 6 |
| Larry Aurie | Detroit | 45 | 23 | 20 | 43 | 20 |
| Busher Jackson | Toronto | 46 | 21 | 19 | 40 | 12 |
| John Gagnon | Canadiens | 48 | 20 | 16 | 36 | 38 |
| Bob Gracie | Maroons | 47 | 11 | 25 | 36 | 18 |
| Nels Stewart | Bos./NY Am. | 43 | 23 | 12 | 35 | 37 |
| Paul Thompson | Chicago | 47 | 17 | 18 | 35 | 28 |
| Bill Cowley | Boston | 46 | 13 | 22 | 35 | 4 |

## 1937 C 1938

*TORONTO ET BOSTON SONT CHAMPIONS DE LEUR DIVISION, ALORS QUE GORDIE DRILLON DEVANCE SON COÉQUIPIER SYL APPS PAR DEUX POINTS AU SOMMET DES MARQUEURS, EN PLUS D'ÊTRE JUGÉ LE PLUS GENTILHOMME. AUTRES HONNEURS POUR LES BRUINS GRÂCE À EDDIE SHORE, QUI HÉRITE DU TITRE DE JOUEUR LE PLUS UTILE, ET À TINY THOMPSON, QUI REPREND LE TROPHÉE VÉZINA — SON QUATRIÈME — AVANT DE CÉDER SES JAMBIÈRES À FRANK BRIMSEK. CE SONT POURTANT LES LEAFS QUI ONT LE MEILLEUR SUR LES BRUINS EN DEMI-FINALE, EN TROIS PARTIES CONSÉCUTIVES. PENDANT CE TEMPS, LES BLACK HAWKS DE CHICAGO ÉLIMINENT DIFFICILEMENT LES CANADIENS ET LES AMÉRICAINS DE NEW YORK, DEUX PARTIES À UNE, APRÈS AVOIR PERDU LE MATCH INITIAL DANS LES DEUX CAS. EN FINALE, ILS RÉGLERONT LE CAS DES PUISSANTS LEAFS, TROIS GAINS CONTRE UN.*

## Sept cents matchs pour Joliat

Il occupe peu de place sur le banc avec ses 135 livres, mais combien plus d'espace avec ses pirouettes et ses attaques répétées sur la patinoire. Aurèle Joliat porte le chandail tricolore pour une 16e année d'affilée et, même s'il n'a connu que trois saisons de 20 buts ou plus, il est devenu l'un des joueurs les plus indispensables de l'équipe. Son trophée Hart, obtenu en 1933-34, et ses quatre sélections dans l'une des équipes d'étoiles en témoignent.

C'est un autre honneur mérité que dirigeants, coéquipiers et partisans lui rendent le 10 février pour souligner son 700e match dans la LNH. On lui offre des fleurs et on vante ses mérites avant le match contre Chicago. On ne sait pas encore qu'il n'en a plus pour très longtemps avec les Canadiens. Il disputera sa dernière rencontre le 12 mars contre les Maroons et ne participera pas aux séries.

Il a d'ailleurs bien failli ne jamais entreprendre cette 16e saison. Babe Siebert, Johnny Gagnon et Joliat faisaient encore la grève à quelques jours de

⬤ Plusieurs activités spéciales sont organisées à la suite du décès de Howie Morenz. Collecte publique, encan, matchs de hockey, vente de programmes et autres permettent de recueillir 25 595 $, selon les journaux de l'époque, une somme colossale. L'argent servira plus tard aux enfants du populaire joueur.

⬤ Au nombre des activités au profit de la famille Morenz, un match entre les étoiles de la LNH et une équipe formée des Maroons et des Canadiens. La rencontre, gagnée 6-5 par les étoiles, attire 8 683 personnes, dont le lieutenant-gouverneur du Québec et le maire de Montréal.

⬤ Jos Cattarinich, ancien copropriétaire des Canadiens, verse 500 $ pour l'uniforme de Morenz lors de l'encan au profit de la fondation et le remet ensuite au jeune fils de l'illustre joueur.

⬤ Radiodiffusion du match Detroit/Canadiens sur les ondes de CBM (Radio-Canada), décrit par Rolland Beaudry, le samedi 13 novembre. Le poste avait précédemment (le 6) diffusé le match entre les Bruins et les Maroons. CBF, la station francophone de Radio-Canada, prendra la relève l'année suivante, tandis que CFCF continuera d'assurer la description en anglais. CRCM, la station à la base de CBM et CBF, avait entrepris la diffusion partielle des matchs du Tricolore en 1933-34 — en même temps que CFCF —, prenant la relève de CKAC.

⬤ Toe Blake regrettera d'avoir déclaré que le gardien des Black Hawks, Mike Karakas, était facile à déjouer, après avoir marqué trois buts dans un gain de 6-4 lors du premier match quart de finale. Karakas blanchit les Canadiens lors de la deuxième rencontre et mène son club à un gain de 3-2 lors de la partie décisive, sans que Blake ne marque un seul but.

⬤ Un 500e match pour Pit Lépine dans l'uniforme des Canadiens.

**1937-1938**

l'ouverture du camp, à l'automne 1937, parce que la direction refusait de leur accorder l'augmentation demandée. Ce n'est pas la première fois que le joueur à la casquette noire se fait tirer l'oreille, mais finalement, tout comme les deux autres, il appose sa signature pour entreprendre une autre campagne. Son comportement aura des conséquences l'année suivante, puisque le président Ernest Savard fera part de son intention de libérer Joliat à *La Presse* dès le mois de juin. Ce qu'il fera effectivement, non sans lui offrir le poste d'entraîneur avec les Maple Leafs seniors de Verdun.

Le petit gabarit de Joliat fut loin de constituer un handicap à sa carrière, tant avec les Canadiens qu'avec les autres équipes de la LNH. Premier joueur à disputer 600 parties régulières, 700 en incluant les séries, il revendique également trois records de longévité au moment de sa retraite : le plus de saisons, 16, à égalité avec Reg Noble (1917 à 1933) et King Clancy (1921 à 1937), le plus de parties

*On organise plusieurs activités spéciales pour venir en aide à la famille d'Howie Morenz, après le décès de celui-ci. La somme recueillie est impressionnante.*

| JOUEURS | |
|---|---|
| 1 | Babe Siebert (C) |
| 2 | Bill MacKenzie |
| | Marty Burke |
| | Paul-Émile Drouin |
| 3 | Walter Buswell |
| 4 | Aurèle Joliat |
| | Paul-Émile Drouin |
| 5 | Rodrigue Lorrain |
| 6 | Toe Blake |
| | Antonio Demers |
| 8 | Armand Mondou |
| | Ossie Asmundson |
| | Don Wilson |
| 9 | Alfred Lépine |
| 10 | Paul Haynes |
| 11 | Cliff Goupille |
| 12 | Georges Mantha |
| 14 | John Gagnon |
| 15 | Joffre Désilets |
| | Gus Mancuso |
| | Bill Summerhill |
| 16 | George Brown |
| | Don Wilson |
| | Antonio Demers |
| 17 | Wilf Cude |
| | Paul Gauthier |
| 18 | Armand Raymond |
| | Don Wilson |
| 20 | Paul-Émile Drouin |
| | Gus Mancuso |
| | Armand Raymond |
| ENTRAÎNEUR | |
| | Cecil Hart |

Aurèle Joliat est toujours l'une des vedettes des Canadiens parmi les plus en demande,
tant auprès des partisans du club que des annonceurs. Sa présence est une garantie de succès.

● La domination des Maple Leafs en saison régulière est telle que deux de leurs joueurs, Gordie Drillon et Syl Apps, mènent largement au classement des marqueurs. Avec Harvey Busher Jackson, ils constituent le plus prolifique trio de la Ligue.
● À New York, on réunit la famille Patrick, Lester (entraîneur et gérant des Rangers) et ses fils Lynn et Muzz.

● Un 300ᵉ but pour Nels Stewart dans la Ligue. Il s'arrêtera à 324 en 1940 et il faudra attendre l'arrivée de Maurice Richard pour battre ce record.
● Eddie Shore se remet d'une blessure au dos, subie l'année précédente, pour remporter un quatrième (et dernier) trophée Hart en six ans.
● Qualifié de justesse pour les séries, Chicago devient la première équipe avec une fiche perdante en saison à remporter

la coupe Stanley et la première également à être formée à moitié de joueurs d'origine américaine.
● Adoption d'un nouveau règlement qui transforme en hors-jeu tout dégagement à partir de la zone défensive. On décide aussi d'accorder un tir de punition lorsqu'un joueur défensif, autre que le gardien, se jette sur la rondelle à moins de 10 pieds des buts.

● Début du trio *Kraut* à Boston, avec Milt Schmidt, Bobby Bauer et Woody Dumart, qui prendront les trois premiers rangs des marqueurs deux saisons plus tard. Les trois proviennent de la région de Kitchener-Waterloo, peuplée de plusieurs résidants d'origine allemande, d'où le surnom de *Kraut Line*.
● Le gardien Tiny Thompson, des Bruins, remporte un quatrième trophée Vézina avec 30 victoires et une moyenne de 1,85.

## 1937-1938

en saisons régulières, 655, ainsi que le plus de parties incluant les séries, 709. Ses 270 buts, 190 passes et 460 points en saisons, 284-209-493 au total, constituent autant de records pour un ailier gauche de la Ligue au moment de son départ. Dans l'histoire du Tricolore, il domine dans tous les secteurs : les matchs disputés, le nombre de buts, de passes et de points. Il est même premier pour les punitions, avec 771. En séries, il est premier pour les parties jouées et les passes.

### UNE DERNIÈRE COUPE KENNEDY

Les Canadiens et les Maroons s'affrontent pour la dernière fois de l'année, la huitième, le jeudi 17 mars. La rencontre est d'une importance majeure. Victorieux lors des quatre premiers matchs, les Maroons craignent que leurs ennemis jurés ne complètent leur remontée après avoir aligné trois gains de suite. Avec raison. George Brown donne l'avantage aux Canadiens avec son unique filet de la saison, en première, puis le Tricolore porte son avance à 4-1 avant de fermer les livres des Maroons par une victoire de 6-3. Cette victoire, disputée sans aucune pénalité, permet aux Canadiens de devancer temporairement les Americans au deuxième rang de la division, tandis que les Maroons sont depuis longtemps promis à la dernière place.

L'égalité sera départagée par le nombre de victoires inscrites depuis l'institution de la coupe, en 1927 (30 à 29 favorisant les Canadiens), ce qui confère au Tricolore un sixième « championnat de Montréal » en 11 saisons.

### LE SAVIEZ-VOUS...

L'aréna Mont-Royal, domicile des Canadiens pour la première moitié des années 1920, n'étant plus utilisé pour le hockey, est finalement transformé en centre commercial.

### JAMAIS LE DIMANCHE

Nouvelle tentative d'Ernest Savard auprès de la Ligue pour insérer quelques dimanches au calendrier. Lorsqu'il reçoit le calendrier des matchs, il réalise une fois de plus qu'on n'a pas tenu compte de ses tentatives pour sauver le hockey à Montréal, toutes les journées dominicales ayant été réservées aux formations américaines. Ses protestations lui permettront d'obtenir gain de cause à partir de la saison 1938-39.

164

### TROPHÉES

| COUPE STANLEY |
|---|
| Black Hawks de Chicago |
| **COUPE O'BRIEN** |
| Maple Leafs de Toronto |
| **TROPHÉE PRINCE-DE-GALLES** |
| Bruins de Boston |
| **TROPHÉE HART** |
| Eddie Shore |
| Bruins de Boston |
| **TROPHÉE LADY-BYNG** |
| Gordie Drillon |
| Maple Leafs de Toronto |
| **TROPHÉE CALDER** |
| Cully Dahlstrom |
| Black Hawks de Chicago |
| **TROPHÉE GEORGES-VÉZINA** |
| Tiny Thompson |
| Bruins de Boston |
| **MEILLEUR MARQUEUR** |
| Gordie Drillon |
| Maple Leafs de Toronto |

| DIVISION CANADIENNE | PJ | G | P | N | BP | BC | PTS |
|---|---|---|---|---|---|---|---|
| Toronto (Maple Leafs) | 48 | 24 | 15 | 9 | 151 | 127 | 57 |
| New York (Americans) | 48 | 19 | 18 | 11 | 110 | 111 | 49 |
| Montréal (Canadiens) | 48 | 18 | 17 | 13 | 123 | 128 | 49 |
| Montréal (Maroons) | 48 | 12 | 30 | 6 | 101 | 149 | 30 |
| **DIVISION AMÉRICAINE** | PJ | G | P | N | BP | BC | PTS |
| Boston (Bruins) | 48 | 30 | 11 | 7 | 142 | 89 | 67 |
| New York (Rangers) | 48 | 27 | 15 | 6 | 149 | 96 | 60 |
| Chicago (Black Hawks) | 48 | 14 | 25 | 9 | 97 | 139 | 37 |
| Detroit (Red Wings) | 48 | 12 | 25 | 11 | 99 | 133 | 35 |

| MEILLEURS MARQUEURS | | PJ | B | A | PTS | PUN |
|---|---|---|---|---|---|---|
| Gordie Drillon | Toronto | 48 | 26 | 26 | 52 | 4 |
| Syl Apps | Toronto | 47 | 21 | 29 | 50 | 9 |
| Paul Thompson | Chicago | 48 | 22 | 22 | 44 | 14 |
| Georges Mantha | Canadiens | 47 | 23 | 19 | 42 | 12 |
| Cecil Dillon | NY Rangers | 48 | 21 | 18 | 39 | 6 |
| Bill Cowley | Boston | 48 | 17 | 22 | 39 | 8 |
| Sweeney Schriner | NY Americans | 48 | 21 | 17 | 38 | 22 |
| Bill Thoms | Toronto | 48 | 14 | 24 | 38 | 14 |
| Clint Smith | NY Rangers | 48 | 14 | 23 | 37 | 0 |
| Nels Stewart | NY Americans | 48 | 19 | 17 | 36 | 29 |
| Neil Colville | NY Rangers | 45 | 17 | 19 | 36 | 11 |

# 1938 C 1939

La Ligue nationale ne compte plus que sept équipes par suite de la disparition des Maroons. Désormais, les clubs sont regroupés dans un même classement. Boston, premier de la Division américaine la saison précédente, domine la Ligue sans partage, avec une priorité de 16 points sur les Rangers, grâce à l'excellence de son gardien recrue Frank Mr Zero Brimsek, auteur de 10 blanchissages et détenteur d'une extraordinaire moyenne de 1,56. Les champions de la coupe Stanley, les Black Hawks, dégringolent au dernier rang et sont exclus des séries. En demi-finale, Boston dispose difficilement des Rangers par quatre parties à trois, grâce à trois buts en supplémentaire de Mel Hill, avant de battre les Leafs 4-1. Les Canadiens sont avant-derniers, mais Toe Blake est champion marqueur, en plus d'être désigné le plus utile à son club.

## Un doublé pour Blake

Ironiquement, Toe Blake remporte le championnat des marqueurs de la Ligue nationale l'année de la disparition de l'équipe qui ne l'avait pas trouvé assez bon ; après quelques parties d'essai, les Maroons l'avaient cédé à la Ligue senior de l'Ontario. Le Tricolore a vite fait de récupérer le jeune ailier gauche pour en faire l'assise de la reconstruction de l'équipe, à qui il greffera Lach, Reardon, Bouchard, Richard, Durnan et compagnie.

*Deux trophées prestigieux pour Toe Blake.*

165

● Le Tricolore fait savoir à Aurèle Joliat, à Pit Lépine et à Marty Burke que leurs services ne sont plus requis. Joliat sera nommé entraîneur avec les Maple Leafs seniors de Verdun, après avoir décliné une offre des Quakers de Saskatoon — c'est Burke qui aura le poste —, tandis que Lépine est nommé gérant des Eagles de New Haven, dans la Ligue américaine.

● Les insuccès du club (nouveau record de sept défaites consécutives en début de saison) mettent en danger le poste de l'entraîneur Cecil Hart. Il est en congé forcé à la fin de janvier et remplacé temporairement par le gérant Jules Dugal.

● Les Canadiens s'entendent avec les Maroons pour mettre la main sur Bob Gracie, Ernie Cain, Jimmy Ward, Stew Evans, Cy Wentworth, Dessie Smith, ainsi que le gardien Claude Bourque.

● Ernest Savard réussit finalement à obtenir quatre dimanches pour ses matchs locaux, dont la partie d'ouverture du 6 novembre, perdue 3-2 contre Chicago, champion de la coupe Stanley le printemps précédent. Le lendemain, *La Patrie* rapporte aussi la mort subite du conseiller municipal Allan Bray entre deux périodes.

● Le gardien Wilf Cude quitte son filet en proie à une crise de larmes, sous les huées de la foule, lors d'une défaite de 7-1 contre Detroit le 17 novembre. Le médecin le met au repos et il ne reviendra au jeu qu'en janvier. L'histoire se répétera en décembre 1995, aussi dans un match contre Detroit. Cette fois, le gardien des Canadiens n'attendra pas que la foule le chasse, il partira de lui-même durant le match.

● Le même Cude vient près d'être blessé sérieusement en juin lorsque la portière à bascule du véhicule de son coéquipier Paul Haynes se rabat sur lui. À moitié relevé, Haynes amortit le choc et les deux s'en tirent avec une belle frayeur et des blessures mineures.

● L'équipe déménage son bureau de l'hôtel Mont-Royal au Forum en septembre.

**1938-1939**

*Claude Bourque ne laisse rien pénétrer lors de son premier match devant la forteresse du Tricolore.*

Blake parvient à compter 24 buts avec une équipe de sixième place et devance le double champion marqueur Sweeney Schriner par trois points. En plus de ce titre, Blake est élu au sein de la première équipe d'étoiles et, mieux encore, il est désigné joueur le plus utile à son équipe pour l'obtention du trophée Hart. Les médias en feront aussi l'athlète de l'année au Canada un peu plus tard.

*La Patrie* rapporte dans son édition du 22 mars 1939 que les partisans ont remis un service à thé en argent et un cendrier sur pied à Blake pour souligner son exploit.

Blake est le deuxième joueur de l'histoire de l'équipe à réussir le doublé premier marqueur-joueur le plus utile. Howie Morenz avait fait de même en 1927-28 et en 1930-31. Un autre joueur de Montréal, Nels Stewart, avait réalisé ce fait d'armes avant Morenz. Après eux, l'exploit sera réédité par quatre autres membres de la grande dynastie du Tricolore: Elmer Lach (1944-45), Jean Béliveau (1955-56), Bernard Geoffrion (1960-61) et Guy Lafleur (1976-77 et 1977-78).

Blake est arrivé en pleine période morose chez les Canadiens, dont les partisans pleuraient la mort de l'une de leurs plus grandes vedettes. En fait, il a entrepris sa première saison complète l'année du décès de Morenz. Le club connaît une véritable descente aux enfers par la suite, mais les talents de Blake, combinés à ceux de Lach et de Richard, procurent à la Ligue l'un des trios les plus explosifs de son histoire.

Cette saison n'est toutefois pas la meilleure sur le plan offensif pour celui qui deviendra capitaine de l'équipe en 1940. En 1944-45, il comptera 29 buts en

166

| JOUEURS | |
|---|---|
| 1 | Babe Siebert (C) |
| 2 | Marvin Wentworth |
| 3 | Walter Buswell |
| 4 | Cliff Goupille |
| | Paul-Émile Drouin |
| | Wilf Cude |
| 5 | Rodrigue Lorrain |
| | Marcel Tremblay |
| 6 | Toe Blake |
| 8 | Stewart Evans |
| 9 | Herb Cain |
| 10 | Paul Haynes |
| 11 | Bob Gracie |
| | Bill Summerhill |
| 12 | Georges Mantha |
| | Louis Trudel |
| 14 | John Gagnon |
| 15 | Louis Trudel |
| | George Brown |
| | Dessie Smith |

| | PJ | G | P | N | BP | BC | PTS |
|---|---|---|---|---|---|---|---|
| Boston (Bruins) | 48 | 36 | 10 | 2 | 156 | 76 | 74 |
| New York (Rangers) | 48 | 26 | 16 | 6 | 149 | 105 | 58 |
| Toronto (Maple Leafs) | 48 | 19 | 20 | 9 | 114 | 107 | 47 |
| New York (Americans) | 48 | 17 | 21 | 10 | 119 | 157 | 44 |
| Detroit (Red Wings) | 48 | 18 | 24 | 6 | 107 | 128 | 42 |
| Montréal (Canadiens) | 48 | 15 | 24 | 9 | 115 | 146 | 39 |
| Chicago (Black Hawks) | 48 | 12 | 28 | 8 | 91 | 132 | 32 |

**MEILLEURS MARQUEURS**

| | | PJ | B | A | PTS | PUN |
|---|---|---|---|---|---|---|
| Toe Blake | Canadiens | 48 | 24 | 23 | 47 | 10 |
| Sweeney Schriner | NY Am. | 48 | 13 | 31 | 44 | 20 |
| Bill Cowley | Boston | 34 | 8 | 34 | 42 | 2 |
| Clint Smith | NY Rangers | 48 | 21 | 20 | 41 | 2 |
| Marty Barry | Detroit | 48 | 13 | 28 | 41 | 4 |
| Syl Apps | Toronto | 44 | 15 | 25 | 40 | 4 |
| Tom Anderson | NY Am. | 48 | 13 | 27 | 40 | 14 |
| Johnny Gottselig | Chicago | 48 | 16 | 23 | 39 | 15 |
| Paul Haynes | Canadiens | 47 | 5 | 33 | 38 | 27 |
| Roy Conacher | Boston | 47 | 26 | 11 | 37 | 12 |
| Lorne Carr | NY Americans | 46 | 19 | 18 | 37 | 16 |
| Neil Colville | NY Rangers | 48 | 18 | 19 | 37 | 12 |
| Phil Watson | NY Rangers | 48 | 15 | 22 | 37 | 42 |

● C'est la fin pour les Maroons. La Ligue refuse le transfert de l'équipe à St. Louis, mais accepte une suspension des activités pour un an. Le club ne reprendra jamais vie, laissant toute la place aux Canadiens.

● Le départ des Maroons a amené un réaménagement de la Ligue, qui ne compte plus qu'une division à sept clubs ; les six premiers participeront aux séries. Les champions de la saison gagneront le trophée Prince-de-Galles, tandis que la coupe Stanley deviendra l'apanage des gagnants des séries et que les perdants de la finale se consoleront avec la coupe O'Brien.

● À Boston, on s'indigne de l'échange de Tiny Thompson — quatre fois récipiendaire du trophée Vézina — aux Red Wings. Pourtant, son remplaçant, Frank Brimsek, obtiendra six blanchissages à ses huit premiers départs, remportant le Vézina à son tour, ainsi que le titre de recrue et une sélection dans la première équipe d'étoiles. Il est le premier gardien à recevoir simultanément les trophées Vézina et Calder.

● Muzz Patrick et Art Coulter, des Rangers, sont les premiers joueurs à porter la barbe dans la LNH, à la suite d'une gageure avec leur entraîneur, Lester Patrick.

| JOUEURS | |
|---|---|
| 16 | Paul-Émile Drouin |
| | Bill Summerhill |
| | Gus Mancuso |
| | Don Wilson |
| | Cliff Goupille |
| | Des Smith |
| | Jimmy Ward |
| 17 | Wilf Cude |
| | Bill Summerhill |
| | Armand Mondou |
| | Claude Bourque |
| 18 | Jimmy Ward |
| | George Brown |
| 19 | Armand Mondou |
| | Claude Bourque |
| 20 | Louis Trudel |
| 24 | Wilf Cude |
| **ENTRAÎNEUR** | |
| | Cecil Hart |
| | Jules Dugal |

**1938-1939**

plus d'en préparer 38 autres, pour un total de 67 points, alors que les membres de la *Punch Line* accapareront les trois premiers rangs au classement des marqueurs. Mais Lach et le Rocket (avec 50 buts) le devanceront au classement.

La carrière de Toe Blake, le joueur, prendra fin à la suite d'une fracture à la cheville le 10 janvier 1948. Par la suite, ses succès comme entraîneur — huit coupes Stanley — ont un peu éclipsé ses prouesses de joueur. Pourtant, il faudra attendre trente-neuf ans pour que Wayne Gretzky surpasse sa moyenne de 2,00 points par match dans une série.

### VOYAGE EN EUROPE

Les joueurs des Canadiens et des Red Wings de Detroit effectuent une tournée de matchs hors-concours en Angleterre et en France au printemps 1938 pour faire connaître le hockey professionnel aux Européens. Le groupe effectue le trajet Montréal-Halifax en train avant de s'embarquer pour la traversée de l'Atlantique à bord du paquebot *Ausonia*.

Les Canadiens remportent deux des trois parties préparatoires disputées en sol canadien, puis, le 10 avril à minuit, c'est le grand départ pour un périple de près de sept semaines.

Toe Blake donne une première victoire au Tricolore en prolongation devant 8 000 spectateurs entassés à la patinoire d'Earlscourt, en Angleterre, après une traversée un peu plus longue que prévue. Au terme d'un match nul de 5-5, ponctué de trois buts par Johnny Gagnon, les deux clubs mettent le cap sur Paris où les Montréalais l'emportent deux fois sur trois, au grand plaisir des Parisiens,

*Le Petit Journal* **publie un dessin pour illustrer le chemin parcouru par la missive des joueurs des Canadiens.**

● Les Black Hawks congédient l'entraîneur Bill Stewart au début de janvier et le remplacent par Paul Thompson. Stewart les a menés à la coupe Stanley l'année précédente, mais le club est maintenant dernier.

● Pour la première fois, les champions de la coupe Stanley sont couronnés au terme d'une série quatre de sept.

● Les nouveaux règlements autorisent désormais les joueurs à qui on accorde un tir de punition à patiner vers le gardien. La Ligue abandonne son système de deux arbitres au profit d'un arbitre et d'un juge de lignes.

● Les joueurs ont maintenant droit à une allocation de 5 $ par jour pour les repas et de 2,50 $ pour l'hôtel.

## 1938-1939

*Un vieux programme de l'une des parties disputées à Halifax avant le départ pour l'Europe.*

qui qualifient Georges Mantha « d'homme le plus rapide au monde sur patins ».

De retour en Angleterre, les deux formations partagent les honneurs des quatre dernières rencontres, alors que Blake se met de nouveau en évidence avec un tour du chapeau lors d'un gain de 6-3. Les joueurs de Cecil Hart présentent ainsi un dossier de 5-3-1 au terme de cette première tournée de bonne entente.

En arrivant près des côtes américaines, Babe Siebert prend l'initiative de glisser dans une bouteille une missive portant la signature des 29 passagers et lance celle-ci à la mer. La bouteille sera retrouvée le 23 mai 1939 (un an et trois jours plus tard) par un douanier, près du petit village français de Hendaye, dans les Pyrénées.

### MORT D'UN ANCIEN PROPRIO

Joseph Cattarinich, premier gardien de l'histoire du Canadien et l'un des membres du trio, avec Léo Dandurand et Louis Létourneau, à s'être porté acquéreur de l'équipe en 1921 (il demeurera copropriétaire jusqu'en 1935), meurt de complications cardiaques à la suite d'une intervention chirurgicale à un œil, le 7 décembre. Il avait été l'un de ceux qui avaient recommandé fortement Georges Vézina dès le début. Cattarinich a été élu au Temple de la renommée du hockey en qualité de bâtisseur en 1977.

*Jos Cattarinich, un nom associé à l'histoire des Canadiens, a participé à plusieurs épisodes de leur glorieuse histoire.*

| TROPHÉES | |
| --- | --- |
| **COUPE STANLEY** | |
| Bruins de Boston | |
| **COUPE O'BRIEN** | |
| Maple Leafs de Toronto | |
| **TROPHÉE PRINCE-DE-GALLES** | |
| Bruins de Boston | |
| **TROPHÉE HART** | |
| **Toe Blake** | |
| **Canadiens de Montréal** | |
| **TROPHÉE LADY-BYNG** | |
| Clint Smith | |
| Rangers de New York | |
| **TROPHÉE CALDER** | |
| Frank Brimsek | |
| Bruins de Boston | |
| **TROPHÉE GEORGES-VÉZINA** | |
| Frank Brimsek | |
| Bruins de Boston | |
| **MEILLEUR MARQUEUR** | |
| **Toe Blake** | |
| **Canadiens de Montréal** | |

# 1939 [CH] 1940

*La Kraut Line, formée de Milt Schmidt, Woody Dumart et Bobby Baur, fait des ravages, permettant aux Bruins d'inscrire 170 buts et de finir de nouveau au premier rang en saison régulière. Mais les Rangers obtiennent leur revanche, écartant les Bruins 4-2 en demi-finale, grâce à trois parties sans but pour le gardien Dave Kerr, également gagnant du trophée Vézina. En finale, les Rangers battent Toronto par quatre parties à deux. Ils attendront plus de 50 ans avant de revoir la coupe. Les Canadiens sont à leur plus bas niveau, à la dernière place du classement, avec seulement 10 victoires en 48 parties. On espère un sauveur !*

## Nouvelle tragédie pour les Canadiens

*La Ligue nationale organise un autre match bénéfice avec la participation des meilleurs joueurs, prélude des parties d'étoiles d'aujourd'hui, pour aider la famille de Babe Siebert.*

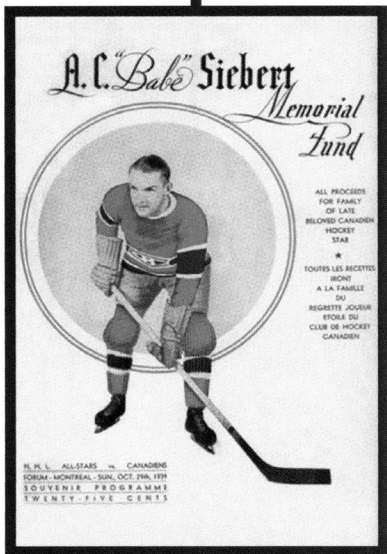

Les coups durs continuent de s'abattre sur les Canadiens, alors que le monde s'apprête à connaître une deuxième guerre mondiale. Le club accumule les échecs depuis la mort de Morenz et ne parvient pas à retrouver son éclat d'antan.

Pour calmer les partisans, devenus plus impatients, le président Savard a remplacé Cecil Hart par Jules Dugal vers le milieu de la saison précédente, étant entendu qu'il s'agissait d'une mesure temporaire. En juin, il fait appel à Babe Siebert pour occuper le poste en permanence. Ancien membre du célèbre trio des « S » chez les Maroons, avec Nels Stewart et Hooly Smith, il avait été converti en défenseur à son arrivée chez les Canadiens trois ans plus tôt, après un séjour à New York et à Boston.

Mais Siebert ne dirigera jamais l'équipe puisqu'il se noie dans le lac Huron, près de la demeure de ses parents, à Zurich, en Ontario, le 25 août 1939, en essayant de récupérer un ballon appartenant à l'une de ses filles.

● Pas davantage à cette époque qu'aujourd'hui, la reconnaissance n'étouffe les dirigeants d'équipe. À preuve, Johnny Gagnon dispute un 400e match dans l'uniforme du club le 7 décembre et moins d'un mois plus tard (le 3 janvier), il est vendu aux Americans de New York.

● Autre cheminement un peu particulier pour Paul Haynes, qui dispute un 200e match avec Montréal le 7 décembre, obtient une 100e passe le 25, est libéré par l'équipe le 6 janvier, nommé secrétaire le lendemain et rappelé comme joueur le 17.

● La direction du club profite du premier match de la saison pour annoncer la nomination du nouveau capitaine, le défenseur Walter Buswell, qui succède à Babe Siebert.

● Louis Létourneau, ancien copropriétaire du club, revient au conseil d'administration de l'organisation. Il avait cédé ses actions au duo Dandurand-Cattarinich en 1930.

● Mike Karakas — le gardien des Black Hawks que Toe Blake avait jugé facile à déjouer lors des séries de 1937-38 mais qui avait ensuite blanchi les Canadiens et mené les Hawks à la coupe Stanley — est suspendu par ces derniers pour avoir refusé de se présenter à Providence, dans la Ligue américaine. Le président Calder lève la suspension et Karakas est prêté au Tricolore qui vient de perdre Wilf Cude, le 23 février, pour le reste de la saison. Il sera le coéquipier de Blake pour cinq rencontres, mais n'en gagnera aucune.

## 1939-1940

Mort à 35 ans, il laisse une femme en fauteuil roulant et sans ressources, ainsi que deux jeunes enfants. Un autre match-bénéfice, c'est le troisième de l'histoire, est organisé par la Ligue pour aider la famille du disparu. La rencontre oppose les joueurs des Canadiens aux meilleurs des autres équipes le 29 octobre, au Forum. Les étoiles l'emportent 5-2 devant 6 000 spectateurs. Mais plus important, la somme recueillie pour la famille dépasse les 15 000 $.

*Mike Karakas*

C'est Pit Lépine qui sera appelé par défaut à remplacer Siebert aux commandes de l'équipe, après le désistement de deux autres candidats. Lépine avait porté les couleurs du Tricolore pendant treize ans avant d'être cédé à New Haven, le club-école du Canadien dans la Ligue américaine, l'année précédente. Il sera en poste pour une seule saison puisque le mauvais rendement de l'équipe, qui accumule les revers, aura raison de lui après une désastreuse campagne de 33 défaites en 48 parties et quelques marques peu reluisantes.

*Malgré les efforts de l'entraîneur Pit Lépine et de Jules Dugal (à l'extrême droite de la photo), le Tricolore continue d'en arracher et perd plus souvent qu'à son tour.*

| JOUEURS | |
|---|---|
| 1 | Claude Bourque |
| | Wilf Cude |
| | Mike Karakas |
| 2 | Marvin Wentworth |
| | Rhys Thomson |
| 3 | Walter Buswell (C) |
| 4 | Paul-Émile Drouin |
| | Bill Summerhill |
| 5 | Rodrigue Lorrain |
| | Bill Summerhill |
| 6 | Toe Blake |
| 8 | Louis Trudel |
| 9 | Marty Barry |
| | Bill Summerhill |
| | Smiley Meronek |
| | Armand Mondou |
| 10 | Paul Haynes |
| | Armand Mondou |
| | Bill Summerhill |
| | Anyonio Demers |
| 11 | Ray Getliffe |
| 12 | Georges Mantha |
| 14 | John Gagnon |
| | Gus Mancuso |
| | Gordon Poirier |
| | Smiley Meronek |
| | Rodrigue Lorrain |

● Le début de la Deuxième Guerre mondiale prive les équipes de plusieurs de leurs bons éléments, mais la Ligue tient bon malgré les rumeurs d'interruption des activités.

● Grande première dans le circuit, alors que les trois membres d'un même trio accaparent les trois premières places des marqueurs. Milt Schmidt est premier à 52, Woody Dumart et Bobby Bauer suivent à 43. C'est la fameuse *Kraut Line* des Bruins. L'exploit sera réédité deux fois par

les Canadiens en 1944-45 et 1954-55, deux autres fois par les Bruins en 1970-71 et 1973-74, et une fois par Detroit en 1949-50.

● Autre première, la station WZXBS de New York devient la première station à diffuser un match à la télé, entre les Canadiens et les Rangers, le 25 février.

● Le gérant des Bruins de Boston, Art Ross, n'apprécie pas trop qu'Eddie Shore, quatre fois récipiendaire du trophée Hart, se soit porté acquéreur des Indians de

Springfield, de la Ligue américaine, et qu'il veuille jouer pour les deux clubs. Il accepte d'abord, puis se ravise et échange son vétéran aux Americans.

● Les Americans de New York signent un coup d'éclat en échangeant leur grande vedette Sweeney Schriner, deux fois champion marqueur, aux Maple Leafs en retour de cinq joueurs.

● Lester Patrick, entraîneur des Rangers de New York depuis leur arrivée dans la Ligue en 1926, fait appel à son ancienne vedette

Frank Boucher pour le remplacer derrière le banc. Celui-ci mènera l'équipe à une troisième coupe.

● À Boston, Cooney Weiland est le troisième entraîneur qu'Art Ross choisit pour le remplacer, afin de se concentrer sur son rôle de gérant. Deux ans plus tard, Ross reviendra à son poste une fois de plus.

● Red Horner, défenseur des Leafs, est le mauvais garnement de la Ligue pour une huitième fois de suite, à sa dernière saison.

| JOUEURS | |
|---|---|
| 15 | Earl Robinson |
| | Bill Summerhill |
| | Armand Raymond |
| | John Doran |
| | Smiley Meronek |
| 16 | Cliff Goupille |
| 17 | Armand Mondou |
| 18 | Charlie Sands |
| 19 | Doug Young |
| 20 | Doug Young |
| **ENTRAÎNEUR** | |
| | Alfred Lépine |

| TROPHÉES |
|---|
| **COUPE STANLEY** |
| Rangers de New York |
| **COUPE O'BRIEN** |
| Maple Leafs de Toronto |
| **TROPHÉE PRINCE-DE-GALLES** |
| Bruins de Boston |
| **TROPHÉE HART** |
| Ebbie Goodfellow |
| Red Wings de Detroit |
| **TROPHÉE LADY-BYNG** |
| Bobby Bauer |
| Bruins de Boston |
| **TROPHÉE CALDER** |
| Kilby MacDonald |
| Rangers de New York |
| **TROPHÉE GEORGES-VÉZINA** |
| Dave Kerr |
| Rangers de New York |
| **MEILLEUR MARQUEUR** |
| Milt Schmidt |
| Bruins de Boston |

## UN RECORD PEU ENVIABLE

Quel soulagement dans l'enceinte du Forum, en ce samedi 9 mars 1940, pour les 4 000 partisans de l'équipe, dont plusieurs centaines d'écoliers qu'on a invités spécialement au match contre les Red Wings ! Le Tricolore met fin à une séquence de 15 parties à domicile sans victoire, composée de 12 défaites et de 3 nulles. Chicago avait signé pareille contre-performance 11 ans plus tôt avec un rendement de 11 revers et 4 matchs nuls.

Toe Blake inscrit un but et participe à ceux de Cliff Goupille et Ray Getliffe. Le jeu blanc est inscrit au dossier de Claude Bourque, qui en a vu des rondelles au fond de son filet durant cette période noire du club.

La série infructueuse a commencé le 16 décembre par une défaite de 4-2 contre les Rangers et s'est terminée avec un revers de 6-1 contre Chicago le 7 mars.

Un record peu envié par les autres équipes, et qui tiendra bon pendant plus de cinquante ans. Ce sont les Sénateurs d'Ottawa qui en sont maintenant les « fiers » détenteurs depuis la saison 1995-96, avec leur marque de 17 rencontres locales (0-15-2) sans victoire.

*Walter Buswell est promu capitaine lors de la première partie de l'équipe. Il remplace aussi Siebert qui agissait à ce poste, la saison précédente.*

| | PJ | G | P | N | BP | BC | PTS |
|---|---|---|---|---|---|---|---|
| Boston (Bruins) | 48 | 31 | 12 | 5 | 170 | 98 | 67 |
| New York (Rangers) | 48 | 27 | 11 | 10 | 136 | 77 | 64 |
| Toronto (Maple Leafs) | 48 | 25 | 17 | 6 | 134 | 110 | 56 |
| Chicago (Black Hawks) | 48 | 23 | 19 | 6 | 112 | 120 | 52 |
| Detroit (Red Wings) | 48 | 16 | 26 | 6 | 90 | 126 | 38 |
| New York (Americans) | 48 | 15 | 29 | 4 | 106 | 140 | 34 |
| Montréal (Canadiens) | 48 | 10 | 33 | 5 | 90 | 167 | 25 |

| MEILLEURS MARQUEURS | | PJ | B | A | PTS | PUN |
|---|---|---|---|---|---|---|
| Milt Schmidt | Boston | 48 | 22 | 30 | 52 | 37 |
| Woody Dumart | Boston | 48 | 22 | 21 | 43 | 16 |
| Bobby Bauer | Boston | 48 | 17 | 26 | 43 | 2 |
| Gordie Drillon | Toronto | 43 | 21 | 19 | 40 | 13 |
| Bill Cowley | Boston | 48 | 13 | 27 | 40 | 24 |
| Bryan Hextall | NY Rangers | 48 | 24 | 15 | 39 | 52 |
| Neil Colville | NY Rangers | 48 | 19 | 19 | 38 | 22 |
| Syd Howe | Detroit | 48 | 14 | 23 | 37 | 17 |
| Toe Blake | Canadiens | 48 | 17 | 19 | 36 | 48 |
| Murray Armstrong | NY Am. | 48 | 16 | 20 | 36 | 12 |

# 1940 Ⓒ 1941

*QUATRIÈME CHAMPIONNAT D'AFFILÉE POUR LES BRUINS ET RETOUR DE LA COUPE STANLEY À BOSTON, ALORS QUE LES RUMEURS D'ARRÊT DES ACTIVITÉS SE FONT PERSISTANTES AU PLUS FORT DE LA DEUXIÈME GUERRE MONDIALE. CETTE FOIS, C'EST BILL COWLEY QUI DOMINE LES MARQUEURS, MAIS BRYAN HEXTALL, DES RANGERS, EST LE MEILLEUR COMPTEUR DE BUTS POUR UNE DEUXIÈME ANNÉE DE SUITE. LES BRUINS TIRENT DE L'ARRIÈRE PAR DEUX FOIS CONTRE LES LEAFS EN DEMI-FINALE, MAIS L'EMPORTENT 4-3 AVANT D'ÉCARTER DETROIT 4-0. L'ARRIVÉE DE DICK IRVIN NE DONNE PAS LES RÉSULTATS ESCOMPTÉS ET LES CANADIENS TERMINENT SIXIÈMES. ILS OFFRENT QUAND MÊME UNE VIVE RÉSISTANCE AUX HAWKS EN QUART DE FINALE, MAIS S'INCLINENT PAR DEUX PARTIES À UNE. MINCE CONSOLATION, LE NOUVEAU JOUEUR DE CENTRE JOHN QUILTY EST CHOISI RECRUE DE L'ANNÉE. BILL COWLEY EST AUSSI DÉSIGNÉ LE PLUS UTILE ET BOBBY BAUER, DES BRUINS, EST LE PLUS GENTILHOMME POUR UNE DEUXIÈME ANNÉE CONSÉCUTIVE.*

*Toe Blake devient capitaine du Tricolore lorsque l'équipe libère Walter Buswell.*

## Le Canadian Arena prend le contrôle

La glace n'est pas encore fondue au Forum après le dernier match de la saison 1939-40 que les rumeurs de vente du club font déjà les délices des journalistes affectés à la couverture du Canadien.

Pendant que les équipes qualifiées pour les séries entreprennent la lutte pour la coupe Stanley, à Montréal on suppute les chances d'Ernest Savard de convaincre les dirigeants du Canadian Arena de lui céder les pleins

*Le sénateur Donat Raymond est le nouveau président du club.*

173

● Les cerbères Bert Gardiner et Paul Bibeault revendiquent l'honneur du premier blanchissage conjoint de l'histoire de la LNH, contre les Americans de New York. Irvin a fait alterner ses deux gardiens dans une victoire de 6-0 lors du match du 15 mars.

● Autre première dans l'histoire du club, Floyd Curry est le plus jeune joueur à se présenter au camp d'entraînement le 10 octobre, à l'âge de quinze ans. Il gagnera ensuite la coupe Memorial à sa dernière saison avec les Generals d'Oshawa en 1944, juste avant son service militaire, puis il endossera l'uniforme du Royal de Montréal pendant deux ans, pour finalement se joindre aux Canadiens en 1947-48. Curry demeurera dix ans avec le Tricolore.

● Frank Patrick déclare, lors de son embauche comme gérant d'affaires des Canadiens, le 26 avril: « Je puis vous dire que les joueurs canadiens-français auront préférence. » Pourtant, le Tricolore ne comptera que 3 joueurs francophones parmi les 18 qui disputeront la première moitié de saison.

● Joe Benoît, un ailier droit originaire de l'Alberta, marque trois buts dans une victoire de 4-3 lors du deuxième match de la série deux de trois contre Chicago, ce qui permet d'égaler les chances. Il marque de nouveau lors de la troisième rencontre, mais les Hawks l'emportent 3-2 et les Canadiens sont éliminés.

*Tommy Gorman, déjà gérant du Forum, est appelé à remplir le même rôle auprès de l'équipe à la demande des propriétaires.*

## 1940-1941

pouvoirs ou, dans le cas d'un refus, d'accepter sa démission. Le tout épicé d'un possible arrêt des activités de l'équipe à cause de la guerre. Auquel cas Léo Dandurand, ancien propriétaire de l'équipe, serait prêt à intervenir pour racheter la concession, « parce que si le club Canadien suspend ses activités, ce sera une tragédie sportive », a-t-il déclaré au journaliste de *La Patrie*, Zotique Lespérance, qui rapporte ses propos dans l'édition du 24 mars.

Finalement, le groupe d'Ernest Savard fait une offre officielle au Canadian Arena le 5 avril pour obtenir le contrôle du club. Lui et les membres du conseil d'administration sont fatigués d'avoir des comptes à rendre et des autorisations à obtenir de la direction du Forum, présidée par le sénateur Donat Raymond. Dans l'éventualité d'un refus, le président Savard a prévu remettre sa démission et celle des autres dirigeants, soit Armand Dupuis, Raoul Grothé, C. N. Moisan, Alphonse Patenaude, John Pritchard, Frank Commons, Louis Gélinas, Pierre Rolland et Louis Létourneau. Savard souhaite également qu'on rachète ses actions, le cas échéant. L'offre est de fait rejetée par le Canadian Arena, les 10 membres du conseil démissionnent en bloc, le sénateur Raymond est nommé à la présidence du club et décide de poursuivre les activités.

### LE SAVIEZ-VOUS...

La rondelle fabriquée par la compagnie Spalding remplace celle de RossTyer, utilisée jusqu'à maintenant lors des matchs officiels.

Tommy Gorman, déjà gérant du Forum, est aussitôt nommé gérant de l'équipe et fait appel à Frank Patrick, du bureau du président Calder, pour agir comme gérant d'affaires. Patrick, joueur du Renfrew dans l'ancienne NHA, était aussi l'un des fondateurs de la Ligue de l'Ouest avec son père, Lester. Il a également dirigé les Bruins de 1934 à 1936. Le partage de responsabilités entre Gorman et Patrick est assez difficile à préciser, puisque les deux semblent faire du recrutement et négocier les contrats des joueurs, bien que le nom du second n'apparaisse pas sur la liste officielle des gérants de l'équipe.

Ainsi, le Canadian Arena s'affiche dorénavant comme véritable propriétaire du Tricolore, après en avoir dirigé les destinées dans les coulisses. Le retrait des Maroons lui permet désormais d'avoir les coudées franches.

174

| JOUEURS | |
|---|---|
| 1 | Bert Gardiner |
| | Wilf Cude |
| 2 | Cliff Goupille |
| 3 | Doug Young |
| | John Portland |
| 4 | Ken Reardon |
| 5 | Joe Benoît |
| 6 | Toe Blake (C) |
| 8 | Louis Trudel |
| | Paul-Émile Drouin |
| | Stuart Smith |
| 9 | Charlie Sands |
| 10 | Paul Haynes |
| | Georges Mantha |
| | Louis Trudel |
| | Alex Singbush |
| 11 | Ray Getliffe |
| 12 | Murph Chamberlain |
| 14 | Elmer Lach |
| | Paul Bibeault |
| 15 | John Adams |
| 16 | John Quilty |
| 17 | Tony Graboski |
| 18 | Alex Singbush |
| | James O'Neil |
| 19 | Antonio Demers |
| 21 | Alex Singbush |
| ENTRAÎNEUR | |
| | Dick Irvin |

● Une rencontre d'exhibition entre les anciens joueurs des Canadiens et des Maroons, organisée pour recueillir des fonds dans le cadre d'une campagne pour soutenir l'effort de guerre, attire près de 13 000 personnes au Forum en février 1941 et rapporte 8 000 $ pour l'emprunt de la Victoire. Les Maroons gagnent 5-3

lors de cette soirée complétée par une parade de cadets.
● Toe Blake, futur capitaine de l'équipe, et quelques-uns de ses coéquipiers font des pressions sur la direction pour qu'on rappelle l'ancien capitaine Walter Buswell, libéré à la fin de la dernière saison. La demande est

acceptée, Buswell se présente au camp mais quitte l'équipe définitivement à la fin d'octobre à défaut d'une entente pour son contrat.
● Dick Irvin ne manque pas d'originalité lors des périodes d'entraînement. Il conduit d'abord ses troupes à Saint-Hyacinthe pour le début du camp. Il n'hésite pas ensuite à commander des séances de course à pied ou à faire installer des barils

sur la glace pour des exercices de sauts et de maniement de rondelle.
● Pour la première fois, on ne retrouve aucun joueur des Canadiens dans les équipes d'étoiles. L'entraîneur Irvin est le seul élu, dans la seconde. Une sixième sélection pour lui, toujours dans la deuxième équipe, mais une première avec Montréal.

| TROPHÉES | |
|---|---|
| **COUPE STANLEY** | |
| Bruins de Boston | |
| **COUPE O'BRIEN** | |
| Red Wings de Detroit | |
| **TROPHÉE PRINCE-DE-GALLES** | |
| Bruins de Boston | |
| **TROPHÉE HART** | |
| Bill Cowley | |
| Bruins de Boston | |
| **TROPHÉE LADY-BYNG** | |
| Bobby Bauer | |
| Bruins de Boston | |
| **TROPHÉE CALDER** | |
| **John Quilty** | |
| **Canadiens de Montréal** | |
| **TROPHÉE GEORGES-VÉZINA** | |
| Turk Broda | |
| Maple Leafs de Toronto | |
| **MEILLEUR MARQUEUR** | |
| Bill Cowley | |
| Bruins de Boston | |

## DICK IRVIN ARRIVE DE TORONTO

1940-1941

La nouvelle direction ne met pas de temps à se mettre au travail à la suite du changement de garde. Moins de deux semaines après sa nomination au poste de président, en avril 1940, pendant que les New-Yorkais célèbrent la conquête de la coupe Stanley, le sénateur Donat Raymond annonce l'embauche de Dick Irvin au poste d'entraîneur.

Avec sept participations à la finale et une coupe Stanley en neuf saisons à la barre des Maple Leafs, Irvin a une réputation bien établie dans la Ligue. Pour éliminer l'atmosphère de morosité qui règne depuis trop longtemps dans le vestiaire, il fait maison nette, ne conservant que les valeurs sûres, dont Toe Blake, qui devient le capitaine et la pierre angulaire de la formation. Avec l'aide des dépisteurs de l'organisation, il met la main sur des joueurs qui redonneront vie à l'équipe — Elmer Lach, Ken Reardon, John Quilty —, fait venir Murph Chamberlain de Toronto, se débarrasse des gardiens Cude et Bourque au profit de Bert Gardiner et ajoute plusieurs nouveaux éléments à l'équipe.

*Entraîneur réputé, Dick Irvin est accueilli en sauveur. Il promet dès son arrivée que le club sera des séries du printemps.*

175

● Les Bruins établissent quatre nouveaux records d'équipe au cours de la saison régulière : la plus longue série de matchs sans défaite (23), sans défaite à l'étranger (15), le plus de lancers dans une partie (83) et dans une période (33). Les deux dernières marques tiennent toujours.

● Le match du 1er décembre entre les Rangers et les Hawks oppose quatre paires de frères. Lynn et Muzz Patrick, ainsi que Neil et Mac Colville du côté de New York, face à Max et Doug

Bentley, ainsi que Bob et Bill Carse chez les Hawks.

● Pas moins de cinq joueurs terminent à égalité au deuxième rang des marqueurs, 18 points derrière Bill Cowley, des Bruins, qui en a 62. Ses poursuivants sont Bryan Hextall et Lynn Patrick, des Rangers, Gordie Drillon et Syl Apps, des Leafs, ainsi que Syd Howe, des Red Wings.

● Reginald Hoolie Smith, maintenant à sa quatrième équipe dans la LNH avec les Americans, termine une carrière de 17 saisons en établissant un

nouveau record de 715 matchs disputés. Il en compte 769 en incluant les séries.

● À la fin de la saison, les rumeurs d'interruption des activités deviennent persistantes, alors qu'Hitler menace d'envahir l'Angleterre, mais les autorités gouvernementales, tant canadiennes qu'américaines, insistent pour que le circuit poursuive ses activités tant qu'il aura suffisamment de joueurs.

● On modifie le nom de la *Kraut Line* pour celui de *Kitchener Boys* à Boston, parce qu'il n'est pas de bon ton de se présenter comme Allemand en ce temps de guerre. Les trois membres du trio, Milt Schmidt, Woody Dumart et Bobby Bauer, quitteront leur équipe au milieu de la saison suivante pour se joindre à l'aviation canadienne. Ils ne reviendront à Boston qu'en 1945-46.

**1940-1941**

« Je suis assuré d'une chose, c'est que le club participera aux éliminatoires le printemps prochain », prédit-il au journaliste de *La Patrie* au lendemain de sa nomination. Il tient parole, même si le Tricolore perd dès la ronde initiale contre les Hawks de Chicago. Une seule fois en quinze ans à Montréal, son équipe n'atteindra pas les éliminatoires. De plus, il donnera trois coupes Stanley aux partisans montréalais.

*John Quilty*

### AUTRES DÉCÈS CHEZ LES VÉTÉRANS

L'année 1940 est marquée par plusieurs décès dans l'entourage de l'équipe. Cecil Hart, entraîneur du club pendant neuf ans et gagnant de deux coupes Stanley, en 1930 et 1931, succombe à la maladie en juillet. En novembre, c'est au tour de Jimmy Gardner et d'Ambrose O'Brien, les deux fondateurs de la NHA en 1909, de mourir à trois semaines d'intervalle. O'Brien fut aussi le premier propriétaire du Canadien et Gardner détenait les Wanderers à l'époque. Parti à Vancouver, Gardner fut échangé au Canadien en retour de Newsy Lalonde en 1913, puis dirigea le club pendant deux ans, en plus d'agir comme joueur et capitaine la seconde année.

| | PJ | G | P | N | BP | BC | PTS |
|---|---|---|---|---|---|---|---|
| Boston (Bruins) | 48 | 27 | 8 | 13 | 168 | 102 | 67 |
| Toronto (Maple Leafs) | 48 | 28 | 14 | 6 | 145 | 99 | 62 |
| Detroit (Red Wings) | 48 | 21 | 16 | 11 | 112 | 102 | 53 |
| New York (Rangers) | 48 | 21 | 19 | 8 | 143 | 125 | 50 |
| Chicago (Black Hawks) | 48 | 16 | 25 | 7 | 112 | 139 | 39 |
| Montréal (Canadiens) | 48 | 16 | 26 | 6 | 121 | 147 | 38 |
| New York (Americans) | 48 | 8 | 29 | 11 | 99 | 186 | 27 |

| MEILLEURS MARQUEURS | | PJ | B | A | PTS | PUN |
|---|---|---|---|---|---|---|
| Bill Cowley | Boston | 46 | 17 | 45 | 62 | 16 |
| Bryan Hextall | NY Rang. | 48 | 26 | 18 | 44 | 16 |
| Gordie Drillon | Toronto | 42 | 23 | 21 | 44 | 2 |
| Syl Apps | Toronto | 41 | 20 | 24 | 44 | 6 |
| Lynn Patrick | NY Rang. | 48 | 20 | 24 | 44 | 12 |
| Syd Howe | Detroit | 48 | 20 | 24 | 44 | 8 |
| Neil Colville | NY Rang. | 48 | 14 | 28 | 40 | 28 |
| Eddie Wiseman | Boston | 48 | 16 | 24 | 39 | 10 |
| Bobby Bauer | Boston | 48 | 17 | 22 | 38 | 2 |
| Sweeney Schriner | Toronto | 48 | 24 | 14 | 38 | 6 |
| Roy Conacher | Boston | 40 | 24 | 14 | 38 | 7 |
| Milt Schmidt | Boston | 44 | 13 | 25 | 38 | 23 |

*La Presse publie en gros titre le décès de Cecil Hart.*

LA PRESSE, MONTRÉAL, MERCREDI 17 JUILLET 1940

# MORT DE CECIL HART, L'ANCIEN GÉRANT DU CLUB DE HOCKEY CANADIEN

## Un populaire sportsman meurt à l'âge de 57 ans

Cecil M. Hart, ancien gérant du Canadien de la N.H.L. succombe à une maladie de quelques mois

La carrière du disparu

# 1941 ⒞ 1942

*LES BRUINS PERDENT EN PLEINE SAISON LES TROIS MEMBRES DE LEUR TRIO KRAUT PARTIS POUR L'ARMÉE, ET GLISSENT AU TROISIÈME RANG, TANDIS QUE LES AMERICANS DE NEW YORK CHANGENT DE NOM POUR RELANCER L'ÉQUIPE, SANS SUCCÈS. LE CLUB DISPARAÎTRA EN FIN DE SAISON. LES RANGERS SONT LES NOUVEAUX CHAMPIONS ET TROIS DE LEURS JOUEURS ACCAPARENT LES QUATRE PREMIÈRES PLACES DES MARQUEURS, BRYAN HEXTALL (1er), LYNN PATRICK (2e) ET PHIL WATSON (4e). LES CANADIENS TERMINENT ENCORE SIXIÈMES AU CLASSEMENT. ILS PERDENT EN PREMIÈRE RONDE ÉLIMINATOIRE POUR UNE QUATRIÈME FOIS EN CINQ ANS (ILS ÉTAIENT EXCLUS DES SÉRIES EN 1939-40). TORONTO SURPREND D'ABORD LES RANGERS EN SÉRIES AVANT DE RÉALISER UN PRÉCÉDENT CONTRE DETROIT EN FINALE. TIRANT DE L'ARRIÈRE 3-0, LES LEAFS GAGNENT LES QUATRE MATCHS SUIVANTS POUR DÉCROCHER LEUR PREMIÈRE COUPE EN DIX ANS. UN EXPLOIT INÉDIT.*

## On recrute un trio complet

*Les Canadiens recrutent un trio complet du Royal pour secouer l'équipe. Le Razzle Dazzle, composé de Gerry Heffernan, Buddy O'Connor et Pete Morin, continuera à faire des ravages dans la LNH après avoir semé la terreur dans la Ligue senior.*

Les trois faisaient la pluie et le beau temps avec le Royal de Montréal dans la Ligue senior du Québec depuis déjà plusieurs saisons. Deux fois, Hubert Buddy O'Connor y avait décroché le championnat des marqueurs, en plus d'avoir été désigné le plus utile à une occasion. Avec Pete Morin à sa gauche et Gérald Gerry Heffernan à sa droite, le trio se complétait à merveille, tant pour la préparation que pour l'exécution des jeux. On le surnommait *Razzle Dazzle*, tellement ses membres étourdissaient leurs rivaux.

De son côté, Tommy Gorman poursuit la reconstruction des Canadiens, n'ayant conservé que quatre joueurs de l'équipe à son arrivée, soit Cliff Goupille, Toe Blake, Ray Getliffe et Charlie Sands. Mais le club ne va pas bien depuis le début de la saison, avec une seule victoire en sept rencontres. Pis, il a perdu l'un de ses bons trios au complet par suite de l'accident d'automobile de Tony Demers;

● Les récriminations des médias finissent par donner des résultats. Tant la direction des Canadiens que les amateurs de hockey et les journalistes de sport se plaignent, depuis plusieurs années, de l'absence d'officiels francophones lors des matchs. Finalement, le 1er novembre, la Ligue fait l'essai de deux juges de lignes pour signaler les hors-jeu et l'on demande à Aurèle Joliat, ex-joueur et ex-entraîneur, d'être l'un d'eux.

● Gorman poursuit son ménage d'automne en octobre en cédant six joueurs, dont le vétéran Georges Mantha, aux Lions de Washington.

● Avant le début de la saison, le Tricolore lance une invitation à l'excellent cerbère Dave Kerr, en brouille avec la direction des Rangers, à devenir l'auxiliaire de Bert Gardiner. L'offre est généreuse, mais en novembre, Kerr décline l'invitation. Celui-ci avait conduit les Rangers jusqu'en finale en 1937 et réussi quatre blanchissages, en plus de remporter le trophée Vézina en 1939-40. On ne devait plus le revoir devant un filet.

Finalement, Irvin rappelle Paul Bibeault des Lions de Washington et leur envoie Gardiner.

● Premier voyage en avion pour les joueurs du Tricolore en prévision du match contre Chicago, le 1er février.

● Le Tricolore maintient son effort patriotique en organisant un autre festival sportif, nommé la «Parade des sports», au profit de l'emprunt de la Victoire. Au programme, match amical contre les anciens Maroons et les meilleurs joueurs amateurs, patinage artistique,

courses sur glace et démonstration des cadets. On accueille à nouveau près de 13 000 personnes, alors que les anciens Canadiens perdent 5-3 contre les Maroons. La présence du fils d'Howie Morenz dans l'uniforme du Tricolore suscite beaucoup d'émotion dans l'assistance.

De son côté, l'équipe régulière gagne 2-1 contre les amateurs.

● Pour une deuxième saison de suite, on ne retrouve aucun joueur du Tricolore au sein des équipes d'étoiles.

## 1941-1942

**Paul Bibeault**

### LE SAVIEZ-VOUS...

Les Canadiens et les Bruins se prêtent mutuellement deux joueurs pour contourner l'interdiction qui empêche certains joueurs de voyager à l'étranger en raison de la guerre. Mais Terry Reardon — le frère de Ken —, obtenu de Boston en retour du gardien Paul Gauthier, ne peut accompagner l'équipe aux États-Unis, faute de permis de travail. Il n'obtiendra ce dernier qu'à la mi-janvier, avec seulement 14 parties à jouer.

ce dernier s'est fracturé la cheville droite. John Adams fait son service militaire et Elmer Lach s'est fracturé un bras dès le premier match de la saison.

L'entraîneur Irvin hésite à faire appel au *Razzle Dazzle*, malgré son succès, car il trouve les joueurs bien légers. En effet, Morin pèse à peine 140 livres, Heffernan, 162 lb et O'Connor, 155 lb. Mais ils ont tous 25 ans ou plus, ce qui l'incite à tenter le coup.

«La signature des trois joueurs du Royal fait le sujet de toutes les conversations», rapporte Charles Mayer dans *Le Petit Journal* du 30 novembre. En fait, le Tricolore vient d'écrire une nouvelle page d'histoire avec l'acquisition d'un trio au complet le même jour.

Pour l'équipe, c'est un excellent coup publicitaire, que l'on exploite au maximum en attribuant les numéros 20 (Morin), 21 (O'Connor) et 22 (Heffernan) aux trois joueurs. Le trio fait les délices des partisans de l'équipe avec sa combativité et sa technique de passes courtes et foudroyantes. O'Connor récolte 25 points, Morin, 22 et Heffernan, 20.

Mais le populaire trio est séparé en fin de saison. Morin est blessé à la fin de février et doit se présenter à l'armée l'année suivante, tandis qu'Heffernan retourne au Royal avant de revenir aux Canadiens pour les séries de 1943. C'est finalement O'Connor, le plus frêle des trois, au point d'être dispensé des séances d'entraînement par Irvin —, qui aura la plus longue carrière dans la LNH. Il demeurera six ans à

### JOUEURS

| | |
|---|---|
| 1 | Paul Bibeault |
| | Bert Gardiner |
| 2 | Cliff Goupille |
| 3 | John Portland |
| 4 | Ken Reardon |
| 5 | Joe Benoît |
| 6 | Toe Blake (C) |
| 8 | Tony Graboski |
| | Léo Lamoureux |
| 9 | Charlie Sands |
| 10 | Elmer Lach |
| | Jim Haggerty |
| 11 | Ray Getliffe |
| 12 | Murph Chamberlain |
| | Red Heron |
| 14 | Terry Reardon |
| 15 | Aurella Dame |

| | PJ | G | P | N | BP | BC | PTS |
|---|---|---|---|---|---|---|---|
| New York (Rangers) | 48 | 29 | 17 | 2 | 177 | 143 | 60 |
| Toronto (Maple Leafs) | 48 | 27 | 18 | 3 | 158 | 136 | 57 |
| Boston (Bruins) | 48 | 25 | 17 | 6 | 160 | 118 | 56 |
| Chicago (Black Hawks) | 48 | 22 | 23 | 3 | 145 | 155 | 47 |
| Detroit (Red Wings) | 48 | 19 | 25 | 4 | 140 | 147 | 42 |
| Montréal (Canadiens) | 48 | 18 | 27 | 3 | 134 | 173 | 39 |
| Brooklyn (Americans) | 48 | 16 | 29 | 3 | 133 | 175 | 35 |

### MEILLEURS MARQUEURS

| | | PJ | B | A | PTS | PUN |
|---|---|---|---|---|---|---|
| Bryan Hextall | New York | 48 | 24 | 32 | 56 | 30 |
| Lynn Patrick | New York | 47 | 32 | 22 | 54 | 18 |
| Don Grosso | Detroit | 48 | 23 | 30 | 53 | 13 |
| Phil Watson | New York | 48 | 15 | 37 | 52 | 48 |
| Sid Abel | Detroit | 48 | 18 | 31 | 49 | 45 |
| Toe Blake | Canadiens | 47 | 17 | 28 | 45 | 19 |
| Bill Thoms | Chicago | 47 | 15 | 30 | 45 | 8 |
| Gordie Drillon | Toronto | 48 | 23 | 18 | 41 | 6 |
| Syl Apps | Toronto | 38 | 18 | 23 | 41 | 0 |
| Tom Anderson | Brooklyn | 48 | 12 | 29 | 41 | 54 |

● La guerre se fait sentir dans beaucoup de domaines. En mars, le ministre canadien des Munitions, C. D. Howe, annonce l'obligation d'obtenir un permis spécial pour l'usage du caoutchouc usagé. Ce matériau sert à la fabrication des rondelles, des balles de tennis et de crosse, des talons et des semelles, ainsi que des tuyaux d'arrosage. On demande même aux spectateurs de retourner les rondelles projetées dans la foule.

● Un exploit pour le moins remarquable se produit le 24 mars, lors des séries, alors que les trois équipes victorieuses l'emportent par jeu blanc : Montréal 5-0 sur Detroit, Chicago 4-0 sur Boston et New York 3-0 sur Toronto.

● Le point tournant de la remontée des Leafs en finale est survenu avec la suspension de l'entraîneur Jack Adams pour le reste des séries, après qu'il s'en soit pris physiquement à l'arbitre

Mel Harwood au cours du quatrième match. Adams lui reproche quelques mauvaises décisions contre ses Red Wings et le malmène après la partie.

● Un nouveau trophée, portant le nom d'Arthur Ross, des Bruins de Boston, est donné à la Ligue pour récompenser le joueur le plus spectaculaire. On ne trouve nulle trace des gagnants de ce trophée avant 1948, alors qu'il commence à être attribué au meilleur marqueur du circuit.

● Le match du 9 décembre entre Chicago et Boston est retardé de quelques heures pour permettre aux spectateurs d'écouter la déclaration de guerre contre l'Allemagne et le Japon prononcée par le président Franklin Delano Roosevelt, à la suite de l'attaque de Pearl Harbour.

● Les autres équipes de la Ligue font aussi leur effort de guerre. Ainsi, les anciennes vedettes des Rangers et des Bruins disputent un match amical au Garden de Boston en février.

| JOUEURS | |
|---|---|
| 16 | John Quilty |
| 17 | Émile Bouchard |
| 18 | James O'Neil |
| | Connie Tudin |
| | Stuart Smith |
| 19 | Tony Demers |
| 20 | Pete Morin |
| 21 | Buddy O'Connor |
| 22 | Gerry Heffernan |
| | Rodrigue Lorrain |

| ENTRAÎNEUR |
|---|
| Dick Irvin |

| TROPHÉES |
|---|
| **COUPE STANLEY** |
| Maple Leafs de Toronto |
| **COUPE O'BRIEN** |
| Red Wings de Detroit |
| **TROPHÉE PRINCE-DE-GALLES** |
| Rangers de New York |
| **TROPHÉE HART** |
| Tom Anderson |
| Americans de Brooklyn |
| **TROPHÉE LADY-BYNG** |
| Syl Apps |
| Maple Leafs de Toronto |
| **TROPHÉE CALDER** |
| Grant Warwick |
| Rangers de New York |
| **TROPHÉE GEORGES-VÉZINA** |
| Frank Brimsek |
| Bruins de Boston |
| **MEILLEUR MARQUEUR** |
| Bryan Hextall |
| Rangers de New York |

Montréal avant d'être échangé aux Rangers. À la première de ses quatre saisons à New York, il terminera au deuxième rang des marqueurs, un seul point derrière Elmer Lach, en plus d'obtenir le trophée du joueur le plus utile.

## AU CAMP D'ENTRAÎNEMENT À BICYCLETTE

Un jeune défenseur de 21 ans, Émile Bouchard, se présente au camp d'entraînement, ayant parcouru les 80 kilomètres qui séparent Longueuil de Saint-Hyacinthe sur sa bicyclette. Les connaisseurs sont sceptiques, mais Dick Irvin a tôt fait de remarquer le talent de ce grand jeune homme qui a toutes les misères du monde à patiner. Il en fera l'un des meilleurs défenseurs de l'histoire du club.

Surnommé Butch par son équipier de Verdun, Bob Fillion, en raison de sa facilité à renverser ses adversaires, Bouchard portera le chandail tricolore pendant quinze ans. Il deviendra le capitaine du club en 1948.

À sa première saison avec les Canadiens, il vient compléter la brigade défensive formée de Cliff Goupille, Ken Reardon, John Jack Portland et Tony

Graboski. On n'avait pas vraiment trouvé de remplaçant à Walter Buswell, qui avait quitté le camp en 1940. C'est Bouchard qui hérite du poste. Il ne récolte que six passes à sa première saison, obtenant son premier but dans un gain de 5-0 contre les Red Wings au deuxième match des séries quart de finale.

Durant cette période, Bouchard exploite un important rucher et fait l'élevage des abeilles, ce qui le dispense de s'enrôler, puisqu'il n'y a personne pour le remplacer.

*Butch Bouchard garde la forme en faisant le trajet entre Longueuil et Saint-Hyacinthe à bicyclette.*

179

# 1942 Ⓒ 1943

*Les Canadiens entreprennent leur remontée au classement. Grâce à Toe Blake, Elmer Lach et Maurice Richard (pour quelques matchs), ils terminent quatrièmes, mais perdent de nouveau en première ronde. La Ligue fonctionne maintenant à six équipes et Red Dutton remplace Frank Calder à titre de président. Detroit termine premier et remporte facilement la coupe Stanley 4-0 contre Boston après avoir éprouvé quelques difficultés contre Toronto, finalement battu 4-2. Malgré les déboires des Black Hawks (5), les frères Bentley se distinguent aux premier (Doug) et troisième (Max) rangs des marqueurs. Max est aussi la recrue par excellence, tandis que Bill Cowley se réapproprie le trophée Hart.*

## « Voilà le Rocket ! »

Le surnom surgira lors d'un entraînement la saison suivante. C'est son équipier Ray Getliffe qui le trouvera en mettant ses coéquipiers en garde lors d'une montée spectaculaire du jeune Richard : «Attention, voilà le Rocket ! » Mais sa réputation avait déjà gagné le Forum, grâce aux succès accumulés avec le club Paquette de la Ligue du parc Lafontaine, et plus tard avec les Maple Leafs de Verdun et le Canadien senior. Le tir dévastateur et la fougue de Maurice Richard étaient craints de tous ses adversaires. Sa fiche bien remplie parlait d'elle-même.

Pourtant, il s'est acquis une réputation de fragilité au cours des années précédentes. Fracture de la cheville gauche en troisième période de son premier match avec le Canadien senior en 1940-41, après avoir marqué deux buts. Fracture du poignet gauche après 20 parties la saison suivante, mais il s'était rétabli pour les séries, impressionnant suffisamment la haute direction du Canadien, qui lui a fait parvenir une invitation en prévision du prochain camp.

Deux semaines avant l'entraînement, Maurice épouse Lucille Norchet, la sœur de Georges — le premier à lui donner sa chance — et l'une des plus assidues de ses fans.

181

● Véritable pluie de records offensifs pour le Tricolore. Le 8 novembre, alors que Maurice Richard obtient son premier but dans la LNH (également son premier but gagnant), Buddy O'Connor accumule les assistances en troisième période, quatre au total, ce qui constitue une nouvelle marque pour la Ligue. Souvent égalé par la suite, le record ne sera battu qu'en mars 1984 par Dale Hawerchuk, des Jets de Winnipeg.

● Alex Smart établit de nouvelles marques de la LNH pour un joueur à son premier match, le 14 janvier. Il marque trois buts (record toujours valide) et totalise quatre points, mais il ne disputera que huit parties avec les Canadiens, retournant ensuite dans la Ligue senior un autre nouveau, Glen Harmon, défenseur, fera carrière avec les Canadiens jusqu'en 1950-51. Il participera à la conquête de deux coupes Stanley et méritera deux sélections dans la deuxième équipe d'étoiles au cours de cette période.

● Ray Getliffe enfile cinq buts et Elmer Lach obtient six passes au cours du match du 6 février contre Boston. Le record de Lach sera battu par Billy Taylor (Detroit), en 1947, et par Wayne Gretzky à trois reprises, qui le portera à sept. Chez les Canadiens, seul Newsy Lalonde a obtenu plus de buts que Getliffe dans un match, soit six en 1920.

● Montréal récupère les droits du défenseur Frank Eddolls, d'abord cédé aux Leafs en 1940, mais il doit se défaire de ceux de Ted Kennedy, qui deviendra une grande vedette à Toronto, méritant notamment le trophée Hart en 1955. Eddolls jouera plus tard pendant quelques saisons avec les Canadiens et les Bisons de Buffalo (Ligue américaine) avant d'être échangé aux Rangers. Curieusement, la transaction effectuée par Frank Selke, remplaçant provisoire du gérant Conn Smythe, devait lui coûter son job à Toronto. Peu après, il devenait gérant des Canadiens.

● Montréal ne place aucun joueur dans les équipes d'étoiles pour une troisième saison consécutive.

## 1942-1943

Dick Irvin forme un trio avec Tony Demers à droite, Elmer Lach au centre et le jeune Richard, qui endosse le numéro 15, à gauche. Au premier match de la saison, disputé au Forum contre Boston le 31 octobre, les trois coéquipiers ne tardent pas à démontrer leurs capacités. À 36 secondes du début de la rencontre, Richard reçoit la rondelle de Lach et la refile aussitôt à Demers, qui laisse partir un boulet pour tromper le gardien Frank Brimsek. Les Canadiens l'emportent 3-2, alors que Demers marque aussi le but victorieux.

C'est le commencement d'une longue et riche carrière, jonchée d'exploits qui relèvent souvent de l'incroyable quand ce n'est pas carrément de l'inhumain.

Maurice obtient son premier but quelques jours plus tard, le 8 novembre, lors de son troisième match, déjouant Steve Buzinski, des Rangers, de nouveau devant ses partisans. Au surlendemain de Noël, les Canadiens affrontent les Bruins au Forum et Richard présente un dossier respectable de quatre buts et quatre assistances. Il donne les devants au Tricolore et ajoute deux autres passes sur des buts de Drillon et O'Connor, ses compagnons de trio depuis deux matchs. En troisième, nouvelle attaque avec la détermination qui le caractérise déjà.

*Malgré une réputation de joueur fragile, Frank Selke n'hésite pas à offrir un contrat à Maurice Richard. Voilà sans doute LA décision de sa carrière de gérant des Canadiens.*

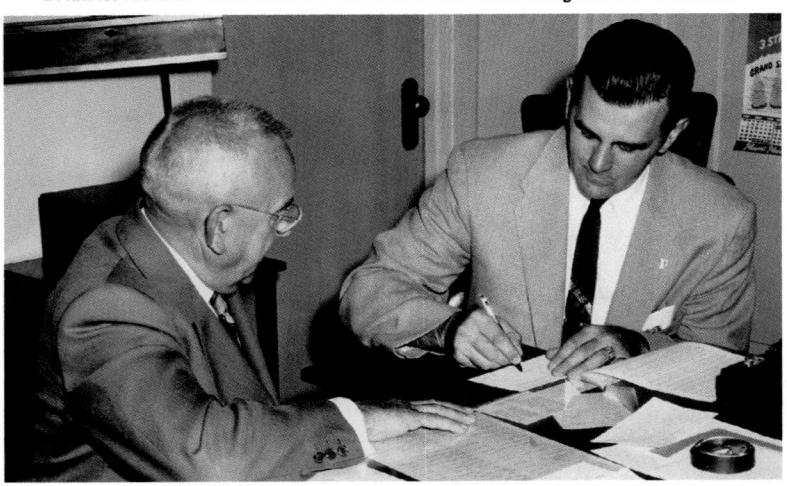

| JOUEURS | |
|---|---|
| 0 | Paul Bibeault |
| 1 | Paul Bibeault |
| | Tony Graboski |
| 2 | Cliff Goupille |
| | Mike McMahon |
| 3 | John Portland |
| 4 | Léo Lamoureux |
| 5 | Joe Benoît |
| 6 | Toe Blake (C) |
| 8 | Terry Reardon |
| | Robert Lee |
| | John Mahaffy |
| | Frank Maille |
| | Glen Harmon |
| | Marcel Dheere |
| 9 | Charlie Sands |
| 10 | Buddy O'Connor |
| 11 | Ray Getliffe |
| 12 | Gord Drillon |
| 14 | Tony Demers |
| | Charles Phillips |
| | Ernest Laforce |
| | Glen Harmon |
| 15 | Maurice Richard |
| | Irving McGibbon |
| | John Mahaffy |
| | Smiley Meronek |
| 16 | Elmer Lach |
| | Paul Bibeault |
| 17 | Émile Bouchard |
| 18 | Tony Graboski |
| | Alex Smart |
| | Dutch Hiller |
| | Marcel Dheere |
| 19 | Charles Phillips |
| | Marcel Dheere |
| | Dutch Hiller |

● Début de l'ère des « Six équipes originales » avec le retrait forcé des Americans de Brooklyn. Ceux-ci sont mis à la porte du Garden de New York parce qu'ils sont incapables de faire face à leurs obligations.

● Armand Bep Guidolin devient, à 16 ans et 11 mois, le plus jeune joueur de la Ligue nationale.

● Les clubs de la LNH continuent d'aider la cause des Alliés. Ainsi les recettes du match Montréal/Boston, joué en après-midi le 12 novembre, sont versées à la Croix-Rouge. La somme recueillie est de 6 286 $, alors que même les joueurs et les journalistes ont payé leur entrée.

● Pour remplacer le président fondateur Frank Calder, décédé d'une crise cardiaque en février, les dirigeants de la Ligue font appel à Mervyn Red Dutton, ancien joueur et gérant des défunts Americans de New York.

● Premier but de l'histoire de la Ligue avec la participation de trois membres d'une même famille le 3 janvier, soit les frères Reggie, Max et Doug Bentley. Reggie inscrit un but et ses frères obtiennent une assistance chacun dans un match nul de 3-3 des Black Hawks contre les Rangers.

● Privés des services de leur gardien vedette, Sugar Jim Henry, les Rangers, champions du calendrier régulier la saison précédente, dégringolent au dernier rang, ayant concédé pas moins de 253 buts à l'adversaire.

● Le gardien de Detroit, Johnny Mowers, avait accumulé le plus de défaites lors de la saison 1941-42, mais il renverse totalement la vapeur cette fois-ci avec le plus de victoires, le tout accompagné du trophée Vézina, d'une sélection dans la première équipe d'étoiles et d'une coupe Stanley. Il devra ensuite s'absenter pendant trois ans à cause de la guerre.

| JOUEURS | |
|---|---|
| 20 | Dutch Hiller |
| 21 | Marcel Dheere |
| 22 | Gerry Heffernan |
| **ENTRAÎNEUR** | |
| Dick Irvin | |

| TROPHÉES |
|---|
| **COUPE STANLEY** |
| Red Wings de Detroit |
| **COUPE O'BRIEN** |
| Bruins de Boston |
| **TROPHÉE PRINCE-DE-GALLES** |
| Red Wings de Detroit |
| **TROPHÉE HART** |
| Bill Cowley |
| Bruins de Boston |
| **TROPHÉE LADY-BYNG** |
| Max Bentley |
| Black Hawks de Chicago |
| **TROPHÉE CALDER** |
| Gaye Stewart |
| Maple Leafs de Toronto |
| **TROPHÉE GEORGES-VÉZINA** |
| Johnny Mowers |
| Red Wings de Detroit |
| **MEILLEUR MARQUEUR** |
| Doug Bentley |
| Black Hawks de Chicago |

| | PJ | G | P | N | BP | BC | PTS |
|---|---|---|---|---|---|---|---|
| Detroit (Red Wings) | 50 | 25 | 14 | 11 | 169 | 124 | 61 |
| Boston (Bruins) | 50 | 24 | 17 | 9 | 195 | 176 | 57 |
| Toronto (Maple Leafs) | 50 | 22 | 19 | 9 | 198 | 159 | 53 |
| Montréal (Canadiens) | 50 | 19 | 19 | 12 | 181 | 191 | 50 |
| Chicago (Black Hawks) | 50 | 17 | 18 | 15 | 179 | 180 | 49 |
| New York (Rangers) | 50 | 11 | 31 | 8 | 161 | 253 | 30 |

**1942-1943**

Cette fois, le défenseur John Crawford s'interpose. Les deux joueurs croulent au contact, la jambe droite de Maurice repliée sous son corps.

Fracture de la cheville, la saison est terminée ! Devant les médias, Irvin perd patience et juge Richard « peut-être trop fragile pour jouer dans la Ligue nationale ». L'armée l'a aussi recalé en raison de sa fragilité, quelques mois plus tôt. Un journaliste le qualifie de « citron » !

### ENCORE LA GUERRE !

La guerre fait rage du côté de l'Europe. Dans les rangs des équipes de la Ligue nationale aussi, car plusieurs joueurs sont appelés sous les drapeaux chaque année. Les Bruins ont perdu le trio *Kraut* l'année précédente et les Rangers sont privés de Colville et du gardien Jim Henry. Les Red Wings et les Canadiens sont les plus affectés par l'absence de 19 et 15 joueurs réguliers ou de la relève. On en dénombre 70 au total pour les six équipes de la Ligue. Coup sur coup, en début de saison, le Tricolore voit partir Cliff Goupille, Tony Demers et Terry Reardon, lesquels rejoignent Ken Reardon, John Quilty et compagnie. De plus, Richard, Lach et Terry Reardon n'obtiennent leur permis de travail pour les États-Unis qu'en décembre, ne pouvant jusque-là disputer que les parties locales.

La LNH remet son sort entre les mains des gouvernements canadien et américain une fois de plus, lesquels donnent leur aval « dans l'intérêt de la morale publique », mais on réduit les effectifs des clubs à 14 joueurs et les périodes supplémentaires sont abolies en cours de saison pour respecter l'horaire des trains. Par contre, on hausse le nombre de matchs réguliers à 50.

La guerre décime aussi les autres circuits. La Ligue américaine (AHL) perd deux équipes, faute de joueurs, et l'Association américaine (AHA) disparaît complètement avec ses huit clubs.

**LE SAVIEZ-VOUS...**

La passion d'Émile Bouchard pour l'élevage des abeilles lui coûte un match en novembre. Piqué par celles-ci à la suite d'un faux mouvement, Butch doit s'absenter de la partie contre Chicago, craignant un empoisonnement de sang.

| MEILLEURS MARQUEURS | | PJ | B | A | PTS | PUN |
|---|---|---|---|---|---|---|
| Doug Bentley | Chicago | 50 | 33 | 40 | 73 | 18 |
| Bill Cowley | Boston | 48 | 27 | 45 | 72 | 10 |
| Max Bentley | Chicago | 47 | 26 | 44 | 70 | 2 |
| Lynn Patrick | New York | 50 | 22 | 39 | 61 | 28 |
| Lorne Carr | Toronto | 50 | 27 | 33 | 60 | 15 |
| Billy Taylor | Toronto | 50 | 18 | 42 | 60 | 2 |
| Bryan Hextall | New York | 50 | 27 | 32 | 59 | 28 |
| Toe Blake | Canadiens | 48 | 23 | 36 | 59 | 28 |
| Elmer Lach | Canadiens | 45 | 18 | 40 | 58 | 14 |
| Buddy O'Connor | Canadiens | 50 | 15 | 43 | 58 | 2 |

183

*Moment de fierté pour le sénateur Raymond et le gérant Tommy Gorman qui se félicitent mutuellement pour cette autre coupe Stanley. Le vice-président William Northey attend son tour en retrait.*

# Les Canadiens sont là!

Les Habitants ont terminé la plus brillante saison dans leur histoire qui date de 1909. — Records nombreux au cours de la cédule comme dans les séries de la coupe. — Ils ont bien mérité de la population de Montréal, de la province et de tout le Canada. — 5e conquête de la coupe Stanley.

Richard et Blake, deux Canadiens français, les grands responsables des succès dans la saison et dans les séries de la coupe

# 1943  1944

CINQUIÈME
COUPE
STANLEY

*LA FORMATION DE LA PUNCH LINE, AVEC LACH, BLAKE ET RICHARD, L'ARRIVÉE DE BILL DURNAN QUE LES AUTRES ÉQUIPES JUGEAIENT TROP VIEUX POUR LA LNH, LE PRÊT DE PHIL WATSON PAR LES RANGERS, AINSI QUE L'ÉCLOSION DE PLUSIEURS JOUEURS, PROPULSENT LES CANADIENS AU PREMIER RANG. VINGT VICTOIRES À LA MI-SAISON, 38 AU TOTAL, CONTRE SEULEMENT 5 DÉFAITES, ET UNE AVANCE DE 25 POINTS SUR DETROIT. L'UNE DES MEILLEURES SAISONS DE L'HISTOIRE POUR CETTE ÉQUIPE, QUI RETROUVE LA COUPE STANLEY APRÈS UNE INTERRUPTION DE 10 ANS. TORONTO PROVOQUE LE TRICOLORE EN REMPORTANT LE PREMIER MATCH DE DEMI-FINALE 3-1, LE ROCKET EXPLOSE AVEC CINQ BUTS DANS LE DEUXIÈME, GAGNÉ 5-1. ENSUITE PLUS RIEN N'ARRÊTERA LA MARCHE DES CANADIENS VERS LA COUPE STANLEY. TORONTO EST BATTU 4-1 ET CHICAGO 4-0. PREMIER DE QUATRE VÉZINA DE SUITE POUR DURNAN.*

*Jusqu'à la retraite de Toe Blake, en 1948, la Punch Line fera trembler tous les gardiens adverses.*

**1943 1944**

# Un trio *Punch*

**Q**uelques jours avant le début de la saison, l'épouse de Maurice Richard donne naissance à sa première fille, Huguette. Elle pèse neuf livres. Pour souligner l'événement, Richard demande l'autorisation à Irvin de troquer son numéro 15 pour le 9.

Dick Irvin accepte de bonne grâce. Il présentait déjà Maurice comme la plus grande étoile du hockey en devenir au début de la saison, mais il est contraint de retenir quelque peu son enthousiasme lorsque Richard se disloque l'épaule après quelques parties. À son retour au jeu, l'entraîneur prend une décision qui allait marquer l'équipe pour des décennies en réunissant Lach, Blake et Richard dans un même trio. Joueur gaucher, le Rocket est converti en ailier droit et toute l'histoire des Canadiens en sera marquée.

La *Punch Line* ne met pas de temps à faire trembler les gardiens adverses. Elmer Lach termine au cinquième rang des marqueurs avec 24 buts et 48 passes. Blake totalise 59 points (26-33) et Richard, 54 (32-22).

C'est en séries que le trio explose pour de bon, notamment lors du deuxième match de demi-finale contre Toronto, le 23 mars. Richard marque cinq buts sur cinq tirs, chaque fois sur une passe de Blake (un nouveau record), ce qui lui vaudra les trois étoiles de la rencontre, octroyées par le journaliste Charles Mayer. Le lendemain, les journaux titrent : « Richard 5, Toronto 1 ». Maurice réédite pareil exploit de cinq points (2-3) au match suivant.

*Le passeport utilisé par le Rocket lors de ses déplacements aux États-Unis.*

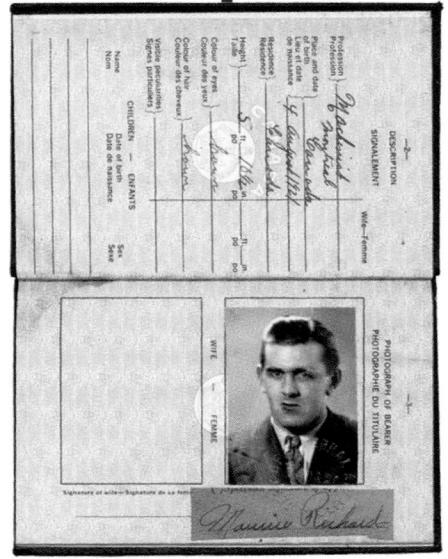

● Maurice Richard inscrit le premier des 33 tours du chapeau de son illustre carrière le 30 décembre, contre Jim Franks, du Detroit.

● Le Rocket, qui a inscrit les cinq buts des siens lors du deuxième match de demi-finale contre Toronto, remet ça dans la deuxième rencontre de la finale contre Chicago en comptant trois fois, dans une victoire de 3 à 1.

● Virgil Johnson est crédité du premier tir de punition en série éliminatoire, contre les Canadiens, le 13 avril. Durnan fait l'arrêt et le Tricolore triomphe 5-4 en prolongation, pour remporter la série contre Chicago.

● Absent des équipes d'étoiles depuis trois ans, le Tricolore place Bill Durnan et l'entraîneur Irvin dans la première, ainsi que Maurice Richard, Elmer Lach et Émile Bouchard dans la seconde.

● Tout au long de la saison, les entraînements du Tricolore ont lieu le soir, parce que les joueurs sont occupés le jour dans les usines de fabrication de munitions de guerre.

● À la suite de la conquête de la coupe Stanley, les marchands montréalais recommencent à décorer leurs vitrines aux couleurs des Canadiens, à fêter les joueurs et à leur remettre des cadeaux, comme le faisaient les commerçants lors des débuts de l'équipe. Une coupure de presse du *Petit Journal* de l'époque témoigne de ces belles attentions.

● À cette époque, les salaires sont loin d'égaler ceux d'aujourd'hui et, pour nourrir sa petite famille en pleine croissance, le Rocket occupe un emploi de vendeur d'autos durant l'été chez un concessionnaire de Montréal.

| JOUEURS | |
|---|---|
| 1 | Bill Durnan |
| 2 | Mike McMahon |
| 3 | Émile Bouchard |
| 4 | Léo Lamoureux |
| 6 | Toe Blake (C) |
| 8 | Glen Harmon |
| 9 | Maurice Richard |
| 10 | Buddy O'Connor |
| 11 | Ray Getliffe |
| 12 | Murph Chamberlain |
| 14 | Phil Watson |
| 16 | Elmer Lach |
| 17 | Fernand Majeau |
| 18 | Gerry Heffernan |
| 21 | Robert Fillion |
| 22 | Jean-Claude Campeau |
| | Robert Walton |
| **ENTRAÎNEUR** | |
| | Dick Irvin |

1943 1944

**Maurice Richard établit un record en comptant cinq buts contre Toronto**

**BLAKE PARTICIPE A CINQ BUTS**

*La performance du Rocket à Toronto est commentée à pleines pages par les médias.*

Blake profite de la partie du 23 pour égaler le record de passes en une seule période, trois. Puis Lach réplique avec une performance similaire une semaine plus tard et Blake le relance à son tour le 13 avril contre Chicago. En plus, les trois présentent des fiches incroyables. Richard totalise 12 buts, Lach a 11 passes et Blake 18 points.

Le Tricolore s'attire cependant les foudres de son public à la quatrième rencontre de la finale contre Chicago. Après avoir disposé des Leafs en cinq

*Les Canadiens connaissent l'une des meilleures saisons de leur histoire, devançant Detroit par 25 points au sommet du classement.*

*Les figurines des joueurs vedettes, tel Maurice Richard, ont toujours obtenu la faveur des collectionneurs.*

● L'apparition d'une ligne rouge au centre de la patinoire marque le début de ce qu'on qualifie d'ère moderne du hockey. C'est aussi le début des punitions à retardement.

● Le souvenir de Frank Calder est perpétué par l'officialisation du trophée à son nom, lequel est attribué à la recrue de l'année. Le premier récipiendaire du trophée commémoratif, Gus Bodnar, des Leafs, a obtenu son premier but à la quinzième seconde de jeu à son match initial. Depuis 1937 et jusqu'à sa mort, Calder s'était chargé d'acheter un trophée qu'il remettait personnellement à la recrue de l'année.

● Tandis que le Tricolore ne perd que cinq rencontres, les Rangers, tout à l'opposé, ne gagnent qu'à six reprises, la pire saison de leur histoire. À titre d'exemple, le 23 janvier, ils sont écrasés 15-0 par Detroit. Ils terminent la saison à 26 points de leur plus proche rival, Boston.

**1943 1944**

parties, les joueurs de Dick Irvin remportent sans coup férir les trois premières de la finale. Mais les Hawks mènent le quatrième match par 4 à 1 jusqu'au milieu du troisième vingt. C'est alors que la foule se met à scander « Fake ! Fake ! », croyant que les joueurs cherchent à prolonger la série. Fouettés par les protestations, les membres de la *Punch Line* prennent les choses en main, Lach rétrécit la marge à la dixième minute, puis Richard égalise avec deux buts rapides. En prolongation, Blake procure la victoire finale aux siens.

## BILL DURNAN SE TROUVE TROP VIEUX

Le Tricolore, qui vient d'établir une nouvelle marque de 25 parties sans défaites à domicile (22-0-3) — un record qui a résisté au temps —, connaît l'une des meilleures saisons de son histoire avec seulement 5 revers contre 38 victoires, 7 matchs nuls et pas moins de 5 nouveaux records. D'ailleurs, cette performance sans échecs devant ses partisans ne pourra qu'être égalée, au mieux.

| TROPHÉES | |
| --- | --- |
| **COUPE STANLEY** | |
| Canadiens de Montréal | |
| **COUPE O'BRIEN** | |
| Black Hawks de Chicago | |
| **TROPHÉE PRINCE-DE-GALLES** | |
| Canadiens de Montréal | |
| **TROPHÉE HART** | |
| Babe Pratt | |
| Maple Leafs de Toronto | |
| **TROPHÉE LADY-BYNG** | |
| Clint Smith | |
| Black Hawks de Chicago | |
| **TROPHÉE CALDER** | |
| Gus Bodnar | |
| Maple Leafs de Toronto | |
| **TROPHÉE GEORGES-VÉZINA** | |
| Bill Durnan | |
| Canadiens de Montréal | |
| **MEILLEUR MARQUEUR** | |
| Herb Cain | |
| Bruins de Boston | |

*Cette année-là, Bill Durnan ne perdra aucun match à Montréal, en plus de signer une performance de 14 parties sans défaite, une marque qui tiendra jusqu'en 1996-97.*

● Les Leafs et les Hawks se disputent un match sans buts ni punitions le 20 février. Les jeux blancs sont versés au compte de Paul Bibeault, prêté à Toronto par les Canadiens en décembre, et Mike Karakas.

● Art Ross retire son gardien au profit d'un sixième attaquant pour essayer de niveler le pointage à la fin du match du 11 novembre contre Chicago. Mais à la suite de ce geste audacieux de l'entraîneur des Bruins, Clint Smith obtient le premier but dans un filet désert.

● Les Maple Leafs parviennent à conserver leur troisième place et surprennent le Tricolore au premier match des séries, malgré l'absence de plusieurs joueurs de calibre, retenus par la guerre. Au nombre des absents : Turk Broda, Billy Taylor, Gaye Stewart, Sweeney Schriner, Syls Aps et Bud Poile.

● L'équipe des Red Wings, champions en titre, est aussi largement touchée par l'absence de plusieurs gros noms, les Sid Abel, Jack Stewart, Harry Watson et Jimmy Orlando.

|  | PJ | G | P | N | BP | BC | PTS |
|---|---|---|---|---|---|---|---|
| Montréal (Canadiens) | 50 | 38 | 5 | 7 | 234 | 109 | 83 |
| Detroit (Red Wings) | 50 | 26 | 18 | 6 | 214 | 177 | 58 |
| Toronto (Maple Leafs) | 50 | 23 | 23 | 4 | 214 | 174 | 50 |
| Chicago (Black Hawks) | 50 | 22 | 23 | 5 | 178 | 187 | 49 |
| Boston (Bruins) | 50 | 19 | 26 | 5 | 223 | 268 | 43 |
| New York (Rangers) | 50 | 6 | 39 | 5 | 162 | 310 | 17 |

MEILLEURS MARQUEURS

|  |  | PJ | B | A | PTS | PUN |
|---|---|---|---|---|---|---|
| Herb Cain | Boston | 48 | 36 | 46 | 82 | 4 |
| Doug Bentley | Chicago | 50 | 38 | 39 | 77 | 22 |
| Lorne Carr | Toronto | 50 | 36 | 38 | 74 | 9 |
| Carl Liscombe | Detroit | 50 | 36 | 37 | 73 | 17 |
| Elmer Lach | Canadiens | 48 | 24 | 48 | 72 | 23 |
| Clint Smith | Chicago | 50 | 23 | 49 | 72 | 4 |
| Bill Cowley | Boston | 36 | 30 | 41 | 71 | 12 |
| Bill Mosienko | Chicago | 50 | 32 | 38 | 70 | 10 |
| Art Jackson | Boston | 49 | 28 | 41 | 69 | 8 |
| Gus Bodnar | Toronto | 50 | 22 | 40 | 62 | 18 |

**1943 1944**

Une saison presque parfaite, couronnée d'une cinquième coupe Stanley, la première en 13 ans. Mais le mérite n'en revient pas uniquement à la puissance offensive de l'équipe.

Gorman et Irvin ont réglé la question de l'offensive avant le début de la saison, mais celle du gardien reste problématique. On n'est pas satisfait de Bibeault. Herb Gardiner, prêté aux Hawks, est de retour, mais on s'apprête à l'envoyer à Boston. Reste Bill Durnan, un gardien de 27 ans arraché à l'organisation des Leafs de Toronto, qui se débrouille bien avec le Royal de Montréal et que les Canadiens avaient rappelé par mesure de précaution au début des séries de 1943.

Mais Durnan se trouve trop vieux et veut demeurer avec le Royal. Gorman parvient à le convaincre, à quelques heures du premier match contre Boston, qui aligne justement Gardiner. Le nouveau cerbère du Tricolore connaît un début de saison époustouflant et dispute 14 parties sans défaites (11-0-3), record battu seulement en 1996-97 par Patrick Lalime, de Pittsburgh. Celui qui aime tromper ses adversaires en changeant brusquement son bâton de main remporte 38 victoires en saison (autre record) et cueille le premier de six trophées Vézina en sept ans, dont quatre consécutifs. En raison de son habitude de faire passer son bâton d'une main à l'autre, Durnan est considéré comme l'unique gardien ambidextre de l'histoire. En fait, il utilisait deux gants pour attraper la rondelle et pas de bouclier.

Torontois d'origine comme George Hainsworth, il avait commencé à garder les buts «en bottes», à l'instar d'un autre illustre prédécesseur, Georges Vézina, jusqu'à ce qu'un copain lui prête ses patins.

*L'arrivée de Phil Watson à Montréal tient du roman, si l'on se fie aux comptes rendus des journalistes de La Presse. Watson est d'abord prêté par les Rangers le 28 octobre, avec la restriction de jouer uniquement au Canada. Le 9 décembre, on lui permet de jouer à l'extérieur, sauf à New York, et le 20, il peut jouer partout. Cinq joueurs du Canadien font partie des diverses étapes du prêt: Charlie Sands (1er), Dutch Hiller (1er), Fernand Gauthier (2e), John Mahaffy (2e) et Tony Demers (3e). L'année suivante, Watson retourne avec les Rangers.*

# 1944 ⓒ 1945

MONTRÉAL DOMINE AISÉMENT LA SAISON RÉGULIÈRE DE NOUVEAU, MAIS SE FAIT SURPRENDRE PAR TORONTO ET SON GARDIEN RECRUE FRANK MCCOOL EN DEMI-FINALE. MCCOOL BLANCHIT DETROIT LORS DES TROIS PREMIÈRES PARTIES DE LA FINALE, MAIS LES WINGS REBONDISSENT EN GAGNANT LES TROIS SUIVANTES. FINALEMENT, LES LEAFS EMPÊCHERONT L'ÉQUIPE AMÉRICAINE DE REFAIRE LE COUP QU'EUX-MÊMES LEUR AVAIENT SERVI TROIS ANS AUPARAVANT, EN S'ADJUGEANT LE SEPTIÈME MATCH 2-1. LACH, RICHARD ET BLAKE OCCUPENT LES TROIS PREMIERS RANGS DES MARQUEURS. LACH EST JUGÉ LE PLUS UTILE, DURNAN A LA MEILLEURE MOYENNE ET RICHARD COMPTE 50 BUTS EN 50 PARTIES. BILL MOSIENKO EST LE TROISIÈME HAWK DE SUITE À MÉRITER LE TROPHÉE LADY-BYNG ET FRANK MCCOLL, LE TROISIÈME LEAF CONSÉCUTIF À OBTENIR LE CALDER. LA GUERRE CONTINUE DE PRIVER LA LIGUE DE PLUSIEURS DE SES MEILLEURS ÉLÉMENTS.

## 50 en 50

*De tous les exploits du Rocket, sa performance de 50 buts en 50 parties demeurera la plus légendaire.*

**M**aurice Richard accomplit des performances qui contribuent fortement à établir sa renommée au cours de cette saison 1944-45, largement dominée par les Canadiens, une fois de plus.

Le 29 décembre, il déménage sa famille de la rue des Érables à la rue Papineau. Il se présente ensuite au Forum pour y affronter les Red Wings, prenant soin de prévenir ses coéquipiers de ne pas compter sur lui parce qu'il est complètement exténué. Il signe pourtant une performance de cinq buts et trois passes, un nouveau record, se permettant même d'enfiler deux rondelles à huit secondes d'intervalle.

Un peu plus tard en saison, le 3 février, au cours d'un autre match contre Detroit, il accomplit un exploit qui alimentera sa légende pour des décennies à venir. Earl Seibert, un gaillard de 225 livres acquis des Black Hawks par les Red Wings quelques semaines plus tôt, tente de s'interposer pour arrêter le Rocket dans l'une des montées foudroyantes dont il a le secret. Richard essaie de l'éloigner de son bras gauche sans perdre le contrôle de la rondelle. Seibert s'accroche à deux mains, mais le Rocket l'entraîne sur son dos jusqu'au but du gardien Harry Lumley, qu'il déjoue d'une seule main. Tous en restent bouche bée.

● On fait grand état, en début de saison, d'un nouveau règlement proposé par le gouverneur Art Ross, des Bruins de Boston, selon lequel les joueurs exemptés du service militaire pour des raisons autres que physiques seraient inadmissibles à jouer. On mentionne quelques noms des Canadiens : Bouchard, Watson, Harmon et Heffernan. Finalement, tout rentrera dans l'ordre et Montréal entamera la saison avec une équipe complète. Entre-temps,

Dame Rumeur laissait savoir que les Canadiens auraient pu adhérer à une nouvelle Ligue regroupant aussi les clubs de Cleveland, Buffalo et St. Louis si la LNH s'était montrée trop sévère.
● Le joueur de centre Kenny Mosdell, acquis par les Canadiens lors du repêchage de dispersion des anciens joueurs des Americans de Brooklyn en 1943, se présente finalement au club. Depuis deux ans, il jouait pour des équipes de l'armée canadienne.

● Les services du gardien Paul Bibeault sont prêtés pour une deuxième saison de suite par Montréal, cette fois aux Bruins de Boston. On ramènera Bibeault en catastrophe en janvier de la saison suivante, lorsque Durnan sera blessé.
● Paul Stuart, le protecteur de Maurice Richard depuis ses débuts dans le hockey mineur, ainsi que Paul Paquette et Dan Murray organisent une petite fête le 29 avril pour fêter les 50 buts du Rocket. Léo Dandurand lui présente

un trophée spécial, alors que ses admirateurs lui remettent plusieurs centaines de cadeaux ainsi qu'une bourse de 700 $. Deux semaines plus tôt, son épouse Lucille a donné naissance au premier garçon de la famille, Maurice fils.
● L'entraîneur Irvin et les joueurs souscrivent personnellement à l'emprunt de la Victoire, alors que l'objectif visé est largement dépassé.

## 1944-1945

Depuis, on raconte cette anecdote en y ajoutant un deuxième et parfois un troisième joueur, même si l'exploit tient déjà du phénomène avec un seul.

Une semaine plus tard, le journaliste Charles Mayer, du *Petit Journal*, écrit que le propriétaire des Leafs, Connie Smythe, double l'offre déjà faite pour Richard, la portant à 50 000 $.

Mais sans rien enlever à l'extraordinaire beauté des deux exploits mentionnés ci-dessus, la véritable réussite du Rocket cette année-là, ce sont ses 50 buts en 50 parties, une performance qu'on estimait encore impossible à quelques jours de son accomplissement.

Le 17 février, à Toronto, il égale la marque de 44 buts, réalisée lors de la première saison d'activités de la LNH en 1917-18, et reçoit une ovation des partisans des Leafs. Le nouveau record est établi le 25, cette fois au Forum, mais de nouveau contre le gardien de Toronto, Frank McCool. Cette fois, la foule partisane lui réserve une salve d'applaudissements qui dure dix minutes. Après ce 45e but, la tension augmente, tant chez les amateurs que chez les médias, à mesure que Maurice additionne les rondelles qui font mouche. C'est finalement à la dernière rencontre, le 18 mars au Garden de Boston, qu'il inscrit son nom à jamais dans le livre des plus beaux exploits du hockey. Il devient le premier joueur à totaliser 50 buts en autant de matchs, en trompant le cerbère Harvey Bennett avec un peu plus de deux minutes à jouer.

Son entraîneur, Dick Irvin, devenu son meilleur fan depuis l'année précédente, avait prédit l'exploit du Rocket à la fin d'octobre, alors que celui-ci n'avait encore qu'une douzaine de buts à son actif.

### LE SAVIEZ-VOUS...

La Ligue nationale procède à l'intronisation de ses premiers membres au Temple de la renommée, institué depuis peu. Parmi les 14 premiers élus, on compte deux joueurs des Canadiens, Georges Vézina et Howie Morenz.

| JOUEURS | |
|---|---|
| 1 | Bill Durnan |
| 2 | Frank Eddolls |
| 3 | Émile Bouchard |
| 4 | Léo Lamoureux |
| 5 | Dutch Hiller |
| 6 | Toe Blake (C) |
| 8 | Glen Harmon |
| 9 | Maurice Richard |
| 10 | Buddy O'Connor |
| 11 | Ray Getliffe |
| 12 | Murph Chamberlain |

### TROPHÉES

| COUPE STANLEY |
|---|
| Maple Leafs de Toronto |
| **COUPE O'BRIEN** |
| Red Wings de Detroit |
| **TROPHÉE PRINCE-DE-GALLES** |
| **Canadiens de Montréal** |
| **TROPHÉE HART** |
| **Elmer Lach** |
| **Canadiens de Montréal** |
| **TROPHÉE LADY-BYNG** |
| Bill Mosienko |
| Black Hawks de Chicago |
| **TROPHÉE CALDER** |
| Frank McCool |
| Maple Leafs de Toronto |
| **TROPHÉE GEORGES-VÉZINA** |
| **Bill Durnan** |
| **Canadiens de Montréal** |
| **MEILLEUR MARQUEUR** |
| **Elmer Lach** |
| **Canadiens de Montréal** |

● Les Maple Leafs passent à un cheveu de se faire servir la leçon qu'ils ont donnée aux mêmes Red Wings trois ans plus tôt. À cette époque, Toronto avait surmonté un déficit de 0-3 pour gagner la finale 4-3. Cette fois, les rôles sont inversés. Toronto gagne les trois premières parties en n'accordant aucun but, Detroit égalise avec trois gains consécutifs, dont deux par jeu blanc, puis les Leafs se ressaisissent pour remporter le match décisif 2 à 1, grâce à un but de Babe Pratt à moins de huit minutes de la fin.

● Le gardien recrue du Toronto, Frank McCool, est incontestablement le héros de cette série avec trois jeux blancs dès le départ et une moyenne de 2,23 en 13 parties. Il reçoit le trophée Calder au terme d'une première saison tout à fait remarquable.

● Frank McCool, appelé à la rescousse pour remplacer Turk Broda, lui aussi parti à la guerre, ingurgite des litres de lait entre chaque période pour calmer son estomac, d'où son surnom d'« Ulcères ».

● Ted Kennedy, que les Canadiens ont laissé partir pour Toronto un an plus tôt, est devenu un joueur dominant avec les Leafs. Il termine au cinquième rang des marqueurs en saison et au deuxième en séries, avec le plus de buts, sept.

● Syd Howe devient le meilleur marqueur de l'histoire du circuit le 8 mars en surpassant les 515 points de Nels Stewart. Howe terminera sa carrière l'année suivante avec 528 points et sera dépassé à son tour en 1947 par Bill Cooley,

suivi d'Elmer Lach en 1952, Maurice Richard en 1953, Gordie Howe en 1960 et Wayne Gretzky en 1989.

● Les Bruins de Boston s'inscrivent au pointage à quatre reprises en l'espace de 1 min 20 s le 21 janvier, ce qui constitue toujours le record de la Ligue. Le 4 mars, Clint Smith, de Chicago, obtient quatre filets à lui seul dans une même période, une autre marque toujours valide, pendant que son coéquipier Mosienko y va de quatre passes.

| | JOUEURS |
|---|---|
| 14 | Rolland Rossignol |
| | Rosario Joanette |
| | Ed Emberg |
| | John Mahaffy |
| 15 | Robert Fillion |
| 16 | Elmer Lach |
| 17 | Fernand Majeau |
| | Nils Tremblay |
| | Rolland Rossignol |
| 18 | Ken Mosdell |
| 19 | Fernand Gauthier |
| 22 | Wilf Field |
| | Francis Stahan |
| ENTRAÎNEUR | |
| | Dick Irvin |

| | PJ | G | P | N | BP | BC | PTS |
|---|---|---|---|---|---|---|---|
| Montréal (Canadiens) | 50 | 38 | 8 | 4 | 228 | 121 | 80 |
| Detroit (Red Wings) | 50 | 31 | 14 | 5 | 218 | 161 | 67 |
| Toronto (Maple Leafs) | 50 | 24 | 22 | 4 | 183 | 161 | 52 |
| Boston (Bruins) | 50 | 16 | 30 | 4 | 179 | 219 | 36 |
| Chicago (Black Hawks) | 50 | 13 | 30 | 7 | 141 | 194 | 33 |
| New York (Rangers) | 50 | 11 | 29 | 10 | 154 | 247 | 32 |

MEILLEURS MARQUEURS

| | | PJ | B | A | PTS | PUN |
|---|---|---|---|---|---|---|
| Elmer Lach | Canadiens | 50 | 26 | 54 | 80 | 37 |
| Maurice Richard | Canadiens | 50 | 50 | 23 | 73 | 36 |
| Toe Blake | Canadiens | 49 | 29 | 38 | 67 | 15 |
| Bill Cowley | Boston | 49 | 25 | 40 | 65 | 2 |
| Ted Kennedy | Toronto | 49 | 29 | 25 | 54 | 14 |
| Bill Mosienko | Chicago | 50 | 28 | 26 | 54 | 0 |
| Joe Carveth | Detroit | 50 | 26 | 28 | 54 | 6 |
| Ab DeMarco | New York | 50 | 24 | 30 | 54 | 10 |
| Clint Smith | Chicago | 50 | 23 | 31 | 54 | 0 |
| Syd Howe | Detroit | 46 | 17 | 36 | 53 | 6 |

Richard, Lach et Blake accaparent les trois premières places des marqueurs de la Ligue. Ils seront tous trois élus dans la première équipe d'étoiles.

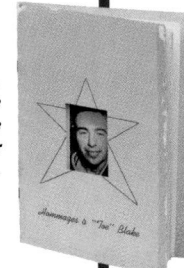

Le 9 décembre, on organise une petite fête en l'honneur de Toe Blake.

## 1-2-3 CHEZ LES COMPTEURS POUR LACH, BLAKE ET RICHARD

La domination de la *Punch Line* est totale, alors que Lach, Richard et Blake accaparent les trois premiers rangs des marqueurs du circuit. Lach totalise 26 buts et 54 passes, éclipsant au passage le record de passes. En plus de son trophée de champion marqueur, il est désigné le joueur le plus utile à son équipe devant Maurice Richard. Celui-ci a 73 points (50-23) et Toe Blake suit derrière avec 67 (29-38). C'est la deuxième fois seulement depuis la formation de la Ligue que les membres d'un même trio monopolisent les premières places au classement. La *Kraut Line* de Boston (Dumart-Schmidt-Bauer) avait accompli l'exploit en 1939-40.

Leur total de 220 points permet aux trois comparses de surpasser l'ancienne marque de 219, réussie l'année précédente par Bill Mosienko, Clint Smith et Doug Bentley, des Black Hawks.

Mieux encore, le trio au complet est élu dans la première équipe d'étoiles, en compagnie de deux coéquipiers, Bill Durnan et Émile Bouchard. Sans compter l'entraîneur Irvin, également sélectionné dans le premier club d'as. Le choix de cinq joueurs d'une même formation sur six est un précédent dans l'histoire de la LNH. Depuis, l'exploit a été renouvelé une seule fois, par les Hawks de Chicago, en 1963-64.

Plusieurs autres records offensifs ont aussi été balayés au cours de cette campagne historique du Tricolore.

Sous l'œil attentif de
son compagnon de trio,
Blake commente le but
décisif obtenu au milieu de
la troisième période lors du
cinquième match de la finale.

# 1945  1946

SIXIÈME
COUPE
STANLEY

Troisième championnat d'affilée en saison régulière pour les Canadiens, qui éliminent facilement Chicago en quatre parties et Boston en cinq pour la sixième coupe Stanley de leur histoire, une deuxième en trois ans. Les champions en titre, les Maple Leafs, sont exclus des séries. Max Bentley, des Black Hawks, termine au premier rang des marqueurs et Toe Blake est troisième, en plus de recevoir le trophée Lady-Byng comme joueur le plus gentilhomme. Bentley est choisi comme joueur le plus utile. Bill Durnan reçoit le trophée Vézina pour une troisième fois de suite. Un Franco-Ontarien, Edgar Laprade des Rangers, reçoit le Calder à titre de recrue de l'année.

● Malgré une blessure à la main droite subie en janvier, Bill Durnan conserve la meilleure moyenne chez les cerbères de la Ligue et enlève un troisième trophée Vézina d'affilée. Il revient en force pour les séries et mène son équipe à la coupe, tout en conservant encore la meilleure moyenne.

*En séries comme en saison, le trio de la* **Punch Line** *domine le jeu.*

**1945 1946**

# Toe Blake tranche encore une fois

La guerre enfin terminée, la Ligue nationale récupère les bons éléments dont elle a été privée trop longtemps. Mais guerre ou pas, les Canadiens maintiennent le rythme et sortent vainqueurs d'une épuisante lutte à trois avec Detroit et Chicago pour le premier rang. La *Punch Line* s'illustre encore, notamment Toe Blake qui termine au troisième rang des marqueurs avec 50 points.

Blake, joueur impulsif en début de carrière, s'est drôlement assagi avec les années, au point de mériter le trophée Lady-Byng à titre de joueur le plus gentilhomme. Il n'a reçu qu'une punition durant toute la saison, ce qui ne l'a pas empêché de se faire respecter par ses adversaires et d'obtenir son 200e but, en février.

En séries, Blake et ses acolytes, Lach et Richard, font flèche de tout bois. Les Hawks sont écartés en quatre matchs remportés haut la main, et les Bruins

Le vicomte Alexander arrive aujourd'hui en terre canadienne

**Le Canada**

## LES CANADIENS SONT CHAMPIONS

Les Montréalais remportent la coupe Stanley, en triomphant du Boston, hier, au Forum, par 6 à 3

en cinq, malgré une opposition plus serrée. C'est Blake qui se charge de fermer les livres lors de la cinquième rencontre. Inspirés par une victoire en supplémentaire de 3-2 dans le quatrième match, les Bruins espèrent encore renverser la vapeur, même s'ils tirent de l'arrière par 3 à 1 dans la série. Par deux fois, ils prennent les devants en première période de la quatrième rencontre, puis Mosdell donne l'avantage au Tricolore en fin de période. Milt Schmidt égalise en deuxième. En milieu de troisième, le capitaine Blake convertit une passe de Lach et brise les espoirs des Bostonnais. Le reste ne sera que formalité. Blake vient de donner une deuxième coupe Stanley en trois ans au public montréalais.

● Leonard Peto, un administrateur des Canadiens, laisse courir une rumeur selon laquelle il récupérerait la concession des défunts Maroons pour l'établir à Philadelphie. La Ligue américaine s'y oppose pour protéger son territoire, les discussions s'éternisent et, finalement, la LNH refuse de donner son aval au projet.
● Trois joueurs des Canadiens, Durnan, Bouchard et Richard, en plus de l'entraîneur Irvin, sont sélectionnés au sein de

la première équipe d'étoiles. Trois autres trouvent place dans la seconde, Ken Reardon, Lach et Blake. C'est la domination totale pour la flanelle bleu-blanc-rouge. C'est la dernière année qu'on inscrit les entraîneurs dans les équipes d'étoiles.
● Les Canadiens se défont du centre Ray Getliffe et de l'ailier droit Rolland Rossignol pour acquérir les services de Billy Reay, des Red Wings de Detroit, avant le début de la saison. Getliffe prend sa retraite et le Tricolore doit envoyer

Fernand Gauthier pour compléter la transaction.
● Une victoire des Canadiens en finale de la coupe Stanley vaudra une prime de 2 000 $ à chaque joueur de l'équipe, selon l'exclusivité obtenue par Charles Mayer, du *Petit Journal*, au lendemain du premier match de la finale. Cette somme tient aussi compte du championnat en saison régulière.
● Le but en supplémentaire réussi par Maurice Richard

le 30 mars contre Boston lui permet de compter dans un huitième match consécutif en séries, un nouveau record de la LNH.
● Les anciens Canadiens triomphent des anciens Maroons 7-3 lors d'un match amical au profit des enfants handicapés, après la saison. Un autre match gagné 11-8 par les Canadiens contre les meilleurs amateurs, précédé de divers concours d'adresse, servira de remerciements du club envers son public après la conquête de la coupe Stanley.

| JOUEURS | |
|---|---|
| 1 | Bill Durnan |
| | Paul Bibeault |
| 2 | Frank Eddolls |
| 3 | Émile Bouchard |
| 4 | Léo Lamoureux |
| 5 | Dutch Hiller |
| 6 | Toe Blake (C) |
| 8 | Glen Harmon |
| 9 | Maurice Richard |
| 10 | Buddy O'Connor |
| 11 | Joe Benoît |
| 12 | Murph Chamberlain |
| 14 | Billy Reay |
| 15 | Robert Fillion |
| 16 | Elmer Lach |
| 17 | Ken Reardon |
| 18 | Ken Mosdell |
| | Murdo MacKay |
| 19 | Jimmy Peters |
| 20 | Gérard Plamondon |
| | Moe White |
| | Mike McMahon |
| 21 | Lorrain Thibeault |
| | Paul Bibeault |
| 22 | Vic Lynn |
| ENTRAÎNEUR | |
| | Dick Irvin |

1945 1946

C'est aussi lui qui avait mis fin aux espoirs de Chicago le 13 avril 1944, avec un but à la neuvième minute de temps supplémentaire du quatrième match, aidé de Butch Bouchard. Cette fois aussi, Blake, Richard et Lach — le fameux trio — avaient accaparé les trois premiers rangs des marqueurs des séries. Pour les séries de 1946, l'ordre du trio a changé. Lach termine premier avec 17 points, suivi de Blake et Richard, à 13 et 11 points respectivement.

Une sixième coupe dans l'histoire de cette fière équipe, la quatrième portée en triomphe devant les partisans. Perdu dans ses pensées, l'entraîneur Dick Irvin se rappelle soudain que, jour pour jour 14 ans plus tôt, il célébrait aussi la conquête d'une coupe Stanley, à sa première année derrière le banc, à Toronto.

### VOYAGE EN CAMION

Les Canadiens connaissent un voyage plutôt tumultueux en février, alors qu'ils doivent affronter successivement Boston, Chicago, Toronto et New York. Tout se passe plutôt bien à la première étape, si ce n'est que le train accuse une heure de retard. Le Tricolore signe une victoire de 2-0 et le petit retard est vite oublié.

*Les joueurs laissent libre cours aux réjouissances au terme de la conquête d'une sixième coupe.*

● La fin de la guerre permet à la LNH de récupérer plusieurs de ses vedettes, notamment la *Kraut Line* à Boston, avec Milt Schmidt, Woody Dumart et Bobby Bauer, ainsi que le gardien Frank Brimsek, les frères Doug et Max Bentley, à Chicago, Lynn et Muzz Patrick, ainsi que Neil et Mac Colville à New York, Syl Apps et Turk Broda à Toronto, et encore Sid Abel à Detroit.

● Babe Pratt est suspendu indéfiniment par le président Red Dutton pour avoir parié sur l'issue de matchs de hockey. La sentence du joueur des Leafs sera finalement levée après neuf parties.

● L'entraîneur des Rangers, Frank Boucher, expérimente un système à deux gardiens. Il fait alterner Chuck Rayner et Jim Henry de match en match et parfois même à quelques reprises au cours d'une même rencontre. Ce qui impressionne vivement le mentor des Canadiens : «Bientôt, nous alternerons les gardiens comme les défenseurs et les ailiers», d'analyser Irvin.

● Max Bentley, membre de la *Pony Line* avec son frère Doug et Bill Mosienko, accumule les honneurs : champion marqueur, joueur le plus utile et première équipe d'étoiles. Il forme avec son frère Doug (1942-43) l'unique paire de frères à avoir décroché le titre de premier marqueur.

**1945 1946**

C'est après le match à Chicago que commence la véritable aventure. Les joueurs du Tricolore sont ragaillardis par une deuxième victoire qui leur permet de devancer les Hawks par un point au classement après les avoir talonnés pendant des semaines. On s'empresse de prendre sa douche et de ramasser ses effets pour attraper le train de Detroit, en route pour Toronto.

Catastrophe! Pas un taxi disponible aux alentours de l'aréna. On vient au secours des Montréalais avec une vieille camionnette qui a probablement fait la guerre. Tans pis, on n'a pas une minute à perdre. On hisse les bagages dans la boîte du camion et les joueurs grimpent à leur tour. Heureusement, tout le monde a le cœur à la fête, car le club connaît une belle séquence victorieuse. En arrivant à Toronto, pensent les joueurs, on appellera nos «Douces» pour leur parler de cette autre victoire et leur souhaiter en avance une joyeuse Saint-Valentin, puisque c'est aujourd'hui le 13 février.

Tout à coup, le moteur du camion se met à tousser, puis cale après quelques soubresauts. Voilà donc nos joyeux Canadiens qui sautent en bas pour mettre

| TROPHÉES |
| --- |
| **COUPE STANLEY** |
| **Canadiens de Montréal** |
| **COUPE O'BRIEN** |
| Bruins de Boston |
| **TROPHÉE PRINCE-DE-GALLES** |
| **Canadiens de Montréal** |
| **TROPHÉE HART** |
| Max Bentley |
| Black Hawks de Chicago |
| **TROPHÉE LADY-BYNG** |
| **Toe Blake** |
| **Canadiens de Montréal** |

*Maurice Richard est honoré à titre de hockeyeur de l'année 1945 par une association de journalistes sportifs américains.*

● En janvier, Alex Kaleta, des Black Hawks, inscrit au moins trois buts lors de trois parties consécutives.

● Le jeune Gordie Howe signe un premier contrat avec les Red Wings. Il a 16 ans et on l'envoie compléter sa préparation avec les Knights d'Omaha, dans la Ligue des États-Unis (USHL).

● Les règlements de la LNH sont désormais appliqués dans tous les circuits amateurs et professionnels.

● Les Rangers vont de mal en pis. Ils terminent au dernier rang une quatrième saison de suite, avec seulement 13 victoires. C'est quand même deux de mieux que l'année d'avant et plus du double de l'année 1943-44.

● Art Ross, qui a dirigé les Bruins presque sans interruption depuis les débuts de la Ligue, cède définitivement son poste à Dit Clapper, lequel continuera à jouer sporadiquement un certain temps. Clapper aura joué vingt ans pour les Bruins.

## TROPHÉES

**TROPHÉE CALDER**
Edgar Laprade
Rangers de New York
**TROPHÉE GEORGES-VÉZINA**
Bill Durnan
Canadiens de Montréal
**MEILLEUR MARQUEUR**
Max Bentley
Black Hawks de Chicago

l'épaule à la roue afin de faire repartir l'engin. Après quelques coins de rue à la va comme je te pousse, le camion repart enfin. Au grand soulagement de tous, puisque l'heure avance rapidement. Le vieux tacot tiendra le coup jusqu'à la gare. Arrivés à destination, en sueur et les vêtements en piteux état, les membres de l'escouade tricolore apprennent que le train a au moins 20 minutes de retard.

À Toronto, le club inscrit une troisième victoire et cette fois, taxis et trains sont fidèles au rendez-vous.

À New York, le match finit à 23 heures. Plus de taxis disponibles. On doit reprendre le camion des bagages pour le voyage à la gare. Non sans quelques moqueries des badauds, qui ont bien reconnu au passage Blake, Richard, Chamberlain et tous ces valeureux guerriers qui tantôt faisaient la leçon aux pauvres Rangers.

Sur le chemin du retour, on commente les incidents du dernier périple, qui s'est, somme toute, bien terminé avec quatre gains à la fiche du club.

### BIBEAULT SE PROMÈNE

*Paul Bibeault sert de monnaie d'échange plus souvent qu'à son tour.*

| | PJ | G | P | N | BP | BC | PTS |
|---|---|---|---|---|---|---|---|
| Montréal (Canadiens) | 50 | 28 | 17 | 5 | 172 | 134 | 61 |
| Boston (Bruins) | 50 | 24 | 18 | 8 | 167 | 156 | 56 |
| Chicago (Black Hawks) | 50 | 23 | 20 | 7 | 200 | 178 | 53 |
| Detroit (Red Wings) | 50 | 20 | 20 | 10 | 146 | 159 | 50 |
| Toronto (Maple Leafs) | 50 | 19 | 24 | 7 | 174 | 185 | 45 |
| New York (Rangers) | 50 | 13 | 28 | 9 | 144 | 191 | 35 |

### MEILLEURS MARQUEURS

| | | PJ | B | A | PTS | PUN |
|---|---|---|---|---|---|---|
| Max Bentley | Chicago | 47 | 31 | 30 | 61 | 6 |
| Gaye Stewart | Toronto | 50 | 37 | 15 | 52 | 8 |
| Toe Blake | Canadiens | 50 | 29 | 21 | 50 | 2 |
| Clint Smith | Chicago | 50 | 26 | 24 | 50 | 2 |
| Maurice Richard | Canadiens | 50 | 27 | 21 | 48 | 50 |
| Bill Mosienko | Chicago | 40 | 18 | 30 | 48 | 12 |
| Ab DeMarco | New York | 50 | 20 | 27 | 47 | 20 |
| Elmer Lach | Canadiens | 50 | 13 | 34 | 47 | 34 |
| Alex Kaleta | Chicago | 49 | 19 | 27 | 46 | 17 |
| Billy Taylor | Toronto | 48 | 23 | 18 | 41 | 14 |
| Pete Horeck | Chicago | 50 | 20 | 21 | 41 | 34 |

Le gardien Paul Bibeault n'en finit plus de se promener d'une équipe à l'autre. Inutilisé à Montréal en 1943-44, on prête ses services en cours de saison aux Maple Leafs. En décembre 1944, on l'envoie à Boston pour remplacer Frank Brimsek, parti à la guerre. Le 6 janvier 1946, on le rapatrie à Montréal lorsque Durnan se blesse à la main, parce que le remplaçant pressenti, Gerry McNeil, vient d'être opéré pour une appendicite. L'année suivante, Bibeault est échangé à Chicago, avec droit de rappel. En fin de saison 1946-47, il redevient la propriété des Canadiens, mais poursuivra sa carrière dans l'Américaine et l'Internationale.

199

LE TRICOLORE CONSERVE SON EMPRISE SUR LE PREMIER RANG EN SAISON, MAIS SE FAIT SURPRENDRE EN FINALE, 4 À 2, PAR LES MAPLE LEAFS, INSPIRÉS PAR TED KENNEDY, AUTEUR DE DEUX BUTS GAGNANTS. MAX BENTLEY EST DE NOUVEAU CHAMPION MARQUEUR, UN SEUL POINT DEVANT MAURICE RICHARD, ET IL REÇOIT L'UNIQUE TROPHÉE INDIVIDUEL DE SA CARRIÈRE À TITRE DE JOUEUR LE PLUS UTILE. QUATRIÈME TROPHÉE VÉZINA D'AFFILÉE POUR BILL DURNAN, AUSSI CHOISI DANS LA PREMIÈRE ÉQUIPE D'ÉTOILES POUR UNE QUATRIÈME FOIS. KEN REARDON, BUTCH BOUCHARD ET MAURICE RICHARD L'ACCOMPAGNENT. LES TROPHÉES CALDER ET LADY-BYNG VONT À HOWIE MEEKER, DES LEAFS, ET BOBBY BAUER, DES BRUINS. POUR LA PREMIÈRE FOIS EN CINQ ANS, LES RANGERS QUITTENT LA « CAVE » DU CIRCUIT.

*Dès son arrivée, Frank Selke a tôt fait de s'informer des ressources du Tricolore au sein des clubs affiliés.*

# Frank Selke établit la dynastie du Tricolore

L'échange qui avait amené Frankie Eddolls—joueur fortement estimé de Conn Smythe—à Montréal, en retour de Ted Kennedy, avait contribué pour beaucoup au départ de Frank Selke de Toronto en mai 1946. C'est le Tricolore qui avait été perdant dans cet échange, quoi qu'en ait pensé Smythe lorsqu'il avait incité son remplaçant au poste de gérant pour le temps de la guerre à démissionner. Par contre, le club montréalais y gagnera un stratège hors pair, puisque moins de trois mois plus tard, le Tricolore nommait Selke à titre de gérant, en remplacement de Tommy Gorman.

Gorman a acquis l'Auditorium d'Ottawa l'année précédente et il veut dorénavant y consacrer tout son temps, ainsi qu'à la piste de course de Connaught. Avec le départ de Gorman, qui avait dirigé le club de New York (Americans) et plus tard ceux d'Ottawa et de Chicago, la Ligue nationale perd le dernier de ses fondateurs de 1917, qui était à l'époque représentant du club d'Ottawa. Au moment de son départ de Montréal, il cumulait les fonctions de gérant du Forum et des Canadiens.

Selke s'attelle aussitôt à l'édification de la plus grande dynastie du hockey. Les Canadiens connaissent déjà une époque glorieuse, mais le mérite de

● La brigade défensive des Canadiens domine ses rivaux de la tête et des épaules, avec 34 buts accordés de moins que Toronto, au deuxième rang. Les défenseurs Reardon et Bouchard sont élus avec Durnan et Richard au sein de la première équipe d'étoiles.

● Richard accumule les honneurs auprès de la confrérie journalistique au terme de la saison. Les membres de la presse francophone lui attribuent le trophée Cattarinich à titre d'athlète canadien-français s'étant le plus signalé. À son tour, *Le Canada* lui accorde la première place au concours annuel des Trois étoiles organisé par le journal. Et pour couronner le tout, il est élu au sein de la première équipe d'étoiles pour une troisième année de suite.

● *La Presse* rapporte que les Rangers de New York auraient offert 100 000 $ aux Canadiens pour les services du Rocket, en fin de saison. L'offre, qui représente la plus forte somme offerte pour un seul joueur à l'époque, est vite balayée.

● Aurèle Joliat, la grande vedette des Canadiens des années 1920 et 1930, est élu au Temple de la renommée.

À l'instigation de Léo Dandurand, la direction et les partisans du club lui rendent hommage en avril en lui attribuant le titre de «joueur le plus scientifique de l'histoire du hockey».

● Un autre grand nom de la même époque, le gardien Lorne Chabot, s'éteint dans la misère, à quarante-six ans. Il a joué onze ans dans la Nationale, dont cinq à Toronto.

---

**1946-1947**

Selke sera d'avoir établi la dynastie sur des bases solides. En moins de cinq ans, il constituera un réseau de clubs affiliés au Québec, au Canada et même jusqu'aux États-Unis. On lui doit notamment la mise sur pied d'une Ligue junior bourrée de talents. Le Canadien junior, le Royal, le National, les Leafs de Verdun et les Citadelles de Québec formeront les talents destinés au grand club, mieux que n'aurait pu le faire la meilleure usine de guerre. Rapidement, on verra arriver les Harvey, Johnson, Geoffrion, Saint-Laurent, Béliveau, Moore, Marshall, Goyette, Plante, Talbot et combien d'autres de cette grande dynastie des années 1950 et 1960 qui allait réécrire presque tous les records de la Ligue et remporter cinq coupes d'affilée, un exploit jamais répété.

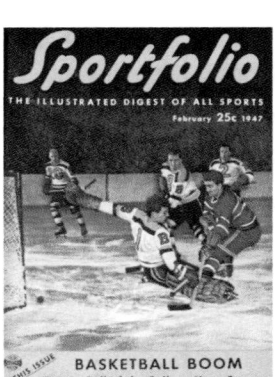

*Le Rocket fait les manchettes des journaux, mais aussi les pages frontispices des magazines spécialisés, comme en témoigne l'édition de février de la revue Sportfolio.*

| JOUEURS | |
|---|---|
| 1 | Bill Durnan |
| 2 | Frank Eddolls |
| 3 | Émile Bouchard |
| 4 | Léo Lamoureux |
| 5 | Robert Fillion |
| 6 | Toe Blake (C) |
| 8 | Glen Harmon |
| 9 | Maurice Richard |
| 10 | Buddy O'Connor |
| 11 | Hubert Macey |
| | Doug Lewis |
| | George Pargeter |
| | Joe Benoît |
| 12 | Murph Chamberlain |
| 14 | Billy Reay |
| 15 | George Allen |
| 16 | Elmer Lach |
| | Frank Eddolls |
| 17 | Ken Reardon |
| 18 | Ken Mosdell |
| 19 | Jimmy Peters |
| 20 | Léo Gravelle |
| 21 | Roger Léger |
| 22 | John Quilty |
| | Hubert Macey |
| 23 | Murdo MacKay |
| ENTRAÎNEUR | |
| | Dick Irvin |

*Toe Blake devient le premier joueur du Tricolore à atteindre 500 points en cours de carrière le 22 mars. Il avait disputé son 500e match en décembre.*

Il avait par la suite été échangé aux Canadiens en retour de George Hainsworth et, dès l'année suivante, il partait pour Chicago avec Howie Morenz. Deux transactions marquantes dans l'histoire de l'équipe.

● Un groupe d'hommes d'affaires de Cincinnati, désireux d'obtenir une concession dans la Ligue américaine, fait une offre d'achat des Canadiens et du Forum. Les journaux rapportent qu'ils auraient même convaincu Frank Selke de se joindre à eux pour dix ans. Le président Donat Raymond met vite fin aux spéculations en opposant un refus net à la demande.

● Victime d'un coup à la tête asséné par l'ailier droit Don Metz dans un match contre Toronto en début de février, Elmer Lach souffre d'une fracture du crâne et est au rancart pour le reste du calendrier. La rivalité Montréal/Toronto est au plus fort tout au long de la saison.

● Continuellement assailli de façon sournoise par ses rivaux, le Rocket explose lors du deuxième match de la finale contre Toronto et frappe Vic Lynn et Bill Ezinicki avec son bâton. Il est suspendu pour un match, en plus d'écoper une amende de 250 $. Ses coéquipiers ne s'en remettent pas et sont vite éliminés par la suite.

● La télévision fait une première incursion timide au hockey avec la transmission, dans la région de New York, d'une rencontre opposant les Canadiens aux Rangers.

| TROPHÉES | |
|---|---|
| **COUPE STANLEY** | |
| Maple Leafs de Toronto | |
| **COUPE O'BRIEN** | |
| **Canadiens de Montréal** | |
| **TROPHÉE PRINCE-DE-GALLES** | |
| **Canadiens de Montréal** | |
| **TROPHÉE HART** | |
| **Maurice Richard** | |
| **Canadiens de Montréal** | |
| **TROPHÉE LADY-BYNG** | |
| Bobby Bauer | |
| Bruins de Boston | |
| **TROPHÉE CALDER** | |
| Howie Meeker | |
| Maple Leafs de Toronto | |
| **TROPHÉE GEORGES-VÉZINA** | |
| **Bill Durnan** | |
| **Canadiens de Montréal** | |
| **MEILLEUR MARQUEUR** | |
| Max Bentley | |
| Black Hawks de Chicago | |

**1946-1947**

Selke se fait aider dans son travail par Sam Pollock, celui qui prendra sa succession 18 ans plus tard, et aussi par Toe Blake. Kenny Reardon, à la retraite en 1950, sera aussi grandement mis à contribution.

À son arrivée à Montréal, Selke, qui est originaire de Kitchener, retrouve Dick Irvin, qu'il avait longtemps côtoyé à Toronto avant que celui-ci devienne entraîneur des Canadiens. À 53 ans, cet homme de petite taille qu'on ne peut imaginer autrement qu'avec ses cheveux en brosse et ses lunettes rondes a déjà un bagage d'expérience de près de quarante ans dans le hockey.

### ET DE QUATRE POUR DURNAN

Bill Durnan aura disputé sept saisons avec les Canadiens et dans la LNH. Six fois, il aura dominé les autres gardiens pour l'attribution du trophée Vézina, associé à la meilleure moyenne. La seule fois que le trophée lui glissera des mains, les Canadiens connaîtront une saison misérable, dégringolant au cinquième rang après avoir remporté le championnat quatre saisons de suite. Ce sera en 1947-48 et, pour la première fois en huit ans, le club sera absent des séries.

Mais en 1946-47, Durnan est le meilleur gardien de la Ligue, gagnant un quatrième trophée Vézina consécutif, un exploit qui sera réédité plus tard par deux autres grands cerbères du Tricolore, Jacques Plante (qui en obtiendra même cinq de suite) et Ken Dryden. Durnan est aussi élu au sein de la première équipe d'étoiles pour une quatrième fois de suite, ajoutant 34 victoires et 10 matchs nuls contre seulement 16 revers à une fiche déjà éloquente.

*Un quatrième trophée Vézina d'affilée pour Bill Durnan.*

● Le président Red Dutton se retire et les gouverneurs de la Ligue font appel à son nouvel adjoint, Clarence Campbell, pour lui succéder.

● Les Red Wings ont une recrue que l'entraîneur Jack Adams qualifie de «meilleur espoir depuis 20 ans». Ce joueur ambidextre vient de la Saskatchewan et s'appelle... Gordie Howe.

● De retour à la direction des Leafs, Conn Smythe chasse maints vétérans et fait confiance à de nombreux jeunes joueurs. Avec une demi-douzaine de recrues dans leurs

rangs, les Leafs gagneront la première de trois coupes Stanley consécutives.

● Deux joueurs établissent des records qui tiennent encore le coup après plus de cinquante ans. Le centre Billy Taylor, des Red Wings, obtient sept passes dans un gain de 10-6 contre Chicago, un record que Wayne Gretzky rééditera trois fois, sans toutefois parvenir à l'améliorer. La recrue des Leafs, Howie Meeke, gagnant du trophée Calder, compte cinq fois, également contre Chicago, pour un précédent chez les recrues. Don Murdoch, des Rangers de

New York, le rejoindra à ce chapitre en 1976.

● Le calendrier de la saison régulière est maintenant de 60 parties, 12 contre chaque formation adverse.

● C'est au tour de Bill Cowley, des Bruins, de s'installer au premier rang des marqueurs de l'histoire de la Ligue, délogeant Syd Howe. Un autre Howe, également membre des Red Wings, prendra la relève plus tard.

● Ted Kennedy se charge de marquer le but gagnant des Leafs dans le sixième et dernier match de la série contre les Canadiens.

● Introduction des signaux pour annoncer les pénalités. Une initiative de l'arbitre Bill Chadwick.

● Bobby Bauer inscrit son nom sur le trophée Lady-Byng pour une troisième fois. Il n'a reçu que deux punitions mineures au cours de l'année. Il poursuivra ensuite sa carrière de hockeyeur dans sa ville natale, avec les Dutchmen de Kitchener, de la Ligue senior de l'Ontario (OHA S$^r$).

● Les récipiendaires de trophées individuels et les membres de la première équipe d'étoiles sont désormais récompensés d'une prime de 1 000 $.

**1946-1947**

À une époque où les gardiens substituts n'existent pas encore, les portiers des diverses équipes sont d'office à tous les matchs. Ainsi, le 23 mars, Durnan en est déjà à sa 200$^e$ rencontre en moins de quatre ans dans l'uniforme bleu-blanc-rouge et souligne l'événement par une victoire de 3-2 contre les Bruins.

Il conserve aussi la meilleure moyenne des séries, malgré le revers des Canadiens contre les Maple Leafs en finale. Il a d'ailleurs lui-même contribué à sa propre perte en ravivant la fierté des Torontois au terme du premier match, gagné 6-0. Il a alors provoqué ses adversaires en se demandant tout haut comment il se faisait que les Leafs aient pu se rendre en séries. La réplique suit au match suivant dans un gain de 4-0 des Bleus, lesquels ne perdront qu'un seul autre match par la suite.

|  | PJ | G | N | BP | BC | PTS |
|---|---|---|---|---|---|---|
| Montréal (Canadiens) | 60 | 34 | 16 | 10 | 189 | 138 | 78 |
| Toronto (Maple Leafs) | 60 | 31 | 19 | 10 | 209 | 172 | 72 |
| Boston (Bruins) | 60 | 26 | 23 | 11 | 190 | 175 | 63 |
| Detroit (Red Wings) | 60 | 22 | 27 | 11 | 190 | 193 | 55 |
| New York (Rangers) | 60 | 22 | 32 | 6 | 167 | 186 | 50 |
| Chicago (Black Hawks) | 60 | 19 | 37 | 4 | 193 | 274 | 42 |

**MEILLEURS MARQUEURS**

|  |  | PJ | B | A | PTS | PUN |
|---|---|---|---|---|---|---|
| Max Bentley | Chicago | 60 | 29 | 43 | 72 | 12 |
| Maurice Richard | Canadiens | 60 | 45 | 26 | 71 | 69 |
| Billy Taylor | Detroit | 60 | 17 | 46 | 63 | 35 |
| Milt Schmidt | Boston | 59 | 27 | 35 | 62 | 40 |
| Ted Kennedy | Toronto | 60 | 28 | 32 | 60 | 27 |
| Doug Bentley | Chicago | 52 | 21 | 34 | 55 | 18 |
| Bobby Bauer | Boston | 58 | 30 | 24 | 54 | 4 |
| Roy Conacher | Detroit | 60 | 30 | 24 | 54 | 6 |
| Bill Mosienko | Chicago | 59 | 25 | 27 | 52 | 2 |
| Woody Dumart | Boston | 60 | 24 | 28 | 52 | 12 |

*Durant l'intersaison, les joueurs des Canadiens gardent la forme en disputant des parties de baseball au profit d'organismes divers. Une coutume qui sera maintenue jusque dans les années 1990.*

# 1947 🅒 1948

*Les Maple Leafs poursuivent leur remontée jusqu'à la première place et s'approprient la coupe Stanley en quatre matchs consécutifs contre Detroit. Les Canadiens terminent cinquièmes et se voient exclus des séries, bien qu'Elmer Lach finisse au premier rang des marqueurs. La blessure de Toe Blake et le départ de Buddy O'Connor pour New York n'aident pas la cause du club, qui clôt la saison avec la pire fiche offensive du circuit et 42 buts de moins que l'année précédente. O'Connor s'avère le plus utile et le plus gentilhomme, alors que Turk Broda enlève le trophée Vézina pour une deuxième fois. Jim McFadden, de Detroit, est la recrue de l'année. Maurice Richard est élu à l'aile droite de la première équipe d'étoiles pour une quatrième fois de suite et Lach est choisi au centre après deux ans d'absence.*

## Que d'honneurs pour le Rocket !

**M**aurice Richard est déjà un habitué des équipes d'étoiles, n'ayant manqué aucune sélection depuis 1944. Il a aussi participé au premier match officiel des étoiles contre les Leafs, s'y distinguant avec un but et une passe dans une victoire de 4-3. Les records de la Ligue tombent un à un sous son bâton, même si les clubs adverses semblent se liguer pour provoquer son bouillant caractère.

À chaque coup d'éclat, sa popularité grandit au sein de la population québécoise, qui a trouvé son porte-étendard. Plus encore, sa sélection pour le trophée Hart à titre de joueur le plus utile, en 1947, a établi sa renommée sur une base encore plus solide.

Les médias, tant locaux qu'étrangers, ont aussi emboîté le pas, tout comme les organismes voués à la promotion des plus grandes personnalités.

Quelques mois avant le début de la saison, en juin, le Rocket a reçu le trophée Cattarinich en qualité d'athlète canadien-français s'étant le plus signalé en 1946.

● Gérant des Bruins de Boston depuis leur entrée dans la LNH, Art Ross offre un trophée à la Ligue pour honorer annuellement le champion marqueur. Elmer Lach sera le premier récipiendaire du trophée Art-Ross, grâce à une fiche de 30 buts et 31 passes, devançant son ancien coéquipier Buddy O'Connor par un seul point. C'est la deuxième fois que Lach est premier marqueur.

● Le Tricolore échange aux Rangers, durant l'intersaison, l'une de ses vedettes, Buddy O'Connor, ainsi que Frank Eddolls — acquis contre les services de Ted Kennedy et en qui on voyait, à tort, une grande vedette —, en retour de George Robertson, Hal Laycoe et Joe Bell.

● Les Canadiens décident de ne pas renouveler le contrat du défenseur Léo Lamoureux, un joueur de cinq saisons, pour faire place à un jeunot de vingt-deux ans, Doug Harvey, lequel va constituer l'un des piliers des années 1950.

● Maurice Richard et Émile Bouchard ne sont pas très contents des contrats offerts. Ils apposeront finalement leur signature à 45 minutes du premier match de la saison.

● Maurice Richard — bien que hué par la foule de Toronto — et Ken Reardon s'illustrent avec deux points chacun lors du premier match officiel des étoiles. Celles-ci gagnent 4-3 contre les Maple Leafs, champions en titre de la coupe Stanley. Les arbitres étrennent un nouvel uniforme, tout noir, qui les fait comparer aux troupes d'Hitler.

● Un nouveau règlement oblige les joueurs à lever leur bâton pour souligner un but. Billy Reay sera le premier à s'exécuter.

**1947-1948**

En décembre, un groupe d'éminents journalistes américains nomme Richard au titre d'athlète de l'année au hockey. Mais *Sport Magazine*, faisant état de cette nomination, illustre la nouvelle avec la photo de... Blake. En fin d'année, c'est au tour du *Los Angeles Times* de sélectionner les meilleurs athlètes au monde et d'accorder le titre de hockeyeur par excellence à Maurice Richard. Le lendemain, la New York Helms Athletic Foundation joint sa voix au concert d'éloges avec un autre titre d'athlète de l'année.

À leur façon, les Rangers de New York, qui ont bien des difficultés à former une équipe respectable depuis plusieurs années, avaient aussi honoré le numéro 9 la saison précédente en faisant une offre de 100 000 $ aux Canadiens pour obtenir ses services. Mais l'idole du peuple est indélogeable de Montréal.

Malgré tous les honneurs qui lui tombent dessus, Richard connaît une année difficile. La *Punch Line* est démantelée en raison de la double fracture à la cheville droite de Blake, survenue à la mi-saison, et le Rocket doit apprendre à composer avec un nouvel ailier gauche, Billy Reay. Richard avait lui-même été blessé à un genou un peu plus tôt, ce qui lui avait fait manquer plusieurs parties importantes dans la course au championnat des marqueurs.

Sans compter le harcèlement constant des joueurs adverses, parfois avec la complicité des arbitres. Lors d'une partie contre Boston, quelques jours après la blessure de Blake, Richard a perdu son sang-froid et cassé son bâton sur le dos de Milt Schmidt, ce qui lui a valu une punition de mauvaise conduite, une autre de match pour avoir « protesté » un peu trop vigoureusement, et une amende de 50 $.

*La photo de Maurice Richard est partout. Il fait la première page de la revue Sport et loisirs de novembre 1947 avec son fils, Maurice junior, qui endosse fièrement les couleurs du paternel.*

| JOUEURS | |
|---|---|
| 1 | Bill Durnan (C) |
| | Gerry McNeil |
| 2 | Doug Harvey |
| 3 | Émile Bouchard |
| 4 | Howard Riopelle |
| 5 | Jacques Locas |
| | Tom Johnson |
| 6 | Toe Blake (C) |
| 8 | Glen Harmon |
| 9 | Maurice Richard |
| 10 | Robert Fillion |
| | John Quilty |
| 11 | Jean-Claude Campeau |
| | Gerry McNeil |
| | Gérard Plamondon |
| 12 | Murph Chamberlain |
| 14 | Billy Reay |
| 15 | Floyd Curry |
| 16 | Elmer Lach |
| 17 | Ken Reardon |
| 18 | Ken Mosdell |
| | Gérard Plamondon |
| 19 | Jimmy Peters |
| | Joe Carveth |
| 20 | Bob Carse |
| | George Robertson |
| 21 | Roger Léger |
| 22 | Normand Dussault |
| | Léo Gravelle |
| | Tom Johnson |
| 23 | Hal Laycoe |
| | Murdo MacKay |
| **ENTRAÎNEUR** | |
| | Dick Irvin |

● «Scandale au hockey», titrent les journaux du 9 mars 1948. Billy Taylor, des Rangers, est expulsé à vie de la LNH et Don Gallinger des Bruins est suspendu indéfiniment, les deux pour avoir parié sur le résultat d'un match de hockey. L'enquête menée par le président Clarence Campbell aurait mis au jour les relations douteuses qu'ils entretenaient avec le milieu des paris. Les deux suspensions seront levées en 1970.

● La Ligue crée une caisse de retraite pour ses anciens joueurs. Les recettes du match des étoiles seront dorénavant versées à cette caisse.

● Buddy O'Connor fait regretter aux Canadiens de l'avoir échangé aux Rangers. Il devient le premier joueur à recevoir les trophées Hart, pour le joueur le plus utile, et Lady-Byng, pour le plus gentilhomme.

● Grâce à O'Connor et au brio du cerbère Chuck Rayner, les Rangers participent aux séries pour la première fois en six ans.

● L'entraîneur Tommy Ivan, des Red Wings, a la main heureuse en réunissant Gordie Howe, Ted Lindsay et Sid Abel au sein d'un même trio, que l'on surnommera la *Production Line*. Celle-ci constituera la principale force de frappe du club pendant une dizaine d'années. Detroit remportera huit championnats, dont sept consécutifs, et quatre coupes Stanley en neuf saisons.

## TROPHÉES

| COUPE STANLEY |
|---|
| Maple Leafs de Toronto |
| **COUPE O'BRIEN** |
| Red Wings de Detroit |
| **TROPHÉE PRINCE-DE-GALLES** |
| Maple Leafs de Toronto |
| **TROPHÉE HART** |
| Buddy O'Connor |
| Rangers de New York |
| **TROPHÉE LADY-BYNG** |
| Buddy O'Connor |
| Rangers de New York |
| **TROPHÉE CALDER** |
| Jim McFadden |
| Red Wings de Detroit |
| **TROPHÉE ART-ROSS** |
| Elmer Lach |
| Canadiens de Montréal |
| **TROPHÉE GEORGES-VÉZINA** |
| Turk Broda |
| Maple Leafs de Toronto |

| | PJ | G | P | N | BP | BC | PTS |
|---|---|---|---|---|---|---|---|
| Toronto (Maple Leafs) | 60 | 32 | 15 | 13 | 182 | 143 | 77 |
| Detroit (Red Wings) | 60 | 30 | 18 | 12 | 187 | 148 | 72 |
| Boston (Bruins) | 60 | 23 | 24 | 13 | 167 | 168 | 59 |
| New York (Rangers) | 60 | 21 | 26 | 13 | 176 | 201 | 55 |
| Montréal (Canadiens) | 60 | 20 | 29 | 11 | 147 | 169 | 51 |
| Chicago (Maple Leafs) | 60 | 20 | 34 | 6 | 195 | 225 | 46 |

### MEILLEURS MARQUEURS

| | | PJ | B | A | PTS | PUN |
|---|---|---|---|---|---|---|
| Elmer Lach | Canadiens | 60 | 30 | 31 | 61 | 72 |
| Buddy O'Connor | New York | 60 | 24 | 36 | 60 | 8 |
| Doug Bentley | Chicago | 60 | 20 | 37 | 57 | 16 |
| Gaye Stewart | Tor./Chi. | 61 | 27 | 29 | 56 | 83 |
| Max Bentley | Chi./Tor. | 59 | 26 | 28 | 54 | 14 |
| Bud Poile | Tor./Chi. | 58 | 25 | 29 | 54 | 17 |
| Maurice Richard | Canadiens | 53 | 28 | 25 | 53 | 89 |
| Syl Apps | Toronto | 55 | 26 | 27 | 53 | 12 |
| Ted Lindsay | Detroit | 60 | 33 | 19 | 52 | 95 |
| Roy Conacher | Chicago | 52 | 22 | 27 | 49 | 4 |

**1947-1948**

*Elmer Lach devance Buddy O'Connor, un ex-joueur des Canadiens, au sommet des marqueurs.*

## UNE NOUVELLE CARRIÈRE POUR BLAKE

La blessure à la cheville de Blake transforme complètement sa vie. Il doit mettre un terme à une brillante carrière de treize ans dans la Ligue nationale, à trente-cinq ans, après cinq sélections au sein des équipes d'étoiles, un championnat des marqueurs, un trophée du joueur le plus utile et un autre comme gentilhomme par excellence. Mais elle va surtout lui ouvrir la voie à une nouvelle carrière, tout autant remplie de succès, celle d'entraîneur.

Déjà sollicité pour diriger l'équipe de Buffalo en début d'année, il a préféré poursuivre sa carrière active dans l'uniforme tricolore.

Quelques jours après sa blessure, la direction des Canadiens lui offre le poste d'entraîneur à Houston, dans la Ligue des États-Unis (USHL), le temps de se remettre de sa double fracture. L'élimination des Canadiens en séries l'empêche de reprendre son rôle de joueur, mais lui permet de mener Houston aux grands honneurs, après avoir fait passer l'équipe de la troisième à la première place.

● À Toronto, Conn Smythe décide de secouer ses champions Maple Leafs par une mégatransaction à sept joueurs avec Chicago, qui lui permet de récupérer Max Bentley, champion marqueur des deux dernières saisons. Les Leafs termineront premiers et conserveront la coupe.

● Le premier match des étoiles attire plus de 14 000 spectateurs et engendre des profits de l'ordre de 26 000 $, mais Bill Mosienko, vedette des Black Hawks, s'y fracture une cheville.
● Naissance du *Hockey News*, première publication entièrement consacrée au hockey.
● Le Canada remporte la médaille d'or aux Jeux olympiques à Saint-Moritz,

alors que l'équipe de l'Armée de l'air réalise un parcours sans revers.
● Ted Kennedy obtient 14 points en séries alors que les Leafs se défont des Bruins en cinq parties avant de renverser les Red Wings en quatre.
● Membre de l'équipe championne de la coupe Stanley, Les Costello quittera

un jour les Leafs pour devenir prêtre. Plus tard, il formera l'équipe des Pères volants pour disputer plusieurs parties au profit d'œuvres de charité.
● La coupe Stanley est remodelée selon la forme qu'on lui connaît présentement afin de permettre l'inscription des nouveaux champions. L'ancien trophée longiligne, pas très élégant du reste, n'offrait plus de place libre.

**1947-1948**

L'année suivante, il devient joueur et entraîneur avec les Bisons de Buffalo, qu'il quittera par suite d'une mésentente avec le gérant Art Schapman. En 1949-50, il dirigera les Braves de Valleyfield de la Ligue senior, tout en continuant à jouer. À partir de 1950, il mettra un terme définitif à sa carrière de joueur et se concentrera sur son rôle d'entraîneur, se préparant lentement à prendre la succession de Dick Irvin en 1955.

C'est ainsi que fut lancée la carrière de l'un des plus brillants pilotes de l'histoire de la Ligue nationale.

*Bill Durnan succède à Toe Blake comme capitaine en cours de saison. Il est le dernier cerbère à avoir occupé cette fonction avec le Tricolore. Hainsworth avait été le premier. Durnan renonce cependant à ce rôle à la fin de la saison jugeant celui-ci trop difficile à remplir pour un gardien.*

DETROIT EST PREMIER, LES CANADIENS GRIMPENT À LA TROISIÈME PLACE ET TORONTO GLISSE AU QUATRIÈME RANG, MAIS CONSERVE LA COUPE STANLEY. PENDANT QUE DETROIT ÉLIMINE DIFFICILEMENT MONTRÉAL EN SEPT RENCONTRES EN DEMI-FINALE, TORONTO SE DÉFAIT ASSEZ RAPIDEMENT DE BOSTON EN CINQ. EN FINALE, LES RED WINGS NE TIENDRONT PAS LE COUP CONTRE LES LEAFS, QUI L'EMPORTENT EN QUATRE PARTIES DE SUITE. BILL DURNAN REPREND LE TROPHÉE VÉZINA. ROY CONACHER, DE CHICAGO, EST AU PREMIER RANG DES MARQUEURS, DEVANT SON COÉQUIPIER DOUG BENTLEY. BILLY REAY EST SEPTIÈME ET, POUR LA CINQUIÈME FOIS, LE ROCKET EST CHOISI DANS LA PREMIÈRE ÉQUIPE D'ÉTOILES. DURNAN Y REVIENT APRÈS UN AN D'ABSENCE.

## Durnan devient invincible

**Bill Durnan**

**B**ill Durnan et les Canadiens vivent une période difficile début février, avec une séquence de sept parties sans victoire (0-6-1). Les journaux ne ménagent pas le quadruple récipiendaire du trophée Vézina. Le vétéran chroniqueur du *Petit Journal*, Charles Mayer, évoque le mot *slump* pour qualifier les difficultés du gardien tricolore.

Mais Durnan se ressaisit. Après deux victoires en trois matchs, il entreprend une remontée qui laissera ses adversaires sans voix. Il n'accorde aucun but en 309 min 21 s (plus de 4 matchs) et signe avec ses coéquipiers une performance incroyable de 12 gains lors des 14 dernières parties de l'équipe.

Roy Conacher, champion marqueur du circuit, a été le dernier à tromper sa vigilance, à 16 min 15 s en première période, lors du match du 24 février. Quatre

● Émile Bouchard est le nouveau capitaine de l'équipe.
● Frank Selke profite de l'intersaison pour agrandir le réseau de filiales des Canadiens. Il signe une entente avec le Columbus de Fort William de la Ligue de Thunder Bay, mettant ainsi la main sur les formations juvénile, midget et bantam de la même organisation.

● Doug Harvey, un jeune défenseur des Canadiens à sa deuxième saison, passe ses étés à jouer au baseball dans la région d'Ottawa. Un sport où il aurait aussi pu faire carrière.

● Maurice Richard dispute son 300e match dans la LNH le soir de Noël, contre les Rangers. Quelques jours plus tard, le 30, c'est au tour de Glen Harmon d'endosser l'uniforme bleu-blanc-rouge pour une 300e fois. Deux autres joueurs disputent leur 300e partie dans l'uniforme tricolore au cours de cette saison, soit Murph Chamberlain, le 15 janvier, et Bill Durnan, le 30.

*Émile Bouchard*

**1948-1949**

*Bee-Hive lance une nouvelle promotion qui fait fureur auprès des partisans des Canadiens. Pour seulement 25 cents et une preuve d'achat, on peut obtenir une bague ou une épingle à cravate, plus une photo de son joueur préféré, selon cette publicité tirée de L'Action catholique du 20 novembre 1948.*

| JOUEURS | |
|---|---|
| 1 | Bill Durnan |
| 2 | Doug Harvey |
| 3 | Émile Bouchard (C) |
| 4 | Howard Riopelle |
| 5 | Jacques Locas |
| | Gérard Plamondon |
| 6 | Joe Carveth |
| 8 | Glen Harmon |
| 9 | Maurice Richard |
| 10 | Robert Fillion |
| 11 | George Robertson |
| | Floyd Curry |
| 12 | Murph Chamberlain |
| 14 | Billy Reay |
| 15 | Léo Gravelle |
| | Ed Dorohoy |
| 16 | Elmer Lach |
| 17 | Ken Reardon |
| 18 | Ken Mosdell |
| 19 | Murdo Mackey |
| 20 | Jean-Claude Campeau |
| 21 | Roger Léger |
| | Bud MacPherson |
| 22 | Normand Dussault |
| 23 | Hal Laycoe |
| ENTRAÎNEUR | |
| | Dick Irvin |

jeux blancs consécutifs, 1-0 contre Detroit, 2-0 contre Toronto, puis 4-0 et 1-0 contre Boston, et voilà que le cerbère des Canadiens menace sérieusement la marque de 461 min 29 s sans but d'Alex Connell.

Lors du match du 9 mars, de nouveau contre Chicago, le Tricolore prend les devants 2-0 en début de deuxième période, mais un excès de confiance flotte dans l'air et on semble croire que la partie sera facile. Mais les Hawks sont aux aguets.

*Durnan aide son équipe à se reprendre en mains après un mois de février difficile pour terminer la saison avec 12 victoires en 14 parties.*

● À la mi-janvier, le Rocket compte trois fois contre Jim Henry, des Black Hawks, dont son 200ᵉ but. Il lui a fallu disputer seulement 308 matchs pour réussir cet exploit, comparativement à 340 pour Nels Stewart.

● Nouveau record de victoires pour un cerbère des Canadiens lorsque Bill Durnan signe un 176ᵉ gain, dépassant le légendaire Georges Vézina.

● Autre coup de malchance pour Elmer Lach, qui subit une fracture à la mâchoire au premier match des séries, perdu 2-1 contre Detroit après 44 min 52 s de prolongation. Il sera au rancart pour le reste de la saison.

● Le jeune Gerry Plamondon, rappelé du Royal senior en milieu de saison, se distingue face aux Red Wings avec trois buts, dont celui de la victoire, en temps supplémentaire pour permettre aux Canadiens d'égaler la série au deuxième match. Cette série demi-finale se rendra à la limite et Detroit aura finalement le dessus.

● Un règlement de la Ligue interdit aux joueurs de participer à des réclames d'alcool et de tabac. Les services de Maurice Richard, la grande vedette de l'époque, sont plutôt requis pour faire la publicité du grand magasin de vêtements Laliberté.

## TROPHÉES

**COUPE STANLEY**
Maple Leafs de Toronto
**COUPE O'BRIEN**
Red Wings de Detroit
**TROPHÉE PRINCE-DE-GALLES**
Red Wings de Detroit
**TROPHÉE HART**
Sid Abel
Red Wings de Detroit
**TROPHÉE LADY-BYNG**
Bill Quackenbush
Red Wings de Detroit
**TROPHÉE CALDER**
Pentti Lund
Rangers de New York
**TROPHÉE ART-ROSS**
Roy Conacher
Black Hawks de Chicago
**TROPHÉE GEORGES-VÉZINA**
**Bill Durnan**
**Canadiens de Montréal**

| | PJ | G | P | N | BP | BC | PTS |
|---|---|---|---|---|---|---|---|
| Detroit (Red Wings) | 60 | 34 | 19 | 7 | 195 | 145 | 75 |
| Boston (Bruins) | 60 | 29 | 23 | 8 | 178 | 163 | 66 |
| Montréal (Canadiens) | 60 | 28 | 23 | 9 | 152 | 126 | 65 |
| Toronto (Maple Leafs) | 60 | 22 | 25 | 13 | 147 | 161 | 57 |
| Chicago (Black Hawks) | 60 | 21 | 31 | 8 | 173 | 211 | 50 |
| New York (Rangers) | 60 | 18 | 31 | 11 | 133 | 172 | 47 |

### MEILLEURS MARQUEURS

| | | PJ | B | A | PTS | PUN |
|---|---|---|---|---|---|---|
| Roy Conacher | Chicago | 60 | 26 | 42 | 68 | 8 |
| Doug Bentley | Chicago | 58 | 23 | 43 | 66 | 38 |
| Sid Abel | Detroit | 60 | 28 | 26 | 54 | 49 |
| Ted Lindsay | Detroit | 50 | 26 | 28 | 54 | 97 |
| Jim Conacher | Det./Chi. | 59 | 26 | 23 | 49 | 43 |
| Paul Ronty | Boston | 60 | 20 | 29 | 49 | 11 |
| Harry Watson | Toronto | 60 | 26 | 19 | 45 | 0 |
| Billy Reay | Canadiens | 60 | 22 | 23 | 45 | 33 |
| Gus Bodnar | Chicago | 59 | 19 | 26 | 45 | 14 |
| Johnny Peirson | Boston | 59 | 22 | 21 | 43 | 45 |

Quelques instants plus tard, Gaye Stewart complète les relais de Ralph Nattrass et Jim Conacher pour finalement mettre un terme à l'invincibilité de Durnan après 5 min 36 s de jeu. Robert Hamill obtient un autre but à la 16ᵉ minute et le match se termine 2-2. Mais Durnan remet ça trois jours plus tard, lessivant les Rangers 3-0 au Forum. En fin de saison, il présente une fiche qui inclut un total de 10 jeux blancs, tout en conservant la meilleure moyenne de sa carrière à 2,10.

Durnan vient d'inscrire la quatrième plus longue séquence sans accorder de but (309 min 21 s), à la suite de Connell, George Hainsworth et Roy Worters des Americans de New York. Sa performance s'inscrit cependant à une époque au jeu offensif beaucoup plus accentué qu'auparavant. Il récupère aussi le trophée Vézina qu'il avait dû céder à son rival Turk Broda, des Maple Leafs. C'est son cinquième en six saisons.

## ON SE COTISE POUR REARDON

Les décisions du président Campbell ne sont pas très prisées par les partisans des Canadiens et on ne manque pas une occasion de le lui faire savoir. C'est ainsi qu'une amende de 200 $ imposée à Ken Reardon pour un violent duel à coups de bâtons le 1ᵉʳ janvier contre le robuste Carl Gardner des Maple Leafs fait l'objet d'une souscription publique. Un fan de l'équipe, Adrien Lesage, et le soigneur Ernie Cook lancent l'idée dans le public et les cotisations arrivent immédiatement.

Le geste sert un peu aussi à alimenter la rivalité Toronto/Montréal, alors à son summum, l'air de dire : « Voyez jusqu'à quel point on soutient nos joueurs ».

Pareille sollicitation avait aussi été organisée pour payer une amende du Rocket en 1947.

La sanction de Gardner est de 250 $ et les deux joueurs sont aussi suspendus pour le match entre les deux formations le 19 janvier à Toronto.

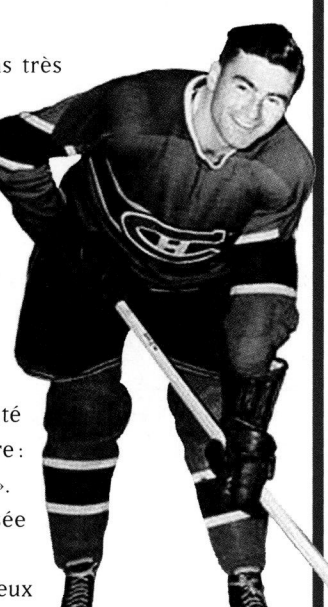

*Ken Reardon*

211

● Les Maple Leafs créent un précédent dans la Ligue avec une troisième coupe Stanley consécutive, remportée de manière fort éloquente. Quatrièmes au terme de la saison régulière, avec plus de défaites que de victoires (22-25), ils écartent les Bruins en cinq parties avant de balayer les champions de la saison, les Red Wings, en quatre matchs consécutifs. C'est la seconde année de suite que Toronto bat Detroit dans le minimum de parties en finale.

● Durant l'été précédant cette saison, les six clubs et la Ligue nationale ont décidé d'investir 30 000 $ chacun pour la construction d'un édifice consacré aux immortels du hockey.

● Quatre joueurs des Rangers sont blessés dans un accident d'auto près de Rouses Point, dans l'État de New York, en route pour le camp d'entraînement. Deux anciens des Canadiens, Buddy O'Connor, récipiendaire du trophée Hart à sa première saison à New York, et Frank Eddolls, sont les plus

sérieusement blessés, mais ils peuvent revenir au jeu après deux mois d'inactivité.

● Roy Conacher et Doug Bentley occupent les deux premiers rangs au classement des marqueurs, mais leur équipe est exclue des séries une troisième année de suite.

● Les Rangers engagent un joueur finlandais dont ils espèrent beaucoup. Pentti Lund sera élu recrue de l'année avec un dossier de 14 buts et 16 passes en 59 parties.

● Bill Quackenbush, des Red Wings, est le premier défenseur à mériter le trophée du plus

gentilhomme sans avoir obtenu une seule punition. Val Fontayne, également des Red Wings et des Penguins de Pittsburgh, fera encore mieux avec cinq saisons complètes sans pénalité, lors des années 1960 et 1970. Il ne gagnera jamais le Lady-Byng cependant.

● Gordie Howe participe à la première des 23 parties d'étoiles de sa carrière dans la LNH, à Chicago, contribuant à une victoire de 3-1 contre Toronto.

**1948-1949**

*Ken Reardon est un joueur très populaire auprès des fans et ceux-ci n'hésitent pas à se cotiser pour payer son amende.*

Reardon promet de se venger, « même si je dois attendre jusqu'à mon dernier match », claironne-t-il. Le président Campbell lui impose le dépôt d'une garantie de 1 000 $ pour garder la paix, somme qui lui sera rendue au terme de sa carrière.

### ON VEUT LA TÊTE DE CAMPBELL

Un mois plus tard, quelques partisans des Canadiens s'en prennent de nouveau au président Campbell lors d'un match au Forum contre Toronto (encore !). On trouve que les officiels s'acharnent sur le Tricolore et laissent trop souvent impunies les infractions des Leafs. Entre deux périodes, une vingtaine d'amateurs défilent sur la promenade nord avec des affiches réclamant « la démission de Campbell et des arbitres honnêtes (sic) », jusqu'à ce que le service d'ordre mette fin à leur manifestation plus ou moins spontanée.

*Une photo publiée dans le Globe and Mail de Toronto et reproduite dans Le Petit Journal du début de février fait sursauter nombre d'amateurs des Canadiens. On y aperçoit Maurice Richard dans l'uniforme des Maple Leafs. Simple trucage pour mettre un peu de pression sur l'offre de Toronto pour les services du Rocket. La réplique de Selke est cinglante : « Lors même que vous nous donneriez toute l'équipe des Leafs, de même que le Maple Leaf Garden, la réponse est non. »*

# 1949 [C] 1950

*DETROIT MAINTIENT SON EMPRISE SUR LE PREMIER RANG EN SAISON, MAIS S'APPROPRIE LA COUPE STANLEY AVEC BEAUCOUP DE DIFFICULTÉ. EN DEMI-FINALE, LES WINGS REVIENNENT DE L'ARRIÈRE PAR TROIS FOIS AVANT D'ÉLIMINER TORONTO EN SEPT PARTIES, DONT CINQ SE TERMINENT PAR UN JEU BLANC. PENDANT CE TEMPS, LES RANGERS EN GAGNENT TROIS D'AFFILÉE CONTRE LES CANADIENS, QUI AVAIENT TERMINÉ LA SAISON AU DEUXIÈME RANG. BILL DURNAN, VICTIME D'UNE DÉPRESSION, QUITTE LE CLUB ET LES RANGERS GAGNENT EN CINQ. POURTANT, DURNAN AVAIT REMPORTÉ UN SIXIÈME TROPHÉE VÉZINA EN SEPT SAISONS. EN FINALE, IL FAUT ENCORE SEPT PARTIES POUR DÉTERMINER LE GAGNANT. UNE SIXIÈME SÉLECTION DE SUITE AU SEIN DE LA PREMIÈRE ÉQUIPE D'ÉTOILES POUR RICHARD, QUI TERMINE QUATRIÈME CHEZ LES COMPTEURS, DERRIÈRE LA PRODUCTION LINE DES RED WINGS.*

## Un domicile rénové pour fêter les 40 ans

*Un Forum rénové qui sera témoin de l'une des périodes les plus glorieuses de l'histoire des Canadiens.*

Les Canadiens ont maintenant 40 ans. Au cours de cette période qui a vu s'illustrer les Laviolette, Lalonde, Pitre, Vézina, Joliat, Morenz, Hainsworth, Blake, Bouchard, Lach, Richard et Durnan à tour de rôle, le club a gagné 13 championnats et six coupes Stanley, entremêlés de quelques saisons difficiles. Mais chaque fois, un nouveau « sauveur » ou de nouveaux propriétaires sont venus relancer l'équipe.

Pour souligner l'événement, la direction du Tricolore invite trois membres de l'équipe originale, Newsy Lalonde, Jack Laviolette et Arthur Bernier, à participer à une cérémonie commémorative avant le match du 5 janvier contre les Bruins de Boston. On en profite pour présenter une réplique du trophée Vézina à Bill Durnan, cinq fois récipiendaire du titre de meilleur gardien. Pour couronner le tout, les Canadiens signent une victoire de 5-3 devant 14 000 partisans enthousiastes.

Il faut dire que les assistances sont à la hausse en cette saison anniversaire, depuis que la direction a décidé d'agrandir le Forum pour porter le nombre

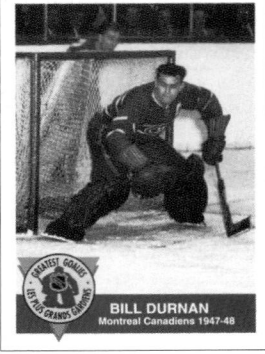

**BILL DURNAN**
Montreal Canadiens 1947-48

● Elmer Lach et Maurice Richard se suivent de près chez les meilleurs marqueurs de l'histoire de la Ligue. Lach obtient son 400e point le 14 octobre et Richard en fait autant le 2 mars. À cette époque, le plus haut total appartient, et pour quelque

temps encore, à Bill Cowley, un ancien de St. Louis et Boston, avec 548 points.

● Ken Reardon garde le filet des Canadiens en fin de match le 14 octobre. Durnan vient d'être atteint au-dessus de l'œil gauche par un tir de Bud Poile des Rangers et doit se faire traiter à la clinique. L'équipement de Durnan est trop grand pour le substitut désigné, Don McNiver, et Reardon s'offre comme volontaire pour compléter la partie.

● Le 2 novembre, Ken Reardon et Léo Gravelle sont conduits au poste de police de Chicago

et accusés d'assaut sur les spectateurs, et aussi d'en avoir frappé un avec un bâton. C'est le président des Hawks, Bill Tobin, qui paiera la caution pour garantir leur présence au procès, où ils seront tous deux exonérés de tout blâme, l'enquête ayant démontré que ce sont plutôt les spectateurs qui ont provoqué les joueurs.

● Une triste histoire que celle de Tony Demers, condamné à 15 ans de prison en septembre pour le meurtre d'une jeune femme de 31 ans. Demers avait disputé quelques saisons avec les Canadiens lors des

années 1930 et 1940, avant de poursuivre sa carrière dans la Ligue senior du Québec où il venait d'être choisi le joueur le plus utile.

● Dick Irvin remporte une 500e victoire comme entraîneur dans la Nationale. Il est le premier à atteindre un tel sommet.

● Double anniversaire lors de la rencontre du 21 décembre : Émile Butch Bouchard dispute son 400e match dans l'uniforme des Canadiens et Bob Fillion, son 300e. Lach atteindra aussi le total de 400 parties exactement un mois plus tard.

## 1949-1950

*Charles MAYER présente*

**L'ÉPOPÉE des CANADIENS**

GEORGES VÉZINA   MAURICE RICHARD

40 ANS D'HISTOIRE
1909-1949

*Le journaliste Charles Mayer publie un livre sur l'histoire des Canadiens pour souligner le 40e anniversaire de l'équipe. Il sortira une seconde édition quelques années plus tard.*

de sièges de 9 300 à 13 551. L'amphithéâtre ne répondant plus aux besoins des partisans, Frank Selke autorise des travaux de l'ordre de 600 000 $, incluant l'ajout d'un deuxième étage.

Les travaux d'agrandissement placent le Forum au niveau des patinoires de Toronto et Boston en termes de capacité, mais ne permettent pas d'éliminer les fameuses poutres qui obstruent la vue de nombreux spectateurs. Il faudra une vingtaine d'années encore avant de voir disparaître ces colonnes gênantes, mais pour l'essentiel, le Tricolore peut s'enorgueillir de posséder l'un des arénas les plus fonctionnels de la Ligue au moment où la saison passe de 60 à 70 parties régulières.

Un Forum qui sera témoin d'une des périodes les plus glorieuses de l'équipe, avec la conquête de cinq coupes Stanley consécutives, de 1956 à 1960.

### DURNAN CRAQUE EN PLEINE SÉRIE

Bill Durnan connaît une autre saison à la mesure de son grand talent, n'accordant que 141 buts en 64 parties pour une excellente moyenne de 2,20, en plus de « blanchir » ses adversaires à huit occasions. Pour la sixième fois en sept ans de carrière devant la cage des Canadiens, il obtient le trophée Vézina.

En cours de saison, il est aussi devenu le premier gardien des Canadiens à inscrire 200 victoires. Mais la foule partisane du Forum en a fait son souffre-douleur depuis quelques années, ne ratant pas une occasion de le huer. Durnan supporte mal cette pression supplémentaire à mesure qu'il avance en âge.

En séries, les Canadiens connaissent un mauvais départ contre les Rangers, perdant les trois premiers matchs. À bout de nerfs, Durnan craque et, quelques heures avant le début de la quatrième rencontre, il annonce à son entraîneur qu'il en a assez et que ç'en est fini du hockey pour lui. Ses coéquipiers

| JOUEURS | |
|---|---|
| 1 | Bill Durnan |
|  | Gerry McNeil |
| 2 | Doug Harvey |
| 3 | Émile Bouchard (C) |
| 4 | Howard Riopelle |
|  | Gilles Dubé |
| 5 | Gérard Plamondon |
|  | Bert Hirschfeld |
| 6 | Joe Carveth |
|  | Floyd Curry |
| 8 | Glen Harmon |
| 9 | Maurice Richard |
| 10 | Robert Fillion |
| 11 | Calum MacKay |
|  | Floyd Curry |
| 12 | Grant Warwick |
|  | Bob Fryday |
|  | Gerry McNeil |
|  | Gérard Plamondon |
|  | Paul Meger |
| 14 | Billy Reay |
| 15 | Léo Gravelle |
| 16 | Elmer Lach |
| 17 | Ken Reardon |
| 18 | Ken Mosdell |
| 19 | Louis Denis |
|  | Bob Frampton |
|  | Gerry McNeil |
| 20 | Gilles Dubé |
|  | Gérard Plamondon |
|  | Tom Johnson |
| 21 | Roger Léger |
| 22 | Normand Dussault |
| 23 | Hal Laycoe |
| **ENTRAÎNEUR** | |
|  | Dick Irvin |

● La plus importante innovation est toutefois l'invention de la surfaceuse Zamboni pour nettoyer la glace entre les périodes. L'invention du Californien Frank Zamboni remplacera graduellement le baril sur chariot et les préposés aux grattoirs dans tous les arénas de hockey. Au Forum, la première Zamboni fera son apparition en 1955.

● L'année 1949-50 marque l'émergence d'une nouvelle dynastie dans la LNH. Déjà champions du calendrier régulier, les Red Wings raflent aussi la coupe Stanley, qu'ils gagneront quatre fois en six ans, plus cinq autres titres de saison, pour un total de sept consécutifs.

● La *Production Line* de Ted Lindsay, Sid Abel et Gordie Howe terrorise les gardiens adverses, accaparant les trois premières places au classement des marqueurs avec respectivement 78, 69 et 68 points. Richard, quatrième à 65, inscrit le plus de buts, 43.

● Les Red Wings échangent aux Bruins de Boston leur as défenseur Bill Quackenbush, jugé le plus gentilhomme de la Ligue la saison précédente, en retour de quatre joueurs.

● Les Rangers surprennent les Canadiens en demi-finale mais sont forcés de disputer tous les matchs de la finale à l'extérieur en raison de la présence d'un cirque au Madison Square Garden. Un problème que les Rangers connaîtront à plusieurs reprises par la suite. Finalement, deux parties «locales» du New York seront jouées à Toronto.

● Une esquive de dernière seconde de la part de Ted Kennedy à l'endroit de Gordie Howe vient bien près de mettre fin à la carrière de ce dernier lors du premier match des séries. Howe donne tête première dans la bande et subit une fracture du crâne qui fait craindre le pire à sa famille pendant quelques jours. Il manque le reste des séries mais sera de retour la saison suivante.

● Les Red Wings gagnent la coupe Stanley après avoir perdu deux ans de suite en finale, mais ils ont besoin du maximum de matchs contre Toronto — dont deux gains en supplémentaire — et New York. Le septième match de la finale prend fin à la deuxième prolongation grâce à un but de Pete Babando. Il s'agit de la troisième partie de cette finale à dépasser le temps réglementaire.

## TROPHÉES

| | |
|---|---|
| **COUPE STANLEY** | |
| Red Wings de Detroit | |
| **COUPE O'BRIEN** | |
| Rangers de New York | |
| **TROPHÉE PRINCE-DE-GALLES** | |
| Red Wings de Detroit | |
| **TROPHÉE HART** | |
| Chuck Rayner | |
| Rangers de New York | |
| **TROPHÉE ART-ROSS** | |
| Ted Lindsay | |
| Red Wings de Detroit | |
| **TROPHÉE LADY-BYNG** | |
| Edgar Laprade | |
| Rangers de New York | |
| **TROPHÉE CALDER** | |
| Jack Gelineau | |
| Bruins de Boston | |
| **TROPHÉE GEORGES-VÉZINA** | |
| **Bill Durnan** | |
| **Canadiens de Montréal** | |

| | PJ | G | P | N | BP | BC | PTS |
|---|---|---|---|---|---|---|---|
| Detroit (Red Wings) | 70 | 37 | 19 | 14 | 229 | 164 | 88 |
| Montréal (Canadiens) | 70 | 29 | 22 | 19 | 172 | 150 | 77 |
| Toronto (Maple Leafs) | 70 | 31 | 27 | 12 | 176 | 173 | 74 |
| New York (Rangers) | 70 | 28 | 31 | 11 | 170 | 189 | 67 |
| Bruins (Boston) | 70 | 22 | 32 | 16 | 198 | 228 | 60 |
| Chicago (Black Hawks) | 70 | 22 | 38 | 10 | 203 | 244 | 54 |

### MEILLEURS MARQUEURS

| | | PJ | B | A | PTS | PUN |
|---|---|---|---|---|---|---|
| Ted Lindsay | Detroit | 69 | 23 | 55 | 78 | 141 |
| Sid Abel | Detroit | 69 | 34 | 35 | 69 | 46 |
| Gordie Howe | Detroit | 70 | 35 | 33 | 68 | 69 |
| Maurice Richard | Canadiens | 70 | 43 | 22 | 65 | 114 |
| Paul Ronty | Boston | 70 | 23 | 36 | 59 | 8 |
| Roy Conacher | Chicago | 70 | 25 | 31 | 56 | 16 |
| Doug Bentley | Chicago | 64 | 20 | 33 | 53 | 28 |
| Johnny Peirson | Boston | 57 | 27 | 25 | 52 | 49 |
| Metro Prystai | Chicago | 65 | 29 | 22 | 51 | 31 |
| Bep Guidon | Chicago | 70 | 17 | 34 | 51 | 42 |

tentent de l'encourager, en vain, et c'est finalement un Durnan complètement démoli qui viendra souhaiter bonne chance à son substitut, Gerry McNeil, quelques instants avant de se perdre dans la foule.

Durnan, l'un des plus brillants cerbères de l'histoire du Tricolore, est simplement rendu au bout, tel qu'il en fera la confidence au journaliste de sport Jacques Beauchamp. Celui-ci dévoilera ce secret dans le *Journal de Montréal* au moment de son décès en 1972.

## MAURICE RICHARD, ATHLÈTE DE L'ANNÉE AU CANADA

La popularité du Rocket ne cesse de croître au Québec et même au Canada. Une enquête de la maison Gallup, menée en mars, le confirme de manière éloquente, alors que Maurice Richard est reconnu comme l'athlète masculin de l'année au niveau canadien. Un honneur qui est suivi, deux mois plus tard, du titre de joueur des Canadiens s'étant le plus distingué. Cet autre choix de Richard comme récipiendaire du trophée Calvert lui fait particulièrement plaisir, puisqu'il est celui des partisans du club. Richard a devancé largement ses coéquipiers Bill Durnan et Ken Reardon au vote populaire.

Les chroniqueurs de hockey l'ont cependant ignoré une fois de plus pour le choix du joueur le plus utile, à titre de récipiendaire du trophée Hart, ce qui ne l'empêche pas de mériter une sixième sélection d'affilée au poste d'ailier droit dans la première équipe d'étoiles.

### LE SAVIEZ-VOUS...

La LNH apporte plusieurs modifications à son fonctionnement, portant son calendrier régulier à 70 parties, en plus de hausser le nombre de joueurs en uniforme à 17. On oblige aussi les clubs à peindre la glace des patinoires en blanc pour rendre la rondelle plus visible. D'autre part, un gardien écopant d'une punition majeure pourra dorénavant être remplacé par un substitut au banc des pénalités. On assiste aussi à l'introduction des premiers programmes doubles, avec deux rencontres entre les mêmes équipes à quelques jours d'intervalle.

**50**

LES PUISSANTS RED WINGS DOMINENT LA LIGUE UNE TROISIÈME ANNÉE DE SUITE ET LEUR
JOUEUR VEDETTE, GORDIE HOWE, DEVANCE MAURICE RICHARD PAR 20 POINTS AU CLASSEMENT
DES MARQUEURS. LE TRICOLORE TERMINE TROISIÈME, À 36 POINTS DE DETROIT ET À 30 DE TORONTO,
MAIS IL SURPREND LES PUISSANTS WINGS AVEC DEUX GAINS EN SUPPLÉMENTAIRE AU DÉBUT DE
LA DEMI-FINALE, CHAQUE FOIS GRÂCE À DES BUTS DU ROCKET, ET REMPORTE CELLE-CI EN SIX.
TORONTO ÉLIMINE BOSTON EN CINQ MATCHS, QUOIQU'UN SIXIÈME AIT ÉTÉ DÉCLARÉ NUL EN RAISON
D'UN COUVRE-FEU DANS LA VILLE REINE. LES LEAFS BATTENT LES CANADIENS EN FINALE EN
CINQ MATCHS, TOUS TERMINÉS EN PROLONGATION. BILL BARILKO, AUTEUR DU BUT QUI PROCURE
LA COUPE À TORONTO, PÉRIRA DANS UN ACCIDENT D'AVION TROIS MOIS PLUS TARD.
DETROIT A UN NOUVEAU GARDIEN, TERRY SAWCHUK, CHOISI RECRUE DE L'ANNÉE ET QUI DEVIENDRA
L'UN DES GRANDS CERBÈRES DE LA LNH.

*Pendant que Jean Béliveau s'en retourne à Québec après quelques parties d'essai, Bernard Geoffrion signe une entente lui permettant de compléter la saison à Montréal.*

# Premiers essais de Béliveau et Geoffrion

Frank Selke tente par tous les moyens d'améliorer le classement de son équipe, menacée d'être exclue des séries. Pour y arriver, il sait très bien qu'il a besoin de forces fraîches. Il vise notamment quelques espoirs de moins de 20 ans qui font les beaux jours de la Ligue junior du Québec. Jean Béliveau est l'orgueil des Citadelles et de toute la ville de Québec, Bernard Geoffrion et Fred Skippy Burchell jouent avec le National de Montréal, alors que Dickie Moore est avec le Canadien junior.

● Le train en provenance de Toronto ramenant l'équipe des Canadiens déraille à Dorion tôt le matin du 20 décembre. Malgré une bonne frousse, aucun joueur n'est blessé.

● En se qualifiant pour la finale contre Toronto, le Tricolore entreprend une séquence de 10 participations consécutives à la série ultime de la coupe Stanley.

● Une autre fête grandiose est organisée conjointement par les Canadiens, les Alouettes et les Royaux pour honorer le Rocket, le 17 février. On fait imprimer un ruban souvenir, ainsi qu'un macaron avec la photo de Richard. Celui-ci reçoit des cadeaux d'une valeur totale de 6 000 $, en plus d'une voiture DeSoto. Charles Mayer lui remet aussi de la part des journalistes un trophée spécial portant l'inscription de tous ses records.

● Le gardien Gerry McNeil et le défenseur Tom Johnson sont maintenant des membres à part entière des Canadiens.

● Autre nouveau joueur dans l'équipe. Selke obtient les services de Bert Olmstead, des Red Wings, en échange de Léo Gravelle. Detroit l'avait acquis des Black Hawks quelques jours plus tôt, dans une autre transaction.

● Le Rocket est reconnu comme le meilleur joueur de hockey de l'année 1950 par la revue américaine *Sport*

*Magazine* en janvier. Il avait obtenu pareille récompense du même magazine en 1947. Quelques jours auparavant, il a éclipsé le record d'équipe de Joliat pour le total de buts (270). Peu après, c'est au tour d'Elmer Lach d'atteindre le sommet des 300 passes pour un joueur du Tricolore.

## 1950-1951

*La soirée en l'honneur de Richard attire 15 000 spectateurs et 4 000 autres ne peuvent entrer à l'intérieur, faute de place. C'est avec beaucoup de fierté qu'il apposera la plaque minéralogique arborant le numéro 9 sur son auto.*

Selke entreprend des démarches pour s'approprier les quatre joueurs, sachant très bien que la partie ne sera pas facile dans le cas de Béliveau, en voie de devenir un véritable monument à Québec.

Pendant que celui-ci participe à son deuxième camp avec le Tricolore en septembre, Selke envoie ses émissaires rencontrer son père à Victoriaville et le propriétaire des Citadelles, Frank Byrne, à Québec. La proposition est rapidement rejetée et, après le camp, Béliveau, surpris de ne pas avoir reçu une offre qu'il n'aurait pu refuser, retourne à Québec. De toute façon, Byrne l'a

| | JOUEURS |
|---|---|
| 1 | Gerry McNeil |
| 2 | Doug Harvey |
| 3 | Émile Bouchard (C) |
| 4 | Paul Meger |
| | Ernie Roche |
| | Hugh Currie |
| | Claude Robert |
| | Ross Lowe |
| 5 | Bert Hirschfeld |
| | Bernard Geoffrion |
| | Louis Denis |
| | Gérard Desaulniers |
| 6 | Floyd Curry |
| 8 | Glen Harmon |
| 9 | Maurice Richard |
| 10 | Tom Johnson |
| 11 | Calum MacKay |
| 12 | Hal Laycoe |
| | Dick Gamble |
| | Dollard Saint-Laurent |
| | Frederick Burchell |
| | Sid McNabney |
| 14 | Billy Reay |
| 15 | Léo Gravelle |
| | Bert Olmstead |
| 16 | Elmer Lach |
| 17 | Jean Béliveau |
| | Bob Dawes |
| | Ross Lowe |
| 18 | Ken Mosdell |
| 19 | Vern Kaiser |
| | Gérard Plamondon |
| | Bert Hirschfeld |
| | Eddie Mazur |
| 20 | Frank King |
| | Gérard Desaulniers |

● Le président Campbell impose une amende de 500 $ au Rocket pour s'en être pris physiquement à l'arbitre Hugh McLean. Mécontent d'une mauvaise pénalité que lui avait décernée l'officiel la veille, le Rocket l'avait accosté dans le hall d'un hôtel new-yorkais, jusqu'à ce qu'on les sépare. On ne reverra jamais McLean arbitrer une partie par la suite.

● Incapable de vaincre un mal de dos qui l'accable depuis quatre saisons, Ken Reardon annonce sa retraite du hockey. Il demeure lié à l'organisation de l'équipe pendant plusieurs années à divers postes administratifs, notamment celui de vice-président.

● Newsy Lalonde et Joe Malone sont admis au Temple de la renommée.
● Glen Harmon dispute un 400e match avec les Canadiens en octobre.

● Un joueur des Alouettes de la Ligue canadienne de football, Tom Manastersky, remplace Émile Bouchard contre les Rangers en décembre. Celui qui a été choisi athlète de l'année 1950 à Montréal pour son brio au football est mis à l'essai pour trois rencontres, mais en disputera finalement six, n'obtenant aucun point.

| JOUEURS | |
|---|---|
| 20 | Tom Manastersky |
| | Jean Béliveau |
| | Paul Meger |
| 21 | Bud MacPherson |
| 22 | Normand Dussault |
| 23 | Paul Masnick |
| ENTRAÎNEUR | |
| | Dick Irvin |

assuré avant de partir que, quelle que soit la somme avancée par les Canadiens, les Citadelles lui offriraient davantage.

Le 16 décembre, les Canadiens font néanmoins appel à Béliveau et à Geoffrion pour disputer un match contre les Rangers, dans une tentative pour relancer le club qui vient de subir cinq défaites d'affilée. Geoffrion marque l'unique but des Canadiens, dans un verdict nul de 1 à 1.

Les deux futurs coéquipiers sont rappelés le 27 janvier pour un match contre Chicago. Cette fois, ils déjouent le cerbère Harry Lumley à tour de rôle, en plus d'obtenir une passe chacun, dans une victoire de 4-2.

Par la suite, Béliveau retourne à Québec de nouveau, mais Geoffrion, qui appartient déjà au Canadien, se voit offrir un contrat pour disputer les 16 derniers matchs de la saison de la Ligue nationale. Selke veut qu'il conserve son admissibilité au trophée Calder pour la saison suivante, mais pour ce faire, il ne doit

| TROPHÉES | |
|---|---|
| COUPE STANLEY | |
| Maple Leafs de Toronto | |
| TROPHÉE PRINCE-DE-GALLES | |
| Red Wings de Detroit | |
| TROPHÉE HART | |
| Milt Schmidt | |
| Bruins de Boston | |
| TROPHÉE ART-ROSS | |
| Gordie Howe | |
| Red Wings de Detroit | |
| TROPHÉE LADY-BYNG | |
| Red Kelly | |
| Red Wings de Detroit | |
| TROPHÉE CALDER | |
| Terry Sawchuk | |
| Red Wings de Detroit | |
| TROPHÉE GEORGES-VÉZINA | |
| Al Rollins | |
| Maple Leafs de Toronto | |

*Le Rocket est en demande partout pour signer des autographes, lors des réceptions et même pour inaugurer les salles de quilles.*

221

● Début du repêchage intra-ligue. Les équipes s'entendent, au printemps 1950, pour limiter leur liste de protection à 30 joueurs. Les autres pourront être réclamés par les clubs adverses, à raison de 25 000 $ par sélection.

● Les Red Wings établissent pas moins de neuf nouvelles marques en fin de saison, dont celles du plus grand nombre de points (101), de victoires (44) et de buts (236), ainsi que de plus petit nombre de défaites (13). À l'opposé, les Black Hawks inscrivent

de nouveaux records peu enviables pour le plus petit nombre de points (36) et de victoires (13), et le plus grand nombre de défaites (47).

● Sur le plan individuel, Gordie Howe revendique le plus haut total de points en saison (86) et Terry Sawchuck, celui du plus grand nombre de victoires pour un gardien (44).

● Detroit et Chicago procèdent à l'une des plus grosses transactions de l'histoire de la Ligue au cours de l'été 1950. L'échange, comprenant neuf joueurs,

envoie les gardiens Harry Lumley à Chicago et Jim Henry à Detroit. Henry ne portera jamais les couleurs des Wings, il sera troqué aux Bruins dès l'année suivante.

● La Ligue oblige désormais l'équipe locale à disposer d'un gardien d'urgence, susceptible de dépanner l'une ou l'autre des équipes en présence lors d'un match.

● Par une coïncidence étrange, les Leafs, champions de la coupe Stanley grâce à un but en prolongation de Bill Barilko au cinquième match de

la finale contre les Canadiens, ne gagneront de nouveau la coupe que quelques semaines avant qu'on retrouve le corps de leur héros en 1962. Barilko périt dans un écrasement d'avion lors d'une partie de pêche dans le nord de l'Ontario, trois mois après la conquête de 1951.

● La partie nulle de 1-1 du 31 mars entre Boston et Toronto s'explique par un règlement municipal de l'époque à Toronto qui interdisait les activités sportives à certaines heures le dimanche.

## 1950-1951

pas disputer plus de 20 parties. Il signe son contrat le 14 février, deux jours avant de fêter ses vingt ans.

« Franchement, j'aurais même accepté de jouer pour les Canadiens sans me faire payer, tellement j'avais envie de faire partie de la LNH, révèle celui qu'on surnomme déjà Boum Boum, dans sa biographie. Je me fichais pas mal de l'argent, le simple fait d'appartenir à la LNH était déjà une grande récompense. »

### UNE SÉRIE TOUTE EN PROLONGATIONS

Maurice Richard a déjà donné le ton avec un but à la quatrième supplémentaire lors du premier match de la demi-finale contre Detroit, et avec un second à la troisième période de prolongation, cette fois lors du deuxième match de la même série. Deux buts qui ont motivé l'équipe au point d'éliminer les Red Wings en six rencontres. Pourtant, Detroit venait d'établir un nouveau record de 101 points au classement des équipes en saison.

La finale contre Toronto dure cinq parties et toutes se rendent en prolongation. Toronto gagne la première, 3-2, grâce à un but de Sid Smith. Richard réplique pour les Canadiens à la deuxième, avec son troisième but en supplémentaire durant une même saison. C'est un record toujours inscrit dans le Guide de la LNH.

Toronto remporte les trois dernières parties et la série. Ted Kennedy, Harry Watson et Bill Barilko sont les auteurs des buts vainqueurs.

C'est la seule fois dans l'histoire de la Ligue que toutes les parties d'une même série ont nécessité du temps supplémentaire. Autre fait intéressant, toutes les rencontres, sauf la troisième terminée 2-1, se sont conclues par un pointage de 3 à 2.

| | PJ | G | N | P | BP | BC | PTS |
|---|---|---|---|---|---|---|---|
| Detroit (Red Wings) | 70 | 44 | 13 | 13 | 236 | 139 | 101 |
| Toronto (Maple Leafs) | 70 | 41 | 16 | 13 | 212 | 138 | 95 |
| Montréal (Canadiens) | 70 | 25 | 30 | 15 | 173 | 184 | 65 |
| Boston (Bruins) | 70 | 22 | 30 | 18 | 178 | 197 | 62 |
| New York (Rangers) | 70 | 20 | 29 | 21 | 169 | 201 | 61 |
| Chicago (Black Hawks) | 70 | 13 | 47 | 10 | 171 | 280 | 36 |

### MEILLEURS MARQUEURS

| | | PJ | B | A | PTS | PUN |
|---|---|---|---|---|---|---|
| Gordie Howe | Detroit | 70 | 43 | 43 | 86 | 74 |
| Maurice Richard | Canadiens | 65 | 42 | 24 | 66 | 97 |
| Max Bentley | Toronto | 67 | 21 | 41 | 62 | 34 |
| Sid Abel | Detroit | 69 | 23 | 38 | 61 | 30 |
| Milt Schmidt | Boston | 62 | 22 | 39 | 61 | 33 |
| Ted Kennedy | Toronto | 63 | 18 | 43 | 61 | 32 |
| Ted Lindsay | Detroit | 67 | 24 | 35 | 59 | 110 |
| Tod Sloan | Toronto | 70 | 31 | 25 | 56 | 105 |
| Red Kelly | Detroit | 70 | 17 | 37 | 54 | 24 |
| Sid Smith | Toronto | 70 | 30 | 21 | 51 | 10 |
| Cal Gardner | Toronto | 66 | 23 | 28 | 51 | 42 |

*Sans marquer des buts à la pelle, le Rocket en obtient tout de même trois en temps supplémentaire lors des séries de 1951, un record toujours inégalé.*

# 1951 C 1952

*Cette fois, les Red Wings sont invincibles. Champions de la saison régulière avec 22 points de priorité sur les Canadiens, ils gagnent ensuite en quatre parties contre Toronto en demi-finale et en quatre également contre le Tricolore en finale. Celui-ci a, au préalable, difficilement écarté Boston en sept rencontres. Chicago est dernier pour la cinquième fois en six ans et la troisième année de suite. Howe est de nouveau champion marqueur, avec 17 points d'avance sur son coéquipier Lindsay. Il est aussi choisi le plus utile. Elmer Lach finit au troisième rang et Bernard Geoffrion, la dernière acquisition des Canadiens, est sixième, ce qui lui vaut le titre de recrue de l'année. Terry Sawchuk remporte le Vézina par plus de 20 buts sur ses plus proches rivaux.*

## Assommé, le Rocket élimine les Bruins

**M**aurice Richard manque 22 parties en raison d'une mystérieuse blessure à l'aine qui le force par trois fois à s'arrêter au cours de la saison, ce qui ne l'empêche toutefois pas de réussir le 300e but de sa carrière, contre Terry Sawchuk en novembre, ainsi que son 500e point, contre Al Rollins trois semaines

*Encore assommé, le Rocket revient sur la glace pour inscrire le but gagnant du septième match contre les Bruins.*

● Bernard Geoffrion remporte le trophée Calder, en partie grâce à son nouveau tir frappé qui lui procure une fiche de 30 buts et 24 passes, ce qui lui vaut le sixième rang des marqueurs. Frank Selke a eu raison de le limiter à 18 parties la saison précédente.

● Les Canadiens et les As de Québec se disputent les services de Jean Béliveau sur la place publique. Selke veut faire adopter un règlement obligeant les joueurs protégés à signer une entente avec leur club professionnel avant de jouer pour un club amateur. Les As menacent de se retirer de la Ligue senior si ce règlement est adopté. Finalement, Québec conserve les services du Gros Bill, au grand plaisir du principal intéressé et des partisans du club.

● Dick Irvin veut obliger Émile Bouchard à perdre du poids et le retire temporairement de la liste des joueurs en début de saison, mais celui-ci ne prise pas l'attitude de son entraîneur et lui demande de se rétracter, tout en laissant planer la possibilité qu'il se retire du hockey. Finalement, tout rentre dans l'ordre et Bouchard participe à son 500e match le 30 octobre. Mais il rate tout de même une dizaine de parties en novembre et décembre en raison d'une blessure à l'épaule.

● Deux nouveaux venus signent des ententes avec le club le jour de Noël : Dickie Moore, un ailier gauche, et Dollard Saint-Laurent, un défenseur.

*Bernard Geoffrion*

**1951-1952**

plus tard. Mais il retrouve sa pleine forme à la veille de la série contre les Bruins, laquelle va contribuer largement à sa légende.

Le Rocket marque deux fois pour mener les Canadiens à une victoire de 5-1 en ouverture de série. Geoffrion lui donne la réplique avec trois buts dans la deuxième rencontre et le Tricolore l'emporte 4-2. Les Bruins rebondissent avec trois victoires consécutives qui placent les Canadiens au bord de l'élimination. Richard trouve de nouveau le moyen de s'illustrer avec le but égalisateur à la onzième minute de la troisième période du sixième match. Paul Masnick, rappelé de la filiale de Cincinnati pour la rencontre, marque ensuite en deuxième supplémentaire, ce qui oblige la présentation d'une septième partie au Forum le 8 avril.

Le pointage est toujours de 1 à 1 en milieu de deuxième lorsque le Rocket s'élance à sa manière typique, mais il est accueilli à la ligne bleue adverse par Léo Labine qui lui assène un coup de bâton au visage. Richard est étendu sur la glace, les bras en croix et on craint le pire pour lui, alors que le sang coule de son front. On réussit finalement à le ranimer pour le conduire à l'infirmerie où il perd de nouveau conscience.

| JOUEURS | |
|---|---|
| 1 | Gerry McNeil |
| 2 | Doug Harvey |
| 3 | Émile Bouchard (C) |
| 4 | Ross Lowe |
| 5 | Bernard Geoffrion |
| 6 | Floyd Curry |
| 8 | Dick Gamble |
| 9 | Maurice Richard |
| 10 | Tom Johnson |
| 11 | Calum MacKay |
| | Lorne Davis |
| | Gene Achtymichuk |
| | Paul Masnick |
| 12 | Gerald Couture |
| | Dickie Moore |
| 14 | Billy Reay |
| 15 | Bert Olmstead |
| 16 | Elmer Lach |
| 17 | John McCormack |
| | Stan Long |

*Elmer Lach patine, virevolte et vole même dans les airs, devenant le meilleur marqueur de la Ligue en février.*

● Elmer Lach domine les autres marqueurs du circuit pour le nombre de passes avec 50, mais doit se contenter du troisième rang au classement général, ayant été devancé par Howe et Lindsay. Il est tout de même choisi dans la première équipe d'étoiles, ainsi que Doug Harvey.

● Floyd Curry et Maurice Richard se distinguent avec respectivement trois et deux buts en présence de la princesse Élisabeth (qui deviendra la reine Élisabeth II quelques mois plus tard) et du prince Philip, au Forum, à la fin d'octobre.

● Bill Durnan, devenu entraîneur, entreprend sa deuxième saison à la barre des Senators d'Ottawa, dans la Ligue senior du Québec.

● Paul Meger porte deux numéros différents lors du match du 18 octobre. Il endosse d'abord le sien, le 20, mais revient avec le 23 pour la troisième période. Il a enfilé le chandail de Paul Masnick par erreur entre les deux périodes. Blessé juste avant la rencontre, Masnick était absent.

● Camil Desroches, directeur de la publicité chez les Canadiens, vit une expérience excitante en faisant la description d'un match en français pendant quelques minutes à la radio de Boston et à celle de New York, à trois jours d'intervalle en décembre. Il fait de même à la télévision new-yorkaise.

● Maurice Richard reçoit deux nouvelles reconnaissances à la fin de 1951. La British United Press lui attribue le titre de personnalité de l'année et la Fondation Hickok de New York le nomme athlète de l'année en Amérique. Charles Mayer, journaliste au *Petit Journal*, en fait aussi son étoile de l'année, par suite de la compilation de son choix hebdomadaire des trois étoiles.

● Billy Reay dispute un 400e match avec le Tricolore le 7 février à Detroit.

| JOUEURS | |
|---|---|
| 18 | Ken Mosdell |
| 19 | Dollard Saint-Laurent |
| | Paul Meger |
| 20 | Paul Meger |
| 21 | Bud MacPherson |
| 22 | Paul Masnick |
| 23 | Paul Masnick |
| | Paul Meger |
| | Cliff Malone |
| | Don Marshall |
| | Lorne Davis |
| | Bob Fryday |
| | Garry Edmundson |
| | Stan Long |
| | Eddie Mazur |
| ENTRAÎNEUR | |
| | Dick Irvin |

**1951-1952**

*Les yeux noircis par une fracture du nez subie plus tôt en série, le gardien des Bruins, Sugar Jim Henry, ne peut s'empêcher d'aller féliciter le Rocket après son but mémorable.*

● Bill Mosienko, de Chicago, inscrit le record des trois buts les plus rapides au dernier match de la saison. Il n'a eu besoin que de 21 secondes pour établir une marque qui résistera aux efforts de ses successeurs jusqu'à aujourd'hui. Jean Béliveau viendra près de l'égaler en 1955-56, mais il lui faudra 44 secondes pour s'exécuter.

● Terry Sawchuk conserve une incroyable moyenne de 0,63 durant les séries, balayées dans un minimum de huit parties par les Red Wings. Il n'accorde aucun but à ses rivaux à Detroit. Au total, il signe quatre jeux blancs en huit rencontres.

● La Ligue change le format de son match d'étoiles. Désormais, les membres de la première équipe d'étoiles seront opposés à ceux de la deuxième. Les deux formations seront complétées par les meilleurs joueurs des divers clubs.

● Gordie Howe ajoute le trophée Hart, comme joueur le plus utile, à son championnat des marqueurs.
● Une blessure au gardien Harry Lumley force le soigneur Moe Roberts, un ancien cerbère, à défendre la cage des Black Hawks pendant une période, contre Detroit le 25 novembre. À presque 46 ans,

**1951-1952**

*Floyd Curry (ici face à Al Rollins des Hawks de Chicago) obtient l'unique tour du chapeau de sa carrière, en présence de la princesse Élisabeth, le 29 octobre, contre New York.*

Complètement assommé, il reste immobile pendant qu'on lui fait six points de suture, puis retourne au banc des joueurs malgré les protestations du médecin. Abasourdi, il s'enquiert du pointage et du temps qu'il reste à jouer. À moins de quatre minutes de la fin de la partie, l'entraîneur Irvin l'envoie sur la glace. Richard capte une passe de Bouchard, contourne Woody Dumart et s'élance par instinct. Le défenseur Bill Quackenbush s'interpose en zone bostonnaise et tente de l'entraîner du côté droit, mais le Rocket vire brusquement à gauche et laisse Quackenbush en plan. L'autre défenseur, Bob Armstrong, tente de l'arrêter à son tour, Richard le repousse d'une main, d'un geste qui lui est familier, tout en conservant le contrôle de la rondelle avec son bâton de l'autre. Parvenu devant le cerbère Jim Henry, il le déjoue d'un tir dans la partie gauche du filet.

C'est l'explosion dans le Forum. Maurice Richard vient d'inscrire un autre but qui fera sa légende et le public lui témoigne son admiration pendant de longues minutes.

Revenu au vestiaire, après le but d'assurance de Billy Reay, Richard est accueilli par son père et le sénateur Donat Raymond qui lui témoignent leur fierté. Secoué par une forte émotion, le Rocket fond en larmes.

226

|  | PJ | G | P | N | BP | BC | PTS |
|---|---|---|---|---|---|---|---|
| Detroit (Red Wings) | 70 | 44 | 14 | 12 | 215 | 133 | 100 |
| Montréal (Canadiens) | 70 | 34 | 26 | 10 | 195 | 164 | 78 |
| Toronto (Maple Leafs) | 70 | 29 | 25 | 16 | 168 | 157 | 74 |
| Boston (Bruins) | 70 | 25 | 29 | 16 | 162 | 176 | 66 |
| New York (Rangers) | 70 | 23 | 34 | 13 | 192 | 219 | 59 |
| Chicago (Black Hawks) | 70 | 17 | 44 | 9 | 158 | 241 | 43 |

**MEILLEURS MARQUEURS**

|  |  | PJ | B | A | PTS | PUN |
|---|---|---|---|---|---|---|
| Gordie Howe | Detroit | 70 | 47 | 39 | 86 | 78 |
| Ted Lindsay | Detroit | 70 | 30 | 39 | 69 | 123 |
| Elmer Lach | Canadiens | 70 | 15 | 50 | 65 | 36 |
| Don Raleigh | New York | 70 | 19 | 42 | 61 | 14 |
| Sid Smith | Toronto | 70 | 27 | 30 | 57 | 6 |
| Bernard Geoffrion | Canadiens | 67 | 30 | 24 | 54 | 66 |
| Bill Mosienko | Chicago | 70 | 31 | 22 | 53 | 10 |
| Sid Abel | Detroit | 62 | 17 | 36 | 53 | 32 |
| Ted Kennedy | Toronto | 70 | 19 | 33 | 52 | 33 |
| Milt Schmidt | Boston | 69 | 21 | 29 | 50 | 57 |
| Johnny Peirson | Boston | 68 | 20 | 30 | 50 | 30 |

il restera le plus vieux joueur de l'histoire de la LNH jusqu'à ce que Gordie Howe le surpasse à 52 ans, en 1979-80, avec les Whalers de Hartford.

● La LNH aimerait bien uniformiser les pratiques de ses équipes au sujet des couleurs de chandail. Elle leur suggère de porter leur chandail blanc à domicile et le foncé à l'étranger, ce qui oblige les Rangers à rompre avec une tradition de 25 ans en enfilant un chandail blanc au lieu du bleu traditionnel à New York le 27 octobre.

● Les pieuvres font leur apparition sur la glace de l'Olympia de Detroit lors du huitième match de la finale. Les petites bêtes à huit pattes se veulent un porte-bonheur invitant à un balayage complet par les Red Wings.

● Le Canada remporte une dernière médaille d'or aux Jeux olympiques d'hiver avant une longue disette qui ne prendra fin qu'à Salt Lake City en 2002. À Oslo, ce sont les Mercurys d'Edmonton qui montent sur la plus haute marche du podium, grâce à une fiche de 7-0-1.

| TROPHÉES |
| --- |
| COUPE STANLEY |
| Red Wings de Detroit |
| TROPHÉE PRINCE-DE-GALLES |
| Red Wings de Detroit |
| TROPHÉE HART |
| Gordie Howe |
| Red Wings de Detroit |
| TROPHÉE ART-ROSS |
| Gordie Howe |
| Red Wings de Detroit |
| TROPHÉE LADY-BYNG |
| Sid Smith |
| Maple Leafs de Toronto |
| TROPHÉE CALDER |
| Bernard Geoffrion |
| Canadiens de Montréal |
| TROPHÉE GEORGES-VÉZINA |
| Terry Sawchuk |
| Red Wings de Detroit |

*La compagnie Parkhurst ramène la mode des cartes de hockey avec une nouvelle collection de 105 cartes. La série prendra vite de la valeur puisqu'elle est presque uniquement composée de cartes « recrue », en raison d'une interruption de plusieurs années de la diffusion de ces populaires bouts de carton comportant photo et fiche des joueurs.*

## ELMER LACH, LE MEILLEUR MARQUEUR

La liste de cadeaux remis à Elmer Lach entre les deuxième et troisième périodes de la rencontre du 8 mars est impressionnante. De la voiture de marque Oldsmobile aux boutons de manchette en or, en passant par le réfrigérateur, les balles de golf, les abonnements aux matchs des Royaux, les chemises et les souliers, ainsi que les boucles d'oreilles pour madame, les lames de rasoir à vie et la vaisselle, il devait bien y en avoir plus d'une centaine alignés au centre de la glace.

Lach, premier joueur des Canadiens à réussir 500 points, est aussi devenu le meilleur marqueur de l'histoire de la LNH avec son 549e point, le 23 février, contre Chicago. C'était le quatrième record de Bill Cowley qu'il faisait sauter au cours de la même semaine, pour les points et les passes en saison régulière, mais aussi au total des saisons et des séries. Il y a de quoi lui démontrer un peu de reconnaissance, d'autant plus qu'il a aussi disputé un 500e match dans l'uniforme de l'équipe en début de saison.

Ce témoignage de la part de l'équipe et des partisans reflète bien la valeur de ce joueur d'impact, plusieurs fois honoré : deux championnats des marqueurs, un trophée Hart, quatre sélections dans les équipes d'étoiles (plus une cinquième à venir en fin de saison) et, en plus, son nom gravé deux fois sur la coupe Stanley.

Même Connie Smythe, le gérant des Maple Leafs, apporte sa contribution à la fête avec un beau billet de 100 $.

*Meilleur marqueur de l'histoire de la Ligue, Elmer Lach est fêté comme un roi, en mars, après qu'il eut établi un quatrième record au cours de la même semaine.*

JACQUES PLANTE — Royal de Montréal
Né — 17 janvier 1929 — Shawinigan Falls, P. Q.
Gardien de Buts
No 92

# 1952  1953

SEPTIÈME
COUPE
STANLEY

SEPTIÈME COUPE STANLEY. GORDIE HOWE ET LES RED WINGS SONT ENCORE LES MAÎTRES DE LA LIGUE NATIONALE. LE PREMIER EST TOUJOURS CHAMPION MARQUEUR ET JOUEUR LE PLUS UTILE, ET DETROIT INSCRIT UN CINQUIÈME TITRE D'AFFILÉE EN SAISON RÉGULIÈRE. CEPENDANT, BOSTON CAUSE UNE SURPRISE EN ÉLIMINANT LES WINGS EN DEMI-FINALE, PAR QUATRE PARTIES À DEUX, TANDIS QUE LE TRICOLORE GAGNE LES DEUX PREMIERS MATCHS CONTRE CHICAGO, PERD LES TROIS SUIVANTS ET PASSE FINALEMENT EN FINALE EN REMPORTANT LES DEUX DERNIERS. LES BRUINS NE RÉSISTENT PAS PLUS DE CINQ PARTIES CONTRE LES CANADIENS EN FINALE, MAIS LE DERNIER MATCH PREND FIN 1-0 EN SUPPLÉMENTAIRE, AVEC UN BUT D'ELMER LACH. SAWCHUK EST ENCORE PREMIER CHEZ LES GARDIENS ET UN AUTRE PORTIER, LORNE WORSLEY, DES RANGERS, EST ÉLU RECRUE DE L'ANNÉE. MAURICE RICHARD EST TROISIÈME CHEZ LES MARQUEURS.

*Richard et Lach au nez amoché avec la fameuse coupe. En sautant dans les bras de son coéquipier après le but victorieux, le Rocket lui a fracturé le nez.*

● Les joueurs du Tricolore envahissent les salons des foyers canadiens par le truchement de la télévision avec *La Soirée du Hockey*. Radio-Canada entreprend de télédiffuser certains matchs de la Ligue nationale, à compter de la troisième période pour ne pas nuire aux ventes de billets. René Lecavalier, chargé de

*Le Rocket réussit trois buts contre Sugar Jim Henry lors du quatrième match de la finale contre Boston, concrétisant une victoire de 7 à 3 pour le Tricolore.*

**1952 1953**

# Le 325e but du Rocket sème l'euphorie au Forum

La saison est particulièrement fructueuse pour le numéro 9 des Canadiens, qui surclasse ses coéquipiers dans tous les domaines : buts (28), passes (33), points (61) et même punitions (112). Plus une sélection dans la deuxième équipe d'étoiles (une dixième nomination consécutive au sein de l'une ou l'autre des équipes d'as), une septième participation de suite au match des étoiles, le tout couronné d'une coupe Stanley, récupérée après six ans d'absence.

Mais le plus haut fait d'armes de cette saison, c'est l'obtention du 325e but de sa carrière, le 8 novembre, contre Al Rollins, des Hawks de Chicago. Un but réussi en milieu de deuxième période sur une passe du capitaine Bouchard, qui lui donne l'occasion depuis longtemps attendue de devancer Nels Stewart en battant son record vieux de 12 ans. La grande vedette des Canadiens n'a eu besoin que de 10 saisons, jour pour jour, soit 630 parties, pour devenir le premier marqueur de l'histoire de la Ligue, comparativement à 652 pour Stewart. Quelques secondes plus tôt, son fidèle compagnon de ligne, Elmer Lach, a obtenu le 200e filet de sa carrière, but préparé par le Rocket.

Jean-Marie Pellerin raconte, dans son livre sur Richard, que « après la partie, le vestiaire des Canadiens ressemblait à un vrai studio d'Hollywood » avec une armée de journalistes, de reporters et de caméras.

*Dickie Moore goûte au champagne de la coupe Stanley pour la première fois sous l'œil amusé de Doug Harvey, dont c'est aussi la première coupe même s'il est avec l'équipe depuis six ans déjà.*

la description, laissera sa marque par la qualité de ses expressions. Foster Hewitt fait la description à *Hockey Night in Canada*, alors que Danny Gallivan est la nouvelle voix des Canadiens à la radio.

● Gerry McNeil connaît sa meilleure saison devant le filet du Tricolore avec 10 coups de pinceau et la deuxième moyenne de la Ligue, à 2,12. Il est sélectionné dans la deuxième équipe d'étoiles, en compagnie de Richard et Bert Olmstead. Doug Harvey fait partie de la première.

● Fin janvier, Ken Mosdell en est à son 400e match avec le Tricolore, tandis qu'Elmer Lach et Butch Bouchard y vont chacun d'un 600e en février. Ce dernier sera d'ailleurs

le point de mire d'une fête spéciale le soir même. On lui remet des cadeaux d'une valeur totale de 15 000 $, dont une Buick de l'année.

Le soir même, Frank Selke annonce que la rondelle de l'exploit sera plaquée en or et gravée des noms des joueurs des Canadiens, pour être expédiée à la nouvelle reine d'Angleterre, qui avait vu jouer le Rocket quelques mois plus tôt alors qu'elle n'était encore que princesse. En fin d'année, la British United Press fait du Rocket son athlète de l'année une deuxième fois de suite, ce qui couronne une autre année exceptionnelle pour celui qui est devenu le préféré des partisans du Tricolore et le plus grand héros des Québécois depuis la fin de la guerre.

Cette popularité en fait aussi un homme recherché, dont on s'abreuve des propos chaque fois que l'occasion se présente. Flairant la bonne affaire, l'hebdomadaire *Samedi-Dimanche* ouvre ses pages à Richard pour qu'il y signe une chronique, justement nommée « Le tour du chapeau ». Avec la franchise et l'honnêteté qu'on lui connaît, Maurice traite des sujets qui l'intéressent avec l'aide d'un rédacteur fantôme, sans se soucier d'écorcher quelques personnes au passage, dont le président Clarence Campbell. Dans une chronique parue le 6 décembre, il

*Elmer Lach et Maurice Richard se jettent dans les bras l'un de l'autre après le but de Lach en prolongation. Un cliché du photographe Roger Saint-Jean qui a fait le tour de la terre.*

● Frank Selke fouette ses troupes en faisant inscrire dans le vestiaire de l'équipe une citation du médecin de l'armée canadienne, lors de la Première Guerre mondiale, le major John McCrae. Cette maxime, « Nos bras meurtris vous tendent le flambeau », demeurera le cri de ralliement de l'équipe pour des décennies.

● Les joueurs des Canadiens surveillent étroitement Gordie Howe au dernier match de la saison pour l'empêcher d'égaler le record de 50 buts en une saison du Rocket.

● Le cinquième et dernier match de la finale se termine de façon théâtrale alors qu'Elmer Lach, aidé de Richard, inscrit l'unique but de la partie en début de période supplémentaire.

● Bernard Geoffrion épouse la fille du regretté Howie Morenz, Marlene, au printemps 1953. Durant la saison, il perfectionne sa nouvelle trouvaille, le tir frappé, que reprendront ensuite Andy Bathgate et Bobby Hull. Son surnom de Boum Boum provient d'ailleurs de ce tir.

**1952 1953**

| JOUEURS | |
| --- | --- |
| 1 | Gerry McNeil |
| | Jacques Plante |
| | Hal Murphy |
| 2 | Doug Harvey |
| 3 | Émile Bouchard (C) |
| 4 | Ivan Irwin |
| | Reg Abbott |
| | Ed Litzenberger |
| | Calum MacKay |
| 5 | Bernard Geoffrion |
| 6 | Floyd Curry |
| 8 | Dick Gamble |
| 9 | Maurice Richard |
| 10 | Tom Johnson |
| 11 | Paul Masnick |
| 12 | Dickie Moore |
| | Jean Béliveau |

*Jacques Plante est appelé à remplacer Gerry McNeil pour trois parties en novembre et tire bien son épingle du jeu. Il reviendra disputer quelques matchs lors des séries.*

232

● La Ligue adopte un nouveau mode de repêchage selon l'ordre inverse du classement de la saison, pour éviter que certaines équipes n'accaparent tous les meilleurs joueurs.

● La ville de Cleveland tente d'obtenir une concession dans la LNH, mais après avoir satisfait à toutes les exigences du circuit, sa demande est rejetée. En fin de saison, les Barons, membres de la Ligue américaine, lancent un défi à la Ligue nationale pour affronter les gagnants de la coupe Stanley, mais celle-ci repousse cette requête.

● Remue-ménage à Chicago. Les nouveaux propriétaires, Arthur Wirtz, Bruce Norris et James Dougan Norris, ont quitté Detroit et emmené Sid Abel. Ils le nomment joueur-entraîneur. Harry Lumley est échangé à Toronto en retour

d'Al Rollins et de trois autres joueurs. Les Hawks accèdent aux séries pour la première fois depuis 1946. Ils ont occupé le dernier rang cinq fois sur six au cours de cette période. Ils y retourneront durant les quatre années suivantes.

| JOUEURS | |
|---|---|
| 14 | Billy Reay |
| 15 | Bert Olmstead |
| 16 | Elmer Lach |
| 17 | John McCormack |
| 18 | Ken Mosdell |
| 19 | Dollard Saint-Laurent |
| 20 | Paul Meger |
| 21 | Bud MacPherson |
| 22 | Lorne Davis |
| 23 | Gaye Stewart |
| | Gérard Desaulniers |
| | Rolland Rousseau |
| | Doug Anderson |
| | Eddie Mazur |
| ENTRAÎNEUR | |
| | Dick Irvin |

**1952 1953**

s'en prend aussi à certains amateurs de la ville de Québec, lesquels mettront plusieurs années à lui pardonner cette attaque.

## LA TUQUE DE JACQUES PLANTE

Bien avant son célèbre masque, Jacques Plante s'est fait remarquer par ses tuques, qu'il tricotait lui-même.

Appelé du Royal de Montréal en remplacement d'un Gerry McNeil blessé, au début de novembre, le jeune gardien livre une guerre de mots, par journalistes interposés, avec Frank Selke qui ne veut pas lui voir porter l'une de ses fameuses tuques. Faut savoir que Plante avait appris le tricot et la broderie de sa mère lors de ses années de collège et qu'il veut se distinguer dans la Ligue nationale en portant un bonnet de laine aux couleurs de l'équipe, comme l'ont fait jadis Georges Vézina, lui aussi avec une tuque, ainsi qu'Aurèle Joliat avec sa casquette. La fameuse tuque était devenue sa marque de commerce depuis ses années de collège et il veut qu'elle le suive chez les pros.

Mais quelqu'un de l'organisation, Selke lui-même selon certains, fait disparaître les fameuses tuques le jour du premier match de Plante avec l'équipe. Celui-ci est contraint de se présenter sur la patinoire sans couvre-chef et il fait si bien ce soir-là (victoire de 4 à 1 contre les Rangers) et aux suivants qu'on n'entendra plus jamais parler de la tuque. Superstition aidant, personne dans l'équipe ne veut risquer de défier le sort en modifiant la moindre habitude chanceuse.

Plante a signé deux victoires et une nulle en trois parties, n'accordant que quatre buts, avant de retourner chez le Royal. Il revient dans les séries pour éliminer les Black Hawks, remplaçant Gerry McNeil devenu trop nerveux alors que le Tricolore tire de l'arrière 2-3 en demi-finale. Il protège ensuite la forteresse des Canadiens dans les deux premières rencontres de la finale contre Boston (une victoire et une défaite) avant de redonner le poste à McNeil. Les Canadiens remportent la finale en cinq parties.

*Plante et sa fameuse tuque.*

● À Detroit, James Norris meurt le 4 décembre. Sa fille Marguerite le remplacera à la présidence du club jusqu'au retour de Bruce Norris en 1955. Elle sera la première femme à inscrire son nom sur la coupe, à titre de présidente, cette année-là. S'ajouteront ensuite ceux de Sonia Scurfield, copropriétaire des Flames, en 1989, et de Denise DeBartolo York, présidente des Penguins, en 1991.

● Le départ de Sid Abel, remplacé par Alex Delvecchio, n'empêche pas Gordie Howe de remporter un troisième titre de champion marqueur d'affilée, avec un nouveau record de 95 points. Lors du dernier match de la saison contre Montréal, les joueurs des Canadiens lui accorderont une attention toute spéciale pour l'empêcher d'obtenir un 50e but.

● Premier match régulier disputé sur une glace autre que celles des six équipes de la LNH lorsque Detroit et Chicago doivent s'affronter à Indianapolis, leurs propres arénas n'étant pas libres.

**1952 1953**

## ON S'ARRACHE LES SERVICES DE BÉLIVEAU

Le feuilleton entourant les services de Jean Béliveau se poursuit entre les Canadiens et les As de Québec. Le convoité joueur de centre obtient un nouvel essai de trois parties en décembre, marquant trois buts contre les Rangers au Forum et deux autres au troisième match, à Boston. Selke aimerait bien le garder à Montréal, mais Béliveau a signé un contrat de 20 000 $ avec les As (plus que n'en gagnent Howe et Richard). De plus, il adore les gens de Québec et ceux-ci le lui rendent bien.

Marc Thibeault, du *Petit Journal,* rapporte même, dans le numéro du 29 mars, qu'il aurait décliné une offre de 100 000 $ des Rangers en prévision de la saison suivante.

Les partisans du Tricolore devront attendre une saison de plus.

*Le gardien des Rangers, Chuck Rayner, passe « un mauvais quart d'heure » avec Richard et Lach, lors d'une rencontre entre les deux formations.*

| TROPHÉES |
| --- |
| **COUPE STANLEY** |
| Canadiens de Montréal |
| **TROPHÉE PRINCE-DE-GALLES** |
| Red Wings de Detroit |
| **TROPHÉE HART** |
| Gordie Howe |
| Red Wings de Detroit |
| **TROPHÉE ART-ROSS** |
| Gordie Howe |
| Red Wings de Detroit |
| **TROPHÉE LADY-BYNG** |
| Red Kelly |
| Red Wings de Detroit |
| **TROPHÉE CALDER** |
| Lorne Worsley |
| Rangers de New York |
| **TROPHÉE GEORGES-VÉZINA** |
| Terry Sawchuk |
| Red Wings de Detroit |

| | PJ | G | P | N | BP | BC | PTS |
| --- | --- | --- | --- | --- | --- | --- | --- |
| Detroit (Red Wings) | 70 | 36 | 16 | 18 | 222 | 133 | 90 |
| Montréal (Canadiens) | 70 | 28 | 23 | 19 | 155 | 148 | 75 |
| Boston (Bruins) | 70 | 28 | 29 | 13 | 152 | 172 | 69 |
| Chicago (Black Hawks) | 70 | 27 | 28 | 15 | 169 | 175 | 69 |
| Toronto (Maple Leafs) | 70 | 27 | 30 | 13 | 156 | 167 | 67 |
| New York (Rangers) | 70 | 17 | 37 | 16 | 152 | 211 | 50 |

**MEILLEURS MARQUEURS**

| | | PJ | B | A | PTS | PUN |
| --- | --- | --- | --- | --- | --- | --- |
| Gordie Howe | Detroit | 70 | 49 | 46 | 95 | 57 |
| Ted Lindsay | Detroit | 70 | 32 | 39 | 71 | 111 |
| Maurice Richard | Canadiens | 70 | 28 | 33 | 61 | 112 |
| Wally Hergesheimer | New York | 70 | 30 | 29 | 59 | 10 |
| Alex Delvecchio | Detroit | 70 | 16 | 43 | 59 | 28 |
| Paul Ronty | New York | 70 | 16 | 38 | 54 | 20 |
| Metro Prystai | Detroit | 70 | 16 | 34 | 50 | 12 |
| Red Kelly | Detroit | 70 | 19 | 27 | 46 | 8 |
| Bert Olmstead | Canadiens | 69 | 17 | 28 | 45 | 83 |
| Fleming Mackewll | Boston | 65 | 27 | 17 | 44 | 63 |
| Jim McFadden | Chicago | 70 | 23 | 21 | 44 | 29 |

# 1953 🅒 1954

DETROIT DEVANCE ENCORE MONTRÉAL EN SAISON ET GORDIE HOWE AJOUTE À SA COLLECTION UN TROISIÈME TITRE CONSÉCUTIF DES MARQUEURS, TANDIS QUE SON COÉQUIPIER RED KELLY EST LE PREMIER RÉCIPIENDAIRE DU TROPHÉE JAMES-NORRIS, ATTRIBUÉ AU MEILLEUR DÉFENSEUR. LES DEUX CLUBS SE RETROUVENT EN FINALE, DETROIT AYANT ÉLIMINÉ TORONTO EN CINQ PARTIES ET LES CANADIENS, AYANT DÉCLASSÉ BOSTON EN QUATRE D'AFFILÉE. LES WINGS EN ONT PLEIN LES BRAS CONTRE LE TRICOLORE ET IL FAUT ATTENDRE AU SEPTIÈME MATCH, EN SUPPLÉMENTAIRE DE SURCROÎT, POUR QUE LE SORT TRANCHE EN FAVEUR DE DETROIT. LES CANADIENS PLACENT TROIS JOUEURS PARMI LES CINQ MEILLEURS MARQUEURS : RICHARD EST DEUXIÈME, GEOFFRION, QUATRIÈME ET BERT OLMSTEAD, CINQUIÈME. HARRY LUMLEY, ANCIEN CERBÈRE DES WINGS PASSÉ À TORONTO, RAVIT LE TROPHÉE VÉZINA À SAWCHUK PAR UN BUT, TANDIS QU'AL ROLLINS, MEILLEUR GARDIEN AVEC TORONTO EN 1951-52, GAGNE LE TROPHÉE HART AVEC CHICAGO, QUI A CONNU UNE ANNÉE DE MISÈRE AVEC SEULEMENT 31 POINTS.

## Maurice Richard devance Elmer Lach au sommet

*Deux jours avant de rejoindre et dépasser son coéquipier Elmer Lach au sommet des marqueurs de la LNH, le Rocket obtient un autre tour du chapeau contre Chicago.*

**L**es Canadiens sont déchaînés contre les Rangers en ce samedi 12 décembre, quelques jours avant Noël. Faut dire qu'il y a de l'électricité dans l'air puisque le club livre une lutte sans merci aux Red Wings pour le premier rang au classement depuis le début de la saison. De plus, Maurice Richard, le meilleur joueur de l'histoire de l'équipe, s'apprête à rejoindre son coéquipier Elmer Lach, au sommet des marqueurs de la Ligue depuis près de deux ans.

Blessé à une cheville depuis la fin de novembre, Lach ne participe pas à la rencontre. Il totalise 610 points et le Rocket en a maintenant 608, ce qui le

● Le match des étoiles est présenté à Montréal pour la première fois, devant plus de 14 000 spectateurs, mais le Tricolore, champion en titre de la coupe Stanley, perd 3-1 contre les étoiles. Maurice Richard obtient l'unique filet des perdants.

● Le Tricolore et les Red Wings se livrent une finale épique qui se termine par un but de Tony Leswick en prolongation au septième match. C'est Doug Harvey qui a fait dévier la rondelle derrière Gerry McNeil en tentant de la rabattre sur la glace. Kenny Mosdell avait évité la défaite des Canadiens une première fois dans la série,

en comptant l'unique but du cinquième match, en supplémentaire; Detroit menait alors la série 3 à 1. Malgré leur défaite, trois joueurs des Canadiens, Dickie Moore, Bernard Geoffrion et Jean Béliveau, terminent aux premiers rangs des marqueurs des séries.

● Pour la deuxième fois de l'histoire de la Ligue, la finale nécessite du temps supplémentaire au septième match. Frustrés de leur défaite, les joueurs du Tricolore refusent d'échanger la traditionnelle poignée de main avec les vainqueurs.

**1953-1954**

laisse à courte distance de son compagnon de trio. Au début de novembre, Richard a participé à son 600e match avec les Canadiens, ce qui lui confère une moyenne supérieure à un point par partie.

Le Bleu-Blanc-Rouge, qui ne possède qu'une priorité de quatre points sur Detroit, signe une victoire convaincante de 7-2 contre les Rangers. Déjà crédité d'une passe en début de deuxième période, Richard marque à son tour d'une seule main contre Johnny Bower peu après, malgré deux joueurs qui tentent de le retenir. Ce but lui permet de rejoindre Lach au sommet des marqueurs. Plus tard en troisième, une assistance sur un filet de Calum MacKay le propulse au premier rang de l'histoire.

Richard complète la saison au sommet des buteurs de la Ligue une quatrième fois, mais son grand rival Gordie Howe le devance et de loin au premier rang des marqueurs une fois de plus. Il s'agit d'un quatrième titre consécutif de champion marqueur pour le numéro 9 des Wings.

*Une image combien éloquente du regard de feu de Richard, prêt à s'en prendre au défenseur Ivan Irwin des Rangers, devant la cage du nouveau cerbère new-yorkais Lorne Worsley.*

| JOUEURS | |
|---|---|
| 1 | Gerry McNeil |
| | Jacques Plante |
| 2 | Doug Harvey |
| 3 | Émile Bouchard (C) |
| 4 | Jean Béliveau |
| 5 | Bernard Geoffrion |
| 6 | Floyd Curry |
| 8 | Dick Gamble |
| | Paul Masnick |
| 9 | Maurice Richard |
| 10 | Tom Johnson |
| 11 | Calum MacKay |
| 12 | Dickie Moore |
| 14 | Lorne Davis |
| | Frédérick Burchell |
| | André Corriveau |
| 15 | Bert Olmstead |
| 16 | Elmer Lach |
| 17 | Gérard Desaulniers |
| | John McCormack |
| 18 | Ken Mosdell |
| 19 | Dollard Saint-Laurent |
| 20 | Paul Meger |
| 21 | Bud MacPherson |
| | Lorne Davis |
| 22 | Ed Litzenberger |
| | Gérard Desaulniers |
| | Paul Masnick |
| 23 | Eddie Mazur |
| 24 | Gaye Stewart |
| ENTRAÎNEUR | |
| | Dick Irvin |

● La demi-finale, remportée en quatre parties contre Boston, a permis aux Canadiens d'égaler des records ou d'en établir plusieurs nouveaux, dont ceux de Béliveau pour le nombre de passes en une période (3), et de Moore pour le nombre de points en une période (1 but, 3 passes) et en une partie complète (2 buts, 4 passes), le 25 mars dans un gain de 8 à 1. Ce dernier record de six points demeurera intact jusqu'en 1983.

● Elmer Lach obtient le 600e point de sa carrière à la mi-octobre. Il est le premier joueur montréalais à atteindre un tel total. Mais c'est aussi sa dernière campagne à Montréal. Il se retire le 19 avril avec 623 points, après 14 saisons dans la Ligue nationale.

● Dick Irvin obtient sa 600e victoire à titre d'entraîneur lorsque les Canadiens battent les Rangers le 12 octobre. Il est le premier pilote à revendiquer cet honneur.

● Doug Harvey, maintenant considéré comme le meilleur défenseur du Tricolore, dispute un 400e match avec l'équipe le 26 décembre.

● Jacques Plante se pointe de nouveau devant le filet des Canadiens, pour les 17 derniers matchs de la saison, et conserve une moyenne de 1,59. Il ne retournera plus à Buffalo.

● Autre première à la télévision, le cinquième match de la série Montréal/Detroit est diffusé en français et en anglais à Montréal. C'est la première rencontre des Canadiens disputée aux États-Unis à être transmise localement à la télé.

● Le Tricolore brise tous les records d'assistance au Forum avec plus de 500 000 spectateurs.

*Bert Olmstead signe une performance éblouissante contre Chicago en janvier, avec quatre buts et autant de passes. Exploit qui lui permet d'égaler le record de la Ligue. Les Canadiens l'emportent 12 à 1.*

**1953-1954**

Lequel des deux est le meilleur ? La fameuse question anime les discussions de tous les amateurs de hockey, mais la réponse est différente selon qu'elle provient d'un partisan des Red Wings, voire d'un Américain, ou d'un supporter des Canadiens ou d'une autre équipe de ce côté-ci de la frontière.

Alors qu'il s'inscrit dans le livre des records de la LNH, le Rocket continue de semer la controverse par ses chroniques dans l'hebdo *Samedi-Dimanche*. Avec son franc-parler habituel, il critique les décisions de Campbell qui ont suivi un duel à coups de bâton entre Bernard Geoffrion et Ron Murphy, des Rangers. Le président l'oblige à lui présenter des excuses, assorties d'une caution de 1 000 $ pour l'inciter à garder la paix jusqu'à sa retraite, et Richard doit mettre un terme à sa collaboration journalistique.

## MENACES DE MORT POUR GEOFFRION

La bagarre de Geoffrion et Murphy, survenue à New York le 20 décembre, aurait pu avoir des conséquences plus graves pour le jeune joueur des Canadiens, au plus fort de la lutte pour le titre de champion marqueur. Suspendu huit matchs pour avoir fracturé la mâchoire de son opposant à coups de bâton — alors que celui-ci, qui l'avait attaqué en premier, s'en est tiré avec cinq parties —, Geoffrion se voit aussi supprimer sa chronique dans la revue *Parlons Sport*. Il reçoit

| | PJ | G | P | N | BP | BC | PTS |
|---|---|---|---|---|---|---|---|
| Detroit (Red Wings) | 70 | 37 | 19 | 14 | 191 | 132 | 88 |
| **Montréal (Canadiens)** | 70 | 35 | 24 | 11 | 195 | 141 | 81 |
| Toronto (Maple Leafs) | 70 | 32 | 24 | 14 | 152 | 131 | 78 |
| Boston (Bruins) | 70 | 32 | 28 | 10 | 177 | 181 | 74 |
| New York (Rangers) | 70 | 29 | 31 | 10 | 161 | 182 | 68 |
| Chicago (Black Hawks) | 70 | 12 | 51 | 7 | 133 | 242 | 31 |

### MEILLEURS MARQUEURS

| | | PJ | B | A | PTS | PUN |
|---|---|---|---|---|---|---|
| Gordie Howe | Detroit | 70 | 33 | 48 | 81 | 109 |
| **Maurice Richard** | **Canadiens** | 70 | 37 | 30 | 67 | 112 |
| Ted Lindsay | Detroit | 70 | 26 | 36 | 62 | 110 |
| **Bernard Geoffrion** | **Canadiens** | 54 | 29 | 25 | 54 | 87 |
| **Bert Olmstead** | **Canadiens** | 70 | 15 | 37 | 52 | 85 |
| Red Kelly | Detroit | 62 | 16 | 33 | 49 | 18 |
| Earl Reibel | Detroit | 69 | 15 | 33 | 48 | 18 |
| Ed Sandford | Boston | 70 | 16 | 31 | 47 | 42 |
| Fleming Mackell | Boston | 67 | 15 | 32 | 47 | 60 |
| **Ken Mosdell** | **Canadiens** | 67 | 22 | 24 | 46 | 64 |
| Paul Ronty | New York | 70 | 13 | 33 | 46 | 18 |

● Qualifiés de justesse pour les séries la saison précédente, les Black Hawks de Chicago reviennent au naturel, terminant bons derniers au classement pour la sixième fois au cours des huit dernières années, tout en inscrivant pas moins de neuf records de médiocrité. Malgré ses 47 revers, le gardien Al Rollins est récipiendaire du trophée Hart, accordé au joueur le plus utile. Les Hawks conserveront cette position peu enviable lors des trois saisons subséquentes.

En 16 saisons, de 1942-43 à 1957-58, ils n'auront participé aux éliminatoires que trois fois, atteignant la finale à une seule occasion, en 1944.
● Red Kelly ajoute le nouveau trophée James-Norris — remis au meilleur défenseur — au titre de joueur le plus gentilhomme qu'il mérite une troisième fois en quatre ans. Une récompense un peu inusitée pour un défenseur.
● Légères modifications aux règles du repêchage interne. La liste de protection passe de

30 à 20 et la somme versée pour les joueurs réclamés est réduite de 25 000 $ à 15 000 $.
● Les Rangers achètent le contrat de Max Bentley, des Leafs de Toronto. Celui qui a remporté deux titres de champion marqueur avec Chicago est de nouveau réuni, en janvier, avec son frère Doug, qui depuis plus d'un an jouait dans la Ligue de l'Ouest.
● Camille Henry, surnommé *The Eel* (l'Anguille), est le deuxième membre des Rangers d'affilée à hériter du trophée Calder, malgré ses 135 livres.

● Arrivé dans la Ligue nationale à 17 ans, Harry Lumley remporte l'unique trophée Vézina de sa carrière, laquelle durera 16 ans.
● Les Rouges débarquent ! Mal habillés et mal protégés par un équipement rafistolé, les Soviétiques servent une leçon aux joueurs canadiens à leur première participation aux championnats du monde. L'équipe senior d'East York est balayée 7-2 en finale.

---

**1953-1954**

même des menaces de mort par téléphone avant son départ de New York et à son retour à Montréal, de la part de partisans des Rangers. Le Boomer ne prend pas trop ces menaces au sérieux et, heureusement pour lui, elles n'auront pas de suite.

### SELKE ACHÈTE LA LIGUE SENIOR ET BÉLIVEAU SIGNE ENFIN

Champion marqueur de la Ligue senior du Québec avec les As de Québec depuis deux ans, rémunéré à 20 000 $ par année plus quelques contrats de relations publiques qui lui permettent de gonfler ses revenus de façon intéressante, Jean Béliveau repousse toujours les offres répétées de Frank Selke. Ce dernier subit la pression du président Donat Raymond pour enrôler celui qui remplit le Colisée de Québec tous les soirs.

Les rumeurs envoient Béliveau à New York et à Chicago, mais le rusé Selke a une autre carte dans sa manche. Il convainc la majorité des dirigeants de la Ligue senior de transformer leur circuit en ligue professionnelle et, puisque les droits professionnels de Béliveau appartiennent déjà au Tricolore, celui-ci n'a d'autre choix que de s'entendre avec le patron du Forum. Mais Béliveau a déjà fait part de son intention de jouer avec les Canadiens à sa nouvelle épouse Élise quelques semaines plus tôt. Le 3 octobre, il signe volontiers un contrat de 100 000 $ pour cinq ans.

Le soir même de cette signature, Béliveau participe à son premier match des étoiles dans l'uniforme des Canadiens et obtient une passe. Toutefois, quelques blessures le tiennent à l'écart du jeu une bonne partie de la saison.

*Pendant que l'entraîneur Dick Irvin crie victoire, le rusé Frank Selke affiche son plus beau sourire. Béliveau appartient enfin aux Canadiens.*

| TROPHÉES |
|---|
| **COUPE STANLEY** |
| Red Wings de Detroit |
| **TROPHÉE PRINCE-DE-GALLES** |
| Red Wings de Detroit |
| **TROPHÉE HART** |
| Al Rollins |
| Black Hawks de Chicago |
| **TROPHÉE ART-ROSS** |
| Gordie Howe |
| Red Wings de Detroit |
| **TROPHÉE LADY-BYNG** |
| Red Kelly |
| Red Wings de Detroit |
| **TROPHÉE CALDER** |
| Camille Henry |
| Rangers de New York |
| **TROPHÉE GEORGES-VÉZINA** |
| Harry Lumley |
| Maple Leafs de Toronto |
| **TROPHÉE JAMES-NORRIS** |
| Red Kelly |
| Red Wings de Detroit |

# 1954  1955

SEPTIÈME CHAMPIONNAT DE SUITE EN SAISON POUR
DETROIT, DE JUSTESSE DEVANT LES CANADIENS, À LA
SUITE DE LA SUSPENSION DU ROCKET ET DE L'ÉMEUTE AU
FORUM. C'EST PRESQUE LA FIN DE LA DOMINATION DES RED
WINGS, QUI REMPORTENT POURTANT UNE AUTRE COUPE
STANLEY EN SEPT MATCHS, DEVANT LES CANADIENS PRIVÉS
DE LEUR AS. DETROIT AVAIT DISPOSÉ DE TORONTO, AUTRE
GRAND RIVAL DE L'ÉPOQUE, EN QUATRE MATCHS DE SUITE ET
LE TRICOLORE AVAIT ÉCARTÉ BOSTON EN CINQ. GEOFFRION
DEVANCE RICHARD — À LA FAVEUR DE LA SUSPENSION DE
CELUI-CI — CHEZ LES MARQUEURS ET UN AUTRE JOUEUR DES
CANADIENS, JEAN BÉLIVEAU, EST TROISIÈME. L'HONNEUR DU
TROPHÉE HART VA À UN JOUEUR DES LEAFS, TED KENNEDY. TERRY SAWCHUK REPREND SON TROPHÉE
VÉZINA ET DOUG HARVEY INSCRIT SON NOM SUR LE TROPHÉE
NORRIS POUR LA PREMIÈRE FOIS.

## Émeute au Forum

*L'émeute semble vouloir se poursuivre le lendemain et l'on demande à Richard de lancer un appel au calme à la radio à l'endroit des partisans de l'équipe.*

Le maire Jean Drapeau exhorte Clarence Campbell à demeurer chez lui mais ne le convainc pas. Celui-ci se pointe au Forum au milieu de la première période de la rencontre Detroit/Montréal du 17 mars, au lendemain de la suspension qu'il a imposée à Maurice Richard.

La révolte gronde depuis tôt le matin, à l'extérieur comme à l'intérieur du Forum. L'arrivée du président de la Ligue accompagné de sa secrétaire ne fait que hausser la tension d'un cran. Une pluie de projectiles s'abat aussitôt sur lui et un jeune homme faisant mine de lui serrer la main tente

● Maurice Richard a néanmoins connu de bons moments au cours de la saison 1954-55, qu'il a toujours considérée comme la meilleure de sa carrière, malgré sa suspension. Il inscrit son 400e but le 18 décembre, contre Al Rollins, des Black Hawks. Il est de nouveau reçu à l'hôtel de ville par le maire Drapeau, le lendemain. Cette même saison, il atteint trois sommets personnels, pour les points, les passes et les punitions (125 minutes).

● Gerry McNeil prend sa retraite à 28 ans et le jeune Jacques Plante, qui aime toujours tricoter lors des voyages en train de l'équipe, le remplace devant le filet.
● L'arrivée de Plante est directement responsable de la fin de l'entente entre les Canadiens et Buffalo, qui n'a pas apprécié que Montréal rappelle sa plus grande vedette avant le début des séries de la Ligue américaine l'année précédente.

● Bert Olmstead atteint Plante au visage avec un tir qui lui fracture un os de la joue lors de la séance d'échauffement précédant le match du 11 novembre. Plante sera absent jusqu'au 12 décembre, soit pendant 18 parties.
● Charlie Hodge, appelé du Royal, remplace Plante durant la majeure partie de sa convalescence.
● Jackie Leclair est blessé encore plus sérieusement le 9 décembre. Mis en échec par

Larry Cahan, des Leafs, il est atteint au cou par un patin de celui-ci en tombant et deux artères sont sectionnées. Il perd son sang rapidement. L'intervention immédiate du médecin de l'équipe lui évite une mort certaine en quelques minutes.
● Don Marshall n'est encore qu'une recrue, ce qui ne l'empêche pas de signer un coup d'éclat dans la Ligue le jour de Noël en obtenant ses deux premiers buts contre les Rangers.

---

**1954-1955**

de l'atteindre au visage. Puis une bombe lacrymogène explose et la foule se rue vers les sorties.

Campbell et Maurice Richard, qui assiste également au match avec son épouse Lucille, se retrouvent face à face à l'infirmerie, mais il n'y a aucun échange entre les deux hommes.

La foule se joint ensuite aux manifestants à l'extérieur et on assiste à une longue suite d'actes de violence : vitrines fracassées, commerces saccagés et vandalisés, kiosques à journaux et voitures renversés, en plus d'un grand nombre de personnes blessées, dont plusieurs policiers. Les manifestants, estimés à près de 10 000, auxquels se mêle un important groupe de voyous, lancent tout ce qui leur tombe sous la main. Le Tricolore perd le match par défaut contre les Red Wings qui menaient déjà 4-1 au moment où l'émeute a commencé.

| JOUEURS | |
| --- | --- |
| 1 | Jacques Plante |
| | André Binette |
| | Claude Evans |
| | Charlie Hodge |
| 2 | Doug Harvey |
| 3 | Émile Bouchard (C) |
| 4 | Jean Béliveau |
| 5 | Bernard Geoffrion |
| 6 | Floyd Curry |
| 8 | Jackie Leclair |
| 9 | Maurice Richard |
| 10 | Tom Johnson |
| 11 | Calum MacKay |
| 12 | Dickie Moore |
| 14 | Paul Masnick |
| | Paul Ronty |

*La rue Sainte-Catherine est méconnaissable : vitrines fracassées, commerces saccagés, voitures endommagées et un nombre incalculable de détritus qui jonchent le sol.*

● En séries, l'absence du Rocket est lourde. Malgré une victoire en cinq parties contre Boston, le Tricolore est de nouveau battu au septième match par les Red Wings, dans une finale où chaque formation a triomphé à domicile.

● Dick Irvin surprend tout le monde en faisant alterner Plante et Hodge dans un même match contre Boston. L'effort combiné de deux cerbères donne un jeu blanc de 2-0

aux Canadiens. Irvin, qui avait aussi innové en changeant fréquemment ses trios au début des années 1930 à Chicago, poursuit son manège pendant quelques parties.

● La Zamboni est mise à l'essai sur la glace du Forum lors d'un match entre les équipes de Trois-Rivières et du Canadien junior le 9 mars. Le lendemain, cette invention révolutionnaire fait son entrée officielle dans la LNH lors d'un match Canadiens/Maple Leafs au Forum.

● Kenny Mosdell dispute son 500e match dans l'uniforme tricolore le 6 novembre au Forum, mais Butch Bouchard fait encore mieux le 23 avec un 700e match. Il est le premier de l'histoire du club à atteindre un tel sommet. Maurice Richard l'imite deux mois plus tard, puis Doug Harvey participe à un 500e à son tour, en mars.

● Harvey, récipiendaire du trophée Norris pour la première fois de sa carrière, inscrit une nouvelle marque pour un défenseur avec ses 43 passes.

● La recrue Ed Litzenberger met trop de temps à se mettre en marche aux yeux des dirigeants des Canadiens, qui l'envoient aux Black Hawks au début de décembre. Il sera choisi recrue de l'année.

● Dick Irvin quitte le club au terme de la finale pour retourner avec les Black Hawks de Chicago. Au cours d'une carrière de 27 saisons, il a remporté 100 matchs en séries et quatre coupes Stanley, une à Toronto et trois à Montréal.

| JOUEURS | |
|---|---|
| 15 | Bert Olmstead |
| 17 | Ed Litzenberger |
| | Garry Blaine |
| | Jean-Guy Talbot |
| | Jim Bartlett |
| 18 | Ken Mosdell |
| 19 | Dollard Saint-Laurent |
| 20 | Paul Meger |
| | Jim Bartlett |
| 21 | Bud MacPherson |
| 22 | Paul Masnick |
| | Orval Tessier |
| | Don Marshall |
| 23 | Eddie Mazur |
| | Jean-Guy Talbot |
| | Jean-Paul Lamirande |
| | George McAvoy |
| 24 | Dick Gamble |
| | Guy Rousseau |
| | Charlie Hodge |
| ENTRAÎNEUR | |
| | Dick Irvin |

Les dommages sont évalués à plus de 100 000 $ et il faut un appel au calme de Maurice Richard, le lendemain à la radio, pour apaiser les esprits. Dans sa déclaration, le Rocket accepte la sentence de Campbell à contrecœur et souhaite bonne chance à ses coéquipiers pour les séries qui s'en viennent, tout en donnant rendez-vous à ses supporters à la saison suivante.

Cette suspension, qui a toutes les allures d'un règlement de comptes, fait perdre le championnat et la coupe Stanley aux Canadiens, battus par les Red Wings en finale. Quant à Richard, alors meneur au classement des marqueurs, il est devancé d'un point par son coéquipier Bernard Geoffrion, lequel mettra beaucoup de temps à se faire pardonner par les partisans du Rocket. Ainsi se termine l'une des plus sombres pages de l'histoire de la Ligue nationale.

**Ken Reardon accompagne le Rocket au bureau du président Campbell pour donner sa version des faits.**

### DUEL À COUPS DE BÂTON

À l'origine de la suspension et de l'émeute du Forum, il y a eu ce duel à coups de bâton entre Richard et Hal Laycoe, un ancien coéquipier du Rocket, lors d'un match contre Boston quatre jours plus tôt, le 13 mars. Au cours de la bagarre, le juge de lignes Cliff Thompson empoigne le Rocket, qui tente par trois fois de se défaire de son emprise. N'y parvenant pas et excité par le sang qui lui obstrue partiellement la vue, Richard lui met son poing au visage.

Campbell, depuis longtemps agacé par le caractère de Richard, décide de lui servir une leçon. Suspension pour le reste de la saison (trois parties) et les éliminatoires. Laycoe, pourtant le premier agresseur, s'en tire indemne. La sentence foudroie les Canadiens et leurs partisans.

Le président Campbell a voulu faire montre de son autorité par un jugement sévère, mais il n'a réussi qu'à provoquer les Québécois qui n'acceptent pas qu'on s'en prenne à leur héros.

● Detroit, favorisé par la suspension de Maurice Richard, l'emporte de nouveau sur les Canadiens pour le titre en saison régulière, par deux points, obtenus à la faveur d'une victoire de 6-0 au dernier match de la saison. C'est la quatrième année de suite que les Red Wings devancent Montréal et c'est le septième championnat consécutif pour la ville de l'automobile. Un record jamais égalé. Mais la domination de l'équipe de Gordie Howe tire à sa fin, bientôt commencera celle des Glorieux.

● Les Wings alignent 15 victoires consécutives, 9 en saison et 6 en séries. C'est le Tricolore qui met un terme à la séquence en gagnant le troisième match de la finale lors de la première rencontre au Forum entre les deux équipes depuis le soir de l'émeute. Bernard Geoffrion est la vedette de la soirée avec un tour du chapeau.

● L'intersaison amène le départ de plusieurs figures familières chez les dirigeants. Tommy Ivan n'est plus l'entraîneur des Red Wings, il a été remplacé par Jimmy Skinner qui, lui, s'en va relancer le club de Chicago, lequel en arrache depuis sa dernière coupe Stanley en 1937-38. De son côté, Art Ross met fin à une association de 30 ans avec les Bruins et Conn Smythe quitte son poste de gérant à Toronto tout en demeurant propriétaire de l'équipe qu'il a achetée en 1927 alors qu'elle s'appelait encore le St. Patrick. En fin de saison, Dick Irvin laisse les Canadiens pour aller rejoindre Ivan à Chicago.

## 1954-1955

### GEOFFRION HUÉ

La suspension de Richard permet à Geoffrion de le devancer par un point au classement des marqueurs. Au moment de son expulsion, Richard a 74 points, Geoffrion, 72 et Béliveau, 71. Deux jours plus tard, contre les Rangers, Boum Boum obtient d'abord deux passes puis marque le but gagnant à la onzième minute de la première période, aidé de Béliveau. Au lieu d'applaudir, la foule se lève pour huer ce troisième point, sachant que Geoffrion vient de devancer le Rocket pour le titre de champion marqueur. Béliveau se contente de récolter deux points dans cette partie et finit à 73.

*Hal Laycoe et le Rocket se livrent un furieux combat à coups de bâton le 13 mars.*

| TROPHÉES | |
|---|---|
| **COUPE STANLEY** | |
| Red Wings de Detroit | |
| **TROPHÉE PRINCE-DE-GALLES** | |
| Red Wings de Detroit | |
| **TROPHÉE HART** | |
| Ted Kennedy | |
| Maple Leafs de Toronto | |
| **TROPHÉE ART-ROSS** | |
| **Bernard Geoffrion** | |
| **Canadiens de Montréal** | |
| **TROPHÉE LADY-BYNG** | |
| Sid Smith | |
| Maple Leafs de Toronto | |
| **TROPHÉE CALDER** | |
| Ed Litzenberger | |
| Black Hawks de Chicago | |
| **TROPHÉE GEORGES-VÉZINA** | |
| Terry Sawchuk | |
| Red Wings de Detroit | |
| **TROPHÉE JAMES-NORRIS** | |
| **Doug Harvey** | |
| **Canadiens de Montréal** | |

DAVID BIER

*Quelques semaines avant l'émeute, le 20 janvier 1955, le Rocket avait connu de meilleurs moments, notamment en réussissant un tour du chapeau contre Toronto. Sur ce but, son tir déjoue l'équipe complète des Leafs pour se retrouver derrière le cerbère Harry Lumley...*

242

● Troisième trophée Vézina du meilleur gardien en quatre saisons pour Terry Sawchuk. Le vétéran Ted Kennedy quitte le hockey après une carrière de 12 saisons et reçoit le titre de joueur le plus utile. Il reviendra avec les Leafs pour une autre saison en 1956-57.

● Le repêchage de la Ligue n'obtient pas encore un grand succès puisque seulement cinq joueurs sont réclamés par Chicago et Boston avant le début de la saison. Le système des clubs-écoles alimente encore largement les équipes.

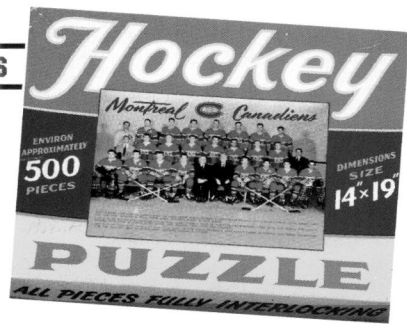

*Les casse-tête sont à la mode durant les années 1950, encore plus s'ils illustrent l'équipe des Canadiens. Ceux qui résisteront au temps verront leur valeur décupler.*

*Maurice Richard n'a jamais accepté sa suspension et les relations entre les deux hommes sont demeurées à peine polies longtemps après l'émeute du Forum.*

**1954-1955**

| | PJ | G | P | N | BP | BC | PTS |
|---|---|---|---|---|---|---|---|
| Detroit (Red Wings) | 70 | 42 | 17 | 11 | 204 | 134 | 95 |
| Montréal (Canadiens) | 70 | 41 | 18 | 11 | 228 | 157 | 93 |
| Toronto (Maple Leafs) | 70 | 24 | 24 | 22 | 147 | 135 | 70 |
| Boston (Bruins) | 70 | 23 | 26 | 21 | 169 | 188 | 67 |
| New York (Rangers) | 70 | 17 | 35 | 18 | 150 | 210 | 52 |
| Chicago (Black Hawks) | 70 | 13 | 40 | 17 | 161 | 235 | 43 |

MEILLEURS MARQUEURS

| | | PJ | B | A | PTS | PUN |
|---|---|---|---|---|---|---|
| Bernard Geoffrion | Canadiens | 70 | 38 | 37 | 75 | 57 |
| Maurice Richard | Canadiens | 67 | 38 | 36 | 74 | 125 |
| Jean Béliveau | Canadiens | 70 | 37 | 36 | 73 | 58 |
| Earl Reibel | Detroit | 70 | 25 | 41 | 66 | 15 |
| Gordie Howe | Detroit | 64 | 29 | 33 | 62 | 68 |
| Red Sullivan | Chicago | 69 | 19 | 42 | 61 | 51 |
| Bert Olmstead | Canadiens | 70 | 10 | 48 | 58 | 103 |
| Sid Smith | Toronto | 70 | 33 | 21 | 54 | 14 |
| Ken Mosdell | Canadiens | 70 | 22 | 32 | 54 | 82 |
| Danny Lewicki | New York | 70 | 29 | 24 | 53 | 82 |

## AU DERNIER MATCH DE LA SAISON, À DETROIT, LES CANADIENS SONT BLANCHIS 6-0

Pour la seconde fois de l'histoire, trois joueurs du Tricolore occupent les premières places au championnat des marqueurs. Geoffrion totalise 38 buts et 37 passes, Richard a aussi 38 buts, mais 36 passes, tandis que Béliveau présente une fiche de 37 buts et 36 passes. Earl Reibel, de Detroit, suit à 66 points.

Geoffrion a grandement aidé sa cause un mois plus tôt, le 19 février, en déjouant le cerbère des Rangers, Lorne Worsley, à cinq reprises, en plus d'ajouter une passe, dans un gain de 10 à 2.

*La Ville de Montréal organise à l'intention des nouveaux champions une réception au cours de laquelle on remet Maurice et Henri Richard ainsi qu'à Jean Béliveau et tous les autres joueurs de l'équipe le ruban symbolisant la conquête de la coupe Stanley. Plus tard, une bague spéciale remplacera le ruban.*

Banquet

offert par la Cité de Montréal

en l'honneur du club de hockey

"LES CANADIENS"

champion de la ligue Nationale de hockey

et détenteur de la coupe Stanley

le samedi, 14 avril 1956,

au restaurant Hélène de Champlain

Île Sainte-Hélène.

CHAMPION
1956

COUPE
STANLEY
CUP

# 1955  1956

HUITIÈME
COUPE
STANLEY

C'EST LE DÉBUT D'UNE AUTRE ÈRE GLORIEUSE POUR LE TRICOLORE, QUI REMPORTE LE CHAMPIONNAT DE LA SAISON AVEC UNE PRIORITÉ DE 24 POINTS SUR DETROIT AVANT DE S'ASSURER UNE HUITIÈME COUPE STANLEY EN BATTANT LES RED WINGS EN CINQ PARTIES. TOE BLAKE SUCCÈDE À DICK IRVIN À LA BARRE DE CETTE ÉQUIPE QUE PLUSIEURS VONT CONSIDÉRER COMME LA MEILLEURE DE L'HISTOIRE. TROPHÉES ART-ROSS ET HART À JEAN BÉLIVEAU, CHAMPION MARQUEUR ET JOUEUR LE PLUS UTILE. TROPHÉE VÉZINA À JACQUES PLANTE, MEILLEUR GARDIEN, ET TROPHÉE JAMES-NORRIS À DOUG HARVEY, MEILLEUR DÉFENSEUR. DEUX JOUEURS DE DETROIT, GLENN HALL (CALDER) ET EARL REIBEL (LADY-BYNG), RÉCUPÈRENT LES SEULS TROPHÉES NON ATTRIBUÉS AU TRICOLORE. EN PLUS, QUATRE JOUEURS — PLANTE, HARVEY, BÉLIVEAU ET RICHARD — SONT ÉLUS AU SEIN DE LA PREMIÈRE ÉQUIPE D'ÉTOILES. ARRIVÉE D'HENRI RICHARD.

● Même les adversaires du Rocket reconnaissent son talent. Nathan Philipps, maire de Toronto, lui remet des boutons de manchette aux armoiries de sa ville à l'occasion de son 500e but (saisons et séries combinées) et lui rend un hommage public. La mère de Maurice n'est pas en reste, puisque la ville de

*Maurice Richard revient en force et connaît une saison de 38 buts pour terminer au troisième rang des marqueurs.*

**1955 1956**

# La meilleure cuvée

L entement, Dick Irvin a préparé le terrain et l'édition qui suit l'émeute du Forum marque le début d'une ère glorieuse pour l'équipe montréalaise, dont plusieurs joueurs vedettes arrivent à leur pleine maturité. Parmi ceux-ci, mentionnons Jean Béliveau, Bernard Geoffrion, Bert Olmstead, Dickie Moore et l'irremplaçable Maurice Richard à l'offensive, Doug Harvey, devenu le meilleur défenseur de la Ligue, et Jacques Plante, déjà au sommet à sa troisième saison seulement. De son côté, le capitaine vétéran Butch Bouchard s'apprête à tirer sa révérence.

Survient alors l'embauche d'Hector Toe Blake à la barre de l'équipe, pour souder solidement tous ces éléments forts, à la place d'un Dick Irvin qui a perdu le feu sacré parce que miné par le cancer, ce que peu de gens savent à l'époque.

*Les joueurs s'empressent de porter leur nouvel entraîneur Toe Blake en triomphe à la fin du dernier match de la finale.*

*Butch Bouchard sait qu'il vient de recevoir sa dernière coupe Stanley à titre de capitaine. Quelques instants plus tard, un peu mélancolique, il ne pourra s'empêcher de jeter un dernier regard sur son chandail.*

246

Boston lui attribue le titre de « mère de l'année au hockey ».

● Ken Mosdell, l'un des bons amis du Rocket, dispute un 600e match avec l'équipe à la mi-janvier. Quelques semaines plus tard, ce sera au tour de Tom Johnson de chausser les patins pour une 400e partie.

● William Northey succède au sénateur Raymond à la présidence du Canadian Arena.

● Pour la première fois, *Sports Illustrated* consacre la page couverture de son magazine au hockey en publiant la photo de Jean Béliveau à la une de l'édition du 23 janvier.

● Jacques Plante fait déjà rager son entraîneur à cause de ses sorties à l'extérieur du filet pour contrôler la rondelle.

● Le défilé des champions de la coupe Stanley regroupe 35 voitures décapotables, 6 chars allégoriques, 4 fanfares et des centaines de Montréalais reconnaissants.

● Une nouvelle marque de soupe aux tomates fait son apparition sur les tablettes des épiceries. Ornée d'une étoile que surmonte le numéro 9, l'étiquette est aux couleurs

des Canadiens et porte le nom « Maurice Rocket Richard ». D'aucuns attribuent cette promotion à la compagnie Campbell, qui a vu ses produits boycottés par les partisans des Canadiens l'année précédente à la suite de l'émeute du Forum, parce qu'ils portaient le nom du président de la Ligue, profondément haï des amateurs.

| JOUEURS | |
|---|---|
| 1 | Jacques Plante |
| | Robert Perreault |
| 2 | Doug Harvey |
| 3 | Émile Bouchard (C) |
| 4 | Jean Béliveau |
| 5 | Bernard Geoffrion |
| 6 | Floyd Curry |
| 8 | Jackie Leclair |
| 9 | Maurice Richard |
| 10 | Tom Johnson |
| 11 | Bob Turner |
| 12 | Dickie Moore |
| 14 | Dick Gamble |
| | Connie Broden |
| 15 | Bert Olmstead |
| 16 | Henri Richard |
| 17 | Jean-Guy Talbot |
| 18 | Ken Mosdell |
| 19 | Dollard Saint-Laurent |
| 21 | Walter Clune |
| | Jacques Deslauriers |
| 22 | Don Marshall |
| 23 | Claude Provost |
| 24 | Bob Turner |
| ENTRAÎNEUR | |
| | Toe Blake |

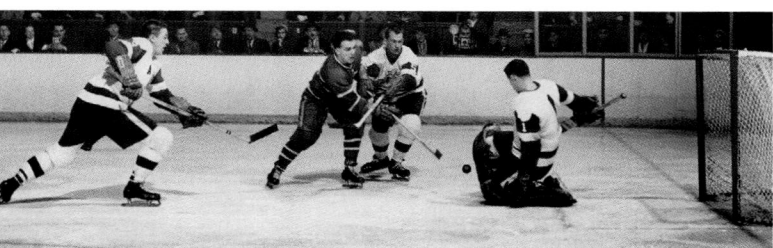

*Henri Richard rejoint son frère Maurice au sein du club et ne tarde pas à s'y tailler une place.*

**1955 1956**

Aux vétérans aguerris, on ajoute quelques nouveaux éléments, tels Henri Richard — frère de Maurice —, Claude Provost, Jean-Guy Talbot et Bob Turner.

L'équipe bondit aussitôt, accumule 222 buts en saison et atteint les 100 points au classement pour la première fois de son histoire, grâce à 45 victoires, 15 de plus que les Red Wings, enfin détrônés. Béliveau, Maurice Richard et Olmlstead accaparent trois des quatre premières places au classement des marqueurs. Béliveau domine pour les buts avec 47 et Olmstead pour les passes avec 56.

Plante conserve une moyenne de 1,86, ce qui s'avère la meilleure de sa carrière pour une saison complète. Doug Harvey et ses acolytes forment une muraille impénétrable à la défensive tricolore, qui ne concède que 131 buts à l'adversaire, soit près d'une centaine de moins que les nouveaux Black Hawks de Dick Irvin.

Blake, un homme colérique mais juste, a aussi le flair pour rassembler les bons éléments. Il réunit les deux Richard et Dickie Moore sur la première ligne offensive. Béliveau, Geoffrion et Olmstead forment un trio encore plus explosif, tandis que Floyd Curry, Jackie Leclair et Claude Provost sont chargés des missions défensives, avec l'aide de Don Marshall, Ken Mosdell et Dick Gamble.

En demi-finale, les Rangers sont écrasés sous une avalanche de 26 buts et n'en marquent que sept en cinq matchs que dure la série. Même les Red Wings ne peuvent résister à la tornade et s'inclinent facilement. Béliveau poursuit sur la lancée qui lui a valu le trophée Art-Ross avec 12 buts en séries. Lui et trois de ses coéquipiers monopolisent les quatre premières places des marqueurs.

En plus de Plante, Harvey, Béliveau et le Rocket dans la première équipe d'as, Tom Johnson et Bert Olmstead apparaissent dans la seconde.

En janvier, la revue
Le Samedi consacre
sa une aux vedettes
de l'heure.

● Les arbitres et les juges de lignes portent un chandail rayé noir et blanc à compter de janvier et la Ligue demande aux joueurs de revenir à la version foncée de leur chandail à domicile et à la version blanche à l'extérieur. Depuis quelques années déjà, le journaliste Charles Mayer s'était fait l'initiateur du retour aux couleurs bleu-blanc-rouge pour les Canadiens lors des parties au Forum, via *Le Petit Journal*. Également, chaque aréna affiche désormais les pointages des parties disputées ailleurs dans la Ligue.

● D'aucuns prétendent que la décision d'abandonner les chandails orange des officiels est due au coup de poing asséné par le Rocket au juge de lignes Cliff Thompson, lors de son altercation avec Hal Laycoe. Richard a toujours prétendu qu'il voyait « rouge » et qu'il n'avait pu distinguer le chandail des Bruins de celui de l'officiel.

● Detroit et Boston procèdent à un échange qui fait beaucoup de bruit au cours de l'été. Neuf joueurs sont impliqués, dont Terry Sawchuk qui rejoint les Bruins pour faire place à un jeune cerbère rempli de promesses du nom de Glenn Hall, lequel sera d'ailleurs la recrue de l'année. Vic Stasiuk et Marcel Bonin, futur joueur des Canadiens, font aussi partie de la transaction. Quelques jours plus tôt, Detroit avait aussi effectué un échange à sept joueurs avec Chicago.

Peut-on parler de meilleure formation de l'histoire de la LNH comme le prétend le *Hockey News* dans son édition spéciale de 1999 sur les 100 ans du hockey professionnel ? Peut-être. Mais ce n'est encore qu'un début pour ce qui deviendra bientôt la Sainte Flanelle.

## TROIS BUTS EN 44 SECONDES

Nous sommes au Forum en début de deuxième période du match du 5 novembre et les Bruins mènent 2-0. L'issue du match va basculer en l'espace de 44 secondes lorsque Hal Laycoe rejoint au cachot son coéquipier Cal Gardner, pénalisé en fin de première. Jean Béliveau frappe à la vitesse de l'éclair, touchant la cible à 42 secondes, à 1 min 06 s et à 1 min 26 s, tantôt avec un rebond, tantôt avec un tir franc à bout portant, tantôt avec un autre à 20 pieds des buts de Terry Sawchuk. Olmstead est complice des trois filets et Harvey de deux.

Béliveau ajoute l'insulte à l'injure avec un quatrième point en troisième et les Red Wings ne s'en remettent pas, concédant la partie 4 à 2.

| | PJ | G | P | N | BP | BC | PTS |
|---|---|---|---|---|---|---|---|
| Montréal (Canadiens) | 70 | 45 | 15 | 10 | 222 | 131 | 100 |
| Detroit (Red Wings) | 70 | 30 | 24 | 16 | 183 | 148 | 76 |
| New York (Rangers) | 70 | 32 | 28 | 10 | 204 | 203 | 74 |
| Toronto (Maple Leafs) | 70 | 24 | 33 | 13 | 153 | 181 | 61 |
| Boston (Bruins) | 70 | 23 | 34 | 13 | 147 | 185 | 59 |
| Chicago (Black Hawks) | 70 | 19 | 39 | 12 | 155 | 216 | 50 |

### MEILLEURS MARQUEURS

| | | PJ | B | A | PTS | PUN |
|---|---|---|---|---|---|---|
| Jean Béliveau | Canadiens | 70 | 47 | 41 | 88 | 143 |
| Gordie Howe | Detroit | 70 | 38 | 41 | 79 | 100 |
| Maurice Richard | Canadiens | 70 | 38 | 33 | 71 | 89 |
| Bert Olmstead | Canadiens | 70 | 14 | 56 | 70 | 94 |
| Tod Sloan | Toronto | 70 | 37 | 29 | 66 | 100 |
| Andy Bathgate | New York | 70 | 19 | 47 | 66 | 59 |
| Bernard Geoffrion | Canadiens | 59 | 29 | 33 | 62 | 66 |
| Earl Reibel | Detroit | 68 | 17 | 39 | 56 | 10 |
| Alex Delvecchio | Detroit | 70 | 25 | 26 | 51 | 24 |
| Dave Creighton | New York | 70 | 20 | 31 | 51 | 43 |
| Bill Gadsby | New York | 70 | 9 | 42 | 51 | 84 |

*Ce soir-là, l'excellence de Béliveau forcera la Ligue à revoir ses règlements.*

1955 1956

D'autres transactions suivront, de telle sorte qu'en début de saison 1955-56, il ne reste plus que neuf joueurs des champions de l'année précédente.

● La Ligue oblige désormais les équipes à présenter un gardien substitut en uniforme à tous les matchs.

● Lou Fontinato, l'un des mauvais garnements de l'histoire de la LNH, est le premier joueur à dépasser le total de 200 minutes de punitions en saison.

● Ross Lowe, joueur le plus utile de la Ligue américaine, qui avait connu précédemment une brève carrière avec les Canadiens, se noie dans le lac Haliburton en Ontario, au cours de l'été. Il avait 26 ans.

● Réal Chèvrefils, un Franco-Ontarien originaire de Timmins, passe des Bruins aux Wings et à nouveau aux Bruins au cours de la même année. Il fait d'abord partie de l'échange à neuf qui envoie Sawchuk à Boston, puis il est

rapatrié par son ancienne équipe à la mi-saison.

● Claude Pronovost, un gardien de l'organisation des Canadiens, est prêté aux Bruins pour remplacer à pied levé le cerbère bostonnais, le 14 janvier. Il blanchit Montréal 2-0. On ne le reverra que trois ans plus tard, dans l'uniforme tricolore cette fois, pour deux parties, mais il connaît moins de succès.

● L'orgueil des Rangers, exclus des séries depuis cinq ans, est fouetté par le nouvel

entraîneur Phil Watson qui peut aussi compter sur l'éclosion d'une nouvelle vedette, Andy Bathgate qui, à l'instar de Geoffrion, a développé un tir frappé dévastateur. Ils terminent troisièmes.

● Première médaille d'or olympique en hockey sur glace pour l'Union soviétique à Cortina d'Ampezzo. Les États-Unis sont deuxièmes et le Canada, troisième. Denis Brodeur, le père de Martin, futur gardien vedette dans la LNH, était devant le filet du Canada.

| TROPHÉES | |
|---|---|
| **COUPE STANLEY** | |
| Canadiens de Montréal | |
| **TROPHÉE PRINCE-DE-GALLES** | |
| Canadiens de Montréal | |
| **TROPHÉE HART** | |
| Jean Béliveau | |
| Canadiens de Montréal | |
| **TROPHÉE ART-ROSS** | |
| Jean Béliveau | |
| Canadiens de Montréal | |
| **TROHPÉE LADY-BYNG** | |
| Earl Reibel | |
| Red Wings de Detroit | |
| **TROPHÉE CALDER** | |
| Glenn Hall | |
| Red Wings de Detroit | |
| **TROPHÉE GEORGES-VÉZINA** | |
| Jacques Plante | |
| Canadiens de Montréal | |
| **TROPHÉE JAMES-NORRIS** | |
| Doug Harvey | |
| Canadiens de Montréal | |

1955 1956

Les dirigeants de la Ligue non plus, puisque dès l'année suivante, un nouveau règlement mettra un terme à une pénalité dès qu'un but est marqué par l'équipe en avantage numérique.

Ce soir-là, la qualité du jeu de Béliveau a forcé la Ligue à réécrire son livre de règlements.

## IRVIN PART, BLAKE ARRIVE

Frank Selke ne veut plus voir Dick Irvin dans l'entourage de l'équipe, convaincu que celui-ci provoque le tempérament fougueux du Rocket. Il le croit même à la source de plusieurs explosions de son joueur vedette et cherche quelqu'un capable de calmer ses ardeurs. La rumeur veut aussi qu'Irvin se soit montré intéressé à retourner à Chicago, où il avait agi comme joueur et entraîneur à ses débuts. Le principal intéressé nie, mais Selke souhaite un changement de direction pour faire oublier les incidents du Forum.

Les versions concernant l'embauche de Toe Blake varient selon les diverses sources consultées. Certaines prétendent que Selke voulait d'abord embaucher Billy Reay puis a opté pour Blake, bien que le président Donat Raymond et les administrateurs de l'équipe eussent préféré un entraîneur francophone. D'autres sources font état du rôle de Ken Reardon, devenu l'adjoint de Selke, qui aurait fait campagne en faveur de son vieil ami Blake, avec l'appui des joueurs, dont Maurice Richard. Selke, qui ne voulait rien entendre de Blake, dit-on, depuis que celui-ci avait déserté l'organisation du Tricolore pour diriger les Braves de Valleyfield, se serait rendu aux arguments de son adjoint.

Finalement, le choix de tout le monde se porte sur l'ancien compagnon de trio du Rocket.

*Béliveau est le champion marqueur de la saison régulière ainsi que des séries.*

# 1956  1957

NEUVIÈME
COUPE
STANLEY

*DETROIT REPREND LE PREMIER RANG DE LA SAISON RÉGULIÈRE DEVANT LES CANADIENS, QUI CONSERVENT NÉANMOINS LA COUPE STANLEY CONTRE BOSTON. LES BRUINS ONT SURPRIS LES RED WINGS EN DEMI-FINALE, PENDANT QUE MONTRÉAL DISPOSAIT DES RANGERS. GORDIE HOWE RÉCUPÈRE SON TITRE DE CHAMPION MARQUEUR, DEVANT SON COÉQUIPIER TED LINDSAY, ET REÇOIT AUSSI LE TROPHÉE HART. PLANTE ET HARVEY DOMINENT ENCORE CHEZ LES GARDIENS ET LES DÉFENSEURS, ALORS QUE BÉLIVEAU TERMINE TROISIÈME CHEZ LES MARQUEURS. LARRY REGAN, DES BRUINS, EST ÉLU RECRUE DE L'ANNÉE ET ANDY HEBENTON, DES RANGERS, OBTIENT LE TROPHÉE DU PLUS GENTILHOMME. CHICAGO TERMINE DERNIER UNE 4E FOIS DE SUITE, UNE 9E LORS DES 11 DERNIÈRES SAISONS.*

● Ken Mosdell, Eddie Mazur et James Bud MacPherson sont vendus aux Hawks de Chicago en mai 1956, avec option de retour. MacPherson reviendra aux Canadiens après le camp d'automne et Mosdell l'imitera l'année suivante, après avoir annoncé sa retraite en pleine saison à Chicago, mais il jouera surtout avec le Royal à son retour.

*Les Rangers viennent d'être éliminés et, après la traditionnelle poignée de mains, ce sera le tour des Bruins.*

**1956 1957**

# Première association de joueurs

**D**oug Harvey et Ted Lindsay représentaient déjà leurs collègues au sein du comité restreint chargé du régime de retraite des joueurs que Clarence Campbell avait créé. Ce groupe désigné s'occupait presque exclusivement de la répartition des profits du match des étoiles.

Mais ces deux adversaires impitoyables sur la glace avaient des objectifs communs. Lentement, à l'insu des propriétaires, ils convainquent les membres des six équipes de se regrouper dans une association de joueurs afin de pouvoir exercer un meilleur contrôle sur leur fonds de retraite.

L'annonce de la création de l'association, en février, a l'effet d'un tremblement de terre. Lindsay en est le président, Harvey, le premier vice-président et le groupe comprend aussi Gus Mortson, Fern Flaman, Jimmy Thomson et Bill Gadsby. Les propriétaires, surtout Jack Adams à Detroit et Conn Smythe à Toronto, entreprennent sur-le-champ de saboter le regroupement par tous les moyens. Frank Selke se montre plus conciliant en apparence, alors que les premières rumeurs de vente de l'équipe l'accaparent bien davantage.

Minée par les dirigeants d'équipe qui n'hésitent pas à se débarrasser des têtes fortes du groupe et abandonnée par quelques grands noms du circuit, tels Gordie Howe, Marcel Pronovost et Red Kelly, sous les pressions de Jack Adams, la première association de joueurs ne fait pas long feu et s'éteint tout doucement au cours de l'hiver suivant.

*En plus de jouer un rôle déterminant lors des nombreuses conquêtes de la coupe Stanley par les Canadiens, Doug Harvey travaille à l'implantation d'un fonds de retraite géré par les joueurs. Il en paiera le prix quelques années plus tard.*

● Les supporters du Rocket ont la mémoire longue. Bernard Geoffrion subit leurs foudres chaque fois qu'il saute sur la glace du Forum au début de la saison. On n'a pas oublié qu'il a privé Richard du championnat des marqueurs durant la suspension de celui-ci. Boom-Boom avouera plus tard que l'attrait des 4 000 $ qui accompagnent le titre l'avait empêché de jouer au héros en laissant gagner son coéquipier.

● Le président Campbell n'est pas oublié non plus et, en janvier, un groupe de partisans tente de lui faire un mauvais parti à la suite d'une punition très discutable de mauvaise conduite décernée au Rocket par l'arbitre Frank Udvari lors d'un match contre Toronto. Il faut faire appel aux policiers pour protéger Campbell et retarder son départ des lieux. Maurice Richard devient en octobre le premier marqueur de 800 points, contre Lorne Worsley. Le lendemain, il dispute un 800e match.

● Le temps consacré à la mise sur pied d'une association de joueurs n'affecte en rien le rendement du défenseur Doug Harvey, qui inscrit son nom pour la troisième fois de suite sur le trophée James-Norris, en plus d'être réélu au sein de la première équipe d'étoiles pour la sixième fois d'affilée. Il obtient aussi le meilleur total de points de sa carrière en une saison, avec 6 buts et 44 passes. Il atteint de surcroît de nouveaux objectifs durant la période des Fêtes, avec un 600e match disputé le

23 décembre et un 300e point marqué le 6 janvier.

● Le défenseur Fred Shero, celui-là même qui remportera deux coupes Stanley comme entraîneur des Flyers de Philadelphie en 1974 et 1975, est de la formation des Canadiens durant quatre matchs en avril. Il n'a cependant effectué aucune présence sur la glace, de sorte qu'aucune statistique indiquant son appartenance au Tricolore n'apparaît sous son nom. Le Tricolore l'avait fait venir des Warriors de Winnipeg,

**1956 1957**

| JOUEURS | |
|---|---|
| 1 | Jacques Plante |
| | Gerry McNeil |
| 2 | Doug Harvey |
| 4 | Jean Béliveau |
| 5 | Bernard Geoffrion |
| 6 | Floyd Curry |
| 8 | Jackie Leclair |
| | Stan Smrke |
| 9 | Maurice Richard (C) |
| 10 | Tom Johnson |
| 11 | Bob Turner |
| 12 | Dickie Moore |
| 14 | Claude Provost |
| 15 | Bert Olmstead |
| 16 | Henri Richard |
| 17 | Jean-Guy Talbot |
| 19 | Dollard Saint-Laurent |
| 20 | Ralph Backstrom |
| | Guy Rousseau |
| | Glen Cressman |
| | Murray Balfour |
| | Bronco Horvath |
| | Allan Johnson |
| | Jerry Wilson |
| | Phil Goyette |
| 21 | Jerry Wilson |
| | Bud MacPherson |
| 22 | Don Marshall |
| 23 | André Pronovost |
| 24 | Gene Achtymichuk |
| | Glen Cressman |
| | Connie Broden |
| ENTRAÎNEUR | |
| | Toe Blake |

Entre-temps, la foudre des propriétaires s'abat sur les initiateurs du mouvement syndical. Lindsay est échangé aux Hawks de Chicago au cours de l'été. Marty Pavelich, un collaborateur de Lindsay à Detroit, est cédé aux mineures et prend sa retraite peu après. Jimmy Thomson, l'un des joueurs dominants lors de la séquence de quatre coupes Stanley des Maple Leafs entre 1947 et 1951, capitaine de l'équipe de surcroît, est vendu à rabais aux Hawks peu après. Retourné par Chicago aux Leafs l'année suivante, il n'endossera plus jamais le chandail bleu des Torontois. Chicago enverra Mortson à Detroit en juin 1958, quelques mois après la mort de l'association.

Quant à Doug Harvey, dont le rôle est devenu indispensable à la défensive du Canadien, Selke attendra jusqu'à l'intersaison de 1961 avant de le troquer aux Rangers de New York.

## BÉLIVEAU FAIT CHANGER LES RÈGLEMENTS

La puissance offensive des Canadiens est telle au milieu des années 1950 que les dirigeants des autres équipes exigent un changement aux règlements de la Ligue avant le début de la saison.

Jean Béliveau avait marqué à trois reprises au cours d'un même jeu de puissance dans un match contre Boston l'année précédente. Et il n'était pas rare que lui ou un autre membre de la puissante attaque du Tricolore, formée de Richard, Béliveau et Olmstead,

*Bernard Geoffrion connaît une année difficile. Il est souvent blessé et les partisans ne manquent pas une occasion de lui reprocher d'avoir devancé le Rocket au sommet des marqueurs. Entre les deux joueurs, les relations sont cependant bonnes.*

253

de la Ligue de l'Ouest. Shero, décédé en 1990, a par ailleurs disputé 145 parties avec les Rangers à la fin des années 1940, mais son passage à Montréal reste peu connu.

● Les absences répétées de Geoffrion, blessé à plusieurs reprises, et des blessures aux deux Richard ainsi qu'à Jacques Plante privent les Canadiens du championnat de la saison. Detroit devance les Montréalais par six points.

● Kenny Reardon est nommé vice-président de l'équipe

en décembre pour remplacer D. C. Coleman, décédé quelques mois plus tôt.

● Le journaliste Jean-Luc Allard mentionne dans un entrefilet du journal *La Patrie* que Bernard Geoffrion siffle et chante lorsqu'il effectue ses montées en zone adverse.

● Jacques Plante limite les Bruins à un maximum de deux buts par partie lors de la finale, remportée 4 à 1 par le Tricolore.

● Richard et Harvey s'illustrent lors du premier

match de cette série contre Boston, égalant chacun un record de la Ligue, le premier avec trois buts dans une même période et le second avec trois passes. Ce dernier record est toujours valide. En saison, le Rocket obtient 3 autres marques : les saisons de 20 buts et plus (14), les saisons de 30 buts (9) et les saisons consécutives de 20 buts (14).

● Jean Béliveau marque l'unique filet du deuxième match de la finale en début de deuxième période, aidé de

Geoffrion et Saint-Laurent. Le Gros Bill connaît une autre grosse saison, se faisant élire au centre de la première équipe d'étoiles pour la troisième année de suite.

● À tour de rôle, Geoffrion, Béliveau et Richard donnent le ton aux éliminatoires qui conduisent à une deuxième coupe Stanley d'affilée. Les trois accaparent de nouveau les premières places des marqueurs, avec 18, 12 et 11 points respectivement.

**1956 1957**

| TROPHÉES | | |
| --- | --- | --- |
| **COUPE STANLEY** | | |
| Canadiens de Montréal | | |
| **TROPHÉE PRINCE-DE-GALLES** | | |
| Red Wings de Detroit | | |
| **TROPHÉE HART** | | |
| Gordie Howe | | |
| Red Wings de Detroit | | |
| **TROPHÉE ART-ROSS** | | |
| Gordie Howe | | |
| Red Wings de Detroit | | |
| **TROPHÉE LADY-BYNG** | | |
| Andy Hebenton | | |
| Rangers de New York | | |
| **TROPHÉE CALDER** | | |
| Larry Regan | | |
| Bruins de Boston | | |
| **TROPHÉE GEORGES-VÉZINA** | | |
| Jacques Plante | | |
| Canadiens de Montréal | | |
| **TROPHÉE JAMES-NORRIS** | | |
| Doug Harvey | | |
| Canadiens de Montréal | | |

*La puissance offensive de Béliveau et des autres joueurs des Canadiens est à la base du nouveau règlement qui met fin à une pénalité dès qu'un but est compté.*

● Gordie Howe reprend les trophées Art-Ross, comme champion marqueur, et Hart, à titre de joueur le plus utile, qu'il avait dû céder à d'autres depuis quelques années. C'est la cinquième fois qu'il termine au premier rang des marqueurs.

● Nouveau record offensif pour un même trio alors que Gordie Howe (89), Ted Lindsay (85) et Norm Ullman (52) totalisent 226 points. Cette nouvelle marque surpasse les 220 points de Richard-Lach-Blake réussis en 1944-45. Lindsay, dit Ted le Terrible,

devient le quatrième joueur après Nels Stewart, Richard et Howe à compter 300 buts dans la LNH, en novembre.
● Les Black Hawks atteignent de nouveaux sommets de médiocrité avec seulement quatre victoires à l'étranger.
● Terry Sawchuk n'est pas heureux à Boston. À bout de nerfs et souffrant de mononucléose, il quitte

l'équipe en janvier. C'est Don Simmons qui le remplace devant le filet, avec beaucoup de succès d'ailleurs. Sawchuk reviendra à Detroit l'année suivante, en échange de John Bucyk, et passera sept autres saisons avec les Wings avant d'être échangé de nouveau.

avec Geoffrion et Harvey à la pointe, en inscrivent quelques-uns lors d'une attaque massive.

C'est ainsi qu'à la réunion du 6 juin, la Ligue décide que, à compter de la saison 1956-57, un but marqué par l'équipe en surnombre lors d'une pénalité mettra automatiquement fin à ladite pénalité. Ce règlement, qui désavantageait une puissance offensive comme celle des Canadiens à cette époque, a toujours force de loi.

## L'ASTHME DE PLANTE

Jacques Plante n'avait pas appris à tricoter des tuques et des foulards par coquetterie. Il éprouvait des problèmes avec ses bronches depuis des années.

Son problème d'asthme, que les médecins mettront du temps à diagnostiquer, le tient à l'écart du jeu une bonne partie du mois de novembre et c'est Gerry McNeil, rappelé du Royal pour la circonstance, qui le remplace devant le filet. C'est la dernière fois qu'on verra McNeil porter le chandail des Canadiens.

Mais la maladie chronique de Plante ne l'empêche pas de remporter la 100e victoire de sa carrière et de réussir 9 blanchissages au cours de cette saison couronnée d'un 2e trophée Vézina consécutif et d'une sélection dans la seconde équipe d'étoiles, en plus d'une autre conquête de la coupe Stanley, dont il est l'un des principaux artisans.

| | PJ | G | P | N | BP | BC | PTS |
|---|---|---|---|---|---|---|---|
| Detroit (Red Wings) | 70 | 38 | 20 | 12 | 198 | 157 | 88 |
| Montréal (Canadiens) | 70 | 35 | 23 | 12 | 210 | 155 | 82 |
| Boston (Bruins) | 70 | 34 | 24 | 12 | 195 | 174 | 80 |
| New York (Rangers) | 70 | 26 | 30 | 14 | 184 | 227 | 66 |
| Toronto (Maple Leafs) | 70 | 21 | 34 | 15 | 174 | 192 | 57 |
| Chicago (Black Hawks) | 70 | 16 | 39 | 15 | 169 | 225 | 47 |

### MEILLEURS MARQUEURS

| | | PJ | B | A | PTS | PUN |
|---|---|---|---|---|---|---|
| Gordie Howe | Detroit | 70 | 44 | 45 | 89 | 72 |
| Ted Lindsay | Detroit | 70 | 30 | 55 | 85 | 103 |
| Jean Béliveau | Canadiens | 69 | 33 | 51 | 84 | 105 |
| Andy Bathgate | New York | 70 | 27 | 50 | 77 | 60 |
| Ed Litzenberger | Chicago | 70 | 32 | 32 | 64 | 48 |
| Maurice Richard | Canadiens | 63 | 33 | 29 | 62 | 74 |
| Don McKenney | Boston | 69 | 21 | 39 | 60 | 31 |
| Dickie Moore | Canadiens | 70 | 29 | 29 | 58 | 56 |
| Henri Richard | Canadiens | 63 | 18 | 36 | 54 | 71 |
| Norm Ullman | Detroit | 64 | 16 | 36 | 52 | 47 |

*Le soigneur Hector Dubois est quelquefois appelé au chevet de Plante qui, en plus de ses nombreuses blessures, souffre d'asthme chronique.*

## TROIS HEROS DU TRIOMPHE

BERNARD "Boum-Boum" GEOFFRION

JEAN BELIVEAU

DOUG. HARVEY

# MONTRÉAL · MATIN

Vol. XXVIII — N° 241    Incertain    MONTREAL-MATIN, LUNDI, 21 AVRIL 1958    CINQ CENTS    40 PAGES

# Champions du monde une 3e fois de suite

(Voir page 38)

## A nous la coupe!

Maurice Richard boit le vin de la victoire dans la coupe si ardemment convoitée pendant que Jacques Plante essuie les sueurs que lui ont coûtées les derniers moments de la furieuse joute. Canadiens, grands champions, ont terrassé les Bruins par un compte de 5-3. (Fac-similé United Press — "Montréal-Matin")

# 1957  1958

DIXIÈME COUPE STANLEY

LES CANADIENS REPRENNENT LE PREMIER RANG AVEC *19* POINTS D'AVANCE SUR LES RANGERS. DETROIT GLISSE AU TROISIÈME RANG, DEVANT BOSTON. CHICAGO ET TORONTO SONT LOIN DERRIÈRE, MAIS DEUX DE LEURS RECRUES SONT EN LICE POUR LE TROPHÉE CALDER. C'EST FINALEMENT FRANK MAHOVLICH QUI L'EMPORTERA SUR BOBBY HULL. DICKIE MOORE ET HENRI RICHARD SONT PREMIER ET DEUXIÈME CHEZ LES MARQUEURS, TANDIS QUE PLANTE ET HARVEY SONT TOUJOURS LES MEILLEURS CHEZ LES GARDIENS ET LES DÉFENSEURS. GORDIE HOWE CONSERVE CEPENDANT LE TROPHÉE HART ET CAMILLE HENRY MÉRITE LE TROPHÉE LADY-BYNG. LE TRICOLORE SORT DETROIT EN QUATRE MATCHS AVANT DE BATTRE BOSTON EN SIX POUR REMPORTER UNE TROISIÈME COUPE STANLEY DE SUITE, LA DIXIÈME DE L'HISTOIRE DU CLUB.

⬤ Bien qu'il aime imiter
le chanteur Mario Lanza à
l'occasion, Bernard Geoffrion
apprend vite que le monde
du spectacle n'est pas pour
lui lorsque sa sœur Margot
le conduit chez un professeur
de musique durant sa
convalescence. Un instant,
il avait cru troquer les patins
contre un micro, enregistrant
même un disque.

*Le nouveau propriétaire Hartland
de Montarville Molson se joint
aux festivités d'une dixième conquête
avec Frank Selke et Toe Blake.*

**1957 1958**

# La famille Molson
# achète les Canadiens

**C**hangement de garde important à la direction du Canadian Arena, propriétaire du Club de hockey Canadien et du Forum. Le sénateur Donat
Raymond cède la majorité des actions de l'équipe et du Forum au sénateur Hartland de Montarville Molson et à son frère Thomas Herbert Pentland Molson. Le
montant de la transaction n'est pas dévoilé, mais le journaliste Jacques Beauchamp
du *Montréal-Matin,* bien au fait des activités du Tricolore, avance la somme de
quatre ou cinq millions. D'autres sources parlent de deux millions pour la compagnie Canadian Arena, comprenant le club et le Forum. Karen Molson, membre
de la septième génération des Molson au Canada et auteur d'un livre sur l'histoire des Molson paru en 2001, parle aussi d'un investissement de deux millions.

    Le sénateur Molson n'est pas un inconnu dans l'entourage de l'équipe
puisque son père, le défunt colonel Herbert Molson, a été l'un des fondateurs
de la compagnie Canadian Arena en 1924, aux côtés de Donat Raymond et de
William Northey.

    La vente, après des négociations tenues depuis quelques mois dans le plus
grand secret, a été officialisée le 24 septembre, en plein camp d'entraînement
automnal. Tout en se disant fort satisfait que le sénateur Raymond demeure lié
à l'organisation dans un rôle minoritaire, le nouveau président, Hartland Molson,
annonce son intention de conserver la même direction au niveau du club, confir-
mant le réengagement de Frank Selke au poste de directeur gérant.

    Les frères Molson, étroitement liés à la brasserie du même nom, profitent
de l'occasion pour racheter la moitié des droits de commandite, jusqu'alors
détenus en totalité par Imperial Oil. *La Soirée du hockey* constitue un excellent
véhicule pour promouvoir les produits Molson et ils le réalisent très vite.

● Montréal acquiert Marcel Bonin, un travailleur acharné des Bruins, ainsi que Connie Broden et John Hanna au repêchage intra-ligue.

● Invité au Salon de l'Agriculture en février, Maurice Richard fait l'acquisition d'un bœuf de près de 1 000 livres qu'il destine aux œuvres de charité du cardinal Paul-Émile Léger. Un mois plus tôt, il a arbitré une partie d'anciens joueurs à Vancouver, où des autochtones lui ont rendu hommage.

● Jacques Plante réussit neuf autres jeux blancs, malgré ses problèmes respiratoires persistants, et conserve une moyenne de 2,11. Il inscrit son nom sur le trophée Vézina une troisième saison de suite.

● Malgré sa blessure, la fin de l'année 1957 est agréable pour le Rocket, choisi athlète de l'année au Canada et récipiendaire du trophée Lou-Marsh. Peu après son 500e but, il est reçu par le gouverneur général du Canada dans un wagon privé du Canadien Pacifique à la gare Windsor.

| JOUEURS | |
|---|---|
| 1 | Jacques Plante |
| | Charlie Hodge |
| | Len Broderick |
| 2 | Doug Harvey |
| 4 | Jean Béliveau |
| 5 | Bernard Geoffrion |
| 6 | Floyd Curry |
| 8 | Connie Broden |
| | Stan Smrke |
| | Ken Mosdell |
| | Billy Carter |
| | Ralph Backstrom |
| | Gene Achtymichuk |
| | Claude Laforge |
| | Murray Balfour |
| 9 | Maurice Richard (C) |
| 10 | Tom Johnson |
| 11 | Bob Turner |
| 12 | Dickie Moore |
| 14 | Claude Provost |
| 15 | Bert Olmstead |
| 16 | Henri Richard |
| 17 | Jean-Guy Talbot |
| 18 | Marcel Bonin |
| 19 | Dollard Saint-Laurent |
| 20 | Phil Goyette |
| 21 | Albert Langlois |
| | John Bownass |
| 22 | Don Marshall |
| 23 | André Pronovost |
| 24 | Ab McDonald |
| 25 | Don Aiken |
| ENTRAÎNEUR | |
| | Toe Blake |

1957 1958

Ensoleillé et frais
Min. 45 — Max. 58
Lire détails en page 20

**La Patrie**
ÉDITION QUOTIDIENNE
79e Année — No 175          MONTRÉAL, MARDI 24 SEPTEMBRE 1957

5¢

# LE CLUB CANADIEN ET LE FORUM VENDUS

## À LA FAMILLE MOLSON POUR UNE SOMME INDÉTERMINÉE

Le contrôle de la Canadian Arena Company, et en même temps du club de hockey Canadien, a changé de mains aujourd'hui.

La vente de l'entreprise a été annoncée conjointement par les sénateurs Donat Raymond et Hartland de M. Molson.

Tout en conservant certains intérêts, le sénateur Raymond cède en fait le contrôle de la Canadian Arena au sénateur Molson et à d'autres membres de la famille Molson.

Cette transaction a été conclue pour un montant d'argent qui n'a pas été déterminé.

Le sénateur Molson déclare, en marge de cette transaction: "Nous sommes très heureux que le sénateur Raymond garde certains intérêts car, comme président de la Canadian Arena, il a accompli un travail merveilleux. Sous son habile direction depuis 30 ans, Montréal a été représenté par le meilleur club de hockey au monde. La collaboration et l'intérêt du sénateur Raymond nous seront précieux dans l'avenir.

"Nous assurons les fidèles partisans du Canadien et les clients de la Canadian Arena que la même ligne de conduite de ces deux organisations prévaudront. Sous ce rapport, il nous est particulièrement agréable de pouvoir dire que M. Frank Selke nous a assurés qu'il demeurera vice-président et gérant général".

Le sénateur MOLSON

Le sénateur RAYMOND

Le Forum de Montréal

## LA GRIPPE SE PROPAGE

(Par la Presse Canadienne)

L'influenza s'est propagé jusque dans le Nord canadien, atteignant les habitants de Whitehorse, Yukon, à 1,000 milles au nord d'Edmonton.

Les écoles de la région, et celles de deux autres centres nordiques, ont fermé leurs portes, hier, cependant que la grippe se répandait un empire dans le pays.

Whitehorse a une population de 2,600 habitants. La majorité des personnes affectées sont de jeune âge, mais toutes les assemblées publiques y ont été contremandées. A cet endroit comme dans la plupart des centres touchés, l'on ne saura pas plus tard s'il s'agit ou non de grippe asiatique.

DANS LES CANTONS DE L'EST

Les écoles catholiques de la ville de Sherbrooke ont fermé leurs portes pour une période indéterminée, par suite d'une épidémie d'influenza qui s'en est prise aussi bien aux professeurs qu'aux élèves, a-t-on annoncé hier soir.

M. Magella Vignault, secrétaire de la Commission scolaire catholique de Sherbrooke, a précisé qu'au moins 1,000 écoliers et 22 maîtres ont contracté la grippe. On ignore pour le moment s'il s'agit de grippe asiatique.

Cependant les écoles protestantes de la même région restent ouvertes.

Se VICTIME

A Amos, dans le nord-ouest du Québec, quatre écoles ont cessé de fonctionner; les autorités ont attribué la baisse de la fréquentation scolaire à la grippe asiatique.

A Rouyn, dans le nord-ouest du

Québec également, un jeune professeur religieux, âgé de 23 ans, aurait succombé à une pneumonie provoquée par l'influenza.

C'est le cinquième décès imputé à l'épidémie de grippe dans tout le Canada. Trois autres se sont produits en Ontario et le quatrième en Colombie-Canadienne.

Trois cent cinquante des 2,000 hommes du cantonnement militaire de Saint-Jean, 25 milles au sud de Montréal, ont contracté la maladie. Huit infirmières ont été dépêchées sur les lieux cependant que l'on dressait des

(Suite à la page 17)

(Suite à la page 17)

● L'enthousiasme des spectateurs fait céder le garde-fou du balcon du nouvel aréna lors du match du 17 janvier contre Ottawa. Heureusement, une clôture de fil de fer réussit à amortir la chute des spectateurs projetés dans le vide. On ne déplore aucun blessé et le match reprend son cours, une fois les émotions passées.

● Claude Provost n'est pas une grande vedette chez les Canadiens, mais son nom apparaît toujours dans le livre des records de la LNH pour le but le plus rapide en début de période, soit à quatre secondes. D'abord un spécialiste des désavantages numériques, il accomplit néanmoins cet exploit offensif le 9 novembre à Boston. Denis Savard, des Hawks, réussira le même exploit en 1986.

● Deux joueurs, Tom Johnson et Bert Olmstead, disputent leur 500e match avec le Tricolore au cours de l'année. Geoffrion atteint le cap des 400 et deux autres, Dickie Moore et Jean Béliveau, celui des 300. Doug Harvey fait encore mieux avec 700. Harvey touche aussi un autre sommet avec la 300e passe de sa carrière en mars.

**1957 1958**

Les Molson sont devenus les sixièmes propriétaires du club Canadien depuis sa fondation en 1909 par Ambrose O'Brien.

### GEOFFRION FRÔLE LA MORT

Bernard Geoffrion a l'habitude de faire le clown lors des séances d'entraîne-ment. Ses mimiques détendent l'adversaire, mais personne ne le prend vrai-ment au sérieux. Aussi, lorsque à l'entraînement du 28 janvier il s'affaisse sur la glace en se tordant de douleur, incapable de parler, après une collision avec le jeune André Pronovost, personne ne s'en inquiète jusqu'à ce que Doug Har-vey réalise la gravité de la situation et fasse appel au physiothérapeute Bill Head. Constatant la gravité de la blessure, Head fait transporter Geoffrion à

| TROPHÉES |
| --- |
| **COUPE STANLEY** |
| Canadiens de Montréal |
| **TROPHÉE PRINCE-DE-GALLES** |
| Canadiens de Montréal |
| **TROPHÉE HART** |
| Gordie Howe |
| Red Wings de Detroit |
| **TROPHÉE ART-ROSS** |
| Dickie Moore |
| Canadiens de Montréal |
| **TROPHÉE LADY-BYNG** |
| Camille Henry |
| Rangers de New York |
| **TROPHÉE CALDER** |
| Frank Mahovlich |
| Maple Leafs de Toronto |
| **TROPHÉE GEORGES-VÉZINA** |
| Jacques Plante |
| Canadiens de Montréal |
| **TROPHÉE JAMES-NORRIS** |
| Doug Harvey |
| Canadiens de Montréal |

*Bernard Geoffrion qui a l'habitude de faire parler de lui pour ses exploits offensifs, comme ici contre Don Simmons, doit lutter pour sa survie et fait à sa femme des promesses qu'il ne tiendra pas.*

*Le cerbère Glen Hall, acquis des Red Wings par Chicago, apprendra vite qu'il ne faut donner aucune chance à Geoffrion.*

l'hôpital où il est opéré d'urgence pour une perforation du gros intestin. Les médecins ne disposent que de quelques heures pour sauver leur célèbre patient, qui reçoit même les derniers sacrements.

Geoffrion a été blessé vingt et un ans jour pour jour après la fracture subie par son beau-père Howie Morenz, également au Forum. Des complications survenues à l'hôpital ont entraîné la mort de Morenz quelques jours plus tard. Marlene, l'épouse de Boom-Boom et fille de Morenz, apprend la nouvelle à la radio de sa chambre d'hôpital où elle a donné naissance à son deuxième fils, Danny, quatre jours plus tôt. Elle est rassurée d'apprendre de la bouche de son mari qu'il a l'intention de délaisser le hockey. Promesse qu'il ne tiendra pas puisqu'il est de retour pour les séries.

La blessure de Geoffrion vole la vedette à la reine Élisabeth II en visite au Canada à cette période et suscite un vent de sympathie chez les partisans. Les journaux de l'époque rapportent que certaines institutrices ont suggéré à leurs élèves, au début des classes, d'avoir une bonne pensée pour le numéro 5 dans leurs prières.

Geoffrion, qui a aussi manqué les cinq premières parties en début de saison, à cause de la grippe asiatique et d'un début de pneumonie, n'est pas le seul éclopé de l'équipe, dont le vestiaire ressemble à une véritable infirmerie tout au long de la saison.

Profondément coupé au tendon d'Achille de la cheville droite le 13 novembre par le patin de Marc Réaume, Maurice Richard ne dispute que 28 rencontres et on craint pour la suite de sa carrière. Dickie Moore complète les cinq dernières semaines du calendrier avec un poignet fracturé et emprisonné dans un plâtre, ce qui ne l'empêche pas de décrocher un premier championnat des marqueurs, devant son coéquipier Henri Richard. Jacques Plante éprouve de plus en plus de difficultés avec son asthme et de violentes crises l'obligent à s'absenter du jeu à quelques reprises. Il subit de plus une commotion cérébrale en fin de saison et manque trois autres matchs.

Jean Béliveau est au repos pour un mois en raison de cartilages déchirés aux côtes. Floyd Curry manque 28 parties à cause d'une coupure à un pied. Bert Olmstead, Jean-Guy Talbot et Tom Johnson doivent aussi s'absenter pour plusieurs rencontres à la suite de diverses blessures.

● Bronco Horvath, que le Tricolore a laissé filer au repêchage intra-ligue en juin, termine au cinquième rang des marqueurs, premier des Bruins, avec 30 buts et 36 passes. Il fera encore mieux deux ans plus tard avec 39 buts et 41 passes, à un petit point derrière Bobby Hull, au sommet du circuit.

● La Ligue nationale franchit une grande étape au chapitre de l'intégration raciale dans le hockey avec l'arrivée d'un joueur noir à Boston, Willie O'Ree, originaire du Nouveau-Brunswick. Celui-ci ne dispute que 2 matchs au cours de la saison, mais il reviendra pour une séquence de 43 parties trois ans plus tard. Il

*Le Rocket ajoute une autre récompense à une imposante collection qu'il conserve sur le manteau de cheminée à sa résidence. À droite, le trophée offert en 1957 par un admirateur de Milan, en Italie, pour souligner l'ensemble de sa carrière.*

**1957 1958**

Mais l'excellence de l'équipe est telle que les Canadiens remportent le titre de la saison régulière par 19 points de priorité, suivi de la 10ᵉ coupe Stanley de leur histoire.

### 500 BUTS POUR LE ROCKET

Maurice Richard atteint de nouveaux sommets au cours de la saison. Le 19 octobre, il devient le premier hockeyeur de la LNH à marquer 500 buts, avec le premier filet de la partie, contre le cerbère Glenn Hall, des Hawks de Chicago. Avant la remise au jeu, un fidèle supporter du Rocket déploie une immense bannière, qu'il trimbalait de match en match depuis un certain temps, tant à l'extérieur qu'au Forum, pour souligner l'exploit.

Le Rocket revient au jeu en février, après une longue réadaptation suite à sa blessure à la cheville. Il s'illustre encore lors des séries. Le 1ᵉʳ avril, il inscrit le septième tour du chapeau de sa carrière lors de sa 1 000ᵉ partie,

| | PJ | G | B | N | BP | BC | PTS |
|---|---|---|---|---|---|---|---|
| Montréal (Canadiens) | 70 | 43 | 17 | 10 | 250 | 158 | 96 |
| New York (Rangers) | 70 | 32 | 25 | 13 | 195 | 188 | 77 |
| Detroit (Red Wings) | 70 | 29 | 29 | 12 | 176 | 207 | 70 |
| Boston (Bruins) | 70 | 27 | 28 | 15 | 199 | 194 | 69 |
| Chicago (Black Hawks) | 70 | 24 | 39 | 7 | 163 | 202 | 55 |
| Toronto (Maple Leafs) | 70 | 21 | 38 | 11 | 192 | 226 | 53 |

| MEILLEURS MARQUEURS | | PJ | B | A | PTS | PUN |
|---|---|---|---|---|---|---|
| Dickie Moore | Canadiens | 70 | 36 | 48 | 84 | 65 |
| Henri Richard | Canadiens | 67 | 28 | 52 | 80 | 56 |
| Andy Bathgate | New York | 65 | 30 | 48 | 78 | 42 |
| Gordie Howe | Detroit | 64 | 33 | 44 | 77 | 40 |
| Bronco Horvath | Boston | 67 | 30 | 36 | 66 | 71 |
| Ed Litzenberger | Chicago | 70 | 32 | 30 | 62 | 63 |
| Fleming Mackell | Boston | 70 | 20 | 40 | 60 | 72 |
| Jean Béliveau | Canadiens | 55 | 27 | 32 | 59 | 93 |
| Alex Delvecchio | Detroit | 70 | 21 | 38 | 59 | 22 |
| Don McKenney | Boston | 70 | 28 | 30 | 58 | 22 |

*Le 500ᵉ but du Rocket, aidé de Béliveau et de Moore, contre le gardien Glen Hall du Chicago.*

fera davantage carrière dans la Ligue de l'Ouest par la suite, en plus de jouer pour les As de Québec dans l'Américaine.

⚫ Chicago rate encore les séries, mais les partisans reprennent espoir avec l'acquisition d'une future vedette, Bobby Hull.

⚫ Toronto glisse au dernier rang du classement pour la première fois depuis 1918-19, alors que l'équipe portait encore le nom de Arenas.

⚫ Gordie Howe dépasse Elmer Lach au sommet de la Ligue, en novembre, avec la 409ᵉ passe de sa carrière. La grande vedette des Red Wings conserve le trophée Hart à titre de joueur le plus utile.

⚫ Le Canadien junior de Hull-Ottawa remporte la coupe Memorial.

⚫ Le cirque chasse de nouveau les Rangers du Garden durant une bonne partie des séries et les Bruins en profitent pour les renverser par quatre parties à deux en demi-finale. Les quatre dernières rencontres sont présentées à Boston.

*Malgré un plâtre qui restreint ses mouvements, Dickie Moore conserve son avance au sommet des marqueurs.*

1957 1958

dans une victoire de 4-3 du Tricolore qui élimine Detroit. Il faudra attendre 35 ans pour qu'un autre prodige, Wayne Gretzky, surpasse cette marque de tours du chapeau. Finalement, le 17 avril, le sixième but du Rocket en supplémentaire permet au Tricolore de prendre les devants pour la troisième fois en finale et de gagner ensuite en six. Cette marque est encore exclusive au numéro 9.

Au total des deux séries, Richard domine tous les autres joueurs avec 11 buts, en plus d'inscrire un nouveau record avec ses 4 buts gagnants.

## UN CHAMPION DE PLÂTRE

Dickie Moore était un joueur impétueux à son arrivée chez le Tricolore en 1951-52. Il aimait bien se frotter à Ted Lindsay, entre autres. Heureusement que Maurice Richard et Doug Harvey s'étaient chargés de ralentir ses ardeurs afin d'en faire un joueur plus pondéré et par conséquent plus efficace !

Il a souvent été incommodé par des blessures au cours de ses premières saisons et a manqué plusieurs parties. À sa quatrième année, il a éclaté pour de bon et disputé sa première saison complète l'année suivante, obtenant 50 points en 70 parties. Associé aux frères Richard au sein d'un trio spectaculaire, il est au plus fort de la lutte pour le championnat des marqueurs en 1957-58 lorsqu'il se fait « rentrer dedans » par Marcel Pronovost, dans un match contre Detroit, à six semaines de la fin de la saison. Fracture du poignet gauche. Tous le croient hors de combat pour le reste de l'année. Pas lui ! « Faites-moi un plâtre, je m'occupe du reste ! » ordonne-t-il.

Bien que gêné par son plâtre pour manier son bâton et soulever la rondelle, Moore reste au plus fort de la lutte avec Andy Bathgate et Henri Richard dans la course au titre de champion marqueur pendant cinq autres semaines. Et c'est lui qui remporte le titre avec quatre points de priorité sur Henri.

Mieux encore, il est le meilleur franc-tireur du circuit avec 36 buts, 3 de plus que Gordie Howe. Et il n'a pas manqué une seule partie !

*Blessé de nouveau sérieusement à une cheville en janvier, Richard profite d'une convalescence qui s'étire pour accepter une invitation du gouvernement de Tchécoslovaquie à se rendre au championnat du monde. Il est accueilli en héros et on lui remet une automobile décapotable de marque Skoda.*

# 1958  1959

Le Tricolore demeure au sommet de la Ligue avec une facilité déconcertante, 18 points devant Boston, alors que les puissants Red Wings de jadis sont relégués au dernier rang. Montréal élimine Chicago en six parties en demi-finale, tandis que Toronto, qui tirait de l'arrière 0-2 contre Boston, gagne les deux suivantes en supplémentaire et enlève la série en sept. Mais le Tricolore est trop fort et les Leafs sont renversés en cinq lors de la finale. Dickie Moore est champion marqueur pour la deuxième année de suite (Béliveau est deuxième), Jacques Plante est le meilleur gardien pour la quatrième fois d'affilée, mais Doug Harvey se fait ravir le trophée du meilleur défenseur par son coéquipier Tom Johnson. La relève est assurée par Ralph Backstrom, recrue de l'année.

● Ralph Backstrom fait
une entrée remarquée chez
les Canadiens, après quelques
parties d'essai lors des saisons
précédentes. Gagnant de
● Vingt-deux joueurs et
bâtisseurs sont intronisés
au Temple de la renommée
au cours de l'été, parmi
lesquels Spague Cleghorn,

*Complètement rétabli de sa fracture
au poignet, Dickie Moore décroche
un deuxième titre des marqueurs
de suite, sans pour autant négliger
son rôle en défensive.*

1958 1959

# Blessé ou pas,
# Moore est le meilleur

**D**ickie Moore a fait preuve d'une force de caractère peu commune en remportant un championnat des marqueurs avec un poignet fracturé, qui l'a incommodé plusieurs semaines, l'année précédente. Ce qui lui a aussi valu, à juste titre, une sélection dans la première équipe d'étoiles.

En séries, il n'a pas été aussi dominant, mais a tout de même apporté sa contribution avec notamment le but gagnant du premier match de la finale contre Boston.

Les choses vont être différentes cette fois-ci. Complètement remis de sa fracture et en bonne forme, il connaît une excellente saison. À la fin d'octobre, Geoffrion, Béliveau, Henri Richard et Moore

*Bonin, Henri Richard, Moore et
Plante ont largement participé
à cette onzième coupe et les
réjouissances n'en sont que
plus grandes.*

occupent déjà les premiers sièges au classement des marqueurs, mais le reste de la saison, la lutte se fera entre Moore, Béliveau et Andy Bathgate, des Rangers.

La puissante machine offensive des Canadiens fonctionne au maximum, chacun des gros canons y allant à tour de rôle de performances électrisantes, tant et si bien qu'à la mi-saison, le club possède déjà une priorité de 12 points sur Detroit. Les Wings flanchent en deuxième demie et glissent jusqu'au dernier rang. C'est finalement avec une priorité de 18 points sur Boston que le Bleu-Blanc-Rouge complétera le calendrier régulier, établissant un nouveau record de 258 buts, 53 de plus que Boston. Le club s'enorgueillit de 2 autres nouvelles marques, pour les passes (439) et les points marqués (697).

Herb Gardiner et le sénateur Donat Raymond des Canadiens, ainsi que Frank Boucher, King Clancy, Alex Connell, Dick Irvin et l'ancien président Dutton. la coupe Memorial avec le Canadien junior de Hull-Ottawa, en 1958, il est choisi recrue de l'année dans la LNH.
● Frank Selke se défait de quelques bons joueurs avant le début de la saison. Dollard

Saint-Laurent est vendu à Chicago, Bert Olmstead est repêché par les Leafs, Floyd Curry est laissé de côté, n'étant pas réclamé par un autre club. Trois autres joueurs sont également cédés aux Red Wings. Selke fait place à Backstrom et à Albert Langlois.
● Blake refuse obstinément que Jacques Plante porte un masque lors des parties officielles. C'est tout juste s'il tolère cette protection

supplémentaire à l'entraînement. Plante, dont les sorties du but fréquentes font blêmir son entraîneur et chahuter les partisans, remporte néanmoins un quatrième Vézina de suite, une première dans la Ligue. Et pour une troisième année d'affilée, il totalise neuf blanchissages.
● Critiqué publiquement par le président Campbell pour

une pénalité non attribuée aux Canadiens lors du dernier match de la demi-finale, — la poursuite du jeu devait mener à un but de Claude Provost, qui éliminait les Black Hawks —, l'arbitre Red Storey remet sa démission, reprochant à son tour à Campbell de ne pas appuyer ses officiels.
● Maurice Richard renouvelle son contrat avec les Canadiens en septembre et Frank Selke, sans révéler de chiffres,

| JOUEURS | |
|---|---|
| 1 | Jacques Plante |
| | Charlie Hodge |
| | Claude Pronovost |
| | Claude Cyr |
| 2 | Doug Harvey |
| 4 | Jean Béliveau |
| 5 | Bernard Geoffrion |
| 6 | Ralph Backstrom |
| 8 | Ken Mosdell |
| | Bill Hicke |
| 9 | Maurice Richard (C) |
| 10 | Tom Johnson |
| 11 | Bob Turner |
| 12 | Dickie Moore |
| 14 | Claude Provost |
| 15 | Ab McDonald |
| 16 | Henri Richard |
| 17 | Jean-Guy Talbot |
| 18 | Marcel Bonin |
| 19 | Albert Langlois |
| 20 | Phil Goyette |
| 21 | Ian Cushenan |
| 22 | Don Marshall |
| 23 | André Pronovost |
| ENTRAÎNEUR | |
| | Toe Blake |

**1958 1959**

Moore joue une part active dans l'obtention de ces nouveaux records avec 41 buts et 55 passes, pour un nouveau sommet de 96 points, 5 de mieux que son ami Béliveau, lui qui a maintenant endossé l'uniforme tricolore dans plus de 400 rencontres. Blessé à la fin de novembre, Béliveau manque 6 parties mais récupère suffisamment pour compléter la saison avec 45 buts. Bathgate termine à trois points du Gros Bill, à huit de la tête. C'est lui cependant qui sera retenu lorsque viendra le temps de sélectionner le récipiendaire du trophée Hart. Pourtant, Moore édite quatre records au cours de cette saison du tonnerre et devient le premier joueur des Canadiens à décrocher deux titres de champion marqueur de suite.

C'est la seconde année d'affilée que le Tricolore réussit un doublé en tête des marqueurs. Moore et Henri Richard l'année précédente et, cette fois, Moore et Béliveau. En 1960-61, ce sera au tour de Geoffrion et Béliveau de refaire le coup.

*Souvent dans l'ombre du grand Harvey, Tom Johnson n'en est pas moins un rouage important de la défensive du Tricolore. Plante sait qu'il peut se fier à lui en tout temps.*

mentionne qu'il est le mieux payé de la LNH. Le Rocket entreprend sa 17e saison.

● Nouveaux sommets pour Maurice Richard et Boom Boom Geoffrion en octobre, lesquels obtiennent respectivement leurs 900e et 400e points en saisons. Maurice dispute aussi sa 900e partie avec l'équipe. Béliveau marque à son tour, son 400e point en février.

● De nouveau désigné athlète de l'année au Canada en fin d'année et héros de l'année par la revue *Sports Illustrated*, Maurice Richard compte maintenant 600 buts (si l'on inclut les séries) et 400 passes en saisons. Quelques semaines plus tard, il sera nommé « grand frère » de l'année à titre d'exemple pour les jeunes et recevra aussi un deuxième trophée Lou-Marsh en deux ans.

● Bernard Geoffrion réalise deux beaux exploits en finale contre Toronto. Il marque le but gagnant et participe aux deux autres de l'équipe lors du quatrième match, gagné 3-2, tous les points ayant été réussis en troisième. Il obtient ensuite deux buts dans la rencontre suivante consacrant ainsi la victoire montréalaise.

● Tom Johnson, qui compte maintenant plus de 600 matchs avec les Canadiens, met un terme à la domination ininterrompue de Doug Harvey, son coéquipier défenseur, en raflant le trophée Norris.

● On retrouve encore quatre membres du Tricolore dans la première équipe d'étoiles, soit Plante, Johnson, Moore et Béliveau. Dans la seconde, Harvey et Henri Richard. C'est la première fois depuis 1944 que le Rocket est absent de l'une ou l'autre liste.

● La grève à Radio-Canada, déclenchée au début de l'année, affecte sérieusement la télédiffusion des rencontres.

**1958 1959**

*Ralph Backstrom est nommé recrue de l'année. Il est seulement le troisième joueur des Canadiens à recevoir le trophée Calder, après John Quilty (1941) et Bernard Geoffrion (1952).*

Moore poursuit sur sa lancée lors des éliminatoires avec les meilleures séries de sa carrière. Ses 17 points, constitués de 5 buts et 12 passes, lui permettent de terminer premier une fois de plus, tout en contribuant à une quatrième coupe Stanley d'affilée pour le Tricolore, un précédent dans le hockey. Lors du cinquième match de demi-finale, lui et Harvey égalent la marque du plus grand nombre de passes en une période pour une partie éliminatoire, avec trois chacun.

Hockeyeur au talent certain durant sa carrière junior, Moore a mis quelques années avant de faire montre de ses capacités réelles, ayant été constamment ralenti par les blessures. Mais son second titre consécutif des marqueurs ainsi qu'une autre sélection dans la première équipe d'étoiles en font l'une des grandes vedettes à Montréal, au même titre que Richard, Béliveau, Geoffrion, Harvey et Plante.

### AVEC LES GANTS DU ROCKET

Rien n'arrête Marcel Bonin en séries éliminatoires ! Ce dernier profite même de l'absence du Rocket pour lui emprunter ses gants neufs, les siens étant fort abîmés. Déjà le 7 mars, contre Detroit, il a mené les Canadiens à une victoire convaincante de 10-2 avec ses compagnons de trio Moore et Béliveau.

En demi-finale contre Chicago, qui n'avait pas accédé aux séries depuis six ans, il s'éclate avec sept buts, ce qui représente déjà plus de la moitié de sa production en saison. Électrisé par les gants du Rocket, Bonin s'illustre encore en finale contre Toronto en inscrivant le but gagnant de la première et de la cinquième partie, celle qui assure la 11e coupe Stanley de l'histoire du

| TROPHÉES | | |
|---|---|---|
| COUPE STANLEY | | |
| Canadiens de Montréal | | |
| TROPHÉE PRINCE-DE-GALLES | | |
| Canadiens de Montréal | | |
| TROPHÉE HART | | |
| Andy Bathgate | | |
| Rangers de New York | | |
| TROPHÉE ART-ROSS | | |
| Dickie Moore | | |
| Canadiens de Montréal | | |
| TROPHÉE LADY-BYNG | | |
| Alex Delvecchio | | |
| Red Wings de Detroit | | |
| TROPHÉE CALDER | | |
| Ralph Backstrom | | |
| Canadiens de Montréal | | |
| TROPHÉE GEORGES-VÉZINA | | |
| Jacques Plante | | |
| Canadiens de Montréal | | |
| TROPHÉE JAMES-NORRIS | | |
| Tom Johnson | | |
| Canadiens de Montréal | | |

● Punch Imlach est nommé gérant des Maple Leafs en novembre et, quelques jours plus tard, il dégomme l'entraîneur Billy Reay et prend sa place. Toronto gagne les cinq dernières parties du calendrier pour se frayer de justesse un chemin jusqu'aux séries, un point devant New York qui en comptait pourtant sept d'avance avec cinq matchs à jouer.

● Johnny Bower, qui n'a disputé qu'une saison complète avec les Rangers cinq ans plus tôt, est réclamé au ballottage par les Leafs, à presque 34 ans. Il sera le gardien régulier de l'équipe les 12 prochaines saisons. Le défenseur Allan Stanley s'amène aussi à Toronto, échangé par les Bruins.

● Les Leafs accueillent aussi quelques jeunots qui feront bientôt les beaux jours de l'équipe, dont les défenseurs Carl Brewer et Bobby Baun.

● Mince consolation pour les Red Wings, derniers au classement pour la première fois depuis l'année de leur adhésion à la Ligue, Alex Delvecchio est jugé le plus gentilhomme.

● Camille Henry, l'un des plus petits joueurs à avoir joué dans la LNH, obtient l'une de ses meilleures saisons avec une fiche de 23 buts et 35 passes, supérieure à la saison précédente, alors qu'il avait hérité du titre de joueur le plus gentilhomme. Même si le guide officiel de la Ligue affirme qu'il pèse à 152 livres, il en pèse à peine plus de 135 certaines saisons.

● Les Red Wings organisent une fête en l'honneur de Gordie Howe au début de mars et celui-ci a la surprise d'apercevoir ses parents, venus de la Saskatchewan, assis à l'arrière de l'auto qu'on lui remet.

● Le Canada, représenté par les McFarlands de Belleville, remporte son 18e et dernier championnat du monde, à Prague, sous les encouragements du Rocket en visite en Tchécoslovaquie. Gordon Red Berenson est le meilleur marqueur du tournoi.

| | PJ | G | B | N | BP | BC | PTS |
|---|---|---|---|---|---|---|---|
| Montréal (Canadiens) | 70 | 39 | 18 | 13 | 258 | 158 | 91 |
| Boston (Bruins) | 70 | 32 | 29 | 9 | 205 | 215 | 73 |
| Chicago (Black Hawks) | 70 | 28 | 29 | 13 | 197 | 208 | 69 |
| Toronto (Maple Leafs) | 70 | 27 | 32 | 11 | 189 | 201 | 65 |
| New York (Rangers) | 70 | 26 | 32 | 12 | 201 | 217 | 64 |
| Detroit (Red Wings) | 70 | 25 | 37 | 8 | 167 | 218 | 58 |

### MEILLEURS MARQUEURS

| | | PJ | B | A | PTS | PUN |
|---|---|---|---|---|---|---|
| Dickie Moore | Canadiens | 70 | 41 | 55 | 96 | 61 |
| Jean Béliveau | Canadiens | 64 | 45 | 46 | 91 | 67 |
| Andy Bathgate | New York | 70 | 40 | 48 | 88 | 48 |
| Gordie Howe | Detroit | 70 | 32 | 46 | 78 | 57 |
| Ed Litzenberger | Chicago | 70 | 33 | 44 | 77 | 37 |
| Bernard Geoffrion | Canadiens | 59 | 22 | 44 | 66 | 30 |
| Red Sullivan | New York | 70 | 21 | 42 | 63 | 56 |
| Andy Hebenton | New York | 70 | 33 | 29 | 62 | 8 |
| Don McKenney | Boston | 70 | 32 | 30 | 62 | 20 |
| Tod Sloan | Chicago | 59 | 27 | 35 | 62 | 79 |

**1958 1959**

Tricolore. Ce soir-là, les caméras de la télévision ont accès au vestiaire des équipes pour la première fois.

Au terme des séries, Bonin est premier chez les compteurs avec 10 buts et deuxième pour les points, avec 15, derrière Moore. Un exploit unique pour le combatif ailier des Canadiens, fort comme un bœuf, mais qui n'a jamais été reconnu pour ses talents offensifs. « Si j'avais pu prévoir ce résultat, devait-il lancer plus tard en boutade, j'aurais également emprunté son *jockstrap*... »

Réclamé des Bruins au repêchage intraligue de 1957, Bonin avait connu une bonne saison avec les As de Québec la saison précédente. Après une campagne à Montréal, il avait été cédé aux Americans de Rochester à la mi-novembre, mais avait aussitôt été rappelé deux semaines plus tard.

Après sa performance des séries, il connaîtra 2 saisons de 51 points avec les Canadiens. Sa carrière prendra fin abruptement en janvier 1962, sur une mise en échec de Pete Goegan, des Red Wings.

*Marcel Bonin compte 10 buts après avoir enfilé les gants du Rocket :*
*« Si j'avais pu prévoir ce résultat, j'aurais également emprunté son jockstrap ».*

*Une dernière coupe pour le Rocket.*

# 1959  1960

DOUZIÈME COUPE STANLEY

*Troisième championnat de suite en saison pour les Canadiens, mais cinquième coupe Stanley sans interruption, un exploit unique dans l'histoire de la LNH. L'équipe a besoin du minimum de parties pour battre Chicago et Toronto en séries. Cette cinquième coupe est la dernière du Rocket, qui passe le flambeau à Plante (cinquième Vézina de suite), Harvey (cinquième Norris en six ans), Béliveau, Geoffrion, Moore et à son frère Henri. Les Red Wings reprennent un peu de vigueur grâce à Gordie Howe, jugé le plus utile pour la troisième fois en quatre ans. Bobby Hull remporte le titre des marqueurs, de justesse (81 à 80) devant Bronco Horvath, des Bruins. Béliveau, Andy Bathgate, Henri Richard et Howe suivent avec un seul point d'écart entre les quatre.*

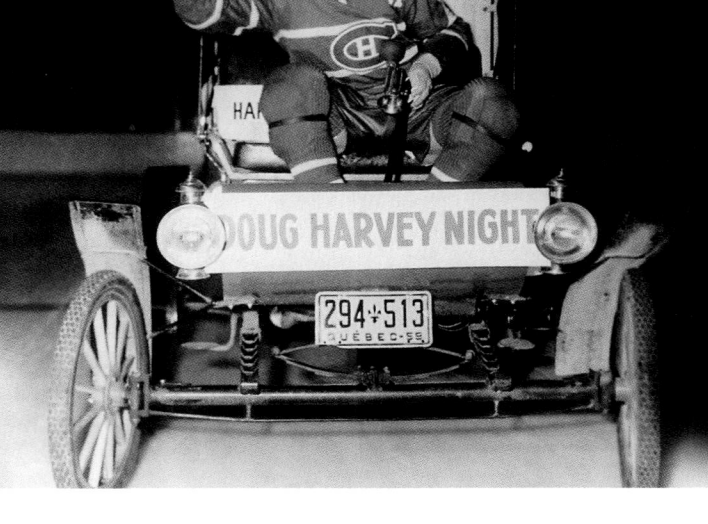

On organise une fête en l'honneur de Doug Harvey pour souligner sa contribution à l'équipe. Harvey surprend les participants à la fête en faisant son entrée sur la glace aux commandes d'une voiture du début du siècle. Toujours sûr de lui-même, peu porté à l'offensive, mais capable de se distinguer à la pointe lors des attaques massives, Harvey a joué un rôle déterminant dans l'obtention des cinq coupes remportées de 1956 à 1960.

**1959 1960**

# Une cinquième de suite

À son arrivée à la présidence des Canadiens, Ronald Corey a demandé qu'on remette une bague spéciale à tous les joueurs ayant participé aux cinq conquêtes de la coupe, de 1956 à 1960.

**L**es Montréalais ont pris l'habitude de voir défiler leurs champions en décapotables dès les beaux jours du printemps et on dirait que la foule est plus dense et plus exubérante chaque fois. Mais cette année-là, il y a quelque chose de spécial qui flotte au-dessus des têtes. Pour la cinquième année de suite, le Tricolore vient de s'emparer de la coupe Stanley. Un exploit sans précédent qui ne sera réédité par aucune grande puissance à venir dans cette ligue.

Sans compromis, comme l'ont fait les Red Wings en 1952 en ne concédant aucune victoire à l'adversaire en série ! Les Black Hawks et les Maple Leafs sont balayés en un minimum de parties, huit. Même Bobby Hull, la nouvelle sensation du circuit, qui s'est approprié le titre de champion marqueur grâce à son tir dévastateur, ne peut percer la muraille tricolore. Claude Provost le suit comme son ombre et la Comète blonde est limitée à un seul but en quatre parties.

Au moment où le Québec s'apprête à connaître une transformation radicale à tous les niveaux, le Tricolore lui donne une première raison d'être fier.

Le club montréalais domine tant à l'offensive qu'à la défensive tout au long de la saison. Béliveau, Henri Richard et Geoffrion sonnent la charge avec 30 buts et plus chacun. Harvey, Johnson et les autres défenseurs contribuent au cinquième trophée Vézina de la nouvelle « merveille masquée » du hockey, Jacques Plante. Harvey s'adjuge au passage un cinquième Norris en six ans.

Comme d'habitude, la domination en saison a été nette. Treize points de priorité sur Toronto. Elle l'est tout autant en séries. Le début de la demi-finale contre Chicago s'annonce serré, mais le but de Doug Harvey en supplémentaire au deuxième match vient pratiquement mettre un terme à la résistance des Hawks. Par ce but, Harvey rachète une erreur commise en fin de troisième période

● Jacques Beauchamp, directeur des pages sportives du *Montréal-Matin*, vit le rêve de sa vie en signant un contrat à titre de gardien auxiliaire des Canadiens pour les matchs à l'extérieur. Il ne sera jamais appelé à remplacer Plante, mais il participe régulièrement aux entraînements du club.
● Victoire facile des Montréalais, 6 à 1, au match des étoiles. Maurice Richard est celui qui compte le plus de participations (13).

● L'équipe utilise l'avion plutôt que le train au retour de quelques matchs à l'extérieur, au grand plaisir des joueurs.
● Nouvelle déveine pour le Rocket à la fin de novembre. Il se fait briser l'os de la joue et doit s'absenter plus d'un mois.
● Le Tricolore fête son 50ᵉ anniversaire avec plusieurs anciens joueurs et les partisans en janvier. Ce soir-là, Phil Goyette marque trois filets, les frères Richard et Geoffrion deux chacun. Les Rangers sont malmenés 11 à 2.

● À sa dernière année présumée avec les Canadiens, Maurice Richard reçoit des honneurs de toutes parts : la brasserie Dow le consacre meilleur athlète canadien-français de sa génération le jour de la Saint-Jean, l'Ordre fraternel des Aigles lui décerne un trophée spécial pour sa contribution à l'amitié internationale et le B'Nai B'rith de New York l'invite à son banquet annuel.

● En novembre et en décembre respectivement, Jean Béliveau et Bernard Geoffrion disputent leur 400ᵉ et 500ᵉ match avec Montréal. En janvier, Harvey devient le premier défenseur à avoir joué 800 parties.
● Dix points séparent les sept meilleurs marqueurs de la Ligue au terme de la saison. Fin janvier, Béliveau rejoint Bronco Horvath et le dépasse au sommet, mais c'est finalement Bobby Hull qui raflera la mise au dernier

| JOUEURS | |
|---|---|
| 1 | Jacques Plante |
| | Charlie Hodge |
| 2 | Doug Harvey |
| 4 | Jean Béliveau |
| 5 | Bernard Geoffrion |
| 6 | Ralph Backstrom |
| 8 | Bill Hicke |
| 9 | Maurice Richard (C) |
| 10 | Tom Johnson |
| 11 | Bob Turner |
| 12 | Dickie Moore |
| 14 | Claude Provost |
| 15 | Ab McDonald |
| 16 | Henri Richard |
| 17 | Jean-Guy Talbot |
| 18 | Marcel Bonin |
| 19 | Albert Langlois |
| 20 | Phil Goyette |
| 21 | Jean-Claude Tremblay |
| | Reggie Fleming |
| 22 | Don Marshall |
| 23 | André Pronovost |
| 24 | Cecil Hoekstra |
| ENTRAÎNEUR | |
| | Toe Blake |

contre Billy Reay, bourde qui devait provoquer l'égalité. Plante ne concède rien à ses rivaux au Chicago Stadium lors des deux parties suivantes et le Tricolore se qualifie pour une dixième finale consécutive.

**1959 1960**

Contre Toronto, Henri Richard donne le ton en préparant 3 buts en moins de 12 minutes au premier match, et pas une fois les Maple Leafs ne réussissent à prendre les devants dans l'une des quatre parties. Au dernier match, Plante arrête de nouveau tous les tirs adverses et c'est le balayage en quatre. Les joueurs du Tricolore viennent de signer une 20ᵉ victoire en 25 matchs des séries depuis 1956 et ils peuvent cajoler la coupe Stanley pour une 5ᵉ année consécutive. De quoi expliquer ce petit quelque chose de spécial qui flotte au-dessus des têtes au défilé des champions quelques jours plus tard !

Le gérant Selke dira plus tard de cette équipe qu'elle fut « la meilleure de toutes les grandes équipes des Canadiens ».

Seul moment triste de cette série, l'image du Rocket au fond du filet de Johnny Bower pour y cueillir la rondelle de son 82ᵉ but en éliminatoires : le dernier de sa carrière !

La preuve la plus tangible de la domination des Canadiens à l'aube de la Révolution tranquille se trouve sans doute au Temple de la renommée de la LNH. Onze joueurs, dont huit de cette édition 1959-60, ont maintenant leur nom au Panthéon du hockey, les deux Richard, Geoffrion, Béliveau, Moore, Provost, Marshall, Harvey, Johnson, Talbot et Plante. Sans compter Blake et Selke.

## LE MASQUE DE PLANTE

1ᵉʳ novembre 1959. Le tir du revers d'Andy Bathgate, des Rangers, décoché à 10 pieds du filet, atteint Plante près du nez sur le côté gauche du visage dès les premiers instants de la rencontre. Plante s'écroule lourdement et le sang coule abondamment. Le soigneur Hector Dubois se porte au secours du gardien qui est conduit à la clinique. Blake est inquiet dans le vestiaire de l'équipe, les match, un seul point devant le joueur des Bruins, qui a pourtant obtenu au moins un point dans 22 parties consécutives. Béliveau manque 10 parties en février en raison d'une blessure tenace à l'aine et termine troisième. Il totalise maintenant plus de 500 points avec Montréal.

● Geoffrion compte aussi 500 points et Doug Harvey est le premier défenseur de l'histoire des Canadiens à en totaliser 400.

● Plante mérite son cinquième trophée Vézina au dernier match de la saison. Au cours de cet affrontement avec les Rangers, on apprend que Glenn Hall, à un but du cerbère du Tricolore avant la partie, s'est fait battre à quatre reprises à Boston. Le Tricolore perd 3-1 mais Plante conserve son précieux emblème.

● Maurice Richard inscrit son 544ᵉ et dernier but en saison régulière au match ultime de la campagne contre Al Rollins, des Rangers.

● Questionné sur la raison de l'augmentation des assistances dans tous les arénas du circuit, le président Campbell attribue cette hausse à la popularité des Canadiens partout où ils passent.

● Malgré ses succès, le Tricolore n'obtient que deux sélections dans la première équipe d'étoiles avec les choix de Harvey et Béliveau. Detroit (Howe et Marcel Pronovost) et Chicago (Glenn Hall et Bobby Hull) en ont aussi deux. Plante et Geoffrion sont dans la deuxième.

**1959 1960**

substituts proposés par les Rangers ne l'intéressent pas. Il rejoint Plante à l'infirmerie et celui-ci lui adresse un ultimatum : « Je veux jouer avec mon masque. »

Blake a toujours refusé catégoriquement que Plante se couvre le visage, même au dernier match des étoiles. Mais voilà qu'il n'a plus le choix ! Le chandail maculé de sang, Plante fait sa rentrée sur la glace sous les applaudissements de la foule new-yorkaise, qui réalise en ce lendemain d'Halloween que le gardien aux allures de fantôme d'un film américain vient de faire tomber une nouvelle barrière. Le Tricolore gagne le match 3-1. Il triom-

*Plante aura le dernier mot avec Toe Blake et le port du masque pour le gardien sera graduellement accepté par toutes les équipes.*

*Le champion marqueur de la saison régulière Bobby Hull est limité à un seul but en demi-finale et les Hawks sont vite écartés des séries.*

| | PJ | G | P | N | BP | BC | PTS |
|---|---|---|---|---|---|---|---|
| Montréal (Canadiens) | 70 | 40 | 18 | 12 | 255 | 178 | 92 |
| Toronto (Maple Leafs) | 70 | 35 | 26 | 9 | 199 | 195 | 79 |
| Chicago (Black Hawks) | 70 | 28 | 29 | 13 | 191 | 180 | 69 |
| Detroit (Red Wings) | 70 | 26 | 29 | 15 | 186 | 197 | 67 |
| Boston (Bruins) | 70 | 28 | 34 | 8 | 220 | 241 | 64 |
| New York (Rangers) | 70 | 17 | 38 | 15 | 187 | 247 | 49 |

**MEILLEURS MARQUEURS**

| | | PJ | B | A | PTS | PUN |
|---|---|---|---|---|---|---|
| Bobby Hull | Chicago | 70 | 39 | 42 | 81 | 68 |
| Bronco Horvath | Boston | 68 | 39 | 41 | 80 | 60 |
| **Jean Béliveau** | **Canadiens** | 60 | 34 | 40 | 74 | 57 |
| Andy Bathgate | New York | 70 | 26 | 48 | 74 | 28 |
| **Henri Richard** | **Canadiens** | 70 | 30 | 43 | 73 | 66 |
| Gordie Howe | Detroit | 70 | 28 | 45 | 73 | 46 |
| **Bernard Geoffrion** | **Canadiens** | 59 | 30 | 41 | 71 | 36 |
| Don McKenny | Boston | 70 | 20 | 49 | 69 | 28 |
| Vic Stasiuk | Boston | 69 | 29 | 39 | 68 | 121 |
| Dean Prentice | New York | 70 | 32 | 34 | 66 | 43 |

● Gordie Howe mérite un cinquième trophée Hart. Il est maintenant le seul à revendiquer cet honneur. Au cours de la saison, il dépasse Maurice Richard au sommet des marqueurs de l'histoire de la Ligue.

● Red Kelly refuse une première transaction qui l'envoie des Red Wings aux Rangers, mais il est finalement échangé aux Maple Leafs en retour de Marc Réaume. Les Leafs convertiront ce bon défenseur en joueur de centre.

● Un gardien d'origine américaine, Jack McCartan, héros de la première victoire américaine aux Jeux olympiques de Squaw Valley, se joint aux Rangers pour quelques parties. Il connaît un succès instantané. McCartan disputera quelques parties encore l'année suivante, puis disparaîtra dans les ligues semi-professionnelles. Aux Jeux, le Canada termine deuxième devant les Soviétiques.

● Harvey est toujours le meilleur défenseur, mais la compétition est forte dans les autres équipes. Pierre Pilote, premier marqueur chez les arrières avec 45 points, et Elmer Vasko forment un duo redoutable à Chicago. Marcel Pronovost est l'un des meilleurs de sa profession à Detroit, tout comme Bill Gadsby à New York, Fern Flaman à Boston et Allan Stanley à Toronto.

● Le coût d'un joueur au repêchage passe de 5 000 $ à 20 000 $.

● La Ligue interdit désormais aux gardiens d'immobiliser la rondelle derrière leur filet, une mesure pour contrer les sorties de Plante, croit-on chez les Canadiens.

● John Wilson, qui a joué à Detroit, Chicago et Toronto, est l'homme de fer de la Ligue avec 580 matchs disputés sans interruption. Pour sa part, Harry Lumley, le vétéran des gardiens, se retire après 803 matchs disputés. Il a porté les couleurs de toutes les équipes, sauf Montréal.

1959 1960

| TROPHÉES |
|---|
| **COUPE STANLEY** |
| Canadiens de Montréal |
| **TROPHÉE PRINCE-DE-GALLES** |
| Canadiens de Montréal |
| **TROPHÉE HART** |
| Gordie Howe |
| Red Wings de Detroit |
| **TROPHÉE ART-ROSS** |
| Bobby Hull |
| Black Hawks de Chicago |
| **TROPHÉE LADY-BYNG** |
| Don McKenney |
| Bruins de Boston |
| **TROPHÉE CALDER** |
| Bill Hay |
| Black Hawks de Chicago |
| **TROPHÉE GEORGES-VÉZINA** |
| Jacques Plante |
| Canadiens de Montréal |
| **TROPHÉE JAMES-NORRIS** |
| Doug Harvey |
| Canadiens de Montréal |

phera dans plusieurs autres avec Plante et son porte-bonheur au visage, dans une séquence de 18 matchs sans revers entreprise le 18 octobre. Le plus grand cerbère de l'histoire des Glorieux ne retirera plus jamais son masque. À tour de rôle, les autres portiers l'imiteront.

## LE TRIO RICHARD

Le Tricolore invite Claude Richard, frère de Maurice et d'Henri, à son camp d'entraînement. On réunit les trois frères dans le même trio pour quelques matchs hors-concours, mais l'équipe est bourrée de talent et le frangin est cédé au club d'Ottawa avant le début de la saison. Au grand regret de son frère aîné, qui entreprend sa 18e et dernière saison à Montréal.

*Les trois frères Richard sont réunis sur un même trio, le temps de deux matchs préparatoires.*

275

ROCKET
RICHARD
RECORD

# 1960 🅒 1961

*L E  T R I C O L O R E  R E M P O R T E  D E  N O U V E A U  L E  C H A M P I O N N A T ,  A U  D E R N I E R  M A T C H  D E  L A  S A I S O N  D E V A N T  T O R O N T O ,  M A I S  S E  F A I T  S U R P R E N D R E  P A R  C H I C A G O  E N  D E M I - F I N A L E ,  C E  Q U I  M E T  U N  T E R M E  À  L A  S É Q U E N C E  D E S  C I N Q  C O U P E S  C O N S É C U T I V E S .  L E S  B L A C K  H A W K S ,  L A  H O N T E  D E  L A  L I G U E  D U R A N T  U N E  B O N N E  P A R T I E  D E S  A N N É E S  1 9 4 0  E T  1 9 5 0 ,  G A G N E N T  L E U R  P R E M I È R E  C O U P E  S T A N L E Y  D E P U I S  1 9 3 8 ,  L A  D E R N I È R E  À  C E  J O U R .  N E W  Y O R K  E T  B O S T O N  S O N T  D E  N O U V E A U  E X C L U S  D E S  S É R I E S .  B E R N A R D  G E O F F R I O N  É G A L E  L E  R E C O R D  D E  5 0  B U T S  D U  R O C K E T ,  D E V A N C E  J E A N  B É L I V E A U  P O U R  L E  T I T R E  D E S  M A R Q U E U R S  E T  R E Ç O I T  A U S S I  L E  T R O P H É E  H A R T .  J O H N N Y  B O W E R ,  R A P P E L É  D E S  M I N E U R E S  À  T R E N T E - Q U A T R E  A N S  P A R  T O R O N T O ,  M E T  U N  T E R M E  A U X  C I N Q  T R O P H É E S  V É Z I N A  D E  J A C Q U E S  P L A N T E ,  M A I S  D O U G  H A R V E Y  O B T I E N T  U N  S I X I È M E  N O R R I S  E N  S E P T  A N S .  D E U X  A U T R E S  J O U E U R S  D E S  L E A F S ,  D A V E  K E O N  E T  R E D  K E L L Y ,  G A G N E N T  L E S  T R O P H É E S  C A L D E R  E T  L A D Y - B Y N G .*

## Le Rocket se retire

**L**a retraite de Maurice Richard fait la une de tous les journaux de Montréal. Jacques Beauchamp écrit dans le *Montréal-Matin*: «C'est fini. Le plus grand joueur de hockey de tous les temps n'électrisera plus les foules et ne fera plus trembler les gardiens de but...»

Convoqués à une conférence de presse au sujet du prochain match des étoiles, les journalistes ne sont pas dupes. Depuis le temps que la rumeur de la retraite de Maurice Richard circule avec plus de force chaque fois que le principal intéressé ou un membre de l'organisation cherche à éluder le sujet, cette fois devrait être la bonne.

Ce soir du 15 septembre, la rumeur prend la forme d'une mauvaise nouvelle pour la centaine de journalistes accourus à l'hôtel Reine-Elizabeth. Le Rocket vient de mettre le point final à une carrière de 18 ans dans l'uniforme bleu-blanc-rouge du Canadien. Une carrière qui lui a permis d'inscrire 544 buts en saisons et 82 en séries et de récrire le livre des records presque à lui seul.

*Le chandail et les patins du Rocket resteront accrochés au clou, tandis que les Canadiens tentent de s'approprier un sixième titre d'affilée.*

277

⬤ Charlie Hodge prend la place de Jacques Plante devant le filet et ce dernier est cédé au Royal de la Ligue de l'Est, parce qu'on croit chez les partisans et la direction que le mal chronique qu'il éprouve à son genou gauche tient davantage de son imagination que d'un problème articulaire. Plante, qui a disputé plus de 400 matchs avec l'équipe, revient terminer la saison en force et, après les séries, une intervention chirurgicale révèle un genou très amoché. Son malaise lui a fait vivre une saison horrible sur les plans physique et psychologique.

⬤ Toe Blake, furieux contre l'arbitre Dalton McArthur, saute sur la glace et lui assène un coup de poing au terme du troisième match de demi-finale, perdu 2-1 en 3e supplémentaire. Les Hawks utilisent une forte intimidation tout au long de la demi-finale pour mettre un terme à la série victorieuse du Tricolore. Maurice Richard dira de cette confrontation qu'elle aura été la plus vicieuse (dirty) qu'il ait vue au hockey.

⬤ Glenn Hall tient les puissants marqueurs tricolores en respect au cours des deux derniers matchs de la demi-finale. Les Black Hawks de Chicago, dirigés par Rudy

## 1960-1961

Au moment des adieux, le Rocket détient 17 records en saisons régulières et 16 en séries. Quatre de ces derniers sont toujours valides plus de 40 ans plus tard.

Le premier indice sérieux du départ du Rocket avait été donné au troisième match de la série finale contre Toronto au printemps précédent, alors que Richard s'était empressé d'aller cueillir la rondelle qui lui avait permis de déjouer Johnny Bower. Peu expressif, le Rocket a ensuite semé le doute en se présentant au camp d'entraînement le lundi 12 septembre. Le mercredi, il s'est absenté pour un voyage d'affaires à Toronto, en compagnie de son fils Normand. De retour à l'entraînement le jeudi matin, il éblouit la galerie avec une performance de quatre buts et trois passes dans un match inter-équipe. Puis en soirée, après avoir fait part de sa décision finale à son épouse Lucille et à ses enfants, il prend la direction de l'hôtel pour y rejoindre ceux qui ont relaté ses exploits avec passion depuis près de deux décennies.

En plus des blessures à répétition des dernières années, l'âge et la difficulté de maintenir son poids ont fait prendre conscience à Maurice Richard que le moment était venu de s'en aller. Richard accepte de demeurer dans l'entourage de l'équipe au poste d'ambassadeur de bonne entente, une fonction qui ne conviendra pas longtemps à cet homme d'action.

Au moment où Maurice Richard renonce à son rôle de joueur commence la légende du Rocket. Une légende s'appuyant à la fois sur ses exploits qui frisaient souvent le surhumain et faisaient bondir ses admirateurs, sur son tempérament fougueux et son regard de feu, mais aussi sur le fait qu'il était facilement accessible et près du «monde ordinaire». Finalement, une légende qui en a fait le «drapeau du

| JOUEURS | |
|---|---|
| 1 | Jacques Plante |
| | Charlie Hodge |
| 2 | Doug Harvey (C) |
| 3 | Jean-Claude Tremblay |
| | Jean Gauthier |
| 4 | Jean Béliveau |
| 5 | Bernard Geoffrion |
| 6 | Ralph Backstrom |
| 8 | Bill Hicke |
| 10 | Tom Johnson |
| 11 | Bob Turner |
| 12 | Dickie Moore |
| 14 | Claude Provost |
| 15 | Wayne Connelly |
| | Jean-Guy Gendron |
| 16 | Henri Richard |
| 17 | Jean-Guy Talbot |
| 18 | Marcel Bonin |
| 19 | Albert Langlois |
| 20 | Phil Goyette |
| 21 | Gilles Tremblay |
| 22 | Don Marshall |
| 23 | André Pronovost |
| 24 | Robert Rousseau |
| | Wayne Connelly |
| 25 | Cliff Pennington |
| | Glen Skov |
| ENTRAÎNEUR | |
| | Toe Blake |

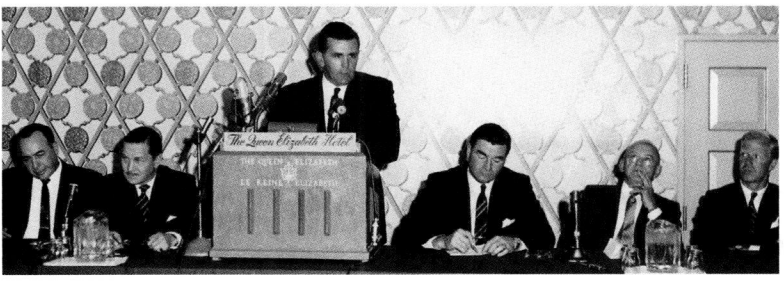

*L'annonce de la retraite de Maurice Richard secoue les médias et surtout les partisans.*

Pilous, qui n'ont pas atteint la finale de la Ligue depuis 17 ans, renversent les Canadiens en six parties et gagnent ensuite la coupe contre Detroit. Hall, l'homme de fer du hockey, a disputé toutes les parties de son équipe, soit 82.
● Sylvio Mantha et Frank Selke accèdent au Temple de la renommée du hockey en septembre.
● Le Rocket n'est pas le seul absent de l'édition 1960-61 des Canadiens. Ken Mosdell l'a devancé en annonçant sa retraite en mai 1960.
● Don Marshall atteint le chiffre des 400 matchs et Tom Johnson, celui des 700, en novembre. En décembre, c'est au tour de Dickie Moore d'inscrire 500 parties à son compteur. Deux mois plus tard, il marque un 500e point, tandis que Geoffrion y va d'un 600e. Béliveau rejoint le club des 500 matchs en mars, avant d'obtenir son 600e point au dernier rendez-vous de la saison.

● Le défenseur Al MacNeil, qui deviendra un entraîneur controversé chez les Canadiens une dizaine d'années plus tard, arrive de Toronto, en retour de Stan Smrke.
● Autre échange chez les Canadiens en novembre. André Pronovost est envoyé à Boston en retour de Jean-Guy Gendron.

## TROPHÉES

| | |
|---|---|
| COUPE STANLEY | Black Hawks de Chicago |
| TROPHÉE PRINCE-DE-GALLES | Canadiens de Montréal |
| TROPHÉE HART | Bernard Geoffrion / Canadiens de Montréal |
| TROPHÉE ART-ROSS | Bernard Geoffrion / Canadiens de Montréal |
| TROPHÉE LADY-BYNG | Red Kelly / Maple Leafs de Toronto |
| TROPHÉE CALDER | Dave Keon / Maple Leafs de Toronto |
| TROPHÉE GEORGES-VÉZINA | Johnny Bower / Maple Leafs de Toronto |
| TROPHÉE JAMES-NORRIS | Doug Harvey / Canadiens de Montréal |

Au tour du Boomer d'inscrire 50 buts en une même saison.

peuple francophone», comme l'a exprimé un jour Camil DesRoches, lui aussi étroitement lié à l'histoire du Tricolore.

### AU TOUR DE GEOFFRION

Les joueurs du Tricolore avaient réussi à contenir les efforts de Gordie Howe au dernier match de la saison 1952-53 pour l'empêcher de rééditer l'exploit du Rocket. Howe s'était arrêté à 49 buts. Mais cette fois-ci, tout comme en 1955-56 — alors que Béliveau en avait obtenu 47 —, il est plus embêtant de restreindre les élans d'un membre de sa propre équipe.

Au moment de sa retraite, le Rocket détient 17 records établis en saisons régulières et 16 en séries.

Bernard Geoffrion n'est pourtant pas le seul à l'assaut du record du Rocket. Le 12 février, un mois avant la fin de la saison, Frank Mahovlich des Maple Leafs est déjà rendu à 43 buts et Geoffrion tire de l'aile à 32. Avec une quinzaine de matchs à jouer, Mahovlich ralentit et ne marque que cinq filets supplémentaires. Le Boomer de son côté fait flèche de tout bois et compte 16 fois en 12 matchs puis obtient un 49e but à la 67e rencontre du club. Quatre jours plus tard, contre Toronto au Forum, sous les yeux du Rocket assis dans les gradins, Geoffrion capte une passe de Gilles Tremblay avec cinq minutes à jouer et décoche un tir frappé qui ne laisse aucune chance à Cesare Maniago. Les partisans du club, dont certains ont payé leur billet six fois le prix aux revendeurs, laissent éclater leur joie à la face d'un Mahovlich dépité. Par contre, malgré ses efforts, Geoffrion n'obtiendra pas de 51e but lors des deux dernières parties. Les six rencontres manquées en raison de blessures auront fait la différence.

Les 50 buts de Geoffrion jumelés à son championnat des marqueurs lui vaudront le titre de joueur le plus utile et une place dans la première équipe d'étoiles.

279

*C'est le Montreal Star qui se charge de faire distribuer la version anglaise du calendrier des parties.*

● Howe devient le premier joueur à atteindre les 1 000 points en saisons régulières en novembre.

● Aussi incroyable que cela puisse paraître, les Bruins n'inscrivent que deux victoires à l'extérieur au cours de la saison. Pourtant, ce record peu enviable sera égalé à quelques reprises par la suite et ramené à une seule victoire par les Capitals de Washington (en 1974-75) et les Sénateurs d'Ottawa (en 1992-93).

● Le hockey est devenu très populaire partout. La Ligue annonce une assistance de 2,5 millions de personnes pour la saison et les séries.

● Punch Imlach améliore constamment son équipe à Toronto. Ses dernières trouvailles : deux jeunes joueurs, l'un du nord de l'Ontario, Bob Nevin, et l'autre de l'Abitibi, Dave Keon. Ce dernier remporte le trophée Calder devant Nevin.

● La finale de la coupe Stanley oppose deux

formations américaines, Chicago et Detroit, pour la première fois depuis 1950.

● Les magnats de la LNH annoncent au terme de leur assemblée annuelle de 1960 que les villes de Los Angeles et San Francisco seront les premières considérées lorsque viendra le temps de procéder à un élargissement du circuit.

● Un quatrième trophée du joueur le plus gentilhomme pour Red Kelly, le premier avec Toronto.

## 1960-1961 — CAPITAINE HARVEY

Doug Harvey est populaire auprès de ses coéquipiers et déjà son nom avait circulé lorsque Maurice Richard remplace Butch Bouchard comme capitaine. L'élection de Harvey déplaît à Selke, qui aurait bien aimé le virer en raison de son rôle dans la mise sur pied de l'association des joueurs. Mais Harvey est indispensable aux Canadiens. Il va d'ailleurs remporter un 6e trophée Norris en 7 ans à la fin de la campagne et obtenir une 10e sélection dans les équipes d'étoiles.

Les joueurs portent leur choix sur Harvey à la quasi-unanimité et celui-ci devient le 15e capitaine de l'histoire du club.

|  | PJ | G | P | N | BP | BC | PTS |
|---|---|---|---|---|---|---|---|
| Montréal (Canadiens) | 70 | 41 | 19 | 10 | 254 | 188 | 92 |
| Toronto (Maple Leafs) | 70 | 39 | 19 | 12 | 234 | 176 | 90 |
| Chicago (Black Hawks) | 70 | 29 | 24 | 17 | 198 | 180 | 75 |
| Detroit (Red Wings) | 70 | 25 | 29 | 16 | 195 | 215 | 66 |
| New York (Rangers) | 70 | 22 | 38 | 10 | 204 | 248 | 54 |
| Boston (Bruins) | 70 | 15 | 42 | 13 | 176 | 254 | 43 |

### MEILLEURS MARQUEURS

|  |  | PJ | B | A | PTS | PUN |
|---|---|---|---|---|---|---|
| Bernard Geoffrion | Canadiens | 64 | 50 | 45 | 95 | 29 |
| Jean Béliveau | Canadiens | 69 | 32 | 58 | 90 | 57 |
| Frank Mahovlich | Toronto | 70 | 48 | 36 | 84 | 131 |
| Andy Bathgate | New York | 70 | 29 | 48 | 77 | 22 |
| Gordie Howe | Detroit | 64 | 23 | 49 | 72 | 30 |
| Norm Ullman | Detroit | 70 | 28 | 42 | 70 | 34 |
| Red Kelly | Toronto | 64 | 20 | 50 | 70 | 12 |
| Dickie Moore | Canadiens | 57 | 35 | 34 | 69 | 62 |
| Henri Richard | Canadiens | 70 | 24 | 44 | 68 | 91 |
| Alex Delvecchio | Detroit | 70 | 27 | 35 | 62 | 26 |

*Malgré le désaccord de Selke, Doug Harvey est désigné capitaine par ses coéquipiers.*

# 1961 🅲 1962

*Cinquième championnat d'affilée en saison pour les Canadiens, qui perdent de nouveau contre les Black Hawks en demi-finale. Toronto, qui n'avait pas obtenu la coupe Stanley depuis le but historique de Bill Barilko en 1951, défait Chicago en six lors de la finale. Bobby Hull et Andy Bathgate finissent à égalité avec 84 points dans la course au championnat des marqueurs, mais Hull mérite le titre grâce à ses 50 buts. Ralph Backstrom est le meilleur des Canadiens avec 65 points en 7ᵉ place. Plante reprend son trophée Vézina et obtient aussi le trophée Hart comme joueur le plus utile, tandis que Doug Harvey, maintenant avec les Rangers, est toujours le meilleur défenseur. Robert Rousseau est élu recrue de l'année et Dave Keon succède à son coéquipier Red Kelly comme joueur le plus gentilhomme.*

## Harvey écope

*On n'a jamais pardonné à Harvey son rôle dans la création d'une association de joueurs ; il en perdra son poste.*

L e Rocket n'est plus là. Les nouvelles vedettes du hockey s'appellent Bobby Hull, Frank Mahovlich et Stan Mikita. La série victorieuse en finale de la coupe Stanley a été interrompue, mais le Tricolore possède la meilleure offensive du circuit une neuvième année de suite. Et Jacques Plante a retrouvé ses réflexes devant le filet.

Mais Frank Selke n'a jamais pardonné à Doug Harvey le rôle que celui-ci a exercé dans la mise sur pied d'un syndicat des joueurs. Jusqu'à maintenant, le capitaine a été épargné parce qu'il était indispensable à la défensive du club. Six fois récipiendaire du trophée Norris en sept ans, Harvey est reconnu comme le meilleur arrière-garde du circuit et on le croit indélogeable de Montréal. Surtout que, au début de sa carrière, il avait repoussé une offre des Braves de Boston au baseball professionnel, préférant le hockey et les Canadiens.

● Maurice Richard est intronisé au Temple de la renommée en juin 1961, quelques mois après avoir annoncé sa retraite, en même temps que George Hainsworth et Joe Hall. En décembre de cette année, un nouvel aréna qui porte son nom est inauguré à Montréal.

● Autres grands honneurs pour le Rocket qui est d'abord désigné «athlète de la décennie au hockey» par une influente organisation new-yorkaise et ensuite reconnu comme l'un des plus grands athlètes de l'histoire par le B'Nai B'rith d'Amérique du Nord, avec Jack Dempsey (boxe), Bonny Jones (golf), Ty Cobb (baseball), Harold Grange (football), Jesse Owens (athlétisme) et Don Budge (tennis).

● Le Tricolore renoue avec une ancienne tradition en tenant son camp d'entraînement à l'extérieur du Québec. Au début des années 1920 (1922-23 à 1924-25), le club s'était entraîné trois ans de suite à Grimsby, en Ontario. Cette fois, on opte pour Victoria, en Colombie-Britannique. L'équipe dispute aussi quelques rencontres d'exhibition dans l'Ouest avant le début de la saison.

● Les joueurs des Canadiens monopolisent encore la moitié des trophées individuels de la Ligue. En plus des trophées Hart et Vézina pour Plante, Robert Rousseau est choisi recrue de l'année. Quant à Jean-Guy Talbot, premier chez les défenseurs avec 47 points (5-42), il termine derrière Harvey au scrutin du trophée James-Norris. Il est aussi choisi dans la première équipe d'étoiles avec Plante.

● Fort d'un cinquième championnat de suite en saison, le Tricolore entreprend les séries avec deux gains contre Chicago, mais perd les quatre matchs suivants. Durant la saison, l'équipe de Blake a inscrit une série de 12 parties sans défaites, en janvier.

**1961-1962**

Pourtant, Selke cède les droits de son valeureux défenseur aux Rangers de New York pour 1 $ et des considérations futures lors du repêchage intra-ligue. D'aucuns diront que Selke a vu venir la fin pour son défenseur. Il n'en est rien puisque celui-ci, devenu joueur-entraîneur chez les Rangers, remportera un septième trophée Norris. Par contre, il est certain que le rusé gérant du Tricolore cherchait depuis longtemps à ajouter de la robustesse en défensive pour protéger les petits joueurs de l'équipe, même si Jean-Guy Talbot, avec le club depuis six ans, s'était montré plus agressif la saison précédente. Sur ce plan, le robuste Lou Fontinato, obtenu «en considération» dans la transaction qui a envoyé Harvey à New York, va se rendre fort utile aux Canadiens. De plus, il est de sept ans son cadet. Il domine la Ligue avec 167 minutes de punitions à sa première saison à Montréal.

Harvey ne se remettra jamais de la décision de son ancien patron. Après New York, il ira dans la ligue Américaine, notamment avec les As de Québec, avant de revenir brièvement à Detroit, puis chez les Blues de St. Louis au moment de la grande expansion de 1967. Il quittera le jeu avec amertume à la fin des années 1960 et connaîtra une retraite difficile, marquée par des problèmes d'alcool.

Doug Harvey, le meilleur défenseur de l'histoire des Canadiens et l'un des plus grands de la Ligue nationale, est décédé le lendemain de Noël en 1989.

*Le nom de Doug Harvey demeurera associé aux plus grands défenseurs de l'histoire de la Ligue.*

| JOUEURS | |
|---|---|
| 1 | Jacques Plante |
| 3 | Jean-Claude Tremblay |
| 4 | Jean Béliveau (C) |
| 5 | Bernard Geoffrion |
| 6 | Ralph Backstrom |
| 8 | Bill Hicke |
| 10 | Tom Johnson |
| 11 | Jean Gauthier |
| 12 | Dickie Moore |
| 14 | Claude Provost |
| 15 | Robert Rousseau |
| 16 | Henri Richard |
| 17 | Jean-Guy Talbot |
| 18 | Marcel Bonin |
| 19 | Lou Fontinato |
| 20 | Phil Goyette |
| 21 | Gilles Tremblay |
| 22 | Don Marshall |
| 23 | Al MacNeil |
| 24 | Gordon Berenson |
| | Charles Hamilton |
| 25 | Billy Carter |
| 26 | Keith McCreary |
| **ENTRAÎNEUR** | |
| | Toe Blake |

● Bernard Geoffrion, qui possède quelques clauses de prime au rendement dans son contrat, serait le joueur le mieux payé du club.

● Les journaux rapportent que Frank Selke aurait réussi à sauver le défenseur Terry Harper du repêchage en le faisant jouer un certain temps à l'aile droite avec le club de Hull-Ottawa.

*Robert Rousseau reçoit le trophée Calder à titre de recrue de l'année.*

● Tom Johnson est maintenant le vétéran de l'équipe avec plus de 800 parties jouées, à la fin de la saison. Geoffrion suit avec 600, tandis que Moore, Béliveau, Marshall et Plante en comptent plus de 500. Quant à Henri Richard, Jean-Guy Talbot et Claude Provost, ils disputent leur 400e partie dans l'uniforme des Canadiens au cours de l'année. D'autre part, Henri Richard obtient son 400e point en janvier et Geoffrion, son 325e but en mars.

| TROPHÉES |
|---|
| COUPE STANLEY |
| Maple Leafs de Toronto |
| TROPHÉE PRINCE-DE-GALLES |
| Canadiens de Montréal |
| TROPHÉE HART |
| Jacques Plante |
| Canadiens de Montréal |
| TROPHÉE ART-ROSS |
| Bobby Hull |
| Black Hawks de Chicago |
| TROPHÉE LADY-BYNG |
| Dave Keon |
| Maple Leafs de Toronto |
| TROPHÉE CALDER |
| Robert Rousseau |
| Canadiens de Montréal |
| TROPHÉE GEORGES-VÉZINA |
| Jacques Plante |
| Canadiens de Montréal |
| TROPHÉE JAMES-NORRIS |
| Doug Harvey |
| Rangers de New York |

## LE RETOUR DE JACQUES PLANTE

1961-1962

Jacques Plante accepte une diminution de salaire de 1 000 $ mais obtient de Selke, toujours aussi dur en affaires, une promesse de prime en cas de saison extraordinaire.

Le début de campagne est difficile et le gardien masqué doit tenir à bout de bras l'équipe décimée par les blessures sérieuses de Béliveau, Moore, Geoffrion et Johnson. Mais il réussit tant et si bien que l'équipe remporte un cinquième championnat consécutif de saison. Sans compter qu'il récupère le trophée Vézina, perdu aux mains de Johnny Bower l'année précédente. Il s'agit pour Plante d'une sixième sélection en sept ans à titre de meilleur gardien du circuit. Mieux encore, il devient le quatrième gardien — le dernier jusqu'à Dominik Hasek en 1997 — à recevoir le trophée du joueur le plus utile.

Plante donne 42 victoires aux Canadiens en saison régulière. C'est la 3e fois qu'il obtient 40 victoires et plus en une année.

Et Plante a reçu la prime promise par Selke.

● Le gardien Don Simmons, qui avait mené les Bruins à la finale en 1957 et 1958 contre les Canadiens, est échangé aux Maple Leafs en cours de saison. Il remplace Johnny Bower, blessé lors du quatrième match de la finale, et conduit les Torontois à la coupe en gagnant les deux dernières rencontres. Ce sera sa dernière participation aux séries.

● Bobby Hull, qui porte encore le numéro 7, marque son 50e but de la saison et s'assure le titre des marqueurs au dernier match de l'année, contre Lorne Worsley, le gardien des Rangers, qui alignent Andy Bathgate, son grand rival dans la course au championnat des marqueurs.

● Gordie Howe devient, en novembre, le premier joueur de la Ligue à avoir disputé 1 000 parties en saisons régulières. En mars, il rejoint le Rocket dans le cercle restreint des compteurs de 500 buts. Howe, qui jouera 26 saisons dans la LNH, détient toujours le premier rang avec 1 767 matchs.

● Glenn Hall, le gardien le plus résistant de l'histoire de la LNH, est honoré par la direction des Black Hawks en janvier, après avoir participé à 500 matchs consécutifs, incluant les séries. Et ce, même si la nervosité le fait vomir avant chaque partie.

● Stafford Smythe, Harold Ballard et John Bassett achètent le Garden de Toronto en début de saison et entreprennent un long règne dans l'entourage des Maple Leafs. Pendant ce temps, le coloré Phil Watson reprend du service comme entraîneur des Bruins à la place de Milt Schmidt, qui reviendra au poste l'année suivante.

● La Ligue inaugure sur le terrain de l'Exposition de Toronto un édifice destiné à accueillir les souvenirs de ses élus au Temple de la renommée, lequel compte maintenant 89 membres.

● Ed Litzenberger et Al Albour, deux coéquipiers chez les Black Hawks, champions de la coupe Stanley en 1961, sont de nouveau réunis chez les Leafs de Toronto, champions de 1962.

## 1961-1962

### GEOFFRION MÉCONTENT

Le choix de Jean Béliveau pour remplacer Doug Harvey au poste de capitaine rend Geoffrion tellement mécontent qu'il ne peut cacher sa déception. Boom-Boom croyait bien que son rôle dans l'équipe et surtout son ancienneté lui vaudraient le poste, mais Béliveau est préféré au deuxième tour.

Ce dernier propose à Selke de céder le poste de capitaine à son coéquipier, mais le gérant refuse. Tout comme il refusera l'offre du gérant des Bruins, Milt Schmidt, qui désire acquérir les services de Geoffrion au moyen d'un échange, pour en faire son capitaine.

*En raison du mécontentement de Geoffrion, Béliveau lui offre de lui céder son titre de capitaine.*

| | PJ | G | P | N | BP | BC | PTS |
|---|---|---|---|---|---|---|---|
| Montréal (Canadiens) | 70 | 42 | 14 | 14 | 259 | 166 | 98 |
| Toronto (Maple Leafs) | 70 | 37 | 22 | 11 | 232 | 180 | 85 |
| Chicago (Black Hawks) | 70 | 31 | 26 | 13 | 217 | 186 | 75 |
| New York (Rangers) | 70 | 26 | 32 | 12 | 195 | 207 | 64 |
| Detroit (Red Wings) | 70 | 23 | 33 | 14 | 184 | 219 | 60 |
| Boston (Bruins) | 70 | 15 | 47 | 8 | 177 | 306 | 38 |

| MEILLEURS MARQUEURS | | | | | |
|---|---|---|---|---|---|
| | | PJ | B | A | PTS | PUN |
| Bobby Hull | Chicago | 70 | 50 | 34 | 84 | 35 |
| Andy Bathgate | New York | 70 | 28 | 56 | 84 | 44 |
| Gordie Howe | Detroit | 70 | 33 | 44 | 77 | 54 |
| Stan Mikita | Chicago | 70 | 25 | 52 | 77 | 97 |
| Frank Mahovlich | Toronto | 70 | 33 | 38 | 71 | 87 |
| Alex Delvecchio | Detroit | 70 | 26 | 43 | 69 | 18 |
| Ralph Backstrom | Canadiens | 66 | 27 | 38 | 65 | 29 |
| Norm Ullman | Detroit | 70 | 26 | 38 | 64 | 54 |
| Bill Hay | Chicago | 60 | 11 | 52 | 63 | 34 |
| Claude Provost | Canadiens | 70 | 33 | 29 | 62 | 22 |

*Quelque temps après sa retraite, Maurice Richard a tenu une taverne portant son nom.*

# 1962 CH 1963

CINQ POINTS SÉPARENT LES QUATRE PREMIERS CLUBS AU CLASSEMENT FINAL. TORONTO DEVANCE CHICAGO PAR UN SEUL POINT AU SOMMET ET REMPORTE ENSUITE UNE DEUXIÈME COUPE STANLEY D'AFFILÉE, BATTANT À TOUR DE RÔLE LES CANADIENS, TROISIÈMES AU CLASSEMENT, ET LES RED WINGS EN CINQ PARTIES. BOSTON, LOIN DERRIÈRE LES AUTRES, MANQUE LES SÉRIES UNE QUATRIÈME FOIS DE SUITE. GORDIE HOWE REVIENT EN FORCE AVEC LE TITRE DES MARQUEURS ET BATHGATE EST ENCORE DEUXIÈME. HENRI RICHARD EST LE MEILLEUR DU TRICOLORE, EN CINQUIÈME PLACE. HOWE REÇOIT AUSSI LE TROPHÉE HART. DAVE KEON GARDE LE TITRE DU PLUS GENTILHOMME, CELUI DE LA RECRUE VA À SON COÉQUIPIER KENT DOUGLAS. ON ASSISTE À UNE RELÈVE DE LA GARDE EN DÉFENSIVE AVEC LE TROPHÉE DE MEILLEUR GARDIEN À GLENN HALL ET CELUI DE PREMIER DÉFENSEUR À PIERRE PILOTE.

**Une bien triste fin de carrière pour l'homme fort du Tricolore.**

## Fin tragique d'une carrière

**L**ou Fontinato, le dur à cuire obtenu des Rangers de New York l'année précédente en retour des services de Doug Harvey, a la responsabilité de faire respecter les joueurs des Canadiens, qui manquent un peu de robustesse depuis le départ du Rocket, selon les dires des journalistes.

Fontinato ne met pas de temps à imposer sa loi à Montréal, comme il le faisait à New York. À sa première saison dans l'uniforme tricolore en 1961-62, une fois de plus il domine la Ligue avec 167 minutes de punitions.

● Les Canadiens établissent une nouvelle marque de matchs nuls dans la ligue avec 23, un record qui sera battu lors d'un match par les Flyers de Philadelphie, dans une saison de 76 parties, en 1969-70.

● Geoffrion est en furie et exprime sa frustration aux médias lorsque Maurice Richard dresse sa liste des meilleurs ailiers droits de l'histoire, publiée dans le *Hockey Illustrated,* en novembre. Richard place Gordie Howe au premier rang, suivi d'Andy Bathgate et de Geoffrion en troisième place. Le Rocket mentionne de plus que le joueur des Canadiens « devrait travailler plus fort et qu'il a besoin de désir ». Cette dernière phrase fait bondir Boom-Boom qui se promet de lui faire connaître sa façon de penser à la première occasion. La sortie de Geoffrion fait la manchette du *Petit Journal,* sous la plume de Jean Aucoin.

● Le bouillant Geoffrion est de nouveau sur la sellette en mars, lorsque le président Campbell le suspend pour cinq parties pour avoir lancé son bâton et ses gants en direction de l'arbitre Vern Buffey, qui venait de sévir à son endroit.

● Ken Reardon, vice-président des Canadiens, venge l'honneur du Rocket en réclamant l'attaquant Art Jones des Buckaroos de Portland, un joueur qui n'apparaît absolument pas dans les plans du Tricolore mais qui représente la grosse attraction du club de l'Ouest. Hal Laycoe, le gérant de Portland et celui-là même qui fut à la source de la sévère suspension de Richard en 1955, est aux abois et clame que le club perdra 100 000 $ aux guichets sans Jones. Et Reardon de répliquer : «Nous avons agi de la sorte pour venger l'honneur du Rocket. » Jones ne disputera aucun match dans la LNH.

● Gordon Red Berenson, l'un des rares joueurs de la LNH à avoir fréquenté une université américaine, s'amène à Montréal avec un casque protecteur, ce qui ne plaît pas beaucoup à Selke.

**1962-1963**

● Les crises d'asthme de Plante l'obligent à s'absenter une quinzaine de parties et c'est Cesare Maniago, du club de Hull-Ottawa qui assure la relève.

● Dickie Moore en est à sa dernière campagne avec les Canadiens. Il connaît encore de bons moments, comme cette soirée de cinq points contre Boston en mars.

● Marcel Bonin est aussi obligé de prendre sa retraite par suite d'une importante intervention chirurgicale au dos au cours de l'été. Il est fêté par les joueurs et les supporters de l'équipe à la fin d'octobre. Bonin devient ensuite policier à Joliette.

● Claude Provost, meilleur compteur de l'équipe l'année précédente avec 33 buts, continue de se signaler. Il obtient le 300e point de sa carrière en janvier, peu avant de disputer son 500e match avec le club.

● Une poursuite judiciaire de l'arbitre Eddie Powers contre Toe Blake, qui avait critiqué son travail dans le *Montréal-Matin,* se règle finalement hors cour, avec les excuses du pilote et du journal à l'endroit de l'officiel. Mais Powers quitte l'arbitrage, comme l'avait fait Red Storey, en invoquant

le manque de soutien du président Campbell.

● Les Canadiens sont humiliés par les Maple Leafs qui les balaient en seulement cinq rencontres en demi-finale. Johnny Bower les limite à six maigres filets et signe deux jeux blancs, tandis que Dave Keon, l'un des plus brillants joueurs de l'histoire des Leafs, sonne la charge à l'offensive.

● Jack Laviolette est enfin intronisé au Temple de la renommée, en compagnie de Didier Pitre, John Ambrose O'Brien et 33 autres joueurs et bâtisseurs.

| JOUEURS | |
|---|---|
| 1 | Jacques Plante |
| | Cesare Maniago |
| | Ernie Wakely |
| 3 | Jean-Claude Tremblay |
| 4 | Jean Béliveau (C) |
| 5 | Bernard Geoffrion |
| 6 | Ralph Backstrom |
| 8 | Bill Hicke |
| 10 | Tom Johnson |
| 11 | Jean Gauthier |
| 12 | Dickie Moore |
| 14 | Claude Provost |
| 15 | Robert Rousseau |
| 16 | Henri Richard |
| 17 | Jean-Guy Talbot |
| 18 | Gordon Berenson |
| 19 | Lou Fontinato |
| 20 | Phil Goyette |
| 21 | Gilles Tremblay |
| 22 | Don Marshall |
| 23 | Bill McCreary |
| | Claude Larose |
| 24 | Gordon Berenson |
| | Bill Sutherland |
| 25 | Terry Harper |
| | Claude Larose |
| 26 | Gérald Brisson |
| | Jacques Laperrière |
| ENTRAÎNEUR | |
| | Toe Blake |

*Henri Richard, un habile patineur, domine les marqueurs des Canadiens.*

Mais le 9 mars, au Forum, dans l'un des derniers matchs de la saison justement contre les Rangers, sa vie bascule complètement et sa carrière de hockeyeur prend fin abruptement. Dans le feu de l'action, il tente d'éviter une mise en échec de Vic Hadfield, perd l'équilibre et se retrouve tête première dans la bande. Les joueurs et les secouristes se précipitent et ont vite fait de constater les dommages. Fontinato a le cou fracturé et est paralysé de tous les membres.

Une intervention chirurgicale de sept heures lui sauve la vie, mais c'en est fait de la carrière de la terreur de la Ligue nationale. Il demeurera hospitalisé quelques mois avant de poursuivre sa convalescence sur sa ferme de Guelph, en Ontario.

Mais la vie continue. Cette même année, Howie Young, le défenseur au sourire désarmant des Red Wings de Detroit, établit un nouveau record de 273 minutes de punitions, reléguant aux oubliettes celui de 202 minutes de Fontinato.

## UNE OFFENSIVE REDOUTABLE

Le Tricolore ne constitue plus la première force de la Nationale. Toronto et Chicago, avec les Mahovlich, Hull et Mikita, retiennent davantage l'attention, quand ce n'est pas le vieillissant mais toujours efficace Gordie Howe à Detroit. N'empêche que pour une dixième année de suite, le Tricolore présente la meilleure offensive du circuit avec 225 buts. Six joueurs en inscrivent 20 ou plus, le plateau de l'excellence à l'époque. Gilles Tremblay obtient le plus haut total (25). C'est cependant Henri Richard qui domine les pointeurs du club avec 73 points (23-50), six de mieux que Béliveau (18-49).

La lutte au championnat, serrée tout au long de la saison, favorise l'explosion des bons compteurs même si personne n'atteint le chiffre de 40 au cours de l'année. Toronto, nouvelle puissance du hockey, met un terme aux cinq championnats des Canadiens en l'emportant par un seul point sur Chicago. Montréal suit deux points derrière les Hawks et Detroit ferme la marche des quatre puissants à 77 points, 5 de moins que les Leafs qui n'ont pas remporté de championnat depuis 15 ans.

● Red Kelly se fait élire député au parlement d'Ottawa durant l'intersaison, mais continue de jouer avec les Maple Leafs. Kelly gagne son élection aux dépens du futur directeur de l'Association des joueurs, Alan Eagleson.

● La séquence de matchs consécutifs disputés par un gardien s'arrête à 502 lorsque Glenn Hall doit céder sa place à Denis DeJordy peu avant le début du match du 10 novembre contre les Canadiens, en raison d'une

blessure au dos. Hall a aussi gardé le filet des Hawks pendant 49 autres parties éliminatoires consécutives sans jamais porter de masque. Il reçoit son premier trophée Vézina au terme de la saison.

● Jack Adams quitte l'organisation des Red Wings qu'il avait mise sur pied 35 ans plus tôt, pour devenir président de la nouvelle Ligue centrale de hockey.

● Gordie Howe s'inscrit dans l'histoire comme l'un des plus grands athlètes avec

un sixième trophée Art-Ross à titre de meilleur marqueur, suivi d'un sixième trophée Hart pour le joueur le plus utile.

● Doug Harvey abandonne la fonction d'entraîneur des Rangers pour se concentrer sur son rôle de joueur. L'année précédente, il n'en avait pas moins conduit l'équipe aux séries pour la première fois en quatre ans. De son côté, Phil Watson n'obtient pas beaucoup de succès à Boston, avec une seule victoire à ses 14 premières parties.

Milt Schmidt récupère alors son ancien poste.

● Kent Douglas, nouveau défenseur des Leafs, est le premier joueur à cette position à obtenir le trophée Calder dans l'histoire de la LNH.

● James Norris, propriétaire des Black Hawks, offre un million aux Maple Leafs pour les services de Frank Mahovlich. L'offre est tentante, mais Stafford Smythe s'y oppose à la dernière minute.

## 1962-1963 · L'ŒIL AVISÉ DE PLANTE

Jacques Plante est non seulement un innovateur — l'invention du masque, les sorties autour du filet et autres —, il a l'œil pour analyser toutes les facettes du jeu. Fin janvier, lors d'un match à Chicago, quelques semaines après avoir signé sa 300e victoire dans l'uniforme des Canadiens, il surprend tout le monde en demandant de faire mesurer le filet. Du même souffle, il affirme que les buts sont également moins hauts à New York et à Boston que dans les autres villes. Il a constaté cette anomalie à sa façon de se placer devant le but.

Vérifications faites, on est forcé de lui donner raison. Dans les arénas mentionnés, la barre transversale du filet est soudée devant les barres verticales plutôt que par-dessus. Plante est d'avis que cette différence favorise nettement les gardiens locaux sur une longue période.

Cette année-là, c'est Glenn Hall, gardien des Black Hawks, qui ravit le trophée Vézina à Plante.

*Jacques Plante connaît tous les trucs du métier et s'en sert à son avantage lorsque nécessaire.*

| TROPHÉES |
|---|
| **COUPE STANLEY** |
| Maple Leafs de Toronto |
| **TROPHÉE PRINCE-DE-GALLES** |
| Maple Leafs de Toronto |
| **TROPHÉE HART** |
| Gordie Howe |
| Red Wings de Detroit |
| **TROPHÉE ART-ROSS** |
| Gordie Howe |
| Red Wings de Detroit |
| **TROPHÉE LADY-BYNG** |
| Dave Keon |
| Maple Leafs de Toronto |
| **TROPHÉE CALDER** |
| Kent Douglas |
| Maple Leafs de Toronto |
| **TROPHÉE GEORGES-VÉZINA** |
| Glenn Hall |
| Black Hawks de Chicago |
| **TROPHÉE JAMES-NORRIS** |
| Pierre Pilote |
| Black Hawks de Chicago |

| | PJ | G | P | N | BP | BC | PTS |
|---|---|---|---|---|---|---|---|
| Toronto (Maple Leafs) | 70 | 35 | 23 | 12 | 221 | 180 | 82 |
| Chicago (Black Hawks) | 70 | 32 | 21 | 17 | 194 | 178 | 81 |
| Montréal (Canadiens) | 70 | 28 | 19 | 23 | 225 | 183 | 79 |
| Detroit (Red Wings) | 70 | 32 | 25 | 13 | 200 | 194 | 77 |
| New York (Rangers) | 70 | 22 | 36 | 12 | 211 | 233 | 56 |
| Boston (Bruins) | 70 | 14 | 39 | 17 | 198 | 281 | 45 |

| MEILLEURS MARQUEURS | | PJ | B | A | PTS | PUN |
|---|---|---|---|---|---|---|
| Gordie Howe | Detroit | 70 | 38 | 48 | 86 | 100 |
| Andy Bathgate | New York | 70 | 35 | 46 | 81 | 54 |
| Stan Mikita | Chicago | 65 | 31 | 45 | 76 | 69 |
| Frank Mahovlich | Toronto | 67 | 36 | 37 | 73 | 56 |
| Henri Richard | Canadiens | 67 | 23 | 50 | 73 | 57 |
| Jean Béliveau | Canadiens | 69 | 18 | 49 | 67 | 68 |
| John Bucyk | Boston | 69 | 27 | 39 | 66 | 36 |
| Alex Delvecchio | Detroit | 70 | 20 | 44 | 64 | 8 |
| Bobby Hull | Chicago | 65 | 31 | 31 | 62 | 27 |
| Murray Oliver | Boston | 65 | 22 | 40 | 62 | 38 |

# 1963 ⓒ 1964

CHICAGO ET MONTRÉAL SE LIVRENT UNE BATAILLE DE TOUS LES INSTANTS EN DEUXIÈME MOITIÉ DE SAISON, MAIS LE TRICOLORE SE COMPLIQUE LA TÂCHE EN PERDANT QUATRE PARTIES D'AFFILÉE AU DÉBUT DE MARS. LE CLUB PARVIENT FINALEMENT À DEVANCER LES HAWKS À L'AVANT-DERNIÈRE RENCONTRE ET L'EMPORTE PAR UN POINT. LA LUTTE EN SÉRIES EST TOUT AUSSI ÂPRE, CHAQUE SÉRIE SE RENDANT À LA LIMITE. TORONTO DISPOSE D'ABORD DU TRICOLORE ET DETROIT, DES HAWKS. EN FINALE, LES LEAFS S'ADJUGENT UNE TROISIÈME COUPE DE SUITE EN RAISON D'UNE VICTOIRE EN PROLONGATION GRÂCE À UN BUT DE BOBBY BAUN AU SIXIÈME MATCH ET D'UNE VICTOIRE FACILE AU SEPTIÈME. CHICAGO ET MONTRÉAL SE PARTAGENT LES TROPHÉES INDIVIDUELS, STAN MIKITA EST PREMIER MARQUEUR, PIERRE PILOTE, MEILLEUR DÉFENSEUR ET KEN WHARRAM GAGNE LE LADY-BYNG. CHEZ LES CANADIENS, BÉLIVEAU OBTIENT LE HART, CHARLIE HODGE, LE VÉZINA ET JACQUES LAPERRIÈRE, LE CALDER.

*Frank Selke en a assez du caractère très particulier de son premier gardien et il l'expédie à New York.*

## Plante suit Harvey à New York

Les partisans des Canadiens sont secoués en apprenant la nouvelle à la radio ou en lisant leur journal : « Jacques Plante est échangé aux Rangers ». Comment pouvait-on se départir du meilleur gardien de la Ligue, six fois gagnant du trophée Vézina et qui avait largement contribué à la conquête de six coupes Stanley, dont cinq consécutives, à la fin des années 1950 ?

● Les Molson, qui occupent beaucoup de place dans la gestion du club, orientent lentement Frank Selke vers la retraite, craignant de perdre Sam Pollock, le dauphin du gérant de 70 ans, aux mains d'une autre organisation. Finalement, on convient de fixer son départ à l'année suivante.

● Jean Béliveau est sélectionné comme joueur le plus utile à son équipe pour la deuxième fois de sa carrière. Troisième marqueur de la Ligue, il mène le club à plusieurs victoires importantes. Il inscrit la 400e passe de sa carrière en octobre et devient le premier marqueur chez les joueurs de centre en décembre.

● Yvan Cournoyer obtient un essai de cinq matchs en cours de saison et marque quatre buts. Il devra attendre quelques saisons pour obtenir un poste régulier dans l'équipe.

● Robert Rousseau compte 5 buts, dont 3 par des tirs frappés de 40 pieds, contre Roger Crozier, gardien des Red Wings, lors du match du 1er février.

● Ralph Backstrom, recrue de l'année il y a à peine cinq ans, est déjà parvenu à son 400e match avec le club.

● Charlie Hodge, gardien substitut depuis cinq ans, a enfin la chance de montrer son talent avec le départ de Plante pour New York. Il dispute 62 parties, conserve une moyenne de 2,26 et reçoit le trophée Vézina dès sa première année comme gardien régulier. Il est aussi élu dans la deuxième équipe d'étoiles.

● Deux bâtisseurs de l'équipe, Léo Dandurand et Tommy Gorman, sont intronisés au Temple de la renommée avant le début de la saison.

● Onésime et Alice Richard, les parents de Maurice et d'Henri, assistent encore régulièrement aux rencontres de l'équipe au Forum, et ce, depuis maintenant 22 ans.

● Gary Monahan est le premier choix du tout premier

**1963-1964**

| JOUEURS | |
|---|---|
| 1 | Charlie Hodge |
|  | Lorne Worsley |
| 2 | Jacques Laperrière |
| 3 | Jean-Claude Tremblay |
| 4 | Jean Béliveau (C) |
| 5 | Bernard Geoffrion |
| 6 | Ralph Backstrom |
| 8 | Bill Hicke |
| 10 | Marc Réaume |
| 11 | Jean Gauthier |
|  | Wayne Hicks |
|  | Ted Harris |
| 14 | Claude Provost |
| 15 | Robert Rousseau |
| 16 | Henri Richard |
| 17 | Jean-Guy Talbot |
| 18 | John Hanna |

*Lorne Worsley enfile les jambières de Plante, mais il est blessé en début de saison et ne disputera pas sa première saison à Montréal. Il fera même un long séjour dans la Ligue américaine, avec les As de Québec.*

repêchage amateur de la Ligue. Monahan est sélectionné par les Canadiens et Peter Mahovlich, aussi du St. Michael de Toronto, est choisi deuxième par Detroit. Seulement 21 joueurs sont réclamés à cette séance tenue à l'hôtel Reine-Elizabeth, début juin.
● Le journaliste et doyen des annonceurs de langue française, Michel Normandin, décède subitement en novembre. Celui qui a fait la description des matchs des Canadiens pendant une douzaine d'années et aussi celle d'une multitude d'autres événements sportifs avait à peine cinquante ans. Michel Normandin avait également été l'adjoint de l'entraîneur Toe Blake pendant quelque temps, directeur exécutif des Alouettes au football et même conseiller municipal.

**Michel Normandin**

| JOUEURS | |
|---|---|
| 18 | Bryan Watson |
| 19 | Terry Harper |
| 20 | Dave Balon |
| 21 | Gilles Tremblay |
| 22 | John Ferguson |
| 23 | Claude Larose |
| | André Boudrias |
| | Yvan Cournoyer |
| 24 | Gordon Berenson |
| 25 | Yvan Cournoyer |
| | André Boudrias |
| 26 | Léon Rochefort |
| | Terry Gray |
| | Jim Roberts |
| 30 | Jean-Guy Morissette |
| **ENTRAÎNEUR** | |
| | Toe Blake |

**1963-1964**

Une rumeur avait fait état d'une transaction de Frank Selke avec son homologue Muzz Patrick, des Rangers. Les noms mentionnés étaient ceux de Jacques Plante et Bernard Geoffrion, en retour de Lorne Worsley, Don McKenney, Camille Henry et Dave Balon. Finalement, la bombe éclate, impliquant sept joueurs. Le Tricolore se défait de Plante, Phil Goyette et Don Marshall, et reçoit en retour les services du gardien Worsley et de Léon Rochefort, Len Ronson et Dave Balon.

Selke qui n'appréciait pas le comportement de son gardien et qui ne se cachait pas pour le lui laisser savoir, a décidé de porter un grand coup à l'encontre des joueurs qui lui semblent repus de tant de conquêtes. Le fait que Plante et Marshall soient les porte-couleurs du Tricolore auprès de l'Association des joueurs a possiblement pesé dans la balance, mais, chose certaine, le caractère un peu particulier du cerbère ne le rendait pas particulièrement sympathique aux yeux du gérant et de l'entraîneur Blake. Pas plus que son côté individualiste.

À son arrivée à New York, Plante est accueilli en héros par la foule et en sauveur par l'entraîneur Red Sullivan. Celui-ci rêve d'un meilleur sort pour son équipe qui croupit dans la médiocrité depuis tant d'années. On verse un salaire de 24 000 $ à celui qu'on considère comme le meilleur gardien de l'histoire. Plante devient le mieux rémunéré de sa confrérie.

Le principal intéressé se permet quelques flèches empoisonnées à l'endroit de son ancienne organisation et s'engage à mener les Rangers aux séries. Malheureusement pour lui, les Rangers en seront de nouveau exclus et par une large marge. Lui-même inscrit la pire moyenne de sa carrière (3,38).

Les Canadiens tirent avantage de la situation même si Worsley, blessé en début de saison, est remplacé par Charlie Hodge durant la presque totalité de celle-ci. Hodge fait des merveilles, remporte le trophée Vézina et les Canadiens gagnent le championnat au dernier match de la saison, avant d'être éliminés par Toronto en demi-finale.

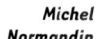

*Maurice Richard est le porte-parole d'un petit guide de conseils pratiques reliés au hockey publié au cours de l'année. Les joueurs de l'édition 1963-64 sont mis à contribution pour sa réalisation.*

● Après Boston, Detroit et Montréal, c'est maintenant au tour des Maple Leafs d'apparaître comme la nouvelle dynastie du hockey avec une troisième coupe Stanley d'affilée, même si l'équipe a dû se contenter du troisième rang. L'équipe torontoise revient de l'arrière quatre fois contre les Canadiens et l'emporte en sept parties, gagnant le dernier match 3 à 1 grâce à trois buts de Dave Keon. La finale contre Detroit est également serrée, l'issue de cinq des six premiers matchs étant déterminée par un seul but. À la dernière rencontre, les Leafs, qui comptent une dizaine de futurs membres du Temple de la renommée dans leurs rangs, inscrivent trois buts en troisième et l'emportent aisément 4 à 0.

● Au cinquième match de cette série Toronto/Detroit, le défenseur Bobby Baun est sorti de la patinoire sur une civière. Il revient au match suivant, malgré ce qui s'est avéré être une fracture à une cheville, pour marquer le but vainqueur en prolongation, lequel permettait aux Leafs d'égaler la série.

● Stan Mikita et Bobby Hull sont seuls en lutte pour le titre des marqueurs. Mikita l'emporte 89 à 87. Hull avec 43, ainsi que Mikita et Ken Wharram avec 39, dominent aisément les francs-tireurs. Camille Henry est le plus proche des trois Black Hawks avec 29 buts.

● Le 10 novembre contre les Canadiens, Gordie Howe éclipse le Rocket avec son 545e but et Terry Sawchuk rejoint George Hainsworth avec le 94e blanchissage de sa carrière. La même année, Howe déloge encore Richard avec 127 points en séries.

● Le gérant des Rangers, Muzz Patrick, louangé pour l'acquisition de Jacques Plante au cours de l'été précédent, est cette fois décrié sur la place publique lorsqu'il échange aux Leafs

**1963-1964**

*Charlie Hodge prend la relève de Jacques Plante de façon magistrale.*

### UN JOUEUR REDOUTABLE CHEZ LES CANADIENS

L'échange de Plante, la retraite de Dickie Moore et le départ de Tom Johnson pour Boston laissent les Canadiens plutôt dégarnis au moment d'entreprendre une nouvelle saison en octobre. Il y a bien quelques nouveaux, dont Jacques Laperrière et Terry Harper, mais ceux-ci comptent peu ou pas d'expérience dans la LNH.

À Cleveland, dans la Ligue américaine, un ailier gauche de 25 ans est l'objet de convoitise de plusieurs équipes après une saison de 38 buts et 40 passes. Mauvais patineur, mais fort comme un bœuf et déterminé comme pas un, il n'a peur de personne et peut secouer ses coéquipiers par son comportement dans le vestiaire. Les Canadiens remportent les enchères sur Toronto, New York et Boston et font signer un contrat à John Ferguson en juillet.

Ferguson devient rapidement le joueur le plus redouté de son époque. Ses talents pugilistiques sont reconnus et respectés, mais il est aussi un joueur déterminé qui stimule ses coéquipiers par son travail dans les coins de la patinoire et qui impose le respect par l'exemple. Il ne deviendra jamais un compteur prolifique, même s'il obtient deux buts et une passe dès son premier match, mais son esprit d'équipe compensera largement tout au long des huit saisons qu'il passera à Montréal.

Pourtant, Ferguson ne gagne pas le trophée Calder. L'honneur revient plutôt à son coéquipier Jacques Laperrière, un défenseur de vingt-deux ans, grand mais peu costaud, qui a passé une bonne partie de la saison précédente avec les Canadiens de Hull-Ottawa dans la Ligue professionnelle de l'Est. Laperrière est un excellent fabricant de jeu, capable de se déplacer aisément avec la rondelle.

### LE SAVIEZ-VOUS...

Le Maple Leaf Garden innove en installant des portillons séparés pour le banc des punitions, à la suite d'une altercation entre Bob Pulford et Terry Harper plus tôt durant la saison.

| | PJ | G | P | N | BP | BC | PTS |
|---|---|---|---|---|---|---|---|
| Montréal (Canadiens) | 70 | 36 | 21 | 13 | 209 | 167 | 85 |
| Chicago (Black Hawks) | 70 | 36 | 22 | 12 | 218 | 169 | 84 |
| Toronto (Maple Leafs) | 70 | 33 | 25 | 12 | 192 | 172 | 78 |
| Detroit (Red Wings) | 70 | 30 | 29 | 11 | 191 | 204 | 71 |
| New York (Rangers) | 70 | 22 | 38 | 10 | 186 | 242 | 54 |
| Boston (Bruins) | 70 | 18 | 40 | 12 | 170 | 212 | 48 |

**MEILLEURS MARQUEURS**

| | | PJ | B | A | PTS | PUN |
|---|---|---|---|---|---|---|
| Stan Mikita | Chicago | 70 | 39 | 50 | 89 | 146 |
| Bobby Hull | Chicago | 70 | 43 | 44 | 87 | 50 |
| Jean Béliveau | Canadiens | 68 | 28 | 50 | 78 | 42 |
| Andy Bathgate | NYR/Tor. | 71 | 19 | 58 | 77 | 34 |
| Gordie Howe | Detroit | 69 | 26 | 47 | 73 | 70 |
| Kenny Wharram | Chicago | 70 | 39 | 32 | 71 | 18 |
| Murray Oliver | Boston | 70 | 24 | 44 | 68 | 41 |
| Phil Goyette | New York | 67 | 24 | 41 | 65 | 15 |
| Rod Gilbert | New York | 70 | 24 | 40 | 64 | 62 |
| Dave Keon | Toronto | 70 | 23 | 37 | 60 | 6 |

Andy Bathgate, la grande vedette du club, en compagnie de Don McKenney, en retour de Dick Duff, Bob Nevin, Bill Collins et Rod Seiling. Patrick quitte les Rangers en fin d'année, pour être remplacé par Émile Francis.

● Doug Harvey ne dispute que 14 parties avec les Rangers avant d'être libéré sans condition. Après une première saison à New York en 1960-61, il s'était trouvé devant une décision difficile à prendre, ne pouvant plus selon son

habitude prendre une bière avec ses coéquipiers. Il avait alors offert sa démission. À son départ de Big Apple, Harvey signe un contrat à titre d'agent libre avec les As de Québec à la fin de novembre, au moment où les Américains pleurent leur président bien-aimé, John F. Kennedy, assassiné quelques jours plus tôt à Dallas.

● Andy Hebenton remplace John Wilson à titre d'homme de fer de la LNH en décembre en participant à un 581e match

consécutif. Réclamé des Rangers par les Bruins au repêchage interne à l'été, Hebenton complète sa dernière saison dans la LNH avec 630 parties.

● Les Black Hawks de Chicago rééditent l'exploit réalisé par les Canadiens en 1944-45 en plaçant cinq joueurs dans la première équipe d'étoiles. Seul Tim Horton a été préféré à Elmer Vasko à la défensive.

● La Ligue nationale, à l'instigation du New-Yorkais Bill Jennings, commence à parler d'expansion. Les autres sports majeurs — baseball, football et basket-ball — ont déjà entrepris la leur.

● Les Soviétiques récupèrent la médaille d'or perdue aux mains des Américains lors des Jeux de 1960. Il s'agit de la première d'une série de quatre pour les Soviétiques.

**1963-1964**

| TROPHÉES | |
| --- | --- |
| **COUPE STANLEY** | |
| Maple Leafs de Toronto | |
| **TROPHÉE PRINCE-DE-GALLES** | |
| Canadiens de Montréal | |
| **TROPHÉE HART** | |
| Jean Béliveau | |
| Canadiens de Montréal | |
| **TROPHÉE ART-ROSS** | |
| Stan Mikita | |
| Black Hawks de Chicago | |
| **TROPHÉE LADY-BYNG** | |
| Ken Wharram | |
| Black Hawks de Chicago | |
| **TROPHÉE CALDER** | |
| Jacques Laperrière | |
| Canadiens de Montréal | |
| **TROPHÉE GEORGES-VÉZINA** | |
| Charlie Hodge | |
| Canadiens de Montréal | |
| **TROPHÉE JAMES-NORRIS** | |
| Pierre Pilote | |
| Black Hawks de Chicago | |

*John Ferguson s'affirme rapidement comme le joueur le plus redouté de la Ligue.*

293

# 1964        1965

TREIZIÈME
COUPE
STANLEY

CETTE FOIS LA LUTTE AU CHAMPIONNAT SE FAIT ENTRE DETROIT ET MONTRÉAL. LES WINGS
L'EMPORTENT FINALEMENT PAR QUATRE POINTS, MAIS LE TRICOLORE RÉCUPÈRE LA COUPE STANLEY
APRÈS UNE INTERRUPTION DE QUATRE ANS. IL RENVERSE TORONTO EN SIX AVANT DE BATTRE
CHICAGO DANS UNE SÉRIE OÙ CHAQUE ÉQUIPE GAGNE SES MATCHS À DOMICILE. JEAN BÉLIVEAU
EST LE PREMIER JOUEUR À INSCRIRE SON NOM SUR LE TROPHÉE DU MEILLEUR JOUEUR DES SÉRIES.
STAN MIKITA EST DE NOUVEAU PREMIER MARQUEUR, DEVANÇANT DEUX JOUEURS DES RED WINGS,
NORM ULLMAN ET GORDIE HOWE. BOBBY HULL GAGNE DEUX TROPHÉES, CEUX DU JOUEUR LE PLUS
UTILE ET DU PLUS GENTILHOMME. LES GARDIENS DES LEAFS, TERRY SAWCHUK ET JOHNNY BOWER,
SE PARTAGENT LE VÉZINA ET UN AUTRE GARDIEN, ROGER CROZIER, DE DETROIT, EST CHOISI RECRUE
DE L'ANNÉE. TROISIÈME TROPHÉE NORRIS D'AFFILÉE POUR PIERRE PILOTE. DETROIT, CHICAGO ET
MONTRÉAL PLACENT CHACUN DEUX JOUEURS DANS LA PREMIÈRE ÉQUIPE D'ÉTOILES; LES ÉLUS DES
CANADIENS SONT JACQUES LAPERRIÈRE ET CLAUDE PROVOST, LE MEILLEUR COMPTEUR DU CLUB.

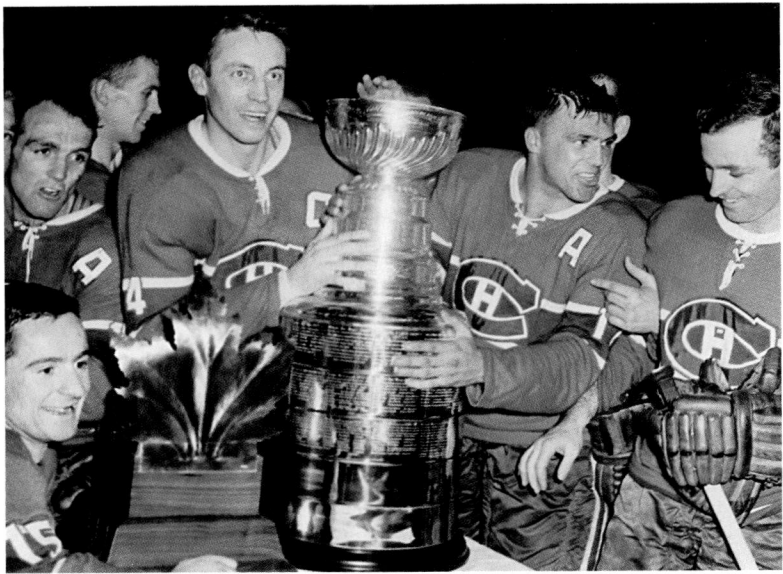

● Jean Béliveau est le premier récipiendaire du nouveau trophée Conn-Smythe, attribué au joueur le plus utile à son club lors des séries. Ce trophée est offert par les Leafs en reconnaissance de leur ancien gérant. Béliveau est l'auteur du but

*Béliveau savoure doublement le triomphe des Canadiens avec une deuxième coupe Stanley à titre de capitaine et le trophée Conn-Smythe, maintenant attribué au meilleur joueur des séries.*

**1964 1965**

# Changement de garde au deuxième étage

L e départ de Frank Selke étant pressenti depuis un bon bout de temps, Sam Pollock est prêt à prendre la relève mais les Molson craignent de le perdre aux mains d'une autre organisation.

Ce n'est pas un simple changement de gérant qui attend les journalistes convoqués à la conférence du Canadien au Reine-Elizabeth à la mi-mai, un mois après l'élimination du Tricolore par Toronto. Ils ont droit au changement de garde au complet. Le sénateur Hartland de Montarville Molson cède la présidence du club et du Canadian Arena à son neveu David Molson. Il limitera désormais son activité à la présidence du conseil d'administration. Le directeur gérant Frank Selke confirme à regret sa démission et est remplacé par Sam Pollock. Son adjoint, Ken Reardon, a aussi été obligé de démissionner une semaine plus tôt en raison d'une mésentente au sujet de ses nouvelles fonctions. Il n'aurait pas apprécié d'être placé sous l'autorité d'un subalterne. Selke est nommé vice-président au conseil d'administration, un poste purement honorifique, tout comme celui d'adjoint au président qui attend Maurice Richard. Son fils Frank Selke Jr est promu au poste de vice-président à la publicité et aux ventes. Howard Hamilton sera le vice-président des finances. Le seul

*Maurice Richard et Jean Béliveau, qui se sont couverts de gloire dans l'uniforme des Canadiens, se félicitent mutuellement. Le premier félicite l'autre pour avoir mérité le trophée Hart et Jean remet la politesse au "Rocket" qui, fier, a été promu au poste d'adjoint au nouveau président des Canadiens, David Molson.*

*(Photos André Hébert)*

**MONTRÉAL-MATIN**

Vol. XXXIV — N° 265          MONTRÉAL, SAMEDI, 16 MAI 1964          36 PAGES

## Le Canadien se réorganise
# MAURICE RICHARD
## adjoint du président

Vous trouverez dans ce numéro un reportage de huit pages sur Damien Gauthier, professionnel et directeur-gérant du club de golf MUNICIPAL. C'est un reportage écrit de MARCEL GAUDETTE.

gagnant lors des trois parties que le Tricolore gagne par blanchissage en finale contre Chicago, en plus d'avoir terminé au premier rang des marqueurs du club. Béliveau est aussi désigné joueur par excellence du match des étoiles.

● Bernard Geoffrion délaisse sa carrière de joueur pour devenir entraîneur des As de Québec, dans l'Américaine.

● Après lui avoir donné un essai de quelques matchs la saison précédente à la faveur d'un échange avec Springfield,

Frank Selke retient les services du défenseur Ted Harris.

● Les joueurs des Canadiens, les dirigeants, les journalistes et une cinquantaine d'autres passagers à bord de l'avion Vanguard d'Air Canada éprouvent une bonne frousse lorsque l'appareil qui les transporte de Chicago à Montréal, avec escale à Toronto, le 1er février, pique soudainement du nez et effectue un plongeon de plusieurs centaines de pieds moins d'une heure après le décollage. Un changement

soudain de direction du vent aurait été la cause de cette perte d'altitude. L'incident n'a pas fait de blessé grave. Arrivés à Toronto, quelques journalistes auraient décidé de poursuivre le trajet en train, mais pas Lorne Worsley, malgré sa peur de l'avion.

● Au cours de l'été précédant la saison 1964-65, les droits du jeune gardien Ken Dryden ont été cédés aux Canadiens par les Bruins. Encore d'âge junior, le jeune homme s'apprête à opter pour l'université américaine Cornell.

● Bill Durnan et Albert Babe Siebert sont intronisés au Temple de la renommée.

● Grosse transaction pour les Canadiens quelques jours avant Noël. Le club obtient les services de Dick Duff en retour de ceux de Bill Hicke.

● Le Tricolore connaît une courte série d'insuccès en février et le gérant Sam Pollock saisit l'occasion pour suggérer délicatement à Gump Worsley de perdre quelques livres. Il le trouve un peu trop dodu à son goût.

| JOUEURS | |
|---|---|
| 1 | Charlie Hodge |
| 2 | Jacques Laperrière |
| 3 | Jean-Claude Tremblay |
| 4 | Jean Béliveau (C) |
| 6 | Ralph Backstrom |
| 8 | Bill Hicke |
| | Dick Duff |
| 10 | Ted Harris |
| 11 | Claude Larose |
| 12 | Yvan Cournoyer |
| 14 | Claude Provost |
| 15 | Robert Rousseau |
| 16 | Henri Richard |
| 17 | Jean-Guy Talbot |
| 18 | Bryan Watson |
| 19 | Terry Harper |
| 20 | Dave Balon |
| 21 | Gilles Tremblay |
| 22 | John Ferguson |
| 23 | Gordon Berenson |
| | Keith McCreary |
| | Garry Peters |
| 24 | Jean-Noël Picard |
| | Garry Peters |
| | André Boudrias |
| | Jean Gauthier |
| 25 | Jean-Noël Picard |
| | Léon Rochefort |
| 26 | Jim Roberts |
| 30 | Lorne Worsley |
| ENTRAÎNEUR | |
| | Toe Blake |

*Maintenant entraîneur des As de Québec, Bernard Geoffrion profite d'un répit pour s'entretenir avec ses anciens coéquipiers, Henri Richard et Claude Provost.*

**Grosse saison pour le Gros Bill qui se distingue particulièrement en séries avec trois buts gagnants contre Chicago en finale.**

épargné est l'entraîneur Toe Blake, même si des rumeurs font état de son remplacement éventuel par Bernard Geoffrion.

« Frank Selke avait presque les larmes aux yeux lorsqu'il a annoncé lui-même sa démission », rapporte le journaliste Jacques Beauchamp, du *Montréal-Matin*. « Je n'avais pas complètement terminé la réorganisation du club... », a déclaré l'homme de 71 ans, en poste depuis 18 ans, qui a dépassé l'âge de la retraite selon les critères de la Brasserie Molson. On lui a fait comprendre depuis un an qu'il devait céder la direction à un plus jeune.

Le dauphin, c'est Sam Pollock qui a fait ses classes comme gérant et entraîneur du Canadien junior dès l'arrivée de Selke en 1946. Il a conduit son équipe à la coupe Memorial en 1949-50. En 1953-54, il est devenu directeur du personnel chez le Canadien, poste qu'il a occupé jusqu'au remplacement de Selke. Il a en outre contribué à la création de la Ligue junior métropolitaine.

Pollock ne mettra pas de temps à s'entourer d'hommes de confiance. Scotty Bowman devient l'entraîneur du Canadien junior, Claude Ruel est nommé directeur des dépisteurs pour l'est du Canada et Del Wilson, pour l'Ouest. Les autres membres de l'équipe Pollock sont Mickey Hennessey, Cliff Fletcher et Roger Nelson.

● Le championnat de la saison régulière, marqué par le retour de Ted Lindsay à Detroit et l'émergence du jeune gardien Roger Crozier, met fin à une longue disette pour le club qui n'avait plus mis la main sur le trophée Prince-de-Galles depuis la saison 1956-57, soit depuis sept ans. Cette puissance de la première moitié des années 1950 n'a pas davantage revu la coupe Stanley depuis 1955 et il lui faudra attendre plus

de 40 ans avant qu'un certain Scotty Bowman ne la conduise à une nouvelle conquête.

● Crozier, appelé à remplacer Terry Sawchuk réclamé par les Maple Leafs à l'encan interne, est désigné recrue de l'année. Il est le dernier gardien à avoir participé à tous les matchs de son équipe. À Toronto, Sawchuk unit ses efforts à ceux de Johnny Bower et les deux gardiens vétérans remportent le trophée Vézina sous le nez de Crozier lors du dernier

match de la campagne, dans un gain de 4-0 contre Detroit.

● Persuadés de pouvoir le convaincre de sortir de sa retraite, les Maple Leafs réclament Dickie Moore au repêchage intra-ligue de juin. Opération réussie puisque Moore se laisse convaincre de disputer près d'une quarantaine de matchs. Il se retirera de nouveau par la suite, avant de signer un contrat à titre d'agent libre

avec les Blues de St. Louis lors de l'expansion de 1967.

● Ted Lindsay, dit Ted le Terrible, porte son total de punitions à 1 808 minutes, un sommet dans le circuit. Sorti d'une retraite de quatre ans par Detroit qui a racheté son contrat des Black Hawks en début de saison, il ne dispute qu'une saison à son retour.

● Norm Ullman connaît une campagne fort productive aux côtés de Gordie Howe et d'Alex

**1964 1965**

L'arrivée de Pollock est célébrée en grand à la fin de la saison avec le retour du célèbre saladier d'argent qu'on n'avait pas revu au Forum depuis les conquêtes successives de 1956 à 1960.

### CLAUDE PROVOST, HÉROS MÉCONNU

Claude Provost est reconnu avant tout comme un joueur défensif. Il a pour rôle chez les Canadiens de surveiller les vedettes adverses, comme la Comète blonde des Black Hawks de Chicago, et de les empêcher de marquer, en autant que faire se peut. Il s'acquitte merveilleusement bien de sa tâche, avec l'aide de l'intimidant John Ferguson, comme c'est le cas lors du deuxième match de la finale, alors que ni Bobby Hull ni aucun autre joueur des Hawks n'arrivent à marquer.

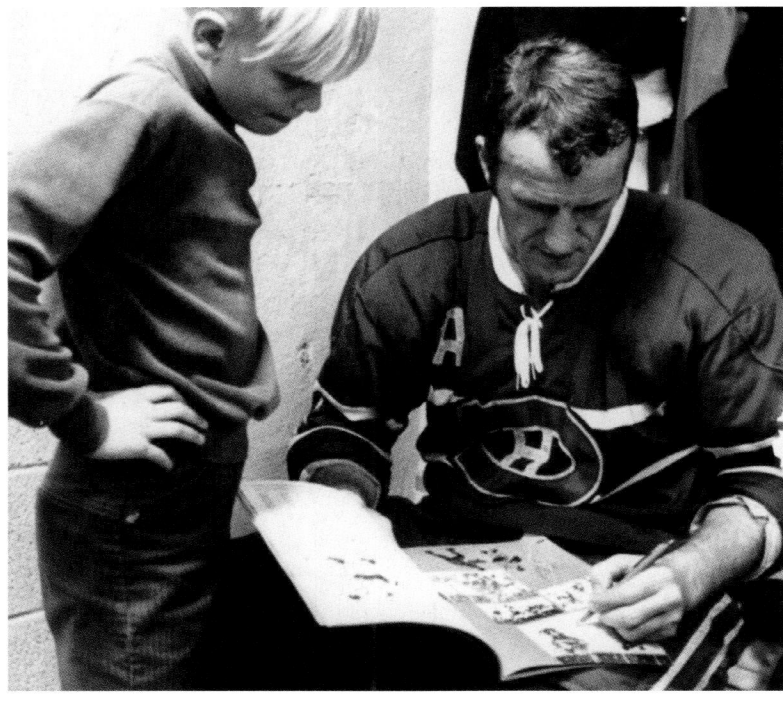

| TROPHÉES | | |
|---|---|---|
| **COUPE STANLEY** | | |
| Canadiens de Montréal | | |
| **TROPHÉE PRINCE-DE-GALLES** | | |
| Red Wings de Detroit | | |
| **TROPHÉE HART** | | |
| Bobby Hull | | |
| Black Hawks de Chicago | | |
| **TROPHÉE ART-ROSS** | | |
| Stan Mikita | | |
| Black Hawks de Chicago | | |
| **TROPHÉE LADY-BYNG** | | |
| Bobby Hull | | |
| Black Hawks de Chicago | | |
| **TROPHÉE CALDER** | | |
| Roger Crozier | | |
| Red Wings de Detroit | | |
| **TROPHÉE GEORGES-VÉZINA** | | |
| Terry Sawchuk et Johnny Bower | | |
| Maple Leafs de Toronto | | |
| **TROPHÉE JAMES-NORRIS** | | |
| Pierre Pilote | | |
| Black Hawks de Chicago | | |
| **TROPHÉE CONN-SMYTHE** | | |
| Jean Béliveau | | |
| Canadiens de Montréal | | |

*Claude Provost n'est pas un joueur vedette, mais il compte tout de même un bon nombre d'admirateurs.*

Delvecchio. Il compte 42 buts et termine à seulement quatre points du champion marqueur Stan Mikita, qui se distingue tant par son talent offensif que par son jeu robuste. En séries, Ullman inscrit deux buts en cinq secondes au cinquième match de demi-finale contre Chicago. Un exploit toujours valide. Les Wings perdent cependant les deux rencontres subséquentes pour être exclus de la course au titre.

● Les équipes de Boston et de New York manquent les séries une troisième année de suite. La série noire des Bruins est encore moins reluisante que celle des Rangers, puisqu'ils terminent derniers pour la cinquième fois d'affilée.

● L'excellent défenseur des Black Hawks, Pierre Pilote, mérite un troisième trophée Norris d'affilée, en plus d'effacer un record vieux de plus de 20 ans chez

les défenseurs en totalisant 59 points (14-45).

● Le Suédois Ulf Sterner écrit une nouvelle page d'histoire le 27 janvier en portant l'uniforme des Rangers. Il devient le premier joueur d'origine européenne à jouer dans la LNH.

● Un nouveau règlement permet désormais aux clubs d'avoir deux gardiens en uniforme pour tous les matchs des séries. Une disposition qui

fait l'affaire de Toe Blake, lequel n'hésite pas à faire alterner ses deux cerbères Lorne Worsley et Charlie Hodge contre Toronto et Chicago.

● Emile *The Cat* Francis prend la relève du gérant Muzz Patrick après avoir été son adjoint pendant quelques saisons. Juste auparavant, Francis avait favorisé l'éclosion de deux beaux talents au sein du club-école des Rangers à Guelph, Rodrigue Gilbert et Jean Ratelle.

| | PJ | G | P | N | BP | BC | PTS |
|---|---|---|---|---|---|---|---|
| Detroit (Red Wings) | 70 | 40 | 23 | 7 | 224 | 175 | 87 |
| Montréal (Canadiens) | 70 | 36 | 23 | 11 | 211 | 185 | 83 |
| Chicago (Black Hawks) | 70 | 34 | 28 | 8 | 224 | 176 | 76 |
| Toronto (Maple Leafs) | 70 | 30 | 26 | 14 | 204 | 173 | 74 |
| New York (Rangers) | 70 | 20 | 38 | 12 | 179 | 246 | 52 |
| Boston (Bruins) | 70 | 21 | 43 | 6 | 166 | 253 | 48 |

**MEILLEURS MARQUEURS**

| | | PJ | B | A | PTS | PUN |
|---|---|---|---|---|---|---|
| Stan Mikita | Chicago | 70 | 28 | 59 | 87 | 154 |
| Norm Ullman | Detroit | 70 | 42 | 41 | 83 | 70 |
| Gordie Howe | Detroit | 70 | 29 | 47 | 76 | 104 |
| Bobby Hull | Chicago | 61 | 39 | 32 | 71 | 32 |
| Alex Delvecchio | Detroit | 68 | 25 | 42 | 67 | 16 |
| Claude Provost | Canadiens | 70 | 27 | 37 | 64 | 28 |
| Rod Gilbert | New York | 70 | 25 | 36 | 61 | 52 |
| Pierre Pilote | Chicago | 68 | 14 | 45 | 59 | 162 |
| John Bucyk | Boston | 68 | 26 | 29 | 55 | 24 |
| Ralph Backstrom | Canadiens | 70 | 25 | 30 | 55 | 41 |
| Phil Esposito | Chicago | 70 | 23 | 32 | 55 | 44 |

**1964 1965**

Il reçoit alors les félicitations de ses coéquipiers et de l'entraîneur pour son excellent travail. En fait, Hull ne réussit à marquer que dans un seul des sept matchs de la finale et les joueurs du Chicago sont absents du pointage deux autres fois.

Mais cette année-là, Provost ajoute une autre dimension à son jeu. L'ailier droit est d'abord associé à Ralph Backstrom et à Dave Balon en début de saison, mais il dispute une bonne partie de la campagne avec Henri Richard et Balon. Il connaît la meilleure production offensive de sa carrière. Sa fiche de 27 buts et 37 passes pour un total de 64 points est la meilleure de l'équipe dans tous les domaines et il termine au sixième rang des marqueurs de la Ligue. Il totalise maintenant plus de 400 points durant sa carrière dans l'uniforme tricolore. En séries, il s'illustre encore, cette fois avec Richard et Red Berenson, alors qu'il obtient le but victorieux en prolongation du sixième match de la demi-finale contre Toronto. Un but qui met fin aux espoirs des Leafs de décrocher une quatrième coupe Stanley d'affilée.

Et tout cela sans négliger son rôle défensif.

Provost, qui dispute son 600e match dans le chandail tricolore au cours de l'année, est élu au sein de la première équipe d'étoiles.

La force des Canadiens, qui récupèrent la coupe Stanley après quatre ans, ne tient pas seulement aux grands noms qui ont marqué leur histoire. Elle est aussi redevable à ces héros méconnus, ces «plombiers» comme on les appelle aujourd'hui, qui ont su tenir le flambeau bien haut lorsque l'occasion s'est manifestée.

*Provost connaît sa meilleure saison à l'offensive et termine au sixième rang des marqueurs, premier chez les Canadiens. Il est élu au sein de la première équipe d'étoiles.*

# MONTRÉAL · MATIN

## LE PLUS GRAND QUOTIDIEN ERANÇAIS DU MATIN EN AMERIQUE

Vol. XXXVI — N° 257        MONTREAL, VENDREDI, 6 MAI 1966        CIEL VARIABLE        68 PAGES  10¢

CHARLIE HODGE        SAM POLLOCK        DAVID MOLSON        HECTOR "TOE" BLAKE        LORNE WORSLEY

ROBERT ROUSSEAU        CLAUDE PROVOST        JEAN BELIVEAU        GILLES TREMBLAY        RICHARD DUFF

JEAN-GUY TALBOT        JACQUES LAPERRIERE        JEAN-C. TREMBLAY        TED HARRIS        TERRY HARPER

CLAUDE LAROSE        HENRI RICHARD        DAVE BALON

YVAN COURNOYER        RALPH BACKSTROM        LEON ROCHEFORT

JIM ROBERTS        JOHN FERGUSON        NOEL PRICE

# LA COUPE AUX CANADIENS

# 1965  1966

QUATORZIÈME
COUPE
STANLEY

MONTRÉAL REVIENT AU SOMMET ET CONSERVE LA COUPE STANLEY EN BATTANT TORONTO EN QUATRE ET DETROIT EN SIX. LES BRUINS QUITTENT LA « CAVE » DU CIRCUIT DE JUSTESSE POUR LA PREMIÈRE FOIS EN SIX ANS (ILS Y RETOURNERONT L'ANNÉE SUIVANTE). BOBBY HULL DEVANCE FACILEMENT SON COÉQUIPIER STAN MIKITA AU PREMIER RANG DES MARQUEURS AVEC UN NOUVEAU RECORD DE 54 BUTS. ROBERT ROUSSEAU ET JEAN BÉLIVEAU FINISSENT TROISIÈME ET QUATRIÈME, DEVANT HOWE, ULLMAN ET DELVECCHIO, TOUS DE DETROIT. HULL EST ENCORE ÉLU LE PLUS UTILE, MAIS CÈDE LE TITRE DU PLUS GENTILHOMME À ALEX DELVECCHIO. CHARLIE HODGE ET LORNE WORSLEY UNISSENT LEURS EFFORTS POUR S'APPROPRIER LE TROPHÉE VÉZINA ET JACQUES LAPERRIÈRE EST CHOISI MEILLEUR DÉFENSEUR, DEUX ANS APRÈS AVOIR REÇU LE CALDER. BRIT SELBY EST LA RECRUE DE L'ANNÉE.

● Stafford Smythe, un dirigeant des Maple Leafs, aurait fait une offre « officieuse » à Bernard Geoffrion pour ses services lors d'une soirée en l'honneur de Frank Selke. Sam Pollock porte plainte à la Ligue pour maraudage, mais l'offre tenait plus de la conversation amicale, selon le Boomer. Il n'y aura pas de suite.

● Les Canadiens connaissent quelques bonnes séquences victorieuses au cours de la saison et devancent facilement les Hawks de Chicago par huit points au classement final. Pourtant, le club tirait de l'arrière par trois points à la mi-saison.

● Tandis que Claude Provost emprunte en cachette le bâton à lame recourbée de Robert Rousseau — ce qui lui réussit plutôt bien —, Jean Béliveau s'en tient toujours à son bon vieux CCM de 53 pouces, selon ce que rapporte le Petit Journal.

● Le Petit Journal, sous la plume de Gus Lacombe, mentionne dans sa livraison du 26 décembre 1966 que Sam Pollock, trop occupé par les préparatifs de son mariage, aurait laissé filer Bernard Parent en prévision du repêchage. Parent est pourtant bien connu des Canadiens, il a fait ses débuts avec les Bombardiers de Rosemont, dans la Ligue métropolitaine. Pollock confie à Cliff Fletcher le soin de négocier une transaction au profit des Maroons de Lachine, club-école du Tricolore, mais celui-ci se heurte à un refus net des dirigeants du Rosemont, refus que n'aurait pas accepté Pollock, croit-on.

La chaîne d'alimentation Steinberg lance une collection de verres à jus illustrant 12 joueurs des Canadiens. Avec le temps, certains, dont celui de Charlie Hodge, sont devenus plus difficiles à trouver.

**1965 1966**

# Pas de poste honorifique pour Maurice Richard !

L e Rocket n'apprécie pas son rôle d'adjoint au président David Molson et quitte le Forum déçu avant le début de la saison. Jamais il ne participe aux réunions de la direction et on ne lui demande pas davantage son avis sur les joueurs de l'organisation. « Le titre de vice-président (...) n'a toujours été qu'un titre honorifique, écrit-il dans sa chronique du *Dimanche-Matin*, je n'ai jamais eu la chance de lui faire justice. J'aurais tant aimé cependant contribuer un peu à la cause du club Canadien, de façon directe et constructive. » Maurice réalise que le poste d'adjoint au président n'est pas celui d'un véritable vice-président. Il n'aime pas être laissé à rien faire, sinon

*Maurice ne veut pas se contenter d'un simple rôle de porte-parole, alors qu'il croyait pouvoir participer aux décisions. Il abandonne son poste de vice-président.*

représenter le club lors de certains événements et ouvrir les lettres de demandes de photo des supporters. Frustré d'apprendre les nouvelles concernant l'équipe par les journaux, il refuse de cautionner plus longtemps David Molson, qui utilise son nom pour faire la promotion du club et ne lui laisse qu'un rôle d'ambassadeur de bonne entente.

« Je ne vois pas la nécessité de me rendre au Forum tous les jours pour me tourner les pouces », ajoute-t-il dans sa chronique hebdomadaire pour justifier sa décision.

| JOUEURS | |
|---|---|
| 1 | Charlie Hodge |
| 2 | Jacques Laperrière |
| 3 | Jean-Claude Tremblay |
| 4 | Jean Béliveau (C) |
| 6 | Ralph Backstrom |
| 8 | Dick Duff |
| 10 | Ted Harris |
| 11 | Claude Larose |
| 12 | Yvan Cournoyer |
| 14 | Claude Provost |
| 15 | Robert Rousseau |
| 16 | Henri Richard |
| 17 | Jean-Guy Talbot |
| 18 | Léon Rochefort |
|  | Danny Grant |
| 19 | Terry Harper |
| 20 | Dave Balon |
| 21 | Gilles Tremblay |
| 22 | John Ferguson |
| 23 | Noel Price |
|  | Gord Berenson |
| 25 | Noel Price |
|  | Don Johns |
|  | Jean Gauthier |
|  | Léon Rochefort |
| 26 | Jim Roberts |
| 30 | Lorne Worsley |
| **ENTRAÎNEUR** | |
|  | Toe Blake |

● Pour la première et l'une des rares fois de l'histoire de la coupe Stanley, le trophée Conn-Smythe n'est pas attribué à un membre de l'équipe championne, mais à un joueur des perdants, en l'occurrence Roger Crozier, gardien des Red Wings. Le Tricolore se fera faire le coup deux autres fois. En 1968, Glenn Hall, des Blues de St-Louis, obtient le Smythe pendant que les joueurs des Canadiens sablent le champagne. Même situation en 1976, Montréal gagne la coupe mais Bernard Parent,

gardien des Flyers de Philadelphie, est choisi meilleur joueur des séries.
● Henri Richard obtient le 601e point de sa carrière avec le Tricolore le 4 novembre, contre Terry Sawchuk et les Leafs de Toronto. Ce soir-là, il signe une performance de deux buts et une aide. Fin janvier, il en sera à sa 400e passe.
● En s'appropriant le trophée James-Norris remis au meilleur défenseur, Jacques Laperrière met fin à une domination de trois ans de Pierre Pilote, des Hawks de Chicago.

● Début février, Jean Béliveau devient le premier joueur de l'histoire des Canadiens à totaliser 500 passes. En mars, il dispute un 800e match avec Montréal et obtient son 900e point quelques jours plus tard.
● Floyd Curry, à la retraite depuis la fin des années 1950, se joint à l'organisation du club à titre de dépisteur.
● Jean-Guy Talbot et Claude Provost disputent une 700e rencontre dans l'uniforme bleu-blanc-rouge à quelques jours d'intervalle en janvier.
● Henri Richard, incapable de marquer depuis le début

de la finale contre Detroit, assure la coupe aux Canadiens en supplémentaire du sixième match en glissant avec la rondelle jusqu'au fond du filet de Roger Crozier après avoir perdu l'équilibre à la suite d'une passe de Dave Balon.
● Le Forum inaugure, en cours de saison, un nouveau chronomètre à quatre faces au-dessus de la patinoire.
● Bill Head, physiothérapeute du club depuis plus de vingt ans, quitte son poste. Yvon Bélanger, l'un de ses élèves, le remplace.

*Jacques Laperrière met fin à la domination de Pierre Pilote à titre de meilleur défenseur.*

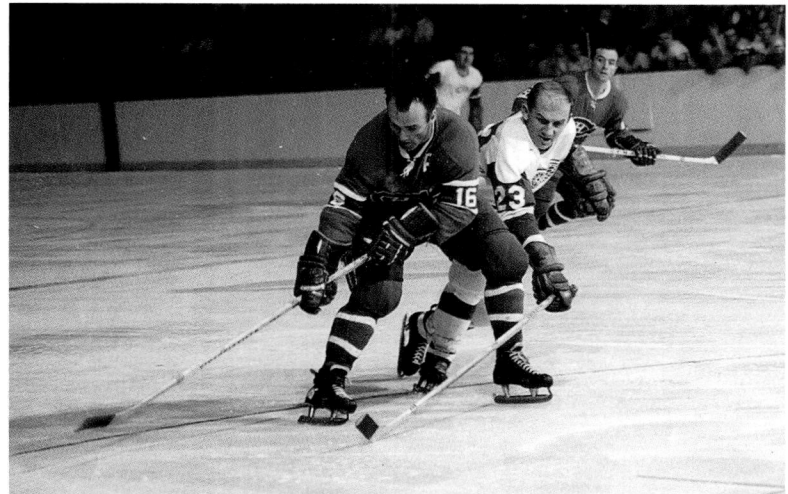

**1965 1966**

**Henri Richard marquera un but inusité en supplémentaire
du sixième match de la finale contre Detroit, assurant une autre coupe aux Canadiens.**

Les relations entre le Rocket et les Canadiens s'envenimeront davantage lorsqu'il deviendra entraîneur des Nordiques de Québec en 1972. On lui retirera alors son abonnement gratuit aux matchs de l'équipe et le célèbre numéro 9 restera en brouille avec l'organisation pendant de longues années. Il refusera même de remettre les pieds au Forum. La seule exception sera la fête en l'honneur de son frère Henri en janvier 1974. C'est Ronald Corey qui, à sa nomination comme président en 1982, réconciliera le Rocket avec l'organisation du Canadien.

### UN DEUXIÈME VÉZINA POUR HODGE... À PARTAGER

La Ligue nationale oblige les équipes à avoir deux gardiens en uniforme en tout temps pour la saison 1965-66. Une décision qui fait bien l'affaire des Canadiens, qui comptent sur deux excellents cerbères, Charlie Hodge et Lorne Worsley, acquis en retour de Jacques Plante quelques années auparavant. Worsley est à son meilleur. Il remporte 29 des 41 victoires du Tricolore et présente une moyenne de 2,36. Hodge, récipiendaire du trophée Vézina deux ans plus tôt, sera d'office

| | PJ | G | P | N | BP | BC | PTS |
|---|---|---|---|---|---|---|---|
| Montréal (Canadiens) | 70 | 41 | 21 | 8 | 239 | 173 | 90 |
| Chicago (Black Hawks) | 70 | 37 | 25 | 8 | 240 | 187 | 82 |
| Toronto (Maple Leafs) | 70 | 34 | 25 | 11 | 208 | 187 | 79 |
| Detroit (Red Wings) | 70 | 31 | 27 | 12 | 221 | 194 | 74 |
| Boston (Bruins) | 70 | 21 | 43 | 6 | 174 | 275 | 48 |
| New York (Rangers) | 70 | 18 | 41 | 11 | 195 | 261 | 47 |

● Carl Brewer ne peut s'entendre avec Punch Imlach pour son contrat. Il se retire temporairement du hockey. Sa « retraite » durera quatre ans. Entre-temps, il jouera avec diverses formations, dont l'équipe nationale du Canada. Il sera échangé aux Red Wings en 1968, mais ne reviendra dans la Nationale qu'en 1969-70.

● Bill Gadsby, à sa dernière saison, inscrit aussi une première dans la Ligue, un 300e match avec une troisième équipe, Detroit, après avoir fait

de même à Chicago et à New York.

● En février de l'année précédente, la Ligue avait annoncé son intention d'élargir ses cadres par l'ajout de six nouvelles concessions pour la saison 1967-68. Les candidatures de Los Angeles, de San Francisco-Oakland, de St. Louis, de Pittsburgh, de Philadelphie et de Minneapolis-St. Paul sont retenues un an plus tard, au grand désespoir des promoteurs de Vancouver qui étaient certains d'être dans le coup.

● Toronto et Detroit procèdent à un échange de huit joueurs à quelques mois du début de la saison. Andy Bathgate passe aux Red Wings et Marcel Pronovost aux Maple Leafs. La transaction ne profite pas trop aux Wings, qui glissent de la première à la quatrième place.

● Les Rangers offrent un nouveau trophée à la Ligue en hommage à Lester Patrick, premier gérant et entraîneur de l'organisation. Jack Adams, bâtisseur de la puissante dynastie des Red Wings, est le premier récipiendaire de

cette récompense, destinée à souligner l'excellence de la contribution au développement du hockey aux États-Unis.

● L'entraîneur Punch Imlach utilise trois gardiens différents, lors du dernier match de la saison contre Detroit. Johnny Bower, Terry Sawchuck et Bruce Gamble disputent une période chacun. Le match précédent, contre les Rangers, Imlach avait fait alterner Sawchuck et Gamble aux cinq minutes. Les deux rencontres ont donné un pointage nul de 3-3.

**1965 1966**

pour 21 parties seulement, mais il conserve lui aussi une excellente moyenne de 2,58, ce qui lui vaut un nouveau trophée Vézina à partager avec Worsley, dit le « Gump ».

En séries, Worsley garde le filet à toutes les rencontres. Le Tricolore liquide les Leafs en quatre parties. En finale contre Detroit, le club montréalais perd les deux premiers matchs au Forum, mais Gump n'accorde que six buts aux Red Wings lors des quatre parties suivantes et permet au Tricolore de célébrer la conquête d'une 14e coupe Stanley. Il semble en bonne voie de ravir définitivement le poste de premier gardien à Hodge.

Celui-ci reprendra cependant ce poste l'année suivante, alors que Worsley est blessé, mais il sera laissé sans protection au repêchage d'expansion (le Canadien lui préférera Worsley) et sera réclamé par les Seals de la Californie. Après Oakland, ce sera au tour des Canucks de Vancouver de faire appel à ses services à leur entrée dans la LNH en 1970. Il n'y restera qu'une saison avant de se retirer de la Ligue.

*Lorne Worsley est à son meilleur, il signe 29 des 41 victoires du Tricolore et participe à tous les matchs des séries.*

| TROPHÉES | | |
|---|---|---|
| **COUPE STANLEY** | | |
| **Canadiens de Montréal** | | |
| **TROPHÉE PRINCE-DE-GALLES** | | |
| **Canadiens de Montréal** | | |
| **TROPHÉE HART** | | |
| Bobby Hull | | |
| Black Hawks de Chicago | | |
| **TROPHÉE ART-ROSS** | | |
| Bobby Hull | | |
| Black Hawks de Chicago | | |
| **TROPHÉE LADY-BYNG** | | |
| Alex Delvecchio | | |
| Red Wings de Detroit | | |
| **TROPHÉE CALDER** | | |
| Brit Selby | | |
| Maple Leafs de Toronto | | |
| **TROPHÉE GEORGES-VÉZINA** | | |
| **Lorne Worsley et Charlie Hodge** | | |
| **Canadiens de Montréal** | | |
| **TROPHÉE JAMES-NORRIS** | | |
| **Jacques Laperrière** | | |
| **Canadiens de Montréal** | | |
| **TROPHÉE CONN-SMYTHE** | | |
| Roger Crozier | | |
| Red Wings de Detroit | | |

| MEILLEURS MARQUEURS | | PJ | B | A | PTS | PUN |
|---|---|---|---|---|---|---|
| Bobby Hull | Chicago | 65 | 54 | 43 | 97 | 70 |
| Stan Mikita | Chicago | 68 | 30 | 48 | 78 | 58 |
| Robert Rousseau | Canadiens | 70 | 30 | 48 | 78 | 20 |
| Jean Béliveau | Canadiens | 67 | 29 | 48 | 77 | 50 |
| Gordie Howe | Detroit | 70 | 29 | 46 | 75 | 83 |
| Norm Ullman | Detroit | 70 | 31 | 41 | 72 | 35 |
| Alex Delvecchio | Detroit | 70 | 31 | 38 | 69 | 15 |
| Bob Nevin | New York | 69 | 29 | 33 | 62 | 10 |
| Henri Richard | Canadiens | 62 | 22 | 39 | 61 | 47 |
| Murray Oliver | Boston | 70 | 18 | 42 | 60 | 30 |

# 1966 🅲 1967

*DERNIÈRE ANNÉE DE LA PÉRIODE DES SIX ÉQUIPES ORIGINALES. ELLE AURA DURÉ VINGT-CINQ ANS. CHICAGO DEVANCE MONTRÉAL AU PREMIER RANG, MAIS CE SONT LES MAPLE LEAFS QUI GAGNENT LA COUPE EN CETTE ANNÉE DE L'EXPOSITION UNIVERSELLE DE MONTRÉAL. LEAFS ET CANADIENS DISPUTENT LA FINALE ET LES PREMIERS L'EMPORTENT AVEC DES JOUEURS COMME JIM PAPPIN ET PETE STEMKOWSKI. MIKITA REPREND SON TITRE DE CHAMPION MARQUEUR, DEVANT BOBBY HULL, NORM ULLMAN, DE DETROIT, ET UN AUTRE COÉQUIPIER, KEN WHARRAM. IL EST AUSSI SÉLECTIONNÉ LE PLUS UTILE ET LE PLUS GENTILHOMME. LES GARDIENS DE CHICAGO, GLENN HALL ET DENIS DEJORDY, CONSERVENT LA MEILLEURE MOYENNE ET C'EST UN DÉFENSEUR DES RANGERS, HARRY HOWELL, QUI DÉCROCHE LE NORRIS. À BOSTON, ON A TROUVÉ UN SAUVEUR POUR RELANCER L'ÉQUIPE, BOBBY ORR. IL SERA ÉLU RECRUE DE L'ANNÉE. AUCUN MONTRÉALAIS DANS LES ÉQUIPES D'ÉTOILES, UNE PREMIÈRE EN VINGT-QUATRE ANS.*

## Toronto vole la coupe l'année de l'Expo

*Henri Richard donne le ton à la série finale avec trois buts et une passe, ce que ne manqueront pas de souligner Toe Blake et Sam Pollock après le match.*

**L**es Black Hawks dominent largement cette dernière saison à six équipes. Championnat de la saison régulière avec 17 points d'avance sur les Canadiens. Moyenne offensive de 3,77 buts par match avec trois des quatre premiers marqueurs du circuit (Mikita, Hull et Wharram). Moyenne défensive de 2,43 et trophée Vézina pour Glenn Hall et Denis Dejordy. Trophées Art-Ross (premier marqueur), Hart (joueur le plus utile) et Lady-Bing (joueur le plus gentilhomme) à Mikita. Quatre joueurs sur six — Pilote, Mikita, Wharram et Hull — dans la première équipe d'étoiles.

Mais les séries, c'est une autre saison. Les Maple Leafs, qui se sont maintenus au troisième rang presque tout au long de l'année, les affrontent en demi-finale. Les deux formations se partagent les quatre premiers matchs, à domicile et à l'extérieur, puis les Leafs surprennent les Hawks par 4 à 2 à Chicago à la cinquième partie et l'emportent aussi à Toronto pour passer en

305

● Quatre illustres joueurs des Canadiens sont admis au Temple de la renommée au cours de l'été précédant la saison : Émile Bouchard, Ken Reardon, Toe Blake et Elmer Lach.

● Les As de Québec se font défoncer 12 à 1 à Springfield lors d'un match régulier de la Ligue américaine au début de décembre. Leur gardien Gary Bauman en a assez et décide d'aller annoncer au gérant Frank Carlin qu'il

lâche tout. Celui-ci lui apprend plutôt qu'il vient d'être rappelé par les Canadiens. Il agira comme substitut de Charlie Hodge pendant quelques semaines avant d'être lancé dans le feu de l'action contre Boston, le 15 janvier. Il remporte son premier match 3 à 1, mais ne disputera qu'une seule autre partie avec Montréal. Il sera cependant devant la cage du Tricolore pour une période au match des étoiles. Charlie Hodge et lui

n'accorderont aucun but dans une victoire de 3-0.

● Jean Aucoin, journaliste au *Petit Journal*, écrit dans l'édition du 11 septembre que le Canadian Arena a décidé de rénover le Forum actuel plutôt que d'ériger une nouvelle bâtisse.

● Jean Béliveau est sérieusement blessé à l'œil droit par un coup de bâton de Stan Mikita le 17 décembre. Une hémorragie interne laisse entrevoir le pire mais le Gros Bill revient

au jeu en janvier, après avoir manqué 13 rencontres.

● Jean-Claude Tremblay est victime d'un coup de coude vicieux au visage de la part de Reggie Fleming au début du match contre New York le 12 novembre au Forum. Victime d'une commotion cérébrale, Tremblay reste inconscient sur la patinoire pendant plusieurs minutes. Il manquera les six parties suivantes et reviendra au jeu avec un casque protecteur qu'il portera le reste de sa carrière. Une

**1966-1967**

*Les efforts du capitaine Béliveau n'y pourront rien, les Maple Leafs se sauveront avec la coupe Stanley à laquelle on avait déjà réservé une place au Pavillon du Québec, à l'Exposition universelle, en prévision d'une victoire des Canadiens.*

| JOUEURS | |
|---|---|
| 1 | Charlie Hodge |
| 2 | Jacques Laperrière |
| 3 | Jean-Claude Tremblay |
| 4 | Jean Béliveau (C) |
| 6 | Ralph Backstrom |
| 8 | Dick Duff |
| 10 | Ted Harris |
| 11 | Claude Larose |
| 12 | Yvan Cournoyer |
| 14 | Claude Provost |
| 15 | Robert Rousseau |
| 16 | Henri Richard |
| 17 | Jean-Guy Talbot |
| 18 | André Boudrias |
| | Garry Peters |
| 19 | Terry Harper |
| 20 | Dave Balon |
| 21 | Gilles Tremblay |
| 22 | John Ferguson |
| 23 | Noel Price |
| 24 | Carol Vadnais |
| | Jean Gauthier |
| | Serge Savard |
| 25 | Léon Rochefort |
| 26 | Jim Roberts |
| 29 | Rogatien Vachon |
| 30 | Rogatien Vachon |
| | Lorne Worsley |
| | Garry Bauman |
| **ENTRAÎNEUR** | |
| | Toe Blake |

décision qui fera réfléchir plusieurs autres joueurs.

● Toe Blake n'utilise pas suffisamment Yvan Cournoyer au goût de la foule lors de la rencontre du 2 avril et celle-ci scande son nom à l'unisson, à la grande gêne du principal intéressé. « J'aurais voulu disparaître sous la glace », révèle-t-il aux journalistes venus recueillir ses commentaires après la rencontre. Il faut dire que Cournoyer, comme plusieurs autres jeunes

joueurs du Tricolore, a longtemps usé ses culottes sur le banc avant qu'on lui donne sa chance pour de bon.

● Le match des étoiles est désormais présenté à la mi-saison. Le Tricolore dispose de l'équipe formée des meilleurs joueurs des autres clubs au compte de 3 à 0, grâce à deux buts de son policier, John Ferguson.

● Parlant de Ferguson, celui-ci surpasse le record d'équipe de 167 minutes

de punitions, établi par Lou Fontinato en 1961-62, avec un total de 177 minutes.

● Henri Richard revendique maintenant 700 parties dans l'uniforme tricolore, Ralph Backstrom 600, alors que Jean-Claude Tremblay et Robert Rousseau en comptent 400. Vers la fin de l'année, le célèbre numéro 16 atteint un autre sommet avec son 700e point.

● Camil DesRoches reprend son poste de directeur de la publicité chez les Canadiens en début d'année, poste qu'il avait occupé de 1947 à 1964. Dans l'intervalle, il avait occupé la même fonction pour le Canadian Arena, mais il cumule désormais les deux fonctions.

| TROPHÉES |
|---|
| **COUPE STANLEY** |
| Maple Leafs de Toronto |
| **TROPHÉE PRINCE-DE-GALLES** |
| Black Hawks de Chicago |
| **TROPHÉE HART** |
| Stan Mikita |
| Black Hawks de Chicago |
| **TROPHÉE ART-ROSS** |
| Stan Mikita |
| Black Hawks de Chicago |
| **TROPHÉE LADY-BYNG** |
| Stan Mikita |
| Black Hawks de Chicago |
| **TROPHÉE CALDER** |
| Bobby Orr |
| Bruins de Boston |
| **TROPHÉE GEORGES-VÉZINA** |
| Glenn Hall et Denis DeJordy |
| Black Hawks de Chicago |
| **TROPHÉE JAMES-NORRIS** |
| Harry Howell |
| Rangers de New York |
| **TROPHÉE CONN-SMYTHE** |
| Dave Keon |
| Maple Leafs de Toronto |

finale. Les exploits de Sawchuck, appelé à remplacer Bower au cours du cinquième match, ainsi que la détermination des nombreux vétérans de l'équipe associée à la fougue des plus jeunes, dont Jim Pappin et Dave Keon, inspirent l'équipe torontoise en cette fin de l'ère des « six équipes originales ».

Le Tricolore, de son côté, connaît une saison en dents de scie. Quatre victoires sur six en début d'année, puis le club glisse jusqu'à la dernière place, alors que des blessures à Béliveau, à Worsley et à trois défenseurs réguliers handicapent fortement l'équipe qui remonte quand même au quatrième rang à la mi-saison, pas très loin des Leafs. Après quelques difficultés encore, la formation se ressaisit et remporte ses six derniers matchs pour accéder au deuxième rang, deux points devant Toronto. Les Rangers, qui avaient entrepris l'année en lions mais qui ont régressé jusqu'au quatrième rang, sont une proie facile en demi-finale, mais pas les Maple Leafs en finale !

Henri Richard donne le ton à la série avec trois buts et une passe dans une première victoire de 6-2. L'un des faits marquants de cette finale toute canadienne en cette année du Centenaire de la Confédération est le but de Bob Pulford à la deuxième supplémentaire du troisième match, but qui donne les devants aux Leafs. Les Canadiens reviennent en force lors de l'affrontement suivant, mais Toronto déjoue le jeune gardien Rogatien Vachon à quatre reprises en deux périodes au cinquième match et l'emporte 4 à 1 à Montréal. Les Leafs gagnent la sixième bataille à Toronto pour remporter une quatrième coupe (leur dernière à ce jour) en six ans.

Ainsi, les joueurs des Canadiens ne pourront parader avec la coupe à la veille de l'Exposition universelle de Montréal.

## GEOFFRION, FURIEUX CONTRE MOLSON, S'EN VA À NEW YORK

Bernard Geoffrion avait mis un terme à sa carrière en 1964 avec l'espoir de succéder à Toe Blake derrière le banc du Tricolore. Il accepte volontiers d'aller d'abord se faire la main à Québec, avec les As de la Ligue américaine. Deux ans et autant de championnats plus tard, il se présente de nouveau devant David Molson pour s'enquérir de ses chances d'avancement. Le président lui

● La Ligue met fin au système des commandites d'équipes juniors. Dorénavant, tout joueur non protégé devra passer par le repêchage universel.

● Bobby Orr, qui n'a que 18 ans, accepte un contrat de 75 000 $ pour deux ans plus une prime de signature avec les Bruins de Boston au début de septembre. C'est, dit-on à ce moment, le plus gros contrat dans le circuit. Son arrivée coïncide avec celle d'un nouvel entraîneur, Harry Sinden. Une première saison de 41 points en 61 parties vaut le trophée Calder au jeune défenseur.

● Terry Sawchuk signe un 100e jeu blanc dans la LNH dans un gain de 3-0 des Maple Leafs contre Chicago le 4 mars. Il est le premier gardien à atteindre un tel sommet.

● La moyenne d'âge des Maple Leafs, à 31,4 ans, en fait l'équipe la plus âgée à avoir gagné la coupe. Johnny Bower, Red Kelly et Allan Stanley sont déjà dans la quarantaine et neuf de leurs coéquipiers ont plus de 30 ans.

● Le titre acquis par Chicago en saison régulière met un terme à la légende de Peter Muldoon, entraîneur congédié par les Hawks en 1927. L'histoire (ou certains

**1966-1967**

offre le poste d'entraîneur du Canadien junior, puisque Blake a décidé de rester à son poste.

Furieux, le Boomer décide plutôt de revenir au jeu, en espérant que le Tricolore le laissera aller et qu'une autre formation voudra de lui. Effectivement, les Rangers de New York réclament Geoffrion au repêchage interne de la Ligue en juin et celui-ci retrouve ses jambes et sa force d'antan pour inscrire 17 buts et 25 passes en 58 parties.

### UN JUNIOR B DEVANT LES BUTS

Le gardien Lorne Worsley est blessé et s'absente durant de longues séquences au cours de la saison, et Charlie Hodge connaît des difficultés. Blake joue d'audace en février en faisant appel à un jeune gardien encore inconnu qu'on avait envoyé aux Apollos de Houston pour y acquérir un peu d'expérience. L'année précédente, Rogatien Vachon jouait encore avec les Canadiens de Thedford Mines, une filiale du Canadien de la Ligue junior du Québec, et il avait obtenu un essai de 10 matchs avec les As de Québec.

Le jeune cerbère de 21 ans connaît un bon début à Montréal, très bon même, avec une fiche de 11 victoires et 4 nulles en 19 rencontres, conservant l'excellente moyenne de 2,48. Au point de devenir le gardien de confiance de Blake qui le lance dans la mêlée contre les Rangers en demi-finale.

Appelé à commenter le rendement du jeune gardien à l'aube de la finale contre son équipe, Punch Imlach, qui a plus d'un tour dans son sac pour décontenancer l'adversaire, claironne devant la galerie : « Le Canadien ne gagnera jamais cette série avec un gardien junior B ». Une déclaration qui suivra Vachon pendant de longues années.

Le « gardien junior B » connaîtra une carrière de 16 saisons dans la LNH, dont cinq à Montréal. Dès l'année suivante, il partagera le trophée Vézina avec Worsley.

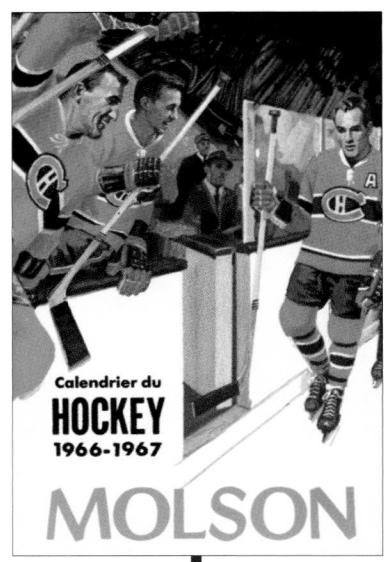

Calendrier du
HOCKEY
1966-1967
MOLSON

| | PJ | G | P | N | BP | BC | PTS |
|---|---|---|---|---|---|---|---|
| Chicago (Black Hawks) | 70 | 41 | 17 | 12 | 264 | 170 | 94 |
| Montréal (Canadiens) | 70 | 32 | 25 | 13 | 202 | 188 | 77 |
| Toronto (Maple Leafs) | 70 | 32 | 27 | 11 | 204 | 211 | 75 |
| New York (Rangers) | 70 | 30 | 28 | 12 | 188 | 189 | 72 |
| Detroit (Red Wings) | 70 | 27 | 39 | 4 | 212 | 241 | 58 |
| Boston (Bruins) | 70 | 17 | 43 | 10 | 182 | 253 | 44 |

| MEILLEURS MARQUEURS | | | | | |
|---|---|---|---|---|---|
| | | PJ | B | A | PTS | PUN |
| Stan Mikita | Chicago | 70 | 35 | 62 | 97 | 12 |
| Bobby Hull | Chicago | 66 | 52 | 28 | 80 | 52 |
| Norm Ullman | Detroit | 68 | 26 | 44 | 70 | 26 |
| Kenny Wharram | Chicago | 70 | 31 | 34 | 65 | 21 |
| Gordie Howe | Detroit | 69 | 25 | 40 | 65 | 53 |
| Robert Rousseau | Canadiens | 68 | 19 | 44 | 63 | 58 |
| Phil Esposito | Chicago | 69 | 21 | 40 | 61 | 40 |
| Phil Goyette | New York | 70 | 12 | 49 | 61 | 6 |
| Doug Mohns | Chicago | 61 | 25 | 35 | 60 | 58 |
| Henri Richard | Canadiens | 65 | 21 | 34 | 55 | 28 |
| Alex Delvecchio | Detroit | 70 | 17 | 38 | 55 | 10 |

journalistes) dit que celui-ci aurait jeté un sort à l'équipe afin qu'elle ne termine jamais en première place. En fait, il s'agit d'un premier trophée Prince-de-Galles pour Chicago, qui a terminé deuxième à huit reprises au cours de cette période. Les Hawks ont tout de

même remporté la coupe Stanley en 1934, 1938 et 1961.
● La sélection de Stan Mikita à titre de joueur le plus gentilhomme est assez particulière. Quatre fois auparavant, il avait totalisé plus de 100 minutes de punitions, mais il s'est bien

assagi, n'en recevant que 12, pour mériter sa récompense.
● Souffrant de problèmes respiratoires, Paul Henderson des Red Wings, doit porter un masque chirurgical lors des matchs.

● Les équipes sont maintenant autorisées à remplacer les joueurs pénalisés pour cinq minutes lorsque les deux formations écopent de majeures.

*Le jeune Vachon a vite pris confiance en ses moyens en arrêtant des joueurs de la trempe de Frank Mahovlich et Gordie Howe, ce dernier en échappée au début du tout premier match du gardien originaire de Palmarolle, en Abitibi.*

**1966-1967**

*Serge Savard obtient l'unique filet du deuxième match de la finale contre les Blues et bien que n'étant encore qu'une verte recrue, il contribue largement à cette autre coupe, à la grande joie de ses coéquipiers Béliveau et Ferguson.*

# 1967  1968

QUINZIÈME COUPE STANLEY

*La LNH double le nombre de ses équipes avec de nouvelles concessions à Philadelphie, à Los Angeles, à St. Louis, au Minnesota, à Pittsburgh et en Californie (qui devient Oakland en décembre), toutes regroupées dans la Division Ouest. Les Canadiens devancent les Rangers par quatre points dans la Division Est au terme d'un calendrier de 74 parties. L'effet Orr (élu meilleur défenseur) se fait déjà sentir chez les Bruins, qui finissent troisièmes après avoir occupé la cave six fois au cours des sept dernières années. Lorne Worsley, cette fois avec Rogatien Vachon, récupère le trophée Vézina. Claude Provost est le premier joueur à recevoir le trophée Bill-Masterton, remis au joueur qui combine le mieux persévérance, esprit sportif et dévouement à son sport. Une 15e coupe Stanley facile pour les Canadiens, qui éliminent Boston en quatre, Chicago en cinq et St. Louis en quatre.*

Rogatien Vachon connaît un début de saison difficile, mais il se ressaisit de façon spectaculaire en deuxième moitié de saison pour amorcer la remontée du Tricolore.

# De la dernière à la première place

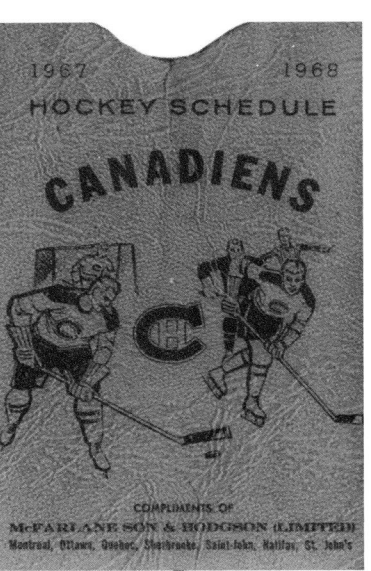

L es Canadiens perdent plusieurs joueurs au repêchage d'expansion, conçu pour composer six nouvelles équipes qui tenteront de séduire le marché américain et de faire du hockey un sport majeur, comme le sont déjà le baseball, le football et le basket-ball. Charlie Hodge, Jean-Guy Talbot, Léon Rochefort, Dave Balon, Jim Roberts et une quinzaine d'autres partent rejoindre de nouvelles formations. Mais Sam Pollock est rusé et il a manœuvré habilement pour préserver ses meilleurs éléments.

De plus, l'arrivée de quelques nouveaux, dont Jacques Lemaire et Serge Savard, recrue de l'année dans la Ligue centrale, ainsi que la présence du jeune gardien Rogatien Vachon, qu'on croit capable de seconder adéquatement Gump Worsley, rassurent les partisans. Le début de saison est cependant difficile et l'équipe se retrouve au dernier rang après 33 parties.

Mais tout change le 27 décembre à Toronto. Les Canadiens traînent de l'arrière 2-0 en fin de troisième, mais Jacques Lemaire et Jean Béliveau permettent à l'équipe de faire match nul et d'entreprendre l'une des plus belles remontées de l'histoire du circuit. Après deux victoires et un autre verdict nul, les protégés de Toe Blake signent 12 victoires d'affilée à compter du 6 janvier, battant au passage leur record de 11 gains consécutifs établi en 1926-27. Le 27 janvier, le Tricolore dispose des Bruins 5 à 2 et passe au premier rang, alors que la série victorieuse ne compte encore que neuf parties.

Le journaliste Gus Lacombe fait largement état de cette poussée extraordinaire du Tricolore dans une édition du *Petit Journal* parue en février. Il en attribue principalement le mérite à Rogatien Vachon, Jean Béliveau et

● Jean Béliveau vit quelques moments historiques au cours de la saison. Le 11 octobre, il enfile le 400ᵉ but de sa carrière lors du premier match entre une équipe originale (Montréal) et une nouvelle concession (Pittsburgh). Le 3 mars, il obtient son 1 000ᵉ point, devenant le premier joueur

de l'histoire du Tricolore — le deuxième de la Ligue après Gordie Howe — à obtenir 1 000 points. Un mois plus tôt, tandis que son coéquipier Ralph Backstrom atteint le cap des 400 points, Béliveau dispute sa 900ᵉ partie.

● Claude Provost est le premier récipiendaire du trophée Bill-Masterton, institué pour commémorer le souvenir de Bill Masterton des North Stars du Minnesota décédé des suites d'une hémorragie cérébrale résultant d'une chute sur la glace lors d'un match contre Oakland en

janvier. Ancien joueur de l'organisation des Canadiens, Masterton avait été cédé aux Stars au lendemain du repêchage. La campagne en faveur du port du casque protecteur allait s'intensifier.

Claude Provost. À Vachon qui est redevenu le gardien étincelant de la saison précédente « après un début plutôt chancelant », accordant seulement 15 buts en 21 parties. À Béliveau, auteur de 13 buts et 21 passes en 23 matchs. À Provost enfin, un spécialiste pour écouler le temps des pénalités et surveiller les joueurs adverses, en plus de se signaler à l'offensive avec le deuxième meilleur total de points après Béliveau. Le journaliste vétéran rapporte aussi que l'équipe a considérablement diminué le nombre de ses punitions.

*Jean Béliveau entreprend de secouer sa troupe à la fin de décembre et, un mois plus tard, celle-ci se retrouve au premier rang, après avoir goûté aux désagréments du dernier rang.*

● Sans faire trop de bruit, Provost atteint quelques marques respectables au cours de la saison. Il participe à un 800ᵉ match le 21 octobre. Le même soir, Gilles Tremblay dispute son 400ᵉ match. Ensuite, Provost obtient son 500ᵉ point sur un but de Tremblay le 29 novembre.

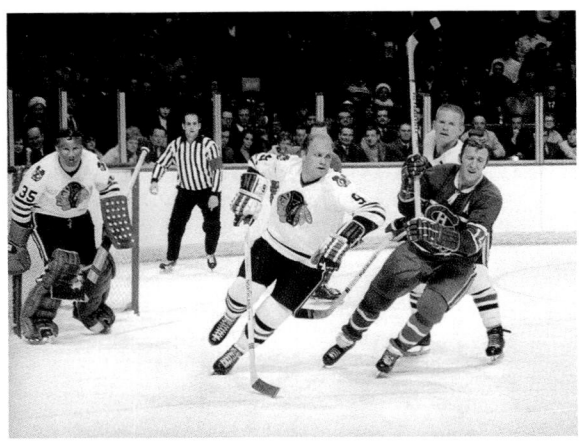

*Claude Provost sert toujours d'ombre à Bobby Hull, en plus de se distinguer à l'offensive avec une deuxième place des marqueurs chez les Canadiens.*

**1967 1968**

Ligue à 6 ou à 12 équipes, les Canadiens sont encore les meilleurs et cet autre championnat de saison prépare le terrain d'une 15ᵉ coupe Stanley, la dernière avec Toe Blake.

En séries, Yvan Cournoyer, Dickie Moore, maintenant avec les Blues, et Lorne Worsley s'illustrent. Les deux premiers récoltent chacun 14 points, un de moins que le meneur Bill Goldsworthy, tout en n'ayant disputé qu'un match de plus que le minimum, soit 13. En finale, les Blues de St. Louis, première équipe de l'expansion à se qualifier pour la série ultime, opposent une vive résistance au Tricolore, perdant en quatre parties mais par la marge d'un seul but à chaque fois. Cournoyer, Serge Savard, Robert Rousseau en période supplémentaire, ainsi que Jean-Claude Tremblay deviennent les héros de cette nouvelle conquête de la coupe Stanley, inscrivant les buts victorieux des quatre victoires.

## BLAKE SE RETIRE

Toe Blake est devenu encore plus irascible avec les années. Sa santé s'est détériorée et celle de sa femme l'inquiète aussi. Ses sautes d'humeur sont plus fréquentes, bien que personne ne conteste sa valeur de meneur d'hommes. En novembre, il s'en prend à un spectateur à Los Angeles, ce qui lui vaut une citation à comparaître (ainsi qu'à Claude Provost). En mars, il pique une crise au réalisateur de *La Soirée du hockey* qu'il accuse à tort d'être allé s'enquérir de l'état de santé de Worsley

*Toe Blake fait appel à son gardien vétéran, Worsley, pour tous les matchs de la finale et ce dernier lui donnera raison avec quatre victoires serrées de suite, dont deux en prolongation...*

# FORUM

LA REVUE SPORTIVE ● SPORTS MAGAZINE 50¢

*Yvan Cournoyer termine à un point du meneur en séries, Bill Goldsworthy, de quoi illustrer la page frontispice de la revue* Forum.

| DIVISION EST | PJ | G | P | N | BP | BC | PTS |
|---|---|---|---|---|---|---|---|
| Montréal (Canadiens) | 74 | 42 | 22 | 10 | 236 | 167 | 94 |
| New York (Rangers) | 74 | 39 | 23 | 12 | 226 | 183 | 90 |
| Boston (Bruins) | 74 | 37 | 27 | 10 | 259 | 216 | 84 |
| Chicago (Black Hawks) | 74 | 32 | 26 | 16 | 212 | 222 | 80 |
| Toronto (Maple Leafs) | 74 | 33 | 31 | 10 | 209 | 176 | 76 |
| Detroit (Red Wings) | 74 | 27 | 35 | 12 | 245 | 257 | 66 |
| DIVISION OUEST | PJ | G | P | N | BP | BC | PTS |
| Philadelphie (Flyers) | 74 | 31 | 32 | 11 | 173 | 179 | 73 |
| Los Angeles (Kings) | 74 | 31 | 33 | 10 | 200 | 224 | 72 |
| St. Louis (Blues) | 74 | 27 | 31 | 16 | 177 | 191 | 70 |
| Minnesota (North Stars) | 74 | 27 | 32 | 15 | 191 | 226 | 69 |
| Pittsburgh (Penguins) | 74 | 27 | 34 | 13 | 195 | 216 | 67 |
| Oakland (Seals) | 74 | 15 | 42 | 17 | 153 | 219 | 47 |

| MEILLEURS MARQUEURS | | PJ | B | A | PTS | PUN |
|---|---|---|---|---|---|---|
| Stan Mikita | Chicago | 72 | 40 | 47 | 87 | 14 |
| Phil Esposito | Boston | 74 | 35 | 49 | 84 | 21 |
| Gordie Howe | Detroit | 74 | 39 | 43 | 82 | 53 |
| Jean Ratelle | New York | 74 | 32 | 46 | 78 | 18 |
| Rodrigue Gilbert | New York | 73 | 29 | 48 | 77 | 12 |
| Bobby Hull | Chicago | 71 | 44 | 31 | 75 | 39 |
| Norm Ullman | Det./Tor. | 71 | 35 | 37 | 72 | 28 |
| Alex Delvecchio | Detroit | 74 | 22 | 48 | 70 | 14 |
| John Bucyk | Boston | 72 | 30 | 39 | 69 | 8 |
| Kenny Wharram | Chicago | 74 | 27 | 42 | 69 | 18 |

● John Ferguson inscrit une première peu enviable le 7 décembre en devenant le premier joueur à écoper simultanément de trois punitions.

● Les Canadiens font signer un contrat à un jeune gardien de 23 ans, Tony Esposito (le frère de Phil), en septembre. Esposito a été sélectionné dans les équipes d'étoiles universitaires américaines au cours des trois saisons précédentes. On l'envoie à Vancouver, dans la Ligue junior de l'Ouest, où il poursuit son apprentissage avant qu'on lui fasse de la place à Montréal.

● Le défenseur Jean-Claude Tremblay rejoint à son tour le club sélect des joueurs ayant disputé 500 matchs et plus le 9 mars, contre Chicago, alors que Gilles Tremblay inscrit son 300e point le même jour.

| JOUEURS | |
|---|---|
| 1 | Lorne Worsley |
| 2 | Jacques Laperrière |
| 3 | Jean-Claude Tremblay |
| 4 | Jean Béliveau (C) |
| 5 | Gilles Tremblay |
| 6 | Ralph Backstrom |
| 8 | Dick Duff |
| 10 | Ted Harris |
| 11 | Claude Larose |
| 12 | Yvan Cournoyer |
| 14 | Claude Provost |
| 15 | Robert Rousseau |
| 16 | Henri Richard |
| 17 | Carol Vadnais |
| 18 | Serge Savard |
| 19 | Terry Harper |
| 20 | Garry Monahan |
| 21 | Gilles Tremblay |
| 22 | John Ferguson |
| 23 | Danny Grant |
| 24 | Mickey Redmond |
| 25 | Jacques Lemaire |
| 26 | Bryan Watson |
| 30 | Rogatien Vachon |
| ENTRAÎNEUR | |
| Toe Blake | |

1967 1968

*C'est la fin pour Blake qui quitte à regret une organisation à qui il aura procuré huit coupes Stanley à titre d'entraîneur.*

315

● Les six équipes originales sont autorisées à protéger un seul gardien et 11 joueurs en prévision du repêchage des nouvelles concessions. Quelque 120 joueurs changeront d'équipe au cours de cette séance. Dorénavant, les clubs ne pourront présenter plus de 16 joueurs (20 en séries) et deux gardiens en uniforme lors des matchs réguliers.

● L'intersaison a été marquée par un échange spectaculaire, les Black Hawks de Chicago refilant Phil Esposito, Ken Hodge et Fred Stanfield aux Bruins, en retour de Hubert Pit Martin, Gilles Marotte et Jack Norris. Autre transaction d'importance en mars lorsque Toronto envoie Frank Mahovlich, Gary Unger, Pete Stemkoski et Carl Brewer à Detroit, en échange de Paul Henderson, Floyd Smith et Norm Ullman.

● Les joueurs se dotent d'un véritable syndicat sous la gouverne d'Allan Eagleson au cours de l'été précédant la saison. Bob Pulford est élu président.

● Les Rangers inaugurent leur nouveau domicile, le Madison Square Garden, en plein milieu de Manhattan, tandis que le propriétaire des Kings de Los Angeles, Jack Kent Cooke, met la main sur les Indians de Springfield de la Ligue américaine pour établir la base de son organisation. Les Flyers de Philadelphie répliquent par l'achat des As de Québec.

 **1967 1968**

à l'infirmerie. Ses relations avec les journalistes sont de plus en plus tendues et il ne se gêne plus pour critiquer ouvertement le travail des officiels.

Un an plus tôt, dans une longue entrevue accordée à Pierre Gobeil de *La Patrie*, il avait fait part de son intention de quitter le club au terme de la saison 1967-68. Ce qu'il fait effectivement après une huitième coupe en qualité d'entraîneur. Plus trois comme joueur, ce qui en fait l'un des plus grands de l'histoire du hockey.

### HENRI DÉSERTE LE CLUB

Henri Richard est orgueilleux, peut-être encore plus que son frère Maurice, et il supporte mal de ne pas être en mesure d'aider l'équipe comme il le voudrait. Quatre fois depuis le début de la saison, il a été ralenti par des blessures. Au début de février, le vase déborde lorsque Blake lui fait réchauffer le banc pendant deux parties, lui préférant Jacques Lemaire au centre de son trio. Il quitte le club sans crier gare et se réfugie dans les Laurentides pour réfléchir à sa situation.

Henri n'en veut à personne d'autre qu'à lui-même, mais il refuse d'être confiné au banc et demande même un échange de façon à se rendre utile et à mériter son salaire. Les médias s'emparent de l'histoire et chacun y va de son commentaire. Quelques jours plus, Richard a une bonne discussion avec Sam Pollock qui le convainc de reprendre son poste, sans lui imposer d'amende ni de suspension. Mais le débat sur le traitement accordé à Henri se poursuit jusqu'à la fin de la saison entre son frère Maurice et les journalistes, par chroniques interposées. Peu après son retour, Henri participe à un 800e match dans l'uniforme tricolore.

Henri, tel un vrai Richard bourré de fierté, rebondira dès l'année suivante pour aider le club à remporter trois autres coupes Stanley, avant de prendre sa retraite en 1975.

### LE SAVIEZ-VOUS...
Les dirigeants du circuit trouvent que Bobby Hull et Stan Mikita exagèrent. On fixe la courbure maximale des lames de patin à un pouce et demi.

| TROPHÉES | |
|---|---|
| COUPE STANLEY | Canadiens de Montréal |
| TROPHÉE PRINCE-DE-GALLES | Canadiens de Montréal |
| TROPHÉE CLARENCE-CAMPBELL | Flyers de Philadelphie |
| TROPHÉE HART | Stan Mikita / Black Hawks de Chicago |
| TROPHÉE ART-ROSS | Stan Mikita / Black Hawks de Chicago |
| TROPHÉE LADY-BYNG | Stan Mikita / Black Hawks de Chicago |
| TROPHÉE CALDER | Derek Sanderson / Bruins de Boston |
| TROPHÉE GEORGES-VÉZINA | Lorne Worsley et Rogatien Vachon / Canadiens de Montréal |
| TROPHÉE JAMES-NORRIS | Bobby Orr / Bruins de Boston |
| TROPHÉE CONN-SMYTHE | Glenn Hall / Blues de St. Louis |
| TROPHÉE BILL-MASTERTON | Claude Provost / Canadiens de Montréal |

● Exclus des séries depuis les huit dernières années, les Bruins terminent troisièmes de leur division, mais sont vite éliminés par les Canadiens en quatre matchs consécutifs.

● Deuxième « triple couronne » d'affilée pour Stan Mikita, gagnant des trophées Art-Ross (champion marqueur), Hart (plus utile) et Lady-Byng (plus gentilhomme). Un exploit unique que même Gretzky ne pourra rééditer. Pour Mikita, il s'agit d'un troisième Art-Ross en quatre saisons.

● Un vent violent endommage le toit du Spectrum de Philadelphie au printemps et les Flyers doivent compléter leur saison locale à Toronto et à Québec, domicile des As, leur club affilié dans la Ligue américaine.

● La mort tragique de Martin Luther King au début d'avril incite la Ligue à reporter de quelques jours trois rencontres des séries, par respect pour le grand leader noir.

● Glenn Hall mène les Blues de St. Louis jusqu'en finale contre les Canadiens, établissant une nouvelle marque de 1 111 minutes jouées. Il reçoit le Conn-Smythe même si la coupe va aux Canadiens.

● Wayne Connelly, des North Stars du Minnesota, devient le premier joueur de l'histoire à marquer sur un tir de pénalité en séries, le 9 avril contre Terry Sawchuk, premier choix des Kings de Los Angeles au repêchage d'expansion.

● Le Canada est humilié 5-0 par les Soviétiques au match ultime des Jeux de Grenoble.

*Henri Richard sait qu'il a ralenti, mais il n'apprécie pas que l'entraîneur lui préfère un jeunot comme Jacques Lemaire.*

1967 1968

317

# MONTRÉAL · MATIN

LE PLUS GRAND QUOTIDIEN FRANÇAIS DU MATIN EN AMERIQUE

**76 PAGES** 10¢

Vol. XXXIX — No 254     MONTREAL, LUNDI 5 MAI 1969     CLAIR

PARIS 2 fr.
ETATS-UNIS 25¢

La 16e !

# 1968  1969

SEIZIÈME
COUPE
STANLEY

Les Bruins poursuivent leur remontée jusqu'en deuxième place de l'Est, à trois points des Canadiens, et les Blues de St. Louis, inspirés par leur participation à la finale l'année précédente, remplacent Philadelphie au sommet de l'Ouest. Phil Esposito, acquis des Hawks un an plus tôt, établit une nouvelle marque de 126 points au sommet des marqueurs. Il est désigné le plus utile à son équipe. Bobby Hull et Gordie Howe dépassent aussi le cap des 100 points, avec respectivement 107 et 103 points. Bobby Orr conserve son titre de meilleur défenseur. Le duo Jacques Plante et Glenn Hall, des Blues, détient la meilleure moyenne chez les gardiens. Autre coupe Stanley pour le Tricolore qui dispose d'abord des Rangers 4-0 en quart de finale, ensuite des Bruins 4 à 2 et une fois de plus des Blues 4 à 0 en finale. Serge Savard est désigné meilleur joueur des séries. Trois membres des Canadiens sont sélectionnés dans la deuxième équipe d'étoiles Ted Harris, Jean Béliveau et Yvan Cournoyer.

# Successeur de Blake à 29 ans

*Avec les sages conseils du gérant Sam Pollock, Claude Ruel s'en tire plutôt bien dans son rôle de successeur de Blake.*

**S**am Pollock n'a pas à chercher bien loin lorsqu'il s'agit de trouver un successeur à Toe Blake au printemps 1968. L'un de ses protégés, Claude Ruel, fait partie de l'organisation depuis une quinzaine d'années déjà. Après avoir perdu l'usage de l'œil gauche à la suite d'un coup de bâton en novembre 1957, Ruel est devenu entraîneur du Canadien junior à 19 ans et, en 1964, il remplaçait Scotty Bowman à titre de dépisteur en chef.

Pollock a une confiance illimitée en lui et ne porte aucune attention aux rumeurs qui évoquent les noms de Floyd Curry ou Hal Laycoe. Son homme, c'est Ruel ! Quelques semaines après la huitième coupe remportée sous la gouverne de Toe Blake, Pollock convoque la presse pour annoncer la nomination de celui que les journalistes ont affectueusement surnommé « Piton ». Le même jour, Pollock apporte quelques transformations à la structure de l'équipe : Blake devient vice-président, Curry est appelé à le seconder à titre de directeur gérant, Ronald Caron remplace Ruel comme dépisteur en chef et Del Wilson, qui fait aussi partie de l'organisation depuis une vingtaine d'années, accède au poste de directeur du personnel.

La commande est de taille, mais Ruel, qui n'a pas encore 30 ans au moment de sa nomination, livre la marchandise rapidement. Le club totalise 103 points en saison, trois de plus que les Bruins, et entreprend les séries avec confiance. Les Rangers sont vite liquidés en quart de finale, mais les Bruins sont plus coriaces, trois des six rencontres nécessitant du temps supplémentaire. Ralph Backstrom et Mickey Redmond donnent la victoire aux Canadiens lors des deux premières

● Le talent de négociateur de Sam Pollock donne de bons résultats au repêchage amateur de juin. Il avait déjà obtenu les deux premiers choix chez les joueurs francophones pour quelques années et négocié d'autres premières sélections avec les clubs à la recherche de vétérans. Pour l'unique fois de l'histoire de la LNH, un même club (Montréal) dispose des trois premiers choix (Michel Plasse, Roger Bélisle et Jim Pritchard). Pollock ajoute une quatrième sélection en fin de premier tour.

● Robert Rousseau est maintenant un vétéran avec l'équipe. Le 23 octobre, il dispute un 500e match et une semaine plus tard il inscrit son 400e point. Mais Ralph Backstrom et Claude Provost font encore mieux au cours des semaines suivantes, le premier avec un 700e match et le second avec un 900e.

● Les Canadiens et les Bruins se livrent un duel sans points, le 21 décembre au Forum de Montréal. Tony Esposito pour le Tricolore et Gerry Cheevers pour Boston bloquent respectivement 41 et 34 tirs. Le lendemain les deux formations s'affrontent au Garden de Boston avec les mêmes cerbères et les Bruins l'emportent 7-5. Les journées se suivent...

● Yvan Cournoyer s'éclate avec une saison de 43 buts et 44 passes. Il termine au sixième rang des marqueurs et trouve place dans la deuxième équipe d'étoiles, en compagnie de Jean Béliveau et du défenseur Ted Harris. Il connaît notamment une partie de cinq points (1-4) contre Los Angeles le 11 février.

| JOUEURS | |
|---|---|
| 1 | Lorne Worsley |
| | Tony Esposito |
| 2 | Jacques Laperrière |
| 3 | Jean-Claude Tremblay |
| 4 | Jean Béliveau (C) |
| 5 | Gilles Tremblay |
| 6 | Ralph Backstrom |
| 8 | Dick Duff |
| 10 | Ted Harris |
| 11 | Jude Drouin |
| | Garry Monahan |
| 12 | Yvan Cournoyer |
| 14 | Claude Provost |
| 15 | Robert Rousseau |
| 16 | Henri Richard |
| 17 | Guy Lapointe |
| | Larry Hillman |
| 18 | Serge Savard |
| 19 | Terry Harper |
| 20 | Bob Berry |
| | Lucien Grenier |
| 21 | Lucien Grenier |
| | Howie Glover |
| 22 | John Ferguson |
| 23 | Bob Berry |
| | Alain Caron |
| | Christian Bordeleau |
| 24 | Mickey Redmond |
| 25 | Jacques Lemaire |
| 29 | Ernie Wakely |
| | Tony Esposito |
| 30 | Rogatien Vachon |
| | Tony Esposito |
| ENTRAÎNEUR | |
| | Claude Ruel |

parties, marquant tous deux en prolongation. Au sixième match, Jean Béliveau met un terme à une rencontre de plus de quatre heures et à la série en trompant Gerry Cheevers sur un tir d'une vingtaine de pieds à 11 min 28 s de la deuxième période supplémentaire. En finale, St. Louis fournit moins d'opposition que l'année précédente et, le 4 mai, Ruel devient le plus jeune entraîneur de l'histoire du club à vivre l'exaltation d'une conquête de la coupe Stanley, la 16e de l'équipe.

1968 1969

*Dick Duff obtient quatre buts lors des trois premières parties de la finale contre St. Louis, dont le but gagnant du deuxième match.*

● Le Tricolore fait sauter quelques-uns de ses records les plus significatifs, établis tous deux en 1955-56, avec 46 victoires (comparativement à 45) et 103 points (comparativement à 100).

● Nouveau record de participation aux séries pour le Tricolore, qui en est à une 21e année d'affilée. Pour Béliveau, qui n'a jamais manqué les séries depuis son arrivée avec le club, il s'agit d'une 16e saison de suite.

● Serge Savard, à sa deuxième année à Montréal, est le premier défenseur à s'inscrire parmi les lauréats du trophée Conn-Smythe à titre de meilleur joueur des séries.

● John Ferguson, le dur à cuire des Canadiens, s'en prend à tout ce qui bouge chez les Blues en finale, ce qui ne l'empêche pas d'inscrire le but qui donne la coupe au Tricolore en troisième période du quatrième match.

● Les p'tits Canadiens, menés par Marc Tardif et Réjean Houle, remportent la coupe Memorial. Une seconde suivra l'année suivante.

*Malgré les rénovations au Forum, les billets des parties sont encore disponibles à prix raisonnables.*

**1968 1969**

*Un nouveau Forum libéré de ses colonnes gênantes attend les spectateurs en début de saison. Les travaux, qui portent le nombre de sièges à plus de 18 000, ont été terminés en un temps record.*

## FORUM RÉNOVÉ ET NOUVEAUX PROPRIÉTAIRES

Il n'aura fallu que 118 jours à la société Stone & Webster pour rénover complètement le Forum de Montréal à l'été 1968. Inauguré en 1924, l'ancien Forum avait progressivement porté son nombre de sièges de 9 500 à 14 148 avant de subir une véritable transformation. On soulève d'abord le toit afin d'enlever les fameuses colonnes si souvent décriées par les spectateurs. On ajoute une dizaine de loges corporatives, on agrandit la galerie de presse, on installe des escaliers mobiles, on aménage un club privé pouvant accueillir 500 personnes, on regroupe les guichets à l'entrée sur Sainte-Catherine et on porte la capacité totale de l'édifice à 18 200 personnes, dont 16 450 places assises. Coût total des rénovations : 9,5 millions.

Le soir de l'inauguration, le 2 novembre, en présence de la *Punch Line* et d'une multitude d'invités arrivés en limousine, Jean Béliveau et Yvan Cournoyer participent à la fête en procurant une victoire de 2-1 au Tricolore contre Detroit.

*Le sénateur Hartland Molson quitte son poste à regret, mais il demeurera un fidèle partisan de l'équipe jusqu'à sa mort.*

● Phil Esposito est le premier joueur de la LNH à inscrire 100 points en saison, en marquant deux buts contre Pittsburgh le 2 mars. Il termine la saison avec 126 points (49 buts et 77 passes), battant pas moins de sept records offensifs en fin de saison. Bobby Hull (107) et Gordie Howe (103) s'inscrivent aussi au premier club des 100 points. Stan Mikita, quatre fois champion marqueur au cours des cinq dernières saisons, est quatrième à 97.

● Howe est le premier joueur à totaliser 700 buts au cours d'une carrière, le 4 décembre à Pittsburgh. Il a presque 41 ans et son seul regret est de ne pas avoir inscrit cette marque devant ses partisans, qui l'attendaient avec 700 ballons.

● Les Blues de St. Louis, champions de la Division Ouest, se défendent pas trop mal à l'offensive. Leur meilleur marqueur, Red Berenson, est premier chez les équipes plus récentes avec 82 points

(huitième de la Ligue), dont six buts au cours d'une même partie.

● Nouveau record de buts dans une saison. Bobby Hull surpasse sa propre marque de 54 et fixe le nouveau sommet à 58, malgré une fracture de la mâchoire.

● Avant le début de la saison, Hull a du mal à s'entendre avec les Hawks pour le renouvellement de son contrat. Il fait savoir qu'il songe à se retirer, sans doute afin d'accélérer les négociations.

Stafford Smythe, des Leafs, en réplique à l'offre de un million faite par les Hawks pour Frank Mahovlich quelques années plus tôt, se dit prêt à débourser un million pour Hull. Finalement la Comète blonde accepte l'offre de 100 000 $ que lui propose Chicago. Les Hawks gâchent les débuts de Bernard Geoffrion à titre d'entraîneur des Rangers en lui infligeant un premier revers.

| TROPHÉES | |
|---|---|
| **COUPE STANLEY** | |
| **Canadiens de Montréal** | |
| **TROPHÉE PRINCE-DE-GALLES** | |
| **Canadiens de Montréal** | |
| **TROPHÉE CLARENCE-CAMPBELL** | |
| Blues de St. Louis | |
| **TROPHÉE HART** | |
| Phil Esposito | |
| Bruins de Boston | |
| **TROPHÉE ART-ROSS** | |
| Phil Esposito | |
| Bruins de Boston | |
| **TROPHÉE LADY-BYNG** | |
| Alex Delvecchio | |
| Red Wings de Detroit | |
| **TROPHÉE CALDER** | |
| Danny Grant | |
| North Stars du Minnesota | |
| **TROPHÉE GEORGES-VÉZINA** | |
| Jacques Plante et Glenn Hall | |
| Blues de St. Louis | |
| **TROPHÉE JAMES-NORRIS** | |
| Bobby Orr | |
| Bruins de Boston | |
| **TROPHÉE CONN-SMYTHE** | |
| Serge Savard | |
| **Canadiens de Montréal** | |
| **TROPHÉE BILL-MASTERTON** | |
| Ted Hampson | |
| Seals d'Oakland | |

**1968 1969**

Deux mois et demi plus tôt, les Canadiens et le Canadian Arena étaient devenus la propriété des frères David, Bill et Peter Molson. Le plus connu des trois, David, travaillait déjà dans l'organisation depuis quatre ans à titre de président du club.

Accaparé par ses fonctions à la brasserie et son rôle de sénateur, Hartland de Montarville Molson est contraint, à 61 ans, de quitter une organisation qu'il aime profondément et promet d'assister le plus souvent possible aux parties du club. Une promesse qu'il remplira fidèlement à chaque saison jusqu'à sa mort. Lui et son frère Tom ont cédé à leurs cousins l'équipe et le Forum, évalués à 5,5 millions, pour la somme de 3,3 millions.

## WORSLEY A PEUR DE L'AVION

Le gardien vétéran des Canadiens, Lorne Worsley, a une peur maladive de l'avion depuis ses débuts au hockey. N'en pouvant plus, le corécipiendaire du trophée Vézina à deux reprises au cours des trois dernières saisons craque et abandonne l'équipe lors d'une correspondance à Chicago, en route pour Los Angeles, et décide de revenir à Montréal par train. Gump est préoccupé par son après-carrière

*Gump Worsley ne craint pas d'affronter les tirs de ses rivaux à visage découvert, mais pour l'avion, c'est autre chose.*

● Bernard Geoffrion, qui a longtemps attendu sa chance pour succéder à Toe Blake, avait été embauché à titre d'entraîneur des Rangers au début de juin. Manque de veine pour le Boomer, les Canadiens présentent leur nouveau pilote une semaine plus tard. Des ulcères obligeront Geoffrion à abandonner son poste en cours de saison.

● Spectaculaire retour de Jacques Plante à St. Louis. Il réussit cinq jeux blancs et conserve une moyenne de 1,96. Plante partage son septième trophée Vézina avec Glenn Hall, lequel sera sélectionné dans la première équipe d'étoiles.

● Ed Giacomin dispute 70 des 76 matchs de la saison devant le filet des Rangers, en gagne 37 et réussit 7 blanchissages, un de moins que le meneur Glenn Hall. Il disputera de nouveau 70 rencontres la saison suivante.
● Après Howe et Béliveau, c'est au tour d'Alex Delvecchio de revendiquer plus de 1 000 points en carrière.

Il en totalisera 1 281 avant de mettre un terme à son illustre carrière en 1974.
● Johnny Bower devient le plus vieux gardien de la Ligue, à 44 ans et 4 mois, à garder le filet d'une équipe en séries. Lester Patrick (44 ans et 3 mois) et Jacques Plante (44 ans et 2 mois) le suivent de près.

**1968 1969**

et les médecins le forcent au repos pour un mois afin de lui donner la chance de se remettre de sa dépression nerveuse. Le Canadien rappelle d'abord Tony Esposito de Houston pour le remplacer et, lorsque Rogatien Vachon tombe au combat à son tour, on fait venir Ernie Wakely, de Hull-Ottawa.

Worsley revient finalement au jeu le 4 janvier, se blesse peu après à l'aine lors d'un entraînement et ne reprend véritablement son poste qu'à la fin du mois.

De retour la saison suivante, il ne disputera que quelques parties avec les Canadiens, qui vendront son contrat aux North Stars du Minnesota avec lesquels il relancera sa carrière pour quatres autres saisons.

## UN VACCIN DE TROP POUR GILLES TREMBLAY

La grippe de Hong Kong fait des ravages dans la population et la direction du Canadien fait vacciner tous les joueurs. On croit que Gilles Tremblay serait devenu asthmatique chronique à la suite de cette injection et les médecins n'arrivent pas à le guérir. Il doit mettre un terme à sa carrière de joueur à la mi-février, après avoir disputé 500 matchs avec l'équipe. Il tentera un retour au camp suivant, sans succès, pour ensuite devenir un commentateur fort apprécié à la *La Soirée du hockey* pendant une trentaine d'années.

| DIVISION EST | PJ | G | P | N | BP | BC | PTS |
|---|---|---|---|---|---|---|---|
| Montréal (Canadiens) | 76 | 46 | 19 | 11 | 271 | 202 | 103 |
| Boston (Bruins) | 76 | 42 | 18 | 16 | 303 | 221 | 100 |
| New York (Rangers) | 76 | 41 | 26 | 9 | 231 | 196 | 91 |
| Toronto (Maple Leafs) | 76 | 35 | 26 | 15 | 234 | 217 | 85 |
| Detroit (Red Wings) | 76 | 33 | 31 | 12 | 239 | 221 | 78 |
| Chicago (Black Hawks) | 76 | 34 | 33 | 9 | 280 | 246 | 77 |
| DIVISION OUEST | PJ | G | P | N | BP | BC | PTS |
| St. Louis (Blues) | 76 | 37 | 25 | 14 | 204 | 157 | 88 |
| Oakland (Seals) | 76 | 29 | 36 | 11 | 219 | 251 | 69 |
| Philadelphie (Flyers) | 76 | 20 | 35 | 21 | 174 | 225 | 61 |
| Los Angeles (Kings) | 76 | 24 | 42 | 10 | 185 | 260 | 58 |
| Pittsburgh (Penguins) | 76 | 20 | 45 | 11 | 189 | 252 | 51 |
| Minnesota (North Stars) | 76 | 18 | 43 | 15 | 189 | 270 | 51 |

| MEILLEURS MARQUEURS | | PJ | B | A | PTS | PUN |
|---|---|---|---|---|---|---|
| Phil Esposito | Boston | 74 | 49 | 77 | 126 | 79 |
| Bobby Hull | Chicago | 74 | 58 | 49 | 107 | 48 |
| Gordie Howe | Detroit | 76 | 44 | 59 | 103 | 58 |
| Stan Mikita | Chicago | 74 | 30 | 67 | 97 | 52 |
| Ken Hodge | Boston | 75 | 45 | 45 | 90 | 75 |
| Yvan Cournoyer | Canadiens | 76 | 43 | 44 | 87 | 31 |
| Alex Delvecchio | Detroit | 72 | 25 | 58 | 83 | 8 |
| Red Berenson | St. Louis | 76 | 35 | 47 | 82 | 43 |
| Jean Béliveau | Canadiens | 69 | 33 | 49 | 82 | 55 |
| Frank Mahovlich | Detroit | 76 | 49 | 29 | 78 | 38 |
| Jean Ratelle | New York | 75 | 32 | 46 | 78 | 26 |

*Maurice Richard est le premier hockeyeur récipiendaire du trophée Victoire, attribué aux meilleurs athlètes pour l'ensemble de leur carrière. Le Rocket reçoit sa distinction de l'acteur Lorne Greene, très connu pour son rôle de Bonanza. Après le Rocket, on honorera Geoffrion et Lafleur.*

324

# 1969 🅲 1970

*LES CANADIENS SONT EXCLUS DES SÉRIES POUR LA PREMIÈRE FOIS EN 22 ANS ET LES BRUINS DE BOSTON GAGNENT LA COUPE APRÈS AVOIR TERMINÉ À ÉGALITÉ AVEC LES HAWKS DANS L'EST (LE NOMBRE DE VICTOIRES FAVORISE CHICAGO QUI A TERMINÉ DERNIER LA SAISON PRÉCÉDENTE). SEPT POINTS SEULEMENT SÉPARENT MONTRÉAL DES CHAMPIONS. ST. LOUIS EST À NOUVEAU CHAMPION DANS L'OUEST. POUR LA PREMIÈRE FOIS DANS L'HISTOIRE DU HOCKEY, UN DÉFENSEUR TERMINE AU PREMIER RANG DES MARQUEURS. BOBBY ORR CONSERVE BIEN SÛR SON TROPHÉE NORRIS DE MEILLEUR DÉFENSEUR, EN PLUS D'ACQUÉRIR AUSSI LE HART DU PLUS UTILE. IL DEVANCE SON COÉQUIPIER ESPOSITO PAR 120 POINTS À 99. BOSTON EN ARRACHE AVEC NEW YORK EN SÉRIES (4 À 2), MAIS IL AURA ENSUITE LA PARTIE FACILE CONTRE CHICAGO ET ST. LOUIS, 4-0 DANS LES DEUX CAS. TONY ESPOSITO, GARDIEN RECRUE DES HAWKS DE CHICAGO, REMPORTE LE TROPHÉE VÉZINA ET LE CALDER. JACQUES LAPERRIÈRE EST LE SEUL JOUEUR DES CANADIENS ÉLU DANS UNE ÉQUIPE D'ÉTOILES, LA DEUXIÈME.*

## Les Canadiens sortis des séries

**P**it Martin vient de marquer deux buts rapides et les Black Hawks de Chicago mènent 5-2 avec moins de 10 minutes à jouer dans la dernière rencontre de la saison. Claude Ruel est songeur ! Il sait que la victoire est maintenant hors de portée et la seule chance qui reste à l'équipe de devancer les Rangers au quatrième rang, c'est d'inscrire trois autres buts contre Tony Esposito. Sous les

*Quatre gardiens se succèdent devant le filet montréalais au cours de la saison : Rogatien Vachon, Tony Esposito, Ernie Wakely et Lorne Worsley.*

325

● Lorne Worsley menace à nouveau de quitter l'équipe en janvier, par suite d'une mésentente avec Ruel et Pollock qui veulent l'envoyer dans la Ligue américaine pour recouvrer la forme. Les médias font grand état de son refus de se rapporter aux Voyageurs et un peu tout le monde y va de son conseil. Worsley s'entête mais Pollock aura le dernier mot en vendant son contrat aux North Stars à la fin de février.

● Dick Duff subit lui aussi sa part de problèmes. Il est hospitalisé en début de saison pour une intervention chirurgicale mineure et songe sérieusement à la retraite. À son retour, il s'absente souvent des entraînements et s'attire les foudres de Ruel. Pollock finit par le suspendre avant de l'échanger aux Kings de Los Angeles à la fin de janvier.

● Controverse au sujet du nom du club-école du Canadien dans la Ligue américaine. On décide de lui donner le surnom de Muskies avant de céder devant le tollé des partisans qui n'apprécient pas cette appellation à consonance anglaise. On adoptera finalement le nom de « Voyageurs » à la suite d'un concours. Al McNeil, joueur-entraîneur des Apollos de Houston (Ligue centrale), est nommé entraîneur.

● Jacques Laperrière compte déjà plus de 400 matchs dans l'uniforme des Canadiens. À la fin de la saison, il est l'unique joueur de l'équipe retenu dans la seconde équipe d'étoiles.

● Les Canadiens laissent partir le premier choix du repêchage de 1963, Gary Monahan, en retour de Peter Mahovlich, quelques mois avant le début de la saison.

● Peu de temps après le début de la campagne, Béliveau inscrit un 1 000e match avec l'équipe à son palmarès. Il obtient son 1 100e point le lendemain. Deux sommets dans l'équipe. Puis ce sera

**1969-1970**

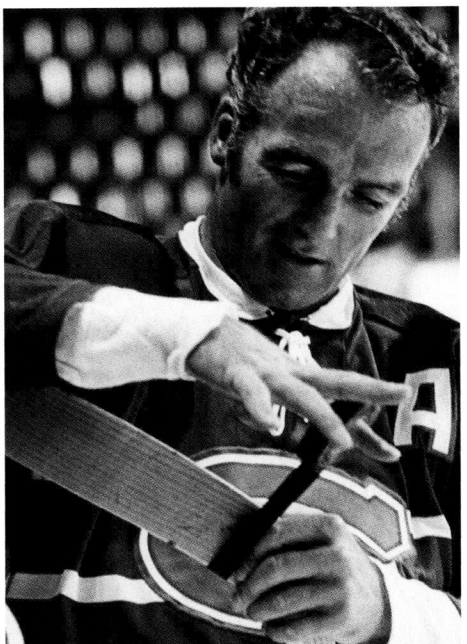

*Les blessures tiennent Henri Richard à l'écart du jeu pendant quelques parties, ce qui ne l'empêchera pas d'obtenir son 800e point dans la Ligue.*

yeux du public de Chicago qui ne comprend pas trop bien ce qui se passe, il prend une initiative désespérée en retirant Vachon du filet au profit d'un sixième attaquant. La foule crie, hurle et bientôt se déchaîne lorsque, tour à tour, Eric Nesterenko, Cliff Koroll, Bobby Hull, son frère Dennis et Gerry Pinder envoient la rondelle dans le filet désert. Marque finale, 10-2 pour les Hawks qui remportent le championnat devant Boston, après avoir terminé derniers de leur division la saison précédente.

Ruel a perdu son pari. Ses joueurs n'ont pu ajouter le moindre but et quittent la patinoire sous les huées de la foule. Le journaliste Red Fisher, du *Montreal Star*, écrit le lendemain qu'il a assisté à la première partie sans classe de sa carrière.

En matinée, l'entraîneur Sid Abel avait gardé les meilleurs éléments des Red Wings sur le banc et les Rangers avaient inscrit une victoire facile de 9-5 en dirigeant 65 tirs sur Roger Crozier, pour rejoindre le Tricolore au quatrième rang et prendre un avantage de « plus quatre » en termes de buts. La « stratégie » d'Abel suscite de nombreux commentaires au sein des médias, mais il prétexte avoir voulu reposer ses bons éléments en vue des séries.

Montréal termine donc à égalité avec New York, mais avec deux buts en moins. Pour la première depuis la saison 1947-48, l'équipe est exclue des séries.

| | JOUEURS |
|---|---|
| 1 | Lorne Worsley |
| | Rogatien Vachon |
| 2 | Jacques Laperrière |
| 3 | Jean-Claude Tremblay |
| 4 | Jean Béliveau (C) |
| 5 | Ted Harris |
| 6 | Ralph Backstrom |
| 8 | Dick Duff |
| | Larry Mickey |
| 10 | Ted Harris |
| 11 | Bobby Sheehan |
| | Phil Roberto |
| | Jean Gauthier |
| | Réjean Houle |
| 12 | Yvan Cournoyer |
| 14 | Claude Provost |
| 15 | Robert Rousseau |
| 16 | Henri Richard |
| 17 | Lucien Grenier |
| | Guy Lapointe |

au tour d'Henri Richard d'obtenir un 800e point, suivi d'un 300e but, en plus de jouer un 900e match avec le club, en novembre.

● Plusieurs pièces d'équipement disparaissent lors d'un long voyage en train qui mène l'équipe à Toronto, à St. Louis et ensuite à Chicago. Pendant quelques jours, ce sera la valse des numéros pour quelques joueurs, dont Ted Harris et Rogatien Vachon.

● Autres statistiques significatives pour quelques joueurs au cours de la saison : 600 parties jouées et 500 points pour Robert Rousseau, 1 000 parties pour Claude Provost, 800 pour Ralph Backstrom, 600 pour Jean-Claude Tremblay, 400 pour John Ferguson, Terry Harper, Ted Harris et Yvan Cournoyer.

*Un tour du chapeau pour Jacques Lemaire.*

| JOUEURS | |
|---|---|
| 18 | Serge Savard |
| 19 | Terry Harper |
| 20 | Pete Mahovlich |
| 21 | Larry Mickey |
| | Marc Tardif |
| | Ted Harris |
| | Lucien Grenier |
| | Fran Huck |
| | Guy Charron |
| 22 | John Ferguson |
| 23 | Christian Bordeleau |
| 24 | Mickey Redmond |
| 25 | Jacques Lemaire |
| 26 | Larry Pleau |
| | Paul Curtis |
| | Phil Roberto |
| | Jude Drouin |
| 29 | Philippe Myre |
| 30 | Rogatien Vachon |
| ENTRAÎNEUR | |
| | Claude Ruel |

**1969-1970**

*La détermination de John Ferguson manquera beaucoup au Tricolore lorsqu'il devra s'absenter pour deux longues périodes.*

Cette année-là, pour la première fois de l'histoire, aucune équipe canadienne ne participe aux éliminatoires puisque les Maple Leafs sont derniers.

La curieuse exclusion du Canadien des séries n'était en fait que le dernier épisode d'une année difficile. Tout au long de la saison, les blessures, les dissensions et la malchance se sont acharnées sur l'équipe. Béliveau, Richard, Jean-Claude Tremblay et Ferguson (à deux occasions et pour de longues périodes) manquent plusieurs parties en raison de blessures. Laperrière et Ferguson sont suspendus, Gilles Tremblay n'arrive pas à soigner son asthme, Dick Duff a des problèmes personnels qui affectent son jeu, Worsley refuse d'aller recouvrer la forme auprès des Voyageurs, Serge Savard se fracture une jambe en mars et Claude Ruel commence à être contesté par les médias et les partisans. Il offre sa démission en février dans une tentative pour secouer l'équipe, mais Sam Pollock refuse.

● Bobby Orr avait fait des vagues à la signature de son contrat; il a été le premier joueur à se faire représenter par un agent. En 1969-70, il devient le premier défenseur à remporter le championnat des marqueurs avec 120 points (33 buts et 87 passes), devançant son coéquipier Phil Esposito par 21 points. Il

remporte de plus son troisième trophée Norris consécutif et ajoute les titres de joueur le plus utile en saison (Hart) et en séries (Conn-Smythe).
● La Ligue accorde des concessions aux villes de Vancouver et de Buffalo en prévision de la prochaine saison.

● Les 38 buts de Bobby Hull lui permettent de devenir le troisième joueur de la Ligue, après le Rocket et Gordie Howe, à atteindre un total de 500. Pourtant, une fois de plus, Hull s'était laissé tirer l'oreille pour signer un nouveau contrat, manquant les 15 premières parties de l'équipe.

● La coupe Stanley revient à Boston après une absence de 29 ans.
● Phil Goyette, après son unique saison à St. Louis, est le seul joueur n'appartenant ni aux Bruins ni aux Hawks à obtenir un trophée, celui du plus gentilhomme. Il connaît une saison extraordinaire, terminant au quatrième rang des marqueurs avec 29 buts et 49 passes.

## 1969-1970

Le club se promène entre la deuxième et la troisième place tout au long de l'année, mais la lutte demeure constante entre cinq des six équipes de l'Est. Finalement, une défaite de 4 à 1 contre Chicago laisse aux Canadiens une mince priorité de deux points sur les Rangers au quatrième rang, avec un match à jouer. Il suffirait d'une nulle le dimanche pour s'assurer une place dans les séries. À défaut, un avantage de cinq buts favoriserait encore les champions en titre de la coupe Stanley, mais...

Pour une rare fois dans l'histoire de la Ligue, les champions de la coupe Stanley sont exclus des séries la saison suivant leur conquête.

*Sam vient probablement d'en passer une autre « petite vite » à son collègue Wren Blair.*

### POLLOCK ÉCHAPPE TONY ESPOSITO

Pas facile d'en passer une à Sam Pollock lorsque arrive le temps du repêchage. Lors de l'expansion, il est parvenu à préserver tous ses bons éléments grâce à ses jeux de coulisses. Puis, à l'encan interne précédant la saison, il a réussi à récupérer Dick Duff, initialement laissé sans protection, lorsque Wren Blair des North Stars a choisi plutôt Richard Sentes au premier rang. Blair a justifié son choix par une dette envers les Canadiens.

Mais il arrive à Pollock d'en échapper quelques-uns. Le jeune gardien Tony Esposito, frère de Phil, a fait une entrée remarquée la saison précédente, pendant qu'un autre cerbère de l'organisation, Philippe Myre, connaissait aussi une bonne saison à Houston. Pollock décide de protéger Worsley et Vachon, mais laisse Esposito sans protection, sachant que Myre aussi peut faire le saut dans la Nationale.

Mal lui en prend, le Canadien n'a pas aussitôt inscrit Duff dans sa liste que Chicago réclame Esposito. Celui-ci mènera les Hawks au championnat de la saison régulière avec 15 blanchissages, conservant la meilleure moyenne pour remporter le trophée Vézina, en plus de recevoir le Calder à titre de recrue de l'année. Une sélection dans la première équipe d'étoiles viendra couronner une saison de rêve pour Tony « O ».

Et dire que, incapable de s'entendre avec Lorne Worsley, Pollock sera forcé de le céder aux North Stars en milieu de saison.

| DIVISION EST | PJ | G | P | N | BP | BC | PTS |
|---|---|---|---|---|---|---|---|
| Chicago (Black Hawks) | 76 | 45 | 22 | 9 | 250 | 170 | 99 |
| Boston (Bruins) | 76 | 40 | 17 | 19 | 277 | 216 | 99 |
| Detroit (Red Wings) | 76 | 40 | 21 | 15 | 246 | 199 | 95 |
| New York (Rangers) | 76 | 38 | 22 | 16 | 246 | 189 | 92 |
| Montréal (Canadiens) | 76 | 38 | 22 | 16 | 244 | 201 | 92 |
| Toronto (Maple Leafs) | 76 | 29 | 34 | 13 | 222 | 242 | 71 |

| DIVISION OUEST | PJ | G | P | N | BP | BC | PTS |
|---|---|---|---|---|---|---|---|
| St. Louis (Blues) | 76 | 37 | 27 | 12 | 224 | 179 | 86 |
| Pittsburgh (Penguins) | 76 | 26 | 38 | 12 | 182 | 238 | 64 |
| Minnesota (North Stars) | 76 | 19 | 35 | 22 | 224 | 257 | 60 |
| Oakland (Seals) | 76 | 22 | 40 | 14 | 169 | 243 | 58 |
| Philadelphie (Flyers) | 76 | 17 | 35 | 24 | 197 | 225 | 58 |
| Los Angeles (Kings) | 76 | 14 | 52 | 10 | 168 | 290 | 38 |

| MEILLEURS MARQUEURS | | PJ | B | A | PTS | PUN |
|---|---|---|---|---|---|---|
| Bobby Orr | Boston | 76 | 33 | 87 | 120 | 125 |
| Phil Esposito | Boston | 76 | 43 | 56 | 99 | 50 |
| Stan Mikita | Chicago | 76 | 39 | 47 | 86 | 50 |
| Phil Goyette | St. Louis | 72 | 29 | 49 | 78 | 16 |
| Walt Tkaczuk | New York | 76 | 27 | 50 | 77 | 38 |
| Jean Ratelle | New York | 75 | 32 | 42 | 74 | 28 |
| Red Berenson | St. Louis | 67 | 33 | 39 | 72 | 38 |
| Jean-Paul Parise | Minnesota | 74 | 24 | 48 | 72 | 72 |
| Gordie Howe | Detroit | 76 | 31 | 40 | 71 | 58 |
| Frank Mahovlich | Detroit | 74 | 38 | 32 | 70 | 59 |
| Dave Balon | New York | 76 | 33 | 37 | 70 | 100 |
| John McKenzie | Boston | 72 | 29 | 41 | 70 | 114 |

● Quelques jours après les séries au cours desquelles il s'est particulièrement illustré avec les Penguins de Pittsburgh, Michel Brière, un joueur très prometteur, est victime d'un violent accident d'automobile. Il mourra onze mois plus tard, sans avoir repris conscience.

● Deux semaines plus tôt, une dispute banale entre Ron Stewart et Terry Sawchuk, deux coéquipiers chez les Rangers, tourne au drame. Sawchuk est hospitalisé d'urgence et meurt d'un arrêt cardiaque après trois interventions majeures. La justice ne retiendra aucune accusation contre Stewart.
● Ted Green, membre des Big Bad Bruins, et Wayne Maki, des Blues, en étaient aussi venus aux coups avec leurs bâtons, cette fois lors d'un match

hors-concours en septembre. Maki avait fracassé le crâne de Green, et le défenseur des Bruins sera absent toute la saison. Les deux seront exonérés par la cour, mais la Ligue suspend Maki pour 30 parties et Green pour 13.
● Carl Brewer met fin à une absence de quatre ans et rejoint les rangs des Red Wings de Detroit. Inactif depuis 1965, il avait été échangé par les Leafs en 1968, en même temps que Frank Mahovlich.

● Les Blues de St. Louis perdent la finale de la coupe Stanley en quatre parties d'affilée pour la troisième année de suite.
● Les parties nulles sont devenues une plaie et les amateurs se plaignent des nombreux matchs sans vainqueur. Les Flyers de Philadelphie établissent un nouveau record de verdicts nuls avec 24, mais il faudra attendre jusqu'en 1983-84 pour qu'on ramène les supplémentaires.

| TROPHÉES | |
|---|---|
| **COUPE STANLEY** | |
| Bruins de Boston | |
| **TROPHÉE PRINCE-DE-GALLES** | |
| Black Hawks de Chicago | |
| **TROPHÉE CLARENCE-CAMPBELL** | |
| Blues de St. Louis | |
| **TROPHÉE HART** | |
| Bobby Orr | |
| Bruins de Boston | |
| **TROPHÉE ART-ROSS** | |
| Bobby Orr | |
| Bruins de Boston | |
| **TROPHÉE LADY-BYNG** | |
| Phil Goyette | |
| Blues de St. Louis | |
| **TROPHÉE CALDER** | |
| Tony Esposito | |
| Black Hawks de Chicago | |
| **TROPHÉE GEORGES-VÉZINA** | |
| Tony Esposito | |
| Black Hawks de Chicago | |
| **TROPHÉE JAMES-NORRIS** | |
| Bobby Orr | |
| Bruins de Boston | |
| **TROPHÉE CONN-SMYTHE** | |
| Bobby Orr | |
| Bruins de Boston | |
| **TROPHÉE BILL-MASTERTON** | |
| Pit Martin | |
| Black Hawks de Chicago | |

## OPTION FRANCOPHONE

Pollock est rarement perdant dans ses négociations. En prévision de l'expansion, il avait obtenu le privilège de se prévaloir des deux premiers choix chez les joueurs francophones au repêchage amateur. Cet encan a été institué en remplacement du système des clubs-écoles. Après Michel Plasse et Roger Bélisle la saison précédente, Pollock porte cette fois son dévolu sur deux joueurs qui viennent de mener le Canadien junior à la coupe Memorial : Réjean Houle et Marc Tardif. Houle a remporté le championnat des marqueurs avec 108 points (53 buts et 55 passes) et Tardif s'est particulièrement illustré lors des séries, avec 19 buts en 14 parties.

Les autres équipes mettent fin à l'option francophone du Tricolore cette même année, ce qui empêchera Pollock de réclamer Gilbert Perreault, un autre produit de l'organisation, l'année suivante.

*Grâce au droit acquis sur les premiers francophones, Pollock peut mettre la main sur les deux plus beaux espoirs juniors, Réjean Houle et Marc Tardif.*

329

*Par deux fois, Jean-Claude Tremblay marquera le but qui assure la victoire contre les Bruins, en demi-finale.*

# 1970 DIX-SEPTIÈME COUPE STANLEY 1971

NOUVELLE EXPANSION DE LA LIGUE QUI ACCUEILLE VANCOUVER ET BUFFALO, AJOUTÉS À LA DIVISION EST, ALORS QUE CHICAGO PASSE À LA DIVISION OUEST QU'IL DOMINERA FACILEMENT. CETTE FOIS, BOSTON EST AU PREMIER RANG DANS L'EST, LE TRICOLORE REMONTE AU TROISIÈME ÉCHELON ET ARRACHE LA COUPE STANLEY. EN QUART DE FINALE, MONTRÉAL ET BOSTON S'ÉCHANGENT L'AVANCE À TOUR DE RÔLE, MAIS LE TRICOLORE A LE DERNIER MOT AVEC UNE VICTOIRE DE 4 À 2 AU DERNIER MATCH À BOSTON. LA SITUATION N'EST GUÈRE PLUS FACILE CONTRE MINNESOTA, FINALEMENT ÉLIMINÉ EN SIX. EN FINALE, CHICAGO REMPORTE LES DEUX PREMIÈRES PARTIES, LES CANADIENS ÉGALISENT, LES HAWKS REPRENNENT LES DEVANTS DE NOUVEAU ET MONTRÉAL NIVELLE LA SÉRIE AVANT DE SIGNER UN GAIN DE 3-2 GRÂCE À UN BUT D'HENRI RICHARD EN DÉBUT DE TROISIÈME AU MATCH ULTIME À CHICAGO. LE GARDIEN KEN DRYDEN EST LE MEILLEUR DES SÉRIES. PHIL ESPOSITO COMPTE 76 BUTS ET REPREND LE TITRE DES MARQUEURS AVEC 152 POINTS, DEVANT SES COÉQUIPIERS BOBBY ORR (139), JOHNNY BUCYK (116) ET KEN HODGE (105). ORR CONSERVE NÉANMOINS LES TITRES DU PLUS UTILE ET DU MEILLEUR DÉFENSEUR. JEAN BÉLIVEAU TIRE SA RÉVÉRENCE AVEC 76 POINTS ET UNE 10ᵉ PLACE. JEAN-CLAUDE TREMBLAY EST ÉLU AU SEIN DE LA PREMIÈRE ÉQUIPE D'ÉTOILES ET CORNOYER, DANS LA SECONDE.

*Béliveau continue son beau travail contre les Hawks en finale, totalisant 22 points en séries.*

**1970 1971**

# Un ralliement à donner des frissons

**L**es *Big Bad Bruins* sont au faîte de leur puissance avec une machine offensive à faire peur. Champions en titre de la coupe Stanley, ils viennent de porter le record du plus grand nombre de buts à 399. Quatre des leurs, Esposito, Orr, Bucyk et Hodge, occupent les premiers rangs des marqueurs et même six des huit premiers sont membres de cette terrifiante équipe à qui l'on prédit une autre coupe, presque sans coup férir.

C'est mal connaître la fierté des joueurs du Tricolore. Éliminés des séries l'année précédente, après les titres de 1968 et 1969, les Canadiens connaissent une assez bonne saison, malgré quelques problèmes internes. En quart de finale, cette équipe, touchée dans son orgueil, va rebondir avec l'énergie du désespoir.

Boston l'emporte 3 à 1 au premier match devant ses partisans et poursuit sur sa lancée à la deuxième rencontre en se donnant une priorité de 5-2 après deux périodes. Avec une telle avance et malgré les exploits à répétition de Dryden, les commentateurs sont plus que jamais convaincus que cette série sera facile pour les puissants Bruins. Mais Jean Béliveau profite d'une punition à Gery Cheevers en début de troisième pour rallumer la flamme, puis il récidive avec un autre but à la quatrième

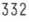

*Bobby Orr n'a pu empêcher Frank Mahovlich de compléter le ralliement du Tricolore lors du deuxième match de la demi-finale. Le Big M signera ensuite une performance de deux buts à la dernière rencontre.*

● Échange majeur pour les Canadiens. Frank Mahovlich, pour qui les Black Hawks de Chicago ont déjà offert un million, passe des Red Wings au Tricolore en janvier, en retour de Mickey Redmond, Guy Charron et Bill Collins.

● Mahovlich ne tarde pas à s'affirmer à Montréal. En séries, il égale le record de 27 points établi par Phil

Esposito l'année précédente. Il est même le premier joueur des Canadiens à obtenir un tir de pénalité (qu'il ratera) contre Tony Esposito.

● Le défenseur Tom Johnson, devenu entraîneur des Bruins, ainsi que Robert LeBel, pionnier du hockey international au Canada, sont intronisés au Temple de la renommée en juin.

● En prévision du repêchage amateur, Sam Pollock, qui voit loin, cède le premier choix des Canadiens et Ernie Hicke aux Golden Seals de la Californie en retour de leur premier choix de 1971, de Guy Lacombe et d'une somme d'argent. Les Golden Seals optent pour Chris Oddleifson, tandis que le gérant des Canadiens prépare la venue de Guy Lafleur, champion compteur de la Ligue junior majeur du

Québec et gagnant de la coupe Memorial avec les Remparts de Québec.

● Plus tard, Pollock procède à quelques autres transactions. Il envoie Jude Drouin au Minnesota pour Bill Collins, vend les droits sur Christian Bordeleau aux Blues, puis échange Lucien Grenier, Larry Mikey et Jack Norris aux Kings de Los Angeles pour Léon Rochefort, Greg Boddy et Wayne Thomas.

Ferguson, un autre acteur important de ce ralliement mémorable.

minute, une fois de plus aidé de ses compagnons de trio Cournoyer et Ferguson. À la dixième minute de jeu, Jacques Lemaire intercepte une passe de Ken Hodge destinée à Bobby Orr et se présente seul devant Cheevers. Son but fait basculer le « momentum » dans le camp des Canadiens. Ensuite Ferguson et Frank Mahovlich se chargent de compléter ce ralliement historique de cinq buts.

Les Bruins reprennent de nouveau les devants dans la série, après avoir aussi concédé le troisième match. Acculés au mur trois parties à deux, les Glorieux rebondissent encore au match numéro six avec une victoire convaincante de 8-3. Henri Richard, qui vole littéralement sur la patinoire, ainsi que Peter Mahovlich, obtiennent une paire de buts chacun. Puis c'est au tour de Frank Mahovlich d'y aller d'une performance de deux buts dans le match ultime, remporté 4 à 2. C'est toutefois Jean-Claude Tremblay, comme il l'a fait à la rencontre précédente, qui obtient le but victorieux. Les Canadiens viennent de causer l'une des grandes surprises de l'histoire de cette Ligue.

En demi-finale, le club se frotte à des North Stars tout aussi déterminés qui reviennent de l'arrière par deux fois avant l'assaut final des Montréalais, qui l'emportent finalement en six.

Mais la tempête gronde, alors qu'on se prépare à affronter Chicago en finale. Henri Richard sera celui qui provoquera les éclairs... avant d'allumer le feu de joie.

## HENRI BRASSE LA CABANE

La population du Québec et particulièrement les Montréalais vivent une période difficile avec la Crise d'octobre. Un climat de morosité et de suspicion s'installe chez les gens en raison des événements de l'automne. Les enlèvements de Cross et Laporte, la mort de ce dernier, les ultimatums de part et d'autre, la présence de l'armée et les arrestations arbitraires inquiètent la majorité et en découragent plus d'un.

Le Tricolore va un peu mieux qu'à la fin de la saison précédente, mais la morosité touche aussi l'équipe qui en arrache particulièrement devant le filet. Ruel n'est plus à l'aise dans son rôle d'entraîneur. Début novembre, il quitte

**1970 1971**

### TROPHÉES

| TROPHÉE LADY-BYNG |
| --- |
| John Bucyk |
| Bruins de Boston |
| TROPHÉE CALDER |
| Gilbert Perreault |
| Sabres de Buffalo |
| TROPHÉE GEORGES-VÉZINA |
| Ed Giacomin et Gilles Villemure |
| Rangers de New York |
| TROPHÉE JAMES-NORRIS |
| Bobby Orr |
| Bruins de Boston |
| TROPHÉE CONN-SMYTHE |
| **Ken Dryden** |
| **Canadiens de Montréal** |
| TROPHÉE BILL-MASTERTON |
| Jean Ratelle |
| Rangers de New York |
| TROPHÉE LESTER-B.-PEARSON |
| Phil Esposito |
| Bruins de Boston |

● Autre bon coup réalisé au repêchage interne cette fois. Minnesota réclame Ted Harris, mais doit céder sa première sélection pour 1970. Bon prince, Pollock laisse aux Stars son deuxième choix du même encan.

● Rusé comme pas un, Pollock réalisera d'autres marchés au cours de l'été pour tisser sa toile autour de Lafleur.

● Critiqué par quelques journalistes au cours de la saison précédente, Robert Rousseau est aussi troqué aux North Stars le 10 juin pour les services de Claude Larose. Celui-ci disputera avec le Tricolore un 300e match, sept mois plus tard.

● Ralph Backstrom fait part de son intention de prendre sa retraite au début du camp d'entraînement, puis revient sur sa décision peu après. Il s'entend finalement avec Pollock, qui le cède aux Kings en janvier pour les services de Gordon Labossière, Raymond Fortin, le deuxième choix du repêchage 1973, et 35 000 $. Peu de temps avant de passer aux Kings, Backstrom a obtenu son 500e point dans l'uniforme des Canadiens, contre ces mêmes Kings.

● Claude Provost et John Ferguson annoncent leur retraite au début d'octobre. Provost est aussitôt nommé entraîneur-adjoint des Voyageurs, mais il laisse tout tomber quelques jours plus tard. Quant à Ferguson, il reporte finalement son projet de retraite d'un an.

● L'arrivée de MacNeil derrière le banc de l'équipe en décembre provoque d'autres changements à la direction.

Ruel retourne à son rôle de dépisteur en

**1970 1971**

le banc avant la fin d'un match au Minnesota, même si le club est en voie de signer une victoire serrée. Quelques semaines plus tard, il demande à Pollock de lui trouver un remplaçant. Celui-ci refuse. En désespoir de cause, l'entraîneur intervient auprès du président David Molson pour qu'il fasse pression sur le gérant.

Finalement, Pollock fait appel à Al MacNeil, l'adjoint de Ruel et ancien entraîneur des Voyageurs, pour combler le poste. Mais les choses ne s'arrangent pas, malgré l'arrivée de Frank Mahovlich en janvier. Manquant visiblement d'expérience, MacNeil est contesté par les vétérans. Des clans se forment et les déclarations anti-MacNeil fusent de toute part. Malgré tout, le club termine troisième et surprend les Bruins lors de l'une des plus mémorables séries éliminatoires.

*Bobby Orr réussit à contrer quelques attaques d'Henri Richard et compagnie, mais il n'aura pas le dernier mot avec cette équipe formée de joueurs fort expérimentés.*

*Henri prêche par l'exemple après avoir publiquement critiqué son entraîneur, marquant le but égalisateur, en fin de deuxième du match ultime, puis donne la victoire aux Canadiens avec un deuxième filet en début de troisième.*

| | JOUEURS |
|---|---|
| 1 | Rogatien Vachon |
| 2 | Jacques Laperrière |
| 3 | Jean-Claude Tremblay |
| 4 | Jean Béliveau (C) |
| 5 | Guy Lapointe |
| 6 | Ralph Backstrom |
| | Fran Huck |
| | Chuck Lefley |
| 8 | Jean Béliveau |
| | Larry Pleau |
| | Chuck Lefley |
| 10 | Frank Mahovlich |
| | Bill Collins |
| 11 | Marc Tardif |
| 12 | Yvan Cournoyer |
| | Fran Huck |
| 14 | Réjean Houle |
| 15 | Claude Larose |
| 16 | Henri Richard |

chef, alors que Ronald Caron et Floyd Curry échangent leur poste. Le premier devient l'adjoint de Pollock à la place du second qui le remplace comme gérant et entraîneur des Voyageurs. Quant à Rolland Picard, il quitte son poste aux relations publiques pour agir comme représentant des joueurs.

● En moins de deux semaines en janvier, Béliveau dispute un 1 100e match, marque un 500e but et obtient une 700e passe, devenant le premier membre du Tricolore à franchir le total de 1 200 points.

● Des cambrioleurs s'introduisent dans la demeure des Béliveau le soir de la fête donnée en son honneur le 24 mars et dérobent pour une valeur de plusieurs milliers de dollars.

● Les joueurs des Canadiens sont impliqués dans trois bagarres générales au cours de la saison : le 8 novembre à Boston, le 28 contre Pittsburgh à Montréal et le 9 décembre à Pittsburgh. Clarence Campbell sévit avec des amendes totalisant 16 000 $

● Match historique le 20 mars alors que deux frères s'affrontent devant leur filet, Ken Dryden pour les Canadiens et Dave son aîné pour Buffalo. L'équipe du cadet l'emporte 5 à 2.

● D'autres vétérans du club atteignent des sommets impressionnants au cours de l'année. Jacques Laperrière dispute un 500e match en février, puis Henri Richard et Jean-Claude Tremblay répliquent avec un 1 000e et un 700e à deux et trois jours d'intervalle. En mars, Terry Harper y va d'une 500e partie, imité par John Ferguson quelques jours plus tard.

● Jean-Claude Tremblay et John Ferguson comptent maintenant 300 points à leur fiche.

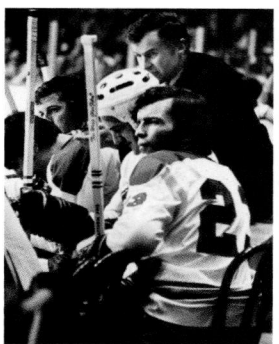

*Contesté par ses joueurs, Al MacNeil tiendra tout de même le coup jusqu'à la fin.*

*Cette année-là encore, l'orgueil et la fougue d'un Richard auront donné une coupe aux Canadiens.*

| JOUEURS | |
|---|---|
| 17 | Phil Roberto |
| 18 | Serge Savard |
| 19 | Terry Harper |
| 20 | Pete Mahovlich |
| 21 | Réjean Houle |
| | Léon Rochefort |
| 22 | John Ferguson |
| 23 | Guy Charron |
| | Bob Murdoch |
| 24 | Mickey Redmond |
| | Bobby Sheehan |
| 25 | Jacques Lemaire |
| 26 | Pierre Bouchard |
| 27 | Frank Mahovlich |
| 29 | Ken Dryden |
| 30 | Philippe Myre |
| **ENTRAÎNEUR** | |
| | Claude Ruel |
| | Al MacNeil |

En demi-finale, Minnesota égalise la série au deuxième match. John Ferguson est furieux contre MacNeil qui l'a laissé sur le banc en troisième période et refuse de poursuivre la série. Il faudra l'intervention de Toe Blake pour le ramener dans l'équipe. La grogne se poursuit et la tension continue de monter.

En finale, le Tricolore perd le cinquième match contre Chicago, après avoir nivelé la série deux jours plus tôt. Richard explose en qualifiant MacNeil d'incompétent et de pire entraîneur pour qui il ait joué. Celui-ci l'avait ignoré sur le banc durant une bonne partie de la rencontre. Il n'en faut pas davantage pour que les appels à la bombe se succèdent au Forum. MacNeil et sa famille ont besoin de la protection de la police. Faut dire que la tension entre francophones et anglophones est loin de s'être apaisée depuis octobre. Plus tôt en saison, Richard s'était emporté une première fois contre MacNeil lors d'un match à Los Angeles, le frappant au visage. Geste qui avait fait les choux gras des journaux le lendemain.

● Les Bruins de Boston dominent complètement les autres équipes. Ils établissent 14 nouveaux records d'équipe, dont ceux du nombre de victoires (57), de points (121) et de buts (399). Quatre des leurs occupent les premiers rangs des marqueurs : Esposito avec 152 points dont 76 buts, Orr avec 139, Bucyk avec 116 et Hodge avec 105. Esposito et Orr revendiquent cinq et six records individuels respectivement, dont ceux

du nombre de buts, de passes et de points.
● Les Bruins comptent pas moins de 7 joueurs parmi les 11 meilleurs de la Ligue et 4 dans la première équipe d'étoiles.
● Les Rangers, troisièmes de leur division, réussissent tout de même à ne perdre que deux parties à domicile.
● L'excentrique Charles O. Finley achète les Seals d'Oakland, les renomme Golden Seals de la Californie, change les couleurs des chandails et

fait porter des patins blancs aux joueurs, mais l'équipe est toujours aussi médiocre.
● Les Rangers de New York, les Kings de Los Angeles, les Golden Seals de la Californie et les Penguins de Pittsburgh innovent en inscrivant les noms des joueurs à l'arrière des chandails. Une initiative à laquelle Harold Ballard, propriétaire des Leafs de Toronto, s'oppose pour ne pas nuire aux ventes des programmes au Garden. L'inscription des noms

deviendra obligatoire pour toutes les équipes en 1977-78. Mais Ballard a plus d'un tour dans son sac : il fait apposer des numéros de même couleur que le chandail de ses joueurs.
● La Ligue demande aux équipes de porter leur chandail blanc à domicile dorénavant.
● Après l'Association des joueurs, la LNH est maintenant contrainte de reconnaître une association d'arbitres et de juges de lignes.

**1970  1971**

L'atmosphère est lourde dans le vestiaire. Malgré la situation tendue, MacNeil fait appel au calme de ses joueurs et ceux-ci se serrent les coudes pour niveler de nouveau la série trois matchs à trois, grâce à une victoire de 4-3 avec un but de Pete Mahovlich, en infériorité numérique, au milieu de la troisième. Au match ultime à Chicago, les Hawks prennent les devants 2-0 avant que Jacques Lemaire n'utilise son puissant tir frappé pour tromper Tony Esposito et réduire la marge à 2-1 en deuxième moitié du deuxième vingt. En fin de période, Richard connaît un sursaut de fierté pour égaliser le compte. Il revient encore à la charge en soulevant la rondelle hors de portée d'Esposito en début de troisième, faisant de celui qu'il avait décrié sur la place publique le deuxième entraîneur des Canadiens à gagner la coupe Stanley à sa première année derrière le banc.

Le lendemain, le *New York News* titre : « Henri Richard offre la coupe Stanley au pire instructeur qu'il ait connu. » Au retour de courtes vacances avec sa famille, MacNeil avise Pollock qu'il quitte son poste.

### DRYDEN LE SAUVEUR

Ken Dryden avait accepté une offre des Canadiens qui lui permettait de disputer quelques matchs avec les Voyageurs, la filiale dans la Ligue américaine, tout en poursuivant ses études de droit à l'Université McGill. En mars, Vachon et Myre éprouvent des difficultés devant le filet et MacNeil fait appel à Dryden. Le diplômé de la réputée université Cornell gagne les six parties qu'il dispute avec une moyenne de 1,65. Le Tricolore entreprend les séries plus confiant.

Dryden se plonge dans ses manuels entre chaque entraînement mais prend du retard pour ses examens et a de la difficulté à se concentrer sur les matchs. Finalement,

*L'étudiant Dryden délaisse temporairement ses études en droit pour se consacrer entièrement à la cause du Tricolore.*

● Gordie Howe complète une 22e saison d'affilée avec 20 buts et plus, avant de se retirer une première fois du hockey. Il part avec 13 records de la LNH à sa fiche, dont ceux du nombre de saisons (25) et de parties jouées (1 687), deux marques qu'il améliorera à son retour en 1979-80. Par contre, il faudra attendre les prouesses de Wayne Gretzky pour voir disparaître les sommets de Howe pour les buts, les passes et les points.

● Keith Magnuson, des Hawks, est le mauvais garnement de la Ligue avec 291 minutes de punitions.
● Gary Smith, gardien de la Californie, revendique deux nouvelles marques à la conclusion de la saison, celles du nombre de défaites (48), une fiche toujours inégalée, et du nombre de parties (71).
● Gilbert Perreault, du Canadien junior, est le premier choix au repêchage, mais cette fois Sam Pollock ne peut avoir gain de cause. Il appartient à

la nouvelle équipe des Sabres de Buffalo et est choisi recrue de l'année avec une fiche de 38 buts et 34 passes.
● Bobby Orr est une fois de plus préféré à son coéquipier Phil Esposito pour le choix du trophée Hart, attribué au joueur le plus utile. Esposito se console néanmoins avec le nouveau trophée Lester-B.-Pearson, décerné par les joueurs eux-mêmes.

● Acquis des Blues par les Leafs de Toronto, Jacques Plante réussit à gagner 24 des 40 parties disputées, conservant la meilleure moyenne de la Ligue à 1,88.
● Bobby Hull obtient son 1 000e point dans la LNH le 13 décembre. Il est le quatrième joueur seulement à atteindre un tel niveau en saisons régulières, après Howe, Béliveau et Delvecchio.

| DIVISION EST | | PJ | G | P | N | BP | BC | PTS |
|---|---|---|---|---|---|---|---|---|
| Boston (Bruins) | | 78 | 57 | 14 | 7 | 399 | 207 | 121 |
| New York (Rangers) | | 78 | 49 | 18 | 11 | 259 | 177 | 109 |
| Montréal (Canadiens) | | 78 | 42 | 23 | 13 | 291 | 216 | 97 |
| Toronto (Maple Leafs) | | 78 | 37 | 33 | 8 | 248 | 211 | 82 |
| Buffalo (Sabres) | | 78 | 24 | 39 | 15 | 217 | 291 | 63 |
| Vancouver (Canucks) | | 78 | 24 | 46 | 8 | 229 | 296 | 56 |
| Detroit (Red Wings) | | 78 | 22 | 45 | 11 | 209 | 308 | 55 |
| DIVISION OUEST | | PJ | G | P | N | BP | BC | PTS |
| Chicago (Black Hawks) | | 78 | 49 | 20 | 9 | 277 | 184 | 107 |
| St. Louis (Blues) | | 78 | 34 | 25 | 19 | 223 | 208 | 87 |
| Philadelphie (Flyers) | | 78 | 28 | 33 | 17 | 207 | 225 | 73 |
| Minnesota (North Stars) | | 78 | 28 | 34 | 16 | 191 | 223 | 72 |
| Los Angeles (Kings) | | 78 | 25 | 40 | 13 | 239 | 303 | 63 |
| Pittsburgh (Penguins) | | 78 | 21 | 37 | 20 | 221 | 240 | 62 |
| Californie (Golden Seals) | | 78 | 20 | 53 | 5 | 199 | 320 | 45 |

| MEILLEURS MARQUEURS | | | PJ | B | A | PTS | PUN |
|---|---|---|---|---|---|---|---|
| Phil Esposito | Boston | | 78 | 76 | 76 | 152 | 71 |
| Bobby Orr | Boston | | 78 | 37 | 102 | 139 | 91 |
| John Bucyk | Boston | | 78 | 51 | 65 | 116 | 8 |
| Ken Hodge | Boston | | 78 | 43 | 62 | 105 | 113 |
| Bobby Hull | Chicago | | 78 | 44 | 52 | 96 | 32 |
| Norm Ullman | Toronto | | 73 | 34 | 51 | 85 | 24 |
| Wayne Cashman | Boston | | 77 | 21 | 58 | 79 | 100 |
| John McKenzie | Boston | | 65 | 31 | 46 | 77 | 120 |
| Dave Keon | Toronto | | 76 | 38 | 38 | 76 | 4 |
| Jean Béliveau | Canadiens | | 70 | 25 | 51 | 76 | 40 |
| Fred Stanfield | Boston | | 75 | 24 | 52 | 76 | 12 |

*Arrivé en toute fin de saison, Ken Dryden fera montre d'un sang-froid remarquable pour contrer moult attaques des puissants Bruins et des Hawks, héritant du trophée Conn-Smythe.*

**1970 1971**

l'université accepte de reporter les examens à l'automne et Dryden peut se consacrer à son jeu. Il dispute tous les matchs du club, réussit des arrêts prodigieux et conduit le Tricolore à sa 17e coupe Stanley, tel que l'avait prédit Floyd Curry. On lui remet le trophée du meilleur joueur des séries.

### 500 BUTS POUR LE GRAND JEAN

Jean Béliveau avait fait part à Sam Pollock de son intention de prendre sa retraite au terme de la saison 1969-70. Ce dernier l'a persuadé de poursuivre un an pour faire la transition avec une nouvelle dynastie qu'il a habilement tissée à la faveur de nombreuses tractations avec ses homologues. Cette insistance du gérant permet à Béliveau de rejoindre en février le club sélect des compteurs de 500 buts, après Maurice Richard, Gordie Howe et Bobby Hull, en plus d'inscrire son nom une dixième fois sur la coupe Stanley peu après.

*Pollock convainc Béliveau de faire une saison de plus et le grand Jean en profite pour inscrire son 500e but.*

Le soir de son 500e le 11 février 1971, le Gros Bill déjoue le cerbère Gilles Gilbert du Minnesota à trois reprises. L'ovation dure cinq minutes ! Quelques semaines plus tard, on rend hommage au grand Jean au centre de la patinoire. À sa demande, on ne lui remet aucun cadeau, mais on verse à la Fondation Jean-Béliveau, nouvellement créée, une somme de départ de 155 000 $.

*LES QUATRE PREMIÈRES PLACES DEMEURENT INCHANGÉES DANS L'EST, ALORS QUE LES BRUINS TRÔNENT AU SOMMET ET QUE LE TRICOLORE FINIT TROISIÈME, À UN POINT DES RANGERS. À LA SUITE D'UN CHANGEMENT À LA FORMULE DES SÉRIES (LA 1RE ÉQUIPE AFFRONTE LA 4E ET LA 2E JOUE CONTRE LA 3E), LE TRICOLORE EST ÉLIMINÉ PAR NEW YORK, QUI GAGNE LES DEUX PREMIÈRES PARTIES À DOMICILE. LA SÉRIE SE TERMINE EN SIX ET LES RANGERS SE RENDENT À LA FINALE QU'ILS PERDENT À LEUR TOUR EN SIX, CONTRE BOSTON, LEQUEL S'APPROPRIE UNE DEUXIÈME COUPE EN TROIS ANS. ESPOSITO RESTE AU SOMMET DES MARQUEURS AVEC 133 POINTS, 16 DE MIEUX QUE SON COÉQUIPIER ORR. TROIS RANGERS, JEAN RATELLE, VIC HADFIELD ET RODRIGUE GILBERT, SUIVENT DANS L'ORDRE, DEVANT FRANK MAHOVLICH, ACQUIS DES RED WINGS PAR LES CANADIENS AU MILIEU DE LA SAISON PRÉCÉDENTE. BOBBY ORR CONSERVE SES DEUX TROPHÉES NORRIS ET HART, ET LE GARDIEN KEN DRYDEN, QUI A DONNÉ LA COUPE AUX CANADIENS L'ANNÉE PRÉCÉDENTE, EST CHOISI RECRUE DE L'ANNÉE. IL EST AUSSI SÉLECTIONNÉ DANS LA SECONDE ÉQUIPE D'ÉTOILES AVEC COURNOYER.*

## Lafleur, digne successeur de Béliveau

**L**a salle de bal de l'hôtel Reine-Elizabeth est bondée! L'atmosphère est à l'excitation et les nombreux joueurs juniors présents ont les mains moites. Parmi eux, un jeune homme de dix-neuf ans, vêtu d'un veston à carreaux à la mode et arborant de larges favoris qui épaississent un peu son visage encore juvénile, feint de rester calme lorsque Sam Pollock s'empare du micro. Son pouls monte encore d'un cran lorsque le gérant des Canadiens demande un moment de réflexion. Mais personne n'est dupe dans la salle, car on sait que le choix du gérant des Canadiens se portera sur Guy Lafleur.

Que de savantes analyses et que de commentaires plus pertinents les uns que les autres ont été effectués par tous les spécialistes, les nombreux journalistes affectés au hockey, ainsi que par les milliers de gérants d'estrade et piliers de taverne, au cours des mois et des semaines précédant le repêchage amateur de la Ligue nationale! On se demande qui de Lafleur, grande vedette de la nouvelle Ligue junior du Québec, ou de Marcel Dionne, qui se dirige vers un second titre de champion marqueur dans la Ligue de l'Ontario, sera le premier choix de l'encan amateur. Sam Pollock, gérant général des Canadiens, a de son

*Guy Lafleur connaîtra un début difficile à Montréal mais, une fois acclimaté, il deviendra une source de motivation pour ses coéquipiers et l'une des plus grandes vedettes de l'histoire de la Ligue.*

● Scotty Bowman est nommé entraîneur des Canadiens quelques heures avant que Pollock ne réclame Lafleur au repêchage.

● Henri Richard hérite du poste de capitaine en remplacement de Béliveau.

● Yvan Cournoyer connaît l'une des meilleures saisons de sa carrière avec une production de 47 buts et 36 assistances. Ses 83 points lui valent le huitième rang des marqueurs et le deuxième des Canadiens, derrière Frank Mahovlich (43-53-96). Pour sa part, Mahovlich égalise le record de points de l'équipe établi par Dickie Moore en 1958-59.

● Cette merveilleuse saison a aussi permis à Cournoyer d'obtenir son 400e point dans l'uniforme montréalais, contre Gilles Villemure des Rangers, le soir de son 500e match avec le club.

● Les Voyageurs, club-école des Canadiens dans la Ligue américaine, déménagent à Halifax en Nouvelle-Écosse. Al MacNeil est «promu» directeur général et entraîneur de l'équipe afin d'éviter un renvoi gênant à la barre des Canadiens. Il ne semble pas trop marqué par sa mésaventure à Montréal puisqu'il conduit l'équipe à la coupe Calder.

● Rogatien Vachon a définitivement perdu le poste de premier gardien à Ken Dryden peu après le début de la saison et il demande à Pollock de l'échanger. Ce dernier se rend à son désir et l'envoie aux Kings de Los Angeles, en retour de Denis DeJordy, Dale Hoganson, Noel Price et Doug Robinson.

**1971-1972**

côté pris sa décision depuis longtemps. En fait, depuis le 22 mai 1970, alors qu'il a échangé son premier choix du repêchage à venir dans quelques jours aux Golden Seals de la Californie pour leur première sélection de 1971. Pour mieux faire avaler la pilule aux Seals, Pollock a ajouté quelques noms à l'entente. Ernie Hicke, auquel les Seals tenaient beaucoup, est passé aux Seals en retour de François Lacombe et, en prime, Selke a aussi cédé les droits sur Dennis Hextall.

Pendant un an, Pollock et tout l'état-major des Canadiens ont espéré. Espéré que les Golden Seals et leurs patins blancs n'obtiennent pas trop de succès, question de garder toutes les options ouvertes. Longuement, patiemment, tantôt avec la Californie, tantôt avec Minnesota, Los Angeles et Pittsburgh, Pollock a discuté affaires et conclu des ententes au cours de la saison pour préparer le terrain au cas où. Mais son plan était le bon et l'entente avec les Seals, celle qui allait lui permettre de poursuivre la domination du Bleu-Blanc-Rouge, a donné le résultat escompté.

*Il appartient maintenant à Henri Richard de reprendre le rôle de capitaine.*

| | JOUEURS |
|---|---|
| 1 | Denis DeJordy |
| | Rogatien Vachon |
| 2 | Jacques Laperrière |
| 3 | Jean-Claude Tremblay |
| 5 | Guy Lapointe |
| 6 | Jim Roberts |
| | Dale Hoganson |
| 8 | Larry Pleau |
| | Reynald Comeau |
| 10 | Guy Lafleur |
| 11 | Marc Tardif |
| 12 | Yvan Cournoyer |
| 14 | Réjean Houle |
| 15 | Claude Larose |
| 16 | Henri Richard (C) |
| 17 | Larry Pleau |

● En deuxième ronde de la séance qui leur a permis de mettre la main sur Lafleur, Pollock et compagnie réclament un grand défenseur des Rangers de Kitchener, du nom de Larry Robinson.

● Scotty Bowman passe près de laisser sa peau dans l'incendie qui ravage l'hôtel où est descendue l'équipe à St. Louis en mars. Serge Savard est coupé sévèrement à la jambe droite en tentant

de lui porter secours. Finalement, Réjean Houle et le physiothérapeute Bob Williams empruntent l'échelle d'un camion à incendie pour secourir l'entraîneur, réfugié sur le balcon de sa chambre au quatrième étage.

● Le Tricolore vend le contrat de Claude Provost, à la retraite depuis la saison précédente, aux Kings de Los Angeles, en juin. Bien inutilement puisque l'un des meilleurs « couvreurs »

de l'histoire de l'équipe n'ira pas sur la côte Ouest.

● Le choix de Ken Dryden à titre de recrue de l'année sera le dernier de l'histoire des Canadiens. Par la suite, aucun Montréalais ne sera sélectionné ; Chris Chelios viendra près en 1984-85 en finissant deuxième. Avant Dryden, les élus ont été John Quilty (1940-41), Bernard Geoffrion (1951-52), Ralph Backstrom (1958-59),

Robert Rousseau (1961-62) et Jacques Laperrière (1963-64).

● Quelques joueurs atteignent des sommets personnels au cours de la saison : 400 parties jouées pour Claude Larose et 300 pour Jacques Lemaire ; sur le plan offensif, Henri Richard totalise maintenant 900 points et 600 passes, Frank Mahovlich a aussi 900 points et 450 buts dans la Ligue, Jean-Claude Tremblay a 300 passes et Jacques Lemaire, 300 points.

| JOUEURS | |
|---|---|
| 17 | Phil Roberto |
| | Dale Hoganson |
| 18 | Serge Savard |
| 19 | Terry Harper |
| 20 | Pete Mahovlich |
| 21 | Chuck Lefley |
| 23 | Bob Murdoch |
| | Germain Gagnon |
| 24 | Charles Arnason |
| | Dale Hoganson |
| 25 | Jacques Lemaire |
| 26 | Pierre Bouchard |
| 27 | Frank Mahovlich |
| 29 | Ken Dryden |
| 30 | Phil Myre |
| **ENTRAÎNEUR** | |
| | Scotty Bowman |

**1971-1972**

*Ken Dryden triomphe de nouveau, cette fois avec le titre de recrue de l'année.*
*Il est le dernier des Canadiens à avoir reçu le titre.*

*Béliveau peut maintenant consacrer plus de temps à sa fille Hélène et à sa chère Élise.*

Guy Lafleur fait son entrée chez le Tricolore au moment où Béliveau s'en va, lui qu'on avait aussi arraché à l'affection des sportifs de Québec pour perpétuer la tradition du Tricolore.

À l'époque, Frank Selke avait joué de ruse avec les dirigeants de la Ligue senior du Québec. Cette fois, Pollock a usé de la même ruse pour contrer les ambitions de ses confrères de la Ligue nationale.

Sagement, Lafleur délaisse le numéro 4 qui l'a rendu célèbre à Québec et opte pour le numéro 10. La pression est déjà assez forte pour la recrue la mieux payée de l'histoire des Canadiens, quelque 25 000 $ par année (contrat de deux ans), plus une prime de 55 000 $.

## BÉLIVEAU ET FERGUSON SE RETIRENT

Jean Béliveau a acquiescé à la demande de Sam Pollock et accepté de prolonger sa carrière d'un an. Une décision qui lui a permis de goûter au plaisir d'une

● L'annonce en juin par Gary Davidson et Dennis Murphy de la création d'un nouveau circuit professionnel, l'Association mondiale de hockey (AMH), crée un vent de panique chez les propriétaires de la Ligue nationale. Celle-ci devance son programme d'expansion et accorde des concessions à Long Island (également visé par l'AMH) et Atlanta pour la saison 1972-73.

● En février 1972, un groupe de six anciens actionnaires des Remparts de la Ligue junior du Québec achète la concession de San Francisco et adhère à l'AMH. L'équipe s'appellera les Nordiques.

● Bobby Orr est le premier millionnaire du hockey, avec un contrat de cinq ans à raison de 200 000 $ par année.

● Deux autres exploits pour Bobby Orr, qui devient le premier joueur à recevoir le trophée Hart trois ans de suite et le James-Norris, cinq. Il est, avec son coéquipier Phil Esposito, le premier à marquer 100 points en une saison pour la troisième fois.

● Autre première aussi pour le défenseur des Rangers Brad Park, moins excitante celle-là. Pour la troisième année de suite, il termine deuxième au choix du meilleur défenseur et récipiendaire du trophée Norris.

● Orr et Esposito accaparent les deux premières places au classement des marqueurs pour la troisième année de suite. Ils sont suivis du premier trio des Rangers de New York, formé de Jean Ratelle, Vic Hadfield et Rodrigue Gilbert, trio qu'on surnomme GAG (*Goal*

*a Game*). Le mérite de Ratelle est reconnu par l'attribution des trophées du joueur le plus gentilhomme (Lady-Byng) et du joueur par excellence (Pearson).

● *Hockey Night in Canada* interviewe en fin de saison un joueur novice, compteur de 378 buts en une saison à Brantford. Son nom: Wayne Gretzky.

● Une fracture à une cheville fait manquer 15 parties à Jean Ratelle, qui perd ainsi sa chance de remporter le titre des marqueurs. La situation

**1971-1972**

*Yvan Cournoyer connaît l'une des meilleures saisons de sa carrière cette année-là avec une production de 47 buts et 36 passes.*

10e coupe Stanley et d'un 500e but dans la Ligue nationale. Mais à la veille du repêchage de la LNH, alors que tous les regards se tournent vers un nouveau dieu sur patins, le grand Jean, ne pouvant contenir son émotion mais avec dignité, annonce que le 1 287e match qu'il a disputé le 18 mai précédent à Chicago était son dernier dans l'uniforme tricolore.

Coéquipiers, journalistes, personnalités sportives et politiques veulent ce jour-là remercier Béliveau pour les émotions qu'il leur fait vivre depuis 18 ans. Celui qui devient vice-président corporatif des Canadiens quitte la glace du Forum en apportant sous le bras, outre ses 10 répliques de la célèbre coupe, 2 trophées Hart, 1 Art-Ross et 1 Conn-Smythe.

Cinq jours plus tôt, John Ferguson, vieux compagnon d'armes de Béliveau au cours des huit dernières années, également l'un des grands motivateurs de l'équipe, accrochait lui aussi ses patins.

Avec les départs de Béliveau et Ferguson, précédés de ceux de Ralph Backstrom, Claude Provost, Robert Rousseau, Lorne Worsley, Ted Harris, Gilles

342

| DIVISION EST | PJ | G | P | N | BP | BC | PTS |
|---|---|---|---|---|---|---|---|
| Boston (Bruins) | 78 | 54 | 13 | 11 | 330 | 204 | 119 |
| New York (Rangers) | 78 | 48 | 17 | 13 | 317 | 192 | 109 |
| Montréal (Canadiens) | 78 | 46 | 16 | 16 | 307 | 205 | 108 |
| Toronto (Maple Leafs) | 78 | 33 | 31 | 14 | 209 | 208 | 80 |
| Detroit (Red Wings) | 78 | 33 | 35 | 10 | 261 | 262 | 76 |
| Buffalo (Sabres) | 78 | 16 | 43 | 19 | 203 | 289 | 51 |
| Vancouver (Canucks) | 78 | 20 | 50 | 8 | 203 | 297 | 48 |
| DIVISION OUEST | PJ | G | P | N | BP | BC | PTS |
| Chicago (Black Hawks) | 78 | 46 | 17 | 15 | 256 | 166 | 107 |
| Minnesota (North Stars) | 78 | 37 | 29 | 12 | 212 | 191 | 86 |
| St. Louis (Blues) | 78 | 28 | 39 | 11 | 208 | 247 | 67 |
| Pittsburgh (Penguins) | 78 | 26 | 38 | 14 | 220 | 258 | 66 |
| Philadelphie (Flyers) | 78 | 26 | 38 | 14 | 200 | 236 | 66 |
| Californie (Golden Seals) | 78 | 21 | 39 | 18 | 216 | 288 | 60 |
| Los Angeles (Kings) | 78 | 20 | 49 | 9 | 206 | 305 | 49 |

| MEILLEURS MARQUEURS | | PJ | B | A | PTS | PUN |
|---|---|---|---|---|---|---|
| Phil Esposito | Boston | 76 | 66 | 67 | 133 | 76 |
| Bobby Orr | Boston | 76 | 37 | 80 | 117 | 106 |
| Jean Ratelle | New York | 63 | 46 | 63 | 109 | 4 |
| Vic Hadfield | New York | 78 | 50 | 56 | 106 | 142 |
| Rodrigue Gilbert | New York | 73 | 43 | 54 | 97 | 64 |
| Frank Mahovlich | Canadiens | 76 | 43 | 53 | 96 | 36 |
| Bobby Hull | Chicago | 78 | 50 | 43 | 93 | 24 |
| Yvan Cournoyer | Canadiens | 73 | 47 | 36 | 83 | 15 |
| John Bucyk | Boston | 78 | 32 | 51 | 83 | 4 |
| Bobby Clarke | Philadelphie | 78 | 35 | 46 | 81 | 87 |
| Jacques Lemaire | Canadiens | 77 | 32 | 49 | 81 | 26 |

est encore plus dramatique pour les Rangers, qui ratent l'occasion de mettre la main sur la coupe, qu'ils n'ont pas vue depuis 1940.

● Le gardien Bruce Gamble, des Flyers, connaît une journée difficile le 8 février à Vancouver. Il se sent mal en première, mais conduit tout de même les siens à une victoire de 4 à 1, pour apprendre après le match qu'il a eu une attaque cardiaque. Ce qui met un terme à sa carrière.

● La Ligue introduit un nouveau règlement pour expulser du match tout joueur, considéré comme le troisième homme, qui s'interpose dans une bagarre.

● L'Association des joueurs exige désormais la signature des contrats avant le début de la saison.

● Le gardien des Bruins, Gerry Cheevers, s'inscrit dans le livre des records avec une séquence de 32 parties (24-0-8) sans défaites.

● Norm Ullman ajoute son nom aux marqueurs de 1 000 points dans la Ligue nationale.

● À la fin de l'année, Joe Crozier est appelé à remplacer son ami Punch Imlach derrière le banc des Sabres lorsque celui-ci éprouve des problèmes cardiaques. Il a la brillante idée de réunir, pour quelques parties, René Robert, nouvellement arrivé de Pittsburgh, à Gilbert Perreault et Richard Martin. La *French Connection* est née. Le trio connaîtra un immense succès offensif avec Buffalo pendant plusieurs années.

● Le Royal de Cornwall, membre de la Ligue junior du Québec, succède aux Remparts pour le championnat de la coupe Memorial, grâce au bon travail de son gardien Richard Brodeur.

● L'URSS est médaillée d'or aux Jeux de Sapporo et les Américains gagnent la médaille d'argent. Le Canada boycotte le hockey pour protester contre la présence des faux amateurs soviétiques. Au championnat du monde, la Tchécoslovaquie interrompt la domination soviétique qui dure depuis 1963.

| TROPHÉES | |
| --- | --- |
| **COUPE STANLEY** | |
| Bruins de Boston | |
| **TROPHÉE PRINCE-DE-GALLES** | |
| Bruins de Boston | |
| **TROPHÉE CLARENCE-CAMPBELL** | |
| Black Hawks de Chicago | |
| **TROPHÉE HART** | |
| Bobby Orr | |
| Bruins de Boston | |
| **TROPHÉE ART-ROSS** | |
| Phil Esposito | |
| Bruins de Boston | |
| **TROPHÉE LADY-BYNG** | |
| Jean Ratelle | |
| Rangers de New York | |
| **TROPHÉE CALDER** | |
| **Ken Dryden** | |
| **Canadiens de Montréal** | |
| **TROPHÉE GEORGES-VÉZINA** | |
| Tony Esposito et Gary Smith | |
| Black Hawks de Chicago | |
| **TROPHÉE JAMES-NORRIS** | |
| Bobby Orr | |
| Bruins de Boston | |
| **TROPHÉE CONN-SMYTHE** | |
| Bobby Orr | |
| Bruins de Boston | |
| **TROPHÉE BILL-MASTERTON** | |
| Bobby Clarke | |
| Flyers de Philadelphie | |
| **TROPHÉE LESTER-B.-PEARSON** | |
| Jean Ratelle | |
| Rangers de New York | |

**1971-1972**

Tremblay, Dick Duff et quelques autres, le Tricolore tourne une autre page de son illustre histoire. Il appartient désormais aux Dryden, Lafleur, Robinson, Shutt, Mahovlich et Gainey d'écrire la suite avec les vétérans, les Savard, Laperrière, Tremblay, Lapointe, Richard, Lemaire et Cournoyer.

### LE CLUB CÉDÉ AUX BRONFMAN

Les frères David, William et Peter Molson cèdent la majorité des actions du Canadian Arena à un consortium formé d'Edward et Peter Bronfman, de la Banque de Nouvelle-Écosse et de Baton Broadcasting (deux propriétés des Bronfman), pour une somme évaluée entre 13 et 15 millions, le 30 décembre. En fait, les frères Bronfman, cousins du propriétaire des Expos, Charles, sont les nouveaux propriétaires du Forum et des Canadiens, ce qui ne fait pas vraiment plaisir au sénateur Hartland de M. Molson, qui a cédé le club à ses neveux deux ans plus tôt. Jacques Courtois, administrateur et vice-président de la Banque de Nouvelle-Écosse, est le nouveau président de l'équipe.

Les rumeurs d'une vente par les Molson avaient commencé à circuler en mai, mais le nom de l'acheteur potentiel était celui de l'homme d'affaires Jean-Louis Lévesque.

La raison invoquée pour la vente de l'équipe porte sur la réforme fiscale entrant en vigueur deux jours plus tard, qui rendra les gains en capitaux imposables. Cependant, quelques scribes, dont Jacques Barrette du *Montréal-Matin* et Gus Lacombe de *Dimanche/Dernière Heure* laissent entrevoir la possibilité d'une mésentente entre les trois Molson.

*Des Molson aux Bronfman pour $15 millions*

# LE CANADIEN VENDU

(Voir pages 57, 58 et 59)

*Montréal-Matin, le vendredi 31 décembre 1971*

*Les frères Molson cèdent le club à la famille Bronfman à la veille de la mise en application d'une réforme fiscale contrariante.*

**Le No 1 du matin au Québec**

# le journal de montréal

VOL. IX / No 327 / 76 pages
MONTRÉAL, VENDREDI 11 MAI 1973

A demain
7 jours **95 c**   Abitibi: 20c   **15¢**

# LE TROPHÉE SMYTHE À COURNOYER

## LE DÉFILÉ AURA LIEU À MIDI

# ÇA Y EST !

**Pages 72 à 75**

*(Téléphoto Le Journal — UPI)*
Les Canadiens ont clôturé hier une autre brillante saison. Ils ont gagné leur 95e et dernier match de la campagne. Ils se sont superbement ralliés pour disposer des Black Hawks de Chicago, 6-4, dans la sixième partie de la série finale qu'ils ont remportée 4-2. Yvan Cournoyer, le gagnant du trophée Smythe, a compté le but gagnant, mais le trio formé de Pete Mahovlich, Réjean Houle et Chuck Lefley s'est aussi distingué. Le grand Pete n'a pas compté sur ce jeu, mais il s'est repris au début de la deuxième période en marquant le deuxième but des siens. C'est à la troisième période que les champions ont donné le coup de grâce aux Black Hawks en enregistrant deux autres buts. La coupe Stanley revient donc dans le Québec pour la 18e fois.

# 1972  1973

DIX-
HUITIÈME
COUPE
STANLEY

Le Tricolore revient au sommet dans l'Est et les Black Hawks dominent l'Ouest une troisième année de suite, alors qu'un nouveau circuit, l'Association mondiale, fait concurrence à la Ligue nationale. Deux nouvelles équipes, les Islanders de New York dans l'Est et les Flames d'Atlanta dans l'Ouest, se joignent au circuit. Buffalo est éliminé quatre parties à deux par le Tricolore, puis ce sera le tour de Philadelphie (4-1) et des Hawks (4-2) en finale. Yvan Cournoyer reçoit le trophée Conn-Smythe du meilleur joueur. Troisième titre d'affilée pour Phil Esposito chez les marqueurs. Avec 130 points, il devance facilement Bobby Clarke, des Flyers, à 104. Jacques Lemaire est cinquième avec 95 points. Mais le trophée Hart échappe encore à Esposito, cette fois au profit de Clarke. Sixième trophée Norris de suite pour Bobby Orr. Ken Dryden mérite le trophée Vézina et Gilbert Perreault, des Sabres, le Lady-Byng. Trois joueurs des Canadiens sont choisis dans la première équipe d'étoiles : Dryden, Guy Lapointe et Frank Mahovlich. Cournoyer est dans la seconde.

*Une onzième coupe pour Henri, un exploit que nul joueur de hockey ne parviendra à égaler.*

# Onzième coupe Stanley pour Henri Richard

**H**enri Richard étreint la coupe Stanley une onzième fois depuis son arrivée chez les Canadiens. Pendant un bref instant, il revoit les images de cette journée du 12 octobre 1955, alors que son frère Maurice lui sert d'interprète pour la signature de son premier contrat avec le gérant Frank Selke. Le grand patron des Canadiens, voyant à son air renfrogné qu'Henri ne veut rien savoir d'un autre séjour chez les juniors, arrache soudainement une page du petit calendrier sur son bureau, inscrit quelques chiffres et tend le papier à Henri. Il y est écrit : 2 000 $ pour la signature, 7 000 $ pour 1955-56 et 8 000 $ pour 1956-57. Henri est satisfait et signe son nom. Il se souvient aussi qu'au moment de sortir, Selke le rappelle, déchire le papier et en prépare un autre, inscrivant cette fois 5 000 $ comme prime de signature «pour ne pas être accusé plus tard d'avoir profité de sa jeunesse», dira-t-il à son frère Maurice.

Ce soir, Henri vient de disputer une 18e saison (il en jouera une 20e avant de prendre sa retraite) dans l'uniforme des Canadiens et cette 11e coupe Stanley le place hors de portée de quiconque. Fougueux et déterminé comme aucun, il a toujours servi son équipe plus par l'exemple que par la parole. Timide et renfermé, le Pocket Rocket, un surnom qui remonte à son séjour chez les juniors, a connu des moments glorieux, mais des plus difficiles aussi. La plupart des gens se rappellent son but victorieux au sixième match de la finale contre Detroit en 1966. Une collision avec Gary Bergman au début de la supplémentaire, alors qu'il s'apprêtait à faire dévier le tir de Dave Balon, l'avait projeté au fond du filet de Roger Crozier avec la rondelle. Ou encore les deux magnifiques buts réalisés quelques jours après sa sortie contre Al MacNeil,

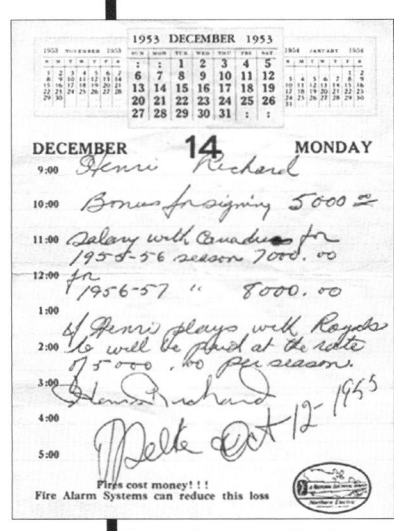

*Le premier contrat d'Henri griffonné par Sam Pollock sur une page arrachée de son agenda.*

346

● Jean Béliveau — à peine un an après l'annonce de sa retraite — et Bernard Geoffrion sont intronisés au Temple de la renommée.

● Une solide altercation entre Henri Richard et Serge Savard en novembre fait grand bruit dans l'entourage de l'équipe. La dispute fait suite à un texte du journaliste Tim Burke, du quotidien *The Gazette*. Richard s'oppose à ce que l'on ferme la porte du vestiaire de l'équipe,

au terme d'une victoire de 9-1 à Vancouver, en disant que «ces gars-là (les journalistes) avaient un travail à exécuter». La réplique de Savard : «Si tu les aimes tant, pourquoi tu ne couches pas avec eux ?» Le sang du Pocket ne fait qu'un tour et Savard reçoit une taloche en plein visage. La tempête s'apaise quelques jours plus tard, après que les deux coéquipiers se sont expliqués.

● Autre incident rapporté par les médias au début de l'année. Maurice Richard, devenu entraîneur des Nordiques de Québec pour quelques jours, est rayé de la liste des personnes bénéficiant de billets de faveur du club. Par la suite, il refusera toutes les invitations, même pour la fête de son grand ami Toe Blake le 6 décembre, et mettra beaucoup de temps avant de remettre les pieds au Forum.

● Frank Mahovlich, maintenant un joueur bien établi chez les Canadiens, obtient son 500e but et son 1 000e point dans la LNH, en un peu plus de 1 100 rencontres.

● C'est cependant Jacques Lemaire qui s'affirme comme la grande vedette offensive du club avec une production de 44 buts et 51 passes. Ses 95 points lui valent le cinquième rang des marqueurs, mais il est devancé par Phil Esposito et Bobby Clarke dans les équipes d'étoiles.

*Un bon coup de publicité pour les Nordiques, mais qui n'aura duré que le temps des roses. Incapable de supporter la pression du poste d'entraîneur, Maurice Richard abandonne après deux parties.*

assurant aussi la victoire aux Canadiens lors du match décisif de la finale contre Chicago en 1971.

Ses démêlés avec Bowman au cours des dernières années, la gifle assénée à Serge Savard dans le vestiaire plus tôt en saison, sur une question de respect du travail des médias, sa retraite impromptue dans les Laurentides en février 1968 ont été des périodes difficiles pour cet homme réputé pour son tempérament calme. Chaque fois, il a songé à tout abandonner. Chaque fois, il a rebondi plus fort. Celui de qui plusieurs ont déjà dit qu'il ne jouerait pas dans la Ligue nationale parce qu'il n'était que le frère de Maurice aura eu le dernier mot pendant 20 ans.

Il a d'abord voulu se joindre aux Canadiens pour jouer avec son frère, le héros de son enfance, qu'il n'avait pourtant presque pas connu. Il a voulu

*La finale contre Chicago donne des parties aux pointages élevés et les moments de réjouissance sont nombreux pour Pete Mahovlich et Guy Lafleur. Les Canadiens l'emportent en six.*

● Yvan Cournoyer termine au premier rang des marqueurs des séries avec 25 points dont 15 buts. Il obtient notamment le but victorieux du deuxième affrontement et du match décisif contre Chicago. Sa contribution à la conquête de cette 18e coupe par les Canadiens, la sixième en neuf ans, lui vaut le trophée Conn-Smythe. Lemaire marque quant à lui 12 points en finale, dont 4 (2-2) au premier match.

● Le Tricolore perd deux gardiens de l'organisation en autant de jours en juin. Philippe Myre est réclamé par les Flames d'Atlanta à leur entrée dans la Ligue, tandis que Denis Dejordy est cédé aux Islanders. Cependant, il ne jouera jamais pour eux, puisqu'il sera expédié à Detroit quelques mois plus tard.

● Au repêchage amateur, Montréal regarnit sa banque de gardiens en réclamant Michel Larocque au deuxième rang, après avoir choisi Steve Shutt en premier. Au total, Montréal sélectionne quatre joueurs au premier tour.
● L'échange qui envoie le défenseur Terry Harper à Los Angeles au cours de l'été permettra éventuellement aux Canadiens de repêcher Pierre Mondou.

● Le Tricolore connaît une excellente saison sur la glace de ses rivaux, établissant une nouvelle marque avec seulement 6 revers à l'étranger (un record toujours valide qu'il rééditera deux fois, en 1974-75 et 1977-78), tout en connaissant une séquence de 15 parties sans défaite, de janvier à mars.

**1972 1973**

continuer pour prouver que lui, Henri Richard, avait sa place dans cette ligue malgré sa petite taille. Mais aussi parce qu'il aime le hockey avant tout.

Encore aujourd'hui, ce 10 mai 1973, il a relancé l'équipe en fin de première pour réduire l'avance des Black Hawks à un seul but et paver le terrain de cette victoire de 6-4. Une victoire qui permet à l'équipe de s'approprier la coupe une 18e fois.

Onze sur dix-huit, pas trop mal comme moyenne !

### LAFLEUR PLEURE DE DÉPIT

Guy Lafleur connaît des débuts difficiles avec les Canadiens. Il est resté très attaché à ses amis et à ses supporters de Québec. En plus, ses fréquents voyages aller-retour vers la Vieille Capitale n'arrangent pas les choses. Nostalgique, il répète qu'il n'hésitera pas à signer avec les Nordiques à l'expiration de son contrat si l'offre en vaut la peine. Ceux-ci connaissent l'intérêt de Lafleur pour le Colisée. À la mi-février 1973, ils déposent une offre de 90 000 $ par année, plus une prime de 50 000 $ pour une entente de trois ans.

Lafleur est fort déçu d'une offre si peu attrayante et le fait rapidement savoir aux Fleurdelysés par son agent Gerry Patterson. Québec revient à la charge en mars avec une proposition plus sérieuse qui frise le demi-million : 60 000 $ à la signature, puis 125 000 $, 135 000 $ et 145 000 $ pour les trois années du pacte. Selon les dires du gérant de l'époque, Marius Fortier, tels que rapportés dans son livre *Les Nordiques et le circuit maudit,* Patterson se montre alors fort satisfait de l'offre.

Mais le lien est brisé, Lafleur a perdu confiance en l'équipe de Québec et entretient des doutes sur sa solidité financière. Pendant ce temps, le rusé Sam Pollock prépare la réplique du Tricolore qui ne peut

| JOUEURS | |
|---|---|
| 1 | Michel Plasse |
| 2 | Jacques Laperrière |
| 3 | Dale Hoganson |
| 5 | Guy Lapointe |
| 6 | Jim Roberts |
| 8 | Charles Arnason |
| 10 | Guy Lafleur |
| 11 | Marc Tardif |
| 12 | Yvan Cournoyer |
| 14 | Réjean Houle |
| 15 | Claude Larose |
| 16 | Henri Richard (C) |
| 17 | Murray Wilson |
| 18 | Serge Savard |
| 19 | Larry Robinson |
| 20 | Pete Mahovlich |
| 21 | Randy Rota |
| | Dave Gardner |
| | Yvon Lambert |
| 22 | Steve Shutt |
| 23 | Bob Murdoch |
| 24 | Chuck Lefley |
| 25 | Jacques Lemaire |
| 26 | Pierre Bouchard |
| 27 | Frank Mahovlich |
| 29 | Ken Dryden |
| 30 | Wayne Thomas |
| **ENTRAÎNEUR** | |
| | Scotty Bowman |

*Lafleur est malheureux à Montréal et Bowman lui reproche de ne pas avoir coupé les ponts avec la ville de Québec. À regret, il signera tout de même le contrat de 10 ans que lui offre Sam Pollock.*

● Las de réchauffer le banc depuis trois saisons, Pierre Bouchard fait part de ses états d'âme à quelques journalistes avant le début des éliminatoires, regrettant d'avoir signé un contrat de deux ans avec l'équipe, contrat qui l'empêche de montrer son talent ailleurs. Il aura cependant la chance de se reprendre au cours des séries et des années à venir.

● Yvan Cournoyer a maintenant réussi 500 points depuis qu'il porte l'uniforme tricolore, une marque atteinte à la fin de décembre contre Daniel Bouchard d'Atlanta.
● Comme un signe annonciateur de sa 11e coupe Stanley, Henri Richard dispute le 1 100e match de sa carrière en octobre. À la fin de la saison, Jacques Laperrière en comptera 600, Jim Roberts et Serge Savard, 300 chacun.

● La brasserie Molson met à l'enjeu un nouveau trophée pour couronner le classement des « trois étoiles du match » à chaque saison. Ken Dryden est le premier récipiendaire. L'attribution du trophée est réservée aux joueurs des Canadiens.

| TROPHÉES |
|---|
| **COUPE STANLEY** |
| **Canadiens de Montréal** |
| **TROPHÉE PRINCE-DE-GALLES** |
| **Canadiens de Montréal** |
| **TROPHÉE CLARENCE-CAMPBELL** |
| Black Hawks de Chicago |
| **TROPHÉE HART** |
| Bobby Clarke |
| Flyers de Philadelphie |
| **TROPHÉE ART-ROSS** |
| Phil Esposito |
| Bruins de Boston |
| **TROPHÉE LADY-BYNG** |
| Gilbert Perreault |
| Sabres de Buffalo |
| **TROPHÉE CALDER** |
| Steve Vickers |
| Rangers de New York |
| **TROPHÉE GEORGES-VÉZINA** |
| **Ken Dryden** |
| **Canadiens de Montréal** |
| **TROPHÉE JAMES-NORRIS** |
| Bobby Orr |
| Bruins de Boston |
| **TROPHÉE CONN-SMYTHE** |
| **Yvan Cournoyer** |
| **Canadiens de Montréal** |
| **TROPHÉE BILL-MASTERTON** |
| Lowell MacDonald |
| Penguins de Pittsburgh |
| **TROPHÉE LESTER-B.-PEARSON** |
| Bobby Clarke |
| Flyers de Philadelphie |

1972 1973

se permettre de perdre son héros de la prochaine décennie. Il convoque Patterson, puis Lafleur, pour leur faire part d'une offre à signer « dans les 24 prochaines heures ». Lafleur sait que les Nordiques sont à mettre au point une autre proposition, nettement supérieure à la précédente, mais celle-ci tarde à venir.

Quelques minutes avant le match éliminatoire du 4 avril contre Buffalo, dans un recoin du Forum, le Démon blond accepte la proposition de Pollock, soit un million pour un contrat de dix ans, accompagné de quelques primes et d'une révision salariale après trois et six ans. Roger Barré, beau-père de Lafleur et actionnaire des Nordiques, arrive avec l'offre de Québec après le match. On lui propose un million pour cinq ans, exactement le double offert par les Canadiens.

« Le soir que j'ai signé avec le Canadien, j'ai pleuré, j'ai pleuré pour vrai », confessera Lafleur au journaliste Réjean Tremblay de *La Presse* quelques années plus tard. Il était furieux que les Nordiques n'aient pas déposé leur offre finale plus tôt. Lafleur consultera quelques avocats pour faire annuler le contrat dans les jours qui suivent, sous prétexte qu'il a signé sous pression, mais l'opération aurait été fort complexe et interminable.

La saison suivante sera l'une des plus difficiles du Flower à Montréal. Seulement 21 buts et 56 points en 73 parties.

## JEAN-CLAUDE TREMBLAY CHEZ LES NORDIQUES

L'Association mondiale fait des ravages dans la Ligue nationale. Les André Lacroix, Gerry Cheevers, Derek Sanderson, John McKenzie, Bernard Parent et plusieurs autres décident de faire le saut dans le nouveau circuit. Mais le coup de maître, c'est Bobby Hull, l'une des grandes vedettes de la LNH, qui quitte les Hawks de Chicago pour accepter un contrat de 2,75 millions pour dix ans avec les Jets de Winnipeg. À Québec, les Nordiques offrent 140 000 $ par année à Jean-Claude Tremblay pour un contrat de cinq ans. Face aux 70 000 $ avancés par les Canadiens, la décision ne sera pas très longue à prendre pour le défenseur. Par ailleurs, les Nordiques réussissent un autre gros coup publicitaire en embauchant Maurice Richard comme entraîneur, mais le Rocket sera incapable de tenir le coup plus de deux parties.

● Bernard Geoffrion effectue un retour comme entraîneur, cette fois avec les Flames d'Atlanta. Il avait dû abandonner cette fonction chez les Rangers en 1968-69, après 43 parties, en raison d'ulcères d'estomac. Un autre ancien joueur des Canadiens, Jean-Guy Talbot, dirige maintenant les Blues de St. Louis.

● Harold Ballard, président des Maple Leafs de Toronto, est condamné à trois ans de prison en août pour avoir été trouvé coupable de 49 chefs d'accusation de fraude et de vol totalisant 205 000$, aux dépens de son équipe. Des accusations similaires contre Stafford Smythe, partenaire de Ballard, étaient tombées à la mort de celui-ci, avant la conclusion du procès. Ballard, qui a trouvé moyen de se faire beaucoup d'ennemis tout au long de sa carrière, mourra en 1991.

● Les Islanders de New York, nouvelle concession avec Atlanta, doivent verser quatre millions aux Rangers pour l'envahissement de leur territoire, en plus des six millions en droits d'entrée versés à la Ligue. Pis encore, ils connaissent une première saison misérable, avec seulement 12 victoires en 78 parties.

● Bobby Clarke, ennuyé par des problèmes de diabète, ainsi que Rick MacLeish deviennent les premiers joueurs d'un club d'expansion, les Flyers de Philadelphie, à obtenir 100 points en une saison. Clarke devance Bobby Orr au deuxième rang, derrière Phil Esposito, avec 37 buts et 67 passes. Ce qui lui vaudra les trophées Hart et Pearson. MacLeish est quatrième avec 50 buts et autant d'assistances.

**1972 1973**

À Montréal pendant ce temps, Scotty Bowman fait un mauvais parti à Guy Lafleur, qui a montré un intérêt pour les Nordiques, ainsi qu'à Réjean Houle et Marc Tardif. Les deux derniers partiront l'année suivante, à la fin de leur contrat avec le Tricolore.

André Lacroix deviendra une vedette dans l'AMH, décrochant deux championnats des marqueurs lors des trois premières saisons du circuit, tandis que Tremblay et surtout Hull procureront à la Ligue la stabilité et la crédibilité dont elle a besoin pour connaître le succès. Autre tuile pour la Ligue nationale, la cour déclare illégale la clause de réserve qui lie un joueur à une équipe pour la vie. En un an, la nouvelle ligue fait passer le salaire moyen des joueurs de 25 000 $ à 85 000 $, selon les révélations de Bernard Parent quelques années plus tard.

| DIVISION EST | PJ | G | P | N | BP | BC | PTS |
|---|---|---|---|---|---|---|---|
| Montréal (Canadiens) | 78 | 52 | 10 | 16 | 329 | 184 | 120 |
| Boston (Bruins) | 78 | 51 | 22 | 5 | 330 | 235 | 107 |
| New York (Rangers) | 78 | 47 | 23 | 8 | 297 | 208 | 102 |
| Buffalo (Sabres) | 78 | 37 | 27 | 14 | 257 | 219 | 88 |
| Detroit (Red Wings) | 78 | 37 | 29 | 12 | 265 | 243 | 86 |
| Toronto (Maple Leafs) | 78 | 27 | 41 | 10 | 247 | 279 | 64 |
| Vancouver (Canucks) | 78 | 22 | 47 | 9 | 233 | 339 | 53 |
| New York (Islanders) | 78 | 12 | 60 | 6 | 170 | 347 | 30 |
| DIVISION OUEST | PJ | G | P | N | BP | BC | PTS |
| Chicago (Black Hawks) | 78 | 42 | 27 | 9 | 284 | 225 | 93 |
| Philadelphie (Flyers) | 78 | 37 | 30 | 11 | 296 | 256 | 85 |
| Minnesota (North Stars) | 78 | 37 | 30 | 11 | 254 | 230 | 85 |
| St. Louis (Blues) | 78 | 32 | 34 | 12 | 233 | 251 | 76 |
| Pittsburgh (Penguins) | 78 | 32 | 37 | 9 | 257 | 265 | 73 |
| Los Angeles (Kings) | 78 | 31 | 36 | 11 | 232 | 245 | 73 |
| Atlanta (Flames) | 78 | 25 | 38 | 15 | 191 | 239 | 65 |
| Californie (Golden Seals) | 78 | 16 | 46 | 16 | 213 | 323 | 48 |

*Les Nordiques offrent le double de son salaire à Jean-Claude Tremblay qui n'aura pas à hésiter longtemps.*

● Les Flyers revendiquent un autre honneur avec les quatre joueurs les plus punis du circuit en Dave Schultz, dit *The Hammer*, Bob Kelly, André *Moose* Dupont et Don Saleski.

● Bobby Orr, premier joueur à recevoir un trophée (James-Norris) six fois de suite, devance Doug Harvey chez les défenseurs avec son 541e point en décembre.

● Les Whalers de la Nouvelle-Angleterre, gagnants de la coupe Avco dans l'AMH, souhaitent rencontrer les champions de la LNH dans un match hors-concours. Le défi ne sera évidemment pas relevé.

● En plus de Mahovlich à Montréal, deux autres joueurs de la Ligue atteignent le plateau des 1 000 points : Johnny Bucyk, des Bruins, et Stan Mikita, des Black Hawks.

*Des séries magiques pour Yvan Cournoyer et Frank Mahovlich qui récoltent respectivement 25 et 23 points pour terminer premier et troisième. Le Roadrunner inscrit 15 buts à lui seul.*

| MEILLEURS MARQUEURS | | PJ | B | A | PTS | PUN |
|---|---|---|---|---|---|---|
| Phil Esposito | Boston | 78 | 55 | 75 | 130 | 87 |
| Bobby Clarke | Philadelphie | 78 | 37 | 67 | 104 | 80 |
| Bobby Orr | Boston | 63 | 29 | 72 | 101 | 99 |
| Rick MacLeish | Philadelphie | 78 | 50 | 50 | 100 | 69 |
| Jacques Lemaire | Canadiens | 77 | 44 | 51 | 95 | 16 |
| Jean Ratelle | NY Rangers | 78 | 41 | 53 | 94 | 12 |
| Mickey Redmond | Detroit | 76 | 52 | 41 | 93 | 24 |
| John Bucyk | Boston | 78 | 40 | 53 | 93 | 12 |
| Frank Mahovlich | Canadiens | 78 | 38 | 55 | 93 | 51 |
| Jim Pappin | Chicago | 76 | 41 | 51 | 92 | 8 |

**1972 1973**

## LA SÉRIE DU SIÈCLE

Les meilleurs joueurs canadiens et soviétiques s'affrontent en septembre dans une série de huit parties que l'on qualifiera de « Série du siècle », peu après les Jeux olympiques de Munich, où le dénouement d'une prise d'otages par un commando palestinien a fait 11 morts parmi la délégation d'Israël. Ken Dryden, Serge Savard, Guy Lapointe, Yvan Cournoyer et les frères Mahovlich sont les joueurs des Canadiens qui ont été retenus pour défendre les couleurs du Canada. Se croyant invincibles, les hockeyeurs canadiens sont ramenés sur terre par une dégelée de 7 à 3 aux mains des Soviétiques lors du premier match disputé au Forum devant près de 19 000 spectateurs et des millions de téléspectateurs. L'URSS, qui était « venue pour apprendre », selon ses dirigeants, gagne deux des quatre premières parties en sol canadien, contre une défaite et une nulle.

Le Canada remporte le match décisif 6-5 à Moscou, grâce à un but de Paul Henderson, à 19 min 26 s de la dernière période. Également auteur du but vainqueur au septième match, Henderson, un joueur des Maple Leafs de Toronto, termine le tournoi avec 10 points, juste derrière Phil Esposito (13) et Alexander Yakushev (11). Au total, le Canada a gagné quatre fois, l'URSS trois et un match n'a pas fait de vainqueur. La révélation de la série s'appelle Vladislav Tretiak.

L'honneur est sauf, mais l'orgueil est touché à jamais.

*Yvan Cournoyer s'apprête à sauter au cou de Paul Henderson qui vient de sauver l'honneur du Canada avec son but historique, à quelques secondes de la fin du match ultime.*

# 1973 CH 1974

CETTE FOIS, LES BRUINS DEVANCENT MONTRÉAL AU SOMMET DE L'EST ET PHILADELPHIE
MET FIN AU RÈGNE DE CHICAGO DANS L'OUEST. LES FLYERS DEVIENNENT LA PREMIÈRE ÉQUIPE
D'EXPANSION À GAGNER LA COUPE STANLEY. LES CANADIENS SONT ÉLIMINÉS DÈS LES QUARTS
DE FINALE, QUATRE PARTIES À DEUX PAR LES RANGERS, QUI PERDRONT ENSUITE FACE AUX
FUTURS CHAMPIONS. EN FINALE, LES FLYERS PRENDRONT LA MESURE DES BRUINS PAR QUATRE
MATCHS À TROIS. ESPOSITO EST DE NOUVEAU CHAMPION MARQUEUR ET, CETTE FOIS-CI, ON
RECONNAÎT SON MÉRITE À TITRE DE JOUEUR LE PLUS UTILE. DENIS POTVIN, DES ISLANDERS,
QUI SUCCÉDERA À BOBBY ORR COMME MEILLEUR DÉFENSEUR EN 1975-76, EST DÉSIGNÉ
RECRUE DE L'ANNÉE. HENRI RICHARD EST LE DEUXIÈME JOUEUR DES CANADIENS À
MÉRITER LE TROPHÉE BILL-MASTERTON. POUR LA PREMIÈRE FOIS DEPUIS 1966-67,
LE TRICOLORE NE COMPTE AUCUN JOUEUR DANS LES ÉQUIPES D'ÉTOILES. BOSTON
EN A TROIS DANS LA PREMIÈRE ET UN AUTRE DANS LA SECONDE.

*À défaut de pouvoir renégocier son contrat, Ken Dryden décide de prendre une année de répit afin de faire un stage dans un bureau d'avocats de Toronto.*

# Sabbatique pour Dryden

**K**en Dryden connaît beaucoup de succès depuis son arrivée chez les Canadiens. Il a déjà deux coupes Stanley à son actif, plus les trophées Conn-Smythe, Calder et Vézina. Il fait part de son intention de revoir le contrat qui le lie aux Canadiens pour une autre année. Mais Sam Pollock refuse de déroger à sa politique. Pas un joueur n'est plus important que l'équipe elle-même. Donc, les nouveaux joueurs, si bons soient-ils, ne passeront jamais devant les vétérans lorsqu'il s'agira de négocier un contrat. Il faut d'abord démontrer solidement sa valeur avant de réclamer un salaire de joueur établi. Ce n'est pas la menace de

● Le Tricolore perd deux autres membres de son organisation. Réjean Houle se joint aux Nordiques de Québec et son ami Marc Tardif accepte l'offre des Sharks de Los Angeles. Transféré brièvement aux Stags du Michigan à la dissolution des Sharks en 1974-75, Tardif rejoindra Houle à Québec à la faveur d'un échange et remportera deux titres de champion marqueur de l'AMH. Houle reviendra aux Canadiens en 1976.

● Doug Harvey et le sénateur Hartland de Montarville Molson, celui-ci à titre de bâtisseur, sont intronisés au Temple de la renommée du hockey au printemps. Peu intéressé par ce genre de cérémonie d'intronisation, Harvey opte plutôt pour une partie de pêche le même jour.

● Sam Pollock fait de nouveau la démonstration de son talent de fin négociateur au repêchage de juin. Il inverse d'abord son ordre de sélection avec St. Louis pour réclamer Bob Gainey, en même temps qu'il traite avec Atlanta, Vancouver et Los Angeles, cédant à chacun un choix de première ronde de l'encan actuel pour celui de l'année suivante. Il accumule ainsi pas moins de trois choix de première ronde pour 1974, en plus de la sélection régulière des Canadiens et de celle de St. Louis, fruit d'une autre transaction. Sans compter les « considérations futures » obtenues en retour de quelques joueurs. Du Pollock à son meilleur !

**1973-1974**

| | JOUEURS |
|---|---|
| 1 | Michel Plasse |
| 2 | Jacques Laperrière |
| 3 | Rick Wilson |
| 5 | Guy Lapointe |
| 6 | Jim Roberts |
| 8 | John Van Boxmeer |
| 10 | Guy Lafleur |
| 11 | Yvon Lambert |
| 12 | Yvan Cournoyer |
| 14 | Glenn Goldup |
| 15 | Claude Larose |
| 16 | Henri Richard (C) |
| 17 | Murray Wilson |
| 18 | Serge Savard |
| 19 | Larry Robinson |
| 20 | Pete Mahovlich |
| 21 | Dave Gardner |
| 22 | Steve Shutt |
| 23 | Bob Gainey |
| 24 | Chuck Lefley |
| 25 | Jacques Lemaire |
| 26 | Pierre Bouchard |
| 27 | Frank Mahovlich |
| 30 | Wayne Thomas |
| 31 | Michel Larocque |
| **ENTRAÎNEUR** | |
| | Scotty Bowman |

*Pierre Bouchard est un défenseur dans la moyenne, mais il est surtout le justicier des Canadiens. Il ne craint pas de se frotter aux Wayne Cashman et autres Dave Schultz de la Ligue.*

● Le Forum augmente le prix des billets. Les «rouges» passent de 8 $ à 9,50 $, les «blancs» de 6 $ à 7 $, mais les «bleus» restent à 4,50 $. Quant aux loges, elles coûteront désormais 7 500 $ au lieu de 6 500 $.

● Frank Mahovlich dépasse Jean Béliveau au quatrième rang des meilleurs compteurs de la LNH avec 508 buts, le 21 novembre.
● Parmi les vétérans de l'équipe, Henri Richard dispute un 1 200e match avant la fin de la saison, Claude Larose,

et Jacques Lemaire, un 500e, Jim Roberts et Serge Savard, un 400e, alors que Pete Mahovlich et Guy Lapointe totalisent 300 parties chacun.
● Autres moments symboliques pour Lemaire et Pete Mahovlich. Le premier atteint le chiffre de 400 points

en octobre et celui des 200 buts en décembre. Quant au grand Mahovlich, il se joint au cercle des marqueurs de 300 points en mars. Entre-temps, Yvan Cournoyer obtient son 300e but début janvier.

| DIVISION EST | PJ | G | P | N | BP | BC | PTS |
|---|---|---|---|---|---|---|---|
| Boston (Bruins) | 78 | 52 | 17 | 9 | 349 | 221 | 113 |
| Montréal (Canadiens) | 78 | 45 | 24 | 9 | 293 | 240 | 99 |
| New York (Rangers) | 78 | 40 | 24 | 14 | 300 | 251 | 94 |
| Toronto (Maple Leafs) | 78 | 35 | 27 | 16 | 274 | 230 | 86 |
| Buffalo (Sabres) | 78 | 32 | 34 | 12 | 242 | 250 | 76 |
| Detroit (Red Wings) | 78 | 29 | 39 | 10 | 255 | 319 | 68 |
| Vancouver (Canucks) | 78 | 24 | 43 | 11 | 224 | 296 | 59 |
| New York (Islanders) | 78 | 19 | 41 | 18 | 182 | 247 | 56 |
| DIVISION OUEST | PJ | G | P | N | BP | BC | PTS |
| Philadelphie (Flyers) | 78 | 50 | 16 | 12 | 273 | 164 | 112 |
| Chicago (Black Hawks) | 78 | 41 | 14 | 23 | 272 | 164 | 105 |
| Los Angeles (Kings) | 78 | 33 | 33 | 12 | 233 | 231 | 78 |
| Atlanta (Flames) | 78 | 30 | 34 | 14 | 214 | 238 | 74 |
| Pittsburgh (Penguins) | 78 | 28 | 41 | 9 | 242 | 273 | 65 |
| St. Louis (Blues) | 78 | 26 | 40 | 12 | 206 | 248 | 64 |
| Minnesota (North Stars) | 78 | 23 | 38 | 17 | 235 | 275 | 63 |
| Californie (Golden Seals) | 78 | 13 | 55 | 10 | 195 | 342 | 36 |

l'Association mondiale qui va faire changer d'idée notre rusé personnage. Ne voulant donc pas céder aux nouvelles exigences salariales de son gardien vedette qui veut rediscuter son entente, Pollock laisse partir Ken Dryden. Les rumeurs disent alors que le cerbère montréalais est intéressé par les Toros de Toronto, de l'AMH.

Mais le grand gardien, dont les bras croisés sur le bout du bâton constituent déjà une pose bien caractéristique, a d'autres visées. Récemment diplômé en droit de l'Université McGill, il souhaite faire son stage dans un cabinet d'avocats de Toronto, à 135 $ par semaine. Devant le refus de Pollock, il décide de se retirer temporairement du hockey.

Le Tricolore, agacé par les succès d'Esposito à Chicago et de Vachon à Los Angeles, deux anciens cerbères de l'organisation, n'a d'autre choix que de faire confiance à la relève, Wayne Thomas et Michel Plasse, ainsi qu'à Michel Larocque, des Voyageurs, qu'on dit très prometteur.

Cependant, l'absence de Dryden pèse lourd. Bien que favori pour un autre titre, le Tricolore termine deuxième de sa division et se fait éliminer dès la première ronde. Mais la politique d'ancienneté de Pollock est sauve. Malheur à quiconque voudra encore la contester.

**1973-1974**

*Houle et Tardif, les deux inséparables, quittent l'organisation pour l'Association mondiale. Houle accepte l'offre des Nordiques et Tardif s'en va à Los Angeles, rejoignant plus tard son copain, à Québec.*

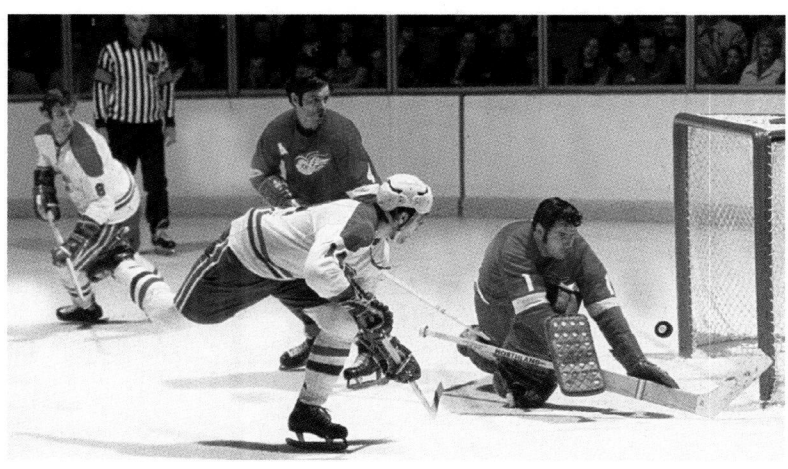

● Domination complète des Bruins de Boston chez les meilleurs marqueurs. Phil Esposito (145), Bobby Orr (122), Ken Hodge (105) et Wayne Cashman (89) accaparent les quatre premières places devant Bobby Clarke, des Flyers de Philadelphie (85). Cinq joueurs des Bruins obtiennent au moins 30 buts.

● Cependant, les Flyers prennent leur revanche sur les Bruins en finale, pour devenir la première équipe d'expansion à parader avec la coupe Stanley, grâce aux exploits de Bobby Clarke et Rick MacLeish, au jeu intimidant des Schultz et autres Saleski, mais aussi au brio de Bernard Parent, choisi meilleur joueur des séries, de retour de l'AMH. Parent a aussi édité un nouveau record de 47 victoires en saison chez les gardiens. MacLeish, auteur de l'unique point du sixième et dernier match, en est à son quatrième but gagnant des éliminatoires.

● En saison régulière, Dave Schultz a reçu 348 minutes de punitions et au total les Flyers sont crédités de 1 750 minutes, d'où leur surnom de *Broad Street Bullies*.

● La chanteuse noire Kate Smith devient le porte-bonheur des Flyers, qui lui font entonner le *God Bless America* au début des matchs importants, notamment le sixième et ultime affrontement de la finale.

● Le championnat des marqueurs d'Esposito est son quatrième de suite et son cinquième en six ans. Bien remis d'une blessure subie durant les séries de 1973, il compte maintenant plus de 500 buts et 1 000 points au cours de sa carrière.

● Bobby Orr ne laisse pas toute la place à son coéquipier, loin de là. En novembre, il marque trois buts en supériorité numérique et ajoute quatre passes pour établir une nouvelle marque

**1973-1974**

Dryden sera de retour en 1974-75, au grand soulagement de Sam Pollock et des partisans.

### LA FÊTE DES RICHARD

Henri Richard obtient le 1 000ᵉ point de sa carrière en inscrivant une passe sur un but de Jim Roberts le 20 décembre à Buffalo. Performance précédée d'une 650ᵉ assistance quelques semaines plus tôt. Le sénateur Jacques Courtois et la direction du club décident alors de fêter leur capitaine. Le jour venu, le 26 janvier suivant, Henri est chargé de cadeaux devant plusieurs milliers de spectateurs. Chèque de 111 116,16 $ pour l'orphelinat Saint-Arsène, une cause qu'il a soutenue toute sa carrière, trophée en cristal taillé en Belgique, plateau en argent autographié par les joueurs des Black Hawks de Chicago (adversaires des Canadiens ce soir-là), tableaux d'artistes renommés et bien d'autres présents.

Mais Henri a reçu son plus beau cadeau un peu plus tôt : la présence de son frère Maurice. Le Rocket n'a pas mis les pieds au Forum depuis qu'on a mis fin à son abonnement de faveur. Ce soir-là, le Forum est secoué par une foule en exultation qui n'a jamais renié son héros malgré ses démêlés avec la direction. Maurice est ovationné une quarantaine de secondes, un peu moins que le héros

| TROPHÉES |
|---|
| **COUPE STANLEY** |
| Flyers de Philadelphie |
| **TROPHÉE PRINCE-DE-GALLES** |
| Bruins de Boston |
| **TROPHÉE CLARENCE-CAMPBELL** |
| Flyers de Philadelphie |
| **TROPHÉE HART** |
| Phil Esposito |
| Bruins de Boston |
| **TROPHÉE ART-ROSS** |
| Phil Esposito |
| Bruins de Boston |
| **TROPHÉE LADY-BYNG** |
| John Bucyk |
| Bruins de Boston |
| **TROPHÉE CALDER** |
| Denis Potvin |
| Islanders de New York |
| **TROPHÉE GEORGES-VÉZINA** |
| Bernard Parent |
| Flyers de Philadelphie |
| Tony Esposito |
| Black Hawks de Chicago |

*La fête organisée pour Henri Richard en janvier n'aurait pas été complète à ses yeux sans la présence de son frère Maurice.*

de sept points dans un match chez les défenseurs. Il récolte de plus un septième trophée Norris, rejoignant un autre grand défenseur, Doug Harvey.

● Andy Brown, gardien des Penguins de Pittsburgh, est le dernier cerbère à disputer une partie sans masque dans la Ligue, au dernier match de la saison et de sa carrière dans la LNH, en avril. Worsley, qui complète sa carrière au Minnesota cette même saison, est aussi parmi les derniers.

Celui-ci utilisera pourtant un masque vers la fin de sa carrière. Dire qu'à peine 14 ans plus tôt, Jacques Plante était traité de «jaune» pour avoir osé se protéger le visage !

● Les Maple Leafs de Toronto imitent les équipes de l'AMH en offrant des contrats à deux Suédois, Borje Salming et Inge Hammarstrom.

● Gordie Howe sort de sa retraite et se joint aux Aeros de Houston avec ses fils Mark et Marty. À quarante-cinq ans,

il célèbre la conquête de la coupe Avco avec Houston et obtient le titre de joueur le plus utile.

● Les amateurs de hockey perdent deux de leurs idoles au cours de l'année. Wayne Maki, vingt-neuf ans, meurt d'un cancer au cerveau et Tim Horton, des Sabres, un vétéran de 24 saisons, périt dans un accident d'auto le 21 février, au retour d'une partie contre son ancien club des Leafs.

● La formation d'étoiles de l'AMH remporte une seule victoire en sept parties, accumulant quatre revers et trois nulles, dans une série contre les Soviétiques. Bobby Hull obtient sept buts.

● Fred Shero, l'entraîneur des nouveaux champions de la coupe Stanley, est le premier nom inscrit sur le trophée Jack-Adams, institué pour honorer la mémoire de l'ancien pilote et gérant des Red Wings de Detroit.

**1973-1974**

de la soirée, par courtoisie. Quant à Henri, il remerciera ses supporters à sa façon en inscrivant un 350ᵉ but à sa fiche à la mi-mars.

## QUATRIÈME SAISON DE 40 BUTS POUR YVAN COURNOYER

Yvan Cournoyer réussit un exploit offensif peu banal avec une 4ᵉ saison de 40 buts et plus. En 1968-69, il en avait réussi 43. Il est revenu à la charge en 1971-72 pour un record personnel de 47 filets, puis connaît 2 autres campagnes de 40. Cournoyer restera cinq autres saisons chez le Tricolore, mais ne parviendra plus à un tel total.

Quelques-uns des buts réussis au cours de la saison représentent de beaux souvenirs pour le numéro 12 des Canadiens, notamment les 2 du 20 mars qui lui permettent d'atteindre le total de 600 points dans le circuit.

En 15 saisons sous les couleurs bleu-blanc-rouge, le *Roadrunner* n'a pas gagné de championnat des marqueurs en saison régulière. Exploit qu'il a cependant réalisé lors des éliminatoires de l'année précédente, ce qui lui a permis d'être proclamé le joueur le plus utile des séries.

*Une quatrième saison de suite de 40 buts pour le **Roadrunner**.*

| MEILLEURS MARQUEURS | | PJ | B | A | PTS | PUN |
|---|---|---|---|---|---|---|
| Phil Esposito | Boston | 78 | 68 | 77 | 145 | 58 |
| Bobby Orr | Boston | 74 | 32 | 90 | 122 | 82 |
| Ken Hodge | Boston | 76 | 50 | 55 | 105 | 43 |
| Wayne Cashman | Boston | 78 | 30 | 59 | 89 | 111 |
| Bobby Clarke | Philadelphie | 77 | 35 | 52 | 87 | 113 |
| Richard Martin | Buffalo | 78 | 52 | 34 | 86 | 38 |
| Syl Apps Jr. | Pittsburgh | 75 | 24 | 61 | 85 | 37 |
| Darryl Sittler | Toronto | 78 | 38 | 46 | 84 | 55 |
| Lowell MacDonald | Pittsburgh | 78 | 43 | 39 | 82 | 14 |
| Brad Park | NY Rangers | 78 | 25 | 57 | 82 | 148 |
| Dennis Hextall | Minnesota | 78 | 20 | 62 | 82 | 138 |

*Crinière au vent, le Démon blond s'élance, au grand plaisir de la foule qui n'a de cesse d'en redemander du début à la fin de sa carrière.*

# 1974 ⓒ 1975

ON AJOUTE ENCORE DEUX ÉQUIPES À LA LIGUE, LES SCOUTS DE KANSAS CITY ET LES CAPITALS DE WASHINGTON. LES ÉQUIPES SONT RÉPARTIES EN QUATRE DIVISIONS À L'INTÉRIEUR DE DEUX ASSOCIATIONS. LE TRICOLORE SE TROUVE DANS LA DIVISION NORRIS AVEC LOS ANGELES, PITTSBURGH, DETROIT ET WASHINGTON. BUFFALO, BOSTON, TORONTO ET LA CALIFORNIE FORMENT LA DIVISION ADAMS DE L'ASSOCIATION PRINCE-DE-GALLES. PHILADELPHIE, LES RANGERS ET LES ISLANDERS, AINSI QU'ATLANTA COMPOSENT LA DIVISION PATRICK. VANCOUVER, ST. LOUIS, CHICAGO, MINNESOTA ET KANSAS CITY SONT DANS LA DIVISION SMYTHE. CES DEUX DERNIÈRES DIVISIONS CONSTITUENT L'ASSOCIATION CLARENCE-CAMPBELL. LE CALENDRIER COMPTE 80 PARTIES. LE TRICOLORE TERMINE PREMIER DE SA DIVISION, MAIS IL PERD EN DEMI-FINALE CONTRE BUFFALO, APRÈS AVOIR ÉLIMINÉ VANCOUVER. LES AUTRES CHAMPIONS DE DIVISION SONT BUFFALO, PHILADELPHIE ET VANCOUVER. LES VILAINS BROAD STREET BULLIES CONSERVENT LA COUPE STANLEY, DISPOSANT DES SABRES. BOBBY ORR REVIENT AU SOMMET DES MARQUEURS DEVANT ESPOSITO. SEPT JOUEURS ACCUMULENT PLUS DE 100 POINTS, DONT GUY LAFLEUR, QUATRIÈME AVEC 119 POINTS. DEUXIÈME TROPHÉE HART EN TROIS ANS POUR BOBBY CLARKE. HUITIÈME CONSÉCUTIF ET DERNIER TROPHÉE NORRIS POUR ORR. LAFLEUR EST CHOISI DANS LA PREMIÈRE ÉQUIPE D'ÉTOILES, GUY LAPOINTE, DANS LA DEUXIÈME.

*Après le Rocket et Geoffrion, c'est au tour de Lafleur d'inscrire 50 buts en une saison.*

## Guy Lafleur, nouveau héros du Forum

Les partisans des Canadiens sortent du Forum le cœur léger et débordant d'optimisme en ce vendredi 7 mars, même si l'hiver se prolonge à l'extérieur. Dans leur for intérieur, il fait très beau puisqu'ils viennent de se découvrir un nouveau héros, un dieu de la trempe des Lalonde, Joliat, Morenz, Richard et Béliveau. Ce soir-là, Guy Lafleur a obtenu 4 points (2 buts et 2 passes) pour devenir le premier joueur de l'histoire des Canadiens à marquer 100 points dans une même saison. Montréal

⚫ Jacques Laperrière n'a pas encore trente-quatre ans lorsqu'il se voit contraint de prendre sa retraite. Il s'est tordu le genou gauche en janvier précédent et a manqué le reste de la saison ainsi que les séries. Exactement comme en mars 1966, alors qu'il avait aussi raté la fin du calendrier en raison d'une blessure au genou gauche, à la suite d'une mise en échec de Bill Gadsby. Une intervention chirurgicale pratiquée en avril n'a pas réglé le problème et il manque le début de la saison. Il consulte un spécialiste de New York en novembre, mais doit finalement se retirer du jeu. Il dirigera l'équipe junior de Montréal à compter de l'année suivante. Une poursuite contre les Canadiens et la LNH sur une question d'assurances se réglera finalement hors cour quelques années plus tard.

⚫ Heureusement, Savard, Robinson et Lapointe forment un mur impénétrable devant le cerbère Dryden. Petit à petit, on commence à parler du *Big Three*.

⚫ C'est justement l'un des membres du populaire trio, Larry Robinson, qui marque le 10 000e but de l'histoire de l'équipe le 23 janvier, dans une écrasante victoire de 7-0 sur les North Stars au Minnesota. Le Tricolore est évidemment la première équipe à atteindre un tel sommet.

⚫ Claude Ruel a dû hausser le ton pour forcer son patron Sam Pollock à repêcher Mario Tremblay en juin, alors qu'il n'avait pas encore dix-huit ans. La Ligue autorise maintenant le choix des moins de dix-huit ans. Tremblay est la 4e sélection des Canadiens (la 12e au total), à la suite de Cam Connor (5e), Doug Risebrough (7e) et Rick Chartraw (10e). Après une quinzaine de parties en Nouvelle-Écosse, Bowman le fait venir à Montréal pour former le populaire trio de la *Kid Line* avec Risebrough et Yvon Lambert. Au total cette année-là, Montréal a retenu cinq joueurs en ronde initiale du repêchage, puisque Gord McTavish suivait Tremblay au 15e rang.

**1974-1975**

a battu la nouvelle équipe de Washington par 8 à 4, mais le plus important, c'est maintenant Ti-Guy.

Joueur effacé et solitaire, Lafleur a connu trois premières années difficiles sous la férule de Scotty Bowman, mais voilà qu'on le voit partout sur la glace, virevoltant et filant à toute vitesse vers le filet adverse, crinière au vent (il a renoncé à son casque protecteur durant le camp d'entraînement) et accumulant les buts au même rythme qu'à l'époque des Remparts. Par ailleurs, il a rompu le lien trop possessif qu'il entretenait avec la ville de Québec, au point de refuser

| JOUEURS | |
|---|---|
| 1 | Michel Larocque |
| 3 | John Van Boxmeer |
| 5 | Guy Lapointe |
| 6 | Jim Roberts |
| 8 | Doug Risebrough |
| 10 | Guy Lafleur |
| 11 | Yvon Lambert |
| 12 | Yvan Cournoyer |
| 14 | Glenn Goldup |
| | Mario Tremblay |
| 15 | Claude Larose |
| | Ron Andruff |
| | Glenn Goldup |
| 16 | Henri Richard (C) |
| 17 | Murray Wilson |
| 18 | Serge Savard |
| 19 | Larry Robinson |
| 20 | Pete Mahovlich |
| 21 | Glen Sather |
| 22 | Steve Shutt |
| 23 | Bob Gainey |
| 24 | Chuck Lefley |
| | Don Awrey |
| 25 | Jacques Lemaire |
| 26 | Pierre Bouchard |
| 27 | Rick Chartraw |
| 29 | Ken Dryden |
| ENTRAÎNEUR | |
| | Scotty Bowman |

*Guy Lapointe (à l'arrière), Serge Savard et Larry Robinson (absent de la photo) forment un mur impénétrable devant Dryden. C'est le début du Big Three.*

360

● Un puissant tir de Steve Shutt dévie sur le bâton d'un joueur des Blues lors d'un match disputé au Forum, fracasse une vitre du hall d'entrée et retombe en pleine rue Sainte-Catherine devant des passants un peu éberlués.

● Autre membre de l'organisation allergique aux avions, Sam Pollock se tape de longues randonnées en voiture, avec son chauffeur, pour suivre les activités de l'équipe à l'extérieur. Un mode de transport auquel il sera fidèle pendant de longues années.

● Henri Richard fait une mauvaise chute dans le coin de la patinoire lors du match du 13 novembre et se fracture une cheville. Il doit s'absenter du jeu plus de cinq mois. Il reviendra aider l'équipe pour la série contre Buffalo.

● Nouveau record d'équipe le 11 janvier alors que la formation tricolore connaît une 19e partie d'affilée sans défaites. Moins d'un mois plus tard, le club dépasse le record de 15 matchs à l'étranger sans revers, qu'il partageait jusqu'alors avec Boston et Detroit, pour finalement le porter à 23, en mars.

● Cette année-là, le Tricolore ne subit que six défaites à l'étranger, une autre marque qui résistera au temps.

● Dickie Moore est intronisé au Temple de la renommée, en même temps que sept autres anciens joueurs et bâtisseurs de la Ligue.

● En fin de saison, Jacques Lemaire dépasse les 300 aides et 500 points, alors que Pete Mahovlich a plus de 300 points tout en ayant disputé un peu plus de 400 parties avec l'équipe.

---

en janvier d'assister à un match des Nordiques à Detroit, alors que les Canadiens, déjà rendus dans la ville de l'automobile, se préparent à affronter les Red Wings le lendemain. Pourtant, tous ses coéquipiers du Tricolore sont sur place et il aurait pu saluer ses amis Réjean Houle, Marc Tardif et Maurice Filion.

Lafleur met du temps à démarrer au début de la saison, n'obtenant son premier but qu'au huitième match du club, à la fin d'octobre. Mais il éclate pour de bon lorsque Bowman le réunit à Pete Mahovlich et Steve Shutt. Le jumelage avec Mahovlich, un joueur reconnu pour son égocentrisme, soulève les commentaires des médias ainsi que des partisans de Lafleur, qui craignent que le Démon blond ne connaisse une autre saison misérable avec un « mangeux de puck » comme le grand Pete. Mais, graduellement, Mahovlich se montre plus généreux de ses passes et profite lui aussi de l'habileté de Lafleur à déjouer les gardiens adverses.

Lafleur est même de la course au titre de champion marqueur et clôture finalement la saison avec 53 buts et 66 assistances, pour un total de 119 points, au quatrième rang. De surcroît, il devient le troisième membre du Tricolore à inscrire 50 buts en une saison, après Maurice Richard et Bernard Geoffrion. Mahovlich termine tout juste derrière, dépassant lui aussi les 100 points avec 117, dont 35 buts. Ses 82 passes constituent toujours le record de l'équipe.

Lafleur, nouveau héros du Forum ! L'avenir allait donner raison à ces optimistes du 7 mars 1975 et aux autres qui croyaient déjà en lui.

## CINQ BUTS POUR YVAN COURNOYER

Cournoyer a complété une 4e saison de 40 buts l'année précédente, mais son rythme a un peu ralenti depuis. Pourtant, il vit des moments très intenses au lendemain de la Saint-Valentin, enfilant cinq rondelles derrière le cerbère Mike Veisor, des Black Hawks. Un exploit que Didier Pitre avait été le premier à réussir chez les Canadiens, en 1911, et que Newsy Lalonde avait accompli six fois.

Mais depuis Robert Rousseau en 1964, aucun joueur tricolore n'avait réalisé pareille performance. Cournoyer, tout à l'euphorie de sa réussite, est loin de se douter qu'aucun autre joueur des Canadiens n'ajoutera son nom jusqu'à ce jour à la liste des compteurs de cinq buts en une seule partie.

● Autre première d'importance, le défenseur Bobby Orr cueille son huitième trophée James-Norris consécutif. Wayne Gretzky accomplira le même exploit avec le trophée Hart douze ans plus tard. De plus, Orr connaît une 6e saison de suite avec plus de 100 points.

● Carl Brewer inscrit aussi une première à sa façon en se retirant du hockey professionnel pour la troisième fois de sa carrière. Il avait quitté les Maple Leafs une première fois pour poursuivre des études universitaires en 1965. Il en avait profité pour redemander son statut amateur, jouer avec l'équipe nationale et devenir entraîneur de l'équipe nationale finlandaise. Retour à Detroit et à St. Louis à partir de 1969. Nouveau retrait du hockey en 1972, puis retour avec les Toros de Toronto l'année suivante. Il ne restera qu'un an dans l'AMH, avant de prendre sa retraite de nouveau en 1974. Plus tard, en 1979-80, il reviendra au hockey dans la Ligue américaine et ensuite avec les Leafs au cours de l'année. Au total, il aura donc pris sa retraite à quatre reprises.

● La French Connection fait flèche de tout bois à Buffalo. Robert, Perreault et Martin totalisent 131 buts et pas moins de 291 points.

● Marcel Dionne connaît une excellente saison à Detroit, 47 buts et 74 assistances, mais il réclame un échange après avoir reçu le trophée Lady-Byng. Les Wings se rendront à sa demande et l'enverront à Los Angeles en juin.

● Dave Schultz, la terreur des Broad Street Bullies, laisse sa marque avec un nouveau record de pénalités, 472 minutes. Aucun autre joueur n'en a fait autant depuis.

● Après les Leafs de Toronto lors de la finale de 1942 contre Detroit, les Islanders de New York deviennent la deuxième équipe à surmonter un déficit de trois parties à zéro en éliminatoires. Ils remportent la série quart de finale contre Pittsburgh en sept matchs et viennent près de répéter leur exploit en demi-finale contre Philadelphie. Tirant de l'arrière par 0-3, ils égalent la série à 3-3 avant de concéder le septième match par 4 à 1.

## 1974-1975

*Yvan Cournoyer s'offre une production de cinq buts au lendemain de la Saint-Valentin.*

Quatre mois avant cette journée mémorable, et ce à deux semaines d'intervalle, Cournoyer a franchi 2 sommets importants dans sa carrière, sa 300e passe et un 700e match avec l'équipe.

### DRYDEN REVIENT, FRANK MAHOVLICH S'EN VA

Ken Dryden, dont l'absence s'est lourdement fait sentir la saison précédente, accepte finalement une offre de 3 ans, à 150 000 $ par saison, que lui propose le directeur général des Canadiens, Sam Pollock, en mai. Le retour sera quelque peu difficile pour l'enfant prodige, qui n'a pas vu d'action depuis un an, sauf à l'occasion de quelques rencontres dans une ligue de garage à Toronto, où il a suivi un stage précédant son admission au barreau.

### ASSOCIATION PRINCE-DE-GALLES

| DIVISION NORRIS | PJ | G | P | N | BP | BC | PTS |
|---|---|---|---|---|---|---|---|
| Montréal (Canadiens) | 80 | 47 | 14 | 19 | 374 | 225 | 113 |
| Los Angeles (Kings) | 80 | 42 | 17 | 21 | 269 | 185 | 105 |
| Pittsburgh (Penguins) | 80 | 37 | 28 | 15 | 326 | 289 | 89 |
| Detroit (Red Wings) | 80 | 23 | 45 | 12 | 259 | 335 | 58 |
| Washington (Capitals) | 80 | 8 | 67 | 5 | 181 | 446 | 21 |

| DIVISION ADAMS | PJ | G | P | N | BP | BC | PTS |
|---|---|---|---|---|---|---|---|
| Buffalo (Sabres) | 80 | 49 | 16 | 15 | 354 | 240 | 113 |
| Boston (Bruins) | 80 | 40 | 26 | 14 | 345 | 245 | 94 |
| Toronto (Maple Leafs) | 80 | 31 | 33 | 16 | 280 | 309 | 78 |
| Californie (Golden Seals) | 80 | 19 | 48 | 13 | 212 | 316 | 51 |

### ASSOCIATION CLARENCE-CAMPBELL

| DIVISION PATRICK | PJ | G | P | N | BP | BC | PTS |
|---|---|---|---|---|---|---|---|
| Philadelphie (Flyers) | 80 | 51 | 18 | 11 | 293 | 181 | 113 |
| New York (Rangers) | 80 | 37 | 29 | 14 | 319 | 276 | 88 |
| New York (Islanders) | 80 | 33 | 25 | 22 | 264 | 221 | 88 |
| Atlanta (Flames) | 80 | 34 | 31 | 15 | 243 | 233 | 83 |

| DIVISION SMYTHE | PJ | G | P | N | BP | BC | PTS |
|---|---|---|---|---|---|---|---|
| Vancouver (Canucks) | 80 | 38 | 32 | 10 | 271 | 254 | 86 |
| St. Louis (Blues) | 80 | 35 | 31 | 14 | 269 | 267 | 84 |
| Chicago (Black Hawks) | 80 | 37 | 35 | 8 | 268 | 241 | 82 |
| Minnesota (North Stars) | 80 | 23 | 50 | 7 | 221 | 341 | 53 |
| Kansas City (Scouts) | 80 | 15 | 54 | 11 | 184 | 328 | 41 |

### MEILLEURS MARQUEURS

| | | PJ | B | A | PTS | PUN |
|---|---|---|---|---|---|---|
| Bobby Orr | Boston | 80 | 46 | 89 | 135 | 101 |
| Phil Esposito | Boston | 79 | 61 | 66 | 127 | 62 |
| Marcel Dionne | Detroit | 80 | 47 | 74 | 121 | 14 |
| Guy Lafleur | Canadiens | 70 | 53 | 66 | 119 | 37 |
| Pete Mahovlich | Canadiens | 80 | 35 | 82 | 117 | 64 |
| Bobby Clarke | Philadelphie | 80 | 27 | 89 | 116 | 125 |
| René Robert | Buffalo | 74 | 40 | 60 | 100 | 75 |
| Rodrigue Gilbert | New York | 76 | 36 | 61 | 97 | 22 |
| Gilbert Perreault | Buffalo | 68 | 39 | 57 | 96 | 36 |
| Richard Martin | Buffalo | 68 | 52 | 43 | 95 | 72 |

● Bernard Parent inscrit quatre jeux blancs en séries et joue un rôle déterminant dans la conquête d'une deuxième coupe Stanley de suite par les Flyers de Philadelphie. Il mérite un second Conn-Smythe consécutif.

● Rogatien Vachon permet aux Kings de terminer à quelques points des Canadiens, mais il perd deux trophées « aux mains » de joueurs des Flyers. Il termine derrière Bernard Parent pour le trophée Vézina et Bobby Clarke le devance pour le choix du joueur le plus utile.

● La réorganisation de la ligue en quatre divisions permet à celle-ci de porter son calendrier régulier à 80 parties et elle revoit aussi la formule des éliminatoires. Les quatre champions de division bénéficient d'un laissez-passer pour les quarts de finale, pendant que les deuxièmes et troisièmes disputent une ronde préliminaire deux de trois.

● Le circuit compte maintenant 18 équipes, qui ne sont certes pas de même calibre. L'une des nouvelles arrivées, les Capitals de

Washington, affiche un dossier de huit victoires, cinq nulles et 67 revers (dont 17 d'affilée). C'est la pire moyenne en termes de victoires de l'histoire du circuit à, 131.

● Le brouillard devient parfois si dense sur la glace de l'Auditorium de Buffalo, lors de la finale Flyers/Sabres, que les équipes doivent se retirer au vestiaire à quelques reprises durant les périodes pour permettre à la condensation de se dissiper.

● L'AMH compte maintenant 14 formations réparties en

3 divisions. Les Nordiques de Québec sont champions de la section canadienne, mais ils perdent en finale contre les Aeros de Houston.

● Les meilleurs joueurs canadiens de l'AMH se font rosser quatre parties à une plus trois nulles par l'équipe nationale soviétique. L'équipe canadienne fait match nul à Québec le 17 septembre, gagne 4 à 1 à Toronto deux jours plus tard, mais ne battra plus l'URSS du reste de la tournée des Soviétiques.

## TROPHÉES

| | |
|---|---|
| **COUPE STANLEY** | |
| Flyers de Philadelphie | |
| **TROPHÉE PRINCE-DE-GALLES** | |
| Sabres de Buffalo | |
| **TROPHÉE CLARENCE-CAMPBELL** | |
| Flyers de Philadelphie | |
| **TROPHÉE HART** | |
| Bobby Clarke | |
| Flyers de Philadelphie | |
| **TROPHÉE ART-ROSS** | |
| Bobby Orr | |
| Bruins de Boston | |
| **TROPHÉE LADY-BYNG** | |
| Marcel Dionne | |
| Red Wings de Detroit | |
| **TROPHÉE CALDER** | |
| Éric Vail | |
| Flames d'Atlanta | |
| **TROPHÉE GEORGES-VÉZINA** | |
| Bernard Parent | |
| Flyers de Philadelphie | |
| **TROPHÉE JAMES-NORRIS** | |
| Bobby Orr | |
| Bruins de Boston | |
| **TROPHÉE CONN-SMYTHE** | |
| Bernard Parent | |
| Flyers de Philadelphie | |
| **TROPHÉE BILL-MASTERTON** | |
| Don Luce | |
| Sabres de Buffalo | |
| **TROPHÉE LESTER-B.-PEARSON** | |
| Bobby Orr | |
| Bruins de Boston | |
| **TROPHÉE JACK-ADAMS** | |
| Bob Pulford | |
| Kings de Los Angeles | |

**1974-1975**

Mais celui qui avait aussi été tenté par une offre des Toros de Toronto retrouve rapidement tous ses réflexes et complète la saison avec une excellente moyenne de 2,69, permettant au Canadien de récolter 14 points de plus au classement que l'année précédente, et de finir au sommet de la nouvelle Division Norris.

Pendant qu'il accorde un contrat de 150 000 $ par année à Dryden, Pollock offre 135 000 $ à Frank Mahovlich, selon ce que rapporte le journaliste Pierre Gobeil du *Montréal-Matin*, sachant qu'il ne peut rivaliser avec le contrat de cinq ans à 225 000 $ par saison que lui tendent les Toros de Toronto. Comme un peu tout le monde s'y attend, le *Big M* accepte l'offre des Toros, avec qui il connaîtra deux autres bonnes saisons avant que l'équipe ne soit relocalisée à Birmingham.

### LE SAVIEZ-VOUS...

Six des 10 premiers marqueurs de la Ligue sont québécois et francophones de surcroît. Après Orr et Esposito, on trouve Marcel Dionne (3e), Guy Lafleur (4e), René Robert (7e), Rodrigue Gilbert (8e), Gilbert Perreault (9e) et Richard Martin (10e).

*Ken Dryden retrouve vite ses réflexes et permet aux Canadiens de grimper au premier rang de sa division.*

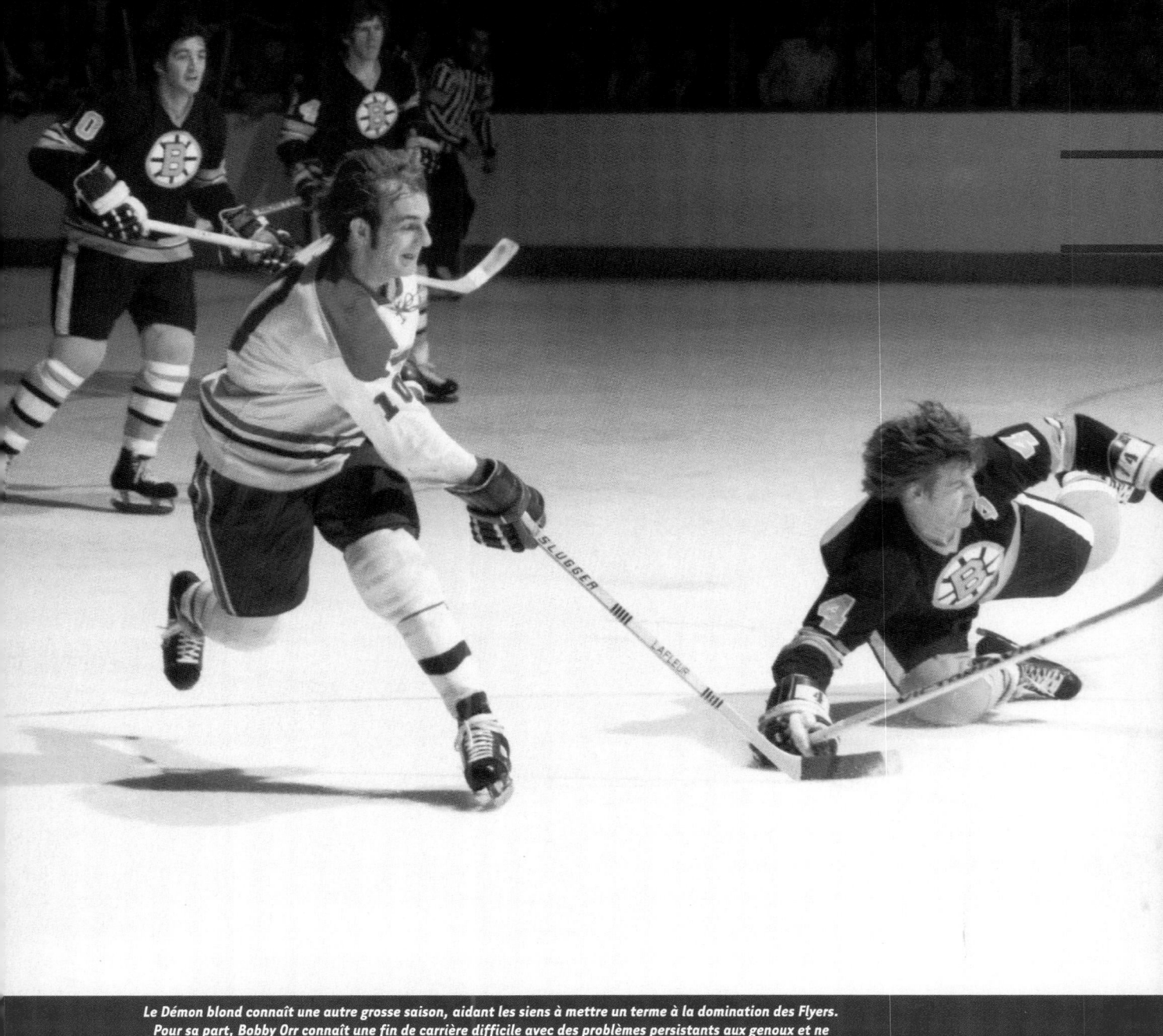

*Le Démon blond connaît une autre grosse saison, aidant les siens à mettre un terme à la domination des Flyers. Pour sa part, Bobby Orr connaît une fin de carrière difficile avec des problèmes persistants aux genoux et ne dispute que 10 rencontres à sa dernière saison avec les Bruins.*

# 1975 1976

DIX-NEUVIÈME COUPE STANLEY

LES CANADIENS, INSPIRÉS PAR LEUR DÉMON BLOND, GUY LAFLEUR, METTENT UN TERME À UNE DOMINATION DE DEUX ANS DES BROAD STREET BULLIES ET REPRENNENT LA COUPE STANLEY APRÈS AVOIR IMPITOYABLEMENT DOMINÉ LA DIVISION NORRIS AVEC UNE PRIORITÉ DE 42 POINTS (127 À 85) SUR LOS ANGELES. APPUYÉ PAR UNE DÉFENSIVE IMPÉNÉTRABLE, KEN DRYDEN REPREND LE TROPHÉE VÉZINA QU'IL AVAIT REMPORTÉ EN 1972-73. CHAMPION MARQUEUR AVEC 56 BUTS ET 69 PASSES, LAFLEUR EST ÉLU DANS LA PREMIÈRE ÉQUIPE D'ÉTOILES AINSI QUE DRYDEN, MAIS C'EST BOBBY CLARKE QUI HÉRITE DU TROPHÉE HART. HUIT AUTRES JOUEURS INSCRIVENT 100 POINTS ET PLUS, DONT MAHOVLICH, SEPTIÈME AVEC 105. DENIS POTVIN, DES ISLANDERS, EST LE SUCCESSEUR DE BOBBY ORR POUR LE NORRIS ET SON NOUVEAU COÉQUIPIER, BRYAN TROTTIER, EST NOMMÉ RECRUE DE L'ANNÉE. GUY LAPOINTE CONSERVE SON POSTE DANS LA DEUXIÈME ÉQUIPE D'ÉTOILES. BOSTON, PHILADELPHIE ET CHICAGO SONT LES AUTRES CHAMPIONS DE DIVISION. LES MISÉRABLES SCOUTS DE KANSAS CITY NE REMPORTENT QUE 12 PARTIES. LES CANADIENS, QUI N'ONT PERDU QUE 11 MATCHS SUR 80 EN SAISON, ÉLIMINENT LES HAWKS QUATRE PARTIES À ZÉRO EN QUART DE FINALE PUIS LES ISLANDERS DE NEW YORK QUATRE PARTIES À UNE AVANT DE SE MESURER AUX FLYERS QU'ILS BATTENT AUSSI EN QUATRE MATCHS D'AFFILÉE.

● Les Canadiens s'imposent à tous les niveaux avec une offensive dévastatrice (56 buts pour Lafleur, 45 pour Shutt, 34 pour Mahovlich et 32 pour Cournoyer et Lambert), une défensive étanche (à peine 174 buts accordés) et un Ken Dryden qui excelle (huit jeux blancs et moyenne de 2,03). L'équipe termine avec une avance de 42 points

*Henri Richard se retire après 20 saisons passées dans l'uniforme des Canadiens et 11 conquêtes de la coupe Stanley.*

**1975 1976**

# La case numéro 16 reste vide

L a case du numéro 16 est vide lorsque les joueurs du Tricolore se présentent à Scotty Bowman pour le début du camp d'entraînement en septembre. En fait, il n'y a même plus de case numéro 16.

Deux mois plus tôt, au milieu de l'été, Henri Richard a confondu tous ceux, dont sa propre épouse Lise, qui y allaient de leurs prédictions sur le moment de sa retraite, en faisant savoir que le temps était venu pour lui d'enlever définitivement le chandail des Canadiens qu'il portait depuis vingt ans. Encore alerte sur ses patins et toujours aussi déterminé, quoique plus fragile, celui qui s'était fait le spécialiste des buts importants n'avait plus le goût des entraînements épuisants et des longs voyages. Nul autre joueur n'avait disputé autant de parties (1 436), saisons régulières et séries confondues, et remporté autant de coupes Stanley (11). Sans doute la figure la plus déterminée et la plus intense de toute l'histoire tricolore, Henri Richard tirait sa révérence par honnêteté envers ses employeurs, qui ont aussitôt annoncé que son numéro serait officiellement retiré au cours des semaines à venir.

Henri Richard a toujours été un joueur fougueux. Personne n'a oublié les trois combats qu'il a livrés un premier de l'An contre Fern Flaman, Jack Bionda et Léo Labine, des Bruins, au cours d'un même match. Ni sa retraite forcée dans les Laurentides sur Los Angeles, en tête de la Division Norris.

● En séries, le Tricolore avance tel un rouleau compresseur. Victoire en quatre parties contre les Black Hawks, en cinq contre les Islanders et à nouveau en quatre contre les Flyers, champions en titre de la coupe. Une seule défaite, mais néanmoins 7 victoires sur 12 par la marge d'un seul but. La série est malgré tout ardue contre les Flyers. Les quatre matchs se soldent par une différence de deux buts au

moins. Aucune partie en supplémentaire cependant.

● Avec une deuxième saison de 50 buts, Lafleur décroche son premier championnat des marqueurs, six points devant Bobby Clarke. Il en réussira deux autres de suite, devant des joueurs différents. C'est d'ailleurs Lafleur qui concrétise le retour de la coupe Stanley à Montréal avec le but gagnant à la 14e minute du quatrième match de la finale.

● Le championnat des marqueurs obtenu par Lafleur est le premier pour un joueur des Canadiens depuis que Bernard Geoffrion, un ailier droit lui aussi, a réussi l'exploit en 1960-61.

● Yvan Cournoyer obtient la faveur de ses coéquipiers pour succéder à Henri Richard au poste de capitaine.

● La direction des Canadiens et la police de Montréal prennent très au sérieux les menaces d'enlèvement à l'endroit de Guy Lafleur au

début des séries. On craint une demande de rançon. Toutes les allées et venues de Lafleur sont étroitement surveillées par la police et on installe même un émetteur spécial à sa ceinture pour ses déplacements. La plupart de ses coéquipiers, ainsi que son père et son épouse, sont informés de la situation, mais personne ne formule le moindre commentaire jusqu'à ce qu'un lieutenant de la Communauté urbaine de Montréal en informe les médias après les séries,

| | JOUEURS |
|---|---|
| 1 | Michel Larocque |
| 2 | Bill Nyrop |
| 3 | John Van Boxmeer |
| 5 | Guy Lapointe |
| 6 | Jim Roberts |
| 8 | Doug Risebrough |
| 10 | Guy Lafleur |
| 11 | Yvon Lambert |
| 12 | Yvan Cournoyer (C) |
| 14 | Mario Tremblay |
| 15 | Glenn Goldup |
| | Ron Andruff |
| 17 | Murray Wilson |
| 18 | Serge Savard |
| 19 | Larry Robinson |
| 20 | Pete Mahovlich |
| 21 | Doug Jarvis |
| 22 | Steve Shutt |
| 23 | Bob Gainey |
| 24 | Don Awrey |
| 25 | Jacques Lemaire |
| 26 | Pierre Bouchard |
| 27 | John Van Boxmeer |
| | Sean Shanahan |
| | Rick Chartraw |
| 29 | Ken Dryden |
| **ENTRAÎNEUR** | |
| | Scotty Bowman |

en 1968 parce qu'il n'était pas satisfait de son jeu. Et encore moins sa sortie contre l'entraîneur Al MacNeil trois ans plus tard en pleine série finale, avant de marquer deux buts décisifs qui ont ramené la coupe à Montréal après une année d'absence.

Capitaine de l'équipe depuis la retraite de Béliveau en 1971, Henri, pas plus que son frère Maurice, n'avait l'habitude des grands discours pour stimuler ses coéquipiers. Son franc-parler et son intensité au jeu suffisaient. Sa persévérance ainsi que son dévouement à l'endroit de son sport lui avaient d'ailleurs valu le trophée Bill-Masterton au terme de la saison 1973-74, le seul trophée individuel qu'il ait reçu dans la Ligue nationale.

Mais sa fiche demeure l'une des plus éloquentes. On a déjà mentionné son total record de 11 coupes Stanley, auxquelles il faut ajouter 1 sélection dans la première équipe d'étoiles en 1958, 3 dans la seconde et 10 participations au match des étoiles, dont le dernier en 1974 à l'avant-dernière saison de sa carrière. Plus les 358 buts et 688 passes en saisons et les 49 buts et 80 passes en séries.

## UN MATCH MÉMORABLE

La grande majorité des familles québécoises se préparent fébrilement au repas du jour de l'An en ce 31 décembre. Mais les amateurs de hockey et encore plus les partisans du Canadien ont un autre rendez-vous qui les attend avant de s'attaquer à la traditionnelle dinde.

Deux équipes de l'Union soviétique, l'Armée rouge et les Ailes du Soviet, sont en Amérique du Nord pour une série de rencontres contre huit formations de la LNH. Déjà, elles ont signé des gains convaincants de 7-3 et 7-4 contre les Rangers et les Penguins. Gonflés à bloc, les joueurs de l'Armée rouge se mesurent au Canadien le 31 décembre. Steve Shutt et Yvon Lambert procurent une fois tout danger écarté. Ni Lafleur ni la direction du club n'émettent de commentaires. Le jeu du Démon blond n'en a pas été trop affecté, se soldant par 17 points (7-10) en 13 parties.

● Don Awrey et John Van Boxmeer apprennent en mai que leur nom ne sera pas inscrit sur la coupe Stanley avec ceux de leurs coéquipiers parce qu'ils n'ont pas participé aux séries, bien qu'ils aient disputé respectivement 72 et 46 parties en saison. Pourtant

le nom de Rick Chartraw, qui n'a joué que 22 rencontres mais 2 en séries, y sera. Awrey est dans tous ses états et demande à Pollock et à l'Association des joueurs de faire pression sur la Ligue. Rien n'y fait, mais le règlement sera modifié l'année suivante pour permettre d'inscrire sur la coupe les noms des joueurs qui apparaissent dans la liste des joueurs au moins durant

une moitié de saison ou qui participent aux «finales». Malgré tout, les fiches de Awrey et Van Boxmeer dans le guide de la LNH mentionnent qu'ils ont gagné la coupe Stanley en 1976.

● Le Canadien souligne la première saison de 50 buts de Guy Lafleur, ainsi que celles du Rocket et de Geoffrion, lors d'une partie en novembre.

● Autre honneur pour Lafleur, qui sera coiffé du titre «d'athlète canadien s'étant le plus dévoué pour combattre

la délinquance juvénile» par les Chevaliers de Pythias, lors du banquet annuel de l'organisme après la saison.

● Le retrait du chandail (n° 16) d'Henri Richard est le quatrième dans l'histoire du club, après ceux d'Howie Morenz (n° 7), Maurice Richard (n° 9) et Jean Béliveau (n° 4).

● Le Canadien échange Glen Sather aux North Stars du Minnesota en juin, après l'avoir acquis des Blues de St. Louis un an plus tôt. Sather s'en ira plus tard dans l'AMH

1975 1976

les devants aux Montréalais en première période, mais Vladislav Tretiak ferme la porte aux autres attaques du Bleu-Blanc-Rouge. L'enthousiasme des partisans et le brio du Tricolore sont quelque peu atténués par un but de Boris Mikhailov à la reprise du deuxième tiers. Cournoyer réplique quelques minutes plus tard, avant que Valeri Kharlamov, l'un des plus merveilleux joueurs de hockey au monde, ne réduise de nouveau l'écart à un seul but. Finalement, Boris Alexandrov nivelle le pointage en début de troisième. Par la suite, Tretiak multiplie les prouesses pour empêcher un Canadien nettement dominant de marquer un

| TROPHÉES |
| --- |
| COUPE STANLEY |
| Canadiens de Montréal |
| TROPHÉE PRINCE-DE-GALLES |
| Canadiens de Montréal |

*Un match mémorable dont on se rappelle encore les péripéties un quart de siècle plus tard.*

avec les Oilers d'Edmonton, dont il deviendra l'une des principales têtes dirigeantes pendant plusieurs années.

● Le Tricolore signe la 2 000ᵉ victoire de son histoire le 10 mars et Lafleur souligne l'événement à sa façon en obtenant son 100ᵉ point de la saison.

● Les 127 points obtenus par Montréal au classement des équipes éclipsent la marque de 121 établie par les Bruins cinq ans plus tôt.

Un autre record des Bruins est dépassé avec 58 victoires.

● La compagnie American Motors offre une auto Pacer à Larry Robinson et à Julius Erving des Nets du New Jersey, choisis meilleurs joueurs des séries au hockey et au basket par la revue *Sport Magazine*.

● Les partisans des Canadiens s'offusquent à juste titre du choix de Reggie Leach, des Flyers, comme récipiendaire

du trophée Conn-Smythe à titre de meilleur joueur des séries. Montréal a éliminé les Flyers en quatre matchs consécutifs.

● Le Tricolore est toujours une équipe expérimentée malgré le départ d'Henri Richard. En cours de saison, Yvan Cournoyer atteint le total de 800 parties, Jacques Lemaire celui de 600, Jim Roberts et Serge Savard 500, Guy Lapointe 400, Pierre Bouchard et Guy Lafleur 300.

● Côté points, Cournoyer en totalise plus de 700, Lemaire 600, Pete Mahovlich en a près de 500, Lafleur 400 et Guy Lapointe 300.

● Toujours dirigés par Al MacNeil, les Voyageurs de la Nouvelle-Écosse, la filiale du Tricolore, sont champions de la Ligue américaine au terme de la saison régulière et dans les séries de la coupe Calder.

1975 1976

| TROPHÉES | |
|---|---|
| **TROPHÉE CLARENCE-CAMPBELL** | |
| Flyers de Philadelphie | |
| **TROPHÉE HART** | |
| Bobby Clarke | |
| Flyers de Philadelphie | |
| **TROPHÉE ART-ROSS** | |
| **Guy Lafleur** | |
| **Canadiens de Montréal** | |
| **TROPHÉE LADY-BYNG** | |
| Jean Ratelle | |
| Bruins de Boston | |
| **TROPHÉE CALDER** | |
| Bryan Trottier | |
| Islanders de New York | |
| **TROPHÉE GEORGES-VÉZINA** | |
| **Ken Dryden** | |
| **Canadiens de Montréal** | |
| **TROPHÉE JAMES-NORRIS** | |
| Denis Potvin | |
| Islanders de New York | |
| **TROPHÉE CONN-SMYTHE** | |
| Reggie Leach | |
| Flyers de Philadelphie | |
| **TROPHÉE BILL-MASTERTON** | |
| Rodrigue Gilbert | |
| Rangers de New York | |
| **TROPHÉE LESTER-B.-PEARSON** | |
| **Guy Lafleur** | |
| **Canadiens de Montréal** | |
| **TROPHÉE JACK-ADAMS** | |
| Don Cherry | |
| Bruins de Boston | |

*Lafleur prépare le but de Cournoyer qui procurera une avance de deux buts aux Canadiens à mi-match.*

● Transaction majeure entre les Bruins et les Rangers, qui en arrachent tous les deux, un mois exactement après le début de la saison. Phil Esposito, quatre fois champion marqueur de la Ligue, se retrouve à New York avec Carol Vadnais, pour les services de Jean Ratelle et Brad Park. À court terme, l'échange profite davantage aux Bruins, qui finissent premiers de leur division, tandis que les Rangers terminent derniers de la leur. Ratelle, un marqueur de 109 points à New York en 1971-72,

garde son rythme à Boston, tandis que celui d'Esposito décline peu à peu. Pour sa part, Brad Park, l'éternel second, termine deuxième au titre de meilleur défenseur pour une cinquième fois.

● Marcel Dionne est malheureux malgré sa dernière saison de 121 points (47-74) et un trophée Lady-Byng. Il exige 1,5 million pour cinq ans plus une maison pour demeurer à Detroit, selon ce que rapporte Bertrand Raymond du *Journal de Montréal* à l'été 1975. Les Red Wings lui offrent 1 million, tout en sachant que Dionne

veut partir. Ils le laissent donc aller et le petit joueur de centre opte finalement pour les Kings de Los Angeles. Si Dionne avait opté pour Montréal, la contrepartie demandée par Detroit se serait appelée Guy Lafleur.

● Désigné meilleur défenseur de la Ligue huit fois consécutives, le grand Bobby Orr a de plus en plus de difficultés avec ses genoux et ne participe qu'à une dizaine de rencontres des Bruins.

● Le nom de Darryl Sittler est inscrit à jamais dans le

livre des records de la LNH en raison d'une production de 10 points (6-4) dans une victoire de 11-4 des Leafs sur Boston en février. Une marque qui échappera à Gretzky. En séries, Sittler et Reggie Leach obtiennent tous deux cinq buts dans un même match pour égaler les fiches de Newsy Lalonde et du Rocket. Performance qu'accomplira également Mario Lemieux en 1989.

● La recrue Bryan Trottier règle le cas de deux records avec la même passe lors d'un match nul des Islanders contre

*Vladislav Tretiak, le héros de la rencontre, échange quelques mots avec son vis-à-vis, Ken Dryden.*

autre but dans ce match qui passera au rang des grands affrontements de l'histoire du Forum. Le CH a éclipsé les Soviétiques au chapitre des tirs (38-13) et doit se contenter d'un verdict nul de 3-3, mais tous les privilégiés qui ont vu cette rencontre se souviendront de la beauté et de l'intensité du jeu. Ce soir-là, Tretiak a véritablement sauvé son « armée ». Ce soir-là, les deux équipes se sont retirées bien satisfaites, l'une pour avoir limité la domination des Canadiens, l'autre pour avoir déjoué un Tretiak quasi invincible à trois reprises.

La dinde n'en est que meilleure le lendemain pour les partisans des Canadiens et les discussions de la parenté n'en sont que plus animées que d'habitude au salon.

## IL PRÉFÈRE SON CAMION AUX CANADIENS

Sam Pollock en avait fait son premier choix de première ronde, avant Pierre Mondou et Brian Engblom, au dernier repêchage en juin. Mais Robin Sadler, un jeune défenseur de 20 ans, décide de tout simplement rentrer chez lui à Vancouver, après un premier match pré-saison avec les Voyageurs. « Je n'ai plus le

Vancouver en mars. Il s'agit de sa 53e assistance (ancien record, pour une recrue, de 52 appartenant à Jude Drouin) et de son 79e point (ancien record de 77 détenu par Marcel Dionne). Il termine sa première saison avec une fiche de 32-63-95 et reçoit le trophée Calder.

● Ancien joueur des Canadiens, John Ferguson est nommé gérant et entraîneur des Rangers au début de janvier. Il remplace Émile Francis.

● Bobby Clarke est en lutte avec Lafleur pour le titre de premier marqueur tout au long de la saison. Il termine finalement au deuxième rang avec 119 points (30-89) et décroche un deuxième trophée Hart de suite à titre de joueur le plus utile.

● Johnny Bucyk adhère au cercle des compteurs de 500 buts à la fin d'octobre.

● Dans une saison au cours de laquelle 6 joueurs marquent 50 buts et plus, Pierre Larouche devient le plus jeune de l'histoire à réussir l'exploit avec 53 filets à Pittsburgh. Le futur joueur des Canadiens n'a que vingt ans.

● La Ligue autorise les équipes à garder autant de joueurs qu'elles le souhaitent dans leur entourage, à la condition de ne pas présenter plus de 17 joueurs et deux gardiens en uniforme par match.

● Plusieurs grands noms sont admis au Temple de la renommée, dont Pierre Pilote, Glenn Hall, George Armstrong et Ace Bailey.

● Marc Tardif est champion marqueur de l'Association mondiale avec 71 buts et 77 passes en 81 parties. Les Nordiques finissent deuxièmes de leur division, mais perdent en quart de finale. Conduits par Bobby Hull et les Suédois Ulf Nilsson et Anders Hedberg, les Jets de Winnipeg remportent la coupe Avco, privant les Aeros de Houston d'un troisième titre d'affilée.

● Les Soviétiques remportent une cinquième médaille d'or aux Jeux olympiques d'Innsbruck en disposant de la Tchécoslovaquie 4-3 en finale. Le Canada boycotte toujours le hockey international.

1975 1976

| ASSOCIATION PRINCE-DE-GALLES | | | | | | | |
|---|---|---|---|---|---|---|---|
| Montréal (Canadiens) | 80 | 58 | 11 | 11 | 337 | 174 | 127 |
| Los Angeles (Kings) | 80 | 38 | 33 | 9 | 263 | 265 | 85 |
| Pittsburgh (Penguins) | 80 | 35 | 33 | 12 | 339 | 303 | 82 |
| Detroit (Red Wings) | 80 | 26 | 44 | 10 | 226 | 300 | 62 |
| Washington (Capitals) | 80 | 11 | 59 | 10 | 224 | 394 | 32 |

| DIVISION ADAMS | PJ | G | P | N | BP | BC | PTS |
|---|---|---|---|---|---|---|---|
| Boston (Bruins) | 80 | 48 | 15 | 17 | 313 | 237 | 113 |
| Buffalo (Sabres) | 80 | 46 | 21 | 13 | 339 | 240 | 105 |
| Toronto (Maple Leafs) | 80 | 34 | 31 | 15 | 294 | 276 | 83 |
| Californie (Golden Seals) | 80 | 27 | 42 | 11 | 250 | 278 | 65 |

| ASSOCIATION CLARENCE-CAMPBELL | | | | | | | |
|---|---|---|---|---|---|---|---|
| DIVISION PATRICK | PJ | G | P | N | BP | BC | PTS |
| Philadelphie (Flyers) | 80 | 51 | 13 | 16 | 348 | 209 | 118 |
| New York (Islanders) | 80 | 42 | 21 | 17 | 297 | 190 | 101 |
| Atlanta (Flames) | 80 | 35 | 33 | 12 | 262 | 237 | 82 |
| New York (Rangers) | 80 | 29 | 42 | 9 | 262 | 333 | 67 |

| DIVISION SMYTHE | PJ | G | P | N | BP | BC | PTS |
|---|---|---|---|---|---|---|---|
| Chicago (Black Hawks) | 80 | 32 | 30 | 18 | 254 | 261 | 82 |
| Vancouver (Canucks) | 80 | 33 | 32 | 15 | 271 | 272 | 81 |
| St. Louis (Blues) | 80 | 29 | 37 | 14 | 249 | 290 | 72 |
| Minnesota (North Stars) | 80 | 20 | 53 | 7 | 195 | 303 | 47 |
| Kansas City (Scouts) | 80 | 12 | 56 | 12 | 190 | 351 | 36 |

| MEILLEURS MARQUEURS | | PJ | B | A | PTS | PUN |
|---|---|---|---|---|---|---|
| **Guy Lafleur** | **Canadiens** | **80** | **56** | **69** | **125** | **36** |
| Bobby Clarke | Philadelphie | 76 | 30 | 89 | 119 | 13 |
| Gilbert Perreault | Buffalo | 80 | 44 | 69 | 113 | 36 |
| Bill Barber | Philadelphie | 80 | 50 | 62 | 112 | 104 |
| Pierre Larouche | Pittsburgh | 76 | 53 | 58 | 111 | 33 |
| Jean Ratelle | Bos./NYR | 80 | 36 | 69 | 105 | 18 |
| **Pete Mahovlich** | **Canadiens** | **80** | **34** | **71** | **105** | **76** |
| Jean Pronovost | Pittsburgh | 80 | 52 | 52 | 104 | 24 |
| Darryl Sittler | Toronto | 79 | 41 | 59 | 100 | 90 |
| Syl Apps Jr. | Pittsburgh | 80 | 32 | 67 | 99 | 24 |

goût de jouer au hockey », avoue-t-il avant d'annoncer qu'il entend retourner à l'école pour décrocher un permis de chauffeur de camion. Auteur de 32 buts avec l'équipe junior d'Edmonton, dans la Ligue de l'Ouest, la saison précédente, le jeune homme semble trop s'ennuyer de sa famille et de sa petite amie pour tenter de se bâtir une carrière à l'autre bout du pays.

Il rejette donc un salaire de 80 000 $ pour une première saison. Ainsi qu'un contrat de 265 000 $ pour trois ans, incluant une prime de 150 000 $ à la signature.

Sadler ne reviendra pas sur sa décision, mais après avoir joué une saison en Suède, il signera un contrat avec les Oilers d'Edmonton, dans l'AMH, dont il désertera aussi le camp d'entraînement en septembre 1977, incapable de soutenir la pression. Néanmoins, il reviendra à l'organisation des Canadiens un peu plus tard cette même année pour disputer quelques parties avec les Voyageurs, puis s'en retournera terminer sa carrière en Europe, là où la pression est sans doute moins forte.

L'histoire ne dit pas s'il a repris un jour le volant de son camion.

*Le prof Ronald Caron pose fièrement avec les deux premiers choix du club, Pierre Mondou et Robin Sadler. Le premier fera carrière avec le Tricolore, l'autre pas.*

*Le capitaine Serge Savard soulève fièrement la coupe Stanley au terme d'une saison que beaucoup d'amateurs considèrent comme la plus extraordinaire de l'histoire des Canadiens.*

# 1976    1977

VINGTIÈME
COUPE
STANLEY

Les Canadiens sont encore plus dominants avec seulement 8 défaites et 132 points, 2 records absolus de la Ligue. Lafleur termine devant Marcel Dionne, 136 points à 122, pour son deuxième titre des marqueurs. Cette fois, il est reconnu le plus utile, Larry Robinson reçoit le Norris et Dryden partage le Vézina avec Michel Larocque. Lafleur est aussi le meilleur marqueur des séries et il remporte le Smythe, ainsi que le Pearson, ce dernier trophée attribué par l'Association des joueurs au hockeyeur par excellence, une deuxième année de suite. Les Canadiens disposent des Bruins de Boston quatre parties à zéro en finale, après avoir éliminé St. Louis en quatre et les Islanders en six. Boston et Philadelphie conservent leur championnat de division et les Blues de St. Louis devancent Minnesota dans la Division Smythe. Les Golden Seals de la Californie sont transférés à Cleveland et deviennent les Barons, tandis que les minables Scouts de Kansas City déménagent au Colorado sous le nom de Rockies. Quatre joueurs des Canadiens, Dryden, Robinson, Lafleur et Shutt, accèdent à la première équipe d'étoiles, et Guy Lapointe est élu au sein de la deuxième une troisième année de suite.

*La remise des prix est impressionnante au terme de la saison pour Larry Robinson, Michel Larocque, Ken Dryden et Guy Lafleur.*

● Scotty Bowman, un entraîneur qui vit une relation d'amour-haine avec ses joueurs, est le premier pilote de l'organisation à hériter du trophée Jack-Adams, créé quatre ans plus tôt. Pat Burns, douze ans plus tard, sera le seul autre entraîneur des Canadiens à mériter ce trophée. Bowman sera de nouveau

**1976 1977**

# Saison parfaite!

**L**es discussions ne sont pas près de se terminer au sujet de la meilleure saison de l'histoire des Canadiens. Frank Selke, l'un des grands bâtisseurs de la dynastie du Tricolore, avait déjà qualifié la saison 1959-60 — celle de la cinquième coupe consécutive — de « meilleure de l'histoire du club », l'équipe ayant largement dominé ses rivales en saison et gagné les éliminatoires en un minimum de huit parties. D'autres témoins importants évoquent la saison 1943-44, lorsque le club n'a perdu que 5 matchs dans une saison de 50 et un seul en séries. Les années 1967-68 et 1968-69, avec le championnat en saison et seulement 1 et 2 défaites en 12 matchs éliminatoires, sont aussi inscrites en lettres d'or au tableau de l'équipe.

Mais que dire de cette saison 1976-77! Les partisans du club, encore sous le charme des meilleurs athlètes du monde qui ont défilé devant eux en juillet lors des Jeux olympiques de Montréal, goûtent aux prouesses d'une équipe de hockey quasi invincible. Imaginez un peu! Un total de 60 victoires en 80 parties et juste 8 revers, plus 12 nulles. Le club n'a pas perdu deux matchs de suite au cours de la saison. En quart de finale, les Blues de St. Louis sont balayés en quatre parties à sens unique. En demi-finale, les Islanders livrent une opposition plus forte mais ne menacent pas vraiment les Montréalais, qui règlent la question en six. C'est ensuite au tour des Bruins, fiers tombeurs des Flyers de Philadelphie en demi-finale, de plier les genoux en seulement quatre matchs. À Montréal, on fête une 20ᵉ coupe Stanley. Coupe agrémentée de deux nouveaux records de la LNH, soit la plus longue séquence de parties sans revers à domicile en saison (34) et pour l'année complète (saison plus séries) (38).

*Bowman a bien raison d'afficher son air des grands jours derrière le banc d'une telle équipe.*

*Une plaque montée de la rondelle de son 60e but pour Steve Shutt.*

⬤ Les résultats des élections du 15 novembre 1976, affichés périodiquement au tableau du Forum, suscitent beaucoup plus d'intérêt chez les spectateurs et les joueurs que le match qui oppose les Blues de St. Louis aux Canadiens. Ce soir-là, le Tricolore gagne 4-2, mais le résultat est éclipsé par l'élection du Parti québécois.

⬤ Mario Tremblay et Pete Mahovlich, qui partagent la même chambre lors des voyages de l'équipe, ont une altercation qu'on ne parvient pas à dissimuler à la presse. Le grand Pete, en plus d'être blessé au front, doit se rendre à l'hôpital pour des points de suture à la jambe droite. L'incident est survenu dans un hôtel de Cleveland à la fin de novembre, mais on le dit sans relation avec un problème de langue.

⬤ Une fois de plus, la grogne de plusieurs joueurs à l'encontre de Scotty Bowman fait les choux gras des scribes qui gravitent autour de l'équipe. On lui reproche son air hautain et son manque de respect à l'endroit de plusieurs joueurs. Bowman crée même une vive rivalité entre certains joueurs, dit-on. À la fin de novembre, certains vont jusqu'à parler d'une pétition des joueurs pour demander à la direction de le renvoyer. Mais tous reconnaissent sa facilité à les motiver et le club accumule les victoires. L'histoire s'étiole lentement.

choisi en 1995-96, mais avec les Red Wings de Detroit.

⬤ Les 60e buts réussis par Steve Shutt, performance que rééditera Lafleur la saison suivante, constituent toujours la meilleure production individuelle chez le Tricolore en une saison.

| JOUEURS | |
|---|---|
| 1 | Michel Larocque |
| 2 | Bill Nyrop |
| 3 | John Van Boxmeer |
| | Brian Engblom |
| 5 | Guy Lapointe |
| 6 | Jim Roberts |
| 8 | Doug Risebrough |
| 10 | Guy Lafleur |
| 11 | Yvon Lambert |
| 12 | Yvan Cournoyer (C) |
| 14 | Mario Tremblay |
| 15 | Réjean Houle |
| 17 | Murray Wilson |
| 18 | Serge Savard |
| 19 | Larry Robinson |
| 20 | Pete Mahovlich |
| 21 | Doug Jarvis |
| 22 | Steve Shutt |
| 23 | Bob Gainey |
| 24 | Pierre Mondou |
| 25 | Jacques Lemaire |
| 26 | Pierre Bouchard |
| 27 | Rick Chartraw |
| 28 | Mike Polich |
| 29 | Ken Dryden |
| ENTRAÎNEUR | |
| | Scotty Bowman |

**1976 1977**

*Masque en retrait, Dryden guide le travail de ses défenseurs.*

● Les Canadiens subissent un seul revers à domicile en cours de saison, contre les Bruins de Boston le 30 octobre. Ce soir-là, Doug Risebrough marque son 100e point dans la LNH.

● Le soir de son 900e match dans la Ligue, en novembre contre Chicago, Jim Roberts est blessé à l'aine et doit rester à l'écart du jeu pour les 14 parties suivantes.

● Plusieurs joueurs profitent d'une saison de rêve pour gonfler leurs statistiques de carrière. Par exemple, Pete Mahovlich atteint le plateau des 300 passes avec le club dès la mi-octobre et Guy Lafleur est rendu à 500 points en début de février. Le même mois, Cournoyer revendique 400 assistances et obtient son 400e but et son 800e point contre Philadelphie moins d'une semaine plus tard, tandis que Lemaire inscrit un 300e but.

Et ça continue. À la fin de février, Guy Lapointe rejoint le cercle des 400 points et Serge Savard celui des 300. Une semaine plus tard, Jim Roberts enregistre un 300e point, puis à la mi-mars, Lafleur totalise déjà 300 passes. Finalement en avril, Steve Shutt à son tour obtient un 300e point.

● Lafleur n'en est pas à un exploit près. En cours d'année, il s'inscrit au pointage durant 28 parties consécutives, faisant du même coup pâlir l'ancienne marque de 22 appartenant à Bronco Horvath.

● Le livre des statistiques de l'équipe indique 700 parties jouées pour Lemaire, 600 pour Savard et Jim Roberts, 500 pour Lapointe, 400 pour Lafleur et Pierre Bouchard, 300 pour Larry Robinson, Steve Shutt, Murray Wilson, Bob Gainey

**1976 1977**

Qui plus est, 7 des 10 plus importants trophées individuels apparaissent sur la photo d'équipe des Canadiens cette année-là : Hart, Art-Ross, Conn-Smythe et Lester-B.-Pearson à Lafleur ; Georges-Vézina à Dryden et Larocque ; James-Norris à Robinson et Jack-Adams à Bowman. Cinq joueurs dans les équipes d'étoiles et sept records d'équipes fracassés, dont celui du plus grand nombre de points en saison, 132, en plus d'une bonne dizaine de records individuels.

Guy Lafleur est maintenant la principale attraction dans la Ligue et le trio qu'il forme avec Steve Shutt et Jacques Lemaire est impitoyable pour les clubs adverses. Les trois totalisent 316 points, dont 150 buts (60 pour Shutt et 56 pour

| TROPHÉES |
| --- |
| **COUPE STANLEY** |
| Canadiens de Montréal |
| **TROPHÉE PRINCE-DE-GALLES** |
| Canadiens de Montréal |
| **TROPHÉE CLARENCE-CAMPBELL** |
| Flyers de Philadelphie |
| **TROPHÉE HART** |
| Guy Lafleur |
| Canadiens de Montréal |
| **TROPHÉE ART-ROSS** |
| Guy Lafleur |
| Canadiens de Montréal |
| **TROPHÉE LADY-BYNG** |
| Marcel Dionne |
| Kings de Los Angeles |
| **TROPHÉE CALDER** |
| Willi Plett |
| Flames d'Atlanta |

*Larry Robinson, le meilleur défenseur de la Ligue, est un rouage très important du club au cours de cette saison de rêve.*

et Yvon Lambert. Par contre, Pete Mahovlich en a accumulé plus de 600 dans la Ligue, dont 500 avec les Canadiens.

● En début d'année, Serge Savard négocie lui-même le renouvellement de son contrat avec les Canadiens. Le Sénateur, qui obtient une entente de trois ans, dit avoir signé le meilleur contrat de sa carrière, sans dévoiler de chiffres.

● Pendant que les Canadiens balaient tout sur leur passage, les Voyageurs de la Nouvelle-Écosse, premier club-école

de l'équipe, s'imposent de nouveau dans la Ligue américaine avec une deuxième coupe Calder consécutive, après avoir conservé le championnat de la saison régulière à la faveur d'une fiche de 52 victoires en 80 parties.

*Parmi la foule accourue au passage du défilé des Canadiens, le futur journaliste du* Journal de Québec, *Albert Ladouceur.*

| TROPHÉES |
| --- |
| TROPHÉE GEORGES-VÉZINA |
| Ken Dryden et |
| Michel Larocque |
| Canadiens de Montréal |
| TROPHÉE JAMES-NORRIS |
| Larry Robinson |
| Canadiens de Montréal |
| TROPHÉE CONN-SMYTHE |
| Guy Lafleur |
| Canadiens de Montréal |
| TROPHÉE BILL-MASTERTON |
| Ed Westfall |
| Islanders de New York |
| TROPHÉE LESTER-B.-PEARSON |
| Guy Lafleur |
| Canadiens de Montréal |
| TROPHÉE JACK-ADAMS |
| Scotty Bowman |
| Canadiens de Montréal |

Lafleur). Larry Robinson, Serge Savard et Guy Lapointe, le fameux *Big Three*, sont au faîte de leur excellence. Devant le filet, autant Michel Larocque que le grand Dryden sont pratiquement impossibles à battre.

Aucune autre équipe n'a atteint un tel niveau d'excellence dans toute l'histoire de la LNH que cette formation du Canadien, édition 1976-77 ! Ni avant, ni après.

**1976 1977**

## GUY ! GUY ! GUY !

Guy Lafleur par-ci ! Guy Lafleur par-là ! Chacun veut voir le numéro 10 du Canadien, lui parler, obtenir sa signature sur une carte, une photo ou un bout de papier, lui toucher pour ensuite raconter aux parents et aux amis qu'il l'a bien vu ! Chaque fois que le Démon blond s'empare du disque, le Forum vibre et l'écho répète les « Guy ! Guy ! Guy ! » sans fin, comme un cri de ralliement.

Lafleur est le meilleur de tous une fois de plus en cette année olympique. Champion marqueur une deuxième année de suite, troisième année de 50 buts ou plus, titres de joueur le plus utile et de joueur par excellence — ce dernier octroyé par ses pairs —, meilleur joueur des séries, première équipe d'étoiles, plus une kyrielle de nominations d'excellence par divers organismes. Le journaliste Jean-Denis Girouard écrit en juin, dans un texte du *Journal de Montréal*, que Lafleur a eu droit à « un dîner de 27 500 $ » au banquet annuel de la Ligue nationale, en raison des sommes rattachées à ses diverses nominations.

*Quatre récompenses prestigieuses pour le héros de la foule, qui ne cesse de scander son nom.*

● Le marché répond mal aux projets d'expansion de la LNH et le sport lui-même semble peu convenir aux mœurs de certaines régions du sud des États-Unis. Criblées de dettes, quelques concessions doivent changer de ville ou disparaître. Ainsi, en juillet, les Golden Seals de la Californie deviennent les Barons de Cleveland et, deux semaines plus tard, les Scouts de Kansas City s'en vont au Colorado sous le nom de Rockies. C'est la première fois depuis la saison 1934-35 que la LNH doit transférer une concession. Les deux formations demeurent dans les mêmes divisions mais ne connaissent guère plus de succès.

● L'Association mondiale aussi est en sérieuse difficulté, ne comptant plus que 2 divisions et 12 équipes, dont l'une cessera ses activités en janvier. On parle sérieusement de fusion des deux circuits.

● Les Nordiques sont devenus une puissance du « circuit maudit ». Ils remportent le titre de la Division Est avec une priorité de 14 points sur Cincinnati, ainsi que le championnat des séries et la coupe Avco en disposant de Winnipeg 4 parties à 3. Réal Cloutier est champion marqueur avec 66 buts et 75 passes, 10 points devant Anders Hedberg, des Jets.

● Le défenseur Jean-Claude Tremblay, ex-membre des Canadiens et maintenant un pilier des Nordiques, doit subir l'ablation d'un rein à la fin de la saison. Ce qui ne l'empêchera pas de connaître deux autres bonnes saisons à Québec.

● Le Canada remporte la première édition du tournoi de la Coupe Canada en disposant de la Tchécoslovaquie, 6-0 et 5-4, en série finale deux de trois. Le tournoi regroupe les six puissances mondiales au hockey : le Canada, la Russie, la Tchécoslovaquie, les États-Unis, la Finlande et la Suède. Jouant malgré des genoux de plus en plus amochés, Bobby Orr est sélectionné comme joueur le plus utile du tournoi.

● En juin 1977, Bobby Orr délaisse les Bruins et signe une

**1976 1977**

| ASSOCIATION PRINCE-DE-GALLES | | | | | | | |
|---|---|---|---|---|---|---|---|
| **DIVISION NORRIS** | PJ | G | P | N | BP | BC | PTS |
| **Montréal (Canadiens)** | 80 | 60 | 8 | 12 | 387 | 171 | 132 |
| Los Angeles (Kings) | 80 | 34 | 31 | 15 | 271 | 241 | 83 |
| Pittsburgh (Penguins) | 80 | 34 | 33 | 13 | 240 | 252 | 81 |
| Washington (Capitals) | 80 | 24 | 42 | 14 | 221 | 307 | 62 |
| Detroit (Red Wings) | 80 | 16 | 55 | 9 | 183 | 309 | 41 |
| **DIVISION ADAMS** | PJ | G | P | N | BP | BC | PTS |
| Boston (Bruins) | 80 | 49 | 23 | 8 | 312 | 240 | 106 |
| Buffalo (Sabres) | 80 | 48 | 24 | 8 | 301 | 220 | 104 |
| Toronto (Maple Leafs) | 80 | 33 | 32 | 15 | 301 | 285 | 81 |
| Cleveland (Barons) | 80 | 25 | 42 | 13 | 240 | 292 | 63 |

| ASSOCIATION CLARENCE-CAMPBELL | | | | | | | |
|---|---|---|---|---|---|---|---|
| **DIVISION PATRICK** | PJ | G | P | N | BP | BC | PTS |
| Philadelphie (Flyers) | 80 | 48 | 16 | 16 | 323 | 213 | 112 |
| New York (Islanders) | 80 | 47 | 21 | 12 | 288 | 193 | 106 |
| Atlanta (Flames) | 80 | 34 | 34 | 12 | 264 | 265 | 80 |
| New York (Rangers) | 80 | 29 | 37 | 14 | 272 | 310 | 72 |
| **DIVISION SMYTHE** | PJ | G | P | N | BP | BC | PTS |
| St. Louis (Blues) | 80 | 32 | 39 | 9 | 239 | 276 | 73 |
| Minnesota (North Stars) | 80 | 23 | 39 | 18 | 240 | 310 | 64 |
| Chicago (Black Hawks) | 80 | 26 | 43 | 11 | 240 | 298 | 63 |
| Vancouver (Canucks) | 80 | 25 | 42 | 13 | 235 | 294 | 63 |
| Colorado (Rockies) | 80 | 20 | 46 | 14 | 226 | 307 | 54 |

| MEILLEURS MARQUEURS | | | | | | |
|---|---|---|---|---|---|---|
| | | PJ | B | A | PTS | PUN |
| **Guy Lafleur** | **Canadiens** | 80 | 56 | 80 | 136 | 20 |
| Marcel Dionne | Los Angeles | 80 | 53 | 69 | 122 | 12 |
| **Steve Shutt** | **Canadiens** | 80 | 60 | 45 | 105 | 28 |
| Rick MacLeish | Philadelphie | 79 | 49 | 48 | 97 | 42 |
| Gilbert Perreault | Buffalo | 80 | 39 | 56 | 95 | 30 |
| Tim Young | Minnesota | 80 | 29 | 66 | 95 | 58 |
| Jean Ratelle | Boston | 78 | 33 | 61 | 94 | 22 |
| Lanny McDonald | Toronto | 80 | 46 | 44 | 90 | 77 |
| Darryl Sittler | Toronto | 73 | 38 | 52 | 90 | 89 |
| Bobby Clarke | Philadelphie | 80 | 27 | 63 | 90 | 71 |

*Un autre but spectaculaire du Démon blond contre le gardien des Penguins.*

entente de 3 millions comme agent libre avec les Black Hawks de Chicago. Les partisans des Bruins sont en furie contre l'équipe, qui n'a pas fait beaucoup d'efforts pour le retenir. Orr disputera seulement 20 parties avec sa nouvelle équipe en raison de ses problèmes aux genoux.

● Rodrigue Gilbert obtient le 1 000e point de sa carrière le 19 février. Quelques jours plus tard, Stan Mikita marque son 500e but. Finalement, au début d'avril, Jean Ratelle, ancien coéquipier de Gilbert,

maintenant avec les Bruins, obtient lui aussi son 1 000e point.

● Les nombreux matchs nuls font jaser et diverses solutions sont proposées pour les éliminer. Entre-temps, les Flyers de Philadelphie disputent pas moins de 15 verdicts nuls à l'étranger, une marque qui prévaut toujours.

● Dorénavant, l'arbitre doit imposer une pénalité majeure et chasser du match l'instigateur d'une bataille.

● Ian Turnbull des Leafs, un artiste à ses heures — il joue de la guitare et compose —, inscrit une marque, inégalée depuis, de cinq buts par un défenseur lors d'un match. Turnbull passe à l'histoire le 2 février dans une victoire de 9-1 contre Detroit.

● Marcel Dionne, récipiendaire du trophée Lady-Byng, devient le premier joueur de l'histoire des Kings de Los Angeles à compter 50 buts. Il en obtient 53 et termine au deuxième rang des marqueurs derrière Lafleur.

● Aucune des cinq équipes de la Division Smythe ne parvient à jouer pour ,500. Les Blues de St. Louis sont champions de cette pauvre section avec 32 victoires et 39 défaites. Aucune des formations qualifiées pour les séries, St. Louis, Minnesota et Chicago, ne gagne un seul match éliminatoire.

● Clark Gillies obtient un quatrième but victorieux de suite lors du troisième match quart de finale entre les Islanders et Buffalo.

*Shutt, Lafleur et Lemaire, un fameux trio qui en a fait voir de toutes les couleurs aux gardiens adverses.*

## HOULE REVIENT

Réjean Houle avait connu l'ivresse des belles années du Canadien junior, puis celle que procure la coupe Stanley, à sa première saison avec le grand club en 1971 puis encore en 1973. Mais après cette dernière saison, en plus ou moins bons termes avec l'entraîneur Scotty Bowman, qui lui a souvent reproché de trop s'intéresser aux Nordiques, il a accepté l'offre des Fleurdelisés et déserté pour Québec, où il a connu des saisons de 27, 40 et 51 buts, et où il a été rejoint par son grand copain Marc Tardif.

Par contre, le gérant Maurice Filion démontre peu d'intérêt pour le joueur le plus polyvalent et le plus dévoué de l'organisation lorsque arrive le renouvellement de son contrat au terme de la saison 1975-76. Il lui propose même une réduction de salaire. À la mi-juin, Houle profite d'un voyage à Montréal destiné à la promotion du tournoi de golf des Nordiques, dont il est président d'honneur, pour rencontrer Sam Pollock et revenir dans le giron du Tricolore. « Ça n'a pris que 40 minutes... », révèle Peanut aux journalistes sur ses négociations avec le rusé Pollock, lequel espérait un signe de Houle depuis longtemps. « Houle a bien fait », commente Claude Bédard du *Journal de Québec*, lequel ne manque pas de souligner l'énorme vide créé par le départ d'un joueur aussi dévoué que Houle.

Ailier droit et joueur de centre occasionnel, Houle demeurera sept autres saisons avec le Tricolore avant de se lancer en relations publiques avec la Brasserie Molson et d'effectuer un retour dans l'organisation comme directeur général en 1996.

1976 1977

*Autre saison parfaite pour Larry Robinson, qui reçoit le trophée Conn-Smythe, en plus de contribuer à l'obtention d'une autre coupe Stanley.*

# 1977  1978

VINGT
ET UNIÈME
COUPE
STANLEY

GUY LAFLEUR ET LES CANADIENS MAINTIENNENT LEUR EMPRISE, LE PREMIER AVEC UN NOUVEAU CHAMPIONNAT DES MARQUEURS ET LES SECONDS AVEC UNE PRIORITÉ DE 51 POINTS (129 À 78) EN TÊTE DE LA DIVISION NORRIS. ET SEULEMENT 10 DÉFAITES EN 80 PARTIES. CHICAGO REPREND LES COMMANDES DE LA DIVISION SMYTHE, LES ISLANDERS DÉTRÔNENT PHILADELPHIE DANS LA DIVISION PATRICK ET BOSTON RESTE PREMIER DANS LA DIVISION ADAMS. EN SÉRIES, MONTRÉAL BAT DETROIT EN CINQ MATCHS, TORONTO EN QUATRE ET OBTIENT UNE TROISIÈME COUPE STANLEY DE SUITE, DISPOSANT EN FINALE DES BRUINS PAR QUATRE PARTIES À DEUX. LARRY ROBINSON OBTIENT LE TITRE DE JOUEUR LE PLUS UTILE DES SÉRIES. CE TROISIÈME CHAMPIONNAT DE LAFLEUR EST ÉGALEMENT SON DERNIER. IL GARDE AUSSI LE TITRE DU JOUEUR LE PLUS UTILE ET CELUI DU JOUEUR PAR EXCELLENCE. DRYDEN DÉCROCHE UN TROISIÈME TROPHÉE VÉZINA (LE DEUXIÈME AVEC LAROCQUE) ET BOB GAINEY REMPORTE UN PREMIER TROPHÉE FRANK-SELKE, À TITRE DE MEILLEUR ATTAQUANT AU STYLE DÉFENSIF. MICHAEL BOSSY SOULIGNE SON ENTRÉE CHEZ LES ISLANDERS AVEC LE TROPHÉE CALDER. LES CANADIENS FONT ÉLIRE DEUX JOUEURS (DRYDEN ET LAFLEUR) AU SEIN DE LA PREMIÈRE ÉQUIPE D'ÉTOILES, AUTANT (ROBINSON ET SHUTT) DANS LA SECONDE.

● La Ligue nationale institue un nouveau trophée pour souligner la contribution de Frank Selke et le destine au meilleur attaquant au style défensif. Le premier nom inscrit en fin de saison est celui de Bob Gainey, lequel le recevra quatre ans de suite.

*Un troisième titre de champion marqueur pour Lafleur, seul joueur de l'histoire des Canadiens à inscrire son nom sur le trophée Lester-B.-Pearson, remis par l'Association des joueurs.*

**1977 1978**

# Troisième titre pour Lafleur

**L**es Canadiens ont déjà 61 points en banque à la mi-saison et ils dominent largement leurs rivaux. Le club paraît sans faille et le vestiaire transpire de bonheur, mais Guy Lafleur, champion marqueur des deux dernières saisons, n'est pas totalement satisfait. Son excellente production de 28 buts et 55 points le laisse quand même loin du meneur, Bryan Trottier, des Islanders de New York.

La seconde portion de la saison sera cependant la sienne. Il marque 32 fois et double presque sa production d'assistances pour clôturer la saison avec une fiche de 60 buts et 72 passes, ce qui lui permet d'installer un troisième trophée Art-Ross dans son salon. À compter du 12 janvier, soit en 40 parties, il est absent de la feuille de pointage seulement quatre fois. Trottier est deuxième avec 46 buts et 77 passes.

Cette année-là, Lafleur est le seul marqueur de 50 buts en compagnie de l'excellente recrue Michael Bossy, des Islanders, que les Canadiens ont laissé filer lors du dernier repêchage au profit de l'un des beaux espoirs de l'AMH, Mark Napier. Le total de 60 buts du Démon blond lui permet en outre de rééditer l'exploit réussi par Steve Shutt, son compagnon de trio, la saison précédente.

De plus en plus populaire à Montréal, Lafleur s'est aussi fait un lot d'amis partout où passe le club au fil de ses déplacements à l'étranger. Les rumeurs d'une fusion avec l'AMH, qui se font plus persistantes, ne lui déplaisent pas non plus,

*Moment fort émouvant pour Mario Tremblay, qui touche aux fruits d'un travail acharné.*

● La production du grand Pete Mahovlich a ralenti depuis qu'il ne joue plus au centre du trio de Lafleur. À la fin de novembre, Pollock l'échange aux Penguins avec Peter Lee, en retour de Pierre Larouche, un compteur de 50 buts avec Pittsburgh, et d'un joueur à venir.

● À Montréal et dans la Ligue, les succès des Canadiens — quatrième titre de division

et troisième coupe Stanley d'affilée — suscitent une admiration grandissante et rappellent la dynastie du milieu des années 1950 avec les Richard, Béliveau, Geoffrion, Harvey, Plante et Cie.

● La sélection de Mark Napier, encore sous contrat dans l'AMH, au 10e rang du repêchage amateur, provoque quelques remous chez certains partisans qui auraient souhaité que le club opte pour un produit local comme Michael Bossy. Les

Canadiens, qui lui trouvent des carences en défensive, ne sont pas la seule équipe à lever le nez sur Bossy, lequel n'a été retenu qu'au 15e rang par les Islanders.

● Jim Roberts, un joueur d'utilité qui travaille dans l'ombre des grandes vedettes depuis six ans à Montréal, est de nouveau retourné aux Blues lors du repêchage de juin. Au cours de sa carrière, Roberts a fait deux séjours à Montréal et autant à

St. Louis, disputant plus de 1 000 rencontres au total.

● Le Canadien surpasse la marque de 23 parties d'affilée sans défaite des Bruins de Boston (réussie en 1940-41) et des Flyers de Philadelphie (en 1975-76) avec une 24e rencontre sans revers le 15 février, une victoire de 6-2 à St. Louis. Il portera finalement le nouveau record à 28.

| JOUEURS | |
|---|---|
| 1 | Michel Larocque |
| 2 | Bill Nyrop |
| 3 | Brian Engblom |
| 5 | Guy Lapointe |
| 6 | Pierre Mondou |
| 8 | Doug Risebrough |
| 10 | Guy Lafleur |
| 11 | Yvon Lambert |
| 12 | Yvan Cournoyer (C) |
| 14 | Mario Tremblay |
| 15 | Réjean Houle |
| 17 | Murray Wilson |
| | Mike Polich |
| 18 | Serge Savard |
| 19 | Larry Robinson |
| 20 | Pete Mahovlich |
| 21 | Doug Jarvis |
| 22 | Steve Shutt |
| 23 | Bob Gainey |
| 24 | Gilles Lupien |
| 25 | Jacques Lemaire |
| 26 | Pierre Bouchard |
| 27 | Rick Chartraw |
| 28 | Pierre Larouche |
| 29 | Ken Dryden |
| 30 | Rodney Schutt |
| 31 | Pat Hughes |
| ENTRAÎNEUR | |
| | Scotty Bowman |

**1977 1978**

puisqu'il pourrait alors se produire devant ses amis de Québec, advenant la participation des Nordiques à cette fusion.

Aucun autre joueur des Canadiens n'a réussi pareil exploit de s'approprier trois titres consécutifs de champion marqueur dans la Ligue nationale. Dickie Moore en a obtenu deux de suite en 1957-58 et 1958-59, et quatre autres du Tricolore revendiquent deux championnats non consécutifs : Newsy Lalonde (1918-19 et 1920-21), Howie Morenz (1927-28 et 1930-31), Elmer Lach (1944-45 et 1947-48), ainsi que Bernard Geoffrion (1954-55 et 1960-61). Cependant, Lalonde avait aussi remporté un championnat des compteurs avec les Canadiens du temps de l'ancienne NHA en 1915-16. Lalonde avait également terminé premier en 1909-10, mais c'est à Renfrew qu'il avait complété la saison entreprise à Montréal. Après Lafleur, aucun joueur du club ne remettra la main sur le trophée Art-Ross.

Le rendement de Lafleur lui vaut également un second titre consécutif de joueur le plus utile, encore devant Trottier, ainsi qu'une sélection dans la première équipe d'étoiles. Les autres joueurs de la Ligue lui attribuent un troisième trophée Lester-B.-Pearson à titre de joueur le plus spectaculaire. Il est le seul membre des Canadiens à avoir inscrit son nom sur cette récompense créée en 1971.

## TROPHÉE CONN-SMYTHE POUR LARRY ROBINSON

Larry Robinson a privé Denis Potvin d'une deuxième consécration de meilleur défenseur la saison précédente, mais ne peut rééditer son exploit malgré son excellent jeu en défensive. Il manque aussi de peu une sélection au sein de la première équipe d'étoiles. Pourtant Robinson revendique une part importante des succès de l'équipe au cours de la saison.

Il fait encore mieux dans les séries, orchestrant plusieurs montées fructueuses contre les Wings, les Leafs et les Bruins, participant à 17 buts des siens, en plus d'en réussir 4 lui-même. À un point tel qu'il termine au premier rang des marqueurs, à égalité avec Lafleur.

Cette année-là, le trophée Conn-Smythe lui revient de droit, d'autant plus qu'en finale, il a eu le meilleur sur l'un de ses grands rivaux, Brad Park, de Boston.

● Réjean Houle est le premier membre des Canadiens à recevoir la distinction de «joueur de la semaine dans la LNH», le 20 février. Cette récompense a été instituée au début de janvier 1978 et perdure depuis.

● Une plaque commémorant les exploits d'Howie Morenz est installée à l'entrée du Forum en février.

● Buddy O'Connor, qui fut, avec Pit Morin et Jerry Heffernan, du fameux trio *Razzle Dazzle* au début des années 1940, meurt à quelques jours du début du camp d'entraînement. Son échange

aux Rangers en 1947 avait soulevé la colère des partisans, mais O'Connor s'était bien vengé des Canadiens en terminant au deuxième rang des marqueurs cette année-là, à un point d'Elmer Lach.

● Quelques chiffres intéressants au dossier des vétérans de l'équipe. Jacques Lemaire atteint les 700 points avec le club en début de saison et Lafleur en totalise 600 à Noël. Quelques jours plus tôt, Lemaire a aussi obtenu une 400e passe sur un but de Steve Shutt. Lafleur le relance en mars avec son 300e but. Guy Lapointe atteint aussi

un sommet personnel avec une 300e passe en février.

● Moments symboliques aussi pour quelques joueurs en termes de parties jouées. Yvan Cournoyer en compte 900 à la mi-novembre, Lafleur en a déjà 500 en février, Savard 700 en mars et Lemaire 800 en avril. Dans le cercle des 400 parties et plus, on retrouve Steve Shutt et Larry Robinson, alors que celui des 300 accueille Ken Dryden et Réjean Houle.

● Jos Cattarinich, un bâtisseur de la dynastie des Canadiens, est intronisé au Temple de la renommée en même temps

qu'Alex Delvecchio et Tim Horton ainsi que le très contesté Harold Ballard.

● Bobby Smith, un futur membre des Canadiens, est sélectionné joueur junior par excellence au Canada alors qu'il joue pour les 67's d'Ottawa.

● Les Canadiens ont le meilleur sur les Bruins de Boston pour la deuxième année de suite, mais c'est aussi la 13e fois d'affilée que les Montréalais l'emportent sur les Bostonnais en séries. La dernière victoire des Bruins remonte à la série demi-finale de 1942-43.

## 1977 1978

### ON A VOLÉ LA COUPE !

Claude Mouton, directeur des relations publiques du Canadien, sent les sueurs lui couler dans le dos lorsqu'il ouvre la valise de sa voiture ! L'original de la coupe Stanley, dont il a la garde pour le temps des célébrations, a disparu.

Pendant ce temps à Thurso, un beau dimanche de mai, trois jours après avoir gagné la coupe, Guy Lafleur accueille une bonne partie de la population de la ville venue admirer le célèbre trophée dans la cour de son paternel.

Avec la complicité du soigneur Pierre Plouffe ou de son coéquipier Guy Lapointe (on n'a jamais vraiment su lequel exactement), Lafleur a subtilisé le « saladier » dans l'auto de Mouton, après lui avoir emprunté ses clés sous un prétexte quelconque et en avoir fait faire des doubles. Tout cela pendant que les joueurs festoyaient à la taverne de Toe Blake et ensuite à celle d'Henri Richard.

Mouton retrouve son calme ce même dimanche lorsque le « voleur » lui téléphone de Thurso pour lui dire que la coupe est bien en sécurité avec lui.

### DEUX PASSES POUR LAROCQUE

Michel Larocque n'est pas toujours heureux de jouer les seconds violons derrière Dryden à Montréal et les rumeurs d'échange sont persistantes à son sujet. D'autant plus que Bunny Larocque n'est pas mauvais gardien. À preuve, les deux trophées Vézina qu'il partage avec Dryden. Utilisé lors de 29 des 80 parties de l'équipe, il en a gagné 22 et conservé une moyenne de 2,67.

Il vit cependant une sensation bien particulière le 28 janvier devant les partisans de l'équipe en obtenant des passes sur les deux premiers buts des siens réussis par Lafleur et Shutt contre Rogatien Vachon, des Kings de Los Angeles.

*En plus d'exceller devant le filet du Tricolore, Michel Larocque se découvre un certain talent « offensif ».*

| TROPHÉES |
| --- |
| **COUPE STANLEY** |
| Canadiens de Montréal |
| **TROPHÉE PRINCE-DE-GALLES** |
| Canadiens de Montréal |
| **TROPHÉE CLARENCE-CAMPBELL** |
| Islanders de New York |
| **TROPHÉE HART** |
| Guy Lafleur |
| Canadiens de Montréal |
| **TROPHÉE ART-ROSS** |
| Guy Lafleur |
| Canadiens de Montréal |
| **TROPHÉE LADY-BYNG** |
| Butch Goring |
| Kings de Los Angeles |

### ASSOCIATION PRINCE-DE-GALLES

| DIVISION NORRIS | PJ | G | P | N | BP | BC | PTS |
| --- | --- | --- | --- | --- | --- | --- | --- |
| Montréal (Canadiens) | 80 | 59 | 10 | 11 | 359 | 183 | 129 |
| Detroit (Red Wings) | 80 | 32 | 34 | 14 | 252 | 266 | 78 |
| Los Angeles (Kings) | 80 | 31 | 34 | 15 | 243 | 245 | 77 |
| Pittsburgh (Penguins) | 80 | 25 | 37 | 18 | 254 | 321 | 68 |
| Washington (Capitals) | 80 | 17 | 49 | 14 | 195 | 321 | 48 |
| **DIVISION ADAMS** | PJ | G | P | N | BP | BC | PTS |
| Boston (Bruins) | 80 | 51 | 18 | 11 | 333 | 218 | 113 |
| Buffalo (Sabres) | 80 | 44 | 19 | 17 | 288 | 215 | 105 |
| Toronto (Maple Leafs) | 80 | 41 | 29 | 10 | 271 | 237 | 92 |
| Cleveland (Barons) | 80 | 22 | 45 | 13 | 230 | 325 | 57 |

### ASSOCIATION CLARENCE-CAMPBELL

| DIVISION PATRICK | PJ | G | P | N | BP | BC | PTS |
| --- | --- | --- | --- | --- | --- | --- | --- |
| New York (Islanders) | 80 | 48 | 17 | 15 | 334 | 210 | 111 |
| Philadelphie (Flyers) | 80 | 45 | 20 | 15 | 296 | 200 | 105 |
| Atlanta (Flames) | 80 | 34 | 27 | 19 | 274 | 252 | 87 |
| New York (Rangers) | 80 | 30 | 37 | 13 | 279 | 280 | 73 |
| **DIVISION SMYTHE** | PJ | G | P | N | BP | BC | PTS |
| Chicago (Black Hawks) | 80 | 32 | 29 | 19 | 230 | 220 | 83 |
| Colorado (Rockies) | 80 | 19 | 40 | 21 | 257 | 305 | 59 |
| Vancouver (Canucks) | 80 | 20 | 43 | 17 | 239 | 320 | 57 |
| St. Louis (Blues) | 80 | 20 | 47 | 13 | 195 | 304 | 53 |
| Minnesota (North Stars) | 80 | 18 | 53 | 9 | 218 | 325 | 45 |

● Le projet de fusion entre la LNH et l'AMH est finalement rejeté par les propriétaires de la Nationale au début d'août. Les clubs de l'Association mondiale, enfin ce qu'il en reste, doivent préparer leur calendrier à la hâte pour leur sixième saison.

● Consolation à Québec. Malgré les difficultés de l'équipe, deux joueurs des Nordiques terminent aux premiers rangs des marqueurs. Marc Tardif avec 154 points (65-89), suivi de Réal Cloutier avec 129 (56-73).

● Gordie Howe quitte les Aeros de Houston pour les Whalers de la Nouvelle-Angleterre et entraîne ses fils Mark et Marty avec lui.

● Mike Bossy est la première recrue de la LNH, maintenant dirigée par John Ziegler en remplacement de Clarence Campbell, à inscrire plus de 50 buts en une saison.

● Les North Stars du Minnesota connaissent une saison de misère — encore pire que celle de Washington — sous trois entraîneurs différents, Ted Harris, André Beaulieu et Lou Nanne.

● Denis Potvin s'impose comme un digne successeur de Bobby Orr, méritant un deuxième trophée James-Norris en trois ans, en plus de terminer au cinquième rang des marqueurs de la ligue.

● Aussi incroyable que cela puisse paraître, le défenseur Dennis O'Brien endosse le chandail de quatre équipes différentes au cours de la saison. À sa huitième année avec Minnesota, il est placé sur la liste des joueurs en ballottage après 13 parties et réclamé par les Rockies du Colorado. Ces derniers l'échangent aux Barons

de Cleveland après 16 rencontres. Les Barons le libèrent à leur tour après 26 matchs et Boston le réclame. Il y restera jusqu'à la fin de sa carrière, entremêlée de quelques séjours dans l'Américaine.

● Don Murdoch, ailier droit des Rangers de New York, est surpris avec près de cinq grammes de cocaïne dans ses bagages à l'aéroport de Toronto au mois d'août. La ligue lui imposera une amende de 500 $ et le suspendra pour un an en 1978-79, mais lèvera la suspension après 40 parties.

**1977 1978**

| TROPHÉES |
| --- |
| **TROPHÉE CALDER** |
| Mike Bossy |
| Islanders de New York |
| **TROPHÉE GEORGES-VÉZINA** |
| Ken Dryden et |
| Michel Larocque |
| Canadiens de Montréal |
| **TROPHÉE JAMES-NORRIS** |
| Denis Potvin |
| Islanders de New York |
| **TROPHÉE CONN-SMYTHE** |
| Larry Robinson |
| Canadiens de Montréal |
| **TROPHÉE BILL-MASTERTON** |
| Butch Goring |
| Kings de Los Angeles |
| **TROPHÉE LESTER-B.-PEARSON** |
| Guy Lafleur |
| Canadiens de Montréal |
| **TROPHÉE JACK-ADAMS** |
| Bobby Kromm |
| Red Wings de Detroit |
| **TROPHÉE FRANK-J.-SELKE** |
| Bob Gainey |
| Canadiens de Montréal |

Pas de veine pour Larocque. Bien qu'exceptionnel, pareil exploit a aussi été réussi quelques semaines plus tôt par les gardiens Tony Esposito et Daniel Bouchard, le même soir de surcroît.

Inscrit désormais au classement des marqueurs de la LNH, Larocque jouera 11 saisons avec Montréal, Toronto, Philadelphie et St. Louis, et totalisera 18 passes, dont 15 avec le Canadien.

Lorsque les gardiens se mettront à compter des buts, on ne se préoccupera plus de ceux qui obtiennent des passes !

*Une firme new-yorkaise ayant réalisé une analyse informatisée des statistiques et du jeu de tous les hockeyeurs de la LHN attribue le titre de meilleur joueur de la Ligue au gardien Ken Dryden. Titre accompagné du trophée Seven-Crown et d'un chèque de 10 000 $. Le total des primes de Dryden pour la saison s'élève à près de 35 000 $.*

| MEILLEURS MARQUEURS | | PJ | B | A | PTS | PUN |
| --- | --- | --- | --- | --- | --- | --- |
| **Guy Lafleur** | Canadiens | 79 | 60 | 72 | 132 | 26 |
| Bryan Trottier | NY Islanders | 77 | 46 | 77 | 123 | 46 |
| Darryl Sittler | Toronto | 80 | 45 | 72 | 117 | 100 |
| **Jacques Lemaire** | Canadiens | 76 | 36 | 61 | 97 | 14 |
| Denis Potvin | NY Islanders | 80 | 30 | 64 | 94 | 81 |
| Michael Bossy | NY Islanders | 73 | 53 | 38 | 91 | 6 |
| Terry O'Reilly | Boston | 77 | 29 | 61 | 90 | 211 |
| Gilbert Perreault | Buffalo | 79 | 41 | 48 | 89 | 20 |
| Bobby Clarke | Philadelphie | 71 | 21 | 68 | 89 | 83 |
| Lanny McDonald | Toronto | 74 | 47 | 40 | 87 | 54 |
| Wilf Paiement | Colorado | 80 | 31 | 56 | 87 | 114 |

*Le règne de Pollock tire à sa fin et l'entraîneur Bowman voudrait bien lui succéder. Mais la direction a d'autres visées.*

# 1978  1979

LES CANADIENS MAINTIENNENT LA CADENCE EN TÊTE DE LA DIVISION NORRIS, 115 POINTS CONTRE 85 POUR PITTSBURGH, ET CÉLÈBRENT UNE QUATRIÈME COUPE STANLEY CONSÉCUTIVE. LAFLEUR (129) EST TOUTEFOIS DEVANCÉ PAR BRYAN TROTTIER (134) ET MARCEL DIONNE (130) AU SOMMET DES MARQUEURS, MAIS CONSERVE SON POSTE DANS LA PREMIÈRE ÉQUIPE D'ÉTOILES. BRYAN TROTTIER SUCCÈDE ÉGALEMENT À LAFLEUR AU TITRE DE JOUEUR LE PLUS UTILE. BOSTON (4E ANNÉE D'AFFILÉE), LES ISLANDERS ET CHICAGO CONSERVENT LEUR TITRE. LES BARONS DE CLEVELAND ET LES NORTH STARS FUSIONNENT, ET LA NOUVELLE ÉQUIPE DEMEURE AU MINNESOTA REJOIGNANT LA DIVISION ADAMS. EN SÉRIES, MONTRÉAL ÉLIMINE RAPIDEMENT TORONTO (QUATRE PARTIES), MAIS REÇOIT UNE OPPOSITION FÉROCE DES BRUINS EN DEMI-FINALE. BOSTON COMBLE DES ÉCARTS DE 2-0 ET 3-2 ET S'INCLINE AU SEPTIÈME MATCH SUR UN BUT D'YVON LAMBERT EN SUPPLÉMENTAIRE. LA PARTIE EST MOINS ARDUE EN FINALE CONTRE LES RANGERS, QUI REMPORTENT LE PREMIER MATCH MAIS PERDENT LES QUATRE SUIVANTS. BOB GAINEY REÇOIT LE TROPHÉE CONN-SMYTHE DU MEILLEUR ATTAQUANT DÉFENSIF. DRYDEN PARTAGE UN TROISIÈME VÉZINA CONSÉCUTIF (SON CINQUIÈME AU TOTAL) AVEC LAROCQUE, SERGE SAVARD GAGNE LE TROPHÉE MASTERTON, BOBBY SMITH, FUTUR MEMBRE DES CANADIENS, REÇOIT LE TROPHÉE CALDER À TITRE DE RECRUE DE L'ANNÉE. TROIS CANADIENS DANS LA PREMIÈRE ÉQUIPE D'ÉTOILES, DRYDEN, ROBINSON ET LAFLEUR, ET UN AUTRE, SAVARD, DANS LA DEUXIÈME.

● Ken Dryden inscrit son nom sur le trophée Vézina une cinquième fois, la troisième de suite en compagnie de Larocque. Lors des éliminatoires, il ajoute à son invincibilité, remportant les 12 victoires du club pour la quatrième fois de sa carrière tout en portant son grand total de gains en séries à 80.

*Pollock souhaite bonne chance à son successeur, Irving Grundman.*

**1978 1979**

# Molson revient et Pollock part

L e sénateur Hartland Molson n'a pas du tout apprécié le fait que ses neveux se défassent des Canadiens au profit de la famille Bronfman en 1971. Il retrouve le sourire moins de sept ans plus tard, en août 1978, lorsque Molson, prenant de vitesse sa grande rivale, Labatt, annonce l'acquisition du club de hockey. Ce qui n'inclut toutefois pas le Forum, dont le Canadien devient locataire.

Les rumeurs de vente de l'équipe circulaient déjà depuis quelque temps, alors que les dirigeants de Labatt témoignaient d'un intérêt certain pour le club, à hauteur de 23 millions. Mais au moment de déposer une offre à Carena Bancorp, la société propriétaire de l'organisation, Labatt s'est vu damer le pion par une offre ferme de 20 millions en provenance de Molson. Cette offre, officiellement déposée au début d'août, lui permet d'acquérir le club Canadiens ainsi que les Voyageurs, l'équipe junior, plus une location du Forum à long terme avec option d'achat à sa discrétion.

*Les relations entre Bowman et ses joueurs ne sont pas toujours faciles.*

La transaction est plutôt intéressante pour les frères Peter et Edward Bronfman, qui avaient acquis l'équipe et le Forum pour quelque 15 millions le 30 décembre 1971, à la veille d'une réforme fiscale taxant les gains de compagnie.

La vente de l'équipe signifie aussi le départ de Sam Pollock, attaché à l'organisation depuis 31 ans, dont 14 à titre de directeur général. Sa compétence d'administrateur, un flair incroyable pour repérer le talent et d'habiles transactions ont valu neuf coupes Stanley aux Canadiens. Encore jeune à 52 ans, il profite de la vente de l'équipe pour se rapprocher de sa famille et opter pour de nouvelles fonctions chez Carena Bancorp, dont il est demeuré

● Lafleur connaît une nouvelle séquence de 23 parties avec au moins un point, du 23 novembre au 13 janvier. Il avait connu une première série de 28 parties en 1976-77.

● Jacques Lemaire termine à égalité au premier rang des marqueurs des séries. Pour la deuxième fois en trois ans, c'est lui qui enfile le but assurant la coupe Stanley au Tricolore.

● Cette fois, les joueurs des Canadiens célèbrent la conquête d'une quatrième coupe de suite devant leurs partisans, après trois titres conquis en terrain ennemi.

● Le septième match de la demi-finale entre Boston et Montréal prend une tournure dramatique lorsque les Bruins, forts d'une avance de 3-1 après 40 minutes de jeu et qui mènent encore 4-3 en fin de troisième, sont punis pour avoir eu trop de joueurs sur la glace. Guy Lafleur marque à 18 min 46 s sur une passe de Lemaire, et Yvon Lambert propulse le Tricolore en finale avec un but à 9 min 33 s en temps supplémentaire.

● Nouvelle polémique au sujet de l'inscription du nom d'un joueur sur la coupe Stanley. Cam Connor n'a participé qu'à 27 matchs des Canadiens au cours de la saison 1978-79, et il lui en fallait 40 selon les règlements de la Ligue s'il ne jouait pas en finale. Ignoré par l'entraîneur Bowman, il n'a effectivement pas participé à la finale, mais il avait inscrit le but gagnant en prolongation lors de la troisième rencontre en quart de finale. Les Canadiens et l'Association des joueurs s'en mêlent et, finalement, la Ligue se ravise au cours de l'été par une subtile interprétation du règlement.

● Les Capitals de Washington réclament le vétéran défenseur Pierre Bouchard au repêchage intra-ligue du 9 octobre puis l'échangent aussitôt aux Canadiens, mais la Ligue annule la transaction quelques jours plus tard en stipulant que son nom doit d'abord être soumis au ballottage. La presse

| JOUEURS | |
|---|---|
| 1 | Michel Larocque |
| 3 | Brian Engblom |
| 5 | Guy Lapointe |
| 6 | Pierre Mondou |
| 8 | Doug Risebrough |
| 10 | Guy Lafleur |
| 11 | Yvon Lambert |
| 12 | Yvan Cournoyer (C) |
| 14 | Mario Tremblay |
| 15 | Réjean Houle |
| 17 | Rod Langway |
| 18 | Serge Savard |
| 19 | Larry Robinson |
| 20 | Cam Connor |
| 21 | Doug Jarvis |
| 22 | Steve Shutt |
| 23 | Bob Gainey |
| 24 | Gilles Lupien |
| 25 | Jacques Lemaire |
| 26 | Dan Newman |
| 27 | Rick Chartraw |
| 28 | Pierre Larouche |
| 29 | Ken Dryden |
| 30 | Pat Hughes |
| 31 | Mark Napier |
| 32 | Dave Lumley |
| ENTRAÎNEUR | |
| | Scotty Bowman |

1978 1979

actionnaire. Quelques jours après son départ, il est admis au Temple de la renommée à titre de bâtisseur.

L'intérêt pour le sport lui reviendra quelques années plus tard, après avoir décliné moult offres de toutes sortes, et il s'associera aux Blue Jays de Toronto, de la Ligue américaine de baseball.

Son remplacement au poste de gérant soulève la controverse dans l'entourage du Canadien. Scotty Bowman lorgne le poste, mais est évincé au profit d'un Irving Grundman beaucoup moins connu. Ce dernier, que Pierre

*L'aisance de Serge Savard à contrôler la rondelle rassure Dryden, même en présence d'un dangereux marqueur comme Richard Martin.*

391

montréalaise se mobilise, ses coéquipiers des Canadiens le soutiennent. Rien n'y fait et Bouchard annonce sa retraite. Mais Gros Pierre s'ennuie du hockey. Il revient sur sa décision en toute fin de saison et accepte de compléter sa carrière à Washington.

● Bill Nyrop, défenseur prometteur du Tricolore, décide soudainement de laisser l'équipe en plein camp d'entraînement et de retourner travailler avec son millionnaire de père au Minnesota.

● Murray Wilson est échangé à Los Angeles pour le premier choix de 1981, qui sera Gilbert Delorme.

● Autre perte pour le Tricolore, son premier choix du repêchage amateur, Danny Geoffrion (le fils de Boom Boom), signe un contrat avec les Nordiques. Il reviendra à Montréal à la faveur de la fusion l'année suivante.

● Des problèmes de dos persistants obligent Yvan Cournoyer à s'absenter du jeu, d'abord pour quelques matchs,

puis définitivement après une quinzaine de rencontres. Le Roadrunner sera forcé de renoncer au hockey après quelques d'interventions à la colonne vertébrale. Il se présentera tout de même au camp de 1979, mais le risque est trop grand et il laissera tout tomber.

● Réjean Houle dispute son 400e match dans l'uniforme des Canadiens à Detroit le 27 décembre, pendant qu'à Montréal les propriétaires du *Montréal-Matin*, populaire quotidien francophone depuis

37 ans, s'apprêtent à arrêter définitivement les presses du journal.

● Tous les joueurs, sauf le gardien Larocque, participent au pointage d'une raclée de 12-0 infligée aux Penguins le 22 février devant une foule euphorique au Forum.

● Outre Pollock, la liste des intronisés au Temple de la renommée de cette année inclut un grand novateur, Jacques Plante, l'initiateur du masque des gardiens, ainsi que Marcel Pronovost et Andy Bathgate.

**1978 1979**

Larouche qualifiera plus tard de « gérant de salle de quilles » en raison de ses antécédents avant son arrivée au Forum en 1971, n'est pas un homme de hockey, de son propre aveu. Il était le président du Canadian Arena jusqu'à sa nomination, mais prenait tout de même une part active aux affaires du club.

Bowman est furieux. Mais il est lié au club pour deux ans encore à la suite du contrat signé en juin. Il n'a d'autre choix que d'accepter l'autorité du nouveau patron, même s'il laisse un moment entrevoir la possibilité de s'en aller, peu après sa première rencontre avec Grundman. D'autant plus que celui-ci a annoncé lors de sa nomination que désormais les questions de hockey relèvent d'un comité formé de Bowman et de son adjoint Claude Ruel, en plus de Ronald Caron et de Al MacNeil.

### VOLTE-FACE DES CANADIENS

La campagne de boycottage des produits Molson, entreprise à la grandeur du Canada mais particulièrement forte dans l'Ouest, incite les dirigeants des Canadiens à revoir en catastrophe leur opposition au projet d'intégration des clubs de l'Association mondiale manifestée le 8 mars 1979. Lors de cette rencontre à Key Largo, 5 des 17 concessions de la LNH se sont opposées : Boston, Los Angeles, Toronto, Vancouver et... Montréal, dont le vote négatif ne sera découvert qu'après coup. Pourtant, le président Jacques Courtois, ainsi qu'Irving Grundman et Sam Pollock s'étaient dits favorables à la fusion partout où ils étaient passés. À la suite du vote, Réjean Tremblay écrit dans *La Presse* : « Le coup mortel est venu de Montréal. »

Les Canadiens, ainsi que Toronto, Vancouver, Boston, Los Angeles et les Rangers de New York se sont aussi opposés à la fusion avec l'AMH lors de discussions antérieures à Detroit, en juin 1978. La LNH, certaine d'avoir le gros bout du bâton, exigeait à l'époque rien de moins que le rapatriement de tous ses joueurs.

Les Canadiens et Molson sont mis au pilori. La tempête qui s'ensuit est à ce point violente et hostile à Québec, à Montréal, à Toronto et surtout dans l'Ouest, que la haute direction de Molson, qui voulait protéger ses contrats de télédiffusion, réclame une reprise immédiate des pourparlers.

| TROPHÉES |
|---|
| **COUPE STANLEY** |
| Canadiens de Montréal |
| **TROPHÉE PRINCE-DE-GALLES** |
| Canadiens de Montréal |
| **TROPHÉE CLARENCE-CAMPBELL** |
| Islanders de New York |
| **TROPHÉE HART** |
| Bryan Trottier |
| Islanders de New York |
| **TROPHÉE ART-ROSS** |
| Bryan Trottier |
| Islanders de New York |
| **TROPHÉE LADY-BYNG** |
| Bob MacMillan |
| Flames d'Atlanta |
| **TROPHÉE CALDER** |
| Bobby Smith |
| North Stars du Minnesota |
| **TROPHÉE GEORGES-VÉZINA** |
| Ken Dryden et |
| Michel Larocque |
| Canadiens de Montréal |

● Les joueurs à atteindre des sommets significatifs au tableau des marqueurs au cours de la saison sont Jacques Lemaire et Guy Lafleur (800 points), Guy Lapointe (500 points), Steve Shutt (400 points), Larry Robinson et Yvon Lambert (300 points), et encore Lafleur (400 passes).

● Autre marque intéressante pour Lemaire, qui établit un nouveau record du circuit avec un total de six buts en avantage numérique en éliminatoires.

● Au chapitre des parties jouées avec le club, Guy Lapointe, tout comme Lafleur, en compte 600, Steve Shutt en a 500, Yvon Lambert 400, Larry Robinson, Mario Tremblay et Doug Jarvis, 300.

● Michel Larocque n'a pas de veine au cours de la finale contre les Rangers. Les Canadiens perdent le premier match et Bowman décide de remplacer Dryden par Larocque en cours de partie. Appelé à entreprendre la deuxième rencontre, Bunny se blesse lors de l'échauffement et on ne le reverra pas de la série.

*Avant son départ pour Washington, Pierre Bouchard a eu le temps de s'initier à la photographie avec un professeur de renom, Denis Brodeur.*

| TROPHÉES |
| --- |
| **TROPHÉE JAMES-NORRIS** |
| Denis Potvin |
| Islanders de New York |
| **TROPHÉE CONN-SMYTHE** |
| **Bob Gainey** |
| **Canadiens de Montréal** |
| **TROPHÉE BILL-MASTERTON** |
| **Serge Savard** |
| **Canadiens de Montréal** |
| **TROPHÉE LESTER-B.-PEARSON** |
| Marcel Dionne |
| Kings de Los Angeles |
| **TROPHÉE JACK-ADAMS** |
| Al Arbour |
| Islanders de New York |
| **TROPHÉE FRANK-J.-SELKE** |
| **Bob Gainey** |
| **Canadiens de Montréal** |

**1978 1979**

Réunis à Chicago en assemblée extraordinaire, exactement deux semaines après le refus de Key Largo, les gouverneurs de la Ligue donnent leur accord cette fois, par un vote de 17 à 3, à l'adhésion des clubs de Québec, Edmonton, Winnipeg et Hartford. Les Canadiens et les Canucks ont changé de camp.

Finalement, chacune des quatre formations est autorisée à protéger seulement deux joueurs et deux gardiens, la LNH tenant à récupérer la centaine de joueurs perdus au fil des ans (dont 22 par les Canadiens). Il en coûtera 6 millions à chaque «fusionné» et les droits de télévision seront presque totalement interdits aux nouveaux arrivants pendant les cinq ans à venir.

## LE PLUS UTILE ET LE MEILLEUR « DÉFENSIF »

Bob Gainey démontre une fois de plus son utilité à l'équipe avec un deuxième trophée Frank-Selke à titre de meilleur joueur défensif. Il vient d'ailleurs de connaître une première saison de 20 buts. Il fait encore mieux au cours de

*Bob Gainey, choisi le meilleur joueur des séries, fait un tour de patinoire sous les acclamations de la foule.*

● L'AMH a été réduite à sept équipes après l'abandon du projet de fusion en juin 1978, puis Indianapolis ferme boutique avant même le milieu de la saison. On doit ajouter encore quelques parties contre l'URSS, la Tchécoslovaquie et la Finlande au calendrier officiel.

● Pour survivre, l'AMH doit intensifier sa recherche de talents, quitte à transgresser les règles pour accaparer les meilleurs espoirs. Après l'affaire des Baby Bulls à Birmingham, les Racers

d'Indianapolis embauchent un jeune prodige de 17 ans, Wayne Gretzky. Mais le propriétaire des Racers, Nelson Skalbania, doit vendre son contrat à Peter Pocklington, des Oilers d'Édmonton, après seulement neuf parties, pour sauver sa concession.

● Réal Cloutier reprend le titre de champion marqueur de l'AMH, mais les Nordiques sont éliminés en quatre matchs de suite par les Jets de Winnipeg en demi-finale, pendant qu'à Québec on entreprend les travaux d'agrandissement

du Colisée pour accueillir les futurs Nordiques de la LNH.

● Les Rangers arrachent les talentueux Suédois Anders Hedberg et Ulf Nilsson aux Jets de Winnipeg en leur offrant des contrats de deux ans pour un million. Ce qui n'empêche pas les Jets de capturer la dernière coupe Avco de la courte histoire de l'AMH.

● Fred Shero, l'homme qui a construit les *Broad*

*Street Bullies* à Philadelphie, s'amène derrière le banc des Rangers, qu'il conduit en finale. New York avait terminé dernier de sa division lors des deux saisons précédentes.

● Moment sombre en ce 8 novembre alors que Bobby Orr, le plus grand défenseur de l'histoire de la Ligue, accroche définitivement ses patins après six interventions

**1978 1979**

la ronde éliminatoire contre les Maple Leafs, les Bruins et les Rangers. Sa fiche de 6 buts et 10 passes, la meilleure de sa carrière, le place au rang des meilleurs marqueurs de l'équipe, mais c'est d'abord par son utilité à contrer les attaques adverses qu'il contribue à cette 22$^e$ coupe de l'histoire, la 15$^e$ en 24 ans.

Nommé joueur par excellence des séries, c'est confortablement assis sur les épaules de deux de ses coéquipiers qu'il effectue le tour de la patinoire du Forum le soir du 5 mai.

*Guy Lafleur et l'une de ses idoles, le pilote automobile Gilles Villeneuve.*

### L'ULTIMATUM DE LAFLEUR

Lafleur lance un ultimatum aux Canadiens le 24 octobre, peu après le début de la saison : ou bien on rouvre son contrat signé presque de force en 1973 (1 million pour 10 ans) ou bien il refuse de jouer le lendemain à Toronto. Il accompagne pourtant l'équipe dans la Ville Reine, pendant que son chargé d'affaires, Jerry Petrie, discute avec Grundman au Forum. Les négociations avancent, mais le temps aussi. En fin de journée, Petrie et Grundman partent en trombe pour Toronto, espérant convaincre le principal intéressé, qui attend dans une salle attenante au vestiaire, de rejoindre l'équipe, même si l'affaire n'est pas conclue.

Lafleur se fait tirer l'oreille, il ne veut pas se faire avoir comme en 1973. Finalement, il accepte et saute sur la glace avec les autres joueurs. Quelques jours plus tard, son salaire est porté à 325 000 $ et il devient le plus haut salarié de l'équipe.

*Shutt et Lafleur, deux complices sur la glace, laissent éclater leur satisfaction une fois rendus au vestiaire.*

chirurgicales aux genoux. Il avait bien tenté un retour après une saison complète de récupération, mais six parties l'ont convaincu que la mission était devenue impossible.

● Bryan Trottier est déjà dans l'esprit des Fêtes le 23 décembre alors qu'il s'offre un nouveau record de la LNH, toujours valide, de six points (3-3) dans une même période.

● Les Soviétiques perdent le premier match de la série pour la coupe Défi contre les étoiles de la LNH au compte de 4 à 2, mais gagnent les deux suivants 5 à 4 et 6 à 0. Cette série, disputée à la mi-saison à New York, remplace le traditionnel match des étoiles.

● Trottier ravit les trophées Art-Ross et Hart à Guy Lafleur. C'est Marcel Dionne, membre de la Triple couronne avec Dave Taylor et Charlie Simmer, qui hérite du Pearson destiné au joueur le plus spectaculaire.

● Troisième trophée Norris (deuxième de suite) pour le défenseur des Islanders, Denis Potvin.

● Mike Bossy revient encore plus fort à sa deuxième saison et compte 69 buts, un sommet dans sa carrière. Il termine quatrième avec 126 points.

● Grande première dans l'histoire des Flyers de Philadelphie, qui disputent un premier match sans aucune pénalité le 18 mars contre les Blues.

● Randy Holt, des Kings, reçoit 67 minutes de punitions en première période dans un match contre les Flyers. L'arbitre lui inflige une punition mineure, trois majeures, deux d'inconduite et trois d'inconduite de partie. Personne n'a fait « mieux » depuis.

● Les 27 officiels de la Ligue s'entendent avec leur employeur à quelques jours du début des parties pré-saison, évitant la grève de justesse.

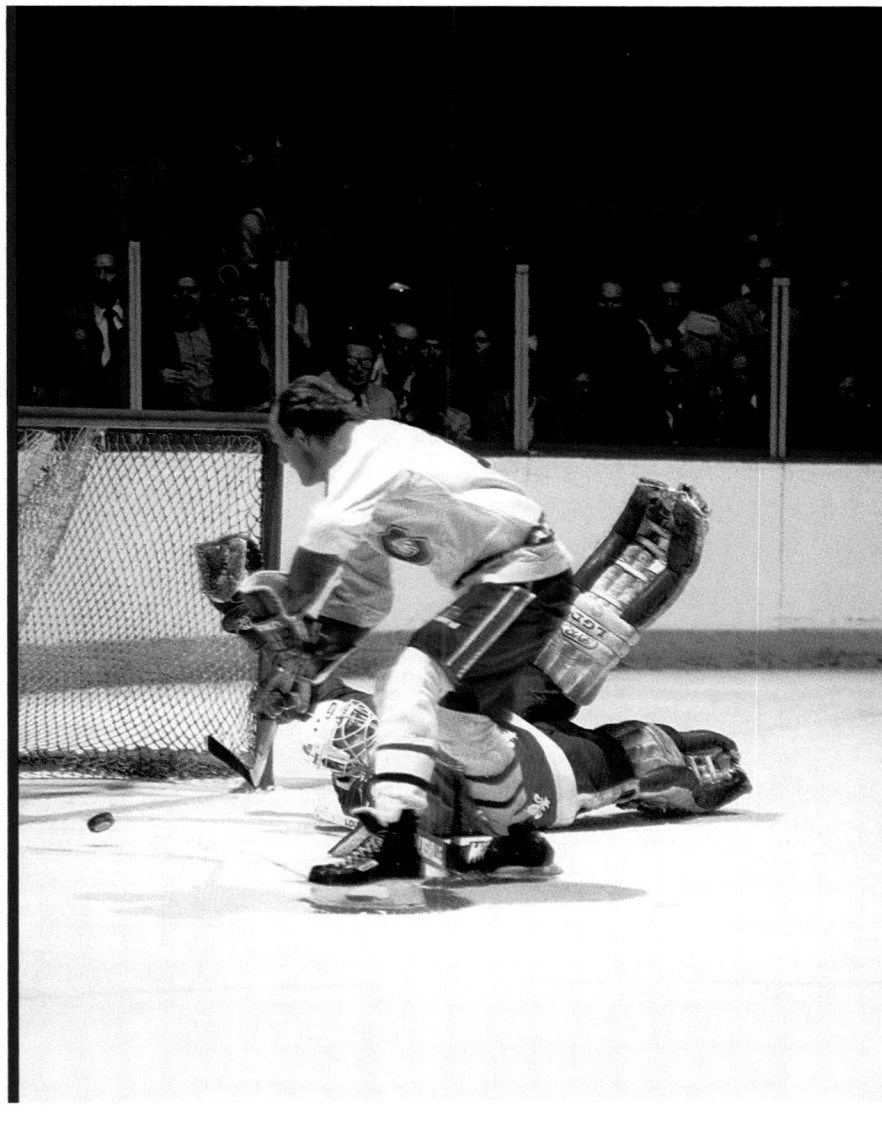

*Guy Lafleur termine au troisième rang des marqueurs, derrière Bryan Trottier et Marcel Dionne qu'il avait devancés à tour de rôle lors des deux saisons précédentes. Il complète néanmoins une cinquième campagne consécutive avec plus de 50 buts et 100 points.*

**1978 1979**

### ASSOCIATION PRINCE-DE-GALLES

| DIVISION NORRIS | PJ | G | P | N | BP | BC | PTS |
|---|---|---|---|---|---|---|---|
| Montréal (Canadiens) | 80 | 52 | 17 | 11 | 337 | 204 | 115 |
| Pittsburgh (Penguins) | 80 | 36 | 31 | 13 | 281 | 279 | 85 |
| Los Angeles (Kings) | 80 | 34 | 34 | 12 | 292 | 286 | 80 |
| Washington (Capitals) | 80 | 24 | 41 | 15 | 273 | 338 | 63 |
| Detroit (Red Wings) | 80 | 23 | 41 | 16 | 252 | 295 | 62 |
| DIVISION ADAMS | PJ | G | P | N | BP | BC | PTS |
| Boston (Bruins) | 80 | 43 | 23 | 14 | 316 | 270 | 100 |
| Buffalo (Sabres) | 80 | 36 | 28 | 16 | 280 | 263 | 88 |
| Toronto (Maple Leafs) | 80 | 34 | 33 | 13 | 267 | 252 | 81 |
| Minnesota (North Stars) | 80 | 28 | 40 | 12 | 257 | 289 | 68 |

### ASSOCIATION CLARENCE-CAMPBELL

| DIVISION PATRICK | PJ | G | P | N | BP | BC | PTS |
|---|---|---|---|---|---|---|---|
| New York (Islanders) | 80 | 51 | 15 | 14 | 358 | 214 | 116 |
| Philadelphie (Flyers) | 80 | 40 | 25 | 15 | 281 | 248 | 95 |
| New York (Rangers) | 80 | 40 | 29 | 11 | 316 | 292 | 91 |
| Atlanta (Flames) | 80 | 41 | 31 | 8 | 327 | 280 | 90 |
| DIVISION SMYTHE | PJ | G | P | N | BP | BC | PTS |
| Chicago (Black Hawks) | 80 | 29 | 36 | 15 | 244 | 277 | 73 |
| Vancouver (Canucks) | 80 | 25 | 42 | 13 | 217 | 291 | 63 |
| St. Louis (Blues) | 80 | 18 | 50 | 12 | 249 | 348 | 48 |
| Colorado (Rockies) | 80 | 15 | 53 | 12 | 210 | 331 | 42 |

### MEILLEURS MARQUEURS

| | | PJ | B | A | PTS | PUN |
|---|---|---|---|---|---|---|
| Bryan Trottier | NY Islanders | 76 | 47 | 87 | 134 | 50 |
| Marcel Dionne | Los Angeles | 80 | 59 | 71 | 130 | 30 |
| **Guy Lafleur** | **Canadiens** | 80 | 52 | 77 | 129 | 28 |
| Michael Bossy | NY Islanders | 80 | 69 | 57 | 126 | 25 |
| Bob MacMillan | Atlanta | 79 | 37 | 71 | 108 | 14 |
| Guy Chouinard | Atlanta | 80 | 50 | 57 | 107 | 14 |
| Denis Potvin | NY Islanders | 73 | 31 | 70 | 101 | 58 |
| Bernie Federko | St. Louis | 74 | 31 | 64 | 95 | 14 |
| Dave Taylor | Los Angeles | 78 | 43 | 48 | 91 | 124 |
| Clark Gillies | NY Islanders | 75 | 35 | 56 | 91 | 68 |

L'Association mondiale disparaît et la Ligue nationale accueille les Nordiques de Québec, les Oilers d'Edmonton, les Jets de Winnipeg et les Whalers de Hartford. Ces derniers remplacent Washington dans la Division Norris. Les Capitals se retrouvent dans la Division Patrick avec les Flyers, qui en redeviennent les champions. Québec joue dans la Division Adams où Buffalo termine premier et les clubs d'Edmonton et Winnipeg se joignent à la Division Smythe, dominée une troisième saison de suite par Chicago. Les Canadiens sont encore premiers de la Division Norris par une bonne marge. Le club élimine Hartford trois parties à zéro en ronde préliminaire mais se fait surprendre par Minnesota en quart de finale. Les North Stars gagnent les deux premières rencontres à Montréal, les Canadiens répliquent avec trois victoires, mais Minnesota revient à la charge avec des gains de 5-2 et 3-2. Ce sont toutefois les Islanders qui remportent la coupe au détriment des Flyers. Marcel Dionne termine à égalité avec Wayne Gretzky au sommet des marqueurs, mais avec deux buts de plus, il remporte le titre officiel ainsi qu'un deuxième trophée Lester-B.-Pearson de suite. Lafleur est troisième. Trophées Hart et Lady-Byng à Gretzky, Calder à Raymond Bourque, Norris à Robinson et Vézina à Robert Sauvé et Don Edwards. Gainey mérite un troisième trophée Selke consécutif. Robinson et Lafleur (6ᵉ fois de suite) sont dans la première équipe d'étoiles, Shutt dans la seconde.

*Le rêve de Bernard Geoffrion de diriger l'équipe où il a accompli ses exploits comme joueur est vite devenu un cauchemar et, malgré son caractère enjoué, il a vite craqué sous la pression.*

# Quatre lourdes pertes

L'annexion de l'Association mondiale fait jaser dans l'entourage des Canadiens, mais à l'ouverture du camp en septembre, les conversations des joueurs portent davantage sur d'autres événements qui risquent beaucoup plus de transformer le visage de l'équipe. Jacques Lemaire, à qui l'équipe de Sierre a offert une maison de campagne, une auto luxueuse, ainsi qu'un contrat de joueur-entraîneur et de directeur général cousu d'or, est parti pour la Suisse, malgré une proposition intéressante et l'opposition du Tricolore. « Je cours le risque », affirme catégoriquement Lemaire au journaliste Bertrand Raymond du *Journal de*

● Morgan McCammon, qui avait joué un rôle de premier plan dans la volte-face des Canadiens en faveur de l'acceptation des équipes de l'AMH et de la reprise du vote de la LNH, remplace Jacques Courtois à la présidence du club en août.
● Henri Richard, Bobby Orr et Harry Howell sont intronisés au Panthéon du hockey le même jour. Handicapé par des problèmes d'audition, Frank Selke démissionne

comme président du comité de sélection.
● La défensive des Canadiens éprouve quelques difficultés en raison du départ de Dryden, concédant 36 buts de plus à l'adversaire. Néanmoins, Robinson est de nouveau choisi meilleur défenseur du circuit et Bob Gainey inscrit son nom pour la troisième fois à titre de meilleur attaquant défensif.

● C'est Serge Savard qui hérite du poste de capitaine d'Yvan Cournoyer. Le Sénateur occupait déjà le rôle, à titre provisoire, lors des dernières séries.
● Lafleur, qui ne cache pas son admiration pour la chanteuse Mireille Mathieu, participe à la production d'un disque au rythme disco sur lequel il donne quelques conseils au sujet du hockey.

● La Société Saint-Jean-Baptiste de Montréal crée le Prix Maurice-Richard, qu'elle destine annuellement au sportif québécois s'étant le plus distingué localement ou à l'étranger.
● Al MacNeil quitte l'organisation du Tricolore pour accepter un poste d'entraîneur chez les Flames d'Atlanta.
● Le repêchage amateur permet aux Canadiens de miser sur quelques talents prometteurs, notamment Gaston Gingras et Mats

**1979-1980**

*Montréal*, devant la possibilité qu'Irving Grundman tente de bloquer son passage au hockey européen.

Un mois plus tard, au milieu de l'été, Ken Dryden, dont les intentions sont connues depuis le début de la saison, annonce qu'il se retire à nouveau du hockey, pour de bon cette fois.

Puis à son tour, après avoir vainement tenté de surmonter ses problèmes de dos, Yvan Cournoyer est contraint de tirer sa révérence à quelques jours du début de la saison, arrêtant sa collection de coupes Stanley à 10, soit une seule de moins que son valeureux ancien compagnon d'armes, Henri Richard.

De plus, Scotty Bowman, qui a dirigé l'équipe avec une poigne de fer depuis huit ans, lui procurant cinq coupes Stanley, dont les quatre dernières consécutivement, est parti lui aussi, à Buffalo, pour y occuper le poste de directeur général que le Canadien lui a refusé.

Le Tricolore ne va plus jamais être le même. D'un seul coup, l'équipe perd quatre piliers alors que s'ouvre une nouvelle page du hockey. La base de l'équipe demeure solide avec Larocque, Robinson, Savard, Lapointe, Lafleur, Larouche, Shutt, Gainey, Houle et compagnie, mais les guerriers capables de changer une défaite en victoire vont être moins nombreux. Sans compter l'arrivée d'un nouvel entraîneur, certes fort spectaculaire, mais sans doute pas assez hargneux.

Effectivement, l'équipe file vers un autre titre dans la faible Division Norris, mais l'histoire s'avère tout autre en séries. Hartford est une proie facile en ronde préliminaire, mais pas Minnesota, avec son prodigieux gardien, Gilles Meloche, lors de la suivante. Meloche inspire les siens tout au long de la bataille pour finalement les mener à un triomphe en sept parties dans une série toute en rebondissements.

Le rêve d'une répétition des cinq coupes consécutives s'éteint douloureusement le 27 avril, sur un but d'Al MacAdam, des North Stars du Minnesota, à moins de deux minutes de la fin du troisième tiers, au septième match quart de finale.

*Muté sur le trio de Lafleur et Shutt, Pierre Larouche, obtient 50 buts, exploit qu'il avait accompli à Pittsbugh quatre ans plus tôt.*

| MEILLEURS MARQUEURS | | PJ | B | A | PTS | PUN |
|---|---|---|---|---|---|---|
| Marcel Dionne | Los Angeles | 80 | 53 | 84 | 137 | 32 |
| Wayne Gretzky | Edmonton | 79 | 51 | 86 | 137 | 21 |
| **Guy Lafleur** | **Canadiens** | **74** | **50** | **75** | **125** | **12** |
| Gilbert Perreault | Buffalo | 80 | 40 | 66 | 106 | 57 |
| Mike Rogers | Hartford | 80 | 44 | 61 | 105 | 10 |
| Bryan Trottier | NY Islanders | 78 | 42 | 62 | 104 | 68 |
| Charlie Simmer | Los Angeles | 64 | 56 | 45 | 101 | 65 |
| Blaine Stoughton | Hartford | 80 | 56 | 44 | 100 | 16 |
| Darryl Sittler | Toronto | 73 | 40 | 57 | 97 | 62 |
| Blair MacDonald | Edmonton | 80 | 46 | 48 | 94 | 6 |
| Bernie Federko | St. Louis | 79 | 38 | 56 | 94 | 24 |

Näslund en deuxième ronde, ainsi que Guy Carbonneau et Rick Wamsley en troisième.

• Guy Lafleur devance successivement Bernard Geoffrion et Yvan Cournoyer pour les buts et les points, avec son 372e but et son 863e point. Dans les deux cas, il passe au quatrième rang chez les Canadiens.

• La valse des records se poursuit tout au long de la saison pour le numéro 10.

Le 27 décembre, il atteint les 1 000 points (incluant les séries) ; deux jours plus tard, il obtient sa 500e passe, puis ce sera son 900e point en janvier et enfin son 400e but en mars. Il est le plus jeune joueur à revendiquer 400 buts. C'est aussi lui qui a eu besoin du moins grand nombre de parties, 667.

• D'autres joueurs passent aussi au groupe des meilleurs marqueurs du club en cours d'année. Steve Shutt obtient un 500e point dans l'uniforme

du club le 22 décembre, tandis que Guy Lapointe dépasse Doug Harvey chez les défenseurs avec 373 assistances. Larry Robinson n'est pas trop loin, avec sa 300e passe en janvier. Moins d'un mois plus tard, il en sera à son 400e point. En début de saison, il participait à un 500e match.

• Chez les joueurs d'avant, Pierre Larouche a plus de 400 points en fin de saison et Réjean Houle, plus de 300.

• Chez les autres vétérans, Serge Savard totalise maintenant 800 parties jouées, Yvon Lambert en a 500 et Mario Tremblay, ainsi que Doug Jarvis, 400.

• Le Tricolore dispute un autre match exceptionnel contre les Soviétiques la veille du jour de l'An. Dominant 35-14 dans les tirs au but, les Montréalais disposent des Rouges 4 à 2 devant 17 000 spectateurs.

| JOUEURS | |
|---|---|
| 1 | Michel Larocque |
| 2 | Gaston Gingras |
| | Moe Robinson |
| 3 | Brian Engblom |
| 5 | Guy Lapointe |
| 6 | Pierre Mondou |
| 8 | Doug Risebrough |
| 10 | Guy Lafleur |
| 11 | Yvon Lambert |
| 14 | Mario Tremblay |
| 15 | Réjean Houle |
| 17 | Rod Langway |
| 18 | Serge Savard (C) |
| 19 | Larry Robinson |
| 20 | Danny Geoffrion |
| 21 | Doug Jarvis |
| 22 | Steve Shutt |
| 23 | Bob Gainey |
| 24 | Gilles Lupien |
| 25 | Yvan Joly |
| 26 | Normand Dupont |
| 27 | Rick Chartraw |
| 28 | Pierre Larouche |
| 30 | Chris Nilan |
| | Keith Acton |
| | Rick Meagher |
| 31 | Mark Napier |
| 32 | Denis Herron |
| 33 | Richard Sévigny |
| ENTRAÎNEUR | |
| | Bernard Geoffrion |
| | Claude Ruel |

## LE DÉMON BLOND ÉBLOUIT TOUJOURS

Pierre Larouche prend la place de Jacques Lemaire entre Steve Shutt et Guy Lafleur, sans que le jeu du premier trio du Canadien n'en soit aucunement affecté. Lafleur et Larouche inscrivent 50 buts chacun et Shutt presque autant, avec 47. Pour le Démon blond, qui ajoute 75 passes à sa fiche, il s'agit d'une sixième saison consécutive de 50 buts et 100 points. Quant à Larouche, il est le premier joueur à inscrire 50 buts avec deux équipes différentes.

Larouche est le troisième joueur de centre à jouer régulièrement avec le Démon blond, après Pete Mahovlich et Lemaire.

Par contre, c'est la dernière saison aussi productive pour Flower, qui reçoit une sixième coupe Molson d'affilée. Des blessures à répétition et quelques problèmes à l'extérieur de la glace vont lui faire manquer 29 parties en 1980-81 ; ce sera la fin des saisons avec buts et passes à la douzaine. Cependant Lafleur demeurera un fier compétiteur jusqu'à ce que le club le force à se retirer, en 1984. Et les « Guy ! Guy ! Guy ! » reprendront de plus belle à son retour avec les Rangers et les Nordiques, quelques années plus tard.

*Sixième et dernière campagne consécutive de plus de 100 points pour Lafleur, qui continue d'éblouir les partisans du Tricolore.*

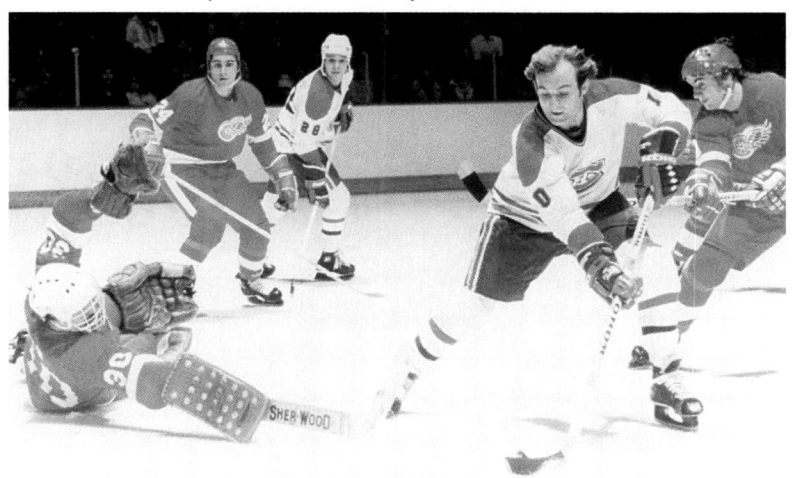

● L'équipe américaine réussit l'impossible aux Jeux de Lake Placid en triomphant des Soviétiques 4-3 grâce à un but de Mike Eruzione en troisième période, lors de la ronde des médailles, pour ensuite conquérir une incroyable médaille d'or. Un exploit connu depuis sous le nom de Miracle sur glace. Les États-Unis n'avaient pas gagné l'or depuis 1960 à Squaw Valley et aucun autre pays n'avait battu les Soviétiques depuis.

● Selon John Ziegler, président de la LNH, l'ensemble des équipes du circuit accuse un déficit de 11 millions à la mi-juin 1979 et la moitié d'entre elles étaient dans le rouge la saison précédente. D'autre part, les équipes du circuit auront un beau 18,5 millions à se partager avec l'élargissement des cadres. Ça aide à équilibrer les budgets.

● Désormais, le casque protecteur est obligatoire pour tous les nouveaux joueurs de la Ligue. Cependant, quelques irréductibles, comme Guy Lafleur, conservent le droit acquis de ne pas porter de casque jusqu'à la fin de leur carrière.

● L'âge des joueurs admissibles au repêchage est réduit à 18 ans, au grand dam des équipes juniors. La razzia de l'AMH auprès des jeunes de talent est responsable de cette nouvelle réglementation.

● Gordie Howe écrit une nouvelle page d'histoire en formant un trio avec ses fils Mark et Marty le 9 mars, lors d'une rencontre des Whalers à Boston. Il a 52 ans.

● Howe détient pas moins de 15 records individuels de la LNH lorsqu'il se retire définitivement à la fin de la saison, dont ceux du nombre de buts (801), de passes (1 049), de points (1 850), de parties jouées (1 767) et de saisons (26). Il participe aux éliminatoires pour la 20e fois, alors que les Whalers affrontent les Canadiens en ronde préliminaire.

● Phil Esposito compte maintenant 1 500 points dans la LNH, mais il ne rejoindra jamais l'illustre Gordie Howe, complétant sa

**1979-1980**

| TROPHÉES | |
|---|---|
| **COUPE STANLEY** | |
| Islanders de New York | |
| **TROPHÉE PRINCE-DE-GALLES** | |
| Sabres de Buffalo | |
| **TROPHÉE CLARENCE-CAMPBELL** | |
| Flyers de Philadelphie | |
| **TROPHÉE HART** | |
| Wayne Gretzky | |
| Oilers d'Edmonton | |
| **TROPHÉE ART-ROSS** | |
| Marcel Dionne | |
| Kings de Los Angeles | |
| **TROPHÉE LADY-BYNG** | |
| Wayne Gretzky | |
| Oilers d'Edmonton | |
| **TROPHÉE CALDER** | |
| Raymond Bourque | |
| Bruins de Boston | |
| **TROPHÉE GEORGES-VÉZINA** | |
| Robert Sauvé et Don Edwards | |
| Sabres de Buffalo | |
| **TROPHÉE JAMES-NORRIS** | |
| **Larry Robinson** | |
| **Canadiens de Montréal** | |
| **TROPHÉE CONN-SMYTHE** | |
| Bryan Trottier | |
| Islanders de New York | |

*Les prouesses du gardien Gilles Meloche permettent aux North Stars de triompher de Steve Shutt et des Canadiens en sept parties lors de la ronde quart de finale.*

carrière à 1 590 la saison suivante.

● Les Flyers de Philadelphie disputent 35 parties de suite sans perdre. Ce record, toujours valide, envoie aux oubliettes celui de 28 établi par les Canadiens moins de deux ans auparavant.

● Billy Smith, gardien des Islanders, est le premier cerbère de la LNH à être crédité d'un but le 28 novembre, lorsque Rob Ramage du Colorado expédie la rondelle dans son propre filet. Smith avait été le dernier joueur

des Islanders à toucher à la rondelle.

● Wayne Gretzky, bien qu'à sa première saison dans la LNH, n'est pas admissible au trophée Calder. On juge que la saison passée dans l'AMH lui enlève le statut de recrue. Il méritera néanmoins les titres de joueur le plus utile et de joueur le plus gentilhomme.

● Garry Unger a joué à Toronto, Detroit et St. Louis avant de se retrouver à Atlanta où il devient le nouvel homme de fer, à son 914e match consécutif dans la LNH. Il n'a pas raté une seule rencontre depuis 1968.

● Le nouveau format des séries oppose l'équipe en tête du classement à la 16e, la 2e à la 15e et ainsi de suite. Séries 3 de 5 pour la ronde préliminaire et 4 de 7 par la suite.

● L'un des meilleurs cerbères de la Ligue, Bernard Parent des Flyers, est obligé de mettre un terme à sa carrière après avoir subi une sévère blessure à un œil la saison précédente. Pendant ce temps, un autre Québécois d'origine, Robert Sauvé, partage le trophée Vézina avec son coéquipier Don Edwards.

● La série finale entre les Flyers, qui utilisent toujours la rudesse à outrance, et les Islanders, capables de jouer rude mais aussi avec finesse, se termine au sixième match sur un but de Bobby Nystrom en supplémentaire. Pendant que les Islanders fêtent leur première coupe Stanley, on apprend que les Flames d'Atlanta, admis dans la Ligue en même temps qu'eux, déménagent à Calgary.

### TROPHÉES

| TROPHÉE BILL-MASTERTON |
|---|
| Al MacAdam |
| North Stars du Minnesota |
| **TROPHÉE LESTER-B.-PEARSON** |
| Marcel Dionne |
| Kings de Los Angeles |
| **TROPHÉE JACK-ADAMS** |
| Pat Quinn |
| Flyers de Philadelphie |
| **TROPHÉE FRANK-J.-SELKE** |
| Bob Gainey |
| Canadiens de Montréal |

### ASSOCIATION PRINCE-DE-GALLES

| DIVISION NORRIS | PJ | G | P | N | BP | BC | PTS |
|---|---|---|---|---|---|---|---|
| Montréal (Canadiens) | 80 | 47 | 20 | 13 | 328 | 240 | 107 |
| Los Angeles (Kings) | 80 | 30 | 36 | 14 | 290 | 313 | 74 |
| Pittsburgh (Penguins) | 80 | 30 | 37 | 13 | 251 | 303 | 73 |
| Hartford (Whalers) | 80 | 27 | 34 | 19 | 303 | 312 | 73 |
| Detroit (Red Wings) | 80 | 26 | 43 | 11 | 268 | 306 | 63 |
| **DIVISION ADAMS** | PJ | G | P | N | BP | BC | PTS |
| Buffalo (Sabres) | 80 | 47 | 17 | 16 | 318 | 201 | 110 |
| Boston (Bruins) | 80 | 46 | 21 | 13 | 310 | 234 | 105 |
| Minnesota (North Stars) | 80 | 36 | 28 | 16 | 311 | 253 | 88 |
| Toronto (Maple Leafs) | 80 | 35 | 40 | 5 | 304 | 327 | 75 |
| Québec (Nordiques) | 80 | 25 | 44 | 11 | 248 | 313 | 61 |

### ASSOCIATION CLARENCE-CAMPBELL

| DIVISION PATRICK | PJ | G | P | N | BP | BC | PTS |
|---|---|---|---|---|---|---|---|
| Philadelphie (Flyers) | 80 | 48 | 12 | 20 | 327 | 254 | 116 |
| New York (Islanders) | 80 | 39 | 28 | 13 | 281 | 247 | 91 |
| New York (Rangers) | 80 | 38 | 32 | 10 | 308 | 284 | 86 |
| Atlanta (Flames) | 80 | 35 | 32 | 13 | 282 | 269 | 83 |
| Washington (Capitals) | 80 | 27 | 40 | 13 | 261 | 293 | 67 |
| **DIVISION SMYTHE** | PJ | G | P | N | BP | BC | PTS |
| Chicago (Black Hawks) | 80 | 34 | 27 | 19 | 241 | 250 | 87 |
| St. Louis (Blues) | 80 | 34 | 34 | 12 | 266 | 278 | 80 |
| Vancouver (Canucks) | 80 | 27 | 37 | 16 | 256 | 281 | 70 |
| Edmonton (Oilers) | 80 | 28 | 39 | 13 | 301 | 322 | 69 |
| Winnipeg (Jets) | 80 | 20 | 49 | 11 | 214 | 314 | 51 |
| Colorado (Rockies) | 80 | 19 | 48 | 13 | 234 | 308 | 51 |

## GEOFFRION ARRIVE EN COUP DE VENT ET REPART DANS LA TOURMENTE

### 1979-1980

Irving Grundman surprend tout le monde le 4 septembre, à quelques jours du camp, en annonçant la nomination de Bernard Geoffrion — l'une des grandes vedettes de l'équipe des années 1950 et du début des années 1960 — au poste d'entraîneur, en remplacement de Scotty Bowman. En conférence de presse, le Boomer en met plein la vue à son entourage avec son style flamboyant : « Faudra qu'on vienne nous voler la coupe », titre le *Journal de Montréal* sous la plume d'André Rousseau, citant Geoffrion au lendemain de sa nomination. Le verbe haut et maniant l'humour avec grande facilité, Geoffrion dit ne plus éprouver aucun problème de santé et vivre le rêve de sa vie.

Il entend honorer jusqu'à la fin les trois années de son contrat. Mais, bon gars jusqu'au bout des ongles, il dirige l'équipe avec un gant de velours. Parfois il prend les torts à la place des joueurs, d'autres fois il pointe les mauvais, mais toujours il ajoute à sa propre pression. Plusieurs joueurs le laissent tomber et murmurent dans son dos lorsque l'équipe essuie quelques revers trop rapprochés. Ghyslain Luneau, également journaliste au *Journal de Montréal*, écrit au lendemain du départ de Geoffrion, en citant Guy Lafleur : « Je sais que la pression est écrasante mais elle le devient encore plus pour un instructeur qui se rend compte que son équipe ne donne pas 100 %. »

« Le "rêve de sa vie" n'aura duré que 100 jours », résume André Rousseau en faisant part de la démission de Geoffrion le 13 décembre.

Claude Ruel, le fidèle lieutenant, assure la relève une fois de plus.

> ### LE SAVIEZ-VOUS...
> Ken Morrow, membre de l'équipe médaillée d'or, se joint par la suite aux Islanders de New York et célèbre aussi la conquête d'une coupe Stanley. Il est le seul à revendiquer ce double exploit la même année.

*L'annonce de la nomination de Geoffrion se fait dans la bonne humeur avec des déclarations-chocs dont il a le secret.*

401

# 1980 Ⓒ 1981

LE TRICOLORE RESTE PREMIER DANS LA DIVISION NORRIS ET FINIT AUSSI EN TÊTE DE L'ASSOCIATION PRINCE-DE-GALLES, MAIS LES OILERS D'EDMONTON, QUATRIÈMES DE LA DIVISION SMYTHE, LUI FONT LA BARBE TROIS PARTIES À ZÉRO EN RONDE PRÉLIMINAIRE. LES FLAMES D'ATLANTA DÉMÉNAGENT À CALGARY, MAIS GARDENT LEUR NOM. DEUXIÈME COUPE STANLEY POUR LES ISLANDERS, CHAMPIONS DE LA DIVISION PATRICK. BUFFALO ET ST. LOUIS SONT LES AUTRES CHAMPIONS DE DIVISION. WAYNE GRETZKY ÉTABLIT UNE NOUVELLE MARQUE AVEC 164 POINTS, DONT 109 PASSES. C'EST LE PREMIER DE SEPT TITRES D'AFFILÉE. DOUZE JOUEURS OBTIENNENT PLUS DE 100 POINTS, MAIS ON N'EN RETROUVE AUCUN DES CANADIENS. GRETZKY EST JUGÉ LE PLUS UTILE, RICHARD SÉVIGNY, DENIS HERRON ET MICHEL LAROCQUE INSCRIVENT LEUR NOM SUR LE TROPHÉE VÉZINA, ATTRIBUÉ POUR LA DERNIÈRE FOIS AUX GARDIENS AFFICHANT LA MEILLEURE MOYENNE DÉFENSIVE. BOB GAINEY MÉRITE LE TROPHÉE FRANK-SELKE UNE QUATRIÈME ANNÉE DE SUITE. PETER STASTNY, DES NORDIQUES, EST CHOISI RECRUE DE L'ANNÉE. ROBINSON EST LE SEUL MONTRÉALAIS DANS LES ÉQUIPES D'ÉTOILES, LA DEUXIÈME.

## « Wickenheiser, le mal aimé »

C'est par ces mots que le chroniqueur du *Journal de Montréal*, Bertrand Raymond, résumera la carrière du premier choix des Canadiens et de la Ligue nationale de 1980, lors de son décès, des suites d'un cancer généralisé en janvier 1999. Doug Wickenheiser triomphera d'une première tumeur cancéreuse, découverte dans son poignet gauche en juillet 1994, mais le mal insidieux réapparaîtra dans son poumon droit trois ans plus tard, avant de gagner le cerveau peu après. Mort à 37 ans, il laissera derrière lui une jeune femme et trois petites filles.

La carrière du gros joueur de centre des Pats de Regina avait tourné à plein régime jusqu'à ce fameux repêchage de juin 1980. Joueur de l'année en 1979-80, grâce à une production de 89 buts et 170 points, Wicks constitue à 19 ans une option de choix pour le Canadien, qui recherche un centre au gros gabarit pour alimenter Lafleur. Mais pour y arriver, Irving Grundman doit passer outre à la préférence manifeste des partisans et des médias, Denis Savard, lequel a fait tout aussi bien avec le Canadien junior de Verdun. Finalement, Ronald Caron, le directeur du recrutement, l'emporte et convainc son patron d'opter pour le joueur de l'Ouest qui a le talent d'un Jean Béliveau, croit-on au Forum.

*Wickenheiser, entre Claude Ruel et Irving Grundman, à l'aube d'une carrière qui s'annonçait prometteuse, mais qui allait s'étioler.*

403

● Moment de réjouissance chez le Canadien lors du match du 20 novembre au Forum contre Detroit. Steve Shutt marque le 12 000e but du club. Shutt récidive sur le plan personnel en janvier avec le 600e point de sa carrière, devenant le neuvième joueur du Tricolore à réussir pareil exploit. Il avait d'ailleurs commencé les célébrations avec son 300e but, une semaine avant le 12 000e, lors d'une soirée « tour du chapeau ». Fin novembre, c'est au tour de Guy Lafleur de disputer

le 700e match de sa carrière. Le 4 mars, contre les Jets à Winnipeg, le numéro 10 ajoute deux buts et une passe à sa fiche, pour hausser son total à 1 000 points.
● Guy Lafleur passe au troisième rang des joueurs des Canadiens pour les points, devant le Rocket (966, le 12 novembre), et pour les buts, devant Yvan Cournoyer (429, le 12 mars).
● Autres chiffres significatifs: 400e point de Serge Savard en décembre et d'Yvon Lambert en février, ainsi que le 300e de Mario Tremblay en fin de

saison. Savard avait aussi atteint le chiffre de 300 passes en octobre. Steve Shutt dépasse Dickie Moore chez les ailiers gauches montréalais le 27 décembre avec le 595e point de sa carrière. Quelques semaines plus tôt, à Montréal, il avait signé un 300e but.
● Jacques Laperrière revient dans l'organisation du Tricolore en septembre, à titre d'entraîneur-adjoint. Ruel mise beaucoup sur lui et l'invite même à l'aider derrière le banc en fin de saison.

● À sa troisième saison à Montréal, Mark Napier s'éclate avec une production de 35 buts, soit autant que Steve Shutt. Premier choix du Tricolore en 1977, Napier en est à sa troisième année à Montréal, après trois saisons dans l'AMH.
● À la mi-février, le gérant Irving Grundman décide de secouer l'équipe. Rick Chartraw est envoyé aux Kings de Los Angeles pour un choix de deuxième ronde, qui sera Claude Lemieux. Trois semaines plus tard, c'est au tour du

**1980-1981**

Tendu et renfermé dès le début du camp, Wickenheiser est vite écrasé par l'aversion du public, qui ne lui pardonne pas de prendre la place de Savard, et par l'immense pression des médias. La direction de l'équipe ajoute à cette pression en cherchant à justifier son choix. L'entraîneur Ruel l'envoie même dans les gradins lors du match d'ouverture contre Chicago pour éviter les comparaisons avec Denis Savard, que les Hawks ont réclamé au troisième rang. Ce soir-là, pendant que Savard éblouit la foule avec deux points, y compris son premier but dans la LNH, Wickenheiser mesure toute la profondeur du fossé qui l'attend. Il ne s'en remettra jamais, surtout que plus souvent qu'à son tour, Ruel et son successeur Bob Berry le laisseront au bout du banc, quand ils ne l'enverront pas carrément sur la galerie de la presse.

Certains soirs, cet athlète, reconnu comme un bon gars tout en gentillesse et au sourire charmeur, connaît une bonne séquence, puis il est de nouveau écrasé sous le poids des critiques des médias et du public, du manque de confiance de l'équipe et de la belle assurance perdue. Durant la saison 1983-84, le prof Caron, devenu directeur général des Blues, convaincra le Canadien de lui céder Wickenheiser, en qui il a gardé confiance.

*Certains soirs, Wickenheiser joue avec assurance, puis il est de nouveau écrasé sous le poids de la pression des médias et du public.*

| | JOUEURS |
|---|---|
| 1 | Michel Larocque |
| 2 | Gaston Gingras |
| 3 | Brian Engblom |
| 5 | Guy Lapointe |
| 6 | Pierre Mondou |
| 8 | Doug Risebrough |
| 10 | Guy Lafleur |
| 11 | Yvon Lambert |
| 12 | Keith Acton |
| 14 | Mario Tremblay |
| 15 | Réjean Houle |
| 17 | Rod Langway |
| 18 | Serge Savard (C) |
| 19 | Larry Robinson |
| 20 | Guy Carbonneau |
| | Yvan Joly |

| MEILLEURS MARQUEURS | | PJ | B | A | PTS | PUN |
|---|---|---|---|---|---|---|
| Wayne Gretzky | Edmonton | 80 | 55 | 109 | 164 | 28 |
| Marcel Dionne | Los Angeles | 80 | 58 | 77 | 135 | 70 |
| Kent Nilsson | Calgary | 80 | 49 | 82 | 131 | 26 |
| Michael Bossy | NY Islanders | 79 | 68 | 51 | 119 | 32 |
| Dave Taylor | Los Angeles | 72 | 47 | 65 | 112 | 130 |
| Peter Stastny | Québec | 77 | 39 | 70 | 109 | 37 |
| Charlie Simmer | Los Angeles | 65 | 56 | 49 | 105 | 62 |
| Mike Rogers | Hartford | 80 | 40 | 65 | 105 | 32 |
| Bernie Federko | St. Louis | 78 | 31 | 73 | 104 | 47 |
| Jacques Richard | Québec | 78 | 52 | 51 | 103 | 39 |
| Rick Middleton | Boston | 80 | 44 | 59 | 103 | 16 |
| Bryan Trottier | NY Islanders | 73 | 31 | 72 | 103 | 74 |

gardien Michel Larocque de prendre la direction de Toronto, en échange de Robert Picard. Fait cocasse, Larocque ne sera plus à Montréal lorsqu'on fera part de sa nomination comme lauréat du trophée Vézina, avec Richard Sévigny et Denis Herron. Grundman effectue un autre échange mineur le même jour avec Colorado.

● Le même Grundman s'était fait passer un Québec lors du repêchage intra-ligue en début d'octobre. Les Nordiques avaient racheté le contrat

de Danny Geoffrion pour 100 $ (selon une clause de l'entente de la fusion relative à l'éventualité qu'une équipe ne garde pas un joueur réclamé d'un club de l'AMH) pour aussitôt le refiler à gros prix aux Jets de Winnipeg.

● Lorne Worsley, qui a aussi gardé les filets des Rangers et des North Stars, est admis au Temple de la renommée en compagnie de Harry Lumley, un autre gardien, et Lynn Patrick.

● Chez les vétérans, Serge Savard est rendu à 900 parties

en saisons régulières, Guy Lapointe à 700, Steve Shutt, Larry Robinson et Yvon Lambert à 600, Réjean Houle à 500 et Doug Risebrough à 400.

*Chris Nilan se distingue au chapitre des pénalités. Il totalise 262 minutes en fin de saison. C'est la première fois qu'un joueur des Canadiens écope de plus de 200 minutes de punition.*

| JOUEURS | |
|---|---|
| 21 | Doug Jarvis |
| 22 | Steve Shutt |
| 23 | Bob Gainey |
| 24 | Robert Picard |
| 25 | Doug Wickenheiser |
| 26 | Bill Baker |
| 27 | Rick Chartraw |
| 28 | Pierre Larouche |
| 29 | Rick Wamsley |
| | Dave Orleski |
| 30 | Chris Nilan |
| 31 | Mark Napier |
| 32 | Denis Herron |
| 33 | Richard Sévigny |
| ENTRAÎNEUR | |
| | Claude Ruel |

Wickenheiser retrouvera un peu de son entrain à St. Louis, mais, frappé par une voiture en mars 1985, il manquera plus de la moitié de la saison suivante. Échangé successivement aux Canucks et aux Rangers, il essaiera ensuite de se refaire une confiance avec l'équipe nationale du Canada, avant de revenir dans la Nationale avec Washington. Il complétera sa carrière de hockeyeur en Europe et dans la Ligue internationale, avant que le cancer ne l'oblige à changer ses priorités. Une belle carrière brisée et une vie fauchée en pleine fleur de l'âge!

## TROPHÉE SELKE ET GAINEY NE FONT QU'UN

Bob Gainey est devenu un vétéran chez les Canadiens. Sa huitième saison avec le club sera sa meilleure avec une production de 23 buts et 24 passes. Mais Gainey, c'est d'abord et avant tout le meilleur ailier défensif du circuit. Pour la quatrième année de suite, depuis la création de la récompense en fait, il reçoit le trophée Frank-Selke, destiné au meilleur avant défensif. Il devance Craig Ramsey, des Sabres de Buffalo, pour la troisième fois en quatre ans.

*Frank Selke, fier de poser avec celui qui vient de remporter pour une quatrième fois d'affilée le trophée qui porte son nom.*

*Bob Gainey connaît sa meilleure saison à l'offensive tout en continuant de s'imposer comme un joueur défensif de grande qualité.*

● Spectaculaire évasion des frères Peter et Anton Stastny en compagnie du président des Nordiques de Québec, Marcel Aubut, et de Gilles Léger, responsable de la filière européenne, au terme d'un tournoi de hockey en Autriche. Tel un véritable polar, c'est un jeu de cachette entre Innsbruck et Vienne, avec les agents tchécoslovaques aux trousses. Peter termine sa première saison dans la LNH avec 39 buts et 70 passes et mérite le titre de recrue. Les deux frères seront suivis chez les Nordiques par leur aîné Marian l'année suivante.

● Le gardien Jim Rutherford garde les filets de trois équipes différentes au cours de la saison. Il entreprend la saison à Detroit pour ensuite être échangé à Toronto et Los Angeles. Il est le premier gardien à avoir autant voyagé en une seule saison. Il sera imité par Greg Millen en 1989-90, ainsi que par Sean Burke et Kirk McLain, tous deux en 1997-98. Rutherford effectuera un troisième séjour à Detroit en 1982-83, avant de prendre sa retraite.

● Un autre gardien s'illustre au plan offensif. Mike Palmateer, des Capitals de Washington, est crédité de huit passes.

● Wayne Gretzky renverse deux records appartenant à des joueurs des Bruins. Il éclipse le record de 152 points en une saison de Phil Esposito avec une production de 164, ainsi que la marque de 102 passes de Bobby Orr avec 109.

● Les Sabres de Buffalo obtiennent huit buts en 4 min 52 s à la deuxième période, dans un gain de 14-4 contre Toronto le 19 mars. Les Sabres atteignent aussi le record, toujours actuel, du plus grand nombre de buts, neuf, et de points, 23, dans cette même période. Le même soir à Philadelphie, Bobby Clarke y va d'un 1000e point.

● Marcel Dionne, qui forme un trio productif avec Charlie Simmer et Dave Taylor, obtient aussi le 1000e point de sa carrière.

## 1980-1981

### DANS LA PETITE POCHE DE LAFLEUR

Richard Sévigny regrette encore aujourd'hui la malheureuse déclaration faite au journaliste Bernard Brisset de *La Presse*, à la veille de la série préliminaire entre les Canadiens et les Oilers d'Edmonton, qualifiés de justesse pour les éliminatoires. « Lafleur va mettre Gretzky dans sa petite poche », claironnait le jeune gardien, confiant de voir son équipe ne faire qu'une bouchée des Oilers.

C'est le contraire qui se produit. Lafleur est limité à une seule passe, tandis que Wayne Gretzky égale deux records des séries au premier match, récoltant cinq passes, dont trois en une seule période. Il étourdit de nouveau les Lafleur et compagnie lors du match suivant, participant à deux buts, avant de compléter le « balayage » tricolore avec trois buts et une passe, devant ses partisans.

Tant les experts que Sévigny doivent ravaler leurs paroles, Gretzky et sa bande ont disposé des Canadiens en trois parties d'affilée.

### QUAND ÇA VA MAL...

Les Canadiens remportent un septième titre de division de suite (avec plus de 100 points chaque fois), malgré l'opposition serrée des Kings de Los Angeles et de leur Triple couronne (Marcel Dionne, Dave Taylor, Charlie Simmer). Cependant, l'atmosphère est lourde dans le vestiaire, où Claude Ruel éprouve plus de difficulté que jamais à se faire respecter des joueurs. Les problèmes s'accumulent malgré les succès de l'équipe au classement et l'indiscipline est au plus fort. Quelques joueurs, dont Larry Robinson et Guy Lafleur, critiquent ouvertement sa stratégie de jeu trop défensive, Guy Lapointe va jusqu'à le traiter d'hypocrite. D'autres vétérans, comme Pierre Larouche, ont ralenti. Guy Lafleur connaît aussi une saison difficile. Blessures à répétition qui lui font manquer 29 matchs, problèmes familiaux, enquête serrée par les gens de l'impôt et, pour finir, un accident sur l'autoroute 20 où une tige de métal lui frôle l'oreille droite. Un peu plus à gauche et la tige lui transperçait le corps.

Les médias sont omniprésents, gonflant leurs tirages à coups de déclarations incendiaires. C'est la pagaille et les amateurs ont du mal à s'y retrouver.

Pour achever le tout, le club se fait culbuter en trois parties par Edmonton. Ruel en a assez, tous savent qu'il ne reviendra pas.

| TROPHÉES |
|---|
| **COUPE STANLEY** |
| Islanders de New York |
| **TROPHÉE PRINCE-DE-GALLES** |
| Canadiens de Montréal |
| **TROPHÉE CLARENCE-CAMPBELL** |
| Islanders de New York |
| **TROPHÉE HART** |
| Wayne Gretzky |
| Oilers d'Edmonton |
| **TROPHÉE ART-ROSS** |
| Wayne Gretzky |
| Oilers d'Edmonton |
| **TROPHÉE LADY-BYNG** |
| Rick Kehoe |
| Penguins de Pittsburgh |
| **TROPHÉE CALDER** |
| Peter Stastny |
| Nordiques de Québec |
| **TROPHÉE GEORGES-VÉZINA** |
| Richard Sévigny |
| Dennis Herron |
| Michel Larocque |
| Canadiens de Montréal |
| **TROPHÉE JAMES-NORRIS** |
| Randy Carlyle |
| Penguins de Pittsburgh |
| **TROPHÉE CONN-SMYTHE** |
| Butch Goring |
| Islanders de New York |
| **TROPHÉE BILL-MASTERTON** |
| Blake Dunlop |
| Blues de St. Louis |
| **TROPHÉE LESTER-B.-PEARSON** |
| Mike Liut |
| Blues de St. Louis |

● Menés par Bryan Trottier et Michael Bossy à l'offensive et avec l'excellent Denis Potvin à la ligne bleue, les Islanders s'assurent le championnat de la saison régulière et une deuxième coupe Stanley consécutive, cette fois contre Minnesota.

● Bossy est le premier joueur depuis le Rocket à obtenir 50 buts en 50 parties. Son 50ᵉ est réussi avec 1 min 29 s à jouer au 50ᵉ match, disputé le 24 janvier, sur un tir des poignets contre le gardien

Ron Grahame, des Nordiques. Il complète la campagne avec 68. Au total, il connaîtra neuf saisons consécutives de 50 buts, un record inégalé!

● Les Jets de Winnipeg en arrachent avec une série de 30 parties sans victoire. Personne n'a réussi à rééditer cet «exploit» depuis. Winnipeg ne gagne que neuf des 80 parties du calendrier, une de plus que Washington en 1974-75. Et les entraîneurs se succèdent derrière le banc presque au même rythme que les défaites.

● Les *Broad Street Bullies* de Philadelphie n'ont rien perdu de leur robustesse, établissant un nouveau record de 2 621 minutes de punition. Sur le plan individuel, c'est toutefois Tiger Williams, des Canucks de Vancouver, le plus fort avec 343 minutes. Mais il est loin du sommet de 472 atteint par Dave Schultz en 1974-75.

● Mark Howe passe près de devenir handicapé pour la vie lorsque l'une des tiges qui retiennent le filet l'atteint

à quelques centimètres de la colonne vertébrale lors d'une chute consécutive à une mise en échec.

● Le Royal de Cornwall, membre de la LHJMQ, s'approprie une deuxième coupe Memorial de suite. La grande vedette de l'équipe Dale Hawerchuk, avec une fiche de 81 buts et 183 points, est choisi joueur de l'année. Réclamé par Winnipeg, il deviendra la première sélection du repêchage suivant.

**1980-1981**

### TROPHÉES

**TROPHÉE JACK-ADAMS**
Red Berenson
Blues de St. Louis
**TROPHÉE FRANK-J.-SELKE**
**Bob Gainey**
**Canadiens de Montréal**

#### ASSOCIATION PRINCE-DE-GALLES

| DIVISION NORRIS | PJ | G | P | N | BP | BC | PTS |
|---|---|---|---|---|---|---|---|
| Montréal (Canadiens) | 80 | 45 | 22 | 13 | 332 | 232 | 103 |
| Los Angeles (Kings) | 80 | 43 | 24 | 13 | 337 | 290 | 99 |
| Pittsburgh (Penguins) | 80 | 30 | 37 | 13 | 302 | 345 | 73 |
| Hartford (Whalers) | 80 | 21 | 41 | 18 | 292 | 372 | 60 |
| Detroit (Red Wings) | 80 | 19 | 43 | 18 | 252 | 339 | 56 |
| DIVISION ADAMS | PJ | G | P | N | BP | BC | PTS |
| Buffalo (Sabres) | 80 | 39 | 20 | 21 | 327 | 250 | 99 |
| Boston (Bruins) | 80 | 37 | 30 | 13 | 316 | 272 | 87 |
| Minnesota (North Stars) | 80 | 35 | 28 | 17 | 291 | 263 | 87 |
| Québec (Nordiques) | 80 | 30 | 32 | 18 | 314 | 318 | 78 |
| Toronto (Maple Leafs) | 80 | 28 | 37 | 15 | 322 | 367 | 71 |

#### ASSOCIATION CLARENCE-CAMPBELL

| DIVISION PATRICK | PJ | G | P | N | BP | BC | PTS |
|---|---|---|---|---|---|---|---|
| New York (Islanders) | 80 | 48 | 18 | 14 | 355 | 260 | 110 |
| Philadelphie (Flyers) | 80 | 41 | 24 | 15 | 313 | 249 | 97 |
| Calgary (Flames) | 80 | 39 | 27 | 14 | 329 | 298 | 92 |
| New York (Rangers) | 80 | 30 | 36 | 14 | 312 | 317 | 74 |
| Washington (Capitals) | 80 | 26 | 36 | 18 | 286 | 317 | 70 |
| DIVISION SMYTHE | PJ | G | P | N | BP | BC | PTS |
| St. Louis (Blues) | 80 | 45 | 18 | 17 | 352 | 281 | 107 |
| Chicago (Black Hawks) | 80 | 31 | 33 | 16 | 304 | 315 | 78 |
| Vancouver (Canucks) | 80 | 28 | 32 | 20 | 289 | 301 | 76 |
| Edmonton (Oilers) | 80 | 29 | 35 | 16 | 328 | 327 | 74 |
| Colorado (Rockies) | 80 | 22 | 45 | 13 | 258 | 344 | 57 |
| Winnipeg (Jets) | 80 | 9 | 57 | 14 | 246 | 400 | 32 |

*Wayne Gretzky se chargera personnellement de faire ravaler sa déclaration malheureuse à Richard Sévigny avec une production de 11 points.*

*Daniel Bouchard est bombardé de 35 tirs au deuxième match de la série contre les Canadiens, mais les Nordiques l'emportent 3-2 pour donner le ton à une série pleine de rebondissements.*

# 1981 [C] 1982

*La LNH refait ses divisions en fonction de la situation géographique des villes. Montréal passe à la Division Adams, avec Boston, Buffalo, Québec et Hartford. Les Islanders, en voie d'établir une nouvelle dynastie avec une troisième coupe de suite, sont dans la Division Patrick avec les Rangers, Philadelphie, Pittsburgh et Washington. Ces deux sections forment l'Association Prince-de-Galles. L'Association Clarence-Campbell regroupe Minnesota, Winnipeg, St. Louis, Chicago, Toronto et Detroit dans la Division Norris. La nouvelle Division Smythe est formée d'Edmonton, Vancouver, Calgary, Los Angeles et Colorado. Les Canadiens, les Islanders, les North Stars et les Oilers sont champions de ces groupes. Gretzky réussit l'impossible en marquant 92 buts en plus de récolter 120 assistances, pour un incroyable total de 212 points. Cette fois, 13 joueurs obtiennent plus de 100 points, mais toujours aucun des Canadiens. Le meilleur, Keith Acton, en a 88. Lors des séries, les Nordiques ont le dessus trois parties à deux sur les Canadiens dès la ronde préliminaire, en raison d'un but de Dale Hunter à 22 secondes de la première supplémentaire. Québec dispose ensuite de Boston quatre parties à trois en quart de finale, avant de s'incliner en quatre matchs de suite devant les futurs champions, lesquels l'emportent aussi en quatre parties sur Vancouver. Autre trophée Hart pour Gretzky. Les cerbères des Canadiens, Rick Wamsley et Denis Herron, conservent la meilleure moyenne et reçoivent le nouveau trophée William-M.-Jennings.*

*Tel un véritable guerrier, Dale Hunter bouscule tout sur son passage, même un défenseur solide comme Larry Robinson, pour procurer la victoire aux Nordiques en prolongation du match ultime de la première ronde.*

# Et commence la bataille du Québec

Le Canadien connaît une bonne saison, malgré quelques dissensions internes qui minent l'équipe maintenant sous la direction de Bob Berry. Le club, transféré à la Division Adams où il a rejoint les Nordiques de Québec, remporte un huitième championnat de division consécutif. La confiance règne de nouveau au moment d'entreprendre les séries. L'humiliation contre Edmonton la saison précédente fait maintenant partie du passé et on promet toute une dégelée aux p'tits Nordiques, qui ont terminé à 27 points du Tricolore.

409

● Les Canadiens inscrivent une 10e victoire d'affilée le 11 février au Forum, face aux faibles Penguins de Pittsburgh, un exploit qu'ils n'ont pas réalisé depuis 1967-68. Mieux encore, il s'agit de la 2 000e victoire de l'équipe en saisons, une première dans la LNH.

● Même s'il éprouve des difficultés en séries depuis quelques années, le Tricolore continue d'exceller en saison régulière, remportant un huitième championnat de division d'affilée, dans une section beaucoup plus compétitive. Le club figure toujours parmi les 3 meilleurs du circuit, avec 46 victoires et 17 nulles en 80 parties. C'est la 12e année de suite que le club obtient 40 victoires et plus.

● Pierre Larouche est malheureux comme les pierres en début de saison. L'entraîneur Bob Berry, aux prises avec un surplus de joueurs en plus d'être insatisfait de son rendement en défensive et de son attitude, l'écarte du jeu à plusieurs reprises. Larouche crie son mécontentement haut et fort, tout en réclamant un échange. Finalement, Grundman passe aux actes peu avant Noël, à la suite d'un grave écart de conduite du numéro 28, et envoie celui qui l'avait qualifié de « gérant de salle de quilles » aux Whalers de Hartford pour des inversions de choix au repêchage de 1984 et de 1985, plus le deuxième choix de Hartford en 1984.

*Bob Gainey est nommé capitaine par l'entraîneur Berry à la retraite de Savard.*

**1981·1982**

Mais les choses ne se passent pas exactement comme l'ont prédit les journalistes montréalais. Après une victoire sans équivoque de 5-1, la bande à Berry se bute le lendemain à un Daniel Bouchard qui excelle devant le filet de Québec. Bouchard est bombardé de 35 tirs mais les Nordiques se sauvent avec une victoire de 3-2, malgré une faible attaque de 17 tirs en l'absence de leur meilleur joueur, Peter Stastny, tombé au combat dans le premier match. Gonflés à bloc, les Fleurdelisés, qui n'ont pu remporter une seule victoire en saison au Forum, s'offrent un deuxième gain devant leurs partisans. Cette fois, Dale Hunter, tel un véritable guerrier, fait la loi aux poings et aux points avec les deux buts des siens.

Au quatrième match, Montréal s'impose avec une autre victoire convaincante de 6-2 pour obliger la tenue d'un match ultime au Forum. Le matin de cette rencontre, Harry Sinden, directeur général des Bruins de Boston, ajoute à la tension déjà excessive en évoquant devant les journalistes certaines forces mystérieuses (qu'on a depuis baptisées les fantômes du Forum) qui permet-

| JOUEURS | |
|---|---|
| 1 | Rick Wamsley |
| 2 | Gaston Gingras |
| 3 | Brian Engblom |
| 5 | Guy Lapointe |
| 6 | Pierre Mondou |
| 8 | Doug Risebrough |
| 10 | Guy Lafleur |
| 12 | Keith Acton |
| 14 | Mario Tremblay |
| 15 | Réjean Houle |
| 17 | Rod Langway |
| 18 | Jeff Brubaker |
| 19 | Larry Robinson |
| 20 | Mark Hunter |
| 21 | Doug Jarvis |
| 22 | Steve Shutt |
| 23 | Bob Gainey (C) |
| 24 | Robert Picard |
| 25 | Doug Wickenheiser |
| 26 | Craig Laughlin |
| 27 | Gilbert Delorme |
| 28 | Pierre Larouche |
| 29 | Mark Holden |
| | Dave Orleski |
| 30 | Chris Nilan |
| 31 | Mark Napier |
| 32 | Denis Herron |
| 33 | Richard Sévigny |
| 34 | Bill Kitchen |
| **ENTRAÎNEUR** | |
| | Bob Berry |

*Mario Tremblay a beau sortir la langue, Bouchard ne cédera pas.*

Les Canadiens laissent aller un autre élément important du club en mars lorsqu'ils échangent Guy Lapointe aux Blues de St. Louis pour un choix de deuxième ronde en 1983. L'équipe mettra ainsi la main sur Sergio Momesso. Quant à Yvon Lambert, il est déjà parti depuis le repêchage interne du début de saison.

Insistant fortement sur la discipline, l'entraîneur Berry fait distribuer aux joueurs en début d'année une longue liste de 28 règlements internes à observer. Règles qui portent autant sur les déclarations publiques, la tenue vestimentaire et la consommation de boissons alcooliques que sur la ponctualité. Avec des amendes à l'avenir, comme il se doit.

Le ménage à trois entre les gardiens Rick Wamsley, Richard Sévigny et Denis Herron fait bien des malheureux, mais ce n'est pas la première fois qu'on déplore un surplus de gardiens. Wamsley sera utilisé dans près de la moitié des parties et Herron sera échangé aux Penguins au début de la saison suivante, entreprenant un troisième séjour à Pittsburgh.

Malgré ses déclarations incendiaires contre l'équipe, Guy Lafleur continue d'éblouir les foules, devenant le 15e joueur de la Ligue (le 3e des Canadiens) à atteindre le plateau des 600 points le 27 novembre. Deux semaines plus tard, il dépasse Henri Richard au deuxième rang des Canadiens pour les points avec son 1 047e.

Lors de l'intersaison, Frank Mahovlich, vedette du Tricolore avant de passer à l'AMH, est admis au Temple de la renommée en compagnie de John Bucyk, d'Allan Stanley et de l'arbitre John Ashley.

Un nouveau trophée, portant le nom du réputé journaliste Jacques Beauchamp — qui a œuvré au Montréal-Matin et au Journal de Montréal — est attribué annuellement à un joueur au rôle prépondérant mais méconnu du public. Doug Jarvis en est le premier récipiendaire.

Au cours de la saison, Provigo et Coca-Cola unissent leurs efforts pour populariser une chanson vantant les mérites du bleu-blanc-rouge sur un rythme entraînant.

traient aux joueurs du Canadien de trouver une énergie supplémentaire pour se surpasser lors des grands matchs. Fantômes ou pas, les Nordiques prennent les devants 2-0 en première période, grâce à des buts de Wilfrid Paiement et Anton Stastny. Se défendant avec l'énergie du désespoir, les Nordiques, privés de plusieurs joueurs, repoussent les attaques répétées des Canadiens en deuxième, puis s'écroulent en troisième, exposant leur gardien à la mitraille tricolore. Mario Tremblay et Robert Picard en profitent pour niveler le compte avec deux

**1981-1982**

*Une huitième saison consécutive d'au moins 30 buts avec les Canadiens pour Steve Shutt. Il répétera cet exploit la saison suivante.*

| ASSOCIATION PRINCE-DE-GALLES | | | | | | | |
|---|---|---|---|---|---|---|---|
| **DIVISION ADAMS** | PJ | G | P | N | BP | BC | PTS |
| Montréal (Canadiens) | 80 | 46 | 17 | 17 | 360 | 223 | 109 |
| Boston (Bruins) | 80 | 43 | 27 | 10 | 323 | 285 | 96 |
| Buffalo (Sabres) | 80 | 39 | 26 | 15 | 307 | 273 | 93 |
| Québec (Nordiques) | 80 | 33 | 31 | 16 | 356 | 345 | 82 |
| Hartford (Whalers) | 80 | 21 | 41 | 18 | 264 | 351 | 60 |
| **DIVISION PATRICK** | PJ | G | P | N | BP | BC | PTS |
| New York (Islanders) | 80 | 54 | 16 | 10 | 385 | 250 | 118 |
| New York (Rangers) | 80 | 39 | 27 | 14 | 316 | 306 | 92 |
| Philadelphie (Flyers) | 80 | 38 | 31 | 11 | 325 | 313 | 87 |
| Pittsburgh (Penguins) | 80 | 31 | 36 | 13 | 310 | 337 | 75 |
| Washington (Capitals) | 80 | 26 | 41 | 13 | 319 | 338 | 65 |
| ASSOCIATION CLARENCE-CAMPBELL | | | | | | | |
| **DIVISION NORRIS** | PJ | G | P | N | BP | BC | PTS |
| Minnesota (North Stars) | 80 | 37 | 23 | 20 | 346 | 288 | 94 |
| Winnipeg (Jets) | 80 | 33 | 33 | 14 | 319 | 332 | 80 |
| St. Louis (Blues) | 80 | 32 | 40 | 8 | 315 | 349 | 72 |
| Chicago (Black Hawks) | 80 | 30 | 38 | 12 | 332 | 363 | 72 |
| Toronto (Maple Leafs) | 80 | 20 | 44 | 16 | 298 | 380 | 56 |
| Detroit (Red Wings) | 80 | 21 | 47 | 12 | 270 | 351 | 54 |
| **DIVISION SMYTHE** | PJ | G | P | N | BP | BC | PTS |
| Edmonton (Oilers) | 80 | 48 | 17 | 15 | 417 | 295 | 111 |
| Vancouver (Canucks) | 80 | 30 | 33 | 17 | 290 | 286 | 77 |
| Calgary (Flames) | 80 | 29 | 34 | 17 | 334 | 345 | 75 |
| Los Angeles (Kings) | 80 | 24 | 41 | 15 | 314 | 369 | 63 |
| Colorado (Rockies) | 80 | 18 | 49 | 13 | 241 | 362 | 49 |

411

● Aucun exploit ni aucun record ne résiste à celui qu'on appelle désormais La Merveille. Wayne Gretzky connaît une saison de 92 buts, 120 passes et 212 points. Il pulvérise 11 records en une seule saison, récoltant au passage les trophées Art-Ross (champion marqueur), Hart (joueur le plus utile) et Lester-Pearson (le plus spectaculaire), en plus d'une sélection dans la première équipe d'étoiles. Nul joueur n'avait autant dominé ses rivaux auparavant.

● Pas moins de 10 joueurs parviennent au total de 50 buts au cours de la saison. Pour leur part, les Oilers d'Edmonton deviennent la première équipe à inscrire plus de 400 buts en une saison, soit 417.

● Parmi les compteurs de 50 buts, Mike Bossy est le premier à réussir l'exploit à ses cinq premières saisons. Il obtiendra 17 autres buts en séries pour mériter le trophée Conn-Smythe.

● Autre première le 11 février lorsque l'arbitre Kerry Fraser accorde deux tirs de punition dans une même période. Thomas Gradin et Ivan Hlinka, des Canucks, marquent tous deux contre le cerbère Gilles Gilbert, des Red Wings.

● Gilbert Perreault obtient un 1 000e point avec les Sabres le 3 avril. Il devient le 16e membre du club des 1 000 points.

● Les frères Peter, Anton et Marian Stastny jouent dans un même trio à Québec et connaissent un grand succès, totalisant 300 points dont 107 buts.

● Le trophée Vézina change de vocation. Il sera désormais attribué au meilleur gardien, tel que choisi par les directeurs généraux. Le William-Jennings remplace le Vézina pour la meilleure moyenne défensive.

● Gretzky n'a eu besoin que de 39 parties pour marquer ses 50 premiers buts (il en avait 61 après 50 parties). Son record de 92 buts n'a jamais été égalé depuis, ni par lui ni par un autre joueur.

---

**1981-1982**

buts rapides en milieu de période et on se retrouve soudainement en prolongation. Dès les premières secondes de temps supplémentaire, Réal Cloutier et Dale Hunter s'amènent devant Rick Wamsley, protégé par un seul défenseur pour les contenir. Cloutier contourne le filet avec le disque qu'il refile à Hunter. Celui-ci balaie aussitôt la rondelle vers le but et une clameur de stupéfaction s'élève des bancs (et des murs) du Forum.

La bataille du Québec vient de commencer. Largement alimentée par les médias, elle passionnera tout le Québec pendant des années et ne s'éteindra qu'au moment du transfert des Nordiques au Colorado en 1995.

## RETRAITE MOMENTANÉE DU SÉNATEUR

« S'il le faut, j'attendrai jusqu'à Noël », lance un John Ferguson bien décidé au journaliste Ghyslain Luneau du *Journal de Montréal*. Le directeur général des Jets de Winnipeg venait de réclamer le nouveau retraité Serge Savard au repêchage interne de la LNH. Ferguson devra revenir à la charge plus d'une fois pour convaincre son ami Savard de mettre un terme à une retraite annoncée deux mois plus tôt.

D'abord incrédule, la direction du Canadien ne fait pas objection à la nouvelle carrière du Sénateur, après ses 14 saisons dans l'uniforme bleu-blanc-rouge. Avec huit coupes Stanley à son actif, plus un trophée Conn-Smythe (1968-69) et un Bill-Masterton (1978-79), Savard est considéré comme l'un des meilleurs défenseurs de l'histoire du Canadien. Membre du *Big Three* avec Lapointe et Robinson, il a grandement contribué aux succès des Worsley, Vachon, Dryden et autres cerbères du Canadien de son époque.

Savard demeurera deux saisons à Winnipeg, assumant aussi le rôle de capitaine en plus d'apporter sa vaste expérience à la ligne bleue de l'une des quatre formations repêchées de la défunte Association mondiale. Ensuite, le Sénateur reviendra à Montréal dans le fauteuil de directeur général.

| TROPHÉES | |
|---|---|
| **COUPE STANLEY** | |
| Islanders de New York | |
| **TROPHÉE PRINCE-DE-GALLES** | |
| Islanders de New York | |
| **TROPHÉE CLARENCE-CAMPBELL** | |
| Canucks de Vancouver | |
| **TROPHÉE HART** | |
| Wayne Gretzky | |
| Oilers d'Edmonton | |
| **TROPHÉE ART-ROSS** | |
| Wayne Gretzky | |
| Oilers d'Edmonton | |
| **TROPHÉE LADY-BYNG** | |
| Rick Middleton | |
| Bruins de Boston | |
| **TROPHÉE CALDER** | |
| Dale Hawerchuk | |
| Jets de Winnipeg | |
| **TROPHÉE GEORGES-VÉZINA** | |
| Billy Smith | |
| Islanders de New York | |

*John Ferguson réussira à convaincre le Sénateur de sortir de sa retraite pour l'amener avec lui à Winnipeg.*

*Wayne
Gretzky*

● Le tapis
rouge est à peine
roulé et les bières pas
encore versées que, à cinq
secondes du début de la
rencontre Blues/Jets du 20
décembre, Doug Smail marque
pour Winnipeg. Même Lucky
Luke n'aurait pu faire mieux.

● L'entraîneur
Roger Neilson a
probablement lancé la mode
des serviettes blanches lors de
la série des Canucks de Vancouver
contre Chicago. L'arbitre refuse
un but aux Canucks lors du
deuxième match. En signe de
dérision, Neilson attache une

serviette au bout d'un bâton
avant de l'agiter. Il perd la
rencontre, est mis à l'amende
mais gagne la série et, depuis,
les partisans de Vancouver,
imités par ceux des autres villes,
agitent des chiffons blancs
pour encourager leur équipe.
● Quel exploit des Kings
de Los Angeles au troisième
match d'une série 3 de 5 contre
Edmonton ! Les Kings traînent
de l'arrière 5-0 après deux
périodes et entreprennent
alors une remontée qui les
mènera à une victoire de 6-5,

grâce à un but de Daryl Evans
à 2 min 35 s de la prolongation.
● Les Rockies du Colorado ne
s'améliorent pas et n'attirent
plus. Ils gagnent à peine
18 matchs. Ils seront vendus
au terme de la saison et
déménageront au New Jersey
sous le nom de Devils pour
la saison suivante.
● Les Soviétiques humilient
le Canada 8 à 1 en finale du
tournoi de la Coupe Canada.
Frustré, le promoteur Alan
Eagleson leur refuse le droit
d'emporter la coupe originale.

| TROPHÉES | |
|---|---|
| **TROPHÉE JAMES-NORRIS** | |
| Doug Wilson | |
| Black Hawks de Chicago | |
| **TROPHÉE CONN-SMYTHE** | |
| Michael Bossy | |
| Islanders de New York | |
| **TROPHÉE BILL-MASTERTON** | |
| Chico Resch | |
| Rockies du Colorado | |
| **TROPHÉE LESTER-B.-PEARSON** | |
| Wayne Gretzky | |
| Oilers d'Edmonton | |
| **TROPHÉE JACK-ADAMS** | |
| Tom Watt | |
| Jets de Winnipeg | |
| **TROPHÉE FRANK-J.-SELKE** | |
| Steve Kasper | |
| Bruins de Boston | |
| **TROPHÉE WILLIAM-M.-JENNINGS** | |
| Denis Herron et Rick Wamsley | |
| Canadiens de Montréal | |

## BOB BERRY REMPLACE RUEL

Claude Ruel avait clairement laissé savoir que le job d'entraîneur ne lui plaisait
pas lorsqu'il avait déballé son sac en public la saison précédente et il avait
réitéré son intention de revenir à son rôle d'éclaireur au terme de l'élimination
rapide du Canadien par les Oilers d'Edmonton en ronde préliminaire des séries
de 1981. Ce n'est que par fidélité envers l'équipe, qu'il servait depuis l'âge de
quinze ans, qu'il avait accepté de revenir derrière le banc une seconde fois, lors
du départ précipité de Bernard Geoffrion en décembre 1979.

À la mi-avril, Ruel demande à son patron Irving Grundman de lui trouver
un successeur. Sa décision est finale. Les conjectures des journalistes durent
quelques mois, jusqu'à ce que Grundman fasse part de l'embauche de
Bob Berry, entraîneur démissionnaire des Kings de Los Angeles. Membre de
l'organisation du Canadien à la fin des années 1960, Berry a fait carrière avec
les Kings pendant sept saisons avant de devenir leur entraîneur en 1978-79.
Mais dès qu'il a appris que le poste était libre à Montréal, il a quitté les Kings
et communiqué son intérêt à Grundman.

*Le tournoi Coupe Canada réunit trois marqueurs prolifiques
au sein de la formation canadienne : Guy Lafleur, Mike Bossy et Wayne Gretzky.*

| MEILLEURS MARQUEURS | PJ | B | A | PTS | PUN |
|---|---|---|---|---|---|
| Wayne Gretzky Edmonton | 80 | 92 | 120 | 212 | 26 |
| Michael Bossy NY Islanders | 80 | 64 | 83 | 147 | 22 |
| Peter Stastny Québec | 80 | 46 | 93 | 139 | 91 |
| Dennis Maruk Washington | 80 | 60 | 76 | 136 | 128 |
| Bryan Trottier NY Islanders | 80 | 50 | 79 | 129 | 88 |
| Denis Savard Chicago | 80 | 32 | 87 | 119 | 82 |
| Marcel Dionne Los Angeles | 78 | 50 | 67 | 117 | 50 |
| Bobby Smith Minnesota | 80 | 43 | 71 | 114 | 82 |
| Dino Ciccarelli Minnesota | 76 | 55 | 51 | 106 | 138 |
| Dave Taylor Los Angeles | 78 | 39 | 67 | 106 | 130 |

413

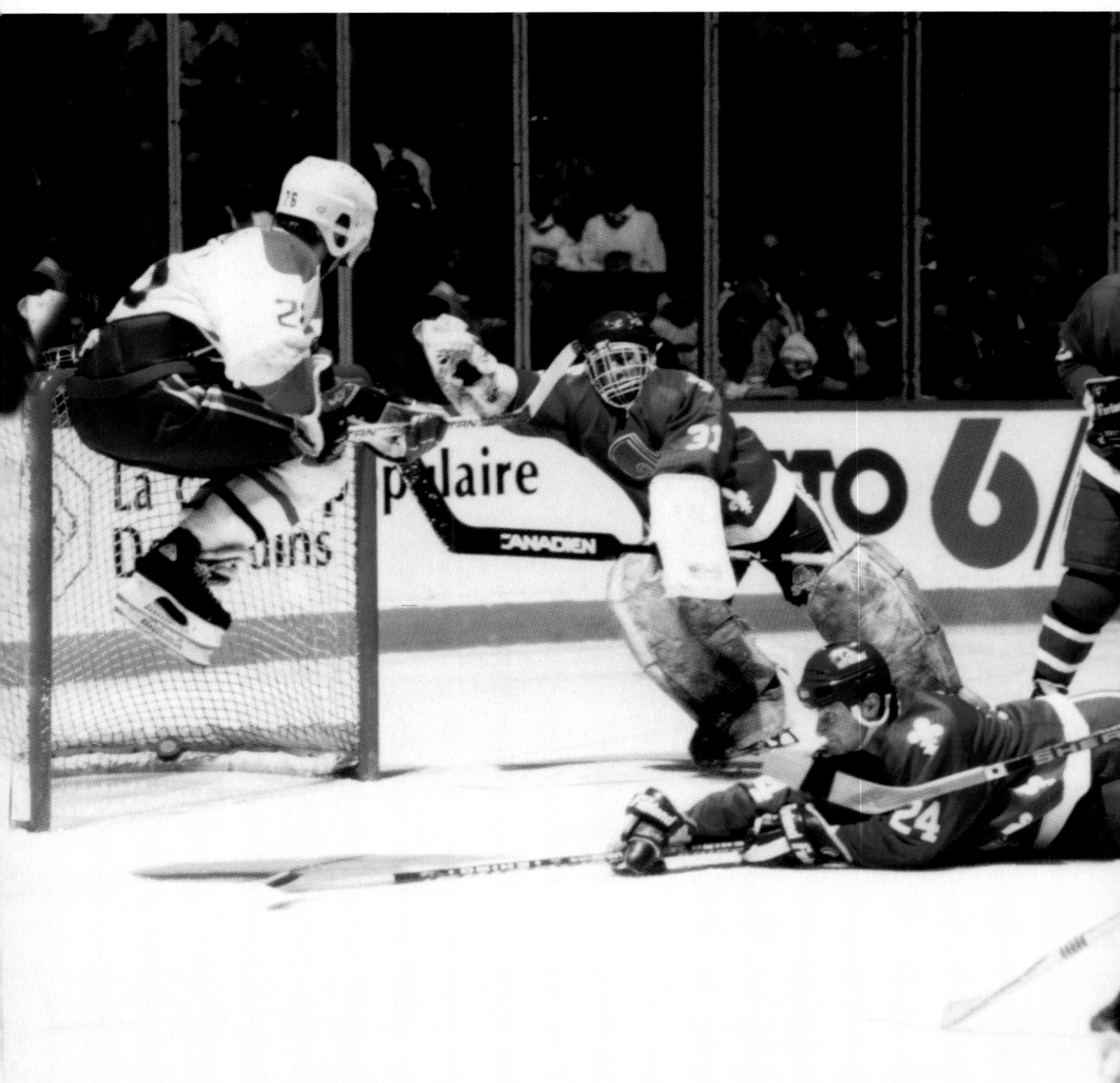

*Mario Tremblay a l'habitude de dire avec humour que Mats Näslund était si petit que les Canadiens n'avaient reçu que la moitié du joueur, l'autre demie devant arriver plus tard.*

# 1982 Ⓒ 1983

LES ROCKIES DU COLORADO DEVIENNENT LES DEVILS DU NEW JERSEY ET PASSENT DE LA DIVISION SMYTHE À LA DIVISION PATRICK. WINNIPEG LES REMPLACE DANS LA DIVISION SMYTHE, DÉLAISSANT LE GROUPE NORRIS. LES ISLANDERS DE NEW YORK REMPORTENT UNE QUATRIÈME COUPE STANLEY D'AFFILÉE, BIEN QU'ILS AIENT ÉTÉ DEVANCÉS EN SAISON PAR PHILADELPHIE, DANS LEUR SECTION. POUR LA PREMIÈRE FOIS DEPUIS 1973-74, LE CANADIEN EST DEVANCÉ DANS SA PROPRE DIVISION. LES BRUINS TOTALISENT 110 POINTS CONTRE 98 POUR LE TRICOLORE. CHICAGO ET EDMONTON REMPORTENT LES AUTRES TITRES. MEILLEUR MARQUEUR POUR UNE TROISIÈME ANNÉE DE SUITE, GRETZKY TOTALISE 196 POINTS (71-125), UNE PRIORITÉ DE 72 SUR PETER STASTNY AU DEUXIÈME ÉCHELON. PAS SURPRENANT QU'IL MÉRITE UN QUATRIÈME HART ET UN DEUXIÈME TITRE DE JOUEUR PAR EXCELLENCE CONSÉCUTIFS. LE GARDIEN BILLY SMITH DES ISLANDERS REÇOIT LE CONN-SMYTHE ET PARTAGE LE JENNINGS AVEC ROLAND MELANSON. LAFLEUR EST REDEVENU LE MEILLEUR MARQUEUR DU TRICOLORE, MAIS IL MANQUE UNE DOUZAINE DE PARTIES ET DOIT SE CONTENTER DE 76 POINTS (27-49). MONTRÉAL SE FAIT SORTIR DES SÉRIES EN TROIS MATCHS PAR BUFFALO DÈS LA RONDE INITIALE. POUR LA PREMIÈRE FOIS EN NEUF ANS, LES CANADIENS N'INSCRIVENT AUCUN JOUEUR DANS LES ÉQUIPES D'ÉTOILES.

## Un Viking chez les Canadiens

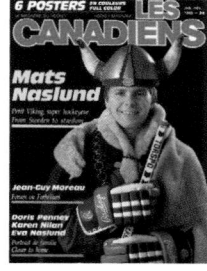

*Mats Näslund, premier Européen réclamé par les Canadiens au repêchage amateur.*

Les Canadiens s'étaient mis à leur tour à l'heure européenne au repêchage de 1979 en réclamant Mats Näslund, un ailier gauche au petit gabarit qui connaissait beaucoup de succès en Suède, son pays d'origine. Montréal sélectionna d'abord Gaston Gingras en première ronde, pour ensuite surprendre journalistes et partisans avec le choix d'un premier Européen. Auparavant, la direction des Canadiens avait refusé

● Mark Napier est le meilleur compteur du club avec une deuxième saison consécutive de 40 buts, 5 de plus que Steve Shutt. Mario Tremblay suit, avec 30. C'est la neuvième saison de suite que Shutt obtient au moins 30 buts. Il est le premier des Canadiens à réaliser pareil exploit.
● Guy Lafleur et Larry Robinson réclament une révision de leur contrat, par médias interposés, avant l'ouverture du camp. Ils menacent de ne pas se

présenter à l'entraînement, laissant miroiter une offre du Japon. Le litige se règle aux petites heures du matin le premier jour du camp. Les deux ont reçu, lit-on dans les journaux, des augmentations de l'ordre de 100 000 $, ce qui porte le salaire du Démon blond aux environs de un demi-million, le classant parmi les cinq plus hauts salariés du circuit.

● Lafleur suscite de nouveau la controverse en novembre. Les médias rapportent sa participation à une partie de chasse au chevreuil, alors qu'il soigne encore une fracture au petit orteil droit. Lafleur sera plus tard acquitté d'une accusation d'avoir abattu un chevreuil hors saison.
● Mais Lafleur est encore capable d'exploits sur la glace. En début de saison, il devient le 12e joueur de la Ligue, le 2e du Tricolore après Béliveau, à

atteindre les 1 100 points, avec une soirée de 3 buts et 2 passes. Il a maintenant disputé près de 800 matchs avec le club. Quelques semaines plus tard, il devance Bobby Orr au 12e rang des fabricants de jeu, avec une 646e passe. En avril, il déloge la Comète blonde, Bobby Hull, au dixième rang des meilleurs marqueurs, avec un 1 171e point.

## 1982-1983

d'emboîter le pas aux organisations de la LNH, comme Winnipeg, Vancouver, Washington, New York et même Québec qui, elles, puisaient abondamment dans cette réserve intarissable de joueurs.

Élu joueur de l'année dans la Ligue d'élite suédoise en 1979-80, Näslund avait terminé au premier rang des marqueurs de cette même Ligue la saison suivante, en plus de porter les couleurs de l'équipe nationale à quatre reprises.

En septembre 1982, Näslund débarque au camp du Canadien, sous le regard désapprobateur de plusieurs membres de l'équipe. Mais une performance de trois buts dans un match préparatoire contre les rudes Flyers de Philadelphie lui apporte l'estime de ses futurs compagnons de jeu. Malgré des airs de gamin, avec ses 5 pi 6 po et ses 154 lb, Näslund est quand même costaud et il ne tarde pas à s'imposer grâce à sa vitesse et à son jeu intelligent, au point de déloger Réjean Houle sur le trio de Pierre Mondou et Mario Tremblay. Ce dernier avait pris l'habitude de dire humoristiquement que le Suédois était tellement petit qu'on n'avait reçu qu'une moitié du joueur, l'autre partie restant à venir.

*Dès son arrivée à Montréal, Ronald Corey est omniprésent au sein de l'équipe.*

Mondou, Tremblay et Näslund forment l'un des meilleurs trios du Tricolore, les trois joueurs se complétant à merveille. Une production de 26 buts et 45 passes vaudra à Näslund une sélection sur l'équipe d'étoiles des recrues.

Näslund demeurera huit saisons avec le Tricolore, connaissant sa meilleure campagne en 1985-86, avec 110 points (43-67), pour terminer au

416

| MEILLEURS MARQUEURS | | | | | |
|---|---|---|---|---|---|
| | PJ | B | A | PTS | PUN |
| Wayne Gretzky Edmonton | 80 | 71 | 125 | 196 | 59 |
| Peter Stastny Québec | 75 | 47 | 77 | 124 | 78 |
| Denis Savard Chicago | 78 | 35 | 86 | 121 | 99 |
| Michael Bossy NY Islanders | 79 | 60 | 58 | 118 | 20 |
| Marcel Dionne Los Angeles | 80 | 56 | 51 | 107 | 22 |
| Barry Pederson Boston | 77 | 46 | 61 | 107 | 47 |
| Mark Messier Edmonton | 77 | 48 | 58 | 106 | 72 |
| Michel Goulet Québec | 80 | 57 | 48 | 105 | 51 |
| Glenn Anderson Edmonton | 72 | 48 | 56 | 104 | 70 |
| Kent Nilsson Calgary | 80 | 46 | 58 | 104 | 10 |
| Jari Kurri Edmonton | 80 | 45 | 59 | 104 | 22 |

● Les Canadiens sont humiliés 5-0 par les joueurs soviétiques lors d'un match présenté au Forum au lendemain du jour de l'An.

● Gradué des Voyageurs de la Nouvelle-Écosse, Guy Carbonneau connaît une saison de 47 points (18-29) en 77 parties.

● Yvan Cournoyer est admis au Temple de la renommée du hockey, en compagnie de Rodrigue Gilbert, Norm Ullman et Émile Francis. L'équipe

profitera de cette intronisation pour lui organiser une petite fête au Forum.

● Chris Nilan et Curt Fraser sont expulsés du match du 15 décembre entre Montréal et Vancouver pour en être venus aux coups à deux reprises. Les belligérants poursuivent leur bataille dans le corridor qui mène aux vestiaires du Coliseum et il faut l'intervention de la police pour mettre un terme à leur duel. Ils seront suspendus pour deux parties.

● Grundman, à qui on reprochait de ne pas essayer d'améliorer l'équipe, procède à une autre transaction surprise en décembre, expédiant Gaston Gingras, le premier choix du club lors du repêchage de 1979, aux Maple Leafs de Toronto, contre leur deuxième sélection à venir en 1986. Le joueur en cause sera Benoît Brunet. Le même jour, Grundman échange aussi Dan Daoust aux Leafs.

● Larry Robinson est maintenant le meilleur marqueur chez les défenseurs du Tricolore. Le 27 février, son 573e point, sur un but de Keith Acton, lui permet de passer devant Guy Lapointe.

● Le capitaine Bob Gainey atteint le total de 700 parties dans la Ligue nationale au cours de la saison ; Mario Tremblay, dit le Bleuet bionique, celui de 600 ; Robert Picard, Pierre Mondou et Rick Green celui de 400, tandis que Mark Napier en a 300.

| JOUEURS | |
|---|---|
| 1 | Rick Wamsley |
| 2 | Gaston Gingras |
| 3 | Ric Nattress |
| | Bill Kitchen |
| 5 | Rick Green |
| 6 | Pierre Mondou |
| 8 | Dan Daoust |
| 10 | Guy Lafleur |
| 11 | Ryan Walter |
| 12 | Keith Acton |
| 14 | Mario Tremblay |
| 15 | Réjean Houle |
| 17 | Craig Ludwig |
| 18 | Bill Root |
| 19 | Larry Robinson |
| 20 | Mark Hunter |
| 21 | Guy Carbonneau |
| 22 | Steve Shutt |
| 23 | Bob Gainey (c) |
| 24 | Robert Picard |
| 25 | Doug Wickenheiser |
| 26 | Mats Näslund |
| 27 | Gilbert Delorme |
| 28 | Yvan Joly |
| 29 | John Newberry |
| 29 | Doug Wickenheiser |
| 30 | Chris Nilan |
| 31 | Mark Napier |
| 32 | Mark Holden |
| 33 | Richard Sévigny |
| 34 | Dwight Schofield |
| ENTRAÎNEUR | |
| | Bob Berry |

huitième rang des marqueurs. Par la suite, aucun joueur du Canadien ne parviendra à récolter 100 points en une saison.

## MOLSON VOLE COREY À O'KEEFE

La bataille du houblon est forte au Québec depuis l'arrivée des Nordiques. Chaque part de marché gagnée ou perdue représente des dizaines de milliers de bouteilles. En novembre, Molson, propriétaire du Canadien, porte un dur coup à sa rivale en lui ravissant son président et directeur général, Ronald Corey, pour en faire le premier président à temps plein du Tricolore en une vingtaine d'années.

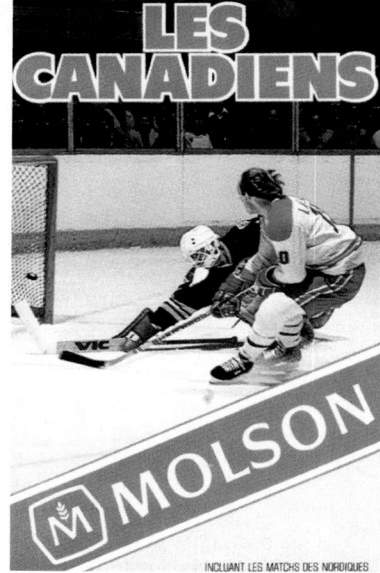

Calendrier officiel 1982-83
LES CANADIENS
MOLSON
INCLUANT LES MATCHS DES NORDIQUES

Corey est aussi chargé de veiller aux intérêts du Forum.

Le coup est dur aussi pour le directeur général Irving Grundman, qui voit le tapis lui glisser sous les pieds, comme l'écrit Bernard Brisset, journaliste à *La Presse*. Grundman avait l'habitude d'en mener large dans l'organisation, en raison des nombreuses obligations du président McCammon, également vice-président de Molson. Grundman reste en fonction mais devra dorénavant se rapporter à un patron dont le bureau est à côté du sien.

À Québec, le président du club Marcel Aubut encaisse le départ du membre de son conseil d'administration en faisant confiance à son sens de l'éthique.

Avant son arrivée chez O'Keefe, dont il assumait la présidence depuis plus de trois ans, Corey avait occupé les fonctions de réalisateur à *La Soirée du hockey*, de directeur du marketing chez Molson et de journaliste.

● Wayne Gretzky domine ses rivaux à un tel point que le nombre de 125 passes obtenues en cours de saison est plus élevé que le total de points (124) du deuxième marqueur du circuit, Peter Stastny des Nordiques. Ce dernier termine à 72 points de la Merveille. Bill Cowley avait réussi un exploit comparable avec les Bruins en 1940-41, lorsqu'il avait récolté 45 assistances, comparativement à 44 points pour Brian Hextall des Rangers.

● Mike Bossy connaît une sixième saison consécutive de 50 buts, une troisième de 60. De plus, en finale d'association contre Boston, il marque le but victorieux lors des quatre gains de son équipe.

● Quatrième coupe Stanley consécutive pour les Islanders de New York, qui menacent maintenant le record de cinq des Canadiens. Seize joueurs de la formation ont participé aux quatre conquêtes. Les Islanders n'ont de faiblesse à aucune position avec les Billy Smith dans les buts, Denis Potvin et Ken Morrow en défensive, ainsi que les Mike Bossy, Bryan Trottier, Bob Bourne, Clark Gillies, John Tonelli et Butch Goring à l'avant.

● Les Islanders alignent aussi Brent et Duane Sutter, deux des six frères Sutter — une première — à jouer dans la LNH. Darryl est à Chicago, Brian à St. Louis, tandis que les jumeaux Rich et Ron, les derniers arrivés, portent les couleurs de Pittsburgh et de Philadelphie.

● À Québec, le trio des frères Stastny cumule 115 buts et 295 points. C'est la deuxième saison de ce trio qui demeurera intact jusqu'au départ de Marian pour Toronto, en 1985-86.

● Marcel Dionne est le premier joueur de la Ligue à connaître 9 saisons de 40 buts. Il est par contre le 9e à inscrire un 500e filet.

**1982-1983**

| TROPHÉES | |
| --- | --- |
| **COUPE STANLEY** | |
| Islanders de New York | |
| **TROPHÉE PRINCE-DE-GALLES** | |
| Islanders de New York | |
| **TROPHÉE CLARENCE-CAMPBELL** | |
| Oilers d'Edmonton | |
| **TROPHÉE HART** | |
| Wayne Gretzky | |
| Oilers d'Edmonton | |
| **TROPHÉE ART-ROSS** | |
| Wayne Gretzky | |
| Oilers d'Edmonton | |
| **TROPHÉE LADY-BYNG** | |
| Michael Bossy | |
| Islanders de New York | |
| **TROPHÉE CALDER** | |
| Steve Larmer | |
| Black Hawks de Chicago | |
| **TROPHÉE GEORGES-VÉZINA** | |
| Pete Peeters | |
| Bruins de Boston | |
| **TROPHÉE JAMES-NORRIS** | |
| Rod Langway | |
| Capitals de Washington | |
| **TROPHÉE CONN-SMYTHE** | |
| Billy Smith | |
| Islanders de New York | |
| **TROPHÉE BILL-MASTERTON** | |
| Lanny McDonald | |
| Flames de Calgary | |

*Ryan Walter, obtenu de Washington à la faveur d'un échange à six joueurs, ne peut, à l'instar de ses nouveaux coéquipiers, se faire justice contre les Soviétiques, au lendemain du jour de l'An. Le Canadien est humilié 5-0.*

● Tony Esposito est le 4e gardien à signer une 400e victoire en carrière, après Terry Sawchuk, Jacques Plante et Glenn Hall.

● Pat Lafontaine connaît une saison de 104 buts et 234 points avec le Canadien junior de Verdun. Il est choisi joueur canadien de l'année chez les juniors, puis les Islanders en feront leur premier choix, le troisième au total, au repêchage de 1983.

● Déménagés du Colorado au New Jersey, les Rockies, qui sont devenus les Devils, ne font pas mieux avec un dossier de 17 victoires et 49 défaites. Ils sont néanmoins meilleurs que Pittsburgh et Hartford.

● Mike Ilitch, le roi de la pizza à Detroit, met un terme au contrôle de la famille Norris sur les Red Wings en versant 7 millions pour acquérir la concession.

● Les Bruins de Boston perdent un joueur prometteur lorsque Normand Léveillé est victime d'une hémorragie cérébrale, lors d'un match contre Vancouver en octobre. Il demeurera partiellement paralysé.

● En séries, les Oilers d'Edmonton ne perdent qu'un seul match pour se rendre en finale contre les Islanders : Winnipeg est éliminé trois parties à zéro,

Calgary en gagne une seule sur cinq et Chicago est balayé en quatre. Les succès de la bande à Gretzky s'arrêteront là, les New-Yorkais ne leur concédant aucune victoire en ronde ultime, limitant l'équipe qui avait obtenu 424 buts en saison régulière à seulement six buts en quatre matchs.

## TROPHÉES

**TROPHÉE LESTER-B.-PEARSON**
Wayne Gretzky
Oilers d'Edmonton
**TROPHÉE JACK-ADAMS**
Orval Tessier
Black Hawks de Chicago
**TROPHÉE FRANK-J.-SELKE**
Bobby Clarke
Flyers de Philadelphie
**TROPHÉE WILLIAM-M.-JENNINGS**
Billy Smith et
Roland Melanson
Islanders de New York
**TROPHÉE EMERY-EDGE**
Charlie Huddy
Oilers d'Edmonton

### ASSOCIATION PRINCE-DE-GALLES
| DIVISION ADAMS | PJ | G | P | N | BP | BC | PTS |
|---|---|---|---|---|---|---|---|
| Boston (Bruins) | 80 | 50 | 20 | 10 | 327 | 228 | 110 |
| Montréal (Canadiens) | 80 | 42 | 24 | 14 | 350 | 286 | 98 |
| Buffalo (Sabres) | 80 | 38 | 29 | 13 | 318 | 285 | 89 |
| Québec (Nordiques) | 80 | 34 | 34 | 12 | 343 | 336 | 80 |
| Hartford (Whalers) | 80 | 19 | 54 | 7 | 261 | 403 | 45 |
| DIVISION PATRICK | PJ | G | P | N | BP | BC | PTS |
| Philadelphie (Flyers) | 80 | 49 | 23 | 8 | 326 | 240 | 106 |
| New York (Islanders) | 80 | 42 | 26 | 12 | 302 | 226 | 96 |
| Washington (Capitals) | 80 | 39 | 25 | 16 | 306 | 283 | 94 |
| New York (Rangers) | 80 | 35 | 35 | 10 | 306 | 287 | 80 |
| New Jersey (Devils) | 80 | 17 | 49 | 14 | 230 | 338 | 48 |
| Pittsburgh (Penguins) | 80 | 18 | 53 | 9 | 257 | 394 | 45 |

### ASSOCIATION CLARENCE-CAMPBELL
| DIVISION NORRIS | PJ | G | P | N | BP | BC | PTS |
|---|---|---|---|---|---|---|---|
| Chicago (Black Hawks) | 80 | 47 | 23 | 10 | 338 | 268 | 104 |
| Minnesota (North Stars) | 80 | 40 | 24 | 16 | 321 | 290 | 96 |
| Toronto (Maple Leafs) | 80 | 28 | 40 | 12 | 293 | 330 | 68 |
| St. Louis (Blues) | 80 | 25 | 40 | 15 | 285 | 316 | 65 |
| Detroit (Red Wings) | 80 | 21 | 44 | 15 | 263 | 344 | 57 |
| DIVISION SMYTHE | PJ | G | P | N | BP | BC | PTS |
| Edmonton (Oilers) | 80 | 47 | 21 | 12 | 424 | 315 | 106 |
| Calgary (Flames) | 80 | 32 | 34 | 14 | 321 | 317 | 78 |
| Vancouver (Canucks) | 80 | 30 | 35 | 15 | 303 | 309 | 75 |
| Winnipeg (Jets) | 80 | 33 | 39 | 8 | 311 | 333 | 74 |
| Los Angeles (Kings) | 80 | 27 | 41 | 12 | 308 | 365 | 66 |

La bataille du houblon, il la connaissait des deux côtés de la clôture mais, dorénavant, son activité principale allait être centrée sur l'équipe de hockey.

## ÉCHANGE CONTROVERSÉ POUR GRUNDMAN

La contestation de Lafleur et de Robinson, qui menacent de faire la grève à défaut de substantielles augmentations, n'est pas encore réglée à quelques jours de l'ouverture du camp, que le gérant Irving Grundman passe à l'action avec le plus gros échange de son règne. Dans un premier temps, il envoie les défenseurs Brian Engblom et Rod Langway ainsi que Doug Jarvis et Craig Laughlin à Washington, en retour du gros ailier gauche Ryan Walter et du défenseur Rick Green. Aussitôt après, il annonce le départ de Doug Risebrough pour Calgary pour des choix au repêchage.

Engblom et Jarvis sont les plus affectés. Quant à Langway, malheureux de la double taxation qui le pénalise du fait de sa citoyenneté américaine, il souhaitait se retrouver dans un club au sud de la frontière. La transaction est loin de faire l'unanimité dans la presse et chez les partisans. On apprendra vingt ans plus tard, sous la plume de Léandre Drolet du *Journal de Montréal*, que Grundman avait d'abord essayé de refiler Langway, ainsi que Chris Nilan, aux Bruins de Boston pour les services de Raymond Bourque.

Quelques jours plus tard, Grundman poursuit son ménage, en envoyant le cerbère Dennis Herron aux Penguins de Pittsburgh.

Comble de malheur pour le Tricolore, Langway obtient deux trophées Norris de suite, à titre de meilleur défenseur, dès son arrivée à Washington.

**1982-1983**

### LE SAVIEZ-VOUS...

La compagnie Ralston Purina, propriétaire des Blues de St. Louis, vend l'équipe à un groupe de Saskatoon en Saskatchewan, mais les gouverneurs de la LNH bloquent la transaction. Par dépit, la direction décide de procéder à la liquidation du club et ne participe pas au repêchage de 1983. Les propriétaires de Ralston Purina et la Ligue s'échangent des poursuites de plusieurs millions en dommages. Finalement, la LNH prend le contrôle de l'équipe, pour ensuite la revendre à Harry Ornest pour la modique somme de 3 millions.

419

# 1983 ◉ 1984

LA LIGUE NATIONALE RÉTABLIT LE TEMPS SUPPLÉMENTAIRE (CINQ MINUTES) EN SAISON RÉGULIÈRE, AFIN DE RÉDUIRE LE NOMBRE DE PARTIES NULLES. LES OILERS D'EDMONTON PRÉSERVENT INVOLONTAIREMENT LE RECORD DES CINQ COUPES STANLEY DES CANADIENS EN BATTANT LES ISLANDERS, CHAMPIONS DEPUIS QUATRE ANS, EN FINALE. LA FORCE OFFENSIVE DE L'ÉQUIPE ALBERTAINE EST IMPRESSIONNANTE AVEC 3 MARQUEURS DE 50 BUTS, 4 DE PLUS DE 100 POINTS ET UN TOTAL RECORD DE 446 FILETS EN 80 PARTIES. LES OILERS TERMINENT AISÉMENT AU SOMMET DU CLASSEMENT GÉNÉRAL ET LES FLAMES DE CALGARY, DEUXIÈMES DE LA DIVISION, SERONT LES SEULS À LEUR DONNER UN PEU DE FIL À RETORDRE EN SÉRIES. LES CANADIENS GLISSENT EN QUATRIÈME PLACE, PERDANT LES SIX DERNIÈRES RENCONTRES MAIS SURPRENNENT TOUTEFOIS LES CHAMPIONS DE LA DIVISION, LES BRUINS, EN GAGNANT TROIS MATCHS D'AFFILÉE DÈS LA RONDE INITIALE. PUIS ILS PRENNENT UNE REVANCHE SUR LES NORDIQUES QUATRE PARTIES À DEUX LORS DE LA RONDE SUIVANTE. DEUX VICTOIRES RAPIDES CONTRE LES ISLANDERS EN FINALE D'ASSOCIATION REDONNENT ESPOIR, MAIS CEUX-CI, CHAMPIONS DE LA DIVISION PATRICK, GAGNERONT LES QUATRE MATCHS SUIVANTS. MINNESOTA EST PREMIER DANS LA FAIBLE DIVISION NORRIS. GRETZKY EST DE NOUVEAU LE PREMIER MARQUEUR, CETTE FOIS DEVANT SON COÉQUIPIER DÉFENSEUR PAUL COFFEY. IL AJOUTE UN CINQUIÈME TROPHÉE HART CONSÉCUTIF À SA COLLECTION ET UN TROISIÈME PEARSON. AUCUN DU TRICOLORE N'EST CHOISI DANS LES ÉQUIPES D'ÉTOILES.

## Un triste Vendredi saint

Chris Nilan s'amène en trombe et assène un violent coup de poing au visage de Randy Moller qui tentait de séparer Dale Hunter et Guy Carbonneau près du but de Daniel Bouchard. Le sang gicle et les deux bancs se vident instantanément. Un instant plus tôt, Carbonneau avait tenté de faire perdre la rondelle à Bouchard avec le bout de son bâton, à l'arrêt du jeu. À quelques pieds de là, Mario Tremblay fracture le nez de Peter Stastny, d'un seul coup. Il fonce ensuite au banc des Nordiques en pointant son bâton vers l'entraîneur Michel Bergeron. Un des soigneurs de l'équipe ramasse lui aussi un

● La saison des Canadiens commence par un grand ménage effectué par Ronald Corey quatre jours après l'élimination du club en trois parties par les Sabres de Buffalo, le printemps précédent. Le gérant Irving Grundman, son fils Howard, responsable des Voyageurs de la Nouvelle-Écosse, Ronald Caron, directeur du recrutement et l'entraîneur Bob Berry sont mis à la porte,

bien que ce dernier demeure momentanément avec l'organisation. Serge Savard est rapatrié de Winnipeg et devient le premier francophone en plus de 50 ans à accéder au poste de directeur général. Celui-ci ramène Berry au poste d'entraîneur et lui adjoint Jacques Laperrière et Jacques Lemaire.

● Les Canadiens entreprennent la saison avec quatre entraîneurs, en raison de

l'ajout du légendaire Jacques Plante qui s'occupe des gardiens. Après une tentative malheureuse et une collaboration avec les Flyers de Philadelphie, Plante revient à son équipe originale sur une base contractuelle.

● Ken Dryden est intronisé au Temple de la renommée, en même temps que Bobby Hull et Stan Mikita, coéquipiers à Chicago, et Harry Sinden, chez les bâtisseurs.

● Les vedettes du Tricolore vieillissent et la relève se fait attendre. Réjean Houle annonce sa retraite avant le début du camp. Steve Shutt compte plus de 800 parties avec les Canadiens, en début de saison. Larry Robinson arrive au même nombre en décembre et Bob Gainey en février. Mario Tremblay atteint aussi les 700 parties avant la fin de saison.

## 1983-1984

bâton pour défendre son entraîneur. Puis, Louis Sleigher atteint Jean Hamel au visage à son tour. Le défenseur du Canadien croule sur la glace et se blesse sérieusement à l'épaule en tombant. Les deux gardiens auxiliaires, Richard Sévigny et Clint Malarchuk, se chamaillent dans un autre coin. Craig Ludwig, déjà au vestiaire pour une punition antérieure, revient sur la glace pour aider ses coéquipiers dans l'une des mêlées générales les plus disgracieuses que la Ligue nationale a connues.

Le premier acte de ce triste Vendredi saint du 20 avril 1984 se déroule en fin de deuxième période au sixième match de la série Canadiens/Nordiques. L'arbitre Bruce Hood, qui a totalement perdu le contrôle des événements, attend de revoir le déroulement des bagarres sur vidéo, à l'entracte, avant de faire part des sanctions. Les combats reprennent de plus belle à l'annonce de celles-ci, les joueurs expulsés tentent d'entraîner un adversaire hors du jeu. Mark Hunter veut venger son coéquipier Hamel et cherche Sleigher. Sévigny part à la chasse de l'autre Hunter. Nilan et Moller veulent en découdre de nouveau. Et un peu tout le monde s'en mêle une fois de plus.

Aux 108 minutes de pénalités (54 de chaque côté) de la fin de la deuxième période, s'en ajoutent 90 autres au début de la troisième, dont 50 aux Nordiques.

*Les amateurs de hockey se souviendront du Vendredi saint Canadiens/Nordiques comme ils se souviennent de l'émeute du Forum.*

| | JOUEURS |
|---|---|
| 1 | Rick Wamsley |
| 2 | Kent Carlson |
| 3 | Ric Nattress |
| 5 | Rick Green |
| 6 | Pierre Mondou |
| 8 | Greg Paslawski |
| | Alfie Turcotte |
| 10 | Guy Lafleur |
| 11 | Ryan Walter |
| 12 | Keith Acton |
| 14 | Mario Tremblay |
| 15 | Bobby Smith |
| 17 | Craig Ludwig |
| 18 | Bill Root |
| 19 | Larry Robinson |
| 20 | Mark Hunter |
| 21 | Guy Carbonneau |
| 22 | Steve Shutt |
| 23 | Bob Gainey (C) |
| 24 | Robert Picard |
| | Chris Chelios |

🏒 Serge Savard refuse de céder le contrat de Larry Robinson en échange du premier choix des North Stars du Minnesota, ce qui lui permettrait de mettre la main sur Pat Lafontaine, une vedette du Canadien junior qui l'intéresse beaucoup. D'autre part, Savard lorgne aussi du côté de Marcel Dionne, qu'on dit disponible à Los Angeles. «On m'offre des vidanges comme Shutt et Picard», rétorque George McGuire, directeur général des Kings à

Réjean Tremblay de *La Presse*. L'échange ne se fera pas.
🏒 Lors de ce repêchage de 1983, Savard cause une certaine commotion en s'appropriant les droits du cerbère russe Vladislav Tretiak en septième ronde. Alfie Turcotte, qui connaîtra un court séjour à Montréal, Claude Lemieux et Sergio Momesso sont les premiers choix du club. Malheureusement pour les partisans des Canadiens, Tretiak ne jouera jamais à Montréal.

🏒 Échange majeur pour les Canadiens le 28 octobre. Savard cède Keith Acton, Mark Napier et un troisième choix aux North Stars pour Bobby Smith alors à son apogée. Deux jours plus tard, Smith inscrit le 13 000e but de l'histoire du club.
🏒 Autre transaction de Savard, au début de novembre : il expédie Robert Picard à Washington, ce qui lui permettra plus tard

d'obtenir le gardien Patrick Roy au repêchage.
🏒 Le 19 octobre, les Canadiens l'emportent 12-2 à Winnipeg. C'est la première fois qu'ils obtiennent 12 buts ou plus à l'extérieur depuis 1920.
🏒 Ronald Corey entreprend une longue croisade pour remener tous les Anciens dans le giron du Canadien en organisant la Soirée des gagnants des cinq coupes Stanley en décembre.

| JOUEURS | |
|---|---|
| 25 | Doug Wickenheiser |
| | Sergio Momesso |
| | Larry Landon |
| 26 | Mats Näslund |
| 27 | Gilbert Delorme |
| | Perry Turnbull |
| 28 | Jean Hamel |
| 29 | John Chabot |
| 30 | Chris Nilan |
| 31 | Mark Napier |
| | John Newberry |
| | Normand Baron |
| 32 | Claude Lemieux |
| | Mark Holden |
| 33 | Richard Sévigny |
| 34 | Dave Allison |
| | Jocelyn Gauvreau |
| 35 | Mike McPhee |
| 36 | Bill Kitchen |
| 37 | Steve Penney |
| **ENTRAÎNEUR** | |
| | Bob Berry |
| | Jacques Lemaire |

Le Tricolore a perdu Nilan, Tremblay, Mike McPhee, Sévigny et Mark Hunter, plus Hamel qui se retrouve à l'infirmerie. Les Bleus sont privés de Dale Hunter, Stastny, Malarchuk, Wally Weir et Moller.

Pendant que Mario Tremblay accuse l'entraîneur Bergeron d'avoir mis le feu aux poudres à l'entraînement du cinquième match en défiant les joueurs des Canadiens avec un sourire narquois, ce dernier rejette la responsabilité de ce gâchis sur son vis-à-vis, Jacques Lemaire. Accusation que celui-ci récuse, bien entendu.

Les Nordiques seront les grands perdants de ce funeste Vendredi saint. Tirant de l'arrière 3 parties à 2 dans la série, ils prennent pourtant les devants 2-0 dans la rencontre avec un but sans aide de Michel Goulet, à la reprise du jeu. Mais, privés de quelques éléments clés, ils ne peuvent répliquer aux deux buts rapides de Steve Shutt et le Canadien signe une victoire de 5-3 qui lui permet de passer à la finale de son association contre les Islanders.

**1983-1984**

### LE SAVIEZ-VOUS...

Au début du camp, Ric Nattress est suspendu pour un minimum de 30 parties par le président John Ziegler pour avoir été surpris à consommer de la marijuana, alors qu'il était encore membre des Alexanders de Brantford, de la Ligue de l'Ouest. À l'été 1982, il avait écopé une amende de 150 $. La suspension imposée par Ziegler ramène le joueur des Canadiens au banc des accusés.

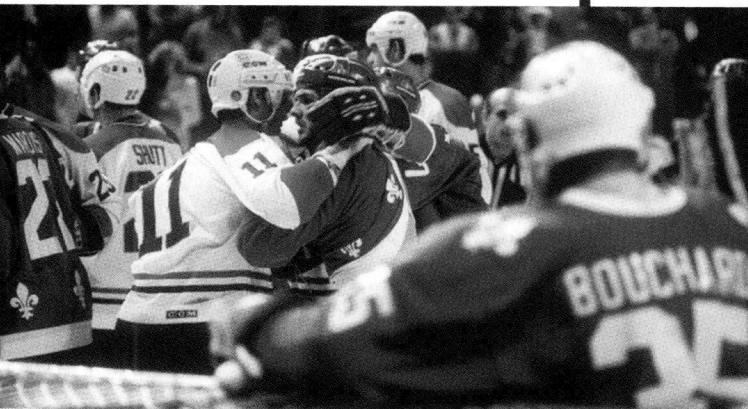

● Privé des retombées des droits de télédiffusion pour son équipe depuis son entrée dans la Ligue, le président des Nordiques, Marcel Aubut, part en guerre contre les Canadiens et Molson qui lui auraient offert une somme ridicule pour les cinq prochaines années, selon le journaliste Claude Bédard du *Journal de Québec*. Aubut réglera le problème en cours de saison, en créant son propre réseau de diffusion avec la participation financière de O'Keefe.

● Les Islanders de New York, détenteurs de la coupe Stanley depuis quatre ans, remportent trois autres séries et se qualifient de nouveau pour la finale, qu'ils perdront néanmoins contre Edmonton. Ils ont gagné 19 séries consécutives depuis le printemps 1979, ce qui représente la plus longue série victorieuse du genre.

● Mike Bossy est le premier joueur de la Ligue à inscrire sept saisons consécutives de 50 buts. Il mérite aussi un deuxième Lady-Byng de suite.

● Nouveau record pour Dale Hawerchuk des Jets de Winnipeg. Il obtient cinq passes en deuxième période, lors d'un match gagné 7-3 à domicile, le 6 mars.

● Record encore plus impressionnant pour Wayne Gretzky qui participe au pointage de son équipe pendant 51 matchs de suite.

Cette même année, la Merveille inscrit quatre autres records, en plus d'en égaler deux. Gretzky obtient un quatrième titre des marqueurs avec ses 87 buts et 118 passes, pour une 2e saison de plus de 200 points en 3 ans.

● Les Oilers battent le record de buts pour une troisième année de suite. Ils portent cette fois la marque à 446. Leur total de 1 182 points constitue une autre marque qui n'a pas été égalée depuis.

---

**1983-1984**

*Mario Tremblay et Dale Hunter ont tous deux joué un rôle déterminant dans cet événement disgracieux.*

| TROPHÉES | |
|---|---|
| **COUPE STANLEY** | |
| Oilers d'Edmonton | |
| **TROPHÉE PRINCE-DE-GALLES** | |
| Islanders de New York | |
| **TROPHÉE CLARENCE-CAMPBELL** | |
| Oilers d'Edmonton | |
| **TROPHÉE HART** | |
| Wayne Gretzky | |
| Oilers d'Edmonton | |
| **TROPHÉE ART-ROSS** | |
| Wayne Gretzky | |
| Oilers d'Edmonton | |
| **TROPHÉE LADY-BYNG** | |
| Michael Bossy | |
| Islanders de New York | |
| **TROPHÉE CALDER** | |
| Tom Barrasso | |
| Sabres de Buffalo | |
| **TROPHÉE GEORGES-VÉZINA** | |
| Tom Barrasso | |
| Sabres de Buffalo | |
| **TROPHÉE JAMES-NORRIS** | |
| Rod Langway | |
| Capitals de Washington | |
| **TROPHÉE CONN-SMYTHE** | |
| Mark Messier | |
| Oilers d'Edmonton | |
| **TROPHÉE BILL-MASTERTON** | |
| Brad Park | |
| Red Wings de Detroit | |
| **TROPHÉE LESTER-B.-PEARSON** | |
| Wayne Gretzky | |
| Oilers d'Edmonton | |
| **TROPHÉE JACK-ADAMS** | |
| Bryan Murray | |
| Capitals de Washington | |

L'animosité Montréal/Québec se transporte dans les médias et les interpellations ne manquent pas chez les spécialistes de la plume et du micro. Faisant le relevé des commentaires de part et d'autre, le chroniqueur Bertrand Raymond du *Journal de Montréal* mentionne que les seuls quotidiens francophones des deux villes ont consacré cette année-là l'équivalent de 300 pages et 730 articles à la série des frères ennemis.

### BOB BERRY CONGÉDIÉ UNE DEUXIÈME FOIS

Serge Savard avait décidé de donner une nouvelle chance à Bob Berry, lors de son embauche comme directeur général à la conclusion de la saison précédente. Il lui avait redonné son siège d'entraîneur, après que le président Ronald Corey eut fait maison nette. Mais il faut croire qu'il s'agissait d'un siège éjectable puisque devant les insuccès répétés de l'équipe et l'incapacité évidente de Berry de s'entendre avec ses joueurs, ce dernier est de nou-

● Le jeune gardien recrue de 18 ans des Sabres de Buffalo, Tom Barrasso, remporte le trophée Calder à titre de recrue de l'année et est également désigné gardien de l'année.

● Excité par la décision de la Ligue de réintroduire le temps supplémentaire abandonné en 1942, le directeur général des Islanders de New York, Bill Torrey, fait une comparaison savoureuse devant les médias : « Cinq minutes de supplémentaire, c'est comme 15 secondes de sexe. »

● Autre déclaration surprenante de Wayne Gretzy qui compare les Devils du New Jersey à une « organisation de Mickey Mouse ». Gretzky et ses coéquipiers seront accueillis par plusieurs fans arborant les oreilles de Mickey lors leur voyage suivant au New Jersey.

● Grant Fuhr remporte le « championnat des marqueurs des gardiens » avec 14 points. C'est le plus haut sommet obtenu à ce jour par un cerbère.

● Lors du repêchage de juin 1983, Brian Lawton, sélectionné par les North Stars, est le premier joueur originaire des États-Unis à être réclamé au premier rang. Lui, ainsi que Pat Lafontaine (3e) et Tom Barrasso (5e) seront choisis parmi les cinq premiers. Sylvain Turgeon est retenu au deuxième rang par Hartford. Il marquera 40 buts dès sa première saison.

● Les Soviétiques renouent avec l'or aux Jeux olympiques de Sarajevo, tandis que les

Canadiens et les Américains sont privés de podium.

● Mario Lemieux est désigné joueur canadien de l'année chez les juniors. Il est maintenant assuré d'être le premier choix au prochain repêchage, ce qui amènera les Devils du New Jersey à porter des accusations contre les Penguins de Pittsburgh, auxquels ils reprochent de perdre volontairement afin de bénéficier du premier choix.

### TROPHÉES

| TROPHÉE FRANK-J.-SELKE |
|---|
| Doug Jarvis |
| Capitals de Washington |

| TROPHÉE WILLIAM-M.-JENNINGS |
|---|
| Pat Riggin et Al Jensen |
| Capitals de Washington |

| TROPHÉE EMERY-EDGE |
|---|
| Wayne Gretzky |
| Oilers d'Edmonton |

...veau évincé de son poste vers la fin de février. Jacques Lemaire, une ancienne gloire de la formation, est appelé à la rescousse. Une nomination dont Lemaire, revenu au sein de l'organisation après une courte et fructueuse carrière en Europe et chez les juniors, se serait bien passé.

Malgré des méthodes que les joueurs semblent trouver moins épuisantes, le Canadien est destiné à connaître l'une des mauvaises saisons de son histoire. Semblable à celle de 1950-51, où pour la dernière fois, le club avait conservé une fiche inférieure à ,500.

*Jacques Lemaire, ex-vedette de l'équipe, est appelé à la rescousse du club en fin de saison.*

**1983-1984**

### DOUBLE EXPLOIT POUR LAFLEUR ET SHUTT

Glen Resch, gardien des Devils, joue les pères Noël cinq jours à l'avance, devant ses propres partisans de surcroît, lorsque au soir du 20 décembre, il permet à Guy Lafleur de compter son 500e but et à Steve Shutt, son 400e. Lafleur devient le 10e joueur de la Ligue à se hisser au rang des compteurs de 500 buts. Celui de Shutt représente son 760e point en carrière et, du même coup, il devance Geoffrion au septième rang de l'équipe. Pour souligner dignement l'événement et le mérite de ses deux joueurs, le Canadien joue sans bavure ce soir-là. Victoire de 6-0 au New Jersey.

Six semaines plus tard, Lafleur, qui a maintenant disputé plus de 900 matchs avec l'équipe, accède au rang de meilleur marqueur de l'histoire du club avec un 1 220e point en carrière.

### ASSOCIATION PRINCE-DE-GALLES

| DIVISION ADAMS | PJ | G | P | N | BP | BC | PTS |
|---|---|---|---|---|---|---|---|
| Boston (Bruins) | 80 | 49 | 25 | 6 | 336 | 261 | 104 |
| Buffalo (Sabres) | 80 | 48 | 25 | 7 | 315 | 257 | 103 |
| Québec (Nordiques) | 80 | 42 | 28 | 10 | 360 | 278 | 94 |
| Montréal (Canadiens) | 80 | 35 | 40 | 5 | 286 | 295 | 75 |
| Hartford (Whalers) | 80 | 28 | 42 | 10 | 288 | 320 | 66 |
| DIVISION PATRICK | PJ | G | P | N | BP | BC | PTS |
| New York (Islanders) | 80 | 50 | 26 | 4 | 357 | 269 | 104 |
| Washington (Capitals) | 80 | 48 | 27 | 5 | 308 | 226 | 101 |
| Philadelphie (Flyers) | 80 | 44 | 26 | 10 | 350 | 290 | 98 |
| New York (Rangers) | 80 | 42 | 29 | 9 | 314 | 304 | 93 |
| New Jersey (Devils) | 80 | 17 | 56 | 7 | 231 | 350 | 41 |
| Pittsburgh (Penguins) | 80 | 16 | 58 | 6 | 254 | 390 | 38 |

### ASSOCIATION CLARENCE-CAMPBELL

| DIVISION NORRIS | PJ | G | P | N | BP | BC | PTS |
|---|---|---|---|---|---|---|---|
| Minnesota (North Stars) | 80 | 39 | 31 | 10 | 345 | 344 | 88 |
| St. Louis (Blues) | 80 | 32 | 41 | 7 | 293 | 316 | 71 |
| Detroit (Red Wings) | 80 | 31 | 42 | 7 | 298 | 323 | 69 |
| Chicago (Black Hawks) | 80 | 30 | 42 | 8 | 277 | 311 | 68 |
| Toronto (Maple Leafs) | 80 | 26 | 45 | 9 | 303 | 387 | 61 |
| DIVISION SMYTHE | PJ | G | P | N | BP | BC | PTS |
| Edmonton (Oilers) | 80 | 57 | 18 | 5 | 446 | 314 | 119 |
| Calgary (Flames) | 80 | 34 | 32 | 14 | 311 | 314 | 82 |
| Vancouver (Canucks) | 80 | 32 | 39 | 9 | 306 | 328 | 73 |
| Winnipeg (Jets) | 80 | 31 | 38 | 11 | 340 | 374 | 73 |
| Los Angeles (Kings) | 80 | 23 | 44 | 13 | 309 | 376 | 59 |

### MEILLEURS MARQUEURS

| | | PJ | B | A | PTS | PUN |
|---|---|---|---|---|---|---|
| Wayne Gretzky | Edmonton | 74 | 87 | 118 | 205 | 39 |
| Paul Coffey | Edmonton | 80 | 40 | 86 | 126 | 104 |
| Michel Goulet | Québec | 75 | 56 | 65 | 121 | 76 |
| Peter Stastny | Québec | 80 | 46 | 73 | 119 | 73 |
| Michael Bossy | NY Islanders | 67 | 51 | 67 | 118 | 8 |
| Barry Pederson | Boston | 80 | 39 | 77 | 116 | 64 |
| Jari Kurri | Edmonton | 64 | 52 | 61 | 113 | 14 |
| Bryan Trottier | NY Islanders | 68 | 40 | 71 | 111 | 59 |
| Bernie Federko | St. Louis | 79 | 41 | 66 | 107 | 43 |
| Rick Middleton | Boston | 80 | 47 | 58 | 105 | 14 |

# 1984 [CH] 1985

*Les Oilers dominent toujours. Champions de leur division, ils décrocheront une deuxième coupe Stanley en disposant des Flyers de Philadelphie, premiers de la Division Patrick et premiers au classement général. St. Louis est le nouveau champion de la division Norris, tandis que les Canadiens remontent au premier rang de leur groupe, trois points devant les Nordiques. Mats Näslund prend la relève de Guy Lafleur, retraité, à titre de meilleur marqueur du club avec 42 buts et 79 points. Boston est éliminé difficilement par Montréal au départ. Suivra une épuisante série finale de division contre Québec, laquelle se rendra à la limite. Peter Stastny mènera les Fleurdelysés à la victoire en prenant le retour de son propre lancer au début de la prolongation du septième match. Trois des quatre gains de Québec auront nécessité du jeu supplémentaire. Gretzky reste le maître incontesté du circuit, meilleur marqueur (Art-Ross), joueur le plus utile (Hart), joueur par excellence (Lester-Pearson) et meilleur joueur des séries (Conn-Smythe). Arrivée de Mario Lemieux à Pittsburgh. Il est choisi recrue de l'année. Les Canadiens sont toujours absents des équipes d'étoiles.*

## Lafleur quitte à regret

**G**uy Lafleur est bien décidé à livrer le fond de sa pensée et à vider son sac à l'endroit du système défensif préconisé par Jacques Lemaire en entrant dans le bureau de Serge Savard. Mais il est vite décontenancé par l'offre de Ronald Corey, qui se joint aux deux hommes quelques secondes plus tard. Il voulait annoncer son départ avec fracas, mais un poste à vie aux relations publiques du club ralentit ses ardeurs.

Lafleur ne cadre pas dans le style tout en défensive de son ancien compagnon de trio, Jacques Lemaire, devenu entraîneur malgré lui à la suite du

*Les relations entre Lemaire et Lafleur sont devenues difficiles et ce dernier se sent écarté par son ancien compagnon de trio.*

⚫ Les Canadiens perdent deux joueurs en l'espace de cinq mois, en raison de blessures sérieuses à un œil. Jean Hamel est atteint à l'œil gauche par un tir de revers anodin de Ken Linseman des Bruins le 4 octobre. Le 9 mars, Ulf Samuelson de Hartford touche accidentellement l'œil gauche de Pierre Mondou avec son bâton, après que ce dernier eut marqué le but victorieux. Ces accidents finiront par obliger les deux joueurs à abandonner leur carrière.

⚫ La guerre des ondes entre Molson et O'Keefe connaît un nouvel épisode, alors que la Brasserie Molson signe une entente à long terme avec la Ligue, évaluée à quelque 26 millions, pour la retransmission des rencontres. Seuls les Nordiques, qui ont leur propre réseau, ne signent pas ce pacte.

⚫ Après avoir perdu le banquet de remise des trophées de la LNH l'année précédente, Montréal se voit aussi enlever la séance annuelle de repêchage. Présenté à Montréal depuis plus de 20 ans — d'abord au Reine Elizabeth (et deux fois à l'hôtel Mont-Royal) et ensuite aux bureaux de la Ligue, avant de déménager au Forum —, le repêchage est maintenant accessible au public. Toronto hérite de l'événement en 1985, lequel commence à changer d'endroit chaque année.

⚫ Jacques Lemaire est intronisé au Temple de la renommée en compagnie de Phil Esposito, Bernard Parent et Punch Imlach, ce dernier à titre de bâtisseur.

⚫ L'interdiction de prendre une bière à l'hôtel lors des séjours à l'extérieur est levée, grâce à l'intervention de Lafleur. Ce règlement d'équipe, souvent transgressé, n'a plus vraiment sa raison d'être.

⚫ Le jeune défenseur Chris Chelios s'impose dès sa première saison complète avec les Canadiens, méritant 55 passes. Pas de chance pour le titre, Mario Lemieux en est aussi à sa première année...

**1984-1985**

congédiement de Bob Berry. Il semble devenu incapable de réagir aux cris de la foule qui réclame sa présence sur la glace en scandant « Guy ! Guy ! Guy ! », clameur que l'on entend jusque dans la rue Sainte-Catherine. Et plus Lemaire le confine au banc, plus le Démon blond perd la belle confiance qui lui a permis de signer 6 saisons de 50 buts et de remporter 3 titres de champion marqueur au passage.

Il a connu une fin de campagne misérable la saison précédente, incapable de marquer au cours des 27 dernières rencontres. Ses participations au jeu étaient de plus en plus espacées et il ne voyait pas comment se sortir d'un tel bourbier. D'autant plus que le début de la présente édition n'était guère plus prometteur avec 2 buts en 19 rencontres et ses présences sur la glace encore plus rares. Son 518e but contre Robert Sauvé au Forum le 25 octobre sera son dernier dans l'uniforme du club.

En apprenant la nouvelle de la retraite de Lafleur, le célèbre Rocket, qui se doutait bien que quelque chose ne tournait pas rond dans les relations entre Lafleur et la direction de l'équipe, a eu cette réflexion, rapportée par Marc de Foy du *Journal de Montréal* : « C'est bien jeune pour lâcher ; la retraite de Guy me rappelle la mienne. » Lui aussi s'était vu offrir un poste « à vie » dans l'organisation, poste qui l'avait rendu bien malheureux parce qu'il lui avait coûté le franc-parler qui le caractérisait. Tout comme Lafleur.

C'est avec des trémolos dans la voix et le cœur rempli de regrets — malgré le sourire de circonstance — que Lafleur annonçait son retrait du hockey dans l'après-midi du 26 novembre en disant : « Je pars parce que je ne peux plus gâter mon public. » De leur côté, tant Savard que Corey ont toujours nié avoir encouragé Lafleur à se retirer.

Lors du match suivant l'annonce de sa retraite, le Démon blond est accueilli au Forum par une ovation de cinq minutes du public qui lui conserve tout son amour. Réaction similaire le 16 février lors de la fête en son honneur sur la glace

*Imperturbable, Savard attend les questions des journalistes lors de l'annonce du retrait de Lafleur.*

| MEILLEURS MARQUEURS | | PJ | B | A | PTS | PUN |
|---|---|---|---|---|---|---|
| Wayne Gretzky | Edmonton | 80 | 73 | 135 | 208 | 52 |
| Jari Kurri | Edmonton | 73 | 71 | 64 | 135 | 30 |
| Dale Hawerchuk | Winnipeg | 80 | 53 | 77 | 130 | 74 |
| Marcel Dionne | Los Angeles | 80 | 46 | 80 | 126 | 46 |
| Paul Coffey | Edmonton | 80 | 37 | 84 | 121 | 97 |
| Michael Bossy | NY Islanders | 76 | 58 | 59 | 117 | 38 |
| John Ogrodnick | Detroit | 79 | 55 | 50 | 105 | 30 |
| Denis Savard | Chicago | 79 | 38 | 67 | 105 | 56 |
| Bernie Federko | St. Louis | 76 | 30 | 73 | 103 | 27 |
| Mike Gartner | Washington | 80 | 50 | 52 | 102 | 71 |
| Brent Sutter | NY Islanders | 72 | 42 | 60 | 102 | 51 |

● Le Tricolore se défait de ses deux gardiens réguliers avant le début de la saison. Rick Wamsley est échangé aux Blues de St. Louis avec deux choix de repêchage, en retour des première et deuxième sélections des Blues. Montréal a ainsi pu réclamer Shayne Corson et Stéphane Richer. Plus tard, Richard Sévigny, laissé sans protection par Montréal, se retrouve avec l'ennemi juré du club, les Nordiques. Steve Penney, qui a fait sensation lors des dernières séries, est le nouveau cerbère de confiance.

● À ce même repêchage, Serge Savard, à défaut de pouvoir obtenir Mario Lemieux, sort une carte cachée de son jeu avec le choix obtenu de Hartford et réclame au cinquième rang un jeune défenseur maigrichon, originaire de Tchécoslovaquie. Il se nomme Petr Svoboda. Puis, après Corson et Richer, il mentionne le nom de Patrick Roy en troisième ronde. Le gardien des Bisons de Granby constitue la 51e sélection de la séance.

● Quelques dizaines de partisans du Tricolore, qu'on a commencé à surnommer les Glorieux depuis quelques années, forment un «fan club» officiel pour appuyer l'équipe. Il s'agit en quelque sorte de successeurs des Millionaires, depuis longtemps disparus.

● Larry Robinson est le neuvième joueur de l'organisation à obtenir un 650e point en début de décembre. Quelques jours plus tôt, il fut aussi le premier défenseur à obtenir une 500e passe. Il aura disputé

plus de 900 parties lorsque la saison prendra fin. Bob Gainey est un autre joueur à compter plus de 900 parties à son actif.

● Le club-école des Canadiens dans la Ligue américaine, établi à Sherbrooke, connaît une fin de saison excitante et remporte la coupe Calder. Plus d'une demi-douzaine de joueurs viendront renforcer la grande équipe la saison suivante : Brian Skrudland, Stéphane Richer, Mike Lalor et Patrick Roy en début d'année, puis Serge Boisvert, John Kordic et Randy Bucyk en fin de saison suivante.

| JOUEURS | |
|---|---|
| 1 | Doug Soetaert |
| 2 | Kent Carlson |
| 3 | Ric Nattress |
| 5 | Rick Green |
| 6 | Pierre Mondou |
| 8 | Alfie Turcotte |
| 10 | Guy Lafleur |
| 11 | Ryan Walter |
| 12 | Thomas Rundqvist |
| | Serge Boisvert |
| 14 | Mario Tremblay |
| 15 | Bobby Smith |
| 17 | Craig Ludwig |
| 18 | Tom Kurvers |
| 19 | Larry Robinson |
| 20 | Mark Hunter |
| 21 | Guy Carbonneau |
| 22 | Steve Shutt |
| | Stéphane Richer |
| 23 | Bob Gainey (C) |
| 24 | Chris Chelios |
| 25 | Petr Svoboda |
| 26 | Mats Näslund |
| 27 | Lucien DeBlois |
| 28 | Steve Rooney |
| 29 | John Chabot |
| | Ron Flockhart |
| 30 | Chris Nilan |
| 31 | John Newberry |
| 32 | Claude Lemieux |
| 33 | Patrick Roy |
| 34 | Jeff Teal |
| 35 | Mike McPhee |
| 37 | Steve Penney |
| ENTRAÎNEUR | |
| | Jacques Lemaire |

du Forum. Coiffés d'une casquette ornée de son nom qu'on leur a remise à l'entrée, les 18 000 spectateurs commencent à scander «Guy ! Guy ! Guy !» dès son arrivée sur la patinoire.

Lafleur a marqué 518 buts avec les Canadiens, 26 de moins que le Rocket. Il se classe cependant premier pour le total de points avec 1 246.

### STEVE SHUTT S'EN VA AUSSI

Steve Shutt, le compagnon d'armes des belles années de Lafleur, est malheureux lui aussi chez les Canadiens. Il joue moins et il est moins productif. À peine 2 buts en 10 parties et, en plus, son nom est souvent retiré de la liste des joueurs. Il réalise qu'un changement d'air pourrait relancer sa carrière après une douzaine de saisons et cinq coupes Stanley à Montréal. Serge Savard se rend à son souhait le 18 novembre, quelques jours avant le départ de Lafleur. Il est échangé aux Kings de Los Angeles en retour d'un choix de repêchage.

*Chris Nilan domine la Ligue pour les punitions*
*avec 358 minutes. Il devient ainsi le joueur le plus puni de l'histoire du club.*

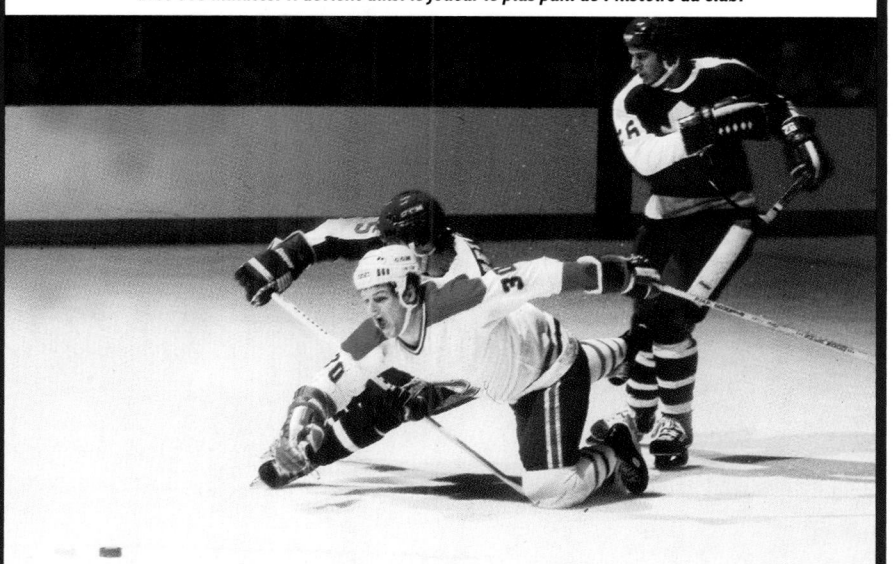

● Premier choix au repêchage de juin 1984, Mario Lemieux refuse de se présenter sur la scène pour enfiler le chandail des Penguins de Pittsburgh, qui n'ont pas acquiescé à ses demandes salariales. Lemieux finit par s'entendre avec le directeur général Eddie Johnston sur un contrat de deux ans plus une année d'option évalué à 700 000 $ par année. À sa dernière année junior à Laval, Lemieux avait obtenu 282 points (133-149) en seulement 70 parties.

● Lemieux obtient son premier but dans la LNH à son premier tir et à sa première présence sur la glace lors de sa première partie le 11 octobre. Il complète la saison avec une production de 43 buts et 100 points et est choisi recrue de l'année. Il sauvera éventuellement la concession de Pittsburgh et deviendra l'un des joueurs les plus électrisants du hockey, avec Gretzky. C'est d'ailleurs Lemieux qui mettra un terme à la série ininterrompue de sept championnats des

marqueurs et de huit titres de joueur le plus utile remportés par Gretzky, en 1987-88. Deux ans auparavant, il aura aussi arrêté à quatre la série de trophées Lester-Pearson gagnés par son grand rival.

● Le jeu de la Ligue nationale est plus offensif que jamais. On dénombre pas moins de 16 marqueurs de 100 points. Edmonton et les Islanders de New York en ont trois chacun : Wayne Gretzky (208), Jari Kurri (135) et Paul Coffey (121),

chez les Oilers. Mike Bossy (117), Brent Sutter (102) et John Tonelli (100), chez les Islanders. De plus, 9 joueurs, soit un de moins que le record établi en 1981-82, obtiennent 50 buts.

● Les cinq premiers compteurs proviennent tous des équipes de la Division Smythe, soit Gretzky, Kurri, Dale Hawerchuk (Winnipeg), Marcel Dionne (Los Angeles) et Coffey.

## 1984-1985

À Los Angeles, il complète sa dernière saison dans la Nationale avec 41 points (16-25) en 59 parties.

Avant Lafleur et Shutt, les Expos ont eux aussi éloigné un autre favori du public : Gary Carter a été échangé aux Mets de New York le 10 décembre précédent.

### LES CANADIENS ONT 75 ANS

Pour marquer le 75e anniversaire des Canadiens, la direction a eu l'idée de faire appel au public pour désigner l'équipe de rêve composée des meilleurs joueurs ayant évolué dans le club au fil de l'histoire du club. Avec la collaboration des médias, le vote connaît un immense succès et le résultat est dévoilé lors d'un match au Forum le 12 janvier. Pour ajouter encore plus d'émotion au moment du dévoilement de cette équipe de rêve, on invite le plus vieux joueur de l'équipe encore vivant, lui-même vedette à son époque, Aurèle Joliat.

*Une dernière présentation de la célèbre coupe pour le Rocket et Toe Blake.*

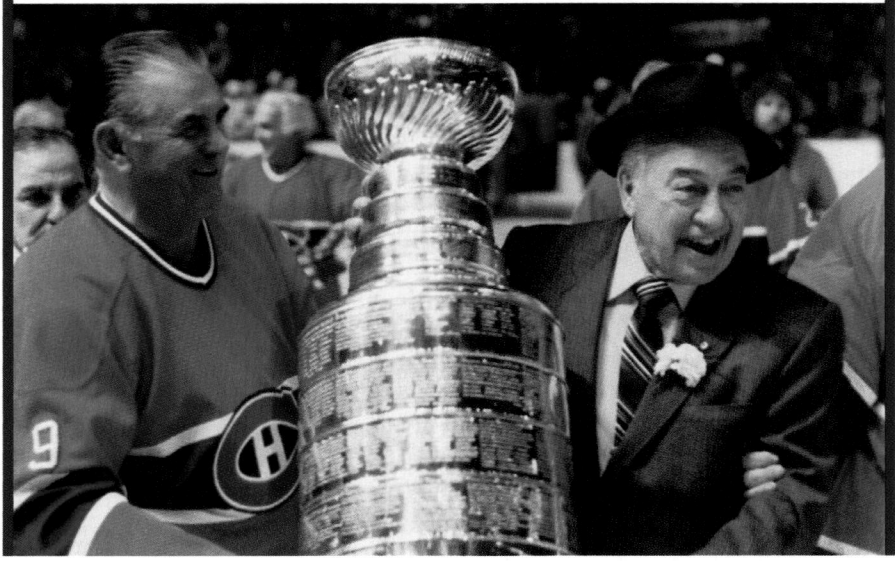

| TROPHÉES | |
|---|---|
| **COUPE STANLEY** | |
| Oilers d'Edmonton | |
| **TROPHÉE PRINCE-DE-GALLES** | |
| Flyers de Philadelphie | |
| **TROPHÉE CLARENCE-CAMPBELL** | |
| Oilers d'Edmonton | |
| **TROPHÉE HART** | |
| Wayne Gretzky | |
| Oilers d'Edmonton | |
| **TROPHÉE ART-ROSS** | |
| Wayne Gretzky | |
| Oilers d'Edmonton | |
| **TROPHÉE LADY-BYNG** | |
| Jari Kurri | |
| Oilers d'Edmonton | |
| **TROPHÉE CALDER** | |
| Mario Lemieux | |
| Penguins de Pittsburgh | |
| **TROPHÉE GEORGES-VÉZINA** | |
| Pelle Lindbergh | |
| Flyers de Philadelphie | |
| **TROPHÉE JAMES-NORRIS** | |
| Paul Coffey | |
| Oilers d'Edmonton | |
| **TROPHÉE CONN-SMYTHE** | |
| Wayne Gretzky | |
| Oilers d'Edmonton | |
| **TROPHÉE BILL-MASTERTON** | |
| Anders Hedberg | |
| Rangers de New York | |
| **TROPHÉE LESTER-B.-PEARSON** | |
| Wayne Gretzky | |
| Oilers d'Edmonton | |
| **TROPHÉE JACK-ADAMS** | |
| Mike Keenan | |
| Flyers de Philadelphie | |

● Coffey est un défenseur au style offensif. En saison, il obtient 37 buts et 121 points, alors qu'en séries il revendique les records suivants pour un défenseur : de passes (5) et de points (6) pour une partie, ainsi que le record de buts (12), de passes (25) et de points (37) au total. Il recevra le trophée Norris au terme de la saison.

● Dionne connaît une 10e saison de 40 buts et une 8e de 100 points. Pour sa part,

Peter Stastny signe une 5e saison consécutive de 100 points.

● À l'intersaison, le Canada dispose de l'Union soviétique 3 à 2, en prolongation de la demi-finale de Coupe Canada sur un but de Michael Bossy, après avoir terminé quatrième en ronde préliminaire. En finale, la victoire contre la Suède n'est qu'une formalité.

● Bobby Clarke se retire comme joueur actif et est aussitôt embauché comme directeur général des Flyers.

● Le gardien des Flyers de Philadelphie, Pelle Lindbergh, apporte régulièrement une bouteille d'eau qu'il laisse sur le dessus de son filet, provoquant l'ire de Glen Sather, entraîneur des Oilers.

● Gretzky mène les Oilers à une deuxième coupe Stanley d'affilée avec une production de 47 points (17-30) en 18 matchs, ce qui représente toujours la meilleure marque de la Ligue à ce jour. Cette performance lui vaudra le trophée Conn-Smythe.

D'ailleurs, la Merveille est l'auteur de sept nouveaux records au cours de l'année.

● Insatisfait du travail de son gardien Tom Barrasso, recrue de l'année et récipiendaire du trophée Vézina la saison précédente, Scotty Bowman le cède aux mineures en début d'année. Barrasso revient en force et conserve la meilleure moyenne chez les gardiens réguliers. Il cède cependant le trophée Vézina à Lindbergh, premier Européen à recevoir cette récompense.

---

### TROPHÉES

**TROPHÉE FRANK-J.-SELKE**
Craig Ramsay
Sabres de Buffalo

**TROPHÉE WILLIAM-M.-JENNINGS**
Tom Barrasso et Robert Sauvé
Sabres de Buffalo

**TROPHÉE EMERY-EDGE**
Wayne Gretzky
Oilers d'Edmonton

Un tel choix, même effectué par des amateurs reconnus pour leur connaissance du hockey, est toujours difficile à faire en raison des règles de jeu, des modes d'entraînement et des pièces d'équipement en constante évolution. La sélection est cependant bien accueillie, plaçant Jacques Plante devant le filet, Doug Harvey et Larry Robinson en défensive, Maurice Richard à l'aile droite, Jean Béliveau au centre et Dickie Moore à l'aile gauche. Avec Toe Blake comme entraîneur, comme de raison.

Hormis cette consécration des six Grands parmi les Grands du Tricolore, les festivités du 75e anniversaire demeurent somme toute modestes, malgré la tenue d'un banquet grandiose qui réunit 1 500 personnes au Reine Elizabeth. On y remarque des personnalités et des champions qui ont marqué l'histoire des Canadiens à diverses époques de l'histoire du club.

*La photo officielle de cette équipe de rêve, composée de Jacques Plante, Larry Robinson, Toe Blake, Jean Béliveau, Dickie Moore, Doug Harvey, Maurice Richard et Bob Gainey. Au centre, Aurèle Joliat, dernier vivant des plus anciens Glorieux. Lors de sa présentation, Joliat a trébuché à deux reprises, ajoutant beaucoup d'émotion à un événement déjà fort touchant.*

### ASSOCIATION PRINCE-DE-GALLES

| DIVISION ADAMS | PJ | G | P | N | BP | BC | PTS |
|---|---|---|---|---|---|---|---|
| Montréal (Canadiens) | 80 | 41 | 27 | 12 | 309 | 262 | 94 |
| Québec (Nordiques) | 80 | 41 | 30 | 9 | 323 | 275 | 91 |
| Buffalo (Sabres) | 80 | 38 | 28 | 14 | 290 | 237 | 90 |
| Boston (Bruins) | 80 | 36 | 34 | 10 | 303 | 287 | 82 |
| Hartford (Whalers) | 80 | 30 | 41 | 9 | 268 | 318 | 69 |
| DIVISION PATRICK | PJ | G | P | N | BP | BC | PTS |
| Philadelphie (Flyers) | 80 | 53 | 20 | 7 | 348 | 241 | 113 |
| Washington (Capitals) | 80 | 46 | 25 | 9 | 322 | 240 | 101 |
| New York (Islanders) | 80 | 40 | 34 | 6 | 345 | 312 | 86 |
| New York (Rangers) | 80 | 26 | 44 | 10 | 295 | 345 | 62 |
| New Jersey (Devils) | 80 | 22 | 48 | 10 | 264 | 346 | 54 |
| Pittsburgh (Penguins) | 80 | 24 | 51 | 5 | 276 | 385 | 53 |

### ASSOCIATION CLARENCE-CAMPBELL

| DIVISION NORRIS | PJ | G | P | N | BP | BC | PTS |
|---|---|---|---|---|---|---|---|
| St. Louis (Blues) | 80 | 37 | 31 | 12 | 299 | 288 | 86 |
| Chicago (Black Hawks) | 80 | 38 | 35 | 7 | 309 | 299 | 83 |
| Detroit (Red Wings) | 80 | 27 | 41 | 12 | 313 | 357 | 66 |
| Minnesota (North Stars) | 80 | 25 | 43 | 12 | 268 | 321 | 62 |
| Toronto (Maple Leafs) | 80 | 20 | 52 | 8 | 253 | 358 | 48 |
| DIVISION SMYTHE | PJ | G | P | N | BP | BC | PTS |
| Edmonton (Oilers) | 80 | 49 | 20 | 11 | 401 | 298 | 109 |
| Winnipeg (Jets) | 80 | 43 | 27 | 10 | 358 | 332 | 96 |
| Calgary (Flames) | 80 | 41 | 27 | 12 | 363 | 302 | 94 |
| Los Angeles (Kings) | 80 | 34 | 32 | 14 | 339 | 326 | 82 |
| Vancouver (Canucks) | 80 | 25 | 46 | 9 | 284 | 401 | 59 |

*Claude Lemieux est en sueur et en larmes, soulevant la coupe à bout de bras dans un long cri sauvage...*

# 1985 VINGT-TROISIÈME COUPE STANLEY 1986

Les Oilers, premiers au classement général, sont largement favoris pour une troisième coupe en ligne, mais une bande de recrues des Canadiens, dont Patrick Roy, Stéphane Richer, Brian Skrudland et Claude Lemieux, renversent tous les calculs et procurent un 23e championnat au Tricolore. Pourtant, l'équipe avait pris le deuxième rang, derrière Québec, dans la Division Adams. Première finale toute canadienne, entre Montréal et Calgary, depuis 1967. Philadelphie conserve son titre de la Division Patrick, alors que la lutte est serrée dans la section Norris, Chicago (86) devançant Minnesota par un point et St. Louis par trois. Avant la finale, Montréal écarte Boston en trois parties de suite, puis l'emporte difficilement sur Hartford au septième match grâce à Claude Lemieux en supplémentaire (quatre buts gagnants lors des séries de 1986), avant d'écarter les Rangers en cinq. De son côté, Calgary sort les Oilers en sept, lors de la finale de l'Association Campbell. Patrick Roy, la nouvelle coqueluche des Montréalais, gagne 15 matchs sur 20 et conserve une moyenne de 1,92 pour mériter le trophée Conn-Smythe. Mats Näslund obtient 110 points (43-67) en saison régulière et finit huitième marqueur du circuit. Lui et Larry Robinson se dénichent une place dans la deuxième équipe d'étoiles. Gretzky est premier pour la sixième fois, ce qui lui vaut un septième titre de joueur le plus utile. Mario Lemieux lui ravit toutefois le titre de joueur par excellence (trophée Lester-B.-Pearson).

● Les réjouissances des partisans des Canadiens au terme de la conquête de la coupe Stanley tournent au saccage dans la rue Sainte-Catherine, lorsque plusieurs centaines de pillards s'en prennent aux boutiques et renversent des voitures. Prise au dépourvu, la police met du temps à intervenir et il lui faudra plusieurs heures pour ramener l'ordre. Les

*Triomphant, le jeune Patrick Roy répond aux acclamations de la foule.*

## 1985 1986

# Champagne pour les recrues

**C**laude Lemieux est en sueur et en larmes, soulevant la coupe à bout de bras dans un long cri sauvage qui n'en finit plus. Patrick Roy contemple le trophée qu'on vient tout juste de lui déposer entre les mains à titre de meilleur joueur des séries, le plus jeune joueur de l'histoire à mériter pareil honneur à vingt ans. Les autres « jeunots » de l'équipe — ils sont huit au total — ont de la difficulté à contenir leur émotion pendant que l'un d'eux, Brian Skrudland, et le vétéran Chris Nilan, amochés au combat, se tiennent un peu à l'écart, sans pour autant se priver du défoulement collectif. Résistant à la remontée tardive des Flames en fin de troisième période, le Canadien vient de s'approprier la 23e coupe Stanley de son histoire. L'équipe devient de ce fait la formation sportive professionnelle la plus célèbre puisqu'elle devance les Yankees de New York, 22 fois vainqueurs des Séries mondiales.

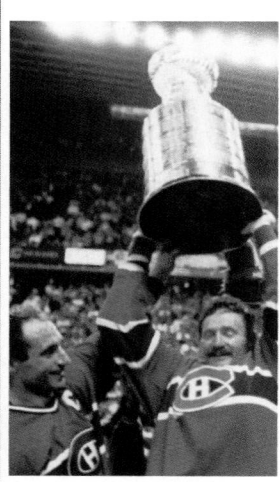

*Bob Gainey et Larry Robinson, derniers membres de la conquête de 1979 encore avec l'équipe, avec Mario Tremblay.*

Les joueurs et les dirigeants, comme les quelques partisans de l'équipe qui ont réussi à déjouer le service de sécurité pour s'introduire dans le vestiaire des visiteurs du Saddledome de Calgary, démontrent toute l'exubérance dont ils sont capables, au terme de cette première série finale toute canadienne depuis 1967. D'autant plus que le club n'a plus touché à la coupe depuis la fin des années 1970,

*Un premier Conn-Smythe pour Patrick Roy, le plus jeune à décrocher le titre de meilleur joueur des séries.*

dommages dépassent le million de dollars selon les médias. Les joueurs des Canadiens seront néanmoins accueillis en héros à leur retour de Calgary. Un défilé dans les rues de la ville et une fête populaire au Forum les attendent et, cette fois, tout se passe dans l'ordre.

● Larry Robinson rejoint quelques grands noms de la dynastie des Canadiens en disputant un 1 000e match avec le club le 19 mars à Winnipeg. Il est seulement le quatrième membre de la formation à présenter un tel dossier. Avant lui, il y a eu Jean Béliveau, Claude Provost et Henri Richard. Robinson, qui a atteint les 700 points plus tôt en saison, a aussi été l'auteur d'un autre exploit rare le 19 décembre, en comptant trois buts dans un match au Colisée de Québec. Le dernier défenseur des Canadiens à avoir réussi pareille performance a été Guy Lapointe en 1974.

● Mats Näslund parvient à inscrire plus de 100 points (43-67) en une saison pour l'unique fois de sa carrière. Il sera jusqu'à ce jour le dernier joueur du Tricolore à réussir pareil exploit. Son total de 110 points lui permet aussi de devancer Steve Shutt chez les ailiers gauches qui, pour sa part, en avait mérité 106.

● Pierre Mondou a bien essayé de repousser l'échéance à quelques reprises depuis qu'il a été atteint accidentellement à l'œil gauche en mars, mais après une dernière tentative au camp, il est forcé de reconnaître que ses problèmes de vision l'empêchent de jouer à l'aise. Il annonce sa retraite, début octobre, pour accepter un rôle d'adjoint à l'entraîneur Carol Vadnais chez le Canadien junior.

● Le Canadien décide enfin, après 24 ans d'attente, de rendre hommage à Doug Harvey, le plus grand défenseur de son histoire en retirant son chandail, le n° 2. Ce dernier, gagnant de six coupes Stanley et de six trophées Norris à Montréal, plus un autre avec les Rangers — est fêté par ses supporters lors d'un match au Forum. Quelques semaines plus tard, il est nommé dépisteur à temps partiel dans la région de Hull-Ottawa où il réside.

| JOUEURS | |
| --- | --- |
| 1 | Doug Soetaert |
| 3 | Kent Carlson |
| 5 | Rick Green |
| 8 | Alfie Turcotte |
| | David Maley |
| 11 | Ryan Walter |
| 12 | Serge Boisvert |
| 14 | Mario Tremblay |
| 15 | Bobby Smith |
| 17 | Craig Ludwig |
| 18 | Tom Kurvers |
| 19 | Larry Robinson |
| 20 | Kjell Dahlin |
| 21 | Guy Carbonneau |
| 22 | Randy Bucyk |
| 23 | Bob Gainey (C) |
| 24 | Chris Chelios |
| 25 | Petr Svoboda |
| 26 | Mats Näslund |
| 27 | Lucien Deblois |
| 28 | Steve Rooney |
| 29 | Gaston Gingras |
| 30 | Chris Nilan |
| 31 | John Kordic |
| 32 | Claude Lemieux |
| 33 | Patrick Roy |
| 34 | Shayne Corson |
| 35 | Mike McPhee |
| 36 | Sergio Momesso |
| 37 | Steve Penney |
| 38 | Mike Lalor |
| 39 | Brian Skrudland |
| 40 | Dominic Campedelli |
| 44 | Stéphane Richer |
| ENTRAÎNEUR | |
| | Jean Perron |

1985 1986

à la belle époque des Lafleur, Dryden, Savard, Lapointe, Shutt, Lemaire et compagnie. Du groupe de 1979, il ne reste plus que Bob Gainey, Larry Robinson et Mario Tremblay, et encore, celui-ci est blessé et tenu à l'écart du jeu.

On ne croyait pas beaucoup aux chances de l'équipe en début de saison 1985-86, avec un entraîneur recrue aux commandes et un club presque vert. L'expérience de Jean Perron, pourtant reconnu pour ses talents de stratège, se limite à un poste d'entraîneur universitaire à Moncton, puis d'adjoint de Dave King avec l'équipe olympique, avant de devenir le second de Jacques Lemaire la saison précédente. Perron décide de faire confiance aux recrues, venues de Sherbrooke pour la plupart. On en

*Quatre buts gagnants pour Claude Lemieux en séries, dont celui qui a conduit à l'élimination de Hartford en supplémentaire lors du septième match de la finale de division.*

● Chris Nilan est suspendu pour huit arties par la Ligue pour avoir frappé Rick Middleton au visage avec son bâton lors d'un match contre les Bruins.

● Les Canadiens récupèrent Steve Shutt des Kings au repêchage interne, après l'avoir échangé au cours de la saison précédente, mais Shutt ne reviendra pas au jeu.

● Le Tricolore perd 11-6 contre Hartford le 19 octobre. Il n'avait pas accordé autant de buts à l'adversaire depuis 1938, alors qu'il avait perdu 11-7 contre les Maroons.

● L'Armée rouge humilie les Canadiens 6 à 1 au lendemain du jour de l'An.

● L'avion qui transporte les joueurs de Québec à Chicago, en pleine tempête de neige, le 21 janvier, doit effectuer un atterrissage d'urgence à London en raison d'un problème hydraulique. Effrayés et mécontents, les passagers doivent utiliser un nouveau transporteur et arrivent à destination à l'aube.

● Pour favoriser l'esprit d'équipe, Savard et Perron imposent une «retraite fermée» aux joueurs avant les séries. Les plus jeunes parleront d'Alcatraz, mais il s'agit plutôt de l'hôtel Sheraton de l'île Charron. Une vieille tradition des Glorieux qui rappelle les longs voyages en train de jadis, où les joueurs se côtoyaient des journées entières.

● Trois joueurs disputent une 300e partie avec le club au cours de la saison : Guy Carbonneau, Mats Näslund, Craig Ludwig. Mario Tremblay fait encore mieux avec un 800e match. Pour sa part,

Ryan Walter a disputé plus de 600 parties dans la Ligue.

● Brian Skrudland passe à l'histoire avec un but inscrit à la neuvième seconde de prolongation, au deuxième match de la série finale contre Calgary. Un exploit toujours présent au livre des records de la LNH.

● Bert Olmstead, qui a brillamment porté les couleurs des Canadiens dans les années 1950, est intronisé au Temple de la renommée, ainsi que Gerry Cheevers et Jean Ratelle.

**1985 1986**

compte huit au début de l'année : Patrick Roy, Stéphane Richer, Kjell Dahlin, Sergio Momesso, Brian Skrudland, Mike Lalor, Shayne Corson et Steve Rooney. Sans compter Serge Boisvert, qui est presque une recrue avec à peine une trentaine de matchs d'expérience dans la LNH. Il faut remonter à la saison 1947-48, selon le vétéran chroniqueur Jacques Beauchamp, pour retrouver autant de recrues dans l'équipe. Ils étaient six à l'époque.

Le noyau de recrues change un peu en cours de saison. Momesso est blessé, ainsi que Rooney, lequel revient cependant pour le dernier match de la finale,

| TROPHÉES |
|---|
| COUPE STANLEY |
| **Canadiens de Montréal** |
| TROPHÉE PRINCE-DE-GALLES |
| **Canadiens de Montréal** |
| TROPHÉE CLARENCE-CAMPBELL |
| Flames de Calgary |
| TROPHÉE DU PRÉSIDENT |
| Oilers d'Edmonton |
| TROPHÉE HART |
| Wayne Gretzky |
| Oilers d'Edmonton |
| TROPHÉE ART-ROSS |
| Wayne Gretzky |
| Oilers d'Edmonton |
| TROPHÉE LADY-BYNG |
| Michael Bossy |
| Islanders de New York |
| TROPHÉE CALDER |
| Gary Suter |
| Flames de Calgary |
| TROPHÉE GEORGES-VÉZINA |
| John Vanbiesbrouck |
| Rangers de New York |
| TROPHÉE JAMES-NORRIS |
| Paul Coffey |
| Oilers d'Edmonton |
| TROPHÉE CONN-SMYTHE |
| **Patrick Roy** |
| **Canadiens de Montréal** |

*Réputé pour sa capacité de motiver autant les vétérans que les recrues, Bob Gainey savoure une première coupe à titre de capitaine.*

● Nouveau record incroyable de 215 points (52-163) pour Wayne Gretzky. Son total d'assistances aurait été suffisant à lui seul pour lui valoir le titre de champion marqueur devant Lemieux qui a 141 points. Au fil de la saison, la Merveille fait tomber cinq records du circuit. Il est l'unique joueur à avoir obtenu 200 points en une saison, exploit qu'il vient de réussir pour la quatrième fois en cinq ans.

● Neuvième saison consécutive de plus de 50 buts pour Mike Bossy, des Islanders. C'est aussi la 5e fois qu'il en marque 60.
● Le même Bossy efface un record de Maurice Richard, vieux de 26 ans, avec un 83e but en séries, lors d'une victoire des Islanders contre Washington.
● Paul Coffey dépasse Bobby Orr pour les buts comptés par un défenseur en une saison, avec 48. Il reçoit aussi un deuxième trophée Norris consécutif.

● Les substitutions de joueurs sont maintenant autorisées lors des punitions mineures doubles, ce qui permet aux équipes de poursuivre le jeu à cinq contre cinq.
● La Ligue institue le trophée du Président, destiné à l'équipe qui termine première au classement général des équipes. Les Oilers d'Edmonton, qui totalisent 119 points, en sont les premiers récipiendaires.

● Pelle Lindbergh, le gardien des Flyers de Philadelphie, qui a l'habitude de conduire sa Porsche plutôt vite, se tue en heurtant un mur de béton à son retour d'une fête visant à souligner une 10e victoire consécutive du club, en novembre.

1985 1986

| TROPHÉES | |
|---|---|
| TROPHÉE BILL-MASTERTON | |
| Charlie Simmer | |
| Bruins de Boston | |
| TROPHÉE LESTER-B.-PEARSON | |
| Mario Lemieux | |
| Penguins de Pittsburgh | |
| TROPHÉE JACK-ADAMS | |
| Glen Sather | |
| Oilers d'Edmonton | |
| TROPHÉE FRANK-J.-SELKE | |
| Troy Murray | |
| Black Hawks de Chicago | |
| TROPHÉE WILLIAM-M.-JENNINGS | |
| Bob Froese et Darren Jensen | |
| Flyers de Philadelphie | |
| TROPHÉE EMERY-EDGE | |
| Mark Howe | |
| Flyers de Philadelphie | |

puis Corson est renvoyé à Sherbrooke. En fin de saison s'ajoutent John Kordic et Claude Lemieux, le grand héros des séries avec Roy. Ce dernier a mérité le Conn-Smythe avec une moyenne incroyable de 1,92, mais le trophée aurait pu aussi bien être remis à Lemieux, auteur de quatre buts victorieux, dont un dramatique filet en supplémentaire, au septième match contre Hartford. Lemieux, le plus exubérant de tous en ce soir de festivités à Calgary, a aussi obtenu un autre but en supplémentaire au troisième affrontement de la demi-finale contre les Rangers. Au total des éliminatoires, il montre une fiche de 10 buts et 6 passes.

On ne croyait pas beaucoup aux chances de l'équipe en début de saison, surtout après un départ plutôt chaotique. Mais graduellement, le mélange des vétérans et des recrues se cimente et renverse tous les calculs.

## DEHORS LAFLEUR !

« Guy est avec nous pour toujours », avait promis Ronald Corey au soir de la retraite de Guy Lafleur en novembre 1984, en faisant part de son engagement comme relationniste de l'équipe. Mais, comme le Rocket il y a presque déjà 25 ans, Lafleur n'est pas homme à se contenter d'un rôle de simple ambassadeur, surtout au prix de sa liberté d'expression. Après quelques déclarations à faire sursauter son président et une dernière sortie encore plus fracassante sur son avenir au sein de l'organisation, Lafleur, avec le plein assentiment de Corey, décide de rompre ses liens avec le club le 23 septembre 1985.

L'entente n'aura duré qu'une dizaine de mois parce que Lafleur se sent à l'étroit dans son habit de porte-parole officiel. Et Corey n'aime pas qu'on lui souffle dans le cou. Débarrassé de ce rôle qui ne lui convient pas, Flower commence à parler plus ouvertement de retour au jeu, à condition que Serge Savard se montre conciliant en le libérant du contrat de joueur qui le rattache toujours au club. « J'ai des fourmis dans les jambes... », confesse-t-il à Yvon Pedneault du *Journal de Montréal*.

Comme plusieurs de ses supporters, il réalise qu'il a laissé le jeu trop tôt. On le reverra !

*Lafleur se sent à l'étroit dans son nouveau rôle et Corey n'aime pas qu'on lui souffle dans le cou. L'entente aura duré moins d'un an.*

● Bobby Clarke offre une réplique savoureuse aux journalistes qui s'informent des raisons du départ de Todd Bergen, parti poursuivre une carrière au golf : « Pour qui pourrais-je l'échanger, Lee Trevino ? »
● Deux joueurs originaires du Québec brisent la marque des 500 buts : Mike Bossy et Gilbert Perreault. Bossy a aussi plus de 1 000 points.

● Un spécialiste des jeux de puissance, Tim Kerr, connaît une troisième saison de plus de 50 buts — il en totalisera quatre de suite avec les Flyers. Il établit même une nouvelle marque avec 34 buts en surnombre, marque qui tient toujours.

● Premier championnat de division pour les Nordiques de Québec qui se font cependant éliminer en trois parties d'affilée par Hartford au début des séries.
● Le défenseur Steve Smith gâche involontairement la merveilleuse saison de son équipe, au septième match de la finale de division contre Calgary. La passe qu'il destinait à un coéquipier des Oilers, en début de

troisième, heurte la jambière du gardien Grant Fuhr et dévie dans son propre filet. Le but brise une égalité de 2-2 et Edmonton perd la rencontre par 3 à 2.
● Luc Robitaille, membre des Olympiques de Hull, est désigné joueur de l'année chez les juniors canadiens. Il appartient aux Kings de Los Angeles.

**1985 1986**

## UN BÂTISSEUR ET UNE LÉGENDE S'ÉTEIGNENT

Le Canadien perd deux de ses piliers à moins de huit mois d'intervalle au cours de la saison. Le 3 juillet, Frank Selke, gérant de l'équipe de 1946 à 1964 — celui qui mit sur pied l'impressionnant système de filiales de l'organisation, responsable en grande partie des cinq coupes Stanley consécutives de 1956 à 1960 — s'éteint à Rigaud à 92 ans. En hommage à ce grand bâtisseur de la dynastie du Tricolore, sa dépouille est exposée pendant quelques heures dans le hall du Forum. Aujourd'hui, un trophée à son nom récompense annuellement le meilleur attaquant défensif de la Ligue. Selke a remporté trois coupes Stanley comme adjoint de Conn Smythe à Toronto, et six avec les Canadiens.

Le 26 février suivant, c'est au tour de Jacques Plante, gardien du Tricolore de 1952 à 1963, d'être emporté par un cancer de l'estomac à 57 ans. Gagnant de six coupes Stanley à Montréal, Plante est reconnu comme le précurseur des gardiens masqués et l'initiateur des sorties hors du cercle des gardiens. Il a aussi joué pour cinq autres équipes de la LNH et de l'AMH, partageant même, à l'âge de 40 ans, un septième trophée Vézina avec Glenn Hall. Plante a servi comme conseiller spécial auprès des cerbères à Philadelphie, Montréal et St. Louis au cours des dernières années. Il est décédé à Sierre, en Suisse, et y a été inhumé.

*Un accueil chaleureux pour Jean Perron de la part de Lemaire et Savard à l'annonce de sa nomination à titre d'entraîneur.*

| ASSOCIATION PRINCE-DE-GALLES | | | | | | | |
|---|---|---|---|---|---|---|---|
| **DIVISION ADAMS** | PJ | G | P | N | BP | BC | PTS |
| Québec (Nordiques) | 80 | 43 | 31 | 6 | 330 | 289 | 92 |
| **Montréal (Canadiens)** | 80 | 40 | 33 | 7 | 330 | 280 | 87 |
| Boston (Bruins) | 80 | 37 | 31 | 12 | 311 | 288 | 86 |
| Hartford (Whalers) | 80 | 40 | 36 | 4 | 332 | 302 | 84 |
| Buffalo (Sabres) | 80 | 37 | 37 | 6 | 296 | 291 | 80 |
| **DIVISION PATRICK** | PJ | G | P | N | BP | BC | PTS |
| Philadelphie (Flyers) | 80 | 53 | 23 | 4 | 335 | 241 | 110 |
| Washington (Capitals) | 80 | 50 | 23 | 7 | 315 | 272 | 107 |
| New York (Islanders) | 80 | 39 | 29 | 12 | 327 | 284 | 90 |
| New York (Rangers) | 80 | 36 | 38 | 6 | 280 | 276 | 78 |
| Pittsburgh (Penguins) | 80 | 34 | 38 | 8 | 313 | 305 | 76 |
| New Jersey (Devils) | 80 | 28 | 49 | 3 | 300 | 374 | 59 |
| ASSOCIATION CLARENCE-CAMPBELL | | | | | | | |
| **DIVISION NORRIS** | PJ | G | P | N | BP | BC | PTS |
| Chicago (Black Hawks) | 80 | 39 | 33 | 8 | 351 | 349 | 86 |
| Minnesota (North Stars) | 80 | 38 | 33 | 9 | 327 | 305 | 85 |
| St. Louis (Blues) | 80 | 37 | 34 | 9 | 302 | 291 | 83 |
| Toronto (Maple Leafs) | 80 | 25 | 48 | 7 | 311 | 386 | 57 |
| Detroit (Red Wings) | 80 | 17 | 57 | 6 | 266 | 415 | 40 |
| **DIVISION SMYTHE** | PJ | G | P | N | BP | BC | PTS |
| Edmonton (Oilers) | 80 | 56 | 17 | 7 | 426 | 310 | 119 |
| Calgary (Flames) | 80 | 40 | 31 | 9 | 354 | 315 | 89 |
| Winnipeg (Jets) | 80 | 26 | 47 | 7 | 295 | 372 | 59 |
| Vancouver (Canucks) | 80 | 23 | 44 | 13 | 282 | 333 | 59 |
| Los Angeles (Kings) | 80 | 23 | 49 | 8 | 284 | 389 | 54 |
| MEILLEURS MARQUEURS | | | | | |
| | PJ | B | A | PTS | PUN |
| Wayne Gretzky Edmonton | 80 | 52 | 163 | 215 | 52 |
| Mario Lemieux Pittsburgh | 79 | 48 | 93 | 141 | 43 |
| Paul Coffey Edmonton | 79 | 48 | 90 | 138 | 120 |
| Jari Kurri Edmonton | 78 | 68 | 63 | 131 | 22 |
| Michael Bossy NY Islanders | 80 | 61 | 62 | 123 | 14 |
| Peter Stastny Québec | 76 | 41 | 81 | 122 | 60 |
| Denis Savard Chicago | 80 | 47 | 69 | 116 | 111 |
| **Mats Näslund Canadiens** | 80 | 43 | 67 | 110 | 16 |
| Dale Hawerchuk Winnipeg | 80 | 46 | 59 | 105 | 44 |
| Neal Broten Minnesota | 80 | 29 | 76 | 105 | 47 |

# 1986 Ⓒ 1987

GRETZKY REDONNE LA COUPE AUX OILERS D'EDMONTON AU TERME D'UNE ÉPUISANTE SÉRIE FINALE DE SEPT PARTIES CONTRE PHILADELPHIE. RON HEXTALL EXCELLE LORS DES ÉLIMINATOIRES ET DEVIENT LE QUATRIÈME JOUEUR DE L'HISTOIRE À MÉRITER LE CONN-SMYTHE MALGRÉ LE REVERS DE SA FORMATION. IL REÇOIT AUSSI LE TROPHÉE VÉZINA. PHILADELPHIE ET EDMONTON ONT AUSSI DOMINÉ LEURS DIVISION ET ASSOCIATION RESPECTIVES, LES AUTRES TITRES DE SECTION ALLANT À ST. LOUIS ET HARTFORD (UN POINT DEVANT MONTRÉAL). MATS NÄSLUND EST ENCORE LE MEILLEUR DU TRICOLORE EN SAISON AVEC 80 POINTS, MÊME SI SA PRODUCTION BAISSE À 25 BUTS. AUCUN JOUEUR DES CANADIENS DANS LES ÉQUIPES D'ÉTOILES, MAIS PATRICK ROY ET BRIAN HAYWARD SE PARTAGENT LE TROPHÉE JENNINGS AVEC LA MEILLEURE MOYENNE DÉFENSIVE. SEPTIÈME TITRE CONSÉCUTIF DE MEILLEUR MARQUEUR POUR GRETZKY, AVEC 183 POINTS, 75 DE PLUS QUE SON COMPAGNON DE JEU, JARI KURRI. UN HUITIÈME TITRE DE JOUEUR LE PLUS UTILE, ÉGALEMENT CONSÉCUTIF, ET UN CINQUIÈME TROPHÉE LESTER-B.-PEARSON EN SIX ANS. PREMIER TROPHÉE NORRIS POUR RAYMOND BOURQUE QUI REMPLACE PAUL COFFEY, LAURÉAT DES DEUX ANNÉES PRÉCÉDENTES. LES CANADIENS ONT ENCORE LE NUMÉRO DE BOSTON, QUATRE MATCHS À ZÉRO EN PREMIÈRE RONDE DES SÉRIES, AVANT DE SURMONTER UN DÉFICIT DE DEUX PARTIES CONTRE QUÉBEC POUR FINALEMENT L'EMPORTER À LA SEPTIÈME RENCONTRE. LA SUITE SERA PLUS DIFFICILE CONTRE PHILADELPHIE, QUI TRIOMPHE EN SIX.

## 18 sur 18

*Les Bruins ont beau tout essayer, il n'y a rien à faire. Patrick Roy et sa bande portent à 18 le nombre de séries victorieuses contre eux.*

**L**es joueurs des Canadiens semblent véritable-ment avoir le numéro des Bruins de Boston en séries éliminatoires. Saison après saison, depuis plus de 30 ans, ils ont le dessus sur les *Big Bad* Bruins. L'affrontement en demi-finale de division remportée en quatre matchs de suite marque la 18e série victo-rieuse consécutive du club contre les Bostonnais, une statistique très éloquente.

● Mario Tremblay éprouve encore des problèmes avec son épaule droite. Il a manqué les dernières séries et une deuxième intervention chirurgicale n'a pas chassé le mal. C'est la voix brisée par l'émotion qu'il fait part de son retrait du jeu le 22 septembre au salon des Anciens du Forum, après 12 saisons qui lui ont permis de boire le champagne de la coupe Stanley à cinq reprises. On est encore au début du camp. Mario, âgé de 30 ans à peine, avait «commencé à avoir peur d'aller dans les coins», comme il le dit en entrevue. Il troque son bâton pour un micro et devient commentateur sportif à CJMS, lui qui avait aimé son expérience d'analyste à Radio-Canada, lors des dernières séries.

● Larry Robinson est le quatrième défenseur de la Ligue à obtenir 600 passes le 11 décembre devant ses supporters au Forum. Le même soir, Ryan Walter, qui compte 300 matchs avec le club montréalais depuis octobre, inscrit son 500e point. Robinson franchit aussi le cap des 800 points en février. Le défenseur vit un autre moment historique en séries avec son 100e point. Seuls Denis Potvin et Brad Park l'ont devancé à ce chapitre.

● Autre triste nouvelle à l'été pour les Canadiens : Aurèle Joliat, dernier survivant des années 1920 et 1930, qu'on avait fêté lors du 75e anniversaire du club, meurt à 85 ans. Camil DesRoches, publiciste des Canadiens pendant plusieurs dizaines années, a dit de celui qui s'était rendu célèbre par sa casquette noire qu'il avait été l'un des trois meilleurs ailiers gauches de l'histoire de l'équipe.

## 1986-1987

La première de cette longue célébration remonte à la finale de 1946, dominée quatre parties à une par les Canadiens. Sur le total, seulement quatre séries ont atteint la limite, en 1952, 1971, 1979 et 1985. Les deux premières auraient pu mal tourner, les Bruins poussant le Tricolore à la porte de l'élimination avec une avance de trois parties à deux. En 1952, Montréal a gagné les deux premières et Boston, les trois suivantes. C'est Paul Masnick qui a ramené le balancier avec un but à la deuxième prolongation du sixième match pour le Tricolore qui a ensuite enlevé le match décisif 3 à 1.

La plus mémorable série a sans doute été le duel en quart de finale de 1971, alors que Boston volait allégrement vers la victoire avec une avance de 5-2, au début de la troisième période du deuxième match. Champions de la saison régulière avec une forte priorité, les Bruins avaient déjà gagné la première rencontre et s'apprêtaient à ne faire qu'une bouchée des Montréalais. Mais une poussée de cinq buts renverse la situation et donne un gain de 7-5 au Canadien qui, sur la même lancée, s'adjuge la série en sept. Sans cette victoire, arrachée à force d'acharnement, l'histoire aurait été pas mal différente.

| JOUEURS | |
|---|---|
| 1 | Brian Hayward |
| 3 | Scott Sandelin |
| 5 | Rick Green |
| 8 | David Maley |
| 11 | Ryan Walter |
| 12 | Serge Boisvert |
| 15 | Bobby Smith |
| 17 | Craig Ludwig |
| 18 | Tom Kurvers |
| 19 | Larry Robinson |
| 20 | Kjell Dahlin |
| 21 | Guy Carbonneau |
| 23 | Bob Gainey (C) |
| 24 | Chris Chelios |
| 25 | Petr Svoboda |
| 26 | Mats Näslund |
| 27 | Shayne Corson |
| 28 | Gilles Thibaudeau |
| | Steve Rooney |
| 29 | Gaston Gingras |
| 30 | Chris Nilan |
| 31 | John Kordic |
| 32 | Claude Lemieux |
| 33 | Patrick Roy |
| 34 | Shayne Corson |
| 35 | Mike McPhee |
| 36 | Sergio Momesso |
| 38 | Mike Lalor |
| 39 | Brian Skrudland |
| 44 | Stéphane Richer |
| **ENTRAÎNEUR** | |
| | Jean Perron |

*Robinson, Näslund et Gainey célèbrent un autre triomphe contre les Big Bad Bruins, sous l'œil complice du soigneur Gaétan Lefebvre.*

● Nouvelle plus réjouissante quelques jours plus tard, avec l'intronisation de Serge Savard au Temple de la renommée, en compagnie de Dave Keon et Léo Boivin.

● Les succès de Claude Lemieux l'ont fait connaître dans le circuit. Il est choisi pour participer en février à la confrontation Rendez-Vous '87, entre les étoiles de la LNH et les Soviétiques.

● La rivalité Boston/Montréal ne connaît aucun répit. Une bagarre générale, lors de la rencontre du 20 novembre, se poursuit dans les corridors du Garden, notamment avec Chris Nilan, l'instigateur de cette mêlée. Suspension de trois matchs et amende de 9 000 $ pour le fougueux ailier droit. Le maire de Boston menace de faire arrêter les joueurs des deux clubs si les hostilités persistent.

● Nouveau duel de titans entre les Nordiques et les Canadiens au printemps en finale de division. Les Fleurdelysés surprennent le Tricolore lors des deux premiers matchs présentés au Forum et s'en retournent confiants au Colisée, mais le Tricolore rebondit à la troisième rencontre avec un gain de 7-2. Mats Näslund compte en prolongation pour égaler la

série à la quatrième partie. Au cinquième match, l'arbitre Kerry Fraser refuse un but à Alain Côté, but que l'entraîneur Michel Bergeron continue de croire valide 16 ans plus tard. Ryan Walter donne ensuite la victoire à Montréal. Finalement, les Glorieux l'emporteront en sept matchs sur les Bleus.

● Mats Näslund, premier marqueur du club depuis trois saisons, obtient son 400e point avec l'équipe en mars.

*Bobby Smith inscrit trois buts contre les Bruins en demi-finale de division pour contribuer au triomphe des Canadiens.*

**1986-1987**

| ASSOCIATION PRINCE-DE-GALLES | | | | | | | |
|---|---|---|---|---|---|---|---|
| **DIVISION ADAMS** | PJ | G | P | N | BP | BC | PTS |
| Hartford (Whalers) | 80 | 43 | 30 | 7 | 287 | 270 | 93 |
| **Montréal (Canadiens)** | 80 | 41 | 29 | 10 | 277 | 241 | 92 |
| Boston (Bruins) | 80 | 39 | 34 | 7 | 301 | 276 | 85 |
| Québec (Nordiques) | 80 | 31 | 39 | 10 | 267 | 276 | 72 |
| Buffalo (Sabres) | 80 | 28 | 44 | 8 | 280 | 308 | 66 |
| **DIVISION PATRICK** | PJ | G | P | N | BP | BC | PTS |
| Philadelphie (Flyers) | 80 | 46 | 26 | 8 | 310 | 245 | 100 |
| Washington (Capitals) | 80 | 38 | 32 | 10 | 285 | 278 | 86 |
| New York (Islanders) | 80 | 35 | 33 | 12 | 279 | 281 | 82 |
| New York (Rangers) | 80 | 34 | 38 | 8 | 307 | 323 | 76 |
| Pittsburgh (Penguins) | 80 | 30 | 38 | 12 | 297 | 290 | 72 |
| New Jersey (Devils) | 80 | 29 | 45 | 6 | 293 | 368 | 64 |

| ASSOCIATION CLARENCE-CAMPBELL | | | | | | | |
|---|---|---|---|---|---|---|---|
| **DIVISION NORRIS** | PJ | G | P | N | BP | BC | PTS |
| St. Louis (Blues) | 80 | 32 | 33 | 15 | 281 | 293 | 79 |
| Detroit (Red Wings) | 80 | 34 | 36 | 10 | 260 | 274 | 78 |
| Chicago (Blackhawks) | 80 | 29 | 37 | 14 | 290 | 310 | 72 |
| Toronto (Maple Leafs) | 80 | 32 | 42 | 6 | 286 | 319 | 70 |
| Minnesota (North Stars) | 80 | 30 | 40 | 10 | 296 | 314 | 70 |
| **DIVISION SMYTHE** | PJ | G | P | N | BP | BC | PTS |
| Edmonton (Oilers) | 80 | 50 | 24 | 6 | 372 | 284 | 106 |
| Calgary (Flames) | 80 | 46 | 31 | 3 | 318 | 289 | 95 |
| Winnipeg (Jets) | 80 | 40 | 32 | 8 | 279 | 271 | 88 |
| Los Angeles (Kings) | 80 | 31 | 41 | 8 | 318 | 341 | 70 |
| Vancouver (Canucks) | 80 | 29 | 43 | 8 | 282 | 314 | 66 |

| MEILLEURS MARQUEURS | | | | | | |
|---|---|---|---|---|---|---|
| | | PJ | B | A | PTS | PUN |
| Wayne Gretzky | Edmonton | 79 | 62 | 121 | 183 | 28 |
| Jari Kurri | Edmonton | 79 | 54 | 54 | 108 | 41 |
| Mario Lemieux | Pittsburgh | 63 | 54 | 53 | 107 | 57 |
| Mark Messier | Edmonton | 77 | 37 | 70 | 107 | 73 |
| Doug Gilmour | St. Louis | 80 | 42 | 63 | 105 | 58 |
| Dino Ciccarelli | Minnesota | 80 | 52 | 51 | 103 | 92 |
| Dale Hawerchuk | Winnipeg | 80 | 47 | 53 | 100 | 54 |
| Michel Goulet | Québec | 75 | 49 | 47 | 96 | 61 |
| Tim Kerr | Philadelphie | 75 | 58 | 37 | 95 | 57 |
| Raymond Bourque | Boston | 78 | 23 | 72 | 95 | 36 |

● Le match annuel des étoiles est remplacé par deux rencontres entre les Soviétiques et les meilleurs joueurs de la LNH, à l'initiative du président des Nordiques, Marcel Aubut. Présenté à Québec, Rendez-Vous '87 permet à la Nationale de l'emporter 4-3 au premier affrontement, tandis que les Soviétiques gagnent le second match 5-3. Valeri Kamenski est la vedette de cette seconde rencontre avec deux buts et une passe. Grand succès pour

cette fête culturelle et sportive de 10 jours. On réussit même à déplacer une bonne partie des artefacts du Panthéon du hockey de Toronto à Québec.

● Les entraîneurs se succèdent les uns après les autres au cours de la saison. Terry Simpson remplace Al Arbour chez les Islanders. Phil Esposito est nommé gérant des Rangers et il remplace peu après le nouvel entraîneur Ted Sator par Tom Webster avant de lui succéder pour raisons de santé. Sator s'en va à Buffalo prendre la relève

de Craig Ramsey, le remplaçant de Scotty Bowman. Terry O'Reilly relève Butch Goring à Boston. Jacques Demers quitte St. Louis pour Detroit et Jacques Martin prend sa place. Minnesota congédie Lorne Henning et ramène Glen Sonmor, un ancien entraîneur. Enfin, les Leafs font appel à John Brophy à la place de Dan Maloney, lequel s'en va à Winnipeg.

● Le nouveau gérant des Rangers, Phil Esposito, se distingue rapidement par

ses échanges. Il acquiert notamment Marcel Dionne des Kings pour Bob Carpenter et Tom Laidlaw.

● Remontée spectaculaire des Red Wings. Derniers de la Division Norris la saison précédente, ils terminent deuxièmes, à un seul point de St. Louis. Hartford réussit aussi bien. Quatrièmes de la Division Adams la saison précédente, les Whalers remportent le titre de leur section, un point devant les Canadiens.

---

**1986-1987**

En 1985, la série demi-finale de division qui opposait les deux rivaux aurait aussi pu tourner à l'avantage des Bruins. Au cinquième et décisif match — la série est un 3 de 5 —, le pointage est toujours 0-0 avec moins d'une minute à faire lorsque Mario Tremblay entre dans la zone des Bruins à toute vitesse, refile le disque à Näslund qui trompe le gardien Doug Keans avec son tir.

Six ans plus tôt, en 1979, c'est Yvon Lambert qui avait permis aux Glorieux de poursuivre leur élan victorieux contre Boston, avec son but en temps supplémentaire au septième affrontement.

### GAINEY, CAPITAINE COURAGE

Bob Gainey ressent une étrange sensation en traversant la porte du Garden de Boston en ce 5 janvier. Blessé au genou gauche lors d'un match hors-concours

| TROPHÉES | |
|---|---|
| **COUPE STANLEY** | |
| Oilers d'Edmonton | |
| **TROPHÉE PRINCE-DE-GALLES** | |
| Flyers de Philadelphie | |
| **TROPHÉE CLARENCE-CAMPBELL** | |
| Oilers d'Edmonton | |
| **TROPHÉE DU PRÉSIDENT** | |
| Oilers d'Edmonton | |
| **TROPHÉE HART** | |
| Wayne Gretzky | |
| Oilers d'Edmonton | |
| **TROPHÉE ART-ROSS** | |
| Wayne Gretzky | |
| Oilers d'Edmonton | |
| **TROPHÉE LADY-BYNG** | |
| Joe Mullen | |
| Flames de Calgary | |
| **TROPHÉE CALDER** | |
| Luc Robitaille | |
| Kings de Los Angeles | |
| **TROPHÉE GEORGES-VÉZINA** | |
| Ron Hextall | |
| Flyers de Philadelphie | |

*Contre les Nordiques ou une autre équipe, Gainey est de la race des guerriers qui vont au front chaque soir.*

● Les dirigeants du club de Chicago modifient leur nom en Blackhawks, plutôt que Black Hawks, après avoir découvert qu'il en avait été ainsi lors de l'incorporation originale de l'équipe.

● Doug Jarvis, un ancien des Canadiens maintenant à Hartford, dispute un 962e match sans interruption. Le nouvel homme de fer de la Ligue devance Gary Unger qui en avait aligné 914. Jarvis portera sa série à 964 au début de la saison suivante. On lui attribue le trophée Bill-Masterton pour sa persévérance et son dévouement au hockey.

● Denis Potvin des Islanders est le premier défenseur à cumuler plus de 1 000 points dans la LNH.

● Le défenseur des Maple Leafs, Borje Salming, est coupé au visage par un coup de patin. Il faudra plus de 200 points de suture pour refermer la profonde coupure.

● La Ligue rappelle Pat Quinn à l'ordre. Ce dernier signe un contrat comme directeur général de Vancouver alors qu'il est toujours entraîneur des Kings de Los Angeles. On l'accuse de remplir les deux fonctions et une amende de 310 000 $ s'ensuit. Celle-ci sera réduite plus tard à 10 000 $ par la cour de la Colombie-Britannique.

● Luc Robitaille devance Ron Hextall lors du vote pour la recrue de l'année, mais ce dernier se console avec le trophée Vézina.

● Les premières rondes des éliminatoires (demi-finales de division) seront désormais au meilleur de sept parties plutôt que cinq.

● Le septième match de la série Islanders/Washington se prolonge jusqu'à la quatrième période supplémentaire et prend fin sur un but de Pat Lafontaine après 128 min 47 s de jeu, le matin de Pâques.

| TROPHÉES | |
| --- | --- |
| **TROPHÉE JAMES-NORRIS** | |
| Raymond Bourque | |
| Bruins de Boston | |
| **TROPHÉE CONN-SMYTHE** | |
| Ron Hextall | |
| Flyers de Philadelphie | |
| **TROPHÉE BILL-MASTERTON** | |
| Doug Jarvis | |
| Whalers de Hartford | |
| **TROPHÉE LESTER-B.-PEARSON** | |
| Wayne Gretzky | |
| Oilers d'Edmonton | |
| **TROPHÉE JACK-ADAMS** | |
| Jacques Demers | |
| Red Wings de Detroit | |
| **TROPHÉE FRANK-J.-SELKE** | |
| Dave Poulin | |
| Flyers de Philadelphie | |
| **TROPHÉE WILLIAM-M.-JENNINGS** | |
| **Patrick Roy** | |
| **Brian Hayward** | |
| **Canadiens de Montréal** | |
| **TROPHÉE EMERY-EDGE** | |
| Wayne Gretzky | |
| Oilers d'Edmonton | |

à Québec avant le début de la saison, il a été tenu à l'écart du jeu pour une période de trois mois et, à son âge, la récupération est plus lente. C'est que le vaillant capitaine du Tricolore compte déjà 13 saisons de service avec cette équipe. Revenu le 8 décembre, il a repris son rôle de capitaine, prêté temporairement à son ami Larry Robinson, et obtenu son premier but de la saison huit jours plus tard.

Quatre fois récipiendaire du trophée Frank-Selke à titre de meilleur attaquant défensif, et une fois choisi comme joueur le plus utile des séries en 1979, Gainey éprouve une sensation bien différente ce soir. Il en est à son 1 000e match dans l'habit de l'équipe et il n'est pas sans savoir que seulement quatre autres membres de l'organisation ont franchi cette étape avant lui : Jean Béliveau, Claude Provost, Henri Richard et Larry Robinson. Et voilà que son nom apparaît désormais aux côtés des leurs.

Il n'a remporté aucun championnat des marqueurs, n'a pas battu de records et son nom ne figure nulle part dans les équipes d'étoiles. Il est de la catégorie des guerriers qui vont au front chaque soir. Il est de ceux qui stimulent les plus jeunes et encouragent les plus vieux à persévérer en combattant sans répit dans les coins de patinoire. L'exemple plus que les discours est sa marque de commerce, mais combien inestimable pour l'équipe est son comportement d'homme rangé et courageux.

Pour toutes ces raisons et aussi parce qu'il est un peu surpris d'une telle longévité dans un sport qui ne tolère pas les ralentissements, Gainey est ému en entrant dans le Garden de Boston.

● Les Oilers récupèrent la coupe Stanley mais non sans avoir dû lutter avec acharnement contre Philadelphie en finale. Ils prennent les devants trois parties à une, pour ensuite voir les Flyers égaliser, obligeant la tenue d'un match décisif qu'ils gagneront 3 à 1. Pour la quatrième fois de l'histoire, le trophée Conn-Smythe est attribué à un joueur de l'équipe perdante, Ron Hextall, le gardien des Flyers.

● Wayne Gretzky, qui devance maintenant Jean Béliveau au sommet des marqueurs en séries avec 177 points, fait un geste de grande classe après avoir reçu la coupe des mains du président Ziegler. Il la remet à son coéquipier Steve Smith, celui qui avait fait dévier la rondelle dans son filet au septième match de la série finale de division contre Calgary, l'année précédente, causant l'élimination des Oilers.

● Tragédie au temps des Fêtes : l'autobus des Broncos de Swift Current de la Ligue de l'Ouest fait une embardée. Quatre joueurs périssent dans l'accident. Parmi les rescapés, un certain Joe Sakic.

● Une bagarre entre joueurs canadiens et soviétiques, en finale du championnat du monde des juniors, incite l'arbitre à quitter la patinoire. On ferme les lumières et on arrête tout. Les deux équipes sont disqualifiées et la Finlande est déclarée championne.

*Stéphane Richer est une figure populaire auprès des jeunes amateurs.*

**1986-1987**

## 5 000 POINTS POUR LES CANADIENS

Une autre étape historique est franchie le 18 octobre, au Forum de Montréal. En triomphant des Jets de Winnipeg par 5 à 3, les Glorieux deviennent la première équipe à montrer 5 000 points au tableau de la Nationale.

Stéphane Richer, avec deux buts, Ryan Walter, Claude Lemieux et Mats Näslund sont les compteurs des Canadiens. Le jeune cerbère Patrick Roy est crédité de la victoire. Mais le moment est plutôt mal choisi pour le gardien du camp opposé, Steve Penney. Échangé aux Jets en retour de Brian Hayward, l'ancien portier des Canadiens garde la forteresse de sa nouvelle équipe en cette journée historique. Son nom restera lié à l'exploit, mais du côté des perdants.

*Une deuxième saison avec le Tricolore pour Richer, qui s'apprête à vivre de beaux moments à Montréal.*

444

# 1987 ⊂Ⓗ 1988

EDMONTON GLISSE AU DEUXIÈME RANG DE SA DIVISION DERRIÈRE CALGARY, MAIS PARVIENT
NÉANMOINS À CONSERVER LA COUPE STANLEY EN BATTANT BOSTON. LES CANADIENS CONNAISSENT
UNE EXCELLENTE SAISON, TOTALISANT 103 POINTS, POUR RAFLER LE TITRE DE SA DIVISION ET
TERMINER PREMIERS DE L'ASSOCIATION PRINCE-DE-GALLES. STÉPHANE RICHER EST LE SIXIÈME
JOUEUR DE L'ÉQUIPE À COMPTER 50 BUTS, ALORS QUE BOBBY SMITH INSCRIT 93 POINTS (27-66)
POUR TERMINER AU PREMIER RANG DES MARQUEURS DU TRICOLORE. PATRICK ROY ET BRIAN HAYWARD
CONSERVENT LE TROPHÉE JENNINGS. ROY EST AUSSI ÉLU AU SEIN DE LA DEUXIÈME ÉQUIPE D'ÉTOILES.
DEUX AUTRES MEMBRES DE LA FORMATION SONT HONORÉS : GUY CARBONNEAU OBTIENT LE TROPHÉE
FRANK-SELKE À TITRE DE MEILLEUR JOUEUR DÉFENSIF ET MATS NÄSLUND MÉRITE LE TROPHÉE
LADY-BYNG ATTRIBUÉ AU PLUS GENTILHOMME. EN SÉRIES, MONTRÉAL RÉSISTE À UNE REMONTÉE DE
HARTFORD, APRÈS AVOIR GAGNÉ LES TROIS PREMIÈRES PARTIES, ET L'EMPORTE EN SIX. PAR LA
SUITE, L'ÉQUIPE PERD UNE PREMIÈRE CONFRONTATION EN 19 SÉRIES CONTRE LES BRUINS, LESQUELS
SE QUALIFIERONT ULTÉRIEUREMENT POUR LA FINALE CONTRE EDMONTON EN BATTANT NEW JERSEY. LES
RED WINGS DE DETROIT ET LES ISLANDERS DE NEW YORK SONT LES AUTRES CHAMPIONS DE DIVISION,
MAIS TANDIS QUE DETROIT SE REND JUSQU'EN FINALE D'ASSOCIATION CONTRE EDMONTON, LES ISLANDERS
PERDENT LEUR PREMIÈRE SÉRIE CONTRE NEW JERSEY. WAYNE GRETZKY CÈDE LE TITRE DE CHAMPION
MARQUEUR, AINSI QUE LES TROPHÉES HART ET PEARSON, À MARIO LEMIEUX. IL REMPORTE
CEPENDANT CELUI DE MEILLEUR JOUEUR DES SÉRIES ET CONSERVE LE TROPHÉE NORRIS.

## Richer imite le Rocket et Lafleur

*Un moment de répit pour Richer avant de lancer une nouvelle attaque.*

**S**téphane Richer est encore pratiquement une recrue à 21 ans, bien qu'il entreprenne sa troisième saison avec le Canadien. Membre du groupe des recrues qui ont propulsé le club jusqu'à la coupe Stanley en 1986, il a alors laissé l'avant-scène aux autres jeunes, les Roy, Lemieux, Skrudland et compagnie, tout en acquérant de l'expérience. Un an auparavant, il avait aussi contribué à la conquête de la coupe Calder par Sherbrooke dans la Ligue américaine, après avoir gradué des rangs juniors, en fin de saison.

● Bobby Smith connaît sa plus grosse saison à Montréal avec une production de 27 buts et 66 passes. Son total de 93 points le place au premier rang du club. En novembre, il avait franchi le cap des 300 points dans l'uniforme tricolore et, en décembre, celui des 500 passes.

● Patrick Roy est suspendu pour huit parties par la Ligue à la fin d'octobre, pour avoir donné à Warren Babe un coup de bâton « à la Ron Hextall » lors d'une partie contre les North Stars.

● À deux occasions, les Canadiens sont mis à l'amende pour des sommes de 25 000 $, en février. La première fois, en raison d'une mêlée générale à la fin d'une rencontre contre les Bruins. La seconde, pour une bagarre entre John Kordic et Gord Donnelly avant le début d'un match contre Québec. Les adversaires des Canadiens reçoivent pareille sentence. De plus, dans le dernier cas, Kordic et Donnelly écopent de suspensions de cinq parties, alors que les entraîneurs Jean Perron et Ron Lapointe reçoivent

des amendes de 1 000 $ pour incitation à la bagarre.

● Quelques mois plus tôt, Kordic et Donnelly posaient ensemble pour une publicité des patins Daoust. Kordic se dit prêt à recommencer l'expérience.

● Un peu comme l'avait fait Marcel Bonin en empruntant les gants du Rocket il y a quelques années, Chris Nilan utilise les vieux bâtons de Guy Lafleur, entreposés au Forum. Nilan se défend bien de s'en servir comme porte-bonheur, auprès du journaliste Bertrand Raymond du *Journal de*

*Montréal* : « Mes bâtons étaient fabriqués d'une façon identique à ceux de Lafleur, j'ai demandé à ce qu'on me procure les siens. »

● Victime d'une fracture au tibia de la jambe droite lors d'un match de polo, le vétéran défenseur Larry Robinson est de retour au jeu le 21 novembre, après avoir manqué à l'appel depuis le début de la saison.

● Jacques Laperrière est admis au Temple de la renommée, tout comme Bobby Clarke et Ed Giacomin.

**1987-1988**

*Chacun à leur façon, Richer et Näslund s'illustrent avec les Canadiens, le premier avec une saison de 50 buts et le second avec le titre de joueur le plus gentilhomme de la LNH.*

| JOUEURS | |
| --- | --- |
| 1 | Brian Hayward |
| 3 | Scott Sandelin |
| 5 | Rick Green |
| 11 | Ryan Walter |
| 12 | Perry Ganchar |
| | Serge Boisvert |
| 15 | Bobby Smith |
| 17 | Craig Ludwig |
| 18 | Mathieu Schneider |
| 19 | Larry Robinson |
| 20 | Kjell Dahlin |
| 21 | Guy Carbonneau |
| 22 | José Charbonneau |
| 23 | Bob Gainey (C) |
| 24 | Chris Chelios |
| 25 | Petr Svoboda |
| 26 | Mats Näslund |
| 27 | Shayne Corson |
| 28 | Larry Trader |
| 29 | Gaston Gingras |
| | Gilles Thibaudeau |
| 30 | Chris Nilan |
| 31 | John Kordic |
| 32 | Claude Lemieux |
| 33 | Patrick Roy |
| 35 | Mike McPhee |
| 36 | Sergio Momesso |
| 38 | Mike Lalor |
| 39 | Brian Skrudland |
| 40 | Vincent Riendeau |
| 42 | Steven Fletcher |
| 44 | Stéphane Richer |
| **ENTRAÎNEUR** | |
| | Jean Perron |

Puis ce fut le grand saut. Des campagnes de 21 et 20 buts, suivies d'un bref retour dans l'Américaine en février 1982 pour reprendre confiance en lui, ne laissaient pas supposer cette explosion de buts qui attend les partisans de l'équipe à sa troisième campagne. Richer entreprend la saison à pleine vitesse et les buts s'accumulent. À la mi-mars, il en totalise 45, mais une blessure à la main droite l'oblige à manquer cinq parties. Les chances de se joindre aux Maurice Richard, Bernard Geoffrion, Guy Lafleur, Steve Shutt et Pierre Larouche s'amenuisent sérieusement.

● Les Canadiens renouent avec le train, qu'on n'avait plus utilisé depuis 1967, pour se rendre à Québec en janvier y disputer un match contre les Nordiques.

● Alfie Turcotte, premier choix de repêchage des Canadiens en 1983, puis échangé aux Oilers d'Edmonton après quelques saisons ordinaires à Montréal, revient à son club d'origine à l'intersaison. Mais il sera de nouveau échangé à Winnipeg, avant la fin de la saison, sans avoir disputé un seul match. Il terminera éventuellement sa carrière en Europe.

● Les quatre premiers choix du Tricolore à la séance de 1987 atteindront tous la Ligue nationale, mais c'est le premier sélectionné, Andrew Cassels (1re ronde, 17e choix) qui demeurera le moins longtemps à Montréal. Les autres, John LeClair (2e ronde, 33e choix), Éric Desjardins (2e ronde, 38e choix) et Mathieu Schneider (3e ronde, 44e choix), obtiendront du succès avec l'équipe.

● Un deuxième Stéphane Richer s'amène à Montréal. Il s'agit d'un défenseur, Stéphane J. G. Richer,

embauché à titre d'agent libre. Il jouera trois ans à Sherbrooke avant d'opter pour Los Angeles. De retour dans l'organisation montréalaise à l'automne 1991, il passera l'année à Fredericton avant de partir de nouveau.

● Un incident découvert par les médias après l'élimination des Canadiens suscite une certaine polémique pendant quelques jours. On apprend que Shayne Corson, Chris Chelios et Petr Svoboda auraient violé le couvre-feu à la veille des séries, pour aller prendre un verre dans une discothèque de

la Rive-Sud. Au retour, leur auto aurait heurté un lampadaire mais, à l'arrivée des policiers, il ne restait que deux jeunes femmes, l'auto et... le lampadaire.

● Plusieurs joueurs franchissent une étape significative au niveau des matchs disputés en cours de saison : 500 pour Chris Nilan deux semaines avant d'être échangé, 400 pour Guy Carbonneau, Mats Näslund, Craig Ludwig et Ryan Walter, 300 pour Bobby Smith, Rick Green et Mike McPhee.

| ASSOCIATION PRINCE-DE-GALLES | | | | | | |
|---|---|---|---|---|---|---|
| DIVISION ADAMS | PJ | G | P | N | BP | BC | PTS |
| Montréal (Canadiens) | 80 | 45 | 22 | 13 | 298 | 238 | 103 |
| Boston (Bruins) | 80 | 44 | 30 | 6 | 300 | 251 | 94 |
| Buffalo (Sabres) | 80 | 37 | 32 | 11 | 283 | 305 | 85 |
| Hartford (Whalers) | 80 | 35 | 38 | 7 | 249 | 267 | 77 |
| Québec (Nordiques) | 80 | 32 | 43 | 5 | 271 | 306 | 69 |
| DIVISION PATRICK | PJ | G | P | N | BP | BC | PTS |
| New York (Islanders) | 80 | 39 | 31 | 10 | 308 | 267 | 88 |
| Washington (Capitals) | 80 | 38 | 33 | 9 | 281 | 249 | 85 |
| Philadelphie (Flyers) | 80 | 38 | 33 | 9 | 292 | 292 | 85 |
| New Jersey (Devils) | 80 | 38 | 36 | 6 | 295 | 294 | 82 |
| New York (Rangers) | 80 | 36 | 34 | 10 | 300 | 283 | 82 |
| Pittsburgh (Penguins) | 80 | 36 | 35 | 9 | 319 | 316 | 81 |
| ASSOCIATION CLARENCE-CAMPBELL | | | | | | |
| DIVISION NORRIS | PJ | G | P | N | BP | BC | PTS |
| Detroit (Red Wings) | 80 | 41 | 28 | 11 | 322 | 269 | 93 |
| St. Louis (Blues) | 80 | 34 | 38 | 8 | 278 | 294 | 76 |
| Chicago (Blackhawks) | 80 | 30 | 41 | 9 | 284 | 328 | 69 |
| Toronto (Maple Leafs) | 80 | 21 | 49 | 10 | 273 | 345 | 52 |
| Minnesota (North Stars) | 80 | 19 | 48 | 13 | 242 | 349 | 51 |
| DIVISION SMYTHE | PJ | G | P | N | BP | BC | PTS |
| Calgary (Flames) | 80 | 48 | 23 | 9 | 397 | 305 | 105 |
| Edmonton (Oilers) | 80 | 44 | 25 | 11 | 363 | 288 | 99 |
| Winnipeg (Jets) | 80 | 33 | 36 | 11 | 292 | 310 | 77 |
| Los Angeles (Kings) | 80 | 30 | 42 | 8 | 318 | 359 | 68 |
| Vancouver (Canucks) | 80 | 25 | 46 | 9 | 272 | 320 | 59 |

| MEILLEURS MARQUEURS | | | | | | |
|---|---|---|---|---|---|---|
| | | PJ | B | A | PTS | PUN |
| Mario Lemieux | Pittsburgh | 76 | 70 | 98 | 168 | 92 |
| Wayne Gretzky | Edmonton | 64 | 40 | 109 | 149 | 24 |
| Denis Savard | Chicago | 80 | 44 | 87 | 131 | 95 |
| Dale Hawerchuk | Winnipeg | 80 | 44 | 77 | 121 | 59 |
| Luc Robitaille | Los Angeles | 80 | 53 | 58 | 111 | 82 |
| Peter Stastny | Québec | 76 | 46 | 65 | 111 | 69 |
| Mark Messier | Edmonton | 77 | 37 | 74 | 111 | 103 |
| Jimmy Carson | Los Angeles | 80 | 55 | 52 | 107 | 45 |
| Hakan Loob | Calgary | 80 | 50 | 56 | 106 | 47 |
| Michel Goulet | Québec | 80 | 48 | 58 | 106 | 56 |

Richer revient pour les deux dernières rencontres du calendrier, un programme aller-retour contre les Sabres de Buffalo. Stimulé par la promesse d'un garagiste montréalais disposé à lui offrir une Jaguar s'il atteint les 50 buts, le 44 en obtient d'abord 3 devant ses partisans. Soudainement, l'objectif redevient réalisable. L'entraîneur Jean Perron augmente son temps de glace et ses compagnons de jeu lui refilent la rondelle aussi souvent qu'ils le peuvent au dernier match. L'athlète de Ripon marque une première fois en fin de deuxième, puis, à la faveur d'une supériorité numérique de deux hommes en début de troisième, il devient le plus jeune joueur de l'histoire du club, à 21 ans, à obtenir 50 buts. Il est aussi le sixième de la concession (Lafleur y est parvenu six fois) à accomplir pareil exploit. Ce soir-là, les Canadiens doivent se contenter d'un verdict nul de 4-4. Le sort de la saison étant déjà réglé, le point fort du match, c'est le 50e de Stéphane... et sa Jaguar.

Cette même saison, sept autres joueurs signeront la même performance que Richer, dont Hajan Loob des Flames, qui a réalisé son exploit le même jour que lui, à peine quelques heures plus tôt.

### LE GENTIL NÄSLUND

Premier marqueur du club depuis trois ans, Mats Näslund vient de céder son titre à Bobby Smith qui le devance par 10 points, même si le petit Viking connaît une autre bonne campagne avec 24 buts et 59 assistances. Il se consolera vite de son titre perdu en apprenant qu'il est sélectionné le joueur le plus gentilhomme du circuit et par conséquent récipiendaire du trophée Lady-Byng.

Lors des éliminatoires, les Bruins de Boston mettent un terme à leur série noire de 18 revers d'affilée contre Montréal commencée en 1946, et défont les Canadiens quatre parties à une, en finale de division. Montréal l'emporte 5 à 2 au premier match, mais handicapé par les nombreuses blessures, le Tricolore perd les quatre suivants.

● Mario Lemieux met un terme à l'emprise de Wayne Gretzky sur les trophées de la Ligue nationale. Il devance le 99 par 19 points pour rafler le titre des marqueurs, après 7 championnats d'affilée de Gretzky. Il est aussi désigné le plus utile, après huit titres en ligne du joueur des Oilers.

● Lemieux et Gretzky sont réunis sur un même trio de l'équipe canadienne à la quatrième édition de Coupe Canada. Se complétant à merveille, ils éblouissent spectateurs et téléspectateurs en battant les Soviétiques

deux matchs à un, en finale. Lemieux compte le but victorieux chaque fois.

● Les Oilers d'Édmonton remportent la finale de la coupe Stanley quatre matchs à zéro contre Boston, mais il faut cinq parties pour compléter la série. Une interruption de courant en fin de deuxième au quatrième match, alors que le compte est 3-3, oblige la suspension de la rencontre. Les statistiques des joueurs seront cependant compilées.

● Gretzky instaure une nouvelle tradition au terme du dernier match de la finale, en

demandant à ses coéquipiers de se regrouper au centre de la glace pour une photo spontanée de l'équipe avec la coupe.

● Borje Salming est le premier Européen ayant grandi outre-mer à disputer plus de 1 000 parties dans la LNH.

● Ron Hextall est le deuxième gardien à être crédité d'un but, mais le premier à avoir lancé lui-même la rondelle dans le filet. En 1979, Billy Smith avait été crédité d'un but sur un tir expédié par mégarde dans son propre filet par un joueur adverse. C'est toutefois Michel Plasse qui fut le premier

à réussir l'exploit, dans la Ligue centrale, en 1970-71.

● Pierre Turgeon, réclamé par les Sabres de Buffalo, est le plus jeune joueur réclamé au premier rang du repêchage de la LNH, à 17 ans et 10 mois. L'athlète de Rouyn-Noranda, frère de Sylvain qui joue à Hartford, vient des Bisons de Granby. Les deux frères joueront pour les Canadiens quelques années plus tard, mais pas en même temps.

● Doug Jarvis porte à 964 la nouvelle marque de matchs consécutifs. Mais il sera mis sur la touche par les Whalers

**1987-1988**

*Mats Näslund n'est plus le meilleur marqueur de l'équipe, mais il est toujours aussi dangereux autour du filet, qu'il se tienne sur une ou deux jambes.*

Näslund, un parfait gentilhomme sur la glace et en dehors, n'a obtenu que sept punitions mineures au cours de la saison. Aucun joueur du Canadien n'avait mis la main sur ce trophée depuis Toe Blake, en 1946. Les Floyd Curry (1956), Don Marshall (1958), Claude Provost (1962) et Robert Rousseau (1966) avaient tous été considérés sans jamais obtenir la faveur des sélectionneurs.

Et aucun autre n'y est parvenu depuis !

## PERRON CONTESTÉ

Jean Perron ne fait pas l'unanimité au sein de son personnel. Peu s'en faut ! Il semblerait que la contestation était commencée avant même qu'il mène l'équipe à la coupe Stanley en 1986. Serge Savard était même passé bien près de le renvoyer à cette époque. Pourtant, il lui avait accordé un vote de confiance l'année suivante, plus un contrat de deux ans lorsque la grogne se manifesta de

| TROPHÉES |
|---|
| **COUPE STANLEY** |
| Oilers d'Édmonton |
| **TROPHÉE PRINCE-DE-GALLES** |
| Bruins de Boston |
| **TROPHÉE CLARENCE-CAMPBELL** |
| Oilers d'Édmonton |
| **TROPHÉE DU PRÉSIDENT** |
| Flames de Calgary |
| **TROPHÉE HART** |
| Mario Lemieux |
| Penguins de Pittsburgh |
| **TROPHÉE ART-ROSS** |
| Mario Lemieux |
| Penguins de Pittsburgh |
| **TROPHÉE LADY-BYNG** |
| **Mats Näslund** |
| **Canadiens de Montréal** |
| **TROPHÉE CALDER** |
| Joe Nieuwendyk |
| Flames de Calgary |
| **TROPHÉE GEORGES-VÉZINA** |
| Grant Fuhr |
| Oilers d'Édmonton |
| **TROPHÉE JAMES-NORRIS** |
| Raymond Bourque |
| Bruins de Boston |
| **TROPHÉE CONN-SMYTHE** |
| Wayne Gretzky |
| Oilers d'Édmonton |
| **TROPHÉE BILL-MASTERTON** |
| Bob Bourne |
| Kings de Los Angeles |
| **TROPHÉE LESTER-B.-PEARSON** |
| Mario Lemieux |
| Penguins de Pittsburgh |

de Hartford après seulement deux parties et devra se retirer du hockey. Le joueur de centre a établi son record sous les couleurs des Canadiens, des Capitals et des Whalers sur une période de 12 saisons et 2 parties.

● Première participation des Devils du New Jersey aux séries après neuf ans (quatre au Colorado et cinq au New Jersey). Qualifiés au dernier match de la saison, ils éliminent les Islanders et les Capitals, avant de perdre en sept contre Boston en finale d'association. Quant aux

Nordiques, ils manquent les éliminatoires pour la première fois en huit ans, mais seront absents cinq années de suite.

● Jim Schoenfeld, pilote des Devils, qualifie l'arbitre Don Koharski de « gros porc » à la suite d'une défaite contre Boston à la troisième partie. La Ligue le suspend, mais une injonction de la cour lui permet de revenir au match suivant. Les arbitres refusent de se présenter et on doit faire appel à des officiels amateurs pour la rencontre.

● Quelques joueurs des Oilers menacent de faire la grève en

début de saison, si le propriétaire Peter Pocklington n'accepte pas de renégocier leur contrat. Le plus décidé du groupe, Paul Coffey — deux fois lauréat du trophée Norris —, est suspendu et finalement envoyé à Pittsburgh en novembre, dans une transaction touchant sept joueurs. Le gardien Andy Moog se joint, pour sa part, à l'équipe albertaine.

● Neuvième sélection de suite au sein des équipes d'étoiles — cinq fois dans la première — pour Raymond Bourque, qui obtient aussi un deuxième titre de meilleur défenseur. En août,

il avait aussi été choisi dans l'équipe d'étoiles de Coupe Canada.

● Un nouveau trophée, dédié à King Clancy, est offert par la LNH pour souligner l'engagement humanitaire des joueurs. Lanny McDonald des Flames de Calgary est le premier récipiendaire.

● Jacques Demers, pilote des Red Wings, crée un précédent avec un deuxième titre consécutif d'entraîneur de l'année.

● Septième médaille d'or olympique pour les Soviétiques aux Jeux de Calgary.

## TROPHÉES

| TROPHÉE JACK-ADAMS |
| --- |
| Jacques Demers |
| Red Wings de Detroit |
| **TROPHÉE FRANK-J.-SELKE** |
| **Guy Carbonneau** |
| **Canadiens de Montréal** |
| **TROPHÉE WILLIAM-M.-JENNINGS** |
| **Patrick Roy** |
| **Brian Hayward** |
| **Canadiens de Montréal** |
| **TROPHÉE EMERY-EDGE** |
| Brad McCrimmon |
| Flames de Calgary |
| **TROPHÉE KING-CLANCY** |
| Lanny McDonald |
| Flames de Calgary |

1987-1988

nouveau chez les joueurs. Il faut dire que Perron connaissait un succès certain en maintenant le club parmi les meilleurs.

Cette fois-ci, c'est plus sérieux et les relations entre l'entraîneur et plusieurs de ses joueurs se dégradent. Stéphane Richer, Claude Lemieux et Chris Nilan sont les plus souvent pris à partie. Perron traite même les joueurs francophones de « bébés gâtés » devant les médias, ce qui n'aide évidemment pas à détendre l'atmosphère. Pendant qu'on se crêpe le chignon, le club en arrache et glisse en deuxième place de sa division au début de janvier. À tour de rôle, Larry Robinson et Guy Carbonneau demandent plus de respect à l'égard des joueurs et critiquent les méthodes de l'entraîneur. De son côté, Perron est devenu incapable de sentir Chris Nilan et il demande à Savard de s'en défaire. Nilan est échangé aux Rangers le 27 janvier.

À la mi-février, à la suite d'une autre série de défaites, le capitaine Bob Gainey convoque ses coéquipiers à une discussion privée, en l'absence de Perron. Le club commence enfin à gagner et reprend le premier rang, mais la marmite bout toujours. En mars, Lemieux sort en furie du bureau de son patron après une violente altercation verbale et « brasse » un peu les meubles. Il est suspendu indéfiniment mais revient au jeu peu après.

Les relations deviennent moins tendues en fin de saison et le club remportera le titre de sa division, ce qui calmera un peu tout le monde.

Mais le feu n'est pas complètement éteint et les cendres sont encore bien chaudes ! Perron sera congédié à son retour de vacances en mai.

*Au début de janvier, Robinson n'en peut plus, et il critique ouvertement les méthodes de l'entraîneur devant les journalistes.*

# 1988 🛡 1989

CALGARY ET MONTRÉAL REPRÉSENTENT LES DEUX GRANDES PUISSANCES DE LA LIGUE. ILS DOMINENT LEUR ASSOCIATION RESPECTIVE AVEC 117 ET 115 POINTS. POUR SA PART, LES CANADIENS GAGNENT 30 DE LEURS 40 PARTIES LOCALES, CONTRE SEULEMENT 6 REVERS ET 4 NULLES. LES FLAMES RENVERSENT LES RÔLES DE 1986 ET L'EMPORTENT EN SIX, CONTRE LES CANADIENS EN FINALE. AVANT D'ATTEINDRE LA FINALE, LE TRICOLORE DISPOSE SUCCESSIVEMENT DE HARTFORD EN QUATRE, DE BOSTON EN CINQ ET DE PHILADELPHIE EN SIX. PATRICK ROY PARTAGE ENCORE LE TROPHÉE JENNINGS AVEC BRIAN HAYWARD ET OBTIENT EN PLUS LE TROPHÉE VÉZINA. GUY CARBONNEAU CONSERVE AUSSI LE TROPHÉE FRANK-SELKE, TANDIS QUE CHRIS CHELIOS AJOUTE SON NOM AU TROPHÉE NORRIS APRÈS CELUI DE RAYMOND BOURQUE. IL SERA AUSSI ÉLU DANS LA PREMIÈRE ÉQUIPE D'ÉTOILES EN COMPAGNIE DE ROY. PAT BURNS, SUCCESSEUR DE JEAN PERRON DERRIÈRE LE BANC, EST LE PREMIER ENTRAÎNEUR DE L'ÉQUIPE DEPUIS SCOTTY BOWMAN EN 1977 À RECEVOIR LE TROPHÉE JACK-ADAMS. IL EST AUSSI LE DERNIER À CE JOUR. MATS NÄSLUND REPREND LE TITRE DE MEILLEUR MARQUEUR À MONTRÉAL.

*Les Flames de Calgary renversent les rôles de 1986 et célèbrent la conquête de la coupe Stanley devant le public montréalais.*

## Saint Patrick

Patrick Roy est doublement satisfait après la rencontre du mercredi 22 mars que le Canadien vient de livrer devant ses partisans du Forum. Il est heureux parce que lui et ses coéquipiers ont infligé une raclée en règle aux Nordiques, l'ennemi juré du club. Et par jeu blanc de surcroît, 8 à 0. Mais le « roi Patrick » a une tout autre raison de se réjouir, puisqu'il vient de réécrire l'histoire des Glorieux, avec une 26e partie sans une seule défaite au Forum. Une histoire écrite il y a 45 ans par un grand gardien. En 1943-44, Bill Durnan avait été invincible lui aussi avec 22 victoires et 3 nulles, mais dans un calendrier de 25 parties locales. Ce 24e gain, combiné aux deux parties nulles, permet à Roy de devancer le grand Durnan. Avec le temps, le Forum est devenu pour lui presque aussi confortable que son propre salon. Chaque fois après le match, il a pu quitter le Forum le cœur léger,

● Larry Robinson participe aux éliminatoires pour une 17e année de suite. Il rejoint Brad Park qui compte aussi 17 participations consécutives (Rangers-Bruins-Red Wings) de 1969 à 1985. Robinson est cependant celui qui a disputé le plus de rencontres éliminatoires (186). Chez les Canadiens, Henri Richard totalise plus de participations (18), mais non consécutives, et il se classe deuxième pour

les parties (180). Un peu avant les séries, le grand défenseur du Tricolore a participé à un 1 200e match.
● Pour la première fois de l'histoire, les partisans du Bleu-Blanc-Rouge assistent bien malgré eux aux festivités de la coupe Stanley de l'équipe adverse sur la glace du Forum. Les Canadiens, qui participent à la finale pour une 31e fois — un record de la LNH —, n'avaient jamais perdu la coupe à domicile auparavant.

● Guy Lafleur est admis au Temple de la renommée en septembre 1988, au moment où il s'apprête à effectuer un retour au jeu avec les Rangers de New York après trois ans d'absence.
● Deux autres anciens membres des Glorieux sont intronisés au Temple de la renommée en même temps que Lafleur : Buddy O'Connor,

qui a aussi joué pour les Rangers, et Tony Esposito, qui s'est davantage illustré avec Chicago. On y accueille également Brad Park.
● Stéphane Richer est suspendu 10 parties à la mi-novembre, pour avoir délibérément frappé Jeff Norton des Islanders avec son bâton. Ce qui compromet ses chances de connaître une 2e saison de 50 buts.

**1988-1989**

*Roy est invincible tout au long de la saison devant ses partisans,
qui n'hésitent pas à l'appeler saint Patrick.*

| JOUEURS | |
| --- | --- |
| 1 | Brian Hayward |
| 5 | Rick Green |
| 6 | Russ Courtnall |
| 8 | Steven Martinson |
| 11 | Ryan Walter |
| 12 | Mike Keane |
| 15 | Bobby Smith |
| 17 | Craig Ludwig |
| 19 | Larry Robinson |
| 20 | Jyrki Lumme |
| 21 | Guy Carbonneau |
| 22 | José Charbonneau |
| 23 | Bob Gainey (C) |
| 24 | Chris Chelios |
| 25 | Petr Svoboda |
| 26 | Mats Näslund |
| 27 | Shayne Corson |
| 28 | Éric Desjardins |
| 29 | Gilles Thibaudeau |
| 31 | John Kordic |
| 32 | Claude Lemieux |
| 33 | Patrick Roy |
| 34 | Donald Dufresne |
| 35 | Mike McPhee |
| 37 | Randy Exelby |
| 38 | Mike Lalor |
| 39 | Brian Skrudland |
| 41 | Brent Gilchrist |
| 43 | Benoît Brunet |
| 44 | Stéphan Richer |
| 45 | Jocelyn Lemieux |
| 47 | Stéphan Lebeau |
| **ENTRAÎNEUR** | |
| Pat Burns | |

pour aller retrouver les siens, satisfait du travail accompli, pendant que ses supporters, de plus en plus nombreux, le portaient aux nues, au point de l'appeler saint Patrick à l'occasion.

Mais Roy ne s'arrête pas en aussi bonne route. À la fin de la saison, il porte le nouveau record à 29 parties (25-0-4), grâce à un gain contre Boston et des nulles avec Minnesota et Philadelphie. Il a en outre le plaisir de partager le trophée William-Jennings avec son partenaire Brian Hayward pour une troisième année de suite, tout en conservant la meilleure moyenne du circuit à 2,47.

Qui plus est, le Canadien vient de connaître sa meilleure saison en une dizaine d'années, avec 53 victoires et seulement 18 revers en 80 parties. Roy peut entreprendre les éliminatoires en toute confiance, puisque le total de 115 points permet à l'équipe de s'approprier le premier rang de l'Association Prince-de-Galles, en plus du championnat de la Division Adams. Seuls les Flames de Calgary devancent le Canadien au classement dans l'autre association avec deux petits points de priorité.

● Les spectateurs présents au match Jets/Canadiens du 5 novembre assistent à un moment important pour deux vétérans de l'équipe. Mats Näslund effectue trois passes dont celle de son 500e point lors d'une victoire de 7-2, alors que le but de Bob Gainey, à neuf secondes de l'ouverture, lui permet d'égaler la marque d'équipe pour le but le plus rapide en début de rencontre.

● Bobby Smith atteint deux sommets significatifs de sa carrière en autant de jours. Le 23 novembre, il obtient son 400e point dans l'uniforme bleu-blanc-rouge et, le lendemain il inscrit le 300e but de sa carrière à Québec contre Mario Gosselin. Nouvelle étape en mars, avec un 900e point dans la LNH.

● Chris Chelios, ce jeune vétéran qui a accumulé à peine 300 parties avec les Canadiens, reçoit son premier trophée Norris. Il sera de nouveau désigné meilleur défenseur, cette fois pour le compte des Blackhawks de Chicago en 1993 et 1996.

● Un seul autre joueur du club sera de la partie pour un 300e match au cours de l'année, Petr Svoboda. Cependant, Mats Näslund, Craig Ludwig et Ryan Walter tout comme Carbonneau en comptent 500 et Bobby Smith 400.

● Première partie sans pointage en 20 ans au Forum, entre Washington et Montréal, le 10 décembre. Les gardiens en présence sont Pete Peeters et Patrick Roy. La dernière soirée du genre remonte à décembre 1968, lors d'un duel entre Gerry Cheevers des Bruins et Tony Esposito des Canadiens.

| ASSOCIATION PRINCE-DE-GALLES | | | | | | |
|---|---|---|---|---|---|---|
| **DIVISION ADAMS** | PJ | G | P | N | BP | BC | PTS |
| Montréal (Canadiens) | 80 | 53 | 18 | 9 | 315 | 218 | 115 |
| Boston (Bruins) | 80 | 37 | 29 | 14 | 289 | 256 | 88 |
| Buffalo (Sabres) | 80 | 38 | 35 | 7 | 291 | 299 | 83 |
| Hartford (Whalers) | 80 | 37 | 38 | 5 | 299 | 290 | 79 |
| Québec (Nordiques) | 80 | 27 | 46 | 7 | 269 | 342 | 61 |
| **DIVISION PATRICK** | PJ | G | P | N | BP | BC | PTS |
| Washington (Capitals) | 80 | 41 | 29 | 10 | 305 | 259 | 92 |
| Pittsburgh (Penguins) | 80 | 40 | 33 | 7 | 347 | 349 | 87 |
| New York (Rangers) | 80 | 37 | 35 | 8 | 310 | 307 | 82 |
| Philadelphie (Flyers) | 80 | 36 | 36 | 8 | 307 | 285 | 80 |
| New Jersey (Devils) | 80 | 27 | 41 | 12 | 281 | 325 | 66 |
| New York (Islanders) | 80 | 28 | 47 | 5 | 265 | 325 | 61 |
| ASSOCIATION CLARENCE-CAMPBELL | | | | | | |
| **DIVISION NORRIS** | PJ | G | P | N | BP | BC | PTS |
| Detroit (Red Wings) | 80 | 34 | 34 | 12 | 313 | 316 | 80 |
| St. Louis (Blues) | 80 | 33 | 35 | 12 | 275 | 285 | 78 |
| Minnesota (North Stars) | 80 | 27 | 37 | 16 | 258 | 278 | 70 |
| Chicago (Blackhawks) | 80 | 27 | 41 | 12 | 297 | 335 | 66 |
| Toronto (Maple Leafs) | 80 | 28 | 46 | 6 | 259 | 342 | 62 |
| **DIVISION SMYTHE** | PJ | G | P | N | BP | BC | PTS |
| Calgary (Flames) | 80 | 54 | 17 | 9 | 354 | 226 | 117 |
| Los Angeles (Kings) | 80 | 42 | 31 | 7 | 376 | 335 | 91 |
| Edmonton (Oilers) | 80 | 38 | 34 | 8 | 325 | 306 | 84 |
| Vancouver (Canucks) | 80 | 33 | 39 | 8 | 251 | 253 | 74 |
| Winnipeg (Jets) | 80 | 26 | 42 | 12 | 300 | 355 | 64 |

Après les séries, malgré le revers en finale contre les Flames, Patrick pourra goûter chacune des victoires arrachées avec ce style dit « papillon » qu'il va populariser bientôt auprès de plusieurs jeunes cerbères en devenir. La revue de l'année est d'autant plus agréable que le portier du Canadien vient d'être crédité d'un deuxième trophée, le Vézina, octroyé au meilleur gardien du circuit. Sans oublier cette première sélection dans la première équipe d'étoiles. Une nomination qui se répétera plusieurs fois dans les années à venir.

Voilà qu'il refait l'histoire une fois de plus, en ajoutant son empreinte à celle des autres grands cerbères de l'histoire du club, les George Hainsworth, Bill Durnan, Jacques Plante et Ken Dryden, dont les noms sont aussi inscrits sur ce trophée Vézina.

## LE POLICIER DEVENU ENTRAÎNEUR

La rupture entre Jean Perron et le Canadien est annoncée le 16 mai par le directeur général Serge Savard. Mario Tremblay, un ancien Glorieux devenu chroniqueur à CJMS, avait obtenu la primeur, d'abord démentie fermement par Savard. Commence alors la ronde des rumeurs pour connaître son successeur. Les prédictions ne seront pas très longues cependant. Deux semaines plus tard, Savard fait part de l'embauche de Pat Burns pour succéder à Perron. Burns est le 4e entraîneur du tandem Corey-Savard en 5 ans, le 21e de l'histoire du club. Il n'aura dirigé les Canadiens de Sherbrooke qu'une seule saison, après avoir été à la tête des Olympiques de Hull qu'il a menés à la finale de la coupe Memorial chez les juniors.

Ancien policier, Burns, qui semble avoir l'art des réponses-chocs, rétorque aux journalistes qui l'interrogent sur ses objectifs qu'il « a été embauché comme entraîneur et non comme policier ».

*Ancien policier devenu entraîneur, Pat Burns n'a pas la langue dans sa poche. Ses mimiques derrière le banc ont vite fait le tour de la Ligue.*

● La nouvelle a l'effet d'un tremblement de terre de très grande intensité chez tous les sportifs d'Amérique du Nord. La rumeur circulait depuis quelques jours, mais personne n'y croyait vraiment. Au Québec, le journaliste Tom Lapointe est le premier à diffuser l'information à un public incrédule. Pourtant c'est bien vrai, le 9 août Peter Pocklington annonce qu'il vient d'échanger Wayne Gretzky aux Kings de Los Angeles. La Merveille passe aux Kings du richissime Bruce McNall, en compagnie de son «garde du corps» Marty McSorley et de Mike Krushelnyski, en retour de Jimmy Carson, Martin Gélinas, trois choix de première ronde et 15 millions. Il s'agit sans doute de la plus importante transaction de l'histoire du hockey, qui n'est pas sans rappeler l'échange de Babe Ruth aux Yankees par les Red Sox de Boston.

● À Los Angeles, Gretzky connaît une autre saison de plus de 50 buts — sa neuvième comme Mike Bossy —, mais concède de nouveau le titre de champion marqueur à Mario Lemieux par plus de 30 points. Il récupère cependant le trophée Hart, son 9e en 10 ans et son dernier.

● Autre moment important dans la carrière de l'ancien capitaine des Oilers lorsqu'il dépasse Gordie Howe pour le nombre de points (incluant les séries) le 10 janvier, avec un total de 2 011.

● Le 31 décembre, lors d'un match contre New Jersey Mario Lemieux fête l'arrivée de la nouvelle année un peu à l'avance en signant une performance de cinq buts et huit points, dans une victoire de 8-6 contre New Jersey. Une performance plutôt inusitée pour Lemieux qui obtient au moins un but dans cinq situations différentes : à forces égales, en avantage et en désavantage numériques, sur les tirs de pénalité et dans un filet désert. En désavantage numérique, son total de 13

**1988-1989**

Burns connaît une première saison de rêve en conduisant son équipe au premier rang de sa division et de son association, avant d'atteindre la finale de la coupe Stanley qu'il perdra de justesse contre Calgary. À défaut de rééditer l'exploit de son prédécesseur en sablant le champagne à titre d'entraîneur recrue, Burns peut se consoler avec une récompense prestigieuse, celle du titre de pilote de l'année, récipiendaire du trophée Jack-Adams, après deux nominations de Jacques Demers, celui qui curieusement lui succédera derrière le banc de l'équipe quelques années plus tard.

## CARBONNEAU, LE SUCCESSEUR DE GAINEY

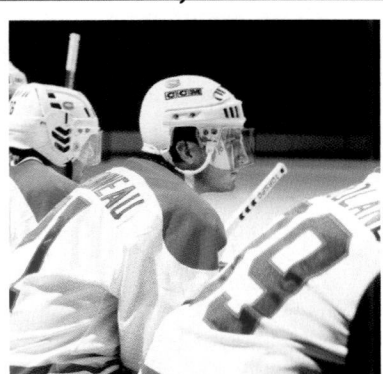

*Carbonneau succède à Gainey comme meilleur joueur défensif et comme capitaine.*

Bob Gainey a gardé la mainmise sur le trophée Frank-Selke quatre ans de suite, de 1978 à 1981, pendant qu'un autre joueur se préparait à remplir un rôle similaire en défensive avant. La transition s'est faite avec beaucoup d'harmonie entre les deux joueurs qui se sont côtoyés au sein de la même formation pendant sept ans.

Lors de sa dernière saison professionnelle — il a plus de 500 matchs à son actif —, Gainey sait très bien que l'élève n'a plus besoin des trucs du maître pour contrer l'adversaire, d'autant plus qu'il a lui aussi été reconnu meilleur attaquant défensif la saison précédente, après avoir terminé deuxième en 1986-87.

Carbonneau hérite d'un deuxième trophée Selke en cette saison glorieuse des Montréalais. Il a aussi haussé sa production offensive de près de 20 points, avec 26 buts et 30 passes, pour un total de 56 points, ce qui est nettement supérieur aux 38 (17-21) de la première année.

Carbonneau ne sait toutefois pas encore que dans quelques mois il sera invité à jouer un rôle similaire à celui de Gainey, autant dans le vestiaire que sur la glace.

| TROPHÉES | | |
|---|---|---|
| **COUPE STANLEY** | | |
| Flames de Calgary | | |
| **TROPHÉE PRINCE-DE-GALLES** | | |
| Canadiens de Montréal | | |
| **TROPHÉE CLARENCE-CAMPBELL** | | |
| Flames de Calgary | | |
| **TROPHÉE DU PRÉSIDENT** | | |
| Flames de Calgary | | |
| **TROPHÉE HART** | | |
| Wayne Gretzky | | |
| Kings de Los Angeles | | |
| **TROPHÉE ART-ROSS** | | |
| Mario Lemieux | | |
| Penguins de Pittsburgh | | |
| **TROPHÉE LADY-BYNG** | | |
| Joe Mullen | | |
| Flames de Calgary | | |
| **TROPHÉE CALDER** | | |
| Brian Leetch | | |
| Rangers de New York | | |
| **TROPHÉE GEORGES-VÉZINA** | | |
| Patrick Roy | | |
| Canadiens de Montréal | | |
| **TROPHÉE JAMES-NORRIS** | | |
| Chris Chelios | | |
| Canadiens de Montréal | | |
| **TROPHÉE CONN-SMYTHE** | | |
| Al MacInnis | | |
| Flames de Calgary | | |
| **TROPHÉE BILL-MASTERTON** | | |
| Tim Kerr | | |
| Flyers de Philadelphie | | |
| **TROPHÉE LESTER-B.-PEARSON** | | |
| Steve Yzerman | | |
| Red Wings de Detroit | | |

lui permet de briser le record de 12 qui appartenait à Gretzky depuis 1983-84.

● Alexander Mogilny fait faux bond à l'équipe soviétique au terme des championnats du monde tenus en Suède et se joint aux Sabres de Buffalo. Irritée, la Fédération soviétique le qualifie de traître et rompt momentanément ses relations avec la LNH.

● Les Islanders de New York passent de la première à la dernière place de la Division Patrick. Al Albour, qui avait

mené l'équipe à quatre coupes Stanley de suite, est appelé à la rescousse à la mi-saison.

● Michel Bergeron, entraîneur des Rangers depuis deux ans, est viré par le gérant Phil Esposito, à deux parties de la fin de la saison.

● Dino Ciccarelli des North Stars est condamné par la cour de l'Ontario à une journée de prison plus une amende de 1 000 $, pour avoir frappé Luke Richardson des Leafs avec son bâton. Une première dans la Ligue ! Deux mois plus tard, il est échangé aux Capitals.

● Bob Probert est arrêté aux douanes américaines à son tour, en possession de 14 grammes de cocaïne. Il sera suspendu pendant un an par la Ligue et la cour le condamnera à trois mois de prison.

● Accident grave, qui aurait pu être tragique, le 22 mars à Buffalo : le patin de Steve Tuttle des Blues, tranche la veine jugulaire de Clint Malarchuk. Sans une intervention rapide du soigneur de l'équipe, le gardien serait mort au bout de son sang en quelques secondes.

● Les spectateurs du Forum accueillent avec beaucoup de plaisir le retour au jeu de Guy Lafleur et lui réservent une belle ovation lorsqu'il enfile son nouveau chandail des Rangers. À son premier match contre les Canadiens, Flower compte deux buts au grand plaisir de ses fans, qui ne l'ont jamais oublié.

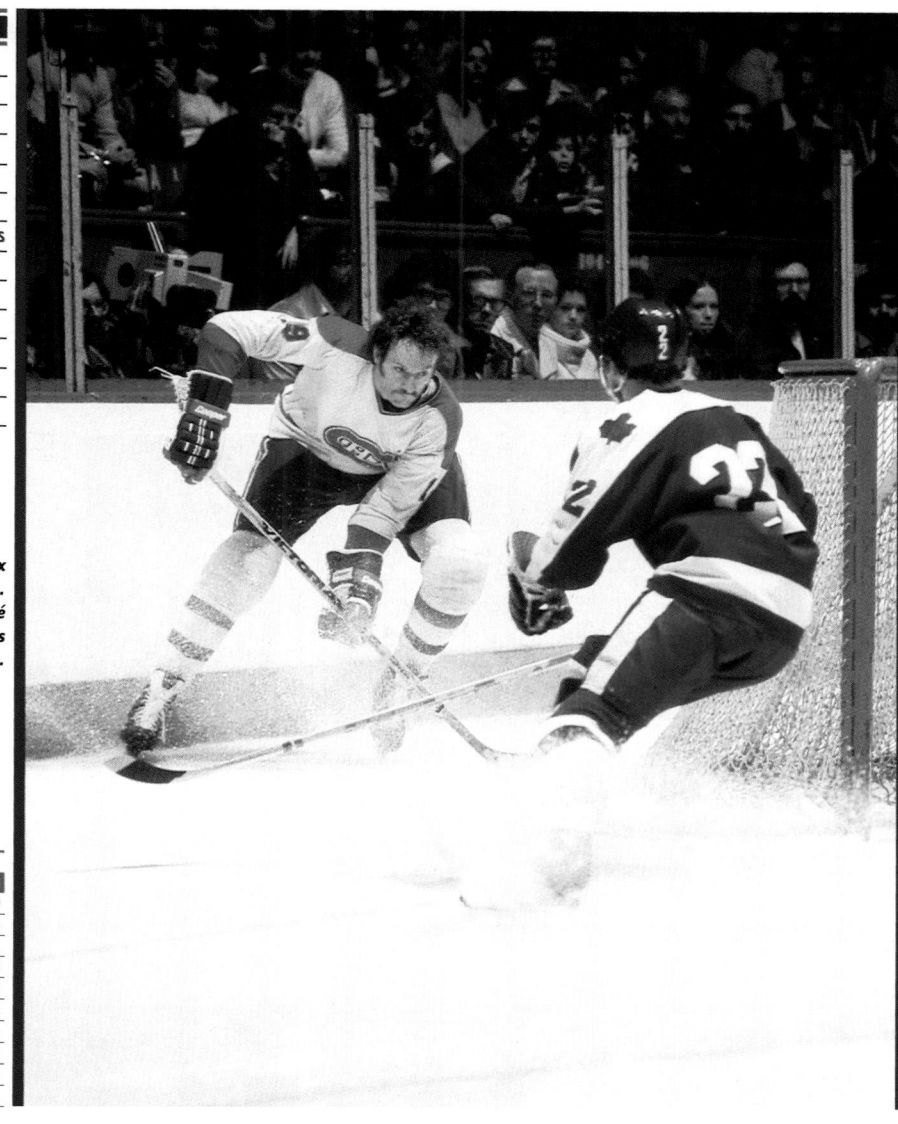

**1988-1989**

### TROPHÉES

| TROPHÉE JACK-ADAMS |
|---|
| **Pat Burns** |
| Canadiens de Montréal |
| TROPHÉE FRANK-J.-SELKE |
| **Guy Carbonneau** |
| Canadiens de Montréal |
| TROPHÉE WILLIAM-M.-JENNINGS |
| **Patrick Roy** |
| **Brian Hayward** |
| Canadiens de Montréal |
| TROPHÉE KING-CLANCY |
| **Bryan Trottier** |
| Islanders de New York |

*Larry Robinson participe aux séries pour une 17e fois de suite. En saison régulière, il a enfilé le chandail de l'équipe à plus de 1 200 reprises.*

### MEILLEURS MARQUEURS

| | | PJ | B | A | PTS | PUN |
|---|---|---|---|---|---|---|
| Mario Lemieux | Pittsburgh | 76 | 85 | 114 | 199 | 100 |
| Wayne Gretzky | Los Angeles | 78 | 54 | 114 | 168 | 26 |
| Steve Yzerman | Detroit | 80 | 65 | 90 | 155 | 61 |
| Bernie Nicholls | Los Angeles | 79 | 70 | 80 | 150 | 96 |
| Rob Brown | Pittsburgh | 68 | 49 | 66 | 115 | 118 |
| Paul Coffey | Pittsburgh | 75 | 30 | 83 | 113 | 193 |
| Joe Mullen | Calgary | 79 | 51 | 59 | 110 | 16 |
| Jari Kurri | Edmonton | 76 | 44 | 58 | 102 | 69 |
| Jimmy Carson | Edmonton | 80 | 49 | 51 | 100 | 36 |
| Luc Robitaille | Los Angeles | 78 | 46 | 52 | 98 | 65 |

*Pat Burns présente à la presse ses deux nouveaux capitaines, Guy Carbonneau et Chris Chelios.*

# 1989 C 1990

CINQUIÈME COUPE STANLEY EN SEPT SAISONS POUR LES OILERS D'EDMONTON, ET CE, MÊME S'ILS DOIVENT DE NOUVEAU CÉDER LE PREMIER RANG DE LA DIVISION SMYTHE ET DE L'ASSOCIATION CAMPBELL AUX FLAMES POUR UNE TROISIÈME ANNÉE DE SUITE. MALGRÉ AUSSI LE DÉPART DE WAYNE GRETZKY À LOS ANGELES DEPUIS DEUX ANS. LES FLAMES, CHAMPIONS EN TITRE DE LA COUPE STANLEY, SE FONT SURPRENDRE PAR LOS ANGELES EN PREMIÈRE RONDE ET LES OILERS ONT LA VOIE LIBRE JUSQU'EN FINALE, QU'ILS GAGNENT DE NOUVEAU CONTRE BOSTON. LE SORT DE LA SÉRIE EST FIXÉ EN BONNE PARTIE AU PREMIER MATCH, GAGNÉ EN TROISIÈME SUPPLÉMENTAIRE PAR EDMONTON SUR UN BUT DE PETR KLIMA. LA LUTTE EST SERRÉE DANS LES GROUPES PATRICK ET NORRIS, MAIS CE SONT LES RANGERS ET LES BLACKHAWKS QUI ONT LE DERNIER MOT. LES CANADIENS TERMINENT DERRIÈRE BOSTON (AUSSI CHAMPION DE L'ASSOCIATION PRINCE-DE-GALLES) ET BUFFALO. ILS DISPOSENT DES SABRES EN PREMIÈRE RONDE MAIS SE BUTENT ENSUITE AUX BRUINS. STÉPHANE RICHER CONNAÎT UNE AUTRE SAISON DE 50 BUTS ET PATRICK ROY CONSERVE LE TROPHÉE VÉZINA, MÊME S'IL N'AFFICHE PLUS LA MEILLEURE MOYENNE DÉFENSIVE. IL GARDE AUSSI SA PLACE AU SEIN DE LA PREMIÈRE ÉQUIPE D'ÉTOILES. RICHER EST ÉGALEMENT LE MEILLEUR MARQUEUR DU CLUB, AVEC 51 BUTS ET 40 PASSES. C'EST TOUTEFOIS GRETZKY QUI REPREND LE SOMMET DES MARQUEURS APRÈS DEUX ANS, TOTALISANT 142 POINTS (40-102), COMPARATIVEMENT À 129 (45-84) POUR SON ANCIEN COÉQUIPIER MARK MESSIER. MARIO LEMIEUX NE PARTICIPE QU'À 59 RENCONTRES, MAIS IL OBTIENT TOUT DE MÊME 45 BUTS ET 78 ASSISTANCES, POUR FINIR QUATRIÈME DERRIÈRE STEVE YZERMAN.

## L'année des deux capitaines

La direction des Canadiens, fidèle à une tradition établie depuis la fin des années 1940 (sauf en 1981 pour le choix de Bob Gainey), demande aux joueurs de désigner le prochain capitaine, en remplacement de Gainey, justement, à l'ouverture du camp. Les médias en font presque une véritable campagne électorale, sondant les partisans et se prononçant tantôt pour Guy Carbonneau, le plus expérimenté, tantôt pour Chris Chelios, première vedette de l'équipe et gagnant du trophée Norris, la saison précédente. Le nom de Bobby Smith

457

● Stéphane Richer revient en force avec une deuxième campagne de 50 buts en 3 ans. L'ailier droit termine la saison avec une fiche de 91 points (51-40). Il est le dernier joueur du Tricolore à accomplir cet exploit.

**Stéphane Richer**

● Malgré une chute au troisième rang de la Division Adams, les Canadiens connaissent une 19e saison d'au moins 40 victoires en 20 ans.
● Le capitaine Guy Carbonneau et Craig Ludwig se font taper sur les doigts par Pat Burns, qui les suspend un match pour avoir manqué le couvre-feu.

● Après une étude de faisabilité sur l'agrandissement du Forum, le président Corey décide plutôt de considérer la possibilité de construire un nouvel édifice.
● Le trio Corson-Skrudland-Richer fait flèche de tout bois le jour de la Saint-Valentin contre les Canucks de Vancouver, lors d'une victoire éclatante de 10 à 1 au Forum. Les trois joueurs totalisent 17 points. Richer en a 7

(2-5-7) dont 5 en première, tandis que Corson et Skrudland en ont respectivement 6 (2-4-6) et 4 (2-2-4).
● Patrick Roy est nommé deux fois Joueur de la semaine dans la Ligue en février et en mars. Il remporte aussi un deuxième trophée Vézina de suite en fin de saison, perdant cependant le Jennings après trois conquêtes de suite.

**1989-1990**

est aussi mentionné. Certains évoquent même une éventuelle division entre les francos et les anglos.

Trois tours du scrutin organisé par Serge Savard ne suffisent pas à départager les deux principaux candidats, même en éliminant les noms ayant reçu le moins de votes. Le directeur général, en bon démocrate, décide de garder les deux, ce qui fait dire à Carbo : « Tout le monde voulait un capitaine bilingue, eh bien, c'est fait ! Il y en a un qui parle anglais, l'autre, français. » Pour sa part, l'entraîneur Pat Burns fait savoir qu'il utilisera les services de ses deux capitaines en alternance au cours de la saison. Les blessures modifieront quelque peu ses plans. Même que, lors d'un match hors-concours avant la saison, il doit avoir recours à Mats Näslund comme capitaine, les deux autres étant à l'écart du jeu pour blessure. Situation identique en mars, lorsque Carbonneau est suspendu et Chelios blessé. Cette fois, Ryan Walter vient à la rescousse.

C'est la première fois cependant que la tâche est assumée conjointement par deux joueurs.

Au cours de la saison, Carbonneau et Chelios franchiront respectivement le cap des 600 et des 400 parties jouées avec le club. Carbo compte plus de 400 points et Chelios en a 300.

Peu de temps après sa nomination, Chelios signe un nouveau contrat de cinq ans avec l'équipe lui accordant un salaire estimé à 800 000 $ par année, selon une liste obtenue en primeur par Mario Tremblay à l'emploi du poste CJMS. Cette liste confidentielle, qui sera divulguée en février à la suite de l'approbation de l'Association des joueurs, révèle que Chelios — le mieux payé de l'organisation — gagne en réalité 575 000 $ CA, suivi de Bobby Smith, Mats Näslund et Guy Carbonneau, qui gagnent respectivement 385 000 $, 380 000 $ et 360 000 $. Roy encaisse 300 000 $, tout comme Svoboda, Lemieux, Ludwig et McPhee, mais il en est à la dernière année de son contrat.

Par ailleurs, selon la liste officielle, Mario Lemieux est le joueur de la LNH touchant le plus haut salaire à 2 millions US, suivi de Gretzky à 1,7 million et Mark Messier, à 832 000 $. Chelios figure parmi les 15 premiers. Ce sont les Kings de Los Angeles qui ont la masse salariale la plus élevée, suivis de Pittsburgh. Le Canadien arrive neuvième.

458

| JOUEURS | |
|---|---|
| 1 | Brian Hayward |
| 3 | Sylvain Lefebvre |
| 6 | Russ Courtnall |
| 8 | Steven Martinson |
| 11 | Ryan Walter |
| 12 | Mike Keane |
| 14 | Mark Pederson |
| 15 | Bobby Smith |
| 17 | Craig Ludwig |
| 18 | Mathieu Schneider |
| 20 | Jyrki Lumme |
| 21 | Guy Carbonneau (C) |
| 24 | Chris Chelios (C) |
| 25 | Petr Svoboda |
| 26 | Mats Näslund |
| 27 | Shayne Corson |
| 28 | Éric Desjardins |
| 31 | Tom Chorske |
| 32 | Claude Lemieux |
| 33 | Patrick Roy |
| 34 | Donald Dufresne |
| 35 | Mike McPhee |
| 36 | Martin Desjardins |
| | Todd Ewen |
| 38 | Lyle Odelein |
| 39 | Brian Skrudland |
| 41 | Brent Gilchrist |
| 43 | Andrew Cassels |
| 44 | Stéphane Richer |
| 45 | Jocelyn Lemieux |
| 46 | Ed Cristofoli |
| 47 | Stéphan Lebeau |
| 48 | Jean-Jacques Daigneault |
| 53 | André Racicot |
| **ENTRAÎNEUR** | |
| | Pat Burns |

● Les joueurs des Canadiens bombardent la forteresse des Penguins à 61 reprises pour un nouveau record d'équipe, dans une victoire de 11 à 1 au Forum. Marque précédente : 59 contre les Rangers, en 1963-64.

● Performance remarquable de Mats Näslund avec un 600e point à son 600e match avec les Canadiens, contre les Nordiques en février.

● Nouveaux sommets personnels également pour Bobby Smith (600 passes en carrière et 300 avec les Canadiens), ainsi que Russ Courtnall et Stéphane Richer (300 points).

● Pour les parties jouées, les nouveaux « vétérans » sont : Bobby Smith (500), Russ Courtnall, Petr Svoboda et Mike McPhee (400), Brian Skrudland, Stéphane Richer et Brian Hayward (300).

● Éric Desjardins, jeune défenseur fort prometteur à sa deuxième saison chez les Glorieux, connaît un moment de gloire le 25 février, en marquant le 15 000e but de l'histoire du club au Forum, contre Vincent Riendeau des Blues.

*Éric Desjardins*

**1989-1990**

| ASSOCIATION PRINCE-DE-GALLES | | | | | | | |
|---|---|---|---|---|---|---|---|
| **DIVISION ADAMS** | **PJ** | **G** | **P** | **N** | **BP** | **BC** | **PTS** |
| Boston (Bruins) | 80 | 46 | 25 | 9 | 289 | 232 | 101 |
| Buffalo (Sabres) | 80 | 45 | 27 | 8 | 286 | 248 | 98 |
| Montréal (Canadiens) | 80 | 41 | 28 | 11 | 288 | 234 | 93 |
| Hartford (Whalers) | 80 | 38 | 33 | 9 | 275 | 268 | 85 |
| Québec (Nordiques) | 80 | 12 | 61 | 7 | 240 | 407 | 31 |
| **DIVISION PATRICK** | **PJ** | **G** | **P** | **N** | **BP** | **BC** | **PTS** |
| New York (Rangers) | 80 | 36 | 31 | 13 | 279 | 267 | 85 |
| New Jersey (Devils) | 80 | 37 | 34 | 9 | 295 | 288 | 83 |
| Washington (Capitals) | 80 | 36 | 38 | 6 | 284 | 275 | 78 |
| New York (Islanders) | 80 | 31 | 38 | 11 | 281 | 288 | 73 |
| Pittsburgh (Penguins) | 80 | 32 | 40 | 8 | 318 | 359 | 72 |
| Philadelphie (Flyers) | 80 | 30 | 39 | 11 | 290 | 297 | 71 |
| ASSOCIATION CLARENCE-CAMPBELL | | | | | | | |
| **DIVISION NORRIS** | **PJ** | **G** | **P** | **N** | **BP** | **BC** | **PTS** |
| Chicago (Blackhawks) | 80 | 41 | 33 | 6 | 316 | 294 | 88 |
| St. Louis (Blues) | 80 | 37 | 34 | 9 | 295 | 279 | 83 |
| Toronto (Maple Leafs) | 80 | 38 | 38 | 4 | 337 | 358 | 80 |
| Minnesota (North Stars) | 80 | 36 | 40 | 4 | 284 | 291 | 76 |
| Detroit (Red Wings) | 80 | 28 | 38 | 14 | 288 | 323 | 70 |
| **DIVISION SMYTHE** | **PJ** | **G** | **P** | **N** | **BP** | **BC** | **PTS** |
| Calgary (Flames) | 80 | 42 | 23 | 15 | 348 | 265 | 99 |
| Edmonton (Oilers) | 80 | 38 | 28 | 14 | 315 | 283 | 90 |
| Winnipeg (Jets) | 80 | 37 | 32 | 11 | 298 | 290 | 85 |
| Los Angeles (Kings) | 80 | 34 | 39 | 7 | 338 | 337 | 75 |
| Vancouver (Canucks) | 80 | 25 | 41 | 14 | 245 | 306 | 64 |

| MEILLEURS MARQUEURS | | | | | | |
|---|---|---|---|---|---|---|
| | | **PJ** | **B** | **A** | **PTS** | **PUN** |
| Wayne Gretzky | Los Angeles | 73 | 40 | 102 | 142 | 42 |
| Mark Messier | Edmonton | 79 | 45 | 84 | 129 | 79 |
| Steve Yzerman | Detroit | 79 | 62 | 65 | 127 | 79 |
| Mario Lemieux | Pittsburgh | 59 | 45 | 78 | 123 | 78 |
| Brett Hull | St. Louis | 80 | 72 | 41 | 113 | 24 |
| Bernie Nicholls | LA/NYR | 79 | 39 | 73 | 112 | 86 |
| Pierre Turgeon | Buffalo | 80 | 40 | 66 | 106 | 29 |
| Pat LaFontaine | NY Islanders | 74 | 54 | 51 | 105 | 38 |
| Paul Coffey | Pittsburgh | 80 | 29 | 74 | 103 | 95 |
| Joe Sakic | Québec | 80 | 39 | 63 | 102 | 27 |
| Adam Oates | St. Louis | 80 | 23 | 79 | 102 | 30 |

*Craig Ludwig a fait part à Robinson de la grande admiration qu'il a toujours eue pour lui, lors de l'élimination contre Calgary, le printemps précédent, sachant que celui-ci était sur le point de tirer sa révérence.*

459

● « Le fantôme de Gretzky n'est plus avec nous », affirme le défenseur Kevin Lowe à Pierre Durocher du *Journal de Montréal* en décembre. Les Oilers ont trouvé un nouveau leader en Mark Messier, deuxième marqueur du circuit et gagnant du trophée Hart. Une cinquième coupe Stanley en sept ans leur permet de prouver qu'ils forment une équipe aussi puissante qu'à l'ère Gretzky. Après les Islanders au début des années 1980, les Oilers auront marqué la deuxième moitié de cette décennie.

● Gretzky revient au sommet des marqueurs de la LNH avec une 10e saison d'affilée de plus de 100 assistances. Tôt dans la saison, le 15 octobre à Edmonton, il dépasse Gordie Howe pour le total de points en carrière, terminant l'année avec 1 979.

● Mario Lemieux occupe la tête des marqueurs à la mi-février, mais une hernie discale lui fait perdre une vingtaine de parties et un troisième titre d'affilée. Il terminera 4e, à 19 points de

Gretzky. Les Penguins sont exclus des séries.

● La ville de Québec accueille enfin son héros qu'elle attend depuis l'époque glorieuse des Remparts. Guy Lafleur vient compléter sa seconde carrière avec les Nordiques. L'entraîneur Michel Bergeron revient aussi derrière le banc.

● L'arrivée de Lafleur n'empêche pas les Nordiques de terminer au dernier rang de leur division pour une troisième année de suite. Ils ne remportent que 12 victoires

(31 points), utilisant 7 gardiens différents au cours de la saison. Cette descente aux enfers durera cinq ans.

● Peter Stastny rejoint les marqueurs de 1 000 points en carrière dans la LNH au début de la saison. Il est le 24e joueur à atteindre ce sommet. Denis Savard des Hawks le rejoindra en fin de campagne.

● Peter Stastny et Michel Goulet sont échangés par les Nordiques à 24 heures d'intervalle en mars, un geste longuement contesté par les supporters de l'équipe.

**1989-1990**

## UNE DÉFENSIVE DÉGARNIE

La structure défensive des Canadiens en mange un coup au cours de l'été précédant la saison lorsque le capitaine et attaquant défensif par excellence Bob Gainey, ainsi que les arrières Larry Robinson et Rick Green quittent l'équipe à quelques semaines d'avis.

Gainey, un vétéran de 16 saisons avec le Tricolore, a participé à la conquête de six coupes Stanley et mérité quatre trophées Frank-Selke comme meilleur attaquant défensif, en plus d'un Conn-Smythe à titre de meilleur joueur des séries en 1979. Il quitte pour entreprendre une nouvelle carrière de joueur-entraîneur avec les Écureuils d'Épinal, une formation française de deuxième division.

Quant à Rick Green, il abandonne le hockey qui, selon ses termes, « était devenu une corvée ». Il trouve trop difficile de se préparer mentalement pour les parties, selon les raisons données au moment de son départ. Green a joué 13 saisons dans la Nationale, dont les 7 dernières avec le Canadien. Au début de janvier, il accepte cependant un contrat avec une équipe italienne localisée

| TROPHÉES | |
|---|---|
| **COUPE STANLEY** | |
| Oilers d'Edmonton | |
| **TROPHÉE PRINCE-DE-GALLES** | |
| Bruins de Boston | |
| **TROPHÉE CLARENCE-CAMPBELL** | |
| Oilers d'Edmonton | |
| **TROPHÉE DU PRÉSIDENT** | |
| Bruins de Boston | |
| **TROPHÉE HART** | |
| Mark Messier | |
| Oilers d'Edmonton | |
| **TROPHÉE ART-ROSS** | |
| Wayne Gretzky | |
| Kings de Los Angeles | |
| **TROPHÉE LADY-BYNG** | |
| Brett Hull | |
| Blues de St. Louis | |
| **TROPHÉE CALDER** | |
| Sergei Makarov | |
| Flames de Calgary | |
| **TROPHÉE GEORGES-VÉZINA** | |
| Patrick Roy | |
| Canadiens de Montréal | |
| **TROPHÉE JAMES-NORRIS** | |
| Raymond Bourque | |
| Bruins de Boston | |
| **TROPHÉE CONN-SMYTHE** | |
| Bill Ranford | |
| Oilers d'Edmonton | |

*Le départ de plusieurs vétérans signifie plus de travail pour le gardien Patrick Roy qui doit compter sur une défensive inexpérimentée.*

● Les Bruins de Boston signent une 2 000e victoire dans la LNH, huit ans après les Canadiens.

● Raymond Bourque, qui sera récipiendaire du trophée Norris pour la troisième fois en quatre ans, renonce au chandail n° 7, retiré en l'honneur de Phil Esposito, et opte pour le n° 77.

● Invasion soviétique avec l'arrivée dans la Ligue nationale d'une dizaine de joueurs, la plupart en fin de carrière, après de longues négociations avec la fédération de l'URSS. Les déclarations d'Igor Larionov à l'encontre des politiques restrictives des autorités locales ont forcé celles-ci à faire montre d'un peu plus de souplesse.

● Pour sceller les ententes avec la fédération soviétique, les champions en titre, les Flames de Calgary, ainsi que les Capitals de Washington disputent quelques parties amicales au pays des «camarades», lors d'une tournée européenne d'avant-saison.

● Bob Goodenow remplace le controversé Alan Eagleson comme représentant des joueurs. À la suite d'un sondage interne, les joueurs décident de dévoiler leur salaire publiquement.

● La nomination de Sergei Makarov à titre de recrue de l'année, à 31 ans et fort d'une expérience de plus de 10 ans sur la scène internationale, incite la Ligue à resserrer ses règlements d'éligibilité. Dorénavant, les joueurs de plus de 25 ans ne seront plus considérés recrues.

● Les 72 buts réussis par Brett Hull avec St. Louis marquent la première et unique combinaison père-fils à avoir enregistré 50 buts en une saison, 28 ans après le premier exploit du paternel.

● L'équipe canadienne domine le premier véritable championnat mondial féminin, une compétition antérieure, également remportée par le Canada en 1987, mais qui n'avait pas été reconnue officiellement.

| TROPHÉES |
|---|
| **TROPHÉE BILL-MASTERTON** |
| Gord Kluzak |
| Bruins de Boston |
| **TROPHÉE LESTER-B.-PEARSON** |
| Mark Messier |
| Oilers d'Edmonton |
| **TROPHÉE JACK-ADAMS** |
| Bob Murdoch |
| Jets de Winnipeg |
| **TROPHÉE FRANK-J.-SELKE** |
| Rick Meagher |
| Blues de St. Louis |
| **TROPHÉE WILLIAM-M.-JENNINGS** |
| Réjean Lemelin et Andy Moog |
| Bruins de Boston |
| **TROPHÉE KING-CLANCY** |
| Kevin Lowe |
| Oilers d'Edmonton |

*La mort de Doug Harvey (ici entouré de John Ziegler et de Ronald Corey) a fait revivre aux partisans du Tricolore le rôle déterminant qu'il a joué dans la première grande dynastie de l'équipe, au cours des années 1950 et 1960.*

à Merano pour y compléter l'année. Retenu par l'équipe canadienne pour les championnats du monde de 1990, Green reviendra brièvement dans la LNH avec Detroit par la suite, le Canadien ayant cédé son contrat aux Red Wings pour un choix de repêchage.

Quant à Robinson, membre des Canadiens depuis 17 ans, il refuse la dernière offre de Serge Savard pour accepter celle des Kings de Los Angeles à titre de joueur autonome. Il évoque la pression intense à Montréal, devenue difficile à supporter, pour expliquer son départ des Canadiens avec lesquels il a célébré la conquête de six coupes Stanley, en plus de deux trophées James-Norris comme meilleur défenseur et un Conn-Smythe en 1978. Robinson dit ne plus avoir le feu sacré pour poursuivre à Montréal. Il disputera trois saisons avec les Kings, avant d'opter pour une carrière d'entraîneur.

## LA MORT D'UN GRAND DÉFENSEUR

Les Canadiens pleurent la mort d'un autre de ses grands héros au lendemain de Noël 1989. Doug Harvey, le plus grand défenseur de son époque, meurt à 65 ans des suites d'une longue maladie rattachée à une cirrhose. Harvey, dont les problèmes d'alcool étaient connus de tous, avait vécu l'un des plus beaux jours de sa vie lorsque les Canadiens avaient fait appel à ses services comme dépisteur à temps partiel, quelques années avant sa mort.

Harvey a été désigné meilleur défenseur de l'histoire des Canadiens lors des festivités du 75e anniversaire du club en 1985. Il a porté les couleurs de l'équipe pendant 14 ans avant d'être échangé aux Rangers par Frank Selke, en raison du rôle qu'il avait joué dans la mise sur pied de l'Association des joueurs. Il est resté trois ans à New York, avant de revenir brièvement à Detroit puis à St. Louis, après une interruption de quelques années passées dans les mineures, notamment chez les As de Québec dans l'Américaine. Onze fois, il a fait les équipes d'étoiles, et il a fait partie de la première à 10 reprises. Il a décroché le trophée Norris sept fois et remporté six coupes Stanley avec le Tricolore, dont il a aussi été le capitaine en 1960-61.

461

# 1990 〔C〕 1991

*La présence de Mario Lemieux donne de bons résultats à Pittsburgh. Les Penguins grimpent en tête de la Division Patrick et triomphent en six parties des North Stars du Minnesota — tombeurs de Chicago (premier de la Division Norris), St. Louis et Edmonton — lors de la finale. Mario Lemieux est le meilleur joueur des séries. Pittsburgh a difficilement éliminé New Jersey, et ensuite Washington et Boston pour atteindre cette finale. Los Angeles et Boston (11 points devant les Canadiens) sont les autres champions de division. La lutte est vive dans trois des quatre sections de la Ligue. Les Nordiques sont derniers au classement général pour la troisième année de suite. Le Tricolore élimine Buffalo en quart de finale avant de s'incliner en sept au terme d'une lutte acharnée contre Boston. Gretzky conserve son championnat des marqueurs, avec 32 points de plus que Brett Hull, lequel reçoit cependant le trophée Hart ainsi que le Lester-B.-Pearson. Arrivée spectaculaire du gardien Ed Belfour à Chicago. Il devance Patrick Roy pour le Vézina et le Jennings et il remporte aussi le Calder. Quatrième titre de meilleur défenseur en cinq ans pour Raymond Bourque. Roy, dans la deuxième, est le seul membre des Canadiens retenu au sein des équipes d'étoiles.*

*Denis Savard devient le premier millionnaire de l'équipe en signant un nouveau contrat à son arrivée à Montréal, mais il sera vite rejoint par Patrick Roy sur la liste des hauts salariés.*

# Denis Savard, premier millionnaire

**D**enis Savard, que le Canadien avait ignoré au repêchage de 1980, se retrouve finalement avec l'équipe montréalaise 10 ans plus tard, à la faveur d'un échange spectaculaire commandé par le président Ronald Corey lui-même, selon des sources fiables. Chris Chelios s'en va à Chicago avec un choix de deuxième ronde, en retour du joueur originaire de Pointe-Gatineau qui a disputé son hockey junior dans la cour du grand club à Verdun. «C'était un de mes rêves, avoue candidement Savard au journaliste Ronald King de *La Presse*. Je vais me préparer. (...) J'ai hâte que la saison commence. » Savard,

463

● Guy Carbonneau remplit seul le rôle de capitaine à la suite du départ de Chris Chelios. Brian Skrudland le remplace lorsqu'il ne joue pas.

● Le capitaine des Canadiens devient le premier choix de repêchage d'un nouveau circuit créé à la mi-juin, la Ligue continentale. Choix sans lendemain puisque la Ligue disparaîtra avant de naître. Carbo signera plutôt une nouvelle entente de quatre ans pour 2,9 millions avec les Canadiens à quelques semaines du camp d'entraînement.

● Quelques heures avant de prendre l'avion pour l'Europe, Serge Savard effectue deux échanges majeurs. Claude Lemieux, qui ne veut plus jouer à Montréal, est cédé au New Jersey en retour de Sylvain Turgeon, puis Craig Ludwig passe aux Islanders de New York en échange de Gerald Diduck. Ludwig apprend la décision au moment de monter à bord de la navette pour l'aéroport et il reste seul avec ses bagages à la porte du Forum.

● Bobby Smith, acquis sept ans plus tôt à la faveur d'une mégatransaction, est retourné aux North Stars du Minnesota entre les deux saisons. Il a connu 2 campagnes de plus de 30 buts à Montréal.

● Deux joueurs mécontents de leur utilisation sont aussi échangés à quelques mois d'intervalle. Le gardien Brian Hayward fait la grève en début de saison parce qu'il se dit insatisfait d'être constamment le second de Patrick Roy. Serge Savard le suspend sans salaire, mais le gardien continue de

s'entraîner à l'Université McGill en attendant qu'on l'échange. Il est finalement cédé aux North Stars un mois plus tard en retour d'un défenseur de 21 ans, Jayson More. Début janvier, c'est au tour du défenseur Gerald Diduck, acquis quatre mois plus tôt, d'avoir une violente altercation verbale avec l'entraîneur Burns au sujet de son temps d'utilisation. Celui-ci le renvoie chez lui et une semaine plus tard Savard l'expédie à Vancouver.

## 1990-1991

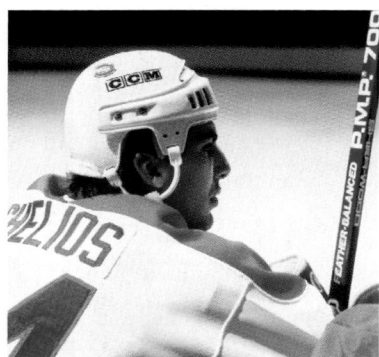

*Le président Corey ne veut plus voir Chelios dans l'entourage de l'équipe et demande au gérant Serge Savard de s'en départir.*

disait-on, n'était pas dans les bonnes grâces de l'entraîneur Mike Keenan à Chicago. Et Chelios ne l'était plus dans celles du président Corey. Premier défenseur des Canadiens, récipiendaire du trophée Norris en 1989, Chelios s'était aussi fait remarquer par sa conduite trop souvent déplacée à l'extérieur de la patinoire, notamment dans une histoire de mœurs enterrée par l'organisation et la police en avril 1987. Pour d'autres frasques aussi. Mais il était toujours apprécié de Serge Savard. Pas tellement du président Corey, cependant.

Pourtant, Serge Savard déroule pratiquement le tapis rouge devant son nouveau joueur. Il lui remet le numéro 18 de Mathieu Schneider, numéro que lui-même portait chez les Canadiens. C'était le numéro de Denis Savard à Chicago. Mieux encore, il en fait le premier millionnaire de l'organisation en lui consentant un contrat de trois ans, plus une année d'option, à la fin de l'été. Une entente qui lui vaut un salaire évalué à 1,25 million. Selon les chiffres de l'Association des joueurs, il serait sur la courte liste de près d'une dizaine de joueurs gagnant un million par année. Liste qui englobe les noms de Wayne Gretzky, Mario Lemieux, Steve Yzerman, Brett Hull, Scott Stevens et Raymond Bourque. Patrick Roy s'ajoutera à cette liste un peu plus tard. Quelques médias, se basant sur les commentaires de Serge Savard lui-même, prétendront alors que Roy est devenu le plus haut salarié de l'équipe.

Denis Savard, qui a cumulé plus de 1 000 points à Chicago en 10 ans, est également bien accueilli par la presse locale, trop heureuse de trouver un successeur à Guy Lafleur, même si le prix payé (Chelios) est élevé. D'aucuns rappellent le choix de Doug Wickenheiser en 1980, mais Savard le gérant a vite fait de ramener les choses dans leur perspective, en élevant la voix pour répéter qu'il n'était pas là à l'époque et que ce choix n'était pas le sien.

| JOUEURS | |
|---|---|
| 1 | Frédéric Chabot |
| 3 | Sylvain Lefebvre |
| 5 | Gerald Diduck |
| | Alain Côté |
| 6 | Russ Courtnall |
| 8 | Mathieu Schneider |
| 11 | Ryan Walter |
| 12 | Mike Keane |
| 14 | Mark Pederson |
| 15 | Andrew Cassels |
| 17 | John LeClair |
| 18 | Denis Savard |
| 20 | Sylvain Turgeon |
| 21 | Guy Carbonneau (C) |
| 22 | Benoît Brunet |
| 24 | Lyle Odelein |
| 25 | Petr Svoboda |
| 27 | Shayne Corson |
| 28 | Éric Desjardins |
| 29 | Patrick Lebeau |
| 31 | Tom Chorske |
| 32 | Mario Roberge |
| 33 | Patrick Roy |
| 34 | Donald Dufresne |
| 35 | Mike McPhee |
| 36 | Todd Ewen |

### MEILLEURS MARQUEURS

| | | PJ | B | A | PTS | PUN |
|---|---|---|---|---|---|---|
| Wayne Gretzky | Los Angeles | 78 | 41 | 122 | 163 | 16 |
| Brett Hull | St. Louis | 78 | 86 | 45 | 131 | 22 |
| Adam Oates | St. Louis | 61 | 25 | 90 | 115 | 29 |
| Mark Recchi | Pittsburgh | 78 | 40 | 73 | 113 | 48 |
| John Cullen | Pit./Hfd | 78 | 39 | 71 | 110 | 101 |
| Joe Sakic | Québec | 80 | 48 | 61 | 109 | 24 |
| Steve Yzerman | Detroit | 80 | 51 | 57 | 108 | 34 |
| Theoren Fleury | Calgary | 79 | 51 | 53 | 104 | 136 |
| Al MacInnis | Calgary | 78 | 28 | 75 | 103 | 90 |
| Steve Larmer | Chicago | 80 | 44 | 57 | 101 | 79 |

● Les médias de Winnipeg, ainsi que ceux de Montréal, font grand état d'une bagarre impliquant Shayne Corson (qui n'en est pas à sa première incartade), Mike Keane et Brian Skrudland à la sortie d'un bar de cette ville du Manitoba. Les trois Glorieux prétendent être venus à la rescousse de deux filles battues par deux individus de la place. L'affaire est demeurée sans suite, les accusations ayant finalement été retirées.

● Pendant que les Canadiens livrent une bataille de tranchées pour se maintenir aux avant-postes de la Ligue, les Américains, avec l'aide d'une trentaine de pays alliés, déclarent la guerre à Saddam Hussein et bombardent les installations militaires de l'Irak pour le forcer à quitter le Koweït. On est en pleine guerre du Golfe et le hockey passe au deuxième rang des préoccupations pour plusieurs qui craignent que

le conflit ne dégénère en nouvelle guerre mondiale. D'aucuns suggèrent même qu'on reporte le match des étoiles du 19 janvier. Le président de la LNH John Ziegler s'y oppose.
● Molson, déjà propriétaire du club Canadiens, acquiert 20 % des actions des Maple Leafs de Toronto, pour une somme de 19 millions, en novembre. Ne pouvant avoir d'engagement financier avec plus d'une équipe selon les règles de la LNH, Molson place ses

actions en fidéicommis, avant de les revendre à un homme d'affaires de Toronto plusieurs mois plus tard. Pendant un moment, certains ont cru à tort que Molson songeait à se départir des Canadiens pour acquérir les Leafs.
● En début d'avril, le président Corey fait part de la décision de l'organisation de construire le prochain amphithéâtre de l'équipe sur la partie ouest des terrains de la gare Windsor.

| JOUEURS | |
|---|---|
| 37 | Jean-Claude Bergeron |
| 38 | Sean Hill |
| 39 | Brian Skrudland |
| 40 | André Racicot |
| 41 | Brent Gilchrist |
| 43 | Patrice Brisebois |
| 44 | Stéphane Richer |
| 45 | Gilbert Dionne |
| 47 | Stéphan Lebeau |
| 48 | Jean-Jacques Daigneault |
| 49 | Luc Gauthier |
| ENTRAÎNEUR | |
| Pat Burns | |

**1990-1991**

*Näslund en a assez des longs voyages et d'être éloigné de sa famille pendant de longues périodes. Il quitte pour la Suisse.*

**ASSOCIATION PRINCE-DE-GALLES**

| DIVISION ADAMS | PJ | G | P | N | BP | BC | PTS |
|---|---|---|---|---|---|---|---|
| Boston (Bruins) | 80 | 44 | 24 | 12 | 299 | 264 | 100 |
| Montréal (Canadiens) | 80 | 39 | 30 | 11 | 273 | 249 | 89 |
| Buffalo (Sabres) | 80 | 31 | 30 | 19 | 292 | 278 | 81 |
| Hartford (Whalers) | 80 | 31 | 38 | 11 | 238 | 276 | 73 |
| Québec (Nordiques) | 80 | 16 | 50 | 14 | 236 | 354 | 46 |
| DIVISION PATRICK | PJ | G | P | N | BP | BC | PTS |
| Pittsburgh (Penguins) | 80 | 41 | 33 | 6 | 342 | 305 | 88 |
| New York (Rangers) | 80 | 36 | 31 | 13 | 297 | 265 | 85 |
| Washington (Capitals) | 80 | 37 | 36 | 7 | 258 | 258 | 81 |
| New Jersey (Devils) | 80 | 32 | 33 | 15 | 272 | 264 | 79 |
| Philadelphie (Flyers) | 80 | 33 | 37 | 10 | 252 | 267 | 76 |
| New York (Islanders) | 80 | 25 | 45 | 10 | 223 | 290 | 60 |

**ASSOCIATION CLARENCE-CAMPBELL**

| DIVISION NORRIS | PJ | G | B | N | PB | BC | PTS |
|---|---|---|---|---|---|---|---|
| Chicago (Blackhawks) | 80 | 49 | 23 | 8 | 284 | 211 | 106 |
| St. Louis (Blues) | 80 | 47 | 22 | 11 | 310 | 250 | 105 |
| Detroit (Red Wings) | 80 | 34 | 38 | 8 | 273 | 298 | 76 |
| Minnesota (North Stars) | 80 | 27 | 39 | 14 | 256 | 266 | 68 |
| Toronto (Maple Leafs) | 80 | 23 | 46 | 11 | 241 | 318 | 57 |
| DIVISION SMYTHE | PJ | G | P | N | BP | BC | PTS |
| Los Angeles (Kings) | 80 | 46 | 24 | 10 | 340 | 254 | 102 |
| Calgary (Flames) | 80 | 46 | 26 | 8 | 344 | 263 | 100 |
| Edmonton (Oilers) | 80 | 37 | 37 | 6 | 272 | 272 | 80 |
| Vancouver (Canucks) | 80 | 28 | 43 | 9 | 243 | 315 | 65 |
| Winnipeg (Jets) | 80 | 26 | 43 | 11 | 260 | 288 | 63 |

## NÄSLUND S'EN RETOURNE

Mats Näslund a vécu des moments heureux et il a connu une belle carrière à Montréal en huit saisons, comme cette conquête de la coupe Stanley en 1986 et un titre de joueur le plus gentilhomme en 1987-88. Mais le « p'tit Viking » a décidé de se rapprocher de la Suède, là où il veut élever ses enfants. En acceptant l'offre de la formation suisse de Lugano, il opte aussi pour une meilleure qualité de vie. Finis les longs voyages en avion, les séjours répétés dans les hôtels. Mais surtout beaucoup plus de temps à passer en famille avec un calendrier de 36 parties seulement. À un salaire qui se compare à celui qu'il recevrait des Canadiens, si on considère que sa nouvelle équipe réglera les frais de l'impôt tout en lui fournissant résidence et voiture.

Malgré une entente initiale de deux ans, Näslund ne demeurera qu'une saison en Suisse, avant de s'en retourner en Suède pour trois autres années... et revenir disputer une saison dans la LNH en 1994-95 avec les Bruins de Boston.  465

● La LNH cède finalement aux pressions et, dans le but de rendre le jeu plus excitant, décide d'agrandir l'espace derrière le filet, réduisant la zone neutre de deux pieds. Une mesure qui favorisera la préparation de passes par Wayne Gretzky, à partir de ce qui sera désormais appelé son bureau.

● George et Gordon Gund, désireux de se départir des North Stars du Minnesota, trouvent finalement preneur et conviennent d'une entente avec la Ligue nationale. Les frères Gund exploiteront une nouvelle concession pour la ville de San

Jose — laquelle adoptera le nom de Sharks — dès la saison suivante. Ils obtiennent les droits sur 24 joueurs des filiales des North Stars, plus 10 joueurs non protégés par les autres formations.

● Les nouveaux propriétaires des North Stars du Minnesota, Howard Baldwin et Norm Green, font appel à Bobby Clarke, congédié par les Flyers, pour le poste de directeur général et celui-ci se tourne vers l'ancien capitaine des Canadiens, Bob Gainey, rapatrié d'Europe, pour remplacer l'entraîneur Pierre Pagé.

● L'Association des joueurs réalise que son directeur exécutif Alan Eagleson fait un peu trop copain-copain avec les propriétaires et l'incite à partir. Elle le remplace

*Alan Eagleson était écouté par les dirigeants, Selke par exemple, mais aussi par les joueurs.*

temporairement par un jeune avocat du Michigan, Bob Goodenow, lequel héritera officiellement du poste deux ans plus tard. Pour sa part, Eagleson sera accusé de fraude et condamné en 1998.

● En décembre, la Nationale fait part de son intention

## 1990-1991

### VOYAGE TROUBLE EN URSS

La direction des Canadiens accepte la demande de la Ligue nationale et l'équipe quitte pour l'Union soviétique en septembre y disputer quatre matchs d'exhibition à Leningrad, Riga et Moscou (deux matchs). Séjour précédé d'un arrêt à Stockholm pour un entraînement de quelques jours suivi d'une rencontre amicale.

Moins de deux ans avant la fin du régime communiste, le séjour n'est pas toujours agréable au pays de Lénine. Pauvreté extrême des gens dans les rues, problèmes majeurs de communications téléphoniques pour les médias, négociations répétées pour le moindre service et, pour couronner le tout, fouille en profondeur au retour malgré l'assurance des autorités qu'ils auraient un départ sans complications. Les quantités de caviar rapportées ont été beaucoup moindres que prévues, si l'on en juge par les journalistes du voyage.

Au départ, la Ligue avait aussi un peu compliqué les choses en voulant imposer un chandail aux couleurs de la LNH, alors qu'on voulait voir celui du Tricolore.

La tournée commence bien, avec des victoires de 7 à 1 à Stockholm, 5 à 3 à Leningrad et 4 à 2 à Riga. C'est à Moscou que les choses se gâtent. Les Canadiens perdent le premier match 4-1 contre le Dynamo et quittent la patinoire en plein tumulte, sous une pluie de bouteilles de vodka, à quelques minutes de la fin du second match contre l'Armée rouge, alors que les joueurs des deux formations s'échangent coup pour coup depuis un bon moment. C'est alors 2-2. Finalement, l'annonceur-maison transmet les excuses des autorités soviétiques aux joueurs des Canadiens qui acceptent de revenir sur la glace, sous les applaudissements des spectateurs. Andrei Kovalenko tranchera en faveur des Soviétiques au début de la prolongation.

Le retour au pays a été accueilli par une salve d'applaudissements de la part des 128 membres de la délégation. Quelques joueurs ont cependant admis avoir apprécié leur voyage de deux semaines toutes dépenses payées, mais cet avis était loin d'être partagé de tous.

| TROPHÉES |
| --- |
| **COUPE STANLEY** |
| Penguins de Pittsburgh |
| **TROPHÉE PRINCE-DE-GALLES** |
| Penguins de Pittsburgh |
| **TROPHÉE CLARENCE-CAMPBELL** |
| North Stars du Minnesota |
| **TROPHÉE DU PRÉSIDENT** |
| Blackhawks de Chicago |
| **TROPHÉE HART** |
| Brett Hull |
| Blues de St. Louis |
| **TROPHÉE ART-ROSS** |
| Wayne Gretzky |
| Kings de Los Angeles |
| **TROPHÉE LADY-BYNG** |
| Wayne Gretzky |
| Kings de Los Angeles |
| **TROPHÉE CALDER** |
| Ed Belfour |
| Blackhawks de Chicago |
| **TROPHÉE GEORGES-VÉZINA** |
| Ed Belfour |
| Blackhawks de Chicago |
| **TROPHÉE JAMES-NORRIS** |
| Raymond Bourque |
| Bruins de Boston |

d'accepter deux autres concessions en 1992-93, celles d'Ottawa et de Tampa Bay.

● Les Blues de St. Louis offrent un contrat de plus de 5 millions pour quatre ans à Scott Stevens et doivent consentir cinq premiers choix aux Capitals de Washington en retour.

● Sergei Fedorov, un joueur de centre d'à peine 20 ans, déserte l'équipe soviétique aux Jeux de l'Amitié à Seattle, et se joint aussitôt aux Red Wings de Detroit. Les Soviétiques sont de nouveau aux abois, mais l'argent est plus fort que les principes.

● Le gardien des Oilers d'Edmonton, Grant Fuhr, admet avoir fait usage de cocaïne par le passé et sera suspendu pour une soixantaine de parties, la plus forte sentence imposée à ce jour par la Ligue. Il avait initialement écopé une saison complète. Il sera échangé aux Maple Leafs l'année suivante.

● Chris Nilan, l'ancien mauvais garnement des Canadiens, écope 10 punitions dans un même match, le 31 mars contre Hartford. Six mineures, deux majeures, une inconduite et une inconduite de partie pour Nilan, maintenant équipier des

Bruins et toujours détenteur de ce record un peu moins enviable que d'autres.

● Nouvelle transformation pour la coupe Stanley. Il n'y reste qu'un espace sur les anneaux circulaires pour les futurs gagnants. On retire la bande supérieure qui affiche les noms des champions de 1920 à 1940, laquelle est remise au Temple de la renommée, et on en ajoute une nouvelle au bas du trophée.

● La sélection de Brett Hull pour le trophée Hart cause une première, d'ordre familial, dans la Ligue. Son père Bobby

avait aussi hérité du même trophée en 1965 et 1966.

● Mario Lemieux est toujours incommodé par des problèmes de dos qui l'ennuient depuis la saison 1988-89. Il rate le début de saison et ne participe qu'à 26 parties. Il retrouve sa pleine forme pour les séries, dominant tous ses rivaux (16-28-44 en 23 parties), pour donner une première Coupe aux Penguins. Lors des éliminatoires, les joueurs de l'entraîneur Bob Johnson font preuve de caractère, perdant le premier match de chaque série, mais remontant chaque fois la pente.

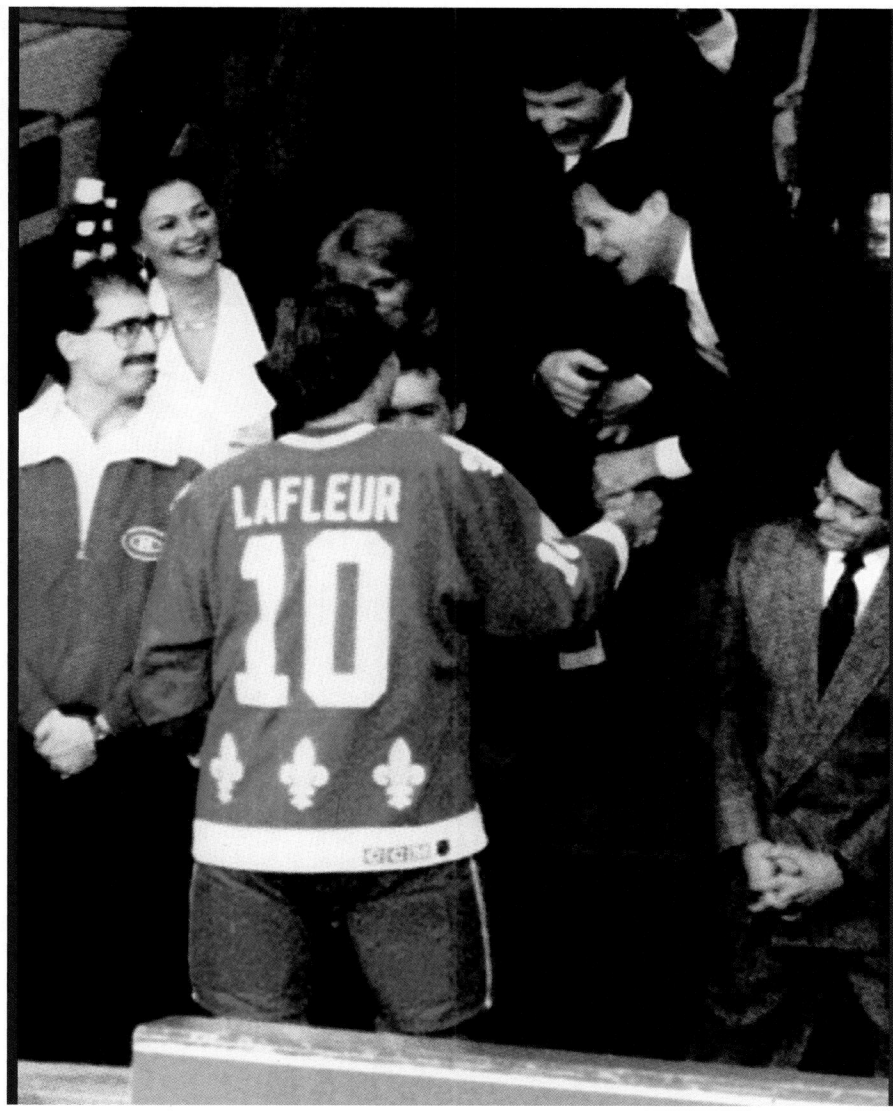

**1990·1991**

*Guy Lafleur est ovationné pendant six minutes par la foule du Forum à l'occasion de la soirée d'adieu marquant sa retraite définitive du hockey à la fin de la saison. Le moment le plus émouvant survient lorsque le Démon blond se dirige vers le président Ronald Corey pour lui serrer la main afin de tirer un trait final sur leur différend. Ce soir-là, Guy marque le dernier but de sa carrière, son 560e, contre Patrick Roy. Le lendemain, au Colisée, le public en délire lui offre une ovation de 11 minutes.*

| TROPHÉES | |
|---|---|
| **TROPHÉE CONN-SMYTHE** | |
| Mario Lemieux | |
| Penguins de Pittsburgh | |
| **TROPHÉE BILL-MASTERTON** | |
| Dave Taylor | |
| Kings de Los Angeles | |
| **TROPHÉE LESTER-B.-PEARSON** | |
| Brett Hull | |
| Blues de St. Louis | |
| **TROPHÉE JACK-ADAMS** | |
| Brian Sutter | |
| Blues de St. Louis | |
| **TROPHÉE FRANK-J.-SELKE** | |
| Dirk Graham | |
| Blackhawks de Chicago | |
| **TROPHÉE WILLIAM-M.-JENNINGS** | |
| Ed Belfour | |
| Blackhawks de Chicago | |
| **TROPHÉE KING-CLANCY** | |
| Dave Taylor | |
| Kings de Los Angeles | |

# 1991 ⒞ 1992

*LA LIGUE ACCUEILLE UNE 22ᴱ ÉQUIPE, LES SHARKS DE SAN JOSE, ET FÊTE SON 75ᴱ ANNIVERSAIRE. LES JOUEURS DÉCLENCHENT UNE GRÈVE D'UNE DIZAINE DE JOURS, JUSTE AVANT LES SÉRIES. PITTSBURGH CONSERVE LA COUPE STANLEY, BIEN QUE L'ÉQUIPE AIT GLISSÉ AU TROISIÈME RANG DE SON GROUPE DERRIÈRE LES RANGERS, DE RETOUR EN TÊTE, ET WASHINGTON. LA LIGUE COURONNE TROIS AUTRES NOUVEAUX CHAMPIONS DE DIVISION : DETROIT, VANCOUVER ET MONTRÉAL. C'EST UN PREMIER TITRE POUR MONTRÉAL EN TROIS ANS. L'ÉQUIPE MONTRÉALAISE PREND ENSUITE LES DEVANTS DEUX PARTIES À ZÉRO ET TROIS PARTIES À DEUX CONTRE HARTFORD, ET TRIOMPHE FINALEMENT AU SEPTIÈME MATCH GRÂCE AU PREMIER BUT DE RUSS COURTNALL EN SÉRIES À 5 MIN 26 S DE LA DEUXIÈME SUPPLÉMENTAIRE. MAIS ELLE SE HEURTE DE NOUVEAU AUX BRUINS DANS LA RONDE SUIVANTE. PENDANT CE TEMPS, LES PENGUINS BATTENT WASHINGTON EN SEPT, LES RANGERS EN SIX ET BOSTON EN QUATRE, AVANT D'AFFRONTER CHICAGO EN FINALE. LES HAWKS DISPOSENT AU PRÉALABLE DE ST. LOUIS, DETROIT ET EDMONTON, AVANT DE S'INCLINER RAPIDEMENT DEVANT MARIO LEMIEUX ET SA BANDE.*

## Le rêve de Richer tourne au cauchemar

*Quelques déclarations trop spontanées ont conduit Richer vers la sortie, à son grand regret.*

Stéphane Richer avait réalisé son rêve de gamin en endossant le chandail des Canadiens pour son premier match officiel dans la LNH le 15 janvier 1985 à Québec. Il en rêvait constamment bien avant son stage junior à Granby et à Chicoutimi. Mais, en ce 20 septembre, au retour de l'exercice d'échauffement précédant un match d'avant-saison contre Boston, lorsque Charles Thiffault, l'un des adjoints de Pat Burns, lui a demandé de retirer son chandail, il a compris. Il a compris que son beau rêve tournait au cauchemar. À la fin du deuxième engagement, un communiqué des Canadiens faisait part de la transaction que les bulletins de nouvelles diffusaient déjà : Richer venait d'être échangé avec Tom Chorske aux Devils du New Jersey pour les services de Kirk Muller et du gardien Roland Melanson.

En fait, le cauchemar était commencé depuis un bon moment déjà et le départ du plus récent compteur de 50 buts des Canadiens était inévitable, tellement ses relations avec Pat Burns étaient devenues invivables. Ce dernier lui reprochait de manquer d'intensité mais aussi de faire des déclarations qui affectaient les autres joueurs, comme celle où il avait dit spontanément

● Troisième trophée Frank-Selke pour le capitaine des Canadiens à titre de meilleur attaquant défensif. Aussi récipiendaire de cet honneur en 1987-88 et 1988-89, Carbonneau avait manqué de peu le triplé en terminant derrière Rick Meagher des Blues lors du vote des chroniqueurs sportifs. Carbonneau est depuis longtemps considéré comme l'un des meilleurs joueurs défensifs du circuit, ce qui ne l'empêche pas d'obtenir un 200e but dans l'uniforme des Canadiens, en février.

● Carbonneau et sa famille sont éprouvés, à la fin d'avril, lorsqu'un incendie criminel rase leur maison d'un demi-million de dollars, en construction, à l'Ile-Bizard.
● Richer et Chorske ne sont pas les seuls à changer d'adresse. Ryan Walter quitte pour Vancouver au cours de l'été précédant la saison, Andrew Cassels est échangé aux Whalers trois jours avant la transaction de Richer, puis Petr Svoboda passe aux Sabres de Buffalo

en mars en retour de Kevin Haller, un autre défenseur. Svoboda avait disputé plus de 500 matchs dans l'uniforme montréalais.
● Les Canadiens récupèrent l'un des favoris de la foule, dont ils s'étaient départis en 1988 au profit des Rangers. Chris Nilan, l'ancien policier du Tricolore, est réclamé aux Bruins via le ballotage en février et s'amène en déclarant qu'il retrouvait sa «dignité d'homme et de joueur de hockey». Il complétera la saison et sa carrière à Montréal.

*Chris Nilan*

**1991-1992**

préférer frapper un circuit à la balle plutôt que de marquer un but. Ou encore son aveu de vouloir un jour revêtir l'uniforme des Sénateurs d'Ottawa, ceux-ci évoluant plus près de ses amis de Ripon. Mais Burns n'avait surtout pas prisé le refus de Richer de se présenter au camp d'Équipe Canada quelques semaines plus tôt, optant plutôt pour un tournoi de balle à Vancouver.

Le bouillant entraîneur s'est alors mis à vanter les mérites de Kirk Muller, un joueur toujours prêt à la guerre pour son équipe, qu'il avait côtoyé à Coupe Canada. Au point de convaincre Serge Savard de se défaire du meilleur compteur du club, auteur de 2 saisons de 50 buts au cours des 4 dernières années et d'une autre de 31. Les Devils, incapables de s'entendre avec Muller et à la recherche d'un compteur de 50 buts, n'ont pas hésité longtemps avant de sauter sur l'occasion. Savard avait préparé le terrain de son côté avec une offre à la baisse pour l'année d'option liée au contrat de Richer. L'année précédente, 18 000 jeunes partisans de l'équipe, influencés par les médias, l'avaient aussi hué lors d'une séance d'entraînement

ouverte au public. Autant de raisons pour convaincre Richer, un être sensible et torturé intérieurement, qu'il n'était plus désiré à Montréal.

Au matin du 21 septembre, l'âme triste et perdu dans ses souvenirs, Richer rassemble ses effets personnels dans le vestiaire de l'équipe, sans se douter un instant qu'il y reviendra quelques années plus tard. Le même jour, Kirk Muller se présente à sa nouvelle équipe au comble du bonheur.

| | JOUEURS |
|---|---|
| 1 | Roland Melanson |
| 3 | Sylvain Lefebvre |
| 5 | Alain Côté |
| 6 | Russ Courtnall |
| 8 | Mathieu Schneider |
| 11 | Kirk Muller |
| 12 | Mike Keane |
| 14 | Vladimir Vujtek |
| | Kevin Haller |
| 15 | Paul Di Pietro |
| 17 | John LeClair |
| 18 | Denis Savard |
| 20 | Sylvain Turgeon |
| 21 | Guy Carbonneau (C) |
| 22 | Benoît Brunet |
| 24 | Lyle Odelein |
| 25 | Petr Svoboda |
| 26 | Jesse Bélanger |
| 27 | Shayne Corson |

**MEILLEURS MARQUEURS**

| | | PJ | B | A | PTS | PUN |
|---|---|---|---|---|---|---|
| Mario Lemieux | Pittsburgh | 64 | 44 | 87 | 131 | 94 |
| Kevin Stevens | Pittsburgh | 80 | 54 | 69 | 123 | 254 |
| Wayne Gretzky | Los Angeles | 74 | 31 | 90 | 121 | 34 |
| Brett Hull | St. Louis | 73 | 70 | 39 | 109 | 48 |
| Luc Robitaille | Los Angeles | 80 | 44 | 63 | 107 | 95 |
| Mark Messier | NY Rangers | 79 | 35 | 72 | 107 | 76 |
| Jeremy Roenick | Chicago | 80 | 53 | 50 | 103 | 23 |
| Steve Yzerman | Detroit | 79 | 45 | 58 | 103 | 64 |
| Brian Leetch | NY Rangers | 80 | 22 | 80 | 102 | 26 |
| Adam Oates | St.L./Bos. | 80 | 20 | 79 | 99 | 22 |

● Selon les chiffres dévoilés par un journal de Toronto, la Ligue nationale compte maintenant 17 millionnaires, dont 2 des Canadiens : Denis Savard à 1,25 million, et Patrick Roy à 1,2. Wayne Gretzky trône au haut de la liste avec 3 millions, suivi de Mario Lemieux, avec 2,3. En argent américain, il va de soi.

● La valse des millions, entreprise au cours de l'été précédant la saison avec la signature du contrat de Carbonneau, se poursuit jusqu'en décembre avec celles de Mathieu Schneider (1,7 million), Shayne Corson (3,2 millions pour quatre ans), Kirk Muller (4 millions pour quatre ans), Pat Burns (1 million pour trois ans) et Brian Skrudland (2 millions pour trois ans). La nouvelle entente liant Muller au Tricolore fait de celui qui comptera bientôt plus de 600 matchs dans la LNH le troisième plus haut salarié du club.

● D'autre part, les Canadiens, dont la valeur avait été établie à 59,6 millions américains au cours de l'été, annoncent une hausse de 10 % du prix de ses billets avant le début de la saison. Plus tard en saison, l'équipe reçoit l'aval du gouvernement canadien pour la construction d'un nouveau Forum à proximité de la gare Windsor, sur un terrain classé historique.

● Les Canadiens maintiennent le cap, malgré l'interruption de 10 jours en raison de la grève, et ravissent le championnat de la Division Adams aux Bruins, avec 9 points de priorité. L'histoire est différente, en finale de division, alors que Boston balaie les Montréalais en quatre matchs. C'est la première fois en 40 ans, et la deuxième de son histoire, que le Tricolore est écarté des séries aussi rapidement.

● Pat Burns en a assez des frasques de Shayne Corson. Lorsque ce dernier est de nouveau mêlé à une échauffourée dans un bar du boulevard Saint-Laurent en février, la réplique de l'entraîneur est instantanée : « Qu'il mange de la m… »

| JOUEURS | |
|---|---|
| 28 | Éric Desjardins |
| 30 | Chris Nilan |
| 31 | Ed Ronan |
| 32 | Mario Roberge |
| 33 | Patrick Roy |
| 34 | Donald Dufresne |
| 35 | Mike McPhee |
| 36 | Todd Ewen |
| 38 | Sean Hill |
| 39 | Brian Skrudland |
| 40 | André Racicot |
| 41 | Brent Gilchrist |
| 43 | Patrice Brisebois |
| 45 | Gilbert Dionne |
| 47 | Stéphan Lebeau |
| 48 | Jean-Jacques Daigneault |
| ENTRAÎNEUR | |
| | Pat Burns |

**1991-1992**

*Gilbert Dionne a vite été propulsé sous les feux de la rampe, ayant été sélectionné comme joueur recrue du mois de février.*

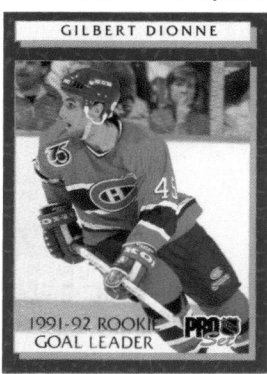

GILBERT DIONNE

1991-92 ROOKIE GOAL LEADER

● Importante innovation pour la Ligue qui permet maintenant la reprise vidéo pour revoir les buts contestés. On apporte aussi une plus grande protection au gardien en décernant une pénalité à ceux qui entrent en contact avec lui et on refuse les buts marqués lorsqu'un joueur ou son bâton sont dans le territoire du cerbère, lequel prend désormais la forme d'un demi-cercle au lieu d'un rectangle.

● Dave McIlwain réédite un record bien particulier de la Ligue en évoluant pour quatre équipes différentes au cours de la saison. Il entreprend une troisième saison à Winnipeg, mais il est échangé aux Sabres de Buffalo après trois parties. Deux semaines plus tard, il est impliqué dans la transaction qui envoie Pierre Turgeon aux Islanders en retour de Pat LaFontaine. En mars, il se retrouve à Toronto, dans un échange à quatre joueurs. Avant lui, un seul autre joueur avait endossé quatre chandails la même saison, soit Dennis O'Brien en 1977-78.

● En fin d'année, l'ancien défenseur des Canadiens Larry Robinson accomplit lui aussi un exploit unique en participant aux séries pour une 20e saison consécutive.

● Lors du repêchage précédant la saison, les Nordiques de Québec font fi de l'opposition de la famille Lindros en repêchant Éric au tout premier rang. Tel que prévu, celui-ci refuse d'endosser le chandail fleurdelysé et au terme de vaines négociations, le président Aubut échange Lindros aux Rangers, se ravise et fait aussitôt un autre marché avec les Flyers. Le feuilleton Lindros durera un an, avant qu'un juge tranche en faveur de la transaction qui l'envoyait à Philadelphie.

● Bob Johnson, le premier entraîneur à conduire les Penguins de Pittsburgh à la coupe Stanley en 1991, doit quitter son poste et celui de pilote de l'équipe américaine à Coupe Canada en septembre, pour lutter contre un cancer au cerveau. Il perdra ce combat en novembre et c'est Scotty

---

**1991-1992**

## LE HOCKEY EN GRÈVE

La convention entre joueurs et dirigeants arrive à échéance le 15 septembre et les négociations pour un renouvellement demeurent au point mort jusqu'au début de mars, alors que les joueurs — ceux du Canadien compris — accordent un mandat de grève à leur exécutif conseillé par un nouveau directeur exécutif, Bob Goodenow. Les discussions laissent finalement entrevoir quelques espoirs à la mi-mars, puis les joueurs reportent de 48 heures le déclenchement de la grève pour étudier la dernière offre des propriétaires, finalement rejetée par 560 votes contre 4. La durée d'une nouvelle entente et la répartition des droits rattachés aux cartes de hockey et autres produits dérivés ont tout fait échouer.

C'est l'impasse et les joueurs entrent officiellement en grève le 1er avril à 15 heures. Mais on garde espoir de part et d'autre et les deux parties reprennent aussitôt des rencontres dites exploratoires pour aplanir quelques difficultés.

Les propriétaires revoient leur offre pour y apporter quelques modifications, lesquelles mèneront à un accord de principe 10 jours plus tard, au terme d'une autre séance marathon entre le président de la LNH, John Ziegler, et Goodenow. L'Association des joueurs accepte de retirer sa demande d'un contrat de trois ans pour en accepter un de deux ans, rétroactif à la saison en cours. En échange, l'âge de l'autonomie des joueurs est réduit de 31 à 30 ans, la caisse de retraite est majorée, ainsi que les bonis des séries. Les rondes de repêchage sont réduites de 12 à 11 et le calendrier passe à 84 parties à la demande des clubs.

On complète la saison régulière avant d'entreprendre les séries qui dureront jusqu'en juin, presque au beau milieu de la saison de baseball.

| TROPHÉES |
| --- |
| **COUPE STANLEY** |
| Penguins de Pittsburgh |
| **TROPHÉE PRINCE-DE-GALLES** |
| Penguins de Pittsburgh |
| **TROPHÉE CLARENCE-CAMPBELL** |
| Blackhawks de Chicago |
| **TROPHÉE DU PRÉSIDENT** |
| Rangers de New York |
| **TROPHÉE HART** |
| Mark Messier |
| Rangers de New York |
| **TROPHÉE ART-ROSS** |
| Mario Lemieux |
| Penguins de Pittsburgh |
| **TROPHÉE LADY-BYNG** |
| Wayne Gretzky |
| Kings de Los Angeles |
| **TROPHÉE CALDER** |
| Pavel Bure |
| Canucks de Vancouver |
| **TROPHÉE GEORGES-VÉZINA** |
| Patrick Roy |
| Canadiens de Montréal |
| **TROPHÉE JAMES-NORRIS** |
| Brian Leetch |
| Rangers de New York |
| **TROPHÉE CONN-SMYTHE** |
| Mario Lemieux |
| Penguins de Pittsburgh |
| **TROPHÉE BILL-MASTERTON** |
| Mark Fitzpatrick |
| Islanders de New York |
| **TROPHÉE LESTER-B.-PEARSON** |
| Mark Messier |
| Rangers de New York |

Bowman qui prendra la relève pour mener les Penguins à une deuxième Coupe d'affilée.

● Avant le début de la saison, Edmonton fait maison nette en se départissant, en plus de Messier, de Grant Fuhr, Glenn Anderson, Jari Kurri et Steve Smith, pour accueillir Vincent Damphousse, Bernie Nicholls et plusieurs joueurs moyens.

● Les quatre équipes championnes de division — Montréal, New York (Rangers), Vancouver et Detroit — sortent victorieuses de leur première série en se rendant à la limite

de sept parties. C'est la première fois depuis 1980 que les quatre champions survivent à la première ronde. Tous seront cependant écartés à la série suivante, en finale de divisions.

● Les Flames de Calgary et les Maple Leafs de Toronto procèdent au plus gros échange de l'histoire de la Ligue au début de janvier. Parmi les 10 joueurs concernés, on retrouve Doug Gilmour, un marqueur capable d'obtenir 100 points, exploit qu'il réussira à 2 reprises à Toronto.

● Quatrième championnat en cinq éditions pour le Canada à Coupe Canada. Les Canadiens triomphent des Américains deux parties à zéro en finale.

● Le président Ziegler oblige les Blues à se départir du défenseur Scott Stevens, en compensation de Brendan Shanahan qui a déserté les Devils pour un contrat de 5 millions avec St. Louis.

● Même si Guy Lafleur a fait part de sa retraite en effectuant une tournée d'adieu dans les diverses villes de la Ligue, les Stars du Minnesota croient pouvoir le convaincre

de revenir sur sa décision et réclament ses services au repêchage d'expansion de mai 1991. Les Nordiques le récupèrent le lendemain pour mettre un terme aux spéculations, en envoyant Alan Haworth aux Stars. Lafleur peut continuer à profiter de sa retraite en toute tranquillité.

● Ottawa revient dans la Ligue nationale le 16 décembre, lorsque celle-ci fait part de l'acceptation des Sénateurs et du Lightning de Tampa Bay en vue de la prochaine saison.

## TROPHÉES

### TROPHÉE JACK-ADAMS
Pat Quinn
Canucks de Vancouver

### TROPHÉE FRANK-J.-SELKE
**Guy Carbonneau**
**Canadiens de Montréal**

### TROPHÉE WILLIAM-M.-JENNINGS
**Patrick Roy**
**Canadiens de Montréal**

### TROPHÉE KING-CLANCY
Raymond Bourque
Bruins de Boston

## TROIS EN QUATRE POUR ROY

1991-1992

Patrick Roy est à son apogée devant le filet du Canadien. Pour la troisième fois au cours des quatre dernières saisons, c'est son nom qu'on inscrit sur le trophée Vézina attribué au meilleur gardien de la Ligue. C'est aussi la troisième fois en quatre ans qu'il est sélectionné pour faire partie de la première équipe d'étoiles, la cinquième au total, sur l'une ou l'autre des formations de rêve.

À sa septième saison au sein du Tricolore, celui qu'on surnomme Casseau — en raison de sa prédilection pour les frites au temps du junior — remporte 36 victoires, conserve la meilleure moyenne des gardiens du circuit à 2,36 (sa meilleure en carrière à Montréal) et un pourcentage d'efficacité de ,914. Performance qui lui vaut un quatrième trophée Jennings (meilleure moyenne défensive) en six ans. Il devance Ed Belfour de Chicago, celui qui l'avait précédé à ce chapitre l'année précédente.

*Troisième trophée Vézina et troisième sélection en quatre ans au sein de la première équipe d'étoiles pour Casseau.*

### ASSOCIATION PRINCE-DE-GALLES

| DIVISION ADAMS | PJ | G | P | N | BP | BC | PTS |
|---|---|---|---|---|---|---|---|
| Montréal (Canadiens) | 80 | 41 | 28 | 11 | 267 | 207 | 93 |
| Boston (Bruins) | 80 | 36 | 32 | 12 | 270 | 275 | 84 |
| Buffalo (Sabres) | 80 | 31 | 37 | 12 | 289 | 299 | 74 |
| Hartford (Whalers) | 80 | 26 | 41 | 13 | 247 | 283 | 65 |
| Québec (Nordiques) | 80 | 20 | 48 | 12 | 255 | 318 | 52 |
| DIVISION PATRICK | PJ | G | P | N | BP | BC | PTS |
| New York (Rangers) | 80 | 50 | 25 | 5 | 321 | 246 | 105 |
| Washington (Capitals) | 80 | 45 | 27 | 8 | 330 | 275 | 98 |
| Pittsburgh (Penguins) | 80 | 39 | 32 | 9 | 343 | 308 | 87 |
| New Jersey (Devils) | 80 | 38 | 31 | 11 | 289 | 259 | 87 |
| New York (Islanders) | 80 | 34 | 35 | 11 | 291 | 299 | 79 |
| Philadelphie (Flyers) | 80 | 32 | 37 | 11 | 252 | 273 | 75 |

### ASSOCIATION CLARENCE-CAMPBELL

| DIVISION NORRIS | PJ | G | P | N | BP | BC | PTS |
|---|---|---|---|---|---|---|---|
| Detroit (Red Wings) | 80 | 43 | 25 | 12 | 320 | 256 | 98 |
| Chicago (Blackhawks) | 80 | 36 | 29 | 15 | 257 | 236 | 87 |
| St. Louis (Blues) | 80 | 36 | 33 | 11 | 279 | 266 | 83 |
| Minnesota (North Stars) | 80 | 32 | 42 | 6 | 246 | 278 | 70 |
| Toronto (Maple Leafs) | 80 | 30 | 43 | 7 | 234 | 294 | 67 |
| DIVISION SMYTHE | PJ | G | P | N | BP | BC | PTS |
| Vancouver (Canucks) | 80 | 42 | 26 | 12 | 285 | 250 | 96 |
| Los Angeles (Kings) | 80 | 35 | 31 | 14 | 287 | 296 | 84 |
| Edmonton (Oilers) | 80 | 36 | 34 | 10 | 295 | 297 | 82 |
| Winnipeg (Jets) | 80 | 33 | 32 | 15 | 251 | 244 | 81 |
| Calgary (Flames) | 80 | 31 | 37 | 12 | 296 | 305 | 74 |
| San Jose (Sharks) | 80 | 17 | 58 | 5 | 219 | 359 | 39 |

# 1992 1993

VINGT-QUATRIÈME COUPE STANLEY

POUR LE CENTENAIRE DE LA COUPE STANLEY, LA LNH SE DONNE UN NOUVEAU PRÉSIDENT EN OCTOBRE, GIL STEIN, ET LE REMPLACE PAR UN COMMISSAIRE, GARY BETTMAN, EN FÉVRIER. ELLE PORTE LE NOMBRE DE SES ÉQUIPES À 24, EN ACCORDANT DES CONCESSIONS AUX SÉNATEURS D'OTTAWA (QUI FONT UN RETOUR APRÈS 59 ANS D'ABSENCE) ET AU LIGHTNING DE TAMPA BAY. OTTAWA JOUERA DANS LA DIVISION ADAMS – CELLE DES CANADIENS – ET TAMPA BAY DANS LA DIVISION NORRIS. VANCOUVER EST LA SEULE ÉQUIPE À CONSERVER LE PREMIER RANG DE SON GROUPE, TANDIS QUE CHICAGO, PITTSBURGH ET BOSTON (CE DERNIER DEVANT QUÉBEC ET MONTRÉAL) RÉCUPÈRENT LEUR TITRE. LEMIEUX EST TOUJOURS PREMIER MARQUEUR ET IL REPREND LE TROPHÉE HART QU'IL N'AVAIT PAS GAGNÉ DEPUIS CINQ ANS (EN PLUS DE REMPORTER LE MASTERTON ET PEARSON). ED BELFOUR EST AU SOMMET DES GARDIENS. EN SÉRIES, LES CANADIENS GAGNENT 10 PARTIES EN TEMPS SUPPLÉMENTAIRE ET DÉJOUENT TOUT LE MONDE AVEC LEUR 24e COUPE STANLEY REMPORTÉE EN 5 PARTIES CONTRE LOS ANGELES ET SA GRANDE ÉTOILE WAYNE GRETZKY. LE TRICOLORE A PERDU SES DEUX PREMIERS MATCHS ÉLIMINATOIRES, LE PREMIER EN PROLONGATION CONTRE QUÉBEC, MAIS A ENSUITE BALAYÉ LA SÉRIE, AVANT D'ÉCARTER BUFFALO EN QUATRE ET LES ISLANDERS EN CINQ.

*Plusieurs centaines de milliers de partisans se massent le long du parcours des nouveaux champions dans une atmosphère d'allégresse.*

475

S CANADIENS

● La conquête de la 24e coupe Stanley de l'histoire des Canadiens a été ternie, comme en 1986, par une émeute provoquée par quelques centaines de voyous et de partisans éméchés qui s'en sont pris aux voitures et aux commerces du centre-ville, au soir du dernier match, allumant plusieurs incendies. Les dommages ont été sommairement évalués à

*Jacques Demers a su rallier sa troupe avec un seul mot :* **Together.**

**1992 1993**

# Le clin d'œil de Patrick

**P**atrick Roy résiste une fois de plus à l'effort de Tomas Sandstrom en fin de troisième pour lui soutirer la rondelle avec son bâton, après avoir bloqué le tir de Luc Robitaille dans cette quatrième partie de la finale contre les Kings. Le joueur des Kings de Los Angeles ne veut pas lâcher le morceau et tente une fois de plus de déconcentrer le cerbère des Canadiens qui aura finalement le dernier mot, avec un clin d'œil amical qui n'échappera pas au caméraman de Radio-Canada.

Plus tard ce soir-là, John LeClair permet aux Canadiens de prendre les devants trois parties à une dans la série sur un tir dévié à la 14e minute de la période supplémentaire. C'est la 10e fois depuis le début des séries que Roy et ses coéquipiers se montrent plus opportunistes que leurs rivaux en marquant en prolongation. Ils ont réussi deux fois contre Québec, trois contre Buffalo, deux contre les Islanders et c'est aussi la troisième fois contre les Kings. Pourtant, les joueurs de Jacques Demers avaient perdu contre les Nordiques à deux occasions (dont une en supplémentaire) en début de série. À Québec, on salivait déjà à l'idée de faire trébucher les frères ennemis pour une troisième fois depuis l'entrée des Fleurdelisés dans la LNH. Mais une visite à sainte Anne, à la basilique de Beaupré, ramène la chance du côté de l'entraîneur des Rouges qui ne perdront plus en supplémentaire par la suite.

En plus des 10 gains en prolongation cette année-là, les Canadiens alignent 11 victoires de suite, les 4 dernières contre Québec, 4 contre Buffalo et

*Le président Corey présente les plans du nouveau Forum au maire Jean Doré.*

10 millions, soit moins qu'en 1986. Le service de police, mal préparé, est de nouveau blâmé. Le traditionnel défilé, quant à lui, a regroupé les véritables partisans et s'est déroulé dans une atmosphère d'allégresse, sans aucun incident.

● Les plans du nouveau Forum, qui sera localisé près de la gare Windsor, sont dévoilés en conférence de presse au début d'octobre.

● Quatre jours après l'arrivée de Damphousse à Montréal, Brian Bellows — qui compte près de 800 matchs et autant de points dans la Ligue et bientôt 400 buts — s'amène à son tour du Minnesota, en échange des services de Russ Courtnall.

● Les Canadiens comptent maintenant quatre millionnaires, selon la liste de l'Association des joueurs, avec la signature

de nouveaux contrats pour Damphousse et Bellows. Les autres sont Roy et Denis Savard.

● Intronisé au Temple de la renommée en septembre, en même temps que Marcel Dionne et Lanny McDonald, Bob Gainey est l'objet d'une fête au Forum à la mi-octobre. Le public lui réserve ses applaudissements pendant plus d'une minute.

1992 1993

*« Je m'en vais à Disneyland », crie Patrick Roy de toutes ses forces en exhibant une 24e coupe pour le Tricolore.*

les 3 premières contre les Islanders, partageant désormais la marque établie par Chicago et Pittsburgh l'année auparavant. Au terme de la saison régulière, l'entraîneur Demers demande à chacun d'être prêt à souffrir pour la victoire et tout au long des éliminatoires. Son mot d'ordre *Together* devient le cri de ralliement de tous dans le vestiaire et sur le banc.

Mais tout le crédit de cette 24e Coupe des Canadiens ne revient pas à sainte Anne uniquement. « Saint Patrick » y apporte sa large contribution avec 16 vic-

● Le Tricolore fait maison nette au cours de l'été. Sylvain Turgeon et le gardien Frédéric Chabot sont réclamés respectivement par Ottawa et Tampa Bay au repêchage d'expansion. Chabot est récupéré par Montréal le lendemain, en retour de Jean-Claude Bergeron. Chris Nilan est libéré en juillet, puis Mike McPhee passe aux North Stars et Sylvain Lefebvre aux Leafs. Ensuite, ce sera le tour de Corson, Gilchrist,

Courtnall, puis celui de Brian Skrudland un peu plus tard.
● Les joueurs des Canadiens retournent en Europe une fois de plus en septembre 1993 à Londres cette fois, pour y amorcer le camp d'entraînement. Le dernier périple remonte à 1990 en Union soviétique. Le Tricolore dispute deux matchs présaison aux Blackhawks de Chicago, gagne le premier, annule le second, mais perd

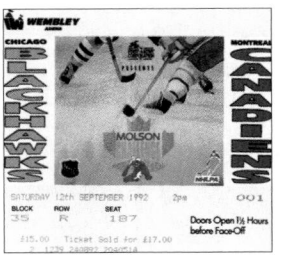

la Coupe spéciale mise à l'enjeu aux tirs de confrontation.
● Le triomphe de 1993 fait des Canadiens l'unique formation de la LNH à revendiquer une

coupe Stanley dans chacune des décennies de l'histoire de la Ligue nationale.
● Le Forum présente son dernier match des étoiles, le 44e de la Ligue. Les joueurs de l'Association Prince-de-Galles signent une victoire éclatante de 16-6 contre ceux de l'Association Campbell. Mike Gartner compte quatre buts et obtient le titre de joueur du match.

## 1992 1993

toires, dont 12 par la marge d'un but, incluant celles en supplémentaires. Le trophée Conn-Smythe n'est pas trop difficile à octroyer au terme des séries, malgré les deux filets en prolongation de LeClair et Kirk Muller, en plus de la soirée magique du défenseur Éric Desjardins, auteur des trois buts de son équipe dont celui en supplémentaire lors du deuxième match de la finale. Un match qui fait définitivement basculer la victoire dans le camp du Tricolore avec l'incident du bâton de Marty McSorley.

Pour Roy, fier d'une 200e victoire avec les Canadiens en début de saison, l'année 1992-93 s'inscrit dans ses bons souvenirs avec ce deuxième titre de meilleur joueur des séries, après celui de 1986 à ses débuts chez les Canadiens. C'est le cœur léger et les poches remplies qu'il fera part de son intention de mettre le cap sur Disneyland (contrat de publicité oblige) après le septième match...

### LE BÂTON DE McSORLEY

Ce soir-là, le héros s'appelle Éric Desjardins, premier et seul défenseur à marquer trois buts dans un même match lors d'une finale de la coupe Stanley.

L'anti-héros, c'est sûrement Marty McSorley, pris en défaut en fin de troisième avec un bâton trop courbé. Jacques Demers, tel un félin, attendait le moment propice pour attaquer. Son club tirant de l'arrière par un but et ayant été prévenu que McSorley utilisait des bâtons non réglementaires, Demers demande à l'arbitre Kerry Fraser de vérifier. La présomption de Demers est fondée, le joueur des Kings est envoyé au cachot et Desjardins en profite pour égaliser,

*Éric Desjardins, le héros du deuxième match avec les trois buts du Tricolore, dont celui en supplémentaire qui a permis au club d'égaler la série finale.*

478

| JOUEURS | |
|---|---|
| 1 | Frédéric Chabot |
| 5 | Rob Ramage |
| 6 | Oleg Petrov |
| 8 | Mathieu Schneider |
| 11 | Kirk Muller |
| 12 | Mike Keane |
| 14 | Kevin Haller |
| 15 | Paul Di Pietro |
| 17 | John LeClair |
| 18 | Denis Savard |
| 20 | Patrik Carnback |
| 21 | Guy Carbonneau (C) |
| 22 | Benoît Brunet |
| 23 | Brian Bellows |
| 24 | Lyle Odelein |
| 25 | Vincent Damphousse |
| 26 | Gary Leeman |
| 27 | Patric Kjellberg |
| | Mathieu Schneider |
| 28 | Éric Desjardins |
| 29 | Jesse Bélanger |
| 30 | Turner Stevenson |
| 31 | Ed Ronan |
| 32 | Mario Roberge |

### MEILLEURS MARQUEURS

| | | PJ | B | A | PTS | PUN |
|---|---|---|---|---|---|---|
| Mario Lemieux | Pittsburgh | 60 | 69 | 91 | 160 | 38 |
| Pat LaFontaine | Buffalo | 84 | 53 | 95 | 148 | 63 |
| Adam Oates | Boston | 84 | 45 | 97 | 142 | 32 |
| Steve Yzerman | Detroit | 84 | 58 | 79 | 137 | 44 |
| Teemu Selanne | Winnipeg | 84 | 76 | 56 | 132 | 45 |
| Pierre Turgeon | NY Islanders | 83 | 58 | 74 | 132 | 26 |
| Alexander Mogilny | Buffalo | 77 | 76 | 51 | 127 | 40 |
| Doug Gilmour | Toronto | 83 | 32 | 95 | 127 | 100 |
| Luc Robitaille | Los Angeles | 84 | 63 | 62 | 125 | 100 |
| Mark Recchi | Philadelphie | 84 | 53 | 70 | 123 | 95 |

● Claude Mouton, directeur des relations publiques du club depuis 1972 et voix officielle du Forum depuis plusieurs années, est emporté par le cancer en mars.

● Deux fois récipiendaire du trophée Jack-Adams remis à l'entraîneur de l'année, avec les Red Wings, en 1987 et 1988, Jacques Demers signe une 300ᵉ victoire au mois de janvier.

● Mario Leclerc, du *Journal de Montréal*, baptise du nom de trio des Schtroumpfs la ligne formée de trois joueurs au petit gabarit, Mike Keane, Stéphan Lebeau et Benoît Brunet, lorsque ceux-ci connaissent un certain succès offensif, en début d'année.

● L'entraîneur Demers sème un peu d'émoi chez les journalistes venus surveiller l'entraînement de l'équipe au Colisée au début des séries contre Québec, en faisant endosser des chandails noirs aux joueurs, question d'intimider un peu l'adversaire.

● John Kordic, un ancien joueur de l'équipe aux prises avec des problèmes de drogue depuis plusieurs années, meurt tragiquement en résistant à son arrestation par des policiers de Québec, au cours de l'été. Il n'a que 27 ans.

*John Kordic*

| JOUEURS | |
|---|---|
| 33 | Patrick Roy |
| 34 | Donald Dufresne |
| 35 | Éric Charron |
| 36 | Todd Ewen |
| 37 | André Racicot |
| 38 | Sean Hill |
| 39 | Brian Skrudland |
| 43 | Patrice Brisebois |
| 45 | Gilbert Dionne |
| 47 | Stéphan Lebeau |
| 48 | Jean-Jacques Daigneault |
| **ENTRAÎNEUR** | |
| | Jacques Demers |

1992 1993

projetant les deux équipes en prolongation. C'est encore Desjardins qui tranche en supplémentaire et Demers s'en tire avec les honneurs.

Ce soir-là, le momentum a changé de camp. Les Canadiens en déficit d'une partie ne voulaient pas quitter le Forum avec un retard de deux matchs. C'est le bâton de McSorley qui a fait toute la différence.

## L'EXPLOIT DE DAMPHOUSSE

Vincent Damphousse a réalisé un exploit peu banal à sa première année avec le Tricolore. Acquis des Oilers en retour de Shayne Corson, Brent Gilchrist et Vladimir Vujtek avant le début de la saison, il fait aussitôt montre d'une grande satisfaction, affirmant attendre cette chance depuis longtemps, ajoutant même à l'intention du journaliste François Béliveau de *La Presse*: « Je vais porter ce chandail avec fierté... » Il ne met pas de temps à donner suite à ses intentions, terminant au premier rang des marqueurs du Tricolore avec 39 buts et 97 points. C'est la troisième année de suite que Damphousse termine au sommet des mar-

● La coupe Stanley a maintenant 100 ans.

● Gil Stein est nommé président de la Ligue en octobre, mais son règne sera de courte durée. Gary Bettman le remplace à titre de commissaire, en février.

● La Ligue porte le nombre de matchs en saison régulière à 84. Elle entreprend de faire connaître son produit dans diverses villes qui ne possèdent pas de concession. Les clubs disputeront 24 parties en terrain neutre cette saison et 30 la saison prochaine. Initiative qui sera abandonnée avec le lock-out de 1994.

● Des problèmes de dos tiennent Wayne Gretzky au rancard pour 39 parties en début de saison. Il revient en janvier et récolte 65 points en 45 matchs.

● Gretzky revenu, c'est au tour de Mario Lemieux de devoir s'absenter, atteint de la maladie de Hodgkin, une forme de cancer qui attaque les ganglions lymphatiques. Les traitements le tiennent à l'écart du jeu pour 24 parties, ce qui ne l'empêche pas de revenir en force et de mériter un quatrième championnat des marqueurs avec 160 points en 60 parties. Il méritera aussi les trophées Hart, Lester-B.-Pearson et Bill-Masterton.

● Phil Esposito, gérant du Lightning de Tampa Bay, surprend le monde du hockey en offrant un contrat à la gardienne Manon Rhéaume qui devient la première femme à endosser les couleurs d'une équipe de la Nationale, dans un match présaison le 23 septembre contre St. Louis, le temps d'une période. Elle entreprend ensuite la saison dans la Ligue internationale avec Atlanta, club affilié à Tampa Bay.

**1992 1993**

queurs de son équipe, chaque fois avec un club différent, un précédent dans la Ligue. Avec Toronto, en 1990-91, il avait obtenu 73 points (26-47), avant d'en marquer 89 à Edmonton (38-51) l'année suivante.

Avant lui, Joe Malone a aussi dominé les marqueurs de trois équipes (Montréal, Québec et Hamilton), mais il lui avait fallu cinq ans pour y parvenir, de 1917-18 à 1921-22.

### PAT BURNS S'EN VA À TORONTO, JACQUES DEMERS ARRIVE

Ne devient pas entraîneur des Canadiens qui veut et l'heureux élu n'obtient pas un succès instantané non plus. Pourtant Jacques Demers — préféré à Michel

*Vincent Damphousse termine au premier rang des marqueurs d'une troisième équipe...*

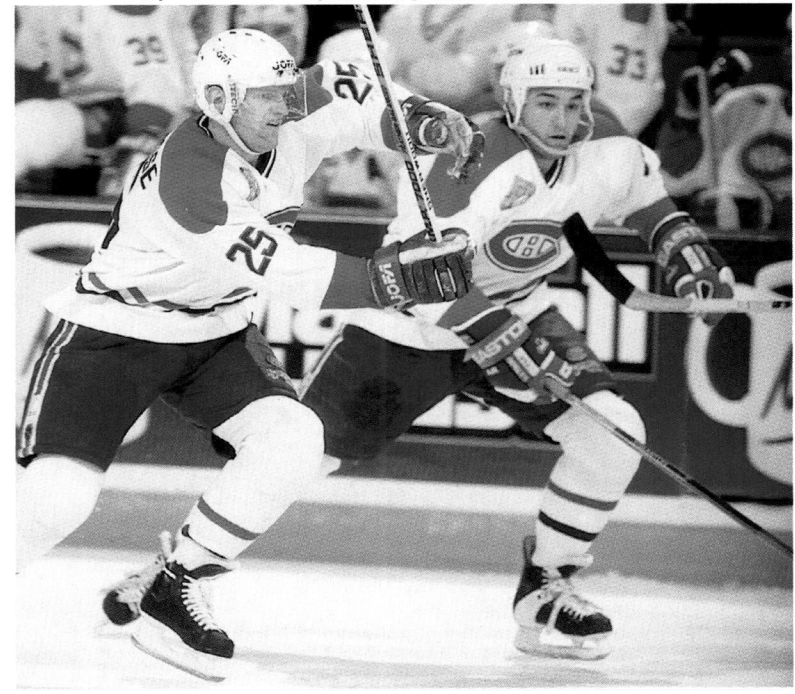

| TROPHÉES | |
|---|---|
| **COUPE STANLEY** | |
| Canadiens de Montréal | |
| **TROPHÉE PRINCE-DE-GALLES** | |
| Canadiens de Montréal | |
| **TROPHÉE CLARENCE-CAMPBELL** | |
| Kings de Los Angeles | |
| **TROPHÉE DU PRÉSIDENT** | |
| Penguins de Pittsburgh | |
| **TROPHÉE HART** | |
| Mario Lemieux | |
| Penguins de Pittsburgh | |
| **TROPHÉE ART-ROSS** | |
| Mario Lemieux | |
| Penguins de Pittsburgh | |
| **TROPHÉE LADY-BYNG** | |
| Pierre Turgeon | |
| Islanders de New York | |
| **TROPHÉE CALDER** | |
| Teemu Selanne | |
| Jets de Winnipeg | |
| **TROPHÉE GEORGES-VÉZINA** | |
| Ed Belfour | |
| Blackhawks de Chicago | |
| **TROPHÉE JAMES-NORRIS** | |
| Chris Chelios | |
| Blackhawks de Chicago | |
| **TROPHÉE CONN-SMYTHE** | |
| Patrick Roy | |
| Canadiens de Montréal | |
| **TROPHÉE BILL-MASTERTON** | |
| Mario Lemieux | |
| Penguins de Pittsburgh | |
| **TROPHÉE LESTER-B.-PEARSON** | |
| Mario Lemieux | |
| Penguins de Pittsburgh | |

● Teemu Selanne des Jets de Winnipeg porte le record de buts pour une recrue à 76 et celui des points à 132. Des records qui n'ont pas été réédités depuis. Pour sa part, Joé Juneau (Bruins de Boston) rejoint Peter Stastny pour le record des passes avec 70.

● Les joueurs offensifs s'en donnent à cœur joie puisque 14 d'entre eux inscrivent au moins 50 buts, alors que 21 totalisent 100 points et plus. Les Penguins revendiquent 2 compteurs de 50 buts

(Mario Lemieux et Kevin Stevens) et 4 marqueurs de 100 points. Buffalo, Québec, St. Louis et Boston en ont aussi 2 de 100 points. Du jamais vu auparavant.

● Pas moins de 28 des 85 parties éliminatoires nécessitent du temps supplémentaire. Avec 10 victoires en 11 matchs, les Canadiens arrivent facilement en tête de liste.

● Après avoir permis les réclames sur les bandes de la patinoire, la LNH autorise maintenant les publicités sur la glace des arénas.

● Deux joueurs obtiennent leur 1 000e point dans la Nationale à deux jours d'intervalle en février : Glenn Anderson, des Maple Leafs, et Steve Yzerman, des Red Wings.

● Les Sharks de San Jose en arrachent à leur deuxième saison dans la LNH avec seulement 11 victoires et des nouveaux records peu enviables pour les défaites (71), les revers à domicile (32) et une séquence de 17 parties perdues. Ottawa ne fait guère mieux avec une série de 38 défaites consécutives à l'extérieur, autre nouveau record de la Ligue. Les deux clubs terminent avec un faramineux 24 points.

## TROPHÉES

**TROPHÉE JACK-ADAMS**

Pat Burns

Maple Leafs de Toronto

**TROPHÉE FRANK-J.-SELKE**

Doug Gilmour

Maple Leafs de Toronto

**TROPHÉE WILLLIAM-M.-JENNINGS**

Ed Belfour

Blackhawks de Chicago

**TROPHÉE KING-CLANCY**

Dave Poulin

Bruins de Boston

### ASSOCIATION PRINCE-DE-GALLES

| DIVISION ADAMS | PJ | G | P | N | BP | BC | PTS |
|---|---|---|---|---|---|---|---|
| Boston (Bruins) | 84 | 51 | 26 | 7 | 332 | 268 | 109 |
| Québec (Nordiques) | 84 | 47 | 27 | 10 | 351 | 300 | 104 |
| Montréal (Canadiens) | 84 | 48 | 30 | 6 | 326 | 280 | 102 |
| Buffalo (Sabres) | 84 | 38 | 36 | 10 | 335 | 297 | 86 |
| Hartford (Whalers) | 84 | 26 | 52 | 6 | 284 | 369 | 58 |
| Ottawa (Sénateurs) | 84 | 10 | 70 | 4 | 202 | 395 | 24 |
| DIVISION PATRICK | PJ | G | P | N | BP | BC | PTS |
| Pittsburgh (Penguins) | 84 | 56 | 21 | 7 | 367 | 268 | 119 |
| Washington (Capitals) | 84 | 43 | 34 | 7 | 325 | 286 | 93 |
| New York (Islanders) | 84 | 40 | 37 | 7 | 335 | 297 | 87 |
| New Jersey (Devils) | 84 | 40 | 37 | 7 | 308 | 299 | 87 |
| Philadelphie (Flyers) | 84 | 36 | 37 | 11 | 319 | 319 | 83 |
| New York (Rangers) | 84 | 34 | 39 | 11 | 304 | 308 | 79 |

### ASSOCIATION CLARENCE-CAMPBELL

| DIVISION NORRIS | PJ | G | P | N | BP | BC | PTS |
|---|---|---|---|---|---|---|---|
| Chicago (Blackhawks) | 84 | 47 | 25 | 12 | 279 | 230 | 106 |
| Detroit (Red Wings) | 84 | 47 | 28 | 9 | 369 | 280 | 103 |
| Toronto (Maple Leafs) | 84 | 44 | 29 | 11 | 288 | 241 | 99 |
| St. Louis (Blues) | 84 | 37 | 36 | 11 | 282 | 278 | 85 |
| Minnesota (North Stars) | 84 | 36 | 38 | 10 | 272 | 293 | 82 |
| Tampa Bay (Lightning) | 84 | 23 | 54 | 7 | 245 | 332 | 53 |
| DIVISION SMYTHE | PJ | G | P | N | BP | BC | PTS |
| Vancouver (Canucks) | 84 | 46 | 29 | 9 | 346 | 278 | 101 |
| Calgary (Flames) | 84 | 43 | 30 | 11 | 322 | 282 | 97 |
| Los Angeles (Kings) | 84 | 39 | 35 | 10 | 338 | 340 | 88 |
| Winnipeg (Jets) | 84 | 40 | 37 | 7 | 322 | 320 | 87 |
| Edmonton (Oilers) | 84 | 26 | 50 | 8 | 242 | 337 | 60 |
| San Jose (Sharks) | 84 | 11 | 71 | 2 | 218 | 414 | 24 |

Bergeron ancien mentor des Nordiques comme lui pour remplacer Pat Burns — s'impose rapidement et devient le sixième entraîneur de l'histoire de la Sainte Flanelle à goûter à l'ivresse d'une coupe Stanley dès sa première saison. Avant lui, il y a eu Newsy Lalonde (1915-16), Toe Blake (1955-56), Claude Ruel (1968-69), Al MacNeil (1970-71) et Jean Perron (1985-86).

Le départ de Pat Burns ne s'est pas fait sans heurts au cours de l'été. Critiqué par le public et les médias pour l'élimination rapide de l'équipe par Boston en finale de division et abandonné par quelques joueurs de l'équipe, il en a assez de toute cette pression et accepte une offre de Toronto pour diriger les Maple Leafs.

Demers vit aussi des moments difficiles à sa première saison, à commencer par sa nomination qui écarte l'un des favoris des partisans de l'équipe, Michel Bergeron, laissé de côté parce qu'on craint une récidive des problèmes cardiaques qui l'ont touché deux ans plus tôt. Ironiquement, Demers est hospitalisé pendant quelques jours en mars pour des douleurs à la poitrine. Jacques Lemaire le remplace pour deux matchs.

Il ne conduira pas son équipe au championnat en saison régulière comme le fit Burns les deux dernières années, mais les miracles accomplis en séries combleront partisans, dirigeants et journalistes.

1992 1993

*Pat Burns*

# 1993 🅒 1994

*ARRIVÉE DE DEUX NOUVELLES ÉQUIPES, LES MIGHTY DUCKS D'ANAHEIM ET LES PANTHERS DE LA FLORIDE, TRANSFERT DES NORTH STARS DU MINNESOTA QUI DEVIENNENT LES STARS DE DALLAS ET RÉAMÉNAGEMENT DES ÉQUIPES DANS DE NOUVELLES DIVISIONS. L'ASSOCIATION CLARENCE-CAMPBELL DEVIENT L'ASSOCIATION DE L'OUEST, AVEC LES DIVISIONS NORRIS ET SMYTHE QUI PORTENT DÉSORMAIS LES NOMS DE CENTRALE ET PACIFIQUE. L'ASSOCIATION PRINCE-DE-GALLES DEVIENT L'ASSOCIATION DE L'EST, AVEC LES DIVISIONS NORD-EST (CELLE DES CANADIENS) ET ATLANTIQUE, AU LIEU DES DIVISIONS ADAMS ET PATRICK. WINNIPEG PASSE À LA DIVISION CENTRALE (AU LIEU DE DEMEURER DANS LA PACIFIQUE), TAMPA BAY À L'ATLANTIQUE (DE LA CENTRALE) ET PITTSBURGH À LA NORD-EST (DE L'ATLANTIQUE). LA FLORIDE ET ANAHEIM SONT RESPECTIVEMENT DANS L'ATLANTIQUE ET LA PACIFIQUE. LE FORMAT DES SÉRIES EST ÉGALEMENT MODIFIÉ. LES RANGERS PASSENT DE LA DERNIÈRE PLACE DE LEUR DIVISION À LA PREMIÈRE DE L'ASSOCIATION DE L'EST ET SOULÈVENT LEUR PREMIÈRE COUPE STANLEY APRÈS 54 ANS D'ATTENTE. MAIS NON SANS DIFFICULTÉS, BATTANT LES DEVILS (TROIS PARTIES TERMINÉES À LA SECONDE SUPPLÉMENTAIRE) ET LES CANUCKS DE VANCOUVER EN SEPT PARTIES, APRÈS DES SÉRIES PLUS FACILES CONTRE LES ISLANDERS ET WASHINGTON. VANCOUVER A AUSSI SES PROBLÈMES CONTRE CALGARY QUI PREND LES DEVANTS 3-1. DETROIT, CHAMPION DE L'OUEST, SE FAIT SORTIR EN PREMIÈRE RONDE PAR SAN JOSE. LES CANADIENS SONT TROISIÈME DANS LE GROUPE NORD-EST, CINQUIÈMES AU GÉNÉRAL, ET SE FONT ÉCLIPSER EN PREMIÈRE RONDE PAR LES BRUINS EN SEPT.*

*Avec un contrat de 16 millions, Patrick Roy devient le cerbère le mieux payé de la Ligue.*

# Seize millions pour Patrick Roy

L'atmosphère du restaurant La Mise au Jeu est à la bonne humeur. Convoqués par le service des communications des Canadiens, les journalistes affectés à la couverture des activités du club se tirent la pipe quant à la nature de la nouvelle qui les attend. Mais les spéculations ne tiennent plus lorsqu'ils voient apparaître Serge Savard flanqué de Patrick Roy et de son agent, Pierre Lacroix. On comprend rapidement que les discussions entreprises deux mois plus tôt par le duo Lacroix-Roy avec la direction de l'équipe viennent de déboucher sur quelque chose de gros. Effectivement, Savard annonce que le

483

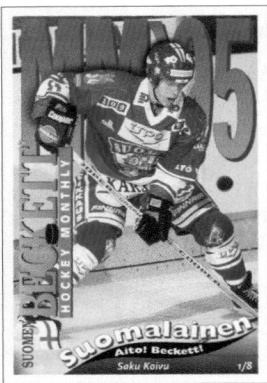

*Saku Koivu est une vedette en Europe, mais il est encore peu connu de ce côté-ci de l'Atlantique.*

● Les Canadiens détiennent le 21e choix de première ronde au repêchage de juin et cause une certaine surprise en réclamant un Finlandais, moins connu que les hockeyeurs américains et russes. Il s'appelle Saku Koivu. Deux Québécois, Sébastien Bordeleau des Olympiques de Hull et Jean-François Houle, le fils de Réjean, sont sélectionnés aux troisième et cinquième rangs.

● On entreprend les travaux du nouveau Forum en juin.
● Jacques Demers obtient un nouveau contrat de quatre ans pour diriger le club. À quelque 700 000 $ par année, il est le troisième entraîneur le mieux payé. Il signe une 350e victoire en saisons régulières en mars.
● Le défenseur Lyle Odelein réédite en février un record d'équipe réalisé par Doug Harvey près de 40 ans plus tôt (en 1955), amassant cinq passes dans un gain de 9-2 contre Hartford.

● Donald Brashear devient le premier Noir à endosser l'uniforme bleu-blanc-rouge le 15 novembre.
● Le souper d'initiation des recrues aurait coûté plus de 7 000 $ à Pierre Sévigny, Oleg Petrov, Peter Popovic et Les Kuntar, à coups de Château Pétrus. Tous les anciens se sont fait un devoir d'être présents, dit-on.

**1993-1994**

gardien de l'équipe vient d'accepter une entente de 16 millions pour les 4 prochaines années.

Avec un tel contrat, le cerbère montréalais devient le deuxième plus haut salarié de la Ligue, derrière Mario Lemieux, et s'assure de demeurer au premier rang des gardiens, l'un des objectifs visés par les négociations. D'entrée de jeu, Roy affirme qu'il «était important de terminer ma carrière avec le Canadien...», mentionnant du même coup qu'il en est sans doute au dernier contrat de sa carrière puisqu'il songe déjà à préparer sa retraite.

Selon le chroniqueur du *Journal de Montréal*, Bertrand Raymond, Roy avait posé quatre conditions incontournables à son agent, avant d'entreprendre les discussions : 1- Demeurer à Montréal. 2- Pas de grève ni de chantage. 3- Conserver ses droits commerciaux indépendants de l'entente avec le Canadien. 4- Obtenir une entente supérieure aux contrats de ceux qui n'ont pas atteint son niveau. Le journaliste affirme dans son texte que les négociations ont été menées avec le plus grand respect de part et d'autre, ce que Savard et Lacroix ont corroboré.

Selon un relevé non officiel de la Presse canadienne, ils sont quelque 70 joueurs millionnaires à se produire dans la LNH au moment de la signature de Roy. En consentant des contrats toujours à la hausse à leurs joueurs vedettes, plusieurs équipes s'en vont directement à la catastrophe, selon les analystes du hockey.

Mais comme preuve que même les millionnaires peuvent aussi être malades, Roy est victime d'un début d'appendicite au terme du deuxième match du quart de finale contre Boston. On s'inquiète chez le Canadien. On redoute une absence pouvant aller jusqu'à deux semaines si Roy doit être opéré. Ron Tugnutt est appelé à la rescousse pour la troisième rencontre. L'équipe perd 6-3, puis le mal se résorbe et le numéro 33 reprend ses jambières, redonnant les devants aux siens au match suivant en bloquant 39 des

| JOUEURS | |
|---|---|
| 1 | Frédéric Chabot |
|  | Ron Tugnutt |
| 5 | Rob Ramage |
|  | Christian Proulx |
| 6 | Oleg Petrov |
| 8 | Ron Wilson |
| 11 | Kirk Muller |
| 12 | Mike Keane |
| 14 | Kevin Haller |
| 15 | Paul Di Pietro |
| 17 | John LeClair |
| 20 | Pierre Sévigny |
| 21 | Guy Carbonneau (C) |
| 22 | Benoît Brunet |
| 23 | Brian Bellows |
| 24 | Lyle Odelein |
| 25 | Vincent Damphousse |
| 26 | Gary Leeman |
| 27 | Mathieu Schneider |
| 28 | Éric Desjardins |
| 30 | Turner Stevenson |
| 31 | Ed Ronan |
| 32 | Mario Roberge |
| 33 | Patrick Roy |
| 34 | Peter Popovic |

*La popularité de Roy incite les Restaurants McDonald à inclure une carte spéciale à son effigie dans leur série annuelle.*

● Le lendemain, 16 février, des voleurs s'introduisent dans le vestiaire de l'équipe à Tampa Bay. Quelques bâtons et blousons sont disparus.

● Déjà sélectionné joueur de la semaine au début de novembre, Patrick Roy est élu joueur du mois de février dans la LNH.

● La concession de Montréal occupe le quatrième rang des équipes de hockey avec une valeur de 82 millions US, selon une étude de la revue *Fortune* publiée en avril.

● En plus de Carbonneau, les Canadiens comptent un autre joueur de plus de 900 parties, Brian Bellows. De son côté, Vincent Damphousse compte plus de 600 matchs, Jean-Jacques Daigneault en a 500 (300 avec le Tricolore), Mike Keane 400, Stéphan Lebeau et Mathieu Schneider 300. Lebeau sera cependant échangé deux mois après son 300e match.

● Chez les marqueurs, Kirk Muller totalise 700 points et Vincent Damphousse en a 600, tandis que Brian Bellows atteint les 400 buts en janvier.

● Ralph Backstrom, gagnant de la coupe Stanley à 6 reprises au cours de sa carrière de 15 ans dans la LNH (dont 13 à Montréal), est nommé commissaire de la Ligue internationale de roller-hockey.

● Le Tricolore restructure son service des communications, à la suite du décès de Claude Mouton. Michèle Lapointe passe des relations avec les médias à la direction des services à l'équipe, Donald Beauchamp (neveu du défunt journaliste Jacques Beauchamp) devient directeur des communications. L'ancien journaliste Bernard Brisset occupe la vice-présidence aux communications et au marketing depuis déjà quelques années.

| JOUEURS | |
|---|---|
| 35 | Donald Brashear |
| 36 | Gerry Fleming |
| 37 | André Racicot |
| 38 | Bryan Fogarty |
| 40 | Les Kuntar |
| 42 | Lindsay Vallis |
| 43 | Patrice Brisebois |
| 44 | Bryan Fogarty |
| 45 | Gilbert Dionne |
| 46 | Craig Ferguson |
| 47 | Stéphan Lebeau |
| 48 | Jean-Jacques Daigneault |
| 49 | Brian Savage |
| **ENTRAÎNEUR** | |
| Jacques Demers | |

**1993-1994**

### MEILLEURS MARQUEURS

| | | PJ | B | A | PTS | PUN |
|---|---|---|---|---|---|---|
| Wayne Gretzky | Los Angeles | 81 | 38 | 92 | 130 | 20 |
| Sergei Fedorov | Detroit | 82 | 56 | 64 | 120 | 34 |
| Adam Oates | Boston | 77 | 32 | 80 | 112 | 45 |
| Doug Gilmour | Toronto | 83 | 27 | 84 | 111 | 105 |
| Pavel Bure | Vancouver | 76 | 60 | 47 | 107 | 86 |
| Jeremy Roenick | Chicago | 84 | 46 | 61 | 107 | 125 |
| Mark Recchi | Philadelphie | 84 | 40 | 67 | 107 | 46 |
| Brendan Shanahan | St. Louis | 81 | 52 | 50 | 102 | 211 |
| Dave Andreychuk | Toronto | 83 | 53 | 46 | 99 | 98 |
| Jaromir Jagr | Pittsburgh | 80 | 32 | 67 | 99 | 61 |

*On craint qu'un début d'appendicite ne force Roy à s'absenter pour deux semaines lors des séries contre Boston, mais il ne manquera finalement qu'une partie, repoussant l'intervention chirurgicale à plus tard.*

● Les arbitres et les juges de lignes de la LNH entrent en grève à la mi-novembre et la Ligue fait appel à des officiels des circuits mineurs. Les deux parties s'affrontent sur les questions salariales et de caisse de retraite. Le conflit se règle deux semaines plus tard.

● Les Rangers mettent fin à une disette de 54 ans, remportant la coupe Stanley au détriment des surprenants Canucks de Vancouver. Peu après, l'entraîneur Mike Keenan devient directeur général et entraîneur des Blues de St. Louis que les Rangers accusent

de maraudage. Keenan est suspendu de ses nouvelles fonctions pour 60 jours et se voit imposer une amende de 100 000 $.

● Seul repêchage de l'histoire de la Ligue à se tenir à Québec. Le premier choix appartient aux Sénateurs d'Ottawa qui jettent leur dévolu sur Alexandre Daigle, vedette des Tigres de Victoriaville. Ils lui offriront un contrat de 12,5 millions pour 5 ans, incitant plus tard la LNH à imposer un plafond pour les contrats des recrues. Les Nordiques font le bonheur des spectateurs présents en optant

pour le gardien Jocelyn Thibault au 10e rang.

● Dominik Hasek des Sabres de Buffalo est le premier gardien, depuis Bernard Parent en 1973-74, à conserver une moyenne inférieure à 2,00 soit 1,95. Dix-neuf gardiens réguliers, comparativement à deux la saison précédente, finissent en dessous de 3,00.

● Arturs Irbe des Sharks de San Jose est le nouvel homme fort chez les gardiens avec 4 412 minutes jouées, ce qui équivaut à 74 parties.

● Le Lightning de Tampa Bay établit un nouveau record avec

27 227 spectateurs à son match d'ouverture contre la Floride.

● La maladie et les blessures tiennent les deux meilleurs marqueurs de la saison précédente, Mario Lemieux et Pat LaFontaine, à l'écart du jeu pour une partie du calendrier. Wayne Gretzky reprend sa place au sommet des marqueurs pour la 10e fois, la dernière de son illustre carrière. Neuf joueurs différents ont terminé deuxièmes lors des conquêtes de ses 10 titres. L'unique «doublé» appartient à Jari Kurri.

**1993-1994**

41 tirs dirigés vers lui. Finalement, le club est éliminé en sept parties et Roy doit passer sous le bistouri quelques jours plus tard.

### RETRAITE DÉFINITIVE POUR BÉLIVEAU

Le cœur serré, mais avec élégance comme il le fait toujours, Jean Béliveau salue les gens autour de lui et s'apprête à quitter son bureau au deuxième étage du Forum. Cette dernière journée de travail avec le Canadien ne s'est pas passée comme les autres en ce jour de son 62e anniversaire. Il lui a fallu répondre aux nombreuses questions sur sa retraite, donner de multiples entrevues aux médias et saluer des centaines de personnes venues lui dire un dernier bonjour et lui souhaiter une retraite paisible. Mais fidèle à l'image qu'il a toujours présentée, aucun signe d'impatience dans le geste et aucun désir d'en finir au plus tôt dans le regard. Autour de lui, les gens sont émus, à commencer par sa fidèle secrétaire des 22 dernières années, Louise Richer. Béliveau demeure impassible comme toujours, sans trahir un certain sentiment de nostalgie qui monte en lui.

Après 40 ans dans l'organisation, 18 comme joueur et 22 comme vice-président aux affaires corporatives et ambassadeur de bonne entente, le Gros Bill tourne la dernière page de son association avec le Tricolore. «Je ne quitte pas parce que j'en avais assez de mon travail, je pense seulement que le moment était venu», répond-il inlassablement aux médias qui lui demandent de commenter son départ.

Arrivé de Québec qui lui avait construit un Colisée pour réaliser ses exploits, le grand Jean aura serré la coupe Stanley à 10 reprises dans ses bras à titre de joueur actif et présenté une fiche de 507 buts et 712 passes en 18 saisons. Au total, il aura contribué à 17 des 24 victoires de la coupe Stanley de l'histoire de l'organisation, à un titre ou à l'autre. Deuxième joueur de la LNH à atteindre le cap des 1 000 points, Béliveau a aussi remporté un championnat des marqueurs et mérité le titre de joueur

#### LE SAVIEZ-VOUS...

La Ligue modifie sa façon de déterminer les équipes participantes aux séries. Le classement général, désormais effectué par association, regroupe les équipes selon les points obtenus en saison, les deux premières places étant dévolues aux champions de division. Les huit meilleurs de chaque association participent aux éliminatoires.

| TROPHÉES |
|---|
| **COUPE STANLEY** |
| Rangers de New York |
| **TROPHÉE PRINCE-DE-GALLES** |
| Rangers de New York |
| **TROPHÉE CLARENCE-CAMPBELL** |
| Canucks de Vancouver |
| **TROPHÉE DU PRÉSIDENT** |
| Rangers de New York |
| **TROPHÉE HART** |
| Sergei Fedorov |
| Red Wings de Detroit |
| **TROPHÉE ART-ROSS** |
| Wayne Gretzky |
| Kings de Los Angeles |
| **TROPHÉE LADY-BYNG** |
| Wayne Gretzky |
| Kings de Los Angeles |
| **TROPHÉE CALDER** |
| Martin Brodeur |
| Devils du New Jersey |
| **TROPHÉE GEORGES-VÉZINA** |
| Dominik Hasek |
| Sabres de Buffalo |
| **TROPHÉE JAMES-NORRIS** |
| Raymond Bourque |
| Bruins de Boston |
| **TROPHÉE CONN-SMYTHE** |
| Brian Leetch |
| Rangers de New York |
| **TROPHÉE BILL-MASTERTON** |
| Cam Neely |
| Bruins de Boston |
| **TROPHÉE LESTER-B.-PEARSON** |
| Sergei Fedorov |
| Red Wings de Detroit |

● Gretzky devient le plus grand compteur de l'histoire de la Ligue nationale avec son 802e but le 23 mars, sur des passes de Marty McSorley et Luc Robitaille, face au gardien des Canucks, Kirk McLean. Il devance maintenant Gordie Howe dans tous les domaines (buts, passes et points) mais manque les séries pour la première fois de sa carrière.
● Mike Gartner est le premier joueur du circuit à inscrire 15 saisons d'affilée de plus de 30 buts. Maintenant avec les Leafs, il a aussi joué à Washington, Minnesota et pour les Rangers,

inscrivant plus de 600 buts. La saison écourtée de 1994-95 interrompra sa série, mais il complétera sa carrière avec 17 saisons de 30 buts ou plus.
● Scotty Bowman compte plus de 1 000 victoires comme entraîneur.
● Alan Eagleson, ex-directeur de l'Association des joueurs, est accusé de fraude, de corruption et d'obstruction à la justice en cour criminelle américaine, en mars.
● Jacques Lemaire, ancien joueur et entraîneur des Canadiens, est désigné pilote

de l'année à la tête des Devils du New Jersey.
● Gil Stein, président par interim de la Ligue en 1992-93, tente de manigancer son élection au Temple de la renommée en rédigeant lui-même sa lettre de nomination, mais celle-ci sera rejetée par la LNH.
● Jacques Lemaire, ancien joueur et entraîneur des Canadiens, est désigné pilote

● Médaille d'or pour la Suède aux Jeux olympiques de Lillehammer. Peter Forsberg marque en tir de barrage contre Corey Hirsch du Canada pour mener les siens au podium. Devenu héros national, la Suède lui consacre un timbre pour souligner l'exploit.

**ASSOCIATION DE L'EST**

| DIVISION NORD-EST | PJ | G | P | N | BP | BC | PTS |
|---|---|---|---|---|---|---|---|
| Pittsburgh (Penguins) | 84 | 44 | 27 | 13 | 299 | 285 | 101 |
| Boston (Bruins) | 84 | 42 | 29 | 13 | 289 | 252 | 97 |
| Montréal (Canadiens) | 84 | 41 | 29 | 14 | 283 | 248 | 96 |
| Buffalo (Sabres) | 84 | 43 | 32 | 9 | 282 | 218 | 95 |
| Québec (Nordiques) | 84 | 34 | 42 | 8 | 277 | 292 | 76 |
| Hartford (Whalers) | 84 | 27 | 48 | 9 | 227 | 288 | 63 |
| Ottawa (Sénateurs) | 84 | 14 | 61 | 9 | 201 | 397 | 37 |
| DIVISION ATLANTIQUE | PJ | G | P | N | BP | BC | PTS |
| New York (Rangers) | 84 | 52 | 24 | 8 | 299 | 231 | 112 |
| New Jersey (Devils) | 84 | 47 | 25 | 12 | 306 | 220 | 106 |
| Washington (Capitals) | 84 | 39 | 35 | 10 | 277 | 263 | 88 |
| New York (Islanders) | 84 | 36 | 36 | 12 | 282 | 264 | 84 |
| Floride (Panthers) | 84 | 33 | 34 | 17 | 233 | 233 | 83 |
| Philadelphie (Flyers) | 84 | 35 | 39 | 10 | 294 | 314 | 80 |
| Tampa Bay (Lightning) | 84 | 30 | 43 | 11 | 224 | 251 | 71 |

**ASSOCIATION DE L'OUEST**

| DIVISION CENTRALE | PJ | G | P | N | BP | BC | PTS |
|---|---|---|---|---|---|---|---|
| Detroit (Red Wings) | 84 | 46 | 30 | 8 | 356 | 275 | 100 |
| Toronto (Maple Leafs) | 84 | 43 | 29 | 12 | 280 | 243 | 98 |
| Dallas (Stars) | 84 | 42 | 29 | 13 | 286 | 265 | 97 |
| St. Louis (Blues) | 84 | 40 | 33 | 11 | 270 | 283 | 91 |
| Chicago (Blackhawks) | 84 | 39 | 36 | 9 | 254 | 240 | 87 |
| Winnipeg (Jets) | 84 | 24 | 51 | 9 | 245 | 344 | 57 |
| DIVISION PACIFIQUE | PJ | G | P | N | BP | BC | PTS |
| Calgary (Flames) | 84 | 42 | 29 | 13 | 302 | 256 | 97 |
| Vancouver (Canucks) | 84 | 41 | 40 | 3 | 279 | 276 | 85 |
| San Jose (Sharks) | 84 | 33 | 35 | 16 | 252 | 265 | 82 |
| Anaheim (Mighty Ducks) | 84 | 33 | 46 | 5 | 229 | 251 | 71 |
| Los Angeles (Kings) | 84 | 27 | 45 | 12 | 294 | 322 | 66 |
| Edmonton (Oilers) | 84 | 25 | 45 | 14 | 261 | 305 | 64 |

le plus utile deux fois en saisons et une fois en séries.

Le Canadien lui avait rendu hommage en 1971, retirant le chandail n° 4 que lui et Aurèle Joliat ont endossé avec fierté au cours de leur carrière.

Quelques semaines avant Béliveau, Jacques Lemaire a aussi quitté l'organisation du Canadien pour accepter un poste d'entraîneur avec les Devils du New Jersey. Cette même année, l'équipe a aussi vu deux de ses anciens joueurs revenir dans son giron, Steve Shutt à titre d'adjoint de Demers et Carol Vadnais, comme dépisteur.

## DOIGT D'HONNEUR POUR LE PHOTOGRAPHE

Guy Carbonneau est un joueur franc qui livre toujours le fond de sa pensée. Lors des séries contre Boston, il a reproché publiquement à son entraîneur, Jacques Demers, d'accorder trop de place à Patrick Roy, sous-estimant d'autant les efforts des autres joueurs. Trois jours après l'élimination hâtive de l'équipe, il se rend au golf avec ses coéquipiers Roy et Damphousse pour mieux digérer ce revers. Au photographe Normand Pichette qui tente de capter son image sur pellicule, il fait un doigt d'honneur qui fera la page frontispice du *Journal de Montréal* le lendemain. Les ondes radiophoniques et les journaux sont inondés d'appels de protestation. Surpris de l'ampleur de son geste anodin, Carbonneau décide de s'excuser publiquement pour calmer le public.

Trois mois plus tard, Carbo, un joueur grandement apprécié du public et de ses coéquipiers, est échangé aux Blues de St. Louis en retour d'un joueur marginal, Jim Montgomery. Lui dont les relations avec Serge Savard n'ont jamais été au beau fixe, sans pour autant être impossibles, n'aura pas eu la chance de négocier un nouveau contrat avec le Tricolore, à qui il aura consacré 12 saisons, plus de 900 parties régulières, de loyaux services, remportant la coupe Stanley à 2 reprises, en plus d'être désigné meilleur avant défensif de la Ligue à 3 reprises. Élu co-capitaine avec Chris Chelios en 1989, il occupait le poste seul depuis la saison 1990-91.

# 1994 🄲 1995

LA LIGUE NATIONALE, NE POUVANT EN VENIR À UN ACCORD POUR LE RENOUVELLEMENT D'UNE ENTENTE AVEC L'ASSOCIATION DES JOUEURS, DÉCRÈTE UN LOCK-OUT DE 15 JOURS EN DÉBUT D'ANNÉE. CELUI-CI DURE PLUTÔT 103 JOURS ET LES ACTIVITÉS NE DÉBUTENT QU'EN JANVIER, AVEC UN CALENDRIER DE 48 PARTIES SANS MATCHS INTER-ASSOCIATIONS. LES NORDIQUES ET PHILADELPHIE SONT CHAMPIONS DANS L'EST, DETROIT ET CALGARY DANS L'OUEST. LES CANADIENS SONT EXCLUS DES SÉRIES POUR LA PREMIÈRE FOIS DEPUIS 1970 (25 ANS). QUÉBEC SE FAIT SURPRENDRE PAR LES RANGERS DÈS LA PREMIÈRE RONDE, MAIS PETER FORSBERG, À TITRE DE RECRUE, ET MARC CRAWFORD, COMME MEILLEUR ENTRAÎNEUR, SONT HONORÉS EN FIN DE SAISON. RIEN NE RÉSISTE AUX DEVILS DU NEW JERSEY, INSPIRÉS PAR LEUR GARDIEN MARTIN BRODEUR AINSI QUE PAR CLAUDE LEMIEUX (GAGNANT DU CONN-SMYTHE) ET STÉPHANE RICHER, DEUX ANCIENS GLORIEUX. ILS GAGNENT LA COUPE STANLEY EN BATTANT BOSTON, PITTSBURGH, PHILADELPHIE ET DETROIT À TOUR DE RÔLE. JAROMIR JAGR PREND LA RELÈVE DE MARIO LEMIEUX, ABSENT TOUTE LA SAISON À CAUSE DE SES PROBLÈMES DE DOS, ET REMPORTE SON PREMIER TITRE DE CHAMPION MARQUEUR. IL SE FAIT RAVIR LE TROPHÉE HART PAR ERIC LINDROS DES FLYERS QUI REÇOIT AUSSI LE LESTER-B.-PEARSON. TROPHÉE VÉZINA POUR HASEK, MAIS C'EST BELFOUR QUI CONSERVE LA MEILLEURE MOYENNE POUR LE JENNINGS. PAUL COFFEY, RENDU À DETROIT, RENOUE AVEC LE TROPHÉE NORRIS QU'IL N'AVAIT PAS VU DEPUIS SES BEAUX JOURS À EDMONTON EN 1986. JOHN LECLAIR, ÉCHANGÉ AUX FLYERS EN COURS DE SAISON, EST ÉLU DANS LA PREMIÈRE ÉQUIPE D'ÉTOILES, À L'AILE GAUCHE.

*Le gérant Serge Savard tente de secouer le club en réclamant Pierre Turgeon des Islanders.*

## Hors des séries pour la première fois en 25 ans

L a saison 1994-95 laissera à jamais une tache noire au dossier de la Ligue nationale, tout comme à celui du Canadien qui, pour la première fois en 25 ans — la neuvième de son histoire —, n'a pas réussi à se qualifier pour les éliminatoires, terminant sixième de sa division et onzième de l'Association de l'Est. Mécontentement, chicanes internes et laisser-aller de plusieurs joueurs font en sorte que l'équipe qui remportait la coupe Stanley moins de deux ans auparavant n'a plus d'âme malgré les séances de motivation de l'entraîneur Demers.

● Vincent Damphousse signe un contrat de 10 millions pour quatre ans avec les Canadiens en septembre, alors que pointe une menace de lock-out de la part des dirigeants de la Ligue. Contrat qui en fait le deuxième meilleur salarié du club, après Roy à 16 millions pour quatre ans et devant Muller à 8 millions pour la même durée.

● Jean-Claude Tremblay, considéré par plusieurs comme le magicien de la ligne bleue aux mains d'or, est emporté par le cancer à 55 ans au début de décembre. Il a joué 13 saisons avec les Canadiens, mais la LNH le traitera en véritable paria à la suite de son passage aux Nordiques, le privant d'une participation à la Série du siècle et refusant de l'admettre au Temple de la renommée. Les Nordiques lui rendront hommage au terme d'une seconde carrière de sept ans, en retirant son numéro. Tremblay a gagné cinq fois la coupe Stanley et une fois la coupe Avco.

● L'entraîneur Demers fait appel au rude attaquant Mario Roberge, qui est dans l'Américaine, dans une tentative pour mettre de l'ordre dans le vestiaire.

---

## 1994-1995

Celui-ci tente de secouer les troupes en faisant appel à une quarantaine de joueurs au cours de la saison, écourtée par un lock-out qui paralyse le circuit d'octobre au 20 janvier. Dans son analyse de fin de saison, Demers confirme qu'il aurait dû mettre les mécontents dehors plutôt que d'essayer constamment de les ramener à l'ordre.

De son côté, le directeur général Serge Savard essaie de changer l'atmosphère du vestiaire en multipliant les échanges tout au long de la saison. Il envoie Éric Desjardins, Gilbert Dionne et John LeClair à Philadelphie pour obtenir les services de Mark Recchi. Il se départit ensuite de son capitaine Kirk Muller, de Mathieu Schneider et de Craig Darby au profit de Pierre Turgeon et Vladimir Malakhov des Islanders. Savard regrettera aussi, à l'heure du bilan de la saison, de ne pas avoir bougé plus tôt, déçu qu'il était du rendement de quelques vedettes de l'équipe dont certaines venaient de renouveler leur contrat.

La dernière élimination du Canadien remonte à 1969-70, lorsqu'une magouille entre quelques clubs avait exclu l'équipe montréalaise des séries lors du dernier match de la saison. Il faut ensuite remonter jusqu'en 1947-48 pour trouver l'exclusion précédente.

### SAISON ÉCOURTÉE

Le plus important conflit à ce jour entre la Ligue nationale et ses joueurs oblige les amateurs de hockey à se contenter d'une saison de 48 parties, au terme d'un lock-out qui aura duré 103 jours. Les principaux points opposant le circuit à son association de joueurs portaient sur le repêchage amateur, l'autonomie des joueurs, un plafond salarial pour les recrues et le partage des revenus.

Pourtant, certains propriétaires, sachant tous fort bien que le circuit Bettman se dirigeait vers un conflit avec ses joueurs, avaient fait fi des recommandations du commissaire au cours de l'été, en faisant signer des contrats mirobolants à quelques joueurs : 6,5 millions pour trois ans à Paul Kariya, 6,9 millions pour trois ans à Dominik Hasek, 10 millions pour quatre ans à Vincent Damphousse. Au cours de l'année précédente, rapporte le journaliste torontois Alan Adams, le salaire moyen était passé de 412 512 $ à 503 087 $ et le nombre de joueurs gagnant 1 million, de 5 à 75.

| JOUEURS | |
|---|---|
| 1 | Ron Tugnutt |
| 6 | Oleg Petrov |
| 8 | Mark Recchi |
| 11 | Kirk Muller (C) |
| 12 | Mike Keane (C) |
| 14 | Craig Darby |
| 15 | Paul Di Pietro |
| 17 | John LeClair |
| | Mark Lamb |
| 18 | Valeri Bure |
| 20 | Pierre Sévigny |
| 22 | Benoît Brunet |
| 23 | Brian Bellows |
| 24 | Lyle Odelein |
| 25 | Vincent Damphousse |
| 26 | Jim Montgomery |
| | Yves Sarault |
| 27 | Mathieu Schneider |
| 28 | Éric Desjardins |
| | Craig Conroy |
| 29 | Yves Racine |
| 30 | Turner Stevenson |
| 31 | Ed Ronan |
| 32 | Mario Roberge |
| 33 | Patrick Roy |
| 34 | Peter Popovic |
| 35 | Donald Brashear |
| 36 | Gerry Fleming |
| 38 | Vladimir Malakhov |
| 43 | Patrice Brisebois |
| 44 | Bryan Fogarty |
| 45 | Gilbert Dionne |
| 46 | Craig Ferguson |
| 48 | Jean-Jacques Daigneault |
| 49 | Brian Savage |
| 52 | Craig Rivet |

● En fin de saison, Mario Tremblay, ancien fier compétiteur du Tricolore, qualifie les joueurs des Canadiens « de bande de peureux » devant le chroniqueur André Rousseau, du *Journal de Montréal*. L'équipe n'a gagné que 3 matchs en 24 parties à l'extérieur.

● Malgré les insuccès collectifs de l'équipe, Pierre Turgeon et Vincent Damphousse atteignent de nouveaux sommets personnels au cours de la saison avec

une 400e passe dans la Ligue. Pour sa part, Patrick Roy participe à son 500e match, Éric Desjardins à son 400e, Yves Racine et Lyle Odelein à leur 300e. Mark Lamb, acquis par Montréal en février, dispute aussi une 400e partie dans la LNH.

● L'avenir s'annonce meilleur pour le Tricolore qui repêche le gardien des Lynx de Saint-Jean, José Théodore, au deuxième tour de sélection.

| JOUEURS | |
|---|---|
| 56 | David Wilkie |
| 57 | Chris Murray |
| 77 | Pierre Turgeon |
| **ENTRAÎNEUR** | |
| Jacques Demers | |

*Malgré les insuccès de l'équipe, les croustilles Humpty Dumpty obtiennent toujours beaucoup de succès avec la séance d'entraînement présentée à l'intention des jeunes partisans.*

### ASSOCIATION DE L'EST

| DIVISION NORD-EST | PJ | G | P | N | BP | BC | PTS |
|---|---|---|---|---|---|---|---|
| Québec (Nordiques) | 48 | 30 | 13 | 5 | 185 | 134 | 65 |
| Pittsburgh (Penguins) | 48 | 29 | 16 | 3 | 181 | 158 | 61 |
| Boston (Bruins) | 48 | 27 | 18 | 3 | 150 | 127 | 57 |
| Buffalo (Sabres) | 48 | 22 | 19 | 7 | 130 | 119 | 51 |
| Hartford (Whalers) | 48 | 19 | 24 | 5 | 127 | 141 | 43 |
| Montréal (Canadiens) | 48 | 18 | 23 | 7 | 125 | 148 | 43 |
| Ottawa (Sénateurs) | 48 | 9 | 34 | 5 | 117 | 174 | 23 |
| **DIVISION ATLANTIQUE** | **PJ** | **G** | **P** | **N** | **BP** | **BC** | **PTS** |
| Philadelphie (Flyers) | 48 | 28 | 16 | 4 | 150 | 132 | 60 |
| New Jersey (Devils) | 48 | 22 | 18 | 8 | 136 | 121 | 52 |
| Washington (Capitals) | 48 | 22 | 18 | 8 | 136 | 120 | 52 |
| New York (Rangers) | 48 | 22 | 23 | 3 | 139 | 134 | 47 |
| Floride (Panthers) | 48 | 20 | 22 | 6 | 115 | 127 | 46 |
| Tampa Bay (Lightning) | 48 | 17 | 28 | 3 | 120 | 144 | 37 |
| New York (Islanders) | 48 | 15 | 28 | 5 | 126 | 158 | 35 |

### ASSOCIATION DE L'OUEST

| DIVISION CENTRALE | PJ | G | P | N | BP | BC | PTS |
|---|---|---|---|---|---|---|---|
| Detroit (Red Wings) | 48 | 33 | 11 | 4 | 180 | 117 | 70 |
| St. Louis (Blues) | 48 | 28 | 15 | 5 | 178 | 135 | 61 |
| Chicago (Blackhawks) | 48 | 24 | 19 | 5 | 156 | 115 | 53 |
| Toronto (Maple Leafs) | 48 | 21 | 19 | 8 | 135 | 146 | 50 |
| Dallas (Stars) | 48 | 17 | 23 | 8 | 136 | 135 | 42 |
| Winnipeg (Jets) | 48 | 16 | 25 | 7 | 157 | 177 | 39 |
| **DIVISION PACIFIQUE** | **PJ** | **G** | **P** | **N** | **BP** | **BC** | **PTS** |
| Calgary (Flames) | 48 | 24 | 17 | 7 | 163 | 135 | 55 |
| Vancouver (Canucks) | 48 | 18 | 18 | 12 | 153 | 148 | 48 |
| San Jose (Sharks) | 48 | 19 | 25 | 4 | 129 | 161 | 42 |
| Los Angeles (Kings) | 48 | 16 | 23 | 9 | 142 | 174 | 41 |
| Edmonton (Oilers) | 48 | 17 | 27 | 4 | 136 | 183 | 38 |
| Anaheim (Mighty Ducks) | 48 | 16 | 27 | 5 | 125 | 164 | 37 |

Les deux parties se lancent des ultimatums à tour de rôle. Le 1er août, la Ligue ouvre le bal en imposant 19 changements au dernier contrat échu depuis la fin de la saison 1992-93. De délai en sursis et d'une offre finale à l'autre, on finit par convenir qu'une entente n'est plus possible avant le début de la saison, fixé d'abord au 15 octobre et reporté de semaine en semaine, jusqu'à ce que les bonzes du circuit autorisent le commissaire Bettman à décréter le lock-out en décembre.

Les deux clans auront besoin d'une quarantaine de rencontres formelles ou en comités restreints, entre l'expiration de la dernière entente en juin 1993 et la fin du lock-out le 10 janvier, pour fixer les termes du nouveau pacte. L'entente, d'une durée de six ans, accorde l'autonomie complète aux joueurs à 32 ans pour les trois premières années et à 31 ans pour les trois suivantes. Un plafond salarial pour les recrues est fixé à 850 000 $ la première année et à 1,75 million en 2000, tandis que l'âge admissible au repêchage est porté à 19 ans et les rondes réduites de 11 à 9.

Les joueurs tentent de conserver la forme durant la longue période d'inactivité. Wayne Gretzky organise une tournée en Europe avec une vingtaine d'autres joueurs (Gretzky et ses amis). D'autres présentent un tournoi à quatre équipes (Défi 4 contre 4) entre le Québec, l'Ontario, l'Ouest et les États-Unis. Les joueurs des Canadiens disputent un match amical contre leurs rivaux de la

● Les Nordiques de Québec remportent le dernier championnat de division de leur histoire dans la LNH, avant de s'exiler au Colorado où l'Avalanche méritera la coupe Stanley dès l'année suivante.

● Deux joueurs vedettes changent de camp au cours de l'été. Les Nordiques échangent Mats Sundin aux Leafs pour Wendel Clark et Sylvain Lefebvre, alors que Luc Robitaille passe des Kings aux Red Wings. En fin de saison, Tampa Bay retourne Denis Savard à Chicago.

● Bobby Clarke est de retour à Philadelphie en qualité de président et directeur général, après de courts séjours au Minnesota et en Floride.

● Les Red Wings de Detroit participent à la finale de la coupe Stanley après une disette de 29 ans mais se heurtent aux Devils et à la stratégie défensive, dite de la «trappe», de Jacques Lemaire. Ils sont battus en quatre matchs successifs par Martin Brodeur, Claude Lemieux et compagnie.

● D'abord connus comme les Scouts de Kansas City (deux ans), puis les Rockies du Colorado (six ans), les Devils du New Jersey, qui furent un jour qualifiés de «Mickey Mouse» par Wayne Gretzky, en sont à leur 21e saison. Vaincus seulement 4 fois en séries, ils signent 10 de leurs 16 victoires à l'étranger.

## 1994-1995

LNH à Rosemère. Plusieurs autres optent pour des séjours au sein de ligues européennes, comme Vincent Damphousse en Allemagne, Jaromir Jagr et Dominik Hasek en République tchèque, Peter Forsberg et Mats Sundin, en Suède, ou encore Doug Gilmour et Chris Chelios en Suisse.

### TROIS CAPITAINES AU COURS D'UNE MÊME SAISON

Les nombreux échanges commandés par Serge Savard pour secouer l'équipe, de l'intersaison jusqu'à l'élimination du club des séries, auront permis au Canadien d'allonger passablement sa liste de capitaines en l'espace de seulement huit mois. Au départ de Carbonneau en août, Savard et Demers font appel à Kirk Muller pour lui succéder. Pas pour longtemps, puisque Muller est à son tour échangé aux Islanders en avril. Mike Keane, qui soulèvera une tempête médiatique en avouant maladroitement au journaliste Mathias Brunet de *La Presse* qu'il ne jugeait pas utile d'apprendre le français, lui succède. Il ne fera pas long feu lui non plus puisqu'il sera partie prenante d'un échange spectaculaire dès la saison suivante.

*En janvier, Patrick Roy fustige Gilbert Dionne pour avoir reproché publiquement à ses coéquipiers de se lancer à la poursuite de la rondelle «comme des poules sans tête». Plus tard, en mars, Mathieu Schneider en vient aux coups avec Roy à deux reprises, Dionne et Schneider seront échangés peu après.*

| TROPHÉES |
| --- |
| **COUPE STANLEY** |
| Devils du New Jersey |
| **TROPHÉE PRINCE-DE-GALLES** |
| Devils du New Jersey |
| **TROPHÉE CLARENCE-CAMPBELL** |
| Red Wings de Detroit |
| **TROPHÉE DU PRÉSIDENT** |
| Red Wings de Detroit |
| **TROPHÉE HART** |
| Eric Lindros |
| Flyers de Philadelphie |
| **TROPHÉE ART-ROSS** |
| Jaromir Jagr |
| Penguins de Pittsburgh |
| **TROPHÉE LADY-BYNG** |
| Ron Francis |
| Penguins de Pittsburgh |
| **TROPHÉE CALDER** |
| Peter Forsberg |
| Nordiques de Québec |
| **TROPHÉE GEORGES-VÉZINA** |
| Dominik Hasek |
| Sabres de Buffalo |

### MEILLEURS MARQUEURS

| | | PJ | B | A | PTS | PUN |
| --- | --- | --- | --- | --- | --- | --- |
| Jaromir Jagr | Pittsburgh | 48 | 32 | 38 | 70 | 37 |
| Eric Lindros | Philadelphie | 46 | 29 | 41 | 70 | 60 |
| Alexei Zhamnov | Winnipeg | 48 | 30 | 35 | 65 | 20 |
| Joe Sakic | Québec | 47 | 19 | 43 | 62 | 30 |
| Ron Francis | Pittsburgh | 44 | 11 | 48 | 59 | 18 |
| Theoren Fleury | Calgary | 47 | 29 | 29 | 58 | 112 |
| Paul Coffey | Detroit | 45 | 14 | 44 | 58 | 72 |
| Mikael Renberg | Philadelphie | 47 | 26 | 31 | 57 | 20 |
| John LeClair | Can./Phi. | 46 | 26 | 28 | 54 | 30 |
| Mark Messier | NY Rangers | 46 | 14 | 39 | 53 | 40 |
| Adam Oates | Boston | 48 | 12 | 41 | 53 | 8 |

● Jaromir Jagr est le premier joueur européen à remporter le titre des marqueurs. Il termine à égalité avec Eric Lindros mais gagne le Art-Ross par le nombre de buts.

● Paul Coffey devance maintenant Denis Potvin à titre de meilleur marqueur chez les défenseurs de la Ligue.

● Les anciens joueurs de la Ligue, avec Carl Brewer et Brad Park à leur tête, gagnent leur bataille contre la Ligue nationale sur le surplus de fonds de pension impayé depuis les ententes passées en 1949. La cour de l'Ontario avait rendu une première décision favorable en 1992, mais la Ligue était allée en appel jusqu'à ce que la Cour suprême du Canada tranche en juillet 1994. On estime à 40 millions la dette de la LNH envers ses anciens joueurs.

● Le réseau américain Fox paie 155 millions pour présenter quelques matchs de hockey à son réseau. On essaie de capter l'intérêt des Américains avec une rondelle fluorescente et des effets lumineux, mais l'expérience ne durera que deux saisons.

● Lionel Conacher, élu l'athlète masculin du demi-siècle au Canada en 1950, est finalement intronisé au Temple de la renommée du hockey, après l'avoir été au Panthéon des sports du Canada et à ceux du football et de la crosse. Il a porté les couleurs de quatre équipes de hockey, dont les Maroons, en plus de s'illustrer dans plusieurs autres sports.

| TROPHÉES | |
| --- | --- |
| **TROPHÉE JAMES-NORRIS** | |
| Paul Coffey | |
| Red Wings de Detroit | |
| **TROPHÉE CONN-SMYTHE** | |
| Claude Lemieux | |
| Devils du New Jersey | |
| **TROPHÉE BILL-MASTERTON** | |
| Pat LaFontaine | |
| Sabres de Buffalo | |
| **TROPHÉE LESTER-B.-PEARSON** | |
| Eric Lindros | |
| Flyers de Philadelphie | |
| **TROPHÉE JACK-ADAMS** | |
| Marc Crawford | |
| Nordiques de Québec | |
| **TROPHÉE FRANK-J.-SELKE** | |
| Ron Francis | |
| Penguins de Pittsburgh | |
| **TROPHÉE WILLIAM-M.-JENNINGS** | |
| Ed Belfour | |
| Blackhawks de Chicago | |
| **TROPHÉE KING-CLANCY** | |
| Joe Nieuwendyk | |
| Flames de Calgary | |

**1994-1995**

*Le capitaine Mike Keane s'attire les foudres des médias francophones avec sa déclaration.*

493

LES CANADIENS TERMINENT TROISIÈMES DU GROUPE NORD-EST ET SIXIÈMES DU CLASSEMENT GÉNÉRAL DANS L'EST AVEC 90 POINTS. LE CLUB EST ÉLIMINÉ EN PREMIÈRE RONDE PAR LES RANGERS, APRÈS AVOIR GAGNÉ LES DEUX PREMIÈRES PARTIES À NEW YORK. QUÉBEC PERD SON CLUB PROFESSIONNEL. LES NORDIQUES SONT TRANSFÉRÉS À DENVER ET DEVIENNENT L'AVALANCHE DU COLORADO. L'ÉQUIPE SE JOINT À LA DIVISION PACIFIQUE ET REMPORTE LA COUPE STANLEY EN QUATRE MATCHS CONTRE LA FLORIDE, GRÂCE AUX JOE SAKIC, PETER FORSBERG, VALERI KAMENSKY, PATRICK ROY (OBTENU DES CANADIENS) ET UWE KRUPP, AUTEUR DE L'UNIQUE BUT DU DERNIER MATCH INSCRIT EN TROISIÈME SUPPLÉMENTAIRE. POUR ATTEINDRE LA FINALE, LE COLORADO, PREMIER DE SA DIVISION, DOIT ÉCARTER VANCOUVER, CHICAGO (QUATRE DES SIX PARTIES EN PROLONGATION) ET DETROIT, PREMIER AU CLASSEMENT GÉNÉRAL DE LA LIGUE AVEC 131 POINTS. GRANDEMENT AIDÉS PAR LE PORTIER JOHN VANBIESBROUCK, LES PANTHERS (QUI EN SONT À LEUR TROISIÈME ANNÉE SEULEMENT) RENVERSENT BOSTON, AINSI QUE PHILADELPHIE ET PITTSBURGH, PREMIERS DE LEUR DIVISION RESPECTIVE. GUÉRI DE SON CANCER, MARIO LEMIEUX A REPRIS LE PREMIER RANG DES MARQUEURS DU CIRCUIT AVEC 161 POINTS. EN FIN DE SAISON, GRETZKY TERMINE AU 12$^e$ RANG AVEC 102 POINTS. LE MÉRITE DE LEMIEUX LUI VAUT LES TROPHÉES HART ET PEARSON. DEUX ANCIENS MEMBRES DES CANADIENS, SCOTTY BOWMAN ET CHRIS CHELIOS, SONT SÉLECTIONNÉS ENTRAÎNEUR ET DÉFENSEUR DE L'ANNÉE.

## Patrick Roy chassé de Montréal

*Beaucoup de pression sur les épaules du jeune Jocelyn Thibault à qui on demande de remplacer un « monument » tel que Patrick Roy.*

**M**ario Tremblay entend bien demeurer seul maître dans le vestiaire de l'équipe et derrière le banc. À vouloir traiter tous ses joueurs sur un même pied, il a tôt fait de heurter l'ego de quelques vétérans — dont Patrick Roy — qui avaient droit à quelques petits égards avec Jacques Demers. Sous le nouveau règne du Bleuet bionique, les succès des premières rencontres ont aidé à garder tout le monde relativement de bonne humeur malgré quelques accrochages mineurs. Du moins jusqu'au 2 décembre.

*Une compagnie de bière finlandaise souligne le championnat du monde acquis par l'équipe nationale en 1995 en apposant une vignette des divers joueurs sur ses bouteilles.*

● Toe Blake, l'un des plus grands entraîneurs du Canadien et de la Ligue nationale, s'éteint en mai à l'âge de 82 ans. Il souffrait d'Alzheimer depuis quelques années. Sept mois plus tard, le cancer a raison de Bill Nyrop, ancien défenseur tricolore, à l'âge de 43 ans.

● Saku Koivu, premier choix du Tricolore en 1993, débarque à Montréal avec son compatriote Marko Kiprusoff. Les deux seront de la formation en début de saison.
● C'est Pierre Turgeon qui remplace Mike Keane à titre de capitaine lorsque ce dernier est échangé au Colorado en décembre. Keane n'aura été capitaine du club que pour

une période de trois mois, mais il aura eu le temps de disputer un 500e match avec les Canadiens avant de partir.
● On retire le numéro 1 du gardien Jacques Plante lors du premier match de la saison.
● Le Tricolore fait plaisir aux collectionneurs en imprimant sur ses billets de saison les photos des joueurs et bâtisseurs de l'équipe intronisés au Temple de la renommée.

**1995-1996**

Ce soir-là, le Canadien affronte les Red Wings de Detroit qui n'ont pas gagné au Forum depuis le 6 février 1988. Mais le Canadien connaît une séquence de trois parties sans victoire et Mario ne veut pas laisser son ancien entraîneur Scotty Bowman, qu'il déteste à s'en confesser, avoir le dessus sur lui. Il ne bronche pas lorsque les Wings accumulent les buts contre Roy en première. À 5-1, il ramène Roy devant le filet en deuxième et reste sourd aux demandes de son adjoint Steve Shutt de le remplacer lorsque la marque atteint 7 à 1. Quelques instants plus tard, Roy lève les bras au ciel en réponse aux huées de la foule qui l'applaudit en dérision sur un arrêt de routine. À 9-1, Tremblay remplace finalement son gardien régulier par Pat Jablonski et sans rien dire, le menton haut, le laisse passer devant lui lorsqu'il se rend sur le petit banc, à côté de ses coéquipiers.

Avant de s'asseoir, Roy revient sur ses pas pour s'adresser au président Corey, dont le siège chez les spectateurs est situé derrière le banc de l'équipe. Furieux, il lui signifie qu'il vient de disputer son dernier match à Montréal, puis il repasse devant Tremblay (les deux s'échangent un regard glacial) et regagne son banc.

| | JOUEURS |
|---|---|
| 3 | Robert Dirk |
| 5 | Stéphane Quintal |
| 6 | Oleg Petrov |
| 8 | Mark Recchi |
| 11 | Saku Koivu |
| 12 | Mike Keane (C) |
| 17 | Mark Lamb |
| 18 | Valeri Bure |
| 20 | Craig Conroy |
| 22 | Benoît Brunet |
| 23 | Marko Kiprusoff |
| 24 | Lyle Odelein |
| 25 | Vincent Damphousse |
| 26 | Yves Sarault |
| | Martin Rucinsky |
| 27 | David Wilkie |
| 28 | Marc Bureau |
| 29 | Yves Racine |
| 30 | Turner Stevenson |
| 31 | Patrick Labrecque |
| 33 | Patrick Roy |
| 34 | Peter Popovic |
| 35 | Donald Brashear |
| 37 | José Théodore |

*Andrei Kovalenko revendique l'honneur d'avoir inscrit le dernier but de l'histoire du Forum, contre Andy Moog des Stars de Dallas.*

● Mario Tremblay connaît un succès retentissant à son arrivée derrière le banc avec six victoires de suite, un précédent pour un entraîneur débutant.

● Respectivement à leur quatrième et deuxième saison avec le Tricolore, Vincent Damphousse et Pierre Turgeon disputent leur 700e et 600e partie dans la LNH en octobre. Turgeon profite de son 12e tour du chapeau dans la Ligue en janvier pour inscrire son 300e but. Il a atteint la marque des 700 points deux mois plus tôt. Damphousse inscrit un 700e point à son tour à la fin de janvier, suivi d'un 300e but avec les Canadiens.

● Acquis des Jets de Winnipeg au cours de l'été, Stéphane Quintal dispute un 400e match en novembre.

● Larry Robinson, l'un des meilleurs défenseurs de l'histoire du Tricolore, est intronisé au Temple de la renommée en novembre.

● Les Canadiens disputent le 5 000e match de son histoire le 10 janvier à Montréal, mais doivent se contenter d'un match nul contre Vancouver.

● Marc Bureau fête son 300e match dans la Ligue nationale, lors de la dernière rencontre présentée au Forum. Lyle Odelein a profité d'un moment plus anonyme pour disputer sa 400e partie avec Montréal en février. Même chose pour Mark Recchi avec un 500e match deux mois avant Odelein. Peu après, Recchi obtient son 600e point dans la LNH.

*Trois ovations monstres pour le Rocket qui a peine à retenir ses larmes à l'occasion des cérémonies marquant le déménagement de l'équipe.*

| JOUEURS | |
|---|---|
| 38 | Vladimir Malakhov |
| 39 | Pat Jablonski |
| 41 | Jocelyn Thibault |
| 42 | Darcy Tucker |
| 43 | Patrice Brisebois |
| 46 | Craig Ferguson |
| 48 | Jean-Jacques Daigneault |
| | François Groleau |
| 49 | Brian Savage |
| 51 | Andrei Kovalenko |
| 52 | Craig Rivet |
| 53 | Rory Fitzpatrick |
| 56 | Scott Fraser |
| 57 | Chris Murray |
| 71 | Sébastien Bordeleau |
| 77 | Pierre Turgeon (C) |
| ENTRAÎNEUR | |
| | Jacques Demers |
| | Mario Tremblay |

*Les Canadiens publient un imposant programme-souvenir sur l'histoire du club à l'occasion de la fermeture du Forum.*

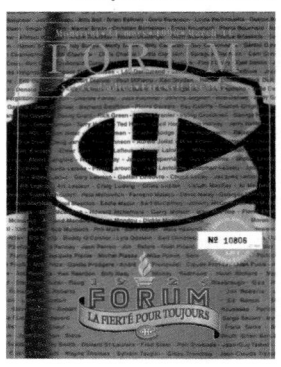

1995-1996

Ce soir-là, le Canadien perd 11 à 1, la pire dégelée de son histoire au Forum, mais pis encore, cette défaite met un terme à un important chapitre de l'histoire glorieuse du Canadien. Patrick Roy, qui a donné 2 fois la coupe Stanley à l'équipe en 11 saisons, remporté 3 trophées Vézina et 2 Conn-Smythe à titre de joueur par excellence des séries, enlève ses jambières et son chandail tricolores pour la dernière fois.

Convoqué au bureau du directeur général Réjean Houle, en poste depuis tout juste six semaines comme Tremblay, Roy se fait dire qu'il est allé trop loin en défiant son entraîneur pour s'adresser directement au président et en répondant aux railleries de ceux qui paient son salaire. Il n'est plus le bienvenu dans cette équipe et on verra à l'échanger à une autre formation au cours des prochaines journées.

Trois jours plus tard, il passe à l'Avalanche du Colorado en compagnie du controversé capitaine Mike Keane, en retour du jeune gardien Jocelyn Thibault ainsi que de Martin Rucinsky et Andrei Kovalenko.

Roy n'a pas prisé que le nouvel entraîneur bafoue sa fierté devant plusieurs milliers de partisans et Houle ne peut permettre qu'il défie l'autorité aussi effrontément sans prendre des mesures. Le plus ironique de l'histoire, c'est qu'on raconte que quelques jours avant son renvoi, Serge Savard avait aussi préparé un échange qui expédiait son gardien au Colorado en retour des services d'Owen Nolan. Échange qu'il n'a pas eu le temps de compléter.

## NOUVEAU BALAYAGE À LA DIRECTION

La saison n'est pourtant vieille que d'une dizaine de jours, mais la grogne n'a de cesse depuis l'élimination en première ronde face aux Bruins au printemps 1994, pour s'amplifier lorsque l'équipe fut exclue des séries pour la première fois en 25 ans la saison précédente. Au point de devenir insoutenable, avec quatre revers consécutifs, au début de la présente campagne. Les médias multiplient les comparaisons défavorables au duo Savard-Demers, lui reprochant le moindre ralentissement des joueurs, tandis que les partisans ne cessent de houspiller joueurs et dirigeants du Forum, sur la rue et aux lignes ouvertes à la radio. Le président Corey, dont les relations avec Serge Savard

● Marcel Aubut annonce une bien triste nouvelle aux partisans des Nordiques et aux sportifs de Québec le 25 mai, en faisant part de la vente de l'équipe au groupe Comsat Video, pour 75 millions américains. Ni la Ville de Québec ni le gouvernement n'ont accepté d'investir dans la construction d'un nouveau Colisée et l'équipe qui a fait vibrer les amateurs depuis 23 ans (7 saisons dans l'AMH et 16 dans la LNH) est forcée de s'exiler au Colorado pour y devenir l'Avalanche.

● Autre mauvaise nouvelle pour le hockey canadien. Le transfert à Phoenix des Jets de Winnipeg — autres survivants de l'AMH — est annoncé au début de 1996 en prévision de la saison suivante.
● Teemu Selanne ne suivra pas les Jets à Phoenix. L'équipe l'échange aux Mighty Ducks d'Anaheim quelques semaines après l'annonce du déménagement de l'équipe.

● Pour contrer les difficultés des équipes de ce côté du 45e parallèle, la Ligue annonce en janvier 1996 l'instauration d'un plan d'aide destiné à aider les formations canadiennes restantes. La grande disparité entre le dollar canadien et le dollar américain pénalise sévèrement les équipes établies au Canada.
● Les Sénateurs d'Ottawa inscrivent la pire fiche de la Ligue nationale pour une quatrième saison d'affilée, soit depuis leur retour. Ils

établissent aussi une nouvelle marque pour la plus longue série d'insuccès à domicile avec 17 parties (15 revers et 2 nulles).
● Raymond Bourque est sélectionné sur les équipes d'étoiles pour la 17e fois de sa carrière, 11 fois sur la première et 6 sur la seconde.
● Nouveau record d'endurance chez les gardiens alors que Grant Fuhr participe à 79 des 82 parties des Blues de St. Louis.

**1995-1996**

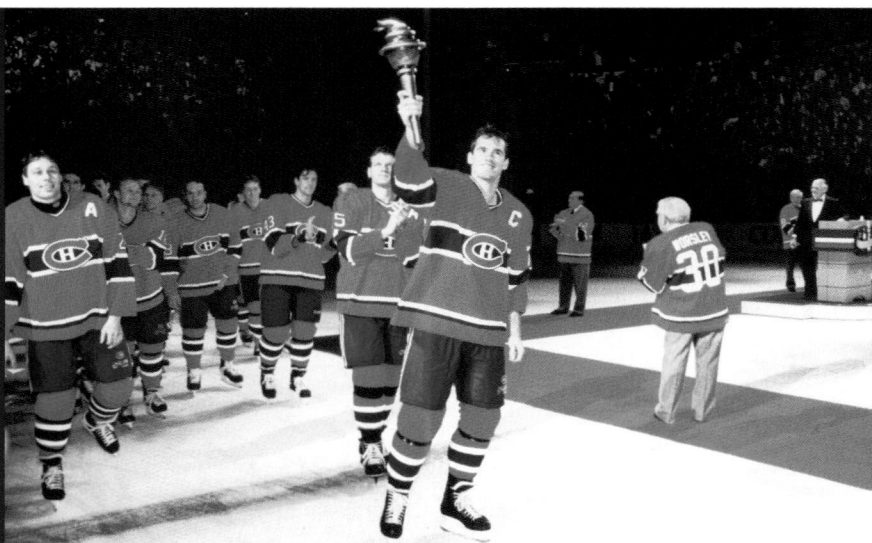

*Relayé de capitaine en capitaine, le flambeau est finalement remis au capitaine Pierre Turgeon, accompagné de ses coéquipiers, qui le transporte symboliquement au nouveau Centre Molson.*

ne sont plus très bonnes depuis plus d'un an, doit faire un geste pour rassurer joueurs et partisans.

Il fait sauter deux bombes à la mi-octobre. La première en congédiant Savard, son adjoint André Boudrias, Carol Vadnais, dépisteur chez les professionnels, et l'entraîneur Demers. Celui-ci reste cependant avec l'organisation à un poste à déterminer. Corey avait posé pareil coup d'éclat peu après sa nomination en avril 1983, liquidant Irving Grundman, le prof Ronald Caron et l'entraîneur Bob Berry (plus tard récupéré par Savard), pour faire place au Sénateur.

La seconde bombe explose quatre jours plus tard avec les nominations de Réjean Houle au poste de directeur général, de Mario Tremblay à celui d'entraîneur et d'Yvan Cournoyer à titre d'adjoint de ce dernier. Trois anciens joueurs sans expérience pour les postes obtenus, mais reconnus pour leur détermination, leur attachement au Canadien et une grande amitié mutuelle. Jacques Laperrière et Steve Shutt, autres anciens joueurs, restent en fonction ainsi que

498

| TROPHÉES |
| --- |
| **COUPE STANLEY** |
| Avalanche du Colorado |
| **TROPHÉE PRINCE-DE-GALLES** |
| Panthers de la Floride |
| **TROPHÉE CLARENCE-CAMPBELL** |
| Avalanche du Colorado |
| **TROPHÉE DU PRÉSIDENT** |
| Red Wings de Detroit |
| **TROPHÉE HART** |
| Mario Lemieux |
| Penguins de Pittsburgh |
| **TROPHÉE ART-ROSS** |
| Mario Lemieux |
| Penguins de Pittsburgh |
| **TROPHÉE LADY-BYNG** |
| Paul Kariya |
| Mighty Ducks d'Anaheim |
| **TROPHÉE CALDER** |
| Daniel Alfredsson |
| Sénateurs d'Ottawa |
| **TROPHÉE GEORGES-VÉZINA** |
| Jim Carey |
| Capitals de Washington |

● Les Red Wings effacent le record de 60 victoires des Canadiens, établi en 1976-77, avec 62 gains au cours de la saison. Cependant, celui de 132 points reste intact, les Wings terminant à 131.

● Pour leur part, les Bruins établissent une nouvelle marque pour les participations consécutives aux séries (29), soit depuis celles de 1968.

● Absent du jeu la saison précédente pour soigner ses maux de dos, Mario Lemieux revient en force et décroche le titre des marqueurs avec 69 buts et 92 passes en 70 parties.

● À la demande de Wayne Gretzky, les Kings l'échangent aux Blues en février. Il termine la saison à St. Louis, avant de signer avec les Rangers

de New York à titre d'agent libre en prévision de l'année suivante. Il en est aussi à une 15ᵉ saison de 100 points.

● Plus de 150 joueurs changent d'uniforme au cours de la saison, selon ce que rapporte le *Hockey Chronicle*, dans son résumé des activités de la Ligue. Parmi ces joueurs, outre Gretzky, Roy et Selanne, se retrouvent Grant Fuhr (à St. Louis), Brendan Shanahan (à Hartford),

Luc Robitaille et Jari Kurri (à New York), Joe Nieuwendyk (à Dallas), Alexander Mogilny (à Vancouver) et Dave Andreychuk (au New Jersey).

● Les Panthers de la Floride, à leur troisième saison, se qualifient pour les séries grâce aux prouesses du cerbère John Vanbiesbrouck et se rendent jusqu'à la finale. Ils ne peuvent rien contre l'Avalanche qui l'emporte en quatre parties de suite, mais

*La rondelle officielle du match inaugural est devenue une pièce de collection recherchée.*

François Allaire, entraîneur des gardiens. Jacques Demers devient dépisteur chez les professionnels, aidé de Charles Thiffault dont le poste a été libéré pour faire place à Cournoyer.

Nul n'avait prévu que, presque aussitôt en poste, Houle et Tremblay auraient à composer avec l'incident du 2 décembre.

## LE FORUM REMPLACÉ PAR LE CENTRE MOLSON

Les amateurs de hockey et les Montréalais sont conviés à une semaine d'activités marquant le déménagement des Canadiens de l'ancien Forum au nouveau Centre Molson, du lundi 11 au dimanche 17 mars 1996.

Construit en 1924 et rénové à deux reprises, d'abord en 1949 puis de nouveau en 1968, le Forum se referme une dernière fois sur les spectateurs le 11 mars, au terme d'une victoire de 4-1 sur les Stars de Dallas. Andrei Kovalenko est celui qui inscrit le dernier filet dans cette enceinte dont les murs sont encore imprégnés de la sueur de tous ces héros qui ont écrit l'histoire des Glorieux. Le lendemain,

| TROPHÉES |
| --- |
| **TROPHÉE JAMES-NORRIS** |
| Chris Chelios |
| Blackhawks de Chicago |
| **TROPHÉE CONN-SMYTHE** |
| Joe Sakic |
| Avalanche du Colorado |
| **TROPHÉE BILL-MASTERTON** |
| Gary Roberts |
| Flames de Calgary |
| **TROPHÉE LESTER-B.-PEARSON** |
| Mario Lemieux |
| Penguins de Pittsburgh |
| **TROPHÉE JACK-ADAMS** |
| Scotty Bowman |
| Red Wings de Detroit |
| **TROPHÉE FRANK-J.-SELKE** |
| Sergei Fedorov |
| Red Wings de Detroit |
| **TROPHÉE WILLIAM-M.-JENNINGS** |
| Chris Osgood et |
| Mike Vernon |
| Red Wings de Detroit |
| **TROPHÉE KING-CLANCY** |
| Kris King |
| Jets de Winnipeg |

quelque 150 objets rattachés à cette histoire sont mis à l'encan. Les bannières des championnats sont les plus recherchées, mais on s'arrache aussi les bancs, les horloges, les photos, les comptoirs, les filets des buts et tout ce qui porte l'emblème du CH. Les profits de l'encan, de l'ordre de 400 000 $, sont versés à Centraide et à l'Association des Anciens Canadiens.

Le défilé du déménagement entre le Forum et le nouveau Centre attire 50 000 personnes qui surveillent le transport des bannières et... le passage des fantômes. Au spectacle de préouverture du Centre Molson, le 15 mars, Maurice Richard reçoit une

*Eric Molson, le sénateur Hartland de M. Molson, le président Ronald Corey et Stephen Molson marquent le début des travaux de construction par une pelletée de terre symbolique.*

499

résistent tout de même jusqu'en troisième supplémentaire lors du dernier match, perdu 1-0 sur un but d'Uwe Krupp.

● Claude Lemieux est le septième joueur à gagner la coupe Stanley avec trois équipes différentes : Montréal, New Jersey et Colorado. Les autres furent Frank Foyston, Jack Walker, Larry Hillman, Harry Holmes, Al Albour et Gordon Pettinger. Mike Keane deviendra le huitième en 1999. Hillman, Holmes, Arbour et Pettinger ont cependant participé à quatre victoires

de la coupe Stanley. L'unique joueur à avoir mieux fait qu'eux, Jack Marshall (avec quatre équipes), a évolué avant la naissance de la LNH.

● Le chroniqueur sportif Brian Smith est assassiné à sa sortie du studio de CJOH-TV à Ottawa au cours de l'été précédant la saison.

● Quatre joueurs joignent les rangs des compteurs de 500 buts au cours de la saison : Mario Lemieux, Mark Messier,

Steve Yzerman et Dale Hawerchuk. Pour sa part, Paul Coffey est le premier défenseur à totaliser plus de 1 000 passes, tandis que Larry Murphy se hisse au niveau des Coffey, Raymond Bourque et Denis Potvin chez les auteurs de 1 000 points. Deux autres joueurs atteignent aussi le plateau des 1 000 points au cours de la saison : Doug Gilmour à Toronto et Dave Andreychuk au New Jersey.

● Troisième trophée Norris pour Chris Chelios. Il est le seul, avec Doug Harvey et

Paul Coffey, à l'avoir gagné avec deux équipes différentes. Troisième trophée Hart également pour Mario Lemieux qui ajoute un quatrième Lester-B.-Pearson à sa collection.

● Bill Goldsworthy, membre de l'édition originale des North Stars, est congédié de son poste d'entraîneur à San Antonio dans la Ligue centrale, en novembre, lorsqu'on apprend qu'il est atteint du sida. Il décède en mars.

**1995-1996**

des trois ovations monstres d'une dizaine de minutes chacune que lui réservent ses admirateurs lors des diverses manifestations. Au premier match officiel le 16 contre les Rangers, Vincent Damphousse marque le premier but du nouveau domicile en première période dans un gain de 4-2. Le lendemain, plus de 150 000 personnes envahissent la place pour une journée portes ouvertes.

Le « nouveau Forum », comme plusieurs l'appellent encore, peut accueillir 21 273 spectateurs assis, plus ceux des 135 loges corporatives et 300 journalistes. On y compte quatre restaurants et autant de studios de télévision. Il a coûté quelque 225 millions aux Canadiens.

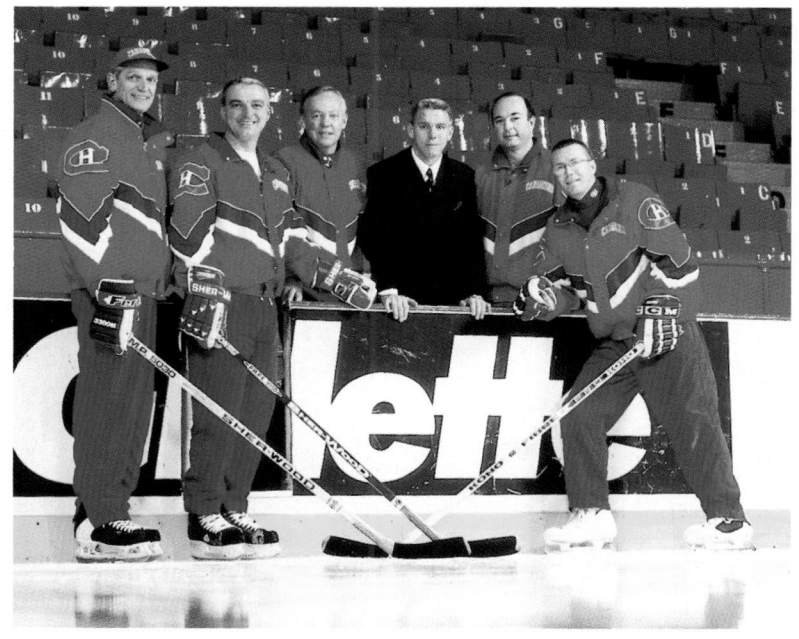

*Réjean Houle entouré de son personnel d'entraîneurs : Jacques Laperrière, Mario Tremblay, Yvan Cournoyer, Steve Shutt et François Allaire.*

| ASSOCIATION DE L'EST | | | | | | | |
|---|---|---|---|---|---|---|---|
| DIVISION NORD-EST | PJ | G | P | N | BP | BC | PTS |
| Pittsburgh (Penguins) | 82 | 49 | 29 | 4 | 362 | 284 | 102 |
| Boston (Bruins) | 82 | 40 | 31 | 11 | 282 | 269 | 91 |
| Montréal (Canadiens) | 82 | 40 | 32 | 10 | 265 | 248 | 90 |
| Hartford (Whalers) | 82 | 34 | 39 | 9 | 237 | 259 | 77 |
| Buffalo (Sabres) | 82 | 33 | 42 | 7 | 247 | 262 | 73 |
| Ottawa (Sénateurs) | 82 | 18 | 59 | 5 | 191 | 291 | 41 |
| DIVISION ATLANTIQUE | PJ | G | P | N | BP | BC | PTS |
| Philadelphie (Flyers) | 82 | 45 | 24 | 13 | 282 | 208 | 103 |
| New York (Rangers) | 82 | 41 | 27 | 14 | 272 | 237 | 96 |
| Floride (Panthers) | 82 | 41 | 31 | 10 | 254 | 234 | 92 |
| Washington (Capitals) | 82 | 39 | 32 | 11 | 234 | 204 | 89 |
| Tampa Bay (Lightning) | 82 | 38 | 32 | 12 | 238 | 248 | 88 |
| New Jersey (Devils) | 82 | 37 | 33 | 12 | 215 | 202 | 86 |
| New York (Islanders) | 82 | 22 | 50 | 10 | 229 | 315 | 54 |
| ASSOCIATION DE L'OUEST | | | | | | | |
| DIVISION CENTRALE | PJ | G | P | N | BP | BC | PTS |
| Detroit (Red Wings) | 82 | 62 | 13 | 7 | 325 | 181 | 131 |
| Chicago (Blackhawks) | 82 | 40 | 28 | 14 | 273 | 220 | 94 |
| Toronto (Maple Leafs) | 82 | 34 | 36 | 12 | 247 | 252 | 80 |
| St. Louis (Blues) | 82 | 32 | 34 | 16 | 219 | 248 | 80 |
| Winnipeg (Jets) | 82 | 36 | 40 | 6 | 275 | 291 | 78 |
| Dallas (Stars) | 82 | 26 | 42 | 14 | 227 | 280 | 66 |
| DIVISION PACIFIQUE | PJ | G | P | N | BP | BC | PTS |
| Colorado (Avalanche) | 82 | 47 | 25 | 10 | 326 | 240 | 104 |
| Calgary (Flames) | 82 | 34 | 37 | 11 | 241 | 240 | 79 |
| Vancouver (Canucks) | 82 | 32 | 35 | 15 | 278 | 278 | 79 |
| Anaheim (Mighty Ducks) | 82 | 35 | 39 | 8 | 234 | 247 | 78 |
| Edmonton (Oilers) | 82 | 30 | 44 | 8 | 240 | 304 | 68 |
| Los Angeles (Kings) | 82 | 24 | 40 | 18 | 256 | 302 | 66 |
| San Jose (Sharks) | 82 | 20 | 55 | 7 | 252 | 357 | 47 |

| MEILLEURS MARQUEURS | | | | | | |
|---|---|---|---|---|---|---|
| | | PJ | B | A | PTS | PUN |
| Mario Lemieux | Pittsburgh | 70 | 69 | 92 | 161 | 54 |
| Jaromir Jagr | Pittsburgh | 82 | 62 | 87 | 149 | 96 |
| Joe Sakic | Colorado | 82 | 51 | 69 | 120 | 44 |
| Ron Francis | Pittsburgh | 77 | 27 | 92 | 119 | 56 |
| Peter Forsberg | Colorado | 82 | 30 | 86 | 116 | 47 |
| Eric Lindros | Philadelphie | 73 | 47 | 68 | 115 | 163 |
| Paul Kariya | Anaheim | 82 | 50 | 58 | 108 | 20 |
| Teemu Selane | Wpg/Ana. | 79 | 40 | 68 | 108 | 22 |
| Alexander Mogilny | Vancouver | 79 | 55 | 52 | 107 | 16 |
| Sergei Fedorov | Detroit | 78 | 39 | 68 | 107 | 48 |

LES CANADIENS SE QUALIFIENT DE JUSTESSE POUR LES SÉRIES AVEC UNE HUITIÈME PLACE DANS L'EST. EN QUART DE FINALE CONTRE NEW JERSEY, PATRICE BRISEBOIS PROCURE L'UNIQUE VICTOIRE DE L'ÉQUIPE AVEC UN BUT À LA TROISIÈME SUPPLÉMENTAIRE. WINNIPEG PERD SON ÉQUIPE À SON TOUR, LA CONCESSION S'EN VA À PHOENIX SOUS LE NOM DE COYOTES, MAIS RESTE DANS LA DIVISION CENTRALE OÙ DETROIT CÈDE LE PREMIER RANG AUX STARS DE DALLAS, DERNIERS DU GROUPE L'ANNÉE PASSÉE. CEPENDANT, LES WINGS S'APPROPRIENT UNE PREMIÈRE COUPE STANLEY DEPUIS 1955, SANS TROP DE PEINE FACE AUX FLYERS DE PHILADELPHIE. BUFFALO, NEW JERSEY ET LE COLORADO SONT DE NOUVEAU PREMIERS DE LEUR DIVISION. POUR ATTEINDRE LA FINALE, DETROIT PREND LA MESURE DE ST. LOUIS, ANAHEIM (TROIS GAINS EN PROLONGATION) ET COLORADO AU PRÉALABLE. PHILADELPHIE FAIT DE MÊME AVEC PITTSBURGH, BUFFALO ET LES RANGERS, CHAQUE FOIS EN CINQ PARTIES. UN DERNIER TITRE DE CHAMPION MARQUEUR POUR MARIO LEMIEUX, QUI DEVANCE TEEMU SELANNE, 122 POINTS À 109. MAINTENANT AVEC LES RANGERS, GRETZKY A UN PEU RALENTI, MAIS IL EST DE RETOUR PARMI LES CINQ MEILLEURS. DOMINIK HASEK DES SABRES DE BUFFALO EST LE PREMIER GARDIEN DEPUIS JACQUES PLANTE (1962) À RECEVOIR LE TROPHÉE HART. IL HÉRITE AUSSI DU VÉZINA ET SES PAIRS LUI DÉCERNENT LE TITRE DE JOUEUR DE L'ANNÉE (TROPHÉE LESTER-B.-PEARSON), MAIS C'EST MARTIN BRODEUR ET SON COÉQUIPIER DES DEVILS, MIKE DUNHAM, QUI CONSERVENT LA MEILLEURE MOYENNE DÉFENSIVE. PAUL KARIYA D'ANAHEIM EST DÉSIGNÉ LE PLUS GENTILHOMME UNE DEUXIÈME FOIS DE SUITE.

## Même émotion et même fougue

**M**ario Tremblay dirige l'équipe du Canadien avec la même émotion et la même fougue qui lui ont permis de se démarquer à l'époque où il enfilait le chandail arborant le CH à l'avant. Une détermination qui frise l'arrogance. Pas de place pour les faibles, ni pour ceux qui ne peuvent suivre le rythme qu'il établit. Toute la saison, il a maille à partir avec les journalistes qui suivent le club et avec plusieurs de ses joueurs qui parfois le défient ouvertement.

● Stéphane Richer est de retour avec les Canadiens en août 1996, à la suite d'une transaction qui envoie le défenseur Lyle Odelein aux Devils du New Jersey. Auteur de deux saisons de 50 buts avec le Tricolore, il vient de connaître la pire des cinq années passées au New Jersey, avec seulement 20 buts et 32 points en 73 parties. «Je veux prouver que je ne suis pas un joueur fini», déclare-t-il aux journalistes à son arrivée dans la métropole.

● Heureux de se retrouver à Montréal, Richer dispute un 800e match dans la Ligue en janvier, son 450e avec les Canadiens. Peu de temps après, il obtient son 400e point chez le Tricolore.
● Serge Savard, ancien directeur général du CH, nie une nouvelle parue en novembre voulant qu'il soit intéressé à se porter acquéreur des Canadiens. Savard est maintenant copropriétaire de l'hôtel Château Champlain à Montréal et de plusieurs autres compagnies qui lui

permettent de vivre à l'aise. On apprendra par la suite que le Sénateur avait effectivement approché la Brasserie Molson en ce sens quelques mois plus tôt.
● Les Canadiens occupent le neuvième rang des équipes de la LNH selon la revue *Financial World*, qui publie la valeur des différents clubs, établissant celle de Montréal à 86 millions américains. D'autre part, la masse salariale de l'équipe s'établit à 22 millions, en novembre, la 15e de la Ligue.

● Mark Recchi procure un moment de réjouissance aux partisans de l'équipe avec un tour du chapeau lors du match des étoiles de la Ligue, ce qui lui vaut le titre de joueur par excellence de la rencontre, gagnée 11-7 par l'Est. Le dernier joueur du Tricolore à mériter semblable honneur fut Pete Mahovlich en 1976.
● Benoît Brunet délaisse son numéro 22 au profit du 17, avec lequel il a connu beaucoup de succès chez les juniors. Pour sa part,

**1996-1997**

*Mario Tremblay s'est bien souvent senti abandonné de tous dans son rôle d'entraîneur.*

Comme Donald Brashear, devant la caméra de Paul Buisson du Réseau des sports à l'entraînement du 9 novembre. Insatisfait du comportement du gros ailier gauche, Tremblay lui ordonne de s'en retourner au vestiaire, appuyant son ordre de nombreux jurons qui n'échappent pas au caméraman. Et Brashear de répliquer en qualifiant son entraîneur de tous les noms. Et tous les médias de reprendre l'engueulade avec force détails. D'aucuns réclament le départ de Tremblay pour son mauvais exemple. Mais, c'est Brashear qui partira cette fois-là.

L'entraîneur s'en prend de nouveau aux médias quelques jours plus tard, lorsque *La Presse* tourne son adjoint Yvan Cournoyer en ridicule, sur la foi des dires de quelques joueurs anonymes qui lui reprochent son manque de connaissances techniques.

Le Bleuet s'était déjà mis les médias à dos avec le départ de Roy la saison précédente. Un peu plus encore avec celui de Pierre Turgeon en octobre. Turgeon était le capitaine de l'équipe et l'un des meilleurs à l'offensive. L'un des plus appréciés aussi.

| JOUEURS | |
|---|---|
| 3 | David Wilkie |
| 5 | Stéphane Quintal |
| 8 | Mark Recchi |
| 11 | Saku Koivu |
| 14 | Terry Ryan |
| 15 | Pierre Sévigny |
| 17 | Benoît Brunet |
| 18 | Valeri Bure |
| 20 | Éric Houde |
| 22 | Chris Murray |
| 24 | Scott Thornton |
| 25 | Vincent Damphousse (C) |
| 26 | Martin Rucinsky |
| 27 | David Wilkie |
| | Shayne Corson |
| 28 | Marc Bureau |
| 29 | Shayne Corson |
| 30 | Turner Stevenson |
| 32 | Brad Brown |
| 34 | Peter Popovic |

David Wilkie redonne le 27 à Shayne Corson, numéro que ce dernier portait à son premier séjour à Montréal.

⚫ Marc Bureau, Scott Thornton et Martin Rucinsky rééditent l'exploit réalisé par Émile Bouchard, Doug Harvey et Maurice Richard en 1948, avec trois buts inscrits en infériorité numérique dans un même match contre Calgary en début de saison.

⚫ Vincent Damphousse profite de la saison pour atteindre quelques sommets personnels. Il dispute un 300ᵉ match dans l'uniforme tricolore en octobre, un 800ᵉ dans la Ligue en décembre, franchit le cap des 300 buts avec son 9ᵉ tour du chapeau en janvier et ceux des 800 points et des 500 passes en février. Finalement en mars, il en est à un 400ᵉ point avec Montréal. Il termine la saison au premier rang de l'équipe avec 27 buts et 54 passes.

⚫ Blessé sérieusement lors du même match que Koivu le 7 décembre, lors d'une victoire contre Chicago, Marc Bureau reste à l'écart du jeu pour deux mois et revient en même temps que Koivu en février.

⚫ Pour la première fois de son histoire, les Canadiens concèdent 50 tirs à leurs rivaux à domicile, et font match nul 4-4 avec les Devils.

⚫ Le déménagement au Centre Molson est profitable au Tricolore qui établit un nouveau record d'assistance (21 273) le 7 avril. Le total de la saison (839 021) surpasse l'ancienne marque de Chicago (837 021) pourtant réalisée avec deux parties de plus. Montréal est la première concession à dépasser les 20 000 spectateurs pour chacun des matchs locaux.

⚫ Mario Tremblay fait appel à son prédécesseur, Jacques Demers, pour le début des séries. Demers est chargé de surveiller les matchs de la passerelle de la presse et de donner son avis à Tremblay par la suite.

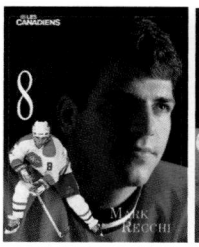

Un tour du chapeau pour Mark Recchi au match des étoiles. Il est désigné comme meilleur joueur de la rencontre.

**JOUEURS**

| 35 | Donald Brashear |
| | Jassen Cullimore |
| 36 | Murray Baron |
| 37 | Tomas Vokoun |
| | Dave Manson |
| 38 | Vladimir Malakhov |
| 39 | Pat Jablonski |
| 41 | Jocelyn Thibault |
| 42 | Darcy Tucker |
| 43 | Patrice Brisebois |
| 44 | Stéphane Richer |
| 48 | François Groleau |
| 49 | Brian Savage |
| 51 | David Ling |
| 52 | Craig Rivet |
| 53 | Rory Fitzpatrick |
| 60 | José Théodore |
| 71 | Sébastien Bordeleau |
| 77 | Pierre Turgeon (C) |

**ENTRAÎNEUR**

Mario Tremblay

**1996-1997**

Comble de malheur, les blessures affectent le club plus que tout autre de la Ligue. Un total de 295 joueurs/matchs absents au cours de la saison. Notamment Saku Koivu, perdu pour deux mois, le jour même où il se hisse au sommet des marqueurs de la Ligue. Puis Stéphane Richer qui y va de quelques déclarations controversées, style il-n'y-a-pas-que-le-Canadien-qui-compte-dans-la-vie. Une série de défaites qui n'en finit plus en décembre, les huées de la foule à l'endroit de quelques joueurs, les « sorties » de certains autres contre leurs coéquipiers, l'intransigeance de Tremblay. Des records peu enviables (le moins de...) à profusion en fin de campagne et une qualification pour les séries arrachée au dernier match du calendrier.

Et pour finir, le but du gardien des Devils Martin Brodeur, un Montréalais près des amateurs, lors du premier duel des séries et l'élimination en cinq parties par les Devils.

Dans son analyse de la saison, Yvon Pedneault du *Journal de Montréal* écrit : « Constat d'échec sur toute la ligne (...) Le Canadien n'a plus d'identité, plus de personnalité. »

Abattu, le cheveu grisonné prématurément, les traits tirés, mais l'œil toujours vif, Tremblay remet sa démission lors d'une conférence de presse émotive quatre jours après l'élimination de l'équipe. Il sonne la charge contre certains journalistes qu'il accuse d'avoir fait preuve de méchanceté au cours des 18 mois qu'il a dirigé l'équipe.

Il quitte avec la même émotion et la même fougue.

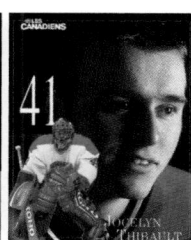

À chaque partie, le Tricolore offre la liste de ses joueurs aux spectateurs du Centre Molson au revers de magnifiques photos couleurs des joueurs.

503

● Nouveau record d'équipe avec 21 parties en prolongation. L'ancienne marque datait de 1937-38. Quinze des 21 parties ne donnent pas de vainqueur. Les Canadiens gagnent deux des six autres.

● Au nombre des performances les moins enviables pour le Tricolore figure celle du plus petit nombre de victoires (31) depuis la saison 1962-63 (17 à Montréal et 14 sur la route).

● Sommets personnels pour quelques joueurs au cours de la saison: Stéphane Quintal dispute un 500e match dans la Ligue, Patrice Brisebois un 300e avec Montréal. Scott Thornton, Martin Rucinsky et Vladimir Malakhov ont aussi joué 300 parties dans la Ligue. Shayne Corson a maintenant 300 points avec le Tricolore.

*Brian Savage obtient le premier tour du chapeau au Centre Bell dès le début de la saison.*

**1996-1997**

## LA MALÉDICTION DES CAPITAINES

« Écoute, Réjean, ça ne peut plus fonctionner comme ça, Mario s'obstine à m'envoyer sur le troisième trio », lance Pierre Turgeon à son ancien concitoyen Réjean Houle en entrant dans le bureau du directeur général au septième étage du Centre Molson. Le Canadien vient de disputer son dernier match préparatoire à la saison 1996-97, perdu 5-4 contre les Devils. Et Turgeon d'enchaîner en mentionnant à Houle qu'il s'est entraîné fort tout l'été afin de connaître une bonne saison et qu'il est encore trop jeune à 27 ans pour être confiné à un rôle défensif. À regret, le meilleur marqueur de l'équipe, avec 38 buts et 58 passes la saison dernière, demande à son ami de l'envoyer dans une autre formation où il pourra utiliser ses talents de compteur et de bon fabricant de jeu.

Houle le reconduit à la porte et, tout en lui donnant une petite tape dans le dos, lui promet de voir ce qu'il peut faire si les choses ne s'arrangent pas pour lui.

Trois semaines plus tard à Dorval, au moment de prendre l'avion pour Detroit, celui qu'on avait surnommé « le magicien de Rouyn » à cause de ses mains agiles est entraîné à l'écart par Mario Tremblay qui lui fait part de son échange aux Blues.

Muté à l'aile gauche aux côtés de Saku Koivu la veille contre les Coyotes de Phoenix, Turgeon avait pourtant obtenu quatre passes.

Il est le cinquième capitaine du Tricolore à être échangé au cours des six dernières années, après Chris Chelios en 1990, Guy Carbonneau en 1994, ainsi que Kirk Muller et Mike Keane, en 1995. Son successeur Vincent Damphousse connaîtra un sort identique deux ans et demi (1999) plus tard. Après le départ de Carbonneau, les Canadiens aura connu quatre capitaines en deux saisons: Muller, Keane, Turgeon et Damphousse. Une véritable malédiction pour tous ceux chargés de transmettre la tradition et le désir de vaincre au sein de la formation depuis 1989. Difficile lorsqu'on voit le tapis glisser aussi facilement sous les pieds des vétérans. Avant eux, les Lalonde, Blake, Bouchard et Gainey avaient occupé le poste 8 ou 9 ans, voire 10 dans le cas de Béliveau.

| TROPHÉES | | |
|---|---|---|
| COUPE STANLEY | | |
| Red Wings de Detroit | | |
| TROPHÉE PRINCE-DE-GALLES | | |
| Flyers de Philadelphie | | |
| TROPHÉE CLARENCE-CAMPBELL | | |
| Red Wings de Detroit | | |
| TROPHÉE DU PRÉSIDENT | | |
| Avalanche du Colorado | | |
| TROPHÉE HART | | |
| Dominik Hasek | | |
| Sabres de Buffalo | | |
| TROPHÉE ART-ROSS | | |
| Mario Lemieux | | |
| Penguins de Pittsburgh | | |
| TROPHÉE LADY-BYNG | | |
| Paul Kariya | | |
| Mighty Ducks d'Anaheim | | |
| TROPHÉE CALDER | | |
| Bryan Berard | | |
| Islanders de New York | | |

*Le magazine pour collectionneurs **Les Héros du Hockey** consacre la une de l'un de ses numéros à la nouvelle vedette du Tricolore.*

504

● Les festivités de la coupe Stanley chez les Red Wings sont assombries, six jours plus tard, par un terrible accident d'auto qui laisse le défenseur Vladimir Konstantinov et le masseur de l'équipe handicapés pour la vie.

● Sheldon Kennedy, des Bruins, parvient à faire condamner son ex-entraîneur chez les Broncos de Swift Current, Graham James, pour agression sexuelle. Pas moins de 350 accusations furent portées contre James par différents joueurs par la suite.

● Champion marqueur pour la sixième fois, Mario Lemieux se retire à 31 ans, après 12 saisons et plus de 600 buts avec les Penguins. Il en a assez de l'accrochage et de l'obstruction à l'endroit des meilleurs joueurs. Le 66 détient 11 records et la meilleure moyenne offensive de la Ligue.

● Raymond Bourque, maintenant premier marqueur de l'histoire des Bruins, devient le troisième défenseur, après Denis Potvin et Paul Coffey, à atteindre le total de 1 000 points.

● Craig MacTavish, dernier joueur à évoluer sans casque protecteur, se retire après 16 saisons dans la LNH.

● Les Bruins sont hors des séries pour la première fois en 30 ans.

● Patrick Lalime connaît un début de carrière étourdissant devant le filet des Penguins, en relève aux deux gardiens réguliers mis à l'écart par les blessures. Il dispute 16 parties (14 victoires et 2 nulles) sans revers, éclipsant les débuts de Ken Dryden.

● Les Whalers en sont à leur dernière saison à Hartford. Ils deviendront les Hurricanes de la Caroline la saison suivante, alors qu'il ne restera plus qu'Edmonton de l'ancienne AMH.

● Scotty Bowman remporte une 1 000e victoire à titre d'entraîneur dans la Ligue.

● L'ancien cerbère étoile des Canadiens, Ken Dryden, accepte le poste de président des Maple Leafs de Toronto en mai 1997. Il s'attribuera lui-même la fonction de directeur général par la suite.

1996-1997

## TROPHÉES

| TROPHÉE GEORGES-VÉZINA |
| --- |
| Dominik Hasek |
| Sabres de Buffalo |
| **TROPHÉE JAMES-NORRIS** |
| Brian Leetch |
| Rangers de New York |
| **TROPHÉE CONN-SMYTHE** |
| Mike Vernon |
| Red Wings de Detroit |
| **TROPHÉE BILL-MASTERTON** |
| Tony Granato |
| Sharks de San Jose |
| **TROPHÉE LESTER-B.-PEARSON** |
| Dominik Hasek |
| Sabres de Buffalo |
| **TROPHÉE JACK-ADAMS** |
| Ted Nolan |
| Sabres de Buffalo |
| **TROPHÉE FRANK-J.-SELKE** |
| Michael Peca |
| Sabres de Buffalo |
| **TROPHÉE WILLIAM-M.-JENNINGS** |
| Martin Brodeur et |
| Mike Dunham |
| Devils du New Jersey |
| **TROPHÉE KING-CLANCY** |
| Trevor Linden |
| Canucks de Vancouver |

## BRODEUR MET FIN AUX ESPOIRS...

Le Canadien entreprend la série quart de finale au New Jersey contre les Devils, champions de l'Est, et leur excellent cerbère Martin Brodeur. Le pointage est 4-2 en fin de troisième lorsque Mario Tremblay, dans un geste désespéré pour renverser la situation, retire le gardien Jocelyn Thibault au profit d'un sixième attaquant. Quelques secondes plus tard, Brodeur s'empare du disque derrière son filet pour l'expédier jusqu'à l'autre bout, dans une cage déserte, ajoutant l'insulte à l'injure et mettant fin aux espoirs du Canadien.

Il est le deuxième gardien, avec Ron Hextall (avril 1989), à inscrire un filet durant les séries. C'est le cinquième but crédité à un gardien après ceux de Billy Smith, Hextall (saison et séries) et Chris Osgood.

Des éliminatoires qui commencent bien mal pour le Canadien. Et qui se termineront tout aussi mal avec un jeu blanc de 4-0 de Brodeur, lequel élimine la Sainte Flanelle en cinq.

*Vincent Damphousse remplace Pierre Turgeon à titre de capitaine. Il connaîtra le même sort que ses cinq prédécesseurs en étant échangé.*

505

● Plusieurs vedettes sont de nouveau échangées au cours de l'année, notamment Jeremy Roenick, Brendan Shanahan, Paul Coffey, Adam Oates, Bill Ranford, Ed Belfour, Keith Primeau, Paul Coffey et Doug Gilmour. Le plus grand de tous, Wayne Gretzky, se joint aux Rangers de New York à titre d'agent libre, pour y retrouver ses amis Mark Messier, Esa Tikkanen, Jeff Beukeboom et Luc Robitaille.

● L'excellent Pat LaFontaine est mis au rancart pour le reste de la saison après seulement 13 parties, en raison d'une commotion cérébrale — une blessure devenue fréquente dans la LNH.

● La LNH annonce l'arrivée de quatre autres nouvelles équipes pour 1998-99 (Nashville), 1999-2000 (Atlanta) et 2000-01 (Columbus et Minneapolis-St. Paul), qui porteront les effectifs du circuit à 30 clubs.

● La somme obtenue par les anciens de la LNH, par suite de la bataille menée autour de la caisse de retraite cachée par la Ligue, atteint finalement les 41,1 millions et touche quelque 1 400 joueurs. Carl Brewer, Andy Bathgate, Gordie Howe, Bobby Hull, Allan Stanley, Eddie Shack et Leo Reise ont dû mener une bataille juridique serrée pendant cinq ans avant d'obtenir gain de cause.

● Bruce McNall, ancien propriétaire des Kings de Los Angeles, est condamné à cinq ans et dix mois de prison pour escroquerie. Une dizaine de ses associés sont aussi condamnés.

● Les Américains surprennent le Canada en finale lors de la présentation de la première Coupe du monde de hockey, laquelle remplace désormais Coupe Canada.

● Le Canada prend sa revanche aux championnats du monde en Finlande, remportant l'or contre la Suède.

● Cinquième médaille d'or consécutive pour le Canada au championnat du monde junior.

● Les Olympiques de Hull gagnent la coupe Memorial devant leurs partisans, face aux Hurricanes de Lethbridge.

**1996-1997**

| ASSOCIATION DE L'EST | | | | | | | |
|---|---|---|---|---|---|---|---|
| DIVISION NORD-EST | PJ | G | P | N | BP | BC | PTS |
| Buffalo (Sabres) | 82 | 40 | 30 | 12 | 237 | 208 | 92 |
| Pittsburgh (Penguins) | 82 | 38 | 36 | 8 | 285 | 280 | 84 |
| Ottawa (Sénateurs) | 82 | 31 | 36 | 15 | 226 | 234 | 77 |
| Montréal (Canadiens) | 82 | 31 | 36 | 15 | 249 | 276 | 77 |
| Hartford (Whalers) | 82 | 32 | 39 | 11 | 226 | 256 | 75 |
| Boston (Bruins) | 82 | 26 | 47 | 9 | 234 | 300 | 61 |
| DIVISION ATLANTIQUE | PJ | G | P | N | BP | BC | PTS |
| New Jersey (Devils) | 82 | 45 | 23 | 14 | 231 | 182 | 104 |
| Philadelphie (Flyers) | 82 | 45 | 24 | 13 | 274 | 217 | 103 |
| Floride (Panthers) | 82 | 35 | 28 | 19 | 221 | 201 | 89 |
| New York (Rangers) | 82 | 38 | 34 | 10 | 258 | 231 | 86 |
| Washington (Capitals) | 82 | 33 | 40 | 9 | 214 | 231 | 75 |
| Tampa Bay (Lightning) | 82 | 32 | 40 | 10 | 217 | 247 | 74 |
| New York (Islanders) | 82 | 29 | 41 | 12 | 240 | 250 | 70 |
| ASSOCIATION DE L'OUEST | | | | | | | |
| DIVISION CENTRALE | PJ | G | P | N | BP | BC | PTS |
| Dallas (Stars) | 82 | 48 | 26 | 8 | 252 | 198 | 104 |
| Detroit (Red Wings) | 82 | 38 | 26 | 18 | 253 | 197 | 94 |
| Phoenix (Coyotes) | 82 | 38 | 37 | 7 | 240 | 243 | 83 |
| St. Louis (Blues) | 82 | 36 | 35 | 11 | 236 | 239 | 83 |
| Chicago (Blackhawks) | 82 | 34 | 35 | 13 | 223 | 210 | 81 |
| Toronto (Maple Leafs) | 82 | 30 | 44 | 8 | 230 | 273 | 68 |
| DIVISION PACIFIQUE | PJ | G | P | N | BP | BC | PTS |
| Colorado (Avalanche) | 82 | 49 | 24 | 9 | 277 | 205 | 107 |
| Anaheim (Mighty Ducks) | 82 | 36 | 33 | 13 | 245 | 233 | 85 |
| Edmonton (Oilers) | 82 | 36 | 37 | 9 | 252 | 247 | 81 |
| Vancouver (Canucks) | 82 | 35 | 40 | 7 | 257 | 273 | 77 |
| Calgary (Flames) | 82 | 32 | 41 | 9 | 214 | 239 | 73 |
| Los Angeles (Kings) | 82 | 28 | 43 | 11 | 214 | 268 | 67 |
| San Jose (Sharks) | 82 | 27 | 47 | 8 | 211 | 278 | 62 |

| MEILLEURS MARQUEURS | | | | | | |
|---|---|---|---|---|---|---|
| | | PJ | B | A | PTS | PUN |
| Mario Lemieux | Pittsburgh | 76 | 50 | 72 | 122 | 65 |
| Teemu Selanne | Anaheim | 78 | 51 | 58 | 109 | 34 |
| Paul Kariya | Anaheim | 69 | 44 | 55 | 99 | 6 |
| John LeClair | Philadelphie | 82 | 50 | 47 | 97 | 58 |
| Wayne Gretzky | NY Rangers | 82 | 25 | 72 | 97 | 28 |
| Jaromir Jagr | Pittsburgh | 63 | 47 | 48 | 95 | 40 |
| Mats Sundin | Toronto | 82 | 41 | 53 | 94 | 59 |
| Ziggy Palffy | NY Islanders | 80 | 48 | 42 | 90 | 43 |
| Ron Francis | Pittsburgh | 81 | 27 | 63 | 90 | 20 |
| Brendan Shanahan | Hfd/Det. | 81 | 47 | 41 | 88 | 131 |

*Martin Brodeur ne se limite pas à arrêter les Brian Savage et compagnie lors des séries, il compte lui-même un but dont le Tricolore ne se remettra pas.*

LES CANADIENS TERMINENT QUATRIÈMES DE LEUR DIVISION ET SEPTIÈMES AU CLASSEMENT GÉNÉRAL DE L'ASSOCIATION DE L'EST ET SURPRENNENT LES PENGUINS EN PREMIÈRE RONDE. UN BUT DE BENOÎT BRUNET EN PROLONGATION DU PREMIER MATCH DONNE LE TON À LA SÉRIE QUE MONTRÉAL REMPORTE EN SIX, AVANT DE PERDRE EN QUATRE PARTIES D'AFFILÉE CONTRE LES SABRES À LA RONDE SUIVANTE. UNE TROISIÈME ÉQUIPE DE LA DÉFUNTE ASSOCIATION MONDIALE DISPARAÎT AVEC LE TRANSFERT DES WHALERS DE HARTFORD EN CAROLINE. LA NOUVELLE FORMATION PORTANT LE NOM DE HURRICANES DEMEURE DANS LA DIVISION NORD-EST ET GLISSE AU DERNIER RANG. LES RED WINGS DE DETROIT CÈDENT DE NOUVEAU LE PREMIER RANG DE LA DIVISION CENTRALE À DALLAS, MAIS CONSERVENT LEUR EMPRISE SUR LA COUPE STANLEY AVEC UN GAIN FACILE SUR WASHINGTON EN QUATRE PARTIES LORS DE LA FINALE. DALLAS EST AUSSI PREMIER DE L'ASSOCIATION DE L'OUEST, NEW JERSEY ET COLORADO MAINTIENNENT LEUR TITRE RESPECTIF, TANDIS QUE PITTSBURGH RETROUVE LE SOMMET DU GROUPE NORD-EST, DEVANT BOSTON ET BUFFALO. LES WINGS N'ONT PAS LA PARTIE FACILE, EN ROUTE POUR LA NEUVIÈME COUPE DE LEUR HISTOIRE. ILS ONT BESOIN DE SIX PARTIES CHAQUE FOIS POUR ÉCARTER PHOENIX, ST. LOUIS ET DALLAS AVANT LA FINALE. JAROMIR JAGR SUCCÈDE À SON COÉQUIPIER MARIO LEMIEUX, MAINTENANT À LA RETRAITE, POUR LE TITRE DE CHAMPION MARQUEUR AVEC 102 POINTS, 11 DE MIEUX QUE PETER FORSBERG DU COLORADO. DOMINIK HASEK EST DE NOUVEAU JUGÉ LE PLUS UTILE PAR LA LIGUE ET PAR LES JOUEURS, CONSERVANT DE PLUS LE TROPHÉE VÉZINA. MARTIN BRODEUR EST TOUJOURS PREMIER POUR LE JENNINGS.

## Rucinsky stimule les Sabres de Buffalo

Martin Rucinsky provoque l'élimination hâtive du Canadien par une déclaration malhabile, qui vise la reconnaissance de son compatriote Dominik Hasek, gardien des Sabres de Buffalo, mais qui a pour effet de fouetter l'orgueil des autres joueurs des Sabres, lesquels éliminent rapidement le Canadien en demi-finale d'association. En ronde initiale, les Montréalais sont brillamment sortis victorieux de leur confrontation face aux Penguins de Pittsburgh en les surprenant dès le premier

● Montréal acquiert le gardien Andy Moog, devenu joueur autonome, avant le début de saison. On lui offre un contrat de deux ans pour 4,2 millions américains. L'arrivée de Moog signifie le départ de José Théodore pour Fredericton.

● Moog se démarque en janvier, devenant le 10e gardien de la Ligue à compter 700 parties à son actif.

● Alain Vigneault, entraîneur pendant huit ans chez les juniors et adjoint à Ottawa pendant trois saisons, est désigné pour remplacer le bouillant Mario Tremblay derrière le banc de l'équipe, un mois après le départ de celui-ci en mai. Dave King, ancien entraîneur de l'équipe canadienne et des Flames de Calgary, devient son adjoint.

● L'arrivée de Vigneault et de King signifie le départ de Cournoyer, Laperrière et Shutt à titre d'adjoints de l'entraîneur. Laperrière s'en va retrouver Pat Burns à Boston. Quant à Mario Tremblay, il agira comme dépisteur pour l'organisation. Clément Jodoin et l'ex-gardien Roland Melanson se grefferont à l'équipe un peu plus tard.

● Les Canadiens acceptent que les Oilers d'Edmonton envoient les sept meilleurs espoirs de l'équipe à Fredericton pour renforcer le club-école du Tricolore.

● Grève du capitaine Vincent Damphousse, à l'ouverture du camp en septembre. Quelques jours plus tard, il devient le joueur le mieux payé de l'équipe avec un salaire de 3 275 000 $. Un peu plus tard en saison, Damphousse dispute un 400e match avec l'équipe suivi d'un 900e dans la Ligue.

● Molson rompt son entente avec la LNH pour la diffusion de *Hockey Night in Canada* pour une question d'argent. La LNH se tourne vers Labatt pour conclure une entente de quatre ans. Cependant, la Brasserie Molson reste

---

**1997-1998**

match. Les champions de la Division Nord-Est ne sont jamais parvenus à prendre l'avantage de la série et, fort d'un triomphe en six parties, le Tricolore attendait la ronde suivante avec détermination.

Au journaliste Bill Beacon de la Presse canadienne, qui lui demande d'analyser l'équipe des Sabres, prochains adversaires du Canadien, Rucinsky résume en disant : « Les Sabres, c'est l'histoire d'un gardien de but. C'est celle de Hasek. S'il n'était pas là, Buffalo ne serait pas rendu aussi loin. C'est une équipe ordinaire, les Sabres ressemblent à la formation (République tchèque) que nous avions aux Olympiques... »

*Par sa déclaration, au lieu de décourager les Sabres,*
*Martin Rucinsky fouette leur orgueil et le Tricolore est vite sorti des séries.*

| JOUEURS | |
|---|---|
| 3 | David Wilkie |
| | Zarley Zalapski |
| 5 | Stéphane Quintal |
| 8 | Mark Recchi |
| 11 | Saku Koivu |
| 12 | Darcy Tucker |
| 14 | Terry Ryan |
| 15 | Éric Houde |
| 17 | Benoît Brunet |
| 20 | Valeri Bure |
| 21 | Jassen Cullimore |
| | Mick Vukota |
| 22 | Dave Manson |
| 23 | Turner Stevenson |
| 24 | Scott Thornton |
| 25 | Vincent Damphousse (C) |
| 26 | Martin Rucinsky |
| 27 | Shayne Corson |
| 28 | Marc Bureau |
| 29 | Brett Clark |
| 34 | Peter Popovic |
| 35 | Andy Moog |
| 37 | Patrick Poulin |
| 38 | Vladimir Malakhov |
| 41 | Jocelyn Thibault |
| 43 | Patrice Brisebois |
| 44 | Stéphane Richer |
| | Jonas Hoglund |

commanditaire de *La Soirée du Hockey*.

● Les deux buts de Martin Rucinsky, dans une victoire de 4-3 du Tricolore, le 25 octobre contre Ottawa, permettent à l'équipe montréalaise de totaliser 6 000 points dans la LNH.

● Les Canadiens disputent un 5 000e match dans la Ligue nationale, le 1er décembre à Montréal, mais perdent la rencontre 1-0 contre Pittsburgh, sur un but de Jaromir Jagr. La fiche des Glorieux est de 2 625 victoires, 1 603 revers et 772 nulles.

● La valeur monétaire du club grimpe à 95 millions, selon le *Financial World*, mais l'équipe glisse de la 9e à la 10e place.

● Jason Ward des Otters de Érie est le premier choix de l'organisation montréalaise au repêchage de la Ligue, le 11e au total.

● La tempête de verglas oblige le report du match du 10 janvier contre les Rangers au 12 mars. «Du jamais vu», affirme l'ancien joueur devenu commentateur, Gilles Tremblay. C'est la première fois

de son histoire que l'équipe ne joue pas à Montréal pour quatre samedis consécutifs.

● Mark Recchi connaît un bon mois de décembre. Le 12, il obtient le 300e but de sa carrière, puis le 23, il dispute un 500e match sans interruption. La semaine suivante, il y va d'une production de quatre buts et trois passes en quatre parties, ce qui lui vaut le titre de joueur de la semaine dans la LNH.

● Shayne Corson, qui compte plus de 1 000 minutes de punitions dans l'uniforme du Tricolore, accumule quand même les points (500) et les passes (300) dans le circuit.

● Au nombre des nouveaux vétérans du club, on relève les noms de Shayne Corson (500 parties avec les Canadiens et 800 dans la Ligue), Peter Popovic et Benoît Brunet (300) avec Montréal. Quant à Dave Manson, sa feuille de route indique 800 parties, tandis que Mark Recchi en a 700.

| JOUEURS | |
|---|---|
| 46 | Matt Higgins |
| 48 | François Groleau |
| 49 | Brian Savage |
| 51 | David Ling |
| 52 | Craig Rivet |
| 55 | Igor Ulanov |
| 60 | José Théodore |
| 71 | Sébastien Bordeleau |
| **ENTRAÎNEUR** | |
| | Alain Vigneault |

**1997-1998**

*C'est maintenant Alain Vigneault qui mène la barque de l'équipe.*

### ASSOCIATION DE L'EST

| DIVISION NORD-EST | PJ | G | P | N | BP | BC | PTS |
|---|---|---|---|---|---|---|---|
| Pittsburgh (Penguins) | 82 | 40 | 24 | 18 | 228 | 188 | 98 |
| Boston (Bruins) | 82 | 39 | 30 | 13 | 221 | 194 | 91 |
| Buffalo (Sabres) | 82 | 36 | 29 | 17 | 211 | 187 | 89 |
| Montréal (Canadiens) | 82 | 37 | 32 | 13 | 235 | 208 | 87 |
| Ottawa (Sénateurs) | 82 | 34 | 33 | 15 | 193 | 200 | 83 |
| Caroline (Hurricanes) | 82 | 33 | 41 | 8 | 200 | 219 | 74 |
| DIVISION ATLANTIQUE | PJ | G | P | N | BP | BC | PTS |
| New Jersey (Devils) | 82 | 48 | 23 | 11 | 225 | 166 | 107 |
| Philadelphie (Flyers) | 82 | 42 | 29 | 11 | 242 | 193 | 95 |
| Washington (Capitals) | 82 | 40 | 30 | 12 | 219 | 202 | 92 |
| New York (Islanders) | 82 | 30 | 41 | 11 | 212 | 225 | 71 |
| New York (Rangers) | 82 | 25 | 39 | 18 | 197 | 231 | 68 |
| Floride (Panthers) | 82 | 24 | 43 | 15 | 203 | 256 | 63 |
| Tampa Bay (Lightning) | 82 | 17 | 55 | 10 | 151 | 269 | 44 |

### ASSOCIATION DE L'OUEST

| DIVISION CENTRALE | PJ | G | P | N | BP | BC | PTS |
|---|---|---|---|---|---|---|---|
| Dallas (Stars) | 82 | 49 | 22 | 11 | 242 | 167 | 109 |
| Detroit (Red Wings) | 82 | 44 | 23 | 15 | 250 | 196 | 103 |
| St. Louis (Blues) | 82 | 45 | 29 | 8 | 256 | 204 | 98 |
| Phoenix (Coyotes) | 82 | 35 | 35 | 12 | 224 | 227 | 82 |
| Chicago (Blackhawks) | 82 | 30 | 39 | 13 | 192 | 199 | 73 |
| Toronto (Maple Leafs) | 82 | 30 | 43 | 9 | 194 | 237 | 69 |
| DIVISION PACIFIQUE | PJ | G | P | N | BP | BC | PTS |
| Colorado (Avalanche) | 82 | 39 | 26 | 17 | 231 | 205 | 95 |
| Los Angeles (Kings) | 82 | 38 | 33 | 11 | 227 | 225 | 87 |
| Edmonton (Oilers) | 82 | 35 | 37 | 10 | 215 | 224 | 80 |
| San Jose (Sharks) | 82 | 34 | 38 | 10 | 210 | 216 | 78 |
| Calgary (Flames) | 82 | 26 | 41 | 15 | 217 | 252 | 67 |
| Anaheim (Mighty Ducks) | 82 | 26 | 43 | 13 | 205 | 261 | 65 |
| Vancouver (Canucks) | 82 | 25 | 43 | 14 | 224 | 273 | 64 |

À peine diffusée à la radio et à la télévision de Buffalo, la nouvelle est commentée par tous les journaux et affichée dans le vestiaire des Sabres. Les médias montréalais aussi pourchassent Rucinsky qui n'en finit plus de justifier ses paroles. Il a beau répéter qu'il ne voulait pas minimiser les autres joueurs mais simplement établir une comparaison avec la formation tchèque, médaillée d'or aux Olympiques. Cette équipe, composée de joueurs moyens, reposait essentiellement sur un gardien pratiquement invincible, Dominik Hasek.

Les Sabres sont composés de joueurs, inconnus pour plusieurs, qui n'auraient pu rêver de meilleure stimulation à la veille de la série. Très rapidement, Buffalo prend les devants 2-0, lors du premier match, mais l'espoir revient dans le camp montréalais, avec des buts de Turner Stevenson et Vincent Damphousse en l'espace de 10 secondes en fin de troisième. Espoir de courte durée puisque Geoff Sanderson donne la victoire aux Sabres au début de la supplémentaire. Au deuxième match, Matthew Barnaby, la «petite peste» des Sabres, rompt une égalité de 3-3 avec trois buts assassins, laissant le Tricolore sans riposte.

● La Ligue fait abstraction de ses délais habituels et intronise Mario Lemieux au Temple de la renommée avant le début de la saison en même temps que Bryan Trottier et Glen Sather.

● Wayne Gretzky obtient une 1 851e passe le 26 octobre, soit davantage que le total de points obtenus par Gordie Howe.

● Gordie Howe dispute un match avec les Vipers de Detroit de la Ligue internationale, pour devenir le seul joueur de l'histoire à avoir joué professionnellement au cours de six décennies.

● Michel Petit signe avec Phoenix à titre d'agent libre en novembre. Il s'agit de sa 10e équipe dans la LNH. Depuis que Vancouver en a fait son premier choix en 1982, il a joué pour les Canucks, les Rangers, les Nordiques, les Maple Leafs, les Flames, les Kings, le Lightning, les Oilers, les Flyers et maintenant les Coyotes.

● Le Montréalais Yanick Dupré, 24 ans, deuxième choix des Flyers, est emporté par la leucémie à l'aube d'une carrière prometteuse. Quelques semaines plus tard, Camille Henry, ancienne vedette des Rangers, décède de complications liées au diabète.

● Sergei Fedorov et les Red Wings ne peuvent s'entendre sur le renouvellement de contrat de l'excellent joueur russe et celui-ci reste chez lui en début de saison. Les Hurricanes de la Caroline lui font une offre de 38 millions que les Wings se dépêchent d'égaler pour le conserver. Il ne dispute que 21 parties mais domine le club pour les buts en séries, contribuant largement à la conquête de la coupe Stanley.

● L'Avalanche du Colorado égale aussi l'offre de 21 millions pour 3 ans des Rangers à l'endroit de Joe Sakic, devenu agent libre.

● Les Canucks et les Mighty Ducks s'affrontent à Tokyo dans un premier match de la LNH disputé à l'extérieur

## 1997-1998

Le Canadien est forcé de poursuivre avec du hockey de rattrapage au premier match disputé à Montréal et, cette fois, Michael Peca devient le héros du match, avec le but gagnant en deuxième supplémentaire, but qui force le Canadien à disputer un quatrième match, avec l'obligation de gagner pour éviter l'élimination. Mais Barnaby de nouveau, Donald Audette et Miroslav Satan se chargent de la dernière rencontre, gagnée 3-1 par Buffalo. Alain Vigneault utilise Jocelyn Thibault, José Théodore et Andy Moog à tour de rôle devant la cage du Tricolore pour secouer les troupes, sans grand succès.

La déclaration de Rucinsky a incité les joueurs ordinaires des Sabres, les « cols bleus », à puiser au fond de leurs ressources pour lui faire ravaler ses paroles, mais la tenue étourdissante de Hasek y a été aussi pour beaucoup dans cette élimination rapide du Tricolore.

### ON S'INQUIÈTE POUR LE ROCKET

Le cœur de millions de Québécois s'est arrêté de battre lorsque Red Fisher, brisant un silence tacite respecté dans tous les médias, annonce à la une de

| TROPHÉES | |
|---|---|
| **COUPE STANLEY** | |
| Red Wings de Detroit | |
| **TROPHÉE PRINCE-DE-GALLES** | |
| Capitals de Washington | |
| **TROPHÉE CLARENCE-CAMPBELL** | |
| Red Wings de Detroit | |
| **TROPHÉE DU PRÉSIDENT** | |
| Stars de Dallas | |
| **TROPHÉE HART** | |
| Dominik Hasek | |
| Sabres de Buffalo | |
| **TROPHÉE ART-ROSS** | |
| Jaromir Jagr | |
| Penguins de Pittsburgh | |
| **TROPHÉE LADY-BYNG** | |
| Ron Francis | |
| Penguins de Pittsburgh | |
| **TROPHÉE CALDER** | |
| Sergei Samsonov | |
| Bruins de Boston | |
| **TROPHÉE GEORGES-VÉZINA** | |
| Dominik Hasek | |
| Sabres de Buffalo | |

*Tout le Québec s'inquiète de l'état de santé du Rocket.*

| MEILLEURS MARQUEURS | | PJ | B | A | PTS | PUN |
|---|---|---|---|---|---|---|
| Jaromir Jagr | Pittsburgh | 77 | 35 | 67 | 102 | 64 |
| Peter Forsberg | Colorado | 72 | 25 | 66 | 91 | 94 |
| Pavel Bure | Vancouver | 82 | 51 | 39 | 90 | 48 |
| Wayne Gretzky | NY Rangers | 82 | 23 | 67 | 90 | 28 |
| John LeClair | Philadelphie | 82 | 51 | 36 | 87 | 32 |
| Ziggy Palffy | NY Islanders | 82 | 45 | 42 | 87 | 34 |
| Ron Francis | Pittsburgh | 81 | 25 | 62 | 87 | 20 |
| Teemu Selanne | Anaheim | 73 | 52 | 34 | 86 | 30 |
| Jason Allison | Boston | 81 | 33 | 50 | 83 | 60 |
| Jozef Stumpel | Los Angeles | 77 | 21 | 58 | 79 | 53 |

du continent. Vancouver l'emporte 3-2.

● L'équipe de la République tchèque, inspirée par les prouesses de son gardien Dominik Hasek, renverse toutes les prévisions en battant la Russie 1-0, en finale des Jeux olympiques à Nagano. C'est la première fois que les hockeyeurs professionnels participent aux Jeux alors que la LNH interrompt ses activités pour deux semaines en février. La demi-finale contre le Canada se termine en tirs de barrage et l'entraîneur

canadien, Marc Crawford, sera longtemps montré du doigt pour ne pas avoir utilisé Wayne Gretzky lors de cette fusillade remportée par les Tchèques. Le Canada perd aussi le match de la médaille de bronze contre la Finlande.

● Furieux d'avoir été éliminés en quart de finale, les membres de l'équipe américaine saccagent leurs chambres avant de quitter les lieux.

● Nouvelle déception pour le Canada, au hockey féminin cette fois. Largement

favorites, les filles se font surprendre 3-1 par les Américaines en finale.

● Les succès de Hasek ne se limitent pas aux Jeux olympiques. Le Dominator mène les Sabres de Buffalo en finale d'association, remporte son quatrième Vézina en cinq ans et est le meneur de la Ligue pour le pourcentage d'arrêts pour une cinquième année de suite. Il est de nouveau désigné le plus utile à son équipe, une deuxième saison de suite.

● Alan Eagleson, ex-directeur de l'Association des joueurs, est condamné sous 30 chefs d'accusation : fraude, escroquerie, obstruction à la justice et autres délits, après trois ans de démêlés judiciaires. Il est d'abord condamné par la cour de Boston et ensuite par celle de Toronto à 18 mois de prison et 1 million d'amende. Le gouvernement canadien lui retire l'Ordre du Canada attribué précédemment et il est aussi banni du barreau

| TROPHÉES |
|---|
| **TROPHÉE JAMES-NORRIS** |
| Rob Blake |
| Kings de Los Angeles |
| **TROPHÉE CONN-SMYTHE** |
| Steve Yzerman |
| Red Wings de Detroit |
| **TROPHÉE BILL-MASTERTON** |
| Jamie McLennan |
| Blues de St. Louis |
| **TROPHÉE LESTER-B.-PEARSON** |
| Dominik Hasek |
| Sabres de Buffalo |
| **TROPHÉE JACK-ADAMS** |
| Pat Burns |
| Bruins de Boston |
| **TROPHÉE FRANK-J.-SELKE** |
| Jere Lehtinen |
| Stars de Dallas |
| **TROPHÉE WILLIAM-M.-JENNINGS** |
| Martin Brodeur |
| Devils du New Jersey |
| **TROPHÉE KING-CLANCY** |
| Kelly Chase |
| Blues de St. Louis |

la *Gazette* au matin du 11 mars 1998 que Maurice Richard est atteint du cancer. Depuis son retour précipité de Floride pour une hospitalisation de quelques heures en janvier et la batterie de tests qui s'ensuit, la plupart des médias québécois savaient que le Rocket avait développé une forme de cancer. Mais par respect pour la vie privée de la première idole des Québécois et aussi par crainte de sa réaction — il a conservé son caractère bouillant —, on n'ose en parler, hésitant entre le droit à l'information du public et l'amour porté au monument qu'il est devenu. D'autant plus que le Québec se remet à peine du verglas du début de l'année, lequel a plongé dans le froid, sans électricité, quantité de familles de la Montérégie, de Montréal, de l'Outaouais et des Laurentides, en plus de détruire des milliers d'arbres.

*LE SAVIEZ-VOUS...*

Les Red Wings rendent un émouvant témoignage à leur ancien équipier, Vladimir Konstantinov, devenu paraplégique à la suite d'un accident lors des festivités soulignant l'obtention de la coupe, l'année précédente, en lui présentant celle-ci au centre de la patinoire. L'arrivée de Konstantinov en fauteuil roulant accentue l'enthousiasme des partisans.

Aussitôt, journaux, postes de radio et de télé, ainsi que la famille de Maurice Richard sont envahis de messages d'encouragement et d'amour envers celui qui soulève toujours les passions, près de 40 ans après sa retraite. Encouragé de tant de marques d'amour, le Rocket se remettra de cette première incursion d'une forme rare de cancer de l'estomac, après plusieurs mois de soins intensifs.

*La compagnie Bradford Exchange réalise en cours de saison six plateaux de collection en hommage aux équipes originales de la Ligue.*

et du Temple de la renommée des sports du Canada. Il renoncera par la suite à son titre d'intronisé au Temple de la renommée du hockey.

● Un nouveau règlement de la Ligue sur la zone réservée aux gardiens provoque la révision de 304 buts durant la saison et le refus de 110 d'entre eux. Jaromir Jagr est le seul joueur à obtenir 100 points. Son total est le plus bas (exception faite de l'année du lock-out) depuis la première expansion. La moyenne offensive globale de 5,28 est la moins bonne des 42 dernières années du circuit.

● Steve Yzerman dépasse Alex Delvecchio à titre de capitaine avec le plus d'années de service. Et Yzerman est toujours capitaine des Wings.

● Un total de 38 joueurs sont touchés par les 19 transactions survenues avant la date limite du 24 mars.

● Mike Gartner est le cinquième joueur, derrière Gretzky, Gordie Howe, Marcel Dionne et Phil Esposito, à obtenir 700 buts dans la Ligue. Jari Kurri et Dino Ciccarelli en ont pour leur part 600.

● Trois joueurs des Capitals de Washington atteignent les 1 000 points au cours de la saison : Adam Oates, Phil Housley et Dale Hunter. Pat LaFontaine (Rangers), Luc Robitaille (Kings) et Al MacInnis (Blues) accomplissent aussi pareil exploit.

● Pour la première fois de leur histoire, les Capitals de Washington atteignent la finale en bonne partie grâce au travail de Joé Juneau qui inscrit quatre buts victorieux, dont deux en prolongation.

● Les Blackhawks de Chicago sont exclus des séries pour la première fois en 29 ans, malgré les exploits offensifs de Tony Amonte et Éric Dazé.

● Pat Burns reçoit le trophée d'entraîneur de l'année avec une troisième équipe, Boston, après avoir connu semblable honneur à Montréal et à Toronto.

● La Ligue opte pour une nouvelle formule au match des étoiles. Les meilleurs joueurs nord-américains contre ceux des autres pays du monde. Les Nord-Américains gagnent ce premier affrontement 8 à 7.

**1997-1998**

## SITÔT REVENU, SITÔT REPARTI, LE STÉPHANE

Tout enthousiaste qu'il était à son retour à Montréal à l'été 1996, Stéphane Richer connaît une deuxième carrière difficile avec le Canadien. Réjean Houle, qui a toujours voué un grand respect aux anciens Glorieux, l'avait rapatrié pour ses qualités de marqueur. Mais Stéphane s'était mis quelques coéquipiers et plusieurs partisans à dos par des déclarations inappropriées, faites trop spontanément. À la mi-janvier 1998, en plein milieu de la crise du verglas, le même Réjean Houle lui indique la porte de sortie, pour la deuxième fois de sa carrière, échangeant ses services ainsi que ceux de Darcie Tucker et David Wilkie au Lightning de Tampa Bay en retour de Patrick Poulin, Mick Vukota et Igor Ulanov, trois «plombiers» de service. Aux prises avec des problèmes personnels, Richer n'a plus cette flamme qui le caractérisait. Cependant, il avait inscrit un 700ᵉ point à sa fiche trois jours plus tôt.

*Nouveau champion du monde de Formule Un, Jacques Villeneuve est accueilli en héros au Centre Molson.*

# 1998 Ⓗ 1999

NOUVELLE RÉPARTITION DES DIVISIONS DE LA LIGUE QUI AUGMENTERA PROGRESSIVEMENT SES CONCESSIONS JUSQU'À *30* ÉQUIPES POUR L'AN *2000*. LA NOUVELLE DISTRIBUTION RÉUNIT DANS L'ASSOCIATION DE L'EST MONTRÉAL, OTTAWA, TORONTO, BOSTON ET BUFFALO DANS LA DIVISION NORD-EST ; NEW JERSEY, PHILADELPHIE, PITTSBURGH, LES RANGERS ET LES ISLANDERS DE NEW YORK DANS L'ATLANTIQUE ; AINSI QUE LA CAROLINE, LA FLORIDE, WASHINGTON ET TAMPA BAY DANS LA SUD-EST. LA NOUVELLE ASSOCIATION DE L'OUEST ACCUEILLE DETROIT, ST. LOUIS, CHICAGO ET LA NOUVELLE FORMATION DES PREDATORS DE NASHVILLE DANS LA DIVISION CENTRALE ; COLORADO, EDMONTON, CALGARY ET VANCOUVER DANS LA NORD-OUEST ET FINALEMENT DALLAS, PHOENIX, ANAHEIM, SAN JOSE ET LOS ANGELES DANS LA PACIFIQUE. POUR LA DEUXIÈME FOIS EN CINQ ANS, LES CANADIENS SONT ÉCARTÉS DES SÉRIES ET TERMINENT DERRIÈRE TOUT LE MONDE DANS LEUR DIVISION ET ONZIÈMES DANS L'EST. DERNIERS DE LEUR GROUPE L'ANNÉE D'AVANT, LES HURRICANES SONT CHAMPIONS DE LEUR DIVISION MAIS SE FONT SORTIR EN PREMIÈRE RONDE PAR BOSTON. AUTRE EXPLOIT REMARQUABLE, CELUI DES SÉNATEURS D'OTTAWA, PREMIERS DE LA DIVISION NORD-EST. EUX AUSSI DISPARAÎTRONT EN PREMIÈRE RONDE, FACE À BUFFALO QUI SE RENDRA ENSUITE JUSQU'À LA FINALE. DE NOUVEAU CHAMPIONS DE LEUR (NOUVELLE) DIVISION ET PREMIERS DE TOUS LES CLUBS, LES STARS DE DALLAS DÉCROCHENT LEUR PREMIÈRE COUPE STANLEY, SUR UN BUT CONTROVERSÉ DE BRETT HULL, À LA TROISIÈME SUPPLÉMENTAIRE DU SIXIÈME MATCH. UN NOUVEAU TROPHÉE, DÉDIÉ À MAURICE RICHARD, RÉCOMPENSE LE MEILLEUR FRANC-TIREUR, TEEMU SELANNE, AUTEUR DE *47* BUTS.

## La pire saison en 48 ans

Les joueurs du Canadien quittent le banc de l'équipe un à un et se dirigent, le pied lourd et la tête basse, vers le vestiaire, sous le regard indifférent des 21 000 spectateurs et de millions de téléspectateurs qui ont peine à croire ce qui arrive. La victoire de 3-2 sur les Maple Leafs au dernier match de la saison n'y change rien. Il y a longtemps que le club est exclu des séries. Plus encore, il vient de connaître sa pire saison en 48 ans, avec un maigre total de 75 points, soit le même qu'en 1983-84 et 1952-53 avec des calendriers de 80 et 70 parties.

● Les Canadiens réclament deux beaux espoirs de la Ligue junior majeur du Québec à ses deux premiers choix du repêchage amateur : Éric Chouinard des Remparts de Québec et Mike Ribeiro des Huskies de Rouyn-Noranda, le champion marqueur de la Ligue.

● Vincent Damphousse signe un nouveau contrat avec le Tricolore pour une saison, aux mêmes conditions que l'année précédente, malgré une production fort décevante. L'entente survient le 11 août, au lendemain de la décision de l'arbitre en faveur de Mark Recchi.

● Les joueurs ne sont pas les seuls à obtenir de nouveaux contrats. Réjean Houle prolonge celui de l'entraîneur Alain Vigneault jusqu'en 2001. Le salaire avancé par les médias est de l'ordre de 1,5 million pour trois ans.

● La retraite d'Andy Moog, à l'intersaison, laisse le Tricolore avec deux gardiens de peu d'expérience dans la Ligue, Jocelyn Thibault et José Théodore. Pour se donner un peu de profondeur, la direction du club réclame Frédéric Chabot des Kings de Los Angeles lors du repêchage interne avant le début de la saison. Cependant, l'échange Hackett-Thibault vient modifier sensiblement le scénario, en cours d'année.

● Autre honneur pour Maurice Richard et Jean Béliveau qui deviennent compagnons de l'Ordre du Canada, lors d'une réception à la résidence du gouverneur général Roméo LeBlanc à Rideau Hall le 22 octobre.

● Dickie Moore et Bill Durnan sont honorés à leur tour en novembre, par une intronisation au Temple de la renommée des sports du Québec.

**1998-1999**

Onzièmes au classement général de l'Association de l'Est, les Canadiens n'ont rien des grandes équipes de jadis. Auteur de l'un des trois buts de la soirée, Martin Rucinsky est le meilleur franc-tireur du club avec seulement 17 buts. C'est la première fois depuis 1940-41 qu'aucun joueur n'atteint les 20 filets. Le premier marqueur du club, Saku Koivu, n'a même pas 50 points.

Elle était bien mal partie, cette saison, avec six grévistes à l'ouverture du camp en septembre. Saku Koivu, Patrice Brisebois, Vladimir Malakhov, Martin Rucinsky, Brian Savage et Shayne Corson — qui veut renégocier son contrat — causent des nuits d'insomnie à Réjean Houle qui peine à contenter tout le monde malgré son optimisme habituel. Finalement, les brebis égarées rentrent au bercail une à une. Brisebois signe un contrat de 6 millions pour trois ans, le lendemain de l'ouverture du camp. Koivu suit avec 10,3 millions pour trois ans, neuf jours plus tard. Début octobre, Houle ajuste le contrat de Corson qui a mis fin à sa grève depuis quelques jours. Ensuite Malakhov accepte une offre de 5,275 millions pour deux ans et Savage, qui attend en Floride que l'impasse se

| | JOUEURS |
|---|---|
| 3 | Brad Brown |
| | Éric Weinrich |
| 5 | Stéphane Quintal |
| 6 | Trent McCleary |
| 8 | Mark Recchi |
| 11 | Saku Koivu |
| 14 | Terry Ryan |
| 15 | Éric Houde |
| 17 | Benoît Brunet |
| 20 | Scott Lachance |
| 21 | Jason Dawe |
| 22 | Dave Manson |
| | Éric Weinrich |
| 23 | Turner Stevenson |
| 24 | Scott Thornton |
| 25 | Vincent Damphousse (C) |
| 26 | Martin Rucinsky |
| 27 | Shayne Corson |
| 28 | Dainius Zubrus |
| 29 | Brett Clark |
| 30 | Jean-François Jomphe |
| 31 | Jeff Hackett |
| 34 | Sergei Zholtok |
| 35 | Andrei Bashkirov |
| 36 | Dave Morissette |
| 37 | Patrick Poulin |
| 38 | Vladimir Malakhov |
| 39 | Frédéric Chabot |
| 41 | Jocelyn Thibault |

*Jocelyn Thibault est échangé aux Hawks de Chicago en novembre en retour de Jeff Hackett.*

● Les gardiens Martin Brodeur des Devils et Tommy Salo des Islanders n'accordent aucun but aux joueurs tricolores, lors de deux matchs de suite en novembre. C'est la première fois depuis 1963-64 que les Canadiens vivent pareille frustration.

● Autre déveine en janvier. Les Canadiens n'accordent que 10 tirs aux Hurricanes de la Caroline, un de moins que l'ancien record de 11 établi en 1956, mais Jeff Hackett concède trois buts et l'équipe perd 3-1. On avait pourtant dirigé 45 tirs sur Arturs Irbe.

● Le départ de Damphousse ne laisse que deux joueurs de la dernière conquête de la coupe Stanley, Benoît Brunet et Patrice Brisebois.

● Le Tricolore fait un beau geste en début d'avril, cédant l'antenne de CKAC aux Expos pour la diffusion du match inaugural de l'équipe de baseball.

● En dépit des malheurs de l'équipe, Vincent Damphousse atteint deux nouveaux sommets. Il obtient d'abord sa 300e passe dans l'uniforme du Tricolore en novembre et son 900e point dans la Ligue le lendemain du Jour de l'an.

● Six joueurs disputent un 400e match, au cours de la saison, avec le club ou dans la Ligue : il s'agit de Patrick Poulin, Patrice Brisebois, Martin Rucinsky, Vladimir Malakhov, Scott Thornton et Igor Ulanov. Deux autres en comptent 300, soit Jeff Hackett et Turner Stevenson.

| JOUEURS | |
|---|---|
| 42 | Jonathan Delisle |
| 43 | Patrice Brisebois |
| 44 | Jonas Hoglund |
| 45 | Arron Asham |
| 46 | Matt Higgins |
| 48 | Miloslav Guren |
| 49 | Brian Savage |
| 52 | Craig Rivet |
| 53 | Sylvain Blouin |
| 55 | Igor Ulanov |
| 56 | Alain Nasreddine |
| 57 | Dainius Zubrus |
| 60 | José Théodore |
| ENTRAÎNEUR | |
| | Alain Vigneault |

règle, accepte à son tour la proposition de 3,5 millions pour deux ans le 20 octobre. Enfin, Rucinsky, le dernier récalcitrant, cède le lendemain devant les 7,1 millions offerts pour trois ans.

Avant eux, Mark Recchi a frappé le gros lot en arbitrage avec 4,5 millions, devenant le joueur le mieux payé de l'histoire du club. Mais il retournera à Philadelphie avant la fin de la saison.

Cependant, le mécontentement perdurera tout au long de la saison. Dans le vestiaire, où les détenteurs de gros contrats font l'envie de ceux qui doivent ronger leur frein en attendant leur tour. Chez les partisans, qui ne reconnaissent plus les Glorieux de jadis. Aussi dans les médias, qui ne manquent pas une occasion de mettre l'accent sur les difficultés des dirigeants et des joueurs. Comme cette série de 11 parties sans victoire (-6-5) en décembre qui laisse le club à 10 matchs sous les ,500. Il faut remonter à 1935-36 pour retrouver pareille déconvenue. Houle a beau multiplier les échanges, rien n'y paraît pour l'instant.

En fin de saison, *La Presse*, dans son bilan annuel, titre : « Nos ego meurtris vous tendent les lambeaux... » Et pour couronner le désastre, le président Corey annonce des pertes d'opération de 3,8 millions en mai, deux semaines avant de faire part de son intention de quitter la présidence de l'équipe quelques jours plus tard.

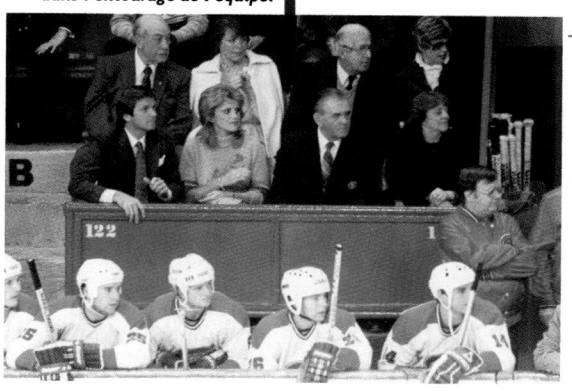

*Corey aura réussi à ramener toutes les anciennes gloires dans l'entourage de l'équipe.*

### COREY RELAIE LE FLAMBEAU

Ronald Corey a eu un mandat fort productif durant ses 17 ans ou presque comme président auprès des Canadiens de Montréal. On retiendra de lui, en premier lieu, la construction d'un nouvel amphithéâtre, le Centre Molson. Mais Corey était avant tout un partisan du Canadien et, à ce titre, il a témoigné de son estime pour le CH en faisant une grande place aux anciens de l'équipe dans l'organisation. Les nominations de Serge Savard et Réjean Houle, ainsi que le retour du Rocket et de plusieurs autres dans

● Le plus grand joueur de l'histoire de la Ligue nationale, celui qu'on a surnommé la Merveille, Wayne Gretzky, se retire du jeu, après 20 saisons, 4 victoires de la coupe Stanley et 61 records personnels, dont plusieurs ne seront jamais réédités. Il est premier pour les buts (894), les passes (1 963), les points (2 857), les matchs de trois buts et plus (50), les saisons de 40 buts (12) et celles de 100 points (15). Il a remporté 10 championnats des marqueurs et reçu 9 trophées

Hart à titre de joueur le plus utile. Mais plus encore que les records, ce gentilhomme a fait apprécier son sport d'un bout à l'autre du Canada et l'a fait découvrir aux Américains de la côte ouest des États-Unis.
● La Ligue réagit rapidement à la retraite du 99 en retirant son chandail de toutes les équipes du circuit et en intronisant immédiatement Gretzky au Temple de la renommée.

● Le circuit Bettman introduit le système des deux arbitres. Chaque équipe dispute 20 parties avec cette nouvelle réglementation, appelée à se généraliser rapidement. On agrandit aussi l'espace derrière le filet, ce qui restreint la zone neutre, et on réduit les dimensions du demi-cercle des gardiens.
● Peu avant sa retraite du hockey, Gretzky a surpassé Gordie Howe pour le total de buts dans l'AMH et la LNH avec son 1 072e.

● Après avoir obtenu son 1 000e point la saison précédente, Luc Robitaille inscrit un 500e but en janvier. Il devient le 27e joueur à réussir pareil exploit. Mark Messier pour sa part atteint les 600.
● Doug Wickenheiser, controversé premier choix du Canadien en 1980, perd son combat contre le cancer. Il aura joué dix ans dans la LNH. Quelques mois plus tôt, Stéphane Morin, ancien Nordique, décède à 29 ans d'une insuffisance cardiaque

**1998-1999**

| TROPHÉES | |
|---|---|
| **COUPE STANLEY** | |
| Stars de Dallas | |
| **TROPHÉE PRINCE-DE-GALLES** | |
| Sabres de Buffalo | |
| **TROPHÉE CLARENCE-CAMPBELL** | |
| Stars de Dallas | |
| **TROPHÉE DU PRÉSIDENT** | |
| Stars de Dallas | |
| **TROPHÉE HART** | |
| Jaromir Jagr | |
| Penguins de Pittsburgh | |
| **TROPHÉE ART-ROSS** | |
| Jaromir Jagr | |
| Penguins de Pittsburgh | |
| **TROPHÉE LADY-BYNG** | |
| Wayne Gretzky | |
| Rangers de New York | |
| **TROPHÉE CALDER** | |
| Chris Drury | |
| Avalanche du Colorado | |
| **TROPHÉE GEORGES-VÉZINA** | |
| Dominik Hasek | |
| Sabres de Buffalo | |
| **TROPHÉE JAMES-NORRIS** | |
| Al MacInnis | |
| Blues de St. Louis | |
| **TROPHÉE CONN-SMYTHE** | |
| Joe Nieuwendyk | |
| Stars de Dallas | |
| **TROPHÉE BILL-MASTERTON** | |
| John Cullen | |
| Lightning de Tampa Bay | |

*L'un des beaux moments de Ronald Corey, qui se retrouve certainement dans son album personnel.*

en plein match de la ligue élite allemande.

● Patrick Roy est le plus jeune gardien de la Ligue à signer une 400e victoire en février.

● Jaromir Jagr fait un peu oublier les déboires financiers des Penguins de Pittsburgh avec un deuxième championnat des marqueurs consécutif, un troisième au total.

● À sa septième saison dans la Ligue, le Lightning de Tampa Bay ne montre pas une grosse amélioration sur la précédente, avec seulement 19 victoires en 82 parties. C'est à peine 3 points de mieux que l'année d'avant et 10 de plus que la pire campagne de l'équipe en 1994-95. En début de saison, on avait montré la porte aux frères Phil et Tony Esposito,

respectivement directeur général et directeur du développement des joueurs.

● Joe Nieuwendyk, jugé le meilleur des séries, obtient six buts gagnants au profit des champions de la coupe Stanley, les Stars de Dallas.

● Les Stars et les Sabres viennent à 22 secondes près d'établir une nouvelle marque pour la plus longue prolongation en finale de l'histoire. Un but de Bret Hull, à 14 min 51 s de la troisième supplémentaire, procure un quatrième triomphe à Dallas qui remporte sa toute

première coupe Stanley. Hull, qui s'était joint aux Stars à titre d'agent libre, a aussi obtenu un 1 000e point dans la Ligue en début de saison.

● Lors de l'une des festivités qui ont suivi le championnat des Stars, Guy Carbonneau aurait balancé la coupe Stanley au fond d'une piscine, selon les dires du batteur d'un groupe de musiciens présents à la fête. Craig Ludwig se serait chargé de récupérer le fameux trophée, légèrement amoché par sa mésaventure.

Pierre Boivin, successeur de Corey à la présidence de l'organisation.

l'entourage de l'équipe en sont des exemples éloquents. Son rôle actif dans l'institution d'un trophée dédié à Maurice Richard aura été l'un de ses derniers gestes de reconnaissance envers le Tricolore. Sa grande affabilité à l'endroit des médias et du public tout au long de son règne lui aura aussi permis de surmonter plusieurs situations difficiles. Les victoires de la coupe Stanley de 1986 et 1993 resteront également parmi ses plus beaux souvenirs.

Arraché à la Brasserie O'Keefe par Molson, son pire ennemi, Corey aura connu un mandat presque aussi long que le sénateur Donat Raymond, président de 1940 à 1957. Nommé en novembre 1982, il annonce son départ avec émotion le 31 mai 1999.

Comme le fait remarquer Philippe Cantin de *La Presse* en conclusion de la nouvelle faisant état de son départ : « Le Canadien a perdu son président. (...) Mais il conserve son fan numéro un. » Pour le remplacer, les spécialistes chargés de détecter la perle rare proposeront le nom de Pierre Boivin, président d'une importante compagnie manufacturière d'articles de sport, Bauer Nike Hockey.

**HOULE MISE SUR L'AVENIR**

Réjean Houle apprend son métier sur le tas et ne craint pas de se mouiller. Étrenné à la dure avec le dossier Patrick Roy trois ans plus tôt, il multiplie les efforts pour secouer une équipe qui ne va nulle part. En novembre, il sacrifie le gardien sur lequel il fondait tous ses espoirs, Jocelyn Thibault, pour l'expérience d'un Jeff Hackett. En mars, il fait l'inverse, il cède l'expérimenté Mark Recchi, désormais à couteaux tirés avec les médias, pour les

1998-1999

---

**TROPHÉES**

**TROPHÉE LESTER-B.-PEARSON**
Jaromir Jagr
Penguins de Pittsburgh
**TROPHÉE JACK-ADAMS**
Jacques Martin
Sénateurs d'Ottawa
**TROPHÉE FRANK-J.-SELKE**
Jere Lehtinen
Stars de Dallas
**TROPHÉE WILLIAM-M.-JENNINGS**
Ed Belfour et
Roman Turek
Stars de Dallas
**TROPHÉE KING-CLANCY**
Rob Ray
Sabres de Buffalo
**TROPHÉE MAURICE-RICHARD**
Teemu Selanne
Mighty Ducks d'Anaheim

*À son tour, Damphousse doit partir. Il est le sixième capitaine d'affilée à avoir été échangé.*

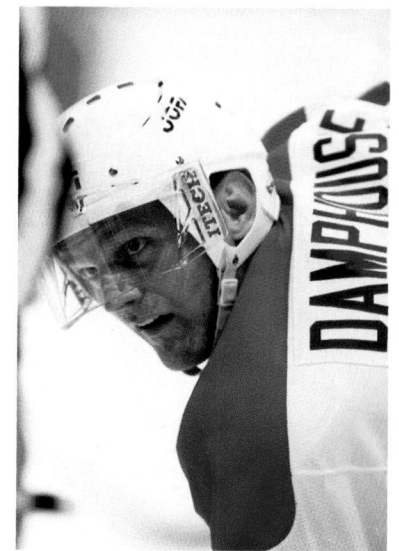

● Patrick Roy, un autre ancien des Canadiens, s'est aussi fait remarquer quelques mois plus tôt, en saccageant le bureau de son entraîneur Bob Hartley, parce qu'il était mécontent de son temps d'utilisation. L'incident a vite été étouffé par l'Avalanche.

● Le défenseur Steve Chiasson se tue au volant de son camion au retour d'une soirée de fin de saison des Hurricanes de la Caroline.

● Mario Lemieux tente de sauver les Penguins de Pittsburgh, menacés de faillite, en s'adressant à la cour pour acheter l'équipe.

● Le *Hockey News* établit des comparaisons fort intéressantes sur les effectifs de la Ligue en 1917 et ceux de l'année en cours. Le Canada ne fournit plus que 61 % de joueurs à la LNH, comparativement à 96 %. Les États-Unis en ont 15 % par rapport à 4 %, tandis que les Européens, qui ne comptaient aucun joueur à l'origine, représentent maintenant 24 % de la composition du circuit, ayant même dépassé les Américains, lesquels accueillent par ailleurs 21 équipes, plus 3 à venir, contre seulement 6 pour le Canada. La moyenne des salaires est passée de 1 000 dollars canadiens à 1,2 million américains.

● Deux anciens joueurs vedettes des Nordiques, Michel Goulet et Peter Stastny, sont admis au Temple de la renommée.

● Les Blues de St. Louis sont condamnés à 1,5 million d'amende pour maraudage à l'endroit de Scott Stevens des Devils. Ils doivent de plus céder l'un de leurs cinq prochains choix de première ronde. Encore plus, les Devils égalent l'offre des Blues et Stevens reste au New Jersey.

● Une série de timbres non autorisés, émise par la Guyane et illustrant 36 joueurs de la LNH, fait le délice des collectionneurs.

● Jacques Demers, maintenant avec le Lightning de Tampa Bay, en est à son 1 000e match à titre d'entraîneur.

**1998-1999**

promesses de Dainius Zubrus et deux choix de repêchage. Ce qui fait dire à plusieurs qu'il a renoncé à la présente saison.

Nouveau coup de tonnerre, deux semaines plus tard. C'est au tour de Vincent Damphousse de perpétuer la malédiction des capitaines en partant pour San Jose en échange de compensations futures reliées à un renouvellement de contrat de Damphousse avec les Sharks. Les cinq capitaines du Tricolore avant Damphousse avaient aussi été échangés. Damphousse n'aura pas de successeur avant la prochaine saison, on utilisera plutôt les adjoints en rotation.

En milieu de campagne, Houle fait un autre geste d'éclat en ramenant Jacques Lemaire dans l'organisation de l'équipe à titre de conseiller personnel. Libéré par les Devils, qu'il avait menés à la coupe Stanley en 1995, Lemaire renoue avec son rôle d'éminence grise de l'organisation montréalaise.

## UN TROPHÉE EN L'HONNEUR DU ROCKET

Les nouvelles ne sont pas toutes mauvaises pour le Canadien et surtout pour le Rocket. Après une imposante campagne de sensibilisation menée par le journaliste Tom Lapointe et l'animatrice Julie Snyder, et grâce au support du président Ronald Corey, la Ligue nationale accepte d'instituer une nouvelle distinction destinée au meilleur buteur de l'année, lui attribuant le nom de trophée Maurice-Richard.

*Une récompense qui va de soi pour la plus grande légende des Canadiens de Montréal.*

| ASSOCIATION DE L'EST | | | | | | |
|---|---|---|---|---|---|---|
| **DIVISION NORD-EST** | PJ | G | P | N | BP | BC | PTS |
| Ottawa (Sénateurs) | 82 | 44 | 23 | 15 | 239 | 179 | 103 |
| Toronto (Maple Leafs) | 82 | 45 | 30 | 7 | 268 | 231 | 97 |
| Boston (Bruins) | 82 | 39 | 30 | 13 | 214 | 181 | 91 |
| Buffalo (Sabres) | 82 | 37 | 28 | 17 | 207 | 175 | 91 |
| **Montréal (Canadiens)** | 82 | 32 | 39 | 11 | 184 | 209 | 75 |
| **DIVISION ATLANTIQUE** | PJ | G | P | N | BP | BC | PTS |
| New Jersey (Devils) | 82 | 47 | 24 | 11 | 248 | 196 | 105 |
| Philadelphie (Flyers) | 82 | 37 | 26 | 19 | 231 | 196 | 93 |
| Pittsburgh (Penguins) | 82 | 38 | 30 | 14 | 242 | 225 | 90 |
| New York (Rangers) | 82 | 33 | 38 | 11 | 217 | 227 | 77 |
| New York (Islanders) | 82 | 24 | 48 | 10 | 194 | 244 | 58 |
| **DIVISION SUD-EST** | PJ | G | P | N | BP | BC | PTS |
| Caroline (Hurricanes) | 82 | 34 | 30 | 18 | 210 | 202 | 86 |
| Floride (Panthers) | 82 | 30 | 34 | 18 | 210 | 228 | 78 |
| Washington (Capitals) | 82 | 31 | 45 | 6 | 200 | 218 | 68 |
| Tampa Bay (Lightning) | 82 | 19 | 54 | 9 | 179 | 292 | 47 |
| ASSOCIATION DE L'OUEST | | | | | | |
| **DIVISION CENTRALE** | PJ | G | P | N | BP | BC | PTS |
| Detroit (Red Wings) | 82 | 43 | 32 | 7 | 245 | 202 | 93 |
| St. Louis (Blues) | 82 | 37 | 32 | 13 | 237 | 209 | 87 |
| Chicago (Blackhawks) | 82 | 29 | 41 | 12 | 202 | 248 | 70 |
| Nashville (Predators) | 82 | 28 | 47 | 7 | 189 | 261 | 63 |
| **DIVISION NORD-OUEST** | PJ | G | P | N | BP | BC | PTS |
| Colorado (Avalanche) | 82 | 44 | 28 | 10 | 239 | 205 | 98 |
| Edmonton (Oilers) | 82 | 33 | 37 | 12 | 230 | 226 | 78 |
| Calgary (Flames) | 82 | 30 | 40 | 12 | 211 | 234 | 72 |
| Vancouver (Canucks) | 82 | 23 | 47 | 12 | 192 | 258 | 58 |
| **DIVISION PACIFIQUE** | PJ | G | P | N | BP | BC | PTS |
| Dallas (Stars) | 82 | 51 | 19 | 12 | 236 | 168 | 114 |
| Phoenix (Coyotes) | 82 | 39 | 31 | 12 | 205 | 197 | 90 |
| Anaheim (Mighty Ducks) | 82 | 35 | 34 | 13 | 215 | 206 | 83 |
| San Jose (Sharks) | 82 | 31 | 33 | 18 | 196 | 191 | 80 |
| Los Angeles (Kings) | 82 | 32 | 45 | 5 | 189 | 221 | 69 |

| MEILLEURS MARQUEURS | | | | | | |
|---|---|---|---|---|---|---|
| | | PJ | B | A | PTS | PUN |
| Jaromir Jagr | Pittsburgh | 81 | 44 | 83 | 127 | 66 |
| Teemu Selanne | Anaheim | 75 | 47 | 60 | 107 | 30 |
| Paul Kariya | Anaheim | 82 | 39 | 62 | 101 | 40 |
| Peter Forsberg | Colorado | 78 | 30 | 67 | 97 | 108 |
| Joe Sakic | Colorado | 73 | 41 | 55 | 96 | 29 |
| Alexei Yashin | Ottawa | 82 | 44 | 50 | 94 | 54 |
| Eric Lindros | Philadelphie | 71 | 40 | 53 | 93 | 120 |
| Theoren Fleury | Cgy/Col. | 75 | 40 | 53 | 93 | 86 |
| John LeClair | Philadelphie | 76 | 43 | 47 | 90 | 30 |
| Pavol Demitra | St. Louis | 82 | 37 | 52 | 89 | 16 |

# 1999 Ⓒ 2000

LES THRASHERS D'ATLANTA S'AJOUTENT À LA DIVISION SUD-EST DE L'ASSOCIATION DE L'EST. LA LNH COMPTE MAINTENANT 28 ÉQUIPES. LES DEVILS DU NEW JERSEY, DEUXIÈMES DE LEUR DIVISION, DÉCROCHENT UNE SECONDE COUPE STANLEY EN CINQ ANS, DISPOSANT EN FINALE DES STARS DE DALLAS, CHAMPIONS DE L'ANNÉE PRÉCÉDENTE, EN SIX PARTIES. NEW JERSEY ÉLIMINE LA FLORIDE EN QUATRE, TORONTO EN SIX, MAIS DOIT SE SURPASSER CONTRE PHILADELPHIE, CHAMPION DE L'EST ET FAVORI POUR SE RENDRE EN FINALE. TRAÎNANT DE L'ARRIÈRE UNE PARTIE À TROIS, LES DEVILS REMONTENT LA PENTE ET EN GAGNENT TROIS D'AFFILÉE POUR ATTEINDRE LA SÉRIE ULTIME CONTRE LES STARS. CEUX-CI N'ONT BESOIN QUE DE CINQ MATCHS POUR ÉCARTER EDMONTON ET SAN JOSE, MAIS ONT DÛ LUTTER ÂPREMENT CONTRE LE COLORADO POUR LES ÉLIMINER EN SEPT. LES BLUES DE ST. LOUIS, PREMIERS AU CLASSEMENT GÉNÉRAL, SONT RENVOYÉS CHEZ EUX DÈS LA RONDE INITIALE PAR SAN JOSE. QUATRIÈMES DE LA DIVISION NORD-EST ET DIXIÈMES DE L'EST, LES CANADIENS SONT EXCLUS DES SÉRIES POUR UNE DEUXIÈME FOIS DE SUITE, LA TROISIÈME EN SIX ANS. TROISIÈME CHAMPIONNAT DES MARQUEURS CONSÉCUTIF POUR JAROMIR JAGR QUI REÇOIT AUSSI LE TROPHÉE LESTER-B.-PEARSON DESTINÉ AU JOUEUR PAR EXCELLENCE SELON L'ASSOCIATION DES JOUEURS. POUR LA PREMIÈRE FOIS DEPUIS LA GRANDE EXPANSION (1967-68), AUCUN JOUEUR NE PARVIENT À AMASSER 100 POINTS DANS UNE SAISON COMPLÈTE.

*Fracture sévère du cou pour Brian Savage qui sera inactif pendant trois mois.*

## Un record...
## de blessures

L'histoire du Canadien regorge d'exploits et de records. Pourtant, il est un record dont on se serait bien passé chez la Sainte Flanelle, celui des matchs ratés à cause de blessures, établi en 1999-2000. Bien que la Ligue ne tienne pas de telles statistiques, par ailleurs fort peu enviables, on avait l'habitude de dire, comme le relève le journaliste Mario Leclerc dans le *Journal de Montréal*, que les Islanders de New York, édition 1995-96, avaient été les plus malchanceux avec

519

● Les Canadiens déménagent leur club-école de Fredericton à Québec où le club prendra le nom de Citadelles, tout en demeurant dans la Ligue américaine. La concession est gérée conjointement par Montréal et un groupe de Québec dirigé par Jacques Tanguay.

● Aucun joueur du Tricolore ne parvient à obtenir au moins 50 points pour une deuxième année de suite. Martin Rucinsky est le meilleur à 49. L'équipe montréalaise est la seule de la Ligue à afficher un dossier offensif aussi anémique en saison.

● Se disant incapable de jouer depuis le début du calendrier, en raison d'une blessure au genou gauche, Vladimir Malakhov

est surpris sur les pentes de ski du mont Tremblant, en février. Suspendu sans salaire par Réjean Houle jusqu'à ce qu'il soit apte à jouer, il est finalement échangé aux Devils du New Jersey pour les services de Sheldon Souray, après qu'il a défié par deux fois les partisans qui le huent en levant les bras au ciel à-la-Patrick-Roy.

● Un gala en l'honneur de Maurice Richard regroupe quelque 3 500 personnes dont Céline Dion, l'une de ses grandes fans, le 25 octobre au Centre Molson. On y fait la présentation du premier épisode de la télésérie sur le Rocket. Plusieurs anciens et joueurs actuels forment une haie d'honneur pour accueillir le héros du jour sur l'estrade, mais il y manque Serge Savard qu'on aurait oublié d'inviter par mégarde.

**1999-2000**

527 parties manquées par leurs joueurs en raison de blessures. Désormais, il faudra parler des 536 absences des joueurs du Tricolore. Des 39 joueurs ayant porté le chandail bleu-blanc-rouge au cours de la saison, Patrick Poulin est le seul à avoir été présent aux 82 rencontres. Absences plus ou moins prolongées pour tous les autres, les blessures les plus graves ayant été celles de Saku Koivu, Brian Savage, Trent McCleary et Trevor Linden.

La malchance de l'année précédente, alors que le Canadien n'a pu afficher complet que pour un seul des 82 matchs, semble vouloir se poursuivre dès le début de la présente campagne. Puis, au moment précis où l'entraîneur Alain Vigneault se réjouit enfin de la présence de ses six meilleurs attaquants à la veille d'entreprendre une série de trois matchs en quatre jours début novembre, on lui apprend que Koivu s'est disloqué une épaule quelques minutes plus tôt. La blessure est plus grave encore, on parle de cartilages déchirés et le petit capitaine devra s'absenter pour trois mois. Revenu au jeu à la mi-février, il perd l'équilibre en disputant la rondelle à Don Sweeney, lors d'un match contre Boston

| JOUEURS |  |
|---|---|
| 6 | Trent McCleary |
| 11 | Saku Koivu (C) |
| 14 | Trevor Linden |
| 15 | Dainius Zubrus |
| 17 | Benoît Brunet |
| 20 | Scott Lachance |
| 21 | Barry Richter |
| 22 | Eric Weinrich |
| 23 | Turner Stevenson |
| 24 | Scott Thornton |
|  | Christian Laflamme |
| 26 | Martin Rucinsky |
| 27 | Shayne Corson |
| 28 | Karl Dykhuis |
| 29 | Jim Cummins |
| 31 | Jeff Hackett |
| 32 | Oleg Petrov |
| 34 | Sergei Zholtok |
| 35 | Andrei Bashkirov |
| 36 | Dave Morissette |

*Sans une intervention rapide du médecin David Mulder, Trent McCleary serait mort sur la patinoire. Sa carrière est terminée.*

● Stéphane Quintal refuse les 10,4 millions pour quatre ans que lui offre le club et signe pour un million de plus avec les Rangers, plus une année d'option à 3 millions.

● Pour la première fois depuis l'instauration du repêchage annuel des joueurs amateurs, les Canadiens ne possèdent aucun choix de première ronde, ayant cédé celui-ci aux Islanders pour les services de Linden.

● Jacques Plante est désigné meilleur gardien de l'histoire de la LNH par le magazine *Goalies' World*, à l'aide d'une formule mathématique plutôt complexe. Plante devance Glenn Hall, Terry Sawchuck, Patrick Roy et Ken Dryden.

● Décès du célèbre commentateur René Lecavalier peu avant le début de la saison. Il aura largement contribué au perfectionnement du langage de *La Soirée du hockey*. Morgan McCammon, ancien président de Molson et des Canadiens, et Pete Morin, membre du trio Razzle Dazzle, s'éteignent aussi quelques mois plus tard.

● La valeur financière du Tricolore semble à la hausse malgré les déboires de l'équipe. Le magazine *Forbes* le situe au sixième rang, à 175 millions.

| JOUEURS | |
|---|---|
| 37 | Patrick Poulin |
| 38 | Vladimir Malakhov |
| 40 | Jesse Bélanger |
| 43 | Patrice Brisebois |
| 44 | Sheldon Souray |
| 44 | Stéphane Robidas |
| 45 | Arron Asham |
| 46 | Matt Higgins |
| 47 | Juha Lind |
| 48 | Miloslav Guren |
| 49 | Brian Savage |
| 51 | Francis Bouillon |
| 52 | Craig Rivet |
| 55 | Igor Ulanov |
| 60 | José Theodore |
| 61 | Jason Ward |
| 63 | Craig Darby |
| 71 | Mike Ribeiro |
| **ENTRAÎNEUR** | |
| | Alain Vigneault |

**1999-2000**

le 12 mars. Résultat : déchirure du ligament collatéral du genou gauche. Le même genou qui l'avait tenu à l'écart pour une bonne partie de la saison 1995-96. Il est fini pour l'année.

Après la première blessure de Koivu, Brian Savage est victime à son tour de fractures aux quatrième et septième vertèbres du cou. Il évite l'intervention chirurgicale mais sera hors de la patinoire pour plus de trois mois.

La blessure de Trent McCleary est encore plus grave. Il passe à un cheveu de la mort lorsqu'un tir de Chris Therien l'atteint directement à la gorge. L'intervention rapide du docteur David Mulder, puis celle des ambulanciers

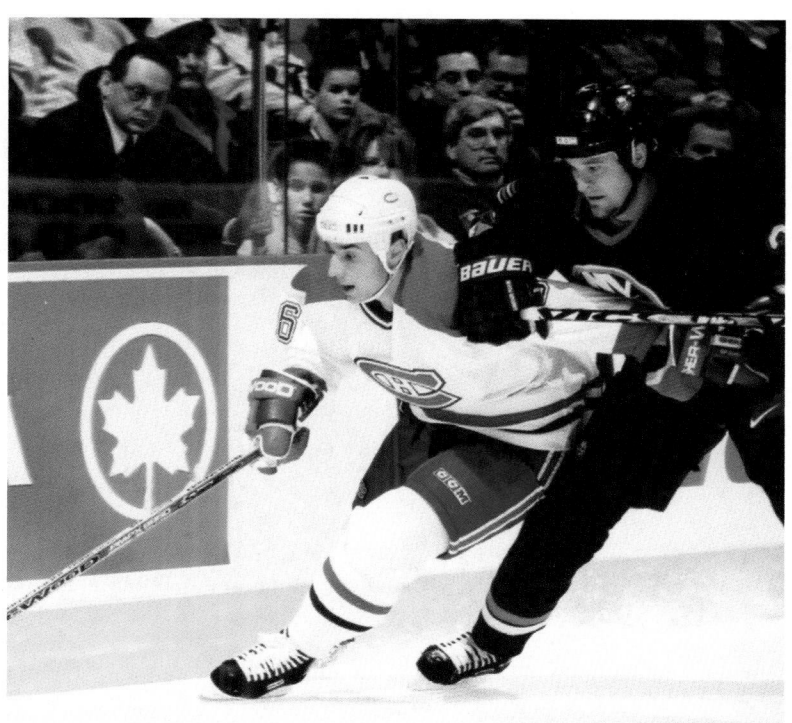

*Martin Rucinsky est le meilleur marqueur de l'équipe avec une faible production de 49 points.*

● Une première à connotation soviétique se produit le 24 février alors que cinq joueurs de l'ancienne Union soviétique se retrouvent sur la glace en même temps chez les Canadiens. Ce sont les attaquants Petrov, Zholtok et Zubrus, ainsi que les défenseurs Malakhov et Ulanov.

● Pierre Ladouceur, ex-directeur du marketing des Restaurants McDonald, remplace Bernard Brisset à la vice-présidence marketing et communications chez les Canadiens. Cependant, il ne demeure en poste que quelques mois.

● Les Canadiens éclipsent les Panthers de la Floride le 18 mars en participant à un 37e match (16-21) soldé par la marge d'un seul but.
● La pire tempête de neige depuis 1929 dans le sud-est des États-Unis cause l'annulation de plusieurs parties à Raleigh, Boston et Phoenix. Les joueurs du Tricolore restent coincés plusieurs heures dans un hôtel de la Caroline.

● Shayne Corson récolte deux buts contre Boston, le 2 mars, ce qui lui permet de hausser son total de points à 600.
● Eric Wenrich en est seulement à sa deuxième saison à Montréal, mais il y célèbre tout de même son 700e match dans la Ligue. Patrick Poulin fait de même pour son 500e, ainsi que Martin Rucinsky et Scott Lachance. Karl Dykhuis et Jeff Hackett suivent de près à 400.

**1999-2000**

*La voix d'or du hockey, celle de René Lecavalier, s'éteint doucement avant le début de la saison. Il était devenu la première référence des médias électroniques pour la qualité du français.*

| TROPHÉES | |
|---|---|
| **COUPE STANLEY** | |
| Devils du New Jersey | |
| **TROPHÉE PRINCE-DE-GALLES** | |
| Devils du New Jersey | |
| **TROPHÉE CLARENCE-CAMPBELL** | |
| Stars de Dallas | |
| **TROPHÉE DU PRÉSIDENT** | |
| Blues de St. Louis | |
| **TROPHÉE HART** | |
| Chris Pronger | |
| Blues de St. Louis | |
| **TROPHÉE ART-ROSS** | |
| Jaromir Jagr | |
| Penguins de Pittsburgh | |
| **TROPHÉE LADY-BYNG** | |
| Pavol Demitra | |
| Blues de St. Louis | |

qui le conduisent directement au bloc opératoire lui sauvent la vie. Opéré au larynx, on craint aussi pour sa voix. Il se remettra totalement, mais c'en est fait de sa carrière. Il annonce sa retraite avant le début de la saison suivante.

C'est ensuite au tour de Trevor Linden de subir une fracture déplacée à trois côtes en mars. Une blessure extrêmement douloureuse qui lui fera manquer le reste de la saison. Une blessure à une cheville l'avait aussi tenu à l'écart du jeu pour une vingtaine de parties en décembre.

Autres éclopés majeurs du Canadien, Benoît Brunet et Patrice Brisebois ont craint pour leur carrière en raison de maux de dos persistants. Shayne Corson a failli devenir borgne, Dainius Zubrus a subi une commotion cérébrale, Oleg Petrov, Arron Asham, Igor Ulanov, et Juha Lind ont manqué entre 15 et 25 parties chacun pour des blessures diverses. Turner Stevenson a aussi été blessé au dos, Craig Rivet à la joue puis à l'aine. Finalement, Vladimir Malakhov

| MEILLEURS MARQUEURS | | | | | | |
|---|---|---|---|---|---|---|
| | | PJ | B | A | PTS | PUN |
| Jaromir Jagr | Pittsburgh | 63 | 42 | 54 | 96 | 50 |
| Pavel Bure | Floride | 74 | 58 | 36 | 94 | 16 |
| Mark Recchi | Philadelphie | 82 | 28 | 63 | 91 | 50 |
| Paul Kariya | Anaheim | 74 | 42 | 44 | 86 | 24 |
| Teemu Selanne | Anaheim | 79 | 33 | 52 | 85 | 12 |
| Owen Nolan | San Jose | 78 | 44 | 40 | 84 | 110 |
| Tony Amonte | Chicago | 82 | 43 | 41 | 84 | 48 |
| Mike Modano | Dallas | 77 | 38 | 43 | 81 | 48 |
| Joe Sakic | Colorado | 60 | 28 | 53 | 81 | 28 |
| Steve Yzerman | Detroit | 78 | 35 | 44 | 79 | 34 |

● Modification majeure au sujet des parties nulles. Dorénavant, les équipes joueront à quatre contre quatre pour un maximum de cinq minutes en temps supplémentaire, lorsque le pointage est égal après 60 minutes. Chaque club reçoit un point et un deuxième est accordé à celui qui marque un but.

● Autre modification aux règlements. Les arbitres ne sont plus obligés de recourir à la reprise vidéo pour déterminer si un attaquant a commis de l'obstruction à l'endroit du gardien lorsqu'il y a but.
● Les Bruins font une faveur à Raymond Bourque en l'échangeant à l'Avalanche du Colorado en mars, après 21 saisons à Boston, pour

lui permettre de gagner une coupe Stanley avant la fin de sa carrière. Moins de deux semaines plus tard, Bourque devient le premier défenseur à revendiquer 400 buts. Il obtiendra aussi un 1 500e point en février.
● Au dernier match de la saison, Colorado et Detroit rééditent l'exploit réalisé par les Canadiens et les Sabres en 1980, en disputant une rencontre sans aucune pénalité.

● Les Sharks de San Jose causent la surprise de l'année en éliminant dès la première ronde les Blues de St. Louis, premiers au classement général de la saison régulière. On n'avait pas vu pareil revirement depuis 1991, alors que les North Stars du Minnesota avaient envoyé les Blackhawks en vacances dès la ronde initiale.

## TROPHÉES

**TROPHÉE CALDER**
Scott Gomez
Devils du New Jersey
**TROPHÉE GEORGES-VÉZINA**
Olaf Kolzig
Capitals de Washington
**TROPHÉE JAMES-NORRIS**
Chris Pronger
Blues de St. Louis
**TROPHÉE CONN-SMYTHE**
Scott Stevens
Devils du New Jersey
**TROPHÉE BILL-MASTERTON**
Ken Daneyko
Devils du New Jersey
**TROPHÉE LESTER-B.-PEARSON**
Jaromir Jagr
Penguins de Pittsburgh
**TROPHÉE JACK-ADAMS**
Joël Quenneville
Blues de St. Louis
**TROPHÉE FRANK-J.-SELKE**
Steve Yzerman
Red Wings de Detroit
**TROPHÉE WILLIAM-M.-JENNINGS**
Roman Turek
Blues de St. Louis
**TROPHÉE KING-CLANCY**
Curtis Joseph
Maple Leafs de Toronto
**TROPHÉE ROGER-CROZIER**
Ed Belfour
Stars de Dallas
**TROPHÉE MAURICE-RICHARD**
Pavel Bure
Panthers de la Floride

a soulevé la controverse autour de ses maux de genoux et il a été absent pour la majeure partie de la saison.

### LE DERNIER MATCH DU ROCKET

Le Québec presque au complet attend avec inquiétude le prochain bulletin de nouvelles à la radio ou à la télévision. Maurice Richard est hospitalisé depuis la mi-mai à l'Hôtel-Dieu de Montréal et on craint une récidive du cancer qui l'avait terrassé deux ans plus tôt et dont il s'était apparemment bien remis. Les messages d'encouragement affluent à l'hôpital et chez les membres de la famille.

Les médecins constatent effectivement la présence d'une tumeur maligne à l'estomac de leur célèbre patient. Son âge (78 ans) de même que la série de tests reçus et le début de la maladie de Parkinson qui l'affecte depuis quelque temps contribuent à affaiblir le grand héros des Québécois et des amateurs de hockey, ce qui complique les traitements.

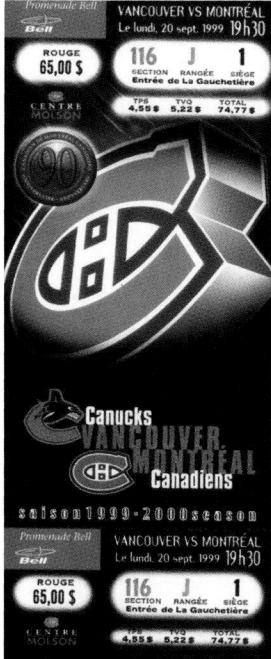

**Les billets de hockey sont de plus en plus beaux et leur coût, de plus en plus élevé.**

Chaque jour, le mal poursuit son évolution, tandis qu'amis et supporters continuent de prier et d'espérer.

Le cancer aura le dernier mot le 27 mai, 12 jours après son hospitalisation.

Son ancien coéquipier Jean Béliveau aura plus de veine. Traité pour un cancer à la gorge au moment de l'hospitalisation du Rocket, il s'en remettra quelques mois plus tard au grand soulagement des partisans de l'équipe.

La dépouille du célèbre numéro 9 est exposée au Centre Molson pendant 16 heures où plus de 115 000 admirateurs viennent en silence lui rendre un dernier hommage. Une cérémonie simple et émouvante suit à la basilique Notre-Dame quatre jours plus tard.

● Les Leafs de Toronto ne tirent qu'à six reprises vers le filet de Martin Brodeur des Devils, lors du sixième match de la deuxième ronde. Ceux-ci l'emportent facilement 3-0 et passent à la finale d'association.
● Les Coyotes de Phoenix font appel au fils d'Émile The Cat Francis, Bobby, pour diriger l'équipe. Le paternel a été entraîneur des Rangers et des Blues.

● Premier choix de l'histoire des Oilers d'Édmonton et auteur du premier but de la concession dans la LNH, Kevin Lowe quitte son poste d'adjoint et devient entraîneur-chef de l'équipe.
● L'offre de Mario Lemieux pour acquérir les Penguins de Pittsburgh est finalement acceptée par la cour

américaine des faillites. La prise de contrôle par Lemieux est aussi approuvée par la Ligue, juste avant l'ouverture des camps d'entraînement.
● Pierre Turgeon obtient son 1 000e point dans la Ligue en début de saison contre le gardien Tommy Salo des Oilers. Un autre ancien des Canadiens, Pat Burns, maintenant à Boston, obtient une 400e victoire dans la Ligue à titre d'entraîneur.

● Alexis Yashin refuse de se rapporter aux Sénateurs tant qu'on n'acceptera pas de rouvrir son contrat. Il est suspendu pour la saison et on veut l'obliger à disputer la quatrième année de son contrat au même salaire à son retour.
● L'entraîneur des Flyers de Philadelphie, Roger Neilson, fait savoir en décembre qu'il est atteint d'un cancer de la moelle osseuse, mais annonce

**1999-2000**

## UN CAPITAINE VENU D'EUROPE

Le hockey de la Ligue nationale a depuis longtemps débordé l'Amérique du Nord et on remarque de nombreux Européens parmi les meilleurs joueurs du circuit. Leur influence augmente également. Le Canadien de Montréal suit cette tendance en se donnant un premier capitaine originaire de la Finlande pour succéder à Vincent Damphousse, échangé aux Sharks de San Jose en fin de saison dernière. Lors du scrutin des joueurs, Saku Koivu est préféré à Shayne Corson par une seule voix et Turner Stevenson termine troisième.

Le petit Finlandais, premier choix du Canadien en 1993, devient le quatrième Européen cette année chez les capitaines des équipes de la LNH, avec Jaromir Jagr à Pittsburgh, Mats Sundin à Toronto et Alexis Yashin à Ottawa (remplacé le même jour par Daniel Alfredsson). Koivu est le premier Européen à occuper ce poste chez le Tricolore. Corson et Stevenson agiront comme adjoints.

*Plusieurs nouveaux joueurs se greffent aux Canadiens à l'intersaison. C'est notamment le cas de Trevor Linden et Jim Cummings via les échanges, ainsi que de Craig Darby, Jesse Bélanger, Oleg Petrov, Barry Richter et Sergei Zholtok à titre d'agents libres. Peu après le début de la campagne, on acquiert Karl Dykhuis des Flyers, puis en février on réclame le gardien Éric Fichaud au ballottage.*

du même coup qu'il entend demeurer à son poste lors des traitements de chimiothérapie. Il devra pourtant quitter en février et les Flyers n'accepteront jamais qu'il réintègre le club après ses traitements.

● Embauché par les Penguins, le Tchèque Ivan Hlinka est le premier Européen à diriger une équipe de la Ligue nationale.
● Marty McSorley assène un coup de bâton à Donald Brashear lors d'un match Boston/Vancouver en février. Il est suspendu pour le reste de la saison et les séries.

● Les Devils congédient l'entraîneur Robbie Ftorek à quelques parties de la fin de la saison, même si l'équipe est au premier rang du classement général. Appelé à le remplacer au pied levé, Larry Robinson mène le club à la coupe Stanley.

● Les Flyers enlèvent le titre de capitaine à Éric Lindros qu'ils jugent égocentrique pour le confier à Éric Desjardins. À New York, Stéphane Quintal est suspendu par les Rangers pour avoir déclaré qu'il avait fait le mauvais choix et qu'il aurait dû rester à Montréal.

**1999-2000**

### ASSOCIATION DE L'EST

| DIVISION NORD-EST | PJ | G | P | N | DP | BP | BC | PTS |
|---|---|---|---|---|---|---|---|---|
| Toronto (Maple Leafs) | 82 | 45 | 27 | 7 | 3 | 246 | 222 | 100 |
| Ottawa (Sénateurs) | 82 | 41 | 28 | 11 | 2 | 244 | 210 | 95 |
| Buffalo (Sabres) | 82 | 35 | 32 | 11 | 4 | 213 | 204 | 85 |
| Montréal (Canadiens) | 82 | 35 | 34 | 9 | 4 | 196 | 194 | 83 |
| Boston (Bruins) | 82 | 24 | 33 | 19 | 6 | 210 | 248 | 73 |
| DIVISION ATLANTIQUE | PJ | G | P | N | DP | BP | BC | PTS |
| Philadelphie (Flyers) | 82 | 45 | 22 | 12 | 3 | 237 | 179 | 105 |
| New Jersey (Devils) | 82 | 45 | 24 | 8 | 5 | 251 | 203 | 103 |
| Pittsburgh (Penguins) | 82 | 37 | 31 | 8 | 6 | 241 | 236 | 88 |
| New York (Rangers) | 82 | 29 | 38 | 12 | 3 | 218 | 246 | 73 |
| New York (Islanders) | 82 | 24 | 48 | 9 | 1 | 194 | 275 | 58 |
| DIVISION SUD-EST | PJ | G | P | N | DP | BP | BC | PTS |
| Washington (Capitals) | 82 | 44 | 24 | 12 | 2 | 227 | 194 | 102 |
| Floride (Panthers) | 82 | 43 | 27 | 6 | 6 | 244 | 209 | 98 |
| Caroline (Hurricanes) | 82 | 37 | 35 | 10 | 0 | 217 | 216 | 84 |
| Tampa Bay (Lightning) | 82 | 19 | 47 | 9 | 7 | 204 | 310 | 54 |
| Atlanta (Thrashers) | 82 | 14 | 57 | 7 | 4 | 170 | 313 | 39 |

### ASSOCIATION DE L'OUEST

| DIVISION CENTRALE | PJ | G | P | N | DP | BP | BC | PTS |
|---|---|---|---|---|---|---|---|---|
| St. Louis (Blues) | 82 | 51 | 19 | 11 | 1 | 248 | 165 | 114 |
| Detroit (Red Wings) | 82 | 48 | 22 | 10 | 2 | 278 | 210 | 108 |
| Chicago (Blackhawks) | 82 | 33 | 37 | 10 | 2 | 242 | 245 | 78 |
| Nashville (Predators) | 82 | 28 | 40 | 7 | 7 | 199 | 240 | 70 |
| DIVISION NORD-OUEST | PJ | G | P | N | DP | BP | BC | PTS |
| Colorado (Avalanche) | 82 | 42 | 28 | 11 | 1 | 233 | 201 | 96 |
| Edmonton (Oilers) | 82 | 32 | 26 | 16 | 8 | 226 | 212 | 88 |
| Vancouver (Canucks) | 82 | 30 | 28 | 15 | 9 | 227 | 237 | 84 |
| Calgary (Flames) | 82 | 31 | 36 | 10 | 5 | 211 | 256 | 77 |
| DIVISION PACIFIQUE | PJ | G | P | N | DP | BP | BC | PTS |
| Dallas (Stars) | 82 | 43 | 23 | 10 | 6 | 211 | 184 | 102 |
| Los Angeles (Kings) | 82 | 39 | 27 | 12 | 4 | 245 | 228 | 94 |
| Phoenix (Coyotes) | 82 | 39 | 31 | 8 | 4 | 232 | 228 | 90 |
| San Jose (Sharks) | 82 | 35 | 30 | 10 | 7 | 225 | 214 | 87 |
| Anaheim (Mighty Ducks) | 82 | 34 | 33 | 12 | 3 | 217 | 227 | 83 |

*Saku Koivu occupe le premier rang des marqueurs de la Ligue au moment de sa première blessure. L'absence de Koivu, qui ne disputera que 24 parties au cours de la saison, est une lourde perte pour l'équipe.*

# 2000 ⓒ 2001

LES BLUE JACKETS DE COLUMBUS (DIVISION CENTRALE) ET LE WILD DU MINNESOTA (NORD-OUEST) PORTENT LE NOMBRE DE CONCESSIONS À 30. LES SAKIC, FORSBERG, BOURQUE, BLAKE, ROY ET COMPAGNIE PROCURENT UNE SAISON PRESQUE PARFAITE À L'AVALANCHE DU COLORADO, PREMIER AU CLASSEMENT GÉNÉRAL ET GAGNANT DE LA COUPE STANLEY. MAIS LES CHAMPIONS EN TITRE, LES DEVILS, NE LÂCHENT PAS PRISE FACILEMENT ET LA FINALE SE REND À LA LIMITE. LES DEVILS AVAIENT COMMENCÉ LES QUARTS DE FINALE EN LION CONTRE LA CAROLINE AVEC TROIS GAINS DE SUITE, AVANT D'EN CONCÉDER DEUX, PUIS ONT REMPORTÉ LE SIXIÈME MATCH. SÉRIE ENCORE PLUS DIFFICILE CONTRE TORONTO QUI PREND LES DEVANTS 3-2, MAIS NEW JERSEY GAGNE LES DEUX DERNIÈRES PARTIES POUR ENSUITE ÉLIMINER PITTSBURGH EN CINQ, SE QUALIFIANT POUR LA FINALE. L'AVALANCHE A MOINS DE DIFFICULTÉ CONTRE VANCOUVER (EN QUATRE), MAIS EN ARRACHE CONTRE LOS ANGELES (EN SEPT) ET DISPOSE DES BLUES EN CINQ, DANS UNE SÉRIE MARQUÉE PAR TROIS MATCHS EN PROLONGATION. JAGR TRÔNE AU SOMMET DES MARQUEURS POUR UNE QUATRIÈME ANNÉE DE SUITE AVEC 52 BUTS ET 69 PASSES. DEUXIÈME AU CLASSEMENT, À TROIS POINTS DE JAGR, JOE SAKIC RAFLE TROIS TROPHÉES : LE PLUS UTILE (HART), LE PLUS GENTILHOMME (LADY-BYNG) ET JOUEUR PAR EXCELLENCE DE L'AJLNH (PEARSON). PATRICK ROY EST CHOISI JOUEUR DES SÉRIES POUR LA TROISIÈME FOIS DE SA CARRIÈRE. SON ANCIENNE ÉQUIPE, LES CANADIENS – DERNIERS DE LEUR DIVISION – POURSUIVENT LEUR DESCENTE AUX ENFERS AVEC UNE 11ᵉ PLACE DANS L'EST, CE QUI LES EXCLUT ÉVIDEMMENT DES SÉRIES POUR UNE TROISIÈME FOIS DE SUITE, LA QUATRIÈME AU COURS DES SEPT DERNIÈRES SAISONS.

*Dab O'Neil, président de la Brasserie Molson, et Pierre Boivin, président des Canadiens de Montréal, font part de l'acquisition de l'équipe et du Centre Bell par l'Américain George Gillett à la fin de janvier 2001.*

## Les Canadiens vendus à un Américain

Le suspense durait depuis sept mois, soit depuis que la Brasserie Molson avait fait part de son intention de se départir du club de hockey Canadien, lequel appartenait à l'un ou l'autre des membres de la famille Molson ou à leur compagnie depuis 1957. Avant le club, en août 1999, c'était le Centre Molson qui était mis aux enchères. Après moult spéculations, des offres d'achat qui ne furent pas très nombreuses (une seule autre, dit-on) et aucune tentative de la part d'entreprises québécoises ou canadiennes, c'est un Américain, résidant de Vail au Colorado, George Gillett, qui gagne la mise. Connue le 30 janvier 2001,

529

⚫ Jacques Lemaire, ancienne vedette (1967-79) et entraîneur des Canadiens (1984-85), quitte de nouveau l'organisation en juin 2000, pour relever le défi de diriger la nouvelle formation du Wild du Minnesota. Il amène Mario Tremblay avec lui pour le seconder.

⚫ Guy Lafleur décide de se départir de tous ses trophées et autres souvenirs rattachés au hockey et fait appel à une firme spécialisée dans les encans pour mettre sa collection aux enchères.
⚫ Patrice Brisebois affiche le pire dossier pour les Plus et les Moins de la Ligue avec moins 31. Il est cependant premier chez les défenseurs avec 11 buts sur les jeux de

puissance. Il avait disputé un 400e match avec le Tricolore en octobre. Brian Savage affiche lui aussi le même nombre de parties disputées en janvier.
⚫ Peu après la fin de saison précédente, le Tricolore conclut une entente de partenariat avec la formation d'élite suédoise de Djurgarden, visant une amélioration des deux formations par l'échange de joueurs.

⚫ Montréal perd le gardien Frédéric Chabot et l'attaquant Turner Stevenson, au profit des Blue Jackets de Columbus au repêchage de l'expansion.

**2000-2001**

*Patrice Brisebois affiche le pire dossier de La ligue pour les Plus et les Moins, mais il est par contre premier pour les buts en avantage numérique chez les défenseurs.*

| JOUEURS | |
|---|---|
| 8 | Jim Campbell |
| 11 | Saku Koivu (C) |
| 14 | Trevor Linden |
| 15 | Dainius Zubrus |
| 17 | Benoît Brunet |
| 20 | Philip Joseph Stock |
| | Richard Zednik |
| 22 | Éric Weinrich |
| 23 | Francis Bélanger |
| 24 | Christian Laflamme |
| 25 | Chad Kilger |
| 26 | Martin Rucinsky |
| 28 | Karl Dykhuis |
| 29 | Darryl Shannon |
| | Gino Odjick |
| 30 | Mathieu Garon |
| 31 | Jeff Hackett |
| 32 | Oleg Petrov |
| 34 | Sergei Zholtok |
| 35 | Andrei Bashkirov |
| 37 | Patrick Poulin |
| 38 | Barry Richter |
| | Jan Bulis |
| 39 | Enrico Ciccone |
| | Johan Witehall |
| 40 | Éric Chouinard |
| 41 | Éric Fichaud |
| 43 | Patrice Brisebois |
| 44 | Sheldon Souray |
| 45 | Arron Asham |
| 46 | Matt Higgins |
| 47 | Juha Lind |
| 49 | Brian Savage |
| 51 | Francis Bouillon |
| 52 | Craig Rivet |
| 54 | Patrick Traverse |

la vente est confirmée le lendemain sur la patinoire du Centre Molson. Une transaction de 275 millions CA.

George Gillett, lui-même remis d'une faillite personnelle en 1992, acquiert 80,1 % du club de hockey et la totalité du Centre Molson. Molson conserve 19,9 % de l'équipe et demeure le principal commanditaire du club. Le nouveau propriétaire éprouve cependant des difficultés à trouver du financement, son plan de fusion d'une entreprise de transformation de viande dans laquelle il possédait des intérêts n'ayant pas tourné à son avantage. C'est la Caisse de dépôt et placement du Québec, par l'intermédiaire de l'une de ses filiales, CDP Capital d'Amérique, qui vient en aide au nouvel acheteur, aussi propriétaire de plusieurs centres de ski à travers l'Amérique du Nord, avec un prêt de 140 millions. Par la suite, les Banques Nationale et Laurentienne s'associent à CDP Capital d'Amérique, laquelle société conserve cependant une participation majoritaire, pour former un syndicat bancaire en relation avec ce prêt.

● Ron Hainsey et Marcel Hossa sont tous deux réclamés en première ronde du repêchage amateur par les Canadiens.

● Saku Koivu et Brian Savage renouvellent leur entente avec les Canadiens au cours de l'été, aux mêmes conditions que l'année précédente. Koivu conserve la meilleure fiche du club à égalité avec Oleg Petrov, avec seulement 47 points (17-30). C'est la troisième année de suite qu'aucun joueur montréalais n'atteint les 50 points.

● Le gardien José Théodore, dont les négociations contractuelles avec les Canadiens traînent en longueur, finit par signer un contrat qui lui rapportera 2,15 millions, à quelques heures de l'ouverture du camp.

● Clément Jodoin décline l'offre de se joindre aux Citadelles de Québec et devient responsable du développement des joueurs à la place de Carbonneau. L'ancien défenseur Rick Green se joint au groupe d'entraîneurs adjoints en novembre.

● André Savard se met à rapidement l'œuvre après sa nomination. Il envoie P. J. Stock à Philadelphie et cède un choix au repêchage pour les services de Gino Odjik le 7 décembre et, moins de deux semaines plus tard, Chad Kilger s'amène d'Édmonton, en retour de Sergei Zholtok.

| JOUEURS | |
|---|---|
| 55 | Matthieu Descôteaux |
| 56 | Stéphane Robidas |
| 60 | José Théodore |
| 61 | Jason Ward |
| 63 | Craig Darby |
| 71 | Mike Ribeiro |
| 78 | Éric Landry |
| 79 | Andrei Markov |
| 83 | Éric Bertrand |
| 88 | Xavier Delisle |
| ENTRAÎNEUR | |
| | Alain Vigneault |
| | Michel Therrien |

*André Savard, arrivé des Sénateurs depuis peu, est promu au rang de directeur général.*

**2000-2001**

En contrepartie, Gillett s'engage à garder l'équipe à Montréal pour un minimum de dix ans et à remettre le prêt en sept ans. De son côté, Molson accepte de reprendre le contrôle de l'équipe et d'assumer les obligations financières du nouveau propriétaire si celui-ci ne peut remplir son engagement. On fait cependant savoir que le Centre Molson pourrait changer de nom pour favoriser l'injection de nouvelles commandites.

La LNH donne son accord à l'entente quelques mois plus tard. Entretemps, le nouveau propriétaire fait part de son intention de maintenir le président Pierre Boivin et son directeur général, André Savard, en poste.

Les problèmes de financement résolus et la bénédiction de la Ligue accordée, George Gillett peut maintenant profiter pleinement de sa dernière acquisition, les Canadiens de Montréal, l'une des plus grandes dynasties sportives du XXᵉ siècle.

Quatre autres formations changent de mains au cours de cette même saison. Les Devils du New Jersey, qui devront dorénavant composer avec George Steinbrenner, l'un des nouveaux actionnaires, les Islanders de New York, l'Avalanche du Colorado et les Coyotes de Phoenix. Gretzky ne sera pas demeuré à la retraite longtemps. Il est l'un des nouveaux propriétaires des Coyotes.

### NOUVEAU CHANGEMENT DE GARDE

De son propre aveu, Pierre Boivin, le nouveau président du Tricolore, se sent humilié au terme du match du samedi soir 18 novembre. Le club vient de perdre 6-1 contre Toronto devant plus de 20 000 spectateurs et des dizaines de milliers de téléspectateurs d'un bout à l'autre du pays. Pis encore, cette autre défaite projette l'équipe au 30ᵉ et dernier rang de la Ligue. Il s'accorde 48 heures de réflexion et le lundi, en conférence de presse, il annonce le renvoi de Réjean Houle, Alain Vigneault et Clément Jodoin de leurs postes respectifs de directeur général, d'entraîneur et d'adjoint à l'entraîneur.

● Premier échange entre les Canadiens et les Bruins de Boston en 37 ans, au mois de février. Patrick Traverse arrive à Montréal et Eric Weinrich rejoint Boston. La transaction précédente avait permis à Sam Pollock d'obtenir les droits sur

Ken Dryden, à ses premiers pas comme directeur général des Canadiens.
● Weinrich avait obtenu son 300e point dans la Ligue nationale, dans l'uniforme bleu-blanc-rouge, trois semaines plus tôt.

● Trevor Linden, un vétéran de plus de 900 matchs dans la LNH, est échangé aux Capitals de Washington, en compagnie de Dainius Zubrus, plus un deuxième choix de repêchage, en retour de Richard Zednik, Jan Bulis et d'un choix de première ronde.

● À défaut de participer aux séries, les Canadiens revendiquent un deuxième championnat consécutif des blessures. Cette fois, le bilan médical s'arrête à 531 parties manquées par l'ensemble des joueurs au cours de la saison.

**2000-2001**

| TROPHÉES | |
|---|---|
| **COUPE STANLEY** | |
| Avalanche du Colorado | |
| **TROPHÉE PRINCE-DE-GALLES** | |
| Devils du New Jersey | |
| **TROPHÉE CLARENCE-CAMPBELL** | |
| Avalanche du Colorado | |
| **TROPHÉE DU PRÉSIDENT** | |
| Avalanche du Colorado | |
| **TROPHÉE HART** | |
| Joe Sakic | |
| Avalanche du Colorado | |
| **TROPHÉE ART-ROSS** | |
| Jaromir Jagr | |
| Penguins de Pittsburgh | |
| **TROPHÉE LADY-BYNG** | |
| Joe Sakic | |
| Avalanche du Colorado | |
| **TROPHÉE CALDER** | |
| Evgeni Nabokov | |
| Sharks de San Jose | |
| **TROPHÉE GEORGES-VÉZINA** | |
| Dominik Hasek | |
| Sabres de Buffalo | |
| **TROPHÉE JAMES-NORRIS** | |
| Nicklas Lidstrom | |
| Red Wings de Detroit | |
| **TROPHÉE CONN-SMYTHE** | |
| Patrick Roy | |
| Avalanche du Colorado | |

*Michel Therrien accède au poste d'entraîneur et Guy Carbonneau devient son adjoint.*

● La LNH décide de faire appel à deux arbitres pour tous ses matchs.

● Mario Lemieux quitte son bureau de propriétaire des Penguins de Pittsburgh et retourne au vestiaire de l'équipe pour chausser ses patins de joueur. Il revient au jeu le 11 décembre après une absence de trois saisons complètes. Un retour remarqué avec 35 buts et 76 passes en seulement 43 parties.

● Jaromir Jagr, le successeur du Magnifique au sommet des marqueurs, remporte un quatrième titre consécutif avec 121 points, trois de plus que Joe Sakic de l'Avalanche.

● Patrick Roy éclipse le record de victoires de Terry Sawchuk, le 17 octobre avec un 448e gain, un sommet dans la Ligue. Il termine la saison avec 484 victoires. Lors des éliminatoires, remportées par l'Avalanche, il deviendra le premier joueur à recevoir le trophée Conn-Smythe à trois reprises. Il signe quatre jeux blancs, ce qui lui permet d'égaler le record de la Ligue, et son total de 19 lui confère désormais le premier rang à ce chapitre.

● Suspendu par les Sénateurs pour avoir refusé de se rapporter à l'équipe la saison précédente, Alexei Yashin perd sa cause devant les tribunaux, qui le forcent à disputer la dernière année de son contrat à Ottawa.

● Scotty Bowman, qui a dirigé les Blues de St. Louis, les Canadiens, les Sabres de Buffalo, les Penguins de Pittsburgh et qu'on retrouve avec les Red Wings de Detroit depuis la saison 1993-94, inscrit un 2000e match à son dossier le 24 novembre, dans une victoire de 3-2 contre Vancouver.

2000-2001

| TROPHÉES | |
|---|---|
| **TROPHÉE BILL-MASTERTON** | |
| Adam Graves | |
| Rangers de New York | |
| **TROPHÉE LESTER-B.-PEARSON** | |
| Joe Sakic | |
| Avalanche du Colorado | |
| **TROPHÉE JACK-ADAMS** | |
| Bill Barber | |
| Flyers de Philadelphie | |
| **TROPHÉE FRANK-J.-SELKE** | |
| John Madden | |
| Devils du New Jersey | |
| **TROPHÉE WILLIAM-M.-JENNINGS** | |
| Dominik Hasek | |
| Sabres de Buffalo | |
| **TROPHÉE KING-CLANCY** | |
| Shjon Podein | |
| Avalanche du Colorado | |
| **TROPHÉE ROGER-CROZIER** | |
| Marty Turco | |
| Stars de Dallas | |
| **TROPHÉE MAURICE-RICHARD** | |
| Pavel Bure | |
| Panthers de la Floride | |

André Savard, directeur du personnel depuis l'été précédent, et Michel Therrien, entraîneur des Citadelles de Québec, remplacent les deux premiers et on fait appel à Martin Madden pour seconder Savard, tandis que Guy Carbonneau, responsable du développement des joueurs depuis le mois d'août, est promu au rôle d'adjoint de Therrien. Roland Melanson est le seul à avoir été épargné par le président Boivin, qui annonce du même coup que les futurs propriétaires (à être dévoilés dans quelques semaines) pourront revoir les nominations s'ils le désirent.

Le président Boivin n'avait d'autre choix que de procéder à un nouveau coup de balai, le troisième depuis 1983, devant les insuccès répétés de l'équipe — une seule victoire au cours des douze dernières parties — et une indifférence pratiquement généralisée chez les joueurs depuis le début de la saison.

Déchu du poste qu'il occupait depuis cinq ans, Réjean Houle fait montre d'une grande élégance en commentant son départ devant les médias. Avec classe et émotion, tout en reconnaissant quelques erreurs qu'il attribue à son inexpérience, il prend soin de remercier ses proches et l'organisation du Canadien qui lui ont permis de servir une équipe qu'il aime toujours aussi profondément.

### LE SAVIEZ-VOUS...

Les Expos de Montréal rendent hommage à Maurice Richard en arborant le numéro 9 sur la manche droite de leur uniforme tout au long de la saison 2000. Le Tricolore ne sera pas en reste, puisque tous les joueurs afficheront aussi le numéro 9 sur leur casque au cours de la saison.

Cependant, les changements à la direction ne permettent pas à l'équipe de se ressaisir. Dernière de sa division et 24e au classement général en fin de campagne, celle-ci est exclue des séries pour une troisième année consécutive, avec le plus bas total de points au cours des 50 dernières années.

## THÉODORE LANCE ET COMPTE

Le gardien José Théodore n'a pas fait inscrire de clause de boni pour les buts à son dernier contrat avec le Tricolore, mais il aurait peut-être dû. Au lendemain du jour de l'An, devant une foule décevante à Uniondale, alors que les

| MEILLEURS COMPTEURS | | PJ | B | A | PTS | PUN |
|---|---|---|---|---|---|---|
| Jaromir Jagr | Pittsburgh | 81 | 52 | 69 | 121 | 42 |
| Joe Sakic | Colorado | 82 | 54 | 64 | 118 | 30 |
| Patrik Elias | New Jersey | 82 | 40 | 56 | 96 | 51 |
| Alexei Kovalev | Pittsburgh | 79 | 44 | 51 | 95 | 96 |
| Jason Allison | Boston | 82 | 36 | 59 | 95 | 85 |
| Martin Straka | Pittsburgh | 82 | 27 | 68 | 95 | 38 |
| Pavel Bure | Floride | 82 | 59 | 33 | 92 | 58 |
| Doug Weight | Edmonton | 82 | 25 | 65 | 90 | 91 |
| Zigmund Palffy | Los Angeles | 73 | 38 | 51 | 89 | 20 |
| Peter Forsberg | Colorado | 73 | 27 | 62 | 89 | 54 |

● Jean-Jacques Daigneault peut maintenant dire qu'il connaît autant de vestiaires d'équipes que Michel Petit. Les deux ont évolué pour 10 clubs différents. Daigneault a notamment porté les couleurs des Canadiens de 1989-90 au début de la saison 1995-96.

● Mark Messier passe au troisième rang des marqueurs de la Ligue nationale, devançant désormais Marcel Dionne, 1 781 points à 1 771. Les 1 850 points de Gordie Howe sont aussi à portée de son bâton.

● Raymond Bourque, cédé par les Bruins à l'Avalanche du Colorado pour lui permettre de toucher à la coupe Stanley au moins une fois dans sa carrière, participe à une 21e série éliminatoire, laquelle lui permettra de concrétiser son rêve avant de se retirer.

Il complète une carrière de 22 ans avec trois autres records : de buts (410), de passes (1 169) et de points (1 579) chez les défenseurs, en saisons régulières.

● Glen Sather quitte son poste de président et directeur général qu'il occupe depuis 20 ans chez les Oilers d'Edmonton pour accepter un rôle similaire chez les Rangers. À Boston, Harry Sinden délaisse la fonction de directeur général qu'il

occupe depuis 1972, mais demeure président de l'équipe.

● Dave King quitte l'organisation des Canadiens après trois ans de service, pour devenir entraîneur des Blue Jackets de Columbus.

● John LeClair fait sauter la banque en obtenant la somme record de 7 millions en arbitrage. Le sommet précédent avait été obtenu par Pierre Turgeon en 1998, avec 4,65 millions.

**2000-2001**

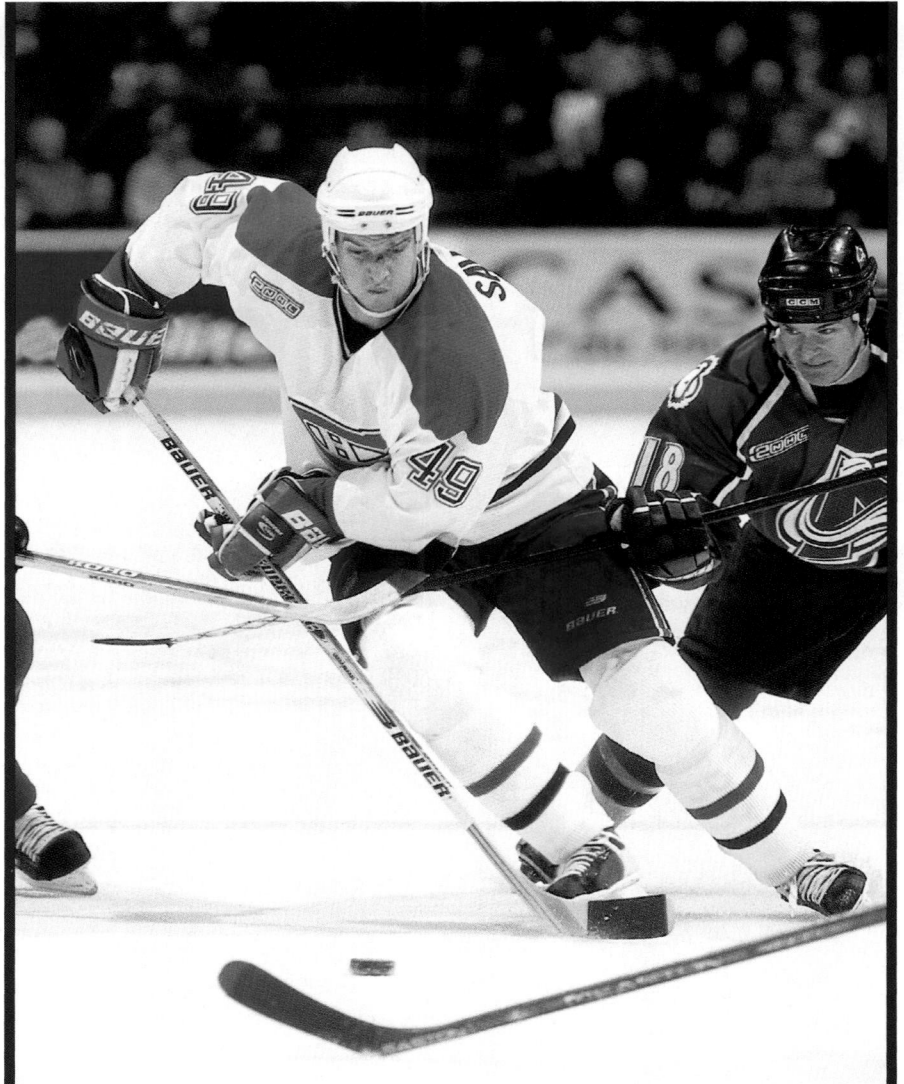

*Un nouveau contrat pour Brian Savage qui connaît sa meilleure saison en quatre ans.*

| ASSOCIATION DE L'EST | | | | | | | |
|---|---|---|---|---|---|---|---|
| DIVISION NORD-EST | PJ | G | P | N | DP | BP | BC | PTS |
| Ottawa (Sénateurs) | 82 | 48 | 21 | 9 | 4 | 274 | 205 | 109 |
| Buffalo (Sabres) | 82 | 46 | 30 | 5 | 1 | 218 | 184 | 98 |
| Toronto (Maple Leafs) | 82 | 37 | 29 | 11 | 5 | 232 | 207 | 90 |
| Boston (Bruins) | 82 | 36 | 30 | 8 | 8 | 227 | 249 | 88 |
| Montréal (Canadiens) | 82 | 28 | 40 | 8 | 6 | 206 | 232 | 70 |
| DIVISION ATLANTIQUE | PJ | G | P | N | DP | BP | BC | PTS |
| New Jersey (Devils) | 82 | 48 | 19 | 12 | 3 | 295 | 195 | 111 |
| Philadelphie (Flyers) | 82 | 43 | 25 | 11 | 3 | 240 | 207 | 100 |
| Pittsburgh (Penguins) | 82 | 42 | 28 | 9 | 3 | 281 | 256 | 96 |
| New York (Rangers) | 82 | 33 | 43 | 5 | 1 | 250 | 290 | 72 |
| New York (Islanders) | 82 | 21 | 51 | 7 | 3 | 185 | 268 | 52 |
| DIVISION SUD-EST | PJ | G | P | N | DP | BP | BC | PTS |
| Washington (Capitals) | 82 | 41 | 27 | 10 | 4 | 233 | 211 | 96 |
| Caroline (Hurricanes) | 82 | 38 | 32 | 9 | 3 | 212 | 225 | 88 |
| Floride (Panthers) | 82 | 22 | 38 | 13 | 9 | 200 | 246 | 66 |
| Atlanta (Thrashers) | 82 | 23 | 45 | 12 | 2 | 211 | 289 | 60 |
| Tampa Bay (Lightning) | 82 | 24 | 47 | 6 | 5 | 201 | 280 | 59 |

| ASSOCIATION DE L'OUEST | | | | | | | |
|---|---|---|---|---|---|---|---|
| DIVISION CENTRALE | PJ | G | P | N | DP | BP | BC | PTS |
| Detroit (Red Wings) | 82 | 49 | 20 | 9 | 4 | 253 | 202 | 111 |
| St. Louis (Blues) | 82 | 43 | 22 | 12 | 5 | 249 | 195 | 103 |
| Nashville (Predators) | 82 | 34 | 36 | 9 | 3 | 186 | 200 | 80 |
| Chicago (Blackhawks) | 82 | 29 | 40 | 8 | 5 | 210 | 246 | 71 |
| Columbus (Blue Jackets) | 82 | 28 | 39 | 9 | 6 | 190 | 233 | 71 |
| DIVISION NORD-OUEST | PJ | G | P | N | DP | BP | BC | PTS |
| Colorado (Avalanche) | 82 | 52 | 16 | 10 | 4 | 270 | 192 | 118 |
| Edmonton (Oilers) | 82 | 39 | 28 | 12 | 3 | 243 | 222 | 93 |
| Vancouver (Canucks) | 82 | 36 | 28 | 11 | 7 | 239 | 238 | 90 |
| Calgary (Flames) | 82 | 27 | 36 | 15 | 4 | 197 | 236 | 73 |
| Minnesota (Wild) | 82 | 25 | 39 | 13 | 5 | 168 | 210 | 68 |
| DIVISION PACIFIQUE | PJ | G | P | N | DP | BP | BC | PTS |
| Dallas (Stars) | 82 | 48 | 24 | 8 | 2 | 241 | 187 | 106 |
| San Jose (Sharks) | 82 | 40 | 27 | 12 | 3 | 217 | 192 | 95 |
| Los Angeles (Kings) | 82 | 38 | 28 | 13 | 3 | 252 | 228 | 92 |
| Phoenix (Coyotes) | 82 | 35 | 27 | 17 | 3 | 214 | 212 | 90 |
| Anaheim (Mighty Ducks) | 82 | 25 | 41 | 11 | 5 | 188 | 245 | 66 |

● George Steinbrenner, richissime propriétaire des Yankees de New York, devient copropriétaire des Devils du New Jersey en août.

● Marty McSorley est reconnu coupable d'agression armée et condamné à 18 mois de liberté conditionnelle pour son attaque contre Donald Brashear. Mais il n'aura pas de casier judiciaire et on lui permet de réintégrer son équipe en février.

● Vincent Damphousse, ancien membre du Tricolore, devient le 58e joueur de l'histoire à présenter une fiche de 1 000 points.

● Denis Savard, revenu à l'organisation des Blackhawks après un court séjour à Montréal et à Tampa Bay, est intronisé au Temple de la renommée en même temps que Joe Mullen.

● Marc Boileau, entraîneur des Nordiques lors de la conquête de la coupe Avco en 1977, est foudroyé par une crise cardiaque, alors qu'il enseigne le hockey à des jeunes sur une patinoire extérieure à Pointe-Claire.

● Les Penguins de Pittsburgh retirent le chandail de Michel Brière, jeune joueur des plus prometteurs, natif de Malartic en Abitibi, décédé dans un accident d'auto en 1971.

● Bobby Smith, autre ancien joueur des Canadiens à faire carrière à la direction d'une équipe de la LNH, perd son poste de directeur général des Coyotes de Phoenix. Cliff Fletcher le remplace.

*José Théodore est le seul gardien de l'histoire des Canadiens à avoir compté un but.*

**2000-2001**

Canadiens mènent déjà 2-0 avec un peu plus de deux minutes à faire, il dégage son territoire en lobant la rondelle au-dessus des joueurs. Celle-ci glisse ensuite jusqu'au fond d'un filet désert.

Ce soir-là, Théo devient le meilleur compteur de l'histoire des Canadiens chez les gardiens. Sixième cerbère de la Ligue à réussir cet exploit, il rejoint les Billy Smith (Islanders), Ron Hextall (Philadelphie), Chris Osgood (Detroit), Damian Rhodes (Ottawa) et Martin Brodeur (New Jersey). Evgeni Nabokov (San Jose) se joindra au groupe, un an plus tard. Hextall et Brodeur dominent le classement, ayant aussi obtenu un but en séries.

*Une année décevante pour le club, mais le capitaine Koivu garde son entrain à l'entraînement.*

SECOUÉS PAR LA MALCHANCE — CANCER DE KOIVU, BLESSURE GRAVE POUR DONALD AUDETTE NOTAMMENT —, LES JOUEURS DES CANADIENS TROUVENT POURTANT L'ÉNERGIE DE SE QUALIFIER POUR LES SÉRIES (HUITIÈMES DANS L'EST), EN BONNE PARTIE GRÂCE À LA TENUE INCROYABLE DU GARDIEN JOSÉ THÉODORE. ILS RÉSISTENT AUX BRUINS DE BOSTON, CHAMPIONS DE DIVISION, ET REMPORTENT LA PREMIÈRE SÉRIE, MAIS NE PEUVENT RÉPÉTER LEUR EXPLOIT CONTRE LES HURRICANES QUI SE FAUFILENT JUSQU'À LA FINALE EN DISPOSANT PAR LA SUITE DES LEAFS DE TORONTO. AUCUNE ÉQUIPE NE PEUT RÉSISTER À LA PUISSANTE MACHINE DES RED WINGS, PREMIERS AU CLASSEMENT GÉNÉRAL ET VAINQUEURS DE LA COUPE STANLEY EN CINQ PARTIES CONTRE LA CAROLINE. MAIS LES WINGS DONNENT DES SUEURS FROIDES À LEURS PARTISANS EN PERDANT LES DEUX PREMIÈRES RENCONTRES DE LA SÉRIE INITIALE CONTRE VANCOUVER, PUIS ILS EN COLLENT QUATRE DE SUITE. ST. LOUIS NE RÉSISTE PAS BIEN LONGTEMPS (VICTOIRE EN CINQ). C'EST UNE AUTRE HISTOIRE CONTRE LE COLORADO. C'EST UNE FINALE AVANT LA FINALE. LES DEUX ÉQUIPES SONT À ÉGALITÉ 2-2, MAIS UN BUT DE PETER FORSBERG EN SUPPLÉMENTAIRE LORS DU CINQUIÈME MATCH PLACE L'AVALANCHE À UN PAS DE LA FINALE. LE GARDIEN DOMINIK HASEK NE CONCÈDE PLUS RIEN ET DETROIT SIGNE DES GAINS DE 2-0 ET 7-0 POUR ATTEINDRE LA FINALE. POUR LA DEUXIÈME FOIS EN TROIS ANS, AUCUN MARQUEUR N'ATTEINT LES 100 POINTS. LES CANADIENS, ABSENTS DES ÉQUIPES D'ÉTOILES DEPUIS 1991-92, SONT COMBLÉS PAR LA SÉLECTION DE THÉODORE DANS LA PREMIÈRE. SAKU KOIVU EST AUSSI RÉCOMPENSÉ POUR SA PERSÉVÉRANCE AVEC LE TROPHÉE MASTERTON.

*José Théodore et Saku Koivu, chacun à sa façon, serviront d'inspiration à leurs coéquipiers tout au long de la saison.*

## Koivu et Théodore : courage et prouesses

Ce soir, 9 avril 2002, les Canadiens viennent de s'assurer une première participation aux séries en quatre ans, à la faveur d'un gain de 4-3 sur les Sénateurs d'Ottawa. Il s'agit d'un septième gain d'affilée pour les joueurs de Michel Therrien. Mais ce n'est pas le plus important ! Le moment le plus émouvant est survenu quelques instants avant la mise au jeu initiale lorsque le numéro 11, un peu hésitant, a franchi la petite porte qui sépare le banc des joueurs de la patinoire. L'ovation des 21 273 spectateurs dure

*Richard Zednik*

● Richard Zednik est victime d'un coup de coude vicieux de la part de Kyle McLaren, lors du quatrième affrontement de la série contre Boston. Victime d'une commotion cérébrale et d'une fracture à la joue, il est à l'écart pour le reste des éliminatoires.

● Le jeune cerbère Olivier Michaud amène un vent de fraîcheur dans l'organisation des Canadiens le 30 octobre. Il devient, à 18 ans, le deuxième plus jeune gardien à évoluer dans la Ligue nationale. On a fait appel à ses services pour remplacer Mathieu Garon à la troisième période du match contre Edmonton. Le jeune homme, natif de Beloeil, n'accorde aucun but sur les 14 tirs des Oilers. Harry Lumley avait 17 ans lorsqu'il défendit la forteresse des Red Wings en 1943. Cinq autres gardiens firent leur entrée dans la LNH à 18 ans — John Vanbiesbrouck, Martin Biron, Dan Blackburn, Tom Barrasso et Jocelyn Thibault —, mais ils étaient tous un peu plus âgés qu'Olivier Michaud que les Canadiens ont rappelé des Cataractes de Shawinigan.

● Tout au long de l'absence de Koivu, Michel Therrien refuse d'apposer le «C» du capitaine sur le chandail d'un autre joueur. Patrice Brisebois, Benoît Brunet, Craig Rivet et Brian Savage se partagent la tâche d'adjoints.

● José Théodore inscrit deux blanchissages de suite au début de février contre New Jersey et Pittsburgh, les deux par la marque de 1-0. Le deuxième lui permet aussi de remporter sa 20e victoire de la saison, ce qui lui vaut un boni de 100 000 $.

**2001-2002**

huit minutes. Saku Koivu qui, sept mois plus tôt, apprenait qu'il était rongé par le cancer, est revenu parmi les siens. Un cancer à l'abdomen dont la seule évocation fait peur — lymphome intra-abdominal non hodgkinien.

Quelques jours plus tôt, Donald Audette, qui avait également flirté avec la mort, a aussi effectué un retour parmi ses coéquipiers après quatre mois d'absence. Acquis des Stars de Dallas pour les services de Martin Rucinsky et de Benoît Brunet le 21 novembre, il en est à une cinquième rencontre à peine lorsque le patin de Radek Dvorak des Rangers sectionne les tendons extenseurs reliant son poignet à sa main gauche, lors d'une chute derrière le filet. Audette doit la vie à sa rapidité à regagner le vestiaire alors que le sang coule abondamment. Le même soir, la malchance s'acharne aussi sur Patrice Brisebois et Jan Bulis, mis à l'écart pour des blessures, l'un à une cheville, l'autre à une cuisse.

Lourdement affaiblie, l'équipe doit sa survie aux exploits maintes fois répétés de José Théodore devant le filet. À lui seul, il motive ses coéquipiers à

*Les partisans appuient le capitaine Koivu à leur façon lors des rencontres.*

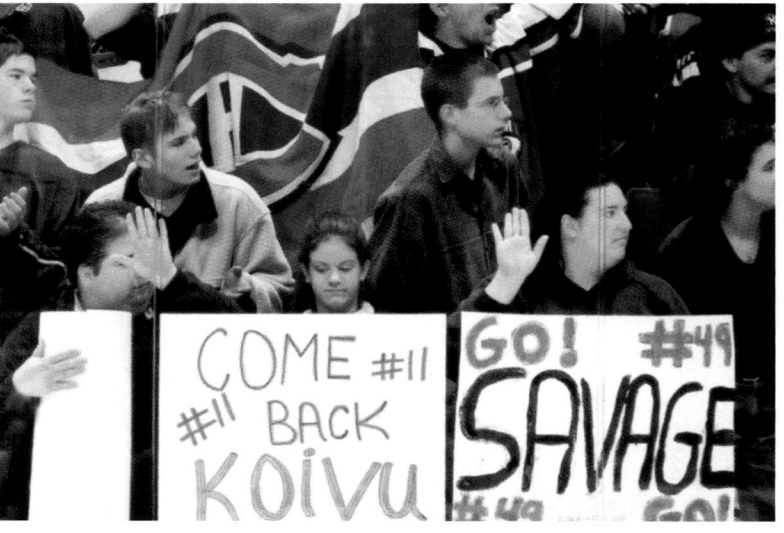

| JOUEURS | |
|---|---|
| 5 | Stéphane Quintal |
| 11 | Saku Koivu (C) |
| 14 | Oleg Petrov |
| 17 | Benoît Brunet |
| 20 | Richard Zednik |
| 22 | Bill Lindsay |
| 24 | Andreas Dackell |
| 25 | Chad Kilger |
| 26 | Martin Rucinsky |
| 27 | Shaun Van Allen |
| 28 | Karl Dykhuis |
| 29 | Gino Odjick |
| 30 | Mathieu Garon |
| 31 | Jeff Hackett |
| 35 | Stéphane Fiset |
| 36 | Marcel Hossa |
| 37 | Patrick Poulin |
| 38 | Jan Bulis |
| 39 | Reid Simpson |
| 43 | Patrice Brisebois |
| 44 | Sheldon Souray |

● Molson cède les droits du nom du Centre Molson à Bell, tout en maintenant sa commandite de 150 millions pour 20 ans. Le changement, qui deviendra effectif la saison suivante, oblige Bell à hausser sa commandite de 40 à 100 millions sur une période de 20 ans.

● Yanic Perreault a compilé la meilleure fiche des Canadiens au cours de la saison, obtenant 27 buts et 56 points. Il poursuit son bon travail en séries avec trois buts et cinq passes, dont le filet qui élimine les Bruins en première ronde.

● L'entraîneur Therrien place son équipe dans une position délicate au quatrième match éliminatoire contre la Caroline. En avant 2-1 dans la série et 3-1 dans la partie, il écope d'une pénalité pour conduite abusive à l'endroit des officiels, en troisième, alors que Stéphane Quintal est déjà au pénitencier. Les Hurricanes marquent rapidement, pour ensuite égaler le compte et finalement l'emporter en prolongation. Le Tricolore perd aussi les deux rencontres suivantes, dont la dernière par 8 à 2.

● Patrice Brisebois, qui avait conclu une entente de 2,5 millions pour l'année en cours au mois de mai, signe un nouveau contrat de trois ans plus une année d'option à la mi-décembre, quelques semaines après avoir disputé son 600e match avec l'équipe. Le nouveau pacte lui vaudra 13 millions pour trois ans et l'option entre 4,5 et 5 millions à la discrétion du club.

*L'expérience d'un Joé Juneau est bénéfique à cette jeune équipe peu expérimentée.*

**2001-2002**

tenir bon malgré les malheurs à répétition. Pendant que Koivu et Audette livrent le combat de leur vie, Théodore maintient la barque à flot en contenant les tirs des équipes adverses et le club garde l'espoir de participer aux séries.

Pour sa part, Koivu reste en contact avec l'organisation et tient ses coéquipiers informés de l'évolution de son cancer. Le combat est dur, il subit huit séries de traitement qui l'affaiblissent beaucoup chaque fois. Au début de février, il apprend, lors d'une visite chez les spécialistes qui le soignent que le cancer est en rémission complète et qu'il peut espérer un retour au jeu. Il s'empresse de partager la nouvelle avec ses coéquipiers avant un match contre Pittsburgh, puis les rejoint sur la glace dès le lendemain avec son équipement pour un entraînement de quelques minutes. Le courage et la détermination de Koivu lui vaudront le trophée Bill-Masterton (persévérance, esprit sportif et engagement envers le hockey) en fin de saison.

Mais l'équipe en arrache et on craint qu'elle ne puisse se qualifier pour les séries pour une quatrième année de suite malgré les petits miracles de Théo. Au début de mars, lors d'une séance d'entraînement entre deux matchs, Joé Juneau se lève dans le vestiaire et réclame l'attention de ses coéquipiers. Son intervention est brève. Il rappelle à ses compagnons d'armes qu'au moment où Koivu leur promet de revenir pour les séries, ils n'ont pas le droit, eux, de lâcher. Ils se doivent de lui permettre de réaliser son rêve, croit-il. L'émotion est palpable. L'équipe se redresse lentement et entreprend ensuite une série de victoires qui la conduit à la porte des éliminatoires.

Le dernier pas est franchi lorsque Koivu saute sur la patinoire, ce mardi soir du 9 avril. Le matin du match fatidique, le *Journal de Montréal* titrait à la une : «Koivu a réussi l'impossible».

| JOUEURS | |
|---|---|
| 45 | Arron Asham |
| 46 | Benoît Gratton |
| 49 | Brian Savage |
| 51 | Francis Bouillon |
| 52 | Craig Rivet |
| 54 | Patrick Traverse |
| 56 | Stéphane Robidas |
| 59 | Martti Järventie |
| 60 | José Théodore |
| 63 | Craig Darby |
| 71 | Mike Ribeiro |
| 78 | Éric Landry |
| 79 | Andrei Markov |
| 82 | Donald Audette |
| 90 | Joé Juneau |
| 93 | Doug Gilmour |
| 94 | Yanic Perreault |
| 95 | Olivier Michaud |
| | Sergei Berezin |
| **ENTRAÎNEUR** | |
| | Michel Therrien |

**LE SAVIEZ-VOUS...**

*La Soirée du hockey*, une institution aussi sacrée pour les fans des Canadiens que la messe du dimanche pour d'autres, célèbre son 50e anniversaire à la télévision de Radio-Canada.

Savard mise sur un défenseur de l'Université du Michigan, Mike Komisarek, et sur un ailier droit de la Russie, Alexander Perezhogin, en première ronde du repêchage de juin.

● Brett Hull décline une offre avantageuse des Canadiens pour accepter plutôt celle des Red Wings de Detroit.

● Doug Gilmour accepte l'offre des Canadiens et se joint à la formation montréalaise afin de poursuivre une carrière entreprise 19 ans plus tôt à St. Louis. Après celui des Blues, le vétéran a ensuite endossé successivement les chandails des Flames de Calgary, des Maple Leafs de Toronto, des Devils du New Jersey, des Blackhawks de Chicago et des Sabres de Buffalo.

● Denis Savard rejoint le club des Immortels des Canadiens, alors qu'on installe sa photo parmi celles de 40 autres grands noms de l'équipe dans le vestiaire.

● Benoît Gratton connaît un match émouvant avec les Canadiens à Atlanta. Au moment de son rappel des Citadelles de Québec la veille, son père recevait une greffe de la moelle osseuse du plus jeune des frères de Benoît pour combattre un cancer du tissu lymphoïde.

● Sergei Berezhin compte le 10 000e but de l'équipe à domicile, à son deuxième match dans l'uniforme du club, le 27 janvier. Henri Richard lui remet une plaque symbolique quelques jours plus tard et le Tricolore fait fabriquer des rondelles commémoratives qui sont offertes aux collectionneurs.

● Joé Juneau obtient le 500e point de sa carrière le 4 octobre alors que son nouveau coéquipier Martin Rucinsky dispute une 600e partie dans la Ligue. Quant à Stéphane Quintal, il compte désormais plus de 300 matchs dans l'uniforme montréalais.

## 2001-2002 — THÉODORE DANS LA FOULÉE DE PLANTE

Les styles ne sont pas les mêmes. L'équipement a beaucoup évolué, ainsi que la technique du jeu. Le premier, Jacques Plante, était beaucoup plus replié sur lui-même malgré ses exploits répétés et se mêlait peu aux autres joueurs de l'équipe en dehors de la patinoire. Tout le contraire d'un José Théodore à la personnalité attachante, qui n'a été témoin d'aucune des prouesses de son illustre ancêtre. Ils sont pourtant les seuls gardiens de l'histoire des Canadiens à avoir mis la main sur le trophée Hart, attribué au joueur le plus utile du circuit ; Plante en 1962 et Théodore, 40 ans plus tard.

Un exploit plutôt rarissime chez les hommes masqués. Seulement cinq d'entre eux ont vu leur nom sur le trophée avant Théo. Depuis Plante, seul Dominik Hasek avait réalisé pareille performance, à deux reprises d'ailleurs, en 1996-97 et 1997-98. Avant Plante, il y avait eu Roy Worters des Americans de New York en 1928-29, Chuck Rayner des Rangers en 1949-50 et Al Rollins des Black Hawks de Chicago en 1953-54.

*Stéphane Quintal est de retour avec les Canadiens après un exil de deux ans chez les Rangers et les Blackhawks.*

540

| TROPHÉES | |
|---|---|
| **COUPE STANLEY** | Red Wings de Detroit |
| **TROPHÉE PRINCE-DE-GALLES** | Hurricanes de la Caroline |
| **TROPHÉE CLARENCE-CAMPBELL** | Red Wings de Detroit |
| **TROPHÉE DU PRÉSIDENT** | Red Wings de Detroit |
| **TROPHÉE HART** | José Théodore / Canadiens de Montréal |
| **TROPHÉE ART-ROSS** | Jarome Iginla / Flames de Calgary |
| **TROPHÉE LADY-BYNG** | Ron Francis / Hurricanes de la Caroline |
| **TROPHÉE CALDER** | Dany Heatley / Thrashers d'Atlanta |
| **TROPHÉE GEORGES-VÉZINA** | José Théodore / Canadiens de Montréal |
| **TROPHÉE JAMES-NORRIS** | Nicklas Lidstrom / Red Wings de Detroit |

● Le Canada met fin à une attente de 50 ans en s'appropriant la médaille d'or aux Jeux olympiques de Salt Lake City, sous l'inspiration de Mario Lemieux. Dirigée par Pat Quinn, l'équipe canadienne l'emporte 5-2 en finale contre les États-Unis. Joe Sakic est désigné meilleur joueur du tournoi.

● Brillante victoire également de l'équipe féminine canadienne qui surprend les Américaines — largement favorites — par 3-2, pour décrocher l'or en dépit du parti pris assez évident de l'arbitre. Les filles vengent ainsi leur défaite crève-cœur de Nagano, quatre ans plus tôt.

● Nouveau sommet pour Patrick Roy, à la fin de décembre, alors qu'il signe une 500e victoire dans la Ligue. Il est le premier gardien à atteindre ce total, réalisant de surcroît un jeu blanc de 2-0 contre Dallas. Six semaines plus tôt, dans un autre jeu blanc, 1-0 contre le Wild du Minnesota, il est aussi devenu le premier à gagner 200 parties avec deux formations différentes. En séries, il dépasse Mark Messier pour le nombre de parties jouées, établissant la nouvelle marque à 240.

● En décembre, Mike Keenan est appelé à diriger une septième formation de la LNH, celle des Panthers de la Floride. Auparavant, il avait été entraîneur à Philadelphie, Chicago, New York (Rangers), St. Louis, Vancouver et Boston.

● Mort tragique d'une jeune spectatrice de 14 ans, Brittanie Cecil, deux jours après avoir été atteinte par une rondelle déviée lors d'un match entre les Flames et les Blue Jackets, à Columbus. Son père l'avait invitée au hockey en guise de cadeau d'anniversaire. Depuis, la Ligue a fait installer des filets protecteurs dans tous ses arénas.

● Dominik Hasek, héros de la médaille d'or de la République tchèque aux Jeux olympiques de 1998 et deux fois récipiendaire du trophée Hart dans l'uniforme des Sabres de Buffalo, est échangé par

| TROPHÉES | |
|---|---|
| **TROPHÉE CONN-SMYTHE** | |
| Nicklas Lidstrom | |
| Red Wings de Detroit | |
| **TROPHÉE BILL-MASTERTON** | |
| **Saku Koivu** | |
| **Canadiens de Montréal** | |
| **TROPHÉE LESTER-B.-PEARSON** | |
| Jarome Iginla | |
| Flames de Calgary | |
| **TROPHÉE JACK-ADAMS** | |
| Bob Francis | |
| Coyotes de Phoenix | |
| **TROPHÉE FRANK-J.-SELKE** | |
| Michael Peca | |
| Islanders de New York | |
| **TROPHÉE WILLIAM-M.-JENNINGS** | |
| Patrick Roy | |
| Avalanche du Colorado | |
| **TROPHÉE KING-CLANCY** | |
| Ron Francis | |
| Hurricanes de la Caroline | |
| **TROPHÉE ROGER-CROZIER** | |
| **José Théodore** | |
| **Canadiens de Montréal** | |
| **TROPHÉE MAURICE-RICHARD** | |
| Jarome Iginla | |
| Flames de Calgary | |

**2001-2002**

*Le vétéran Doug Gilmour apporte au Tricolore ses 19 années d'expérience dans la LNH et beaucoup de leadership en acceptant l'offre d'André Savard à titre d'agent libre en octobre.*

ces derniers aux Red Wings de Detroit pour lui permettre de gagner une coupe Stanley avant de se retirer.

● Incapables de le payer, les Penguins de Pittsburgh se départissent de leur joueur vedette Jaromir Jagr, champion marqueur des quatre dernières saisons, et l'expédient à Washington, où Jagr signe un contrat de 88 millions pour huit ans, devenant de ce fait le joueur le mieux payé de la Ligue. À Philadelphie, Bobby Clarke réussit à refiler Éric Lindros aux Rangers,

en retour de Jan Hlavac, Pavel Brendl et Kim Johnsson.

● Deux membres de l'organisation des Kings de Los Angeles, Garnet Bailey, directeur du recrutement professionnel, et Mark Bavis, dépisteur, sont au nombre des passagers de l'un des avions détournés sur les tours du World Trade Center, le 11 septembre. La Ligue décide d'annuler les 12 matchs préparatoires prévus pour le 14.

● Sérieusement blessé à la rate lors des séries précédentes, Peter Forsberg décide de prendre une année de repos pour refaire ses forces.

● Les Maple Leafs rendent hommage à Frank Mahovlich lors du match inaugural, en hissant une bannière à son effigie au Centre Air Canada, pendant qu'à Boston on retire le chandail numéro 77 de Raymond Bourque.

● Craig Patrick, intronisé comme bâtisseur, est le quatrième membre de la

famille Patrick à accéder au Temple de la renommée, après son grand-père Lester, son père Lynn et son oncle Frank.

● Ancien membre des Glorieux, Bob Gainey fait part de son intention de quitter son poste de directeur général à Dallas en fin de saison, souhaitant opter pour un rôle de conseiller. Il devance cependant sa décision, tandis qu'un autre ancien des Canadiens, Larry Robinson, est renvoyé comme entraîneur

**2001-2002**

Théodore est aussi le premier joueur des Canadiens depuis Guy Lafleur en 1977-78 à hériter de ce trophée, le plus important de la Ligue, ce qui donne une bonne indication de sa valeur.

La comparaison entre Plante et Théodore ne s'arrête pas là, puisque les deux cerbères ont aussi mérité le trophée Georges-Vézina pour leurs performances. Tout un exploit pour le jeune homme qui doit son rôle de premier gardien du club aux blessures successives de Jeff Hackett. À la seconde occasion, au début de mars, les prouesses de Théo ont permis à ses coéquipiers de connaître une poussée victorieuse les conduisant aux séries où ils ont également surpris les Bruins de Boston, champions de division.

Au total, le jeune gardien remporte 30 victoires en 67 parties et conserve une moyenne d'efficacité de ,931, laquelle lui vaut le trophée Roger-Crozier en plus des trophées Hart et Vézina. Sa moyenne générale de 2,11 est la quatrième du circuit.

| MEILLEURS COMPTEURS | | | | | | |
|---|---|---|---|---|---|---|
| | | PJ | B | A | PTS | PUN |
| Jarome Iginla | Calgary | 82 | 52 | 44 | 96 | 77 |
| Markus Naslund | Vancouver | 81 | 40 | 50 | 90 | 50 |
| Todd Bertuzzi | Vancouver | 72 | 36 | 49 | 85 | 110 |
| Mats Sundin | Toronto | 82 | 41 | 39 | 80 | 94 |
| Jaromir Jagr | Washington | 69 | 31 | 48 | 79 | 30 |
| Joe Sakic | Colorado | 82 | 26 | 53 | 79 | 18 |
| Pavol Demitra | St. Louis | 82 | 35 | 43 | 78 | 46 |
| Adam Oates | Was./Phi. | 80 | 14 | 64 | 78 | 28 |
| Mike Modano | Dallas | 78 | 34 | 43 | 77 | 38 |
| Ron Francis | Caroline | 80 | 27 | 50 | 77 | 18 |

*Yanic Perreault, une autre acquisition d'importance pour les Canadiens.*

des Devils. Il revient comme adjoint, un mois plus tard, pour dépanner l'équipe.

● Martin Brodeur obtient une 300e victoire avec les Devils. Il est le plus jeune à atteindre ce sommet qu'il partage avec 17 autres gardiens.

● Le capitaine des Hurricanes, Ron Francis, est le cinquième joueur de la Ligue à présenter des fiches de 500 buts et 1 000 passes. Quelques jours plus tard, Luc Robitaille, maintenant avec Detroit,

devient le plus prolifique ailier gauche de l'histoire avec son 611e but.

● Les Sénateurs d'Ottawa envoient Roger Neilson, l'adjoint de Jacques Martin, derrière le banc de l'équipe pour lui permettre de diriger un 1 000e match dans la Ligue.

● Les gardiens Brent Johnson (St. Louis) et Patrick Lalime (Ottawa) rééditent un record vieux de 57 ans, à 24 heures d'intervalle, en blanchissant leurs rivaux respectifs, Chicago et Philadelphie, trois fois de suite en séries, partageant cet

exploit avec trois autres cerbères, Clint Benedict (1926), John Roach (1929) et Frank McCool (1945).

● Neuvième coupe Stanley à titre d'entraîneur pour Scotty Bowman, qui dépasse son maître, Toe Blake. Il en a remporté cinq avec les Canadiens, une avec les Penguins et les trois dernières avec les Wings. Il annonce sa retraite définitive.

● Steve Yzerman et Brendan Shanahan deviennent les premiers Canadiens et les premiers joueurs de la LNH à

mériter une médaille d'or olympique et une coupe Stanley la même année.

● L'édition actuelle des Red Wings représente la formation la plus âgée à remporter la coupe Stanley, avec une moyenne d'âge de 30,8 ans.

● Un match disputé à l'extérieur entre les équipes universitaires des Spartans et des Wolverines du Michigan attire 74 554 spectateurs, soit la plus grosse foule à avoir assisté à un match de hockey.

| ASSOCIATION DE L'EST | | | | | | | | |
|---|---|---|---|---|---|---|---|---|
| **DIVISION NORD-EST** | PJ | G | P | N | DP | BP | BC | PTS |
| Boston (Bruins) | 82 | 43 | 24 | 6 | 9 | 236 | 201 | 101 |
| Ottawa (Sénateurs) | 82 | 43 | 25 | 10 | 4 | 249 | 207 | 100 |
| Toronto (Maple Leafs) | 82 | 39 | 27 | 9 | 7 | 243 | 208 | 94 |
| Montréal (Canadiens) | 82 | 36 | 31 | 12 | 3 | 207 | 209 | 87 |
| Buffalo (Sabres) | 82 | 35 | 35 | 11 | 1 | 213 | 200 | 82 |
| **DIVISION ATLANTIQUE** | PJ | G | P | N | DP | BP | BC | PTS |
| Philadelphie (Flyers) | 82 | 42 | 27 | 10 | 3 | 234 | 192 | 97 |
| New York (Islanders) | 82 | 42 | 28 | 8 | 4 | 239 | 220 | 96 |
| New Jersey (Devils) | 82 | 41 | 28 | 9 | 4 | 205 | 187 | 95 |
| New York (Rangers) | 82 | 36 | 38 | 4 | 4 | 227 | 258 | 80 |
| Pittsburgh (Penguins) | 82 | 28 | 41 | 8 | 5 | 198 | 249 | 69 |
| **DIVISION SUD-EST** | PJ | G | P | N | DP | BP | BC | PTS |
| Caroline (Hurricanes) | 82 | 35 | 26 | 16 | 5 | 217 | 217 | 91 |
| Washington (Capitals) | 82 | 36 | 33 | 11 | 2 | 228 | 240 | 85 |
| Tampa Bay (Lightning) | 82 | 27 | 40 | 11 | 4 | 178 | 219 | 69 |
| Floride (Panthers) | 82 | 22 | 44 | 10 | 6 | 180 | 250 | 60 |
| Atlanta (Thrashers) | 82 | 19 | 47 | 11 | 5 | 187 | 288 | 54 |
| **ASSOCIATION DE L'OUEST** | | | | | | | | |
| **DIVISION CENTRALE** | PJ | G | P | N | DP | BP | BC | PTS |
| Detroit (Red Wings) | 82 | 51 | 17 | 10 | 4 | 251 | 187 | 116 |
| St. Louis (Blues) | 82 | 43 | 27 | 8 | 4 | 227 | 188 | 98 |
| Chicago (Blackhawks) | 82 | 41 | 27 | 13 | 1 | 216 | 207 | 96 |
| Nashville (Predators) | 82 | 28 | 41 | 13 | 0 | 196 | 230 | 69 |
| Columbus (Blue Jackets) | 82 | 22 | 47 | 8 | 5 | 164 | 255 | 57 |
| **DIVISION NORD-OUEST** | PJ | G | P | N | DP | BP | BC | PTS |
| Colorado (Avalanche) | 82 | 45 | 28 | 8 | 1 | 212 | 169 | 99 |
| Vancouver (Canucks) | 82 | 42 | 30 | 7 | 3 | 254 | 211 | 94 |
| Edmonton (Oilers) | 82 | 38 | 28 | 12 | 4 | 205 | 182 | 92 |
| Calgary (Flames) | 82 | 32 | 35 | 12 | 3 | 201 | 220 | 79 |
| Minnesota (Wild) | 82 | 26 | 35 | 12 | 9 | 195 | 238 | 73 |
| **DIVISION PACIFIQUE** | PJ | G | P | N | DP | BP | BC | PTS |
| San Jose (Sharks) | 82 | 44 | 27 | 8 | 3 | 248 | 199 | 99 |
| Phoenix (Coyotes) | 82 | 40 | 27 | 9 | 6 | 228 | 210 | 95 |
| Los Angeles (Kings) | 82 | 40 | 27 | 11 | 4 | 214 | 190 | 95 |
| Dallas (Stars) | 82 | 36 | 28 | 13 | 5 | 215 | 213 | 90 |
| Anaheim (Mighty Ducks) | 82 | 29 | 42 | 8 | 3 | 175 | 198 | 69 |

Cette première participation des Canadiens aux séries en quatre ans repose aussi sur les bons coups du directeur général, André Savard. Il a recruté quelques vétérans sans trop dégarnir le club et a aussi fait signer des joueurs autonomes. L'arrivée de Joé Juneau, Yanic Perreault, Stéphane Quintal, Doug Gilmour, Andreas Dackell, Donald Audette et quelques autres a insufflé une énergie nouvelle au sein de la formation. La tenue de Théodore a fait le reste.

**2001-2002**

## UN BON GESTE DU PRÉSIDENT

Première étoile à son premier match avec le Canadien le 24 novembre, Donald Audette reste bouche bée lorsqu'il aperçoit sa femme Manon et ses deux enfants, Catherine et Daniel, à l'entrée du vestiaire du Centre Molson, après son petit tour sur la glace pour saluer la foule. Il ignorait jusque-là que le président Pierre Boivin lui réservait toute une surprise en offrant de payer le déplacement en avion de la petite famille, de Dallas à Montréal, pour assister à cette première rencontre de leur héros dans l'uniforme tricolore. Le président a même réservé une loge du Centre Molson pour la famille et les amis de la dernière acquisition du club montréalais.

Pierre Turgeon avait d'ailleurs prévenu Audette, lors de l'échange, qu'il allait désormais évoluer avec une organisation de grande classe. Le président Boivin lui a vite donné raison.

*Donald Audette, qui avait fort apprécié le beau geste du président Boivin à l'endroit de sa famille quelques jours plus tôt, vient près de mourir sur la glace du Centre Molson lorsqu'un coup de patin accidentel sectionne les tendons de sa main gauche. Il revient au jeu quatre mois plus tard.*

LE TRICOLORE CONNAÎT UNE AUTRE ANNÉE DIFFICILE, MALGRÉ UN CHANGEMENT D'ENTRAÎNEUR EN COURS DE SAISON ET SE VOIT EXCLU DES SÉRIES POUR LA QUATRIÈME FOIS EN CINQ ANS. LES SÉNATEURS D'OTTAWA ET LES STARS DE DALLAS OBTIENNENT LES MEILLEURES FICHES DANS L'EST ET DANS L'OUEST, AVEC RESPECTIVEMENT 113 ET 111 POINTS. MAIS AUCUNE DES DEUX ÉQUIPES N'ATTEINT LA FINALE DE LA COUPE STANLEY, LORS DE SÉRIES MARQUÉES PAR LES EXPLOITS DE QUELQUES FORMATIONS NÉGLIGÉES COMME TAMPA BAY ET MINNESOTA, MAIS SURTOUT ANAHEIM QUI, GRÂCE À LA TENUE QUASI PARFAITE DE SON GARDIEN JEAN-FRANÇOIS GIGUÈRE, ÉLIMINE SUR SON PASSAGE DES FORMATIONS ÉTABLIES COMME DETROIT ET DALLAS, AVANT DE FAIRE LA VIE DURE AUX DEVILS DU NEW JERSEY EN FINALE. CES DERNIERS, ÉGALEMENT SOUTENUS PAR UN GARDIEN DE TALENT — MARTIN BRODEUR — AUTEUR D'UN NOUVEAU RECORD DE SEPT JEUX BLANCS EN SÉRIES, REMPORTENT UNE TROISIÈME COUPE STANLEY EN NEUF ANS, TRIOMPHANT D'ANAHEIM DANS UNE FINALE DE SEPT PARTIES, TOUTES CONCLUES EN FAVEUR DE L'ÉQUIPE LOCALE. AUPARAVANT, LES DEVILS ONT EU LA PARTIE RELATIVEMENT FACILE CONTRE BOSTON ET TAMPA BAY, AVANT DE SE MESURER AUX FAVORIS DE L'EST, OTTAWA, QU'ILS ONT ÉCARTÉS AU TERME D'UNE BATAILLE SERRÉE, DISPUTÉE JUSQU'À LA LIMITE. MALGRÉ LA DÉFAITE DES DUCKS, GIGUÈRE EST PROCLAMÉ MEILLEUR JOUEUR DES SÉRIES, MAIS BRODEUR N'A PAS TOUT PERDU PUISQUE, EN PLUS DE LA COUPE STANLEY, IL REÇOIT LE TROPHÉE VÉZINA ATTRIBUÉ AU MEILLEUR GARDIEN DE LA SAISON. UN ANCIEN DES CANADIENS — JACQUES LEMAIRE — DEVENU ENTRAÎNEUR DU WILD DU MINNESOTA, EST NOMMÉ PILOTE DE L'ANNÉE.

## 25 millions pour Théo, mais une année difficile

*José Théodore se situe maintenant parmi les six gardiens les mieux payés de la Ligue, mais il connaît une saison en dents de scie.*

José Théodore, le teint basané à quelques jours du départ de l'équipe pour Vail où débutera le prochain camp d'entraînement, fait son entrée dans la salle où l'attendent déjà plusieurs journalistes — micro ou enregistreuse à la main — et de nombreux techniciens — caméra à l'épaule. La nouvelle est connue de tous depuis déjà quelques heures et on sait aussi que les négociations, bien que cordiales, ont été difficiles entre son agent Don Meehan et André Savard, le directeur général de l'équipe. Savard, le sourire aux lèvres, ce qui est plutôt rare chez lui, annonce d'emblée que le club et Théodore viennent de

● Les Canadiens et les dirigeants des Citadelles de Québec mettent un terme à leur entente après trois saisons. Les objectifs des deux organisations ne sont plus les mêmes avec les changements survenus à Montréal. Le Tricolore décide plutôt de partager les frais d'exploitation de la concession des Bulldogs de Hamilton — également dans la Ligue américaine — avec les Oilers d'Edmonton, en fournissant la moitié des joueurs.

● Guy Carbonneau s'en retourne à Dallas pour occuper la fonction d'adjoint spécial au directeur général. Guy Charron le remplace comme entraîneur adjoint. Les autres adjoints sont Roland Melanson, Rick Green et Clément Jodoin.
● Après la petite ville de Grimsby en Ontario, la Suède, l'Union soviétique et l'Angleterre, les Canadiens mettent cette fois le cap sur Vail, au Colorado, pour leur camp d'entraînement présaison.

● Gilles Tremblay, ancien joueur et ancien analyste à *La Soirée du hockey*, est élu au Temple de la renommée à titre de membre des médias. Vingt-quatrième commentateur admis au Panthéon, il rejoint une quinzaine d'autres membres des médias montréalais déjà admis. L'ancien défenseur Rod Langway est aussi intronisé.
● Saku Koivu met sur pied une fondation qui porte son nom, afin d'acheter, pour l'hôpital général de Montréal, un appareil sophistiqué destiné à traiter le cancer.

● Jeff Hackett égale un record d'équipe appartenant à Ken Dryden, Rogatien Vachon et André Racicot, pour le plus grand nombre d'arrêts au cours d'une période (23) et le Tricolore évite d'égaler celui de cinq parties sans victoire à Montréal — datant de 1941 — en l'emportant 5-3 contre Ottawa le 26 octobre.
● Karl Dykhuis et Richard Zednik s'échangent quelques coups lors d'une séance d'entraînement à la fin novembre. L'incident, largement diffusé par les médias, demeure sans suite.

**2002-2003**

s'entendre sur un contrat de 16,5 millions US (25 millions CA), répartis sur trois ans, plus quelques primes de performance. Théodore touchera 5,5 millions dès la présente année, 5,5 millions en 2003-04 et 6 millions l'année suivante si une grève ou un lock-out ne vient pas perturber le déroulement de la saison.

Comme les deux fois précédentes, les négociations du premier gardien de l'équipe avec la direction ont été difficiles. L'obtention des trophées Hart et Vézina en 2001-02 ont sans doute haussé sa valeur et augmenté le degré de difficulté des pourparlers, même si l'agent a toujours nié avoir été influencé par cette nouvelle reconnaissance de son client. En réponse aux journalistes qui le questionnent sur son nouveau statut de riche, Théodore avoue candidement : « Je toucherai beaucoup d'argent, c'est vrai, mais ma passion pour le hockey reste la même. »

Cette moyenne de 5,5 millions fait de Théodore, selon les chiffres énoncés par *La Presse*, le plus haut salarié de l'histoire des Canadiens, devant Mark Recchi, à 4,5 millions en 1998-99, et Patrice Brisebois, présentement à 4 millions. Patrick Roy recevait aussi 4 millions CA annuellement au moment de son

| JOUEURS | |
| --- | --- |
| 5 | Stéphane Quintal |
| 8 | Mike Komisarek |
| 11 | Saku Koivu (C) |
| 14 | Oleg Petrov |
| 17 | Jason Ward |
| 20 | Richard Zednik |
| 21 | Randy Mckay |
| 22 | Bill Lindsay |
| 24 | Andreas Dackell |
| 25 | Chad Kilger |
| 26 | Sylvain Blouin |
| 27 | Mariusz Czerkawski |
| 28 | Karl Dykhuis |
| 30 | Mathieu Garon |
| 31 | Jeff Hackett |
| 32 | Gordie Dwyer |
| 36 | François Beauchemin |
| 37 | Niklas Sundstrom |
| 38 | Jan Bulis |
| 43 | Patrice Brisebois |
| 51 | Francis Bouillon |
| 52 | Craig Rivet |
| 54 | Patrick Traverse |
| 60 | José Théodore |
| 65 | Ron Hainsey |
| 71 | Mike Ribeiro |
| 79 | Andrei Markov |
| 81 | Marcel Hossa |

*Patrice Brisebois est maintenant l'un des vétérans du club, mais il est souvent la cible d'un groupe de partisans qui persistent à le huer à la moindre erreur. Également aux prises avec des problèmes de santé, il connaît une fin de saison difficile.*

● Le propriétaire George Gillett contracte une entente avec la banque américaine JP Morgan Chase pour récupérer la totalité de la commandite de 100 millions sur 20 ans de Bell pour les droits d'appellation du Centre Bell, ce qui lui permet de rembourser une partie du prêt consenti par la Caisse de dépôt et placement du Québec lors de l'achat de l'équipe.

● Le gardien Jeff Hackett part pour Boston en janvier, suite à un échange à trois clubs qui permet aux Canadiens d'obtenir l'ailier Niklas Sundstrom des Sharks de San Jose. Mathieu Garon est rappelé de Hamilton pour seconder Théodore.

● Mariusz Czerkawski et Donald Audette sont cédés à la Ligue américaine à tour de rôle. Tous deux connaissent un regain d'énergie à leur retour à Montréal puis, en fin de saison, le contrat du premier est racheté par l'équipe.

● Le remplacement à la mi-janvier de l'entraîneur Michel Therrien par Claude Julien – jusqu'alors mentor des Bulldogs de Hamilton – secoue les troupes un certain temps, mais les joueurs retombent vite dans leurs vieilles habitudes et le changement ne permet pas au club de se qualifier pour les séries. Julien est le troisième entraîneur issu des Olympiques de Hull, après Pat Burns et Alain Vigneault.

● Patrice Brisebois a souvent maille à partir avec le public du Centre Bell qui continue de le huer à la moindre erreur. En février, il est transporté à l'hôpital pour des douleurs à la poitrine. On parle successivement d'arythmie, de crise d'angoisse et encore d'hypertension. Son médecin lui conseille de prendre quelques jours de repos, qu'il passe en Europe, soulevant de nouveau les commentaires du public. À la fin de la saison, il demande à être échangé.

● Les fidèles de Guy Lafleur, à l'initiative de son ami Yves Tremblay, lui rendent un hommage grandiose, réunissant 2 000 personnes au Palais des congrès à la mi-octobre.

● Les Canadiens décident d'honorer les joueurs de

| JOUEURS | |
|---|---|
| 82 | Donald Audette |
| 90 | Joé Juneau |
| 93 | Doug Gilmour |
| 94 | Yanic Perreault |
| **ENTRAÎNEUR** | |
| | Michel Therrien |
| | Claude Julien |

départ pour le Colorado en 1995. Toujours selon le quotidien montréalais, Théodore se situe désormais parmi les six gardiens les mieux payés de la LNH, derrière Roy avec l'Avalanche (8,5 millions), Curtis Joseph à Detroit (8 millions), Martin Brodeur au New Jersey (7 millions), Ed Belfour à Toronto (6,5 millions) et Olaf Kolzig à Washington (6 millions).

Mais la saison du jeune cerbère est à l'image de celle de l'équipe, avec des hauts et surtout des bas. Il éprouve beaucoup de difficultés à justifier son énorme salaire, essuyant moult reproches de la part des amateurs qui le portaient aux nues quelques mois plus tôt. En bout de ligne, il ne signe que 20 triomphes en 57 parties. Sa moyenne peu impressionnante de 2,90 le situe dans le dernier quart des gardiens de la Ligue. Avec un pourcentage d'efficacité (,908), il dépasse à peine le seuil des bons gardiens.

Après la saison, Théodore révèle avoir disputé la plupart des parties de l'année avec un genou endolori et un malaise à la hanche. Sans y chercher prétexte à une saison ordinaire, il accepte plutôt sa part de responsabilités dans les déboires de l'équipe.

Quelques semaines après la fin de la saison, le nom de Théodore revient dans l'actualité lorsque son père et ses quatre demi-frères sont accusés d'avoir exploité un réseau de prêts usuraires. La machine à rumeurs aussitôt s'emballe, alimentée par quelques journalistes (soucieux de bien informer leur public !).

*Décès en avril de Camil DesRoches, lié à l'organisation des Canadiens (de 1938 à 1993) à plusieurs niveaux, notamment en qualité de directeur des relations publiques, secrétaire de route et directeur des événements spéciaux. Quelques mois plus tôt, Hartland de Montarville Molson, ancien propriétaire de l'équipe qui assistait encore assidûment aux parties, s'est éteint à 95 ans.*

## LA SOIRÉE DU HOCKEY SAUVÉE PAR LES AMATEURS

La rumeur lancée par le chroniqueur Mario Brisebois, du *Journal de Montréal*, est finalement confirmée à la fin de mai 2002 par le président des Canadiens, Pierre Boivin, et Gery Frappier, président du Réseau des sports : Les droits de transmission de tous les matchs du Tricolore ainsi que ceux des séries éliminatoires ont été accordés en exclusivité à RDS, mettant ainsi un terme à une tradition vieille de 51 ans qui liait la Société Radio-Canada et les Canadiens pour *La Soirée du hockey*. Tradition maintenue de génération en génération, alors que jeunes et moins jeunes s'agglutinaient devant le téléviseur le samedi soir, l'édition 1976-77 (celle qui n'avait perdu que huit rencontres en saison) en les présentant individuellement à la foule lors des matchs locaux.

● Selon le journaliste Mario Leclerc du *Journal de Montréal*, la masse salariale des Canadiens a fait un bond de 488 % en dix ans, passant de 12,725 millions CA en 1992-93 à 74,78 millions aujourd'hui. Selon l'analyse du journaliste parue à la fin de septembre, José Théodore a remplacé Patrick Roy au sommet de la

pyramide, avec 7,9 millions, comparativement à 1,6 million. Brisebois (6,32 millions), Hackett (5,69 millions), Koivu (5,21 millions) et Audette (4,74 millions) viennent ensuite. Le moins bien payé est Francis Bouillon, à 1,05 million. La moyenne s'établit à 2,99 millions, contre 509 000 $, dix ans plus tôt. Toujours selon cette échelle, Keith Tkachuk (Phoenix) et Peter Forsberg (Colorado) sont les mieux payés avec 11 millions. Plus tard, Jaromir Jagr (Washington) les devancera avec 11,5 millions.

● Pour sa part, *La Presse*, dans un texte paru en février, établit le salaire moyen dans la LNH à 1,75 million, une hausse de 29,7 % en 5 ans. Le baseball, en hausse de 38,9 %, possède une moyenne de 2,26 millions. C'est le basket-ball qui possède la plus haute moyenne avec 4,55 millions, en hausse de 34,1 %, alors que le football américain a la plus basse, avec 1,08 million, malgré une augmentation de 8,1 %.

● Mario Leclerc revient à la charge en mars, dressant le tableau des salaires des joueurs de l'édition 1976-77 selon le marché actuel. Il en arrive à une masse salariale frisant les 90 millions US. Selon lui, Lafleur mériterait un salaire de 11 millions, à l'instar des plus haut salariés d'aujourd'hui.

● Stéphane Robidas et Francis Bouillon sont réclamés par Atlanta et Nashville lors du repêchage intra-ligue. Bouillon revient avec l'équipe, un peu plus tard, à la faveur du ballottage.

**2002-2003**

pour écouter, au fil des ans, René Lecavalier, Richard Garneau, Gilles Tremblay, Claude Quenneville et plus d'une vingtaine d'analystes décrire ou commenter les exploits, qui d'un Maurice Richard, qui d'un Guy Lafleur et qui d'un Patrick Roy.

Le tollé des amateurs de hockey est aussi immédiat qu'intense. Certains politiciens s'en mêlent aussi. Si bien qu'après quelques semaines de nombreuses protestations, RDS et la télévision d'État conviennent d'une entente pour le match du samedi soir, lequel sera retransmis simultanément par les deux stations, en utilisant les mêmes animateurs et les mêmes analystes. Ainsi, les amateurs n'ayant pas accès au câble pourront continuer de suivre les prouesses et les insuccès de leur équipe préférée à l'antenne de Radio-Canada à chaque semaine. Les séries seront cependant présentées en exclusivité à RDS.

Pour une fois, la volonté des amateurs aura eu le dessus sur le pouvoir de l'argent.

Mais à la fin de la saison de hockey, Radio-Canada remet ça. Cette fois c'est le bulletin quotidien de nouvelles du sport qui disparaît.

### QUATRIÈME SAISON EN CINQ ANS HORS DES SÉRIES

« Une saison remplie d'histoires plates », disait Joé Juneau peu avant que le voile ne tombe sur une quatrième saison en cinq ans hors des éliminatoires pour les Canadiens, dont la dernière coupe Stanley remonte à dix ans. Puis le capitaine Saku Koivu d'enchaîner un peu plus tard : « Notre problème a été notre manque de constance... » Pourtant, on a entrepris l'année avec entrain au lendemain de la saison phénoménale de Théodore, de la guérison quasi miraculeuse de Koivu, de l'élimination des Bruins en première ronde, de quelques ajouts encourageants au cours de l'été et d'un début d'entraînement fort stimulant à Vail, au domicile du nouveau propriétaire, George Gillett.

548

| TROPHÉES |
|---|
| **COUPE STANLEY** |
| Devils du New Jersey |
| **TROPHÉE PRINCE-DE-GALLES** |
| Devils du New Jersey |
| **TROPHÉE CLARENCE-CAMPBELL** |
| Mighty Ducks d'Anaheim |
| **TROPHÉE DU PRÉSIDENT** |
| Sénateurs d'Ottawa |
| **TROPHÉE HART** |
| Peter Forsberg |
| Avalanche du Colorado |
| **TROPHÉE ART-ROSS** |
| Peter Forsberg |
| Avalanche du Colorado |
| **TROPHÉE LADY-BYNG** |
| Alexander Mogilny |
| Maple Leafs de Toronto |
| **TROPHÉE CALDER** |
| Barrett Jackman |
| Blues de St. Louis |

*Complètement rétabli, Saku Koivu dispute tous les matchs et connaît une bonne saison, terminant au premier rang des marqueurs de l'équipe avec 71 points.*

● Les Canadiens disposent de l'Avalanche 4 à 1, devant 15 000 personnes, dans un match présaison présenté au Colisée Pepsi de Québec. Trois anciens des Nordiques, Joe Sakic, Peter Forsberg et Adam Foote, revêtent l'uniforme fleurdelysé pour la présentation d'avant-match.

● Les Restaurants McDonald attirent 20 000 personnes pour la septième édition de leur Défi annuel, opposant les joueurs des Canadiens et ceux des Boys – du film bien connu – dans un match amical remporté 9 à 6 par les premiers. Trois fondations, les Manoirs Ronald McDonald, ainsi que celles du club Canadien et de Saku Koivu, se partagent des profits de 105 000 $.

● Marcel Hossa, comme Mike Ribeiro, l'année précédente, est sélectionné pour participer au match des étoiles des recrues.

● En février, André Savard ferme la porte du vestiaire à Gino Odjick, absent du jeu depuis qu'il a subi une commotion cérébrale lors d'un entraînement privé peu avant le début du camp. Une question d'assurances avant tout, mais aussi d'attitude, selon plusieurs médias.

● Doug Gilmour retourne aux Leafs en mars, en échange d'un choix de sixième ronde. En décembre, il a obtenu son 1 400e point dans la Ligue, ce qui le place au 14e rang des meilleurs de la Ligue.

● José Théodore remporte la coupe Molson pour une troisième saison de suite.

● Les anciens joueurs des Canadiens et des Nordiques s'échangent les honneurs de deux matchs hors-concours présentés à Montréal et à Québec pour remémorer la triste rencontre du Vendredi saint de 1984.

● Lors du dernier match de la saison, on rend hommage au juge de ligne Gérard Gauthier, qui se retire après 32 ans de service.

| TROPHÉES | |
|---|---|
| **TROPHÉE GEORGES-VÉZINA** | |
| Martin Brodeur | |
| Devils du New Jersey | |
| **TROPHÉE JAMES-NORRIS** | |
| Nicklas Lidstrom | |
| Red Wings de Detroit | |
| **TROPHÉE CONN-SMYTHE** | |
| Jean-Sébastien Giguère | |
| Mighty Ducks d'Anaheim | |
| **TROPHÉE BILL-MASTERTON** | |
| Steve Yzerman | |
| Red Wings de Detroit | |
| **TROPHÉE LESTER-B.-PEARSON** | |
| Markus Naslund | |
| Canucks de Vancouver | |
| **TROPHÉE JACK-ADAMS** | |
| Jacques Lemaire | |
| Wild du Minnesota | |
| **TROPHÉE FRANK-J.-SELKE** | |
| Jere Lehtinen | |
| Stars de Dallas | |
| **TROPHÉE WILLIAM-M.-JENNINGS** | |
| Martin Brodeur | |
| Devils du New Jersey | |
| Roman Cechmanek | |
| Robert Esche et | |
| Flyers de Philadelphie | |
| **TROPHÉE KING-CLANCY** | |
| Brendan Shanahan | |
| Red Wings de Detroit | |
| **TROPHÉE ROGER-CROZIER** | |
| Marty Turco | |
| Stars de Dallas | |
| **TROPHÉE MAURICE-RICHARD** | |
| Milan Hejduk | |
| Avalanche du Colorado | |

*Mike Ribeiro représente un des jeunes espoirs du Bleu-Blanc-Rouge pour les années à venir.*

2002-2003

Mais les quelques bons coups sont suivis de longues périodes creuses et une atmosphère de défaitisme, qui coûte son poste d'entraîneur à Michel Therrien à la mi-saison, s'est peu à peu incrustée dans le vestiaire. Les joueurs recrutés à coups de millions ne donnent pas les résultats escomptés et l'équipe flirte continuellement avec le dernier rang menant aux séries, avant de sombrer définitivement au cours des dernières semaines.

Pourtant le public demeure fidèle, malgré les grognements entendus à la radio et dans la rue. Pas moins de 25 des 41 parties locales sont présentées à

● Quelques équipes éprouvent de sérieuses difficultés financières. Les Sénateurs d'Ottawa, notamment, se placent sous la protection de la Loi sur les arrangements avec les créanciers, en janvier, en raison d'une dette de 370 millions, dont 210 millions pour le Centre Corel. Après avoir repoussé quelques tentatives de rachat par le propriétaire Rob Bryden, les créanciers acceptent la proposition du milliardaire torontois Eugene Melnyk en mai.

● Plusieurs joueurs des Sénateurs font leur part pour aider à relancer l'équipe et acceptent de différer une portion de leur salaire, à l'exemple de leur capitaine, Daniel Alfredsson.
● Les Sabres de Buffalo sont aussi en difficulté avec une dette de 206 millions. La Ligue reprend la direction des opérations quotidiennes du club en juin, suite aux accusations de fraude portées contre son propriétaire John Rigas. La LNH parvient finalement à trouver un

acheteur en la personne de Tom Golisano, homme d'affaires de Rochester.
● Les divers journaux rapportent qu'une dizaine d'équipes connaissent des problèmes financiers à un an de l'échéance de la convention collective avec l'Association des joueurs.
● Alexandre Daigle fait un retour au hockey, cette fois avec Pittsburgh, après avoir crié sur tous les toits qu'il n'avait jamais eu le feu sacré pour le hockey. Après un début moyen avec les

Penguins, il est cédé à leur filiale dans l'Américaine. Pittsburgh le libère en fin de saison.
● Pat Burns revient comme entraîneur dans la LNH, avec les Devils du New Jersey. Trois fois récipiendaire du trophée Jack-Adams, il en est à sa quatrième formation après Montréal, Toronto et Boston.
● L'ancienne vedette des Nordiques de Québec, Jacques Richard, meurt dans un accident d'auto, le lendemain de l'ouverture de la saison.

**2002-2003**

guichets fermés au Centre Bell et l'équipe reprend le premier rang de la Ligue pour la moyenne d'assistance, devant Detroit, Philadelphie et Toronto. De plus, les revenus des droits de télévision et les ventes corporatives sont à la hausse.

C'est le rendement des joueurs qui fait défaut et Claude Julien ne peut réussir là où Therrien a failli. L'équipe termine la 94e saison de son histoire au 4e rang de sa division, au 10e de l'Association de l'Est et au 21e des 30 formations du circuit.

On est loin de cette grande dynastie qui faisait trembler l'adversaire et courir les foules. Pourtant, comme on l'a tous constaté au printemps 2002, il suffit de quelques belles réalisations et d'un peu de passion des joueurs pour que les Québécois se remettent tous à croire en leurs Glorieux !

### ROY QUI PART GAINEY QUI REVIENT

Deux nouvelles d'importance touchent les Canadiens durant la période des séries éliminatoires, alors que les dépisteurs de l'équipe sont affairés à préparer le prochain repêchage. Au Colorado, Patrick Roy — le meilleur gardien des dernières décennies — annonce son retrait du jeu. Moins d'une semaine plus tard, à Montréal, le président Pierre Boivin fait part de l'embauche de Bob Gainey, un autre ancien joueur du club, à titre de directeur général.

Roy a donné deux fois la coupe Stanley en dix saisons et demie passées à Montréal, avant d'être échangé en décembre 1995 à l'Avalanche à qui il a aussi permis de remporter deux fois la coupe en sept ans et demi. Vainqueur de cinq trophées William-M.-Jennings (meilleure moyenne), trois Georges-Vézina (gardien de l'année), trois Conn-Smythe (meilleur joueur des séries) et six sélections dans les équipes d'étoiles, dont quatre dans la première, Roy a marqué son époque par ses performances et ses records. Encore plus pour avoir inspiré des centaines de jeunes cerbères québécois avec son style papillon qu'il a introduit et développé au point de faire école.

Sa décision, attendue de ceux qui le connaissent bien, est tombée au lendemain du tournoi de la coupe Memorial où il s'est amusé à prodiguer conseils et entraîne-

### LE SAVIEZ-VOUS...

Un record : 46 joueurs changent d'uniforme au dernier jour des transactions le 11 mars, soit 7 de plus que lors des 2 années précédentes. Au total, les 30 équipes procèdent à 24 nouvelles ententes.

| ASSOCIATION DE L'EST | | | | | | | | |
|---|---|---|---|---|---|---|---|---|
| DIVISION NORD-EST | PJ | G | P | N | DP | BP | BC | PTS |
| Ottawa (Sénateurs) | 82 | 52 | 21 | 8 | 1 | 263 | 182 | 113 |
| Toronto (Maple Leafs) | 82 | 44 | 28 | 7 | 3 | 236 | 208 | 98 |
| Boston (Bruins) | 82 | 36 | 31 | 11 | 4 | 245 | 237 | 87 |
| Montréal (Canadiens) | 82 | 30 | 35 | 8 | 9 | 206 | 234 | 77 |
| Buffalo (Sabres) | 82 | 27 | 37 | 10 | 8 | 190 | 219 | 72 |
| DIVISION ATLANTIQUE | PJ | G | P | N | DP | BP | BC | PTS |
| New Jersey (Devils) | 82 | 46 | 20 | 10 | 6 | 216 | 166 | 108 |
| Philadelphie (Flyers) | 82 | 45 | 20 | 13 | 4 | 211 | 166 | 107 |
| New York (Islanders) | 82 | 35 | 34 | 11 | 2 | 224 | 231 | 83 |
| New York (Rangers) | 82 | 32 | 36 | 10 | 4 | 210 | 231 | 78 |
| Pittsburgh (Penguins) | 82 | 27 | 44 | 6 | 5 | 189 | 255 | 65 |
| DIVISION SUD-EST | PJ | G | P | N | DP | BP | BC | PTS |
| Tampa Bay (Lightning) | 82 | 36 | 25 | 16 | 5 | 219 | 210 | 93 |
| Washington (Capitals) | 82 | 39 | 29 | 8 | 6 | 224 | 220 | 92 |
| Atlanta (Thrashers) | 82 | 31 | 39 | 7 | 5 | 226 | 284 | 74 |
| Floride (Panthers) | 82 | 24 | 36 | 13 | 9 | 176 | 237 | 70 |
| Caroline (Hurricanes) | 82 | 22 | 43 | 11 | 6 | 171 | 240 | 61 |
| ASSOCIATION DE L'OUEST | | | | | | | | |
| DIVISION CENTRALE | PJ | G | P | N | DP | BP | BC | PTS |
| Detroit (Red Wings) | 82 | 48 | 20 | 10 | 4 | 269 | 203 | 110 |
| St. Louis (Blues) | 82 | 41 | 24 | 11 | 6 | 253 | 222 | 99 |
| Chicago (Blackhawks) | 82 | 30 | 33 | 13 | 6 | 207 | 226 | 79 |
| Nashville (Predators) | 82 | 27 | 35 | 13 | 7 | 183 | 206 | 74 |
| Columbus (Blue Jackets) | 82 | 29 | 42 | 8 | 3 | 213 | 263 | 69 |
| DIVISION NORD-OUEST | PJ | G | P | N | DP | BP | BC | PTS |
| Colorado (Avalanche) | 82 | 42 | 19 | 13 | 8 | 251 | 194 | 105 |
| Vancouver (Canucks) | 82 | 45 | 23 | 13 | 1 | 264 | 208 | 104 |
| Minnesota (Wild) | 82 | 42 | 29 | 10 | 1 | 198 | 178 | 95 |
| Edmonton (Oilers) | 82 | 36 | 26 | 11 | 9 | 231 | 230 | 92 |
| Calgary (Flames) | 82 | 29 | 36 | 13 | 4 | 186 | 228 | 75 |
| DIVISION PACIFIQUE | PJ | G | P | N | DP | BP | BC | PTS |
| Dallas (Stars) | 82 | 46 | 17 | 15 | 4 | 245 | 169 | 111 |
| Anaheim (Mighty Ducks) | 82 | 40 | 27 | 9 | 6 | 203 | 193 | 95 |
| Los Angeles (Kings) | 82 | 33 | 37 | 6 | 6 | 203 | 221 | 78 |
| Phoenix (Coyotes) | 82 | 31 | 35 | 11 | 5 | 204 | 230 | 78 |
| San Jose (Sharks) | 82 | 28 | 37 | 9 | 8 | 214 | 239 | 73 |

| MEILLEURS MARQUEURS | | | | | | |
|---|---|---|---|---|---|---|
| | | PJ | B | A | PTS | PUN |
| Peter Forsberg | Colorado | 75 | 29 | 77 | 106 | 70 |
| Markus Näslund | Vancouver | 82 | 48 | 56 | 104 | 52 |
| Joe Thornton | Boston | 77 | 36 | 65 | 101 | 109 |
| Milan Hejduk | Colorado | 82 | 50 | 48 | 98 | 32 |
| Todd Bertuzzi | Vancouver | 82 | 46 | 51 | 97 | 144 |
| Pavol Demitra | St. Louis | 78 | 36 | 57 | 93 | 32 |
| Glen Murray | Boston | 82 | 44 | 48 | 92 | 64 |
| Mario Lemieux | Pittsburgh | 67 | 28 | 63 | 91 | 43 |
| Dany Heatley | Atlanta | 77 | 41 | 48 | 89 | 58 |
| Zigmund Palffy | Los Angeles | 76 | 37 | 48 | 85 | 47 |
| Mike Modano | Dallas | 79 | 28 | 57 | 85 | 30 |

● En janvier, Patrick Roy s'inscrit comme le premier gardien de l'histoire à avoir disputé 1 000 matchs dans la LNH en saisons régulières. Quelques semaines plus tard, il atteint un autre sommet, avec 60 000 minutes de jeu en carrière.

● Martin Brodeur est le premier gardien à totaliser quatre saisons de 40 victoires. Il partageait le record précédent avec deux cerbères illustres, Jacques Plante et Terry Sawchuk. Plus tôt

en saison, il a atteint les 30 gains pour une huitième saison consécutive.

● Quatre frères passent à l'histoire en évoluant pour la même équipe dans un match de la Ligue de l'Ouest: Doug, Jason, Scott et Jeff Lynch endossent l'uniforme des Chiefs de Spokane contre Kamloops en janvier. Avant eux, les frères Rich, Ron et Brent Sutter avaient joué ensemble avec Lethbridge en 1980, tout comme Bob, Brad et Ken Gassoff avec Medicine Hat en 1972-73.

● Finalistes pour la coupe Stanley lors de la saison précédente, les Hurricanes de la Caroline, terminent au dernier rang du classement général, un «exploit» réalisé par seulement trois autres clubs avant eux: les Arenas de Toronto (1918-19), les Canadiens de Montréal (1925-26) et Chicago (1938-39).

● La LNH rend hommage à Willie O'Ree, premier Noir à avoir joué dans le circuit, en lui attribuant le trophée Lester-Patrick pour services rendus au hockey.

● Joe Nieuwendyk est le sixième joueur de la LNH à remporter la coupe avec trois équipes différentes. Avant New Jersey, il a gagné à Calgary (1989) et à Dallas (1999). Les autres avant lui sont Mike Keane, Claude Lemieux, Larry Hillman, Al Arbour et Gordon Pettinger.

● Le Canada gagne la médaille d'or aux championnats du monde en Finlande, une première depuis 1997. Depuis cette date, l'équipe canadienne n'était plus grimpée sur le podium.

*Claude Julien prend la relève de Michel Therrien à la barre de l'équipe en janvier, après avoir connu du succès avec les Olympiques de Hull et les Bulldogs de Hamilton.*

**2002-2003**

ments aux joueurs des Remparts de Québec dont il est devenu le directeur des opérations de hockey, après avoir participé à l'achat du club il y a quelques années.

Près de dix ans après son départ de Montréal, Roy est resté le meilleur pour plusieurs partisans de l'équipe, comme le fut Plante à une autre époque.

En juin, les Canadiens annoncent le retour de Bob Gainey, membre de l'organisation de 1973 à 1989, après un séjour d'une dizaine d'années avec les North Stars du Minnesota — devenus les Stars de Dallas. Gainey, quatre fois récipiendaire du trophée de meilleur attaquant défensif, reprend le flambeau de directeur général des mains d'André Savard qui cède son poste pour devenir son adjoint.

Pour le Tricolore, c'est le retour d'un Glorieux qui a appris à suer sang et eau pour l'honneur du chandail bleu-blanc-rouge. C'est le début d'une nouvelle ère axée d'abord sur la fierté de l'équipe.

*Le président Boivin annonce au milieu de l'été qu'André Savard a accepté de céder son poste de directeur général à Bob Gainey, ancien capitaine de l'organisation.*

# LES DYNASTIES DU HOCKEY

Le hockey professionnel a connu plusieurs grandes équipes qui ont marqué l'histoire par leurs accomplissements, donnant à ce sport la renommée qu'on lui connaît en Amérique du Nord, particulièrement au Canada, ainsi que dans quelques pays d'Europe. Peu de ces équipes peuvent cependant prétendre avoir dominé le hockey à répétition au point d'être qualifiées de dynasties. Du nombre restreint des véritables dynasties, une seule, le Canadien de Montréal, peut réclamer ce titre à trois périodes distinctes de son histoire.

Un impressionnant total de 24 coupes Stanley — emblème par excellence de la réussite au hockey sur glace professionnel — accumulées en 32 participations à la finale. Mieux encore, le Canadien a gagné au moins une coupe Stanley par décennie du XXe siècle depuis sa fondation. À cinq reprises, le Bleu-Blanc-Rouge qui, au fil des ans, a fait

la fierté de milliers, voire de millions de Montréalais et de Québécois, parvient à conserver la coupe Stanley deux années de suite, dont cinq années consécutives de 1956 à 1960 et quatre années consécutives, de 1976 à 1979.

Aucune autre formation ne peut prétendre à une histoire aussi glorieuse.

Les experts du hockey s'entendent généralement sur les critères qui définissent les dynasties de ce sport : trois coupes Stanley de suite, ou quatre en cinq ou six participations consécutives aux séries, ou encore cinq coupes en sept ou huit participations. En toute logique, on peut ajouter plusieurs championnats regroupés en saisons régulières, afin d'établir un tableau plus complet.

Au niveau de la Ligue nationale, huit formations répondent à ces critères. Toutes ont établi leur domination depuis les deux guerres mondiales. Le Canadien revendique **553**

**COUPE 1973**
**GARDIENS DE BUT :** Ken Dryden, Michel Plasse, Wayne Thomas. **DÉFENSEURS :** Jacques Laperrière, Serge Savard, Guy Lapointe, Bob Murdoch, Pierre Bouchard, Larry Robinson, Dale Hoganson. **AVANTS :** Henri Richard, Frank Mahovlich, Jim Roberts, Réjean Houle, Marc Tardif, Guy Lafleur, Chuck Lefley, Murray Wilson, Claude Larose, Steve Shutt, Pete Mahovlich, Jacques Lemaire, Yvan Cournoyer. **ENTRAÎNEUR :** Scotty Bowman.

**COUPE 1976**
**GARDIENS DE BUT :** Ken Dryden, Michel Larocque. **DÉFENSEURS :** Bill Nyrop, John Van Boxmeer, Guy Lapointe, Serge Savard, Larry Robinson, Don Awrey, Pierre Bouchard, Rick Chartraw, Jim Roberts. **AVANTS :** Doug Risebrough, Guy Lafleur, Yvon Lambert, Yvan Cournoyer, Mario Tremblay, Murray Wilson, Pete Mahovlich, Doug Jarvis, Steve Shutt, Bob Gainey, Jacques Lemaire. **ENTRAÎNEUR :** Scotty Bowman.

**COUPE 1977**
**GARDIENS DE BUT :** Ken Dryden, Michel Larocque. **DÉFENSEURS :** Bill Nyrop, Guy Lapointe, Serge Savard, Larry Robinson, Pierre Bouchard, Rick Chartraw, Jim Roberts. **AVANTS :** Doug Risebrough, Guy Lafleur, Yvon Lambert, Yvan Cournoyer, Mario Tremblay, Réjean Houle, Murray Wilson, Pete Mahovlich, Pierre Mondou, Doug Jarvis, Steve Shutt, Bob Gainey, Jacques Lemaire, Mike Polich, Brian Engblom. **ENTRAÎNEUR :** Scotty Bowman.

à trois reprises le titre de dynastie pour les périodes allant de 1951 à 1960, de 1965 à 1971 et de 1973 à 1982. Les Maple Leafs de Toronto, à deux reprises, de 1947 à 1951 et de 1962 à 1964. Les Red Wings de Detroit (1949 à 1957), les Islanders de New York (1978 à 1984) et les Oilers d'Edmonton (1982 à 1990) complètent cette courte liste des dynasties de la LNH.

Une neuvième dynastie, celle des Senators d'Ottawa, pourrait s'ajouter à la liste en raison de ses trois coupes Stanley remportées en quatre ans (1920 à 1924), lors des débuts de la Ligue nationale.

## LA PLUS GRANDE DYNASTIE (1973-1982)

Un débat qui ne sera jamais terminé oppose depuis des années ceux qui prétendent, chiffres à l'appui, que la formation du Canadien de 1973 à 1982 représente la meilleure à avoir endossé la flanelle tricolore, avec ses cinq coupes, dont quatre consécutives, et ses neuf championnats en saisons régulières. D'autres, aussi convaincus que convaincants, placent la formation de 1951 à 1960 au sommet avec cinq coupes Stanley consécutives, un exploit sans précédent, plus dix participations à la finale en autant d'années.

La plus récente dynastie voit le jour au moment où Scotty Bowman prend les rênes de l'équipe pour bâtir une formation à son goût, après le départ d'Al MacNeil et le triomphe tourmenté de 1971. À cette époque, il fait la vie dure pendant trois ans à la grande vedette pressentie qu'est Guy Lafleur, puis il lui permet d'exploiter son immense talent. Ken Dryden, déjà héros des séries en 1971, représente une valeur sûre devant le filet avec, en plus, une brigade défensive — le fameux *Big Three* (Larry Robinson, Serge Savard, Guy Lapointe) — qui terrorise les plus

téméraires des attaquants adverses. Ajoutons à cela un autre élément défensif d'importance de l'équipe, Bob Gainey, quatre fois récipiendaire du trophée remis au meilleur attaquant défensif au cours de cette période.

Menée par Lafleur, l'attaque mise aussi sur deux autres joueurs de choix sur le premier trio. D'abord Steve Shutt et Peter Mahovlich, et ensuite, Jacques Lemaire à la place du grand Pete. Yvan Cournoyer donne également le ton à plusieurs victoires, tout comme Frank Mahovlich — pour une partie de la période visée — et Pierre Larouche. Mentionnons également les nombreux joueurs de deuxième et troisième trios, capables de tenir tête aux meilleurs joueurs des autres formations.

Bowman ramène le club au championnat de sa division dès sa deuxième année, avec une fiche de 52 victoires et seulement 10 revers en 78 rencontres. En séries, inspirés par un Cournoyer complètement déchaîné avec 15 buts et 25 points, les protégés de Bowman récupèrent la coupe Stanley, perdue l'année précédente.

L'équipe parvient à se maintenir parmi les meilleures au cours des deux années suivantes, mais ce sont les *Broad Street Bullies* qui boivent à la coupe chaque fois. Lentement, Bowman prépare un grand coup.

Grâce à l'expérience acquise par ses meilleurs éléments et à sa méthode de coaching, qui donne les résultats attendus, Bowman est maintenant prêt à offrir aux partisans la formation la plus productive de son histoire : 229 victoires en 320 parties, de 1975-76 à 1978-79, avec seulement 46 défaites, pour un pourcentage d'efficacité de ,786. La deuxième année de cette période de rêve (1976-77), l'équipe perd seulement 8 parties contre 60 victoires en 80 rencontres. Los Angeles, deuxième de la Division Norris, termine

**COUPE 1978**
**GARDIENS DE BUT :** Ken Dryden, Michel Larocque. **DÉFENSEURS :** Bill Nyrop, Brian Engblom, Guy Lapointe, Serge Savard, Larry Robinson, Gilles Lupien, Pierre Bouchard, Rick Chartraw. **AVANTS :** Pierre Mondou, Doug Risebrough, Guy Lafleur, Yvon Lambert, Yvan Cournoyer, Mario Tremblay, Réjean Houle, Murray Wilson, Doug Jarvis, Steve Shutt, Bob Gainey, Jacques Lemaire, Pierre Larouche. **ENTRAÎNEUR :** Scotty Bowman.

**COUPE 1979**
**GARDIENS DE BUT :** Ken Dryden, Michel Larocque. **DÉFENSEURS :** Brian Engblom, Guy Lapointe, Rod Langway, Serge Savard, Larry Robinson, Gilles Lupien, Rick Chartraw. **AVANTS :** Pierre Mondou, Doug Risebrough, Guy Lafleur, Yvon Lambert, Yvan Cournoyer, Mario Tremblay, Réjean Houle, Cam Connor, Doug Jarvis, Steve Shutt, Bob Gainey, Jacques Lemaire, Pierre Larouche, Mark Napier, Pat Hughes. **ENTRAÎNEUR :** Scotty Bowman.

la saison 49 points derrière le Tricolore, et Philadelphie, deuxième au classement général, 20 points derrière.

En séries, seuls les Islanders de New York offrent un peu de résistance aux Glorieux, remportant les matchs trois et cinq. L'année précédente, ils avaient aussi été les seuls à gagner un match contre le Canadien, également en demi-finale. Lors des deux années suivantes, en 1978 et en 1979, l'équipe ne perdra que 7 rencontres sur 24 en séries, 3 en 1978 et 4 en 1979. Cette année-là, le Tricolore est venu bien près de voir sa série victorieuse s'interrompre brusquement en demi-finale contre les Bruins. Prenant la relève de Gerry Cheevers, alors que Boston tire de l'arrière par 0-2 dans la série, le gardien Gilles Gilbert tient tête au Canadien. Il permet aux siens d'égaliser la série à 2-2 et ensuite à 3-3. Lors du dernier match, les Bruins mènent 3-1 avec moins de six minutes à jouer, lorsque Mark Napier et Guy Lapointe se

chargent de niveler le pointage. Boston reprend les devants à 16 min 1 s, puis ils se font prendre avec trop de joueurs sur la glace. Le Démon blond profite de l'occasion et provoque la supplémentaire avec un boulet à l'intérieur du poteau alors qu'il reste moins de deux minutes à jouer. Yvon Lambert, avec son premier but de la série, sème ensuite la frénésie chez les partisans, après 9 min 33 s de prolongation.

Bowman cède sa place au terme de cette quatrième conquête de suite. De leur côté, Lemaire, Cournoyer et Dryden accrochent leurs patins. Avec Bernard Geoffrion pour une courte période, et ensuite avec Claude Ruel et Bob Berry, le Canadien conserve le championnat de sa division pendant encore trois ans, portant à huit le nombre de titres consécutifs. Mais le départ de Ken Dryden se fait particulièrement sentir en séries et le Tricolore ne peut poursuivre sa domination, ni égaler la performance de 1956 à 1960. **555**

**COUPE 1953**
**GARDIENS DE BUT :** Gerry McNeil, Jacques Plante. **DÉFENSEURS :** Doug Harvey, Émile Bouchard, Tom Johnson, Dollard Saint-Laurent. **AVANTS :** Bud MacPherson, Maurice Richard, Elmer Lach, Bert Olmstead, Bernard Geoffrion, Floyd Curry, Paul Masnick, Billy Reay, Dickie Moore, Ken Mosdell, Dick Gamble, Johnny McCormack, Lorne Davis, Calum MacKay, Eddie Mazur, Paul Meger. **ENTRAÎNEUR :** Dick Irvin.

**COUPE 1956**
**GARDIENS DE BUT :** Jacques Plante. **DÉFENSEURS :** Doug Harvey, Émile Bouchard, Bob Turner, Tom Johnson, Jean-Guy Talbot, Dollard Saint-Laurent. **AVANTS :** Jean Béliveau, Bernard Geoffrion, Bert Olmstead, Floyd Curry, Jackie Leclair, Maurice Richard, Dickie Moore, Henri Richard, Ken Mosdell, Don Marshall, Claude Provost. **ENTRAÎNEUR :** Toe Blake.

**COUPE 1957**
**GARDIENS DE BUT :** Jacques Plante, Gerry McNeil. **DÉFENSEURS :** Doug Harvey, Tom Johnson, Bob Turner, Dollard Saint-Laurent, Jean-Guy Talbot. **AVANTS :** Jean Béliveau, Bernard Geoffrion, Floyd Curry, Dickie Moore, Maurice Richard, Claude Provost, Bert Olmstead, Henri Richard, Phil Goyette, Don Marshall, André Pronovost, Connie Broden. **ENTRAÎNEUR :** Toe Blake.

Indice irréfutable de la grande valeur de l'équipe durant cette période, 12 de ses membres, plus l'entraîneur Bowman, sont aujourd'hui inscrits au Temple de la renommée : Dryden, Laperrière, Lapointe, Savard, Robinson, Lafleur, Cournoyer, Richard (Henri), Mahovlich (Frank), Shutt, Gainey et Lemaire. Du groupe, seuls Jacques Laperrière, Henri Richard et Frank Mahovlich n'étaient plus de la formation au moment des conquêtes de 1976 à 1979.

---

**MEMBRES DES CINQ COUPES 1973 ET 1976 À 1979**
Yvan Cournoyer, Ken Dryden, Guy Lafleur, Guy Lapointe, Jacques Lemaire, Larry Robinson, Serge Savard, Steve Shutt, Scotty Bowman (entraîneur).

**MEMBRES DES QUATRE COUPES 1976 À 1979**
Rick Chartraw, Yvan Cournoyer, Ken Dryden, Bob Gainey, Doug Jarvis, Guy Lafleur, Yvon Lambert, Guy Lapointe, Michel Larocque, Jacques Lemaire, Larry Robinson, Doug Risebrough, Serge Savard, Steve Shutt, Mario Tremblay, Scotty Bowman (entraîneur).

---

## LES CINQ COUPES CONSÉCUTIVES (1951-1960)

La participation du Canadien à la finale de la coupe Stanley est devenue un classique du hockey de 1951 à 1960. Cette séquence de dix ans se divise pourtant en deux périodes. Une seule coupe de 1951 à 1955, avec Dick Irvin à la barre, puis l'explosion à l'arrivée de Toe Blake, à la saison 1955-56, avec cinq triomphes d'affilée. Cette marque est désormais inaccessible à jamais, à cause du grand nombre d'équipes et de la parité du hockey d'aujourd'hui.

Devant le filet, Blake compte sur le meilleur, Jacques Plante, le grand innovateur qui a introduit le port du masque ainsi que les sorties périlleuses du gardien à l'extérieur de son territoire et qui a décroché cinq trophées Vézina de suite. À la défensive, Doug Harvey, sans le moindre doute l'un des meilleurs de l'histoire, remporte cinq

COUPE 1958
GARDIENS DE BUT : Jacques Plante, Charlie Hodge. DÉFENSEURS : Doug Harvey, Tom Johnson, Bob Turner, Dollard Saint-Laurent, Jean-Guy Talbot, Albert Langlois. AVANTS : Jean Béliveau, Bernard Geoffrion, Maurice Richard, Dickie Moore, Claude Provost, Floyd Curry, Bert Olmstead, Henri Richard, Marcel Bonin, Phil Goyette, Don Marshall, André Pronovost, Connie Broden. ENTRAÎNEUR : Toe Blake.

COUPE 1959
GARDIENS DE BUT : Jacques Plante, Charlie Hodge. DÉFENSEURS : Doug Harvey, Tom Johnson, Bob Turner, Jean-Guy Talbot, Albert Langlois. AVANTS : Bernard Geoffrion, Ralph Backstrom, Bill Hicke, Maurice Richard, Dickie Moore, Claude Provost, Ab McDonald, Henri Richard, Marcel Bonin, Phil Goyette, Don Marshall, André Pronovost, Jean Béliveau. ENTRAÎNEUR : Toe Blake.

COUPE 1960
GARDIENS DE BUT : Jacques Plante, Charlie Hodge. DÉFENSEURS : Doug Harvey, Tom Johnson, Bob Turner, Jean-Guy Talbot, Albert Langlois. AVANTS : Ralph Backstrom, Jean Béliveau, Marcel Bonin, Bernard Geoffrion, Phil Goyette, Bill Hicke, Don Marshall, Ab McDonald, Dickie Moore, André Pronovost, Claude Provost, Henri Richard, Maurice Richard. ENTRAÎNEUR : Toe Blake.

trophées Norris entre 1955 et 1960. Le seul à lui échapper au cours de cette période va à un autre du Canadien, Tom Johnson. Et pour anéantir l'adversaire, une force de frappe terrible est à l'œuvre : Maurice Richard, son frère Henri, Jean Béliveau (meilleur marqueur et le plus utile en 1955-56), Bernard Geoffrion (champion marqueur en 1954-55), Dickie Moore (deux fois premier marqueur) et le « p'tit » nouveau, Ralph Backstrom (recrue de l'année en 1958-59). En fait, le Tricolore est tellement puissant à l'offensive qu'on modifie le règlement des pénalités pour l'empêcher de compter trop de buts, comme on le verra ailleurs dans ce livre.

Pour contrer l'adversaire, Claude Provost est le plus efficace, ce qui fit dire un jour à un membre des Rangers, Aldo Guidolin, que « le troisième trio du Canadien était supérieur à la majorité des premiers trios des autres équipes ».

Durant cette période (1951 à 1960), les Canadiens gagnent six coupes, mais ils auraient pu aussi bien en totaliser huit, puisqu'en 1954 et en 1955, il s'incline de justesse en finale en sept parties, et les deux fois contre Detroit. Les séries de 1955 sont particulièrement mémorables, puisqu'elles suivent de peu la suspension du Rocket et l'émeute du Forum.

Les séries de 1960 confirment la parfaite domination du Tricolore qui ne perd aucun match après avoir devancé Toronto par 13 points en saison. Plante ne concède aucun but en deux parties à Chicago et fait de même lors du dernier match de la finale à Toronto. Et le Canadien de gagner les deux éliminatoires par quatre parties à zéro. Cette année-là, Henri Richard et Bernard Geoffrion sont les meilleurs marqueurs des séries. Lors des années précédentes, Jean Béliveau, Bernard Geoffrion, Maurice Richard et Dickie Moore ont dominé à tour de rôle chez les marqueurs du Tricolore.

Après la cinquième coupe en 1960, le Canadien conserve son titre en saison pendant deux ans mais, à chaque fois, les Black Hawks se dressent devant lui en demi-finale, l'emportant à chaque reprise par quatre parties à deux.

Onze joueurs qui ont évolué durant cette période (Plante, Harvey, Bouchard, Johnson, Béliveau, Geoffrion, Olmstead, Lach, Moore et les deux Richard) ont aujourd'hui leur nom inscrit au Temple de la renommée, en compagnie de l'entraîneur Toe Blake. Du groupe, Lach est le seul à ne pas avoir participé aux cinq conquêtes de 1956 à 1960.

Difficile de départager le mérite des deux périodes en raison des époques et des méthodes de jeu fort différentes. Mais s'il faut absolument trancher, la **557** domination outrancière de la dynastie de 1973 à 1982 devrait obtenir un léger avantage dans l'esprit de la majorité des partisans.

**MEMBRES DES SIX COUPES 1953 ET 1956 À 1960**
Bernard Geoffrion, Doug Harvey, Tom Johnson, Dickie Moore, Jacques Plante, Maurice Richard.

**MEMBRES DES CINQ COUPES 1956 À 1960**
Jean Béliveau, Bernard Geoffrion, Doug Harvey, Tom Johnson, Don Marshall, Dickie Moore, Jacques Plante, Claude Provost, Henri Richard, Maurice Richard, Jean-Guy Talbot, Bob Turner, Toe Blake (entraîneur).

## LA BELLE ÉPOQUE DES RED WINGS (1949-1957)

Les Red Wings de Detroit ont remporté sept championnats consécutifs en saisons régulières et huit sur neuf de 1949 à 1957. Plus quatre coupes Stanley en six saisons, entre 1950 et 1955.

Les grandes dynasties reposent d'abord sur un gardien de talent. Terry Sawchuk fut celui de Detroit. Recrue de l'année en 1950-51, il s'approprie par la suite trois trophées Vézina. Mais il peut aussi compter sur Marcel Pronovost et Red Kelly, des défenseurs d'expérience. Les Wings ont aussi la *Production Line* formée de Gordie Howe (quatre fois champion marqueur au cours de cette période), Ted Lindsay et Sid Abel.

La domination des Wings n'allait pas tenir le coup encore bien longtemps face à la montée du Canadien qui se préparait, les joueurs étant sans doute galvanisés par le mauvais sort que l'on avait réservé au plus grand des leurs. D'ailleurs, à cette époque, les comparaisons entre Maurice Richard et Gordie Howe étaient aussi fréquentes dans les médias et chez les partisans que le seront celles

entre Wayne Gretzky et Mario Lemieux quelques décennies plus tard.

**MEMBRES DES QUATRE COUPES 1950, 1952, 1954 ET 1955**
Gordie Howe, Red Kelly, Ted Lindsay, Marty Pavelich, Marcel Pronovost, Johnny Wilson.

## LES ISLANDERS À L'ASSAUT DES CANADIENS (1978-1984)

Pas très loin derrière les Red Wings, la période faste des Islanders de New York figure en bonne position. Et, n'eût été de la bande à Gretzky, l'entraîneur Al Arbour aurait pu rejoindre le maître Toe Blake avec cinq conquêtes de la coupe. Mais épuisés et privés de plusieurs éléments tombés au combat lors des séries précédentes, les Islanders doivent plier les genoux en finale contre Edmonton après 19 séries victorieuses, dont la première remonte à 1980. Les Islanders ont tout de même suspendu quatre bannières de champions au Nassau Coliseum, en 1980, 1981, 1982 et 1983.

Juste avant les coupes, les Islanders sont sortis de leur purgatoire, à la faveur de l'arrivée de deux nouvelles équipes, Washington et Kansas City, pour entreprendre leur remontée au classement, laquelle devait les conduire au championnat de la Division Patrick deux ans de suite.

Denis Potvin, Bryan Trottier et Mike Bossy, ainsi que Butch Goring et le cerbère Billy Smith portent cette équipe sur leurs épaules pendant cette période. À tour de rôle, Trottier, Goring, Bossy et Smith reçoivent le trophée Conn-Smythe à titre de meilleur joueur des séries.

Le triomphe de l'équipe new-yorkaise, c'est avant tout celui de leur maître à penser, Al Albour, un défenseur de qualité des années 1950 et 1960 avec Detroit, Chicago, Toronto et St. Louis, mais surtout un stratège habile qui a fait passer les Islanders de la médiocrité au statut de dynastie de la Ligue.

**MEMBRE DES QUATRE COUPES 1980 À 1983**
Mike Bossy, Bob Bourne, Clark Gillies, Butch Goring, Anders Kallur, Gord Lane, Dave Langevin, Wayne Merrick, Ken Morrow, Bob Nystrom, Stefan Persson, Denis Potvin, Billy Smith, Duane Sutter, John Tonelli, Bryan Trottier, Al Arbour (entraîneur).

## LES OILERS D'EDMONTON, AVEC ET SANS GRETZKY (1982-1990)

Les Oilers d'Edmonton mettent fin à la domination des Islanders de New York lors de la finale de 1984, pour établir à leur tour une solide emprise sur les autres équipes de la LNH. Rescapés de l'Association mondiale en 1979-80, en même temps que Québec, Winnipeg et Hartford, les Oilers profitent d'une nouvelle répartition des équipes des deux associations de la LNH en 1981-82 pour grimper au sommet de la Division Smythe. Wayne Gretzky est évidemment au cœur de cette puissante machine. Champion marqueur de la Ligue à sept reprises de 1980-81 à 1986-87, il cumule aussi huit trophées Hart de suite.

Gretzky atteint un nouveau sommet de 92 buts en 1981-82 et, à partir de ce moment, Edmonton occupera le haut de sa division six ans de suite, en plus d'inscrire son nom sur la coupe à cinq reprises entre 1984 et 1990. Outre Gretzky, la force de frappe des Oilers repose sur le talent de Mark Messier, Jari Kurri, Glenn Anderson et Paul Coffey, un défenseur beaucoup plus remarqué par ses talents de fabricant de jeu que par son rôle défensif. Souvent laissé à lui-même, Grant Fuhr — parfois remplacé par Andy Moog

— n'avait d'autre choix que de multiplier les arrêts spectaculaires.

Les Flames de Calgary empêchent Edmonton de réussir le triplé en 1986 en les éliminant dès la deuxième ronde. Puis, l'équipe de Glen Sather revient à la charge pour deux autres coupes, en 1987 et 1988, la seconde sans les services de Coffey, qui ne voulait plus porter les couleurs de l'équipe et qu'on avait finalement cédé aux Penguins de Pittsburgh en novembre.

L'échange de Gretzky bouleverse profondément l'organisation des Oilers l'année suivante, et ceux-ci ne peuvent conserver la coupe. Mais le club de Sather trouve moyen de rebondir de belle façon l'année d'ensuite, avec Bill Ranford, récipiendaire du trophée Conn-Smythe, devant le filet. Pour la deuxième fois en trois ans, les Bruins sont victimes, en finale, de la puissante machine d'Edmonton.

**MEMBRES DES CINQ COUPES**
**1984, 1985, 1987, 1988 ET 1990**
Glenn Anderson, Grant Fuhr, Randy Gregg, Charlie Huddy, Jari Kurri, Kevin Lowe, Mark Messier.

## PREMIÈRE DYNASTIE DES MAPLE LEAFS (1947-1951)

Première dynastie de la Ligue nationale avec trois coupes Stanley consécutives en 1947, 1948 et 1949, plus une quatrième deux ans plus tard, les Maple Leafs de Toronto peuvent compter sur Ted Kennedy, un joueur imaginatif avec la rondelle, et sur Turk Broda, un gardien exceptionnel, qui a laissé sa marque en 1942, en permettant aux Leafs de surmonter un déficit de trois parties pour ensuite disposer de Detroit en quatre matchs consécutifs.

**559**

**COUPE 1965**
**GARDIENS DE BUT :** Lorne Worsley, Charlie Hodge. **DÉFENSEURS :** Jean-Claude Tremblay, Ted Harris, Jean-Guy Talbot, Terry Harper, Jacques Laperrière, Jean Gauthier, Noël Picard. **AVANTS :** Jean Béliveau, Ralph Backstrom, Dick Duff, Claude Larose, Yvan Cournoyer, Claude Provost, Robert Rousseau, Henri Richard, Dave Balon, John Ferguson, Red Berenson, Jim Roberts. **ENTRAÎNEUR :** Toe Blake.

**COUPE 1966**
**GARDIENS DE BUt :** Lorne Worsley, Charlie Hodge. **DÉFENSEURS :** Jean-Claude Tremblay, Ted Harris, Jean-Guy Talbot, Terry Harper, Jacques Laperrière, Noel Price. **AVANTS :** Jean Béliveau, Ralph Backstrom, Dick Duff, Gilles Tremblay, Claude Larose, Yvan Cournoyer, Claude Provost, Robert Rousseau, Henri Richard, Dave Balon, John Ferguson, Léon Rochefort, Jim Roberts. **ENTRAÎNEUR :** Toe Blake.

**COUPE 1968**
**GARDIENS DE BUT :** Lorne Worsley, Rogatien Vachon. **DÉFENSEURS :** Jacques Laperrière, Jean-Claude Tremblay, Ted Harris, Serge Savard, Terry Harper, Carol Vadnais. **AVANTS :** Jean Béliveau, Gilles Tremblay, Ralph Backstrom, Dick Duff, Claude Larose, Yvan Cournoyer, Claude Provost, Robert Rousseau, Henri Richard, John Ferguson, Danny Grant, Jacques Lemaire, Mickey Redmond. **ENTRAÎNEUR :** Toe Blake.

Exclus des séries de 1946, les Leafs se retrouvent au camp à l'automne 1947 avec une bande de joueurs inexpérimentés et quelques vétérans revenus de la guerre. L'entraîneur Clarence Hap Day en fait un groupe homogène. Puis, l'arrivée de Max Bentley la saison suivante permet à l'entraîneur Day de former un jeu de puissance dévastateur qui rapporte une deuxième coupe.

Triomphe plus expéditif en 1949, les Leafs deviennent la première équipe de la LNH à s'inscrire trois fois de suite dans le livre des champions, en dépit d'une fiche déficitaire (22-25) et d'une quatrième place en saison régulière. Detroit se charge d'écarter Toronto de la finale de 1950 dans une curieuse série demi-finale. Trois fois, le gardien Broda prive les Wings de buts au cours des cinq premières parties, mais ces derniers remettent la politesse à leurs adversaires en les blanchissant aux deux dernières rencontres de la série pour passer en finale.

Retour en force des Maple Leafs en 1951, avec une quatrième coupe en cinq ans. Cette fois, Al Rollins est devant le filet des «bleus» pour les trois derniers matchs de la finale contre le Canadien. L'issue des cinq parties de la série (remportée 4 à 1 par Toronto) est déterminée en temps supplémentaire.

---

**MEMBRES DES QUATRE COUPES 1947 À 1949 ET 1951**
Bill Barilko, Turk Broda, Ted Kennedy, Joe Klukay, Howie Meeker, Gus Mortson, Jim Thomson, Harry Watson.

---

## UNE DYNASTIE ENTRE-DEUX POUR LES CANADIENS (1965-1971)

Maurice Richard, Bernard Geoffrion, Dickie Moore, Doug Harvey, Jacques Plante et quelques autres ne sont plus là, mais il y a toujours Jean Béliveau, Henri Richard, Ralph Backstrom et Claude Provost. Et quelques nouveaux qui s'affirment graduellement, comme Robert Rousseau et Yvan Cournoyer. Dans les buts, Charlie Hodge, Lorne Worsley et Rogatien Vachon ont pris la relève. La brigade défensive est solide avec Jean-Claude Tremblay, Terry Harper et Jacques Laperrière, à laquelle s'ajouteront Serge Savard et Ted Harris. De plus, Toe Blake est fidèle au poste.

Par deux fois, le Canadien «colle» deux coupes Stanley, en 1965 et 1966, puis en 1968 et 1969. Le revers en six parties contre Toronto, l'année de l'Expo 67 prive les Montréalais d'une seconde séquence de cinq ans.

La série finale contre Chicago en 1965, dont tous les matchs sont gagnés par l'équipe locale, permet à Béliveau de devenir le récipiendaire du nouveau trophée Conn-Smythe attribué pour la première fois au meilleur joueur des séries. En 1966, Detroit enlève les honneurs des deux premiers matchs de la finale sous le nez des partisans montréalais, puis le Canadien reprend les choses en mains à Detroit et au match suivant à Montréal. À la sixième partie, Henri Richard complète le travail en supplémentaire. Ainsi, Detroit ne peut décrocher une seule victoire devant ses partisans dans cette série.

Pour bien faire le lien avec une Ligue nationale en expansion, Montréal signe deux victoires contre St. Louis et son entraîneur Scotty Bowman — que l'on verra derrière le banc du Tricolore un peu plus tard — lors des finales de 1968 et 1969.

Blake quitte après la victoire de 1968 et c'est Claude Ruel qui le remplace derrière le banc afin d'assurer le second doublé.

En 1970, quelques équipes adverses «planifient» en fin de saison le retrait du Canadien des séries, mais celui-ci

**COUPE 1969**

**GARDIENS DE BUT :** Lorne Worsley, Rogatien Vachon. **DÉFENSEURS :** Jacques Laperrière, Jean-Claude Tremblay, Ted Harris, Serge Savard, Terry Harper, Larry Hillman. **AVANTS :** Jean Béliveau, Ralph Backstrom, Dick Duff, Yvan Cournoyer, Claude Provost, Robert Rousseau, Henri Richard, John Ferguson, Christian Bordeleau, Mickey Redmond, Jacques Lemaire, Lucien Grenier, Tony Esposito. **ENTRAÎNEUR :** Claude Ruel.

**COUPE 1971**

**GARDIENS DE BUT :** Ken Dryden, Rogatien Vachon. **DÉFENSEURS :** Jacques Laperrière, Jean-Claude Tremblay, Guy Lapointe, Terry Harper, Pierre Bouchard. **AVANTS :** Jean Béliveau, Marc Tardif, Yvan Cournoyer, Réjean Houle, Claude Larose, Henri Richard, Phil Roberto, Pete Mahovlich, Léon Rochefort, John Ferguson, Bobby Sheehan, Jacques Lemaire, Frank Mahovlich, Bob Murdoch, Chuck Lefley. **ENTRAÎNEUR :** Al MacNeil.

rebondit dès 1971, stimulé par Henri Richard, pour offrir une dernière coupe à l'un des grands capitaines de son histoire, Jean Béliveau.

Cette période a fait élire moins de membres du Canadien au Temple de la renommée du hockey. Sur les six heureux élus, on retrouve cependant les cinq joueurs qui se sont illustrés au sein de deux dynasties du Tricolore : Béliveau, Cournoyer, Dryden, Laperrière et Henri Richard. Béliveau a assuré la continuité de la période glorieuse du Tricolore et les autres ont jeté les bases de la suivante. L'autre membre intronisé qui a marqué cette période est le gardien Worsley.

**MEMBRES DES CINQ COUPES**
**1965, 1966, 1968, 1969 ET 1971**

Jean Béliveau, Yvan Cournoyer, John Ferguson, Terry Harper, Jacques Laperrière, Henri Richard, Jean-Claude Tremblay.

## LA SECONDE DYNASTIE DES LEAFS (1962-1964)

Les Leafs de Toronto se faufilent entre deux périodes fastes du Canadien, de 1962 à 1964, avec une seconde période de trois coupes Stanley d'affilée, cette fois guidés par un entraîneur coloré et audacieux, Punch Imlach. Celui-ci redonne l'énergie du débutant à un gardien vieillissant, Johnny Bower. Puis, il fait l'acquisition de deux défenseurs d'expérience, Allan Stanley et Red Kelly. Il jumelle Stanley à Tim Horton, le meilleur défenseur de l'équipe, pour former un duo exceptionnel et transforme Kelly en joueur de centre électrisant, en lui adjoignant des joueurs de talent, Frank Mahovlich et Bob Nevin. Pourtant, Kelly s'était imposé à titre de défenseur durant la dynastie des Red Wings, au milieu des années 1950. Carl Brewer et Bobby Baun constituent une autre paire **561** solide à la défense. Un autre trio à succès des Leafs est composé de Dave Keon, l'homme des grandes occasions, ainsi que de Dick Duff et de George Armstrong.

Les Red Wings de Detroit sont les adversaires de Toronto lors de deux dernières finales de cette période, s'inclinant en cinq parties la première fois, puis en sept rencontres serrées (sauf l'ultime match) à la seconde.

**MEMBRES DES TROIS COUPES 1962 À 1964**
George Armstrong, Bob Baun, Johnny Bower, Carl Brewer, Billy Harris, Tim Horton, Red Kelly, Dave Keon, Frank Mahovlich, Bob Pulford, Eddie Shack, Don Simmons, Allan Stanley, Ron Stewart, Punch Imlach (entraîneur).

## LES SENATORS D'OTTAWA, PREMIÈRE PUISSANCE (1920-1924)

La formation des Senators d'Ottawa, championne de la coupe Stanley en 1920 et en 1921 à l'époque des calendriers répartis en deux demi-saisons, puis de nouveau en 1923, est rarement évoquée dans la liste des dynasties de la LNH. Pourtant l'exploit de l'équipe d'Ottawa n'est pas banal. En 1920, cette formation domine les deux segments du calendrier, se qualifiant d'office pour la finale contre les champions de la Ligue de la Côte pacifique (PCHA). La série atteint la limite de cinq parties et c'est Jack Darragh des Senators qui tranche le débat avec un tour du chapeau lors du match décisif, après avoir obtenu le but victorieux de la première rencontre.

Darragh est de nouveau le héros de la victoire de 1921 avec les deux buts du cinquième match, gagné 2-1 par les Senators, lesquels deviennent la première équipe de la LNH à réussir un doublé. Les rencontres de la finale attirent des foules de plus de 10 000 personnes à Vancouver, du jamais **562** vu au hockey.

Ottawa conserve le championnat de la saison l'année suivante, mais se voit privé d'une troisième participation à la finale de la coupe Stanley en perdant la série de la Ligue nationale contre les St. Pats de Toronto. L'équipe rebondira en 1923, conservant son titre en saison, avant de récupérer la coupe Stanley en deux séries successives contre Vancouver et Edmonton. Cy Denneny constitue la grande vedette de cette formation dirigée par Pete Green.

Troisième titre consécutif en saison et quatrième en cinq ans, en 1923-24, mais cette fois, ce sont les Canadiens qui mettent fin à la poussée des Senators avec deux victoires successives en finale de la coupe O'Brien.

**MEMBRES DES TROIS COUPES 1920, 1921 ET 1923**
Clint Benedict, George Boucher, Harry Broadbent, Jack Darragh, Cy Denneny, Eddie Gerard, Frank Nighbor, Pete Green (entraîneur).

## LES DYNASTIES D'AVANT LA LNH

Trois autres équipes de hockey ont obtenu un succès certain, avant la formation de la Ligue nationale actuelle, remportant la coupe Stanley: les Victorias de Montréal, le Silver Seven d'Ottawa et les Wanderers de Montréal. En raison du format de la compétition — défis lancés aux détenteurs de la coupe par les champions des diverses ligues — il est difficile de les définir comme une dynastie en utilisant les critères habituels. Mais leurs exploits méritent néanmoins d'être soulignés.

Les Victorias de Montréal évoluent d'abord dans la Amateur Hockey Association (AHA) au moment de leurs cinq conquêtes de la coupe Stanley de 1895 à 1899. En 1899, l'AHA disparaît pour laisser place à la CAHL (Canadian Amateur Hockey League) au sein de laquelle les Victorias pour-suivent leurs activités. Victoire pour l'équipe montréalaise en 1895, défaite en février 1896, puis autre victoire en mars, ainsi qu'en 1897, 1898 et février 1899. Puis, les Shamrocks de Montréal gagnent, devançant les Victorias au classe-ment, grâce à un gain de 1-0 devant 8 000 spectateurs à l'Arena Westmount en mars de la même année, mettant un terme à leur règne.

Le puissant Silver Seven d'Ottawa a évolué au sein de trois ligues différentes, la CAHL, la FAHL (Federal Amateur Hockey League) et la ECAHL (Eastern Canada Amateur Hockey League) entre 1903 et 1906. Au cours de cette période, il défend la coupe Stanley avec succès à neuf reprises, la plu-part du temps à la suite de défis de ligues rivales, et ce, jusqu'à quatre fois au cours de la même saison (en 1904). Plusieurs conquêtes sont concrétisées grâce aux exploits de Frank McGee, un joueur borgne qui constitue la grande vedette de l'équipe. McGee, l'un des grands noms de l'his-toire du hockey, est mort en France lors de la Première Guerre mondiale. Les frères Gilmour (Billy, Dave et Suddy) et Smith (Alf et Harry) laissent aussi leur marque au cours de cette période victorieuse.

Comme c'est souvent le cas, la domination d'une équipe prend fin avec la montée d'une autre. Les Wanderers de Montréal ravissent la coupe Stanley au Silver Seven en mars 1906, pour ensuite la défendre avec succès contre New Glasgow en décembre. Ils la perdront face à Kenora le mois suivant, avant de la conquérir de nouveau en mars. L'année 1908 sera bénéfique pour les Wanderers avec quatre défenses de leur titre. L'année 1909 et le début de 1910 pro-fiteront à leur tour aux Senators d'Ottawa, avant que les Wanderers récupèrent la coupe pour la huitième et

dernière fois de leur histoire en mars 1910, l'année de la formation d'une autre nouvelle organisation de hockey à Montréal, le Canadien. Un total de huit conquêtes de la coupe sur une période de cinq ans pour les Wanderers, qui ont d'abord joué dans la FAHL avant de passer à la ECAHL puis à la National Hockey Association (NHA).

## LES FABRICANTS DE DYNASTIES

Qui parle de dynasties parle aussi de ceux qui les ont fabriquées, recrutant les éléments pour leur donner l'élan indispensable et trouvant ensuite la façon d'amalgamer les joueurs de talent avec ceux au potentiel plus limité pour les diriger vers un objectif commun. Sans compter qu'il faut stimuler et même provoquer les troupes, régler les conflits internes, rassurer les mécontents et désamorcer à l'occasion quelques pièges des médias.

## LES GRANDES ÉQUIPES DU HOCKEY

*Un classement des plus grandes organisations doit d'abord tenir compte de celles qui ont brillé à plus d'une époque, comme le Canadien, les Maple Leafs, les Red Wings et les Bruins. Puis il y a celles qui ont goûté au champagne trois et même quatre ans de suite. Mais une telle liste ne doit pas non plus négliger les formations qui ont accompli un doublé, comme les Oilers, les Flyers et les Penguins, ainsi que quelques autres, toujours parmi les meilleures, mais qui n'ont pu concrétiser leurs succès à l'occasion (Dallas, Colorado).*

*Voici à quoi pourrait ressembler la liste des plus grandes organisations de hockey, selon notre vision d'aujourd'hui.*

**1  LES CANADIENS DE MONTRÉAL**
1951-1960 ... 5 coupes consécutives
10 fois en finale
1965-1971 ... 4 coupes en 5 ans, 5 en 7 ans
1973-1982 ... 5 coupes
9 championnats de division en 10 ans

**2  LES MAPLE LEAFS DE TORONTO**
1947-1951 ... 3 coupes consécutives, 4 en 5 ans
1962-1964 ... 3 coupes consécutives

**3  LES RED WINGS DE DETROIT**
1949-1957 ... 4 coupes en 6 ans
7 championnats consécutifs, 8 en 9 ans
1997-2002 ... 2 coupes consécutives, 3 en 6 ans
3 championnats de division

**4  LES ISLANDERS DE NEW YORK**
1978-1984 ... 4 coupes consécutives
5 championnats de division en 7 ans

**5  LES OILERS D'EDMONTON**
1982-1990 ... 4 coupes en 5 ans, 5 en 7 ans
6 championnats de division consécutifs

**6  LES BRUINS DE BOSTON**
1938-1941 ... 2 coupes en 3 ans
4 championnats consécutifs de saison
1970-1972 ... 2 coupes en 3 ans
2 championnats de division consécutifs

**7  LES SENATORS D'OTTAWA**
1920-1924 ... 2 coupes consécutives, 3 en 4 ans
3 championnats consécutifs, 4 en 5 ans

**8  LES FLYERS DE PHILADELPHIE** (EX AEQUO)
1974-1977 ... 2 coupes consécutives
4 championnats de division consécutifs

**LES PENGUINS DE PITTSBURGH** (EX AEQUO)
1991-1992 ... 2 coupes consécutives

**10  L'AVALANCHE DU COLORADO**
1994-2003 ... 2 coupes
9 championnats de division consécutifs

**11  LES STARS DE DALLAS**
1997-2001 ... 5 championnats de division consécutifs

**12  LES DEVILS DU NEW JERSEY** (EX AEQUO)
1995-2003 ... 3 coupes en 9 ans
3 championnats de division consécutifs,
5 en 9 ans

**LES VICTORIAS DE MONTRÉAL** (EX AEQUO)
1895-1899 ... 5 conquêtes de la coupe en 6 ans
4 championnats de saison

**LE SILVER SEVEN D'OTTAWA** (EX AEQUO)
1903-1906 ... 9 conquêtes de la coupe en 4 ans
4 championnats de saison

**LES WANDERERS DE MONTRÉAL** (EX AEQUO)
1906-1910 ... 8 conquêtes de la coupe en 5 ans
3 championnats de saison

L'un d'eux, Scotty Bowman, est devenu la référence par excellence parce qu'il a dû s'adapter à différentes organisations et à des méthodes qui ont beaucoup évolué durant la période où il a œuvré à titre d'entraîneur. Cinq coupes avec le Canadien (1973, 1976, 1977, 1978, 1979), une avec Pittsburgh (1992) et trois autres à Detroit (1997, 1998, 2002), soit un impressionnant total de neuf. Bowman a fait ses débuts à St. Louis avec un club d'expansion après avoir appris son métier dans l'organisation du Canadien. Il demeure quatre ans avec les Blues avant de revenir à Montréal pour bâtir la plus grande force de l'histoire du club. Bowman a dirigé le Tricolore pendant huit saisons et, à son départ, ses successeurs ont pu poursuivre dans la lignée de l'excellence pendant encore quelques années. Il s'en va ensuite à Buffalo où il connaît du succès pendant sept ans sans toutefois pouvoir toucher à la coupe Stanley. Après, ce sera Pittsburgh où il prend la relève d'un entraîneur respecté, Bob Johnson, décédé quelques mois après la première des deux coupes des Penguins. Bowman doit désormais apprendre à composer avec l'ego de joueurs dont la motivation est en fonction du chèque de paie. Nouvelle mentalité, nouvelle perception du jeu, mais mêmes succès à Detroit où il demeure neuf ans avant de se retirer, auréolé du titre de plus grand stratège de l'histoire du hockey.

Tout juste avant Bowman, son mentor et aussi l'un des plus grands de l'organisation : Toe Blake. D'abord joueur de grand talent, il est devenu entraîneur au départ de Dick Irvin en 1955. Blake a donné huit coupes aux Canadiens (1956 à 1960, 1965, 1966, 1968) en 13 saisons. Ses méthodes de hockey n'avaient pas le raffinement de celles d'aujourd'hui, mais il ne faut pas oublier qu'à cette époque l'entraîneur était seul pour diriger une vingtaine de jeunes et de vétérans. Il ne pouvait pas compter sur l'armada actuelle d'adjoints et de spécialistes, du préposé à la vidéo jusqu'au psychologue. À l'ère Blake, le psychologue, c'est lui, et les séances de motivation sont vite expédiées. Il n'a que les soigneurs, Hector Dubois et Gaston Bettez, pour lui donner un coup de main, préparer les bâtons et soigner les petits bobos. Pas de médecin permanent non plus.

Aucun entraîneur ne parviendra à rééditer sa performance de cinq coupes d'affilée. Un exploit qu'il est pourtant passé bien près d'accomplir lui-même une seconde fois avant son départ, avec l'aide du fidèle « Piton », Claude Ruel.

Derrière Bowman et Blake, la liste est courte et les titres, peu nombreux. Hap Day a gagné cinq coupes avec Toronto (1942, 1945 et 1947 à 1949) et quatre autres noms connus suivent avec quatre titres : Dick Irvin, une avec Toronto (1932) et trois avec le Canadien (1944, 1946, 1953) ; Punch Imlach, aussi chez les Maple Leafs (1962 à 1964 et 1967) ; Al Arbour avec les Islanders (1980 à 1983) ; et finalement Glen Sather à la tête des Oilers (1984, 1985, 1987, 1988).

## AUTRES GRANDES ÉQUIPES

Les 24 coupes Stanley du Canadien lui permettent de devancer facilement les Maple Leafs de Toronto quant au nombre de couronnements. En y ajoutant les triomphes des Blueshirts, des Arenas et des St. Pats, les équipes torontoises totalisent 13 coupes, et la dernière conquête des Leafs remonte à 1967. Troisièmes pour le nombre de victoires ultimes, les Red Wings présentent un total de 10. Par contre, leur dernier triomphe est plus récent, soit en 2002. Après ces trois formations, les coupes Stanley sont plutôt espacées, **565** avec les Bruins de Boston et les Oilers d'Edmonton en milieu de liste avec cinq coupes chacun.

Le Canadien dispute aux Yankees de New York — maîtres incontestés des Séries mondiales du baseball — le nombre de titres. Longtemps en avance sur les champions du baseball, le Tricolore a dû céder le pas récemment aux Yankees, quatre fois couronnés de 1996 à 2000. Aujourd'hui, New York devance Montréal par 26 championnats à 24.

Au basket-ball, les Celtics de Boston ont écrit plusieurs pages d'histoire avec 16 championnats, dont huit d'affilée de 1959 à 1966, soit plus que toute autre organisation sportive. À ce chapitre, ils devancent facilement le Canadien et les Yankees qui en ont cumulé cinq consécutivement, de 1956 à 1960 pour le Tricolore et de 1949 à 1953 pour les Yankees. Au football, la domination d'une équipe est moins évidente, puisque la victoire suprême se joue sur un seul match. Ce sont les Packers de Green Bay qui présentent la meilleure fiche avec 12 championnats, dont le dernier remonte à 1996. De plus, ils n'ont jamais pu établir une véritable lignée de victoires, la plus longue ayant été celle de 1929 à 1932, presque au début de la Ligue nationale de football.

Il n'y a pas eu de véritable hégémonie sportive dans aucun sport d'équipe professionnel depuis une quarantaine d'années et il n'y en aura probablement plus jamais, en raison des structures des ligues, de l'autonomie des joueurs, des plafonds salariaux de quelques circuits, mais surtout à cause d'une hausse vertigineuse des salaires, qui empêche les organisations de se constituer des équipes puissantes pour de longues périodes. Pourtant, l'équipe de basket-ball des Bulls de Chicago et leur grande vedette Michael Jordan sont passés près d'y parvenir dans les années 1990 avec six championnats en huit ans.

| LES GRANDES ÉQUIPES | | NOMBRE DE TITRES | DERNIER CHAMPIONNAT |
|---|---|---|---|
| 1 | Yankees de New York (baseball) | 26 | 2000 |
| 2 | Canadien de Montréal (hockey) | 24 | 1993 |
| 3 | Celtics de Boston (basket-ball) | 16 | 1986 |
| 4 | Maple Leafs de Toronto (hockey) | 13 | 1967 |
| 5 | Packers de Green Bay (football) | 12 | 1996 |
| 6 | Red Wings de Detroit (hockey) | 10 | 2002 |
| 7 | Cardinals de St. Louis (baseball) | 9 | 1982 |
| | Lakers de Los Angeles (basket-ball) | 9 | 2002 |
| 9 | Bears de Chicago (football) | 8 | 1985 |
| 10 | Bulls de Chicago (basket-ball) | 6 | 1998 |
| | Giants de New York (football) | 6 | 1990 |

J'avais un peu plus de vingt ans et beaucoup moins de certitudes qu'avant. Mais en ce soir du 10 mai 1979, j'étais sûr d'au moins une chose : ça ne pouvait pas finir bêtement comme ça.

Il restait moins de trois minutes de jeu dans la septième partie de la demi-finale Canadiens-Boston et on tirait de l'arrière 4 à 3. La pente était drôlement raide : les Bruins venaient de prendre l'avance, ils avaient le vent dans le dos et leur gardien Gilles Gilbert, au sommet de son art, multipliait les arrêts impossibles. Pour gagner, il fallait un miracle.

Les Canadiens m'avaient trop souvent habitué aux revirements de dernière minute pour que je me laisse aller au catastrophisme. Nous avions Lafleur, Lemaire, Shutt, Gainey, Savard, Lapointe, Dryden. Comment pouvait-il en être autrement ? Tout ce qu'il nous fallait maintenant,

c'était un déclencheur, une étincelle : une mise en échec, une passe interceptée... une punition à l'adversaire. Une punition ? Non, il ne fallait pas compter là-dessus. Dans la LNH, on ne joue pas avec la destinée, les infractions dans les dernières minutes d'un septième match, on ne croit pas à ça. Vivre et laisser mourir, dans la LNH comme dans la vie, comme pour le silence de Dieu. À moins que... À moins que se trouvent sur la patinoire, à la vue de tout un chacun, six joueurs de la même équipe, au même instant. Comptez avec moi : un, deux, trois, quatre, cinq, six. C'est un de trop ça, non ? L'instructeur des Bruins, l'ineffable Don Cherry, a beau faire carrière dans l'arbitraire et l'irrationnel, cette fois, il n'y peut rien. Les chiffres sont les chiffres.

Deux minutes et quatorze secondes à faire, avantage numérique pour les Canadiens.

Je ne connais personne qui est devenu partisan des Canadiens. On est bleu-blanc-rouge depuis toujours, ça vient des gènes, du grand frère, du père, d'un oncle, du grand-père. Ça remonte à Patrick Roy, à Guy Lafleur, à Jean Béliveau, à Maurice Richard ou, plus loin encore, à Howie Morenz ou à Georges Vézina.

Être du côté des Canadiens, c'est venir au monde un peu plus égal que les autres, c'est le sentiment de faire partie d'une grande lignée voisinant la noblesse, un peu comme doivent se sentir les enfants riches des grandes familles démocrates de la côte est américaine, nés avec l'assurance qu'ils n'auront jamais à s'inquiéter de leur situation.

Appuyer les Canadiens, c'est savoir qu'il n'y a pas que la fatalité dans la vie et que, en règle générale, les choses finissent par s'arranger. Depuis 1965, j'ai vu mon **568** équipe gagner la coupe Stanley 12 fois. Douze fois, ça fait

de vous un croyant ça, monsieur! Souvent, ces victoires sont survenues après un revirement spectaculaire, alors que tout semblait perdu.

J'ai déjà entendu un sociologue américain expliquer que le fait d'avoir grandi comme fan des Cubs de Chicago ou des Red Sox de Boston (deux clubs n'ayant pas remporté les grands honneurs depuis 1908 et 1918 respectivement) avait contribué à installer un certain fatalisme chez ces gens une fois adultes. En appliquant la même logique, peut-on alors avancer que les exploits des Canadiens des années 1950, 1960 et 1970 ont convaincu plein de petits Canadiens que les situations désespérées peuvent trouver une issue heureuse?

Bref, se ranger derrière les Canadiens m'a toujours semblé une très bonne affaire et, selon moi, il faut avoir un esprit de contradiction hors du commun pour jeter son dévolu sur une autre équipe, surtout quand on a celle-là, si près de nous.

Quand ils existaient encore, les partisans des Nordiques étaient pour la plupart teigneux, chicaniers, mauvais perdants et un tantinet complexés. Un peu comme ces petits bichons maltais qui jappent tout le temps, sachant trop bien qu'ils ne réussiront jamais à effrayer qui que ce soit. Les Nordicomanes étaient surtout paranoïaques, convaincus que l'*establishment* — c'est-à-dire la LNH, le club de hockey Canadien et tous les arbitres nés avant ou après Kerry Fraser — ne cherchait qu'à conduire leur équipe adorée à sa perte (la suite leur donna raison — car même les paranoïaques ont de vrais ennemis — mais bon, c'est une autre histoire).

Il était risqué de tenter une blague sur le Fleurdelysé devant ses partisans, ils avaient l'épiderme un peu trop

sensible. On leur concédera toutefois ceci : ils avaient le mérite de défendre leurs petits comme une louve protège les siens et la perte de leur équipe les a véritablement peinés, causant une blessure qui ne guérira probablement jamais tout à fait.

Les partisans des Bruins ou des Flyers étaient quant à eux des marginaux aux tendances délinquantes, pour qui la fin justifiait toujours les moyens, et qui voyaient en leurs *Big Bad* Bruins ou leurs *Broad Street Bullies* la réincarnation sur patins de Bonnie and Clyde. Le genre qui croit que les excès de vitesse sur les autoroutes sont des actes de bravoure romantique. Le genre qui souhaite que Darth Vader l'emporte à la fin du film. Non mais, pensons-y un peu : ces gens-là avaient Wayne Cashman et Bobby Clarke comme idoles... Aujourd'hui, ces partisans ont mal vieilli : on les voit parfois avec un vieux chandail délavé des Flyers (en nylon, avec des lacets au collet), le numéro 8 et le nom « Schultz » collés dans le dos. Bien fait pour eux.

Les partisans des Black Hawks et des Red Wings étaient des raretés, ma foi, plutôt sympathiques. Leur allégeance tenait de leur admiration pour Bobby Hull et Gordie Howe ou encore de leur fascination pour la tête d'Indien ou la roue ailée sur le chandail de leur club. Quelle étrangeté. On ne peut empêcher un cœur d'aimer, je suppose.

Je n'ai jamais rencontré de partisan des Maple Leafs de Toronto.

Cela dit, appuyer la Flanelle fait peut-être croire à la chance et aux largesses du destin, mais ça déteint un peu sur le caractère et cela affecte certaines facultés, il faut bien le reconnaître.

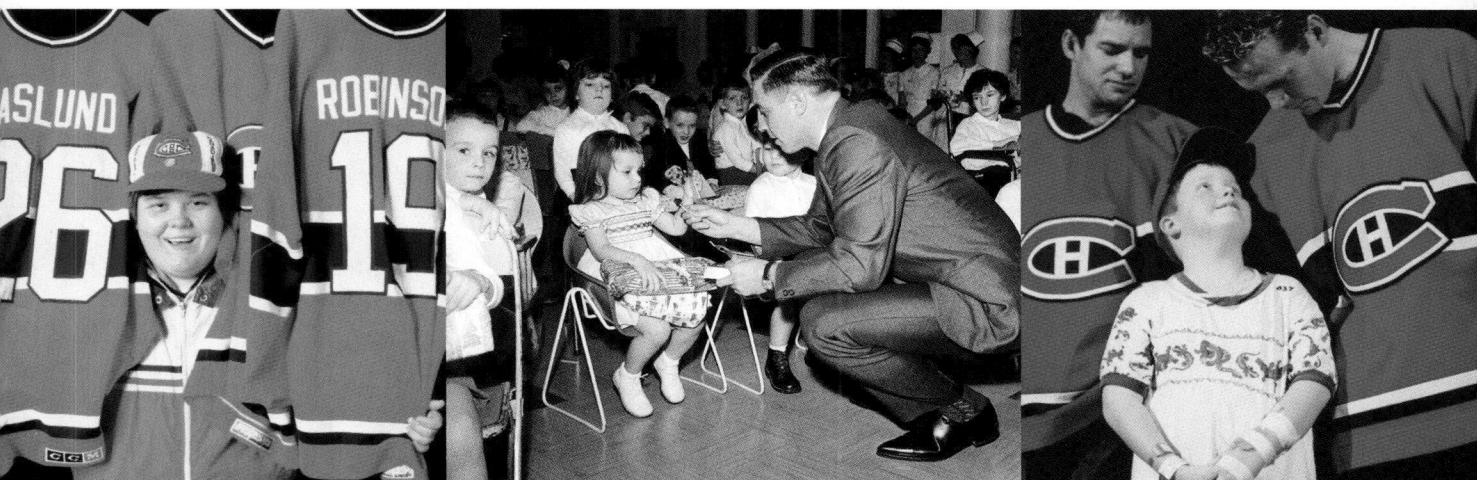

Le discernement, par exemple. Le *partisanus canadianus* ne pense jamais que l'autre équipe joue bien ; lorsque ses Canadiens perdent, c'est plutôt qu'ils jouent mal en maudit, qu'ils se traînent les pieds, ou alors que « la rondelle ne roule pas pour nous autres ». Lorsque le Canadien est exclu des séries, ses partisans ne sont plus à l'écoute, se désintéressant subitement du hockey.

Aux yeux du partisan du Canadien, les équipes adverses alignent des brutes (Shack, McSorley, Domi) alors que les Canadiens embauchent des policiers, des justiciers (Ferguson, Nilan, Kordic) qui ne sont là que pour permettre à nos vedettes de « s'exprimer ». Avec le chandail bleu-blanc-rouge sur le dos, Patrick Roy était un athlète déterminé, un fier compétiteur. Au Colorado, il était soudainement arrogant, il avait la grosse tête. Quand il jouait pour le Canadien, Claude Lemieux était combatif, tenace ; avec

les Devils il est devenu une peste, un *chialeux*, dépourvu du moindre sens de *fair-play*.

Notre partisanerie nous rend un peu durs d'oreille aussi. Pendant toutes les années où j'ai écouté les descriptions des matchs des Canadiens, j'avoue que je n'ai jamais entendu la moindre trace de partialité dans la voix de René Lecavalier. Pourtant, il paraît que lorsqu'on était de l'autre bord, ça s'entendait plutôt bien...

Un autre travers du partisan tricolore, c'est son manque d'humilité. Si les Montréalais sont sûrs d'une chose, c'est bien de connaître leur hockey. Ainsi, ils voient toujours les hors-jeux que les arbitres ne voient pas, ils savent qui devrait faire partie du premier trio et qui il faudrait échanger immédiatement aux Hurricanes de je ne sais trop où. Ils savent aussi qui mérite d'être hué copieusement, qu'importe si ça effrite sa **571** confiance et le mène à jouer nerveusement — ça leur permettra seulement de le huer encore davantage. La courtoisie n'est pas la caractéristique première du partisan du Canadien, parlez-en à Jean-Claude Tremblay ou à Patrice Brisebois.

Finalement, le partisan du Canadien a parfois, avouons-le, des réactions d'enfant gâté. Est-ce à cause de toutes ces coupes Stanley? Le Rocket, le grand Jean et Flower l'ont-ils trop comblé par le passé? Il reste que trois défaites d'affilée lui font broyer du noir et congédier l'entraîneur dans toutes les tribunes téléphoniques alors que trois victoires de suite lui font respirer dans l'air des odeurs de coupe et sortir son chandail bleu-blanc-rouge des boules à mites, au cas où un défilé passerait dans une rue près de chez lui.

L'ancien lanceur des Expos Mike Marshall, qui n'avait pas la langue dans sa poche, avait un jour exprimé l'opinion que l'amateur de sports montréalais était enclin aux enfantillages et semblait prendre la victoire de ses équipes professionnelles démesurément à cœur. « Ces gens-là n'ont-ils rien d'autre dans leur vie? » s'était-il demandé tout haut, ce qui, entre vous et moi, n'est pas une question sans intérêt. Les amateurs montréalais, pas vraiment tentés par l'introspection, avaient répondu en le huant sans merci à sa sortie suivante. Une semaine plus tard, après une brillante performance au monticule, Marshall recevait une longue ovation...

Mais bon, personne n'est parfait (à part l'édition 1976-1977 du Canadien, peut-être). Nous avons au moins le mérite de comprendre l'importance de cette équipe. Sans vouloir enlever quoi que ce soit à M. Gillett, le pro-
**572** priétaire actuel du club, je sais que, dans les faits, cette

équipe m'appartient, comme elle appartient à tous ceux qui s'investissent émotionnellement dans les fortunes de ce club depuis des années, comme ceux qui conservent précieusement le programme de la première partie qu'ils ont vue au Forum, qui font la queue durant de longues minutes pour obtenir l'autographe d'un Glorieux — n'importe lequel, qu'il joue dans le premier ou le quatrième trio — ou qui n'hésitent pas à sortir 100 $ de leur poche pour rapatrier à la maison un vieux calendrier mural Molson des années 1960.

C'est vrai, nous avons bien des défauts mais nous savons que notre équipe a une superbe histoire, nous sommes parfaitement conscients de sa valeur émotive, psychologique, sociale, des liens qu'elle tisse entre nous, des repères et des histoires communes qu'elle nous fournit, année après année, décennie après décennie.

« Les Canadiens sont là », disait le slogan. « Là », c'est la région du cœur, l'endroit où logent nos affections, intenses, incontrôlables. Cette équipe était là quand nous étions petits gars, elle y est toujours (bien qu'un peu moins ces dernières années, surtout au printemps).

Le 10 mai 1979, donc. Deux minutes et quatorze secondes à faire, avantage numérique : Canadien.

Je ne sais pas par qui viendra le but égalisateur mais il viendra, aucun doute là-dessus. Souvent, ces buts décisifs viennent d'où on s'y attend le moins. Murray Balfour en 1961, Bobby Baun en 1964, Bob Pulford en 1967. Plus tard, Claude Lemieux (1986) et Éric Desjardins (1993). Je me dis que ça pourrait être Risebrough, Napier ou Mario Tremblay. Houle, Chartraw ou Mondou. À moins que ça n'arrive d'un vrai *money player* comme Lemaire, Shutt ou Gainey ? Tiens, à moins que Lafleur...

D'abord Lemaire, qui transporte la rondelle. Une passe arrière, parfaite, pour Lafleur, qui déborde à l'aile droite, en zone neutre. On dira ce qu'on voudra, Lemaire a toujours de ces passes parfaites pour Lafleur. Qu'est-ce que le numéro 10 va faire maintenant ? Avec 74 secondes à faire dans le match, je me dis qu'il faut qu'il fasse pénétrer la rondelle en zone adverse, il faut qu'il trouve un joueur à qui passer. Certainement, il ne doit pas lancer. Lancer et risquer que la rondelle frappe un défenseur qui relancera l'attaque ? Pas question. Mais voilà : il lève le bâton. Je n'en crois pas mes yeux. Il va lancer ! Ces lancers de loin n'aboutissent jamais à rien, il devrait bien le savoir ! La plupart du temps, ils dévient sur le bâton d'un défenseur et se perdent dans la foule. Ou ils passent à 10 pieds du but. Pour que ça marche, il faut que le lancer soit lourd, précis, bas, du côté du bâton du gardien. Mais le lancer **573**

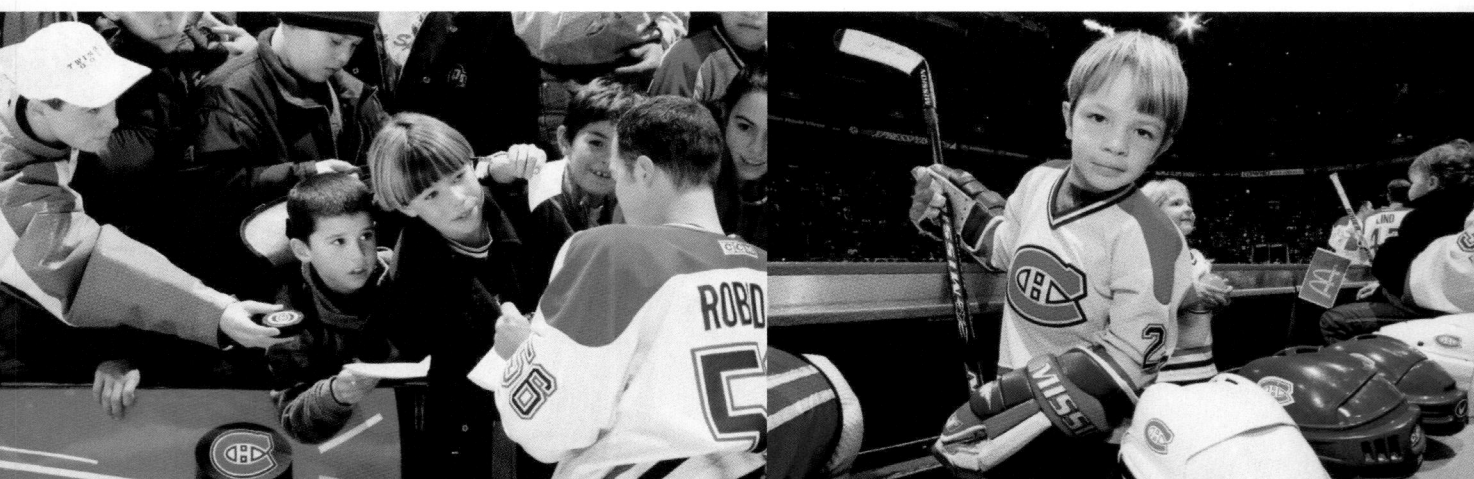

de Lafleur a beau être puissant, il est haut et du côté du gant de Gilbert. Il pense marquer avec ça? Le gardien se déplace à sa gauche. Manifestement, il va bloquer.

Arrêt sur image. Ici, la rondelle est encore visible, devant le gardien. Là, une image plus loin, elle n'y est plus. On ne la voit plus, le gardien Gilbert ne la voit plus. Le miracle, ce n'était donc pas la pénalité pour le joueur de trop. Le miracle, c'est ici, c'est l'instant entre les deux images. C'est une rondelle qui disparaît. Des moments comme ça, dans la vie, on les compte sur les doigts d'une main.

Des moments comme ça, il y en a assez dans l'histoire du Canadien pour en faire un gros livre — comme celui-ci. Je vous renvoie un instant aux pages où il est question des quarts de finales de 1971. Je vous renvoie à la

**574** majorité des pages de ce livre.

Deux ans après ce match historique, lors d'un voyage dans le vieux pays où Rimbaud est mort, je rencontre un Californien qui me demande d'où je viens. Je lui dis « Canada », pour simplifier. Comme ça ne semble pas lui simplifier grand-chose, je vais au cœur des choses et lui dis « Montréal ». Ses yeux s'allument. Montréal? Montréal comme dans les Canadiens de Montréal? Comme dans Guy Lafleur, Bob Gainey et Ken Dryden? Là, il avait tout compris.

Lui aussi avait vu le match du 10 mai 1979. Le lancer frappé de Guy Lafleur qui disparaît un fragment de seconde, puis qui réapparaît derrière le gardien abasourdi. Le but de Lambert en supplémentaire, qui met un terme à la série.

Il connaissait très bien les *Flying Frenchmen.* Pendant des années, il avait admiré à la télévision la vitesse d'Yvan Cournoyer, l'habileté d'Henri Richard, la grâce du grand Jean Béliveau. Pour lui aussi, même de sa lointaine Californie, les Canadiens étaient là.

Nous parlions de ces joueurs comme de connaissances communes, comme si nous venions de nous trouver un improbable lien de parenté. Il me regardait comme si les qualités de ces joueurs m'appartenaient un peu. Je me suis surpris à le remercier de tous ces compliments. Après, nous avons parlé de choses et d'autres, mais c'est quand nous parlions de mon club de hockey que ses yeux avaient le plus brillé.

Avant de partir, il n'a pu s'empêcher de revenir une dernière fois sur le sujet : « Vous avez de la chance d'avoir cette équipe. Un jour, ça vous fera de beaux souvenirs. »

**A** : Assistances ; **B** : Buts ; **BC** : Buts contre ; **BL** : Blanchissages ; **BP** : Buts pour ; **DP** : Défaites en prolongation ; **G** : Gagnées ;
**MIN** : Minutes jouées ; **N** : Nulles ; **P** : Perdues ; **PJ** : Parties jouées ; **PTS** : Points ; **PUN** : Punitions ; **\*** : Meilleur de la Ligue

### ABBOTT, REGINAL (REG)

Né à Winnipeg, Manitoba, le 4 février 1930
Centre, lance de la gauche, 5'11", 164 lb

| SAISON | CLUB | LIGUE | PJ | B | A | PTS | PUN | PJ | B | A | PTS | PUN |
|---|---|---|---|---|---|---|---|---|---|---|---|---|
| | | | SAISONS RÉGULIÈRES | | | | | SÉRIES ÉLIMINATOIRES | | | | |
| 1948-49 | Brandon (Wheat Kings) | MJHL | 39 | 16 | 16 | 32 | 6 | 7 | 5 | 1 | 6 | 4 |
| | Brandon (Wheat Kings) | Mem. | 16 | 7 | 6 | 13 | 9 | - | - | - | - | - |
| 1949-50 | Brandon (Wheat Kings) | MJHL | 36 | *27 | 27 | *54 | 24 | 6 | 6 | 7 | 13 | 4 |
| | Brandon (Wheat Kings) | Mem. | 6 | 6 | 1 | 7 | 2 | - | - | - | - | - |
| 1950-51 | Victoria (Cougars) | PCHL | 70 | 14 | 24 | 38 | 29 | 12 | 3 | *9 | 12 | 8 |
| 1951-52 | Victoria (Cougars) | PCHL | 57 | 16 | 27 | 43 | 30 | 13 | 3 | 6 | 9 | 7 |
| 1952-53 | Victoria (Cougars) | WHL | 65 | 22 | 22 | 44 | 18 | | | | | |
| | **Montréal (Canadiens)** | **LNH** | **3** | **0** | **0** | **0** | **0** | - | - | - | - | - |
| 1953-54 | Victoria (Cougars) | WHL | 69 | 7 | 17 | 24 | 24 | 3 | 0 | 2 | 2 | 2 |
| 1954-55 | Pittsburgh (Hornets) | AHL | 3 | 0 | 0 | 0 | 2 | | | | | |
| | Windsor (Bulldogs) | OHA Sr | 48 | 22 | 34 | 56 | 20 | 12 | 7 | 4 | 11 | 2 |
| 1955-56 | Windsor (Bulldogs) | OHA Sr | 48 | 20 | 24 | 44 | 25 | | | | | |
| 1956-57 | Windsor (Bulldogs) | OHA Sr | 52 | 21 | 26 | 47 | 18 | 8 | 3 | 1 | 4 | 2 |
| 1957-58 | Windsor (Bulldogs) | NOHA | 35 | 6 | 12 | 18 | 10 | 12 | 5 | 1 | 6 | 4 |
| 1958-59 | Windsor (Bulldogs) | NOHA | 8 | 1 | 1 | 2 | 4 | | | | | |
| 1959-60 | | | *N'a pas joué* | | | | | | | | | |
| 1960-61 | Winnipeg (Maroons) | Exh. | 20 | 14 | 9 | 23 | 5 | | | | | |
| 1961-62 | Winnipeg (Maroons) | Exh. | *Statistiques non disponibles* | | | | | | | | | |
| | Winnipeg (Maroons) | Allan | 11 | 7 | 10 | 17 | 0 | | | | | |
| 1962-63 | Winnipeg (Maroons) | Exh. | 11 | 5 | 21 | 26 | 4 | | | | | |
| | Winnipeg (Maroons) | Allan | 15 | 6 | 13 | 19 | 9 | | | | | |
| 1963-64 | Winnipeg (Maroons) | SSHL | 11 | 9 | 10 | 19 | 2 | | | | | |
| | Clinton (Comets) | EHL | 10 | 2 | 3 | 5 | 6 | | | | | |
| 1964-65 | Winnipeg (Maroons) | SSHL | 6 | 6 | 6 | 12 | 2 | | | | | |
| | Canada | CM | 7 | 2 | 2 | 4 | 0 | | | | | |
| | **LNH** | | **3** | **0** | **0** | **0** | **0** | - | - | - | - | - |
| | **Montréal** | | **3** | **0** | **0** | **0** | **0** | - | - | - | - | - |

• Première équipe d'étoiles (MJHL) en 1949-50
• Prêté à Montréal par Victoria (WHL) le 1er décembre 1952

### ACHTYMICHUK, EUGENE (GENE)

Né à Lamont, Alberta, le 7 septembre 1932. Centre, lance de la gauche, 5'11", 170 lb

| SAISON | CLUB | LIGUE | PJ | B | A | PTS | PUN | PJ | B | A | PTS | PUN |
|---|---|---|---|---|---|---|---|---|---|---|---|---|
| 1949-50 | Edmonton (Canadiens) | EJHL | 40 | *27 | 16 | *43 | 2 | | | | | |
| 1950-51 | Crowsnest Pass (Lions) | WCJHL | 40 | 37 | 27 | 64 | 22 | 14 | 10 | *17 | 27 | 4 |
| 1951-52 | Crowsnest Pass (Lions) | WCJHL | 44 | 53 | 33 | 86 | 63 | | | | | |
| | **Montréal (Canadiens)** | **LNH** | **1** | **0** | **0** | **0** | **0** | | | | | |
| 1952-53 | Buffalo (Bisons) | AHL | 50 | 7 | 4 | 11 | 18 | | | | | |
| 1953-54 | Victoria (Cougars) | WHL | 65 | 11 | 21 | 32 | 25 | 5 | 1 | 0 | 1 | 0 |
| 1954-55 | Victoria (Cougars) | WHL | 69 | 18 | 19 | 37 | 18 | 5 | 0 | 1 | 1 | 2 |
| 1955-56 | Québec (As) | LHQ | 64 | 22 | 28 | 50 | 34 | 7 | 0 | 5 | 5 | 2 |
| 1956-57 | Québec (As) | LHQ | 62 | 16 | 41 | 57 | 40 | 10 | 2 | 4 | 6 | 4 |
| | **Montréal (Canadiens)** | **LNH** | **3** | **0** | **0** | **0** | **0** | | | | | |
| | Québec (As) | Édin. | 6 | 0 | 3 | 3 | *12 | - | - | - | - | - |
| 1957-58 | Montréal (Royals) | LHQ | 54 | 14 | 38 | 52 | 28 | | | | | |
| | **Montréal (Canadiens)** | **LNH** | **16** | **3** | **5** | **8** | **2** | - | - | - | - | - |
| 1958-59 | Edmonton (Flyers) | WHL | 39 | 16 | 17 | 33 | 30 | 3 | 0 | 1 | 1 | 6 |
| | Detroit (Red Wings) | LNH | 12 | 0 | 0 | 0 | 0 | - | - | - | - | - |
| 1959-60 | Edmonton (Flyers) | WHL | 67 | 20 | 51 | 71 | 44 | 4 | 1 | 3 | 4 | 4 |
| 1960-61 | Sudbury (Wolves) | EPHL | 37 | 5 | 28 | 33 | 16 | | | | | |
| | Edmonton (Flyers) | WHL | 25 | 6 | 14 | 20 | 2 | | | | | |
| 1961-62 | Portland (Buckaroos) | WHL | 68 | 17 | 56 | 73 | 10 | 3 | 0 | 0 | 0 | 0 |
| 1962-63 | Knoxville (Knights) | EHL | 68 | 30 | *96 | 126 | 29 | 5 | 1 | 5 | 6 | 4 |
| 1963-64 | Knoxville (Knights) | EHL | 72 | 30 | *88 | 118 | 42 | 8 | 4 | 4 | 8 | 4 |
| 1964-65 | Long Island (Ducks) | EHL | 71 | 30 | *83 | 113 | 28 | 15 | 3 | 9 | 12 | 8 |
| 1965-66 | Long Island (Ducks) | EHL | 72 | 34 | *83 | 117 | 62 | 12 | 6 | 10 | 16 | 8 |
| | Portland (Buckaroos) | WHL | | | | | | 2 | 0 | 0 | 0 | 0 |
| 1966-67 | Long Island (Ducks) | EHL | 71 | 13 | 45 | 58 | 82 | 3 | 0 | 0 | 0 | 2 |
| 1967-68 | Long Island (Ducks) | EHL | 35 | 6 | 12 | 18 | 24 | | | | | |
| 1968-69 | Edmonton (Monarchs) | ASHL | 30 | 9 | 9 | 18 | 11 | 8 | 1 | 5 | 6 | 2 |
| 1969-70 | Edmonton (Monarchs) | ASHL | *Statistiques non disponibles* | | | | | | | | | |
| 1970-71 | Edmonton (Monarchs) | ASHL | *Statistiques non disponibles* | | | | | | | | | |
| 1971-72 | Edmonton (Monarchs) | ASHL | *Statistiques non disponibles* | | | | | | | | | |
| | **LNH** | | **32** | **3** | **5** | **8** | **2** | - | - | - | - | - |
| | **Montréal** | | **20** | **3** | **5** | **8** | **2** | - | - | - | - | - |

• **Première équipe d'étoiles (WCJHL) en 1951-52 · Deuxième équipe d'étoiles (EHL) en 1963-64 · Première équipe d'étoiles du Nord (EHL) en 1964-65, 1965-66**
• Prêté à Montréal par Crowsnest Pass (WCJHL) le 22 mars 1952 · Droits vendus à Detroit par Montréal avec Claude Laforge et Bud MacPherson le 3 juin 1958 · Échangé à Boston par Detroit pour Gord Haworth en août 1961 · Échangé à Portland (WHL) par Boston avec Don Ward pour compléter la transaction qui avait envoyé Don Head à Boston (mai 1961) en août 1961

### ACTON, KEITH

Né à Stouffville, Ontario, le 15 avril 1958. Centre, lance de la gauche, 5'8", 170 lb
(8e choix de Montréal, 103e au total lors du repêchage de 1978)

| SAISON | CLUB | LIGUE | PJ | B | A | PTS | PUN | PJ | B | A | PTS | PUN |
|---|---|---|---|---|---|---|---|---|---|---|---|---|
| 1974-75 | Wexford (Raiders) | OHA-B | 43 | 23 | 29 | 52 | 46 | - | - | - | - | - |
| 1975-76 | Peterborough (Petes) | OMJHL | 35 | 9 | 17 | 26 | 30 | - | - | - | - | - |
| 1976-77 | Peterborough (Petes) | OMJHL | 65 | 52 | 69 | 121 | 93 | 4 | 1 | 4 | 5 | 6 |
| 1977-78 | Peterborough (Petes) | OMJHL | 68 | 42 | 86 | 128 | 52 | 21 | 10 | 8 | 18 | 16 |
| | Peterborough (Petes) | Mem. | 3 | 0 | 1 | 1 | 0 | - | - | - | - | - |
| 1978-79 | Nlle-Écosse (Voyageurs) | AHL | 79 | 15 | 26 | 41 | 22 | 10 | 4 | 2 | 6 | 4 |
| 1979-80 | **Montréal (Canadiens)** | **LNH** | **2** | **0** | **1** | **1** | **0** | - | - | - | - | - |
| | Nlle-Écosse (Voyageurs) | AHL | 75 | 45 | 53 | 98 | 38 | 6 | 1 | 2 | 3 | 8 |
| 1980-81 | **Montréal (Canadiens)** | **LNH** | **61** | **15** | **24** | **39** | **74** | **2** | **0** | **0** | **0** | **6** |
| 1981-82 | **Montréal (Canadiens)** | **LNH** | **78** | **36** | **52** | **88** | **88** | **5** | **0** | **4** | **4** | **16** |
| | Match des étoiles | LNH | 1 | 0 | 0 | 0 | 0 | | | | | |
| 1982-83 | **Montréal (Canadiens)** | **LNH** | **78** | **24** | **26** | **50** | **63** | **3** | **0** | **0** | **0** | **0** |
| 1983-84 | **Montréal (Canadiens)** | **LNH** | **9** | **3** | **7** | **10** | **4** | - | - | - | - | - |
| | Minnesota (North Stars) | LNH | 62 | 17 | 38 | 55 | 60 | 15 | 4 | 7 | 11 | 12 |
| 1984-85 | Minnesota (North Stars) | LNH | 78 | 20 | 38 | 58 | 90 | 9 | 4 | 4 | 8 | 6 |
| 1985-86 | Minnesota (North Stars) | LNH | 79 | 26 | 32 | 58 | 100 | 5 | 0 | 3 | 3 | 6 |
| | Canada | CM | 10 | 3 | 0 | 3 | 2 | - | - | - | - | - |
| 1986-87 | Minnesota (North Stars) | LNH | 78 | 16 | 29 | 45 | 56 | - | - | - | - | - |
| 1987-88 | Minnesota (North Stars) | LNH | 46 | 8 | 11 | 19 | 74 | - | - | - | - | - |
| | Edmonton (Oilers) | LNH | 26 | 3 | 6 | 9 | 21 | 7 | 2 | 0 | 2 | 16 |
| 1988-89 | Edmonton (Oilers) | LNH | 46 | 11 | 15 | 26 | 47 | - | - | - | - | - |
| | Philadelphie (Flyers) | LNH | 25 | 3 | 10 | 13 | 64 | 16 | 2 | 3 | 5 | 18 |
| 1989-90 | Philadelphie (Flyers) | LNH | 69 | 13 | 14 | 27 | 80 | - | - | - | - | - |
| | Canada | CM | 10 | 2 | 0 | 2 | 0 | - | - | - | - | - |
| 1990-91 | Philadelphie (Flyers) | LNH | 76 | 14 | 23 | 37 | 131 | - | - | - | - | - |
| 1991-92 | Philadelphie (Flyers) | LNH | 50 | 7 | 10 | 17 | 98 | - | - | - | - | - |
| | Canada | CM | 6 | 1 | 0 | 1 | 2 | - | - | - | - | - |
| 1992-93 | Philadelphie (Flyers) | LNH | 83 | 8 | 15 | 23 | 51 | - | - | - | - | - |
| 1993-94 | Washington (Capitals) | LNH | 6 | 0 | 0 | 0 | 21 | - | - | - | - | - |
| | New York (Islanders) | LNH | 71 | 2 | 7 | 9 | 50 | 4 | 0 | 0 | 0 | 8 |
| 1994-95 | Hershey (Bears) | AHL | 12 | 5 | 7 | 12 | 58 | - | - | - | - | - |

| SAISON | CLUB | LIGUE | PJ | B | A | PTS | PUN | PJ | B | A | PTS | PUN |
|---|---|---|---|---|---|---|---|---|---|---|---|---|
| | | | SAISONS RÉGULIÈRES | | | | | SÉRIES ÉLIMINATOIRES | | | | |

| Saison | Club | Ligue | PJ | B | A | PTS | PUN | PJ | B | A | PTS | PUN |
|---|---|---|---|---|---|---|---|---|---|---|---|---|
| | LNH | | 1023 | 226 | 358 | 584 | 1172 | 66 | 12 | 21 | 33 | 88 |
| | Montréal | | 228 | 78 | 110 | 188 | 229 | 10 | 0 | 4 | 4 | 22 |

• Deuxième équipe d'étoiles (AHL) en 1979-80 • Match des étoiles (LNH) en 1981-82
• Médaille de bronze (CM) en 1986
• Échangé au Minnesota par Montréal avec Mark Napier et le choix de 3e ronde de Toronto (propriété du Canadien suite à une transaction antérieure) au repêchage de 1984 (Ken Hodge Jr) pour Bobby Smith le 28 octobre 1983 • Échangé à Edmonton par Minnesota pour Moe Mantha le 22 janvier 1988 • Échangé à Philadelphie par Edmonton avec le choix de 5e ronde d'Edmonton au repêchage de 1991 (Dimitri Yushkevich) pour Dave Brown le 7 février 1989 • Échangé à Winnipeg par Philadelphie avec Pete Peeters pour des considérations futures le 28 septembre 1989 • Échangé à Philadelphie par Winnipeg avec Pete Peeters pour le choix de 5e ronde du Toronto (propriété du Philadelphie suite à un transaction antérieure, Philadelphie sélectionne Juha Ylonen) au repêchage de 1991 et Shawn Cronin le 3 octobre 1989 • Signe comme agent libre avec Washington le 27 juillet 1993 • Réclamé au ballottage par New York (Islanders) de Washington le 22 octobre 1993

## ADAMS, JOHN (JACK)
### Né à Calgary, Alberta, le 5 mai 1920. Ailier gauche, lance de la gauche, 5'10", 163 lb

| Saison | Club | Ligue | PJ | B | A | PTS | PUN | PJ | B | A | PTS | PUN |
|---|---|---|---|---|---|---|---|---|---|---|---|---|
| 1936-37 | Calgary (Canadians) | CCJHL | 1 | 0 | 0 | 0 | 0 | | | | | |
| 1937-38 | Calgary (K of C) | CCSSHL | 11 | 4 | 5 | 9 | 2 | 1 | 0 | 0 | 0 | 0 |
| 1938-39 | Vancouver (Lions) | PCHL | 29 | 5 | 13 | 18 | 16 | 2 | 0 | 1 | 1 | 2 |
| 1939-40 | Vancouver (Lions) | PCHL | 40 | 12 | 12 | 24 | 16 | 5 | 1 | 1 | 2 | 4 |
| 1940-41 | Montréal (Canadiens) | LNH | 42 | 6 | 12 | 18 | 11 | 3 | 0 | 0 | 0 | 0 |
| 1941-42 | Service militaire | | | | | | | | | | | |
| 1942-43 | Calgary (RCAF) | CNDHL | 22 | 19 | 12 | 31 | 15 | 8 | 5 | 6 | 11 | 4 |
| 1943-44 | Vancouver (RCAF) | NNDHL | 9 | 4 | 3 | 7 | 11 | | | | | |
| | Vancouver (Seahawks) | NNDHL | - | - | - | - | - | 3 | 2 | 2 | 4 | |
| 1944-45 | N'a pas joué | | | | | | | | | | | |
| 1945-46 | Montréal (Royals) | LHSQ | 4 | 2 | 1 | 3 | 5 | | | | | |
| | Buffalo (Bisons) | AHL | 19 | 2 | 4 | 6 | 9 | 4 | 4 | 8 | 4 | |
| 1946-47 | Houston (Huskies) | USHL | 20 | 3 | 5 | 8 | 6 | | | | | |
| 1947-48 | New Westminster (Royals) | PCHL | 52 | 20 | 13 | 33 | 36 | 5 | 0 | 0 | 0 | 2 |
| 1948-49 | New Westminster (Royals) | PCHL | 41 | 8 | 8 | 16 | 21 | 12 | 1 | 2 | 3 | 8 |
| | LNH | | 42 | 6 | 12 | 18 | 11 | 3 | 0 | 0 | 0 | 0 |
| | Montréal | | 42 | 6 | 12 | 18 | 11 | 3 | 0 | 0 | 0 | 0 |

• Coupe Calder (AHL) en 1945-46
• Droits vendus à Montréal par Vancouver (PCHL) le 13 mai 1940 • Échangé à Buffalo (AHL) par Montréal pour Murdo Mackay et Moe White le 14 janvier 1946

## ALEXANDRE, ARTHUR (ART)
### Né à Saint-Jean, Québec, le 2 mars 1909, décédé en 1976
### Ailier gauche, lance de la droite, 5'5", 150 lb

| Saison | Club | Ligue | PJ | B | A | PTS | PUN | PJ | B | A | PTS | PUN |
|---|---|---|---|---|---|---|---|---|---|---|---|---|
| 1930-31 | Montréal (Saint-François) | LHCM | *Statistiques non disponibles* | | | | | | | | | |
| | Montréal (CPR) | LHCM | *Statistiques non disponibles* | | | | | | | | | |
| 1931-32 | Montréal (Canadiens) | LHCM | 11 | 6 | 2 | 8 | 2 | 2 | 0 | 1 | 1 | 0 |
| | Montréal (Canadiens) | LNH | 10 | 0 | 2 | 2 | 8 | 4 | 0 | 0 | 0 | 0 |
| 1932-33 | Providence (Reds) | Can-Am | 47 | 10 | 24 | 34 | 18 | 2 | 0 | 0 | 0 | 0 |
| | Montréal (Canadiens) | LNH | 1 | 0 | 0 | 0 | 0 | | | | | |
| 1933-34 | Providence (Reds) | Can-Am | 37 | 2 | 3 | 5 | 19 | 2 | 0 | 0 | 0 | 0 |
| 1934-35 | Providence (Reds) | Can-Am | 10 | 1 | 0 | 1 | 4 | - | - | - | - | - |
| | Québec (Castors) | Can-Am | 32 | 5 | 8 | 13 | 15 | 3 | 0 | 0 | 0 | 8 |
| 1935-36 | Springfield (Indians) | Can-Am | 47 | 13 | 16 | 29 | 32 | 3 | 0 | 1 | 1 | 2 |
| 1936-37 | Kansas City (Greyhounds) | AHA | 1 | 0 | 0 | 0 | 0 | | | | | |
| 1937-38 | Montréal (Concordia) | LHSQ | 22 | 9 | 6 | 15 | 23 | 1 | 0 | 1 | 1 | 0 |
| | LNH | | 11 | 0 | 2 | 2 | 8 | 4 | 0 | 0 | 0 | 0 |
| | Montréal | | 11 | 0 | 2 | 2 | 8 | 4 | 0 | 0 | 0 | 0 |

• Signe avec Montréal le 27 février 1932 • Droits vendus à Providence (Can-Am) par Montréal avec Art Lesieur, Gus Rivers et Art Giroux le 8 mai 1932 • Prêté à Montréal par Providence (Can-Am) avec Gizzy Hart et Bobby Trapp le 6 février 1933 • Échangé à Québec (Can-Am) par Providence (Can-Am) pour Wilfrid Runge le 14 décembre 1934

## ALLEN, GEORGE
### Né à Bayfield, Nouveau-Brunswick, le 27 juillet 1914
### Défenseur, ailier gauche, lance de la gauche, 5'10", 162 lb

| Saison | Club | Ligue | PJ | B | A | PTS | PUN | PJ | B | A | PTS | PUN |
|---|---|---|---|---|---|---|---|---|---|---|---|---|
| 1935-36 | North Battleford (Beavers) | N-SSHL | 21 | 10 | 5 | 15 | 10 | 3 | 2 | 1 | 3 | 4 |
| 1936-37 | North Battleford (Beavers) | N-SSHL | 26 | 15 | 9 | 24 | 26 | 4 | 4 | 1 | 5 | 4 |
| 1937-38 | Sudbury Frood (Tigers) | NOHA | 4 | 2 | 0 | 2 | 8 | - | - | - | - | - |
| | New Haven (Eagles) | AHL | 35 | 9 | 13 | 22 | 6 | 0 | 0 | 0 | 0 | 0 |
| 1938-39 | Philadelphie (Ramblers) | AHL | 33 | 23 | 11 | 34 | 15 | 3 | 1 | 0 | 1 | 0 |
| 1938-39 | New York (Rangers) | LNH | 19 | 6 | 4 | 10 | 7 | 0 | 0 | 0 | 4 | 0 |
| 1939-40 | Chicago (Black Hawks) | LNH | 48 | 10 | 12 | 22 | 26 | 2 | 0 | 0 | 0 | 0 |
| 1940-41 | Chicago (Black Hawks) | LNH | 44 | 17 | 14 | 31 | 22 | 5 | 2 | 0 | 2 | 10 |
| 1941-42 | Chicago (Black Hawks) | LNH | 43 | 7 | 13 | 20 | 31 | 3 | 1 | 1 | 2 | 0 |
| 1942-43 | Chicago (Black Hawks) | LNH | 47 | 10 | 14 | 24 | 26 | - | - | - | - | - |
| 1943-44 | Chicago (Black Hawks) | LNH | 45 | 17 | 24 | 41 | 36 | 9 | 5 | 4 | 9 | 8 |
| 1944-45 | Service militaire | | | | | | | | | | | |
| 1945-46 | Chicago (Black Hawks) | LNH | 44 | 11 | 15 | 26 | 10 | 4 | 1 | 1 | 2 | 0 |
| 1946-47 | Montréal (Canadiens) | LNH | 49 | 7 | 14 | 21 | 12 | 11 | 1 | 3 | 4 | 6 |
| | Buffalo (Bisons) | AHL | 3 | 1 | 1 | 2 | 4 | - | - | - | - | - |
| 1947-48 | Cleveland (Barons) | AHL | 68 | 15 | 34 | 49 | 30 | 9 | 2 | 5 | 7 | 6 |
| 1948-49 | Cleveland (Barons) | AHL | 28 | 2 | 3 | 5 | 26 | - | - | - | - | - |
| | Minneapolis (Millers) | USHL | 37 | 7 | 6 | 13 | 6 | | | | | |
| 1949-50 | Kerrobert (Tigers) | SIHL | *Statistiques non disponibles* | | | | | | | | | |
| 1950-51 | Regina (Caps) | WCSHL | 50 | 9 | 18 | 27 | 26 | - | - | - | - | - |
| 1951-52 | Kerrobert (Tigers) | SIHA | *Statistiques non disponibles* | | | | | | | | | |
| 1952-53 | Kerrobert (Tigers) | SIHA | *Statistiques non disponibles* | | | | | | | | | |
| 1953-54 | Kerrobert (Tigers) | SIHA | *Statistiques non disponibles* | | | | | | | | | |
| 1954-55 | Kerrobert (Tigers) | SIHA | *Statistiques non disponibles* | | | | | | | | | |
| 1955-56 | Kerrobert (Tigers) | SIHL | *Statistiques non disponibles* | | | | | | | | | |
| 1956-57 | Kerrobert (Tigers) | SIHL | *Statistiques non disponibles* | | | | | | | | | |
| | LNH | | 339 | 82 | 115 | 197 | 179 | 41 | 9 | 10 | 19 | 32 |
| | Montréal | | 49 | 7 | 14 | 21 | 12 | 11 | 1 | 3 | 4 | 6 |

• Deuxième équipe d'étoiles (IAHL) en 1938-39 • Coupe Calder (AHL) en 1947-48
• Droits vendus à Chicago par New York (Rangers) le 17 mai 1939 • Échangé à Montréal par Chicago pour Paul Bibeault le 6 septembre 1946 • Échangé à Minneapolis (USHL) par Cleveland (AHL) pour Tom Williams le 21 décembre 1948

## ALLISON, DAVE
### Né à Fort Frances, Ontario, le 14 avril 1959. Défenseur, lance de la droite, 6'1", 200 lb

| Saison | Club | Ligue | PJ | B | A | PTS | PUN | PJ | B | A | PTS | PUN |
|---|---|---|---|---|---|---|---|---|---|---|---|---|
| 1976-77 | Cornwall (Royals) | LHJMQ | 63 | 2 | 11 | 13 | 180 | 12 | 0 | 4 | 4 | 60 |
| 1977-78 | Cornwall (Royals) | LHJMQ | 60 | 9 | 29 | 38 | 302 | 5 | 2 | 3 | 5 | 32 |
| 1978-79 | Cornwall (Royals) | LHJMQ | 66 | 7 | 31 | 38 | *407 | 7 | 1 | 6 | 7 | 34 |
| 1979-80 | Nlle-Écosse (Voyageurs) | AHL | 49 | 1 | 12 | 13 | 119 | 4 | 0 | 0 | 0 | 46 |
| 1980-81 | Nlle-Écosse (Voyageurs) | AHL | 70 | 5 | 12 | 17 | 298 | 6 | 0 | 0 | 0 | 15 |
| 1981-82 | Nlle-Écosse (Voyageurs) | AHL | 78 | 8 | 25 | 33 | *332 | 9 | 0 | 3 | 3 | *84 |
| 1982-83 | Nlle-Écosse (Voyageurs) | AHL | 70 | 3 | 22 | 25 | 180 | 7 | 0 | 2 | 2 | 24 |
| 1983-84 | Nlle-Écosse (Voyageurs) | AHL | 53 | 2 | 18 | 20 | 155 | 6 | 0 | 3 | 3 | 25 |
| | Montréal (Canadiens) | LNH | 3 | 0 | 0 | 0 | 12 | - | - | - | - | - |
| 1984-85 | Nlle-Écosse (Voyageurs) | AHL | 68 | 4 | 18 | 22 | 175 | 6 | 0 | 2 | 2 | 15 |
| | Sherbrooke (Canadien) | AHL | 4 | 0 | 1 | 1 | 19 | - | - | - | - | - |
| 1985-86 | Muskegon (Lumberjacks) | IHL | 66 | 7 | 30 | 37 | 247 | 14 | 2 | 9 | 11 | 46 |
| 1986-87 | Muskegon (Lumberjacks) | IHL | 67 | 11 | 35 | 46 | 337 | 15 | 4 | 3 | 7 | 20 |
| 1987-88 | Newmarket (Saints) | AHL | 48 | 1 | 9 | 10 | 154 | - | - | - | - | - |
| 1988-89 | Halifax (Citadels) | AHL | 12 | 1 | 2 | 3 | 29 | - | - | - | - | - |
| | Indianapolis (Ices) | IHL | 34 | 0 | 7 | 7 | 105 | - | - | - | - | - |
| | LNH | | 3 | 0 | 0 | 0 | 12 | - | - | - | - | - |
| | Montréal | | 3 | 0 | 0 | 0 | 12 | - | - | - | - | - |

• Signe avec Montréal comme agent libre le 4 octobre 1979

## ANDERSON, DOUGLAS (DOUG)
### Né à Edmonton, Alberta, le 20 octobre 1927. Centre, lance de la gauche, 5'7", 157 lb

| Saison | Club | Ligue | PJ | B | A | PTS | PUN | PJ | B | A | PTS | PUN |
|---|---|---|---|---|---|---|---|---|---|---|---|---|
| 1945-46 | Edmonton (Canadians) | EJHL | *Statistiques non disponibles* | | | | | | | | | |
| | Edmonton (Canadians) | Mem. | 10 | 3 | 4 | 7 | 0 | - | - | - | - | - |
| 1946-47 | Edmonton (Canadians) | EJHL | 6 | 4 | 4 | 8 | 0 | - | - | - | - | - |
| 1947-48 | Edmonton (Flyers) | WCSHL | 40 | 15 | 35 | 50 | 10 | 10 | 5 | 10 | 15 | 4 |
| | Edmonton (Flyers) | Allan | 14 | 6 | *19 | 25 | 2 | - | - | - | - | - |
| 1948-49 | Edmonton (Flyers) | WCSHL | 65 | 16 | 31 | 47 | 20 | 9 | 2 | 2 | 4 | 6 |
| 1949-50 | Edmonton (Flyers) | WCSHL | 45 | 18 | 44 | 62 | 28 | 6 | 1 | 5 | 6 | 7 |
| 1950-51 | Edmonton (Flyers) | WCMHL | 51 | 16 | 30 | 46 | 20 | 7 | 1 | 5 | 6 | 0 |
| 1951-52 | Victoria (Cougars) | PCSHL | 67 | 14 | 33 | 47 | 10 | 13 | 4 | 4 | 8 | 10 |
| 1952-53 | Montréal (Canadiens) | LNH | - | - | - | - | - | 2 | 0 | 0 | 0 | 0 |
| | Victoria (Cougars) | WHL | 70 | 18 | 50 | 68 | 14 | | | | | |
| 1953-54 | Buffalo (Bisons) | AHL | 7 | 0 | 2 | 2 | 4 | | | | | |
| | Victoria (Cougars) | WHL | 62 | 7 | 15 | 22 | 10 | | | | | |
| 1954-55 | Victoria (Cougars) | WHL | 51 | 15 | 28 | 43 | 4 | 3 | 0 | 0 | 0 | 0 |
| 1955-56 | Victoria (Cougars) | WHL | 62 | 23 | 40 | 63 | 29 | 9 | 3 | 2 | 5 | 4 |
| 1956-57 | Victoria (Cougars) | WHL | 42 | 22 | 42 | 64 | 22 | 3 | 1 | 0 | 1 | 0 |
| 1957-58 | Victoria (Cougars) | WHL | 26 | 4 | 9 | 13 | 2 | | | | | |
| 1958-59 | Victoria (Cougars) | WHL | 67 | 16 | 32 | 48 | 10 | 4 | 0 | 2 | 2 | 0 |
| 1959-60 | Victoria (Cougars) | WHL | 70 | 14 | 22 | 36 | 12 | 5 | 1 | 4 | 5 | 0 |
| 1960-61 | Victoria (Cougars) | WHL | 69 | 10 | 36 | 46 | 12 | 5 | 1 | 4 | 5 | 7 |
| 1961-62 | Portland (Buckaroos) | WHL | 54 | 20 | 26 | 46 | 22 | 7 | 1 | 3 | 4 | 7 |
| 1962-63 | Portland (Buckaroos) | WHL | 60 | 6 | 11 | 17 | | | | | | |
| | Montréal | | - | - | - | - | - | 2 | 0 | 0 | 0 | 0 |

• Signe avec Montréal le 30 septembre 1952

## ANDRUFF, RONALD (RON)
### Né à Port Alberni, Colombie-Britannique, le 10 juillet 1953. Centre, lance de la droite, 6', 185 lb (4e choix de Montréal, 32e au total lors du repêchage de 1973)

| Saison | Club | Ligue | PJ | B | A | PTS | PUN | PJ | B | A | PTS | PUN |
|---|---|---|---|---|---|---|---|---|---|---|---|---|
| 1971-72 | Flin Flon (Bombers) | WCJHL | 63 | 20 | 32 | 52 | 44 | 7 | 0 | 3 | 3 | 17 |
| 1972-73 | Flin Flon (Bombers) | WCJHL | 66 | 43 | 48 | 91 | 114 | 8 | 2 | 4 | 6 | 15 |
| 1973-74 | Nlle-Écosse (Voyageurs) | AHL | 71 | 11 | 27 | 38 | 93 | 6 | 4 | 0 | 4 | 0 |
| 1974-75 | Nlle-Écosse (Voyageurs) | AHL | 65 | 30 | 31 | 61 | 50 | 6 | 4 | 1 | 5 | 18 |
| | Montréal (Canadiens) | LNH | 5 | 0 | 0 | 0 | 2 | - | - | - | - | - |
| 1975-76 | Nlle-Écosse (Voyageurs) | AHL | 74 | *42 | 46 | 88 | 58 | 9 | 5 | 8 | 13 | 9 |
| | Montréal (Canadiens) | LNH | 1 | 0 | 0 | 0 | 0 | - | - | - | - | - |
| 1976-77 | Colorado (Rockies) | LNH | 66 | 4 | 18 | 22 | 21 | | | | | |
| 1977-78 | Colorado (Rockies) | LNH | 78 | 15 | 18 | 33 | 31 | 2 | 0 | 0 | 0 | 0 |
| 1978-79 | Colorado (Rockies) | LNH | 3 | 0 | 0 | 0 | 0 | - | - | - | - | - |
| | Philadelphie (Firebirds) | AHL | 36 | 16 | 32 | 48 | 10 | - | - | - | - | - |
| | New Haven (Nighthawks) | AHL | 33 | 9 | 23 | 32 | 10 | 10 | 6 | 11 | *17 | 0 |
| 1979-80 | Mannheim (ERC) | GER | 47 | 44 | 40 | 84 | 117 | - | - | - | - | - |
| 1980-81 | Mannheim (ERC) | GER | 44 | 35 | 43 | 78 | 110 | 10 | 8 | 7 | 15 | 16 |
| 1981-82 | Düsseldorf (EG) | GER | 21 | 1 | 3 | 4 | 6 | - | - | - | - | - |
| | LNH | | 153 | 19 | 36 | 55 | 54 | 2 | 0 | 0 | 0 | 0 |
| | Montréal | | 6 | 0 | 0 | 0 | 2 | - | - | - | - | - |

• Trophée Les-Cunningham (AHL) en 1975-76 • Première équipe d'étoiles (AHL) en 1975-76
• Coupe Calder (AHL) en 1975-76
• Échangé au Colorado par Montréal avec Sean Shanahan et le 1er choix de Montréal au repêchage de 1980 (Paul Gagné) pour le 1er choix du Colorado au repêchage de 1980 (Doug Wickenheiser) le 13 septembre 1976

## ARBOUR, AMOS
### Né à Victoria Harbour, Ontario, décédé le 4 novembre 1943
### Avant-défenseur, ailier, lance de la gauche, 5'8", 160 lb

| Saison | Club | Ligue | PJ | B | A | PTS | PUN | PJ | B | A | PTS | PUN |
|---|---|---|---|---|---|---|---|---|---|---|---|---|
| 1914-15 | Victoria (Harbour Station) | OHA Jr | *Statistiques non disponibles* | | | | | | | | | |

**ADA-ARB**

| SAISON | CLUB | LIGUE | PJ | B | A | PTS | PUN | PJ | B | A | PTS | PUN |
|---|---|---|---|---|---|---|---|---|---|---|---|---|
| 1915-16 | Montréal (Canadiens) | NHA | 20 | 5 | 0 | 5 | 6 | 4 | 3 | 0 | 3 | 11 |
| 1916-17 | Toronto (228e Bataillon) | NHA | 10 | 14 | 3 | 17 | 6 | - | - | - | - | - |
| 1917-18 | *Service militaire* | | | | | | | | | | | |
| 1918-19 | **Montréal (Canadiens)** | LNH | 1 | 0 | 0 | 0 | 0 | - | - | - | - | - |
| 1919-20 | **Montréal (Canadiens)** | LNH | 22 | 21 | 5 | 26 | 13 | - | - | - | - | - |
| 1920-21 | **Montréal (Canadiens)** | LNH | 23 | 14 | 3 | 17 | 40 | - | - | - | - | - |
| 1921-22 | Hamilton (Tigers) | LNH | 23 | 9 | 6 | 15 | 8 | - | - | - | - | - |
| 1922-23 | Hamilton (Tigers) | LNH | 23 | 6 | 3 | 9 | 12 | - | - | - | - | - |
| 1923-24 | Toronto (St. Patricks) | LNH | 21 | 1 | 3 | 4 | 4 | - | - | - | - | - |
| | | NHA | 30 | 19 | 3 | 22 | 12 | 4 | 3 | 0 | 3 | 11 |
| | | LNH | 113 | 51 | 20 | 71 | 77 | - | - | - | - | - |
| | | **Montréal** | 66 | 40 | 8 | 48 | 59 | 4 | 3 | 0 | 3 | 11 |

• Coupe Stanley (NHA) en 1915-16
• Signe avec Montréal (Canadiens) (NHA) le 14 décembre 1915 • Signe avec Toronto (228e Bataillon- NHA) le 28 septembre 1916 • Signe avec Montréal le 17 décembre 1918 • Échangé à Hamilton par Montréal avec Harry Mummery pour Sprague Cleghorn le 26 novembre 1921 • Échangé à Toronto par Hamilton avec Bert Corbeau et George Carey pour Ken Randall, les droits sur Corb Denneny et une somme d'argent le 14 décembre 1923

### ARNASON, CHARLES (CHUCK)
**Né à Ashburn, Manitoba, le 15 juillet 1951. Ailier droit, lance de la droite, 5'10", 185 lb (2e choix de Montréal, 7e au total lors du repêchage de 1971)**

| SAISON | CLUB | LIGUE | PJ | B | A | PTS | PUN | PJ | B | A | PTS | PUN |
|---|---|---|---|---|---|---|---|---|---|---|---|---|
| 1969-70 | Flin Flon (Bombers) | WCJHL | 60 | 34 | 27 | 61 | 91 | 17 | 14 | 18 | *32 | 38 |
| 1970-71 | Flin Flon (Bombers) | WCJHL | 66 | *79 | 84 | *163 | 153 | 17 | 15 | *22 | *37 | 30 |
| 1971-72 | Nlle-Écosse (Voyageurs) | AHL | 58 | 30 | 24 | 54 | 33 | 15 | 7 | 6 | 13 | 6 |
| | **Montréal (Canadiens)** | LNH | 17 | 3 | 0 | 3 | 4 | - | - | - | - | - |
| 1972-73 | Nlle-Écosse (Voyageurs) | AHL | 38 | 18 | 20 | 38 | 4 | 13 | 5 | 10 | 15 | 16 |
| | **Montréal (Canadiens)** | LNH | 19 | 1 | 1 | 2 | 2 | - | - | - | - | - |
| 1973-74 | Atlanta (Flames) | LNH | 33 | 7 | 6 | 13 | 13 | - | - | - | - | - |
| | Pittsburgh (Penguins) | LNH | 41 | 13 | 5 | 18 | 4 | - | - | - | - | - |
| 1974-75 | Pittsburgh (Penguins) | LNH | 78 | 26 | 32 | 58 | 32 | 9 | 2 | 4 | 6 | 4 |
| 1975-76 | Pittsburgh (Penguins) | LNH | 30 | 7 | 3 | 10 | 10 | - | - | - | - | - |
| | Kansas City (Scouts) | LNH | 39 | 14 | 10 | 24 | 10 | - | - | - | - | - |
| 1976-77 | Colorado (Rockies) | LNH | 61 | 13 | 10 | 23 | 10 | - | - | - | - | - |
| 1977-78 | Colorado (Rockies) | LNH | 29 | 4 | 8 | 12 | 10 | - | - | - | - | - |
| | Phoenix (Roadrunners) | CHL | 6 | 3 | 3 | 6 | 4 | - | - | - | - | - |
| | Cleveland (Barons) | LNH | 21 | 8 | 11 | 19 | 34 | - | - | - | - | - |
| 1978-79 | Oklahoma City (Stars) | CHL | 60 | 24 | 22 | 46 | 42 | - | - | - | - | - |
| | Minnesota (North Stars) | LNH | 1 | 0 | 0 | 0 | 0 | - | - | - | - | - |
| | Washington (Capitals) | LNH | 13 | 0 | 2 | 2 | 4 | - | - | - | - | - |
| 1979-80 | Dallas (Black Hawks) | CHL | 68 | 15 | 17 | 32 | 28 | - | - | - | - | - |
| | | LNH | 401 | 109 | 90 | 199 | 122 | 9 | 2 | 4 | 6 | 4 |
| | | **Montréal** | 36 | 4 | 1 | 5 | 6 | - | - | - | - | - |

• Équipe d'étoiles (WCJHL) en 1970-71 • Coupe Calder (AHL) en 1971-72
• Échangé à Atlanta par Montréal pour le 1er choix d'Atlanta au repêchage de 1974 (Rick Chartraw) le 29 mai 1973 • Échangé à Pittsburgh par Atlanta avec Bob Paradise pour Al McDonough le 4 janvier 1974 • Échangé à Kansas City par Pittsburgh avec Steve Durbano et le 1er choix de Pittsburgh au repêchage de 1976 (Paul Gardner) pour Simon Nolet, Ed Gilbert et le 1er choix de Kansas City au repêchage de 1976 (Blair Chapman) le 9 janvier 1976 • Transfert de la concession de Kansas City au Colorado le 15 juillet 1976 • Échangé à Cleveland par Colorado avec Rick Jodzio pour Fred Ahern et Ralph Klassen le 9 janvier 1978 • Placé sur la liste de réserve au repêchage de dispersion de Cleveland et Minnesota, le 15 juin 1978 • Échangé à Washington par Minnesota pour des considérations futures le 12 mars 1979 • Échangé au Minnesota par Washington pour des considérations futures le 24 avril 1979 • Droits vendus à Vancouver par Minnesota le 19 juillet 1979

### ASHAM, ARRON
**Né à Portage la Prairie, Manitoba, le 13 avril 1978. Ailier droit, lance de la droite, 5'11", 209 lb (3e choix de Montréal, 71e au total lors du repêchage de 1996)**

| SAISON | CLUB | LIGUE | PJ | B | A | PTS | PUN | PJ | B | A | PTS | PUN |
|---|---|---|---|---|---|---|---|---|---|---|---|---|
| 1993-94 | Portage (Terriers) | MAHA | 21 | 18 | 19 | 37 | 82 | - | - | - | - | - |
| 1994-95 | Red Deer (Rebels) | WHL | 62 | 11 | 16 | 27 | 126 | - | - | - | - | - |
| 1995-96 | Red Deer (Rebels) | WHL | 70 | 32 | 45 | 77 | 174 | 10 | 6 | 3 | 9 | 20 |
| 1996-97 | Red Deer (Rebels) | WHL | 67 | 45 | 51 | 96 | 149 | 16 | 12 | 14 | 26 | 36 |
| 1997-98 | Red Deer (Rebels) | WHL | 67 | 43 | 49 | 92 | 153 | 5 | 0 | 2 | 2 | 8 |
| | Fredericton (Canadien) | AHL | 2 | 1 | 1 | 2 | 4 | 2 | 0 | 1 | 1 | 0 |
| 1998-99 | **Montréal (Canadiens)** | LNH | 7 | 0 | 0 | 0 | 0 | - | - | - | - | - |
| | Fredericton (Canadien) | AHL | 60 | 16 | 18 | 34 | 118 | 13 | 8 | 6 | 14 | 11 |
| 1999-00 | **Montréal (Canadiens)** | LNH | 33 | 4 | 2 | 6 | 24 | - | - | - | - | - |
| | Québec (Citadelles) | AHL | 13 | 4 | 5 | 9 | 32 | 2 | 0 | 0 | 0 | 0 |
| 2000-01 | **Montréal (Canadiens)** | LNH | 46 | 2 | 3 | 5 | 59 | - | - | - | - | - |
| | Québec (Citadelles) | AHL | 15 | 7 | 9 | 16 | 51 | 1 | 2 | 3 | 2 | |
| 2001-02 | **Montréal (Canadiens)** | LNH | 35 | 5 | 4 | 9 | 55 | 3 | 0 | 1 | 1 | 0 |
| | Québec (Citadelles) | AHL | 24 | 9 | 14 | 23 | 35 | - | - | - | - | - |
| 2002-03 | New York (Islanders) | LNH | 78 | 15 | 19 | 34 | 57 | 5 | 0 | 0 | 0 | 16 |
| | | LNH | 199 | 26 | 28 | 54 | 195 | 8 | 0 | 1 | 1 | 16 |
| | | **Montréal** | 121 | 11 | 9 | 20 | 138 | 3 | 0 | 1 | 1 | 0 |

Échangé à New York (Islanders) par Montréal avec le choix de 5e ronde de Montréal au repêchage de 2002 (Markus Pahlsson) pour Mariusz Czerkawski le 22 juin 2002

### ASMUNDSON, OSCAR (OSSIE)
**Né à Red Deer, Alberta, le 17 novembre 1908. Centre, lance de la droite, 5'11", 170 lb**

| SAISON | CLUB | LIGUE | PJ | B | A | PTS | PUN | PJ | B | A | PTS | PUN |
|---|---|---|---|---|---|---|---|---|---|---|---|---|
| 1928-29 | Victoria (Cubs) | PCHL | 29 | 2 | 4 | 6 | | - | - | - | - | - |
| 1929-30 | Victoria (Cubs) | PCHL | 35 | 8 | 3 | 11 | 40 | - | - | - | - | - |
| 1930-31 | Tacoma/Vancouver | PCHL | 30 | 10 | 2 | 12 | 36 | 4 | 1 | 0 | 1 | 4 |
| 1931-32 | Bronx (Tigers) | Can-Am | 40 | 15 | 16 | 31 | 61 | 1 | 0 | 0 | 0 | 0 |
| 1932-33 | New York (Rangers) | LNH | 48 | 5 | 10 | 15 | 20 | 8 | 0 | 0 | 0 | 4 |
| 1933-34 | New York (Rangers) | LNH | 46 | 6 | 8 | 14 | 8 | 2 | 0 | 0 | 0 | 0 |
| 1934-35 | Detroit (Red Wings) | LNH | 3 | 0 | 1 | 1 | 0 | - | - | - | - | - |
| | St. Louis (Eagles) | LNH | 4 | 1 | 0 | 1 | 7 | - | - | - | - | - |
| | Detroit (Olympics) | IHL | 18 | 8 | 8 | 16 | 20 | - | - | - | - | - |
| 1935-36 | New Haven (Eagles) | Can-Am | 25 | 4 | 11 | 15 | 26 | - | - | - | - | - |
| 1936-37 | New York (Americans) | LNH | 1 | 0 | 0 | 0 | 0 | - | - | - | - | - |
| | New York (Eagles) | IAHL | 44 | 13 | 22 | 35 | 32 | - | - | - | - | - |
| 1937-38 | **Montréal (Canadiens)** | LNH | 2 | 0 | 0 | 0 | 0 | - | - | - | - | - |
| | New Haven (Eagles) | IAHL | 44 | 13 | 26 | 39 | 57 | 2 | 0 | 0 | 0 | 0 |
| 1938-39 | Cleveland (Barons) | IAHL | 22 | 1 | 4 | 5 | 2 | - | - | - | - | - |
| 1939-40 | Cleveland (Barons) | IAHL | 39 | 14 | 18 | 32 | 34 | - | - | - | - | - |
| 1940-41 | Cleveland (Barons) | IAHL | 48 | 8 | 22 | 30 | 33 | 9 | 3 | 3 | 6 | 15 |
| 1941-42 | Philadelphie (Rockets) | AHL | 54 | 13 | 33 | 46 | 48 | - | - | - | - | - |
| | Providence (Reds) | AHL | 2 | 0 | 2 | 2 | 0 | - | - | - | - | - |
| 1942-43 | Washington (Lions) | AHL | 41 | 9 | 19 | 28 | 32 | - | - | - | - | - |
| 1943-44 | Coast Guard Cutters | Exh. | 28 | 15 | 23 | 38 | 8 | 12 | 11 | 15 | *26 | 2 |
| 1944-45 | Hollywood (Wolves) | PCHL | 15 | 15 | 20 | 35 | | - | - | - | - | - |
| | | LNH | 111 | 11 | 23 | 34 | 30 | 9 | 0 | 2 | 2 | 4 |
| | | **Montréal** | 2 | 0 | 0 | 0 | 0 | - | - | - | - | - |

• Droits vendus à New York (Rangers) par Vancouver (PCHL) le 25 octobre 1931 • Droits vendus à Detroit par New York (Rangers) le 1er octobre 1934 • Signe avec St. Louis le 6 février 1935 • Signe avec New York (Americans) le 14 février 1937 • Droits vendus à Montréal par New York (Americans) le 28 octobre 1937 • Droits vendus à Cleveland (IAHL) par Montréal le 9 novembre 1938

### AUDETTE, DONALD
**Né à Laval, Québec, le 23 septembre 1969. Ailier droit, lance de la droite, 5'8", 190 lb (8e choix de Buffalo, 183e au total lors du repêchage de 1989)**

| SAISON | CLUB | LIGUE | PJ | B | A | PTS | PUN | PJ | B | A | PTS | PUN |
|---|---|---|---|---|---|---|---|---|---|---|---|---|
| 1985-86 | Laval-Laurentides | QAAA | 41 | 32 | 38 | 70 | 51 | 8 | 5 | 9 | 14 | 10 |
| 1986-87 | Laval (Titan) | LHJMQ | 66 | 17 | 22 | 39 | 36 | 14 | 2 | 6 | 8 | 10 |
| 1987-88 | Laval (Titan) | LHJMQ | 63 | 48 | 61 | 109 | 56 | 14 | 7 | 12 | 19 | 20 |
| 1988-89 | Laval (Titan) | LHJMQ | 70 | 76 | 85 | 161 | 123 | 17 | 17 | 12 | 29 | 43 |
| | Laval (Titan) | Mem. | 16 | 1 | 0 | 1 | 0 | - | - | - | - | - |
| 1989-90 | Rochester (Americans) | AHL | 70 | 42 | 46 | 88 | 78 | 15 | 9 | 8 | 17 | 29 |
| | Buffalo (Sabres) | LNH | - | - | - | - | - | 2 | 0 | 0 | 0 | 0 |
| 1990-91 | Buffalo (Sabres) | LNH | 8 | 4 | 3 | 7 | 4 | - | - | - | - | - |
| | Rochester (Americans) | AHL | 5 | 4 | 0 | 4 | 0 | - | - | - | - | - |
| 1991-92 | Buffalo (Sabres) | LNH | 63 | 31 | 17 | 48 | 75 | - | - | - | - | - |
| 1992-93 | Buffalo (Sabres) | LNH | 44 | 12 | 7 | 19 | 51 | 8 | 2 | 2 | 4 | 6 |
| | Rochester (Americans) | AHL | 6 | 4 | 6 | 10 | 4 | - | - | - | - | - |
| 1993-94 | Buffalo (Sabres) | LNH | 77 | 29 | 30 | 59 | 41 | 7 | 0 | 1 | 1 | 6 |
| 1994-95 | Buffalo (Sabres) | LNH | 46 | 24 | 13 | 37 | 27 | 5 | 1 | 1 | 2 | 4 |
| 1995-96 | Buffalo (Sabres) | LNH | 23 | 12 | 13 | 25 | 18 | - | - | - | - | - |
| 1996-97 | Buffalo (Sabres) | LNH | 73 | 28 | 22 | 50 | 48 | 11 | 4 | 5 | 9 | 6 |
| 1997-98 | Buffalo (Sabres) | LNH | 75 | 24 | 20 | 44 | 59 | 15 | 8 | 5 | 13 | 10 |
| 1998-99 | Los Angeles (Kings) | LNH | 49 | 18 | 18 | 36 | 51 | - | - | - | - | - |
| 1999-00 | Los Angeles (Kings) | LNH | 49 | 12 | 20 | 32 | 45 | - | - | - | - | - |
| | Atlanta (Thrashers) | LNH | 14 | 7 | 4 | 11 | 12 | - | - | - | - | - |
| 2000-01 | Atlanta (Thrashers) | LNH | 64 | 32 | 39 | 71 | 64 | - | - | - | - | - |
| | Match des étoiles | LNH | 1 | 0 | 1 | 0 | | - | - | - | - | - |
| | Buffalo (Sabres) | LNH | 12 | 5 | 8 | 13 | 12 | 13 | 3 | 6 | 9 | 4 |
| 2001-02 | Dallas (Stars) | LNH | 24 | 4 | 8 | 12 | 12 | - | - | - | - | - |
| | **Montréal (Canadiens)** | LNH | 13 | 1 | 5 | 6 | 8 | 12 | 6 | 4 | 10 | 10 |
| 2002-03 | **Montréal (Canadiens)** | LNH | 54 | 11 | 12 | 23 | 19 | - | - | - | - | - |
| | Hamilton (Bulldogs) | AHL | 11 | 5 | 6 | 11 | 10 | - | - | - | - | - |
| | | LNH | 684 | 251 | 237 | 488 | 546 | 73 | 21 | 27 | 48 | 46 |
| | | **Montréal** | 67 | 12 | 17 | 29 | 27 | 12 | 6 | 4 | 10 | 10 |

• Première équipe d'étoiles (LHJMQ) en 1988-89 • Trophée Guy-Lafleur (LHJMQ) en 1988-89 • Coupe du Président (LHJMQ) en 1988-89 • Première équipe d'étoiles (AHL) en 1989-90 • Trophée Dudley-Garret (AHL) en 1989-90 • Match des étoiles (LNH) en 2000-01
• Échangé à Los Angeles par Buffalo pour le choix de 2e ronde de Los Angeles au repêchage de 1999 (Milan Bartovic) le 18 décember 1998 • Échangé à Atlanta par Los Angeles avec Frantisek Kaberle pour Kelly Buchberger et Nelson Emerson le 13 mars 2000 • Échangé à Buffalo par Atlanta pour les droits sur Kamil Piros et le choix de 4e ronde de Buffalo au repêchage de 2001 (cédé à St. Louis qui sélectionne Igor Valeyev) le 13 march 2001 • Signe avec Dallas comme agent libre le 2 juillet 2001 • Échangé à Montréal par Dallas avec Shaun Van Allan pour Benoit Brunet et Martin Rucinsky le 21 novembre 2001

### AWREY, DONALD (DON)
**Né à Kitchener, Ontario, le 18 juillet 1943. Défenseur, lance de la gauche, 6', 195 lb**

| SAISON | CLUB | LIGUE | PJ | B | A | PTS | PUN | PJ | B | A | PTS | PUN |
|---|---|---|---|---|---|---|---|---|---|---|---|---|
| 1960-61 | Niagara Falls (Flyers) | OHA Jr | 3 | 0 | 0 | 0 | 11 | - | - | - | - | - |
| 1961-62 | Niagara Falls (Flyers) | OHA J | 41 | 6 | 12 | 18 | 90 | 10 | 0 | 3 | 3 | 15 |
| 1962-63 | Niagara Falls (Flyers) | OHA Jr | 50 | 7 | 23 | 30 | 111 | 9 | 4 | 9 | 13 | 29 |
| | Niagara Falls (Flyers) | Mem. | 16 | 4 | 8 | 12 | 58 | - | - | - | - | - |
| 1963-64 | Minneapolis (Bruins) | CPHL | 54 | 4 | 15 | 19 | 136 | 5 | 0 | 0 | 0 | 9 |
| | Boston (Bruins) | LNH | 16 | 1 | 0 | 1 | 4 | - | - | - | - | - |
| 1964-65 | Hershey (Bears) | AHL | 23 | 2 | 4 | 6 | 38 | 15 | 0 | 1 | 1 | 29 |
| | Boston (Bruins) | LNH | 47 | 2 | 3 | 5 | 41 | - | - | - | - | - |
| 1965-66 | Boston (Bruins) | LNH | 70 | 2 | 7 | 9 | 74 | - | - | - | - | - |
| 1966-67 | Hershey (Bears) | AHL | 63 | 1 | 13 | 14 | 153 | - | - | - | - | - |
| | Boston (Bruins) | LNH | 16 | 0 | 1 | 1 | 6 | - | - | - | - | - |
| 1967-68 | Boston (Bruins) | LNH | 74 | 1 | 15 | 16 | 150 | 4 | 0 | 1 | 1 | 4 |
| 1968-69 | Boston (Bruins) | LNH | 73 | 0 | 13 | 13 | 149 | 10 | 0 | 1 | 1 | 28 |
| 1969-70 | Boston (Bruins) | LNH | 73 | 3 | 10 | 13 | 120 | 14 | 0 | 5 | 5 | 32 |
| 1970-71 | Boston (Bruins) | LNH | 74 | 4 | 21 | 25 | 141 | 7 | 0 | 0 | 0 | 17 |
| 1971-72 | Boston (Bruins) | LNH | 34 | 2 | 9 | 11 | 52 | 15 | 0 | 4 | 4 | 45 |
| | Boston (Braves) | AHL | 3 | 0 | 1 | 1 | 2 | - | - | - | - | - |
| 1972-73 | Boston (Bruins) | LNH | 78 | 2 | 19 | 21 | 90 | - | - | - | - | - |
| | Canada | Siècle | 2 | 0 | 0 | 0 | 0 | - | - | - | - | - |
| 1973-74 | St. Louis (Blues) | LNH | 75 | 5 | 16 | 21 | 51 | - | - | - | - | - |
| | Match des étoiles | LNH | 1 | 0 | 0 | 0 | | - | - | - | - | - |
| 1974-75 | St. Louis (Blues) | LNH | 20 | 1 | 1 | 2 | 5 | - | - | - | - | - |
| | **Montréal (Canadiens)** | LNH | 56 | 1 | 11 | 12 | 58 | 11 | 0 | 6 | 6 | 12 |

| | | | SAISONS RÉGULIÈRES | | | | | SÉRIES ÉLIMINATOIRES | | | | |
|---|---|---|---|---|---|---|---|---|---|---|---|---|
| SAISON | CLUB | LIGUE | PJ | B | A | PTS | PUN | PJ | B | A | PTS | PUN |
| 1975-76 | Montréal (Canadiens) | LNH | 72 | 0 | 12 | 12 | 29 | - | - | - | - | - |
| 1976-77 | Pittsburgh (Penguins) | LNH | 79 | 1 | 12 | 13 | 40 | 3 | 0 | 1 | 1 | 0 |
| 1977-78 | New York (Rangers) | LNH | 78 | 2 | 8 | 10 | 38 | 3 | 0 | 0 | 0 | 6 |
| 1978-79 | New Haven (Nighthawks) | AHL | 6 | 2 | 1 | 3 | 6 | - | - | - | - | - |
| | Colorado (Rockies) | LNH | 56 | 1 | 4 | 5 | 18 | - | - | - | - | - |
| | | LNH | 979 | 31 | 158 | 189 | 1065 | 71 | 0 | 18 | 18 | 150 |
| | Montréal | | 128 | 1 | 23 | 24 | 87 | 11 | 0 | 6 | 6 | 12 |

• Coupe Stanley (LNH) en 1969-70, 1971-72, 1975-76 • Match des étoiles (LNH) en 1973-74
• Échangé à St. Louis par Boston pour Jake Rathwell, le choix de 2e ronde de St. Louis au repêchage de 1974 (Mark Howe) et une compensation financière le 5 octobre 1973 • Échangé à Montréal par St. Louis pour Chuck Lefley le 28 novembre 1974 • Échangé à Pittsburgh par Montréal pour le choix de 3e ronde de Pittsburgh au repêchage de 1978 (Richard David) le 11 août 1976 • Droits cédés à Washington par Pittsburgh pour Bob Paradise le 1er octobre 1977 • Signe avec New York (Rangers) comme agent libre le 4 octobre 1977 • Droits vendus au Colorado par New York (Rangers) en novembre 1978

## BACKSTROM, RALPH
Né à Kirkland Lake, Ontario, le 18 septembre 1937
Centre, lance de la gauche, 5'10", 170 lb

| Saison | Club | Ligue | PJ | B | A | PTS | PUN | PJ | B | A | PTS | PUN |
|---|---|---|---|---|---|---|---|---|---|---|---|---|
| 1954-55 | Montréal (Canadien Jr) | LHJQ | 21 | 7 | 6 | 13 | | 5 | 2 | 1 | 3 | 4 |
| 1955-56 | Montréal (Canadien Jr) | LHJQ | 18 | 10 | 3 | 13 | 4 | - | - | - | - | - |
| | Montréal (Canadien Jr) | Mem. | 10 | 5 | 4 | 9 | 6 | - | - | - | - | - |
| 1956-57 | Hull-Ottawa (Canadien) | OHA Jr | 18 | 10 | 8 | 18 | 4 | - | - | - | - | - |
| | Montréal (Canadiens) | LNH | 3 | 0 | 0 | 0 | 0 | - | - | - | - | - |
| | Hull-Ottawa (Canadien) | EOHL | 18 | 7 | 10 | 17 | 4 | - | - | - | - | - |
| | Hull-Ottawa (Canadien) | Mem. | 15 | 17 | 11 | 28 | 19 | - | - | - | - | - |
| 1957-58 | Hull-Ottawa (Canadien) | OHA Jr | 26 | 24 | 27 | 51 | 64 | - | - | - | - | - |
| | Hull-Ottawa (Canadien) | EOHL | 33 | 21 | 25 | 46 | 13 | - | - | - | - | - |
| | Montréal (Royals) | LHQ | 1 | 0 | 1 | 1 | 0 | - | - | - | - | - |
| | Rochester (Americans) | AHL | 2 | 0 | 0 | 0 | 0 | - | - | - | - | - |
| | Montréal (Canadiens) | LNH | 2 | 0 | 1 | 1 | 0 | - | - | - | - | - |
| | Hull-Ottawa (Canadien) | Mem. | 13 | *17 | 9 | 26 | 24 | - | - | - | - | - |
| 1958-59 | Montréal (Canadiens) | LNH | 64 | 18 | 22 | 40 | 19 | 11 | 3 | 5 | 8 | 12 |
| | Match des étoiles | LNH | 1 | 0 | 0 | 0 | 0 | - | - | - | - | - |
| 1959-60 | Montréal (Canadiens) | LNH | 64 | 13 | 15 | 28 | 24 | 7 | 0 | 3 | 3 | 2 |
| | Match des étoiles | LNH | 1 | 0 | 1 | 1 | 0 | - | - | - | - | - |
| 1960-61 | Montréal (Canadiens) | LNH | 69 | 20 | 32 | 44 | 5 | 0 | 0 | 6 | 4 | |
| | Match des étoiles | LNH | 1 | 0 | 1 | 1 | 0 | - | - | - | - | - |
| 1961-62 | Montréal (Canadiens) | LNH | 66 | 27 | 38 | 65 | 29 | 5 | 0 | 1 | 1 | 6 |
| 1962-63 | Montréal (Canadiens) | LNH | 70 | 23 | 12 | 35 | 51 | 5 | 0 | 0 | 0 | 2 |
| | Match des étoiles | LNH | 1 | 0 | 0 | 0 | 0 | - | - | - | - | - |
| 1963-64 | Montréal (Canadiens) | LNH | 70 | 8 | 21 | 29 | 41 | 7 | 2 | 1 | 3 | 8 |
| 1964-65 | Montréal (Canadiens) | LNH | 70 | 25 | 30 | 55 | 41 | 13 | 2 | 3 | 5 | 10 |
| 1965-66 | Montréal (Canadiens) | LNH | 67 | 22 | 20 | 42 | 10 | 10 | 3 | 4 | 7 | 4 |
| | Match des étoiles | LNH | 1 | 0 | 1 | 1 | 0 | - | - | - | - | - |
| 1966-67 | Montréal (Canadiens) | LNH | 69 | 14 | 27 | 41 | 39 | 10 | 5 | 2 | 7 | 6 |
| | Match des étoiles | LNH | 1 | 0 | 0 | 0 | 0 | - | - | - | - | - |
| 1967-68 | Montréal (Canadiens) | LNH | 70 | 20 | 25 | 45 | 14 | 13 | 4 | 3 | 7 | 4 |
| 1968-69 | Montréal (Canadiens) | LNH | 72 | 13 | 28 | 41 | 16 | 14 | 3 | 4 | 7 | 10 |
| 1969-70 | Montréal (Canadiens) | LNH | 72 | 19 | 24 | 43 | 20 | - | - | - | - | - |
| 1970-71 | Montréal (Canadiens) | LNH | 16 | 1 | 4 | 5 | 0 | - | - | - | - | - |
| | Los Angeles (Kings) | LNH | 33 | 14 | 13 | 27 | 8 | - | - | - | - | - |
| 1971-72 | Los Angeles (Kings) | LNH | 76 | 23 | 29 | 52 | 22 | - | - | - | - | - |
| 1972-73 | Los Angeles (Kings) | LNH | 63 | 20 | 29 | 49 | 6 | - | - | - | - | - |
| | Chicago (Black Hawks) | LNH | 16 | 6 | 9 | 2 | | 16 | 5 | 6 | 11 | 0 |
| 1973-74 | Chicago (Cougars) | AMH | 78 | 33 | 50 | 83 | 26 | 18 | 5 | *14 | 19 | 4 |
| 1974-75 | Canada | Défi 74 | 8 | 4 | 4 | 8 | 10 | - | - | - | - | - |
| | Chicago (Cougars) | AMH | 70 | 15 | 24 | 39 | 8 | - | - | - | - | - |
| 1975-76 | Denver/Ottawa | AMH | 41 | 21 | 29 | 50 | 14 | - | - | - | - | - |
| | Nlle-Angleterre (Whalers) | AMH | 38 | 14 | 19 | 33 | 6 | 17 | 5 | 4 | 9 | 8 |
| 1976-77 | Nlle-Angleterre (Whalers) | AMH | 77 | 17 | 31 | 48 | 30 | 3 | 0 | 0 | 0 | 0 |
| | | LNH | 1032 | 278 | 361 | 639 | 386 | 116 | 27 | 32 | 59 | 68 |
| | Montréal | | 844 | 215 | 287 | 502 | 348 | 100 | 22 | 26 | 48 | 68 |

• Trophée Calder (LNH) en 1958-59 • Match des étoiles (LNH) en 1958-59, 1959-60, 1960-61, 1962-63, 1965-66, 1966-67 • Coupe Stanley (LNH) en 1958-59, 1959-60, 1964-65, 1965-66, 1967-68, 1968-69 • Trophée Paul-Daneau (AMH) en 1973-74
• Échangé à Los Angeles par Montréal pour Gord Labossière et Ray Fortin et le 2e choix de Los Angeles au repêchage de 1973 (Peter Marrin) le 26 janvier 1971 • Échangé à Chicago par Los Angeles pour Dan Maloney le 26 février 1973 • Sélectionné par Nlle-Angleterre lors de l'expansion de l'AMH le 12 février 1972 • Droits vendus à Los Angeles (AMH) par Nlle-Angleterre (AMH) le 17 juin 1972 • Droits vendus à Chicago (AMH) par Los Angeles (AMH) le 22 février 1973 • Réclamé par Denver (AMH) de Chicago (AMH) le 30 mai 1975 • Transfert de la concession de Denver (AMH) à Ottawa (AMH) le 3 janvier 1976 • Droits vendus à la Nlle-Angleterre (AMH) par Ottawa (AMH) avec Don Borgeson le 20 janvier 1976

## BAKER, BILL
Né à Grand Rapids, Minnesota, le 29 novembre 1956. Défenseur, lance de la gauche, 6'1", 195 lb (5e choix de Montréal, 54e au total lors du repêchage de 1976)

| Saison | Club | Ligue | PJ | B | A | PTS | PUN | PJ | B | A | PTS | PUN |
|---|---|---|---|---|---|---|---|---|---|---|---|---|
| 1975-76 | Minnesota University | WCHA | 44 | 8 | 15 | 23 | 28 | - | - | - | - | - |
| 1976-77 | Minnesota University | WCHA | 28 | 0 | 8 | 8 | 42 | - | - | - | - | - |
| 1977-78 | Minnesota University | WCHA | 38 | 10 | 23 | 33 | 24 | - | - | - | - | - |
| 1978-79 | Minnesota University | WCHA | 44 | 12 | 42 | 54 | 38 | - | - | - | - | - |
| | États-Unis | CC | 7 | 2 | 1 | 3 | 2 | - | - | - | - | - |
| 1979-80 | États-Unis | Éq. nat. | 60 | 5 | 25 | 30 | 74 | - | - | - | - | - |
| | États-Unis | JO | 7 | 1 | 0 | 1 | 6 | - | - | - | - | - |
| | Nlle-Écosse (Voyageurs) | AHL | 12 | 4 | 8 | 12 | 5 | 1 | 0 | 1 | 1 | 0 |
| 1980-81 | Nlle-Écosse (Voyageurs) | AHL | 18 | 5 | 12 | 17 | 42 | - | - | - | - | - |
| | Montréal (Canadiens) | LNH | 11 | 0 | 0 | 0 | 32 | - | - | - | - | - |
| | États-Unis | CM | 7 | 0 | 1 | 1 | 0 | - | - | - | - | - |
| | Colorado (Rockies) | LNH | 13 | 0 | 3 | 3 | 12 | - | - | - | - | - |
| 1981-82 | États-Unis | CC | 1 | 0 | 0 | 0 | 0 | - | - | - | - | - |
| | Colorado (Rockies) | LNH | 14 | 0 | 3 | 3 | 17 | - | - | - | - | - |
| | Forth Worth (Texans) | CHL | 10 | 3 | 12 | 15 | 20 | - | - | - | - | - |
| | St. Louis (Blues) | LNH | 35 | 2 | 8 | 10 | 50 | 4 | 0 | 0 | 0 | 0 |
| 1982-83 | New York (Rangers) | LNH | 70 | 4 | 14 | 18 | 64 | 2 | 0 | 0 | 0 | 0 |
| 1983-84 | Tulsa (Oilers) | CHL | 59 | 11 | 22 | 33 | 47 | - | - | - | - | - |
| | | LNH | 143 | 7 | 25 | 32 | 175 | 6 | 0 | 0 | 0 | 0 |
| | Montréal | | 11 | 0 | 0 | 0 | 32 | - | - | - | - | - |

• Première équipe d'étoiles (WCHA) en 1978-79 • Première équipe d'étoiles All-American, Division Ouest (NCAA) en 1978-79 • Médaille d'or (JO) en 1980
• Échangé au Colorado par Montréal pour le choix de 3e ronde du Colorado au repêchage de 1983 (Daniel Letendre) et une inversion de choix de 4e ronde au repêchage de 1984 (Montréal sélectionne Lee Brodeur et New Jersey, Paul Ysebaert) le 10 mars 1981 • Échangé à St. Louis par Colorado pour Joe Micheletti et Dick Lamby le 4 décembre 1981 • Réclamé par New York (Rangers) de St. Louis au repêchage inter-équipes le 4 octobre 1982

## BALFOUR, MURRAY
Né à Regina, Saskatchewan, le 24 août 1936, décédé le 30 mai 1965
Ailier droit, lance de la droite, 5'9", 175 lb

| Saison | Club | Ligue | PJ | B | A | PTS | PUN | PJ | B | A | PTS | PUN |
|---|---|---|---|---|---|---|---|---|---|---|---|---|
| 1952-53 | Regina (Pats) | WCJHL | 31 | 6 | | | 38 | 7 | 0 | 1 | 1 | 10 |
| | Regina (Capitals) | Allan | 2 | 0 | 0 | 0 | 5 | - | - | - | - | - |
| 1953-54 | Regina (Pats) | WCJHL | 35 | 7 | 5 | 12 | *99 | 16 | 4 | 4 | 8 | *45 |
| 1954-55 | Regina (Pats) | WCJHL | 38 | 10 | 16 | 26 | *156 | 12 | 7 | 4 | 11 | *30 |
| | Regina (Pats) | Mem. | 3 | 1 | 2 | 3 | 4 | - | - | - | - | - |
| 1955-56 | Regina (Pats) | WCJHL | 34 | 24 | 18 | 42 | *104 | 10 | 7 | 5 | 12 | 20 |
| | Regina (Pats) | Mem. | 15 | 4 | 15 | 19 | 45 | - | - | - | - | - |
| 1956-57 | Hull-Ottawa (Canadien) | OHA Jr | 19 | 12 | 7 | 19 | 76 | - | - | - | - | - |
| | Hull-Ottawa (Canadien) | LHQ | 18 | 12 | 6 | 18 | 15 | - | - | - | - | - |
| | Hull-Ottawa (Canadien) | EOHL | 14 | 6 | 15 | | 41 | - | - | - | - | - |
| | Montréal (Canadiens) | LNH | 4 | 0 | 0 | 0 | 2 | - | - | - | - | - |
| 1957-58 | Montréal (Canadiens) | LNH | 3 | 1 | 1 | 2 | 4 | - | - | - | - | - |
| | Montréal (Royals) | LHQ | 62 | 24 | 24 | 48 | 107 | 7 | 1 | 2 | 3 | 20 |
| 1958-59 | Rochester (Americans) | AHL | 67 | 14 | 23 | 37 | *181 | 1 | 0 | 0 | 0 | 6 |
| 1959-60 | Chicago (Black Hawks) | LNH | 61 | 16 | 19 | 35 | 50 | 4 | 1 | 0 | 1 | 0 |
| 1960-61 | Chicago (Black Hawks) | LNH | 70 | 21 | 27 | 48 | 123 | 11 | 5 | 5 | 10 | 14 |
| 1961-62 | Chicago (Black Hawks) | LNH | 49 | 15 | 15 | 30 | 72 | 12 | 1 | 1 | 2 | 15 |
| 1962-63 | Chicago (Black Hawks) | LNH | 70 | 13 | 20 | 33 | 75 | 6 | 0 | 2 | 2 | 4 |
| 1963-64 | Chicago (Black Hawks) | LNH | 41 | 7 | 10 | 12 | 36 | 7 | 2 | 2 | 4 | 2 |
| 1964-65 | Boston (Bruins) | LNH | 15 | 1 | 1 | 2 | 26 | - | - | - | - | - |
| | Hershey (Bears) | AHL | 15 | 4 | 14 | 18 | 36 | - | - | - | - | - |
| | | LNH | 306 | 67 | 90 | 157 | 393 | 40 | 9 | 10 | 19 | 45 |
| | Montréal | | 5 | 1 | 1 | 2 | 6 | - | - | - | - | - |

• Coupe Stanley (LNH) en 1960-61
• Droits vendus à Chicago par Montréal avec Terry Gray le 4 juin 1959 • Échangé à Boston par Chicago avec Mike Draper pour Jerry Toppazzini et Matt Ravlich le 9 juin 1964

## BALON, DAVID (DAVE)
Né à Wakaw, Saskatchewan, le 2 août 1938
Ailier gauche, lance de la gauche, 5'11", 180 lb

| Saison | Club | Ligue | PJ | B | A | PTS | PUN | PJ | B | A | PTS | PUN |
|---|---|---|---|---|---|---|---|---|---|---|---|---|
| 1955-56 | Prince Albert (Mintos) | SJHL | 14 | 5 | 5 | 10 | 14 | 12 | 3 | 2 | 5 | 14 |
| 1956-57 | Prince Albert (Mintos) | SJHL | 40 | 29 | 30 | 59 | 112 | 13 | 5 | 5 | 10 | 15 |
| 1957-58 | Prince Albert (Mintos) | SJHL | 51 | 35 | 44 | 79 | 113 | 6 | 3 | 1 | 4 | 10 |
| | Vancouver (Canucks) | WHL | 4 | 0 | 2 | 2 | 4 | - | - | - | - | - |
| | Regina (Pats) | Mem. | 16 | 6 | 4 | 10 | 23 | - | - | - | - | - |
| 1958-59 | Saskatoon (Quakers) | WHL | 57 | 12 | 25 | 37 | 80 | - | - | - | - | - |
| 1959-60 | New York (Rangers) | LNH | 3 | 0 | 0 | 0 | 0 | - | - | - | - | - |
| | Vancouvers (Canucks) | WHL | 61 | 28 | 42 | 70 | 104 | 7 | 2 | 2 | 4 | 19 |
| | Trois-Rivières (Lions) | EPHL | | | | | | - | - | - | - | - |
| 1960-61 | New York (Rangers) | LNH | 13 | 1 | 2 | 3 | 8 | - | - | - | - | - |
| | Kitchener-Waterloo | EPHL | 55 | 15 | 26 | 41 | 77 | 7 | 1 | 1 | 2 | 12 |
| 1961-62 | Kitchener-Waterloo | EPHL | 37 | 23 | 19 | 42 | 87 | - | - | - | - | - |
| | New York (Rangers) | LNH | 30 | 11 | 15 | 26 | 11 | 6 | 2 | 3 | 5 | 2 |
| 1962-63 | New York (Rangers) | LNH | 70 | 11 | 13 | 24 | 74 | - | - | - | - | - |
| 1963-64 | Montréal (Canadiens) | LNH | 70 | 24 | 18 | 42 | 80 | 7 | 1 | 1 | 2 | 25 |
| 1964-65 | Montréal (Canadiens) | LNH | 63 | 18 | 23 | 41 | 61 | 10 | 0 | 0 | 0 | 10 |
| 1965-66 | Match des étoiles | LNH | 1 | 0 | 0 | 0 | 2 | - | - | - | - | - |
| | Houston (Apollos) | CPHL | 9 | 6 | 6 | 12 | 9 | - | - | - | - | - |
| | Montréal (Canadiens) | LNH | 45 | 3 | 7 | 10 | 24 | 9 | 2 | 3 | 5 | 16 |
| 1966-67 | Montréal (Canadiens) | LNH | 48 | 11 | 8 | 19 | 31 | 9 | 0 | 2 | 2 | 6 |
| | Match des étoiles | LNH | 1 | 0 | 0 | 0 | 0 | - | - | - | - | - |
| 1967-68 | Minnesota (North Stars) | LNH | 73 | 15 | 32 | 47 | 84 | 14 | 4 | *9 | *13 | 14 |
| 1968-69 | New York (Rangers) | LNH | 75 | 10 | 31 | 41 | 57 | 4 | 1 | 0 | 1 | 0 |
| 1969-70 | New York (Rangers) | LNH | 76 | 33 | 37 | 70 | 100 | 6 | 1 | 1 | 2 | 32 |
| 1970-71 | New York (Rangers) | LNH | 78 | 24 | 36 | 60 | 34 | 13 | 2 | 3 | 5 | 14 |
| | Match des étoiles | LNH | 1 | 0 | 0 | 0 | 0 | - | - | - | - | - |
| 1971-72 | New York (Rangers) | LNH | 16 | 3 | 4 | 7 | | - | - | - | - | - |
| | Vancouver (Canucks) | LNH | 59 | 19 | 19 | 38 | 21 | - | - | - | - | - |
| 1972-73 | Vancouver (Canucks) | LNH | 5 | 1 | 2 | 3 | 5 | - | - | - | - | - |
| 1973-74 | Québec (Nordiques) | AMH | | | | | | - | - | - | - | - |
| | Binghamton (Dusters) | AHL | 7 | 1 | 1 | 2 | 36 | - | - | - | - | - |
| | | LNH | 776 | 192 | 222 | 414 | 607 | 78 | 14 | 21 | 35 | 109 |
| | Montréal | | 226 | 56 | 56 | 112 | 196 | 35 | 3 | 6 | 9 | 57 |

• Coupe Stanley (LNH) en 1964-65, 1965-66 • Match des étoiles (LNH) en 1965-66, 1966-67, 1967-68, 1970-71
• Échangé à Montréal par New York (Rangers) avec Léon Rochefort, Len Ronson et Lorne Worsley pour Phil Goyette, Don Marshall et Jacques Plante le 4 juin 1963 • Sélectionné par Minnesota de Montréal lors de l'expansion de la LNH le 6 juin 1967 • Échangé à New York (Rangers) par Minnesota pour Wayne Hillman, Dan Seguin et Joey Johnston le 12 juin 1968

• Échangé à Vancouver par New York (Rangers) avec Wayne Connelly, Ron Stewart pour Gary Doak et Jim Wiste le 16 novembre 1971 • Sélectionné par Los Angeles lors de l'expansion de l'AMH le 22 février 1972 • Droits vendus à Québec (AMH) par Los Angeles (AMH) le 23 octobre 1973

## BARON, MURRAY

**Né à Prince George, Colombie-Britannique, le 1 juin 1967**
**Défenseur, lance de la gauche, 6'3", 215 lb**
**(7e choix de Philadelphie, 167e au total lors du repêchage de 1986)**

| SAISON | CLUB | LIGUE | PJ | B | A | PTS | PUN | PJ | B | A | PTS | PUN |
|---|---|---|---|---|---|---|---|---|---|---|---|---|
| 1984-85 | Vernon (Lakers) | BCJHL | 37 | 5 | 9 | 14 | 93 | 13 | 5 | 6 | 11 | 107 |
| 1985-86 | Vernon (Lakers) | BCJHL | 46 | 12 | 32 | 44 | 179 | 7 | 1 | 2 | 3 | 13 |
| 1986-87 | Dakota North University | WCHA | 41 | 4 | 10 | 14 | 62 | - | - | - | - | - |
| 1987-88 | Dakota North University | WCHA | 41 | 1 | 10 | 11 | 95 | - | - | - | - | - |
| 1988-89 | Dakota North University | WCHA | 40 | 2 | 6 | 8 | 92 | - | - | - | - | - |
| | Hershey (Bears) | AHL | 9 | 0 | 3 | 3 | 8 | - | - | - | - | - |
| 1989-90 | Philadelphie (Flyers) | LNH | 16 | 2 | 2 | 4 | 12 | - | - | - | - | - |
| | Hershey (Bears) | AHL | 50 | 0 | 10 | 10 | 101 | - | - | - | - | - |
| 1990-91 | Philadelphie (Flyers) | LNH | 67 | 8 | 8 | 16 | 74 | - | - | - | - | - |
| | Hershey (Bears) | AHL | 6 | 2 | 3 | 5 | 0 | - | - | - | - | - |
| 1991-92 | St. Louis (Blues) | LNH | 67 | 3 | 8 | 11 | 94 | 2 | 0 | 0 | 0 | 2 |
| 1992-93 | St. Louis (Blues) | LNH | 53 | 2 | 2 | 4 | 59 | 11 | 0 | 0 | 0 | 12 |
| 1993-94 | St. Louis (Blues) | LNH | 77 | 5 | 9 | 14 | 123 | 4 | 0 | 0 | 0 | 10 |
| 1994-95 | St. Louis (Blues) | LNH | 39 | 0 | 5 | 5 | 93 | 7 | 1 | 1 | 2 | 2 |
| 1995-96 | St. Louis (Blues) | LNH | 82 | 2 | 9 | 11 | 190 | 13 | 1 | 0 | 1 | 20 |
| 1996-97 | St. Louis (Blues) | LNH | 11 | 0 | 2 | 2 | 11 | - | - | - | - | - |
| | **Montréal (Canadiens)** | **LNH** | **60** | **1** | **5** | **6** | **107** | - | - | - | - | - |
| | Phoenix (Coyotes) | LNH | 8 | 0 | 0 | 0 | 4 | - | - | - | - | - |
| 1997-98 | Phoenix (Coyotes) | LNH | 45 | 1 | 5 | 6 | 106 | 6 | 0 | 2 | 2 | 6 |
| 1998-99 | Vancouver (Canucks) | LNH | 81 | 2 | 6 | 8 | 115 | - | - | - | - | - |
| 1999-00 | Vancouver (Canucks) | LNH | 81 | 2 | 10 | 12 | 67 | - | - | - | - | - |
| 2000-01 | Vancouver (Canucks) | LNH | 82 | 3 | 8 | 11 | 63 | 4 | 0 | 0 | 0 | 0 |
| 2001-02 | Vancouver (Canucks) | LNH | 61 | 1 | 6 | 7 | 68 | 6 | 0 | 1 | 1 | 10 |
| 2002-03 | Vancouver (Canucks) | LNH | 78 | 2 | 4 | 6 | 62 | 14 | 0 | 4 | 4 | 5 |
| | **LNH** | | **908** | **34** | **89** | **123** | **1248** | **68** | **2** | **8** | **10** | **72** |
| | **Montréal** | | **60** | **1** | **5** | **6** | **107** | - | - | - | - | - |

• Échangé à St. Louis par Philadelphie avec Ron Sutter pour Dan Quinn et Rod Brind'Amour le 22 septembre 1991 • Échangé à Montréal par St. Louis avec Shayne Corson et le choix de 5e ronde de St. Louis au repêchage de 1997 (Gennady Razin) pour Pierre Turgeon, Craig Conroy et Rory Fitzpatrick le 29 octobre 1996 • Échangé à Phoenix par Montréal avec Chris Murray pour Dave Manson le 18 mars 1997 • Signe avec Vancouver comme agent libre le 14 juillet 1998

## BARON, NORMAND

**Né à Verdun, Québec, le 15 décembre 1957. Ailier gauche, lance de la gauche, 6', 205 lb**

| SAISON | CLUB | LIGUE | PJ | B | A | PTS | PUN | PJ | B | A | PTS | PUN |
|---|---|---|---|---|---|---|---|---|---|---|---|---|
| 1976-77 | Montréal (Junior) | LHJMQ | 7 | 1 | 1 | 2 | 0 | - | - | - | - | - |
| 1977-78 | | | | | | *N'a pas joué* | | | | | | |
| 1978-79 | | | | | | *N'a pas joué* | | | | | | |
| 1979-80 | | | | | | *N'a pas joué* | | | | | | |
| 1980-81 | | | | | | *N'a pas joué* | | | | | | |
| 1981-82 | | | | | | *N'a pas joué* | | | | | | |
| 1982-83 | | | | | | *N'a pas joué* | | | | | | |
| 1983-84 | Nlle-Écosse (Voyageurs) | AHL | 68 | 11 | 11 | 22 | 275 | - | - | - | - | - |
| | **Montréal (Canadiens)** | **LNH** | **4** | **0** | **0** | **0** | **12** | **3** | **0** | **0** | **0** | **22** |
| 1984-85 | Sherbrooke (Canadien) | AHL | 39 | 5 | 5 | 10 | 98 | 2 | 0 | 0 | 0 | 25 |
| 1985-86 | Peoria (Rivermen) | IHL | 17 | 4 | 4 | 8 | 61 | - | - | - | - | - |
| | St. Louis (Blues) | LNH | 23 | 2 | 0 | 2 | 39 | - | - | - | - | - |
| | Flint (Spirits) | IHL | 11 | 1 | 7 | 8 | 43 | - | - | - | - | - |
| | **LNH** | | **27** | **2** | **0** | **2** | **51** | **3** | **0** | **0** | **0** | **22** |
| | **Montréal** | | **4** | **0** | **0** | **0** | **12** | **3** | **0** | **0** | **0** | **22** |

• Coupe Calder (AHL) en 1984-85
• Signe avec Montréal comme agent libre le 15 mars 1984 • Droits cédés à St. Louis par Montréal le 30 septembre 1985

## BARRY, MARTIN (MARTY)

**Né à Québec, Québec, le 8 décembre 1905, décédé le 20 août 1969**
**Centre, lance de la gauche, 5'11", 175 lb**

| SAISON | CLUB | LIGUE | PJ | B | A | PTS | PUN | PJ | B | A | PTS | PUN |
|---|---|---|---|---|---|---|---|---|---|---|---|---|
| 1924-25 | Montréal (St. Anthony) | LHCM | | | | *Statistiques non disponibles* | | | | | | |
| | Montréal (Ste. Anne's) | ECHL | 1 | 0 | 0 | 0 | 0 | - | - | - | - | - |
| 1925-26 | Montréal (St. Anthony) | LHCM | | | | *Statistiques non disponibles* | | | | | | |
| 1926-27 | Montréal (Bell) | LHCM | | | | *Statistiques non disponibles* | | | | | | |
| 1927-28 | Philadelphie (Arrows) | Can-Am | 33 | 11 | 3 | 14 | 70 | - | - | - | - | - |
| | New York (Americans) | LNH | 9 | 1 | 0 | 1 | 2 | - | - | - | - | - |
| 1928-29 | New Haven (Eagles) | Can-Am | 35 | *19 | 10 | *29 | 54 | 2 | 0 | 1 | 1 | 2 |
| 1929-30 | Boston (Bruins) | LNH | 44 | 18 | 15 | 33 | 34 | 6 | 3 | 3 | 6 | 14 |
| 1930-31 | Boston (Bruins) | LNH | 44 | 20 | 11 | 31 | 26 | 5 | 1 | 1 | 2 | 4 |
| 1931-32 | Boston (Bruins) | LNH | 48 | 21 | 18 | 39 | 22 | - | - | - | - | - |
| 1932-33 | Boston (Bruins) | LNH | 47 | 24 | 13 | 37 | 40 | 5 | 2 | 2 | 4 | 6 |
| 1933-34 | Boston (Bruins) | LNH | 48 | 27 | 12 | 39 | 12 | - | - | - | - | - |
| 1934-35 | Boston (Bruins) | LNH | 48 | 20 | 20 | 40 | 33 | 4 | 0 | 0 | 0 | 2 |
| 1935-36 | Detroit (Red Wings) | LNH | 48 | 21 | 19 | 40 | 16 | 7 | 2 | 4 | 6 | 6 |
| 1936-37 | Detroit (Red Wings) | LNH | 47 | 17 | 27 | 44 | 6 | 10 | 4 | 7 | 11 | 2 |
| 1937-38 | Detroit (Red Wings) | LNH | 48 | 9 | 20 | 29 | 34 | - | - | - | - | - |
| | Match des étoiles | LNH | 1 | 1 | 1 | 2 | 0 | - | - | - | - | - |
| 1938-39 | Detroit (Red Wings) | LNH | 48 | 13 | 28 | 41 | 4 | 6 | 3 | 1 | 4 | 0 |
| 1939-40 | **Montréal (Canadiens)** | **LNH** | **30** | **4** | **10** | **14** | **2** | - | - | - | - | - |
| | Pittsburgh (Hornets) | IAHL | 6 | 2 | 0 | 2 | 0 | 2 | 1 | 3 | 4 | 4 |
| 1940-41 | Minneapolis (Millers) | AHA | 32 | 12 | 10 | 20 | 8 | 3 | 1 | 0 | 1 | 2 |
| | **LNH** | | **509** | **195** | **192** | **387** | **231** | **43** | **15** | **18** | **33** | **34** |
| | **Montréal** | | **30** | **4** | **10** | **14** | **2** | - | - | - | - | - |

• Coupe Stanley (LNH) en 1935-36, 1936-37 • Première équipe d'étoiles (LNH) en 1936-37 • Trophée Lady-Byng (LNH) en 1936-37 • Match des étoiles (LNH) en 1937-38 • Membre du Temple de la Renommée (LNH) en 1964-65
• Signe avec New York (Americans) le 27 octobre 1927 • Réclamé par Boston de New York (Americans) lors du repêchage inter-ligues le 13 mai 1929 • Échangé à Detroit par Boston avec Art Giroux pour Ralph Weiland et Walter Buswell le 30 juin 1935 • Signe avec Montréal le 21 octobre 1939 • Signe avec Pittsburgh (IAHL) le 11 février 1940

## BARTLETT, JAMES (JIM)

**Né à Verdun, Québec, le 27 mai 1932. Ailier gauche, lance de la gauche, 5'9", 165 lb**

| SAISON | CLUB | LIGUE | PJ | B | A | PTS | PUN | PJ | B | A | PTS | PUN |
|---|---|---|---|---|---|---|---|---|---|---|---|---|
| 1949-50 | Verdun (Maple Leafs) | LHJQ | 6 | 0 | 0 | 0 | 4 | 1 | 0 | 0 | 0 | 0 |
| 1950-51 | Verdun (LaSalle) | LHJQ | 38 | 8 | 8 | 16 | 67 | 3 | 1 | 0 | 1 | 7 |
| 1951-52 | Saint-Jérôme (Aigles) | LHJQ | 44 | 25 | 31 | 56 | 167 | - | - | - | - | - |
| | Boston (Olympics) | EAHL | 8 | 8 | 0 | 8 | 39 | 2 | 1 | 0 | 1 | 4 |
| 1952-53 | Cincinnati (Mohawks) | IHL | 49 | 32 | 30 | 62 | 122 | 9 | 4 | 5 | 9 | 22 |
| 1953-54 | Matane (Red Rockets) | LHPQ | 61 | 43 | 29 | 72 | *139 | - | - | - | - | - |
| | Matane (Red Rockets) | Allan | 16 | *11 | 14 | *25 | *46 | - | - | - | - | - |
| 1954-55 | Chicoutimi (Saguenéens) | LHQ | 58 | 28 | 28 | 56 | 150 | 7 | 1 | 4 | 5 | 20 |
| | **Montréal (Canadiens)** | **LNH** | **2** | **0** | **0** | **0** | **4** | **2** | **0** | **0** | **0** | **0** |
| 1955-56 | Providence (Reds) | AHL | 50 | 28 | 19 | 47 | 110 | 9 | 3 | 5 | 8 | 27 |
| | New York (Rangers) | LNH | 12 | 0 | 1 | 1 | 18 | - | - | - | - | - |
| 1956-57 | Providence (Reds) | AHL | 63 | 21 | 22 | 43 | 105 | 4 | 1 | 0 | 1 | 29 |
| 1957-58 | Providence (Reds) | AHL | 59 | 25 | 21 | 46 | 86 | 5 | 2 | 1 | 3 | 11 |
| 1958-59 | New York (Rangers) | LNH | 70 | 11 | 9 | 20 | 118 | - | - | - | - | - |
| 1959-60 | Springfield (Indians) | AHL | 21 | 7 | 3 | 10 | 42 | 8 | 5 | 3 | 8 | 15 |
| | New York (Rangers) | LNH | 44 | 8 | 4 | 12 | 48 | - | - | - | - | - |
| 1960-61 | Boston (Bruins) | LNH | 63 | 15 | 9 | 24 | 95 | - | - | - | - | - |
| 1961-62 | Providence (Reds) | AHL | 62 | 31 | 34 | 65 | 80 | 3 | 0 | 1 | 1 | 8 |
| 1962-63 | Providence (Reds) | AHL | 67 | 28 | 38 | 66 | 87 | 6 | 1 | 2 | 3 | 10 |
| 1963-64 | Providence (Reds) | AHL | 72 | 26 | 39 | 65 | 75 | 3 | 2 | 1 | 3 | 4 |
| 1964-65 | Providence (Reds) | AHL | 71 | 22 | 58 | 92 | | - | - | - | - | - |
| 1965-66 | Providence (Reds) | AHL | 68 | 19 | 26 | 45 | 70 | - | - | - | - | - |
| 1966-67 | Baltimore (Clippers) | AHL | 67 | 30 | 21 | 51 | 24 | 13 | 3 | 1 | 4 | 4 |
| 1967-68 | Baltimore (Clippers) | AHL | 71 | 22 | 29 | 51 | 71 | - | - | - | - | - |
| 1968-69 | Baltimore (Clippers) | AHL | 73 | 25 | 23 | 48 | 40 | 4 | 0 | 1 | 1 | 10 |
| 1969-70 | Baltimore (Clippers) | AHL | 65 | 30 | 28 | 58 | 34 | 5 | 2 | 1 | 3 | 4 |
| 1970-71 | Baltimore (Clippers) | AHL | 63 | 14 | 25 | 39 | 51 | 6 | 0 | 1 | 1 | 4 |
| 1971-72 | Columbus (Seals) | IHL | 14 | 4 | 6 | 10 | 23 | - | - | - | - | - |
| | Baltimore (Clippers) | AHL | 11 | 8 | 2 | 10 | 12 | 18 | 6 | 5 | 11 | 14 |
| 1972-73 | Baltimore (Clippers) | AHL | 72 | 24 | 16 | 40 | 31 | - | - | - | - | - |
| | **LNH** | | **191** | **34** | **23** | **57** | **273** | **2** | **0** | **0** | **0** | **0** |
| | **Montréal** | | **2** | **0** | **0** | **0** | **4** | **2** | **0** | **0** | **0** | **0** |

• Coupe Calder (AHL) en 1955-56, 1959-60
• Prêté à Montréal par Chicoutimi (LHQ) le 4 janvier 1955 • Réclamé par New York de Chicoutimi (LHQ) lors du repêchage intra-ligue le 31 mai 1955 • Réclamé par Boston de New York lors du repêchage intra-ligue le 8 juin 1960 • Droits vendus à Providence (AHL) par Boston en août 1961 • Échangé à Baltimore (AHL) par Providence (AHL) avec Aldo Guidolin, Willie Marshall et Ian Anderson pour Mike Corbett, Ed Lawson et Ken Stephanson en juin 1966

## BASHKIROV, ANDREI

**Né à Shelekhov, Russie, le 22 juillet 1970. Ailier gauche, lance de la gauche, 6' 198 lb**
**(4e choix de Montréal, 132e au total lors du repêchage de 1998)**

| SAISON | CLUB | LIGUE | PJ | B | A | PTS | PUN | PJ | B | A | PTS | PUN |
|---|---|---|---|---|---|---|---|---|---|---|---|---|
| 1991-92 | Khimik (Voskresensk) | CIS | 11 | 2 | 0 | 2 | 4 | - | - | - | - | - |
| 1992-93 | Yermak (Angarsk) | CIS | | | | *Statistiques non disponibles* | | | | | | |
| 1993-94 | Charlotte (Checkers) | ECHL | 62 | 28 | 42 | 70 | 25 | 3 | 1 | 0 | 1 | 0 |
| | Providence (Bruins) | AHL | 1 | 0 | 0 | 0 | 0 | - | - | - | - | - |
| 1994-95 | Charlotte (Checkers) | ECHL | 61 | 19 | 27 | 46 | 20 | 3 | 0 | 0 | 0 | 0 |
| 1995-96 | Huntington (Blizzard) | ECHL | 55 | 19 | 39 | 58 | 35 | - | - | - | - | - |
| 1996-97 | Huntington (Blizzard) | ECHL | 47 | 29 | 41 | 70 | 12 | - | - | - | - | - |
| | Detroit (Vipers) | IHL | 2 | 0 | 0 | 0 | 0 | - | - | - | - | - |
| | Las Vegas (Thunder) | IHL | 27 | 10 | 12 | 22 | 0 | 2 | 0 | 0 | 0 | 0 |
| 1997-98 | Las Vegas (Thunder) | IHL | 15 | 2 | 3 | 5 | 5 | - | - | - | - | - |
| | Port Huron (Border Cats) | UHL | 3 | 1 | 3 | 4 | 0 | - | - | - | - | - |
| | Fort Wayne (Komets) | IHL | 65 | 28 | 48 | 76 | 16 | 4 | 2 | 2 | 4 | 0 |
| 1998-99 | **Montréal (Canadiens)** | **LNH** | **10** | **0** | **0** | **0** | **0** | - | - | - | - | - |
| | Fort Wayne (Komets) | IHL | 34 | 15 | 36 | 51 | 10 | - | - | - | - | - |
| | Fredericton (Canadien) | AHL | 13 | 7 | 5 | 12 | 4 | - | - | - | - | - |
| 1999-00 | **Montréal (Canadiens)** | **LNH** | **2** | **0** | **0** | **0** | **0** | - | - | - | - | - |
| | Québec (Citadelles) | AHL | 78 | 28 | 33 | 61 | 17 | 3 | 0 | 3 | 3 | 0 |
| 2000-01 | **Montréal (Canadiens)** | **LNH** | **18** | **0** | **3** | **3** | **0** | - | - | - | - | - |
| | Québec (Citadelles) | AHL | 53 | 17 | 25 | 42 | 6 | 6 | 1 | 1 | 2 | 0 |
| 2001-02 | HC Lausanne | SUI | 33 | 7 | 19 | 26 | 8 | 5 | 1 | 6 | 7 | 2 |
| 2002-03 | HC Lausanne | SUI | 43 | 10 | 20 | 30 | 14 | - | - | - | - | - |
| | **LNH** | | **30** | **0** | **3** | **3** | **0** | - | - | - | - | - |
| | **MONTREAL** | | **30** | **0** | **3** | **3** | **0** | - | - | - | - | - |

• Signe avec Lausanne HC (SUI) le 7 août 2001

## BAWLF, NICHOLAS (NICK)

**Né à Winnipeg, Manitoba, le 8 janvier 1888, décédé le 6 juin 1947**
**Défenseur, avant, lance de la gauche, 5'8", 160 lb**

| SAISON | CLUB | LIGUE | PJ | B | A | PTS | PUN | PJ | B | A | PTS | PUN |
|---|---|---|---|---|---|---|---|---|---|---|---|---|
| 1909-10 | Haileybury (Comets) | NHA | 4 | 10 | - | 10 | 5 | - | - | - | - | - |
| 1910-11 | | | | | | *Statistiques non disponibles* | | | | | | |
| 1911-12 | | | | | | *Statistiques non disponibles* | | | | | | |
| 1912-13 | | | | | | *Statistiques non disponibles* | | | | | | |
| 1913-14 | | | | | | *Statistiques non disponibles* | | | | | | |
| 1914-15 | Toronto (Ontarios/Shamrocks) | NHA | 7 | 2 | 0 | 2 | 8 | - | - | - | - | - |

| SAISON CLUB | LIGUE | PJ | B | A | PTS | PUN | PJ | B | A | PTS | PUN |
|---|---|---|---|---|---|---|---|---|---|---|---|
| Montréal (Canadiens) | NHA | 9 | 6 | 0 | 6 | 12 | – | – | – | – | – |
| 1915-16 Montréal (Wanderers) | NHA | 7 | 1 | 2 | 3 | 10 | – | – | – | – | – |
| **NHA** | | **27** | **19** | **2** | **21** | **35** | **–** | **–** | **–** | **–** | **–** |
| **Montréal** | | **9** | **6** | **0** | **6** | **12** | **–** | **–** | **–** | **–** | **–** |

• Signe avec Haileybury (NHA) le 15 novembre 1909 • Signe avec Toronto (NHA) le 7 décembre 1914 • Droits vendus à Montréal (Canadien NHA) par Toronto (NHA) le 31 janvier 1915 • Droits vendus à Montréal (Wanderers NHA) par Montréal (Canadien NHA) le 7 janvier 1916

### BEAUCHEMIN, FRANÇOIS

**Né à Sorel, Québec, le 4 juin 1980. Défenseur, lance de la gauche, 6', 214 lb**
**(3e choix Montréal, 75e au total lors du repêchage de 1998)**

| SAISON CLUB | LIGUE | PJ | B | A | PTS | PUN | PJ | B | A | PTS | PUN |
|---|---|---|---|---|---|---|---|---|---|---|---|
| 1995-96 Richelieu | QAAA | 40 | 9 | 23 | 32 | 59 | – | – | – | – | – |
| 1996-97 Laval (Titan C.F.) | LHJMQ | 66 | 7 | 21 | 28 | 132 | 3 | 0 | 0 | 0 | 2 |
| 1997-98 Laval (Titan C.F.) | LHJMQ | 70 | 12 | 35 | 47 | 132 | 16 | 1 | 3 | 4 | 23 |
| 1998-99 Acadie-Bathurst (Titan) | LHJMQ | 31 | 4 | 17 | 21 | 53 | 23 | 2 | 16 | 18 | 55 |
| Acadie-Bathurst (Titan) | Mem. | 3 | 0 | 1 | 1 | 4 | – | – | – | – | – |
| 1999-00 Acadie-Bathurst (Titan) | LHJMQ | 38 | 11 | 36 | 47 | 64 | – | – | – | – | – |
| Moncton | LHJMQ | 33 | 8 | 31 | 39 | 35 | 16 | 2 | 11 | 13 | 14 |
| 2000-01 Québec (Citadelles) | AHL | 56 | 3 | 6 | 9 | 44 | – | – | – | – | – |
| 2001-02 Québec (Citadelles) | AHL | 56 | 8 | 11 | 19 | 88 | 3 | 0 | 1 | 1 | 0 |
| Missisipi | ECHL | 7 | 1 | 3 | 4 | 2 | – | – | – | – | – |
| 2002-03 Hamilton (Bulldogs) | AHL | 75 | 7 | 21 | 28 | 92 | 23 | 1 | 9 | 10 | 16 |
| **Montréal (Canadiens)** | **LNH** | **1** | **0** | **0** | **0** | **0** | **–** | **–** | **–** | **–** | **–** |
| **LNH** | | **1** | **0** | **0** | **0** | **0** | **–** | **–** | **–** | **–** | **–** |
| **Montréal** | | **1** | **0** | **0** | **0** | **0** | **–** | **–** | **–** | **–** | **–** |

• Équipe d'étoiles des recrues (LHJMQ) en 1996-97 • Coupe du Président (LHJMQ) en 1998-99
• Deuxième équipe d'étoiles (LHJMQ) en 1999-00

### BÉLANGER, FRANCIS

**Né à Bellefeuille, Québec, le 15 janvier 1978. Ailier gauche, lance de la gauche, 6'2", 233 lb (5e choix de Philadelphie, 124e au total lors du repêchage de 1998)**

| SAISON CLUB | LIGUE | PJ | B | A | PTS | PUN | PJ | B | A | PTS | PUN |
|---|---|---|---|---|---|---|---|---|---|---|---|
| 1994-95 Laval (Régents) | QAAA | 25 | 11 | 8 | 19 | 78 | – | – | – | – | – |
| 1995-96 Hull (Olympiques) | LHJMQ | 1 | 0 | 0 | 0 | 0 | – | – | – | – | – |
| 1996-97 Hull (Olympiques) | LHJMQ | 53 | 13 | 13 | 26 | 134 | 8 | 2 | 2 | 4 | 57 |
| Hull (Olympiques) | Mem. | 4 | 0 | 1 | 1 | 7 | – | – | – | – | – |
| 1997-98 Hull (Olympiques) | LHJMQ | 33 | 22 | 23 | 45 | 133 | – | – | – | – | – |
| Rimouski (Océanic) | LHJMQ | 30 | 18 | 10 | 28 | 248 | 17 | 14 | 8 | 22 | 61 |
| 1998-99 Philadelphie (Phantoms) | AHL | 58 | 13 | 13 | 26 | 242 | 16 | 4 | 3 | 7 | 16 |
| 1999-00 Philadelphie (Phantoms) | AHL | 35 | 5 | 6 | 11 | 112 | – | – | – | – | – |
| Trenton (Titans) | ECHL | 9 | 1 | 1 | 2 | 29 | – | – | – | – | – |
| 2000-01 Philadelphie (Phantoms) | AHL | 13 | 1 | 3 | 4 | 32 | – | – | – | – | – |
| **Montréal (Canadiens)** | **LNH** | **10** | **0** | **0** | **0** | **29** | **–** | **–** | **–** | **–** | **–** |
| Québec (Citadelles) | AHL | 22 | 15 | 4 | 19 | 101 | 9 | 2 | 5 | 7 | 20 |
| 2001-02 Québec (Citadelles) | AHL | 69 | 15 | 26 | 41 | 165 | 3 | 1 | 1 | 2 | 0 |
| 2002-03 Cincinnati (Mighty Ducks) | AHL | 40 | 4 | 10 | 14 | 50 | – | – | – | – | – |
| **LNH** | | **10** | **0** | **0** | **0** | **29** | **–** | **–** | **–** | **–** | **–** |
| **Montréal** | | **10** | **0** | **0** | **0** | **29** | **–** | **–** | **–** | **–** | **–** |

• Coupe du Président (LHJMQ) en 1996-97
• Signe avec Montréal comme agent libre le 15 février 2001

### BÉLANGER, JESSE

**Né à Saint-Georges-de-Beauce, Québec, le 15 juin 1969**
**Centre, lance de la droite, 6'1", 190 lb**

| SAISON CLUB | LIGUE | PJ | B | A | PTS | PUN | PJ | B | A | PTS | PUN |
|---|---|---|---|---|---|---|---|---|---|---|---|
| 1987-88 Granby (Bisons) | LHJMQ | 69 | 33 | 43 | 76 | 10 | 5 | 3 | 3 | 6 | 0 |
| 1988-89 Granby (Bisons) | LHJMQ | 67 | 40 | 63 | 103 | 26 | 4 | 0 | 5 | 5 | 0 |
| 1989-90 Granby (Bisons) | LHJMQ | 67 | 53 | 54 | 107 | 53 | – | – | – | – | – |
| Canada | Éq. nat. | 1 | 0 | 0 | 0 | 0 | – | – | – | – | – |
| 1990-91 Fredericton (Canadien) | AHL | 75 | 40 | 58 | 98 | 30 | 6 | 2 | 4 | 6 | 0 |
| 1991-92 **Montréal (Canadiens)** | **LNH** | **4** | **0** | **0** | **0** | **0** | **–** | **–** | **–** | **–** | **–** |
| Fredericton (Canadien) | AHL | 65 | 30 | 41 | 71 | 26 | 7 | 3 | 3 | 6 | 2 |
| 1992-93 **Montréal (Canadiens)** | **LNH** | **19** | **4** | **2** | **6** | **4** | **9** | **0** | **1** | **1** | **0** |
| Fredericton (Canadien) | AHL | 39 | 19 | 32 | 51 | 24 | – | – | – | – | – |
| 1993-94 Floride (Panthers) | LNH | 70 | 17 | 33 | 50 | 16 | – | – | – | – | – |
| 1994-95 Floride (Panthers) | LNH | 47 | 15 | 14 | 29 | 18 | – | – | – | – | – |
| 1995-96 Floride (Panthers) | LNH | 63 | 17 | 21 | 38 | 10 | – | – | – | – | – |
| VancouverS (Canucks) | LNH | 9 | 3 | 0 | 3 | 4 | 3 | 0 | 2 | 2 | 0 |
| 1996-97 Edmonton (Oilers) | LNH | 6 | 0 | 0 | 0 | 0 | – | – | – | – | – |
| Hamilton (Bulldogs) | AHL | 6 | 4 | 3 | 7 | 0 | – | – | – | – | – |
| Québec (Rafales) | IHL | 47 | 34 | 28 | 62 | 18 | 9 | 3 | 5 | 8 | 13 |
| 1997-98 SC Herisau | SUI | 5 | 4 | 3 | 7 | 4 | – | – | – | – | – |
| Las Vegas (Thunder) | IHL | 54 | 32 | 36 | 68 | 20 | 4 | 0 | 1 | 1 | 0 |
| 1998-99 Cleveland (Lumberjacks) | IHL | 22 | 9 | 13 | 22 | 10 | – | – | – | – | – |
| 1999-00 **Montréal (Canadiens)** | **LNH** | **16** | **3** | **6** | **9** | **2** | **–** | **–** | **–** | **–** | **–** |
| Québec (Citadelles) | AHL | 36 | 15 | 18 | 33 | 20 | 3 | 0 | 3 | 3 | 4 |
| 2000-01 New York (Islanders) | LNH | 12 | 0 | 0 | 0 | 2 | – | – | – | – | – |
| Chicago (Wolves) | IHL | 58 | 17 | 22 | 39 | 28 | 14 | 3 | 4 | 7 | 10 |
| 2001-02 HC Chaux-de-Fonds | SUI | 36 | 41 | 39 | 80 | 38 | – | – | – | – | – |
| Saint-Georges (Garaga) | LHSPQ | 12 | 9 | 11 | 20 | 2 | – | – | – | – | – |
| 2002-03 Hamburg Freezers | GER | 39 | 16 | 25 | 41 | 14 | 5 | 2 | 3 | 5 | 2 |
| **LNH** | | **246** | **59** | **76** | **135** | **56** | **12** | **0** | **3** | **3** | **2** |
| **Montréal** | | **39** | **7** | **8** | **15** | **6** | **9** | **0** | **1** | **1** | **0** |

• Coupe Stanley (LNH) en 1992-93
• Signe avec Montréal comme agent libre le 3 octobre 1990 • Réclamé par la Floride de Montréal lors de l'expansion de la LNH le 24 juin 1993 • Échangé à Vancouver par la Floride pour le choix de 3e ronde de Vancouver au repêchage de 1996 (Oleg Kvasha) et des considérations futures le 20 mars 1996 • Signe avec Edmonton comme agent libre le 16 septembre 1996 • Signe avec Tampa Bay comme agent libre le 18 août 1998 • Signe avec

Montréal comme agent libre le 23 juillet 1999 • Signe avec New York (Islanders) comme agent libre le 27 juillet 2000 • Signe avec HC La Chaux-de-Fonds (SUI) comme agent libre le 30 mai 2001

### BÉLIVEAU, JEAN

**Né à Trois-Rivières, Québec, le 31 août 1931. Centre, lance de la gauche, 6'3", 205 lb**

| SAISON CLUB | LIGUE | PJ | B | A | PTS | PUN | PJ | B | A | PTS | PUN |
|---|---|---|---|---|---|---|---|---|---|---|---|
| 1946-47 Victoriaville (Panthères) | AHIQ | 30 | 47 | 21 | 68 | – | – | – | – | – | – |
| 1947-48 Victoriaville (Tigres) | LHJQ | 42 | 46 | 21 | 67 | – | – | – | – | – | – |
| 1948-49 Victoriaville (Tigres) | LHJQ | 42 | *48 | 27 | 75 | 54 | 4 | 4 | 2 | 6 | 2 |
| 1949-50 Québec (Citadelle) | LHJQ | 35 | 36 | 44 | 80 | 47 | 14 | *22 | 9 | *31 | 15 |
| 1950-51 Québec (Citadelle) | LHJQ | 46 | *61 | 63 | *124 | 120 | 22 | *23 | *31 | *54 | *76 |
| Québec (As) | LHMQ | 2 | 1 | 2 | 3 | 0 | – | – | – | – | – |
| **Montréal (Canadiens)** | **LNH** | **2** | **1** | **1** | **2** | **0** | **–** | **–** | **–** | **–** | **–** |
| 1951-52 Québec (As) | LHMQ | 59 | *45 | 38 | *83 | 88 | 15 | *14 | 10 | 24 | 14 |
| Québec (As) | Alexa. | 5 | *9 | 2 | *11 | 6 | – | – | – | – | – |
| 1952-53 **Montréal (Canadiens)** | **LNH** | **3** | **5** | **0** | **5** | **0** | **–** | **–** | **–** | **–** | **–** |
| Québec (As) | LHMQ | 57 | *50 | 39 | *89 | 59 | 19 | 14 | 15 | *29 | *25 |
| 1953-54 **Montréal (Canadiens)** | **LNH** | **44** | **13** | **21** | **34** | **22** | **10** | **2** | ***8** | **10** | **4** |
| Match des étoiles | LNH | 1 | 0 | 1 | 1 | 0 | – | – | – | – | – |
| 1954-55 **Montréal (Canadiens)** | **LNH** | **70** | **37** | **36** | **73** | **58** | **12** | **6** | **7** | **13** | **18** |
| Match des étoiles | LNH | 1 | 0 | 1 | 1 | 0 | – | – | – | – | – |
| 1955-56 **Montréal (Canadiens)** | **LNH** | **70** | ***47** | **41** | ***88** | **143** | **10** | ***12** | **7** | ***19** | **22** |
| Match des étoiles | LNH | 1 | 0 | 1 | 1 | 0 | – | – | – | – | – |
| 1956-57 **Montréal (Canadiens)** | **LNH** | **69** | **33** | **51** | **84** | **105** | **10** | **6** | **6** | **12** | **15** |
| Match des étoiles | LNH | 1 | 0 | 0 | 0 | 4 | – | – | – | – | – |
| 1957-58 **Montréal (Canadiens)** | **LNH** | **55** | **27** | **32** | **59** | **93** | **10** | **4** | **8** | **12** | **10** |
| Match des étoiles | LNH | 1 | 0 | 1 | 1 | 0 | – | – | – | – | – |
| 1958-59 **Montréal (Canadiens)** | **LNH** | **64** | ***45** | **46** | **91** | **67** | **3** | **1** | **4** | **5** | **4** |
| Match des étoiles | LNH | 1 | 0 | 1 | 1 | 0 | – | – | – | – | – |
| 1959-60 **Montréal (Canadiens)** | **LNH** | **60** | **34** | **40** | **74** | **57** | **8** | **5** | **2** | **7** | **6** |
| Match des étoiles | LNH | 1 | 0 | 0 | 0 | 0 | – | – | – | – | – |
| 1960-61 **Montréal (Canadiens)** | **LNH** | **69** | **32** | ***58** | **90** | **57** | **6** | **0** | **5** | **5** | **0** |
| Match des étoiles | LNH | 1 | 0 | 1 | 1 | 0 | – | – | – | – | – |
| 1961-62 **Montréal (Canadiens)** | **LNH** | **43** | **18** | **23** | **41** | **36** | **6** | **2** | **1** | **3** | **4** |
| 1962-63 **Montréal (Canadiens)** | **LNH** | **69** | **18** | **49** | **67** | **68** | **5** | **2** | **1** | **3** | **2** |
| 1963-64 **Montréal (Canadiens)** | **LNH** | **68** | **28** | **50** | **78** | **42** | **5** | **2** | **0** | **2** | **18** |
| Match des étoiles | LNH | 1 | 0 | 0 | 0 | 0 | – | – | – | – | – |
| 1964-65 **Montréal (Canadiens)** | **LNH** | **58** | **20** | **23** | **43** | **76** | **13** | **8** | **8** | **16** | **34** |
| Match des étoiles | LNH | 1 | 1 | 0 | 1 | 0 | – | – | – | – | – |
| 1965-66 **Montréal (Canadiens)** | **LNH** | **67** | **29** | ***48** | **77** | **50** | **10** | **5** | **5** | **10** | **6** |
| Match des étoiles | LNH | 1 | 0 | 1 | 1 | 2 | – | – | – | – | – |
| 1966-67 **Montréal (Canadiens)** | **LNH** | **53** | **12** | **26** | **38** | **22** | **10** | **6** | **5** | **11** | ***26** |
| 1967-68 **Montréal (Canadiens)** | **LNH** | **59** | **31** | **37** | **68** | **28** | **10** | **7** | **4** | **11** | **6** |
| Match des étoiles | LNH | 1 | 0 | 0 | 0 | 0 | – | – | – | – | – |
| 1968-69 **Montréal (Canadiens)** | **LNH** | **69** | **33** | **49** | **82** | **55** | **14** | **5** | ***10** | **15** | **8** |
| Match des étoiles | LNH | 1 | 0 | 0 | 0 | 0 | – | – | – | – | – |
| 1969-70 **Montréal (Canadiens)** | **LNH** | **63** | **19** | **30** | **49** | **10** | **–** | **–** | **–** | **–** | **–** |
| 1970-71 **Montréal (Canadiens)** | **LNH** | **70** | **25** | **51** | **76** | **40** | **20** | **6** | ***16** | **22** | **28** |
| **LNH** | | **1125** | **507** | **712** | **1219** | **1029** | **162** | **79** | **97** | **176** | **211** |
| **Montréal** | | **1125** | **507** | **712** | **1219** | **1029** | **162** | **79** | **97** | **176** | **211** |

• Première équipe d'étoiles (LHMQ) en 1950-51, 1952-53 • Coupe du Président (LHQ) en 1952-53 • Match des étoiles (LNH) en 1953-54, 1954-55, 1955-56, 1956-57, 1957-58, 1958-1959, 1959-60, 1960-61, 1963-64, 1964-65, 1965-66, 1967-68, 1968-69 • Première équipe d'étoiles (LNH) en 1954-55, 1955-56, 1956-57, 1958-59, 1959-60, 1960-61 • Deuxième équipe d'étoiles (LNH) en 1957-58, 1963-64, 1965-66, 1968-69 • Coupe Stanley (LNH) en 1955-56, 1956-57, 1957-58, 1958-59, 1959-60, 1964-65, 1965-66, 1967-68, 1968-69, 1970-71 • Trophée Art-Ross (LNH) en 1955-56 • Trophée Hart (LNH) en 1955-56, 1963-64 • Joueur le plus utile au match des étoiles (LNH) en 1963-64 • Trophée Conn-Smythe (LNH) en 1964-65 • Temple de la Renommée (LNH) en 1972
• Signe avec Montréal le 5 octobre 1953

### BÉLIVEAU, MARCEL

**Décédé. Centre**

| SAISON CLUB | LIGUE | PJ | B | A | PTS | PUN | PJ | B | A | PTS | PUN |
|---|---|---|---|---|---|---|---|---|---|---|---|
| 1914-15 Montréal (Canadiens) | NHA | 1 | 0 | 0 | 0 | 0 | – | – | – | – | – |
| **NHA** | | **1** | **0** | **0** | **0** | **0** | **–** | **–** | **–** | **–** | **–** |
| **Montréal** | | **1** | **0** | **0** | **0** | **0** | **–** | **–** | **–** | **–** | **–** |

• Signe avec Montréal (NHA) le 23 novembre 1914 • Libéré par Montréal (NHA) le 4 janvier 1915

### BELL, WILLIAM (BILLY)

**Né à Lachine, Québec, le 10 juin 1891, décédé le 3 juin 1959**
**Défenseur/Avant, lance de la droite, 5'10", 180 lb**

| SAISON CLUB | LIGUE | PJ | B | A | PTS | PUN | PJ | B | A | PTS | PUN |
|---|---|---|---|---|---|---|---|---|---|---|---|
| 1910-11 Lachine (Aigles) | LHCM | Statistiques non disponibles | | | | | – | – | – | – | – |
| Montréal (Rustlers) | LHJCM | Statistiques non disponibles | | | | | – | – | – | – | – |
| 1911-12 Montréal (Baillargeon) | LHCM | 4 | 3 | 0 | 3 | 6 | – | – | – | – | – |
| 1912-13 Montréal (Stars) | LHCM | 7 | 4 | 0 | 4 | 16 | – | – | – | – | – |
| Montréal (Dominions) | LHMCM | 8 | 4 | 0 | 4 | – | 2 | 0 | 0 | 0 | *14 |
| 1913-14 Montréal (Wanderers) | NHA | 2 | 1 | 0 | 1 | 0 | – | – | – | – | – |
| Montréal (AAA) | LHCM | 3 | 0 | 0 | 0 | 13 | – | – | – | – | – |
| 1914-15 Ottawa (Senators) | NHA | 11 | 1 | 0 | 1 | 17 | – | – | – | – | – |
| 1915-16 Montréal (Wanderers) | NHA | 9 | 2 | 7 | 9 | 78 | – | – | – | – | – |
| 1916-17 Montréal (Wanderers) | NHA | 14 | 11 | 0 | 11 | 44 | – | – | – | – | – |
| 1917-18 Montréal (Wanderers) | LNH | 2 | 1 | 0 | 1 | 0 | – | – | – | – | – |
| **Montréal (Canadiens)** | **LNH** | **6** | **0** | **0** | **0** | **6** | **–** | **–** | **–** | **–** | **–** |
| 1918-19 **Montréal (Canadiens)** | **LNH** | **1** | **0** | **0** | **0** | **0** | **–** | **–** | **–** | **–** | **–** |
| 1919-20 | | N'a pas joué | | | | | | | | | |
| 1920-21 **Montréal (Canadiens)** | **LNH** | **4** | **0** | **0** | **0** | **2** | **–** | **–** | **–** | **–** | **–** |
| 1921-22 **Montréal (Canadiens)** | **LNH** | **6** | **1** | **0** | **1** | **0** | **–** | **–** | **–** | **–** | **–** |
| Ottawa (Senators) | LNH | 17 | 1 | 2 | 3 | 4 | 1 | 0 | 0 | 0 | 0 |

| SAISON | CLUB | LIGUE | PJ | B | A | PTS | PUN | PJ | B | A | PTS | PUN |
|---|---|---|---|---|---|---|---|---|---|---|---|---|
| 1922-23 | Montréal (Canadiens) | LNH | 19 | 0 | 0 | 0 | 2 | 2 | 0 | 0 | 0 | 0 |
| 1923-24 | Montréal (Canadiens) | LNH | 11 | 0 | 0 | 0 | 0 | 5 | 0 | 0 | 0 | 0 |
| | | NHA | 47 | 19 | 2 | 21 | 139 | - | - | - | - | - |
| | | LNH | 66 | 3 | 2 | 5 | 14 | 8 | 0 | 0 | 0 | 0 |
| | Montréal | | 47 | 1 | 0 | 1 | 10 | 7 | 0 | 0 | 0 | 0 |

• Coupe Stanley (LNH) en 1923-24

• Signe avec Montréal (Wanderers) le 12 janvier 1914 • Signe avec Ottawa (NHA) en novembre 1914 • Signe avec Montréal (Wanderers) en novembre 1915 • Réclamé par Montréal (Canadiens) avec Jack McDonald et Jack Marks lors du repêchage de dispersion de Montréal (Wanderers) le 4 janvier 1918 • Prêté à Ottawa par Montréal (Canadiens) le 6 janvier 1921

### BELLOWS, BRIAN

Né à St. Catharines, Ontario, le 1er septembre 1964. Ailier gauche, lance de la droite, 5'11", 210 lb (1er choix de Minnesota, 2e au total lors du repêchage de 1982)

| SAISON | CLUB | LIGUE | PJ | B | A | PTS | PUN | PJ | B | A | PTS | PUN |
|---|---|---|---|---|---|---|---|---|---|---|---|---|
| 1979-80 | St. Catharines (Falcons) | OHA-B | 44 | *50 | *80 | *130 | 26 | - | - | - | - | - |
| 1980-81 | Kitchener (Rangers) | OMJHL | 66 | 49 | 67 | 116 | 23 | 16 | 14 | 13 | 27 | 13 |
| | Kitchener (Rangers) | Mem. | 5 | 6 | 0 | 6 | 4 | - | - | - | - | - |
| 1981-82 | Kitchener (Rangers) | OHL | 47 | 45 | 52 | 97 | 23 | 15 | 16 | 13 | 29 | 11 |
| | Kitchener (Rangers) | Mem. | 5 | 6 | 8 | 12 | 4 | - | - | - | - | - |
| 1982-83 | Minnesota (North Stars) | LNH | 78 | 35 | 30 | 65 | 27 | 9 | 5 | 4 | 9 | 18 |
| 1983-84 | Minnesota (North Stars) | LNH | 78 | 41 | 42 | 83 | 66 | 16 | 2 | 12 | 14 | 6 |
| | Match des étoiles | LNH | 1 | 0 | 1 | 1 | 0 | - | - | - | - | - |
| 1984-85 | Minnesota (North Stars) | LNH | 78 | 26 | 36 | 62 | 72 | 9 | 2 | 4 | 6 | 9 |
| | Canada | CC | 5 | 0 | 1 | 1 | 0 | - | - | - | - | - |
| 1985-86 | Minnesota (North Stars) | LNH | 77 | 31 | 48 | 79 | 46 | 5 | 5 | 0 | 5 | 16 |
| 1986-87 | Minnesota (North Stars) | LNH | 65 | 26 | 27 | 53 | 34 | - | - | - | - | - |
| | Canada | CM | 10 | 1 | 3 | 4 | 8 | - | - | - | - | - |
| 1987-88 | Minnesota (North Stars) | LNH | 77 | 40 | 41 | 81 | 81 | - | - | - | - | - |
| | Match des étoiles | LNH | 1 | 0 | 1 | 1 | 2 | - | - | - | - | - |
| 1988-89 | Minnesota (North Stars) | LNH | 60 | 23 | 27 | 50 | 55 | 5 | 2 | 3 | 5 | 8 |
| | Canada | CM | 8 | 3 | 6 | 9 | 8 | - | - | - | - | - |
| 1989-90 | Minnesota (North Stars) | LNH | 80 | 55 | 44 | 99 | 72 | 7 | 4 | 3 | 7 | 10 |
| | Canada | CM | 8 | 3 | 6 | 9 | 8 | - | - | - | - | - |
| 1990-91 | Minnesota (North Stars) | LNH | 80 | 35 | 40 | 75 | 43 | 23 | 10 | 19 | 29 | 30 |
| 1991-92 | Minnesota (North Stars) | LNH | 80 | 30 | 45 | 75 | 41 | 7 | 4 | 4 | 8 | 14 |
| | Match des étoiles | LNH | 1 | 2 | 0 | 2 | 0 | - | - | - | - | - |
| 1992-93 | Montréal (Canadiens) | LNH | 82 | 40 | 48 | 88 | 44 | 18 | 6 | 9 | 15 | 18 |
| 1993-94 | Montréal (Canadiens) | LNH | 77 | 33 | 38 | 71 | 36 | 4 | 1 | 2 | 3 | 2 |
| 1994-95 | Montréal (Canadiens) | LNH | 41 | 8 | 8 | 16 | 8 | - | - | - | - | - |
| 1995-96 | Tampa Bay (Lightning) | LNH | 79 | 23 | 26 | 49 | 39 | 6 | 2 | 0 | 2 | 4 |
| 1996-97 | Tampa Bay (Lightning) | LNH | 7 | 1 | 2 | 3 | 0 | - | - | - | - | - |
| | Anaheim (Mighty Ducks) | LNH | 62 | 15 | 13 | 28 | 22 | 11 | 2 | 4 | 6 | 2 |
| 1997-98 | Berlin (Capitals) | GER | 31 | 15 | 17 | 32 | 18 | - | - | - | - | - |
| | Washington (Capitals) | LNH | 11 | 6 | 3 | 9 | 6 | 21 | 6 | 7 | 13 | 6 |
| 1998-99 | Washington (Capitals) | LNH | 76 | 17 | 19 | 36 | 26 | - | - | - | - | - |
| | | LNH | 1188 | 485 | 537 | 1022 | 718 | 143 | 51 | 71 | 122 | 143 |
| | Montréal | | 200 | 81 | 94 | 175 | 88 | 24 | 7 | 11 | 18 | 20 |

• Équipe d'étoiles de la coupe Memorial en 1980-81 • Première équipe d'étoiles (OHL) en 1981-82 • Coupe Memorial en 1981-82 • Trophée George-Parsons (Mem.) en 1981-82 • Match des étoiles (LNH) en 1983-84, 1987-88, 1991-92 • Coupe Canada en 1985 • Meilleur joueur d'avant (CM) en 1989 • Médaille d'argent (CM) en 1989 • Deuxième équipe d'étoiles (LNH) en 1989-90
• Échangé à Montréal par Minnesota pour Russ Courtnall le 31 août 1992 • Échangé à Tampa Bay par Montréal pour Marc Bureau le 30 juin 1995 • Échangé à Anaheim par Tampa Bay pour le choix de 6e ronde d'Anaheim au repêchage de 1997 (Andrei Skopintsev) le 19 novembre 1996 • Signe avec Washington comme agent libre le 21 mars 1998

### BENNETT, MAX

Né à Cobalt, Ontario, le 4 novembre 1912, décédé le 5 janvier 1972. Ailier droit, lance de la droite, 5'6", 157 lb

| SAISON | CLUB | LIGUE | PJ | B | A | PTS | PUN | PJ | B | A | PTS | PUN |
|---|---|---|---|---|---|---|---|---|---|---|---|---|
| 1931-32 | Falconbridge (Falcons) | NOHA | 7 | 2 | 0 | 2 | 8 | 2 | 0 | 0 | 0 | 0 |
| | Sudbury (Cub Wolves) | NOHA | 1 | 0 | 0 | 0 | 0 | - | - | - | - | - |
| 1932-33 | Falconbridge (Falcons) | NOHA | 6 | 4 | 3 | 7 | 0 | 2 | 0 | 1 | 1 | 0 |
| | Falconbridge (Falcons) | Allan | 5 | 6 | 3 | 9 | 0 | - | - | - | - | - |
| 1933-34 | Hamilton (Tigers) | OHA Sr | 23 | *20 | 12 | 32 | 34 | 4 | 6 | 1 | 7 | 6 |
| | Hamilton (Tigers) | Allan | 7 | 5 | 2 | 7 | 2 | - | - | - | - | - |
| 1934-35 | Hamilton (Tigers) | OHA Sr | 18 | 19 | 7 | 26 | 17 | 6 | 0 | 1 | 1 | 2 |
| 1935-36 | Montréal (Canadiens) | LNH | 1 | 0 | 0 | 0 | 0 | - | - | - | - | - |
| | Springfield (Indians) | Can-Am | 44 | 6 | 9 | 15 | 25 | 3 | 1 | 0 | 1 | 0 |
| 1936-37 | Springfield (Indians) | Can-Am | 1 | 0 | 0 | 0 | 0 | - | - | - | - | - |
| | Cleveland (Barons) | IAHL | 11 | 2 | 1 | 3 | 0 | - | - | - | - | - |
| | Syracuse (Stars) | IAHL | 21 | 7 | 8 | 15 | 9 | 3 | 4 | 7 | 6 | 0 |
| 1937-38 | Syracuse (Stars) | IAHL | 44 | 20 | 15 | 35 | 18 | 8 | 2 | *6 | 8 | 0 |
| 1938-39 | Syracuse (Stars) | IAHL | 54 | 15 | 33 | 48 | 18 | 3 | 0 | 1 | 1 | 0 |
| 1939-40 | Syracuse (Stars) | IAHL | 56 | 25 | 31 | 56 | 10 | - | - | - | - | - |
| 1940-41 | Buffalo (Bisons) | AHL | 55 | 12 | 31 | 43 | 22 | - | - | - | - | - |
| 1941-42 | Buffalo (Bisons) | AHL | 52 | 19 | 29 | 48 | 14 | - | - | - | - | - |
| 1942-43 | Washington (Lions) | AHL | 1 | 0 | 0 | 0 | 0 | - | - | - | - | - |
| | Buffalo (Bisons) | AHL | 56 | 20 | 24 | 44 | 19 | 4 | 4 | 5 | 9 | 0 |
| 1943-44 | Pittsburgh (Hornets) | AHL | 1 | 1 | 0 | 1 | 0 | - | - | - | - | - |
| | Buffalo (Bisons) | AHL | 54 | 21 | 30 | 51 | 19 | 9 | 1 | 6 | 7 | 0 |
| 1944-45 | Pittsburgh (Hornets) | AHL | 21 | 4 | 11 | 15 | 13 | - | - | - | - | - |
| | | LNH | 1 | 0 | 0 | 0 | 0 | - | - | - | - | - |
| | Montréal | | 1 | 0 | 0 | 0 | 0 | - | - | - | - | - |

• Coupe Calder (AHL) en 1936-37, 1942-43, 1943-44
• Signe avec Montréal le 27 mai 1935

### BENOÎT, JOSEPH (JOE)

Né à St. Albert, Alberta, le 27 février 1916, décédé le 19 octobre 1981. Ailier droit, lance de la droite, 5'9", 160 lb

| SAISON | CLUB | LIGUE | PJ | B | A | PTS | PUN | PJ | B | A | PTS | PUN |
|---|---|---|---|---|---|---|---|---|---|---|---|---|
| 1935-36 | Edmonton (Athletics) | EJHL | 8 | 8 | 2 | 10 | 4 | 3 | 0 | 0 | 0 | 2 |
| 1936-37 | Trail (Canucks) | WKHL | 13 | 13 | 7 | 20 | 18 | - | - | - | - | - |
| 1937-38 | Trail (Smoke Eaters) | WKHL | 20 | 26 | 6 | 32 | 21 | 5 | 5 | 3 | 8 | 8 |
| | Trail (Smoke Eaters) | Allan | 12 | 12 | 7 | 19 | 9 | - | - | - | - | - |
| 1938-39 | Trail (Smoke Eaters) | Exh. | | | *Statistiques non disponibles* | | | | | | | |
| | Canada | CM | 7 | 6 | 3 | 9 | - | - | - | - | - | - |
| 1939-40 | Trail (Smoke Eaters) | WKHL | 24 | 26 | 17 | 43 | 49 | 4 | 2 | 3 | 5 | 6 |
| | Trail (Smoke Eaters) | Allan | 3 | 0 | 1 | 1 | 4 | - | - | - | - | - |
| 1940-41 | Montréal (Canadiens) | LNH | 45 | 16 | 16 | 32 | 32 | 3 | 4 | 0 | 4 | 2 |
| 1941-42 | Montréal (Canadiens) | LNH | 46 | 20 | 16 | 36 | 27 | 3 | 1 | 0 | 1 | 5 |
| 1942-43 | Montréal (Canadiens) | LNH | 49 | 30 | 27 | 57 | 23 | 5 | 1 | 3 | 4 | 4 |
| 1943-44 | | | | | *Service militaire* | | | | | | | |
| 1944-45 | Calgary (Currie Army) | CNDHL | 13 | 7 | 3 | 10 | 8 | 2 | 1 | 0 | 1 | 2 |
| 1945-46 | Montréal (Canadiens) | LNH | 39 | 9 | 10 | 19 | 8 | - | - | - | - | - |
| 1946-47 | Montréal (Canadiens) | LNH | 6 | 0 | 0 | 0 | 4 | - | - | - | - | - |
| | Springfield (Indians) | AHL | 34 | 6 | 4 | 10 | 6 | - | - | - | - | - |
| 1947-48 | | | | | *N'a pas joué* | | | | | | | |
| 1948-49 | Montréal (Royals) | LHSQ | 1 | 0 | 0 | 0 | 0 | - | - | - | - | - |
| | | LNH | 185 | 75 | 69 | 144 | 94 | 11 | 6 | 3 | 9 | 11 |
| | Montréal | | 185 | 75 | 69 | 144 | 94 | 11 | 6 | 3 | 9 | 11 |

• Médaille d'or (CM) en 1938-39
• Échangé à Montréal par Toronto pour Frank Eddols le 7 juin 1940 • Échangé à Springfield (AHL) par Montréal pour George Pargeter le 15 novembre 1946

### BERENSON, GORDON (RED)

Né à Regina, Saskatchewan, le 8 décembre 1939. Centre, lance de la gauche, 6', 185 lb

| SAISON | CLUB | LIGUE | PJ | B | A | PTS | PUN | PJ | B | A | PTS | PUN |
|---|---|---|---|---|---|---|---|---|---|---|---|---|
| 1955-56 | Regina (Pat Canadians) | SJHL B | | | *Statistiques non disponibles* | | | | | | | |
| | Regina (Pats) | Mem. | 5 | 0 | 0 | 0 | 0 | - | - | - | - | - |
| 1956-57 | Regina (Pats) | SJHL | 51 | 21 | 23 | 44 | 86 | 7 | 4 | 3 | 7 | 4 |
| 1957-58 | Regina (Pats) | SJHL | 51 | 46 | *49 | 95 | 92 | 27 | 11 | 20 | 31 | *49 |
| | Regina (Pats) | Mem. | 16 | 7 | 17 | 24 | 21 | - | - | - | - | - |
| 1958-59 | Belleville (McFarlands) | EOHL | 2 | 1 | 3 | 2 | - | - | - | - | - | - |
| | Canada | CM | 8 | 4 | 13 | 12 | - | 10 | 10 | 9 | 19 | 10 |
| | Flin Flon (Bombers) | WCJHL | 28 | 12 | 7 | 19 | 12 | - | - | - | - | - |
| | Flin Flon (Bombers) | Mem. | 6 | 3 | 3 | 6 | 2 | - | - | - | - | - |
| 1959-60 | Michigan University | WCHA | 28 | 24 | 25 | 49 | | - | - | - | - | - |
| 1960-61 | Michigan University | WCHA | 28 | 24 | 25 | 49 | | - | - | - | - | - |
| 1961-62 | Michigan University | WCHA | 28 | *43 | 29 | 72 | 40 | - | - | - | - | - |
| | Montréal (Canadiens) | LNH | 4 | 1 | 2 | 3 | 4 | 5 | 2 | 0 | 2 | 0 |
| 1962-63 | Hull-Ottawa (Canadien) | EPHL | 30 | 23 | 25 | 48 | 28 | - | - | - | - | - |
| | Montréal (Canadiens) | LNH | 37 | 2 | 6 | 8 | 15 | 5 | 0 | 0 | 0 | 0 |
| 1963-64 | Montréal (Canadiens) | LNH | 69 | 7 | 19 | 16 | 12 | 7 | 0 | 0 | 0 | 4 |
| 1964-65 | Québec (As) | AHL | 65 | 22 | 34 | 56 | 16 | 5 | 1 | 2 | 3 | 8 |
| | Montréal (Canadiens) | LNH | 3 | 1 | 2 | 3 | 0 | 9 | 0 | 1 | 1 | 2 |
| 1965-66 | Québec (As) | AHL | 34 | 17 | 36 | 53 | 14 | 6 | 1 | 5 | 6 | 2 |
| | Match des étoiles | LNH | 1 | 0 | 0 | 0 | 0 | - | - | - | - | - |
| | Montréal (Canadiens) | LNH | 23 | 3 | 4 | 7 | 12 | - | - | - | - | - |
| 1966-67 | New York (Rangers) | LNH | 30 | 0 | 5 | 5 | 2 | 4 | 0 | 1 | 1 | 2 |
| 1967-68 | New York (Rangers) | LNH | 19 | 2 | 1 | 3 | 2 | - | - | - | - | - |
| | St. Louis (Blues) | LNH | 55 | 22 | 29 | 51 | 22 | 18 | 5 | 4 | 9 | 7 |
| 1968-69 | St. Louis (Blues) | LNH | 76 | 35 | 47 | 82 | 43 | 12 | 7 | 3 | 10 | 20 |
| | Match des étoiles | LNH | 1 | 1 | 1 | 2 | 0 | - | - | - | - | - |
| 1969-70 | St. Louis (Blues) | LNH | 67 | 33 | 39 | 72 | 38 | 16 | 7 | 5 | 12 | 8 |
| | Match des étoiles | LNH | 1 | 0 | 1 | 1 | 0 | - | - | - | - | - |
| 1970-71 | St. Louis (Blues) | LNH | 45 | 16 | 26 | 42 | 12 | - | - | - | - | - |
| | Match des étoiles | LNH | 1 | 0 | 0 | 0 | 0 | - | - | - | - | - |
| | Detroit (Red Wings) | LNH | 24 | 5 | 12 | 17 | 4 | - | - | - | - | - |
| 1971-72 | Detroit (Red Wings) | LNH | 78 | 28 | 41 | 69 | 16 | - | - | - | - | - |
| | Match des étoiles | LNH | 1 | 1 | 0 | 1 | 0 | - | - | - | - | - |
| 1972-73 | Detroit (Red Wings) | LNH | 78 | 13 | 30 | 43 | 16 | - | - | - | - | - |
| | Canada | Siècle | 2 | 0 | 1 | 1 | 0 | - | - | - | - | - |
| 1973-74 | Detroit (Red Wings) | LNH | 76 | 24 | 42 | 66 | 28 | - | - | - | - | - |
| | Match des étoiles | LNH | 1 | 0 | 1 | 1 | 2 | - | - | - | - | - |
| 1974-75 | Detroit (Red Wings) | LNH | 27 | 3 | 6 | 9 | 6 | - | - | - | - | - |
| | St. Louis (Blues) | LNH | 44 | 12 | 19 | 31 | 12 | 2 | 1 | 0 | 1 | 0 |
| 1975-76 | St. Louis (Blues) | LNH | 72 | 20 | 27 | 47 | 43 | 3 | 2 | 2 | 4 | 0 |
| 1976-77 | St. Louis (Blues) | LNH | 80 | 20 | 49 | 69 | 4 | - | - | - | - | - |
| 1977-78 | St. Louis (Blues) | LNH | 80 | 13 | 25 | 38 | 12 | - | - | - | - | - |
| | | LNH | 987 | 261 | 397 | 658 | 305 | 85 | 23 | 14 | 37 | 49 |
| | Montréal | | 136 | 14 | 23 | 37 | 43 | 26 | 2 | 1 | 3 | 6 |

• Médaille d'or (CM) en 1959 • Première équipe d'étoiles (WCHA) en 1960-61, 1961-62
• Première équipe d'étoiles All-American (NCAA) en 1960-61, 1961-62 • Champion du tournoi de la NCAA en 1961-62 • Coupe Stanley (LNH) en 1964-65 • Match des étoiles (LNH) en 1965-66, 1968-69, 1969-70, 1970-71, 1971-72, 1973-74
• Échangé à New York par Montréal pour Ted Taylor et Garry Peters le 13 juin 1966 • Échangé à St. Louis par New York avec Barclay Plager pour Ron Stewart et Ron Attwell le 29 novembre 1967 • Échangé à Detroit par St. Louis avec Tim Ecclestone pour Garry Unger et Wayne Connelly le 6 février 1971 • Échangé à St. Louis par Detroit pour Phil Roberto et le choix de 3e ronde de St. Louis au repêchage de 1975 (Blair Davidson) le 30 décembre 1974

### BEREZIN, SERGEI

Né à Voskresensk, Russie, le 5 novembre 1971. Ailier droit, lance de la gauche, 5'10", 200 lb (8e choix de Toronto, 256e au total lors du repêchage de 1994)

| SAISON | CLUB | LIGUE | PJ | B | A | PTS | PUN | PJ | B | A | PTS | PUN |
|---|---|---|---|---|---|---|---|---|---|---|---|---|
| 1990-91 | Khimik Voskresensk | URSS | 30 | 6 | 2 | 8 | 4 | - | - | - | - | - |
| 1990-91 | Union Soviétique | CMJ | 7 | 3 | 1 | 4 | 6 | - | - | - | - | - |
| 1991-92 | Khimik Voskresensk | CIS | 36 | 7 | 5 | 12 | 10 | - | - | - | - | - |

| SAISON | CLUB | LIGUE | PJ | B | A | PTS | PUN | PJ | B | A | PTS | PUN |
|---|---|---|---|---|---|---|---|---|---|---|---|---|
| 1992-93 | Khimik Voskresensk | CIS | 38 | 9 | 3 | 12 | 12 | 2 | 1 | 0 | 1 | 0 |
| 1993-94 | Khimik Voskresensk | CIS | 40 | 31 | 10 | 41 | 16 | 3 | 2 | 0 | 2 | 2 |
| | Russie | JO | 8 | 3 | 2 | 5 | 2 | - | - | - | - | - |
| | Russie | CM | 6 | 2 | 1 | 3 | 2 | - | - | - | - | - |
| 1994-95 | Kolner Haie | GER | 43 | 38 | 19 | 57 | 8 | 18 | *17 | 8 | 25 | 14 |
| | Russie | CM | 6 | 7 | 1 | 8 | 4 | - | - | - | - | - |
| 1995-96 | Kolner Haie | GER | 45 | *49 | 31 | 80 | 8 | 14 | *13 | 9 | 22 | 10 |
| | Russie | CM | 8 | 4 | 5 | 9 | 2 | - | - | - | - | - |
| 1996-97 | **Toronto (Maple Leafs)** | LNH | 73 | 25 | 16 | 41 | 2 | - | - | - | - | - |
| | Russie | CM | 2 | 1 | 0 | 1 | 0 | - | - | - | - | - |
| 1997-98 | **Toronto (Maple Leafs)** | LNH | 68 | 16 | 15 | 31 | 10 | - | - | - | - | - |
| | Russie | CM | 6 | 6 | 2 | 8 | 2 | - | - | - | - | - |
| 1998-99 | **Toronto (Maple Leafs)** | LNH | 76 | 37 | 22 | 59 | 12 | 17 | 6 | 6 | 12 | 4 |
| 1999-00 | **Toronto (Maple Leafs)** | LNH | 61 | 26 | 13 | 39 | 2 | 12 | 4 | 4 | 8 | 0 |
| 2000-01 | **Toronto (Maple Leafs)** | LNH | 79 | 22 | 28 | 50 | 8 | 11 | 2 | 5 | 7 | 2 |
| 2001-02 | Phoenix (Coyotes) | LNH | 41 | 7 | 9 | 16 | 4 | - | - | - | - | - |
| | **Montréal (Canadiens)** | **LNH** | **29** | **4** | **6** | **10** | **4** | **6** | **1** | **1** | **2** | **0** |
| 2002-03 | Chicago (Blackhawks) | LNH | 66 | 18 | 13 | 31 | | - | - | - | - | - |
| | Washington (Capitals) | LNH | 9 | 5 | 4 | 9 | 4 | 6 | 0 | 1 | 1 | 0 |
| | **LNH** | | **502** | **160** | **126** | **286** | **54** | **52** | **13** | **17** | **30** | **6** |
| | **Montréal** | | **29** | **4** | **6** | **10** | **4** | **6** | **1** | **1** | **2** | **0** |

• Équipe d'étoiles des joueurs recrues (LNH) en 1996-97
• Échangé à Phoenix par Toronto pour Mikael Renberg le 23 juin 2001 • Échangé à Montréal par Phoenix pour Brian Savage, le choix de 3e ronde de Montréal au repêchage de 2002 (Matt Jones) et des considérations futures le 25 janvier 2002 • Échangé à Chicago par Montréal pour le choix de 4e ronde de Chicago au repêchage de 2004 le 30 juin 2002 • Échangé à Washington par Chicago pour le choix de 4e ronde de Washington de 2004 le 11 mars 2003

### BERLINGUETTE, LOUIS
Né à Papineau, Québec en 1887, décédé le 2 juin 1959
Avant, lance de la gauche, 5'11", 175 lb

| SAISON | CLUB | LIGUE | PJ | B | A | PTS | PUN | PJ | B | A | PTS | PUN |
|---|---|---|---|---|---|---|---|---|---|---|---|---|
| 1908-09 | Haileybury (Seniors) | TPHL | 8 | 9 | 0 | 9 | 19 | - | - | - | - | - |
| 1909-10 | Haileybury (Comets) | NHA | 1 | 2 | 0 | 2 | 0 | - | - | - | - | - |
| 1910-11 | Galt (Professionals) | OPHL | 5 | 0 | 0 | 0 | 0 | 3 | 4 | 0 | 4 | - |
| 1911-12 | **Montréal (Canadiens)** | **NHA** | 4 | 0 | 0 | 0 | 0 | - | - | - | - | - |
| | Moncton (Victorias) | MPHL | 9 | 7 | 0 | 7 | 15 | 2 | 0 | 0 | 0 | 5 |
| 1912-13 | **Montréal (Canadiens)** | **NHA** | 18 | 4 | 0 | 4 | - | - | - | - | - | - |
| 1913-14 | **Montréal (Canadiens)** | **NHA** | 20 | 4 | 9 | 13 | - | 2 | 0 | 0 | 0 | 0 |
| 1914-15 | **Montréal (Canadiens)** | **NHA** | 20 | 2 | 1 | 3 | 40 | - | - | - | - | - |
| 1915-16 | **Montréal (Canadiens)** | **NHA** | 19 | 2 | 2 | 4 | 19 | 1 | 0 | 0 | 0 | 0 |
| 1916-17 | **Montréal (Canadiens)** | **NHA** | 20 | 8 | 4 | 12 | 36 | 5 | 0 | 0 | 0 | 8 |
| 1917-18 | **Montréal (Canadiens)** | **LNH** | 20 | 2 | 1 | 3 | 22 | - | - | - | - | - |
| 1918-19 | **Montréal (Canadiens)** | **LNH** | 18 | 5 | 3 | 8 | 9 | 10 | 1 | 3 | 4 | 9 |
| 1919-20 | **Montréal (Canadiens)** | **LNH** | 24 | 8 | 9 | 17 | 36 | - | - | - | - | - |
| 1920-21 | **Montréal (Canadiens)** | **LNH** | 24 | 12 | 9 | 21 | 28 | - | - | - | - | - |
| 1921-22 | **Montréal (Canadiens)** | **LNH** | 24 | 13 | 5 | 18 | 10 | - | - | - | - | - |
| 1922-23 | **Montréal (Canadiens)** | **LNH** | 24 | 2 | 4 | 6 | 4 | 2 | 0 | 2 | 2 | 0 |
| 1923-24 | Saskatoon (Montréal) | WCHL | 29 | 9 | 6 | 15 | 9 | - | - | - | - | - |
| 1924-25 | **Montréal (Maroons)** | **LNH** | 29 | 4 | 2 | 6 | 22 | - | - | - | - | - |
| 1925-26 | Pittsburgh (Pirates) | LNH | 30 | 0 | 0 | 0 | 2 | 2 | 0 | 0 | 0 | 0 |
| 1926-27 | Québec (Castors) | Can-Am | 19 | 3 | 3 | 6 | 31 | - | - | - | - | - |
| | **NHA** | | **101** | **20** | **16** | **36** | **95** | **8** | **0** | **0** | **0** | **8** |
| | **LNH** | | **193** | **46** | **33** | **79** | **129** | **16** | **1** | **5** | **6** | **9** |
| | **Montréal** | | **235** | **62** | **47** | **109** | **194** | **22** | **1** | **5** | **6** | **17** |

• Coupe Stanley (NHA) en 1915-16
• Signe avec Montréal (Canadiens) le 22 novembre 1911 • Prêté à Moncton (MPHL) par Montréal (Canadiens) le 30 janvier 1912 • Droits vendus à Saskatoon (WCHL) par Montréal (Canadiens) le 1er novembre 1923 • Droits vendus à Montréal (Maroons) par Saskatoon (WCHL) le 26 novembre 1924 • Signe avec Pittsburgh le 10 novembre 1925 • Signe avec Québec (Can-Am) comme joueur et entraîneur le 28 octobre 1926

### BERNIER, ARTHUR (ART)
Né en 1886, décédé. Ailier droit, lance de la droite, 5'9", 158 lb

| SAISON | CLUB | LIGUE | PJ | B | A | PTS | PUN | PJ | B | A | PTS | PUN |
|---|---|---|---|---|---|---|---|---|---|---|---|---|
| 1909-10 | **Montréal (Canadiens)** | **NHA** | 12 | 12 | 0 | 12 | 25 | - | - | - | - | - |
| 1910-11 | **Montréal (Canadiens)** | **NHA** | 3 | 1 | 0 | 1 | 0 | - | - | - | - | - |
| 1911-12 | **Montréal (Wanderers)** | **NHA** | 11 | 4 | 0 | 4 | - | - | - | - | - | - |
| | **NHA** | | **26** | **17** | **0** | **17** | **25** | | | | | |
| | **Montréal** | | **15** | **13** | **0** | **13** | **25** | | | | | |

• Signe avec Montréal (Canadiens) en décembre 1909 • Signe avec Montréal (Wanderers) le 7 décembre 1911

### BERRY, ROBERT (BOB)
Né à Montréal, Québec, le 29 novembre 1943
Ailier gauche, lance de la gauche, 6', 190 lb

| SAISON | CLUB | LIGUE | PJ | B | A | PTS | PUN | PJ | B | A | PTS | PUN |
|---|---|---|---|---|---|---|---|---|---|---|---|---|
| 1963-64 | Verdun (Maple Leafs) | LHJMM | 25 | 38 | 27 | 65 | 93 | - | - | - | - | - |
| | Peterborough (Petes) | OHA Jr | 11 | 4 | 3 | 7 | 36 | 2 | 0 | 0 | 0 | 4 |
| 1964-65 | George Williams College | OQAA | 17 | 13 | 27 | 40 | | - | - | - | - | - |
| 1965-66 | George Williams College | OQAA | 27 | 36 | 48 | 84 | | - | - | - | - | - |
| 1966-67 | George Williams College | OQAA | 31 | 48 | 41 | 89 | | - | - | - | - | - |
| | Canada | Éq. Nat. | 5 | 1 | 1 | 2 | 0 | - | - | - | - | - |
| 1967-68 | Hull (Nationals) | LHSQ | 39 | 32 | 23 | 55 | 80 | - | - | - | - | - |
| 1968-69 | Clevelands (Barons) | AHL | 68 | 24 | 29 | 53 | 104 | 5 | 0 | 3 | 3 | 10 |
| | **Montréal (Canadiens)** | **LNH** | 2 | 0 | 0 | 0 | 0 | - | - | - | - | - |
| 1969-70 | Montréal (Voyageurs) | AHL | 71 | 18 | 41 | 59 | 104 | 8 | 1 | 0 | 1 | 11 |
| 1970-71 | Los Angeles (Kings) | LNH | 77 | 25 | 38 | 63 | 52 | - | - | - | - | - |
| 1971-72 | Los Angeles (Kings) | LNH | 78 | 17 | 22 | 39 | 44 | - | - | - | - | - |
| 1972-73 | Los Angeles (Kings) | LNH | 78 | 36 | 28 | 64 | 75 | - | - | - | - | - |
| | Match des étoiles | LNH | 1 | 0 | 0 | 0 | | - | - | - | - | - |
| 1973-74 | Los Angeles (Kings) | LNH | 77 | 23 | 33 | 56 | 56 | 5 | 0 | 0 | 0 | 0 |
| | Match des étoiles | LNH | 1 | 1 | 0 | 1 | 0 | - | - | - | - | - |
| 1974-75 | Los Angeles (Kings) | LNH | 80 | 25 | 23 | 48 | 60 | 3 | 1 | 2 | 3 | 2 |
| 1975-76 | Los Angeles (Kings) | LNH | 80 | 20 | 22 | 42 | 37 | 9 | 1 | 1 | 2 | 0 |
| 1976-77 | Fort Worth (Texans) | CHL | 7 | 4 | 4 | 8 | 0 | - | - | - | - | - |
| | Los Angeles (Kings) | LNH | 69 | 13 | 25 | 38 | 20 | 9 | 0 | 3 | 3 | 4 |
| 1977-78 | Springfield (Indians) | AHL | 74 | 26 | 27 | 53 | 56 | 4 | 0 | 0 | 0 | 0 |
| | **LNH** | | **541** | **159** | **191** | **350** | **344** | **26** | **2** | **6** | **8** | **6** |
| | **Montréal** | | **2** | **0** | **0** | **0** | **0** | - | - | - | - | - |

• Première équipe d'étoiles (LHSQ) en 1967-68 • Match des étoiles (LNH) en 1972-73, 1973-74
• Droits vendus à Los Angeles par Montréal le 8 octobre 1970

### BERTRAND, ÉRIC
Né à Saint-Ephrem, Québec, le 16 avril 1975. Ailier gauche, lance de la gauche, 6'1", 209 lb (9e choix du New Jersey, 207e au total lors du repêchage de 1994)

| SAISON | CLUB | LIGUE | PJ | B | A | PTS | PUN | PJ | B | A | PTS | PUN |
|---|---|---|---|---|---|---|---|---|---|---|---|---|
| 1991-92 | Beauce-Amiante (Castors) | QAAA | *Statistiques non disponibles* | | | | | | | | | |
| 1992-93 | Granby (Bisons) | LHJMQ | 64 | 10 | 15 | 25 | 82 | - | - | - | - | - |
| 1993-94 | Granby (Bisons) | LHJMQ | 60 | 11 | 15 | 26 | 151 | 6 | 1 | 0 | 1 | 18 |
| 1994-95 | Granby (Bisons) | LHJMQ | 56 | 14 | 26 | 40 | 268 | 13 | 3 | 8 | 11 | 50 |
| 1995-96 | Albany (River Rats) | AHL | 70 | 16 | 13 | 29 | 199 | 4 | 0 | 0 | 0 | 0 |
| 1996-97 | Albany (River Rats) | AHL | 77 | 16 | 27 | 43 | 204 | 8 | 3 | 3 | 6 | 15 |
| 1997-98 | Albany (River Rats) | AHL | 76 | 20 | 29 | 49 | 256 | 13 | 5 | 5 | 10 | 4 |
| 1998-99 | Albany (River Rats) | AHL | 78 | 34 | 31 | 65 | 160 | 5 | 4 | 2 | 6 | 0 |
| 1999-00 | New Jersey (Devils) | LNH | 4 | 0 | 0 | 0 | 0 | - | - | - | - | - |
| | Atlanta (Thrashers) | LNH | 8 | 0 | 0 | 0 | 4 | - | - | - | - | - |
| | Philadelphie (Phantoms) | AHL | 15 | 3 | 6 | 9 | 67 | - | - | - | - | - |
| | Milwaukee (Admirals) | IHL | 37 | 7 | 9 | 16 | 56 | 3 | 0 | 0 | 0 | 0 |
| 2000-01 | **Montreal (Canadiens)** | LNH | 3 | 0 | 0 | 0 | 0 | - | - | - | - | - |
| | Québec (Citadelles) | AHL | 66 | 21 | 21 | 42 | 113 | 9 | 4 | 2 | 6 | 12 |
| 2001-02 | Bracknell (Bees) | BISL | 8 | 4 | 3 | 7 | 4 | - | - | - | - | - |
| | Cologne (Sharks) | GER | 27 | 5 | 6 | 11 | 34 | 12 | 1 | 1 | 2 | 42 |
| 2002-03 | Hershey (Bears) | AHL | 67 | 19 | 40 | 59 | 87 | 3 | 0 | 2 | 2 | 4 |
| | **LNH** | | **15** | **0** | **0** | **0** | **4** | | | | | |
| | **Montréal** | | **3** | **0** | **0** | **0** | **0** | | | | | |

• Échangé à Atlanta par New Jersey avec Wes Mason pour Sylvain Cloutier, Jeff Williams et le choix de 7e ronde d'Atlanta au repêchage de 2000 (Ken Magovan) le 1er novembre 1999
• Échangé à Philadelphie par Atlanta pour Brian Wesenberg le 9 décembre 1999 • Échangé à Nashville par Philadelphie pour des considérations futures le 14 février 2000 • Signe avec Montréal comme agent libre le 7 juillet 2000 • Signe avec Hershey comme agent libre le 13 août 2002

### BERTRAND, LORENZO
Décédé. Ailier gauche

| SAISON | CLUB | LIGUE | PJ | B | A | PTS | PUN | PJ | B | A | PTS | PUN |
|---|---|---|---|---|---|---|---|---|---|---|---|---|
| 1910-11 | **Montréal (Canadiens)** | **NHA** | 1 | 0 | 0 | 0 | 0 | - | - | - | - | - |
| 1911-12 | | | *Statistiques non disponibles* | | | | | | | | | |
| 1912-13 | | | *Statistiques non disponibles* | | | | | | | | | |
| 1913-14 | **Montréal (Canadiens)** | **NHA** | 1 | 0 | 0 | 0 | 0 | - | - | - | - | - |
| | **NHA** | | **2** | **0** | **0** | **0** | **0** | | | | | |
| | **Montréal** | | **2** | **0** | **0** | **0** | **0** | | | | | |

• Prêté à Montréal (NHA) par Hull le 30 janvier 1911 • Prêté à Montréal (NHA) par Hull le 9 janvier 1914

### BLAINE, GARRY
Né à St. Boniface, Manitoba, le 19 avril 1933, décédé le 19 décembre 1998
Ailier droit, lance de la droite, 5'11", 190 lb

| SAISON | CLUB | LIGUE | PJ | B | A | PTS | PUN | PJ | B | A | PTS | PUN |
|---|---|---|---|---|---|---|---|---|---|---|---|---|
| 1950-51 | Winnipeg (Canadians) | MJHL | 33 | 13 | 14 | 27 | 45 | - | - | - | - | - |
| 1951-52 | St. Boniface (Canadians) | MJHL | 35 | 14 | 18 | 32 | 45 | 5 | 3 | 1 | 4 | 0 |
| 1952-53 | St. Boniface (Canadians) | MJHL | 17 | 16 | 15 | 31 | 50 | 8 | *6 | 6 | *12 | 10 |
| | St. Boniface (Canadians) | Mem. | 17 | 11 | 10 | 21 | 21 | - | - | - | - | - |
| 1953-54 | Montréal (Royals) | LHQ | 54 | 11 | 20 | 31 | 24 | 11 | 2 | 6 | 8 | 6 |
| 1954-55 | **Montréal (Canadiens)** | **LNH** | 1 | 0 | 0 | 0 | 0 | - | - | - | - | - |
| | Montréal (Royals) | LHQ | 53 | 18 | 31 | 49 | 56 | 14 | *11 | *16 | | 2 |
| 1955-56 | Winnipeg (Warriors) | WHL | 40 | 8 | 12 | 20 | 20 | - | - | - | - | - |
| | Trois-Rivières (Lions) | LHQ | 22 | 6 | 6 | 12 | 4 | - | - | - | - | - |
| 1956-57 | Chicoutimi (Saguenéens) | LHQ | 12 | 2 | 6 | 8 | 2 | - | - | - | - | - |
| | Buffalo (Bisons) | AHL | 43 | 13 | 14 | 27 | 20 | - | - | - | - | - |
| 1957-58 | Québec (As) | LHQ | 62 | 23 | 38 | 61 | 28 | 13 | 3 | 5 | 8 | 12 |
| 1958-59 | Vancouver (Canucks) | WHL | 67 | 16 | 19 | 35 | 60 | 8 | 1 | 2 | 3 | 10 |
| 1959-60 | S.S. Marie (Thunderbirds) | EPHL | 70 | 20 | 37 | 57 | 54 | - | - | - | - | - |
| | **LNH** | | **1** | **0** | **0** | **0** | **0** | - | - | - | - | - |
| | **Montréal** | | **1** | **0** | **0** | **0** | **0** | - | - | - | - | - |

• Prêté à Winnipeg (WHL) par Montréal avec Paul Masnick et Eddie Mazur le 4 juin 1955
• Prêté à Trois-Rivières (LHQ) par Montréal le 30 janvier 1956

### BLAKE, HECTOR (TOE)
Né à Victoria Mines, Ontario, le 21 août 1912, décédé le 17 mai 1995
Ailier gauche, lance de la gauche, 5'10", 165 lb

| SAISON | CLUB | LIGUE | PJ | B | A | PTS | PUN | PJ | B | A | PTS | PUN |
|---|---|---|---|---|---|---|---|---|---|---|---|---|
| 1929-30 | Cochrane (Dunlops) | NOJHA | 7 | 3 | 0 | 3 | 4 | - | - | - | - | - |
| 1930-31 | Sudbury (Cub Wolves) | NOJHA | 6 | 3 | 1 | 4 | 12 | 2 | 0 | 0 | 0 | 6 |
| | Sudbury (Industries) | NOHA | 8 | 7 | 1 | 8 | 10 | 3 | 1 | 1 | 2 | 4 |
| | Sudbury (Cub Wolves) | Allan | 3 | 3 | 1 | 4 | 0 | - | - | - | - | - |
| 1931-32 | Sudbury (Cub Wolves) | NOHA | 1 | *5 | 0 | 5 | 0 | - | - | - | - | - |
| | Falconbridge (Falcons) | NOHA | 10 | *8 | 1 | 9 | 18 | 2 | 1 | 0 | 1 | 2 |
| | Sudbury (Cub Wolves) | Mem. | 5 | 4 | 1 | 5 | 0 | - | - | - | - | - |
| 1932-33 | Hamilton (Tigers) | OHA Sr | 22 | 9 | 4 | 13 | 26 | 2 | 0 | 0 | 0 | 0 |
| 1933-34 | Hamilton (Tigers) | OHA Sr | 19 | 14 | 13 | 28 | 7 | 3 | 0 | 1 | 1 | 6 |
| | Hamilton (Tigers) | Allan | 8 | 6 | 3 | 9 | 8 | - | - | - | - | - |
| 1934-35 | Hamilton (Tigers) | OHA Sr | 18 | 15 | 11 | 26 | 48 | - | - | - | - | - |
| | **Montréal (Maroons)** | **LNH** | 8 | 0 | 0 | 0 | 0 | 1 | 0 | 0 | 0 | 0 |

BER - BLA

584

| Saison | Club | Ligue | SAISONS RÉGULIÈRES | | | | | SÉRIES ÉLIMINATOIRES | | | | |
|---|---|---|---|---|---|---|---|---|---|---|---|---|
| | | | PJ | B | A | PTS | PUN | PJ | B | A | PTS | PUN |
| 1935-36 | Providence (Reds) | Can-Am | 33 | 12 | 11 | 23 | 65 | 7 | 2 | 3 | 5 | 2 |
| | **Montréal (Canadiens)** | LNH | 11 | 1 | 2 | 3 | 28 | - | - | - | - | - |
| 1936-37 | **Montréal (Canadiens)** | LNH | 43 | 10 | 12 | 22 | 12 | 5 | 1 | 0 | 1 | 0 |
| 1937-38 | **Montréal (Canadiens)** | LNH | 43 | 17 | 16 | 33 | 33 | 3 | 3 | 1 | 4 | 2 |
| | Match des étoiles | LNH | 1 | 0 | 1 | 1 | 0 | - | - | - | - | - |
| 1938-39 | **Montréal (Canadiens)** | LNH | 48 | 24 | 23 | *47 | 10 | 3 | 1 | 1 | 2 | 0 |
| 1939-40 | **Montréal (Canadiens)** | LNH | 48 | 17 | 19 | 36 | 48 | - | - | - | - | - |
| | Match des étoiles | LNH | 1 | 0 | 0 | 0 | 0 | - | - | - | - | - |
| 1940-41 | **Montréal (Canadiens)** | LNH | 48 | 12 | 20 | 32 | 49 | 3 | 0 | 3 | 3 | 5 |
| 1941-42 | **Montréal (Canadiens)** | LNH | 48 | 17 | 28 | 45 | 19 | 3 | 0 | 3 | 3 | 2 |
| 1942-43 | **Montréal (Canadiens)** | LNH | 48 | 23 | 36 | 59 | 26 | 5 | 4 | 3 | 7 | 0 |
| 1943-44 | **Montréal (Canadiens)** | LNH | 41 | 26 | 33 | 59 | 10 | 9 | 7 | *11 | *18 | 2 |
| 1944-45 | **Montréal (Canadiens)** | LNH | 49 | 29 | 38 | 67 | 25 | 6 | 0 | 2 | 2 | 5 |
| 1945-46 | **Montréal (Canadiens)** | LNH | 50 | 29 | 21 | 50 | 2 | 9 | *7 | 6 | 13 | 5 |
| 1946-47 | **Montréal (Canadiens)** | LNH | 60 | 21 | 29 | 50 | 6 | 11 | 2 | *7 | 9 | 0 |
| 1947-48 | **Montréal (Canadiens)** | LNH | 32 | 9 | 15 | 24 | 4 | - | - | - | - | - |
| 1948-49 | Buffalo (Bisons) | AHL | 18 | 1 | 3 | 4 | 0 | - | - | - | - | - |
| 1949-50 | Valleyfield (Braves) | LHSQ | 43 | 12 | 15 | 27 | 15 | 3 | 0 | 1 | 1 | 0 |
| 1950-51 | Valleyfield (Braves) | Alexa. | 1 | 0 | 1 | 0 | 0 | - | - | - | - | - |
| | **LNH** | | 577 | 235 | 292 | 527 | 272 | 58 | 25 | 37 | 62 | 23 |
| | **Montréal** | | 569 | 235 | 292 | 527 | 272 | 57 | 25 | 37 | 62 | 23 |

• Coupe Memorial en 1931-32 • Coupe Stanley (LNH) en 1934-35, 1943-44, 1945-46 • Match des étoiles (LNH) en 1937-38, 1939-40 • Deuxième équipe d'étoiles (LNH) en 1937-38, 1945-46 • Trophée Hart (LNH) en 1938-39 • Trophée Art-Ross (LNH) en 1938-39 • Première équipe d'étoiles (LNH) en 1938-39, 1939-40, 1944-45 • Trophée Lady-Byng (LNH) en 1945-46 • Membre du Temple de la Renommée (LNH) en 1966
• Signe avec Montréal (Canadiens) le 21 février 1935 • Droits vendus à Montréal (Canadiens) par Montréal (Maroons) le 10 février 1936 • Montréal (Canadiens) cède ensuite Lorne Chabot à Montréal (Maroons) pour Toe Blake, Bill Miller et les droits de négociations sur Ken Gravel le 12 février 1936

## BLOUIN, SYLVAIN

Né à Montréal, Québec, le 21 mai 1974. Ailier gauche, lance de la gauche, 6'2", 207 lb
(5e choix de New York (Rangers), 104e au total lors du repêchage de 1994)

| Saison | Club | Ligue | SAISONS RÉGULIÈRES | | | | | SÉRIES ÉLIMINATOIRES | | | | |
|---|---|---|---|---|---|---|---|---|---|---|---|---|
| | | | PJ | B | A | PTS | PUN | PJ | B | A | PTS | PUN |
| 1991-92 | Laval (Titan) | LHJMQ | 28 | 0 | 0 | 0 | 23 | 9 | 0 | 0 | 0 | 35 |
| 1992-93 | Laval (Titan) | LHJMQ | 68 | 0 | 10 | 10 | 373 | 13 | 1 | 0 | 1 | *66 |
| | Laval (Titan) | Mem. | 5 | 0 | 2 | 2 | 14 | - | - | - | - | - |
| 1993-94 | Laval (Titan) | LHJMQ | 62 | 18 | 22 | 40 | *492 | 21 | 4 | 13 | 17 | *177 |
| | Laval (Titan) | Mem. | 5 | 0 | 2 | 2 | 30 | - | - | - | - | - |
| 1994-95 | Chicago (Wolves) | IHL | 1 | 0 | 0 | 0 | 2 | - | - | - | - | - |
| | Charlotte (Checkers) | ECHL | 50 | 5 | 7 | 12 | 280 | 3 | 0 | 0 | 0 | 6 |
| | Binghamton (Rangers) | AHL | 10 | 1 | 0 | 1 | 46 | 2 | 0 | 0 | 0 | 24 |
| 1995-96 | Binghamton (Rangers) | AHL | 71 | 5 | 8 | 13 | *352 | 4 | 0 | 3 | 3 | 4 |
| 1996-97 | New York (Rangers) | LNH | 6 | 0 | 0 | 0 | 18 | - | - | - | - | - |
| | Binghamton (Rangers) | AHL | 62 | 13 | 17 | 30 | 301 | 4 | 2 | 1 | 3 | 16 |
| 1997-98 | New York (Rangers) | LNH | 1 | 0 | 0 | 0 | 5 | - | - | - | - | - |
| | Hartford (Wolf Pack) | AHL | 53 | 8 | 9 | 17 | 286 | 9 | 0 | 1 | 1 | 63 |
| 1998-99 | Fredericton (Canadien) | AHL | 67 | 6 | 10 | 16 | 333 | 15 | 2 | 0 | 2 | *87 |
| | **Montréal (Canadiens)** | LNH | 5 | 0 | 0 | 0 | 19 | - | - | - | - | - |
| 1999-00 | Worcester (IceCats) | AHL | 70 | 16 | 18 | 34 | 337 | 8 | 3 | 5 | 8 | 30 |
| 2000-01 | Minnesota (Wild) | LNH | 41 | 3 | 2 | 5 | 117 | - | - | - | - | - |
| 2001-02 | Minnesota (Wild) | LNH | 43 | 0 | 2 | 2 | 130 | - | - | - | - | - |
| 2002-03 | Minnesota (Wild) | LNH | 2 | 0 | 0 | 0 | 4 | - | - | - | - | - |
| | **Montréal (Canadiens)** | LNH | 17 | 0 | 0 | 0 | 43 | - | - | - | - | - |
| | Hamilton (Bulldogs) | AHL | 19 | 2 | 4 | 6 | 39 | 11 | 1 | 1 | 2 | 28 |
| | **LNH** | | 115 | 3 | 4 | 7 | 336 | - | - | - | - | - |
| | **Montréal** | | 22 | 0 | 0 | 0 | 62 | - | - | - | - | - |

• Coupe du Président (LHJMQ) en 1992-93
• Échangé à Montréal par New York (Rangers) avec le choix de 6e ronde de New York au repêchage de 1999 (cédé à Phoenix qui sélectionne Erik Leverstrom) pour Peter Popovic le 30 juin 1999 • Signe avec St. Louis comme agent libre le 25 août 1999 • Signe avec Montréal comme agent libre le 7 juillet 2000 • Réclamé par Minnesota de Montréal lors du repêchage inter-équipes le 29 septembre 2000 • Échangé à Montréal par Minnesota pour le choix de 7e ronde de Montréal au repêchage de 2003 le 31 octobre 2002

## BOISVERT, SERGE

Né à Drummondville, Québec, le 1er juin 1959. Ailier droit, lance de la droite, 5'9", 172 lb

| Saison | Club | Ligue | SAISONS RÉGULIÈRES | | | | | SÉRIES ÉLIMINATOIRES | | | | |
|---|---|---|---|---|---|---|---|---|---|---|---|---|
| | | | PJ | B | A | PTS | PUN | PJ | B | A | PTS | PUN |
| 1977-78 | Sherbrooke (Castors) | LHJMQ | 55 | 17 | 33 | 50 | 19 | 10 | 2 | 2 | 4 | 2 |
| 1978-79 | Sherbrooke (Castors) | LHJMQ | 72 | 50 | 72 | 122 | 45 | 12 | 11 | 17 | 28 | 2 |
| 1979-80 | Sherbrooke (Castors) | LHJMQ | 70 | 52 | 72 | 124 | 47 | 15 | 14 | 18 | 32 | 4 |
| | Nouveau-Brunswick (Hawks) | AHL | - | - | - | - | - | 7 | 4 | 0 | 4 | 4 |
| 1980-81 | Nouveau-Brunswick (Hawks) | AHL | 60 | 19 | 27 | 46 | 31 | 5 | 0 | 0 | 0 | 2 |
| 1981-82 | Yukijirushi (Sapporo) | JAP | 30 | 29 | 20 | 49 | - | - | - | - | - | - |
| 1982-83 | Toronto (Maple Leafs) | LNH | 17 | 0 | 1 | 1 | 0 | - | - | - | - | - |
| | St. Catharines (Saints) | AHL | 19 | 10 | 9 | 19 | 2 | - | - | - | - | - |
| | Moncton (Alpines) | AHL | 29 | 6 | 12 | 18 | 7 | - | - | - | - | - |
| 1983-84 | Moncton (Alpines) | AHL | 66 | 15 | 13 | 28 | 34 | - | - | - | - | - |
| 1984-85 | **Montréal (Canadiens)** | LNH | 14 | 2 | 4 | 6 | 2 | 12 | 3 | 5 | 8 | 2 |
| | Sherbrooke (Canadien) | AHL | 63 | 38 | 41 | 79 | 6 | 10 | 1 | 9 | 10 | 12 |
| 1985-86 | Sherbrooke (Canadien) | AHL | 69 | 40 | 48 | 88 | 16 | - | - | - | - | - |
| | **Montréal (Canadiens)** | LNH | 5 | 2 | 1 | 3 | 0 | 8 | 0 | 1 | 1 | 0 |
| 1986-87 | Sherbrooke (Canadien) | AHL | 78 | 27 | 54 | 81 | 29 | 15 | 8 | 10 | 18 | 15 |
| | **Montréal (Canadiens)** | LNH | 1 | 0 | 0 | 0 | 0 | - | - | - | - | - |
| 1987-88 | Canada | Éq. nat. | 63 | 22 | 26 | 48 | 34 | - | - | - | - | - |
| | Canada | JO | 5 | 1 | 0 | 1 | 2 | - | - | - | - | - |
| | **Montréal (Canadiens)** | LNH | 5 | 1 | 1 | 2 | 2 | 3 | 0 | 1 | 1 | 2 |
| 1988-89 | HC Davos | SUI | 36 | 20 | 14 | 34 | - | 7 | 6 | 7 | 13 | - |
| 1989-90 | Canada | Éq. nat. | 5 | 1 | 0 | 1 | 0 | - | - | - | - | - |
| | Vastra Frolunda | SWE | 39 | 18 | 14 | 32 | 24 | - | - | - | - | - |
| 1990-91 | Vastra Frolunda | SWE | 22 | 4 | 4 | 8 | 10 | - | - | - | - | - |
| 1991-92 | Vastra Frolunda | SWE | 40 | 12 | 16 | 28 | 30 | - | - | - | - | - |
| 1992-93 | Vastra Frolunda | SWE | 36 | 20 | 21 | 41 | 52 | 3 | 2 | 1 | 3 | 0 |
| | Canada | Éq. nat. | 3 | 3 | 1 | 4 | 0 | - | - | - | - | - |
| 1993-94 | Vastra (Frolunda) | SWE | 36 | 9 | 15 | 26 | 4 | 4 | 1 | 1 | 2 | 0 |
| 1994-95 | Oslo (Valerenga IF) | NOR | 27 | 15 | 17 | 32 | 24 | 2 | 1 | 1 | 2 | 0 |
| | Canada | Éq. nat. | 2 | 0 | 0 | 0 | 2 | - | - | - | - | - |
| 1995-96 | Oslo (Valerenga IF) | NOR | 28 | 23 | 21 | 44 | - | 4 | 2 | 2 | 4 | - |
| 1996-97 | Oslo (Valerenga IF) | NOR | 33 | 21 | 20 | 41 | 32 | 9 | 5 | 5 | 10 | - |
| | Oslo (Valerenga IF) | EuroHL | 6 | 3 | 0 | 3 | 2 | - | - | - | - | - |
| 1997-98 | Oslo (Valerenga IF) | NOR | 40 | 21 | 24 | 45 | 51 | - | - | - | - | - |
| 1998-99 | Oslo (Valerenga IF) | NOR | 36 | 2 | 4 | 6 | 4 | - | - | - | - | - |
| | Oslo (Valerenga IF) | EuroHL | 4 | 0 | 2 | 2 | 0 | - | - | - | - | - |
| | **LNH** | | 46 | 5 | 7 | 12 | 4 | 23 | 3 | 7 | 10 | 4 |
| | **Montréal** | | 29 | 5 | 5 | 10 | 4 | 23 | 3 | 7 | 10 | 4 |

• Coupe Calder (AHL) en 1984-85 • Deuxième équipe d'étoiles (AHL) en 1985-86, 1986-87 • Coupe Stanley (LNH) en 1985-86
• Signe avec Toronto comme agent libre le 9 octobre 1980 • Échangé à Edmonton par Toronto pour Reid Bailey le 15 janvier 1983 • Signe avec Montréal comme agent libre le 8 février 1985

## BONIN, MARCEL

Né à Montréal, Québec, le 8 septembre 1931
Ailier gauche, lance de la gauche, 5'9", 170 lb

| Saison | Club | Ligue | SAISONS RÉGULIÈRES | | | | | SÉRIES ÉLIMINATOIRES | | | | |
|---|---|---|---|---|---|---|---|---|---|---|---|---|
| | | | PJ | B | A | PTS | PUN | PJ | B | A | PTS | PUN |
| 1950-51 | Trois-Rivières (Reds) | LHJQ | 44 | 30 | 43 | 73 | 73 | 8 | 1 | 6 | 7 | 7 |
| | Shawinigan (Cataractes) | LHMQ | 2 | 0 | 1 | 1 | 0 | - | - | - | - | - |
| 1951-52 | Québec (As) | LHMQ | 60 | 15 | 36 | 51 | 131 | 15 | 4 | 9 | 13 | 32 |
| | Québec (As) | Alexa. | 5 | 0 | 5 | 5 | 18 | - | - | - | - | - |
| 1952-53 | Québec (As) | LHMQ | 4 | 0 | 2 | 2 | 4 | - | - | - | - | - |
| | St. Louis (Flyers) | AHL | 24 | 7 | 23 | 30 | 6 | - | - | - | - | - |
| | Detroit (Red Wings) | LNH | 37 | 4 | 9 | 13 | 14 | 5 | 0 | 1 | 1 | 0 |
| 1953-54 | Edmonton (Flyers) | WHL | 43 | 16 | 33 | 49 | 53 | 13 | 5 | 6 | 11 | 30 |
| | Detroit (Red Wings) | LNH | 1 | 0 | 0 | 0 | 0 | - | - | - | - | - |
| | Sherbrooke (Saints) | LHQ | 17 | 10 | 11 | 21 | 38 | - | - | - | - | - |
| 1954-55 | Detroit (Red Wings) | LNH | 69 | 16 | 20 | 36 | 53 | 11 | 0 | 2 | 2 | 4 |
| | Match des étoiles | LNH | 1 | 0 | 0 | 0 | 0 | - | - | - | - | - |
| 1955-56 | Boston (Bruins) | LNH | 67 | 9 | 9 | 18 | 49 | - | - | - | - | - |
| 1956-57 | Québec (As) | LHQ | 68 | 20 | *60 | 80 | 88 | 10 | 5 | 9 | *14 | 14 |
| | Québec (As) | Edin. | 6 | 3 | *9 | *12 | 4 | - | - | - | - | - |
| 1957-58 | **Montréal (Canadiens)** | LNH | 66 | 15 | 24 | 39 | 37 | 9 | 0 | 1 | 1 | 2 |
| | Match des étoiles | LNH | 1 | 0 | 1 | 1 | 0 | - | - | - | - | - |
| 1958-59 | **Montréal (Canadiens)** | LNH | 57 | 13 | 30 | 43 | 38 | 11 | *10 | 5 | 15 | 4 |
| | Rochester (Americans) | AHL | 7 | 3 | 5 | 8 | 18 | - | - | - | - | - |
| 1959-60 | **Montréal (Canadiens)** | LNH | 59 | 17 | 34 | 51 | 59 | 8 | 1 | 4 | 5 | 12 |
| | Match des étoiles | LNH | 1 | 0 | 1 | 1 | 0 | - | - | - | - | - |
| 1960-61 | **Montréal (Canadiens)** | LNH | 65 | 16 | 35 | 51 | 45 | 6 | 0 | 1 | 1 | 29 |
| | Match des étoiles | LNH | 1 | 0 | 1 | 1 | 0 | - | - | - | - | - |
| 1961-62 | **Montréal (Canadiens)** | LNH | 33 | 7 | 14 | 21 | 41 | - | - | - | - | - |
| | **LNH** | | 454 | 97 | 175 | 272 | 336 | 50 | 11 | 14 | 25 | 51 |
| | **Montréal** | | 280 | 68 | 137 | 205 | 220 | 34 | 11 | 11 | 22 | 47 |

• Deuxième équipe d'étoiles (LHMQ) en 1950-51 • Match des étoiles de la LNH en 1954-55, 1957-58, 1958-59, 1959-60, 1960-61 • Coupe Stanley (LNH) en 1954-55, 1957-58, 1958-59, 1959-60 • Première équipe d'étoiles (LHQ) en 1956-57
• Droits vendus à Detroit par Québec (LHSQ) le 23 octobre 1952 • Échangé à Boston par Detroit avec Lorne Davis, Terry Sawchuk et Vic Stasiuk pour Gilles Boisvert, Real Chevrefils, Norm Corcoran, Warren Godfrey et Ed Sandford le 3 juin 1955 • Réclamé par Montréal de Springfield (Boston) au repêchage inter-ligues le 4 juin 1957

## BORDELEAU, CHRISTIAN

Né à Noranda, Québec, le 23 septembre 1947. Centre, lance de la gauche, 5'8", 172 lb

| Saison | Club | Ligue | SAISONS RÉGULIÈRES | | | | | SÉRIES ÉLIMINATOIRES | | | | |
|---|---|---|---|---|---|---|---|---|---|---|---|---|
| | | | PJ | B | A | PTS | PUN | PJ | B | A | PTS | PUN |
| 1962-63 | Noranda (Copper Kings) | NOJHA | 40 | 42 | 36 | *78 | - | - | - | - | - | - |
| 1963-64 | Montréal (Canadien Jr) | OHA Jr | 49 | 16 | 18 | 34 | 10 | 17 | 3 | 2 | 5 | 2 |
| 1964-65 | Montréal (Canadien Jr) | OHA Jr | 50 | 28 | 28 | 56 | 46 | 7 | 6 | 2 | 8 | 8 |
| 1965-66 | Montréal (Canadien Jr) | OHA Jr | 43 | 15 | 48 | 63 | 57 | 10 | 9 | 5 | 14 | 13 |
| 1966-67 | Montréal (Canadien Jr) | OHA Jr | 33 | 8 | 19 | 27 | 30 | - | - | - | - | - |
| 1967-68 | Houston (Apollos) | CHL | 68 | 23 | 28 | 51 | 22 | - | - | - | - | - |
| 1968-69 | Houston (Apollos) | CHL | 54 | 21 | 36 | 57 | 33 | - | - | - | - | - |
| | **Montréal (Canadiens)** | LNH | 13 | 1 | 3 | 4 | 4 | 6 | 1 | 0 | 1 | 0 |
| 1969-70 | **Montréal (Canadiens)** | LNH | 48 | 2 | 13 | 15 | 18 | - | - | - | - | - |
| 1970-71 | St. Louis (Blues) | LNH | 78 | 21 | 32 | 53 | 48 | 5 | 0 | 1 | 1 | 17 |
| 1971-72 | St. Louis (Blues) | LNH | 41 | 8 | 9 | 17 | 6 | - | - | - | - | - |
| | Chicago (Black Hawks) | LNH | 25 | 6 | 8 | 14 | 29 | 8 | 3 | 6 | 9 | 0 |
| 1972-73 | Winnipeg (Jets) | AMH | 78 | 47 | 54 | 101 | 12 | 12 | 5 | 8 | 13 | 4 |
| 1973-74 | Winnipeg (Jets) | AMH | 75 | 26 | 49 | 75 | 52 | 3 | 2 | 5 | 7 | 2 |
| 1974-75 | Winnipeg (Jets) | AMH | 8 | 8 | 8 | 16 | 0 | - | - | - | - | - |
| | Québec (Nordiques) | AMH | 53 | 15 | 33 | 48 | 24 | 15 | 2 | *13 | 15 | 2 |
| 1975-76 | Québec (Nordiques) | AMH | 80 | 37 | 72 | 109 | 42 | 5 | 1 | 1 | 2 | 4 |
| 1976-77 | Québec (Nordiques) | AMH | 72 | 32 | 75 | 107 | 34 | 8 | 4 | 5 | 9 | 12 |
| 1977-78 | Québec (Nordiques) | AMH | 26 | 9 | 22 | 31 | 28 | 10 | 1 | 5 | 6 | 8 |
| 1978-79 | Québec (Nordiques) | AMH | 12 | 5 | 12 | 17 | 10 | - | - | - | - | - |
| 1979-80 | Salt Lake (Golden Eagles) | CHL | 11 | 3 | 7 | 10 | 8 | - | - | - | - | - |
| | **LNH** | | 205 | 38 | 65 | 103 | 82 | 19 | 4 | 7 | 11 | 17 |
| | **Montréal** | | 61 | 3 | 16 | 19 | 22 | 6 | 1 | 0 | 1 | 0 |

• Coupe Stanley (LNH) en 1968-69 • Coupe Avco (AMH) en 1976-77
• Droits vendus à St. Louis par Montréal le 22 mai 1970 • Échangé à Chicago par St. Louis pour Danny O'Shea le 8 février 1972 • Sélectionné par Los Angeles (Sharks) lors de l'expansion de l'AMH le 12 février 1972 • Droits vendus à Winnipeg (AMH) par Los Angeles (AMH) le 25 août 1972 • Échangé à St. Louis par Chicago pour les droits sur John Garrett le 19 septembre 1972 • Échangé à Québec (AMH) par Winnipeg (AMH) pour Alain Beaulé le 5 décembre 1974 • Réclamé par St. Louis de Québec lors de l'expansion de la LNH le 9 juin 1979

BLO · BOR

## BORDELEAU, SÉBASTIEN

**Né à Vancouver, Colombie-Britannique, le 15 février 1975. Centre, lance de la droite**
**5'11", 187 lb (3e choix de Montréal, 73e au total lors du repêchage de 1993)**

| SAISON | CLUB | LIGUE | PJ | B | A | PTS | PUN | PJ | B | A | PTS | PUN |
|---|---|---|---|---|---|---|---|---|---|---|---|---|
| 1991-92 | Hull (Olympiques) | LHJMQ | 62 | 26 | 32 | 58 | 91 | 5 | 0 | 3 | 3 | 23 |
| 1992-93 | Hull (Olympiques) | LHJMQ | 60 | 18 | 39 | 57 | 95 | 10 | 3 | 8 | 11 | 20 |
| 1993-94 | Hull (Olympiques) | LHJMQ | 60 | 26 | 57 | 83 | 147 | 17 | 6 | 14 | 20 | 26 |
| 1994-95 | Hull (Olympiques) | LHJMQ | 68 | 52 | 76 | 128 | 148 | 18 | *13 | 19 | *32 | 25 |
| | Hull (Olympiques) | Mem. | 3 | 1 | 0 | 1 | 4 | | | | | |
| | Fredericton (Canadien) | AHL | | | | | | 1 | 0 | 0 | 0 | 0 |
| 1995-96 | Fredericton (Canadien) | AHL | 43 | 17 | 29 | 46 | 68 | 7 | 0 | 2 | 2 | 8 |
| | Montréal (Canadiens) | LNH | 4 | 0 | 0 | 0 | 0 | | | | | |
| 1996-97 | Fredericton (Canadien) | AHL | 34 | 18 | 22 | 40 | 50 | | | | | |
| | Montréal (Canadiens) | LNH | 28 | 2 | 9 | 11 | 2 | | | | | |
| 1997-98 | Montréal (Canadiens) | LNH | 53 | 6 | 8 | 14 | 36 | 5 | 0 | 0 | 0 | 2 |
| 1998-99 | Nashville (Predators) | LNH | 72 | 16 | 24 | 40 | 26 | | | | | |
| 1999-00 | Nashville (Predators) | LNH | 60 | 10 | 13 | 23 | 30 | | | | | |
| 2000-01 | Nashville (Predators) | LNH | 14 | 2 | 3 | 5 | 8 | | | | | |
| | Worcester (IceCats) | AHL | 2 | 0 | 2 | 2 | 9 | 11 | 1 | 7 | 8 | 23 |
| 2001-02 | Minnesota (Wild) | LNH | 14 | 1 | 4 | 5 | 8 | | | | | |
| | Houston (Aeros) | AHL | 16 | 4 | 7 | 11 | 23 | | | | | |
| | Phoenix (Coyotes) | AHL | 6 | 0 | 0 | 0 | 0 | | | | | |
| | Springfield (Falcons) | AHL | 34 | 8 | 10 | 19 | 54 | | | | | |
| 2002-03 | SC Berne | SUI | 41 | 21 | 27 | 48 | 158 | 13 | 4 | 5 | 9 | 10 |
| | | LNH | 251 | 37 | 61 | 98 | 118 | 5 | 0 | 0 | 0 | 2 |
| | | Montréal | 85 | 8 | 17 | 25 | 38 | 5 | 0 | 0 | 0 | 2 |

• Première équipe d'étoiles (LHJMQ) en 1994-95 • Troisième équipe d'étoiles (LHJMQ) en 1991-92 • Coupe Ford (LHJMQ) en 1994-95 • Troisième équipe d'étoiles (CHL) en 1994-95 • Coupe du Président (LHJMQ) en 1994-95
• Échangé à Nashville par Montréal pour des considérations futures le 26 juin 1998 • Réclamé au ballottage par St. Louis de Nashville le 31 mars 2001 • Réclamé par Minnesota de St. Louis lors du repêchage inter-équipes le 28 septembre 2001 • Échangé à Phoenix par Minnesota pour David Cullen le 4 janvier 2002

## BOUCHARD, EDMOND

**Né à Saint-Étienne, Québec, le 24 mai 1892, décédé le 18 juillet 1955**
**Ailier gauche, lance de la gauche, 5'10", 185 lb**

| SAISON | CLUB | LIGUE | PJ | B | A | PTS | PUN | PJ | B | A | PTS | PUN |
|---|---|---|---|---|---|---|---|---|---|---|---|---|
| 1914-15 | Trois-Rivières (Leafs) | LHSQ | *Statistiques non disponibles* | | | | | | | | | |
| 1915-16 | Montréal (National) | LHSM | 10 | 3 | 0 | 3 | 14 | | | | | |
| 1916-17 | Québec (Montagnais) | LHSQ | 9 | 16 | 5 | 21 | - | | | | | |
| 1917-18 | Québec (Montagnais) | LHSQ | 11 | *27 | 6 | *33 | - | | | | | |
| 1918-19 | Québec (Montagnais) | LHSQ | 6 | *21 | 0 | *21 | - | 4 | *8 | 0 | *8 | 3 |
| 1919-20 | Québec (Crescents) | LHSQ | | | | | - | | | | | |
| | Montréal (Hochelaga) | LHSM | 10 | 12 | 8 | 20 | 18 | 5 | *10 | *3 | *13 | 9 |
| 1920-21 | Québec (Voltigeurs) | LHSQ | 5 | 6 | 0 | 6 | 4 | 4 | 4 | 0 | 4 | 4 |
| 1921-22 | Montréal (Canadiens) | LNH | 18 | 1 | 5 | 6 | 4 | | | | | |
| 1922-23 | Montréal (Canadiens) | LNH | 2 | 0 | 0 | 0 | 4 | | | | | |
| | Hamilton (Tigers) | LNH | 22 | 5 | *12 | 17 | 40 | | | | | |
| 1923-24 | Hamilton (Tigers) | LNH | 20 | 5 | 0 | 5 | 2 | | | | | |
| 1924-25 | Hamilton (Tigers) | LNH | 24 | 4 | 2 | 6 | 14 | | | | | |
| 1925-26 | New York (Americans) | LNH | 30 | 3 | 1 | 4 | 10 | | | | | |
| 1926-27 | New York (Americans) | LNH | 38 | 2 | 1 | 3 | 10 | | | | | |
| | Niagara Falls (Cataracts) | Can-Pro | 4 | 2 | 1 | 3 | 19 | | | | | |
| 1927-28 | New York (Americans) | LNH | 39 | 1 | 0 | 1 | 27 | | | | | |
| 1928-29 | New York (Americans) | LNH | 6 | 0 | 0 | 0 | 6 | | | | | |
| | Pittsburgh (Pirates) | LNH | 12 | 0 | 0 | 0 | 0 | | | | | |
| | New Haven (Eagles) | Can-Am | 25 | 4 | 0 | 4 | 45 | | | | | |
| 1929-30 | New Haven (Eagles) | Can-Am | 38 | 18 | 3 | 21 | 58 | | | | | |
| 1930-31 | Pittsburgh (Yellowjackets) | IHL | 8 | 0 | 0 | 0 | 6 | | | | | |
| | Buffalo (Majors) | AHA | 40 | 23 | 12 | 35 | 44 | | | | | |
| 1931-32 | Buffalo (Majors) | AHA | 24 | 3 | 2 | 5 | 30 | | | | | |
| | St. Louis (Flyers) | AHA | 3 | 1 | 0 | 1 | 2 | | | | | |
| | Duluth (Hornets) | AHA | 18 | 2 | 1 | 3 | 20 | 8 | 1 | 1 | 2 | 10 |
| | | LNH | 211 | 19 | 21 | 40 | 117 | | | | | |
| | | Montréal | 20 | 1 | 5 | 6 | 8 | | | | | |

• Signe avec Montréal le 2 janvier 1922 • Échangé à Hamilton par Montréal pour Joe Malone le 22 décembre 1922 • Transfert de la concession de Hamilton à New York (Americans) le 26 septembre 1925 • Prêté à Pittsburgh par New York (Americans) avec Jesse Spring pour Tex White le 15 février 1929 • Signe avec Pittsburgh (IHL) le 28 novembre 1930 • Droits vendus à Buffalo (AHA) par Pittsburgh (IHL) le 3 janvier 1931

## BOUCHARD, ÉMILE (BUTCH)

**Né à Montréal, Québec, le 11 septembre 1920**
**Défenseur, lance de la gauche, 6'2", 205 lb**

| SAISON | CLUB | LIGUE | PJ | B | A | PTS | PUN | PJ | B | A | PTS | PUN |
|---|---|---|---|---|---|---|---|---|---|---|---|---|
| 1937-38 | Verdun (Maple Leafs) | LHJMC | 2 | 0 | 0 | 0 | 2 | 2 | 0 | 0 | 0 | 2 |
| | Verdun (Maple Leafs) | Mem. | 5 | 2 | 1 | 3 | 8 | | | | | |
| 1938-39 | Verdun (Maple Leafs) | LHJMC | 9 | 1 | 1 | 2 | 20 | 3 | 0 | 0 | 0 | 0 |
| | Verdun (Maple Leafs) | LHJMC | 7 | 0 | 2 | 2 | 12 | | | | | |
| 1939-40 | Verdun (Maple Leafs) | LHJMC | *Statistiques non disponibles* | | | | | | | | | |
| 1940-41 | Montréal (Canadiens) | LHJQ | 31 | 2 | 8 | 10 | 60 | | | | | |
| | Providence (Reds) | AHL | 12 | 3 | 1 | 4 | 8 | 3 | 0 | 1 | 1 | 8 |
| 1941-42 | Montréal (Canadiens) | LNH | 44 | 0 | 6 | 6 | 38 | 3 | 1 | 1 | 2 | 0 |
| 1942-43 | Montréal (Canadiens) | LNH | 45 | 2 | 16 | 18 | 47 | 5 | 0 | 1 | 1 | 4 |
| 1943-44 | Montréal (Canadiens) | LNH | 39 | 5 | 14 | 19 | 52 | 9 | 1 | 3 | 4 | 4 |
| 1944-45 | Montréal (Canadiens) | LNH | 50 | 11 | 23 | 34 | 34 | 6 | 3 | 4 | 7 | 4 |
| 1945-46 | Montréal (Canadiens) | LNH | 45 | 7 | 10 | 17 | 52 | 9 | 2 | 1 | 3 | 17 |
| 1946-47 | Montréal (Canadiens) | LNH | 60 | 5 | 7 | 12 | 60 | 11 | 0 | 3 | 3 | 21 |
| 1947-48 | Montréal (Canadiens) | LNH | 60 | 4 | 6 | 10 | 78 | | | | | |
| | Match des étoiles | LNH | 1 | 0 | 0 | 0 | 0 | | | | | |
| 1948-49 | Montréal (Canadiens) | LNH | 27 | 3 | 3 | 6 | 42 | 7 | 0 | 0 | 0 | 6 |
| | Match des étoiles | LNH | 1 | 0 | 0 | 0 | 4 | | | | | |
| 1949-50 | Montréal (Canadiens) | LNH | 69 | 1 | 7 | 8 | 88 | 5 | 0 | 2 | 2 | 2 |
| 1950-51 | Montréal (Canadiens) | LNH | 52 | 3 | 10 | 13 | 80 | 11 | 1 | 1 | 2 | 2 |
| | Match des étoiles | LNH | 1 | 0 | 0 | 0 | 0 | | | | | |
| 1951-52 | Montréal (Canadiens) | LNH | 60 | 3 | 9 | 12 | 45 | 11 | 0 | 2 | 2 | 14 |
| 1952-53 | Montréal (Canadiens) | LNH | 58 | 2 | 8 | 10 | 55 | 12 | 1 | 1 | 2 | 6 |
| | Match des étoiles | LNH | 1 | 0 | 0 | 0 | 2 | | | | | |
| 1953-54 | Montréal (Canadiens) | LNH | 70 | 1 | 10 | 11 | 89 | 11 | 2 | 1 | 3 | 4 |
| | Match des étoiles | LNH | 1 | 0 | 0 | 0 | 0 | | | | | |
| 1954-55 | Montréal (Canadiens) | LNH | 70 | 2 | 15 | 17 | 81 | 12 | 0 | 1 | 1 | 37 |
| 1955-56 | Montréal (Canadiens) | LNH | 36 | 0 | 0 | 0 | 22 | 1 | 0 | 0 | 0 | 0 |
| | | LNH | 785 | 49 | 144 | 193 | 863 | 113 | 11 | 21 | 32 | 121 |
| | | Montréal | 785 | 49 | 144 | 193 | 863 | 113 | 11 | 21 | 32 | 121 |

• Deuxième équipe d'étoiles (LNH) en 1943-44 • Coupe Stanley (LNH) en 1943-44, 1945-46, 1952-53, 1955-56 • Première équipe d'étoiles (LNH) en 1944-45, 1945-46, 1946-47 • Match des étoiles (LNH) en 1947-48, 1948-49, 1950-51, 1951-52, 1952-53, 1953-54 • Membre du Temple de la Renommée en 1966
• Signe avec Montréal le 21 février 1941

## BOUCHARD, PIERRE

**Né à Longueuil, Québec, le 20 février 1948. Défenseur, lance de la gauche, 6'2", 205 lb**
**(1er choix de Montréal, 5e au total lors du repêchage de 1965)**

| SAISON | CLUB | LIGUE | PJ | B | A | PTS | PUN | PJ | B | A | PTS | PUN |
|---|---|---|---|---|---|---|---|---|---|---|---|---|
| 1965-66 | Montréal (National) | LHJMM | 40 | 6 | 19 | 25 | 53 | - | - | - | - | - |
| 1966-67 | Montréal (Canadien Jr) | OHA Jr | 48 | 4 | 13 | 17 | 105 | 6 | 0 | 0 | 0 | 2 |
| 1967-68 | Montréal (Canadien Jr) | OHA Jr | 54 | 10 | 18 | 28 | 134 | 11 | 2 | 2 | 4 | 20 |
| 1968-69 | Cleveland (Barons) | AHL | 69 | 6 | 16 | 22 | 32 | 5 | 1 | 1 | 2 | 4 |
| 1969-70 | Montréal (Voyageurs) | AHL | 65 | 5 | 13 | 18 | 124 | 8 | 1 | 3 | 4 | 24 |
| 1970-71 | Montréal (Canadiens) | LNH | 51 | 0 | 3 | 3 | 50 | 13 | 0 | 1 | 1 | 10 |
| 1971-72 | Montréal (Canadiens) | LNH | 60 | 3 | 5 | 8 | 39 | 1 | 0 | 0 | 0 | 0 |
| 1972-73 | Montréal (Canadiens) | LNH | 41 | 0 | 7 | 7 | 69 | 17 | 1 | 3 | 4 | 13 |
| 1973-74 | Montréal (Canadiens) | LNH | 60 | 1 | 14 | 15 | 25 | 6 | 0 | 0 | 0 | 0 |
| 1974-75 | Montréal (Canadiens) | LNH | 79 | 3 | 9 | 12 | 65 | 11 | 0 | 2 | 2 | 10 |
| 1975-76 | Montréal (Canadiens) | LNH | 66 | 1 | 11 | 12 | 50 | 13 | 2 | 0 | 2 | 8 |
| 1976-77 | Montréal (Canadiens) | LNH | 66 | 4 | 11 | 15 | 52 | 6 | 0 | 1 | 1 | 5 |
| 1977-78 | Montréal (Canadiens) | LNH | 59 | 4 | 6 | 10 | 29 | 10 | 0 | 1 | 1 | 5 |
| 1978-79 | Washington (Capitals) | LNH | 1 | 0 | 0 | 0 | 0 | | | | | |
| 1979-80 | Washington (Capitals) | LNH | 54 | 5 | 9 | 14 | 66 | | | | | |
| 1980-81 | Washington (Capitals) | LNH | 50 | 3 | 7 | 10 | 28 | | | | | |
| 1981-82 | Washington (Capitals) | LNH | 1 | 0 | 0 | 0 | 10 | | | | | |
| | Hershey (Bears) | AHL | 62 | 2 | 10 | 12 | 26 | 5 | 0 | 0 | 0 | 6 |
| | | LNH | 595 | 24 | 82 | 106 | 433 | 76 | 3 | 10 | 13 | 56 |
| | | Montréal | 489 | 16 | 66 | 82 | 379 | 76 | 3 | 10 | 13 | 56 |

• Coupe Stanley (LNH) en 1970-71, 1972-73, 1975-76, 1976-77
• Réclamé par Washington de Montréal lors du repêchage inter-équipes le 9 octobre 1978

## BOUCHER, ROBERT (BOBBY)

**Né À Ottawa, Ontario, le 14 février 1904, décédé le 10 juin 1931**
**Centre, lance de la droite, 5'8", 142 lb**

| SAISON | CLUB | LIGUE | PJ | B | A | PTS | PUN | PJ | B | A | PTS | PUN |
|---|---|---|---|---|---|---|---|---|---|---|---|---|
| 1916-17 | Ottawa (New Edinburghs) | OCHL | 9 | 1 | 0 | 1 | - | 2 | 0 | 0 | 0 | 0 |
| 1917-18 | Ottawa (Mutchmore) | OMHA | *Statistiques non disponibles* | | | | | | | | | |
| | Ottawa (New Edinburghs) | OCJHL | 1 | 0 | 0 | 0 | 0 | | | | | |
| 1918-19 | Ottawa (Creighton) | OMHA | *Statistiques non disponibles* | | | | | | | | | |
| 1919-20 | Ottawa (New Edinburghs) | OCHL | 4 | 0 | 0 | 0 | 0 | | | | | |
| | Iroquois Falls (Eskimos) | NOHA | *Statistiques non disponibles* | | | | | | | | | |
| 1921-22 | Ottawa (New Edinburghs) | OCHL | | | | | | | | | | |
| 1922-23 | Iroquois Falls (Eskimos) | NOHA | *Statistiques non disponibles* | | | | | | | | | |
| 1923-24 | Montréal (Canadiens) | LNH | 11 | 1 | 0 | 1 | 0 | 5 | 0 | 0 | 0 | 0 |
| | Ottawa (Gunners) | OCHL | 7 | 4 | 1 | 5 | - | | | | | |
| 1924-25 | Vancouvers (Maroons) | WCHL | 19 | 1 | 0 | 1 | - | | | | | |
| 1925-26 | Edmonton (Eskimos) | WHL | 29 | 2 | 1 | 3 | 16 | | | | | |
| 1926-27 | London (Panthers) | Can-Pro | 32 | 8 | 2 | 10 | 39 | 4 | 0 | 0 | 0 | 2 |
| 1927-28 | Toronto (Falcons) | Can-Pro | 1 | 0 | 0 | 0 | 0 | | | | | |
| | Québec (Castors) | Can-Am | 23 | 3 | 0 | 3 | 18 | 6 | 1 | 0 | 1 | 10 |
| 1928-29 | Newark (Bulldogs) | Can-Am | 6 | 0 | 0 | 0 | 0 | | | | | |
| | | LNH | 11 | 1 | 0 | 1 | 0 | 5 | 0 | 0 | 0 | 0 |
| | | Montréal | 11 | 1 | 0 | 1 | 0 | 5 | 0 | 0 | 0 | 0 |

• Coupe Stanley (LNH) en 1923-24
• Signe avec Montréal le 25 mars 1924 • Échangé à Vancouver (PCHA) par Montréal avec Billy Cameron pour Charlie Cotch le 26 mars 1924 • Droits vendus à Edmonton (WHL) par Vancouver (WCHL) le 16 novembre 1925 • Signe avec London (Can-Pro) le 2 novembre 1926

## BOUCHER, WILLIAM (BILLY)

**Né à Ottawa, Ontario, le 10 novembre 1899, décédé le 4 novembre 1958**
**Ailier droit, lance de la droite, 5'7", 155 lb**

| SAISON | CLUB | LIGUE | PJ | B | A | PTS | PUN | PJ | B | A | PTS | PUN |
|---|---|---|---|---|---|---|---|---|---|---|---|---|
| 1916-17 | Ottawa (Munitions) | OCJHL | 10 | 1 | 0 | 1 | 6 | - | - | - | - | - |
| 1917-18 | Ottawa (Munitions) | OCHL | 6 | *5 | 0 | *5 | 24 | 1 | 1 | 0 | 1 | 0 |
| 1918-19 | Ottawa (Munitions) | OCHL | 8 | 6 | *3 | 9 | 18 | | | | | |
| 1919-20 | Ottawa (Munitions) | OCHL | 8 | 4 | 0 | 4 | - | 5 | *11 | 4 | *15 | |
| 1920-21 | Iroquois (Papermakers) | NOHA | 5 | 5 | 0 | 5 | - | | | | | |
| 1921-22 | Montréal (Canadiens) | LNH | 24 | 17 | 5 | 22 | 18 | | | | | |
| 1922-23 | Montréal (Canadiens) | LNH | 24 | 24 | 7 | 31 | 55 | 2 | 1 | 0 | 1 | 2 |
| 1923-24 | Montréal (Canadiens) | LNH | 23 | 16 | 6 | 22 | 48 | 6 | 1 | 6 | 7 | 15 |
| 1924-25 | Montréal (Canadiens) | LNH | 30 | 17 | 13 | 30 | 92 | 6 | 2 | 1 | 3 | 17 |
| 1925-26 | Montréal (Canadiens) | LNH | 34 | 8 | 5 | 13 | 112 | | | | | |
| 1926-27 | Montréal (Canadiens) | LNH | 21 | 0 | 4 | 4 | 14 | | | | | |
| | Boston (Bruins) | LNH | 14 | 0 | 2 | 2 | 10 | 8 | 0 | 0 | 0 | 2 |
| 1927-28 | New York (Americans) | LNH | 43 | 5 | 2 | 7 | 58 | | | | | |

| SAISON | CLUB | LIGUE | PJ | B | A | PTS | PUN | PJ | B | A | PTS | PUN |

SAISONS RÉGULIÈRES  SÉRIES ÉLIMINATOIRES

| SAISON | CLUB | LIGUE | PJ | B | A | PTS | PUN | PJ | B | A | PTS | PUN |
|---|---|---|---|---|---|---|---|---|---|---|---|---|
| 1928-29 New Haven (Eagles) | Can-Am | 38 | 11 | 1 | 12 | 117 | 2 | 0 | 0 | 0 | 4 |
| 1929-30 New Haven (Eagles) | Can-Am | 32 | 8 | 7 | 15 | 54 | - | - | - | - | - |
| 1930-31 New Haven (Eagles) | Can-Am | 38 | 20 | 8 | 28 | 98 | - | - | - | - | - |
| 1931-32 Bronx (Tigers) | Can-Am | 39 | 3 | 4 | 7 | 25 | 1 | 0 | 0 | 0 | 0 |
| | **LNH** | 213 | 93 | 38 | 131 | 409 | 22 | 9 | 2 | 11 | 36 |
| | **Montréal** | 156 | 86 | 36 | 122 | 339 | 14 | 9 | 2 | 11 | 34 |

• Coupe Stanley (LNH) en 1923-24
• Signe avec Montréal le 13 décembre 1921 • Prêté à Boston par Montréal pour Carson Cooper le 17 janvier 1927 • Droits vendus à New York (Americans) par Montréal le 7 octobre 1927

### BOUDRIAS, ANDRÉ
**Né à Montréal, Québec, le 19 septembre 1943**
Ailier gauche, lance de la gauche, 5'8", 165 lb

| SAISON | CLUB | LIGUE | PJ | B | A | PTS | PUN | PJ | B | A | PTS | PUN |
|---|---|---|---|---|---|---|---|---|---|---|---|---|
| 1960-61 Hull (Canadien) | IPSHL | - | 15 | 17 | 32 | | - | - | - | - | - |
| Hull (Canadien) | Allan | 1 | 0 | 0 | 0 | 0 | - | - | - | - | - |
| 1961-62 Montréal (Canadien Jr) | OHA Jr | 50 | 34 | *63 | *97 | 54 | 6 | 2 | 3 | 5 | 4 |
| Hull-Ottawa (Canadien) | EPHL | 1 | 0 | 0 | 0 | 0 | - | - | - | - | - |
| North Bay (Trappers) | EPHL | 1 | 0 | 3 | 3 | 2 | 1 | 0 | 0 | 0 | 0 |
| 1962-63 Montréal (Canadien Jr) | OHA Jr | 50 | 12 | 43 | 55 | 72 | 10 | 3 | 4 | 7 | 18 |
| Hull-Ottawa (Canadien) | EPHL | 3 | 0 | 1 | 1 | 0 | - | - | - | - | - |
| 1963-64 Montréal (Canadien Jr) | OHA Jr | 55 | 38 | *97 | *135 | 48 | 16 | 11 | *26 | *37 | 18 |
| **Montréal (Canadiens)** | **LNH** | 4 | 1 | 4 | 5 | 2 | - | - | - | - | - |
| 1964-65 Québec (As) | AHL | 14 | 4 | 9 | 13 | 4 | - | - | - | - | - |
| **Montréal (Canadiens)** | **LNH** | 1 | 0 | 0 | 0 | 2 | - | - | - | - | - |
| Omaha (Knights) | CPHL | 52 | 15 | 49 | 64 | 10 | 6 | 1 | 7 | 8 | 2 |
| 1965-66 Houston (Apollos) | CPHL | 70 | 27 | 46 | 73 | 53 | - | - | - | - | - |
| Québec (As) | AHL | 2 | 0 | 2 | 2 | 0 | - | - | - | - | - |
| 1966-67 Houston (Apollos) | CPHL | 67 | 16 | 48 | 64 | 58 | 6 | 1 | 2 | 3 | 6 |
| Match des étoiles | LNH | 1 | 0 | 0 | 0 | 0 | - | - | - | - | - |
| **Montréal (Canadiens)** | **LNH** | 2 | 0 | 1 | 1 | 0 | - | - | - | - | - |
| 1967-68 Minnesota (North Stars) | LNH | 74 | 18 | 35 | 53 | 42 | 14 | 3 | 6 | 9 | 8 |
| 1968-69 Minnesota (North Stars) | LNH | 53 | 4 | 9 | 13 | 6 | - | - | - | - | - |
| Chicago (Black Hawks) | LNH | 20 | 4 | 10 | 14 | 4 | - | - | - | - | - |
| 1969-70 Kansas City (Blues) | CHL | 19 | 7 | 16 | 23 | 16 | - | - | - | - | - |
| St. Louis (Blues) | LNH | 50 | 3 | 14 | 17 | 20 | 14 | 2 | 4 | 6 | 4 |
| 1970-71 Vancouver (Canucks) | LNH | 77 | 25 | 41 | 66 | 16 | - | - | - | - | - |
| 1971-72 Vancouver (Canucks) | LNH | 78 | 27 | 34 | 61 | 26 | - | - | - | - | - |
| 1972-73 Vancouver (Canucks) | LNH | 77 | 30 | 40 | 70 | 24 | - | - | - | - | - |
| 1973-74 Vancouver (Canucks) | LNH | 78 | 16 | 59 | 75 | 18 | - | - | - | - | - |
| 1974-75 Vancouver (Canucks) | LNH | 77 | 16 | 62 | 78 | 46 | 5 | 1 | 0 | 1 | 0 |
| 1975-76 Vancouver (Canucks) | LNH | 71 | 7 | 31 | 38 | 10 | 1 | 0 | 0 | 0 | 0 |
| 1976-77 Québec (Nordiques) | AMH | 74 | 12 | 31 | 43 | 12 | 17 | 3 | 12 | 15 | 6 |
| 1977-78 Québec (Nordiques) | AMH | 66 | 10 | 17 | 27 | 22 | 11 | 0 | 2 | 2 | 4 |
| | **LNH** | 662 | 151 | 340 | 491 | 216 | 34 | 6 | 10 | 16 | 12 |
| | **Montréal** | 7 | 1 | 5 | 6 | 4 | - | - | - | - | - |

• Match des étoiles (LNH) en 1966-67 • Coupe Avco (AMH) en 1976-77
• Échangé au Minnesota par Montréal avec Bob Charlebois et Bernard Côté pour le 1er choix du Minnesota au repêchage de 1971 (Chuck Arnason) le 6 juin 1967 • Échangé à Chicago par Minnesota avec Mike McMahon pour Tom Reid, Bill Orban le 14 février 1969 • Réclamé par St.Louis de Chicago lors du repêchage intra-ligue le 11 juin 1969 • Échangé à Vancouver par St. Louis pour le choix de 7e ronde (Jack Taggart) et le choix de 9e ronde (Bob Winogard) de Vancouver au repêchage de 1970 le 10 juin 1970 • Sélectionné par Minnesota lors de l'expansion de l'AMH le 22 février 1972 • Échangé à Québec (AMH) par Minnesota (AMH) pour Gordie Gallant le 10 septembre 1976

### BOUGIE, JOSEPH
**Centre**

| SAISON | CLUB | LIGUE | PJ | B | A | PTS | PUN | PJ | B | A | PTS | PUN |
|---|---|---|---|---|---|---|---|---|---|---|---|---|
| 1909-10 **Montréal (Canadien)** | **NHA** | 1 | 0 | 0 | 0 | 0 | - | - | - | - | - |
| | **NHA** | 1 | 0 | 0 | 0 | 0 | - | - | - | - | - |
| | **Montréal** | 1 | 0 | 0 | 0 | 0 | - | - | - | - | - |

• Prêté à Montréal (NHA) par Valleyfield le 1er février 1910

### BOUILLON, FRANCIS
**Né à New York, New York, le 17 octobre 1975**
Défenseur, lance de la gauche, 5'8", 186 lb

| SAISON | CLUB | LIGUE | PJ | B | A | PTS | PUN | PJ | B | A | PTS | PUN |
|---|---|---|---|---|---|---|---|---|---|---|---|---|
| 1992-93 Laval (Titan) | LHJMQ | 46 | 0 | 7 | 7 | 45 | - | - | - | - | - |
| 1993-94 Laval (Titan) | LHJMQ | 68 | 3 | 15 | 18 | 129 | 19 | 2 | 9 | 11 | 48 |
| Laval (Titan) | Mem. | 5 | 0 | 1 | 1 | 16 | - | - | - | - | - |
| 1994-95 Laval (Titan C.F.) | LHJMQ | 72 | 8 | 25 | 33 | 115 | 20 | 3 | 11 | 14 | 21 |
| 1995-96 Granby (Prédateurs) | LHJMQ | 68 | 11 | 35 | 46 | 156 | 21 | 2 | 12 | 14 | 30 |
| Granby (Prédateurs) | Mem. | 4 | 0 | 2 | 2 | 4 | - | - | - | - | - |
| 1996-97 Wheeling (Nailers) | ECHL | 69 | 10 | 32 | 42 | 77 | 3 | 0 | 2 | 2 | 10 |
| 1997-98 Québec (Rafales) | IHL | 27 | 8 | 27 | 35 | 76 | - | - | - | - | - |
| 1998-99 Fredericton (Canadien) | AHL | 79 | 19 | 36 | 55 | 174 | 5 | 2 | 1 | 3 | 0 |
| 1999-00 **Montréal (Canadiens)** | **LNH** | 74 | 3 | 13 | 16 | 38 | - | - | - | - | - |
| 2000-01 **Montréal (Canadiens)** | **LNH** | 29 | 0 | 6 | 6 | 26 | - | - | - | - | - |
| Québec (Citadelles) | AHL | 4 | 0 | 0 | 0 | 0 | - | - | - | - | - |
| 2001-02 **Montréal (Canadiens)** | **LNH** | 28 | 0 | 5 | 5 | 33 | - | - | - | - | - |
| Québec (Citadelles) | AHL | 38 | 8 | 14 | 22 | 30 | - | - | - | - | - |
| 2002-03 Nashville (Predators) | LNH | 4 | 0 | 1 | 1 | 4 | - | - | - | - | - |
| Hamilton (Bulldogs) | AHL | 29 | 4 | 12 | 13 | 31 | - | - | - | - | - |
| **Montréal (Canadiens)** | **LNH** | 20 | 3 | 1 | 4 | 2 | - | - | - | - | - |
| États-Unis | CM | | | | | | - | - | - | - | - |
| | **LNH** | 155 | 6 | 25 | 31 | 101 | - | - | - | - | - |
| | **Montréal** | 151 | 6 | 25 | 31 | 99 | - | - | - | - | - |

• Coupe du Président (LHJMQ) en 1992-93, 1995-96 • Coupe Memorial en 1995-96
• Deuxième équipe d'étoiles (LHJMQ) en 1995-96
• Signe avec Montréal comme agent libre le 18 août 1998 • Réclamé par Nashville de Montréal lors du repêchage intra-ligue le 4 octobre 2002 • Réclamé au ballottage par Montréal de Nashville le 25 octobre 2002

### BOURCIER, CONRAD
**Né à Montréal, Québec, le 28 mai 1916, décédé**
Centre, lance de la gauche, 5'6", 155 lb

| SAISON | CLUB | LIGUE | PJ | B | A | PTS | PUN | PJ | B | A | PTS | PUN |
|---|---|---|---|---|---|---|---|---|---|---|---|---|
| 1934-35 Verdun (Maple Leafs) | LHJCM | 10 | 5 | 12 | 17 | 0 | 6 | *6 | 4 | *10 | 4 |
| 1935-36 Verdun (Maple Leafs) | LHCM | 10 | 5 | 1 | 6 | 4 | - | - | - | - | - |
| **Montréal (Canadiens)** | **LNH** | 6 | 0 | 0 | 0 | 0 | - | - | - | - | - |
| Pittsburgh (Yellowjackets) | IHL9 | 2 | 2 | 4 | 2 | | - | - | - | - | - |
| 1936-37 Verdun (Maple Leafs) | LHCM | | | | | _Statistiques non disponibles_ | | | | | |
| 1937-38 Verdun (Maple Leafs) | LHCM | 21 | 4 | 6 | 10 | 8 | 4 | *6 | 10 | 12 |
| 1938-39 Verdun (Maple Leafs) | LHCM | 22 | 10 | 9 | 19 | 16 | 2 | 0 | 0 | 0 | 0 |
| 1939-40 Verdun (Bulldogs) | LHPQ | 41 | 21 | 32 | 53 | 30 | 2 | 1 | 0 | 1 | 2 |
| 1940-41 Verdun (Maple Leafs) | LHPQ | 32 | 12 | 12 | 24 | 17 | 4 | 2 | 4 | 6 | 4 |
| 1941-42 Verdun (Cyclones) | LHPQ | 7 | 8 | 4 | 12 | 12 | - | - | - | - | - |
| 1942-43 | | | | | | _Service militaire_ | | | | | |
| 1943-44 | | | | | | _Service militaire_ | | | | | |
| 1944-45 Montréal (Cyclones) | LHPQ | | 14 | 11 | 25 | | - | - | - | - | - |
| Cornwall (Cookies) | LHPQ | 1 | 0 | 0 | 0 | 0 | - | - | - | - | - |
| 1945-46 Saint-Hyacinthe (Saints) | LHPQ | 8 | 4 | 6 | 10 | 4 | 4 | 2 | 0 | 2 | 0 |
| 1946-47 Verdun (Eagles) | LHPQ | 47 | 40 | 28 | 68 | 24 | - | - | - | - | - |
| 1947-48 | | | | | | _N'a pas joué_ | | | | | |
| 1948-49 Montréal (Hydro) | LHCM | 12 | 0 | *13 | *23 | 0 | - | - | - | - | - |
| | **LNH** | 6 | 0 | 0 | 0 | 0 | - | - | - | - | - |
| | **Montréal** | 6 | 0 | 0 | 0 | 0 | - | - | - | - | - |

• Signe avec Montréal le 18 décembre 1935 • Prêté à Pittsburgh (IHL) par Montréal avec Jean-Louis Bourcier le 10 janvier 1936

### BOURCIER, JEAN-LOUIS
**Né à Montréal, Québec, le 3 janvier 1911**
Ailier gauche, lance de la gauche, 5'11", 175 lb

| SAISON | CLUB | LIGUE | PJ | B | A | PTS | PUN | PJ | B | A | PTS | PUN |
|---|---|---|---|---|---|---|---|---|---|---|---|---|
| 1933-34 Verdun (Maple Leafs) | LHCM | 16 | 15 | 6 | 21 | 2 | 2 | 0 | 1 | 1 | 0 |
| 1934-35 Verdun (Maple Leafs) | LHCM | 20 | *22 | 18 | *40 | 4 | - | - | - | - | - |
| 1935-36 Verdun (Maple Leafs) | LHCM | 10 | 8 | 11 | 19 | 2 | - | - | - | - | - |
| **Montréal (Canadiens)** | **LNH** | 9 | 0 | 1 | 1 | 0 | - | - | - | - | - |
| Pittsburgh (Yellowjackets) | IHL | 18 | 8 | 5 | 13 | | - | - | - | - | - |
| 1936-37 Verdun (Maple Leafs) | LHCM | | | | | _Statistiques non disponibles_ | | | | | |
| 1937-38 Verdun (Maple Leafs) | LHCM | 22 | 16 | 13 | 29 | 0 | 8 | 0 | 3 | 3 | 14 |
| 1938-39 Verdun (Maple Leafs) | LHCM | 21 | 0 | 13 | 13 | 0 | 2 | 1 | 0 | 1 | 0 |
| 1939-40 Verdun (Bulldogs) | LHPQ | 39 | 22 | 20 | 42 | 8 | 2 | 2 | 2 | 4 | 0 |
| 1940-41 Verdun (Maple Leafs) | LHPQ | 13 | 5 | 4 | 9 | 0 | - | - | - | - | - |
| | **LNH** | 9 | 0 | 1 | 1 | 0 | - | - | - | - | - |
| | **Montréal** | 9 | 0 | 1 | 1 | 0 | - | - | - | - | - |

• Signe avec Montréal le 18 décembre 1935 • Prêté à Pittsburgh (IHL) par Montréal avec Conrad Bourcier le 10 janvier 1936

### BOURGAULT, LÉO
**Né à Sturgeon Falls, Ontario, le 17 janvier 1903, décédé**
Défenseur, lance de la gauche, 5'6", 165 lb

| SAISON | CLUB | LIGUE | PJ | B | A | PTS | PUN | PJ | B | A | PTS | PUN |
|---|---|---|---|---|---|---|---|---|---|---|---|---|
| 1921-22 North Bay (Trappers) | NOHA | 4 | 4 | 1 | 5 | | 8 | 6 | 3 | 9 | - |
| 1922-23 North Bay (Trappers) | NOHA | | | | | _Statistiques non disponibles_ | | | | | |
| 1923-24 Guelph (Royals) | OHA Sr | | | | | _Statistiques non disponibles_ | | | | | |
| 1924-25 Saskatoon (Crescents) | WCHL | 19 | 3 | 0 | 3 | 8 | - | - | - | - | - |
| 1925-26 Saskatoon (Crescents) | WHL | 30 | 5 | 2 | 7 | 18 | 2 | 0 | 0 | 0 | 8 |
| 1926-27 Toronto (St. Patricks) | LNH | 22 | 0 | 0 | 0 | 44 | - | - | - | - | - |
| New York (Rangers) | LNH | 20 | 2 | 1 | 3 | 28 | 2 | 0 | 0 | 0 | 8 |
| 1927-28 New York (Rangers) | LNH | 37 | 7 | 0 | 7 | 9 | 0 | 0 | 0 | 8 |
| 1928-29 New York (Rangers) | LNH | 44 | 2 | 5 | 7 | 50 | 6 | 1 | 0 | 1 | 8 |
| 1929-30 New York (Rangers) | LNH | 44 | 6 | 13 | 19 | 54 | 3 | 1 | 1 | 2 | 6 |
| 1930-31 New York (Rangers) | LNH | 12 | 1 | 1 | 2 | 15 | - | - | - | - | - |
| Ottawa (Senators) | LNH | 28 | 0 | 4 | 4 | 28 | - | - | - | - | - |
| 1931-32 Bronx (Tigers) | Can-Am | 40 | 10 | 9 | 19 | 89 | 2 | 0 | 0 | 0 | 4 |
| 1932-33 Ottawa (Senators) | LNH | 35 | 1 | 1 | 2 | 18 | - | - | - | - | - |
| **Montréal (Canadiens)** | **LNH** | 15 | 1 | 1 | 2 | 9 | 2 | 0 | 0 | 0 | 0 |
| 1933-34 **Montréal (Canadiens)** | **LNH** | 48 | 4 | 3 | 7 | 10 | 2 | 0 | 0 | 0 | 0 |
| 1934-35 **Montréal (Canadiens)** | **LNH** | 4 | 0 | 0 | 0 | 0 | - | - | - | - | - |
| Québec (Castors) | Can-Am | 43 | 13 | 14 | 27 | 34 | 3 | 1 | 0 | 1 | 2 |
| 1935-36 Springfield (Indians) | Can-Am | 43 | 9 | 10 | 19 | 31 | 2 | 0 | 2 | 2 | 0 |
| | **LNH** | 307 | 24 | 20 | 44 | 269 | 24 | 1 | 1 | 2 | 18 |
| | **Montréal** | 67 | 5 | 4 | 9 | 19 | 4 | 0 | 0 | 0 | 0 |

• Signe avec Saskatoon (WCHL) le 27 novembre 1924 • Droits vendus à Toronto par Saskatoon (WHL) avec Corbett Denneny et Laurie Scott le 27 septembre 1926 • Droits vendus à New York (Rangers) par Toronto le 27 janvier 1927 • Droits vendus à Ottawa par New York (Rangers) le 7 décembre 1930 • Prêté à Montréal par Ottawa avec Harold Starr pour Marty Burke le 15 février 1933 • Échangé à Montréal par Ottawa avec Harold Starr pour Nick Wasnie le 23 mars 1933

### BOWNASS, JOHN (JACK)
**Né à Winnipeg, Manitoba, le 27 juillet 1930**
Défenseur, lance de la gauche, 6'1", 200 lb

| SAISON | CLUB | LIGUE | PJ | B | A | PTS | PUN | PJ | B | A | PTS | PUN |
|---|---|---|---|---|---|---|---|---|---|---|---|---|
| 1947-48 Winnipeg (Black Hawks) | WJHL | 1 | 0 | 0 | 0 | 0 | - | - | - | - | - |
| 1948-49 Winnipeg (Black Hawks) | WJHL | 29 | 3 | 2 | 5 | 16 | - | - | - | - | - |
| 1949-50 Winnipeg (Black Hawks) | WJHL | 36 | 3 | 7 | 10 | 76 | 6 | 1 | 1 | 2 | 12 |
| 1950-51 Sarnia (Sailors) | IHL | 3 | 0 | 0 | 0 | 0 | - | - | - | - | - |
| Detroit (Hettche) | IHL | 4 | 3 | 7 | 13 | 101 | 3 | 0 | 0 | 0 | 4 |
| 1951-52 Shawinigan (Cataractes) | LHMQ | 49 | 0 | 3 | 3 | 84 | - | - | - | - | - |
| 1952-53 Chicoutimi (Saguenéens) | LHMQ | 38 | 2 | 4 | 6 | 59 | - | - | - | - | - |
| 1953-54 Sherbrooke (Saints) | LHQ | 71 | 9 | 17 | 26 | 111 | 5 | 1 | 0 | 1 | 4 |
| 1954-55 Montréal (Royals) | LHQ | 56 | 5 | 27 | 32 | 58 | 14 | 1 | 2 | 3 | 8 |
| 1955-56 Seattle (Americans) | WHL | 65 | 10 | 22 | 32 | 131 | - | - | - | - | - |
| 1956-57 Trois-Rivières (Lions) | LHQ | 62 | 7 | 16 | 23 | 75 | 4 | 0 | 4 | 4 | 4 |

| SAISON CLUB | LIGUE | PJ | B | A | PTS | PUN | PJ | B | A | PTS | PUN |
|---|---|---|---|---|---|---|---|---|---|---|---|
| 1957-58 Montréal (Royals) | LHQ | 61 | 3 | 31 | 34 | 120 | 7 | 0 | 6 | 6 | 21 |
| **Montréal (Canadiens)** | **LNH** | **4** | **0** | **1** | **1** | **0** | - | - | - | - | - |
| 1958-59 New York (Rangers) | LNH | 35 | 1 | 2 | 3 | 20 | | | | | |
| Buffalo (Bisons) | AHL | 21 | 3 | 9 | 12 | 26 | | | | | |
| 1959-60 New York (Rangers) | LNH | 37 | 2 | 5 | 7 | 34 | | | | | |
| Springfield (Indians) | AHL | 16 | 0 | 0 | 0 | 37 | | | | | |
| 1960-61 Kitchener (Beavers) | EPHL | 70 | 1 | 36 | 37 | 110 | 7 | 0 | 4 | 4 | 12 |
| 1961-62 New York (Rangers) | LNH | 4 | 0 | 0 | 0 | 4 | | | | | |
| Kitchener (Indians) | EPHL | 62 | 6 | 40 | 46 | 119 | 7 | 2 | 0 | 2 | 0 |
| 1962-63 Los Angeles (Blades) | WHL | 67 | 4 | 24 | 28 | 55 | 3 | 0 | 1 | 1 | 0 |
| 1963-64 Los Angeles (Blades) | WHL | 53 | 2 | 19 | 21 | 65 | | | | | |
| Baltimore (Clippers) | AHL | 15 | 0 | 4 | 4 | 27 | | | | | |
| 1964-65 | | *N'a pas joué* | | | | | | | | | |
| 1965-66 | | *N'a pas joué* | | | | | | | | | |
| 1966-67 Canada | Éq. nat. | *Statistiques non disponibles* | | | | | | | | | |
| Canada | CM | 7 | 0 | 2 | 2 | 12 | | | | | |
| 1967-68 Hull (National) | LHSQ | 24 | 0 | 13 | 13 | 21 | | | | | |
| 1968-68 Ottawa (Nationals) | OHA Sr | 4 | 0 | 0 | 0 | 2 | | | | | |
| Canada | CM | 4 | 0 | 0 | 0 | 4 | | | | | |
| 1969-70 Canada | Éq. nat. | *Statistiques non disponibles* | | | | | | | | | |
| 1970-71 Jacksonville (Rockets) | EHL | 8 | 0 | 0 | 0 | 2 | | | | | |
| **LNH** | | **80** | **3** | **8** | **11** | **58** | - | - | - | - | - |
| **Montréal** | | **4** | **0** | **1** | **1** | **0** | - | - | - | - | - |

• Deuxième équipe d'étoiles (WJHL) en 1948-49 • Deuxième équipe d'étoiles (IHL) en 1950-51 • Première équipe d'étoiles (LHQ) en 1957-58 • Médaille de bronze (CM) en 1967
• Signe avec Montréal le 21 octobre 1951 • Prêté à Seattle (WHL) par Montréal en novembre 1955 • Réclamé par New York (Buffalo-AHL) de Montréal (Royals de Montréal-LHQ) lors du repêchage inter-ligues le 3 juin 1958 • Droits vendus à Los Angeles (WHL) par New York en septembre 1962

## BRASHEAR, DONALD

**Né à Bedford, Indiana, le 7 janvier 1972**
**Ailier gauche, lance de la gauche, 6'2", 225 lb**

| SAISON CLUB | LIGUE | PJ | B | A | PTS | PUN | PJ | B | A | PTS | PUN |
|---|---|---|---|---|---|---|---|---|---|---|---|
| 1988-89 Sainte-Foy (Gouverneurs) | QAAA | 10 | 1 | 2 | 3 | 10 | - | - | - | - | - |
| 1989-90 Longueuil (Collège français) | LHJMQ | 64 | 12 | 14 | 26 | 169 | 7 | 0 | 0 | 0 | 11 |
| 1990-91 Longueuil (Collège français) | LHJMQ | 68 | 12 | 26 | 38 | 195 | 6 | 0 | 3 | 3 | 33 |
| 1991-92 Verdun (Collège français) | LHJMQ | 65 | 18 | 24 | 42 | 283 | 18 | 4 | 2 | 6 | 98 |
| Verdun (Collège français) | Mem. | 3 | 0 | 0 | 0 | 15 | | | | | |
| 1992-93 Fredericton (Canadien) | AHL | 76 | 11 | 3 | 14 | 261 | 5 | 0 | 0 | 0 | 8 |
| **1993-94 Montréal (Canadiens)** | **LNH** | **14** | **2** | **2** | **4** | **34** | **2** | **0** | **0** | **0** | **0** |
| Fredericton (Canadien) | AHL | 62 | 38 | 28 | 66 | 250 | | | | | |
| **1994-95 Montréal (Canadiens)** | **LNH** | **20** | **1** | **1** | **2** | **63** | | | | | |
| Fredericton (Canadien) | AHL | 29 | 10 | 9 | 19 | 182 | 17 | 7 | 5 | 12 | 77 |
| **1995-96 Montréal (Canadiens)** | **LNH** | **67** | **0** | **4** | **4** | **223** | **6** | **0** | **0** | **0** | **2** |
| **1996-97 Montréal (Canadiens)** | **LNH** | **10** | **0** | **0** | **0** | **38** | | | | | |
| Vancouver (Canucks) | LNH | 59 | 8 | 5 | 13 | 207 | | | | | |
| États-Unis | CM | 3 | 2 | 5 | 8 | | | | | | |
| 1997-98 Vancouver (Canucks) | LNH | 77 | 9 | 9 | 18 | *372 | | | | | |
| États-Unis | CM | 6 | 0 | 1 | 1 | 4 | | | | | |
| 1998-99 Vancouver (Canucks) | LNH | 82 | 8 | 10 | 18 | 209 | | | | | |
| 1999-00 Vancouver (Canucks) | LNH | 60 | 11 | 9 | 20 | 136 | | | | | |
| 2000-01 Vancouver (Canucks) | LNH | 79 | 9 | 19 | 28 | 145 | 4 | 0 | 0 | 0 | 4 |
| 2001-02 Vancouver (Canucks) | LNH | 31 | 8 | 5 | 13 | 90 | | | | | |
| Philadelphie (Flyers) | LNH | 15 | 5 | 14 | 19 | 169 | 5 | 0 | 0 | 0 | 19 |
| 2002-03 Philadelphie (Flyers) | LNH | 80 | 8 | 17 | 25 | 161 | 13 | 1 | 2 | 3 | 21 |
| **LNH** | | **629** | **65** | **92** | **157** | **1787** | **30** | **1** | **2** | **3** | **42** |
| **Montréal** | | **111** | **3** | **7** | **10** | **358** | **8** | **0** | **0** | **0** | **2** |

• Coupe du Président (LHJMQ) en 1991-92
• Signe avec Montréal comme agent libre le 28 juillet 1992 • Échangé à Vancouver par Montréal pour Jassen Cullimore le 13 novembre 1996 • Échangé à Philadelphie par Vancouver avec le choix de 6e ronde de Vancouver au repêchage de 2002 (cédé plus tard à Columbus qui sélectionne Jaroslav Balastik) pour Jan Hlavac et le choix de 3e ronde de Tampa Bay au repêchage de 2002 (propriété de Philadelphie suite à une transaction antérieure, Vancouver sélectionne Brett Skinner) le 17 décembre 2001

## BRISEBOIS, PATRICE

**Né à Montréal, Québec, le 27 janvier 1971. Défenseur, lance de la droite, 6'2", 204 lb**
**(2e choix de Montréal, 30e au total lors du repêchage de 1989)**

| SAISON CLUB | LIGUE | PJ | B | A | PTS | PUN | PJ | B | A | PTS | PUN |
|---|---|---|---|---|---|---|---|---|---|---|---|
| 1986-87 Montréal (Bourassa) | QAAA | 39 | 15 | 19 | 34 | 66 | - | - | - | - | - |
| 1987-88 Laval (Titan) | LHJMQ | 48 | 10 | 34 | 44 | 95 | 6 | 0 | 2 | 2 | 2 |
| 1988-89 Laval (Titan) | LHJMQ | 50 | 20 | 45 | 65 | 95 | 17 | 8 | 14 | 22 | 45 |
| Laval (Titan) | Mem. | 4 | 2 | 2 | 4 | 6 | | | | | |
| 1989-90 Laval (Titan) | LHJMQ | 56 | 18 | 70 | 88 | 108 | 13 | 7 | 9 | 16 | 26 |
| Laval (Titan) | Mem. | 4 | 0 | 4 | 4 | 6 | | | | | |
| Canada | CMJ | 7 | 2 | 2 | 4 | 2 | | | | | |
| 1990-91 Drummondville (Voltigeurs) | LHJMQ | 54 | 17 | 44 | 61 | 72 | 14 | 6 | 18 | 24 | 49 |
| Drummondville (Voltigeurs) | Mem. | 5 | 2 | 1 | 3 | 10 | | | | | |
| Canada | CMJ | 7 | 1 | 6 | 7 | 2 | | | | | |
| **Montréal (Canadiens)** | **LNH** | **10** | **0** | **2** | **2** | **4** | | | | | |
| **1991-92 Montréal (Canadiens)** | **LNH** | **26** | **2** | **8** | **10** | **20** | **11** | **2** | **4** | **6** | **6** |
| Fredericton (Canadien) | AHL | 53 | 12 | 27 | 39 | 51 | | | | | |
| **1992-93 Montréal (Canadiens)** | **LNH** | **70** | **10** | **21** | **31** | **79** | **20** | **0** | **4** | **4** | **18** |
| **1993-94 Montréal (Canadiens)** | **LNH** | **53** | **2** | **21** | **23** | **63** | **7** | **0** | **4** | **4** | **6** |
| **1994-95 Montréal (Canadiens)** | **LNH** | **35** | **4** | **8** | **12** | **28** | | | | | |
| **1995-96 Montréal (Canadiens)** | **LNH** | **69** | **9** | **27** | **36** | **65** | **6** | **1** | **2** | **3** | **6** |
| **1996-97 Montréal (Canadiens)** | **LNH** | **49** | **2** | **13** | **15** | **24** | **3** | **1** | **1** | **2** | **24** |
| **1997-98 Montréal (Canadiens)** | **LNH** | **79** | **10** | **27** | **37** | **67** | **10** | **1** | **0** | **1** | **0** |
| **1998-99 Montréal (Canadiens)** | **LNH** | **54** | **3** | **9** | **12** | **28** | | | | | |
| **1999-00 Montréal (Canadiens)** | **LNH** | **54** | **10** | **25** | **35** | **18** | | | | | |
| **2000-01 Montréal (Canadiens)** | **LNH** | **77** | **15** | **21** | **36** | **28** | | | | | |
| **2001-02 Montréal (Canadiens)** | **LNH** | **71** | **4** | **29** | **33** | **25** | **10** | **1** | **1** | **2** | **2** |
| **2002-03 Montréal (Canadiens)** | **LNH** | **73** | **4** | **25** | **29** | **32** | - | - | - | - | - |
| **LNH** | | **720** | **75** | **236** | **311** | **479** | **67** | **6** | **16** | **22** | **62** |
| **Montréal** | | **720** | **75** | **236** | **311** | **479** | **67** | **6** | **16** | **22** | **62** |

• Trophée Michael-Bossy (LHJMQ) en 1988-89 • Coupe du Président (LHJMQ) en 1988-89, 1989-90 • Deuxième équipe d'étoiles (LHJMQ) en 1989-90 • Médaille d'or (CMJ) en 1990, 1991 • Première équipe d'étoiles (LHJMQ) en 1990-91 • Défenseur par excellence du hockey junior canadien en 1990-91 • Trophée Paul-Dumont (LHJMQ) en 1990-91 • Trophée Émile-Bouchard (LHJMQ) en 1990-91 • Équipe d'étoiles (Mem.) en 1990-91 • Coupe Stanley (LNH) en 1992-93

## BRISSON, GÉRALD (GERRY)

**Né à St.Boniface, Manitoba, le 3 septembre 1937**
**Ailier droit, lance de la gauche, 5'9", 155 lb**

| SAISON CLUB | LIGUE | PJ | B | A | PTS | PUN | PJ | B | A | PTS | PUN |
|---|---|---|---|---|---|---|---|---|---|---|---|
| 1951-52 Winnipeg (Excelsiors) | MAHA | - | 8 | *11 | 19 | 8 | - | - | - | - | - |
| 1952-53 Winnipeg (Excelsiors) | MAHA | *Statistiques non disponibles* | | | | | | | | | |
| 1953-54 Winnipeg (Canadiens) | MJHL | 1 | 0 | 0 | 0 | 0 | | | | | |
| 1954-55 Winnipeg (Canadiens) | MJHL | 29 | 20 | 21 | 41 | 14 | | | | | |
| 1955-56 St.Boniface (Canadiens) | MJHL | 21 | *30 | 19 | 49 | 45 | 10 | *12 | 3 | *15 | 4 |
| 1956-57 St.Boniface (Canadiens) | MJHL | 22 | 21 | 19 | 40 | 60 | 7 | 4 | 6 | 10 | 2 |
| 1957-58 Peterborough (Petes) | OHA Jr | 52 | 28 | 23 | 51 | 34 | 5 | 3 | 0 | 3 | 2 |
| Winnipeg (Warriors) | WHL | 1 | 1 | 0 | 1 | 0 | | | | | |
| Montréal (Royals) | LHQ | 2 | 0 | 0 | 0 | 0 | | | | | |
| 1958-59 Winnipeg (Warriors) | WHL | 62 | 38 | 45 | 83 | 20 | 7 | 5 | 3 | 8 | 4 |
| 1959-60 Winnipeg (Warriors) | WHL | 66 | 24 | 32 | 56 | 20 | | | | | |
| 1960-61 Winnipeg (Warriors) | WHL | 70 | 29 | 26 | 55 | 35 | | | | | |
| 1961-62 Spokane (Comets) | WHL | 70 | 44 | 39 | 83 | 60 | 16 | 9 | 7 | 16 | 16 |
| 1962-63 Spokane (Comets) | WHL | 66 | 26 | 21 | 47 | 44 | | | | | |
| **Montréal (Canadiens)** | **LNH** | **4** | **0** | **2** | **2** | **4** | | | | | |
| 1963-64 Québec (As) | AHL | 12 | 0 | 1 | 1 | 6 | | | | | |
| San Francisco (Seals) | WHL | 50 | 18 | 25 | 43 | 15 | 11 | 6 | 3 | 9 | 4 |
| 1964-65 Seatle (Totems) | WHL | 63 | 19 | 18 | 37 | 35 | 7 | 0 | 1 | 1 | 2 |
| 1965-66 San Francisco (Seals) | WHL | 65 | 22 | 15 | 37 | 23 | 3 | 0 | 0 | 0 | 0 |
| 1966-67 Californie (Seals) | WHL | 7 | 1 | 1 | 2 | 2 | | | | | |
| 1967-68 | | *N'a pas joué* | | | | | | | | | |
| 1968-69 | | *N'a pas joué* | | | | | | | | | |
| 1969-70 St. Boniface (Mohawks) | Allan | 13 | 6 | 3 | 9 | 0 | | | | | |
| **LNH** | | **4** | **0** | **2** | **2** | **4** | - | - | - | - | - |
| **Montréal** | | **4** | **0** | **2** | **2** | **4** | - | - | - | - | - |

• Première équipe d'étoiles, Division Prairies (WHL) en 1958-59
• Prêté à Montréal par Spokane (WHL) le 13 février 1963 • Réclamé par Québec (AHL) de Spokane (WHL) lors du repêchage intra-ligue le 5 juin 1963 • Échangé à San Francisco (WHL) par Québec (AHL) pour Cliff Pennington le 17 novembre 1963 • Droits vendus à Seattle (WHL) par San Francisco (WHL) le 9 juin 1964 • Échangé à San Francisco (WHL) par Seattle pour Len Haley le 22 octobre 1965

## BRODEN, CONNELL (CONNIE)

**Né à Montréal, Québec, le 6 avril 1932**
**Centre, lance de la gauche, 5'8", 160 lb**

| SAISON CLUB | LIGUE | PJ | B | A | PTS | PUN | PJ | B | A | PTS | PUN |
|---|---|---|---|---|---|---|---|---|---|---|---|
| 1949-50 Montréal (Royals) | LHJQ | 36 | 7 | 19 | 26 | 14 | 3 | 0 | 1 | 1 | 0 |
| 1950-51 Montréal (Royals) | LHJQ | 29 | 15 | 12 | 27 | 15 | - | - | - | - | - |
| Montréal (Royals) | LHMQ | 1 | 0 | 0 | 0 | 0 | | | | | |
| 1951-52 Montréal (Canadien Jr) | LHJQ | 39 | 16 | 24 | 40 | 18 | 10 | 5 | 2 | 7 | 8 |
| Montréal (Canadien Jr) | Mem. | 8 | 5 | 5 | 10 | 8 | | | | | |
| 1952-53 Cincinnati (Mohawks) | IHL | 57 | 29 | 38 | 67 | 39 | 9 | 4 | 5 | 9 | 4 |
| 1953-54 Cincinnati (Mohawks) | IHL | 59 | 32 | 37 | 69 | 34 | 11 | 3 | 2 | 5 | 14 |
| 1954-55 Shawinigan (Cataractes) | LHQ | 62 | 27 | 35 | 62 | 25 | 13 | 5 | 7 | 12 | 15 |
| Shawinigan (Cataractes) | Edin. | 2 | 1 | 2 | 3 | | | | | | |
| **1955-56 Montréal (Canadiens)** | **LNH** | **3** | **0** | **0** | **0** | **2** | | | | | |
| Shawinigan (Cataractes) | LHQ | 61 | 17 | 40 | 57 | 45 | 11 | 2 | 8 | 10 | 8 |
| 1956-57 Shawinigan (Cataractes) | LHQ | 68 | 20 | 29 | 49 | 32 | | | | | |
| **Montréal (Canadien)** | **LNH** | | | | | | **6** | **0** | **1** | **1** | **0** |
| **1957-58 Montréal (Canadien)** | **LNH** | **3** | **2** | **1** | **3** | **0** | | | | | |
| Whitby (Dunlops) | EOHL | 7 | 5 | 9 | 14 | 0 | | | | | |
| Canada | CM | 7 | 12 | 7 | *19 | 6 | | | | | |
| 1958-59 Hull-Ottawa (Canadien) | EOHL | 71 | 12 | 23 | 40 | | 7 | 0 | 4 | 4 | 20 |
| **LNH** | | **6** | **2** | **1** | **3** | **2** | **7** | **0** | **1** | **1** | **0** |
| **Montréal** | | **6** | **2** | **1** | **3** | **2** | **7** | **0** | **1** | **1** | **0** |

• Trophée William-Northey (LHQ) en 1954-55 • Coupe Stanley (LNH) en 1956-57, 1957-58 • Médaille d'or (CM) en 1958
• Réclamé par Springfield (AHL) de Montréal lors du repêchage inter-ligues le 4 juin 1957 • Droits vendus à Montréal par Springfield (AHL) le 10 octobre 1957

## BROOKS, ARTHUR

**Né à Guelph, Ontario en 1892, décédé. Défenseur, gardien**

| SAISON CLUB | LIGUE | PJ | B | A | PTS | PUN | PJ | B | A | PTS | PUN |
|---|---|---|---|---|---|---|---|---|---|---|---|
| 1906-07 Guelph (Lyons) | OHA JR | 3 | 0 | 0 | 0 | 0 | | | | | |
| 1907-08 | | *N'a pas joué* | | | | | | | | | |
| 1908-09 Pittsburgh (Duquesne) | WPHL | 4 | 0 | 0 | 0 | 0 | | | | | |
| 1909-10 Owen Sound Seniors | OHA SR | *Statistiques non disponibles* | | | | | | | | | |
| 1910-11 Owen Sound Seniors | OHA SR | *Statistiques non disponibles* | | | | | | | | | |
| 1911-12 Guelph (Maple Leafs) | OHA SR | *Statistiques non disponibles* | | | | | | | | | |
| 1912-13 Owen Sound Seniors | OHA SR | *Statistiques non disponibles* | | | | | | | | | |
| 1913-14 | | *Statistiques non disponibles* | | | | | | | | | |
| 1914-15 | | *Service militaire* | | | | | | | | | |
| 1915-16 | | *Service militaire* | | | | | | | | | |
| 1916-17 Toronto (Blueshirts) | NHA | | | | | | | | | | |
| **Montréal (Canadiens)** | **NHA** | **1** | **0** | **0** | **0** | **0** | | | | | |
| 1917-18 Toronto (Arenas) | LNH | 4 | 0 | 0 | 0 | | | | | | |

| SAISON | CLUB | LIGUE | PJ | B | A | PTS | PUN | PJ | B | A | PTS | PUN |
|---|---|---|---|---|---|---|---|---|---|---|---|---|
| | | NHA | 5 | 0 | 0 | 0 | 0 | - | - | - | - | - |
| | | LNH | 4 | 0 | 0 | 0 | 0 | - | - | - | - | - |
| | Montréal | | 1 | 0 | 0 | 0 | 0 | - | - | - | - | - |

• Signe avec Pittsburgh (WPHL) le 1er novembre 1909 • Signe avec Toronto (NHA) le 30 janvier 1917 • Réclamé par Montréal (NHA) avec Reg Noble lors du repêchage de dispersion de Toronto (NHA) le 11 février 1917

### BROWN, BRAD

**Né à Baie Verte, Terre-Neuve, le 27 décembre 1975. Défenseur, lance de la droite, 6'4", 220 lb (1er choix de Montréal, 18e au total lors du repêchage de 1994)**

| SAISON | CLUB | LIGUE | PJ | B | A | PTS | PUN | PJ | B | A | PTS | PUN |
|---|---|---|---|---|---|---|---|---|---|---|---|---|
| 1990-91 | Toronto (Red Wings) | MTHL | 80 | 15 | 45 | 60 | 105 | - | - | - | - | - |
| | St. Michael's (Buzzers) | OJHL B | 2 | 0 | 0 | 0 | 0 | - | - | - | - | - |
| 1991-92 | North Bay (Centennials) | OHL | 49 | 2 | 9 | 11 | 170 | 18 | 0 | 6 | 6 | 43 |
| 1992-93 | North Bay (Centennials) | OHL | 61 | 4 | 9 | 13 | 228 | 2 | 0 | 2 | 2 | 13 |
| 1993-94 | North Bay (Centennials) | OHL | 66 | 8 | 24 | 32 | 196 | 18 | 3 | 12 | 15 | 33 |
| 1994-95 | North Bay (Centennials) | OHL | 64 | 8 | 38 | 46 | 172 | 6 | 1 | 4 | 5 | 8 |
| | North Bay (Centennials) | Mem. | 3 | 0 | 0 | 0 | 21 | - | - | - | - | - |
| 1995-96 | Barrie (Colts) | OHL | 27 | 3 | 13 | 16 | 82 | - | - | - | - | - |
| | Fredericton (Canadien) | AHL | 38 | 0 | 3 | 3 | 148 | 10 | 2 | 1 | 3 | 6 |
| 1996-97 | **Montréal (Canadiens)** | **LNH** | **8** | **0** | **0** | **0** | **22** | **-** | **-** | **-** | **-** | **-** |
| | Fredericton (Canadien) | AHL | 64 | 3 | 7 | 10 | 368 | - | - | - | - | - |
| 1997-98 | Fredericton (Canadien) | AHL | 64 | 1 | 8 | 9 | 297 | 4 | 0 | 0 | 0 | 29 |
| 1998-99 | **Montréal (Canadiens)** | **LNH** | **5** | **0** | **0** | **0** | **21** | **-** | **-** | **-** | **-** | **-** |
| | Chicago (Blackhawks) | LNH | 61 | 1 | 7 | 8 | 184 | - | - | - | - | - |
| 1999-00 | Chicago (Blackhawks) | LNH | 57 | 0 | 9 | 9 | 134 | - | - | - | - | - |
| 2000-01 | New York (Rangers) | LNH | 48 | 1 | 3 | 4 | 107 | - | - | - | - | - |
| 2001-02 | Minnesota (Wild) | LNH | 51 | 0 | 4 | 4 | 123 | - | - | - | - | - |
| 2002-03 | Minnesota (Wild) | LNH | 57 | 0 | 1 | 1 | 90 | 11 | 0 | 0 | 0 | 16 |
| | | **LNH** | **287** | **2** | **24** | **26** | **681** | **11** | **0** | **0** | **0** | **16** |
| | **Montréal** | | **13** | **0** | **0** | **0** | **43** | | | | | |

• Échangé à Chicago par Montréal avec Jocelyn Thibault et Dave Manson pour Jeff Hackett, Eric Weinrich, Alain Nasreddine et le choix de 4e ronde de Tampa Bay (propriété de Chicago suite à une transaction antérieure, Montréal sélectionne Chris Dyment) au repêchage de 1999, le 16 novembre 1998 • Échangé à New York (Rangers) par Chicago avec Michael Grosek pour des considérations futures le 5 octobre 2000 • Signe avec Minnesota comme agent libre le 31 juillet 2001

### BROWN, GEORGE

**Né à Winnipeg, Manitoba, le 17 mai 1912**
**Centre, lance de la gauche, 5'11", 185 lb**

| SAISON | CLUB | LIGUE | PJ | B | A | PTS | PUN | PJ | B | A | PTS | PUN |
|---|---|---|---|---|---|---|---|---|---|---|---|---|
| 1930-31 | Elmwood (Millionaires) | WJHL | 10 | 5 | 0 | 5 | 22 | 3 | 1 | 1 | 2 | 6 |
| | Elmwood (Millionaires) | Men. | 9 | 3 | 0 | 3 | *20 | - | - | - | - | - |
| 1931-32 | Winnipeg (Monarchs) | WJHL | 12 | 5 | 1 | 6 | *40 | 4 | 1 | 0 | 1 | *15 |
| | Winnipeg (Monarchs) | Mem. | 8 | 4 | 1 | 5 | *25 | - | - | - | - | - |
| 1932-33 | Winnipeg (Monarchs) | WSHL | *Statistiques non disponibles* | | | | | | | | | |
| 1933-34 | Montréal (Royals) | LHCM | 16 | 6 | 5 | 11 | *36 | 2 | 0 | 0 | 0 | 4 |
| 1934-35 | Verdun (Maple Leafs) | LHCM | 20 | 18 | 19 | 37 | 22 | - | - | - | - | - |
| 1935-36 | Verdun (Maple Leafs) | LHCM | 22 | 19 | *23 | *42 | 48 | 7 | 4 | 4 | 8 | 22 |
| 1936-37 | **Montréal (Canadiens)** | **LNH** | **27** | **4** | **6** | **10** | **10** | **4** | **0** | **0** | **0** | **0** |
| 1937-38 | **Montréal (Canadiens)** | **LNH** | **34** | **1** | **7** | **8** | **14** | **3** | **0** | **0** | **0** | **2** |
| | New Haven (Eagles) | IAHL | 14 | 1 | 4 | 5 | 2 | - | - | - | - | - |
| 1938-39 | **Montréal (Canadiens)** | **LNH** | **18** | **1** | **9** | **10** | **10** | **-** | **-** | **-** | **-** | **-** |
| | New Haven (Eagles) | IAHL | 35 | 10 | 7 | 17 | 27 | - | - | - | - | - |
| 1939-40 | Springfield (Indians) | IAHL | 12 | 0 | 5 | 5 | 0 | - | - | - | - | - |
| | Syracuse (Stars) | IAHL | 11 | 1 | 2 | 3 | 2 | - | - | - | - | - |
| | Hershey (Bears) | IAHL | 7 | 0 | 0 | 0 | 0 | - | - | - | - | - |
| 1940-41 | Saint-Jérôme (Papermakers) | LHPQ | 13 | 8 | 7 | 15 | 12 | - | - | - | - | - |
| | Saint-Jérôme (Papermakers) | Allan | 3 | 0 | 0 | 0 | 2 | - | - | - | - | - |
| 1941-42 | **Montréal (Canadiens)** | **LHSQ** | **38** | **6** | **3** | **9** | **83** | **6** | **0** | **1** | **1** | **16** |
| 1942-43 | **Montréal (Canadiens)** | **LHSQ** | **24** | **3** | **5** | **8** | **32** | **4** | **1** | **0** | **1** | **8** |
| | | **LNH** | **79** | **6** | **22** | **28** | **34** | **7** | **0** | **0** | **0** | **2** |
| | **Montréal** | | **79** | **6** | **22** | **28** | **34** | **7** | **0** | **0** | **0** | **2** |

• Coupe Memorial en 1930-31
• Échangé à Montréal (Maroons) par New York (Rangers) pour Eddie Wares le 30 octobre 1935 • Échangé à Montréal (Canadien) par Montréal (Maroons) pour Gerry Corson le 7 octobre 1936• Droits vendus à Boston par Montréal le 29 novembre 1939

### BRUBAKER, JEFFREY (JEFF)

**Né à Frederick, Maryland, le 24 février 1958. Ailier gauche, lance de la gauche, 6'2", 207 lb (6e choix de Boston, 102e au total lors du repêchage de 1978)**

| SAISON | CLUB | LIGUE | PJ | B | A | PTS | PUN | PJ | B | A | PTS | PUN |
|---|---|---|---|---|---|---|---|---|---|---|---|---|
| 1974-75 | St. Paul (Vulcans) | MWJHL | 57 | 13 | 14 | 27 | 130 | - | - | - | - | - |
| 1975-76 | St. Paul (Vulcans) | MWJHL | 47 | 6 | 34 | 40 | 152 | - | - | - | - | - |
| 1976-77 | Michigan (Spartans) | WCHA | 18 | 0 | 3 | 3 | 30 | - | - | - | - | - |
| | Peterborough (Petes) | OMJHL | 26 | 0 | 5 | 5 | 143 | 4 | 0 | 2 | 2 | 7 |
| 1977-78 | Peterborough (Petes) | OMJHL | 68 | 20 | 24 | 44 | 307 | 21 | 6 | 5 | 11 | 52 |
| | Peterborough (Petes) | Mem. | 5 | 0 | 5 | 5 | 4 | - | - | - | - | - |
| 1978-79 | Rochester (Americans) | AHL | 57 | 4 | 10 | 14 | 253 | - | - | - | - | - |
| | Nlle-Angleterre (Whalers) | AMH | 12 | 0 | 0 | 0 | 19 | 3 | 0 | 0 | 0 | 12 |
| 1979-80 | Hartford (Whalers) | LNH | 3 | 0 | 1 | 1 | 4 | - | - | - | - | - |
| | Springfield (Indians) | AHL | 50 | 12 | 13 | 25 | 165 | - | - | - | - | - |
| 1980-81 | Hartford (Whalers) | LNH | 43 | 5 | 3 | 8 | 93 | - | - | - | - | - |
| | Binghamton (Whalers) | AHL | 11 | 3 | 11 | 29 | 138 | - | - | - | - | - |
| 1981-82 | **Montréal (Canadiens)** | **LNH** | **3** | **0** | **1** | **1** | **32** | **2** | **0** | **0** | **0** | **27** |
| | Nlle-Écosse (Voyageurs) | AHL | 60 | 28 | 12 | 40 | 256 | 6 | 2 | 1 | 3 | 32 |
| 1982-83 | Nlle-Écosse (Voyageurs) | AHL | 78 | 31 | 27 | 58 | 183 | 7 | 1 | 1 | 2 | 15 |
| 1983-84 | Calgary (Flames) | LNH | 4 | 0 | 0 | 0 | 19 | - | - | - | - | - |
| | Colorado (Flames) | CHL | 57 | 16 | 19 | 35 | 218 | 6 | 1 | 3 | 4 | 15 |
| 1984-85 | Toronto (Maple Leafs) | LNH | 68 | 8 | 4 | 12 | 209 | - | - | - | - | - |
| 1985-86 | Toronto (Maple Leafs) | LNH | 21 | 0 | 0 | 0 | 67 | - | - | - | - | - |

| SAISON | CLUB | LIGUE | PJ | B | A | PTS | PUN | PJ | B | A | PTS | PUN |
|---|---|---|---|---|---|---|---|---|---|---|---|---|
| | Edmonton (Oilers) | LNH | 4 | 1 | 0 | 1 | 12 | - | - | - | - | - |
| | Nlle-Écosse (Oilers) | AHL | 19 | 4 | 3 | 7 | 41 | - | - | - | - | - |
| 1986-87 | Nlle-Écosse (Oilers) | AHL | 47 | 10 | 16 | 26 | 80 | - | - | - | - | - |
| | Hershey (Bears) | AHL | 12 | 1 | 2 | 3 | 30 | 3 | 2 | 0 | 2 | 10 |
| 1987-88 | New York (Rangers) | LNH | 31 | 2 | 0 | 2 | 78 | - | - | - | - | - |
| | Colorado (Rangers) | IHL | 30 | 12 | 10 | 22 | 53 | 13 | 2 | 2 | 4 | 21 |
| 1988-89 | Detroit (Red Wings) | LNH | 1 | 0 | 0 | 0 | 0 | - | - | - | - | - |
| | Adirondack (Red Wings) | AHL | 63 | 3 | 10 | 13 | 137 | - | - | - | - | - |
| | | **LNH** | **178** | **16** | **9** | **25** | **512** | **2** | **0** | **0** | **0** | **27** |
| | **Montréal** | | **3** | **0** | **1** | **1** | **32** | **2** | **0** | **0** | **0** | **27** |

• Sélectionné par Nlle-Angleterre lors du repêchage de l'AMH en juin 1978 • Droits transférés à Hartford par Boston lors de l'expansion de la LNH le 9 juin 1979 • Réclamé par Montréal de Hartford lors du repêchage inter-équipes le 5 octobre 1981 • Réclamé par Québec de Montréal lors du repêchage inter-équipes le 3 octobre 1983 • Réclamé par Calgary de Québec lors du repêchage inter-équipes le 3 octobre 1983 • Signe avec Edmonton comme agent libre le 21 juin 1984 • Repêché par Toronto de Edmonton lors du repêchage inter-équipes le 9 octobre 1984 • Réclamé au ballottage par Edmonton de Toronto le 5 décembre 1985 • Échangé à Philadelphie par Edmonton pour Don Campedelli le 9 mars 1987 • Droits vendus à New York (Rangers) par Philadelphie le 21 juillet 1987 • Signe avec Detroit comme agent libre en octobre 1988

### BRUNET, BENOÎT

**Né à Sainte-Anne-de-Bellevue, Québec, le 24 août 1968. Ailier gauche, lance de la gauche, 6', 203 lb (2e choix de Montréal, 27e au total lors du repêchage de 1986)**

| SAISON | CLUB | LIGUE | PJ | B | A | PTS | PUN | PJ | B | A | PTS | PUN |
|---|---|---|---|---|---|---|---|---|---|---|---|---|
| 1985-86 | Hull (Olympiques) | LHJMQ | 71 | 33 | 37 | 70 | 81 | - | - | - | - | - |
| | Hull (Olympiques) | Mem. | 5 | 1 | 2 | 3 | 2 | - | - | - | - | - |
| 1986-87 | Hull (Olympiques) | LHJMQ | 60 | 43 | 67 | 110 | 105 | 6 | 7 | 5 | 12 | 8 |
| 1987-88 | Hull (Olympiques) | LHJMQ | 62 | 54 | 89 | 143 | 131 | 10 | 3 | 10 | 13 | 11 |
| | Hull (Olympiques) | Mem. | 4 | 1 | 3 | 4 | 0 | - | - | - | - | - |
| 1988-89 | **Montréal (Canadiens)** | **LNH** | **2** | **0** | **1** | **1** | **0** | **-** | **-** | **-** | **-** | **-** |
| | Sherbrooke (Canadien) | AHL | 73 | 41 | *76 | 117 | 95 | 6 | 2 | 0 | 2 | 4 |
| 1989-90 | Sherbrooke (Canadien) | AHL | 72 | 32 | 35 | 67 | 82 | 12 | 8 | 7 | 15 | 20 |
| 1990-91 | **Montréal (Canadiens)** | **LNH** | **17** | **1** | **3** | **4** | **0** | **-** | **-** | **-** | **-** | **-** |
| | Sherbrooke (Canadien) | AHL | 24 | 13 | 18 | 31 | 16 | 4 | 0 | 5 | 6 | 11 |
| 1991-92 | **Montréal (Canadiens)** | **LNH** | **18** | **4** | **6** | **10** | **14** | **-** | **-** | **-** | **-** | **-** |
| | Sherbrooke (Canadien) | AHL | 6 | 1 | 9 | 16 | 27 | - | - | - | - | - |
| 1992-93 | **Montréal (Canadiens)** | **LNH** | **47** | **10** | **15** | **25** | **19** | **20** | **2** | **8** | **10** | **8** |
| 1993-94 | **Montréal (Canadiens)** | **LNH** | **71** | **10** | **20** | **30** | **20** | **7** | **1** | **4** | **5** | **16** |
| 1994-95 | **Montréal (Canadiens)** | **LNH** | **45** | **7** | **18** | **25** | **16** | **-** | **-** | **-** | **-** | **-** |
| 1995-96 | **Montréal (Canadiens)** | **LNH** | **26** | **7** | **8** | **15** | **17** | **3** | **0** | **2** | **2** | **0** |
| | Fredericton (Canadien) | AHL | 3 | 2 | 1 | 3 | 6 | - | - | - | - | - |
| 1996-97 | **Montréal (Canadiens)** | **LNH** | **39** | **10** | **13** | **23** | **14** | **4** | **1** | **3** | **4** | **4** |
| 1997-98 | **Montréal (Canadiens)** | **LNH** | **68** | **12** | **20** | **32** | **61** | **8** | **0** | **1** | **1** | **4** |
| 1998-99 | **Montréal (Canadiens)** | **LNH** | **60** | **14** | **17** | **31** | **31** | **-** | **-** | **-** | **-** | **-** |
| 1999-00 | **Montréal (Canadiens)** | **LNH** | **50** | **14** | **15** | **29** | **13** | **-** | **-** | **-** | **-** | **-** |
| 2000-01 | **Montréal (Canadiens)** | **LNH** | **35** | **3** | **11** | **14** | **12** | **-** | **-** | **-** | **-** | **-** |
| 2001-02 | **Montréal (Canadiens)** | **LNH** | **16** | **0** | **2** | **2** | **4** | **-** | **-** | **-** | **-** | **-** |
| | Dallas (Stars) | LNH | 32 | 4 | 9 | 13 | 8 | - | - | - | - | - |
| | Utah (Grizzlies) | AHL | 5 | 3 | 1 | 4 | 0 | - | - | - | - | - |
| | Ottawa (Sénateurs) | LNH | 13 | 5 | 3 | 8 | 0 | 12 | 0 | 3 | 3 | 0 |
| | | **LNH** | **539** | **101** | **161** | **262** | **229** | **54** | **5** | **20** | **25** | **32** |
| | **Montréal** | | **494** | **92** | **149** | **241** | **221** | **42** | **5** | **17** | **22** | **32** |

• Coupe du Président (LHJMQ) en 1985-86, 1987-88 • Deuxième équipe d'étoiles (LHJMQ) en 1987-88 • Première équipe d'étoiles (AHL) en 1986-87 • Coupe Stanley (LNH) en 1992-93
• Échangé à Dallas par Montréal avec Martin Rucinsky pour Donald Audette et Shaun Van Allen le 21 novembre 2001 • Échangé à Ottawa par Dallas pour un choix au repêchage de 2003, le 16 mars 2002

### BUCYK, RANDY

**Né à Edmonton, Alberta, le 9 novembre 1962. Centre, lance de la gauche, 5'11", 185 lb**

| SAISON | CLUB | LIGUE | PJ | B | A | PTS | PUN | PJ | B | A | PTS | PUN |
|---|---|---|---|---|---|---|---|---|---|---|---|---|
| 1980-81 | Northeastern University | ECAC | 31 | 18 | 17 | 35 | 18 | - | - | - | - | - |
| 1981-82 | Northeastern University | ECAC | 33 | 19 | 17 | 36 | 10 | - | - | - | - | - |
| 1982-83 | Northeastern University | ECAC | 28 | 16 | 20 | 36 | 16 | - | - | - | - | - |
| 1983-84 | Northeastern University | ECAC | 29 | 16 | 13 | 29 | 11 | - | - | - | - | - |
| 1984-85 | Sherbrooke (Canadien) | AHL | 62 | 21 | 26 | 47 | 20 | 8 | 0 | 0 | 0 | 20 |
| 1985-86 | **Montréal (Canadiens)** | **LNH** | **7** | **4** | **2** | **6** | **4** | **2** | **0** | **0** | **0** | **0** |
| | Sherbrooke (Canadien) | AHL | 43 | 18 | 33 | 51 | 22 | - | - | - | - | - |
| 1986-87 | Sherbrooke (Canadien) | AHL | 70 | 24 | 39 | 63 | 28 | 17 | 3 | 11 | 14 | 2 |
| 1987-88 | Calgary (Flames) | LNH | 12 | 0 | 4 | 4 | 2 | - | - | - | - | - |
| | Salt Lake (Golden Eagles) | IHL | 75 | 37 | 45 | 82 | 68 | 19 | 7 | 8 | 15 | 0 |
| 1988-89 | Canada | Éq. nat. | 4 | 0 | 0 | 0 | 0 | - | - | - | - | - |
| | Salt Lake (Golden Eagles) | IHL | 79 | 28 | 59 | 87 | 24 | 14 | 5 | 5 | 10 | 4 |
| 1989-90 | Salt Lake (Golden Eagles) | IHL | 67 | 24 | 41 | 63 | 16 | 11 | 5 | 4 | 9 | 8 |
| 1990-91 | Salt Lake (Golden Eagles) | IHL | 18 | 4 | 4 | 8 | 2 | - | - | - | - | - |
| | | **LNH** | **19** | **4** | **6** | **8** | **2** | **2** | **0** | **0** | **0** | **0** |
| | **Montréal** | | **17** | **4** | **2** | **6** | **2** | **2** | **0** | **0** | **0** | **0** |

• Coupe Calder (AHL) en 1984-85 • Coupe Stanley (LNH) en 1985-86
• Signe avec Montréal comme agent libre le 15 janvier 1986 • Signe avec Calgary comme agent libre le 29 juin 1987

### BULIS, JAN

**Né à Pardubice, République tchèque, le 18 mars 1978. Centre, lance de la gauche, 6'2", 201 lb (3e choix de Washington, 43e au total lors du repêchage de 1996)**

| SAISON | CLUB | LIGUE | PJ | B | A | PTS | PUN | PJ | B | A | PTS | PUN |
|---|---|---|---|---|---|---|---|---|---|---|---|---|
| 1993-94 | HC Pardubice | CZE | 25 | 16 | 11 | 27 | - | - | - | - | - | - |
| 1994-95 | Kelowna (Spartans) | BCJHL | 51 | 23 | 48 | 36 | 11 | 7 | 7 | 9 | 16 | 0 |
| 1995-96 | Barrie (Colts) | OHL | 59 | 29 | 30 | 59 | 22 | 7 | 2 | 3 | 5 | 2 |
| 1996-97 | Barrie (Colts) | OHL | 64 | 42 | 61 | 103 | 42 | 9 | 3 | 7 | 10 | 6 |
| 1997-98 | Kingston (Frontenacs) | OHL | 2 | 0 | 1 | 1 | 0 | 12 | 8 | 10 | 18 | 12 |

| SAISON CLUB | LIGUE | PJ | B | A | PTS | PUN | PJ | B | A | PTS | PUN |
|---|---|---|---|---|---|---|---|---|---|---|---|
| 1997-98 Washington (Capitals) | LNH | 48 | 5 | 11 | 16 | 18 | - | - | - | - | - |
| Portland (Pirates) | AHL | 3 | 1 | 4 | 5 | 12 | - | - | - | - | - |
| 1998-99 Washington (Capitals) | LNH | 38 | 7 | 16 | 23 | 6 | - | - | - | - | - |
| Cincinnati (Cyclones) | IHL | 10 | 1 | 2 | 3 | 4 | | | | | |
| 1999-00 Washington (Capitals) | LNH | 56 | 9 | 22 | 31 | 30 | - | - | - | - | - |
| 2000-01 Washington (Capitals) | LNH | 39 | 5 | 13 | 18 | 26 | - | - | - | - | - |
| Portland (Pirates) | AHL | 4 | 0 | 2 | 2 | 0 | - | - | - | - | - |
| **Montréal (Canadiens)** | **LNH** | **12** | **0** | **5** | **5** | **0** | - | - | - | - | - |
| 2001-02 **Montréal (Canadiens)** | **LNH** | **53** | **9** | **10** | **19** | **8** | **6** | **0** | **0** | **0** | **6** |
| 2002-03 **Montréal (Canadiens)** | **LNH** | **82** | **16** | **24** | **40** | **30** | - | - | - | - | - |
| | **LNH** | **328** | **51** | **101** | **152** | **118** | **6** | **0** | **0** | **0** | **6** |
| | **Montréal** | **147** | **25** | **39** | **64** | **38** | **6** | **0** | **0** | **0** | **6** |

• Échangé à Montréal par Washington avec Richard Zednik et le 1er choix de Washington au repêchage de 2001 (Alexander Perezhogin) pour Trevor Linden, Dainius Zubrus et le choix de 2e ronde du New Jersey au repêchage de 2001 (propriété de Montréal suite à une transaction antérieure, cédé à Tampa Bay qui sélectionne Andreas Holmqvist) le 31 mars 2001

## BURCHELL, FREDERICK (SKIPPY)

### Né à Montréal, Québec, le 9 janvier 1931, décédé le 4 juin 1998
### Centre, lance de la gauche, 5'9", 1931

| SAISON CLUB | LIGUE | PJ | B | A | PTS | PUN | PJ | B | A | PTS | PUN |
|---|---|---|---|---|---|---|---|---|---|---|---|
| 1947-48 Montréal (Royals) | LHJQ | 2 | 3 | 0 | 3 | 0 | 10 | 1 | 5 | 6 | 0 |
| 1948-49 Montréal (Royals) | LHJQ | 47 | 10 | 25 | 35 | 15 | 10 | 4 | 6 | 10 | 7 |
| Montréal (Royals) | Mem. | 15 | 4 | 8 | 12 | 12 | - | - | - | - | - |
| 1949-50 Montréal (Royals) | LHJQ | 1 | 0 | 1 | 1 | 0 | - | - | - | - | - |
| Montréal (Royals) | LHSQ | 2 | 0 | 0 | 0 | 0 | - | - | - | - | - |
| Laval (National) | LHJQ | 34 | 22 | *54 | 76 | 47 | 7 | 4 | 5 | 9 | 4 |
| 1950-51 Montréal (National) | LHJQ | 45 | 48 | *76 | *124 | 46 | 3 | 0 | 1 | 1 | 6 |
| **Montréal (Canadiens)** | **LNH** | **2** | **0** | **0** | **0** | **0** | - | - | - | - | - |
| 1951-52 Johnstown (Jets) | EAHL | 56 | 37 | 56 | 93 | 71 | 8 | 2 | *12 | *14 | 12 |
| 1952-53 Montréal (Royals) | LHMQ | 52 | 18 | 38 | 56 | 41 | 11 | 0 | 0 | 0 | 9 |
| 1953-54 **Montréal (Canadiens)** | **LNH** | **2** | **0** | **0** | **0** | **0** | - | - | - | - | - |
| Montréal (Royals) | LHQ | 66 | 31 | 59 | 90 | 34 | 11 | 2 | 8 | 10 | 6 |
| 1954-55 Montréal (Royals) | LHQ | 61 | 19 | 41 | 60 | 50 | 13 | 2 | 2 | 4 | 6 |
| 1955-56 Montréal (Royals) | LHQ | 5 | 1 | 3 | 4 | 4 | | | | | |
| Winnipeg (Warriors) | WHL | 61 | 11 | 47 | 58 | 48 | 14 | 7 | *12 | 19 | 8 |
| Winnipeg (Warriors) | Edin. | 6 | 1 | 10 | 11 | 6 | | | | | |
| 1956-57 Winnipeg (Warriors) | WHL | 66 | 17 | 40 | 57 | 22 | | | | | |
| 1957-58 Rochester (Americans) | AHL | 70 | 20 | 40 | 60 | 65 | | | | | |
| 1958-59 Montréal (Royals) | LHQ | 59 | 11 | 41 | 52 | 31 | 8 | *7 | 2 | 9 | 4 |
| 1959-60 Montréal (Royals) | EPHL | 67 | 12 | 58 | 70 | 44 | 13 | 7 | 8 | 15 | 2 |
| 1960-61 Montréal (Royals) | EPHL | 68 | 13 | 61 | 74 | 12 | | | | | |
| 1961-62 Québec (As) | AHL | 67 | 21 | 57 | 78 | 14 | | | | | |
| 1962-63 Québec (As) | AHL | 69 | 17 | 55 | 72 | 12 | | | | | |
| 1963-64 Québec (As) | AHL | 58 | 4 | 30 | 34 | 10 | 8 | 1 | 2 | 3 | 0 |
| 1964-65 Verdun (Pirates) | LHSQ | | | | *Statistiques non disponibles* | | | | | | |
| Sherbrooke (Castors) | Allan | 15 | 6 | 17 | 23 | 2 | | | | | |
| 1965-66 Jersey (Devils) | EHL | 2 | 1 | 0 | 1 | 2 | | | | | |
| Saint-Hyacinthe (Saints) | LHSQ | 32 | 10 | 31 | 41 | 6 | 12 | 6 | 11 | *17 | 2 |
| | **LNH** | **4** | **0** | **0** | **0** | **2** | - | - | - | - | - |
| | **Montréal** | **4** | **0** | **0** | **0** | **2** | - | - | - | - | - |

• Deuxième équipe d'étoiles (LHJQ) en 1949-50, 1950-51 • Première équipe d'étoiles (EAHL) en 1951-52 • Première équipe d'étoiles (LHQ) en 1953-54
• Échangé à Chicago par Montréal pour Max Quackenbush le 3 juillet 1955

## BURE, VALERI

### Né à Moscou, Russie, le 13 juin 1974. Ailier droit, lance de la droite, 5'10", 185 lb
### (2e choix de Montréal, 33e au total lors du repêchage de 1992)

| SAISON CLUB | LIGUE | PJ | B | A | PTS | PUN | PJ | B | A | PTS | PUN |
|---|---|---|---|---|---|---|---|---|---|---|---|
| 1990-91 Moscou (CSKA) | URSS | 3 | 0 | 0 | 0 | 0 | | | | | |
| 1991-92 Spokane (Chiefs) | WHL | 53 | 27 | 22 | 49 | 78 | 10 | 11 | 6 | 17 | 10 |
| 1992-93 Spokane (Chiefs) | WHL | 66 | 68 | 79 | 147 | 49 | 9 | 6 | 11 | 17 | 14 |
| 1993-94 Spokane (Chiefs) | WHL | 59 | 40 | 62 | 102 | 48 | 3 | 5 | 3 | 8 | 2 |
| Russie | CMJ | 7 | 5 | 3 | 8 | 4 | | | | | |
| Russie | CM | 6 | 3 | 0 | 3 | 2 | | | | | |
| 1994-95 **Montréal (Canadiens)** | **LNH** | **24** | **3** | **1** | **4** | **6** | - | - | - | - | - |
| Fredericton (Canadien) | AHL | 45 | 23 | 25 | 48 | 32 | | | | | |
| 1995-96 **Montréal (Canadiens)** | **LNH** | **77** | **22** | **20** | **42** | **28** | **6** | **0** | **1** | **1** | **6** |
| 1996-97 **Montréal (Canadiens)** | **LNH** | **64** | **14** | **21** | **35** | **6** | **5** | **0** | **1** | **1** | **2** |
| Russie | CDM | 1 | 0 | 0 | 0 | 2 | | | | | |
| 1997-98 **Montréal (Canadiens)** | **LNH** | **50** | **7** | **22** | **29** | **33** | - | - | - | - | - |
| Calgary (Flames) | LNH | 16 | 5 | 4 | 9 | 2 | | | | | |
| Russie | JO | 6 | 1 | 0 | 1 | 0 | | | | | |
| 1998-99 Calgary (Flames) | LNH | 80 | 26 | 27 | 53 | 22 | | | | | |
| 1999-00 Calgary (Flames) | LNH | 82 | 35 | 40 | 75 | 50 | | | | | |
| Match des étoiles | LNH | 1 | 0 | 2 | 2 | 0 | | | | | |
| 2000-01 Calgary (Flames) | LNH | 78 | 27 | 28 | 55 | 26 | | | | | |
| 2001-02 Floride (Panthers) | LNH | 31 | 8 | 10 | 18 | 12 | | | | | |
| Russie | JO | 6 | 1 | 0 | 1 | 2 | | | | | |
| 2002-03 Floride (Panthers) | LNH | 46 | 5 | 21 | 26 | 6 | | | | | |
| St. Louis (Blues) | LNH | 5 | 0 | 2 | 2 | 0 | 6 | 0 | 2 | 2 | 8 |
| | **LNH** | **553** | **152** | **196** | **348** | **195** | **17** | **0** | **4** | **4** | **16** |
| | **Montréal** | **215** | **46** | **64** | **110** | **73** | **11** | **0** | **2** | **2** | **8** |

• Première équipe d'étoiles Division Ouest (WHL) en 1992-93 • Deuxième équipe d'étoiles Division Ouest (WHL) en 1993-94 • Équipe d'étoiles (CMJ) en 1994 • Médaille de bronze (CMJ) en 1994 • Médaille d'argent (JO) en 1998 • Médaille de bronze (JO) en 2002
• Échangé à Calgary par Montréal avec le choix de 4e ronde de Montréal au repêchage de 1998 (Shaun Sutter) pour Jonas Hoglund et Zarley Zalapski le 1er février 1998 • Échangé en Floride par Calgary avec Jason Wiemer pour Rob Niedermayer et le choix de 2e ronde de Philadelphie au repêchage de 2001 (propriété de la Floride suite à une transaction antérieure, Calgary sélectionne Andrei Medvedev) le 24 juin 2001 • Échangé à St. Louis par la Floride avec un choix au repêchage de 2004 pour Mike Van Ryn le 11 mars 2003

## BUREAU, MARC

### Né à Trois-Rivières, Québec, le 19 mai 1966. Centre, lance de la droite, 6'1", 203 lb

| SAISON CLUB | LIGUE | PJ | B | A | PTS | PUN | PJ | B | A | PTS | PUN |
|---|---|---|---|---|---|---|---|---|---|---|---|
| 1983-84 Chicoutimi (Saguenéens) | LHJMQ | 56 | 6 | 16 | 22 | 14 | | | | | |
| 1984-85 Chicoutimi (Saguenéens) | LHJMQ | 41 | 30 | 25 | 55 | 15 | | | | | |
| Granby (Bisons) | LHJMQ | 27 | 20 | 45 | 65 | 14 | | | | | |
| 1985-86 Granby (Bisons) | LHJMQ | 19 | 6 | 17 | 23 | 36 | | | | | |
| Chicoutimi (Saguenéens) | LHJMQ | 44 | 30 | 45 | 75 | 33 | 9 | 3 | 7 | 10 | 10 |
| 1986-87 Longueuil (Chevaliers) | LHJMQ | 66 | 54 | 58 | 112 | 68 | 20 | 17 | 20 | 37 | 12 |
| Longueuil (Chevaliers) | Mem. | 5 | 1 | 2 | 3 | 4 | - | - | - | - | - |
| 1987-88 Salt Lake (Golden Eagles) | IHL | 69 | 7 | 20 | 27 | 86 | 7 | 0 | 3 | 3 | 8 |
| 1988-89 Salt Lake (Golden Eagles) | IHL | 76 | 28 | 36 | 64 | 119 | 14 | 7 | 5 | 12 | 31 |
| 1989-90 Calgary (Flames) | LNH | 5 | 0 | 0 | 0 | 0 | - | - | - | - | - |
| Salt Lake (Golden Eagles) | IHL | 67 | 43 | 48 | 91 | 173 | 11 | 4 | 8 | 12 | 0 |
| 1990-91 Calgary (Flames) | LNH | 5 | 0 | 0 | 0 | 0 | - | - | - | - | - |
| Salt Lake (Golden Eagles) | IHL | 54 | 40 | 48 | 88 | 101 | | | | | |
| Minnesota (North Stars) | LNH | 9 | 0 | 6 | 6 | 4 | 23 | 3 | 2 | 5 | 20 |
| 1991-92 Kalamazoo (Wings) | IHL | 7 | 2 | 8 | 10 | 2 | | | | | |
| Minnesota (North Stars) | LNH | 46 | 4 | 8 | 12 | 50 | 5 | 0 | 0 | 0 | 14 |
| 1992-93 Tampa Bay (Lightning) | LNH | 63 | 10 | 21 | 31 | 111 | | | | | |
| 1993-94 Tampa Bay (Lightning) | LNH | 75 | 8 | 7 | 15 | 30 | | | | | |
| 1994-95 Tampa Bay (Lightning) | LNH | 48 | 2 | 12 | 14 | 30 | | | | | |
| 1995-96 **Montréal (Canadiens)** | **LNH** | **65** | **3** | **7** | **10** | **46** | **6** | **1** | **1** | **2** | **4** |
| 1996-97 **Montréal (Canadiens)** | **LNH** | **43** | **6** | **9** | **15** | **16** | - | - | - | - | - |
| 1997-98 **Montréal (Canadiens)** | **LNH** | **74** | **13** | **6** | **19** | **12** | **10** | **1** | **2** | **3** | **6** |
| 1998-99 Philadelphie (Flyers) | LNH | 71 | 6 | 4 | 10 | 16 | 6 | 0 | 2 | 2 | 2 |
| 1999-00 Philadelphie (Flyers) | LNH | 54 | 2 | 2 | 4 | 10 | | | | | |
| Calgary (Flames) | LNH | 9 | 1 | 2 | 3 | 2 | | | | | |
| 2000-01 Saint John (Flames) | AHL | 17 | 4 | 7 | 11 | 13 | | | | | |
| | **LNH** | **567** | **55** | **83** | **138** | **327** | **50** | **5** | **7** | **12** | **46** |
| | **Montréal** | **182** | **22** | **22** | **44** | **74** | **16** | **2** | **3** | **5** | **10** |

• Troisième équipe d'étoiles (LHJMQ) en 1984-85 • Coupe du Président (LHJMQ) en 1986-87 • Deuxième équipe d'étoiles (LIH) en 1989-90, 1990-91
• Signe avec Calgary comme agent libre le 19 mai 1987 • Échangé au Minnesota par Calgary pour le choix de 3e ronde du Minnesota au repêchage de 1991 (Sandy McCarthy) le 5 mars 1991 • Réclamé au ballottage par Tampa Bay du Minnesota le 16 octobre 1992 • Échangé à Montréal par Tampa Bay pour Brian Bellows le 30 juin 1995 • Signe avec Philadelphie comme agent libre le 20 juillet 1998 • Échangé à Calgary par Philadelphie pour Travis Brigley et le choix de 6e ronde de Calgary au repêchage de 2001 le 6 mars 2000

## BURKE, MARTIN (MARTY)

### Né à Toronto, Ontario, le 28 janvier 1905, décédé le 7 mars 1968
### Défenseur, lance de la gauche, 5'7", 160 lb

| SAISON CLUB | LIGUE | PJ | B | A | PTS | PUN | PJ | B | A | PTS | PUN |
|---|---|---|---|---|---|---|---|---|---|---|---|
| 1923-24 Toronto (St. Mary's) | OHA Jr | 5 | 4 | 1 | 5 | 8 | - | - | - | - | - |
| Toronto (St. Mary's) | OHA Sr | 2 | 0 | 1 | 1 | 0 | - | - | - | - | - |
| 1924-25 Stratford (Indians) | OHA Sr | 18 | 1 | 4 | 5 | *52 | 2 | 1 | 0 | 1 | 2 |
| 1925-26 Stratford (Indians) | OHA Sr | 20 | 3 | 4 | 7 | 34 | - | - | - | - | - |
| 1926-27 Port Arthur (Ports) | TBSHL | 20 | 3 | 1 | 4 | *65 | 2 | 1 | 0 | 1 | 4 |
| 1927-28 **Montréal (Canadiens)** | **LNH** | **11** | **1** | **0** | **1** | **10** | - | - | - | - | - |
| Pittsburgh (Pirates) | LNH | 35 | 2 | 2 | 4 | 51 | 2 | 1 | 0 | 1 | 2 |
| 1928-29 **Montréal (Canadiens)** | **LNH** | **44** | **4** | **2** | **6** | **68** | **3** | **0** | **0** | **0** | **8** |
| 1929-30 **Montréal (Canadiens)** | **LNH** | **44** | **2** | **11** | **13** | **71** | **6** | **0** | **1** | **1** | **6** |
| 1930-31 **Montréal (Canadiens)** | **LNH** | **44** | **2** | **5** | **7** | **91** | **10** | **1** | **2** | **3** | **10** |
| 1931-32 **Montréal (Canadiens)** | **LNH** | **48** | **3** | **6** | **9** | **50** | **4** | **0** | **0** | **0** | **12** |
| 1932-33 **Montréal (Canadiens)** | **LNH** | **29** | **2** | **5** | **7** | **36** | - | - | - | - | - |
| Ottawa (Senators) | LNH | 16 | 0 | 0 | 0 | 10 | - | - | - | - | - |
| 1933-34 **Montréal (Canadiens)** | **LNH** | **45** | **1** | **4** | **5** | **28** | **2** | **0** | **1** | **1** | **2** |
| 1934-35 Chicago (Black Hawks) | LNH | 47 | 2 | 4 | 29 | 2 | 0 | 0 | 0 | 2 | |
| 1935-36 Chicago (Black Hawks) | LNH | 40 | 0 | 3 | 3 | 49 | 2 | 0 | 0 | 0 | 2 |
| 1936-37 Chicago (Black Hawks) | LNH | 41 | 0 | 1 | 1 | 28 | - | - | - | - | - |
| 1937-38 Chicago (Black Hawks) | LNH | 12 | 0 | 0 | 0 | 6 | | | | | |
| **Montréal (Canadiens)** | **LNH** | **30** | **0** | **5** | **5** | **31** | - | - | - | - | - |
| | **LNH** | **493** | **19** | **47** | **66** | **560** | **31** | **2** | **4** | **6** | **44** |
| | **Montréal** | **302** | **15** | **38** | **53** | **385** | **25** | **1** | **4** | **5** | **38** |

• Coupe Stanley (LNH) en 1929-30, 1930-31
• Signe avec Montréal le 23 octobre 1927 • Prêté à Pittsburgh par Montréal pour Charles Langlois le 16 décembre 1927 • Prêté à Ottawa par Montréal pour Léo Bourgault et Harold Starr le 15 février 1933 • Échangé à Chicago par Montréal avec Howie Morenz et Lorne Chabot pour Lionel Conacher, Roger Jenkins et Leroy Goldsworthy le 1er octobre 1934 • Échangé à Montréal par Chicago pour Bill MacKenzie le 10 décembre 1937

## BUSWELL, WALTER (WALT)

### Né à Montréal, Québec, le 6 novembre 1907, décédé le 16 octobre 1991
### Défenseur, lance de la gauche, 5'11", 170 lb

| SAISON CLUB | LIGUE | PJ | B | A | PTS | PUN | PJ | B | A | PTS | PUN |
|---|---|---|---|---|---|---|---|---|---|---|---|
| 1929-30 Montréal (CPR) | LHRTM | | | | *Statistiques non disponibles* | | | | | | |
| 1930-31 Saint-François-Xavier | LHCM | | | | *Statistiques non disponibles* | | | | | | |
| 1931-32 Chicago (Shamrocks) | AHA | 48 | 9 | 5 | 14 | 39 | 4 | 0 | 1 | 1 | 4 |
| 1932-33 Detroit (Red Wings) | LNH | 46 | 2 | 4 | 6 | 16 | 4 | 0 | 0 | 4 | |
| 1933-34 Detroit (Red Wings) | LNH | 47 | 1 | 2 | 3 | 8 | 9 | 0 | 1 | 1 | 2 |
| 1934-35 Detroit (Red Wings) | LNH | 47 | 1 | 4 | 3 | 32 | - | - | - | - | - |
| Detroit (Olympics) | IHL | 2 | 0 | 0 | 0 | 0 | | | | | |
| 1935-36 **Montréal (Canadiens)** | **LNH** | **44** | **0** | **2** | **2** | **34** | - | - | - | - | - |
| 1936-37 **Montréal (Canadiens)** | **LNH** | **44** | **0** | **4** | **4** | **30** | **5** | **0** | **0** | **0** | **6** |
| 1937-38 **Montréal (Canadiens)** | **LNH** | **48** | **2** | **15** | **17** | **24** | **3** | **0** | **0** | **0** | **4** |
| Match des étoiles | LNH | 1 | 0 | 0 | 0 | 0 | | | | | |
| 1938-39 **Montréal (Canadiens)** | **LNH** | **43** | **3** | **7** | **10** | **10** | **3** | **2** | **0** | **2** | **2** |
| 1939-40 **Montréal (Canadiens)** | **LNH** | **46** | **1** | **4** | **5** | **29** | | | | | |
| Match des étoiles | LNH | 1 | 0 | 0 | 0 | 0 | | | | | |
| 1940-41 Joliette (Cyclones) | LHPQ | 12 | 5 | 8 | 8 | 2 | 3 | 1 | 6 | 7 | 4 |

BUR·BUS

| SAISON | CLUB | LIGUE | PJ | B | A | PTS | PUN | PJ | B | A | PTS | PUN |
|---|---|---|---|---|---|---|---|---|---|---|---|---|
| | LNH | | 368 | 10 | 40 | 50 | 164 | 24 | 2 | 1 | 3 | 10 |
| | Montréal | | 228 | 6 | 31 | 37 | 108 | 11 | 2 | 0 | 2 | 4 |

- Match des étoiles (LNH) en 1937-38, 1939-40
- Signe avec Chicago (AHA) le 10 octobre 1931 • Transfert de la concession de Chicago (AHA) à Detroit le 2 septembre 1932 • Échangé à Boston par Detroit avec Ralph Weiland pour Marty Barry et Art Giroux le 30 juin 1935 • Échangé à Montréal par Boston avec Jean Pusie pour Roger Jenkins le 13 juillet 1935

## CAIN, HERBERT (HERB)
**Né à Newmarket, Ontario, le 24 décembre 1912, décédé le 15 février 1982**
**Ailier gauche, lance de la gauche, 5'11", 180 lb**

| SAISON | CLUB | LIGUE | PJ | B | A | PTS | PUN | PJ | B | A | PTS | PUN |
|---|---|---|---|---|---|---|---|---|---|---|---|---|
| 1931-32 | Newmarket (Redmen) | OHA Jr | 7 | *7 | *2 | - | *9 | 6 | 6 | *11 | 0 | 11 |
| 1932-33 | Hamilton (Tigers) | OHA Sr | 22 | 14 | 5 | 19 | 20 | 5 | 3 | 3 | 6 | 2 |
| 1933-34 | Montréal (Maroons) | LNH | 30 | 4 | 5 | 9 | 14 | 4 | 0 | 0 | 0 | 0 |
| | Hamilton (Tigers) | OHA Sr | 11 | 4 | 2 | 6 | 17 | | | | | |
| 1934-35 | Windsor (Bulldogs) | IHL | 6 | 1 | 3 | 4 | 6 | | | | | |
| | Montréal (Maroons) | LNH | 44 | 20 | 7 | 27 | 13 | 7 | 1 | 0 | 1 | 2 |
| 1935-36 | Montréal (Maroons) | LNH | 48 | 5 | 13 | 18 | 16 | 3 | 0 | 1 | 1 | 0 |
| 1936-37 | Montréal (Maroons) | LNH | 42 | 13 | 17 | 30 | 18 | 5 | 1 | 1 | 2 | 0 |
| 1937-38 | Montréal (Maroons) | LNH | 47 | 11 | 19 | 30 | 10 | | | | | |
| **1938-39** | **Montréal (Canadiens)** | **LNH** | **45** | **13** | **14** | **27** | **26** | **3** | **0** | **0** | **2** | **0** |
| 1939-40 | Boston (Bruins) | LNH | 48 | 21 | 10 | 31 | 30 | 6 | 1 | 3 | 4 | 2 |
| 1940-41 | Boston (Bruins) | LNH | 48 | 10 | 18 | 28 | 6 | 11 | 3 | 2 | 5 | 5 |
| | Hershey (Bears) | AHL | 1 | 0 | 1 | 0 | | | | | | |
| 1941-42 | Boston (Bruins) | LNH | 34 | 8 | 10 | 18 | 2 | 5 | 2 | 0 | 2 | 0 |
| 1942-43 | Boston (Bruins) | LNH | 48 | 18 | 18 | 36 | 19 | 7 | 4 | 2 | 6 | 0 |
| 1943-44 | Boston (Bruins) | LNH | 48 | 36 | 46 | *82 | 4 | | | | | |
| 1944-45 | Boston (Bruins) | LNH | 50 | 32 | 13 | 45 | 16 | 7 | 5 | 2 | 7 | 0 |
| 1945-46 | Boston (Bruins) | LNH | 48 | 17 | 15 | 32 | 4 | 9 | 0 | 2 | 2 | 2 |
| 1946-47 | Hershey (Bears) | AHL | 59 | 36 | 30 | 66 | 19 | 11 | *9 | 6 | 15 | 9 |
| 1947-48 | Hershey (Bears) | AHL | 49 | 19 | 19 | 38 | 25 | 2 | 0 | 1 | 1 | 0 |
| 1948-49 | Hershey (Bears) | AHL | 49 | 25 | 35 | 60 | 10 | 11 | 4 | 6 | 10 | 6 |
| 1949-50 | Hershey (Bears) | AHL | 41 | 12 | 14 | 26 | 8 | | | | | |
| | **LNH** | | **570** | **206** | **194** | **400** | **178** | **67** | **16** | **13** | **29** | **13** |
| | **Montréal** | | **45** | **13** | **14** | **27** | **26** | **3** | **0** | **0** | **2** | **0** |

- Coupe Stanley (LNH) en 1934-35, 1940-41 • Deuxième équipe d'étoiles (LNH) en 1943-44 • Coupe Calder (AHL) en 1946-47
- Droits vendus à Montréal (Canadiens) par Montréal (Maroons) avec Bob Gracie, Stew Evans, Jimmy Ward, Cy Wentworth, Dessie Smith et les droits sur Claude Bourque et Lester Brennan le 14 septembre 1938 • Échangé à Boston par Montréal pour Charlie Sands le 1er novembre 1939

## CAMERON, HAROLD (HARRY)
**Né à Pembroke, Ontario, le 6 février 1890, décédé le 20 octobre 1953**
**Défenseur, lance de la droite, 5'10", 155 lb**

| SAISON | CLUB | LIGUE | PJ | B | A | PTS | PUN | PJ | B | A | PTS | PUN |
|---|---|---|---|---|---|---|---|---|---|---|---|---|
| 1908-09 | Pembroke (Debaters) | UOVHL | 6 | 13 | 0 | 13 | - | - | - | - | - | |
| 1909-10 | Pembroke (Debaters) | UOVHL | 8 | 17 | 0 | 17 | - | - | - | - | - | |
| 1910-11 | Pembroke (Debaters) | UOVHL | 6 | 9 | 1 | 10 | 8 | 2 | 4 | *4 | *8 | 0 |
| 1911-12 | Port Arthur Lake City | NOHL | 15 | 6 | 0 | 6 | 48 | 2 | 2 | 0 | 2 | 0 |
| 1912-13 | Toronto (Blueshirts) | NHA | 20 | 9 | 0 | 9 | 20 | | | | | |
| 1913-14 | Toronto (Blueshirts) | NHA | 19 | 15 | 4 | 19 | 22 | 5 | 1 | 2 | 3 | 6 |
| 1914-15 | Toronto (Blueshirts) | NHA | 17 | 12 | 8 | 20 | 43 | | | | | |
| 1915-16 | Toronto (Blueshirts) | NHA | 11 | 11 | 1 | | 70 | | | | | |
| 1916-17 | Toronto (228e Bataillon) | NHA | 14 | 8 | 4 | 12 | 20 | | | | | |
| | Montréal (Wanderers) | NHA | 6 | 1 | 1 | 2 | 9 | | | | | |
| 1917-18 | Toronto (Arenas) | LNH | 21 | 17 | 10 | 27 | 28 | 7 | 4 | 3 | 7 | 0 |
| 1918-19 | Toronto (Arenas) | LNH | 7 | 1 | 4 | 5 | 9 | | | | | |
| | Ottawa (Senators) | LNH | 4 | 1 | | 6 | 26 | | | | | |
| 1919-20 | Toronto (St. Patricks) | LNH | 7 | 3 | 0 | 3 | 6 | | | | | |
| | **Montréal (Canadiens)** | **LNH** | **16** | **12** | **5** | **17** | **36** | | | | | |
| 1920-21 | Toronto (St. Patricks) | LNH | 24 | 18 | 9 | 27 | 35 | 2 | 0 | 0 | 0 | 2 |
| 1921-22 | Toronto (St. Patricks) | LNH | 24 | 18 | *17 | 35 | 22 | 6 | 0 | 4 | 4 | 19 |
| 1922-23 | Toronto (St. Patricks) | LNH | 22 | 9 | 7 | 16 | 27 | | | | | |
| 1923-24 | Saskatoon (Crescents) | WCHL | 29 | 10 | 10 | 20 | 16 | | | | | |
| 1924-25 | Saskatoon (Crescents) | WCHL | 28 | 13 | 7 | 20 | 21 | 2 | 1 | 0 | 1 | 0 |
| 1925-26 | Saskatoon (Crescents) | WHL | 30 | 9 | 3 | 12 | 12 | 4 | 0 | 0 | 0 | 0 |
| 1926-27 | Saskatoon (Sheiks) | PrHL | 31 | 26 | 19 | 45 | 20 | 4 | 2 | 1 | 3 | 4 |
| 1927-28 | Minneapolis (Millers) | AHA | 19 | 2 | 1 | 3 | 10 | | | | | |
| 1928-29 | St. Louis (Flyers) | AHA | 34 | 14 | 3 | 17 | 30 | | | | | |
| 1929-30 | St. Louis (Flyers) | AHA | 46 | 14 | 6 | 20 | 34 | | | | | |
| 1930-31 | St. Louis (Flyers) | AHA | 37 | 3 | | 7 | 30 | | | | | |
| 1931-32 | | | | | *N'a pas joué* | | | | | | | |
| 1932-33 | Saskatoon (Crescents) | NWHL | 9 | 0 | 0 | 4 | | | | | | |
| | **NHA** | | **100** | **53** | **20** | **73** | **142** | **5** | **1** | **2** | **3** | **6** |
| | **LNH** | | **128** | **88** | **51** | **139** | **189** | **20** | **10** | **7** | **17** | **39** |
| | **Montréal** | | **16** | **12** | **5** | **17** | **36** | | | | | |

- Coupe Stanley (NHA) en 1913-14 • Coupe Stanley (LNH) en 1917-18, 1921-22
- Signe avec Toronto (NHA) le 23 novembre 1912 • Signe avec Toronto (228e Bataillon) en septembre 1916 • Réclamé par Montréal (Wanderers) avec Alf Skinner et Ken Randall lors du repêchage de dispersion de Toronto (228e Bataillon) le 11 février 1917 • Signe avec Toronto le 5 décembre 1917 • Prêté à Ottawa par Toronto pour compléter une transaction antérieure qui envoyait Rusty Crawford à Toronto (le 14 décembre 1918) le 19 janvier 1919 • Échangé à Montréal par Toronto pour Goldie Prodgers le 14 janvier 1920 • Échangé à Toronto par Montréal pour Goldie Prodgers et Joe Matte le 27 novembre 1920 • Réclamé au ballotage par Saskatoon (WCHL) le 9 novembre 1923

## CAMERON, WILLIAM (BILL)
**Né à Timmins, Ontario, le 5 décembre 1896, décédé**
**Ailier droit, lance de la droite, 5'11", 170 lb**

| SAISON | CLUB | LIGUE | PJ | B | A | PTS | PUN | PJ | B | A | PTS | PUN |
|---|---|---|---|---|---|---|---|---|---|---|---|---|
| 1914-15 | Cleveland (H.C.) | USAHA | | | | | | | *Statistiques non disponibles* | | | |
| | Buckingham (A.C.C.) | LOVHL | 7 | 3 | 0 | 3 | - | 5 | 5 | 0 | 5 | - |
| 1915-16 | Buckingham (A.C.C.) | LOVHL | | | | | *Statistiques non disponibles* | | | | | |
| 1916-17 | Pittsburgh (AA) | USAHA | 40 | 12 | 0 | 12 | - | | | | | |
| 1917-18 | Ottawa Ordinance Corps | OCHL | | | | | *Statistiques non disponibles* | | | | | |
| 1918-19 | | | | | | | *Service militaire* | | | | | |
| 1919-20 | | | | | | | *Service militaire* | | | | | |
| 1920-21 | Québec (Royal Rifles) | LHCQ | 7 | 5 | 0 | 5 | - | 4 | 1 | 0 | 1 | - |
| 1921-22 | Timmins Seniors | NOHA | | | | | *Statistiques non disponibles* | | | | | |
| 1922-23 | Porcupine (Gold Miners) | GBHL | - | - | - | - | - | 1 | 1 | 0 | 1 | - |
| 1923-24 | **Montréal (Canadiens)** | **LNH** | **18** | **0** | **0** | **0** | **2** | **6** | **0** | **0** | **0** | **0** |
| 1924-25 | | | | | | | *N'a pas joué — Suspendu* | | | | | |
| 1925-26 | New York (Americans) | LNH | 21 | 0 | 0 | 0 | 0 | - | - | - | - | - |
| 1926-27 | St. Paul (Saints) | AHA | 31 | 3 | 1 | 4 | 22 | | | | | |
| 1927-28 | Kitchener (Millionaires) | Can-Pro | 25 | 1 | 0 | 1 | 34 | 4 | 0 | 0 | 0 | 18 |
| 1928-29 | Toronto (Millionaires) | Can-Pro | 32 | 3 | 1 | 4 | 39 | 2 | 0 | 0 | 0 | 2 |
| 1929-30 | Hamilton (Tigers) | IHL | 39 | 0 | 0 | 0 | 2 | 6 | 0 | 0 | 0 | 0 |
| | Buffalo (Bisons) | IHL | 1 | 0 | 0 | 0 | 0 | | | | | |
| | **LNH** | | **39** | **0** | **0** | **0** | **2** | **6** | **0** | **0** | **0** | **0** |
| | **Montréal** | | **18** | **0** | **0** | **0** | **2** | **6** | **0** | **0** | **0** | **0** |

- Coupe Stanley (LNH) en 1923-24
- Signe avec Montréal le 21 décembre 1923 • Échangé à Vancouver par Montréal avec Bob Boucher pour Charlie Cotch le 26 mars 1924 • Signe avec New York (Americans) le 1er novembre 1925 • Signe avec St-Paul (AHA) le 2 novembre 1926

## CAMPBELL, DAVID (DAVE)
**Né à Lachute, Québec, le 27 avril 1896, décédé**
**Défenseur, lance de la gauche, 6', 200 lb**

| SAISON | CLUB | LIGUE | PJ | B | A | PTS | PUN | PJ | B | A | PTS | PUN |
|---|---|---|---|---|---|---|---|---|---|---|---|---|
| 1913-14 | Montréal (Northern Electric) | LMCM | 10 | 2 | 0 | 2 | 10 | | | | | |
| | Montréal (La Casquette) | LHCM | 9 | 3 | 0 | 3 | - | | | | | |
| 1914-15 | Montréal (La Casquette) | LHCM | 10 | 3 | 0 | 3 | 12 | | | | | |
| 1915-16 | Laval (Université) | LHCM | 9 | 2 | 0 | 2 | 20 | 1 | 0 | 0 | 0 | 0 |
| 1916-17 | | | | | | | *Service militaire* | | | | | |
| 1917-18 | | | | | | | *Service militaire* | | | | | |
| 1918-19 | Montréal (National) | LHCM | 9 | 4 | 8 | 12 | 15 | | | | | |
| 1919-20 | Laval (Université) | IPAHU | 10 | 2 | 0 | 2 | 10 | | | | | |
| **1920-21** | **Montréal (Canadiens)** | **LNH** | **2** | **0** | **0** | **0** | **0** | | | | | |
| 1921-22 | | | | | | | *Réintégré comme amateur* | | | | | |
| 1922-23 | Montréal (National) | LHCM | 10 | 4 | 0 | 4 | - | | | | | |
| 1923-24 | Montréal (National) | LHCM | 10 | 4 | 0 | 4 | - | | | | | |
| 1924-25 | Montréal (National) | LHCM | 14 | 2 | 0 | 2 | - | | | | | |
| 1925-26 | Montréal (National) | LHCM | 9 | 6 | 0 | 6 | 10 | | | | | |
| | Montréal (Bell Téléphone) | LHRTM | 7 | 2 | 1 | 3 | 12 | | | | | |
| 1926-27 | Montréal (Victorias) | LHSQ | 4 | 2 | 2 | 4 | 16 | | | | | |
| | Montréal (Victorias) | Exh. | 15 | 26 | 0 | 26 | - | | | | | |
| 1927-28 | Philadelphie (Arrows) | Can-Am | 19 | 0 | 0 | 0 | 30 | | | | | |
| | Montréal (Northern Electric) | LHRTM | | | | | *Statistiques non disponibles* | | | | | |
| | **LNH** | | **2** | **0** | **0** | **0** | **0** | - | - | - | - | - |
| | **Montréal** | | **2** | **0** | **0** | **0** | **0** | - | - | - | - | - |

- Signe avec Montréal le 26 février 1921

## CAMPBELL, JIM
**Né à Worcester, Massachusetts, le 3 février 1973. Ailier droit, lance de la droite, 6'2", 213 lb (2e choix de Montréal, 28e au total lors du repêchage de 1991)**

| SAISON | CLUB | LIGUE | PJ | B | A | PTS | PUN | PJ | B | A | PTS | PUN |
|---|---|---|---|---|---|---|---|---|---|---|---|---|
| 1988-89 | Northwood (Huskies) | H.S. | 12 | 12 | 8 | 20 | 6 | | | | | |
| 1989-90 | Northwood (Huskies) | H.S. | 8 | 14 | 7 | 21 | 8 | | | | | |
| 1990-91 | Lawrence Academy | H.S. | 26 | 36 | 47 | 83 | 26 | | | | | |
| 1991-92 | Hull (Olympiques) | LHJMQ | 64 | 41 | 44 | 85 | 51 | 6 | 7 | 3 | 10 | 8 |
| | États-Unis | CMJ | 7 | 2 | 4 | 6 | 4 | | | | | |
| 1992-93 | Hull (Olympiques) | LHJMQ | 50 | 42 | 29 | 71 | 66 | 8 | 11 | 4 | 15 | 43 |
| | États-Unis | CMJ | 5 | 2 | 2 | 7 | 2 | | | | | |
| 1993-94 | États-Unis | Éq. nat. | 56 | 24 | 33 | 57 | 59 | | | | | |
| | États-Unis | JO | 8 | 0 | 0 | 0 | 6 | | | | | |
| | Fredericton (Canadien) | AHL | 19 | 6 | 17 | 23 | 6 | | | | | |
| 1994-95 | Fredericton (Canadien) | AHL | 77 | 27 | 24 | 51 | 103 | 12 | 0 | 7 | 7 | 8 |
| 1995-96 | Fredericton (Canadien) | AHL | 44 | 28 | 23 | 51 | 24 | | | | | |
| 1995-96 | Anaheim (Mighty Ducks) | LNH | 16 | 2 | 3 | 5 | 36 | | | | | |
| | Baltimore (Bandits) | AHL | 16 | 13 | 7 | 20 | 8 | 12 | 7 | 5 | 12 | 10 |
| 1996-97 | St. Louis (Blues) | LNH | 68 | 23 | 20 | 43 | 68 | 4 | 1 | 0 | 1 | 6 |
| | États-Unis | CMH | 2 | 0 | 0 | 0 | 0 | | | | | |
| 1997-98 | St. Louis (Blues) | LNH | 76 | 22 | 19 | 41 | 55 | 10 | 7 | 3 | 10 | 12 |
| 1998-99 | St. Louis (Blues) | LNH | 55 | 4 | 21 | 25 | 41 | | | | | |
| 1999-00 | Manitoba (Moose) | IHL | 10 | 1 | 3 | 4 | 10 | | | | | |
| | St. Louis (Blues) | LNH | 2 | 0 | 0 | 0 | 9 | | | | | |
| | Worcester (IceCats) | AHL | 66 | 31 | 34 | 65 | 88 | 9 | 1 | 2 | 3 | 6 |
| 2000-01 | **Montréal (Canadiens)** | **LNH** | **57** | **9** | **11** | **20** | **53** | | | | | |
| | Québec (Citadelles) | AHL | 3 | 5 | 0 | 5 | 6 | | | | | |
| | États-Unis | CM | 9 | 2 | 4 | 6 | 12 | | | | | |
| 2001-02 | Chicago (Blackhawks) | LNH | 3 | 1 | 2 | 3 | 4 | | | | | |
| | Norfolk (Admirals) | AHL | 44 | 11 | 14 | 25 | 26 | 4 | 3 | 1 | 4 | 2 |
| 2002-03 | Floride (Panthers) | LNH | 2 | 0 | 0 | 0 | 0 | | | | | |
| | San Antonio (Rampage) | AHL | 64 | 16 | 37 | 53 | 56 | 1 | 0 | 0 | 0 | 0 |
| | **LNH** | | **284** | **61** | **75** | **136** | **266** | **14** | **8** | **3** | **11** | **18** |
| | **Montréal** | | **57** | **9** | **11** | **20** | **53** | | | | | |

- Médaille de bronze (CMJ) en 1991-92 • Équipe d'étoile des recrues (LNH) en 1996-97
- Échangé à Anaheim par Montréal pour Robert Dirk le 21 janvier 1996 • Signe avec St. Louis comme agent libre le 11 juillet 1996 • Signe avec Montréal comme agent libre le 21 août 2000 • Signe avec Chicago comme agent libre le 19 novembre 2001 • Signe avec la Floride comme agent libre le 19 juillet 2002

## CAMPEAU, JEAN-CLAUDE (TOD)

**Né à Saint-Jérôme, Québec, le 4 juin 1923. Centre, lance de la gauche, 5'11", 175 lb**

| SAISON | CLUB | LIGUE | PJ | B | A | PTS | PUN | PJ | B | A | PTS | PUN |
|---|---|---|---|---|---|---|---|---|---|---|---|---|
| 1940-41 | Concordia (Collège) | LHCM | 1 | 0 | 0 | 0 | 0 | - | - | - | - | - |
| 1941-42 | Concordia (Collège) | LHCM | | | *Statistiques non disponibles* | | | | | | | |
| 1942-43 | Montréal (Canadien Jr) | LHJQ | 14 | 11 | *21 | 32 | 0 | 7 | 6 | 5 | 11 | 17 |
| | Montréal (Canadien Jr) | LHSQ | 1 | 0 | 0 | 0 | 0 | - | - | - | - | - |
| | Montréal (Canadien Jr) | Mem. | 7 | 6 | 14 | 20 | 2 | - | - | - | - | - |
| 1943-44 | Montréal (Vickers) | LHCM | 12 | *13 | 13 | 26 | 4 | - | - | - | - | - |
| | Montréal (Royals) | LHSQ | 20 | 18 | 12 | 30 | 8 | 7 | 3 | 5 | 8 | 2 |
| | **Montréal (Canadiens)** | **LNH** | **2** | **0** | **0** | **0** | **0** | - | - | - | - | - |
| 1944-45 | Pittsburgh (Hornets) | AHL | 6 | 1 | 2 | 3 | 2 | - | - | - | - | - |
| | Valleyfield (Braves) | LHSQ | 22 | 16 | 23 | 39 | 10 | 11 | 8 | 8 | 16 | 11 |
| | Valleyfield (Braves) | Allan | 3 | 0 | 1 | 1 | 2 | - | - | - | - | - |
| 1945-46 | Valleyfield (Braves) | LHSQ | 40 | 28 | *50 | *78 | 45 | - | - | - | - | - |
| 1946-47 | Montréal (Royals) | LHSQ | 39 | 22 | 31 | 53 | 44 | 9 | 3 | 9 | 12 | 12 |
| | Montréal (Royals) | Allan | 14 | *14 | 11 | *25 | 6 | - | - | - | - | - |
| 1947-48 | **Montréal (Canadiens)** | **LNH** | **14** | **2** | **2** | **4** | **4** | - | - | - | - | - |
| | Buffalo (Bisons) | AHL | 31 | 10 | 9 | 19 | 6 | 8 | 0 | 1 | 1 | 6 |
| 1948-49 | **Montréal (Canadiens)** | **LNH** | **26** | **3** | **7** | **10** | **12** | **1** | **0** | **0** | **0** | **0** |
| | Dallas (Texans) | USHL | 30 | 16 | 28 | 44 | 13 | - | - | - | - | - |
| 1949-50 | Cincinnati (Mohawks) | AHL | 68 | 22 | 41 | 63 | 53 | - | - | - | - | - |
| 1950-51 | Cincinnati (Mohawks) | AHL | 68 | 13 | 41 | 54 | 36 | - | - | - | - | - |
| 1951-52 | Sherbrooke (Saints) | LHMQ | 51 | 20 | 29 | 49 | 32 | 11 | 2 | 9 | 11 | 14 |
| 1952-53 | Sherbrooke (Saints) | LHMQ | 60 | 19 | 49 | 68 | 48 | 7 | 1 | 3 | 4 | 5 |
| 1953-54 | Sherbrooke (Saints) | LHQ | 13 | 1 | 1 | 2 | 0 | - | - | - | - | - |
| | Providence (Reds) | AHL | 44 | 10 | 26 | 36 | 16 | - | - | - | - | - |
| 1954-55 | Ottawa (Senators) | LHQ | 12 | 3 | 4 | 7 | 15 | - | - | - | - | - |
| | Moncton (Flyers) | ACSHL | 29 | 12 | 34 | 46 | 35 | 13 | 2 | 10 | 12 | 14 |
| | Moncton (Flyers) | Allan | 13 | 3 | 19 | 22 | 20 | - | - | - | - | - |
| 1955-56 | Chicoutimi (Saguenéens) | LHQ | 57 | 5 | 13 | 18 | 35 | 2 | 0 | 0 | 0 | 2 |
| 1956-57 | Dalhousie (Rangers) | NNBHL | 48 | 38 | 45 | 83 | 75 | 13 | 6 | 7 | 13 | 16 |
| | Dalhousie (Rangers) | Allan | 8 | 8 | 10 | 18 | 6 | - | - | - | - | - |
| | | **LNH** | **42** | **5** | **9** | **14** | **16** | **1** | **0** | **0** | **0** | **0** |
| | | **Montréal** | **42** | **5** | **9** | **14** | **16** | **1** | **0** | **0** | **0** | **0** |

• Droits vendus à Pittsburgh (AHL) par Montréal le 24 novembre 1944 • Signe avec Valleyfield (LHSQ) le 19 septembre 1945 • Prêté à Buffalo (AHL) par Montréal, le 11 novembre 1947 • Prêté à Dallas (USHL) par Montréal, le 12 octobre 1948

## CAMPEDELLI, DOMINIC (DON)

**Né à Cohasset, Massachusetts, le 3 avril 1964. Défenseur, lance de la droite, 6'1", 185 lb (10e choix de Toronto, 129e au total lors du repêchage de 1982)**

| SAISON | CLUB | LIGUE | PJ | B | A | PTS | PUN | PJ | B | A | PTS | PUN |
|---|---|---|---|---|---|---|---|---|---|---|---|---|
| 1981-82 | Bridgeport (Bruins) | NEJHL | 18 | 12 | 8 | 20 | - | - | - | - | - | - |
| 1982-83 | Boston College | ECAC | 26 | 1 | 10 | 11 | 26 | - | - | - | - | - |
| 1983-84 | Boston College | ECAC | 37 | 10 | 19 | 29 | 24 | - | - | - | - | - |
| 1984-85 | Boston College | H-East | 44 | 5 | 44 | 49 | 74 | - | - | - | - | - |
| 1985-86 | **Montréal (Canadiens)** | **LNH** | **2** | **0** | **0** | **0** | **0** | - | - | - | - | - |
| | Sherbrooke (Canadien) | AHL | 38 | 4 | 10 | 14 | 27 | - | - | - | - | - |
| 1986-87 | Sherbrooke (Canadien) | AHL | 45 | 7 | 15 | 22 | 70 | - | - | - | - | - |
| | Hershey (Bears) | AHL | 12 | 0 | 4 | 4 | 7 | 5 | 0 | 0 | 0 | 17 |
| 1987-88 | Nlle-Écosse (Oilers) | AHL | 70 | 5 | 17 | 22 | 117 | 3 | 1 | 1 | 2 | 2 |
| | | **LNH** | **2** | **0** | **0** | **0** | **0** | - | - | - | - | - |
| | | **Montréal** | **2** | **0** | **0** | **0** | **0** | - | - | - | - | - |

• Échangé à Montréal par Toronto pour le choix de 2e ronde de Montréal au repêchage de 1986 (Darryl Shannon) et le choix de 4e ronde de Toronto (propriété de Montréal suite à une transaction antérieure) au repêchage de 1986 (Ken Hulst) le 18 septembre 1985 • Échangé à Philadelphie par Montréal pour André Villeneuve le 30 octobre 1986 • Échangé à Edmonton par Philadelphie pour Jeff Brubaker le 9 mars 1987

## CARBONNEAU, GUY

**Né à Sept-Îles, Québec, le 18 mars 1960. Centre, lance de la droite, 5'11", 186 lb (4e choix de Montréal, 44e au total lors du repêchage de 1979)**

| SAISON | CLUB | LIGUE | PJ | B | A | PTS | PUN | PJ | B | A | PTS | PUN |
|---|---|---|---|---|---|---|---|---|---|---|---|---|
| 1976-77 | Chicoutimi (Saguenéens) | LHJMQ | 59 | 9 | 20 | 29 | 8 | 4 | 1 | 0 | 1 | 0 |
| 1977-78 | Chicoutimi (Saguenéens) | LHJMQ | 70 | 28 | 55 | 83 | 60 | - | - | - | - | - |
| 1978-79 | Chicoutimi (Saguenéens) | LHJMQ | 72 | 62 | 79 | 141 | 47 | 4 | 2 | 1 | 3 | 4 |
| 1979-80 | Chicoutimi (Saguenéens) | LHJMQ | 72 | 72 | 110 | 182 | 66 | 12 | 9 | 15 | 24 | 28 |
| | Nlle-Écosse (Voyageurs) | AHL | | | | | | 2 | 1 | 1 | 2 | 2 |
| 1980-81 | Nlle-Écosse (Voyageurs) | AHL | 78 | 35 | 53 | 88 | 87 | 6 | 1 | 3 | 4 | 9 |
| | **Montréal (Canadiens)** | **LNH** | **2** | **0** | **1** | **1** | **0** | - | - | - | - | - |
| 1981-82 | Nlle-Écosse (Voyageurs) | AHL | 77 | 27 | 67 | 94 | 124 | 9 | 2 | 7 | 9 | 8 |
| 1982-83 | **Montréal (Canadiens)** | **LNH** | **77** | **18** | **29** | **47** | **68** | **3** | **0** | **0** | **0** | **2** |
| 1983-84 | **Montréal (Canadiens)** | **LNH** | **78** | **24** | **30** | **54** | **75** | **15** | **4** | **3** | **7** | **12** |
| 1984-85 | **Montréal (Canadiens)** | **LNH** | **79** | **23** | **34** | **57** | **43** | **12** | **4** | **3** | **7** | **8** |
| 1985-86 | **Montréal (Canadiens)** | **LNH** | **80** | **20** | **36** | **56** | **57** | **20** | **7** | **5** | **12** | **35** |
| 1986-87 | **Montréal (Canadiens)** | **LNH** | **79** | **18** | **27** | **45** | **68** | **17** | **3** | **8** | **11** | **20** |
| 1987-88 | **Montréal (Canadiens)** | **LNH** | **80** | **17** | **21** | **38** | **61** | **11** | **0** | **4** | **4** | **2** |
| 1988-89 | **Montréal (Canadiens)** | **LNH** | **79** | **26** | **30** | **56** | **44** | **21** | **4** | **5** | **9** | **10** |
| 1989-90 | **Montréal (Canadiens)** | **LNH** | **68** | **19** | **36** | **55** | **37** | **11** | **2** | **3** | **5** | **6** |
| 1990-91 | **Montréal (Canadiens)** | **LNH** | **78** | **20** | **24** | **44** | **63** | **13** | **1** | **5** | **6** | **10** |
| 1991-92 | **Montréal (Canadiens)** | **LNH** | **72** | **18** | **21** | **39** | **39** | **11** | **1** | **1** | **2** | **6** |
| 1992-93 | **Montréal (Canadiens)** | **LNH** | **61** | **4** | **13** | **17** | **20** | **20** | **3** | **3** | **6** | **10** |
| 1993-94 | **Montréal (Canadiens)** | **LNH** | **79** | **14** | **24** | **38** | **48** | **7** | **1** | **3** | **4** | **4** |
| 1994-95 | St. Louis (Blues) | LNH | 42 | 5 | 11 | 16 | 16 | 7 | 1 | 1 | 2 | 4 |
| 1995-96 | Dallas (Stars) | LNH | 71 | 8 | 15 | 23 | 38 | - | - | - | - | - |
| 1996-97 | Dallas (Stars) | LNH | 73 | 9 | 16 | 25 | 36 | 7 | 0 | 1 | 1 | 0 |
| 1997-98 | Dallas (Stars) | LNH | 77 | 7 | 16 | 23 | 36 | 17 | 3 | 1 | 4 | 6 |
| 1998-99 | Dallas (Stars) | LNH | 74 | 4 | 10 | 14 | 31 | 17 | 2 | 4 | 6 | 6 |
| 1999-00 | Dallas (Stars) | LNH | 69 | 10 | 6 | 16 | 36 | 23 | 2 | 4 | 6 | 12 |

---

| | | | LNH | 1318 | 260 | 403 | 663 | 820 | 231 | 38 | 55 | 93 | 161 |
|---|---|---|---|---|---|---|---|---|---|---|---|---|---|

| | | | Montréal | 912 | 221 | 326 | 547 | 623 | 161 | 30 | 43 | 73 | 125 |

• Deuxième équipe d'étoiles (LHJMQ) en 1979-80 • Coupe Stanley (LNH) en 1985-86, 1992-93, 1998-99 • Trophée Frank-J.-Selke (LNH) en 1987-88, 1988-89, 1991-92
• Échangé à St. Louis par Montréal pour Jim Montgomery le 19 août 1994 • Échangé à Dallas par St. Louis pour Paul Broten le 2 octobre 1995

## CARLSON, KENT

**Né à Concord, New Hampshire, le 11 janvier 1962. Défenseur, lance de la gauche, 6'3", 200 lb (3e choix de Montréal, 32e au total lors du repêchage de 1982)**

| SAISON | CLUB | LIGUE | PJ | B | A | PTS | PUN | PJ | B | A | PTS | PUN |
|---|---|---|---|---|---|---|---|---|---|---|---|---|
| 1981-82 | St. Lawrence University | ECAC | 28 | 8 | 14 | 22 | 24 | - | - | - | - | - |
| 1982-83 | St. Lawrence University | ECAC | 35 | 10 | 23 | 33 | 56 | - | - | - | - | - |
| 1983-84 | **Montréal (Canadiens)** | **LNH** | **65** | **3** | **7** | **10** | **73** | - | - | - | - | - |
| 1984-85 | **Montréal (Canadiens)** | **LNH** | **18** | **1** | **1** | **2** | **33** | - | - | - | - | - |
| | Sherbrooke (Canadien) | AHL | 13 | 1 | 4 | 5 | 7 | 2 | 1 | 1 | 2 | 0 |
| 1985-86 | **Montréal (Canadiens)** | **LNH** | **4** | **0** | **0** | **0** | **0** | - | - | - | - | - |
| | Sherbrooke (Canadien) | AHL | 35 | 11 | 15 | 26 | 79 | - | - | - | - | - |
| | St. Louis (Blues) | LNH | 26 | 2 | 3 | 5 | 42 | 5 | 0 | 0 | 0 | 11 |
| 1986-87 | | | | | *N'a pas joué* | | | | | | | |
| 1987-88 | Peoria (Rivermen) | IHL | 52 | 5 | 16 | 21 | 88 | - | - | - | - | - |
| | St. Louis (Blues) | LNH | - | - | - | - | - | 3 | 0 | 0 | 0 | 2 |
| 1988-89 | Baltimore (Skipjacks) | AHL | 28 | 2 | 8 | 10 | 69 | - | - | - | - | - |
| | Washington (Capitals) | AHL | 2 | 1 | 0 | 1 | 0 | - | - | - | - | - |
| | | **LNH** | **113** | **7** | **11** | **18** | **148** | **8** | **0** | **0** | **0** | **13** |
| | | **Montréal** | **85** | **4** | **8** | **12** | **106** | - | - | - | - | - |

• Deuxième équipe d'étoiles (ECAC) en 1982-83 • Coupe Calder (AHL) en 1984-85
• Échangé à St. Louis par Montréal pour Graham Herring et le choix de 5e ronde de St. Louis au repêchage de 1986 (Éric Aubertin) le 31 janvier 1986 • Échangé à Winnipeg par St. Louis avec le choix de 12e ronde de St. Louis au repêchage de 1989 (Sergei Kharin) et le choix de 4e ronde de St. Louis au repêchage de 1990 (Scott Levins) pour Peter Douris le 29 septembre 1988 • Échangé à Washington par Winnipeg pour des considérations futures le 19 octobre 1988

## CARNBACK, PATRIK

**Né à Goteborg, Suède, le 1er février 1968. Centre, lance de la gauche, 6', 187 lb (7e choix de Montréal, 125e au total lors du repêchage de 1988)**

| SAISON | CLUB | LIGUE | PJ | B | A | PTS | PUN | PJ | B | A | PTS | PUN |
|---|---|---|---|---|---|---|---|---|---|---|---|---|
| 1986-87 | Vastra (Frolunda) | SWE | 10 | 3 | 1 | 4 | 15 | - | - | - | - | - |
| 1987-88 | Vastra (Frolunda) | SWE | 33 | 16 | 19 | 35 | 24 | 11 | 4 | 5 | 9 | 8 |
| | Suède | CMJ | 6 | 4 | 3 | 7 | 10 | - | - | - | - | - |
| 1988-89 | Vastra (Frolunda) | SWE | 28 | 18 | 19 | 37 | 22 | 11 | 8 | 5 | 13 | 10 |
| 1989-90 | Vastra (Frolunda) | SWE | 40 | 26 | 27 | 53 | 34 | - | - | - | - | - |
| 1990-91 | Vastra (Frolunda) | SWE | 22 | 10 | 9 | 19 | 46 | 28 | 15 | 24 | 39 | 24 |
| 1991-92 | Vastra (Frolunda) | SWE | 33 | 17 | 22 | 39 | 32 | 3 | 1 | 5 | 6 | 20 |
| | Suède | JO | 7 | 1 | 1 | 2 | 2 | - | - | - | - | - |
| | Suède | CM | 8 | 2 | 2 | 4 | 16 | - | - | - | - | - |
| 1992-93 | Fredericton (Canadien) | AHL | 45 | 20 | 37 | 57 | 45 | 5 | 0 | 3 | 3 | 14 |
| | **Montréal (Canadiens)** | **LNH** | **6** | **0** | **0** | **0** | **2** | - | - | - | - | - |
| 1993-94 | Anaheim (Mighty Ducks) | LNH | 73 | 12 | 11 | 23 | 54 | - | - | - | - | - |
| | Suède | CM | 8 | 1 | 0 | 1 | 4 | - | - | - | - | - |
| 1994-95 | Vastra (Frolunda) | SWE | 14 | 6 | 8 | 14 | 20 | - | - | - | - | - |
| | Anaheim (Mighty Ducks) | LNH | 41 | 6 | 15 | 21 | 32 | - | - | - | - | - |
| 1995-96 | Anaheim (Mighty Ducks) | LNH | 34 | 6 | 12 | 18 | 34 | - | - | - | - | - |
| | Kolner (EC) | GER | 6 | 1 | 6 | 7 | 2 | 14 | 8 | 8 | 16 | 33 |
| 1996-97 | Kolner (EC) | GER | 45 | 20 | 41 | 61 | 72 | 4 | 1 | 1 | 2 | 2 |
| | Kolner (EC) | EuroHL | 6 | 2 | 1 | 3 | 6 | - | - | - | - | - |
| 1997-98 | Vasteras (IK) | SWE | 44 | 8 | 17 | 25 | 38 | 6 | 3 | 3 | 6 | 4 |
| 1998-99 | Vasteras (IK) | SWE | 50 | 19 | 28 | 47 | 54 | 4 | 1 | 1 | 2 | 8 |
| 1999-00 | Vasteras (IK) | SWE | 46 | 17 | 23 | 40 | 85 | 5 | 2 | 0 | 2 | 31 |
| 2000-01 | Vastra Frolunda HC | SWE | 33 | 7 | 11 | 18 | 44 | 5 | 5 | 2 | 5 | 12 |
| 2001-02 | Vastra Frolunda HC | SWE | 49 | 15 | 23 | 38 | 61 | 10 | 4 | 1 | 5 | 8 |
| | | **LNH** | **154** | **24** | **38** | **62** | **122** | - | - | - | - | - |
| | | **Montréal** | **6** | **0** | **0** | **0** | **2** | - | - | - | - | - |

• Médaille d'or (CM) en 1992 • Médaille de bronze (CM) en 1994
• Échangé à Anaheim par Montréal avec Todd Ewen pour le choix de 3e ronde d'Anaheim au repêchage de 1994 (Chris Murray) le 10 août 1993

## CARON, ALAIN

**Né à Dolbeau, Québec, le 27 avril 1938, décédé le 18 décembre 1986 Ailier droit, lance de la droite, 5'10", 175 lb**

| SAISON | CLUB | LIGUE | PJ | B | A | PTS | PUN | PJ | B | A | PTS | PUN |
|---|---|---|---|---|---|---|---|---|---|---|---|---|
| 1956-57 | Dolbeau (Dragons) | LHJQ | 45 | 69 | 48 | 117 | 118 | - | - | - | - | - |
| 1957-58 | Chicoutimi (Saguenéens) | LHQ | 61 | 8 | 17 | 26 | 6 | 0 | 0 | 0 | 0 | |
| 1958-59 | Chicoutimi (Saguenéens) | LHQ | 56 | 15 | 18 | 33 | 67 | - | - | - | - | - |
| 1959-60 | Sault Ste. Marie | EPHL | 25 | 6 | 14 | 4 | | - | - | - | - | - |
| | Québec (As) | AHL | 4 | 9 | 13 | 16 | | - | - | - | - | - |
| 1960-61 | Sault Ste. Marie | EPHL | 35 | 11 | 6 | 17 | 16 | - | - | - | - | - |
| | Québec (As) | AHL | 9 | 5 | 4 | 9 | 10 | - | - | - | - | - |
| 1961-62 | Amherst (Ramblers) | NSSHL | 45 | *76 | 46 | *122 | 29 | 4 | *7 | 7 | 14 | 4 |
| | Québec (As) | AHL | 1 | 0 | 0 | 0 | 0 | - | - | - | - | - |
| | Amherst (Ramblers) | Allan | 8 | 9 | 4 | 13 | 4 | - | - | - | - | - |
| 1962-63 | St. Louis (Braves) | EPHL | 54 | *61 | 36 | 97 | 62 | - | - | - | - | - |
| | Charlotte (Checkers) | EHL | 13 | 10 | 5 | 15 | 0 | - | - | - | - | - |
| 1963-64 | St. Louis (Braves) | CPHL | 71 | *77 | 48 | *125 | 20 | - | - | - | - | - |
| 1964-65 | St. Louis (Braves) | CPHL | 60 | 46 | 19 | 65 | 31 | - | - | - | - | - |
| | Buffalo (Bisons) | AHL | - | - | - | - | - | 5 | 0 | 0 | 0 | 0 |
| 1965-66 | Buffalo (Bisons) | AHL | 72 | 47 | 29 | 76 | 28 | - | - | - | - | - |
| 1966-67 | Portland (Buckaroos) | WHL | 9 | 3 | 3 | 6 | 0 | - | - | - | - | - |
| 1967-68 | Oakland (Seals) | LNH | 58 | 9 | 13 | 22 | 18 | - | - | - | - | - |
| | Buffalo (Bisons) | AHL | 6 | 6 | 4 | 10 | 2 | - | - | - | - | - |
| 1968-69 | **Montréal (Canadiens)** | **LNH** | **2** | **0** | **0** | **0** | **0** | - | - | - | - | - |
| | Houston (Apollos) | CHL | 68 | 38 | 27 | 65 | 37 | 3 | 0 | 0 | 0 | 0 |

## (suite)

| | | | SAISONS RÉGULIÈRES | | | | | SÉRIES ÉLIMINATOIRES | | | | |
|---|---|---|---|---|---|---|---|---|---|---|---|---|
| SAISON | CLUB | LIGUE | PJ | B | A | PTS | PUN | PJ | B | A | PTS | PUN |
| 1969-70 | Montréal (Voyageurs) | AHL | 71 | 35 | 30 | 65 | 32 | 8 | 2 | 0 | 2 | 6 |
| 1970-71 | San Diego (Gulls) | WHL | 70 | 33 | 15 | 48 | 12 | 6 | 1 | 1 | 2 | 4 |
| 1971-72 | Oklahoma City (Blazers) | CHL | 67 | 22 | 20 | 42 | 28 | 6 | 1 | 0 | 1 | 0 |
| 1972-73 | Québec (Nordiques) | AMH | 68 | 36 | 27 | 63 | 14 | - | - | - | - | - |
| 1973-74 | Québec (Nordiques) | AMH | 59 | 31 | 15 | 46 | 10 | - | - | - | - | - |
| 1974-75 | Québec (Nordiques) | AMH | 21 | 7 | 3 | 10 | 2 | - | - | - | - | - |
| | Michigan/Baltimore | AMH | 47 | 8 | 5 | 13 | 4 | - | - | - | - | - |
| | Syracuse (Blazers) | NAHL | 1 | 1 | 0 | 1 | 0 | - | - | - | - | - |
| 1975-76 | Beauce (Jaros) | NAHL | 73 | *78 | 59 | 137 | 26 | 14 | *21 | 13 | 34 | 12 |
| | **LNH** | | **60** | **9** | **13** | **22** | **18** | - | - | - | - | - |
| | **Montréal** | | **2** | **0** | **0** | **0** | **0** | - | - | - | - | - |

• Première équipe d'étoiles (NSSHL) en 1961-62 • Première équipe d'étoiles (EPHL) en 1962-63 • Première équipe d'étoiles (CPHL) en 1963-64 • Deuxième équipe d'étoiles (NAHL) en 1975-76
• Droits vendus à Québec (AHL) par Chicoutimi (LHQ) en novembre 1959 • Réclamé par Oakland de Chicago lors de l'expansion de la LNH le 6 juin 1967 • Échangé à Montréal par Oakland avec Wally Boyer, le 1er choix d'Oakland au repêchage de 1968 (Jim Pritchard) et le 1er choix d'Oakland au repêchage de 1970 (Ray Martyniuk) pour Norm Ferguson et Stan Fuller le 21 mai 1968 • Réclamé par San Diego (WHL) de Montréal lors du repêchage inversé le 10 juin 1970 • Sélectionné par Québec lors de l'expansion de l'AMH le 12 février 1971 • Échangé au Michigan/Baltimore (AMH) par Québec (AMH) avec Pierre Guité et Michel Rouleau pour Steve Sutherland et Marc Tardif en décembre 1974 • Réclamé par Québec lors du repêchage de dispersion de Michigan/Baltimore (AMH) le 19 juin 1975

### CARSE, ROBERT (BOB)

**Né à Edmonton, Alberta, le 19 juillet 1919. Ailier gauche, lance de la gauche, 5'9", 160 lb**

| | | | SAISONS RÉGULIÈRES | | | | | SÉRIES ÉLIMINATOIRES | | | | |
|---|---|---|---|---|---|---|---|---|---|---|---|---|
| SAISON | CLUB | LIGUE | PJ | B | A | PTS | PUN | PJ | B | A | PTS | PUN |
| 1935-36 | Edmonton Athletic Club | EJHL | 12 | 1 | 6 | 7 | 9 | - | - | - | - | - |
| 1936-37 | Edmonton Athletic Club | EJHL | 11 | 8 | 6 | 14 | 25 | 3 | 1 | 1 | 2 | 2 |
| 1937-38 | Edmonton Athletic Club | EJHL | 15 | 11 | 5 | 16 | 25 | 4 | 3 | 13 | 16 | 8 |
| | Edmonton Athletic Club | Mem. | 11 | 13 | | | 20 | - | - | - | - | - |
| 1938-39 | Edmonton Athletic Club | EJHL | 7 | 12 | 9 | 21 | 8 | 2 | 3 | 0 | 3 | 5 |
| | Edmonton Athletic Club | Mem. | 12 | 12 | 8 | 20 | 10 | - | - | - | - | - |
| 1939-40 | Chicago (Black Hawks) | LNH | 22 | 3 | 8 | 11 | 22 | - | - | - | - | - |
| | Providence (Reds) | IAHL | 31 | 5 | 12 | 17 | 9 | 6 | 3 | 2 | 5 | 2 |
| 1940-41 | Chicago (Black Hawks) | LNH | 43 | 9 | 18 | 27 | 18 | 5 | 0 | 0 | 0 | 0 |
| 1941-42 | Chicago (Black Hawks) | LNH | 33 | 7 | 16 | 23 | 10 | 3 | 0 | 0 | 0 | 0 |
| | Kansas City (Americans) | AHA | 13 | 4 | 13 | 22 | 9 | - | - | - | - | - |
| 1942-43 | Chicago (Black Hawks) | LNH | 47 | 10 | 22 | 32 | 6 | - | - | - | - | - |
| 1943-44 | Calgary Currie Army | CNDHL | 16 | 8 | 12 | 20 | 10 | 2 | 0 | 5 | 5 | 0 |
| 1944-45 | | | | | Service militaire | | | | | | | |
| 1945-46 | Edmonton (Flyers) | WCJHL | 36 | 32 | 46 | 78 | 18 | 8 | 5 | *10 | 15 | 8 |
| 1946-47 | Cleveland (Barons) | AHL | 62 | 27 | *61 | 88 | 16 | 4 | 0 | 0 | 0 | 0 |
| 1947-48 | **Montréal (Canadiens)** | **LNH** | **22** | **3** | **3** | **6** | **16** | - | - | - | - | - |
| | Cleveland (Barons) | AHL | 43 | 21 | 33 | 54 | 14 | 9 | 5 | 3 | 4 | 4 |
| 1948-49 | Cleveland (Barons) | AHL | 65 | 18 | 47 | 65 | 28 | 5 | 1 | 3 | 4 | 0 |
| 1949-50 | Cleveland (Barons) | AHL | 69 | 30 | 52 | 82 | 23 | 9 | 3 | 4 | 7 | 4 |
| | **LNH** | | **167** | **32** | **55** | **87** | **52** | **10** | **0** | **2** | **2** | **2** |
| | **Montréal** | | **22** | **3** | **3** | **6** | **16** | - | - | - | - | - |

• Deuxième équipe d'étoiles (ASHL) en 1943-44 • Première équipe d'étoiles (WCSHL) en 1945-46 • Coupe Calder (AHL) en 1939-40, 1947-48 • Première équipe d'étoile (AHL) en 1946-47, 1949-50
• Droits vendus à Montréal par Cleveland (AHL) le 23 avril 1947 • Droits vendus à Cleveland (AHL) par Montréal le 16 décembre 1947

### CARSON, GERALD (GERRY)

**Né à Parry Sound, Ontario, le 10 octobre 1905, décédé le 1er novembre 1956. Défenseur, lance de la gauche, 5'10", 160 lb**

| | | | SAISONS RÉGULIÈRES | | | | | SÉRIES ÉLIMINATOIRES | | | | |
|---|---|---|---|---|---|---|---|---|---|---|---|---|
| SAISON | CLUB | LIGUE | PJ | B | A | PTS | PUN | PJ | B | A | PTS | PUN |
| 1922-23 | Woodstock (Atletics) | OHA Jr | Statistiques non disponibles | | | | | | | | | |
| 1923-24 | Grimsby (Peach Kings) | OHA Sr | Statistiques non disponibles | | | | | | | | | |
| 1924-25 | Grimsby (Peach Kings) | OHA Sr | Statistiques non disponibles | | | | | | | | | |
| 1925-26 | Grimsby (Peach Kings) | OHA Sr | Statistiques non disponibles | | | | | | | | | |
| 1926-27 | Grimsby (Peach Kings) | OHA Sr | Statistiques non disponibles | | | | | | | | | |
| 1927-28 | Philadelphie (Arrows) | Can-Am | 37 | 7 | 4 | 11 | 38 | - | - | - | - | - |
| 1928-29 | **Montréal (Canadiens)** | **LNH** | **26** | **0** | **0** | **0** | **4** | - | - | - | - | - |
| | New York (Rangers) | LNH | 14 | 0 | 1 | 1 | 5 | 0 | 0 | 0 | 0 | 0 |
| 1929-30 | **Montréal (Canadiens)** | **LNH** | **35** | **1** | **0** | **1** | **8** | **6** | **0** | **0** | **0** | **0** |
| | Providence (Reds) | Can-Am | 6 | 1 | 0 | 1 | 19 | - | - | - | - | - |
| 1930-31 | Providence (Reds) | Can-Am | 38 | 4 | 2 | 6 | 84 | 2 | 0 | 0 | 0 | 14 |
| 1931-32 | Providence (Reds) | Can-Am | 40 | 5 | 14 | 19 | 77 | 5 | 1 | 0 | 1 | 8 |
| 1932-33 | **Montréal (Canadiens)** | **LNH** | **48** | **5** | **2** | **7** | **53** | **2** | **0** | **0** | **0** | **2** |
| 1933-34 | **Montréal (Canadiens)** | **LNH** | **48** | **1** | **5** | **6** | **51** | **2** | **0** | **0** | **0** | **2** |
| 1934-35 | **Montréal (Canadiens)** | **LNH** | **48** | **0** | **5** | **5** | **56** | **2** | **0** | **0** | **0** | **0** |
| 1935-36 | | | | | N'a pas joué | | | | | | | |
| 1936-37 | Montréal (Maroons) | LNH | 42 | 1 | 3 | 4 | 28 | 5 | 0 | 0 | 0 | 4 |
| | **LNH** | | **261** | **12** | **11** | **23** | **66** | **12** | **0** | **0** | **0** | **12** |
| | **Montréal** | | **205** | **11** | **8** | **19** | **172** | **12** | **0** | **0** | **0** | **8** |

• Coupe Stanley (LNH) en 1929-30
• Signe avec Montréal le 6 avril 1928 • Prêté à New York (Rangers) par Montréal le 14 février 1929 • Échangé à Providence (Can-Am) par Montréal avec Jean Pusie et une somme d'argent pour Johnny Gagnon le 21 octobre 1930 • Droits vendus à Montréal par Providence (Can-Am) avec Léo Gaudreault le 6 mai 1932 • Échangé à Montréal (Maroons) par Montréal (Canadiens) pour George Brown le 7 octobre 1936

### CARTER, WILLIAM (BILLY)

**Né à Cornwall, Ontario, le 2 décembre 1937. Centre, lance de la gauche, 5'11", 155 lb**

| | | | SAISONS RÉGULIÈRES | | | | | SÉRIES ÉLIMINATOIRES | | | | |
|---|---|---|---|---|---|---|---|---|---|---|---|---|
| SAISON | CLUB | LIGUE | PJ | B | A | PTS | PUN | PJ | B | A | PTS | PUN |
| 1954-55 | Hochelaga (Indiens) | LHJQ | 36 | 25 | 35 | 60 | 6 | - | - | - | - | - |
| 1955-56 | Montréal (Canadien Jr) | LHJQ | Statistiques non disponibles | | | | | | | | | |
| | Montréal (Canadien Jr) | Mem. | 1 | 0 | 0 | 0 | 2 | - | - | - | - | - |

---

## (suite)

| | | | SAISONS RÉGULIÈRES | | | | | SÉRIES ÉLIMINATOIRES | | | | |
|---|---|---|---|---|---|---|---|---|---|---|---|---|
| SAISON | CLUB | LIGUE | PJ | B | A | PTS | PUN | PJ | B | A | PTS | PUN |
| 1956-57 | Hull-Ottawa (Canadien) | OHA Jr | 28 | 14 | 17 | 31 | 21 | - | - | - | - | - |
| | Hull-Ottawa (Canadien) | EOHL | 16 | 7 | 7 | 14 | 6 | - | - | - | - | - |
| | Rochester (Americans) | AHL | 1 | 0 | 0 | 0 | 0 | - | - | - | - | - |
| | Rochester (Americans) | Mem. | 15 | 11 | 9 | 20 | 2 | - | - | - | - | - |
| 1957-58 | Hull-Ottawa (Canadien) | OHA Jr | 27 | 15 | 29 | 44 | 26 | - | - | - | - | - |
| | Hull-Ottawa (Canadien) | EOHL | 34 | 14 | 38 | 52 | 0 | - | - | - | - | - |
| | Montréal (Royals) | LHQ | 1 | 0 | 0 | 0 | 0 | - | - | - | - | - |
| | Rochester (Americans) | AHL | 1 | 0 | 0 | 0 | 0 | - | - | - | - | - |
| | **Montréal (Canadiens)** | **LNH** | **1** | **0** | **0** | **0** | **0** | - | - | - | - | - |
| | Rochester (Americans) | Mem. | 13 | 15 | 15 | 30 | 0 | - | - | - | - | - |
| 1958-59 | Rochester (Americans) | AHL | 69 | 7 | 19 | 26 | 10 | 5 | 0 | 0 | 0 | 0 |
| 1959-60 | Hull-Ottawa (Canadien) | EPHL | 70 | 42 | 60 | 102 | 2 | 7 | 1 | 4 | 5 | 2 |
| 1960-61 | Hull-Ottawa (Canadien) | EPHL | 60 | 27 | 32 | 59 | 2 | 14 | 4 | 5 | 9 | 6 |
| | Boston (Bruins) | LNH | 8 | 0 | 0 | 0 | 2 | - | - | - | - | - |
| 1961-62 | Hull-Ottawa (Canadien) | EPHL | 62 | 26 | 47 | 73 | 17 | 13 | 6 | 8 | 14 | 0 |
| | **Montréal (Canadiens)** | **LNH** | **7** | **0** | **0** | **0** | **4** | - | - | - | - | - |
| 1962-63 | Hull-Ottawa (Canadien) | EPHL | 72 | 27 | 50 | 77 | 12 | 3 | 0 | 0 | 0 | 0 |
| 1963-64 | Québec (As) | AHL | 36 | 2 | 9 | 11 | 2 | - | - | - | - | - |
| | Seattle (Totems) | WHL | 16 | 3 | 4 | 7 | 0 | - | - | - | - | - |
| 1964-65 | Seattle (Totems) | WHL | 16 | 0 | 2 | 2 | 0 | - | - | - | - | - |
| | Memphis (Wings) | CPHL | 41 | 6 | 20 | 26 | 0 | 4 | 1 | 4 | 5 | 0 |
| 1965-66 | Buffalo (Bisons) | AHL | 71 | 16 | 45 | 61 | 2 | - | - | - | - | - |
| 1966-67 | Buffalo (Bisons) | AHL | 71 | 14 | 38 | 52 | 8 | - | - | - | - | - |
| 1967-68 | Omaha (Knights) | CPHL | 67 | 9 | 30 | 39 | 6 | - | - | - | - | - |
| | Buffalo (Bisons) | AHL | 12 | 0 | 0 | 0 | 0 | - | - | - | - | - |
| 1968-69 | Denver (Spurs) | WHL | 74 | 16 | 49 | 65 | 4 | - | - | - | - | - |
| | **LNH** | | **16** | **0** | **0** | **0** | **6** | - | - | - | - | - |
| | **Montréal** | | **8** | **0** | **0** | **0** | **0** | - | - | - | - | - |

• Coupe Memorial en 1957-58 • Deuxième équipe d'étoiles (EPHL) en 1959-60
• Réclamé par Boston de Montréal lors du repêchage intra-ligue le 8 juin 1960 • Droits vendus à Montréal par Boston en novembre 1961

### CARVETH, JOSEPH (JOE)

**Né à Regina, Saskatchewan, le 21 mars 1918, décédé le 15 août 1985. Ailier droit, lance de la droite, 5'10", 175 lb**

| | | | SAISONS RÉGULIÈRES | | | | | SÉRIES ÉLIMINATOIRES | | | | |
|---|---|---|---|---|---|---|---|---|---|---|---|---|
| SAISON | CLUB | LIGUE | PJ | B | A | PTS | PUN | PJ | B | A | PTS | PUN |
| 1935-36 | Regina (Green Seals) | RJHL | 6 | *7 | 0 | 7 | 0 | - | - | - | - | - |
| 1936-37 | Regina (Aces) | S-SSHL | 6 | 6 | *7 | *13 | 2 | 2 | 2 | 1 | 3 | 0 |
| | Regina (Aces) | S-SSHL | - | - | - | - | - | 3 | 0 | 0 | 0 | 0 |
| 1937-38 | Detroit (Pontiacs) | MOHL | 27 | 9 | 16 | 25 | 57 | 3 | 0 | 0 | 0 | 0 |
| 1938-39 | Detroit (Pontiacs) | MOHL | 27 | 19 | *25 | 44 | 25 | 7 | 3 | 5 | 8 | 4 |
| 1939-40 | Indianapolis (Capitols) | IAHL | 11 | 2 | 2 | 4 | 0 | - | - | - | - | - |
| 1940-41 | Detroit (Red Wings) | LNH | 19 | 2 | 1 | 3 | 2 | - | - | - | - | - |
| | Indianapolis (Capitols) | AHL | 29 | 8 | 17 | 25 | 9 | - | - | - | - | - |
| 1941-42 | Detroit (Red Wings) | LNH | 29 | 6 | 11 | 17 | 2 | 9 | 4 | 0 | 4 | 0 |
| 1942-43 | Detroit (Red Wings) | LNH | 43 | 18 | 18 | 36 | 6 | 10 | *6 | 2 | 8 | 4 |
| 1943-44 | Indianapolis (Capitols) | AHL | 1 | 1 | 2 | 2 | 0 | - | - | - | - | - |
| | Detroit (Red Wings) | LNH | 46 | 21 | 35 | 56 | 6 | 5 | 2 | 1 | 3 | 8 |
| 1944-45 | Detroit (Red Wings) | LNH | 50 | 26 | 28 | 54 | 6 | 14 | 5 | *6 | *11 | 2 |
| 1945-46 | Detroit (Red Wings) | LNH | 48 | 17 | 18 | 35 | 6 | 5 | 0 | 1 | 1 | 0 |
| 1946-47 | Boston (Bruins) | LNH | 51 | 21 | 15 | 36 | 18 | 5 | 2 | 1 | 3 | 0 |
| 1947-48 | Boston (Bruins) | LNH | 22 | 8 | 9 | 17 | 2 | - | - | - | - | - |
| | **Montréal (Canadiens)** | **LNH** | **35** | **1** | **10** | **11** | **6** | - | - | - | - | - |
| 1948-49 | **Montréal (Canadiens)** | **LNH** | **60** | **15** | **22** | **37** | **8** | **7** | **0** | **1** | **1** | **8** |
| 1949-50 | **Montréal (Canadiens)** | **LNH** | **1** | **1** | **1** | **2** | **0** | - | - | - | - | - |
| | Detroit (Red Wings) | LNH | 60 | 13 | 17 | 30 | 13 | 14 | 2 | 4 | 6 | 6 |
| 1950-51 | Detroit (Red Wings) | LNH | 30 | 1 | 4 | 5 | 0 | - | - | - | - | - |
| | Match des étoiles | LNH | 1 | 0 | 0 | 0 | 0 | - | - | - | - | - |
| | Indianapolis (Capitols) | AHL | 37 | 18 | 30 | 48 | 18 | 3 | 0 | 0 | 0 | 0 |
| 1951-52 | Cleveland (Barons) | AHL | 9 | 4 | 15 | 24 | 18 | - | - | - | - | - |
| | Vancouver (Canucks) | PCHL | 1 | 0 | 1 | 1 | 0 | - | - | - | - | - |
| 1952-53 | Chatham (Maroons) | OHA Sr | 47 | 45 | 39 | 84 | 38 | - | - | - | - | - |
| | Toledo (Mercurys) | IHL | 8 | 2 | 3 | 5 | 0 | 5 | 0 | 4 | 4 | 6 |
| 1953-54 | Chatham (Maroons) | OHA Sr | 55 | 16 | 26 | 42 | 105 | 6 | 3 | 1 | 4 | 4 |
| | **LNH** | | **504** | **150** | **189** | **339** | **81** | **69** | **21** | **16** | **37** | **28** |
| | **Montréal** | | **106** | **17** | **33** | **50** | **16** | **7** | **0** | **1** | **1** | **8** |

• Coupe Stanley (LNH) en 1942-43, 1949-50 • Match des étoiles (LNH) en 1950-51
• Signe avec Detroit le 5 octobre 1939 • Échangé à Boston par Detroit pour Roy Conacher en août 1946 • Échangé à Montréal par Boston pour Jimmy Peters et John Quilty le 16 décembre 1947 • Échangé à Detroit par Montréal pour Calum MacKay le 11 novembre 1949 • Droits vendus à Cleveland (AHL) par Detroit le 6 juin 1951

### CASSELS, ANDREW

**Né à Bramalea, Ontario, le 23 juillet 1969. Centre, lance de la gauche, 6'1", 185 lb**
**(1er choix de Montréal, 17e au total lors du repêchage de 1987)**

| | | | SAISONS RÉGULIÈRES | | | | | SÉRIES ÉLIMINATOIRES | | | | |
|---|---|---|---|---|---|---|---|---|---|---|---|---|
| SAISON | CLUB | LIGUE | PJ | B | A | PTS | PUN | PJ | B | A | PTS | PUN |
| 1984-85 | Bramalea (Blues) | OJHL B | 4 | 2 | 0 | 2 | 0 | - | - | - | - | - |
| 1985-86 | Bramalea (Blues) | OJHL B | 33 | 18 | 25 | 43 | 26 | - | - | - | - | - |
| 1986-87 | Ottawa (67's) | OHL | 66 | 26 | 66 | 92 | 28 | 11 | 5 | 9 | 14 | 7 |
| 1987-88 | Ottawa (67's) | OHL | 61 | *48 | *103 | *151 | 39 | 16 | 8 | *24 | *32 | 13 |
| 1988-89 | Ottawa (67's) | OHL | 56 | 37 | 97 | 134 | 66 | 12 | 5 | 10 | 15 | 10 |
| | Canada | CMJ | - | - | - | - | - | - | - | - | - | - |
| 1989-90 | Sherbrooke (Canadien) | AHL | 55 | 22 | 45 | 67 | 25 | 12 | 2 | 11 | 13 | 6 |
| | **Montréal (Canadiens)** | **LNH** | **6** | **2** | **0** | **2** | **2** | - | - | - | - | - |
| 1990-91 | **Montréal (Canadiens)** | **LNH** | **54** | **6** | **19** | **25** | **20** | **8** | **0** | **2** | **2** | **2** |
| 1991-92 | Hartford (Whalers) | LNH | 67 | 11 | 30 | 41 | 18 | 7 | 2 | 9 | 11 | 6 |
| 1992-93 | Hartford (Whalers) | LNH | 84 | 21 | 64 | 85 | 62 | - | - | - | - | - |
| 1993-94 | Hartford (Whalers) | LNH | 79 | 16 | 42 | 58 | 37 | - | - | - | - | - |
| 1994-95 | Hartford (Whalers) | LNH | 46 | 7 | 30 | 37 | 18 | - | - | - | - | - |
| 1995-96 | Hartford (Whalers) | LNH | 81 | 20 | 43 | 63 | 39 | - | - | - | - | - |
| | Canada | CM | 6 | 1 | 0 | 1 | 0 | - | - | - | - | - |
| 1996-97 | Hartford (Whalers) | LNH | 81 | 22 | 44 | 66 | 46 | - | - | - | - | - |

SAISON CLUB LIGUE PJ B A PTS PUN PJ B A PTS PUN — SAISONS RÉGULIÈRES SÉRIES ÉLIMINATOIRES

| SAISON CLUB | LIGUE | PJ | B | A | PTS | PUN | PJ | B | A | PTS | PUN |
|---|---|---|---|---|---|---|---|---|---|---|---|
| 1997-98 Calgary (Flames) | LNH | 81 | 17 | 27 | 44 | 32 | - | - | - | - | - |
| 1998-99 Calgary (Flames) | LNH | 70 | 12 | 25 | 37 | 18 | - | - | - | - | - |
| 1999-00 Vancouver (Canucks) | LNH | 79 | 17 | 45 | 62 | 16 | - | - | - | - | - |
| 2000-01 Vancouver (Canucks) | LNH | 66 | 12 | 44 | 56 | 10 | - | - | - | - | - |
| 2001-02 Vancouver (Canucks) | LNH | 53 | 11 | 39 | 50 | 22 | 6 | 2 | 1 | 3 | 0 |
| 2002-03 Columbus (Blue Jackets) | LNH | 79 | 20 | 48 | 68 | 30 | - | - | - | - | - |
| | LNH | 926 | 194 | 500 | 694 | 370 | 21 | 4 | 7 | 11 | 8 |
| | Montréal | 60 | 8 | 19 | 27 | 22 | 8 | 0 | 2 | 2 | 2 |

• Recrue de l'année (OHL) en 1986-87 • Trophée Red-Tilson (OHL) en 1987-88 • Trophée Eddie-Powers (OHL) en 1987-88 • Trophée William-Hanley (OHL) en 1987-88 • Première équipe d'étoiles (OHL) en 1987-88, 1988-89 • Médaille d'argent (CM) en 1996
• Échangé à Hartford par Montréal pour le choix de 2e ronde de Hartford au repêchage de 1992 (Valeri Bure) le 17 septembre 1991 • Transfert de la concession de Hartford en Caroline le 25 juin 1997 • Échangé à Calgary par la Caroline avec Jean-Sébastien Giguère pour Gary Roberts et Trevor Kidd le 25 août 1997 • Signe avec Vancouver comme agent libre le 19 août 1999 • Signe avec Columbus comme agent libre le 15 août 2002

## CHABOT, JOHN

Né à Summerside, Île-du-Prince-Edouard, le 18 mai 1962. Centre, lance de la gauche, 6'2", 200 lb (3e choix de Montréal, 40e au total lors du repêchage de 1980)

| SAISON CLUB | LIGUE | PJ | B | A | PTS | PUN | PJ | B | A | PTS | PUN |
|---|---|---|---|---|---|---|---|---|---|---|---|
| 1979-80 Hull (Olympiques) | LHJMQ | 68 | 26 | 57 | 83 | 28 | 4 | 1 | 2 | 3 | 0 |
| 1980-81 Hull (Olympiques) | LHJMQ | 70 | 27 | 62 | 89 | 24 | - | - | - | - | - |
| Nlle-Écosse (Voyageurs) | AHL | 1 | 0 | 0 | 0 | 0 | 2 | 0 | 0 | 0 | 0 |
| 1981-82 Sherbrooke (Castors) | LHJMQ | 62 | 34 | *109 | 143 | 42 | 19 | 6 | 26 | 32 | 6 |
| Sherbrooke (Castors) | Mem. | 5 | 3 | 8 | 11 | 0 | - | - | - | - | - |
| 1982-83 Nlle-Écosse (Voyageurs) | AHL | 76 | 16 | 73 | 89 | 19 | 7 | 1 | 3 | 4 | 0 |
| 1983-84 Montréal (Canadiens) | LNH | 56 | 18 | 25 | 43 | 13 | 11 | 1 | 4 | 5 | 0 |
| 1984-85 Montréal (Canadiens) | LNH | 10 | 1 | 6 | 7 | 2 | - | - | - | - | - |
| Pittsburgh (Penguins) | LNH | 67 | 8 | 45 | 53 | 12 | - | - | - | - | - |
| 1985-86 Pittsburgh (Penguins) | LNH | 77 | 14 | 31 | 45 | 6 | - | - | - | - | - |
| 1986-87 Pittsburgh (Penguins) | LNH | 72 | 14 | 22 | 36 | 8 | - | - | - | - | - |
| 1987-88 Detroit (Red Wings) | LNH | 78 | 13 | 44 | 57 | 10 | 16 | 4 | 15 | 19 | 2 |
| 1988-89 Detroit (Red Wings) | LNH | 52 | 2 | 10 | 12 | 6 | 6 | 1 | 1 | 2 | 0 |
| Adirondack (Red Wings) | AHL | 8 | 3 | 12 | 15 | 0 | - | - | - | - | - |
| 1989-90 Detroit (Red Wings) | LNH | 69 | 9 | 40 | 49 | 24 | - | - | - | - | - |
| 1990-91 Detroit (Red Wings) | LNH | 27 | 5 | 5 | 10 | 4 | - | - | - | - | - |
| Adirondack (Red Wings) | AHL | 27 | 11 | 30 | 41 | 4 | 2 | 0 | 1 | 1 | 0 |
| 1991-92 HC Milano (Saima) | Alpe | 12 | 12 | 22 | 34 | 12 | - | - | - | - | - |
| HC Milano (Saima) | ITA | 18 | 10 | 36 | 46 | 4 | 12 | 3 | 13 | 16 | 2 |
| Canada | Éq. nat. | 8 | 1 | 3 | 4 | 0 | - | - | - | - | - |
| 1992-93 HC Milano (Devils) | Alpe | 6 | 3 | 17 | 23 | 0 | - | - | - | - | - |
| BSC Preussen Berlin | GER | 20 | 10 | 17 | 27 | 14 | 7 | 1 | 7 | 8 | 4 |
| 1993-94 BSC Preussen Berlin | GER | 32 | 9 | 29 | 38 | 27 | 10 | 5 | 6 | 11 | 8 |
| 1994-95 BSC Preussen Berlin | GER | 43 | 20 | *48 | *68 | 48 | 12 | 5 | 7 | 12 | 14 |
| Canada | Éq. nat. | | 1 | 2 | 3 | 0 | - | - | - | - | - |
| 1995-96 Berlin (Devils) | GER | 50 | 16 | *65 | 81 | 20 | 11 | 5 | *14 | 19 | 14 |
| 1996-97 Berlin (Capitals) | GER | 45 | 12 | 34 | 46 | 43 | 4 | 2 | 1 | 3 | 0 |
| Berlin (Capitals) | EuroHL | 6 | 3 | 3 | 6 | 10 | - | - | - | - | - |
| EV Zug | SUI | - | - | - | - | - | 2 | 0 | 1 | 1 | 0 |
| 1997-98 Frankfurt (Lions) | GER | 47 | 12 | *46 | 58 | 72 | 7 | 0 | 5 | 5 | 2 |
| 1998-99 Frankfurt (Lions) | GER | 49 | 7 | 52 | 59 | 44 | 8 | 1 | 4 | 5 | 2 |
| 1999-00 Frankfurt (Lions) | GER | 50 | 10 | 33 | 43 | 16 | 5 | 1 | 3 | 4 | 10 |
| 2000-01 Eisbarcn Berlin | GER | 47 | 11 | 24 | 35 | 37 | - | - | - | - | - |
| | LNH | 508 | 84 | 228 | 312 | 85 | 33 | 6 | 20 | 26 | 2 |
| | Montréal | 66 | 19 | 31 | 50 | 15 | 11 | 1 | 4 | 5 | 0 |

• Première équipe d'étoiles (LHJMQ) en 1981-82 • Trophée Michel-Brière (LHJMQ) en 1981-82 • Coupe du Président (LHJMQ) en 1981-82 • Équipe d'étoiles de la Coupe Memorial en 1981-82
• Échangé à Pittsburgh par Montréal pour Ron Flockhart le 9 novembre 1984 • Signe avec Detroit comme agent libre le 25 juin 1987

## CHAMBERLAIN, ERWIN (MURPH)

Né à Shawville, Québec, le 14 février 1915, décédé le 8 mai 1986
Ailier gauche, lance de la gauche, 5'11", 170 lb

| SAISON CLUB | LIGUE | PJ | B | A | PTS | PUN | PJ | B | A | PTS | PUN |
|---|---|---|---|---|---|---|---|---|---|---|---|
| 1932-33 Ottawa (Primroses) | OCJHL | 11 | 7 | 2 | 9 | 19 | 4 | 3 | 1 | 4 | 6 |
| 1933-34 Ottawa (New Edinburghs) | OCHL | *Statistiques non disponibles* | | | | | | | | | |
| 1934-35 Noranda (Copper Kings) | GBHL | 13 | 6 | 5 | 11 | 10 | - | - | - | - | - |
| 1935-36 South Porcupine (Porkies) | NOHA | 8 | 7 | 0 | 7 | 33 | 2 | 0 | 1 | 1 | *11 |
| 1936-37 Sudbury (Frood Miners) | NBHL | 15 | 12 | 3 | 15 | 38 | 2 | 0 | 0 | 0 | 2 |
| Sudbury (Frood Miners) | Allan | 13 | 17 | 3 | 20 | 37 | - | - | - | - | - |
| 1937-38 Toronto (Maple Leafs) | LNH | 43 | 4 | 12 | 16 | 51 | 5 | 0 | 0 | 0 | 0 |
| 21938-39 Toronto (Maple Leafs) | LNH | 48 | 10 | 16 | 26 | 32 | | 2 | 5 | 7 | 4 |
| 1939-40 Toronto (Maple Leafs) | LNH | 40 | 5 | 17 | 22 | 63 | 3 | 0 | 0 | 0 | 0 |
| 1940-41 Montréal (Canadiens) | LNH | 45 | 10 | 15 | 25 | 75 | 3 | 0 | 2 | 2 | 11 |
| 1941-42 Montréal (Canadiens) | LNH | 26 | 6 | 3 | 9 | 30 | - | - | - | - | - |
| New York (Americans) | LNH | 11 | 6 | 9 | 15 | 19 | - | - | - | - | - |
| Springfield (Indians) | AHL | 3 | 2 | 1 | 3 | 0 | - | - | - | - | - |
| 1942-43 Boston (Bruins) | LNH | 45 | 9 | 24 | 33 | 67 | 6 | 1 | 1 | 2 | 12 |
| 1943-44 Montréal (Canadiens) | LNH | 47 | 15 | 32 | 47 | 85 | 9 | 5 | 3 | 8 | 12 |
| 1944-45 Montréal (Canadiens) | LNH | 32 | 12 | 14 | 26 | 38 | - | - | - | - | - |
| 1945-46 Montréal (Canadiens) | LNH | 47 | 10 | 14 | 24 | 42 | 9 | 4 | 2 | 6 | 18 |
| 1946-47 Montréal (Canadiens) | LNH | 49 | 10 | 10 | 20 | 97 | 11 | 3 | 1 | 4 | 19 |
| 1947-48 Montréal (Canadiens) | LNH | 30 | 1 | 9 | 10 | 62 | - | - | - | - | - |
| 1948-49 Montréal (Canadiens) | LNH | 54 | 5 | 8 | 13 | 111 | 4 | 0 | 0 | 0 | 0 |
| 1949-50 Sydney (Millionaires) | CBSHL | *Statistiques non disponibles* | | | | | | | | | |
| | LNH | 510 | 100 | 175 | 275 | 769 | 66 | 14 | 17 | 31 | 96 |
| | Montréal | 323 | 66 | 97 | 163 | 540 | 42 | 11 | 11 | 22 | 78 |

• Coupe Stanley (LNH) en 1943-44, 1945-46
• Signe avec Toronto en septembre 1937 • Droits vendus à Montréal par Toronto pour une somme d'argent le 10 mai 1940 • Prêté à New York (Americans) par Montréal pour Red Heron

**CHA·CHA**

---

le 10 février 1942 • Prêté à Boston par Montréal le 1er novembre 1942 • Signe avec Sydney (CBSHL) comme joueur et entraîneur le 16 septembre 1949

## CHAPLEAU, ED

Décédé. Rover, centre

| SAISON CLUB | LIGUE | PJ | B | A | PTS | PUN | PJ | B | A | PTS | PUN |
|---|---|---|---|---|---|---|---|---|---|---|---|
| 1909-10 Montréal (Canadiens) | NHA | 2 | 0 | - | 0 | 3 | - | - | - | - | - |
| | NHA | 2 | 0 | - | 0 | 3 | - | - | - | - | - |
| | Montréal | 2 | 0 | - | 0 | 3 | - | - | - | - | - |

• Signe avec Montréal (NHA) en décembre 1909

## CHARBONNEAU, JOSÉ

Né à Ferme-Neuve, Québec, le 21 novembre 1966. Ailier droit, lance de la droite, 6', 190 lb (1er choix de Montréal, 12e au total lors du repêchage de 1985)

| SAISON CLUB | LIGUE | PJ | B | A | PTS | PUN | PJ | B | A | PTS | PUN |
|---|---|---|---|---|---|---|---|---|---|---|---|
| 1981-82 Laval (Insulaires) | QAAA | 42 | 15 | 31 | 46 | - | - | - | - | - | - |
| 1982-83 Laval (Insulaires) | QAAA | 48 | 40 | 50 | 90 | - | - | - | - | - | - |
| 1983-84 Drummondville (Voltigeurs) | LHJMQ | 65 | 31 | 59 | 90 | 110 | - | - | - | - | - |
| 1984-85 Drummondville (Voltigeurs) | LHJMQ | 46 | 34 | 40 | 74 | 91 | 12 | 5 | 10 | 15 | 20 |
| 1985-86 Drummondville (Voltigeurs) | LHJMQ | 57 | 44 | 45 | 89 | 158 | 23 | 16 | 20 | 36 | 40 |
| 1986-87 Sherbrooke (Canadien) | AHL | 72 | 14 | 27 | 41 | 94 | 16 | 5 | 12 | 17 | 17 |
| 1987-88 Sherbrooke (Canadien) | AHL | 55 | 30 | 35 | 65 | 108 | - | - | - | - | - |
| Montréal (Canadiens) | LNH | 16 | 0 | 2 | 2 | 6 | 8 | 0 | 0 | 0 | 4 |
| 1988-89 Sherbrooke (Canadien) | AHL | 33 | 13 | 15 | 28 | 95 | - | - | - | - | - |
| Montréal (Canadiens) | LNH | 9 | 1 | 3 | 4 | 6 | - | - | - | - | - |
| Vancouver (Canucks) | LNH | 13 | 0 | 1 | 1 | 6 | - | - | - | - | - |
| Milwaukee (Admirals) | IHL | 13 | 8 | 5 | 13 | 46 | 10 | 3 | 2 | 5 | 23 |
| 1989-90 Milwaukee (Admirals) | IHL | 65 | 23 | 38 | 61 | 137 | 5 | 0 | 1 | 1 | 8 |
| 1990-91 Canada | Éq. nat. | 56 | 22 | 29 | 51 | 54 | - | - | - | - | - |
| 1991-92 SC Rapperswill-Jona | SUI | 24 | 13 | 17 | 47 | 89 | - | - | - | - | - |
| EHC Eisbaren Berlin | GER | 11 | 3 | 6 | 9 | 16 | - | - | - | - | - |
| 1992-93 STIJ Galeen | HOL | 7 | 7 | 13 | *20 | - | 17 | 11 | 23 | 34 | - |
| Canada | Éq. nat. | 1 | 0 | 0 | 0 | 0 | - | - | - | - | - |
| 1993-94 Vancouver (Canucks) | LNH | 30 | 7 | 14 | 21 | 49 | 3 | 1 | 3 | 0 | |
| Hamilton (Canucks) | AHL | 7 | 3 | 5 | 8 | - | - | - | - | - | - |
| 1994-95 Vancouver (Canucks) | LNH | 3 | 1 | 0 | 1 | 0 | - | - | - | - | - |
| Las Vegas (Thunder) | IHL | 51 | 26 | 27 | 53 | 102 | 9 | 1 | 2 | 3 | 71 |
| 1995-96 EV Landshut | GER | 47 | 32 | 24 | 56 | 102 | 11 | 10 | 6 | 16 | 28 |
| 1996-97 EV Landshut | GER | 13 | 5 | 4 | 9 | 41 | - | - | - | - | - |
| Wedemark (Scorpions) | GER | 30 | 10 | 21 | 31 | 97 | 5 | 1 | 0 | 1 | 27 |
| 1997-98 Frankfurt (Lions) | GER | 40 | 13 | 16 | 29 | 156 | 7 | 4 | 1 | 5 | 18 |
| 1998-99 Frankfurt (Lions) | GER | 47 | 16 | 19 | 35 | 76 | 2 | 0 | 0 | 0 | 6 |
| 1999-00 Frankfurt (Lions) | GER | 55 | 18 | 30 | 48 | 98 | 5 | 0 | 1 | 1 | 12 |
| 2000-01 Frankfurt (Lions) | GER | 58 | 19 | 25 | 44 | 85 | - | - | - | - | - |
| | LNH | 71 | 9 | 13 | 22 | 67 | 11 | 1 | 0 | 1 | 8 |
| | Montréal | 25 | 1 | 5 | 6 | 12 | 8 | 0 | 0 | 0 | 4 |

• Trophée Michael-Bossy (LHJMQ) en 1984-85
• Échangé à Vancouver par Montréal pour Dan Woodley le 25 janvier 1989 • Signe avec Vancouver comme agent libre le 3 octobre 1993

## CHARRON, ÉRIC

Né à Verdun, Québec, le 14 janvier 1970. Défenseur, lance de la gauche, 6'3", 192 lb (1er choix de Montréal, 20e au total lors du repêchage de 1988)

| SAISON CLUB | LIGUE | PJ | B | A | PTS | PUN | PJ | B | A | PTS | PUN |
|---|---|---|---|---|---|---|---|---|---|---|---|
| 1986-87 Lac-Saint-Louis (Lions) | QAAA | 41 | 1 | 8 | 9 | 92 | - | - | - | - | - |
| 1987-88 Trois-Rivières (Draveurs) | LHJMQ | 67 | 3 | 13 | 16 | 135 | - | - | - | - | - |
| 1988-89 Trois-Rivières (Draveurs) | LHJMQ | 38 | 2 | 16 | 18 | 111 | - | - | - | - | - |
| Verdun (Canadien Junior) | LHJMQ | 28 | 2 | 15 | 17 | 66 | - | - | - | - | - |
| Sherbrooke (Canadien) | AHL | 1 | 0 | 0 | 0 | 0 | - | - | - | - | - |
| 1989-90 Saint-Hyacinthe (Laser) | LHJMQ | 68 | 13 | 38 | 51 | 152 | 11 | 3 | 4 | 7 | 67 |
| Sherbrooke (Canadien) | AHL | - | - | - | - | - | 2 | 0 | 0 | 0 | 0 |
| 1990-91 Fredericton (Canadien) | AHL | 71 | 1 | 11 | 12 | 108 | 2 | 1 | 0 | 1 | 29 |
| 1991-92 Fredericton (Canadien) | AHL | 59 | 2 | 11 | 13 | 98 | 6 | 1 | 0 | 1 | 4 |
| 1992-93 Fredericton (Canadien) | AHL | 54 | 3 | 13 | 16 | 93 | - | - | - | - | - |
| Montréal (Canadiens) | LNH | 3 | 0 | 0 | 0 | 2 | - | - | - | - | - |
| Atlanta (Knights) | IHL | 11 | 0 | 2 | 2 | 12 | 3 | 0 | 1 | 1 | 6 |
| 1993-94 Tampa Bay (Lightning) | LNH | 4 | 0 | 0 | 0 | 2 | - | - | - | - | - |
| Atlanta (Knights) | IHL | 45 | 6 | 18 | 23 | 144 | 14 | 1 | 4 | 5 | 28 |
| 1994-95 Tampa Bay (Lightning) | LNH | 45 | 1 | 4 | 5 | 26 | - | - | - | - | - |
| 1995-96 Tampa Bay (Lightning) | LNH | 14 | 0 | 0 | 0 | 10 | - | - | - | - | - |
| Washington (Capitals) | LNH | 4 | 0 | 1 | 1 | 6 | - | - | - | - | 8 |
| Portland (Pirates) | AHL | 8 | 6 | 8 | 8 | 2 | 20 | 1 | 7 | 8 | 33 |
| 1996-97 Washington (Capitals) | LNH | 25 | 1 | 2 | 3 | 22 | - | - | - | - | - |
| Portland (Pirates) | AHL | 29 | 6 | 4 | 10 | 55 | 3 | 3 | 0 | 3 | 0 |
| 1997-98 Calgary (Flames) | LNH | 2 | 0 | 0 | 0 | 2 | - | - | - | - | - |
| Saint John (Flames) | AHL | 71 | 6 | 20 | 28 | 136 | 20 | 1 | 7 | 8 | 55 |
| 1998-99 Saint John (Flames) | AHL | 50 | 10 | 12 | 22 | 148 | 3 | 1 | 0 | 1 | 13 |
| Calgary (Flames) | LNH | 12 | 0 | 1 | 1 | 14 | - | - | - | - | - |
| 1999-00 Calgary (Flames) | LNH | 21 | 0 | 0 | 0 | 37 | - | - | - | - | - |
| Saint John (Flames) | AHL | 13 | 2 | 15 | 17 | 82 | - | - | - | - | - |
| 2000-01 Cleveland (Lumberjacks) | IHL | 60 | 9 | 10 | 19 | 99 | - | - | - | - | - |
| 2001-02 Alder Mannheim | GER | 46 | 1 | 27 | 28 | 118 | 12 | 0 | 1 | 1 | 34 |
| 2002-03 Nottingham (Panthers) | GBR | 32 | 2 | 7 | 9 | | 15 | 0 | 2 | 2 | 16 |
| Nottingham (Panthers) | GBR-Cup | 7 | 1 | 1 | 2 | 2 | - | - | - | - | - |
| | LNH | 130 | 2 | 7 | 9 | 127 | 6 | 0 | 0 | 0 | 8 |
| | Montréal | 3 | 0 | 0 | 0 | 2 | - | - | - | - | - |

• Échangé à Tampa Bay par Montréal avec Alain Côté et des considérations futures (Donald Dufresne le 18 juin 1993) pour Rob Ramage le 20 mars 1993 • Échangé à Washington par Tampa Bay pour le choix de 7e ronde du Washington au repêchage de 1997 (Eero Somervuori) le 16 novembre 1995 • Échangé à Calgary par Washington pour le choix de 7e ronde de Calgary au repêchage de 1998 (Nathan Forster) le 4 septembre 1997 • Signe avec Minnesota comme agent libre le 31 août 2000

## CHARRON, GUY

Né à Verdun, Québec, le 24 janvier 1949. Centre, lance de la gauche, 5'10", 170 lb

| SAISON | CLUB | LIGUE | PJ | B | A | PTS | PUN | PJ | B | A | PTS | PUN |
|---|---|---|---|---|---|---|---|---|---|---|---|---|
| 1966-67 | Verdun (Maple Leafs) | LHJQ | *Statistiques non disponibles* | | | | | - | - | - | - | - |
| | Verdun (Maple Leafs) | Mem. | 4 | 0 | 1 | 1 | 4 | - | - | - | - | - |
| 1967-68 | Verdun (Maple Leafs) | LHJQ | 42 | 29 | 36 | 65 | - | - | - | - | - | - |
| | Verdun (Maple Leafs) | Mem. | 21 | 14 | 9 | 23 | 6 | - | - | - | - | - |
| 1968-69 | Montréal (Canadien Jr) | OHA Jr | 50 | 27 | 27 | 54 | 12 | 14 | 11 | 15 | 26 | 6 |
| | Montréal (Canadien Jr) | Mem. | 8 | *7 | 5 | 12 | 4 | - | - | - | - | - |
| 1969-70 | Montréal (Voyageurs) | AHL | 65 | 37 | 45 | 82 | 20 | 8 | 8 | 4 | 12 | 2 |
| | **Montréal (Canadiens)** | **LNH** | **5** | **0** | **0** | **0** | **0** | - | - | - | - | - |
| 1970-71 | Montréal (Canadiens) | AHL | 23 | 5 | 13 | 18 | 6 | - | - | - | - | - |
| | **Montréal (Canadiens)** | **LNH** | **15** | **2** | **2** | **4** | **2** | - | - | - | - | - |
| | Detroit (Red Wings) | LNH | 24 | 4 | 8 | 12 | 4 | - | - | - | - | - |
| 1971-72 | Detroit (Red Wings) | LNH | 64 | 9 | 16 | 25 | 6 | - | - | - | - | - |
| 1972-73 | Detroit (Red Wings) | LNH | 75 | 18 | 18 | 36 | 23 | - | - | - | - | - |
| 1973-74 | Detroit (Red Wings) | LNH | 76 | 25 | 30 | 55 | 10 | - | - | - | - | - |
| 1974-75 | Detroit (Red Wings) | LNH | 26 | 1 | 10 | 11 | 6 | - | - | - | - | - |
| | Kansas City (Scouts) | LNH | 51 | 13 | 29 | 42 | 21 | - | - | - | - | - |
| 1975-76 | Kansas City (Scouts) | LNH | 78 | 27 | 44 | 71 | 12 | - | - | - | - | - |
| 1976-77 | Washington (Capitals) | LNH | 80 | 36 | 46 | 82 | 10 | - | - | - | - | - |
| | Match des étoiles | LNH | 1 | 0 | 0 | 0 | 0 | - | - | - | - | - |
| | Canada | CM | 1 | 0 | 0 | 0 | 0 | - | - | - | - | - |
| 1977-78 | Washington (Capitals) | LNH | 80 | 38 | 35 | 73 | 12 | - | - | - | - | - |
| | Canada | CM | 9 | 0 | 1 | 1 | 0 | - | - | - | - | - |
| 1978-79 | Washington (Capitals) | LNH | 80 | 28 | 42 | 70 | 24 | - | - | - | - | - |
| | Canada | CM | 6 | 1 | 3 | 4 | 2 | - | - | - | - | - |
| 1979-80 | Washington (Capitals) | LNH | 33 | 10 | 21 | 31 | 6 | - | - | - | - | - |
| 1980-81 | Washington (Capitals) | LNH | 47 | 5 | 13 | 18 | 2 | - | - | - | - | - |
| 1981-82 | EHC Arosa | SUI | *Statistiques non disponibles* | | | | | - | - | - | - | - |
| 1982-83 | EHC Arosa | SUI | 36 | 17 | 27 | 44 | - | - | - | - | - | - |
| | New Haven (Nighthawks) | AHL | 2 | 1 | 2 | 3 | 14 | 12 | 2 | 5 | 7 | 4 |
| | **LNH** | | **734** | **221** | **309** | **530** | **146** | - | - | - | - | - |
| | **Montréal** | | **20** | **2** | **2** | **4** | **2** | - | - | - | - | - |

• Coupe Memorial en 1968-69 • Match des étoiles (LNH) en 1976-77 • Médaille de bronze (CM) en 1978
• Échangé à Detroit par Montréal avec Mickey Redmond et Bill Collins pour Frank Mahovlich le 13 janvier 1971 • Échangé à Kansas City par Detroit avec Claude Houde pour Bart Crashley, Ted Snell et Larry Giroux le 14 décembre 1974 • Signe avec Washington comme agent libre le 1er septembre 1976

## CHARTRAW, RICHARD (RICK)

Né à Caracas, Vénézuela, le 13 juillet 1954. Ailier droit/Défenseur, lance de la droite, 6'2", 210 lb (3e choix de Montréal, 10e au total lors du repêchage de 1974)

| SAISON | CLUB | LIGUE | PJ | B | A | PTS | PUN | PJ | B | A | PTS | PUN |
|---|---|---|---|---|---|---|---|---|---|---|---|---|
| 1972-73 | Kitchener (Rangers) | OMJHL | 59 | 10 | 22 | 32 | 101 | - | - | - | - | - |
| 1973-74 | Kitchener (Rangers) | OMJHL | 70 | 17 | 44 | 61 | 150 | - | - | - | - | - |
| 1974-75 | Nlle-Écosse (Voyageurs) | AHL | 58 | 7 | 20 | 27 | 148 | 6 | 1 | 2 | 3 | 4 |
| | **Montréal (Canadiens)** | **LNH** | **12** | **0** | **0** | **0** | **6** | - | - | - | - | - |
| 1975-76 | Nlle-Écosse (Voyageurs) | AHL | 33 | 12 | 24 | 36 | 49 | - | - | - | - | - |
| | **Montréal (Canadiens)** | **LNH** | **16** | **1** | **3** | **4** | **25** | **2** | **0** | **0** | **0** | **0** |
| 1976-77 | **Montréal (Canadiens)** | **LNH** | **43** | **3** | **4** | **7** | **59** | **13** | **2** | **1** | **3** | **17** |
| | États-Unis | CC | 5 | 0 | 0 | 0 | 8 | - | - | - | - | - |
| 1977-78 | **Montréal (Canadiens)** | **LNH** | **68** | **4** | **12** | **16** | **64** | **10** | **1** | **0** | **1** | **10** |
| 1978-79 | **Montréal (Canadiens)** | **LNH** | **62** | **5** | **11** | **16** | **29** | **16** | **2** | **1** | **3** | **24** |
| 1979-80 | **Montréal (Canadiens)** | **LNH** | **66** | **5** | **7** | **12** | **35** | **10** | **2** | **2** | **4** | **0** |
| 1980-81 | **Montréal (Canadiens)** | **LNH** | **14** | **0** | **0** | **0** | **0** | - | - | - | - | - |
| | Los Angeles (Kings) | LNH | 21 | 1 | 6 | 7 | 28 | 4 | 0 | 1 | 1 | 4 |
| 1981-82 | New Haven (Nighthawks) | AHL | 33 | 4 | 9 | 13 | 39 | - | - | - | - | - |
| | Los Angeles (Kings) | LNH | 33 | 2 | 8 | 10 | 56 | 10 | 0 | 2 | 2 | 9 |
| 1982-83 | Los Angeles (Kings) | LNH | 31 | 3 | 5 | 8 | 31 | - | - | - | - | - |
| | New York (Rangers) | LNH | 26 | 2 | 2 | 4 | 37 | 9 | 0 | 2 | 2 | 6 |
| 1983-84 | New York (Rangers) | LNH | 4 | 0 | 0 | 0 | 4 | - | - | - | - | - |
| | Tulsa (Oilers) | CHL | 28 | 1 | 4 | 5 | 25 | - | - | - | - | - |
| | Edmonton (Oilers) | LNH | 24 | 2 | 6 | 8 | 21 | 1 | 0 | 0 | 0 | 2 |
| | *N'a pas joué de 1984-85 à 1991-92* | | | | | | | | | | | |
| 1992-93 | Los Angeles (Jets) | SCSHL | 4 | 2 | 2 | 4 | 6 | - | - | - | - | - |
| | **LNH** | | **420** | **28** | **64** | **92** | **399** | **75** | **7** | **9** | **16** | **80** |
| | **Montréal** | | **281** | **18** | **37** | **55** | **222** | **51** | **7** | **4** | **11** | **51** |

• Première équipe d'étoiles (OMJHL) en 1973-74 • Première équipe d'étoiles (AHL) en 1974-75 • Coupe Stanley (LNH) en 1975-76, 1976-77, 1977-78, 1978-79, 1983-84
• Échangé à Los Angeles par Montréal pour le choix de 2e ronde de Los Angeles au repêchage de 1983 (Claude Lemieux) le 17 février 1981 • Réclamé au ballottage par New York (Rangers) de Los Angeles le 13 janvier 1983 • Échangé à Edmonton par New York (Rangers) pour le choix de 9e ronde des Rangers au repêchage de 1984 (Heinz Ehlers) le 20 janvier 1984

## CHELIOS, CHRIS

Né à Chicago, Illinois, le 25 janvier 1962. Défenseur, lance de la droite, 6'1", 190 lb (5e choix de Montréal, 40e au total lors du repêchage de 1981)

| SAISON | CLUB | LIGUE | PJ | B | A | PTS | PUN | PJ | B | A | PTS | PUN |
|---|---|---|---|---|---|---|---|---|---|---|---|---|
| 1979-80 | Moose Jaw (Canucks) | SJHL | 53 | 12 | 31 | 43 | 118 | - | - | - | - | - |
| 1980-81 | Moose Jaw (Canucks) | SJHL | 54 | 23 | 64 | 87 | 175 | - | - | - | - | - |
| 1981-82 | Wisconsin University | WCHA | 43 | 6 | 43 | 49 | 50 | - | - | - | - | - |
| | États-Unis | CMJ | 7 | 1 | 3 | 4 | 3 | - | - | - | - | - |
| 1982-83 | Wisconsin University | WCHA | 26 | 9 | 17 | 26 | 50 | - | - | - | - | - |
| 1983-84 | États-Unis | Éq. nat. | 60 | 14 | 35 | 49 | 58 | - | - | - | - | - |
| | États-Unis | JO | 6 | 0 | 4 | 4 | 8 | - | - | - | - | - |
| | **Montréal (Canadiens)** | **LNH** | **12** | **0** | **2** | **2** | **12** | **15** | **1** | **9** | **10** | **17** |
| 1984-85 | États-Unis | CC | 5 | 0 | 3 | 3 | 2 | - | - | - | - | - |
| | **Montréal (Canadiens)** | **LNH** | **74** | **9** | **55** | **64** | **87** | **9** | **2** | **8** | **10** | **17** |
| | Match des étoiles | LNH | 1 | 0 | 0 | 0 | 0 | - | - | - | - | - |
| 1985-86 | **Montréal (Canadiens)** | **LNH** | **41** | **8** | **26** | **34** | **67** | **20** | **2** | **9** | **11** | **49** |
| 1986-87 | **Montréal (Canadiens)** | **LNH** | **71** | **11** | **33** | **44** | **124** | **17** | **4** | **9** | **13** | **38** |
| | Équipe d'étoiles LNH | RV 87 | 2 | 0 | 0 | 0 | 0 | - | - | - | - | - |
| 1987-88 | États-Unis | CC | 5 | 0 | 2 | 2 | 2 | - | - | - | - | - |
| | **Montréal (Canadiens)** | **LNH** | **71** | **20** | **41** | **61** | **172** | **11** | **3** | **1** | **4** | **29** |
| 1988-89 | **Montréal (Canadiens)** | **LNH** | **80** | **15** | **58** | **73** | **185** | **21** | **4** | **15** | **19** | **28** |
| 1989-90 | **Montréal (Canadiens)** | **LNH** | **53** | **9** | **22** | **31** | **136** | **5** | **0** | **1** | **1** | **8** |
| | Match des étoiles | LNH | 1 | 0 | 0 | 0 | 0 | - | - | - | - | - |
| 1990-91 | Chicago (Blackhawks) | LNH | 77 | 12 | 52 | 64 | 192 | 6 | 1 | 7 | 8 | 46 |
| | Match des étoiles | LNH | 1 | 1 | 1 | 2 | 0 | - | - | - | - | - |
| 1991-92 | Chicago (Blackhawks) | LNH | 80 | 9 | 47 | 56 | 245 | 18 | 6 | 15 | 21 | 37 |
| | Match des étoiles | LNH | 1 | 0 | 1 | 1 | 0 | - | - | - | - | - |
| | États-Unis | CC | 8 | 1 | 3 | 4 | 4 | - | - | - | - | - |
| 1992-93 | Chicago (Blackhawks) | LNH | 84 | 15 | 58 | 73 | 282 | 4 | 0 | 2 | 2 | 14 |
| | Match des étoiles | LNH | 1 | 0 | 0 | 0 | 0 | - | - | - | - | - |
| 1993-94 | Chicago (Blackhawks) | LNH | 76 | 16 | 44 | 60 | 212 | 6 | 1 | 1 | 2 | 8 |
| | Match des étoiles | LNH | 1 | 0 | 1 | 1 | 0 | - | - | - | - | - |
| | États-Unis CM | | *N'a pas joué* | | | | | | | | | |
| 1994-95 | Biel | SUI | 3 | 0 | 3 | 3 | 4 | - | - | - | - | - |
| | Chicago (Blackhawks) | LNH | 48 | 5 | 33 | 38 | 72 | 16 | 4 | 7 | 11 | 12 |
| 1995-96 | Chicago (Blackhawks) | LNH | 81 | 14 | 58 | 72 | 140 | 9 | 0 | 3 | 3 | 8 |
| | Match des étoiles | LNH | 1 | 0 | 0 | 0 | 0 | - | - | - | - | - |
| 1996-97 | Chicago (Blackhawks) | LNH | 72 | 10 | 38 | 48 | 112 | 6 | 0 | 1 | 1 | 8 |
| | Match des étoiles | LNH | 1 | 0 | 0 | 0 | 0 | - | - | - | - | - |
| | États-Unis | CDM | 7 | 0 | 4 | 4 | 10 | - | - | - | - | - |
| 1997-98 | Chicago (Blackhawks) | LNH | 81 | 3 | 39 | 42 | 151 | - | - | - | - | - |
| | Match des étoiles | LNH | 1 | 0 | 3 | 3 | 0 | - | - | - | - | - |
| | États-Unis | JO | 4 | 2 | 0 | 2 | 2 | - | - | - | - | - |
| 1998-99 | Chicago (Blackhawks) | LNH | 65 | 8 | 26 | 34 | 89 | - | - | - | - | - |
| | Detroit (Red Wings) | LNH | 10 | 1 | 1 | 2 | 4 | 10 | 0 | 4 | 4 | 14 |
| 1999-00 | Detroit (Red Wings) | LNH | 81 | 3 | 31 | 34 | 103 | 9 | 0 | 1 | 1 | 8 |
| | Match des étoiles | LNH | 1 | 0 | 0 | 0 | 0 | - | - | - | - | - |
| 2000-01 | Detroit (Red Wings) | LNH | 24 | 0 | 3 | 3 | 45 | 5 | 1 | 0 | 1 | 2 |
| 2001-02 | Detroit (Red Wings) | LNH | 79 | 6 | 33 | 39 | 126 | 23 | 1 | 13 | 14 | 44 |
| | Match des étoiles | LNH | 1 | 0 | 0 | 0 | 0 | - | - | - | - | - |
| | États-Unis | JO | 6 | 1 | 0 | 1 | 4 | - | - | - | - | - |
| 2002-03 | Detroit (Red Wings) | LNH | 66 | 2 | 17 | 19 | 78 | 4 | 0 | 0 | 0 | 0 |
| | **LNH** | | **1326** | **176** | **717** | **893** | **2634** | **214** | **30** | **106** | **136** | **390** |
| | **Montréal** | | **402** | **72** | **237** | **309** | **783** | **98** | **16** | **52** | **68** | **186** |

• Deuxième équipe d'étoiles (WCHA) en 1982-83 • Sélectionné sur l'équipe d'étoiles du tournoi de championnat de la NCAA en 1982-83 • Équipe d'étoiles des joueurs Recrues (LNH) en 1984-85 • Match des étoiles (LNH) en 1984-85, 1989-90, 1990-91, 1991-92, 1992-93, 1993-94, 1995-96, 1996-97, 1997-98, 1999-00, 2001-02 • Coupe Stanley (LNH) en 1985-86, 2001-02 • Première équipe d'étoiles (LNH) en 1988-89, 1992-93, 1994-95, 1995-96, 2001-02 • Deuxième équipe d'étoiles (LNH) en 1990-91, 1996-97 • Trophée James-Norris en 1988-89, 1992-93, 1995-96 • Équipe d'étoiles de la Coupe Canada en 1991 • Équipe d'étoiles de la Coupe du Monde en 1996 • Coupe du Monde en 1996 • Médaille d'argent (JO) en 2002 • Équipe d'étoiles (JO) en 2002.
• Échangé à Chicago par Montréal avec le choix de 2e ronde de Montréal au repêchage de 1991 (Michael Pomichter) pour Denis Savard le 29 juin 1990 • Échangé à Detroit par Chicago pour Anders Eriksson et les 1er choix de Detroit aux repêchages de 1999 (Steve McCarthy) et de 2001 (Adam Munro) le 23 mars 1999.

## CHORSKE, TOM

Né à Minneapolis, Minnesota, le 18 septembre 1966. Ailier gauche, lance de la droite, 6'1", 204 lb (2e choix de Montréal, 16e au total lors du repêchage de 1985)

| SAISON | CLUB | LIGUE | PJ | B | A | PTS | PUN | PJ | B | A | PTS | PUN |
|---|---|---|---|---|---|---|---|---|---|---|---|---|
| 1984-85 | Minneapolis (Lakers) | H.S. | 23 | 44 | 26 | 70 | - | - | - | - | - | - |
| 1985-86 | Minnesota University | WCHA | 39 | 6 | 4 | 10 | 16 | - | - | - | - | - |
| | États-Unis | CMJ | 7 | 1 | 0 | 1 | 2 | - | - | - | - | - |
| 1986-87 | Minnesota University | WCHA | 47 | 20 | 22 | 42 | 20 | - | - | - | - | - |
| 1987-88 | États-Unis | Éq. nat. | 36 | 9 | 16 | 25 | 16 | - | - | - | - | - |
| 1988-89 | Minnesota University | WCHA | 37 | 25 | 24 | 49 | 28 | - | - | - | - | - |
| | États-Unis | CM | 9 | 2 | 1 | 3 | 6 | - | - | - | - | - |
| 1989-90 | Sherbrooke (Canadien) | AHL | 59 | 22 | 24 | 46 | 54 | 12 | 4 | 4 | 8 | 8 |
| | **Montréal (Canadiens)** | **LNH** | **14** | **3** | **1** | **4** | **2** | - | - | - | - | - |
| 1990-91 | **Montréal (Canadiens)** | **LNH** | **57** | **9** | **11** | **20** | **32** | - | - | - | - | - |
| 1991-92 | New Jersey (Devils) | LNH | 76 | 19 | 17 | 36 | 32 | 7 | 0 | 3 | 3 | 4 |
| 1992-93 | New Jersey (Devils) | LNH | 50 | 7 | 12 | 19 | 25 | 1 | 0 | 0 | 0 | 2 |
| | Utica (Devils) | AHL | 6 | 1 | 4 | 5 | 2 | - | - | - | - | - |
| 1993-94 | New Jersey (Devils) | LNH | 76 | 21 | 20 | 41 | 32 | 20 | 4 | 3 | 7 | 0 |
| 1994-95 | HC Milan (Devils) | ITA | 7 | 11 | 5 | 16 | 6 | - | - | - | - | - |
| | HC Milan (Devils) | EuroHL | 4 | 6 | 7 | 13 | 2 | - | - | - | - | - |
| | New Jersey (Devils) | LNH | 42 | 10 | 8 | 18 | 16 | 17 | 1 | 5 | 6 | 4 |
| 1995-96 | Ottawa (Sénateurs) | LNH | 72 | 15 | 14 | 29 | 21 | - | - | - | - | - |
| | États-Unis | CM | 8 | 1 | 2 | 3 | 16 | - | - | - | - | - |
| 1996-97 | Ottawa (Sénateurs) | LNH | 68 | 18 | 8 | 26 | 16 | 5 | 0 | 1 | 1 | 2 |
| 1997-98 | New York (Islanders) | LNH | 82 | 12 | 23 | 35 | 39 | - | - | - | - | - |
| | États-Unis | CM | 6 | 1 | 1 | 2 | 4 | - | - | - | - | - |
| 1998-99 | New York (Islanders) | LNH | 17 | 0 | 1 | 1 | 2 | - | - | - | - | - |
| | Washington (Capitals) | LNH | 17 | 2 | 0 | 2 | 2 | - | - | - | - | - |
| | Calgary (Flames) | LNH | 7 | 0 | 0 | 0 | 0 | - | - | - | - | - |
| | États-Unis | CM | 6 | 1 | 1 | 2 | 4 | - | - | - | - | - |
| 1999-00 | Pittsburgh (Penguins) | LNH | 33 | 5 | 5 | 10 | 4 | - | - | - | - | - |
| 2000-01 | Houston (Aeros) | IHL | 78 | 27 | 25 | 52 | 52 | - | - | - | - | - |
| | **LNH** | | **596** | **115** | **122** | **237** | **225** | **50** | **5** | **12** | **17** | **10** |
| | **Montréal** | | **71** | **12** | **12** | **24** | **34** | - | - | - | - | - |

• Médaille de bronze (CMJ) en 1986 • Première équipe d'étoiles (WCHA) en 1988-89 • Coupe Stanley (LNH) en 1994-95.
• Échangé à New Jersey par Montréal avec Stéphane Richer pour Kirk Muller et Roland Melanson le 20 septembre 1991 • Réclamé au ballottage par Ottawa de New Jersey le 5 octobre 1995 • Réclamé par New York (Islanders) de Ottawa au repêchage inter-équipes

le 28 septembre 1997 • Échangé à Washington par New York (Islanders) avec le choix de 8e ronde des Islanders (Maxim Orlov) au repêchage de 1999 pour le choix de 6e ronde de Washington (Bjorn Melin) au repêchage de 1999 le 16 octobre 1998 • Échangé à Calgary par Washington pour le choix de 7e ronde de Calgary de 2000 (cédé plus tard à Los Angeles qui sélectionne Tim Eriksson) et le choix de 9e ronde de Washington (acquis lors d'une transaction antérieure, Washington sélectionne Bjorn Nord) le 22 mars 1999 • Signe avec Pittsburgh comme agent libre le 2 septembre 1999.

## CHOUINARD, ÉRIC

Né à Atlanta, Georgie, le 8 juillet 1980. Ailier gauche, lance de la gauche, 6'3", 214 lb (1er choix de Montréal, 16e au total lors du repêchage de 1998)

| SAISON | CLUB | LIGUE | PJ | B | A | PTS | PUN | PJ | B | A | PTS | PUN |
|---|---|---|---|---|---|---|---|---|---|---|---|---|
| 1995-96 | Magog (Sélect) | AHAQ | 22 | 12 | 14 | 26 | 12 | - | - | - | - | - |
| 1995-96 | Sainte-Foy (Gouverneurs) | QAAA | 17 | 2 | 5 | 7 | - | 15 | 7 | 12 | 19 | 12 |
| 1996-97 | Sainte-Foy (Gouverneurs) | QAAA | 40 | 29 | 41 | 70 | 40 | 10 | 14 | 9 | 23 | - |
| 1997-98 | Québec (Remparts) | LHJMQ | 68 | 41 | 42 | 83 | 18 | 14 | 7 | 10 | 17 | 6 |
| 1998-99 | Canada | CMJ | 2 | 1 | 0 | 1 | 2 | - | - | - | - | - |
| | Québec (Remparts) | LHJMQ | 62 | 50 | 59 | 109 | 56 | 13 | 8 | 10 | 18 | 8 |
| | Fredericton (Canadien) | AHL | - | - | - | - | - | 6 | 3 | 2 | 5 | 0 |
| 1999-00 | Québec (Remparts) | LHJMQ | 50 | 57 | 47 | 104 | 105 | 11 | 14 | 4 | 18 | 8 |
| | Canada | CMJ | 7 | 3 | 0 | 3 | 0 | - | - | - | - | - |
| 2000-01 | **Montréal (Canadiens)** | **LNH** | **13** | **1** | **3** | **4** | **0** | - | - | - | - | - |
| | Québec (Citadelles) | AHL | 48 | 12 | 21 | 33 | 6 | 9 | 2 | 0 | 2 | 2 |
| 2001-02 | Québec (Citadelles) | AHL | 65 | 19 | 23 | 42 | 18 | 2 | 0 | 0 | 0 | 0 |
| 2002-03 | Utah (Grizzlies) | AHL | 32 | 12 | 12 | 24 | 16 | - | - | - | - | - |
| | Philadelphie (Flyers) | LNH | 28 | 4 | 4 | 8 | 8 | - | - | - | - | - |
| | | LNH | 41 | 5 | 7 | 12 | 8 | - | - | - | - | - |
| | | **Montréal** | **13** | **1** | **3** | **4** | **0** | - | - | - | - | - |

• Trophée Frank-Selke (LHJMQ) en 1998-99 • Médaille de bronze (CMJ) en 1999-00
• Échangé à Philadelphie par Montréal pour le choix de 2e ronde de Philadelphie au repêchage de 2003 le 29 janvier 2003

## CICCONE, ENRICO

Né à Montréal, Québec, le 10 avril 1970. Défenseur, lance de la gauche, 6'5", 212 lb (5e choix de Minnesota, 92e au total lors du repêchage de 1990)

| SAISON | CLUB | LIGUE | PJ | B | A | PTS | PUN | PJ | B | A | PTS | PUN |
|---|---|---|---|---|---|---|---|---|---|---|---|---|
| 1986-87 | Lac-Saint-Louis (Lions) | QAAA | 38 | 10 | 20 | 30 | 172 | - | - | - | - | - |
| 1987-88 | Shawinigan (Cataractes) | LHJMQ | 61 | 2 | 12 | 14 | 324 | - | - | - | - | - |
| 1988-89 | Shawinigan (Cataractes) | LHJMQ | 34 | 7 | 11 | 18 | 132 | - | - | - | - | - |
| 1988-89 | Trois-Rivières (Draveurs) | LHJMQ | 24 | 0 | 7 | 7 | 153 | - | - | - | - | - |
| 1989-90 | Trois-Rivières (Draveurs) | LHJMQ | 40 | 4 | 24 | 28 | 227 | 3 | 0 | 0 | 0 | 15 |
| 1990-91 | Kalamazoo (Wings) | IHL | 57 | 4 | 9 | 13 | 384 | 4 | 0 | 1 | 1 | 32 |
| 1991-92 | Minnesota (North Stars) | LNH | 11 | 0 | 0 | 0 | 48 | - | - | - | - | - |
| | Kalamazoo (Wings) | IHL | 53 | 4 | 16 | 20 | 406 | 10 | 0 | 1 | 1 | 58 |
| 1992-93 | Minnesota (North Stars) | LNH | 31 | 0 | 1 | 1 | 115 | - | - | - | - | - |
| | Kalamazoo (Wings) | IHL | 13 | 1 | 3 | 4 | 50 | - | - | - | - | - |
| | Hamilton (Canucks) | AHL | 6 | 1 | 3 | 4 | 44 | - | - | - | - | - |
| 1993-94 | Washington (Capitals) | LNH | 46 | 1 | 1 | 2 | 174 | - | - | - | - | - |
| | Portland (Pirates) | AHL | 6 | 0 | 0 | 0 | 27 | - | - | - | - | - |
| | Tampa Bay (Lightning) | LNH | 11 | 0 | 1 | 1 | 52 | - | - | - | - | - |
| 1994-95 | Tampa Bay (Lightning) | LNH | 41 | 1 | 4 | 6 | 225 | - | - | - | - | - |
| 1995-96 | Tampa Bay (Lightning) | LNH | 55 | 2 | 3 | 5 | 258 | - | - | - | - | - |
| | Chicago (Blackhawks) | LNH | 11 | 0 | 1 | 1 | 48 | 9 | 1 | 0 | 1 | 30 |
| 1996-97 | Chicago (Blackhawks) | LNH | 67 | 2 | 2 | 4 | 233 | 4 | 0 | 0 | 0 | 18 |
| 1997-98 | Caroline (Hurricanes) | LNH | 14 | 0 | 3 | 3 | 83 | - | - | - | - | - |
| 1997-98 | Vancouver (Canucks) | LNH | 13 | 0 | 1 | 1 | 47 | - | - | - | - | - |
| | Tampa Bay (Lightning) | LNH | 12 | 0 | 0 | 0 | 45 | - | - | - | - | - |
| 1998-99 | Tampa Bay (Lightning) | LNH | 16 | 1 | 1 | 2 | 64 | - | - | - | - | - |
| | Cleveland (Lumberjacks) | IHL | 6 | 0 | 0 | 0 | 23 | - | - | - | - | - |
| | Washington Capitals | LNH | 43 | 2 | 0 | 2 | 103 | - | - | - | - | - |
| 1999-00 | Moskitos (Essen) | GER | 14 | 0 | 4 | 4 | 101 | - | - | - | - | - |
| 2000-01 | **Montréal (Canadiens)** | **LNH** | **3** | **0** | **0** | **0** | **14** | - | - | - | - | - |
| | Québec (Citadelles) | AHL | 2 | 0 | 0 | 0 | 0 | - | - | - | - | - |
| | | LNH | 374 | 10 | 18 | 28 | 1469 | 13 | 1 | 0 | 1 | 48 |
| | | **Montréal** | **3** | **0** | **0** | **0** | **14** | - | - | - | - | - |

• Échangé à Washington par Dallas pour compléter l'échange de Paul Cavallini à Dallas (20 juin 1993) le 25 juin 1993 • Échangé à Tampa Bay par Washington avec le choix de 3e ronde de Washington de 1994 (transféré à Anaheim qui sélectionne Craig Reichert) et les choix de repêchages ultérieurs transférés lors de l'échange de Pat Elynuik en retour de Joe Reekie le 21 mars 1994 • Échangé à Chicago par Tampa Bay avec le choix de 2e ronde de Tampa Bay au repêchage de 1996 (Jeff Paul) pour Patrick Poulin, Igor Ulanov et le choix de 2e ronde de Chicago au repêchage de 1996 (transféré à New Jersey qui sélectionne Pierre Dagenais) le 20 mars 1996 • Échangé à Caroline par Chicago pour Ryan Risidore et le choix de 5e ronde de Caroline au repêchage de 1998 (transféré à Toronto qui sélectionne Morgan Warren) le 25 juillet 1997 • Échangé à Vancouver par la Caroline avec Sean Burke et Geoff Sanderson pour Kirk McLean et Martin Gelinas le 3 janvier 1998 • Échangé à Tampa Bay par Vancouver pour Jamie Huscroft le 14 mars 1998 • Droits vendus à Washington par Tampa Bay le 28 décembre 1998 • Signe avec Montréal comme agent libre le 7 juillet 2000

## CLARK, BRETT

Né à Wapella, Saskatchewan, le 23 décembre 1976. Défenseur, lance de la gauche, 6'1", 185 lb (7e choix de Montréal, 154e au total lors du repêchage de 1996)

| SAISON | CLUB | LIGUE | PJ | B | A | PTS | PUN | PJ | B | A | PTS | PUN |
|---|---|---|---|---|---|---|---|---|---|---|---|---|
| 1994-95 | Melville (Millionaires) | SJHL | 62 | 19 | 32 | 51 | 77 | - | - | - | - | - |
| 1995-96 | Maine University | H-East | 39 | 7 | 31 | 38 | 22 | - | - | - | - | - |
| 1996-97 | Canada | Éq. nat. | 57 | 6 | 21 | 27 | 52 | - | - | - | - | - |
| 1997-98 | Fredericton (Canadien) | AHL | 20 | 0 | 6 | 6 | 4 | 4 | 0 | 1 | 1 | 17 |
| | **Montréal (Canadiens)** | **LNH** | **41** | **1** | **0** | **1** | **20** | - | - | - | - | - |
| 1998-99 | **Montréal (Canadiens)** | **LNH** | **61** | **2** | **2** | **4** | **16** | - | - | - | - | - |
| | Fredericton (Canadien) | AHL | 3 | 1 | 0 | 1 | 0 | - | - | - | - | - |
| 1999-00 | Atlanta (Thrashers) | LNH | 14 | 0 | 1 | 1 | 4 | - | - | - | - | - |
| | Orlando (Solar Bears) | IHL | 63 | 9 | 17 | 26 | 31 | 6 | 0 | 1 | 1 | 0 |

---

| SAISON | CLUB | LIGUE | PJ | B | A | PTS | PUN | PJ | B | A | PTS | PUN |
|---|---|---|---|---|---|---|---|---|---|---|---|---|
| 2000-01 | Atlanta (Thrashers) | LNH | 28 | 1 | 2 | 3 | 14 | - | - | - | - | - |
| | Orlando (Solar Bears) | IHL | 43 | 2 | 9 | 11 | 32 | 15 | 1 | 6 | 7 | 2 |
| 2001-02 | Atlanta (Thrashers) | LNH | 2 | 0 | 0 | 0 | 0 | - | - | - | - | - |
| | Chicago (Wolves) | AHL | 42 | 3 | 17 | 20 | 18 | - | - | - | - | - |
| | Hershey (Bears) | AHL | 32 | 9 | 16 | 12 | 8 | 0 | 2 | 2 | 6 | |
| 2002-03 | Hershey (Bears) | AHL | 80 | 8 | 27 | 35 | 26 | 5 | 0 | 4 | 4 | 4 |
| | | LNH | 146 | 4 | 5 | 9 | 54 | - | - | - | - | - |
| | | **MONTRÉAL** | **102** | **3** | **2** | **5** | **36** | - | - | - | - | - |

• Réclamé par Atlanta de Montréal au repêchage d'expansion de la LNH le 25 juin 1999.
• Échangé au Colorado par Atlanta pour Frederic Cassivi le 24 janvier 2002

## CLEGHORN, JAMES (ODIE)

Né à Montréal, Québec, le 19 septembre 1891, décédé le 13 juillet 1956
Défenseur/Ailier, lance de la droite, 5'9", 195 lb

| SAISON | CLUB | LIGUE | PJ | B | A | PTS | PUN | PJ | B | A | PTS | PUN |
|---|---|---|---|---|---|---|---|---|---|---|---|---|
| 1908-09 | Montréal (Westmount) | CAHL | *Statistiques non disponibles* | | | | | | | | | |
| 1909-10 | New York (Wanderers) | USAHA | 8 | *15 | 0 | *15 | - | - | - | - | - | - |
| 1910-11 | Renfrew (Creamery Kings) | NHA | 16 | 10 | 0 | 10 | 66 | - | - | - | - | - |
| 1911-12 | Montréal (Wanderers) | NHA | 17 | 23 | 0 | 23 | - | - | - | - | - | - |
| 1912-13 | Montréal (Wanderers) | NHA | 18 | 0 | 0 | 18 | - | - | - | - | - | - |
| 1913-14 | Montréal (Wanderers) | NHA | 13 | 9 | 7 | 16 | - | - | - | - | - | - |
| 1914-15 | Montréal (Wanderers) | NHA | 15 | 21 | 5 | 26 | 39 | 3 | 0 | 0 | 0 | 12 |
| 1915-16 | Montréal (Wanderers) | NHA | 21 | 15 | 7 | 22 | 51 | - | - | - | - | - |
| 1916-17 | Montréal (Wanderers) | NHA | 18 | 28 | 4 | 32 | - | - | - | - | - | - |
| 1917-18 | | | *N'a pas joué* | | | | | | | | | |
| 1918-19 | **Montréal (Canadiens)** | **LNH** | **17** | **22** | **6** | **28** | **22** | **10** | **9** | **0** | **9** | **9** |
| 1919-20 | **Montréal (Canadiens)** | **LNH** | **21** | **20** | **4** | **24** | **30** | - | - | - | - | - |
| 1920-21 | **Montréal (Canadiens)** | **LNH** | **21** | **5** | **6** | **11** | **8** | - | - | - | - | - |
| 1921-22 | **Montréal (Canadiens)** | **LNH** | **24** | **21** | **3** | **24** | **26** | - | - | - | - | - |
| 1922-23 | **Montréal (Canadiens)** | **LNH** | **24** | **19** | **6** | **25** | **18** | **2** | **0** | **0** | **0** | **2** |
| 1923-24 | **Montréal (Canadiens)** | **LNH** | **22** | **2** | **5** | **7** | **16** | **6** | **0** | **1** | **1** | **0** |
| 1924-25 | **Montréal (Canadiens)** | **LNH** | **30** | **3** | **3** | **6** | **14** | **6** | **0** | **1** | **1** | **0** |
| 1925-26 | Pittsburgh (Pirates) | LNH | 17 | 2 | 1 | 3 | 4 | 1 | 0 | 0 | 0 | 0 |
| 1926-27 | Pittsburgh (Pirates) | LNH | 3 | 0 | 0 | 0 | 0 | - | - | - | - | - |
| 1927-28 | Pittsburgh (Pirates) | LNH | 3 | 0 | 0 | 0 | 0 | - | - | - | - | - |
| | | NHA | 119 | 134 | 23 | 157 | 205 | 2 | 0 | 0 | 0 | 12 |
| | | LNH | 181 | 94 | 34 | 128 | 142 | 25 | 9 | 2 | 11 | 11 |
| | | **Montréal** | **159** | **92** | **33** | **125** | **134** | **24** | **9** | **2** | **11** | **11** |

• Coupe Stanley (LNH) en 1923-24
• Signe avec Renfrew (NHA) en décembre 1910 • Signe avec Montréal (Wanderers – NHA) en novembre 1911 • Signe avec Montréal (Canadiens) le 9 décembre 1918 • Droits vendus à New York par Montréal (Canadiens) avec John Matz le 12 avril 1925 • Droits vendus à Pittsburgh par New York le 18 octobre 1925

## CLEGHORN, SPRAGUE

Né à Montréal, Québec, le 11 mars 1890, décédé le 11 juillet 1956
Défenseur, lance de la gauche, 5'10", 190 lb

| SAISON | CLUB | LIGUE | PJ | B | A | PTS | PUN | PJ | B | A | PTS | PUN |
|---|---|---|---|---|---|---|---|---|---|---|---|---|
| 1908-09 | Montréal (Canadian Rubber) | LHCM | 3 | 1 | 0 | 1 | 10 | - | - | - | - | - |
| 1909-10 | New York (Wanderers) | USAHA | 7 | 0 | 7 | - | - | - | - | - | - | - |
| 1910-11 | Renfrew (Creamery Kings) | NHA | 12 | 5 | 0 | 5 | 27 | - | - | - | - | - |
| 1911-12 | Montréal (Wanderers) | NHA | 18 | 9 | 0 | 9 | - | - | - | - | - | - |
| 1912-13 | Montréal (Wanderers) | NHA | 19 | 12 | 0 | 12 | - | - | - | - | - | - |
| 1913-14 | Montréal (Wanderers) | NHA | 20 | 12 | 8 | 20 | - | - | - | - | - | - |
| 1914-15 | Montréal (Wanderers) | NHA | 19 | 21 | *12 | 33 | 51 | 2 | 0 | 0 | 0 | 17 |
| 1915-16 | Montréal (Wanderers) | NHA | 19 | 9 | 4 | 13 | 22 | - | - | - | - | - |
| 1916-17 | Montréal (Wanderers) | NHA | 19 | 16 | 9 | 25 | 62 | - | - | - | - | - |
| 1917-18 | | | *N'a pas joué* | | | | | | | | | |
| 1918-19 | Ottawa (Senators) | LNH | 18 | 7 | 6 | 13 | 27 | 5 | 2 | 0 | 2 | 11 |
| 1919-20 | Ottawa (Senators) | LNH | 21 | 16 | 5 | 21 | 85 | 5 | 0 | 1 | 1 | 4 |
| 1920-21 | Ottawa (Senators) | LNH | 3 | 2 | 3 | 5 | 9 | - | - | - | - | - |
| | Toronto (St. Patricks) | LNH | 13 | 3 | 5 | 8 | 31 | 1 | 0 | 0 | 0 | 0 |
| | Ottawa (Senators) | LNH | - | - | - | - | - | 5 | 1 | 2 | 3 | 0 |
| 1921-22 | **Montréal (Canadiens)** | **LNH** | **24** | **17** | **9** | **26** | ***80** | - | - | - | - | - |
| 1922-23 | **Montréal (Canadiens)** | **LNH** | **24** | **9** | **8** | **17** | **34** | **1** | **0** | **0** | **0** | **7** |
| 1923-24 | **Montréal (Canadiens)** | **LNH** | **23** | **8** | **4** | **12** | **45** | **6** | **2** | **2** | **4** | **2** |
| 1924-25 | **Montréal (Canadiens)** | **LNH** | **27** | **8** | **10** | **18** | **89** | **6** | **1** | **2** | **3** | **4** |
| 1925-26 | Boston (Bruins) | LNH | 28 | 6 | 5 | 11 | 49 | - | - | - | - | - |
| 1926-27 | Boston (Bruins) | LNH | 44 | 7 | 1 | 8 | 84 | 8 | 1 | 0 | 1 | 9 |
| 1927-28 | Boston (Bruins) | LNH | 37 | 2 | 2 | 4 | 14 | 2 | 0 | 0 | 0 | 2 |
| 1928-29 | Newark (Bulldogs) | Can-Am | | | | | | | | | | |
| | | NHA | 115 | 84 | 33 | 117 | 162 | 2 | 0 | 0 | 0 | 17 |
| | | LNH | 262 | 85 | 58 | 143 | 547 | 39 | 7 | 7 | 14 | 36 |
| | | **Montréal** | **98** | **42** | **31** | **73** | **248** | **13** | **3** | **4** | **7** | **13** |

• Coupe Stanley (LNH) en 1919-20, 1920-21, 1923-24 • Temple de la Renommée (LNH) en 1958
• Signe avec Renfrew (NHA) en décembre 1910 • Signe avec Montréal (Wanderers – NHA) en novembre 1911 • Signe avec Ottawa le 8 décembre 1918 • Réclamé par Ottawa avec Billy Bell, Jacks Marks et Jacks McDonald lors du repêchage de dispersion de Montréal (Wanderers) le 4 janvier 1918 • Droits transférés à Hamilton par la LNH avec Harry Broadbent le 30 décembre 1920 • Échangé à Toronto par Hamilton pour des considérations futures le 25 janvier 1921 • Droits vendus à Toronto par Ottawa le 21 février 1921 • Signe avec Ottawa le 15 mars 1921 • Droits transférés à Hamilton par la LNH le 6 avril 1921. • Échangé à Montréal par Hamilton pour Amos Arbour et Harry Mummery le 26 novembre 1921 • Droits vendus à Boston par Montréal le 8 novembre 1925

## CLUNE, WALTER (WALLY)

Né à Toronto, Ontario, le 20 février 1930, décédé le 3 février 1998
Défenseur, lance de la droite, 5'9", 150 lb

| SAISON | CLUB | LIGUE | PJ | B | A | PTS | PUN | PJ | B | A | PTS | PUN |
|---|---|---|---|---|---|---|---|---|---|---|---|---|
| 1947-48 | St. Michael's (Majors) | OHA Jr | 32 | 3 | 5 | 8 | 37 | - | - | - | - | - |
| 1948-49 | St. Michael's (Majors) | OHA Jr | 31 | 2 | 3 | 5 | 68 | - | - | - | - | - |

CHO·CLU

| SAISON | CLUB | LIGUE | PJ | B | A | PTS | PUN | PJ | B | A | PTS | PUN |
|---|---|---|---|---|---|---|---|---|---|---|---|---|
| 1949-50 | Guelph (Biltmores) | OHA Jr | 44 | 7 | 10 | 17 | 68 | 15 | 0 | 2 | 2 | 27 |
| | Guelph (Biltmores) | Mem. | 11 | 2 | 4 | 6 | 12 | - | - | - | - | - |
| 1950-51 | Montréal (Royals) | LHMQ | 8 | 0 | 0 | 0 | 6 | - | - | - | - | - |
| | Boston (Olympics) | EAHL | 50 | 10 | 19 | 29 | 112 | 6 | 0 | 1 | 1 | 16 |
| 1951-52 | Montréal (Royals) | LHMQ | 57 | 3 | 11 | 14 | 84 | 7 | 0 | 2 | 2 | 8 |
| 1952-53 | Montréal (Royals) | LHMQ | 43 | 1 | 13 | 14 | 67 | 16 | 0 | 3 | 3 | 21 |
| 1953-54 | Victoria (Cougars) | WHL | 64 | 8 | 6 | 14 | 69 | 5 | 1 | 0 | 1 | 2 |
| 1954-55 | Victoria (Cougars) | WHL | 69 | 7 | 17 | 24 | 85 | 5 | 0 | 2 | 2 | 8 |
| 1955-56 | Montréal (Royals) | LHQ | 53 | 2 | 9 | 11 | 110 | 13 | 0 | 3 | 3 | *39 |
| | Montréal (Canadiens) | LNH | 5 | 0 | 0 | 0 | 6 | - | - | - | - | - |
| | Montréal (Royals) | Édin. | 6 | 0 | 0 | 0 | 15 | - | - | - | - | - |
| 1956-57 | Montréal (Royals) | LHQ | 54 | 1 | 6 | 7 | 105 | 3 | 0 | 0 | 0 | 0 |
| 1957-58 | Montréal (Royals) | LHQ | 56 | 1 | 15 | 16 | 87 | 7 | 1 | 0 | 1 | *30 |
| 1958-59 | Montréal (Royals) | LHQ | 57 | 7 | 25 | 32 | 84 | 8 | 0 | 1 | 1 | 13 |
| 1959-60 | Montréal (Royals) | EPHL | 62 | 2 | 20 | 22 | 63 | 14 | 0 | 5 | 5 | 13 |
| 1960-61 | Montréal (Royals) | EPHL | 65 | 2 | 7 | 9 | 22 | - | - | - | - | - |
| | | LNH | 5 | 0 | 0 | 0 | 6 | - | - | - | - | - |
| | Montréal | | 5 | 0 | 0 | 0 | 6 | - | - | - | - | - |

• Première équipe d'étoiles (EAHL) en 1950-51
• Réclamé par Montréal de Montréal (Royals-LHMQ) au repêchage inter-ligne le 10 juin 1953

## COLLINGS, NORMAN (NORM)
### Né à Bradford, Ontario, le 6 mai 1910. Ailier gauche, lance de la gauche, 6'2", 175 lb

| SAISON | CLUB | LIGUE | PJ | B | A | PTS | PUN | PJ | B | A | PTS | PUN |
|---|---|---|---|---|---|---|---|---|---|---|---|---|
| 1927-28 | Newmarket (Redmen) | OHA Jr | *Statistiques non disponibles* | | | | | | | | | |
| 1928-29 | West Toronto (Redmen) | OHA Jr | 2 | 1 | 0 | 1 | - | 3 | 2 | 0 | 2 | - |
| 1929-30 | West Toronto (Nationals) | OHA Jr | 3 | 4 | 1 | 5 | 0 | 2 | 0 | 1 | 1 | 0 |
| | West Toronto (Nationals) | Mem. | 12 | 8 | 7 | 15 | 6 | - | - | - | - | - |
| 1930-31 | Minneapolis (Millers) | AHA | 25 | 3 | 1 | 4 | 2 | - | - | - | - | - |
| 1931-32 | New Haven (Eagles) | Can-Am | 37 | 6 | 5 | 11 | 6 | 2 | 1 | 0 | 1 | 0 |
| 1932-33 | New Haven (Eagles) | Can-Am | 27 | 7 | 8 | 15 | 6 | - | - | - | - | - |
| | Philadelphie (Arrows) | Can-Am | 15 | 4 | 7 | 11 | 2 | 5 | 0 | 0 | 0 | 0 |
| 1933-34 | Philadelphie (Arrows) | Can-Am | 35 | 5 | 12 | 17 | 26 | 2 | 0 | 1 | 1 | 0 |
| 1934-35 | Philadelphie (Arrows) | Can-Am | 44 | 7 | 15 | 22 | 29 | - | - | - | - | - |
| | Montréal (Canadiens) | LNH | 1 | 0 | 1 | 1 | 0 | - | - | - | - | - |
| 1935-36 | New Haven (Eagles) | Can-Am | 34 | 3 | 9 | 12 | 15 | - | - | - | - | - |
| 1936-37 | | | *N'a pas joué* | | | | | | | | | |
| 1937-38 | Tulsa (Oilers) | AHA | 36 | 7 | 9 | 16 | 21 | 4 | 0 | 1 | 1 | 2 |
| | | LNH | 1 | 0 | 1 | 1 | 0 | - | - | - | - | - |
| | Montréal | | 1 | 0 | 1 | 1 | 0 | - | - | - | - | - |

• Droits vendus à Montréal par Philadelphie le 1er janvier 1935.

## COLLINS, WILLIAM BILL
### Né à Ottawa, Ontario, le 13 juillet 1943. Ailier droit, lance de la droite, 6'1", 180 lb

| SAISON | CLUB | LIGUE | PJ | B | A | PTS | PUN | PJ | B | A | PTS | PUN |
|---|---|---|---|---|---|---|---|---|---|---|---|---|
| 1960-61 | Toronto (Marlboros) | OHA Jr | 37 | 4 | 9 | 13 | 46 | - | - | - | - | - |
| 1961-62 | Whitby (Mohawks) | OHA B | 27 | 16 | 24 | 40 | 78 | 2 | 1 | 2 | 3 | 18 |
| 1962-63 | Whitby (Mohawks) | OHA B | 22 | 22 | 22 | 44 | 32 | 4 | 7 | 4 | 11 | 18 |
| | Sudbury (Wolves) | EPHL | - | - | - | - | - | 6 | 1 | 1 | 2 | 2 |
| 1963-64 | Denver (Invaders) | WHL | 58 | 17 | 15 | 32 | 54 | - | - | - | - | - |
| | Baltimore (Clippers) | AHL | 11 | 0 | 1 | 1 | 0 | - | - | - | - | - |
| 1964-65 | Baltimore (Clippers) | AHL | 6 | 0 | 1 | 1 | 0 | - | - | - | - | - |
| | St. Paul (Rangers) | CPHL | 58 | 12 | 29 | 41 | 47 | 11 | 5 | 2 | 7 | 24 |
| 1965-66 | Minnesota (Rangers) | CPHL | 56 | 18 | 29 | 47 | 55 | 7 | 0 | 5 | 5 | 4 |
| 1966-67 | Baltimore (Clippers) | AHL | 69 | 20 | 18 | 38 | 50 | 6 | 1 | 1 | 2 | 12 |
| 1967-68 | Minnesota (North Stars) | LNH | 71 | 9 | 11 | 20 | 41 | 10 | 2 | 4 | 6 | 4 |
| 1968-69 | Minnesota (North Stars) | LNH | 75 | 9 | 10 | 19 | 24 | - | - | - | - | - |
| 1969-70 | Minnesota (North Stars) | LNH | 74 | 29 | 9 | 38 | 48 | 6 | 0 | 1 | 1 | 8 |
| 1970-71 | Montréal (Canadiens) | LNH | 40 | 6 | 2 | 8 | 39 | - | - | - | - | - |
| | Detroit (Red Wings) | LNH | 36 | 5 | 16 | 21 | 10 | - | - | - | - | - |
| 1971-72 | Detroit (Red Wings) | LNH | 71 | 15 | 25 | 40 | 38 | - | - | - | - | - |
| 1972-73 | Detroit (Red Wings) | LNH | 78 | 21 | 21 | 42 | 44 | - | - | - | - | - |
| 1973-74 | Detroit (Red Wings) | LNH | 54 | 13 | 15 | 28 | 37 | - | - | - | - | - |
| | St. Louis (Blues) | LNH | 12 | 2 | 4 | 6 | 14 | - | - | - | - | - |
| 1974-75 | St. Louis (Blues) | LNH | 70 | 22 | 15 | 37 | 34 | 2 | 1 | 0 | 1 | 0 |
| 1975-76 | New York (Rangers) | LNH | 50 | 4 | 8 | 12 | 38 | - | - | - | - | - |
| 1976-77 | Philadelphie (Flyers) | LNH | 9 | 1 | 1 | 2 | 4 | - | - | - | - | - |
| | Washington (Capitals) | LNH | 54 | 11 | 14 | 25 | 26 | - | - | - | - | - |
| 1977-78 | Washington (Capitals) | LNH | 74 | 10 | 9 | 19 | 18 | - | - | - | - | - |
| | | LNH | 768 | 157 | 154 | 311 | 415 | 18 | 3 | 5 | 8 | 12 |
| | Montréal | | 40 | 6 | 2 | 8 | 39 | | | | | |

• Échangé à New York (Rangers) par Toronto avec Bob Nevin, Arnie Brown, Dick Duff et Rod Seiling pour Andy Bathgate et Don McKenney le 22 février 1964 • Réclamé par Minnesota de New York (Rangers) à l'expansion de la LNH le 6 juin 1967 • Échangé à Montréal par Minnesota pour Jude Drouin le 10 juin 1970 • Échangé à Detroit par Montréal avec Guy Charron et Mickey Redmond pour Frank Mahovlich le 13 janvier 1971 • Échangé à St. Louis par Detroit avec Ted Harris et Garnet Bailey pour Chris Evans, Bryan Watson et Jean Hamel le 14 février 1974 • Échangé à New York (Rangers) par St. Louis pour John Davidson pour Ted Irvine, Bert Wilson et Jerry Butler le 18 juin 1975 • Signe avec Philadelphie comme agent libre le 20 octobre 1976 • Droits vendus à Washington par Philadelphie le 4 décembre 1976

## COMEAU, REYNALD (REY)
### Né à Montréal, Québec, le 25 octobre 1948. Centre, lance de la gauche, 5'8", 190 lb

| SAISON | CLUB | LIGUE | PJ | B | A | PTS | PUN | PJ | B | A | PTS | PUN |
|---|---|---|---|---|---|---|---|---|---|---|---|---|
| 1965-66 | West Island (Flyers) | MMJHL | 37 | *40 | 32 | 72 | 37 | - | - | - | - | - |
| 1966-67 | Verdun (Maple Leafs) | LHJQ | *Statistiques non disponibles* | | | | | | | | | |
| | Verdun (Maple Leafs) | Mem. | 4 | 3 | 1 | 4 | 2 | - | - | - | - | - |
| 1967-68 | Verdun (Maple Leafs) | LHJQ | 36 | 29 | 50 | 79 | - | - | - | - | - | - |
| | Verdun (Maple Leafs) | Mem. | 18 | 8 | 14 | 22 | 8 | - | - | - | - | - |
| 1968-69 | Houston (Apollos) | CHL | 1 | 0 | 0 | 0 | 0 | - | - | - | - | - |
| | Cleveland (Barons) | AHL | 71 | 17 | 23 | 40 | 26 | 4 | 1 | 0 | 1 | 0 |

---

| SAISON | CLUB | LIGUE | PJ | B | A | PTS | PUN | PJ | B | A | PTS | PUN |
|---|---|---|---|---|---|---|---|---|---|---|---|---|
| 1969-70 | Cleveland (Barons) | AHL | 71 | 27 | 38 | 65 | 26 | - | - | - | - | - |
| 1970-71 | Cleveland (Barons) | AHL | 41 | 17 | 25 | 42 | 30 | - | - | - | - | - |
| | Montréal (Voyageurs) | AHL | 29 | 9 | 14 | 23 | 34 | 3 | 1 | 2 | 3 | 4 |
| 1971-72 | Montréal (Canadiens) | LNH | 4 | 0 | 0 | 0 | 0 | - | - | - | - | - |
| | Nlle-Écosse (Voyageurs) | AHL | 68 | 23 | 41 | 64 | 63 | 15 | 6 | 14 | 20 | 10 |
| 1972-73 | Atlanta (Flames) | LNH | 77 | 21 | 21 | 42 | 19 | - | - | - | - | - |
| 1973-74 | Atlanta (Flames) | LNH | 78 | 11 | 23 | 34 | 16 | 4 | 2 | 1 | 3 | 6 |
| 1974-75 | Atlanta (Flames) | LNH | 75 | 14 | 20 | 34 | 40 | - | - | - | - | - |
| 1975-76 | Atlanta (Flames) | LNH | 79 | 17 | 22 | 39 | 42 | 2 | 0 | 0 | 0 | 2 |
| 1976-77 | Atlanta (Flames) | LNH | 80 | 15 | 18 | 33 | 16 | 3 | 0 | 0 | 0 | 2 |
| 1977-78 | Atlanta (Flames) | LNH | 79 | 22 | 32 | 54 | 20 | 2 | 0 | 0 | 0 | 2 |
| 1978-79 | Colorado (Rockies) | LNH | 70 | 8 | 10 | 18 | 6 | - | - | - | - | - |
| 1979-80 | Colorado (Rockies) | LNH | 22 | 2 | 5 | 7 | 16 | - | - | - | - | - |
| | Forth Worth (Texans) | CHL | 57 | 14 | 35 | 49 | 16 | - | - | - | - | - |
| 1980-81 | Forth Worth (Texans) | CHL | 77 | 19 | 16 | 35 | 40 | 5 | 2 | 3 | 5 | 4 |
| | | LNH | 564 | 98 | 141 | 239 | 175 | 9 | 2 | 1 | 3 | 8 |
| | Montréal | | 4 | 0 | 0 | 0 | 0 | | | | | |

• Coupe Calder (AHL) en 1971-72
• Droits vendus à Cleveland (AHL) par Montréal en juillet 1969 • Droits transférés au Minnesota en juillet 1970 • Échangé à Montréal par Minnesota pour Gord Labossière le 26 janvier 1971 • Réclamé par Vancouver de Montréal au repêchage intra-ligue le 8 juin 1971 • Droits vendus à Montréal par Vancouver le 14 septembre 1971 • Droits vendus à Atlanta par Montréal le 16 juin 1972 • Signe avec Colorado comme agent libre le 23 juin 1978

## CONNELLY, WAYNE
### Né à Rouyn, Québec, le 16 décembre 1939. Ailier droit/centre, lance de la droite, 5'10", 170 lb

| SAISON | CLUB | LIGUE | PJ | B | A | PTS | PUN | PJ | B | A | PTS | PUN |
|---|---|---|---|---|---|---|---|---|---|---|---|---|
| 1955-56 | New Hamburg (Raiders) | OHA B | *Statistiques non disponibles* | | | | | | | | | |
| | Kitchener (Canucks) | OHA Jr | 9 | 0 | 1 | 1 | 2 | 8 | 0 | 0 | 0 | 0 |
| 1956-57 | Peterborough (Petes) | OHA Jr | 52 | 19 | 7 | 26 | 83 | - | - | - | - | - |
| 1957-58 | Peterborough (Petes) | OHA Jr | 52 | 18 | 19 | 37 | 32 | 5 | 0 | 1 | 1 | 4 |
| 1958-59 | Peterborough (Petes) | OHA Jr | 54 | 36 | 54 | 90 | 46 | 19 | 6 | *13 | *19 | 38 |
| | Peterborough (Petes) | Mem. | 12 | 10 | 5 | 15 | 9 | - | - | - | - | - |
| 1959-60 | Peterborough (Petes) | OHA Jr | 47 | *48 | 34 | 82 | 47 | 12 | 10 | 9 | 19 | 4 |
| | Montréal (Royals) | EPHL | - | - | - | - | - | 8 | 6 | 4 | 10 | 4 |
| 1960-61 | Montréal (Royals) | EPHL | 64 | 28 | 21 | 49 | 36 | - | - | - | - | - |
| | Montréal (Canadiens) | LNH | 3 | 0 | 0 | 0 | 0 | - | - | - | - | - |
| 1961-62 | Hull-Ottawa (Canadien) | EPHL | 7 | 2 | 3 | 5 | 4 | - | - | - | - | - |
| | Boston (Bruins) | LNH | 61 | 8 | 12 | 20 | 34 | - | - | - | - | - |
| 1962-63 | Kingston (Frontenacs) | EPHL | 34 | 10 | 24 | 34 | 19 | 5 | 1 | 4 | 5 | 2 |
| | Boston (Bruins) | LNH | 18 | 2 | 3 | 5 | 8 | - | - | - | - | - |
| 1963-64 | Boston (Bruins) | LNH | 26 | 2 | 3 | 5 | 12 | - | - | - | - | - |
| | San Francisco (Seals) | WHL | 33 | 12 | 18 | 30 | 10 | 11 | 2 | 3 | 5 | 8 |
| 1964-65 | San Francisco (Seals) | WHL | 70 | 36 | 36 | 72 | 51 | - | - | - | - | - |
| 1965-66 | San Francisco (Seals) | WHL | 72 | 45 | 41 | 86 | 14 | 7 | 4 | 4 | 8 | 2 |
| 1966-67 | Boston (Bruins) | LNH | 64 | 13 | 17 | 30 | 12 | - | - | - | - | - |
| 1967-68 | Minnesota (North Stars) | LNH | 74 | 35 | 21 | 56 | 40 | 14 | *8 | 3 | 11 | 2 |
| 1968-69 | Minnesota (North Stars) | LNH | 55 | 14 | 16 | 30 | 11 | - | - | - | - | - |
| | Detroit (Red Wings) | LNH | 19 | 4 | 9 | 13 | 0 | - | - | - | - | - |
| 1969-70 | Detroit (Red Wings) | LNH | 76 | 23 | 36 | 59 | 10 | 4 | 1 | 3 | 4 | 2 |
| 1970-71 | Detroit (Red Wings) | LNH | 51 | 13 | 21 | 34 | 12 | - | - | - | - | - |
| | St. Louis (Blues) | LNH | 28 | 5 | 16 | 21 | 9 | 6 | 2 | 5 | 7 | 2 |
| 1971-72 | St. Louis (Blues) | LNH | 15 | 5 | 5 | 10 | 12 | - | - | - | - | - |
| | Vancouver (Canucks) | LNH | 53 | 14 | 20 | 34 | 12 | - | - | - | - | - |
| 1972-73 | Minnesota (Fighting Saints) | AMH | 78 | 40 | 30 | 70 | 16 | 5 | 1 | 3 | 4 | 0 |
| 1973-74 | Minnesota (Fighting Saints) | AMH | 78 | 42 | 53 | 95 | 16 | 11 | 6 | 7 | 13 | 4 |
| 1974-75 | Minnesota (Fighting Saints) | AMH | 76 | 38 | 33 | 71 | 16 | 12 | 4 | 8 | 12 | 10 |
| 1975-76 | Minnesota (Fighting Saints) | AMH | 59 | 24 | 23 | 47 | 19 | - | - | - | - | - |
| | Cleveland (Crusaders) | AMH | 12 | 5 | 2 | 7 | 4 | 3 | 1 | 0 | 1 | 2 |
| 1976-77 | Calgary (Cowboys) | AMH | 25 | 5 | 6 | 11 | 9 | - | - | - | - | - |
| | Edmonton (Oilers) | AMH | 38 | 13 | 15 | 28 | 18 | 5 | 0 | 1 | 1 | 0 |
| | | LNH | 543 | 133 | 174 | 307 | 156 | 24 | 11 | 7 | 18 | 4 |
| | Montréal | | 3 | 0 | 0 | 0 | 0 | | | | | |

• Première équipe d'étoiles (OHA Jr) en 1958-59 • Deuxième équipe d'étoiles (WHL) en 1964-65, 1965-66
• Échangé à Boston par Montréal pour le prêt de Bob Armstrong, Dallas Smith et d'une somme d'argent le 26 octobre 1961 • Droits vendus à San Francisco (WHL) par Boston le 6 juin 1964 • Droits vendus à Boston par San Francisco le 14 juin 1966 • Réclamé par Minnesota de Boston à l'expansion de la LNH le 6 juin 1967 • Échangé à Detroit par Minnesota pour Danny Lawson et Brian Conacher le 15 février 1969 • Échangé à St. Louis par Detroit avec Garry Unger pour Red Berenson et Tim Ecclestone le 6 février 1971 • Échangé à New York (Rangers) par St. Louis avec Gene Carr et Jim Lorentz pour André Dupont, Jack Egers et Mike Murphy le 15 novembre 1971 • Échangé à Vancouver par New York (Rangers) avec Dave Balon et Ron Stewart pour Gary Doak et Jim Wiste le 16 novembre 1971 • Sélectionné par Minnesota (AMH) lors de l'expansion de l'AMH le 12 février 1971 • Réclamé par Cleveland (AMH) de Minnesota (AMH) le 10 mars 1976 • Échangé à Nlle-Angleterre (AMH) par Cleveland (AMH) pour Fred O'Donnell et Bob McNamara en juin 1976 • Droits vendus à Calgary (AMH) par Nlle-Angleterre (AMH) en octobre 1976 • Droits vendus à Edmonton (AMH) par Calgary (AMH) avec Claude St-Sauveur en janvier 1977

## CONNOR, CAM
### Né à Winnipeg, Manitoba le 10 août 1954. Ailier droit, lance de la gauche, 6'2", 200 lb (1er choix de Montréal, 5e au total lors du repêchage de 1974)

| SAISON | CLUB | LIGUE | PJ | B | A | PTS | PUN | PJ | B | A | PTS | PUN |
|---|---|---|---|---|---|---|---|---|---|---|---|---|
| 1971-72 | St. Boniface (Saints) | MJHL | 32 | 4 | 10 | 14 | 97 | - | - | - | - | - |
| | Winnipeg (Jets) | WCJHL | 5 | 0 | 4 | 4 | 6 | - | - | - | - | - |
| 1972-73 | St. Boniface (Saints) | MJHL | 29 | 11 | 8 | 19 | 161 | - | - | - | - | - |
| | Winnipeg (Jets) | WCJHL | 14 | 3 | 1 | 4 | 35 | - | - | - | - | - |
| 1973-74 | Flin Flon (Bombers) | WCJHL | 65 | 47 | 44 | 91 | 376 | 7 | 4 | 9 | 13 | 28 |
| 1974-75 | Phoenix (Roadrunners) | AMH | 57 | 9 | 19 | 28 | 168 | 5 | 0 | 0 | 0 | 2 |

SAISONS RÉGULIÈRES    SÉRIES ÉLIMINATOIRES

| SAISON | CLUB | LIGUE | PJ | B | A | PTS | PUN | PJ | B | A | PTS | PUN |
|---|---|---|---|---|---|---|---|---|---|---|---|---|
| 1975-76 | Phoenix (Roadrunners) | AMH | 73 | 18 | 21 | 39 | 295 | 5 | 1 | 0 | 1 | 21 |
| 1976-77 | Houston (Aeros) | AMH | 76 | 35 | 32 | 67 | 224 | 11 | 3 | 4 | 7 | 47 |
| 1977-78 | Houston (Aeros) | AMH | 68 | 21 | 16 | 37 | 217 | 2 | 1 | 0 | 1 | 22 |
| 1978-79 | **Montréal (Canadiens)** | **LNH** | 23 | 1 | 3 | 4 | 39 | 8 | 1 | 0 | 1 | 0 |
| 1979-80 | Houston (Apollos) | CHL | 5 | 1 | 1 | 2 | 20 | - | - | - | - | - |
| | Edmonton (Oilers) | LNH | 38 | 7 | 13 | 20 | 136 | - | - | - | - | - |
| | New York (Rangers) | LNH | 12 | 0 | 3 | 3 | 37 | 2 | 0 | 0 | 0 | 2 |
| 1980-81 | New York (Rangers) | LNH | 15 | 1 | 3 | 4 | 44 | - | - | - | - | - |
| | New Haven (Nighthawks) | AHL | 61 | 33 | 28 | 61 | 243 | 4 | 0 | 2 | 2 | 4 |
| 1981-82 | Springfield (Indians) | AHL | 78 | 17 | 34 | 51 | 195 | - | - | - | - | - |
| | New York (Rangers) | LNH | - | - | - | - | - | 10 | 4 | 0 | 4 | 4 |
| 1982-83 | New York (Rangers) | LNH | 1 | 0 | 0 | 0 | 0 | - | - | - | - | - |
| | Tulsa (Oilers) | CHL | 3 | 2 | 2 | 4 | 0 | - | - | - | - | - |
| 1983-84 | Tulsa (Oilers) | CHL | 64 | 18 | 32 | 50 | 218 | 6 | 1 | 1 | 2 | 34 |
| | **LNH** | | 89 | 9 | 22 | 31 | 256 | 20 | 5 | 0 | 5 | 6 |
| | **Montréal** | | 23 | 1 | 3 | 4 | 39 | 8 | 1 | 0 | 1 | 0 |

• Recrue de l'année (WHL) en 1973-74 • Coupe Stanley (LNH) en 1978-79
• Sélectionné par Phoenix lors du repêchage de l'AMH le 31 mai 1974 • Échangé à Houston (AMH) par Phoenix (AMH) pour Bob Liddington en octobre 1976 • Réclamé par Edmonton de Montréal lors de l'expansion de la LNH le 13 juin 1979 • Échangé à New York (Rangers) par Edmonton avec le choix de 3e ronde d'Edmonton au repêchage de 1981 (Peter Sundstrom) pour Don Murdoch le 11 mars 1980

## CONROY, CRAIG

**Né à Postdan, New York, le 4 septembre 1971. Centre, lance de la droite, 6'2", 198 lb (7e choix de Montréal, 123e au total lors du repêchage de 1990)**

| SAISON | CLUB | LIGUE | PJ | B | A | PTS | PUN | PJ | B | A | PTS | PUN |
|---|---|---|---|---|---|---|---|---|---|---|---|---|
| 1989-90 | Northwood (Huskies) | H.S. | 31 | 33 | 43 | 76 | - | - | - | - | - | - |
| 1990-91 | Clarkson University | ECAC | 40 | 4 | 29 | 24 | - | | | | | |
| 1991-92 | Clarkson University | ECAC | 31 | 19 | 17 | 36 | 36 | | | | | |
| 1992-93 | Clarkson University | ECAC | 35 | 10 | 23 | 33 | 26 | | | | | |
| 1993-94 | Clarkson University | ECAC | 34 | 26 | *40 | *66 | 46 | | | | | |
| 1994-95 | Fredericton (Canadien) | AHL | 55 | 26 | 18 | 44 | 29 | 11 | 7 | 3 | 10 | 6 |
| | **Montréal (Canadiens)** | **LNH** | 6 | 1 | 0 | 1 | 0 | | | | | |
| 1995-96 | Fredericton (Canadien) | AHL | 67 | 31 | 38 | 69 | 65 | 10 | 5 | 7 | 12 | 6 |
| | **Montréal (Canadiens)** | **LNH** | 7 | 0 | 0 | 0 | 2 | | | | | |
| 1996-97 | Fredericton (Canadien) | AHL | 6 | 0 | 16 | 16 | 10 | | | | | |
| | St. Louis (Blues) | LNH | 61 | 6 | 11 | 17 | 43 | 6 | 0 | 0 | 0 | 8 |
| | Worcester (IceCats) | AHL | 5 | 5 | 6 | 11 | 2 | | | | | |
| 1997-98 | St. Louis (Blues) | LNH | 81 | 14 | 29 | 43 | 46 | 10 | 1 | 2 | 3 | 8 |
| 1998-99 | St. Louis (Blues) | LNH | 69 | 14 | 25 | 39 | 38 | 13 | 2 | 1 | 3 | 6 |
| 1999-00 | St. Louis (Blues) | LNH | 79 | 12 | 15 | 27 | 36 | 7 | 0 | 2 | 2 | 2 |
| 2000-01 | St. Louis (Blues) | LNH | 69 | 11 | 14 | 25 | 46 | | | | | |
| | Calgary (Flames) | LNH | 14 | 3 | 4 | 7 | 14 | | | | | |
| 2001-02 | Calgary (Flames) | LNH | 81 | 27 | 48 | 75 | 32 | | | | | |
| 2002-03 | Calgary (Flames) | LNH | 79 | 22 | 37 | 59 | 36 | | | | | |
| | **LNH** | | 546 | 110 | 183 | 293 | 293 | 36 | 3 | 5 | 8 | 24 |
| | **Montréal** | | 13 | 1 | 0 | 1 | 2 | | | | | |

• Première équipe d'étoiles (ECAC) en 1993-94 • Sélectionné sur l'équipe d'étoiles du tournoi de championnat de la NCAA en 1993-94 • Première équipe étoiles (Est) All-American (NCAA) en 1993-94
• Échangé à St. Louis par Montréal avec Pierre Turgeon et Rory Fitzpatrick pour Murray Baron, Shayne Corson et le choix de 5e ronde de St. Louis au repêchage de 1997 (Gennady Razin) le 29 octobre 1996 • Échangé à Calgary par St. Louis avec le choix de 7e ronde de St. Louis au repêchage de 2001 (David Moss) pour Cory Stillman le 13 mars 2001

## COOPER, CARSON

**Né à Cornwall, Ontario, le 17 juillet 1899, décédé le 7 avril 1955
Ailier droit, lance de la droite, 5'7", 160 lb**

| SAISON | CLUB | LIGUE | PJ | B | A | PTS | PUN | PJ | B | A | PTS | PUN |
|---|---|---|---|---|---|---|---|---|---|---|---|---|
| 1918-19 | Hamilton (Tigers) | OHA Sr | 7 | 1 | 1 | 2 | - | | | | | |
| 1919-20 | Hamilton (Tigers) | OHA Sr | 6 | *18 | 2 | 20 | - | 2 | 2 | 0 | 2 | 0 |
| 1920-21 | Hamilton (Tigers) | OHA Sr | 10 | *14 | 2 | 16 | - | | | | | |
| 1921-22 | Hamilton (Tigers) | OHA Sr | 10 | *22 | 1 | *23 | - | | | | | |
| 1922-23 | Hamilton (Tigers) | OHA Sr | 12 | 20 | 7 | 27 | - | 2 | 1 | 1 | 2 | 2 |
| 1923-24 | Hamilton (Tigers) | OHA Sr | 10 | *33 | 7 | *40 | - | 2 | *5 | 1 | *6 | |
| 1924-25 | Boston (Bruins) | LNH | 12 | 5 | 3 | 8 | 4 | | | | | |
| 1925-26 | Boston (Bruins) | LNH | 36 | 28 | 3 | 31 | 10 | | | | | |
| 1926-27 | Boston (Bruins) | LNH | 10 | 0 | 0 | 0 | 14 | | | | | |
| | **Montréal (Canadiens)** | **LNH** | 6 | 2 | 0 | 2 | 2 | 3 | 0 | 0 | 0 | 0 |
| 1927-28 | Detroit (Cougars) | LNH | 43 | 15 | 2 | 17 | 32 | | | | | |
| 1928-29 | Detroit (Cougars) | LNH | 43 | 18 | 9 | 27 | 14 | 2 | 0 | 0 | 0 | 0 |
| 1929-30 | Detroit (Cougars) | LNH | 44 | 18 | 18 | 36 | 14 | | | | | |
| 1930-31 | Detroit (Falcons) | LNH | 44 | 14 | 14 | 28 | 10 | | | | | |
| 1931-32 | Detroit (Falcons) | LNH | 48 | 3 | 8 | 11 | 20 | 2 | 0 | 0 | 0 | 0 |
| 1932-33 | Detroit (Olympics) | IHL | 2 | 0 | 0 | 0 | 0 | | | | | |
| 1933-34 | Detroit (Olympics) | IHL | 37 | 11 | 6 | 17 | 16 | 6 | 1 | 1 | 2 | 2 |
| 1934-35 | Windsor (Bulldogs) | IHL | 14 | 4 | 5 | 9 | 4 | | | | | |
| | Detroit (Olympics) | IHL | 14 | 2 | 4 | 6 | 0 | 3 | 0 | 0 | 0 | 2 |
| | **LNH** | | 294 | 110 | 57 | 167 | 111 | 7 | 0 | 0 | 0 | 0 |
| | **Montréal** | | 6 | 2 | 0 | 2 | 2 | 3 | 0 | 0 | 0 | 0 |

• Première équipe d'Étoiles (OHA Sr) en 1920-21, 1921-22, 1922-23
• Signe avec Boston le 2 novembre 1924 • Prêté à Montréal par Boston pour Billy Boucher le 17 janvier 1927 • Droits vendus à Detroit par Boston le 22 mai 1927.

## CORBEAU, ALBERT (BERT)

**Né à Penetanguishene, Ontario, le 9 février 1894, décédé le 21 septembre 1942
Défenseur, lance de la droite, 5'11", 155 lb**

| SAISON | CLUB | LIGUE | PJ | B | A | PTS | PUN | PJ | B | A | PTS | PUN |
|---|---|---|---|---|---|---|---|---|---|---|---|---|
| 1913-14 | Halifax (Crescents) | MPHL | 22 | 5 | 0 | 5 | 31 | - | | | | |
| 1914-15 | **Montréal (Canadiens)** | **NHA** | 18 | 1 | 1 | 2 | 35 | - | | | | |
| 1915-16 | **Montréal (Canadiens)** | **NHA** | 24 | 7 | 0 | 7 | *134 | 5 | 0 | 0 | 0 | 35 |
| 1916-17 | **Montréal (Canadiens)** | **NHA** | 19 | 9 | 5 | 14 | 103 | 6 | 4 | 1 | 5 | 22 |
| 1917-18 | **Montréal (Canadiens)** | **LNH** | 21 | 8 | 8 | 16 | 41 | 2 | 1 | 1 | 2 | 11 |
| 1918-19 | **Montréal (Canadiens)** | **LNH** | 16 | 2 | 3 | 5 | 51 | 10 | 1 | 2 | 3 | 20 |
| 1919-20 | **Montréal (Canadiens)** | **LNH** | 23 | 11 | 6 | 17 | 65 | - | | | | |
| 1920-21 | **Montréal (Canadiens)** | **LNH** | 24 | 12 | 2 | 14 | *86 | - | | | | |
| 1921-22 | **Montréal (Canadiens)** | **LNH** | 22 | 3 | 7 | 10 | 26 | - | | | | |
| 1922-23 | Hamilton (Tigers) | LNH | 21 | 10 | 4 | 14 | 22 | - | | | | |
| 1923-24 | Toronto (St. Patricks) | LNH | 24 | 8 | 6 | 14 | *55 | - | | | | |
| 1924-25 | Toronto (St. Patricks) | LNH | 30 | 4 | 6 | 10 | 74 | 2 | 0 | 0 | 0 | 10 |
| 1925-26 | Toronto (St. Patricks) | LNH | 36 | 5 | 5 | 10 | *121 | - | | | | |
| 1926-27 | Toronto (St. Patricks) | LNH | 41 | 1 | 2 | 3 | 88 | - | | | | |
| 1927-28 | Toronto (Falcons) | Can-Pro | 41 | 5 | 2 | 7 | *112 | 2 | 0 | 0 | 0 | 10 |
| 1928-29 | London (Panthers) | Can-Pro | 9 | 0 | 0 | 0 | 16 | - | | | | |
| | **NHA** | | 61 | 17 | 6 | 23 | 272 | 11 | 4 | 1 | 5 | 57 |
| | **LNH** | | 258 | 64 | 49 | 113 | 629 | 14 | 2 | 3 | 5 | 41 |
| | **Montréal** | | 167 | 53 | 32 | 85 | 541 | 23 | 6 | 4 | 10 | 88 |

• Coupe Stanley (NHA) en 1915-16 • Signe avec Montréal (NHA) le 23 décembre 1914 • Droits vendus à Hamilton par Montréal le 1er octobre 1922 • Échangé à Toronto par Hamilton avec George Carey et Amos Arbour pour Ken Randall, les droits sur Corb Denneny et une somme d'argent le 14 décembre 1923 • Signe avec Toronto (Can-Pro) le 20 octobre 1927

## CORMIER, ROGER

**Né à Montréal, Québec, le 23 mars 1905, décédé le 9 février 1971
Ailier droit, lance de la droite, 5'10", 167 lb**

| SAISON | CLUB | LIGUE | PJ | B | A | PTS | PUN | PJ | B | A | PTS | PUN |
|---|---|---|---|---|---|---|---|---|---|---|---|---|
| 1924-25 | Montréal (St-François-Xavier) | LHCM | *Statistiques non disponibles* | | | | | | | | | |
| 1925-26 | Montréal (St-François-Xavier) | LHCM | *Statistiques non disponibles* | | | | | | | | | |
| | **Montréal (Canadiens)** | **LNH** | 1 | 0 | 0 | 0 | 0 | - | | | | |
| | Montréal (National) | LHBM | 9 | 4 | 0 | 4 | 0 | | | | | |
| 1926-27 | Providence (Reds) | Can-Am | 32 | 6 | 2 | 8 | 47 | | | | | |
| 1927-28 | Providence (Reds) | Can-Am | | 7 | 2 | 9 | 36 | | | | | |
| 1928-29 | Providence (Reds) | Can-Am | 29 | 1 | 2 | 3 | 23 | | | | | |
| | Kitchener (Dutchmen) | Can-Pro | 11 | 4 | 0 | 4 | 14 | 3 | 0 | 0 | 0 | 0 |
| 1929-30 | Providence (Reds) | Can-Am | 39 | 4 | 13 | 17 | 54 | 3 | 1 | 1 | 2 | 4 |
| 1930-31 | Providence (Reds) | Can-Am | 39 | 11 | 14 | 25 | 51 | 2 | 1 | 1 | 2 | 0 |
| 1931-32 | Providence (Reds) | Can-Am | 39 | 6 | 8 | 14 | 50 | 5 | 0 | 0 | 0 | 0 |
| 1932-33 | Windsor (Bulldogs) | IHL | 44 | 8 | 12 | 20 | 79 | 2 | 2 | 4 | 6 | 12 |
| 1933-34 | Cleveland (Indians) | IHL | 44 | 10 | 9 | 19 | 46 | | | | | |
| 1934-35 | Cleveland (Falcons) | IHL | | 11 | 16 | 33 | 52 | 2 | 0 | 0 | 0 | 0 |
| | Pittsburgh (Shamrocks) | IHL | 3 | 0 | 0 | 0 | 0 | | | | | |
| 1935-36 | Cleveland (Falcons) | IHL | 8 | 1 | 1 | 2 | 6 | | | | | |
| | Rochester (Cardinals) | IHL | 30 | 7 | 3 | 10 | 17 | | | | | |
| 1936-37 | Réintégré comme amateur | | | | | | | | | | | |
| 1937-38 | Sherbrooke (Red Raiders) | LHPQ | 21 | 12 | 8 | 20 | 15 | 9 | 4 | 4 | 8 | 2 |
| 1938-39 | Sherbrooke (Red Raiders) | LHPQ | 37 | 12 | 16 | 28 | 41 | 4 | 2 | 1 | 3 | 4 |
| 1939-40 | Sherbrooke (Red Raiders) | LHPQ | 40 | 3 | 5 | 8 | 4 | 10 | 0 | 1 | 1 | 2 |
| | Sherbrooke (Red Raiders) | Allan | 2 | 0 | 1 | 1 | 2 | | | | | |
| | **LNH** | | 1 | 0 | 0 | 0 | 0 | | | | | |
| | **Montréal** | | 1 | 0 | 0 | 0 | 0 | | | | | |

• Signe avec Montréal le 15 janvier 1926 • Échangé à Windsor (IHL) par Providence (Can-Am) pour Roy Hinsperger en octobre 1932 • Signe avec Pittsburgh (IHL) le 6 décembre 1935 • Signe avec Rochester (IHL) le 16 décembre 1935

## CORRIVEAU, ANDRÉ

**Né à Grand-Mère, Québec, le 15 mai 1928, décédé le 1er octobre 1993
Ailier droit, lance de la droite, 5'8", 135 lb**

| SAISON | CLUB | LIGUE | PJ | B | A | PTS | PUN | PJ | B | A | PTS | PUN |
|---|---|---|---|---|---|---|---|---|---|---|---|---|
| 1944-45 | Montréal (National) | LHJQ | 10 | 2 | 4 | 6 | 4 | - | | | | |
| 1945-46 | Montréal (National) | LHJQ | 20 | 12 | *16 | 28 | 4 | | | | | |
| 1946-47 | Montréal (National) | LHJQ | 26 | 33 | *46 | *79 | 26 | 11 | 12 | 14 | 26 | 12 |
| 1947-48 | Valleyfield (Braves) | LHSQ | 43 | 22 | 31 | 53 | 20 | 6 | 1 | 3 | 4 | 2 |
| 1948-49 | Valleyfield (Braves) | LHSQ | 62 | 32 | 43 | 75 | 40 | 3 | 2 | 1 | 3 | 0 |
| 1949-50 | Valleyfield (Braves) | LHSQ | 60 | 33 | *54 | *87 | 25 | 5 | 3 | 1 | 4 | 0 |
| 1950-51 | Valleyfield (Braves) | LHMQ | 58 | 38 | *51 | *89 | 15 | 16 | 10 | 14 | 24 | 0 |
| | Valleyfield (Braves) | Alexa. | 12 | 6 | *13 | *19 | 4 | | | | | |
| 1951-52 | Valleyfield (Braves) | LHMQ | 60 | 27 | 36 | 63 | 8 | 6 | 1 | 6 | 7 | 2 |
| 1952-53 | Valleyfield (Braves) | LHMQ | 60 | 35 | *55 | *90 | 10 | | | | | |
| 1953-54 | Valleyfield (Braves) | LHQ | 69 | 37 | 51 | 88 | | 7 | 3 | 4 | 7 | 2 |
| | **Montréal (Canadiens)** | **LNH** | 3 | 0 | 1 | 1 | 0 | | | | | |
| 1954-55 | Valleyfield (Braves) | LHQ | 56 | 31 | 32 | 63 | 28 | | | | | |
| 1955-56 | Valleyfield (Royals) | LHQ | 62 | *37 | 40 | 77 | 2 | 11 | 1 | 7 | 8 | 2 |
| | Montréal (Royals) | Edin. | 6 | 2 | 4 | 6 | 0 | | | | | |
| 1956-57 | Montréal (Royals) | LHQ | 63 | 22 | 34 | 56 | 8 | 3 | 1 | 1 | 2 | 2 |
| | **LNH** | | 3 | 0 | 1 | 1 | 0 | | | | | |
| | **Montréal** | | 3 | 0 | 1 | 1 | 0 | | | | | |

• Deuxième équipe d'étoiles (LHJQ) en 1946-47 • Deuxième équipe d'étoiles (LHSQ) en 1949-50 • Deuxième équipe d'étoiles (LHMQ) en 1950-51, 1951-52, 1952-53 • Première équipe d'étoiles (LHQ) en 1955-56 • Deuxième équipe d'étoiles (LHQ) en 1953-54, 1954-55, 1956-57 • Trophée Vimy (LHQ) en 1955-56
• Prêté à Montréal par Valleyfield (LHQ) le 20 janvier 1954 • Droits vendus à Montréal par Valleyfield (LHQ) le 1er octobre 1955

## CORSON, SHAYNE

**Né à Barrie, Ontario, le 13 août 1966. Ailier gauche, lance de la gauche, 6'1", 200 lb (2e choix de Montréal, 8e au total lors du repêchage de 1984)**

| SAISON | CLUB | LIGUE | PJ | B | A | PTS | PUN | PJ | B | A | PTS | PUN |
|---|---|---|---|---|---|---|---|---|---|---|---|---|
| 1982-83 | Barrie (Flyers) | OMHA | *Statistiques non disponibles* | | | | | | | | | |
| | Barrie (Colts) | OJHL B | 23 | 13 | 29 | 42 | 87 | | | | | |
| 1983-84 | Brantford (Alexanders) | OHL | 66 | 25 | 46 | 71 | 165 | 6 | 4 | 1 | 5 | 26 |
| 1984-85 | Hamilton (Steelhawks) | OHL | 54 | 27 | 63 | 90 | 154 | 11 | 3 | 7 | 10 | 19 |
| | Canada | CMJ | 7 | 2 | 3 | 5 | 0 | | | | | |

| SAISON | CLUB | LIGUE | PJ | B | A | PTS | PUN | PJ | B | A | PTS | PUN |
|---|---|---|---|---|---|---|---|---|---|---|---|---|
| 1985-86 | Hamilton (Steelhawks) | OHL | 47 | 41 | 57 | 98 | 153 | - | - | - | - | - |
| | Canada | CMJ | 7 | 7 | 7 | *14 | 6 | - | - | - | - | - |
| | **Montréal (Canadiens)** | LNH | 3 | 0 | 0 | 0 | 2 | - | - | - | - | - |
| 1986-87 | **Montréal (Canadiens)** | LNH | 55 | 12 | 11 | 23 | 144 | 17 | 6 | 5 | 11 | 30 |
| 1987-88 | **Montréal (Canadiens)** | LNH | 71 | 12 | 27 | 39 | 152 | 3 | 1 | 0 | 1 | 12 |
| 1988-89 | **Montréal (Canadiens)** | LNH | 80 | 26 | 24 | 50 | 193 | 21 | 4 | 5 | 9 | 65 |
| 1989-90 | **Montréal (Canadiens)** | LNH | 76 | 31 | 44 | 75 | 144 | 11 | 2 | 8 | 10 | 20 |
| | Match des étoiles | LNH | 1 | 1 | 0 | 1 | 0 | - | - | - | - | - |
| 1990-91 | **Montréal (Canadiens)** | LNH | 71 | 23 | 24 | 47 | 138 | 13 | 9 | 6 | 15 | 36 |
| 1991-92 | **Montréal (Canadiens)** | LNH | 64 | 17 | 36 | 53 | 118 | 10 | 2 | 5 | 7 | 15 |
| | Canada | CC | 8 | 0 | 5 | 5 | 12 | - | - | - | - | - |
| 1992-93 | Edmonton (Oilers) | LNH | 80 | 16 | 31 | 47 | 209 | - | - | - | - | - |
| | Canada | CM | 8 | 3 | 7 | 10 | 6 | - | - | - | - | - |
| 1993-94 | Edmonton (Oilers) | LNH | 64 | 25 | 29 | 54 | 118 | - | - | - | - | - |
| | Match des étoiles | LNH | 1 | 0 | 0 | 0 | 0 | - | - | - | - | - |
| | Canada | CM | 7 | 3 | 0 | 3 | 4 | - | - | - | - | - |
| 1994-95 | Edmonton (Oilers) | LNH | 48 | 12 | 24 | 36 | 86 | - | - | - | - | - |
| 1995-96 | St. Louis (Blues) | LNH | 77 | 18 | 28 | 46 | 192 | 13 | 8 | 6 | 14 | 22 |
| 1996-97 | St. Louis (Blues) | LNH | 11 | 3 | 2 | 5 | 12 | - | - | - | - | - |
| | **Montréal (Canadiens)** | LNH | 47 | 6 | 15 | 21 | 80 | 5 | 1 | 0 | 1 | 4 |
| 1997-98 | **Montréal (Canadiens)** | LNH | 62 | 21 | 34 | 55 | 108 | 10 | 3 | 6 | 9 | 26 |
| | Match des étoiles | LNH | 1 | 0 | 0 | 0 | 0 | - | - | - | - | - |
| | Canada | JO | 6 | 1 | 1 | 2 | 2 | - | - | - | - | - |
| 1998-99 | **Montréal (Canadiens)** | LNH | 63 | 12 | 20 | 32 | 147 | - | - | - | - | - |
| 1999-00 | **Montréal (Canadiens)** | LNH | 70 | 8 | 20 | 28 | 115 | - | - | - | - | - |
| 2000-01 | Toronto (Maple Leafs) | LNH | 77 | 8 | 18 | 26 | 189 | 11 | 1 | 1 | 2 | 14 |
| 2001-02 | Toronto (Maple Leafs) | LNH | 74 | 12 | 21 | 33 | 120 | 19 | 1 | 6 | 7 | 33 |
| 2002-03 | Toronto (Maple Leafs) | LNH | 46 | 7 | 8 | 15 | 49 | 2 | 0 | 0 | 0 | 2 |
| | **LNH** | | **1139** | **268** | **415** | **683** | **2328** | **135** | **38** | **48** | **86** | **279** |
| | **Montréal** | | **662** | **168** | **255** | **423** | **1341** | **90** | **28** | **35** | **63** | **208** |

• Médaille d'or (CMJ) en 1985 • Médaille d'argent (CMJ) en 1986 • Équipe d'étoiles (CMJ) en 1986 • Match des étoiles (LNH) en 1989-90, 1993-94, 1997-98 • Coupe Canada en 1992 • Médaille d'or (CM) en 1994
• Échangé à Edmonton par Montréal avec Brent Gilchrist et Vladimir Vujtek pour Vincent Damphouse et le choix de 4e ronde d'Edmonton au repêchage de 1993 (Adam Wiesel) le 27 août 1992 • Signe avec St. Louis comme agent libre le 28 juillet 1995 • Échangé à Montréal par St. Louis avec Murray Baron et le choix de 5e ronde de St. Louis au repêchage de 1997 (Gennady Razin) pour Pierre Turgeon, Craig Conroy et Rory Fitzpatrick le 29 octobre 1996 • Signe avec Toronto comme agent libre le 4 juillet 2000

## CÔTÉ, ALAIN G.

Né à Montmagny, Québec, le 14 avril 1967. Défenseur, lance de la droite, 6', 207 lb (1er choix de Boston, 31e au total lors du repêchage de 1985)

| SAISON | CLUB | LIGUE | PJ | B | A | PTS | PUN | PJ | B | A | PTS | PUN |
|---|---|---|---|---|---|---|---|---|---|---|---|---|
| 1982-83 | Sainte-Foy (Gouverneurs) | QAAA | 46 | 6 | 23 | 29 | - | - | - | - | - | - |
| 1983-84 | Québec (Remparts) | LHJMQ | 60 | 3 | 17 | 20 | 40 | 5 | 1 | 3 | 4 | 8 |
| 1984-85 | Québec (Remparts) | LHJMQ | 68 | 9 | 25 | 34 | 173 | 4 | 0 | 1 | 1 | 12 |
| 1985-86 | Granby (Bisons) | LHJMQ | 22 | 4 | 12 | 16 | 48 | - | - | - | - | - |
| | Canada | CMJ | 7 | 1 | 5 | 6 | - | - | - | - | - | - |
| | Boston (Bruins) | LNH | 32 | 0 | 6 | 6 | 14 | - | - | - | - | - |
| 1986-87 | Granby (Bisons) | LHJMQ | 43 | 7 | 24 | 31 | 185 | 4 | 0 | 3 | 3 | 2 |
| | Boston (Bruins) | LNH | 3 | 0 | 0 | 0 | 0 | - | - | - | - | - |
| 1987-88 | Boston (Bruins) | LNH | 2 | 0 | 0 | 0 | 0 | - | - | - | - | - |
| | Maines (Mariners) | AHL | 69 | 9 | 34 | 43 | 108 | 9 | 2 | 4 | 6 | 19 |
| 1988-89 | Boston (Bruins) | LNH | 31 | 2 | 3 | 5 | 51 | - | - | - | - | - |
| | Maines (Mariners) | AHL | 37 | 5 | 16 | 21 | 111 | - | - | - | - | - |
| 1989-90 | Washington (Capitals) | LNH | 2 | 0 | 0 | 0 | 7 | - | - | - | - | - |
| | Baltimore (Skipjacks) | AHL | 57 | 5 | 19 | 24 | 161 | 3 | 0 | 0 | 0 | 9 |
| 1990-91 | **Montréal (Canadiens)** | LNH | 28 | 0 | 6 | 6 | 26 | 11 | 0 | 2 | 2 | 26 |
| | Fredericton (Canadien) | AHL | 49 | 8 | 19 | 27 | 110 | - | - | - | - | - |
| 1991-92 | **Montréal (Canadiens)** | LNH | 13 | 0 | 3 | 3 | 22 | - | - | - | - | - |
| | Fredericton (Canadien) | AHL | 20 | 1 | 10 | 11 | 24 | 7 | 0 | 1 | 1 | 4 |
| 1992-93 | Fredericton (Canadien) | AHL | 61 | 10 | 17 | 27 | 83 | - | - | - | - | - |
| | Tampa Bay (Lightning) | LNH | 2 | 0 | 0 | 0 | 0 | - | - | - | - | - |
| | Atlanta (Knights) | IHL | 8 | 1 | 0 | 1 | 0 | 1 | 0 | 0 | 0 | 0 |
| 1993-94 | Québec (Nordiques) | LNH | 6 | 0 | 0 | 0 | 4 | - | - | - | - | - |
| | Cornwall (As) | AHL | 67 | 10 | 34 | 44 | 80 | 13 | 0 | 2 | 2 | 10 |
| 1994-95 | Hertz (Olympia) | SVK | 55 | 15 | 25 | 40 | - | - | - | - | - | - |
| 1995-96 | San Francisco (Spiders) | IHL | 80 | 5 | 26 | 31 | 133 | 4 | 0 | 0 | 0 | 10 |
| 1996-97 | Québec (Rafales) | IHL | 76 | 8 | 17 | 25 | 102 | 9 | 0 | 2 | 2 | 30 |
| 1997-98 | Yukijrushi-Sapporo | JAP | 37 | 15 | 19 | 34 | 115 | - | - | - | - | - |
| 1998-99 | Yukijrushi-Sapporo | JAP | 38 | 5 | 20 | 25 | 49 | - | - | - | - | - |
| 1999-00 | Nuremberg (Ice Tigers) | GER | 58 | 10 | 21 | 31 | 126 | - | - | - | - | - |
| | Nuremberg (Ice Tigers) | EuroHL | 6 | 0 | 2 | 2 | 0 | - | - | - | - | - |
| 2000-01 | Tappara (Tampere) | FIN | 44 | 9 | 15 | 24 | 111 | 5 | 0 | 1 | 1 | 27 |
| | Saint-Georges (Garaga) | LHSPQ | 4 | 1 | 3 | 3 | 8 | - | - | - | - | - |
| 2001-02 | Saint-Georges (Garaga) | LHSPQ | 43 | 8 | 12 | 20 | 55 | 11 | 1 | 3 | 4 | 14 |
| 2002-03 | Riv.-du-Loup (Promutuel) | LHSPQ | 14 | 1 | 7 | 8 | 2 | 4 | 0 | 1 | 1 | 2 |
| | **LNH** | | **119** | **2** | **18** | **20** | **124** | **11** | **0** | **2** | **2** | **26** |
| | **Montréal** | | **41** | **0** | **9** | **9** | **48** | **11** | **0** | **2** | **2** | **26** |

• Médaille d'argent (CMJ) en 1986 • Équipe d'étoiles (CMJ) en 1986
• Échangé à Washington par Boston pour Bobby Gould le 28 septembre 1989 • Échangé à Montréal par Washington pour Marc Deschamps le 22 juin 1990 • Échangé à Tampa Bay par Montréal avec Éric Charron et des considérations futures (Donald Dufresne 18 juin 1993) pour Rob Ramage le 20 mars 1993 • Signe avec Québec comme agent libre le 2 juillet 1993

## COUGHLIN, JOSEPH (JACK)

Né à Douro, Ontario, le 6 juin 1892, décédé
Défenseur/Avant, lance de la droite, 5'10", 170 lb

| SAISON | CLUB | LIGUE | PJ | B | A | PTS | PUN | PJ | B | A | PTS | PUN |
|---|---|---|---|---|---|---|---|---|---|---|---|---|
| 1912-13 | Peterborough Seniors | OHA Sr | 6 | 4 | 0 | 4 | - | | | | | |
| 1913-14 | Ingersoll Seniors | OHA Sr | Statistiques non disponibles | | | | | | | | | |
| 1914-15 | NY Irish-Americains | AAHA | Statistiques non disponibles | | | | | | | | | |
| 1915-16 | Houghton Seniors | USHA | Statistiques non disponibles | | | | | | | | | |
| | Peterborough (Electrics) | OHA Sr | Statistiques non disponibles | | | | | | | | | |
| 1916-17 | Toronto (Blueshirts) | NHA | 7 | 2 | 0 | 2 | 0 | - | - | - | - | - |
| 1917-18 | Toronto (Arenas) | LNH | 5 | 2 | 0 | 2 | 0 | - | - | - | - | - |
| 1918-19 | | | N'a pas joué | | | | | | | | | |
| 1919-20 | Québec (Bulldogs) | LNH | 9 | 0 | 0 | 0 | 0 | - | - | - | - | - |
| | **Montréal (Canadiens)** | LNH | 3 | 0 | 0 | 0 | 0 | - | - | - | - | - |
| 1920-21 | Hamilton (Tigers) | | | | | | | | | | | |
| | **NHA** | | **7** | **2** | **0** | **2** | **0** | **-** | **-** | **-** | **-** | **-** |
| | **LNH** | | **19** | **2** | **0** | **2** | **3** | **-** | **-** | **-** | **-** | **-** |
| | **Montréal** | | **3** | **0** | **0** | **0** | **0** | | | | | |

• Signe avec Toronto (NHA) en décembre 1916 • Signe avec Toronto le 5 décembre 1917.
• Signe avec Québec le 13 janvier 1920 • Prêté à Montréal par Québec le 13 février 1920.
• Transfert de la concession de Québec à Hamilton le 27 novembre 1920

## COURNOYER, YVAN

Né à Drummondville, Québec, le 22 novembre 1943
Ailier droit, lance de la gauche, 5'7", 175 lb

| SAISON | CLUB | LIGUE | PJ | B | A | PTS | PUN | PJ | B | A | PTS | PUN |
|---|---|---|---|---|---|---|---|---|---|---|---|---|
| 1960-61 | Lachine (Maroons) | LHJMM | 42 | 37 | 31 | 68 | - | - | - | - | - | - |
| 1961-62 | Montréal (Canadien Jr) | OHA Jr | 35 | 15 | 16 | 31 | 8 | 6 | 4 | 4 | 8 | 0 |
| 1962-63 | Montréal (Canadien Jr) | OHA Jr | 36 | 37 | 27 | 64 | 24 | 10 | 3 | 4 | 7 | 6 |
| 1963-64 | Montréal (Canadien Jr) | OHA Jr | 53 | *63 | 48 | 111 | 30 | 17 | *19 | 8 | 27 | 15 |
| | **Montréal (Canadiens)** | LNH | 5 | 4 | 0 | 4 | 0 | - | - | - | - | - |
| 1964-65 | Québec (As) | AHL | 5 | 4 | 1 | 5 | 0 | - | - | - | - | - |
| | **Montréal (Canadiens)** | LNH | 55 | 7 | 10 | 17 | 10 | 12 | 3 | 1 | 4 | 0 |
| 1965-66 | **Montréal (Canadiens)** | LNH | 65 | 18 | 11 | 29 | 8 | 10 | 2 | 3 | 5 | 2 |
| 1966-67 | **Montréal (Canadiens)** | LNH | 69 | 25 | 15 | 40 | 14 | 10 | 2 | 3 | 5 | 6 |
| | Match des étoiles | LNH | 1 | 0 | 0 | 0 | 0 | - | - | - | - | - |
| 1967-68 | **Montréal (Canadiens)** | LNH | 64 | 28 | 32 | 60 | 23 | 13 | 6 | 8 | 14 | 4 |
| 1968-69 | **Montréal (Canadiens)** | LNH | 76 | 43 | 44 | 87 | 31 | 14 | 4 | 7 | 11 | 5 |
| 1969-70 | **Montréal (Canadiens)** | LNH | 72 | 27 | 36 | 63 | 23 | - | - | - | - | - |
| 1970-71 | **Montréal (Canadiens)** | LNH | 65 | 37 | 36 | 73 | 21 | 20 | 10 | 12 | 22 | 6 |
| | Match des étoiles | LNH | 1 | 1 | 0 | 1 | 0 | - | - | - | - | - |
| 1971-72 | **Montréal (Canadiens)** | LNH | 73 | 47 | 36 | 83 | 15 | 6 | 2 | 1 | 3 | 2 |
| | Match des étoiles | LNH | 1 | 0 | 0 | 0 | 0 | - | - | - | - | - |
| 1972-73 | **Montréal (Canadiens)** | LNH | 67 | 40 | 39 | 79 | 18 | 17 | *15 | 10 | *25 | 2 |
| | Match des étoiles | LNH | 1 | 0 | 0 | 0 | 0 | - | - | - | - | - |
| | Canada | Siècle | 8 | 3 | 2 | 5 | - | - | - | - | - | - |
| 1973-74 | **Montréal (Canadiens)** | LNH | 67 | 40 | 33 | 73 | 18 | 6 | 5 | 2 | 7 | 2 |
| | Match des étoiles | LNH | 1 | 1 | 1 | 2 | 0 | - | - | - | - | - |
| 1974-75 | **Montréal (Canadiens)** | LNH | 76 | 29 | 45 | 74 | 32 | 11 | 5 | 6 | 11 | 4 |
| 1975-76 | **Montréal (Canadiens)** | LNH | 71 | 32 | 36 | 68 | 20 | 13 | 3 | 6 | 9 | 4 |
| 1976-77 | **Montréal (Canadiens)** | LNH | 60 | 25 | 28 | 53 | 8 | - | - | - | - | - |
| 1977-78 | **Montréal (Canadiens)** | LNH | 68 | 24 | 29 | 53 | 12 | 15 | 7 | 4 | 11 | 10 |
| | Match des étoiles | LNH | 1 | 0 | 0 | 0 | 0 | - | - | - | - | - |
| 1978-79 | **Montréal (Canadiens)** | LNH | 15 | 2 | 5 | 7 | 2 | - | - | - | - | - |
| | **LNH** | | **968** | **428** | **435** | **863** | **255** | **147** | **64** | **63** | **127** | **47** |
| | **Montréal** | | **968** | **428** | **435** | **863** | **255** | **147** | **64** | **63** | **127** | **47** |

• Coupe Stanley (LNH) en 1964-65, 1965-66, 1967-68, 1968-69, 1970-71, 1972-73, 1975-76, 1976-77, 1977-78, 1978-79 • Match des étoiles (LNH) en 1966-67, 1970-71, 1971-72, 1972-73, 1973-74, 1977-78 • Deuxième équipe d'étoiles (LNH) en 1968-69, 1970-71, 1971-72, 1972-73 • Trophée Conn-Smythe (LNH) en 1972-73 • Temple de la Renommée (LNH) en 1982

## COURTNALL, RUSS

Né à Duncan, Colombie-Britannique, le 2 juin 1965. Ailier droit, lance de la droite, 5'11", 185 lb (1er choix de Toronto, 7e au total lors du repêchage de 1983)

| SAISON | CLUB | LIGUE | PJ | B | A | PTS | PUN | PJ | B | A | PTS | PUN |
|---|---|---|---|---|---|---|---|---|---|---|---|---|
| 1982-83 | Victoria (Cougars) | WHL | 60 | 36 | 61 | 97 | 33 | 12 | 11 | 7 | 18 | 6 |
| 1983-84 | Victoria (Cougars) | WHL | 32 | 29 | 37 | 66 | 63 | - | - | - | - | - |
| | Canada | CMJ | 7 | 7 | 6 | 13 | 0 | - | - | - | - | - |
| | Canada | Éq. nat. | 16 | 4 | 7 | 11 | 10 | - | - | - | - | - |
| | Canada | JO | 7 | 1 | 3 | 4 | 2 | - | - | - | - | - |
| | Toronto (Maple Leafs) | LNH | 14 | 3 | 9 | 12 | 6 | - | - | - | - | - |
| 1984-85 | Toronto (Maple Leafs) | LNH | 69 | 12 | 10 | 22 | 44 | - | - | - | - | - |
| 1985-86 | Toronto (Maple Leafs) | LNH | 73 | 22 | 38 | 60 | 52 | 10 | 3 | 6 | 9 | 8 |
| 1986-87 | Toronto (Maple Leafs) | LNH | 79 | 29 | 44 | 73 | 90 | 13 | 3 | 4 | 7 | 11 |
| 1987-88 | Toronto (Maple Leafs) | LNH | 65 | 23 | 26 | 49 | 47 | 6 | 2 | 5 | 7 | 0 |
| 1988-89 | Toronto (Maple Leafs) | LNH | 9 | 1 | 1 | 2 | 4 | - | - | - | - | - |
| | **Montréal (Canadiens)** | LNH | 64 | 22 | 17 | 39 | 15 | 21 | 8 | 5 | 13 | 18 |
| 1989-90 | **Montréal (Canadiens)** | LNH | 80 | 27 | 32 | 59 | 27 | 11 | 5 | 1 | 6 | 10 |
| 1990-91 | **Montréal (Canadiens)** | LNH | 79 | 26 | 50 | 76 | 29 | 13 | 8 | 3 | 11 | 7 |
| | Canada | CM | 2 | 1 | 3 | 4 | 0 | - | - | - | - | - |
| 1991-92 | **Montréal (Canadiens)** | LNH | 27 | 7 | 14 | 21 | 6 | 10 | 1 | 1 | 2 | 4 |
| | Canada | CC | 2 | 0 | 2 | 2 | 0 | - | - | - | - | - |
| 1992-93 | Minnesota (North Stars) | LNH | 84 | 36 | 43 | 79 | 49 | - | - | - | - | - |
| 1993-94 | Dallas (Stars) | LNH | 84 | 23 | 57 | 80 | 59 | 9 | 1 | 8 | 9 | 0 |
| | Match des étoiles | LNH | 1 | 0 | 0 | 0 | 0 | - | - | - | - | - |
| 1994-95 | Dallas (Stars) | LNH | 32 | 7 | 10 | 17 | 13 | - | - | - | - | - |
| | Vancouver (Canucks) | LNH | 13 | 4 | 14 | 18 | 4 | 11 | 4 | 8 | 12 | 21 |
| 1995-96 | Vancouver (Canucks) | LNH | 81 | 26 | 39 | 65 | 40 | 6 | 1 | 3 | 4 | 2 |
| 1996-97 | Vancouver (Canucks) | LNH | 47 | 9 | 19 | 28 | 24 | - | - | - | - | - |
| | New York (Rangers) | LNH | 14 | 2 | 5 | 7 | 2 | 15 | 1 | 4 | 5 | 0 |
| 1997-98 | Los Angeles (Kings) | LNH | 58 | 12 | 6 | 18 | 27 | 4 | 0 | 0 | 0 | 0 |
| 1998-99 | Los Angeles (Kings) | LNH | 57 | 6 | 13 | 19 | 19 | - | - | - | - | - |
| | **LNH** | | **1029** | **297** | **447** | **744** | **557** | **129** | **39** | **44** | **83** | **83** |
| | **Montréal** | | **250** | **82** | **113** | **195** | **77** | **55** | **22** | **10** | **32** | **39** |

• Médaille d'argent (CM) en 1991 • Match des étoiles (LNH) en 1993-94
• Échangé à Montréal par Toronto pour John Kordic et le choix de 6e de ronde de Montréal au repêchage de 1989 (Michael Doers) le 7 novembre 1988 • Échangé au Minnesota par Montréal pour Brian Bellows le 31 août 1992 • Transfert de la concession du Minnesota à Dallas le 9 juin

1993 • Échangé à Vancouver par Dallas pour Greg Adams, Dan Kesa et le choix de 5e ronde de Vancouver au repêchage de 1995 (cédé à Los Angeles qui sélectionne Jason Morgan) le 7 avril 1995 • Échangé à New York (Rangers) par Vancouver avec Esa Tikkanen pour Sergie Nemchinov et Brian Noonan le 8 mars 1997 • Signe avec Los Angeles comme agent libre le 7 novembre 1997

## COUTU, WILLIAM (BILLY)

**Né à North Bay, Ontario, le 1er mars 1892, décédé le 25 février 1977**
*Défenseur, lance de la gauche, 5'11", 190 lb*

| | | | SAISONS RÉGULIÈRES | | | | | SÉRIES ÉLIMINATOIRES | | | | |
|---|---|---|---|---|---|---|---|---|---|---|---|---|
| SAISON | CLUB | LIGUE | PJ | B | A | PTS | PUN | PJ | B | A | PTS | PUN |
| 1915-16 | Michigan (Soo Indians) | NMHL | *Statistiques non disponibles* | | | | | | | | | |
| 1916-17 | Montréal (Canadiens) | NHA | 18 | 0 | 0 | 0 | 9 | 5 | 0 | 0 | 0 | 46 |
| 1917-18 | Montréal (Canadiens) | LNH | 20 | 2 | 2 | 4 | 49 | 2 | 0 | 0 | 0 | 3 |
| 1918-19 | Montréal (Canadiens) | LNH | 15 | 1 | 2 | 3 | 18 | 10 | 0 | 2 | 2 | 6 |
| 1919-20 | Montréal (Canadiens) | LNH | 20 | 4 | 0 | 4 | 67 | - | - | - | - | - |
| 1920-21 | Hamilton (Tigers) | LNH | 24 | 8 | 4 | 12 | *95 | | | | | |
| 1921-22 | Montréal (Canadiens) | LNH | 24 | 4 | 3 | 7 | 8 | | | | | |
| 1922-23 | Montréal (Canadiens) | LNH | 24 | 5 | 2 | 7 | 37 | 1 | 0 | 0 | 0 | *22 |
| 1923-24 | Montréal (Canadiens) | LNH | 16 | 3 | 1 | 4 | 18 | 6 | 0 | 0 | 0 | 0 |
| 1924-25 | Montréal (Canadiens) | LNH | 28 | 3 | 2 | 5 | 56 | 6 | 1 | 0 | 1 | 10 |
| 1925-26 | Montréal (Canadiens) | LNH | 33 | 2 | 4 | 6 | 95 | | | | | |
| 1926-27 | Boston (Bruins) | LNH | 40 | 1 | 1 | 2 | 35 | 7 | 1 | 0 | 1 | 4 |
| 1927-28 | New Haven (Eagles) | Can-Am | 37 | 11 | 1 | 12 | *108 | | | | | |
| 1928-29 | Newark (Bulldogs) | Can-Am | 40 | 0 | 1 | 1 | 42 | | | | | |
| 1929-30 | Minneapolis (Millers) | AHA | 47 | 8 | 2 | 10 | *105 | | | | | |
| 1930-31 | Minneapolis (Millers) | AHA | 33 | 0 | 1 | 1 | 46 | | | | | |
| 1931-32 | | | *N'a pas joué* | | | | | | | | | |
| 1932-33 | Providence (Reds) | Can-Am | 1 | 0 | 0 | 0 | 0 | | | | | |
| | **NHA** | | 18 | 0 | 0 | 0 | 9 | 5 | 0 | 0 | 0 | 46 |
| | **LNH** | | 244 | 33 | 21 | 55 | 478 | 32 | 2 | 2 | 4 | 40 |
| | **Montréal** | | 198 | 24 | 16 | 40 | 357 | 30 | 1 | 2 | 3 | 87 |

• Coupe Stanley (LNH) en 1923-24
• Signe avec Montréal le 19 décembre 1916 • Prêté à Hamilton par Montréal pour Dave Ritchie le 21 décembre 1920 • Échangé à Boston par Montréal pour Amby Moran le 22 octobre 1926 • Suspendu indéfiniment par la LNH pour avoir frappé l'arbitre Jerry Laflamme le 13 avril 1927 • Prêté à New Haven (Can-Am) par Boston le 7 novembre 1927 • Droits vendus à New Haven par Boston avec Nobby Clark le 5 janvier 1928 • Suspendu par la Can-Am pour le reste de la saison pour avoir frappé George Reddind des Tigers de Boston avec son bâton le 26 janvier 1928 • Droits vendus à St. Louis (AHA) par New Haven (CAN-AM) en 1928 • Droits vendus à Newark (Can-Am) par St. Louis (AHA) le 7 novembre 1928

## COUTURE, GERALD (GERRY)

**Né à Saskatoon, Saskatchewan, le 6 août 1925, décédé le 13 juillet 1994**
*Centre/ailier droit, lance de la droite, 6'2", 185 lb*

| | | | SAISONS RÉGULIÈRES | | | | | SÉRIES ÉLIMINATOIRES | | | | |
|---|---|---|---|---|---|---|---|---|---|---|---|---|
| SAISON | CLUB | LIGUE | PJ | B | A | PTS | PUN | PJ | B | A | PTS | PUN |
| 1941-42 | Saskatoon (Quakers) | N-SJHL | 8 | *12 | 6 | *18 | 0 | 6 | *9 | 5 | *14 | 0 |
| | Saskatoon (Quakers) | Mem. | 3 | 1 | 0 | 1 | 0 | | | | | |
| 1942-43 | Saskatoon (Quakers) | N-SJHL | 8 | 14 | 10 | *24 | 26 | 3 | 4 | 1 | 5 | 2 |
| | Saskatoon (Quakers) | Mem. | 8 | 14 | 7 | 21 | 2 | | | | | |
| 1943-44 | Saskatoon (Quakers) | N-SJHL | 1 | 1 | 1 | 2 | 2 | | | | | |
| | Saskatchewan (Univ.) | SCJHL | 2 | 6 | 3 | 9 | 2 | 1 | 3 | 1 | 4 | 2 |
| | Saskatoon HMCS Unicom | N-SSHL | 11 | 15 | 11 | 26 | 9 | 2 | 1 | 1 | 2 | 2 |
| | Saskatoon (Univ.) | Mem. | 2 | 1 | 1 | 2 | 4 | | | | | |
| | Flin Flon (Bombers) | Allan | 3 | 3 | 4 | 3 | 10 | | | | | |
| 1944-45 | Saskatchewan (Univ.) | N-SJHL | 9 | 19 | 10 | 29 | 14 | 2 | 1 | 1 | 2 | 0 |
| | Moose Jaw (Canucks) | N-SJHL | - | - | - | - | - | 4 | 4 | 3 | 7 | 2 |
| | Detroit (Red Wings) | LNH | - | - | - | - | - | 2 | 0 | 0 | 0 | 0 |
| 1945-46 | Detroit (Red Wings) | LNH | 43 | 6 | 7 | 13 | 18 | 5 | 0 | 0 | 0 | 0 |
| 1946-47 | Detroit (Red Wings) | LNH | 30 | 5 | 10 | 15 | 0 | 1 | 0 | 0 | 0 | 0 |
| | Indianapolis (Capitols) | AHL | 34 | 24 | 18 | 42 | 21 | | | | | |
| 1947-48 | Detroit (Red Wings) | LNH | 19 | 3 | 6 | 9 | 2 | | | | | |
| | Indianapolis (Capitols) | AHL | 42 | 26 | 25 | 51 | 8 | | | | | |
| 1948-49 | Detroit (Red Wings) | LNH | 51 | 19 | 10 | 29 | 6 | 10 | 2 | 0 | 2 | 2 |
| 1949-50 | Detroit (Red Wings) | LNH | 69 | 24 | 7 | 31 | 21 | 14 | 5 | 4 | 9 | 2 |
| 1950-51 | Detroit (Red Wings) | LNH | 53 | 7 | 6 | 13 | 2 | 6 | 1 | 1 | 2 | 0 |
| | Match des étoiles | LNH | 1 | 0 | 0 | 0 | 0 | | | | | |
| 1951-52 | Montréal (Canadiens) | LNH | 10 | 0 | 1 | 1 | 4 | | | | | |
| | Montréal (Royals) | LHMQ | 6 | 1 | 4 | 5 | 0 | | | | | |
| | Buffalo (Bisons) | AHL | 9 | 2 | 3 | 5 | 2 | | | | | |
| | Cleveland (Barons) | AHL | 38 | 21 | 19 | 40 | 2 | 5 | 4 | 0 | 4 | 2 |
| 1952-53 | Chicago (Black Hawks) | LNH | 70 | 16 | 18 | 34 | 22 | 7 | 1 | 0 | 1 | 0 |
| 1953-54 | Providence (Reds) | AHL | 19 | 10 | 7 | 17 | 2 | | | | | |
| | Chicago (Black Hawks) | LNH | 40 | 6 | 5 | 11 | 14 | | | | | |
| 1954-55 | Calgary (Stampeders) | WHL | 70 | 33 | 49 | 82 | 8 | 9 | 5 | *6 | *11 | 2 |
| 1955-56 | Calgary (Stampeders) | WHL | 66 | 32 | 50 | 82 | 10 | 8 | 3 | 7 | 10 | 8 |
| 1956-57 | Calgary (Stampeders) | WHL | 63 | 19 | 26 | 45 | 20 | 3 | 0 | 1 | 1 | 0 |
| 1957-58 | Saskatoon/St. Paul | WHL | 58 | 31 | 23 | 54 | 22 | | | | | |
| 1958-59 | | | *Réintégré comme amateur* | | | | | | | | | |
| 1959-60 | Saskatoon (Quakers) | SSHL | 23 | *26 | *29 | *55 | 26 | 7 | 7 | *13 | 20 | 0 |
| | Saskatoon (Quakers) | Allan | 5 | 2 | 1 | 3 | 0 | | | | | |
| | **LNH** | | 385 | 86 | 70 | 156 | 89 | 45 | 9 | 7 | 16 | 4 |
| | **Montréal** | | 10 | 0 | 1 | 1 | 4 | - | - | - | - | - |

• Première équipe d'étoiles (WHL) en 1954-55 • Match des étoiles (LNH) en 1950-51
• Échangé à Montréal par Detroit pour Bert Hirschfeld le 19 juin 1951 • Échangé à Cleveland par Montréal pour Fernand Perreault le 26 décembre 1951 • Droits vendus à Chicago par Cleveland (AHL) le 22 septembre 1952

COU·CRU

## COUTURE, ROSARIO (ROSA)

**Né à St. Boniface, Manitoba, le 24 juillet 1905, décédé le 1er mars 1986**
*Ailier droit, lance de la droite, 5'11", 165 lb*

| | | | SAISONS RÉGULIÈRES | | | | | SÉRIES ÉLIMINATOIRES | | | | |
|---|---|---|---|---|---|---|---|---|---|---|---|---|
| SAISON | CLUB | LIGUE | PJ | B | A | PTS | PUN | PJ | B | A | PTS | PUN |
| 1922-23 | St. Boniface (Canadiens) | MJHL | 7 | 6 | 2 | 8 | 4 | | | | | |
| 1923-24 | Winnipeg (Argonauts) | MHL Sr | *Statistiques non disponibles* | | | | | | | | | |
| 1924-25 | Winnipeg (Argonauts) | MHL Sr | 7 | 9 | 2 | 9 | 6 | | | | | |
| 1925-26 | Winnipeg (Argonauts) | MHL Sr | 7 | *9 | *3 | *12 | 4 | 2 | 3 | 0 | 3 | 2 |
| 1926-27 | Winnipeg (Argonauts) | MHL Sr | 8 | *16 | 1 | *17 | 6 | 5 | 4 | 1 | 5 | 2 |
| | Winnipeg (Argonauts) | Allan | 2 | 2 | 0 | 2 | 0 | | | | | |
| 1927-28 | Winnipeg (Maroons) | AHA | 39 | 14 | 6 | 20 | 20 | | | | | |
| 1928-29 | Chicago (Black Hawks) | LNH | 43 | 3 | 1 | 4 | 22 | | | | | |
| 1929-30 | Chicago (Black Hawks) | LNH | 43 | 8 | 8 | 16 | 63 | 2 | 0 | 0 | 0 | 2 |
| 1930-31 | Chicago (Black Hawks) | LNH | 44 | 8 | 11 | 19 | 30 | 9 | 0 | 3 | 3 | 2 |
| 1931-32 | Chicago (Black Hawks) | LNH | 48 | 9 | 9 | 18 | 8 | 2 | 0 | 0 | 0 | 0 |
| 1932-33 | Chicago (Black Hawks) | LNH | 46 | 10 | 7 | 17 | 26 | | | | | |
| 1933-34 | Chicago (Black Hawks) | LNH | 48 | 5 | 8 | 13 | 21 | 8 | 1 | 2 | 3 | 4 |
| 1934-35 | Chicago (Black Hawks) | LNH | 27 | 5 | 11 | 16 | 14 | 2 | 0 | 0 | 0 | 5 |
| 1935-36 | Montréal (Canadiens) | LNH | 10 | 0 | 1 | 1 | 0 | | | | | |
| | Providence (Reds) | Can-Am | 8 | 1 | 0 | 1 | 0 | 4 | 0 | 0 | 0 | 4 |
| | London (Tecumsehs) | IHL | 26 | 5 | 3 | 8 | 8 | | | | | |
| | **LNH** | | 309 | 48 | 56 | 104 | 184 | 23 | 1 | 5 | 6 | 15 |
| | **Montréal** | | 10 | 0 | 1 | 1 | 0 | - | - | - | - | - |

• Coupe Stanley (LNH) en 1933-34
• Droits vendus à Cleveland (IHL) par Chicago en juin 1935 • Droits vendus à Montréal par Cleveland (IHL) le 21 octobre 1935 • Prêté à London (IHL) par Montréal le 15 décembre 1935

## CREIGHTON, DAVID (DAVE)

**Né à Kenora, Ontario, le 13 juillet 1892, décédé**
*Ailier gauche, lance de la gauche, 5'07", 160 lb*

| | | | SAISONS RÉGULIÈRES | | | | | SÉRIES ÉLIMINATOIRES | | | | |
|---|---|---|---|---|---|---|---|---|---|---|---|---|
| SAISON | CLUB | LIGUE | PJ | B | A | PTS | PUN | PJ | B | A | PTS | PUN |
| 1912-13 | Québec (Bulldogs) | NHA | 6 | 0 | 0 | 0 | - | 2 | 1 | 0 | 1 | 0 |
| 1913-14 | Toronto (Ontarios) | NHA | 9 | 2 | 0 | 2 | | | | | | |
| 1914-15 | | | *Statistiques non disponibles* | | | | | | | | | |
| 1915-16 | | | *Statistiques non disponibles* | | | | | | | | | |
| 1916-17 | Montréal (Canadiens) | NHA | 4 | 0 | 0 | 0 | | | | | | |
| | **NHA** | | 19 | 2 | 0 | 2 | 0 | 2 | 1 | 0 | 1 | 0 |
| | **Montréal** | | 4 | 0 | 0 | 0 | | - | - | - | - | - |

• Coupe Stanley (NHA) en 1912-13
• Signe avec Montréal le 30 janvier 1917

## CRESSMAN, GLEN

**Né à Petersburg, Ontario, le 29 août 1934. Centre, lance de la droite, 5'9", 155 lb**

| | | | SAISONS RÉGULIÈRES | | | | | SÉRIES ÉLIMINATOIRES | | | | |
|---|---|---|---|---|---|---|---|---|---|---|---|---|
| SAISON | CLUB | LIGUE | PJ | B | A | PTS | PUN | PJ | B | A | PTS | PUN |
| 1951-52 | Kitchener (Greenshirts) | OHA Jr | 3 | 0 | 3 | 3 | 0 | 4 | 0 | 2 | 2 | 0 |
| 1952-53 | Kitchener (Greenshirts) | OHA JR | 56 | 6 | 11 | 17 | 2 | | | | | |
| 1953-54 | Kitchener (Greenshirts) | OHA Jr | 59 | 20 | 28 | 48 | 10 | 4 | 0 | 1 | 1 | 0 |
| 1954-55 | Toronto (Marlboros) | OHA Jr | 51 | 23 | 19 | 42 | 16 | 13 | 2 | 7 | 9 | 17 |
| | Toronto (Marlboros) | Mem. | 11 | 7 | 6 | 13 | 2 | | | | | |
| 1955-56 | Chicoutimi (Saguenéens) | LHQ | 64 | 12 | 18 | 30 | 7 | 5 | 0 | 1 | 1 | 0 |
| 1956-57 | Montréal (Royals) | LHQ | 34 | 11 | 13 | 24 | 4 | 0 | 0 | 0 | 0 | 2 |
| | Montréal (Canadiens) | LNH | 4 | 0 | 0 | 0 | 2 | - | - | - | - | - |
| | Rochester (Americains) | AHL | 13 | 1 | 2 | 3 | 4 | | | | | |
| 1957-58 | Montréal (Royals) | AHL | 64 | 14 | 21 | 35 | 8 | 7 | 0 | 2 | 2 | 0 |
| 1958-59 | Chicoutimi (Saguenéens) | LHQ | 59 | 15 | 26 | 41 | 2 | | | | | |
| 1959-60 | Kingston (Frontenacs) | EPHL | 62 | 13 | 22 | 35 | 6 | | | | | |
| 1960-61 | Montréal (Royals) | EPHL | 47 | 5 | 9 | 14 | 6 | | | | | |
| 1961-62 | Knoxville (Knights) | EHL | 46 | 13 | 17 | 30 | 8 | 8 | 2 | 2 | 4 | 0 |
| 1962-63 | Knoxville (Knights) | EHL | 68 | 34 | 36 | 70 | 6 | 5 | 0 | 0 | 0 | 2 |
| 1963-64 | Knoxville (Knights) | EHL | 72 | 27 | 47 | 74 | 23 | 8 | 3 | 2 | 5 | 4 |
| 1964-65 | Knoxville (Knights) | EHL | 71 | 43 | 40 | 83 | 24 | 10 | 6 | 4 | 10 | 0 |
| 1965-66 | Knoxville (Knights) | EHL | 72 | 26 | 43 | 69 | 4 | 3 | 0 | 0 | 0 | 0 |
| | **LNH** | | 4 | 0 | 0 | 0 | 2 | - | - | - | - | - |
| | **Montréal** | | 4 | 0 | 0 | 0 | 2 | - | - | - | - | - |

• Prêté à Montréal (Canadiens) par Montréal (Royals- LHQ) le 15 décembre 1956

## CRISTOFOLI, ED

**Né à Trail, Colombie-Britannique, le 14 mai 1967. Ailier droit, lance de la gauche, 6'2", 205 lb (9e choix de Montréal, 142e au total lors du repêchage de 1985)**

| | | | SAISONS RÉGULIÈRES | | | | | SÉRIES ÉLIMINATOIRES | | | | |
|---|---|---|---|---|---|---|---|---|---|---|---|---|
| SAISON | CLUB | LIGUE | PJ | B | A | PTS | PUN | PJ | B | A | PTS | PUN |
| 1983-84 | Penticton (Knights) | BCJHL | 55 | 18 | 46 | 64 | 89 | | | | | |
| 1984-85 | Penticton (Knights) | BCJHL | 48 | 36 | 34 | 70 | 58 | | | | | |
| | Penticton (Knights) | Cent. | 3 | 2 | 5 | 2 | | | | | | |
| 1985-86 | Denver University | WCHA | 46 | 10 | 9 | 19 | 32 | | | | | |
| 1986-87 | Denver University | WCHA | 40 | 14 | 15 | 29 | 52 | | | | | |
| 1987-88 | Denver University | WCHA | 38 | 12 | 27 | 39 | 64 | | | | | |
| 1988-89 | Denver University | WCHA | 43 | 20 | 19 | 39 | 50 | | | | | |
| 1989-90 | Sherbrooke (Canadien) | AHL | 57 | 16 | 19 | 35 | 31 | 12 | 2 | 4 | 6 | 14 |
| | Montréal (Canadiens) | LNH | 9 | 0 | 1 | 1 | 4 | | | | | |
| 1990-91 | Fredericton (Canadien) | AHL | 34 | 7 | 16 | 23 | 24 | | | | | |
| | Kansas City (Blades) | IHL | 2 | 1 | 3 | 4 | 6 | | | | | |
| | **LNH** | | 9 | 0 | 1 | 1 | 4 | - | - | - | - | - |
| | **Montréal** | | 9 | 0 | 1 | 1 | 4 | - | - | - | - | - |

## CRUTCHFIELD, NELSON (NELS)

**Né à Knowlton, Québec, le 12 juillet 1911, décédé**
*Centre, lance de la gauche, 6'1", 175 lb*

| | | | SAISONS RÉGULIÈRES | | | | | SÉRIES ÉLIMINATOIRES | | | | |
|---|---|---|---|---|---|---|---|---|---|---|---|---|
| SAISON | CLUB | LIGUE | PJ | B | A | PTS | PUN | PJ | B | A | PTS | PUN |
| 1928-29 | Shawinigan (Cataractes) | ECHA | 24 | 8 | 1 | 9 | 39 | | | | | |
| 1929-30 | Shawinigan (Cataractes) | ECHA | 24 | 5 | 4 | 9 | 38 | | | | | |
| 1930-31 | Shawinigan (Cataractes) | ECHA | 12 | 6 | 4 | 10 | 6 | | | | | |
| | McGill (Redmen) | LHCM | 12 | 2 | 2 | 4 | 21 | 4 | 2 | 0 | 2 | 8 |
| | McGill (Redmen) | Allan | 6 | 2 | 0 | 2 | 14 | | | | | |
| 1931-32 | McGill (Redmen) | LHCM | 10 | 7 | 6 | 13 | *41 | 2 | 1 | 0 | 1 | 11 |
| 1932-33 | McGill (Redmen) | LHCM | 10 | 7 | 4 | 11 | 33 | 7 | 1 | 1 | 2 | 28 |
| 1933-34 | McGill (Redmen) | LHCM | 12 | 8 | 3 | 11 | 34 | 6 | 1 | 1 | 2 | 6 |
| | McGill (Redmen) | Allan | 12 | 2 | 4 | 6 | 6 | | | | | |
| 1934-35 | Montréal (Canadiens) | LNH | 41 | 5 | 5 | 10 | 20 | 2 | 0 | 1 | 1 | 22 |
| | **LNH** | | 41 | 5 | 5 | 10 | 20 | 2 | 0 | 1 | 1 | 22 |
| | **Montréal** | | 41 | 5 | 5 | 10 | 20 | 2 | 0 | 1 | 1 | 22 |

**• Échangé à Montréal (Canadiens) par Montréal (Maroons) avec Jack McGill pour Lionel Conacher le 3 octobre 1934**

## CULLIMORE, JASSEN

**Né à Simcoe, Ontario, le 4 décembre 1972. Défenseur, lance de la gauche, 6'5", 225 lb (2e choix de Vancouver et 29e au total lors du repêchage de 1991)**

| SAISON | CLUB | LIGUE | PJ | B | A | PTS | PUN | PJ | B | A | PTS | PUN |
|---|---|---|---|---|---|---|---|---|---|---|---|---|
| 1986-87 | Caledonia (Corvairs) | OJHL-C | 18 | 2 | 0 | 2 | 9 | - | - | - | - | - |
| 1987-88 | Simcoe (Rams) | OJHL-C | 35 | 11 | 14 | 25 | 92 | - | - | - | - | - |
| 1988-89 | Peterborough (Roadrunners) | OJHL-B | 29 | 11 | 17 | 28 | 88 | - | - | - | - | - |
| | Peterborough (Petes) | OHL | 20 | 2 | 1 | 3 | 6 | - | - | - | - | - |
| 1989-90 | Peterborough (Petes) | OHL | 59 | 2 | 6 | 8 | 61 | 11 | 0 | 2 | 2 | 8 |
| 1990-91 | Peterborough (Petes) | OHL | 62 | 8 | 16 | 24 | 74 | 4 | 1 | 0 | 1 | 7 |
| 1991-92 | Peterborough (Petes) | OHL | 54 | 9 | 37 | 46 | 65 | 10 | 3 | 6 | 9 | 8 |
| | Canada | CMJ | 7 | 1 | 0 | 1 | 2 | - | - | - | - | - |
| 1992-93 | Hamilton (Canucks) | AHL | 56 | 5 | 7 | 12 | 60 | - | - | - | - | - |
| 1993-94 | Hamilton (Canucks) | AHL | 71 | 8 | 20 | 28 | 86 | 3 | 0 | 1 | 1 | 2 |
| 1994-95 | Syracuse (Crunch) | AHL | 33 | 2 | 7 | 9 | 66 | - | - | - | - | - |
| | Vancouver (Canucks) | LNH | 34 | 1 | 2 | 3 | 39 | 11 | 0 | 0 | 0 | 12 |
| 1995-96 | Vancouver (Canucks) | LNH | 27 | 1 | 1 | 2 | 21 | - | - | - | - | - |
| 1996-97 | Vancouver (Canucks) | LNH | 3 | 0 | 0 | 0 | 2 | - | - | - | - | - |
| | **Montréal (Canadiens)** | **LNH** | 49 | 2 | 6 | 8 | 42 | 2 | 0 | 0 | 0 | 2 |
| 1997-98 | **Montréal (Canadiens)** | **LNH** | 3 | 0 | 0 | 0 | 4 | - | - | - | - | - |
| | Fredericton (Canadien) | AHL | 5 | 1 | 0 | 1 | 8 | - | - | - | - | - |
| | Tampa Bay (Lightning) | LNH | 25 | 1 | 2 | 3 | 22 | - | - | - | - | - |
| 1998-99 | Tampa Bay (Lightning) | LNH | 78 | 5 | 12 | 17 | 81 | - | - | - | - | - |
| 1999-00 | Tampa Bay (Lightning) | LNH | 46 | 1 | 2 | 3 | 51 | - | - | - | - | - |
| | Providence (Bruins) | AHL | 16 | 5 | 10 | 15 | 31 | - | - | - | - | - |
| 2000-01 | Tampa Bay (Lightning) | LNH | 74 | 1 | 6 | 7 | 80 | - | - | - | - | - |
| 2001-02 | Tampa Bay (Lightning) | LNH | 78 | 4 | 9 | 13 | 58 | - | - | - | - | - |
| 2002-03 | Tampa Bay (Lightning) | LNH | 28 | 1 | 3 | 4 | 31 | 11 | 1 | 1 | 2 | 2 |
| | **LNH** | | 445 | 17 | 42 | 59 | 446 | 24 | 1 | 1 | 2 | 18 |
| | **Montréal** | | 52 | 2 | 6 | 8 | 46 | 2 | 0 | 0 | 0 | 2 |

**• Deuxième équipe d'étoiles (OHL) en 1991-92**

**• Échangé à Vancouver pour Donald Brashear le 13 novembre 1996 • Réclamé au ballottage par Tampa Bay de Montréal le 22 janvier 1998 • Prêté à Providence (AHL) par Tampa Bay le 1er octobre 1999**

## CUMMINS, JIM

**Né à Dearborn, Michigan, le 17 mai 1970. Ailier droit, lance de la droite, 6'2", 219 lb (5e choix de New York et 67e au total lors du repêchage de 1989)**

| SAISON | CLUB | LIGUE | PJ | B | A | PTS | PUN | PJ | B | A | PTS | PUN |
|---|---|---|---|---|---|---|---|---|---|---|---|---|
| 1987-88 | Detroit (Compuware) | NAJHL | 31 | 11 | 15 | 26 | 146 | - | - | - | - | - |
| 1988-89 | Michigan (Spartans) | CCHA | 30 | 3 | 8 | 11 | 98 | - | - | - | - | - |
| 1989-90 | Michigan (Spartans) | CCHA | 41 | 8 | 7 | 15 | 94 | - | - | - | - | - |
| 1990-91 | Michigan (Spartans) | CCHA | 34 | 9 | 6 | 15 | 110 | - | - | - | - | - |
| 1991-92 | Adirondack (Red Wings) | AHL | 65 | 7 | 13 | 20 | 338 | 5 | 0 | 0 | 0 | 19 |
| | Detroit (Red Wings) | LNH | 1 | 0 | 0 | 0 | 7 | - | - | - | - | - |
| 1992-93 | Adirondack (Red Wings) | AHL | 43 | 16 | 4 | 20 | 179 | 9 | 3 | 1 | 4 | 4 |
| | Detroit (Red Wings) | LNH | 7 | 1 | 1 | 2 | 58 | - | - | - | - | - |
| 1993-94 | Philadelphie (Flyers) | LNH | 22 | 1 | 2 | 3 | 71 | - | - | - | - | - |
| | Hershey (Bears) | AHL | 17 | 6 | 6 | 12 | 70 | - | - | - | - | - |
| | Tampa Bay (Lightning) | LNH | 4 | 0 | 0 | 0 | 13 | - | - | - | - | - |
| | Atlanta (Knights) | IHL | 7 | 4 | 5 | 9 | 14 | 13 | 1 | 2 | 3 | 90 |
| 1994-95 | Tampa Bay (Lightning) | LNH | 10 | 1 | 0 | 1 | 41 | - | - | - | - | - |
| | Chicago (Blackhawks) | LNH | 27 | 3 | 1 | 4 | 117 | 14 | 1 | 1 | 2 | 4 |
| 1995-96 | Chicago (Blackhawks) | LNH | 52 | 2 | 4 | 6 | 180 | 10 | 0 | 0 | 0 | 2 |
| 1996-97 | Chicago (Blackhawks) | LNH | 65 | 6 | 6 | 12 | 199 | 6 | 0 | 0 | 0 | 24 |
| 1997-98 | Chicago (Blackhawks) | LNH | 55 | 0 | 2 | 2 | 178 | - | - | - | - | - |
| | Phoenix (Coyotes) | LNH | 20 | 0 | 0 | 0 | 47 | 3 | 0 | 0 | 0 | 0 |
| 1998-99 | Phoenix (Coyotes) | LNH | 55 | 1 | 7 | 8 | 190 | 3 | 0 | 1 | 1 | 0 |
| 1999-00 | **Montréal (Canadiens)** | **LNH** | 47 | 3 | 5 | 8 | 92 | - | - | - | - | - |
| 2000-01 | Anaheim (Mighty Ducks) | LNH | 79 | 5 | 6 | 11 | 167 | - | - | - | - | - |
| 2001-02 | Anaheim (Mighty Ducks) | LNH | 2 | 0 | 0 | 0 | 0 | - | - | - | - | - |
| | Cincinnati (Mighty Ducks) | AHL | 11 | 1 | 4 | 5 | 39 | - | - | - | - | - |
| | New York (Islanders) | LNH | 10 | 0 | 0 | 0 | 31 | 1 | 0 | 0 | 0 | 9 |
| | **LNH** | | 456 | 23 | 34 | 57 | 1391 | 37 | 1 | 2 | 3 | 43 |
| | **Montréal** | | 47 | 3 | 5 | 8 | 92 | | | | | |

**• Échangé à Detroit par New York (Rangers) avec Kevin Miller et Dennis Vial pour Joe Kocur et Per Djoos le 5 mars 1991 • Échangé à Philadelphie par Detroit avec le choix de 4e ronde de Philadelphie au repêchage de 1993 (cédé plus tard à Boston qui sélectionne Charles Paquette) pour Greg Johnson et le choix de 5e ronde de Philadelphie au repêchage de 1994 (Frédéric Deschênes) le 20 juin 1990 • Échangé à Tampa Bay par Philadelphie avec le choix de 4e ronde de Philadelphie au repêchage de 1995 (ensuite retourné à Philadelphie — Philadelphie sélectionne Radovan Somik) pour Rob DiMaio le 18 mars 1994 • Échangé à Chicago par Tampa Bay avec Tom Tilley et Jeff Buchanan pour Paul Ysebaert et Rich Sutter le 22 février 1995 • Échangé à Phoenix par Chicago avec Keith Carney pour Chad Kilger et Jayson More le 4 mars 1998 • Échangé à Montréal par Phoenix pour le choix de 4e ronde des Rangers au repêchage de 1999 (propriété du Canadien suite à une transaction antérieure, Phoenix sélectionne Erik Leverstrom) le 26 juin 1999 • Signe avec Anaheim comme agent libre le 5 juillet 2000 • Échangé aux Islanders de New York par Anaheim pour Dave Roche le 14 janvier 2002**

## CURRIE, HUGH

**Né à Saskatoon, Saskatchewan, le 22 octobre 1925. Défenseur, lance de la droite, 6', 190 lb**

| SAISON | CLUB | LIGUE | PJ | B | A | PTS | PUN | PJ | B | A | PTS | PUN |
|---|---|---|---|---|---|---|---|---|---|---|---|---|
| 1943-44 | Saskatoon (Lions) | SAHAS | 4 | 1 | 4 | 5 | 4 | 2 | 0 | 3 | 3 | 2 |
| 1944-45 | Baltimore (Orioles) | EAHL | 37 | 3 | 15 | 18 | 44 | 11 | 2 | 4 | 6 | 18 |
| 1945-46 | Dallas (Texans) | USHL | 18 | 3 | 1 | 4 | 14 | - | - | - | - | - |
| | Washington (Lions) | EAHL | 22 | 1 | 5 | 6 | 33 | 12 | 0 | 6 | 6 | 6 |
| 1946-47 | Houston (Huskies) | USHL | 36 | 4 | 8 | 12 | 30 | - | - | - | - | - |
| | Tacoma (Rockets) | PCHL | 18 | 6 | 8 | 13 | 44 | - | - | - | - | - |

| SAISON | CLUB | LIGUE | PJ | B | A | PTS | PUN | PJ | B | A | PTS | PUN |
|---|---|---|---|---|---|---|---|---|---|---|---|---|
| 1947-48 | Buffalo (Bisons) | AHL | 9 | 0 | 0 | 0 | 10 | - | - | - | - | - |
| | Houston (Huskies) | USHL | 52 | 5 | 7 | 12 | 67 | 12 | 1 | 0 | 1 | 2 |
| 1948-49 | Houston (Huskies) | USHL | 11 | 1 | 1 | 2 | 13 | - | - | - | - | - |
| | San Diego (Skyhawks) | PCHL | 51 | 4 | 11 | 15 | 52 | 14 | 2 | 6 | 8 | 30 |
| 1949-50 | Louisville (Blades) | USHL | 7 | 1 | 6 | 7 | 8 | - | - | - | - | - |
| | Buffalo (Bisons) | AHL | 54 | 3 | 25 | 28 | 64 | 5 | 0 | 0 | 0 | 13 |
| 1950-51 | Buffalo (Bisons) | AHL | 57 | 9 | 56 | 65 | 54 | 4 | 0 | 1 | 1 | 2 |
| | **Montréal (Canadiens)** | **LNH** | 1 | 0 | 0 | 0 | 0 | - | - | - | - | - |
| 1951-52 | Buffalo (Bisons) | AHL | 11 | 0 | 4 | 4 | 4 | - | - | - | - | - |
| | Vancouver (Canucks) | PCHL | 34 | 5 | 20 | 25 | 36 | - | - | - | - | - |
| 1952-53 | Vancouver (Canucks) | PCHL | 68 | 3 | 25 | 28 | 77 | 9 | 2 | 5 | 7 | 10 |
| 1953-54 | Springfield (Indians) | AHL | 31 | 5 | 21 | 26 | 11 | - | - | - | - | - |
| | Syracuse (Warriors) | AHL | 41 | 2 | 13 | 15 | 26 | - | - | - | - | - |
| 1954-55 | Springfield (Indians) | AHL | 64 | 5 | 43 | 48 | 60 | 4 | 0 | 1 | 1 | 4 |
| 1955-56 | Vancouver (Canucks) | WHL | 69 | 6 | 30 | 36 | 56 | 15 | 0 | 3 | 3 | 6 |
| 1956-57 | Vancouver (Canucks) | WHL | 68 | 6 | 32 | 38 | 47 | - | - | - | - | - |
| 1957-58 | Seattle (Totems) | WHL | 70 | 3 | 40 | 43 | 72 | 11 | 1 | 1 | 2 | 10 |
| 1958-59 | Vancouver (Canucks) | WHL | 67 | 4 | 26 | 30 | 36 | 9 | 0 | 4 | 4 | 10 |
| 1959-60 | Calgary (Stampeders) | WHL | 66 | 1 | 25 | 26 | 30 | - | - | - | - | - |
| 1960-61 | Victoria (Cougars) | WHL | 70 | 1 | 16 | 17 | 39 | 5 | 0 | 1 | 1 | 0 |
| 1961-62 | San Francisco (Seals) | WHL | 7 | 0 | 1 | 1 | 2 | - | - | - | - | - |
| | Vancouver (Canucks) | WHL | 43 | 1 | 13 | 14 | 16 | - | - | - | - | - |
| 1962-63 | Philadelphie (Ramblers) | EHL | 65 | 2 | 50 | 52 | 31 | 3 | 1 | 0 | 1 | 2 |
| 1963-64 | | | | N'a pas joué | | | | | | | | |
| 1964-65 | | | | N'a pas joué | | | | | | | | |
| 1965-66 | Edmonton (Nuggets) | WCSHL | 7 | 0 | 6 | 6 | 5 | - | - | - | - | - |
| | **LNH** | | 1 | 0 | 0 | 0 | 0 | - | - | - | - | - |
| | **Montréal** | | 1 | 0 | 0 | 0 | 0 | - | - | - | - | - |

**• Deuxième équipe d'étoiles (AHL) en 1950-51 • Première équipe d'étoiles, Division Coats (WHL) en 1957-58, 1958-59 • Deuxième équipe d'étoiles, Division Coast (WHL) en 1956-57**

**• Prêté à Montréal par Buffalo (AHL) le 6 décembre 1950 • Nommé entraîneur des Canucks de Vancouver (WHL) le 8 février 1962 • Nommé joueur-entraîneur des Ramblers de Philadelphie (EHL) le 8 octobre 1962**

## CURRY, FLOYD

**Né à Chapleau, Ontario, le 11 août 1925. Ailier droit, lance de la droite, 5'11", 175 lb**

| SAISON | CLUB | LIGUE | PJ | B | A | PTS | PUN | PJ | B | A | PTS | PUN |
|---|---|---|---|---|---|---|---|---|---|---|---|---|
| 1940-41 | Kirkland (Golden Gate) | NOJHA | 20 | 9 | 4 | 13 | 5 | - | - | - | - | - |
| 1941-42 | Ottawa (Generals) | OHA Jr | 24 | 11 | 15 | 26 | 20 | 12 | 9 | 10 | 19 | 15 |
| | Ottawa (Generals) | Mem. | 11 | 11 | 6 | 17 | 4 | - | - | - | - | - |
| 1942-43 | Ottawa (Generals) | OHA Jr | 22 | 22 | 24 | 46 | 16 | 10 | 8 | 5 | 13 | 8 |
| | Ottawa (Generals) | Mem. | 8 | 7 | 6 | 13 | 2 | - | - | - | - | - |
| 1943-44 | Ottawa (Generals) | OHA Jr | 26 | 22 | 24 | 48 | 13 | 10 | 4 | 7 | 11 | 6 |
| | Ottawa (Generals) | Mem. | 10 | 11 | 8 | 19 | 14 | - | - | - | - | - |
| 1944-45 | Toronto Navy Bulldogs | TNDHL | 7 | 7 | 7 | 14 | 7 | 9 | 6 | 9 | 15 | 4 |
| | Toronto Uptown Tires | TMHL | 2 | 2 | 1 | 3 | 0 | 2 | 1 | 1 | 2 | 0 |
| | Toronto Fuels | TMHL | 7 | 2 | 2 | 4 | 0 | - | - | - | - | - |
| 1945-46 | Montréal (Royals) | LHSQ | 32 | 22 | 23 | 45 | 8 | 11 | 5 | 6 | 9 | 4 |
| 1946-47 | Montréal (Royals) | LHSQ | 40 | 23 | 20 | 43 | 26 | 11 | 3 | 4 | 7 | 6 |
| | Montréal (Royals) | Allan | 14 | 6 | 2 | 8 | 14 | - | - | - | - | - |
| 1947-48 | Buffalo (Bisons) | AHL | 14 | 6 | 8 | 14 | 10 | - | - | - | - | - |
| | **Montréal (Canadiens)** | **LNH** | 31 | 1 | 5 | 6 | 0 | - | - | - | - | - |
| 1948-49 | Buffalo (Bisons) | AHL | 67 | 24 | 19 | 43 | 12 | - | - | - | - | - |
| | **Montréal (Canadiens)** | **LNH** | - | - | - | - | - | 2 | 0 | 0 | 0 | 2 |
| 1949-50 | Buffalo (Bisons) | AHL | 6 | 4 | 6 | 10 | 6 | - | - | - | - | - |
| | **Montréal (Canadiens)** | **LNH** | 49 | 8 | 8 | 16 | 8 | 5 | 1 | 0 | 1 | 2 |
| 1950-51 | **Montréal (Canadiens)** | **LNH** | 69 | 13 | 14 | 27 | 23 | 11 | 0 | 2 | 2 | 2 |
| 1951-52 | **Montréal (Canadiens)** | **LNH** | 64 | 20 | 18 | 38 | 10 | 11 | 4 | 3 | *7 | 6 |
| | Match des étoiles | LNH | 1 | 0 | 0 | 0 | 0 | - | - | - | - | - |
| 1952-53 | **Montréal (Canadiens)** | **LNH** | 68 | 16 | 6 | 22 | 10 | 12 | 2 | 1 | 3 | 2 |
| | Match des étoiles | LNH | 1 | 0 | 0 | 0 | 0 | - | - | - | - | - |
| 1953-54 | **Montréal (Canadiens)** | **LNH** | 70 | 13 | 8 | 21 | 22 | 11 | 4 | 0 | 4 | 4 |
| | Match des étoiles | LNH | 1 | 0 | 0 | 0 | 0 | - | - | - | - | - |
| 1954-55 | **Montréal (Canadiens)** | **LNH** | 68 | 11 | 10 | 21 | 36 | 12 | 8 | 4 | 12 | 4 |
| 1955-56 | **Montréal (Canadiens)** | **LNH** | 70 | 14 | 18 | 32 | 10 | 10 | 1 | 5 | 6 | 12 |
| 1956-57 | **Montréal (Canadiens)** | **LNH** | 70 | 7 | 9 | 16 | 20 | 10 | 3 | 4 | 7 | 8 |
| | Match des étoiles | LNH | 1 | 0 | 0 | 0 | 0 | - | - | - | - | - |
| 1957-58 | **Montréal (Canadiens)** | **LNH** | 42 | 2 | 3 | 5 | 8 | 9 | 1 | 1 | 2 | 0 |
| | Match des étoiles | LNH | 1 | 0 | 0 | 0 | 0 | - | - | - | - | - |
| 1958-59 | Montréal (Royals) | LHQ | 57 | 9 | 13 | 22 | 40 | 8 | 1 | 3 | 4 | 2 |
| | Rochester (Americans) | AHL | 2 | 0 | 0 | 0 | 4 | - | - | - | - | - |
| | **LNH** | | 601 | 105 | 99 | 204 | 147 | 91 | 23 | 17 | 40 | 38 |
| | **Montréal** | | 601 | 105 | 99 | 204 | 147 | 91 | 23 | 17 | 40 | 38 |

**• Signe avec Montréal le 18 octobre 1945**

**• Coupe Memorial en 1943-44 • Match des étoiles (LNH) en 1951-52, 1952-53, 1953-54, 1956-57, 1957-58 • Coupe Stanley (LNH) en 1952-53, 1955-56, 1956-57, 1957-58**

## CURTIS, PAUL

**Né à Peterborough, Ontario, le 29 septembre 1947. Défenseur, lance de la gauche, 6', 185 lb**

| SAISON | CLUB | LIGUE | PJ | B | A | PTS | PUN | PJ | B | A | PTS | PUN |
|---|---|---|---|---|---|---|---|---|---|---|---|---|
| 1963-64 | Peterborough (Petes) | OHA Jr | 2 | 0 | 1 | 1 | 7 | 1 | 0 | 0 | 0 | 4 |
| 1964-65 | Peterborough (Petes) | OHA Jr | 56 | 0 | 7 | 7 | 90 | 12 | 0 | 2 | 2 | 19 |
| 1965-66 | Peterborough (Petes) | OHA Jr | 48 | 3 | 17 | 20 | 116 | 6 | 1 | 1 | 2 | 9 |
| 1966-67 | Peterborough (Petes) | OHA Jr | 44 | 2 | 8 | 10 | 91 | 6 | 1 | 2 | 3 | 2 |
| 1967-68 | Houston (Apollos) | CPHL | 62 | 1 | 8 | 9 | 150 | - | - | - | - | - |
| 1968-69 | Houston (Apollos) | CHL | 70 | 3 | 27 | 30 | 72 | 7 | 0 | 4 | 4 | 2 |
| 1969-70 | Montréal (Voyageurs) | AHL | 69 | 3 | 27 | 30 | 52 | - | - | - | - | - |
| | **Montréal (Canadiens)** | **LNH** | 1 | 0 | 0 | 0 | 0 | - | - | - | - | - |
| 1970-71 | Los Angeles (Kings) | LNH | 64 | 1 | 14 | 15 | 82 | - | - | - | - | - |
| 1971-72 | Los Angeles (Kings) | LNH | 64 | 1 | 12 | 13 | 57 | - | - | - | - | - |
| 1972-73 | Los Angeles (Kings) | LNH | 27 | 0 | 5 | 5 | 16 | - | - | - | - | - |

| SAISON | CLUB | LIGUE | PJ | B | A | PTS | PUN | PJ | B | A | PTS | PUN |
|---|---|---|---|---|---|---|---|---|---|---|---|---|
| | St. Louis (Blues) | LNH | 29 | 1 | 4 | 5 | 6 | 5 | 0 | 0 | 0 | 2 |
| 1973-74 | Cincinnati (Swords) | AHL | 42 | 1 | 7 | 8 | 33 | - | - | - | - | - |
| | Providence (Reds) | AHL | 24 | 4 | 12 | 16 | 4 | 15 | 5 | 8 | 13 | 22 |
| 1974-75 | Michigan/Baltimore | AMH | 76 | 4 | 15 | 19 | 32 | - | - | - | - | - |
| 1975-76 | Baltimore (Clippers) | AHL | 54 | 2 | 8 | 10 | 33 | - | - | - | - | - |
| | | LNH | 185 | 3 | 34 | 37 | 161 | 5 | 0 | 0 | 0 | 2 |
| | | Montréal | 1 | 0 | 0 | 0 | 0 | - | - | - | - | - |

• Deuxième équipe d'étoiles (AHL) en 1969-70
• Réclamé par Los Angeles de Montréal au repêchage intra-ligue le 9 juin 1970 • Échangé à St. Louis par Los Angeles pour Frank St-Marseille le 22 janvier 1973 • Échangé à Buffalo par St. Louis pour Réal Lemieux le 21 janvier 1974 • Signe avec Michigan (AMH) comme agent libre en août 1974 • Signe avec Baltimore (AHL) comme agent libre en novembre 1975

### CUSHENAN, IAN

**Né à Hamilton, Ontario, le 29 novembre 1933. Défenseur, lance de la gauche, 6'2", 195 lb**

| SAISON | CLUB | LIGUE | PJ | B | A | PTS | PUN | PJ | B | A | PTS | PUN |
|---|---|---|---|---|---|---|---|---|---|---|---|---|
| 1952-53 | St. Catharines (Teepees) | OHA Jr | 49 | 3 | 9 | 12 | 60 | 3 | 0 | 1 | 1 | 8 |
| 1953-54 | St. Catharines (Teepees) | OHA Jr | 59 | 5 | 25 | 30 | 86 | 15 | 0 | 3 | 3 | 23 |
| | St. Catharines (Teepees) | Mem. | 11 | 0 | 1 | 1 | 34 | - | - | - | - | - |
| 1954-55 | Cleveland (Barons) | AHL | 56 | 1 | 13 | 14 | 84 | 4 | 0 | 0 | 0 | 12 |
| | Québec (As) | LHQ | 6 | 0 | 2 | 2 | 4 | - | - | - | - | - |
| 1955-56 | Cleveland (Barons) | AHL | 63 | 2 | 16 | 18 | 113 | 8 | 0 | 3 | 3 | *38 |
| 1956-57 | Cleveland (Barons) | AHL | 54 | 0 | 17 | 17 | 151 | - | - | - | - | - |
| | Chicago (Black Hawks) | LNH | 11 | 0 | 0 | 0 | 13 | - | - | - | - | - |
| 1957-58 | Chicago (Black Hawks) | LNH | 61 | 2 | 8 | 10 | 67 | - | - | - | - | - |
| 1958-59 | Montréal (Canadiens) | LNH | 35 | 1 | 2 | 3 | 28 | - | - | - | - | - |
| | Match des étoiles | LNH | 1 | 0 | 0 | 0 | 0 | - | - | - | - | - |
| 1959-60 | New York (Rangers) | LNH | 17 | 0 | 1 | 1 | 22 | - | - | - | - | - |
| | Springfield (Indians) | AHL | 49 | 0 | 12 | 12 | 67 | 10 | 0 | 1 | 1 | 8 |
| 1960-61 | Springfield (Indians) | AHL | 71 | 5 | 41 | 46 | 81 | 8 | 2 | 3 | 5 | 18 |
| 1961-62 | Buffalo (Bisons) | AHL | 69 | 2 | 21 | 23 | 84 | 11 | 0 | 3 | 3 | 8 |
| 1962-63 | Buffalo (Bisons) | AHL | 72 | 3 | 29 | 32 | 97 | 13 | 1 | 6 | 7 | 34 |
| 1963-64 | Pittsburgh (Hornets) | AHL | 56 | 4 | 16 | 20 | 77 | 5 | 0 | 3 | 3 | 9 |
| | Detroit (Red Wings) | LNH | 5 | 0 | 0 | 0 | 4 | - | - | - | - | - |
| 1964-65 | Buffalo (Bisons) | AHL | 69 | 4 | 23 | 27 | 89 | 9 | 3 | 0 | 3 | 12 |
| 1965-66 | Buffalo (Bisons) | AHL | 69 | 0 | 13 | 13 | 66 | - | - | - | - | - |
| | | LNH | 129 | 3 | 11 | 14 | 134 | - | - | - | - | - |
| | | Montréal | 35 | 1 | 2 | 3 | 28 | - | - | - | - | - |

• Coupe Memorial en 1953-54 • Match des étoiles (LNH) en 1958-59 • Coupe Calder (AHL) en 1959-60, 1960-61, 1962-63 • Deuxième équipe d'étoiles (AHL) en 1962-63
• Échangé à Chicago par Cleveland (AHL) pour Ron Ingram le 4 septembre 1956 • Droits vendus à Montréal par Chicago le 3 octobre 1958 • Échangé à Chicago par Montréal avec Bill Reed pour des considérations futures le 27 avril 1959 • Réclamé par New York (Rangers) de Chicago au repêchage inter-ligue le 10 juin 1959 • Réclamé par Detroit de Buffalo (AHL) au repêchage inter-ligues le 4 juin 1963 • Échangé à Chicago par Detroit avec John Miszuk et Art Stratton pour Autry Erickson et Ron Murphy le 9 juin 1959

### CZERKAWSKI, MARIUSZ

**Né à Radomsko, Pologne, le 13 avril 1972. Ailier droit, lance de la droite, 6'01", 200 lb**
**(5e choix de Boston, 106e au total lors du repêchage de 1990)**

| SAISON | CLUB | LIGUE | PJ | B | A | PTS | PUN | PJ | B | A | PTS | PUN |
|---|---|---|---|---|---|---|---|---|---|---|---|---|
| 1988-89 | GKS Tychy | POL-Jr. | | | | | | Statistiques non disponible | | | | |
| | Pologne | CEH-B | 5 | 5 | 6 | 11 | 6 | - | - | - | - | - |
| 1989-90 | GKS Tychy | POL-Jr. | 30 | 35 | 11 | 46 | | - | - | - | - | - |
| | Pologne | CMJ | 7 | 1 | 0 | 1 | 4 | - | - | - | - | - |
| | Pologne | CEH | 6 | 9 | 3 | 12 | 14 | - | - | - | - | - |
| 1990-91 | GKS Tychy | POL | 24 | 25 | 15 | 40 | | - | - | - | - | - |
| | Pologne | CMJ-B | 7 | 12 | 3 | 15 | 2 | - | - | - | - | - |
| | Pologne | CEH-B | 7 | 6 | 2 | 8 | 4 | - | - | - | - | - |
| 1991-92 | Djurgardens IF | SWE | 39 | 8 | 5 | 13 | 4 | 3 | 0 | 3 | 3 | 2 |
| | Pologne | JO | 5 | 0 | 1 | 1 | 4 | - | - | - | - | - |
| | Pologne | CMH | 6 | 0 | 1 | 1 | 0 | - | - | - | - | - |
| 1992-93 | SC Hammarby | SWE | 32 | *39 | 30 | *69 | 74 | 13 | 16 | 7 | 23 | 34 |
| 1993-94 | Djurgardens IF | SWE | 39 | 13 | 21 | 34 | 20 | 6 | 3 | 1 | 4 | 2 |
| | Boston (Bruins) | LNH | 4 | 2 | 1 | 3 | 0 | 13 | 3 | 3 | 6 | 4 |
| 1994-95 | Kiekko-Espoo | FIN | 7 | 9 | 3 | 12 | 10 | - | - | - | - | - |
| | Boston (Bruins) | LNH | 47 | 12 | 26 | 31 | 5 | 5 | 1 | 0 | 1 | 6 |
| 1995-96 | Boston (Bruins) | LNH | 33 | 5 | 6 | 11 | 10 | - | - | - | - | - |
| 1995-96 | Edmonton (Oilers) | LNH | 37 | 12 | 17 | 29 | 8 | - | - | - | - | - |
| 1996-97 | Edmonton (Oilers) | LNH | 76 | 26 | 21 | 47 | 16 | 12 | 2 | 1 | 3 | 10 |
| 1997-98 | New York (Islanders) | LNH | 68 | 12 | 13 | 25 | 23 | - | - | - | - | - |
| | Pologne | CM-B | 3 | 2 | 1 | 3 | 0 | - | - | - | - | - |
| 1998-99 | New York (Islanders) | LNH | 78 | 21 | 17 | 38 | 14 | - | - | - | - | - |
| 1999-00 | New York (Islanders) | LNH | 79 | 35 | 35 | 70 | 34 | - | - | - | - | - |
| | Match des étoiles | LNH | 1 | 0 | 1 | 1 | 0 | - | - | - | - | - |
| | Pologne | CM-B | 7 | 4 | 7 | 11 | 2 | - | - | - | - | - |
| 2000-01 | New York (Islanders) | LNH | 82 | 30 | 32 | 62 | 48 | - | - | - | - | - |
| 2001-02 | New York (Islanders) | LNH | 82 | 22 | 29 | 51 | 48 | 7 | 6 | 8 | 14 | 18 |
| 2002-03 | Montréal (Canadiens) | LNH | 43 | 5 | 9 | 14 | 16 | - | - | - | - | - |
| | Hamilton (Bulldogs) | AHL | 20 | 8 | 12 | 20 | 12 | 6 | 1 | 3 | 4 | 6 |
| | | LNH | 629 | 182 | 194 | 376 | 248 | 37 | 8 | 6 | 14 | 18 |
| | | Montréal | 43 | 5 | 9 | 14 | 16 | - | - | - | - | - |

• Match des étoiles (LNH) en 1999-00
• Échangé à Edmonton par Boston avec Sean Brown et le 1er choix de Boston au repêchage de 1996 (Matthieu Descoteaux) pour Bill Ranford le 11 janvier 1996 • Échangé aux Islanders de New York par Edmonton pour Dan Lacouture le 25 août 1997 • Échangé à Montréal par les Islanders de New York pour Arron Asham et le choix de 5e ronde de Montréal au repêchage de 2002 (Markus Pahlsson) le 22 juin 2002 • Signe comme agent libre avec NY (Islanders) le 17 juillet 2003

### DACKELL, ANDREAS

**Né à Gävle, Suède, le 29 décembre 1972. Ailier droit, lance de la droite, 5'11", 194 lb**
**(3e choix d'Ottawa, 136e au total lors du repêchage de 1990)**

| SAISON | CLUB | LIGUE | PJ | B | A | PTS | PUN | PJ | B | A | PTS | PUN |
|---|---|---|---|---|---|---|---|---|---|---|---|---|
| 1990-91 | Stromsbro AIK | SWE | 29 | 21 | 9 | 30 | 12 | - | - | - | - | - |
| | Brynas IF Gavle | SWE | 3 | 0 | 1 | 1 | 2 | - | - | - | - | - |
| 1991-92 | Brynas IF Gavle | SWE | 26 | 17 | 24 | 41 | 42 | 2 | 3 | 1 | 4 | 2 |
| | Brynas IF Gavle | SWE | 4 | 0 | 0 | 0 | 2 | 2 | 0 | 1 | 1 | 4 |
| 1992-93 | Brynas IF Gavle | SWE | 40 | 12 | 15 | 27 | 12 | 10 | 4 | 5 | 9 | 2 |
| 1993-94 | Brynas IF Gavle | SWE | 38 | 12 | 17 | 29 | 47 | 7 | 2 | 2 | 4 | 8 |
| | Suède | JO | 4 | 0 | 0 | 0 | 0 | - | - | - | - | - |
| | Suède | CM | 7 | 2 | 2 | 4 | 25 | - | - | - | - | - |
| 1994-95 | Brynas IF Gavle | SWE | 39 | 17 | 16 | 33 | 34 | 14 | 3 | 3 | 6 | 14 |
| | Suède | CM | 8 | 3 | 4 | 7 | 4 | - | - | - | - | - |
| 1995-96 | Brynas IF Gavle | SWE | 22 | 6 | 12 | 18 | 8 | - | - | - | - | - |
| | Suède | CM | 6 | 1 | 1 | 0 | 0 | - | - | - | - | - |
| 1996-97 | Ottawa (Sénateurs) | LNH | 79 | 12 | 19 | 31 | 8 | 7 | 1 | 0 | 1 | 0 |
| 1997-98 | Ottawa (Sénateurs) | LNH | 82 | 15 | 18 | 33 | 24 | 11 | 1 | 1 | 2 | 2 |
| 1998-99 | Ottawa (Sénateurs) | LNH | 77 | 15 | 35 | 50 | 30 | 4 | 0 | 1 | 1 | 0 |
| 1999-00 | Ottawa (Sénateurs) | LNH | 82 | 10 | 25 | 35 | 18 | 6 | 2 | 1 | 3 | 2 |
| 2000-01 | Ottawa (Sénateurs) | LNH | 81 | 13 | 18 | 31 | 24 | 4 | 0 | 0 | 0 | 0 |
| 2001-02 | Montréal (Canadiens) | LNH | 79 | 15 | 18 | 33 | 24 | 12 | 1 | 2 | 3 | 6 |
| 2002-03 | Montréal (Canadiens) | LNH | 73 | 7 | 18 | 25 | 24 | - | - | - | - | - |
| | | LNH | 553 | 87 | 151 | 238 | 152 | 44 | 5 | 5 | 10 | 10 |
| | | Montréal | 152 | 22 | 36 | 58 | 48 | 12 | 1 | 2 | 3 | 6 |

• Médaille d'or (JO) en 1994 • Médaille d'argent (CM) en 1995
• Échangé à Montréal par Ottawa pour le choix de 8e ronde de Montréal au repêchage de 2001 (Neil Petruic) le 24 juin 2001

### DAHLIN, KJELL

**Né à Timra, Suède, le 2 février 1963. Ailier droit, lance de la droite, 6', 175 lb**
**(7e choix de Montréal, 82e au total lors du repêchage de 1981)**

| SAISON | CLUB | LIGUE | PJ | B | A | PTS | PUN | PJ | B | A | PTS | PUN |
|---|---|---|---|---|---|---|---|---|---|---|---|---|
| 1978-79 | Timra IF | SWE | 2 | 0 | 0 | 0 | 0 | - | - | - | - | - |
| 1979-80 | Timra IF | SWE | 14 | 1 | 4 | 5 | 0 | 1 | 0 | 0 | 0 | 0 |
| | Suède | EJC | 5 | 1 | 0 | 1 | 0 | - | - | - | - | - |
| 1980-81 | Timra IF | SWE | 36 | 15 | 14 | 29 | 24 | - | - | - | - | - |
| | Suède | EJC | 5 | 3 | 2 | 5 | 2 | - | - | - | - | - |
| 1981-82 | Timra IF | SWE | 36 | 16 | 7 | 23 | 14 | - | - | - | - | - |
| | Suède | CMJ | 7 | 5 | 1 | 6 | 4 | - | - | - | - | - |
| 1982-83 | Farjestads BK Karlstad | SWE | 32 | 10 | 8 | 18 | 2 | 7 | 0 | 0 | 0 | 2 |
| | Suède | CMJ | 7 | 3 | 4 | 7 | | - | - | - | - | - |
| 1983-84 | Farjestads BK Karlstad | SWE | 36 | 19 | 9 | 28 | 16 | - | - | - | - | - |
| 1984-85 | Farjestads BK Karlstad | SWE | 35 | 21 | 25 | 46 | 0 | - | - | - | - | - |
| 1985-86 | Montréal (Canadiens) | LNH | 77 | 32 | 39 | 71 | 4 | 16 | 2 | 5 | 5 | 4 |
| 1986-87 | Montréal (Canadiens) | LNH | 41 | 12 | 8 | 20 | 0 | 8 | 2 | 4 | 6 | 0 |
| 1987-88 | Montréal (Canadiens) | LNH | 48 | 13 | 12 | 25 | 6 | 11 | 2 | 4 | 6 | 2 |
| 1988-89 | Farjestads BK Karlstad | SWE | 37 | 23 | 20 | 43 | 24 | 2 | 1 | 0 | 1 | 0 |
| 1989-90 | Farjestads BK Karlstad | SWE | 20 | 26 | 12 | 38 | 12 | 10 | 4 | 5 | 9 | 2 |
| 1990-91 | Farjestads BK Karlstad | SWE | 31 | 9 | 8 | 17 | 14 | 8 | 4 | 3 | 7 | 2 |
| 1991-92 | Farjestads BK Karlstad | SWE | 25 | 6 | 10 | 16 | 0 | 6 | 4 | 1 | 5 | 0 |
| 1992-93 | Farjestads BK Karlstad | SWE | 38 | 6 | 12 | 18 | 4 | 3 | 2 | 0 | 2 | 4 |
| 1993-94 | Farjestads BK Karlstad | SWE | 16 | 0 | 1 | 1 | 0 | 8 | 1 | 0 | 1 | 0 |
| | Grums IK | SWE | 4 | 0 | 5 | 5 | 0 | - | - | - | - | - |
| | | LNH | 166 | 57 | 59 | 116 | 10 | 35 | 6 | 11 | 17 | 6 |
| | | Montréal | 166 | 57 | 59 | 116 | 10 | 35 | 6 | 11 | 17 | 6 |

• Équipe d'étoiles des joueurs recrues (LNH) en 1985-86 • Coupe Stanley (LNH) en 1985-86.

### DAIGNEAULT, JEAN-JACQUES

**Né à Montréal, Québec, le 12 octobre 1965. Défenseur, lance de la gauche, 5'10", 192 lb**
**(1er choix de Vancouver, 10e au total lors du repêchage de 1984)**

| SAISON | CLUB | LIGUE | PJ | B | A | PTS | PUN | PJ | B | A | PTS | PUN |
|---|---|---|---|---|---|---|---|---|---|---|---|---|
| 1979-80 | Montréal (Hurricanes) | QAAA | | | | | | Statistiques non disponibles | | | | |
| 1980-81 | Montréal (Concordia) | QAAA | 48 | 7 | 48 | 55 | | - | - | - | - | - |
| 1981-82 | Laval (Voisins) | LHJMQ | 64 | 4 | 25 | 29 | 41 | 18 | 1 | 3 | 4 | 2 |
| 1982-83 | Longueuil (Chevaliers) | LHJMQ | 70 | 26 | 58 | 84 | 58 | 15 | 4 | 11 | 15 | 35 |
| 1983-84 | Longueuil (Chevaliers) | LHJMQ | 10 | 2 | 11 | 13 | 6 | 14 | 3 | 13 | 16 | 30 |
| | Canada | CMJ | 7 | 0 | 2 | 2 | 2 | - | - | - | - | - |
| | Canada | Éq. nat. | 55 | 5 | 14 | 19 | 40 | - | - | - | - | - |
| | Canada | JO | 7 | 1 | 1 | 2 | 0 | - | - | - | - | - |
| 1984-85 | Vancouver (Canucks) | LNH | 67 | 4 | 23 | 27 | 69 | - | - | - | - | - |
| 1985-86 | Vancouver (Canucks) | LNH | 64 | 5 | 23 | 28 | 45 | 3 | 0 | 2 | 2 | 0 |
| 1986-87 | Philadelphie (Flyers) | LNH | 77 | 6 | 16 | 22 | 56 | 9 | 1 | 2 | 3 | 0 |
| 1987-88 | Philadelphie (Flyers) | LNH | 28 | 2 | 2 | 4 | 12 | - | - | - | - | - |
| | Hershey (Bears) | AHL | 10 | 1 | 5 | 6 | 4 | - | - | - | - | - |
| 1988-89 | Hershey (Bears) | AHL | 12 | 0 | 10 | 10 | 13 | - | - | - | - | - |
| | Fredericton (Canadien) | AHL | 63 | 10 | 33 | 43 | 48 | 6 | 1 | 3 | 4 | 2 |
| 1989-90 | Sherbrooke (Canadien) | AHL | 28 | 8 | 19 | 27 | 18 | - | - | - | - | - |
| | Montréal (Canadiens) | LNH | 36 | 2 | 10 | 12 | 14 | 9 | 0 | 0 | 0 | 2 |
| 1990-91 | Montréal (Canadiens) | LNH | 51 | 3 | 16 | 19 | 31 | 5 | 0 | 1 | 1 | 0 |
| 1991-92 | Montréal (Canadiens) | LNH | 79 | 4 | 14 | 18 | 36 | 11 | 0 | 3 | 3 | 4 |
| 1992-93 | Montréal (Canadiens) | LNH | 66 | 8 | 10 | 18 | 57 | 20 | 1 | 3 | 4 | 22 |
| 1993-94 | Montréal (Canadiens) | LNH | 68 | 2 | 12 | 14 | 73 | 7 | 0 | 1 | 1 | 12 |
| 1994-95 | Montréal (Canadiens) | LNH | 45 | 3 | 5 | 8 | 40 | - | - | - | - | - |
| 1995-96 | Montréal (Canadiens) | LNH | 7 | 0 | 1 | 1 | 6 | - | - | - | - | - |
| | St. Louis (Blues) | LNH | 37 | 1 | 3 | 4 | 24 | - | - | - | - | - |
| | Worcester (IceCats) | AHL | 9 | 1 | 10 | 11 | 10 | - | - | - | - | - |
| | Pittsburgh (Penguins) | LNH | 13 | 3 | 6 | 9 | 23 | 17 | 1 | 9 | 10 | 36 |
| 1996-97 | Pittsburgh (Penguins) | LNH | 53 | 3 | 14 | 17 | 30 | - | - | - | - | - |
| | Anaheim (Mighty Ducks) | LNH | 13 | 2 | 9 | 11 | 11 | 2 | 7 | 9 | 16 |
| 1997-98 | Anaheim (Mighty Ducks) | LNH | 53 | 2 | 15 | 17 | 28 | - | - | - | - | - |
| | New York (Islanders) | LNH | 18 | 0 | 6 | 6 | 21 | - | - | - | - | - |

CUS · DAI

| SAISON | CLUB | LIGUE | PJ | B | A | PTS | PUN | PJ | B | A | PTS | PUN |
|---|---|---|---|---|---|---|---|---|---|---|---|---|
| 1998-99 | Nashville (Predators) | LNH | 35 | 2 | 2 | 4 | 38 | - | - | - | - | - |
| | Phoenix (Coyotes) | LNH | 35 | 0 | 7 | 7 | 32 | 6 | 0 | 0 | 0 | 8 |
| 1999-00 | Phoenix (Coyotes) | LNH | 53 | 1 | 6 | 7 | 22 | 1 | 0 | 0 | 0 | 0 |
| 2000-01 | Minnesota (Wild) | LNH | 1 | 0 | 0 | 0 | 2 | - | - | - | - | - |
| | Cleveland (Lumberjacks) | IHL | 44 | 8 | 9 | 17 | 18 | - | - | - | - | - |
| 2001-02 | EHC Biel-Bienne | SUI | 7 | 5 | 2 | 7 | 14 | 2 | 0 | 0 | 0 | 0 |
| | **LNH** | | **899** | **53** | **197** | **250** | **687** | **99** | **5** | **26** | **31** | **100** |
| | **Montréal** | | **352** | **22** | **68** | **90** | **257** | **52** | **1** | **8** | **9** | **40** |

• Première équipe d'étoiles (LHJMQ) en 1982-83 • Trophée Émile-Bouchard (LHJMQ) en 1982-83 • Coupe Stanley (LNH) en 1992-93
• Échangé à Philadelphie par Vancouver avec le choix de 2e ronde de Vancouver au repêchage de 1986 (Kent Hawley) pour Dave Richter, Rick Sutter et le choix de 3e ronde de Vancouver (acquis préalablement par les Flyers) au repêchage de 1986 (Don Gibson) le 6 juin 1986 • Échangé à Montréal par Philadelphie pour Scott Sandelin le 7 novembre 1988 • Échangé à St. Louis par Montréal pour Pat Jablonski le 7 novembre 1995 • Échangé à Pittsburgh par St. Louis pour le choix de 6e ronde de Pittsburgh au repêchage de 1996 (Stephen Wagner) le 20 mars 1996 • Échangé à Anaheim par Pittsburgh pour Garry Valk le 21 février 1997 • Échangé à New York (Islanders) par Anaheim pour Joe Sacco et Mark Janssens pour Travis Green, Doug Houda et Tony Tuzzolino le 6 février 1998 • Réclamé par Nasville de New York (Islanders) lors de l'expansion de la LNH le 26 juin 1998 • Échangé à Phoenix par Nashville pour des considérations futures le 13 janvier 1999 • Signe avec Minnesota comme agent libre le 24 juillet 2000

### DALLAIRE, HECTOR

**Né à Longueuil, Québec, le 6 janvier 1887, décédé**
**Centre, lance de la droite, 5'07", 160 lb**

| SAISON | CLUB | LIGUE | PJ | B | A | PTS | PUN | PJ | B | A | PTS | PUN |
|---|---|---|---|---|---|---|---|---|---|---|---|---|
| 1909-10 | Rockland (Seniors) | LOHA | *Statistiques non disponibles* | | | | | | | | | |
| 1910-11 | **Montréal (Canadiens)** | **NHA** | 13 | 11 | 0 | 11 | 30 | - | - | - | - | - |
| 1911-12 | **Montréal (Canadien)** | **NHA** | 12 | 5 | 0 | 5 | | | | | | |
| 1912-13 | **Montréal (Canadiens)** | **NHA** | 1 | 0 | 0 | 0 | | | | | | |
| | Halifax (Crescents) | MPHL | *Statistiques non disponibles* | | | | | | | | | |
| 1913-14 | **Montréal (Canadiens)** | **NHA** | 5 | 2 | 2 | 4 | | | | | | |
| | **NHA** | | **31** | **18** | **2** | **20** | **30** | | | | | |
| | **Montréal** | | **31** | **18** | **2** | **20** | **30** | | | | | |

• Signe avec Montréal (NHA) le 22 décembre 1910 • Prêté à Halifax (MPHL) par Montréal (NHA) avec Ed Degray le 2 janvier 1913

### DAME, AURELLA (BUNNY)

**Né à Edmonton, Alberta, le 6 décembre 1913**
**Ailier gauche, lance de la gauche, 5'9", 160 lb**

| SAISON | CLUB | LIGUE | PJ | B | A | PTS | PUN | PJ | B | A | PTS | PUN |
|---|---|---|---|---|---|---|---|---|---|---|---|---|
| 1930-31 | Edmonton (Canadians) | EJHL | 3 | 1 | 0 | 1 | 0 | - | - | - | - | - |
| 1931-32 | Edmonton (Canadians) | EJHL | 13 | *14 | 2 | *16 | - | 4 | 2 | 0 | 2 | 2 |
| 1932-33 | Edmonton (Canadians) | EJHL | 11 | - | - | - | 16 | 3 | 1 | 0 | 1 | 0 |
| | Edmonton (Canadians) | Mem. | 3 | 3 | 0 | 3 | 4 | | | | | |
| 1933-34 | Rossland (Miners) | WKHL | 18 | 14 | 5 | 19 | 5 | | | | | |
| 1934-35 | Rossland (Miners) | WKHL | 12 | 8 | 5 | 13 | 19 | | | | | |
| 1935-36 | Rossland (Miners) | WKHL | 16 | 7 | 9 | 16 | 15 | 2 | 1 | 1 | 2 | 0 |
| 1936-37 | Trail (Smoke Eaters) | WKHL | 13 | 10 | *12 | 22 | 6 | 3 | 0 | 0 | 0 | 0 |
| 1937-38 | Trail (Smoke Eaters) | WKHL | 18 | 9 | 10 | 19 | 4 | 4 | 0 | 1 | 1 | 0 |
| | Trail (Smoke Eaters) | Allan | 12 | 7 | 10 | 17 | 8 | | | | | |
| 1938-39 | Trail (Smoke Eaters) | Exh. | *Statistiques non disponibles* | | | | | | | | | |
| | Canada | CM | 7 | *8 | 4 | *12 | | | | | | |
| 1939-40 | Trail (Smoke Eaters) | WKHL | 27 | 28 | 34 | 62 | 4 | 4 | 4 | 3 | 7 | 4 |
| | Trail (Smoke Eaters) | Allan | 3 | 0 | 1 | 0 | 1 | | | | | |
| 1940-41 | Trail (Smoke Eaters) | WKHL | 28 | 23 | 26 | 49 | 26 | 3 | 2 | 1 | 3 | 0 |
| | Trail (Smoke Eaters) | Allan | 6 | 1 | 2 | 3 | 6 | | | | | |
| 1941-42 | **Montréal (Canadiens)** | **LNH** | 34 | 2 | 5 | 7 | 4 | | | | | |
| 1942-43 | | | *Service militaire* | | | | | | | | | |
| 1943-44 | | | *Service militaire* | | | | | | | | | |
| 1944-45 | Calgary (Currie Army) | CNDHL | 14 | 6 | 9 | 15 | 6 | 3 | 0 | 2 | 2 | 2 |
| 1945-46 | Calgary (Stampeders) | WCSHL | 36 | 23 | 31 | 54 | 14 | 4 | 3 | 3 | 6 | 0 |
| | Calgary (Stampeders) | Allan | 11 | 6 | 5 | 11 | 5 | | | | | |
| 1946-47 | Calgary (Stampeders) | WCSHL | 17 | 10 | 17 | 27 | 12 | 7 | 7 | 4 | 11 | 2 |
| | Calgary (Stampeders) | Allan | 18 | 7 | 4 | 11 | 0 | | | | | |
| 1947-48 | Calgary (Stampeders) | WCSHL | 46 | 14 | 22 | 36 | 22 | 11 | 4 | 4 | 8 | 8 |
| 1948-49 | Calgary (Stampeders) | WCSHL | 46 | 17 | 20 | 37 | 34 | 4 | 0 | 0 | 0 | 2 |
| 1949-50 | Calgary (Stampeders) | WCSHL | 44 | 14 | 15 | 29 | 21 | 11 | 1 | 2 | 3 | 4 |
| | Calgary (Stampeders) | Allan | 14 | 2 | 2 | 4 | 4 | | | | | |
| | **LNH** | | **34** | **2** | **5** | **7** | **4** | | | | | |
| | **Montréal** | | **34** | **2** | **5** | **7** | **4** | | | | | |

• Signe avec Montréal le 26 août 1941.

### DAMPHOUSSE, VINCENT

**Né à Montréal, Québec, le 17 décembre 1967. Centre, lance de la gauche, 6'1", 191 lb**
**(1er choix de Toronto, 6e au total lors du repêchage de 1986)**

| SAISON | CLUB | LIGUE | PJ | B | A | PTS | PUN | PJ | B | A | PTS | PUN |
|---|---|---|---|---|---|---|---|---|---|---|---|---|
| 1982-83 | Bourassa (Angevins) | QAAA | 48 | 33 | 45 | 78 | - | - | - | - | - | - |
| 1983-84 | Laval (Voisins) | LHJMQ | 66 | 29 | 36 | 65 | 25 | | | | | |
| | Laval (Voisins) | Mem. | 3 | 0 | 0 | 0 | 4 | | | | | |
| 1984-85 | Laval (Voisins) | LHJMQ | 68 | 35 | 68 | 103 | 62 | | | | | |
| 1985-86 | Laval (Titan) | LHJMQ | 69 | 45 | 110 | 155 | 70 | 14 | 9 | 27 | 36 | 12 |
| 1986-87 | Toronto (Maple Leafs) | LNH | 80 | 21 | 25 | 46 | 26 | 12 | 1 | 5 | 6 | 8 |
| 1987-88 | Toronto (Maple Leafs) | LNH | 75 | 12 | 36 | 48 | 40 | 6 | 0 | 1 | 1 | 10 |
| 1988-89 | Toronto (Maple Leafs) | LNH | 80 | 26 | 42 | 68 | 75 | | | | | |
| 1989-90 | Toronto (Maple Leafs) | LNH | 80 | 33 | 61 | 94 | 56 | 5 | 0 | 2 | 2 | 2 |
| 1990-91 | Toronto (Maple Leafs) | LNH | 79 | 26 | 47 | 73 | 65 | | | | | |
| | Match des étoiles | LNH | 1 | 0 | 1 | 1 | 0 | | | | | |
| 1991-92 | Edmonton (Oilers) | LNH | 80 | 38 | 51 | 89 | 53 | 16 | 6 | 8 | 14 | 8 |
| | Match des étoiles | LNH | 1 | 0 | 0 | 0 | 0 | | | | | |
| 1992-93 | **Montréal (Canadiens)** | **LNH** | 84 | 39 | 58 | 97 | 98 | 20 | 11 | 12 | 23 | 16 |
| 1993-94 | **Montréal (Canadiens)** | **LNH** | 84 | 40 | 51 | 91 | 75 | 7 | 1 | 2 | 3 | 8 |
| 1994-95 | EC Ratinger Lowen | GER | 11 | 5 | 7 | 12 | 24 | | | | | |
| | **Montréal (Canadiens)** | **LNH** | 48 | 10 | 30 | 40 | 42 | | | | | |
| 1995-96 | **Montréal (Canadiens)** | **LNH** | 80 | 38 | 56 | 94 | 158 | 6 | 4 | 4 | 8 | 0 |
| 1996-97 | **Montréal (Canadiens)** | **LNH** | 82 | 27 | 54 | 81 | 82 | 5 | 0 | 2 | 2 | 0 |
| | Canada | CDM | 8 | 2 | 0 | 2 | 8 | | | | | |
| 1997-98 | **Montréal (Canadiens)** | **LNH** | 76 | 18 | 41 | 59 | 58 | 10 | 3 | 6 | 9 | 22 |
| 1998-99 | **Montréal (Canadiens)** | **LNH** | 65 | 12 | 24 | 36 | 46 | | | | | |
| | San Jose (Sharks) | LNH | 12 | 7 | 6 | 13 | 4 | 6 | 3 | 2 | 5 | 6 |
| 1999-00 | San Jose (Sharks) | LNH | 82 | 21 | 49 | 70 | 58 | 12 | 1 | 7 | 8 | 16 |
| 2000-01 | San Jose (Sharks) | LNH | 45 | 9 | 37 | 46 | 62 | 6 | 2 | 1 | 3 | 14 |
| 2001-02 | San Jose (Sharks) | LNH | 82 | 20 | 38 | 58 | 60 | 12 | 2 | 6 | 8 | 12 |
| | Match des étoiles | LNH | 1 | 1 | 2 | 3 | 0 | | | | | |
| 2002-03 | San Jose (Sharks) | LNH | 82 | 23 | 38 | 61 | 66 | | | | | |
| | **LNH** | | **1296** | **420** | **744** | **1164** | **1241** | **123** | **34** | **56** | **90** | **124** |
| | **Montréal** | | **519** | **184** | **314** | **498** | **559** | **48** | **19** | **24** | **43** | **48** |

• Coupe du Président (LHJMQ) en 1983-84 • Deuxième équipe d'étoiles (LHJMQ) en 1985-86 • Match des étoiles (LNH) en 1990-91, 1991-92, 2001-02 • Nommé joueur par excellence du Match des étoiles (LNH) en 1990-91 • Coupe Stanley (LNH) en 1992-93
• Échangé à Edmonton par Toronto avec Peter Ing, Scott Thornton, Luke Richardson et des considérations futures pour Grant Fuhr, Glenn Anderson et Craig Berube le 19 septembre 1991 • Échangé à Montréal par Edmonton avec le choix de 4e ronde d'Edmonton au repêchage de 1993 (Adam Wiesel) pour Shayne Corson, Brent Gilchrist et Vladimir Vujtek le 27 août 1992 • Échangé à San Jose par Montréal pour le choix de 5e ronde de Phoenix (propriété de San Jose suite à une transaction antérieure, Montréal sélectionne Marc-André Thinel) au repêchage de 1999, le 1er choix de San José (Marcel Hossa) au repêchage de 2000 et le choix de 2e ronde de San Jose au repêchage de 2001 (cédé à Columbus qui sélectionne Kiel McLeod) le 23 mars 1999

### DAOUST, DANIEL (DAN)

**Né à Montréal, Québec, le 29 février 1960. Centre, lance de la gauche, 5'10", 160 lb**

| SAISON | CLUB | LIGUE | PJ | B | A | PTS | PUN | PJ | B | A | PTS | PUN |
|---|---|---|---|---|---|---|---|---|---|---|---|---|
| 1977-78 | Cornwall (Royals) | LHJMQ | 68 | 24 | 44 | 68 | 74 | | | | | |
| 1978-79 | Cornwall (Royals) | LHJMQ | 72 | 42 | 55 | 97 | 85 | 7 | 2 | 4 | 6 | 29 |
| 1979-80 | Cornwall (Royals) | LHJMQ | 70 | 40 | 62 | 102 | 82 | 18 | 5 | 9 | 14 | 36 |
| | Cornwall (Royals) | Mem. | 5 | 1 | 4 | 5 | 8 | | | | | |
| 1980-81 | Nlle-Écosse (Voyageurs) | AHL | 80 | 38 | 60 | 98 | 106 | 6 | 1 | 3 | 4 | 10 |
| 1981-82 | Nlle-Écosse (Voyageurs) | AHL | 61 | 25 | 40 | 65 | 75 | 9 | 5 | 2 | 7 | 11 |
| 1982-83 | **Montréal (Canadiens)** | **LNH** | 4 | 0 | 1 | 1 | 4 | | | | | |
| | Toronto (Maple Leafs) | LNH | 48 | 18 | 33 | 51 | 31 | | | | | |
| 1983-84 | Toronto (Maple Leafs) | LNH | 78 | 18 | 56 | 74 | 88 | | | | | |
| 1984-85 | Toronto (Maple Leafs) | LNH | 79 | 17 | 37 | 54 | 98 | | | | | |
| 1985-86 | Toronto (Maple Leafs) | LNH | 80 | 7 | 13 | 20 | 88 | 10 | 2 | 2 | 4 | 19 |
| 1986-87 | Toronto (Maple Leafs) | LNH | 33 | 4 | 3 | 7 | 35 | 13 | 2 | 5 | 7 | 42 |
| | Newmarket (Saints) | AHL | 1 | 0 | 0 | 0 | 4 | | | | | |
| 1987-88 | Toronto (Maple Leafs) | LNH | 67 | 9 | 8 | 17 | 57 | 4 | 0 | 0 | 0 | 4 |
| 1988-89 | Toronto (Maple Leafs) | LNH | 68 | 7 | 11 | 18 | 54 | | | | | |
| 1989-90 | Toronto (Maple Leafs) | LNH | 65 | 7 | 11 | 18 | 89 | 5 | 1 | 1 | 2 | 20 |
| 1990-91 | HC Ajoie | SUI | 27 | 21 | 32 | 53 | 106 | 10 | 6 | 8 | 14 | 17 |
| 1991-92 | EHC Biel-Bienne | SUI | 5 | 5 | 9 | 14 | 8 | | | | | |
| | HC Lyss | SUI | 25 | 24 | 16 | 40 | 58 | 9 | 3 | 6 | 9 | 44 |
| | ESV Kaufberen | GER | 7 | 2 | 0 | 2 | 14 | | | | | |
| 1992-93 | HC Thurgau | SUI | 36 | 23 | 31 | 54 | 123 | 4 | 4 | 5 | 9 | 8 |
| 1993-94 | HC Thurgau | SUI | 36 | 21 | 47 | 68 | 97 | 2 | 0 | 1 | 1 | 2 |
| 1994-95 | HC Thurgau | SUI | 36 | 23 | 42 | 65 | 105 | 9 | 7 | 5 | 12 | 41 |
| 1995-96 | HC Thurgau | SUI | 36 | 25 | 40 | 65 | 50 | 5 | 5 | 4 | 9 | 10 |
| 1996-97 | HC Thurgau | SUI | 19 | 10 | 24 | 34 | 20 | 3 | 1 | 1 | 2 | 8 |
| | **LNH** | | **522** | **87** | **167** | **254** | **544** | **32** | **7** | **5** | **12** | **83** |
| | **Montréal** | | **4** | **0** | **1** | **1** | **4** | | | | | |

• Coupe du Président (LHJMQ) en 1979-80 • Coupe Memorial en 1979-80 • Première équipe d'étoiles (AHL) en 1980-81 • Équipe d'étoiles des joueurs recrues (LNH) en 1982-83
• Signe avec Montréal comme agent libre le 9 mars 1981 • Échangé à Toronto par Montréal pour le choix de 3e ronde de Toronto au repêchage de 1984 (cédé au Minnesota qui sélectionne Ken Hodge Jr) le 17 décembre 1982

### DARBY, CRAIG

**Né à Oneida, New York, le 26 septembre 1972. Centre, lance de la droite, 6'3", 200 lb**
**(3e choix de Montréal, 43e au total lors du repêchage de 1991)**

| SAISON | CLUB | LIGUE | PJ | B | A | PTS | PUN | PJ | B | A | PTS | PUN |
|---|---|---|---|---|---|---|---|---|---|---|---|---|
| 1989-90 | Albany Academy | H.S. | 29 | 32 | 53 | 85 | | - | - | - | - | - |
| 1990-91 | Albany Academy | H.S. | 29 | 43 | 46 | 89 | | - | - | - | - | - |
| 1991-92 | Providence College | H-East | 35 | 17 | 24 | 41 | 47 | | | | | |
| 1992-93 | Providence College | H-East | 35 | 11 | 21 | 32 | 62 | | | | | |
| 1993-94 | Fredericton (Canadien) | AHL | 66 | 23 | 33 | 56 | 51 | | | | | |
| 1994-95 | **Montréal (Canadiens)** | **LNH** | 10 | 0 | 2 | 2 | 0 | | | | | |
| | Fredericton (Canadien) | AHL | 64 | 21 | 47 | 68 | 82 | | | | | |
| | New York (Islanders) | LNH | 3 | 0 | 0 | 0 | 0 | | | | | |
| 1995-96 | New York (Islanders) | LNH | 10 | 0 | 0 | 0 | 0 | | | | | |
| | Worcester (IceCats) | AHL | 68 | 22 | 28 | 50 | 47 | 4 | 1 | 1 | 2 | 2 |
| 1996-97 | Philadelphie (Flyers) | LNH | 9 | 1 | 4 | 5 | 0 | | | | | |
| | Philadelphie (Phantoms) | AHL | 59 | 26 | 33 | 59 | 24 | 10 | 3 | 6 | 9 | 0 |
| 1997-98 | Philadelphie (Flyers) | LNH | 3 | 1 | 0 | 1 | 0 | | | | | |
| | Philadelphie (Phantoms) | AHL | 77 | *42 | 45 | 87 | 34 | 20 | 5 | 9 | 14 | 4 |
| 1998-99 | Milwaukie (Admirals) | IHL | 81 | 32 | 22 | 54 | 33 | 2 | 3 | 0 | 3 | 0 |
| 1999-00 | **Montréal (Canadiens)** | **LNH** | 76 | 7 | 10 | 17 | 14 | | | | | |
| 2000-01 | **Montréal (Canadiens)** | **LNH** | 78 | 12 | 16 | 28 | 16 | | | | | |
| 2001-02 | **Montréal (Canadiens)** | **LNH** | 2 | 0 | 0 | 0 | 0 | | | | | |
| | Québec (Citadelles) | AHL | 66 | 16 | 55 | 71 | 18 | 3 | 2 | 1 | 3 | 0 |
| 2002-03 | New Jersey (Devils) | LNH | 3 | 0 | 3 | 3 | 2 | | | | | |
| | Albany (River Rats) | AHL | 76 | 23 | 51 | 74 | 42 | | | | | |
| | **LNH** | | **194** | **21** | **35** | **56** | **32** | | | | | |
| | **Montréal** | | **166** | **19** | **28** | **47** | **30** | | | | | |

• Première équipe d'étoiles (AHL) en 1997-98 • Coupe Calder (AHL) en 1997-98

• Échangé à New York (Islanders) par Montréal avec Kirk Muller et Mathieu Schneider pour Pierre Turgeon et Vladimir Malakhov le 5 avril 1995 • Réclamé au ballottage par Philadelphie de New York (Islanders) le 4 juin 1996 • Réclamé par Nashville de Philadelphie lors de l'expansion de la LNH le 26 juin 1998 • Signe avec Montréal comme agent libre le 4 août 1999 • Signe avec New Jersey comme agent libre le 12 juillet 2002

## DAVIS, LORNE
Né à Regina, Saskatchewan, le 20 juillet 1930
Ailier droit, lance de la droite, 5'11", 190 lb

| SAISON CLUB | LIGUE | PJ | B | A | PTS | PUN | PJ | B | A | PTS | PUN |
|---|---|---|---|---|---|---|---|---|---|---|---|
| 1947-48 Regina (Pats) | S-SJHL | 28 | 8 | 5 | 13 | 7 | 5 | 1 | 1 | 2 | 2 |
| 1948-49 Regina (Pats) | WCJHL | 26 | 16 | 12 | 28 | 36 | 7 | 5 | 3 | 8 | 4 |
| 1949-50 Regina (Pats) | WCJHL | 40 | 25 | 17 | 42 | 22 | 9 | 6 | 1 | 7 | 8 |
| Regina (Pats) | Mem. | 17 | 7 | 5 | 12 | 6 | - | - | - | - | - |
| 1950-51 Montréal (Royals) | LHMQ | 50 | 14 | 17 | 31 | 4 | 7 | 5 | 1 | 6 | 4 |
| Victoria (Cougars) | PCHL | 3 | 1 | 1 | 2 | 0 | - | - | - | - | - |
| 1951-52 Vancouver (Canucks) | PCHL | 15 | 11 | 10 | 21 | 4 | - | - | - | - | - |
| Buffalo (Bisons) | AHL | 48 | 19 | 19 | 38 | 18 | 3 | 1 | 0 | 1 | 0 |
| **Montréal (Canadiens)** | **LNH** | 3 | 1 | 1 | 2 | 2 | - | - | - | - | - |
| 1952-53 Buffalo (Bisons) | AHL | 64 | 33 | 34 | 67 | 49 | - | - | - | - | - |
| **Montréal (Canadiens)** | **LNH** | - | - | - | - | - | 7 | 1 | 1 | 2 | 2 |
| 1953-54 Montréal (Royals) | LHQ | 37 | 13 | 22 | 35 | 25 | | | | | |
| **Montréal (Canadiens)** | **LNH** | 37 | 6 | 4 | 10 | 2 | 11 | 2 | 0 | 2 | 8 |
| Match des étoiles | LNH | 1 | 0 | 0 | 0 | 0 | | | | | |
| 1954-55 Montréal (Royals) | LHQ | 1 | 0 | 1 | 1 | 0 | | | | | |
| Chicago (Black Hawks) | LNH | 8 | 0 | 0 | 0 | 4 | | | | | |
| Detroit (Red Wings) | LNH | 22 | 0 | 5 | 5 | 2 | | | | | |
| Edmonton (Flyers) | WHL | 29 | 11 | 8 | 19 | 10 | 9 | 7 | 4 | 11 | 2 |
| Edmonton (Flyers) | Edin. | 7 | 3 | 2 | 5 | 6 | | | | | |
| 1955-56 Hershey (Bears) | AHL | 45 | 19 | 21 | 40 | 42 | | | | | |
| Boston (Bruins) | LNH | 15 | 0 | 1 | 1 | 0 | | | | | |
| 1956-57 Hershey (Bears) | AHL | 64 | 16 | 24 | 40 | 55 | 7 | 1 | 0 | 1 | 2 |
| 1957-58 Hershey (Bears) | AHL | 68 | 18 | 16 | 34 | 36 | 11 | 0 | 0 | 0 | 12 |
| 1958-59 Providence (Reds) | AHL | 70 | 24 | 40 | 64 | 65 | | | | | |
| 1959-60 Providence (Reds) | AHL | 54 | 19 | 32 | 51 | 24 | | | | | |
| Boston (Bruins) | LNH | 10 | 1 | 1 | 2 | 0 | | | | | |
| Calgary (Spurs) | Allan | 3 | 1 | 0 | 1 | 0 | | | | | |
| 1960-61 Winnipeg (Warriors) | WHL | 70 | 22 | 22 | 44 | 18 | | | | | |
| 1961-62 | | *Réintégré comme amateur* | | | | | | | | | |
| 1962-63 Regina (Capitals) | SSHL | 20 | 14 | 16 | 30 | 14 | 3 | 3 | 11 | 14 | 8 |
| 1963-64 Regina (Capitals) | SSHL | 37 | 43 | 47 | 90 | 4 | 1 | 1 | 0 | 1 | 0 |
| 1964-65 Muskegon (Zephyrs) | IHL | 67 | 20 | 39 | 59 | 30 | | | | | |
| 1965-66 Regina (Capitals) | SSHL | 11 | 8 | 19 | 27 | 0 | | | | | |
| Canada | CM | 7 | 1 | 0 | 1 | 2 | | | | | |
| 1966-67 Regina (Capitals) | SSHL | 33 | 22 | 22 | 44 | 17 | 3 | 0 | 0 | 0 | 0 |
| **LNH** | | **95** | **8** | **12** | **20** | **20** | **18** | **3** | **1** | **4** | **10** |
| **Montréal** | | **40** | **7** | **5** | **12** | **4** | **18** | **3** | **1** | **4** | **10** |

• Deuxième équipe d'étoiles (AHL) en 1952-53 • Coupe Stanley (LNH) en 1952-53 • Match des étoiles (LNH) en 1953-54 • Coupe Calder (AHL) en 1957-58 • Médaille de bronze (CM) en 1966
• Échangé à Chicago par Montréal pour Ike Hildebrand le 13 octobre 1954 • Échangé à Detroit par Chicago pour Metro Prystai le 9 novembre 1954 • Échangé à Boston par Detroit avec Terry Sawchuk, Vic Stasiuk et Marcel Bonin pour Ed Sandford, Réal Chèvrefils, Norm Corcoran, Gilles Boisvert et Warren Godfrey le 3 juin 1955

## DAWE, JASON
Né à North York, Ontario, le 29 mai 1973. Ailier gauche, lance de la gauche, 5'10", 189 lb (2e choix de Buffalo, 35e au total lors du repêchage de 1991)

| SAISON CLUB | LIGUE | PJ | B | A | PTS | PUN | PJ | B | A | PTS | PUN |
|---|---|---|---|---|---|---|---|---|---|---|---|
| 1988-89 Don Mills Bantam Flyers | MTHL | 44 | 35 | 28 | 63 | 103 | - | - | - | - | - |
| 1989-90 Peterborough (Petes) | OHL | 50 | 15 | 18 | 33 | 19 | 12 | 4 | 7 | 11 | 4 |
| 1990-91 Peterborough (Petes) | OHL | 66 | 43 | 27 | 70 | 43 | 4 | 3 | 1 | 4 | 0 |
| 1991-92 Peterborough (Petes) | OHL | 66 | 53 | 55 | 108 | 55 | 9 | 4 | 3 | 7 | 6 |
| 1992-93 Peterborough (Petes) | OHL | 59 | 58 | 68 | 126 | 80 | 21 | 18 | 33 | 51 | 18 |
| Peterborough (Petes) | Mem. | 5 | 3 | 6 | 9 | 4 | - | - | - | - | - |
| Canada | CMJ | 7 | 3 | 6 | 8 | | - | - | - | - | - |
| Rochester (Americans) | AHL | - | - | - | - | - | 3 | 1 | 0 | 1 | 6 |
| 1993-94 Buffalo (Sabres) | LNH | 32 | 6 | 7 | 13 | 12 | 6 | 0 | 1 | 1 | 6 |
| Rochester (Americans) | AHL | 48 | 22 | 14 | 36 | 44 | - | - | - | - | - |
| 1994-95 Rochester (Americans) | AHL | 44 | 27 | 19 | 46 | 24 | | | | | |
| Buffalo (Sabres) | LNH | 42 | 7 | 4 | 11 | 19 | 5 | 2 | 1 | 3 | 6 |
| 1995-96 Buffalo (Sabres) | LNH | 67 | 25 | 25 | 50 | 33 | | | | | |
| Rochester (Americans) | AHL | - | - | - | - | - | | | | | |
| Canada | CM | 8 | 3 | 0 | 3 | 2 | - | - | - | - | - |
| 1996-97 Buffalo (Sabres) | LNH | 81 | 22 | 26 | 48 | 32 | 11 | 2 | 1 | 3 | 6 |
| 1997-98 Buffalo (Sabres) | LNH | 68 | 19 | 17 | 36 | 36 | | | | | |
| New York (Islanders) | LNH | 13 | 3 | 3 | 6 | 4 | | | | | |
| 1998-99 New York (Islanders) | LNH | 22 | 2 | 3 | 5 | 8 | | | | | |
| **Montréal (Canadiens)** | **LNH** | 37 | 4 | 5 | 9 | 14 | | | | | |
| 1999-00 Milwaukee (Admirals) | IHL | 41 | 11 | 13 | 24 | 24 | | | | | |
| New York (Rangers) | LNH | 3 | 0 | 0 | 0 | 0 | | | | | |
| Hartford (Wolf Pack) | AHL | 27 | 9 | 9 | 18 | 24 | 21 | 10 | 7 | 17 | 37 |
| 2000-01 Hartford (Wolf Pack) | AHL | 4 | 2 | 0 | 2 | 4 | | | | | |
| 2001-02 New York (Rangers) | LNH | 1 | 0 | 0 | 0 | 0 | | | | | |
| Hartford (Wolf Pack) | AHL | 79 | 28 | 37 | 65 | 46 | 9 | 4 | 0 | 4 | 15 |
| 2002-03 Worcester (IceCats) | AHL | 71 | 17 | 28 | 45 | 44 | | | | | |
| **LNH** | | **366** | **86** | **90** | **176** | **162** | **22** | **4** | **3** | **7** | **18** |
| **Montréal** | | **37** | **4** | **5** | **9** | **14** | - | - | - | - | - |

• Première équipe d'étoiles (OHL) en 1992-93 • Trophée George-Parsons (Mem.) en 1992-93 • Deuxième équipe d'étoiles de la ligue junior canadienne en 1992-93 • Médaille d'or (CMJ) en 1993 • Médaille d'argent (CM) en 1996
• Échangé à New York (Islanders) par Buffalo pour Jason Holland et Paul Kruse le 24 mars

---

• 1998 • Réclamé au ballottage par Montréal de New York (Islanders) le 15 décembre 1998. • Signe avec Nashville comme agent libre le 2 octobre 1999 • Échangé à New York (Rangers) par Nashville pour John Namestnikov le 3 février 2000 • Signe avec St. Louis comme agent libre le 23 juillet 2002

## DAWES, ROBERT (BOB)
Né à Saskatoon, Saskatchewan, le 29 novembre 1924
Défenseur, lance de la gauche, 6'1", 170 lb

| SAISON CLUB | LIGUE | PJ | B | A | PTS | PUN | PJ | B | A | PTS | PUN |
|---|---|---|---|---|---|---|---|---|---|---|---|
| 1942-43 Saskatoon (Quakers) | N-SJHL | 7 | 7 | 6 | 13 | 20 | 3 | 3 | 1 | 4 | 0 |
| Saskatoon (Quakers) | Mem. | 8 | 4 | 8 | 12 | 4 | - | - | - | - | - |
| 1943-44 Oshawa (Generals) | OHA Jr | 26 | 8 | 19 | 27 | 32 | 10 | 2 | 4 | 6 | 4 |
| Oshawa (Generals) | Mem. | 9 | 5 | 7 | 12 | 14 | - | - | - | - | - |
| 1944-45 Saskatoon (Falcons) | N-SJHL | 2 | 2 | 3 | 5 | 0 | - | - | - | - | - |
| 1945-46 New Haven (Eagles) | AHL | 57 | 9 | 18 | 27 | 33 | | | | | |
| 1946-47 Toronto (Maple Leafs) | LNH | 1 | 0 | 0 | 0 | 0 | | | | | |
| Springfield (Indians) | AHL | 42 | 4 | 17 | 21 | 27 | 2 | 0 | 2 | 2 | 0 |
| 1947-48 Pittsburgh (Hornets) | AHL | 68 | 13 | 31 | 44 | 35 | 2 | 1 | 1 | 2 | 5 |
| 1948-49 Toronto (Maple Leafs) | LNH | 5 | 1 | 0 | 1 | 0 | 9 | 0 | 0 | 0 | 0 |
| Pittsburgh (Hornets) | AHL | 55 | 16 | 35 | 51 | 31 | | | | | |
| 1949-50 Toronto (Maple Leafs) | LNH | 11 | 1 | 2 | 3 | 2 | | | | | |
| Match des étoiles | LNH | 1 | 0 | 0 | 0 | 0 | | | | | |
| Cleveland (Barons) | AHL | 47 | 3 | 19 | 22 | 41 | 9 | 1 | 3 | 4 | 10 |
| 1950-51 **Montréal (Canadiens)** | **LNH** | 15 | 0 | 5 | 5 | 4 | 1 | 0 | 0 | 0 | 0 |
| Buffalo (Bisons) | AHL | 10 | 2 | 3 | 5 | 5 | | | | | |
| Cincinnati (Mohawks) | AHL | 15 | 4 | 3 | 7 | 9 | | | | | |
| Seattle (Ironmen) | PCHL | 20 | 2 | 11 | 13 | 10 | | | | | |
| 1951-52 Montréal (Royals) | LHMQ | 2 | 0 | 3 | 3 | 0 | | | | | |
| Buffalo (Bisons) | AHL | 2 | 0 | 3 | 3 | 0 | | | | | |
| 1952-53 | | *N'a pas joué* | | | | | | | | | |
| 1953-54 Galt (Black Hawks) | OHA Jr | *N'a pas joué - Entraîneur* | | | | | | | | | |
| Sudbury (Wolves) | NOHA | 19 | 2 | 10 | 12 | 4 | 10 | 0 | 5 | 5 | 4 |
| 1954-55 New Westminster (Royals) | WHL | 12 | 1 | 3 | 6 | 2 | | | | | |
| Kelowna (Packers) | OSHL | 51 | 12 | 23 | 35 | 34 | 4 | 1 | 3 | 4 | 0 |
| 1955-56 New Westminster (Royals) | WHL | 56 | 8 | 25 | 33 | 47 | 4 | 2 | 1 | 3 | 0 |
| 1956-57 Kamloops (Chiefs) | OSHL | 54 | 6 | 46 | 52 | 12 | 5 | 6 | 11 | 17 | 15 |
| 1957-58 Kamloops (Chiefs) | OSHL | 48 | 11 | 25 | 36 | 15 | 5 | 0 | 5 | 5 | 2 |
| 1958-59 Johnstown (Jets) | EHL | 37 | 14 | 23 | 37 | 24 | 12 | 4 | 6 | 10 | 8 |
| 1959-60 Johnstown (Jets) | EHL | 56 | 19 | 40 | 59 | 8 | 13 | 0 | *12 | 12 | 9 |
| 1960-61 Johnstown (Jets) | EHL | 56 | 22 | 26 | 38 | 12 | 11 | 4 | 7 | 11 | 2 |
| 1961-62 Johnstown (Jets) | EHL | 68 | 19 | 24 | 43 | 16 | 6 | 6 | 8 | 14 | 2 |
| 1962-63 Saskatoon (Quakers) | SSHL | 27 | 12 | 23 | 35 | 14 | 6 | 2 | 7 | 9 | 2 |
| 1963-64 Saskatoon (Quakers) | SSHL | 55 | 12 | 8 | 20 | 0 | 11 | 4 | 4 | 8 | 4 |
| Saskatoon (Quakers) | Allan | 6 | 0 | 1 | 1 | 4 | | | | | |
| 1964-65 Yorkton (Terriers) | SSHL | 2 | 0 | 2 | 2 | 0 | 3 | | 3 | 3 | 12 |
| 1965-66 | | *N'a pas joué* | | | | | | | | | |
| 1966-67 Saskatoon (Quakers) | SSHL | 16 | 1 | 13 | 14 | 4 | 1 | | 9 | 10 | 2 |
| **LNH** | | **32** | **2** | **7** | **9** | **6** | **10** | **0** | **0** | **0** | **2** |
| **Montréal** | | **15** | **0** | **5** | **5** | **4** | **1** | **0** | **0** | **0** | **0** |

• Coupe Memorial en 1943-44 • Match des étoiles (LNH) en 1949-50 • Coupe Stanley (LNH) en 1948-49 • Première équipe d'étoiles (OSHL) en 1954-55 • Deuxième équipe d'étoiles (OSHL) en 1956-57, 1957-58
• Échangé à Cleveland (AHL) par Toronto avec une somme d'argent et des considérations futures (Phil Samis, Eric Pogue et les droits sur Bob Shropshire) pour Al Rollins le 29 novembre 1949 • Échangé à Buffalo (AHL) par Cleveland (AHL) pour Joe McArthur le 6 septembre 1950 • Droits vendus à Cincinnati (AHL) par Buffalo (AHL) le 12 janvier 1951 • Prêté à Montréal par Cincinnati (AHL) pour Paul Masnick le 13 février 1951

## DeBLOIS, LUCIEN
Né à Joliette, Québec, le 21 juin 1957. Centre, lance de la droite, 5'11", 200 lb (1er choix de New York (Rangers), 8e au total lors du repêchage de 1977)

| SAISON CLUB | LIGUE | PJ | B | A | PTS | PUN | PJ | B | A | PTS | PUN |
|---|---|---|---|---|---|---|---|---|---|---|---|
| 1973-74 Sorel (Éperviers) | LHJMQ | 56 | 30 | 35 | 65 | 53 | | | | | |
| 1974-75 Sorel (Éperviers) | LHJMQ | 72 | 46 | 53 | 99 | 62 | | | | | |
| 1975-76 Sorel (Éperviers) | LHJMQ | 70 | 56 | 55 | 111 | 112 | 5 | 1 | 1 | 2 | 32 |
| 1976-77 Sorel (Éperviers) | LHJMQ | 72 | 56 | 78 | 134 | 131 | | | | | |
| 1977-78 New York (Rangers) | LNH | 71 | 22 | 8 | 30 | 27 | 3 | 0 | 0 | 0 | 4 |
| 1978-79 New York (Rangers) | LNH | 62 | 11 | 17 | 28 | 26 | 9 | 2 | 0 | 2 | 4 |
| New Haven (Nighthawks) | AHL | 7 | 4 | 6 | 10 | 5 | | | | | |
| 1979-80 New York (Rangers) | LNH | 6 | 3 | 1 | 4 | 7 | | | | | |
| Colorado (Rockies) | LNH | 70 | 24 | 19 | 43 | 36 | | | | | |
| 1980-81 Colorado (Rockies) | LNH | 74 | 26 | 16 | 42 | 78 | | | | | |
| Canada | CM | 8 | 3 | 0 | 3 | 4 | | | | | |
| 1981-82 Winnipeg (Jets) | LNH | 65 | 25 | 27 | 52 | 87 | 4 | 2 | 1 | 3 | 4 |
| 1982-83 Winnipeg (Jets) | LNH | 79 | 27 | 27 | 54 | 69 | 3 | 0 | 0 | 0 | 5 |
| 1983-84 Winnipeg (Jets) | LNH | 80 | 34 | 45 | 79 | 50 | 3 | 0 | 1 | 1 | 4 |
| 1984-85 **Montréal (Canadiens)** | **LNH** | 51 | 12 | 11 | 23 | 20 | 8 | 2 | 4 | 6 | 4 |
| 1985-86 **Montréal (Canadiens)** | **LNH** | 61 | 14 | 17 | 31 | 48 | 11 | 0 | 0 | 0 | 7 |
| 1986-87 New York (Rangers) | LNH | 40 | 3 | 8 | 11 | 27 | 2 | 0 | 0 | 0 | 0 |
| 1987-88 New York (Rangers) | LNH | 74 | 9 | 21 | 30 | 103 | | | | | |
| 1988-89 New York (Rangers) | LNH | 73 | 9 | 24 | 33 | 107 | 4 | 0 | 0 | 0 | 4 |
| 1989-90 Québec (Nordiques) | LNH | 70 | 9 | 8 | 17 | 45 | | | | | |
| 1990-91 Québec (Nordiques) | LNH | 14 | 2 | 4 | 6 | 14 | | | | | |
| Toronto (Maple Leafs) | LNH | 38 | 10 | 12 | 22 | 30 | | | | | |
| 1991-92 Toronto (Maple Leafs) | LNH | 54 | 8 | 11 | 19 | 39 | | | | | |
| Winnipeg (Jets) | LNH | 3 | 2 | 3 | 5 | 1 | 2 | 0 | 1 | 1 | 2 |
| **LNH** | | **993** | **249** | **276** | **525** | **814** | **52** | **7** | **6** | **13** | **38** |
| **Montréal** | | **112** | **26** | **28** | **54** | **68** | **19** | **2** | **4** | **6** | **11** |

• Première équipes d'étoiles de l'Est (LHJMQ) en 1975-76 • Première équipe d'étoiles (LHJMQ) en 1976-77 • Trophée Michel-Brière (LHJMQ) en 1976-77
• Échangé au Colorado par New York (Rangers) avec Pat Hickey, Mike McEwen, Dean Turner et des considérations future (Bobby Crawford) pour Barry Beck le 2 novembre 1979 • Échangé

à Winnipeg par Colorado pour Brent Ashton et le choix de 3e ronde de Winnipeg au repêchage de 1982 (Dawe Kasper) le 15 juillet 1982 • Échangé à Montréal par Winnipeg pour Perry Turnbull le 13 juin 1984 • Signe avec New York (Rangers) comme agent libre le 8 septembre 1986 • Signe avec Québec comme agent libre le 2 août 1989 • Échangé à Toronto par Québec avec Aaron Broten et Michel Petit pour Scott Pearson et le choix de 2e ronde de Toronto au repêchage de 1991 (choix cédé à Washington qui sélectionne Eric Lavigne) et le choix de 2e ronde de Toronto au repêchage de 1992 (Tourmos Gronman) le 17 novembre 1990 • Échangé à Winnipeg par Toronto pour Mark Osborne le 10 mars 1992

## DÉCARIE, ED

**Né en 1879, décédé. Ailier gauche et ailier droit, lance de la gauche, 5'10", 185 lb**

| SAISON CLUB | LIGUE | PJ | B | A | PTS | PUN | PJ | B | A | PTS | PUN |
|---|---|---|---|---|---|---|---|---|---|---|---|
| 1909-10 Montréal (Canadiens) | NHA | 12 | 5 | 0 | 5 | 43 | - | - | - | - | - |
| | NHA | 12 | 5 | 0 | 5 | 43 | - | - | - | - | - |
| **Montréal** | | **12** | **5** | **0** | **5** | **43** | - | - | - | - | - |

• Signe avec Montréal (NHA) le 15 décembre 1909

## DELISLE, JONATHAN

**Né à Sainte-Anne-des-Plaines, Québec, le 30 juin 1977. Ailier droit, lance de la droite, 5'10", 180 lb (4e choix de Montréal, 86e au total lors du repêchage de 1995)**

| SAISON CLUB | LIGUE | PJ | B | A | PTS | PUN | PJ | B | A | PTS | PUN |
|---|---|---|---|---|---|---|---|---|---|---|---|
| 1992-93 Laval (Régents) | QAAA | 14 | 3 | 3 | 6 | 12 | 13 | 2 | 5 | 7 | 24 |
| 1993-94 Verdun (Collège français) | LHJMQ | 61 | 16 | 17 | 33 | 130 | 4 | 0 | 1 | 1 | 14 |
| 1994-95 Hull (Olympiques) | LHJMQ | 60 | 21 | 38 | 59 | 218 | 19 | 11 | 8 | 19 | 43 |
| Hull (Olympiques) | Mem. | 3 | 2 | 0 | 2 | 12 | | | | | |
| 1995-96 Hull (Olympiques) | LHJMQ | 62 | 31 | 57 | 88 | 193 | 18 | 6 | 13 | 19 | 64 |
| 1996-97 Hull (Olympiques) | LHJMQ | 61 | 35 | 54 | 89 | 228 | 14 | 11 | 13 | 24 | 46 |
| Hull (Olympiques) | Mem. | 4 | 1 | 6 | 7 | 12 | | | | | |
| 1997-98 Fredericton (Canadien) | AHL | 78 | 15 | 21 | 36 | 138 | 4 | 0 | 1 | 1 | 7 |
| 1998-99 Fredericton (Canadien) | AHL | 78 | 7 | 29 | 36 | 118 | 15 | 3 | 6 | 9 | 39 |
| **Montréal (Canadiens)** | **LNH** | **1** | **0** | **0** | **0** | **0** | | | | | |
| 1999-00 Québec (Citadelles) | AHL | 62 | 7 | 19 | 26 | 142 | 3 | 0 | 0 | 0 | 4 |
| 2000-01 Québec (Citadelles) | AHL | 71 | 6 | 18 | 24 | 201 | 6 | 1 | 0 | 1 | 53 |
| 2001-02 Québec (Citadelles) | AHL | 24 | 0 | 3 | 3 | 37 | | | | | |
| New Mexico (Scorpions) | CHL | 32 | 13 | 17 | 30 | 102 | | | | | |
| 2002-03 Bracknell (Bees) | GBR | 38 | 8 | 11 | 19 | 57 | 15 | 2 | 5 | 7 | 65 |
| Bracknell (Bees) | GBR-Cup | 6 | 1 | 1 | 2 | 33 | | | | | |
| | **LNH** | **1** | **0** | **0** | **0** | **0** | | | | | |
| **Montréal** | | **1** | **0** | **0** | **0** | **0** | | | | | |

• Coupe du Président (LHJMQ) en 1994-95, 1996-97 • Coupe Memorial en 1996-97

## DELISLE, XAVIER

**Né à Québec, Québec, le 24 mai 1977. Ailier droit, lance de la droite, 5'11", 188 lb (5e choix de Tampa Bay, 157e au total lors du repêchage de 1996)**

| SAISON CLUB | LIGUE | PJ | B | A | PTS | PUN | PJ | B | A | PTS | PUN |
|---|---|---|---|---|---|---|---|---|---|---|---|
| 1992-93 Sainte-Foy (Gouverneurs) | QAAA | 41 | 20 | 23 | 43 | 10 | 12 | 8 | 10 | 18 | 2 |
| 1993-94 Granby (Bisons) | LMJMQ | 46 | 11 | 22 | 33 | 25 | 7 | 2 | 0 | 2 | 0 |
| 1994-95 Granby (Bisons) | LHJMQ | 72 | 18 | 36 | 54 | 48 | 13 | 2 | 6 | 8 | 4 |
| 1995-96 Granby (Prédateurs) | LHJMQ | 67 | 45 | 75 | 120 | 45 | 20 | 13 | *27 | *40 | 12 |
| Granby (Prédateurs) | Mem. | 4 | 2 | 2 | 4 | 5 | | | | | |
| 1996-97 Granby (Prédateurs) | LHJMQ | 59 | 36 | 56 | 92 | 20 | 5 | 1 | 4 | 5 | 2 |
| 1997-98 Adirondack (Red Wings) | AHL | 76 | 10 | 19 | 29 | 47 | 3 | 0 | 0 | 0 | 0 |
| 1998-99 Tampa Bay (Lightning) | LNH | 2 | 0 | 0 | 0 | 0 | | | | | |
| Cleveland (Lumberjacks) | IHL | 77 | 15 | 29 | 44 | 36 | | | | | |
| 1999-00 Detroit (Vipers) | IHL | 20 | 3 | 6 | 8 | 18 | | | | | |
| Toledo (Storm) | ECHL | 2 | 0 | 1 | 1 | 0 | | | | | |
| Québec (Citadelles) | AHL | 42 | 17 | 28 | 45 | 8 | 3 | 1 | 2 | 3 | 0 |
| 2000-01 **Montréal (Canadiens)** | **LNH** | **14** | **3** | **2** | **5** | **6** | | | | | |
| Québec (Citadelles) | AHL | 62 | 18 | 29 | 47 | 34 | 9 | 1 | 5 | 6 | 2 |
| 2001-02 Québec (Citadelles) | AHL | 50 | 8 | 17 | 25 | 19 | | | | | |
| 2002-03 Augsburger Panthers | GER | 5 | 1 | 4 | 5 | 12 | | | | | |
| | **LNH** | **16** | **3** | **2** | **5** | **6** | | | | | |
| **Montréal** | | **14** | **3** | **2** | **5** | **6** | | | | | |

• Coupe du Président (LHJMQ) en 1995-96 • Coupe Memorial en 1995-96 • Équipes d'étoiles de la coupe Memorial en 1995-96 • Deuxième équipe d'étoiles (LHJMQ) en 1995-96
• Signe avec Montréal comme agent libre le 8 août 2000

## DELORME, GILBERT

**Né à Boucherville, Québec, le 25 novembre 1962. Défenseur, lance de la droite, 6'1", 199 lb (2e choix de Montréal, 18e choix au total lors du repêchage de 1981)**

| SAISON CLUB | LIGUE | PJ | B | A | PTS | PUN | PJ | B | A | PTS | PUN |
|---|---|---|---|---|---|---|---|---|---|---|---|
| 1977-78 Richelieu (Cantonniers) | QAAA | 40 | 7 | 25 | 32 | 32 | - | | | | |
| 1978-79 Chicoutimi (Saguenéens) | LHJMQ | 72 | 13 | 47 | 60 | 53 | - | - | - | - | - |
| 1979-80 Chicoutimi (Saguenéens) | LHJMQ | 71 | 25 | 86 | 111 | 68 | 12 | 2 | 10 | 12 | 26 |
| 1980-81 Chicoutimi (Saguenéens) | LHJMQ | 70 | 27 | 79 | 106 | 77 | 12 | 10 | 12 | 22 | 16 |
| Canada | CMJ | 5 | 1 | 0 | 1 | 0 | | | | | |
| 1981-82 **Montréal (Canadiens)** | **LNH** | **60** | **3** | **8** | **11** | **55** | | | | | |
| 1982-83 **Montréal (Canadiens)** | **LNH** | **78** | **12** | **21** | **33** | **89** | **3** | **0** | **0** | **0** | **2** |
| 1983-84 **Montréal (Canadiens)** | **LNH** | **27** | **2** | **7** | **9** | **8** | | | | | |
| St. Louis (Blues) | LNH | 44 | 0 | 5 | 5 | 41 | 11 | 1 | 3 | 4 | 11 |
| 1984-85 St. Louis (Blues) | LNH | 74 | 2 | 12 | 14 | 53 | 3 | 0 | 0 | 0 | 0 |
| 1985-86 Québec (Nordiques) | LNH | 64 | 2 | 18 | 20 | 51 | 3 | 0 | 0 | 0 | 0 |
| 1986-87 Québec (Nordiques) | LNH | 19 | 2 | 0 | 2 | 14 | | | | | |
| Detroit (Red Wings) | LNH | 24 | 2 | 3 | 5 | 33 | 16 | 2 | 2 | 4 | 14 |
| 1987-88 Detroit (Red Wings) | LNH | 55 | 2 | 8 | 10 | 81 | 15 | 0 | 3 | 3 | 22 |
| 1988-89 Detroit (Red Wings) | LNH | 42 | 1 | 3 | 4 | 51 | 6 | 0 | 1 | 1 | 8 |
| 1989-90 Pittsburgh (Penguins) | LNH | 54 | 3 | 7 | 10 | 44 | | | | | |
| 1990-91 | | | | *N'a pas joué* | | | | | | | |
| 1991-92 Muskegon (Lumberjacks) | IHL | 60 | 6 | 12 | 18 | 89 | 7 | 2 | 2 | 4 | 12 |
| | **LNH** | **541** | **31** | **92** | **123** | **520** | **56** | **1** | **9** | **10** | **56** |
| **Montréal** | | **165** | **17** | **36** | **53** | **152** | **3** | **0** | **0** | **0** | **2** |

• Troisième équipe d'étoiles (LHJMQ) en 1979-80 • Deuxième équipe d'étoiles (LHJMQ) en 1980-81

---

• Échangé à St. Louis par Montréal avec Greg Paslawski et Doug Wickenheiser pour Perry Turnbull le 21 décembre 1983 • Échangé à Québec par St. Louis pour Bruce Bell le 2 octobre 1985 • Échangé à Detroit par Québec avec Brent Ashton et Mark Kumpel pour Basil McRae, John Ogrodnick et Doug Shedden le 17 janvier 1987 • Signe avec Pittsburgh comme agent libre le 28 juin 1989

## DEMERS, ANTONIO (TONY)

**Né à Chambly Basin, Québec, le 22 juillet 1917, décédé le 2 septembre 1997**
**Ailier droit, lance de la droite, 5'9", 180 lb**

| SAISON CLUB | LIGUE | PJ | B | A | PTS | PUN | PJ | B | A | PTS | PUN |
|---|---|---|---|---|---|---|---|---|---|---|---|
| 1935-36 Montréal (Lafontaine) | LHCM | 1 | 1 | 0 | 1 | 2 | - | - | - | - | - |
| 1936-37 Southampton (Vikings) | ENG | - | 21 | 7 | 28 | 16 | - | - | - | - | - |
| 1937-38 Lachine (Rapides) | LHPQ | | | *Statistiques non disponibles* | | | | | | | |
| **Montréal (Canadiens)** | **LNH** | **6** | **0** | **0** | **0** | **0** | - | - | - | - | - |
| New Haven (Eagles) | IAHL | 5 | 0 | 0 | 0 | 0 | 2 | 0 | 0 | 0 | 0 |
| 1938-39 Lachine (Rapides) | LHPQ | 29 | 24 | 12 | 36 | 39 | 6 | 2 | 2 | 4 | 7 |
| 1939-40 Valleyfield (Braves) | LHPQ | 35 | 30 | 23 | 53 | 37 | | | | | |
| **Montréal (Canadiens)** | **LNH** | **14** | **2** | **3** | **5** | **2** | | | | | |
| 1940-41 **Montréal (Canadiens)** | **LNH** | **46** | **13** | **10** | **23** | **17** | **2** | **0** | **0** | **0** | **0** |
| 1941-42 Valleyfield (V's) | LHCM | 14 | 2 | 3 | 5 | 16 | 9 | 1 | 2 | 3 | 21 |
| **Montréal (Canadiens)** | **LNH** | **7** | **3** | **4** | **7** | **4** | | | | | |
| 1942-43 **Montréal (Canadiens)** | **LNH** | **9** | **2** | **5** | **7** | **0** | | | | | |
| Montréal (Armée) | LHCM | 13 | 3 | 1 | 4 | 0 | 4 | 0 | 2 | 2 | 0 |
| 1943-44 Providence (Reds) | AHL | 25 | 11 | 10 | 21 | 10 | | | | | |
| New York (Rangers) | LNH | 1 | 0 | 0 | 0 | 0 | | | | | |
| 1944-45 Lachine (Rapides) | LHPQ | 11 | 2 | 3 | 5 | 12 | | | | | |
| 1945-46 Saint-Hyacinthe (Saints) | LHPQ | 34 | *50 | 29 | *79 | 26 | | | | | |
| 1946-47 Sherbrooke (Saints) | LHPQ | 43 | 32 | 36 | 68 | 8 | 10 | 8 | *15 | *23 | 2 |
| Sherbrooke (Saints) | Allan | 4 | 2 | 2 | 4 | 0 | | | | | |
| 1947-48 Sherbrooke (Saint-Xavier) | LHPQ | 52 | *62 | 46 | 108 | 24 | 10 | 6 | 6 | 12 | 0 |
| 1948-49 Sherbrooke (Red Raiders) | LHSQ | 60 | 53 | 58 | 111 | 29 | 10 | *10 | 2 | 12 | 8 |
| | **LNH** | **83** | **20** | **22** | **42** | **23** | **2** | **0** | **0** | **0** | **0** |
| **Montréal** | | **82** | **20** | **22** | **42** | **23** | **2** | **0** | **0** | **0** | **0** |

• Deuxième équipe d'étoiles (LHSQ) en 1948-49 • Trophée Vimy (LHSQ) en 1948-49
• Signe avec Montréal le 2 février 1938 • Prêté à New Haven (IAHL) par Montréal le 24 février 1938 • Prêté à New York (Rangers) par Montréal pour Phil Watson le 20 décembre 1943

## DENIS, LOUIS (LULU)

**Né à Vonda, Saskatchewan, le 7 juin 1928. Ailier droit, lance de la droite, 5'8", 140 lb**

| SAISON CLUB | LIGUE | PJ | B | A | PTS | PUN | PJ | B | A | PTS | PUN |
|---|---|---|---|---|---|---|---|---|---|---|---|
| 1945-46 Montréal (Royals) | LHJQ | 17 | 8 | 3 | 11 | 6 | | | | | |
| 1946-47 Montréal (Royals) | LHJQ | 28 | 11 | 19 | 30 | 28 | 8 | 3 | 4 | 7 | 0 |
| 1947-48 Montréal (Royals) | LHJQ | 31 | 22 | 14 | 43 | 10 | 12 | 3 | 12 | 15 | 0 |
| 1948-49 Montréal (Royals) | LHSQ | 53 | 12 | 17 | 29 | 21 | 9 | 1 | 1 | 2 | 10 |
| 1949-50 Montréal (Royals) | LHSQ | 57 | 24 | 23 | 47 | 51 | 6 | 1 | 1 | 2 | 2 |
| **Montréal (Canadiens)** | **LNH** | **2** | **0** | **1** | **1** | **0** | | | | | |
| 1950-51 Montréal (Royals) | LHMQ | 57 | 22 | 32 | 54 | 27 | 7 | 3 | 4 | 7 | 6 |
| **Montréal (Canadiens)** | **LNH** | **1** | **0** | **0** | **0** | **0** | | | | | |
| 1951-52 Montréal (Royals) | LHMQ | 59 | 21 | 21 | 42 | 8 | 7 | 2 | 1 | 3 | 4 |
| 1952-53 Buffalo (Bisons) | AHL | 2 | 1 | 0 | 1 | 0 | | | | | |
| Montréal (Royals) | LHMQ | 51 | 23 | 16 | 39 | 14 | 14 | 4 | 2 | 6 | 4 |
| 1953-54 Montréal (Royals) | LHQ | 68 | 16 | 36 | 52 | 14 | 11 | 0 | 6 | 6 | 4 |
| 1954-55 Montréal (Royals) | LHQ | 62 | 20 | *47 | 67 | 8 | 4 | 0 | 0 | 0 | 2 |
| 1955-56 Montréal (Royals) | LHQ | 61 | 14 | 25 | 39 | 17 | 13 | 8 | *10 | *18 | 0 |
| Montréal (Royals) | Edin. | 6 | 1 | 3 | 4 | 2 | | | | | |
| 1956-57 Montréal (Royals) | LHQ | 68 | 22 | 26 | 48 | 34 | 4 | 0 | 3 | 3 | 0 |
| 1957-58 Montréal (Royals) | LHQ | 61 | 31 | 21 | 52 | 11 | 7 | 4 | 4 | 8 | 4 |
| 1958-59 Montréal (Royals) | LHQ | 71 | 20 | 31 | 51 | 7 | 3 | 3 | 3 | 6 | 4 |
| 1959-60 Montréal (Royals) | EPHL | 67 | 22 | 31 | 53 | 33 | 7 | 2 | 2 | 4 | 0 |
| 1960-61 Montréal (Royals) | EPHL | 34 | 8 | 9 | 17 | 6 | | | | | |
| | **LNH** | **3** | **0** | **1** | **1** | **0** | - | - | - | - | - |
| **Montréal** | | **3** | **0** | **1** | **1** | **0** | - | - | - | - | - |

• Première équipe d'étoiles (LHQ) en 1954-55
• Prêté à Montréal par Montréal (Royals-LHSQ) avec Bob Friday le 11 février 1950 • Prêté à Montréal par Montréal (Royals-LHMQ) le 1er mars 1951

## DESAULNIERS, GÉRARD

**Né à Shawinigan, Québec, le 31 décembre 1928, décédé**
**Centre, lance de la gauche, 5'11", 150 lb**

| SAISON CLUB | LIGUE | PJ | B | A | PTS | PUN | PJ | B | A | PTS | PUN |
|---|---|---|---|---|---|---|---|---|---|---|---|
| 1946-47 Laval (National) | LHJQ | | | *Statistiques non disponibles* | | | | | | | |
| 1947-48 Laval (National) | LHJQ | 32 | 21 | 27 | 48 | 26 | 12 | *15 | 6 | 21 | 6 |
| Laval (National) | Mem. | 8 | 5 | 9 | 14 | 6 | | | | | |
| 1948-49 Laval (National) | LHJQ | 48 | 41 | 34 | 75 | 57 | 9 | 2 | 11 | 13 | 14 |
| Montréal (Royals) | LHSQ | 3 | 0 | 0 | 0 | | 8 | 0 | 4 | 4 | 2 |
| 1949-50 Montréal (Royals) | LHSQ | 59 | 21 | 34 | 55 | 49 | 6 | 2 | 3 | 4 | 2 |
| 1950-51 Montréal (Royals) | LHMQ | 51 | 24 | 26 | 50 | 30 | 7 | 0 | 3 | 3 | 2 |
| **Montréal (Canadiens)** | **LNH** | **3** | **0** | **1** | **1** | **2** | | | | | |
| 1951-52 Montréal (Royals) | LHMQ | 57 | 21 | 42 | 33 | 7 | 1 | 1 | 2 | 0 | |
| 1952-53 Montréal (Royals) | LHMQ | 45 | 13 | 22 | 35 | 18 | 15 | 3 | 10 | 13 | 4 |
| **Montréal (Canadiens)** | **LNH** | **2** | **0** | **1** | **1** | **2** | | | | | |
| 1953-54 Montréal (Royals) | LHQ | 66 | 21 | 26 | 37 | 31 | 11 | 4 | 4 | 7 | 4 |
| **Montréal (Canadiens)** | **LNH** | **3** | **0** | **0** | **0** | **0** | | | | | |
| 1954-55 Shawinigan (Cataractes) | LHQ | 61 | 31 | 30 | 61 | 10 | 11 | 5 | 5 | 10 | 4 |
| Shawinigan (Cataractes) | Edin. | 6 | 0 | 2 | 2 | 0 | | | | | |
| 1955-56 Shawinigan (Cataractes) | LHQ | 62 | 10 | 37 | 35 | 11 | 3 | 1 | 3 | 10 | 0 |
| 1956-57 Shawinigan (Cataractes) | LHQ | 68 | 20 | 29 | 49 | 8 | 7 | 3 | 4 | 7 | 0 |
| 1957-58 Shawinigan (Cataractes) | LHQ | 58 | 14 | 24 | 38 | 12 | 14 | 4 | 7 | 11 | 6 |
| 1958-59 Trois-Rivières (Lions) | LHQ | 60 | 19 | 41 | 69 | 12 | | 6 | 1 | 7 | 0 |
| 1959-60 Trois-Rivières (Lions) | EPHL | 56 | 19 | 28 | 41 | 6 | | | | | |
| | **LNH** | **8** | **0** | **2** | **2** | **4** | - | - | - | - | - |
| **Montréal** | | **8** | **0** | **2** | **2** | **4** | - | - | - | - | - |

**DEC-DES**

• **Première équipe d'étoiles (LHJQ) en 1948-49 • Trophée Vimy (LHQ) en 1958-59**
• **Prêté à Montréal par Montréal (Royals- LHMQ) le 1er décembre 1950 • Prêté à Montréal par Montréal (Royals- LHMQ) le 22 décembre 1952 • Prêté à Montréal par Montréal (Royals- LHQ) le 5 novembre 1953**

## DESCOTEAUX, MATHIEU
**Né à Pierreville, Québec, le 23 septembre 1977. Défenseur, lance de la gauche, 6'03", 222 lb (2e choix d'Edmonton, 19e au total lors du repêchage de 1996)**

| SAISON | CLUB | LIGUE | PJ | B | A | PTS | PUN | PJ | B | A | PTS | PUN |
|---|---|---|---|---|---|---|---|---|---|---|---|---|
| 1993-94 | Cap-de-la-Madeleine | QAAA | 43 | 2 | 5 | 7 | 26 | - | - | - | - | - |
| 1994-95 | Shawinigan (Cataractes) | LHJMQ | 50 | 3 | 2 | 5 | 28 | 15 | 1 | 1 | 2 | 19 |
| 1995-96 | Shawinigan (Cataractes) | LHJMQ | 69 | 2 | 13 | 15 | 129 | 6 | 0 | 0 | 0 | 6 |
| 1996-97 | Shawinigan (Cataractes) | LHJMQ | 38 | 6 | 18 | 24 | 121 | - | - | - | - | - |
| | Hull (Olympiques) | LHJMQ | 32 | 6 | 19 | 25 | 34 | 14 | 1 | 8 | 9 | 29 |
| | Hull (Olympiques) | Mem. | 4 | 0 | 1 | 1 | 4 | - | - | - | - | - |
| 1997-98 | Hamilton (Bulldogs) | AHL | 67 | 2 | 8 | 10 | 70 | 2 | 0 | 0 | 0 | 0 |
| 1998-99 | Hamilton (Bulldogs) | AHL | 74 | 6 | 12 | 18 | 49 | 4 | 0 | 0 | 0 | 0 |
| 1999-00 | Hamilton (Bulldogs) | AHL | 49 | 5 | 7 | 12 | 29 | - | - | - | - | - |
| 1999-00 | Québec (Citadelles) | AHL | 12 | 0 | 6 | 6 | 6 | 2 | 0 | 1 | 1 | 0 |
| 2000-01 | **Montreal (Canadiens)** | **LNH** | **5** | **1** | **1** | **2** | **4** | - | - | - | - | - |
| 2000-01 | Québec (Citadelles) | AHL | 73 | 16 | 27 | 43 | 38 | 7 | 0 | 3 | 3 | 4 |
| 2001-02 | Québec (Citadelles) | AHL | 65 | 6 | 14 | 20 | 34 | 3 | 1 | 2 | 3 | 0 |
| 2002-03 | Utah (Grizzlies) | AHL | 48 | 3 | 3 | 6 | 47 | - | - | - | - | - |
| | **LNH** | | **5** | **1** | **1** | **2** | **4** | - | - | - | - | - |
| | **Montréal** | | **5** | **1** | **1** | **2** | **4** | - | - | - | - | - |

• **Coupe du Président (LHJMQ) en 1996-97 • Coupe Memorial en 1996-97**
• **Échangé à Montréal par Edmonton avec Christian Laflamme pour Igor Ulanov et Alain Nasreddine le 9 mars 2000**

## DESILETS, JOFFRE
**Né à Capreol, Ontario, le 10 avril 1915, décédé le 30 novembre 1994**
**Ailier droit, lance de la droite, 5'10", 175 lb**

| SAISON | CLUB | LIGUE | PJ | B | A | PTS | PUN | PJ | B | A | PTS | PUN |
|---|---|---|---|---|---|---|---|---|---|---|---|---|
| 1929-30 | Capreol (Caps) | OHA Sr | 10 | 1 | 0 | 1 | 0 | - | - | - | - | - |
| 1930-31 | Capreol (Caps) | OHA Sr | 12 | 4 | 0 | 4 | 4 | 1 | 0 | 0 | 0 | 0 |
| 1931-32 | Stratford (Midgets) | OHA Jr | 9 | 6 | 1 | 7 | 6 | 2 | 4 | 2 | 6 | 2 |
| 1932-33 | Stratford (Midgets) | OHA Jr | 14 | *22 | 7 | *29 | 30 | 3 | 4 | 0 | 4 | 0 |
| | Stratford (Midgets) | Mem. | 8 | 11 | 2 | 13 | 16 | - | - | - | - | - |
| 1933-34 | Stratford (Midgets) | OHA Jr | 15 | *34 | 13 | *47 | 27 | 2 | 3 | 2 | 5 | 0 |
| 1934-35 | Charlottetown (Islanders) | NBSHL | 20 | 10 | 13 | 23 | 16 | - | - | - | - | - |
| | Saint John (Beavers) | NBSHL | 17 | *35 | *27 | *62 | 2 | 12 | *14 | 7 | 21 | 12 |
| 1935-36 | **Montréal (Canadiens)** | **LNH** | **38** | **7** | **6** | **13** | **0** | - | - | - | - | - |
| | London (Tecumsehs) | IHL | 9 | 1 | 3 | 4 | 2 | 2 | 0 | 0 | 0 | 0 |
| 1936-37 | **Montréal (Canadiens)** | **LNH** | **48** | **7** | **12** | **19** | **17** | **5** | **1** | **0** | **1** | **0** |
| 1937-38 | **Montréal (Canadiens)** | **LNH** | **32** | **6** | **7** | **13** | **6** | **2** | **0** | **0** | **0** | **7** |
| 1938-39 | Chicago (Black Hawks) | LNH | 48 | 11 | 13 | 24 | 28 | - | - | - | - | - |
| 1939-40 | Chicago (Black Hawks) | LNH | 26 | 6 | 7 | 13 | 6 | - | - | - | - | - |
| | Providence (Reds) | IAHL | 22 | 7 | 8 | 15 | 8 | 1 | 0 | 0 | 0 | 2 |
| 1940-41 | Cleveland (Barons) | AHL | 53 | 15 | 29 | 44 | 13 | 5 | 1 | 0 | 1 | 4 |
| 1941-42 | Cleveland (Barons) | AHL | 56 | 24 | 24 | 48 | 26 | 4 | 2 | 0 | 2 | 0 |
| 1942-43 | Victoria (Army) | NNDHL | 19 | 21 | 12 | 33 | 16 | 5 | 7 | 3 | 10 | 2 |
| | Victoria (Army) | Allan | 18 | 24 | 6 | 30 | 14 | - | - | - | - | - |
| 1943-44 | Nanaimo (Clippers) | PCHL | 14 | 7 | 3 | 10 | 0 | - | - | - | - | - |
| | Vancouver (Army) | NNDHL | 3 | 0 | 2 | 2 | 0 | - | - | - | - | - |
| | Vemon (Army) | | | | | | | 1 | 0 | 0 | 0 | 0 |
| 1944-45 | Toronto (Army Shamrocks) | TIHL | 31 | 14 | 31 | 45 | 18 | 4 | 2 | 2 | 4 | 2 |
| | Toronto (Army Daggers) | TNDHL | 4 | 4 | 10 | 14 | 0 | 2 | 4 | 4 | 8 | 0 |
| | Toronto (Army) | OHA Sr | 3 | 1 | 2 | 3 | 0 | - | - | - | - | - |
| 1945-46 | New Haven (Eagles) | AHL | 30 | 6 | 3 | 9 | 10 | - | - | - | - | - |
| | Fort Worth (Rangers) | USHL | 23 | 6 | 13 | 19 | 0 | - | - | - | - | - |
| 1946-47 | Dallas (Texans) | USHL | 49 | 16 | 23 | 39 | 8 | - | - | - | - | - |
| 1947-48 | San-Diego/Fresno | PCHL | 53 | 5 | 21 | 26 | 16 | 9 | 4 | 2 | 6 | 0 |
| 1948-49 | *Reintégré comme amateur* | | | | | | | | | | | |
| 1949-50 | Renfrew (Lions) | EOHL | 12 | 0 | 1 | 1 | 2 | - | - | - | - | - |
| 1950-51 | Renfrew (Millionaires) | EOHL | *N'a pas joué- Entraîneur* | | | | | | | | | |
| 1951-52 | Renfrew (Millionaires) | EOHL | 4 | 3 | 4 | 7 | 2 | - | - | - | - | - |
| | **LNH** | | **192** | **37** | **45** | **82** | **57** | **7** | **1** | **0** | **1** | **7** |
| | **Montréal** | | **118** | **20** | **25** | **45** | **23** | **7** | **1** | **0** | **1** | **7** |

• **Coupe Calder (AHL) en 1939-40, 1940-41 • Deuxième équipe d'étoiles (AHL) en 1940-41, 1941-42**
• **Signe avec Montréal le 22 octobre 1935 • Échangé à Chicago par Montréal pour Louis Trudel le 26 août 1938 • Droits vendus à Cleveland (AHL) par Chicago le 12 mai 1940**

## DESJARDINS, ÉRIC
**Né à Rouyn, Québec, le 14 juin 1969. Défenseur, lance de la droite, 6'1", 200 lb (3e choix de Montréal, 38e au total lors du repêchage de 1987)**

| SAISON | CLUB | LIGUE | PJ | B | A | PTS | PUN | PJ | B | A | PTS | PUN |
|---|---|---|---|---|---|---|---|---|---|---|---|---|
| 1985-86 | Laval-Laurentides | QAAA | 42 | 6 | 30 | 36 | 54 | - | - | - | - | - |
| 1986-87 | Granby (Bisons) | LHJMQ | 66 | 14 | 24 | 38 | 178 | 8 | 3 | 2 | 5 | 10 |
| 1987-88 | Granby (Bisons) | LHJMQ | 62 | 18 | 49 | 67 | 138 | 5 | 0 | 3 | 3 | 10 |
| | Canada | CMJ | 7 | 0 | 0 | 0 | 0 | - | - | - | - | - |
| | Sherbrooke (Canadien) | AHL | 3 | 0 | 0 | 0 | 6 | 4 | 0 | 2 | 2 | 2 |
| 1988-89 | **Montréal (Canadiens)** | **LNH** | **36** | **2** | **12** | **14** | **26** | **14** | **1** | **1** | **2** | **6** |
| | Canada | CMJ | 7 | 1 | 4 | 5 | 6 | - | - | - | - | - |
| 1989-90 | **Montréal (Canadiens)** | **LNH** | **55** | **3** | **13** | **16** | **51** | **6** | **0** | **0** | **0** | **10** |
| 1990-91 | **Montréal (Canadiens)** | **LNH** | **62** | **7** | **18** | **25** | **27** | **13** | **1** | **4** | **5** | **8** |
| 1991-92 | **Montréal (Canadiens)** | **LNH** | **77** | **6** | **32** | **38** | **50** | **11** | **3** | **3** | **6** | **4** |
| | Match des étoiles | LNH | 1 | 0 | 1 | 1 | 0 | - | - | - | - | - |
| | Canada | CC | 8 | 1 | 2 | 3 | 6 | - | - | - | - | - |
| 1992-93 | **Montréal (Canadiens)** | **LNH** | **82** | **13** | **32** | **45** | **98** | **20** | **4** | **10** | **14** | **23** |
| 1993-94 | **Montréal (Canadiens)** | **LNH** | **84** | **12** | **23** | **35** | **97** | **7** | **0** | **2** | **2** | **4** |
| 1994-95 | **Montréal (Canadiens)** | **LNH** | **9** | **0** | **6** | **6** | **2** | - | - | - | - | - |
| | Philadelphie (Flyers) | LNH | 34 | 5 | 18 | 23 | 12 | 15 | 4 | 4 | 8 | 10 |
| 1995-96 | Philadelphie (Flyers) | LNH | 80 | 7 | 40 | 47 | 45 | 12 | 0 | 6 | 6 | 2 |
| | Match des étoiles | LNH | 1 | 0 | 0 | 0 | 0 | - | - | - | - | - |
| 1996-97 | Philadelphie (Flyers) | LNH | 82 | 12 | 34 | 46 | 50 | 19 | 2 | 8 | 10 | 12 |
| | Canada | CDM | 8 | 1 | 2 | 3 | 4 | - | - | - | - | - |
| 1997-98 | Philadelphie (Flyers) | LNH | 77 | 6 | 27 | 33 | 36 | 5 | 0 | 1 | 1 | 0 |
| | Canada | JO | 8 | 0 | 0 | 0 | 0 | - | - | - | - | - |
| 1998-99 | Philadelphie (Flyers) | LNH | 68 | 15 | 36 | 51 | 38 | 6 | 2 | 2 | 4 | 4 |
| 1999-00 | Philadelphie (Flyers) | LNH | 81 | 14 | 41 | 55 | 32 | 18 | 2 | 10 | 12 | 2 |
| | Match des étoiles | LNH | 1 | 0 | 1 | 1 | 0 | - | - | - | - | - |
| 2000-01 | Philadelphie (Flyers) | LNH | 79 | 15 | 33 | 48 | 50 | 6 | 1 | 1 | 2 | 0 |
| 2001-02 | Philadelphie (Flyers) | LNH | 65 | 6 | 19 | 25 | 24 | 5 | 0 | 1 | 1 | 2 |
| 2002-03 | Philadelphie (Flyers) | LNH | 79 | 8 | 24 | 32 | 35 | 5 | 2 | 1 | 3 | 0 |
| | **LNH** | | **1050** | **131** | **408** | **539** | **673** | **162** | **22** | **54** | **76** | **87** |
| | **Montréal** | | **405** | **43** | **136** | **179** | **351** | **71** | **9** | **20** | **29** | **55** |

• **Première équipe d'étoiles (LHJMQ) en 1987-88 • Deuxième équipe d'étoiles (LHJMQ) en 1986-87 • Trophée Émile-Bouchard (LHJMQ) en 1987-88 • Médaille d'or (CMJ) en 1988.**
• **Match des étoiles (LNH) en 1991-92, 1995-96, 1999-00 • Coupe Canada en 1992 • Coupe Stanley (LNH) en 1992-93 • Deuxième équipe d'étoiles (LNH) en 1998-99, 1999-00**
• **Échangé à Philadelphie par Montréal avec Gilbert Dionne et John LeClair pour Mark Recchi et le choix de 3e ronde de Philadelphie au repêchage de 1995 (Martin Hohenberger) le 9 février 1995**

## DESJARDINS, MARTIN
**Né à Sainte-Rose, Québec, le 28 janvier 1967. Centre, lance de la gauche, 6', 180 lb (5e choix de Montréal, 75e au total lors du repêchage de 1985)**

| SAISON | CLUB | LIGUE | PJ | B | A | PTS | PUN | PJ | B | A | PTS | PUN |
|---|---|---|---|---|---|---|---|---|---|---|---|---|
| 1982-83 | Laurentides (Pionniers) | QAAA | 45 | 25 | 29 | 54 | | - | - | - | - | - |
| 1983-84 | Laurentides (Pionniers) | QAAA | 38 | 38 | 43 | 81 | | - | - | - | - | - |
| 1984-85 | Trois-Rivières (Draveurs) | LHJMQ | 66 | 29 | 34 | 63 | 76 | 7 | 4 | 6 | 10 | 6 |
| 1985-86 | Trois-Rivières (Draveurs) | LHJMQ | 71 | 49 | 69 | 118 | 103 | 4 | 2 | 4 | 6 | 8 |
| 1986-87 | Trois-Rivières (Draveurs) | LHJMQ | 52 | 33 | 52 | 84 | 77 | - | - | - | - | - |
| | Longueuil (Chevaliers) | LHJMQ | 17 | 7 | 10 | 17 | 12 | 19 | 8 | 10 | 18 | 18 |
| | Longueuil (Chevaliers) | Mem. | 5 | 0 | 1 | 1 | 4 | - | - | - | - | - |
| 1987-88 | Sherbrooke (Canadien) | AHL | 75 | 34 | 36 | 70 | 117 | 5 | 1 | 1 | 2 | 8 |
| 1988-89 | Sherbrooke (Canadien) | AHL 70 | 17 | 27 | 44 | 104 | 6 | 2 | 7 | 9 | 21 | |
| 1989-90 | **Montréal (Canadiens)** | **LNH** | **8** | **0** | **2** | **2** | **2** | - | - | - | - | - |
| | Sherbrooke (Canadien) | AHL | 65 | 16 | 26 | 47 | 72 | 12 | 4 | *13 | 17 | 28 |
| 1990-91 | Fredericton (Canadien) | AHL | 2 | 0 | 1 | 1 | 6 | - | - | - | - | - |
| | Indianapolis (Ices) | IHL | 71 | 15 | 42 | 57 | 110 | 7 | 2 | 1 | 3 | 8 |
| 1991-92 | Indianapolis (Ices) | IHL | 36 | 4 | 7 | 11 | 52 | - | - | - | - | - |
| 1992-93 | HC Lausanne | SUI | 22 | 12 | 24 | 36 | 56 | 4 | 1 | 4 | 5 | 8 |
| 1993-94 | HC Lausanne | SUI | 25 | 23 | 15 | 38 | 38 | 13 | 8 | 5 | 13 | 30 |
| 1994-95 | HC Lausanne | SUI | 36 | 19 | 30 | 49 | 52 | 11 | 4 | 9 | 13 | 14 |
| 1995-96 | HC Lausanne | SUI | 33 | 5 | 11 | 16 | 68 | - | - | - | - | - |
| 1996-97 | HC Geneve Servette | SUI | 41 | 23 | 22 | 45 | 114 | 5 | 2 | 3 | 5 | 2 |
| 1997-98 | Berlin (Capitals) | GER | 44 | 13 | 21 | 34 | | - | - | - | - | - |
| | **LNH** | | **8** | **0** | **2** | **2** | **2** | - | - | - | - | - |
| | **Montréal** | | **8** | **0** | **2** | **2** | **2** | - | - | - | - | - |

• **Coupe du Président (LHJMQ) en 1986-87 • Échangé à Chicago par Montréal pour des considérations futures le 5 octobre 1990**

## DESLAURIERS, JACQUES
**Né à Montréal, Québec, le 3 septembre 1928. Défenseur, lance de la gauche, 6', 170 lb**

| SAISON | CLUB | LIGUE | PJ | B | A | PTS | PUN | PJ | B | A | PTS | PUN |
|---|---|---|---|---|---|---|---|---|---|---|---|---|
| 1945-46 | Montréal (National) | LHJQ | 19 | 3 | 4 | 7 | 19 | 4 | 0 | 0 | 0 | 2 |
| 1946-47 | Laval (National) | LHJQ | 27 | 7 | 12 | 19 | 47 | 12 | 2 | 7 | 9 | 11 |
| 1947-48 | Laval (National) | LHJQ | 32 | 6 | 8 | 14 | 24 | 12 | 1 | 7 | 8 | 29 |
| | Laval (National) | Mem. | 8 | 1 | 4 | 5 | 10 | - | - | - | - | - |
| 1948-49 | Dallas (Texans) | USHL | 56 | 2 | 11 | 13 | 36 | - | - | - | - | - |
| 1949-50 | Cincinnati (Mohawks) | AHL | 52 | 0 | 4 | 4 | 18 | - | - | - | - | - |
| 1950-51 | Valleyfield (Braves) | LHMQ | 53 | 11 | 19 | 30 | 52 | 15 | 2 | 4 | 6 | 4 |
| | Valleyfield (Braves) | Alexa. | 6 | 0 | 0 | 1 | 4 | - | - | - | - | - |
| 1951-52 | Valleyfield (Braves) | LHMQ | 60 | 6 | 16 | 22 | 61 | 6 | 1 | 0 | 1 | 2 |
| 1952-53 | Valleyfield (Braves) | LHMQ | 60 | 8 | 17 | 25 | 18 | 4 | 0 | 1 | 1 | 0 |
| 1953-54 | Valleyfield (Braves) | LHQ | 57 | 6 | 14 | 20 | 14 | 7 | 1 | 1 | 2 | 0 |
| 1954-55 | Valleyfield (Braves) | LHQ | 61 | 7 | 25 | 32 | 40 | - | - | - | - | - |
| 1955-56 | Montréal (Royals) | LHQ | 63 | 4 | 21 | 25 | 26 | 13 | 2 | 2 | 4 | 12 |
| | **Montréal (Canadiens)** | **LNH** | **2** | **0** | **0** | **0** | **0** | - | - | - | - | - |
| | Montréal (Royals) | Edin. | - | - | - | - | - | - | - | - | - | - |
| 1956-57 | Montréal (Royals) | LHQ | 68 | 11 | 21 | 32 | 46 | 4 | 0 | 1 | 1 | 0 |
| | Rochester (Americans) | AHL | 2 | 0 | 1 | 1 | 0 | - | - | - | - | - |
| 1957-58 | Chicoutimi (Saguenéens) | LHQ | 56 | 6 | 18 | 24 | 6 | 1 | 0 | 1 | 1 | 0 |
| 1958-59 | Montréal (Royals) | LHQ | 51 | 5 | 15 | 20 | 32 | 8 | 0 | 2 | 2 | 4 |
| 1959-60 | Montréal (Royals) | EPHL | 53 | 3 | 9 | 12 | 44 | 14 | 0 | 5 | 1 | 2 |
| 1960-61 | Granby (Vics) | ETSHL | *Statistiques non disponibles* | | | | | | | | | |
| 1961-62 | Granby (Vics) | ETSHL | *Statistiques non disponibles* | | | | | | | | | |
| | Granby (Vics) | Allan | 7 | 0 | 2 | 2 | 4 | - | - | - | - | - |
| | **LNH** | | **2** | **0** | **0** | **0** | **0** | - | - | - | - | - |
| | **Montréal** | | **2** | **0** | **0** | **0** | **0** | - | - | - | - | - |

• **Deuxième équipe d'étoile (LHJQ) en 1946-47 • Première équipe d'étoiles (LHQ) en 1955-56, 1956-57, 1958-59 • Deuxième équipe d'étoiles (LHQ) en 1957-58 • Échangé à Chicoutimi (LHQ) par Montréal avec Jackie Leclair et Guy Rousseau pour Stan Smrke le 27 octobre 1957**

## DHEERE, MARCEL
**Né à St. Boniface, Manitoba, le 19 décembre 1920**
**Ailier gauche, lance de la gauche, 5'7", 175 lb**

| SAISON | CLUB | LIGUE | PJ | B | A | PTS | PUN | PJ | B | A | PTS | PUN |
|---|---|---|---|---|---|---|---|---|---|---|---|---|
| 1939-40 | Treherne (Juniors) | MJHL | *Statistiques non disponibles* | | | | | | | | | |
| 1940-41 | Portland (Buckaroos) | PCHL | 48 | 18 | 6 | 24 | 58 | - | - | - | - | - |
| 1941-42 | **Montréal (Canadiens)** | **LHSQ** | **37** | **7** | **3** | **10** | **67** | **6** | **0** | **0** | **0** | **2** |

**DES-DHE**

606

| SAISON | CLUB | LIGUE | PJ | B | A | PTS | PUN | PJ | B | A | PTS | PUN |
|---|---|---|---|---|---|---|---|---|---|---|---|---|
| 1942-43 | Montréal (Canadiens) | LHSQ | 25 | 2 | 7 | 9 | 12 | - | - | - | - | - |
| | Montréal (Canadiens) | LNH | 11 | 1 | 2 | 3 | 2 | 5 | 0 | 0 | 0 | 6 |
| 1943-44 | Montréal (Canada Car) | LHCM | 1 | 0 | 2 | 2 | 0 | - | - | - | - | - |
| | Montréal (RCAF) | LHCM | 4 | 0 | 0 | 0 | 0 | - | - | - | - | - |
| 1944-45 | | | | | *Service militaire* | | | | | | | |
| 1945-46 | Hull (Volants) | LHSQ | 28 | 10 | 9 | 19 | 15 | - | - | - | - | - |
| 1946-47 | Houston (Huskies) | USHL | 58 | 20 | 28 | 48 | 22 | - | - | - | - | - |
| 1947-48 | Houston (Huskies) | USHL | 18 | 8 | 9 | 17 | 4 | - | - | - | - | - |
| | Tulsa (Oilers) | USHL | 38 | 15 | 15 | 30 | 0 | 2 | 0 | 0 | 0 | 0 |
| 1948-49 | Tulsa (Oilers) | USHL | 66 | 20 | 35 | 55 | 18 | 7 | 1 | 2 | 3 | 2 |
| 1949-50 | Tulsa (Oilers) | USHL | 6 | 1 | 3 | 4 | 2 | - | - | - | - | - |
| | St. Paul (Saints) | USHL | 15 | 3 | 7 | 10 | 2 | 3 | 0 | 0 | 0 | 2 |
| | Tacoma (Rockets) | PCHL | 47 | 16 | 33 | 49 | 12 | - | - | - | - | - |
| 1950-51 | Tacoma (Rockets) | PCHL | 45 | 9 | 16 | 25 | 14 | 6 | 0 | 2 | 2 | 0 |
| 1951-52 | Vernon (Canadien) | LHMQ | 43 | 14 | 24 | 38 | 33 | - | - | - | - | - |
| 1952-53 | Melville (Millionaires) | SSHL | 32 | 7 | 21 | 28 | 22 | 3 | 0 | 2 | 2 | 0 |
| | **LNH** | | 11 | 1 | 2 | 3 | 2 | 5 | 0 | 0 | 0 | 6 |
| | **Montréal** | | 11 | 1 | 2 | 3 | 2 | 5 | 0 | 0 | 0 | 6 |

• Droits vendus à Montréal par Portland (PCHL) le 25 décembre 1940

## DIDUCK, GERALD

**Né à Edmonton, Alberta, le 6 avril 1965. Défenseur, lance de la droite, 6'2", 217 lb (2e choix de New York [Islanders], 16e au total lors du repêchage de 1983)**

| SAISON | CLUB | LIGUE | PJ | B | A | PTS | PUN | PJ | B | A | PTS | PUN |
|---|---|---|---|---|---|---|---|---|---|---|---|---|
| 1981-82 | Lethbridge (Broncos) | WHL | 71 | 1 | 15 | 16 | 81 | 12 | 0 | 3 | 3 | 27 |
| 1982-83 | Lethbridge (Broncos) | WHL | 67 | 8 | 16 | 24 | 151 | 20 | 3 | 12 | 15 | 49 |
| | Lethbridge (Broncos) | Mem. | 3 | 0 | 1 | 1 | 2 | - | - | - | - | - |
| 1983-84 | Lethbridge (Broncos) | WHL | 65 | 10 | 24 | 34 | 133 | 5 | 1 | 4 | 5 | 27 |
| | Canada | CMJ | 7 | 0 | 0 | 0 | 4 | - | - | - | - | - |
| | Indianapolis (Checkers) | CHL | - | - | - | - | - | 10 | 1 | 6 | 7 | 19 |
| 1984-85 | New York (Islanders) | LNH | 65 | 2 | 8 | 10 | 80 | - | - | - | - | - |
| 1985-86 | New York (Islanders) | LNH | 10 | 1 | 2 | 3 | 2 | - | - | - | - | - |
| | Springfield (Indians) | AHL | 61 | 6 | 14 | 20 | 173 | - | - | - | - | - |
| 1986-87 | New York (Islanders) | LNH | 30 | 2 | 3 | 5 | 67 | 14 | 0 | 1 | 1 | 35 |
| | Springfield (Indians) | AHL | 45 | 6 | 8 | 14 | 120 | - | - | - | - | - |
| 1987-88 | New York (Islanders) | LNH | 68 | 7 | 12 | 19 | 113 | 6 | 1 | 0 | 1 | 42 |
| 1988-89 | New York (Islanders) | LNH | 65 | 11 | 21 | 32 | 155 | - | - | - | - | - |
| 1989-90 | New York (Islanders) | LNH | 76 | 3 | 17 | 20 | 163 | 5 | 0 | 0 | 0 | 12 |
| 1990-91 | Montréal (Canadiens) | LNH | 32 | 1 | 2 | 3 | 39 | - | - | - | - | - |
| | Vancouver (Canucks) | LNH | 31 | 3 | 7 | 10 | 66 | 6 | 1 | 0 | 1 | 11 |
| 1991-92 | Vancouver (Canucks) | LNH | 77 | 6 | 21 | 27 | 229 | 5 | 0 | 0 | 0 | 10 |
| 1992-93 | Vancouver (Canucks) | LNH | 80 | 6 | 14 | 20 | 171 | 12 | 4 | 2 | 6 | 12 |
| 1993-94 | Vancouver (Canucks) | LNH | 55 | 1 | 10 | 11 | 72 | 24 | 1 | 7 | 8 | 22 |
| 1994-95 | Vancouver (Canucks) | LNH | 22 | 1 | 3 | 4 | 15 | - | - | - | - | - |
| | Chicago (Blackhawks) | LNH | 13 | 1 | 0 | 1 | 48 | 16 | 1 | 3 | 4 | 22 |
| 1995-96 | Hartford (Whalers) | LNH | 79 | 1 | 9 | 10 | 88 | - | - | - | - | - |
| 1996-97 | Hartford (Whalers) | LNH | 56 | 1 | 10 | 11 | 40 | - | - | - | - | - |
| | Phoenix (Coyotes) | LNH | 11 | 1 | 2 | 3 | 23 | 7 | 0 | 0 | 0 | 10 |
| 1997-98 | Phoenix (Coyotes) | LNH | 78 | 8 | 10 | 18 | 118 | 6 | 0 | 2 | 2 | 20 |
| 1998-99 | Phoenix (Coyotes) | LNH | 44 | 0 | 2 | 2 | 72 | 3 | 0 | 0 | 0 | 2 |
| 1999-00 | Canada | Éq. nat. | 12 | 0 | 3 | 0 | 6 | - | - | - | - | - |
| | Toronto (Maple Leafs) | LNH | 26 | 0 | 0 | 0 | 33 | 10 | 0 | 1 | 1 | 14 |
| 2000-01 | Dallas (Stars) | LNH | 14 | 0 | 0 | 0 | 18 | - | - | - | - | - |
| | **LNH** | | 932 | 56 | 156 | 212 | 1612 | 114 | 8 | 16 | 24 | 212 |
| | **Montréal** | | 32 | 1 | 2 | 3 | 39 | - | - | - | - | - |

• Échangé à Montréal par New York (Islanders) pour Craig Ludwig le 4 septembre 1990. • Échangé à Vancouver par Montréal pour le choix de 4e ronde de Vancouver au repêchage de 1991 (Vladimir Vujtek) le 12 janvier 1991 • Échangé à Chicago par Vancouver pour Bgodan Savenko et le choix de 3e ronde de Hartford au repêchage de 1995 (Larry Courville) le 7 avril 1995 • Signe avec Hartford comme agent libre le 24 août 1995 • Échangé à Phoenix par Hartford pour Chris Murray le 18 mars 1997 • Signe avec Toronto comme agent libre le 3 février 2000 • Échangé à Dallas par Toronto pour des considérations futures le 29 octobre 2000

## DIONNE, GILBERT

**Né à Drummondville, Québec, le 19 septembre 1970. Ailier gauche, lance de la gauche, 6', 194 lb (5e choix de Montréal, 81e au total lors du repêchage de 1990)**

| SAISON | CLUB | LIGUE | PJ | B | A | PTS | PUN | PJ | B | A | PTS | PUN |
|---|---|---|---|---|---|---|---|---|---|---|---|---|
| 1986-87 | Niagara Falls (Canucks) | OJHLB | 17 | 9 | 6 | 15 | 16 | - | - | - | - | - |
| 1987-88 | Niagara Falls (Canucks) | OJHLB | 36 | 36 | 48 | 84 | 60 | - | - | - | - | - |
| 1988-89 | Kitchener (Rangers) | OHL | 66 | 11 | 33 | 44 | 13 | 5 | 1 | 1 | 2 | 4 |
| 1989-90 | Kitchener (Rangers) | OHL | 64 | 48 | 57 | 105 | 85 | 17 | 13 | 10 | 23 | 22 |
| | Kitchener (Rangers) | Mem. | 5 | 4 | 6 | 10 | 8 | - | - | - | - | - |
| 1990-91 | Fredericton (Canadien) | AHL | 77 | 40 | 47 | 87 | 62 | 9 | 6 | 5 | 11 | 8 |
| | **Montréal (Canadiens)** | LNH | 2 | 0 | 0 | 0 | 0 | - | - | - | - | - |
| 1991-92 | Fredericton (Canadien) | AHL | 29 | 19 | 27 | 46 | 20 | - | - | - | - | - |
| | **Montréal (Canadiens)** | LNH | 39 | 21 | 13 | 34 | 10 | 11 | 3 | 4 | 7 | 10 |
| 1992-93 | Fredericton (Canadien) | AHL | 3 | 3 | | 7 | 0 | - | - | - | - | - |
| | **Montréal (Canadiens)** | LNH | 75 | 20 | 28 | 48 | 63 | 20 | 6 | 6 | 12 | 20 |
| 1993-94 | **Montréal (Canadiens)** | LNH | 74 | 19 | 26 | 45 | 31 | 5 | 1 | 2 | 3 | 0 |
| 1994-95 | **Montréal (Canadiens)** | LNH | 6 | 0 | 3 | 3 | 2 | - | - | - | - | - |
| | Philadelphie (Flyers) | LNH | 20 | 0 | 6 | 6 | 2 | - | - | - | - | - |
| 1995-96 | Philadelphie (Flyers) | LNH | 2 | 0 | 1 | 1 | 0 | - | - | - | - | - |
| | Floride (Panthers) | LNH | 5 | 1 | 2 | 3 | 0 | - | - | - | - | - |
| | Caroline (Monarchs) | AHL | 55 | 43 | 58 | 101 | 29 | - | - | - | - | - |
| 1996-97 | Caroline (Monarchs) | AHL | 72 | 41 | 47 | 88 | 69 | - | - | - | - | - |
| 1997-98 | Cincinnati (Cyclones) | IHL | 76 | 42 | 57 | 99 | 54 | 3 | 4 | 3 | 7 | 28 |
| 1998-99 | Cincinnati (Cyclones) | IHL | 76 | 35 | 53 | 88 | 123 | 3 | 0 | 2 | 2 | 6 |
| 1999-00 | Cincinnati (Cyclones) | IHL | 81 | 34 | 49 | 83 | 88 | 11 | 3 | 4 | 7 | 8 |
| 2000-01 | Cincinnati (Cyclones) | IHL | 63 | 22 | 44 | 66 | 46 | 5 | 0 | 2 | 2 | 2 |
| 2001-02 | Krefeld (Penguins) | GER | 57 | 15 | 26 | 41 | 20 | 3 | 0 | 1 | 1 | 2 |
| 2002-03 | Hannover (Scorpious) | GER | 51 | 17 | 29 | 46 | 55 | - | - | - | - | - |
| | **LNH** | | 223 | 61 | 79 | 140 | 108 | 39 | 10 | 12 | 22 | 34 |

| SAISON | CLUB | LIGUE | PJ | B | A | PTS | PUN | PJ | B | A | PTS | PUN |
|---|---|---|---|---|---|---|---|---|---|---|---|---|
| | Montréal | | 196 | 60 | 70 | 130 | 106 | 36 | 10 | 12 | 22 | 30 |

• Troisième équipe d'étoiles (OHL) en 1989-90 • Équipe d'étoiles des joueurs recrues (LNH) en 1991-92 • Coupe Stanley (LNH) en 1992-93 • Deuxième équipe d'étoiles (AHL) en 1995-96 • Première équipe d'étoiles (LIH) en 1997-98 • Deuxième équipe d'étoiles (IHL) en 1999-00
• Échangé à Philadelphie par Montréal avec Éric Desjardins et John LeClair pour Mark Recchi et le choix de 3e ronde de Philadelphie au repêchage de 1995 (Martin Hohenberger) le 9 février 1995 • Signe avec la Floride comme agent libre le 29 janvier 1996 • Signe avec Cincinnati (IHL) comme agent libre le 23 juillet 1997 • Signe avec la Caroline comme agent libre le 31 août 1999

## DI PIETRO, PAUL

**Né à Sault Ste. Marie, Ontario, le 8 septembre 1970. Centre, lance de la droite, 5'9", 181 lb (6e choix de Montréal, 102e au total lors du repêchage de 1990)**

| SAISON | CLUB | LIGUE | PJ | B | A | PTS | PUN | PJ | B | A | PTS | PUN |
|---|---|---|---|---|---|---|---|---|---|---|---|---|
| 1986-87 | Sudbury (Wolves) | OHL | 49 | 5 | 11 | 16 | 13 | - | - | - | - | - |
| 1987-88 | Sudbury (Wolves) | OHL | 63 | 25 | 42 | 67 | 27 | - | - | - | - | - |
| 1988-89 | Sudbury (Wolves) | OHL | 57 | 31 | 48 | 79 | 27 | - | - | - | - | - |
| 1989-90 | Sudbury (Wolves) | OHL | 66 | 56 | 63 | 119 | 57 | 7 | 3 | 6 | 9 | 7 |
| 1990-91 | Fredericton (Canadien) | AHL | 78 | 39 | 31 | 70 | 38 | 9 | 5 | 6 | 11 | 2 |
| 1991-92 | Fredericton (Canadien) | AHL | 43 | 26 | 31 | 57 | 52 | 7 | 3 | 4 | 7 | 8 |
| | **Montréal (Canadiens)** | LNH | 33 | 4 | 6 | 10 | 25 | - | - | - | - | - |
| 1992-93 | Fredericton (Canadien) | AHL | 26 | 8 | 16 | 24 | 16 | - | - | - | - | - |
| | **Montréal (Canadiens)** | LNH | 29 | 4 | 13 | 17 | 14 | 17 | 8 | 5 | 13 | 8 |
| 1993-94 | **Montréal (Canadiens)** | LNH | 70 | 13 | 20 | 33 | 37 | 7 | 2 | 4 | 6 | 2 |
| 1994-95 | **Montréal (Canadiens)** | LNH | 22 | 4 | 5 | 9 | 4 | - | - | - | - | - |
| | Toronto (Maple Leafs) | LNH | 12 | 1 | 1 | 2 | 6 | 7 | 1 | 1 | 2 | 6 |
| 1995-96 | Toronto (Maple Leafs) | LNH | 8 | 0 | 4 | 4 | 4 | - | - | - | - | - |
| | St. John's (Maple Leafs) | AHL | 2 | 2 | 2 | 4 | 0 | - | - | - | - | - |
| | Houston (Aeros) | IHL | 36 | 18 | 23 | 41 | 44 | - | - | - | - | - |
| | Las Vegas (Thunder) | IHL | 13 | 5 | 6 | 11 | 10 | 13 | 4 | 8 | 12 | 16 |
| 1996-97 | Los Angeles (Kings) | LNH | 6 | 1 | 0 | 1 | 6 | - | - | - | - | - |
| | Phoenix (Roadrunners) | IHL | 33 | 9 | 20 | 29 | 32 | - | - | - | - | - |
| | Cincinnati (Cyclones) | IHL | 32 | 5 | 24 | 29 | 28 | 3 | 1 | 1 | 2 | 6 |
| 1997-98 | Kassel (Huskies) | GER | 48 | 20 | 32 | 52 | 16 | - | - | - | - | - |
| 1998-99 | HC Ambri-Piotta | SUI | 45 | *38 | 44 | 82 | 22 | 15 | 6 | 12 | 18 | 22 |
| 1999-00 | EV Zug | SUI | 45 | 20 | 34 | 54 | 58 | 10 | 3 | 5 | 8 | 10 |
| | Canada | Éq. nat. | 4 | 0 | 3 | 3 | 0 | - | - | - | - | - |
| 2000-01 | EV Zug | SUI | 43 | 26 | 29 | 55 | 34 | 4 | 2 | 0 | 2 | 27 |
| 2001-02 | EV Zug | SUI | 42 | 19 | 24 | 43 | 45 | 6 | 6 | 3 | 9 | 4 |
| 2002-02 | EV Zug | SUI | 42 | 14 | 28 | 42 | 51 | - | - | - | - | - |
| | **LNH** | | 192 | 31 | 49 | 80 | 96 | 31 | 11 | 10 | 21 | 10 |
| | **Montréal** | | 154 | 25 | 44 | 69 | 80 | 24 | 10 | 9 | 19 | 10 |

• Coupe Stanley (LNH) en 1992-93
• Échangé à Toronto par Montréal pour le choix de 4e ronde de Phoenix (propriété du Toronto suite à une transaction antérieure) au repêchage de 1996 (Kim Staal) le 6 avril 1995 • Signe avec Los Angeles comme agent libre le 23 juillet 1996

## DIRK, ROBERT

**Né à Regina, Saskatchewan, le 20 août 1966. Défenseur, lance de la gauche, 6'4", 210 lb (4e choix de St. Louis, 53e au total lors repêchage de 1984)**

| SAISON | CLUB | LIGUE | PJ | B | A | PTS | PUN | PJ | B | A | PTS | PUN |
|---|---|---|---|---|---|---|---|---|---|---|---|---|
| 1982-83 | Notre Dame Midget Hounds | SAHA | 23 | 1 | 6 | 7 | 8 | - | - | - | - | - |
| | Kelowna (Blazers) | BCJHL | 27 | 3 | 7 | 10 | 43 | 13 | 5 | 16 | 21 | 34 |
| | Regina (Pats) | WHL | 1 | 0 | 0 | 0 | 0 | - | - | - | - | - |
| 1983-84 | Regina (Pats) | WHL | 62 | 2 | 10 | 12 | 64 | 23 | 1 | 12 | 13 | 24 |
| 1984-85 | Regina (Pats) | WHL | 69 | 10 | 34 | 44 | 97 | 8 | 0 | 0 | 0 | 4 |
| 1985-86 | Regina (Pats) | WHL | 72 | 19 | 60 | 79 | 140 | 10 | 3 | 5 | 8 | 8 |
| 1986-87 | Peoria (Rivermen) | IHL | 76 | 5 | 17 | 22 | 155 | - | - | - | - | - |
| 1987-88 | Peoria (Rivermen) | IHL | 54 | 4 | 21 | 25 | 126 | - | - | - | - | - |
| | St. Louis (Blues) | LNH | 7 | 0 | 1 | 1 | 16 | 6 | 0 | 1 | 1 | 9 |
| 1988-89 | Peoria (Rivermen) | IHL | 22 | 0 | 2 | 2 | 54 | - | - | - | - | - |
| | St. Louis (Blues) | LNH | 9 | 0 | 1 | 1 | 11 | - | - | - | - | - |
| 1989-90 | Peoria (Rivermen) | IHL | 24 | 1 | 2 | 3 | 79 | - | - | - | - | - |
| | St. Louis (Blues) | LNH | 37 | 1 | 1 | 2 | 128 | 1 | 0 | 0 | 0 | 0 |
| 1990-91 | Peoria (Rivermen) | IHL | 3 | 0 | 1 | 1 | 0 | - | - | - | - | - |
| | St. Louis (Blues) | LNH | 41 | 1 | 4 | 5 | 100 | - | - | - | - | - |
| | Vancouver (Canucks) | LNH | 11 | 1 | 1 | 2 | 20 | 6 | 0 | 0 | 0 | 13 |
| 1991-92 | Vancouver (Canucks) | LNH | 72 | 2 | 7 | 9 | 126 | 13 | 0 | 0 | 0 | 20 |
| 1992-93 | Vancouver (Canucks) | LNH | 69 | 4 | 8 | 12 | 150 | 9 | 0 | 0 | 0 | 6 |
| 1993-94 | Vancouver (Canucks) | LNH | 65 | 2 | 3 | 5 | 105 | - | - | - | - | - |
| | Chicago (Black Hawks) | LNH | 0 | 0 | 0 | 0 | 26 | 2 | 0 | 0 | 0 | 15 |
| 1994-95 | Anaheim (Mighty Ducks) | LNH | 38 | 1 | 3 | 4 | 56 | - | - | - | - | - |
| 1995-96 | Anaheim (Mighty Ducks) | LNH | 44 | 1 | 2 | 3 | 42 | - | - | - | - | - |
| | **Montréal (Canadiens)** | LNH | 3 | 0 | 0 | 0 | 0 | - | - | - | - | - |
| 1996-97 | Detroit (Vipers) | IHL | 48 | 2 | 28 | 30 | 36 | - | - | - | - | - |
| | Chicago (Wolves) | IHL | 31 | 1 | 6 | 7 | 26 | - | - | - | - | - |
| | **LNH** | | 402 | 13 | 29 | 42 | 786 | 39 | 0 | 1 | 1 | 56 |
| | **Montréal** | | 3 | 0 | 0 | 0 | 0 | - | - | - | - | - |

• Deuxième équipe d'étoiles de l'Est (WHL) en 1985-86
• Échangé à Vancouver par St. Louis avec Geoff Courtnall, Sergio Momesso, Cliff Ronning et le choix de 5e ronde de St. Louis au repêchage de 1992 (Brian Loney) pour Dan Quinn et Garth Butcher le 5 mars 1991 • Échangé à Chicago par Vancouver pour le choix de 4e ronde de Chicago au repêchage de 1994 (Mike Dubinsky) le 21 mars 1994 • Échangé à Anaheim par Chicago pour le choix de 4e ronde de Tampa Bay au repêchage de 1995 (Chris Van Dyk) le 12 juillet 1994 • Échangé à Montréal par Anaheim pour Jim Campbell le 21 janvier 1996

## DOHERTY, FRED

**Né à Norwood, Ontario, décédé. Ailier droit, lance de la gauche, 5'8", 160 lb**

| SAISON | CLUB | LIGUE | PJ | B | A | PTS | PUN | PJ | B | A | PTS | PUN |
|---|---|---|---|---|---|---|---|---|---|---|---|---|
| 1908-09 | Guelph (Professionals) | OPHL | 7 | 6 | 0 | 6 | 6 | - | - | - | - | - |

| SAISON | CLUB | LIGUE | PJ | B | A | PTS | PUN | PJ | B | A | PTS | PUN |
|---|---|---|---|---|---|---|---|---|---|---|---|---|
| | Galt (Professionals) | OPHL | 10 | 10 | 0 | 10 | 24 | - | - | - | - | - |
| 1909-10 | Galt (Professionals) | Exh. | 4 | 6 | 0 | 6 | 6 | - | - | - | - | - |
| | Galt (Professionals) | OPHL | 16 | 19 | 0 | 19 | 35 | 2 | 1 | 0 | 1 | 6 |
| 1910-11 | Galt (Professionals) | OPHL | 13 | 4 | 0 | 4 | - | 3 | 2 | 0 | 2 | - |
| | Belleville (Professionals) | EPHL | 3 | 1 | 0 | 1 | - | - | - | - | - | - |
| | Renfrew (Creamery Kings) | NHA | 1 | 0 | 0 | 0 | - | - | - | - | - | - |
| 1911-12 | Moncton (Victorias) | MPHL | 16 | 16 | 0 | 16 | 31 | 2 | 0 | 0 | 0 | 2 |
| 1912-13 | Toronto (Blueshirts) | NHA | 1 | 0 | 0 | 0 | - | - | - | - | - | - |
| | Moncton (Victorias) | MPHL | 12 | 12 | 0 | 12 | 14 | - | - | - | - | - |
| | Halifax (Crescents) | MPHL | 0 | 0 | 0 | 0 | 0 | - | - | - | - | - |
| 1913-14 | Toronto (Ontarios) | NHA | 19 | 9 | 5 | 14 | - | - | - | - | - | - |
| 1914-15 | Québec (Bulldogs) | NHA | 1 | 0 | 0 | 0 | - | - | - | - | - | - |
| 1915-16 | Montréal (Wanderers) | NHA | 1 | 0 | 0 | 0 | - | - | - | - | - | - |
| 1916-17 | | | | | | *Service militaire* | | | | | | |
| 1917-18 | | | | | | *Service militaire* | | | | | | |
| 1918-19 | **Montréal (Canadiens)** | **LNH** | 1 | 0 | 0 | 0 | - | - | - | - | - | - |
| | | NHA | 23 | 9 | 5 | 14 | 0 | - | - | - | - | - |
| | | LNH | 1 | 0 | 0 | 0 | 0 | - | - | - | - | - |
| | | Montréal | 1 | 0 | 0 | 0 | 0 | - | - | - | - | - |

• Signe avec Montréal le 13 décembre 1918

### DORAN, JOHN (RED)

**Né à Belleville, Ontario, le 24 mai 1911, décédé le 11 février 1975**
**Défenseur, lance de la gauche, 5'11", 195 lb**

| SAISON | CLUB | LIGUE | PJ | B | A | PTS | PUN | PJ | B | A | PTS | PUN |
|---|---|---|---|---|---|---|---|---|---|---|---|---|
| 1928-29 | West Toronto (Redmen) | OHA Jr | | | | *Statistiques non disponibles* | | | | | | |
| 1929-30 | West Toronto (Nationals) | OHA Jr | 4 | 2 | 0 | 2 | 2 | - | - | - | - | - |
| | Toronto (Stockyards) | TMHL | 2 | 1 | 0 | 1 | 2 | - | - | - | - | - |
| | West Toronto (Nationals) | Mem. | 7 | 2 | 1 | 3 | 14 | - | - | - | - | - |
| 1930-31 | West Toronto (Nationals) | OHA Jr | | | | *Statistiques non disponibles* | | | | | | |
| 1931-32 | Toronto (Marlboros) | OHA Sr | 7 | 0 | 0 | 0 | 8 | - | - | - | - | - |
| | Toronto (Eaton's) | TMHL | 9 | 3 | 1 | 4 | 8 | 4 | 0 | 1 | 1 | 2 |
| 1932-33 | New Haven (Eagles) | Can-Am | 41 | 4 | 2 | 6 | 38 | - | - | - | - | - |
| 1933-34 | New York (Americans) | LNH | 39 | 1 | 4 | 5 | 40 | - | - | - | - | - |
| | Québec (Castors) | Can-Am | 8 | 1 | 0 | 1 | 20 | - | - | - | - | - |
| 1934-35 | Québec (Castors) | Can-Am | 44 | 7 | 11 | 18 | 105 | 3 | 1 | 0 | 1 | 4 |
| 1935-36 | New York (Americans) | LNH | 25 | 4 | 2 | 6 | 44 | 3 | 0 | 0 | 0 | 0 |
| | New Haven (Eagles) | Can-Am | 24 | 0 | 0 | 0 | 87 | - | - | - | - | - |
| 1936-37 | New York (Americans) | LNH | 21 | 0 | 1 | 1 | 10 | - | - | - | - | - |
| | New Haven (Eagles) | IAHL | 6 | 1 | 2 | 3 | 16 | - | - | - | - | - |
| | Pittsburgh (Hornets) | IAHL | 21 | 2 | 8 | 10 | 34 | 5 | 1 | 1 | 2 | 11 |
| 1937-38 | Detroit (Red Wings) | LNH | 7 | 0 | 0 | 0 | 0 | - | - | - | - | - |
| | Pittsburgh (Hornets) | IAHL | 25 | 4 | 6 | 10 | 24 | - | - | - | - | - |
| | New Haven (Eagles) | IAHL | 11 | 0 | 6 | 6 | 14 | 2 | 0 | 0 | 0 | 2 |
| 1938-39 | New Haven (Eagles) | IAHL | 7 | 0 | 0 | 0 | 24 | - | - | - | - | - |
| | Providence (Reds) | IAHL | 33 | 2 | 10 | 12 | 63 | 5 | 1 | 1 | 2 | 8 |
| 1939-40 | Providence (Reds) | IAHL | 46 | 14 | 19 | 33 | 82 | 4 | 2 | 6 | 16 | |
| | **Montréal (Canadiens)** | **LNH** | 6 | 0 | 3 | 3 | 6 | - | - | - | - | - |
| 1940-41 | Hershey (Bears) | AHL | 16 | 0 | 5 | 5 | 20 | - | - | - | - | - |
| | Buffalo (Bisons) | AHL | 42 | 2 | 11 | 13 | 36 | - | - | - | - | - |
| 1941-42 | Truro (Bearcats) | NSAPC | 1 | 0 | 0 | 0 | 0 | 5 | 2 | 1 | 3 | 0 |
| | Truro (Bearcats) | Allan | 8 | 1 | 5 | 6 | 4 | - | - | - | - | - |
| 1942-43 | Montréal (Armée) | LHCM | 1 | 1 | 5 | 6 | 4 | 5 | 5 | *7 | *12 | 12 |
| | | LNH | 98 | 5 | 10 | 15 | 110 | 3 | 0 | 0 | 0 | 0 |
| | | Montréal | 6 | 0 | 3 | 3 | 6 | - | - | - | - | - |

• Échangé à Detroit par New York (Americans) avec une somme d'argent pour Earl Robertson le 9 mai 1937 • Signe avec Providence (IAHL) le 9 octobre 1939 • Prêté à Montréal par Providence (IAHL) le 15 janvier 1940 • Droits vendus à Buffalo (AHL) par Hersey (AHL) le 11 décembre 1940

### DOROHOY, EDWARD (ED)

**Né à Medecine Hat, Alberta, le 13 mars 1929. Centre, lance de la gauche, 5'9", 150 lb**

| SAISON | CLUB | LIGUE | PJ | B | A | PTS | PUN | PJ | B | A | PTS | PUN |
|---|---|---|---|---|---|---|---|---|---|---|---|---|
| 1946-47 | Lethbridge (Native Sons) | AJHL | 11 | 2 | 1 | 3 | 4 | 3 | 2 | 0 | 2 | 0 |
| 1947-48 | Lethbridge (Native Sons) | AJHL | 27 | 32 | *49 | 81 | 22 | 6 | 6 | *15 | *21 | 9 |
| | Lethbridge (Native Sons) | Mem. | 11 | 4 | 7 | 11 | 6 | - | - | - | - | - |
| 1948-49 | **Montréal (Canadiens)** | **LNH** | 16 | 0 | 0 | 0 | 6 | - | - | - | - | - |
| | Dallas (Texans) | USHL | 34 | 19 | 21 | 40 | 76 | 4 | 2 | 2 | 4 | 0 |
| 1949-50 | Cincinnati (Mohawks) | AHL | 6 | 0 | 0 | 0 | 0 | - | - | - | - | - |
| | Victoria (Cougars) | PCHL | 31 | 15 | 16 | 31 | 25 | - | - | - | - | - |
| 1950-51 | Victoria (Cougars) | PCHL | 68 | 29 | *58 | *87 | 64 | 12 | *6 | 8 | *14 | 8 |
| 1951-52 | Victoria (Cougars) | PCHL | 68 | 29 | *56 | 85 | 66 | 13 | 3 | 4 | 7 | 12 |
| 1952-53 | Victoria (Cougars) | WHL | 70 | 24 | 54 | 78 | 97 | - | - | - | - | - |
| 1953-54 | Victoria (Cougars) | WHL | 70 | 26 | 53 | 79 | 46 | 5 | 1 | 2 | 3 | 4 |
| 1954-55 | Victoria (Cougars) | WHL | 68 | 33 | 52 | 85 | 41 | 5 | 2 | 2 | 4 | 10 |
| 1955-56 | Seattle (Americans) | WHL | 69 | 18 | 41 | 59 | 131 | - | - | - | - | - |
| 1956-57 | Seattle (Americans) | WHL | 70 | 31 | 55 | 86 | 70 | 8 | 4 | 4 | 8 | 4 |
| 1957-58 | Seattle (Americans) | WHL | 58 | 34 | 41 | 75 | 51 | - | - | - | - | - |
| 1958-59 | Calgary (Stampeders) | WHL | 64 | 35 | *74 | 109 | 56 | 4 | 2 | 2 | 4 | 4 |
| 1959-60 | Vancouver (Canucks) | WHL | 33 | 17 | 21 | 38 | 30 | - | - | - | - | - |
| 1960-61 | Vancouver (Canucks) | WHL | 2 | 0 | 0 | 0 | 0 | - | - | - | - | - |
| 1961-62 | Los-Angeles/Vancouver | WHL | 37 | 6 | 10 | 16 | 14 | - | - | - | - | - |
| 1962-63 | Vanvouver (Canucks) | WHL | 4 | 1 | 0 | 1 | 0 | - | - | - | - | - |
| | Knoxville (Knights) | EHL | 20 | 7 | 20 | 27 | 2 | 5 | 1 | 2 | 3 | 0 |
| 1963-64 | New Haven (Blades) | EHL | 18 | 11 | 18 | 29 | 6 | 5 | 2 | 3 | 5 | 2 |
| 1964-65 | Spokane (Jets) | WHL | 47 | 20 | 50 | 70 | 118 | - | - | - | - | - |
| | | LNH | 16 | 0 | 0 | 0 | 6 | - | - | - | - | - |
| | | Montréal | 16 | 0 | 0 | 0 | 6 | - | - | - | - | - |

• Deuxième équipe d'étoiles (PCHL) en 1951-52 • Première équipe d'étoiles, Division Prairies (WHL) en 1958-59 • Coupe Leader, Division Prairies (WHL) en 1958-59
• Prêté à Dallas par Montréal le 26 décembre 1948 • Droits vendus à Victoria (WHL) par Montréal en août 1955 • Droits vendus à Seattle (WHL) par Victoria (WHL) le 12 sep-

tembre 1955. • Échangé à Victoria (WHL) par Seattle (WHL) pour Bill Davidson et Don Chiupka en septembre 1957 • Échangé à Calgary (WHL) par Victoria (WHL) pour George Ford, Enio Sclisizzi et Murray Wilkie en juillet 1958 • Signe avec Knoxville (EHL) le 23 janvier 1963

### DRILLON, GORDON (GORD)

**Né à Moncton, Nouveau-Brunswick, le 23 octobre 1914, décédé le 23 septembre 1985**
**Ailier droit, lance de la droite, 6'2", 175 lb**

| SAISON | CLUB | LIGUE | PJ | B | A | PTS | PUN | PJ | B | A | PTS | PUN |
|---|---|---|---|---|---|---|---|---|---|---|---|---|
| 1926-27 | Edith Cavell School | MSBL | 5 | 4 | 0 | 4 | - | - | - | - | - | - |
| 1927-28 | Victoria Street School | MSBL | 5 | 1 | 1 | 2 | - | - | - | - | - | - |
| 1928-29 | Moncton (Aberdeens) | HS | 2 | 0 | 0 | 0 | - | - | - | - | - | - |
| 1929-30 | Moncton (Chalmers Club) | SNBJL | 6 | 8 | 4 | 12 | 2 | 0 | 0 | 0 | 0 | - |
| 1930-31 | Moncton (Athletics) | MJHL | 6 | *15 | 4 | *19 | 2 | - | - | - | - | - |
| | Moncton (Aberdeens) | HS | 3 | 1 | 0 | 1 | - | 1 | 1 | 0 | 1 | - |
| | Moncton (Athletics) | Mem. | 2 | 3 | 2 | 5 | 0 | - | - | - | - | - |
| 1931-32 | Moncton (Wheelers) | MJHL | 6 | 6 | 4 | 10 | - | 3 | 5 | 1 | 6 | 5 |
| 1932-33 | Moncton (Hawks) | MJHL | 4 | 13 | 3 | 16 | 0 | 2 | 2 | 1 | 3 | 4 |
| | Moncton (Swift's) | MCIHL | 7 | 11 | 3 | 14 | - | 6 | *13 | 4 | *17 | - |
| 1933-34 | Toronto (Young Rangers) | OHA Jr | 11 | *20 | *13 | *33 | 4 | 2 | *5 | *3 | *8 | 4 |
| | Toronto (CCM) | TMHL | 2 | 0 | 0 | 0 | - | - | - | - | - | - |
| | Toronto (Young Rangers) | Mem. | 2 | 0 | 0 | 0 | 16 | - | - | - | - | - |
| 1934-35 | Toronto (Lions) | OHA Jr | 11 | 17 | 9 | 26 | 2 | 5 | 2 | 1 | 3 | 6 |
| | Toronto (Dominions) | OHA Sr | 6 | 12 | 6 | 18 | 2 | 3 | 2 | 1 | 3 | 4 |
| 1935-36 | Pittsburgh (Yellowjackets) | EAHL | 40 | 22 | 12 | 34 | 8 | 8 | 3 | 2 | 5 | 0 |
| 1936-37 | Toronto (Maple Leafs) | LNH | 41 | 16 | 17 | 33 | 2 | 2 | 0 | 0 | 0 | 0 |
| | Syracuse (Stars) | IAHL | 2 | 1 | 0 | 1 | - | - | - | - | - | - |
| 1937-38 | Toronto (Maple Leafs) | LNH | 48 | *26 | 26 | *52 | 4 | 7 | *7 | 1 | 8 | 2 |
| 1938-39 | Toronto (Maple Leafs) | LNH | 40 | 18 | 26 | 44 | 15 | 10 | 7 | 6 | 13 | 4 |
| 1939-40 | Toronto (Maple Leafs) | LNH | 43 | 21 | 19 | 40 | 13 | 10 | 3 | 1 | 4 | 6 |
| | Match des étoiles | LNH | 1 | 0 | 0 | 0 | 0 | - | - | - | - | - |
| 1940-41 | Toronto (Maple Leafs) | LNH | 42 | 23 | 21 | 44 | 2 | 7 | 3 | 2 | 5 | 4 |
| 1941-42 | Toronto (Maple Leafs) | LNH | 48 | 23 | 18 | 41 | 6 | 9 | 2 | 5 | 2 | 4 |
| 1942-43 | **Montréal (Canadiens)** | **LNH** | 49 | 28 | 22 | 50 | 14 | 5 | 4 | 2 | 6 | 0 |
| 1943-44 | Toronto (Army Daggers) | OHA Sr1 | 1 | 1 | 2 | 0 | - | - | - | - | - | - |
| 1944-45 | Dartmouth (RCAF) | NSDHL | 1 | 0 | 1 | 1 | 0 | - | - | - | - | - |
| | Valleyfield (Braves) | LHPQ | 8 | 11 | 4 | 15 | 0 | 11 | 8 | 6 | 14 | 2 |
| | Valleyfield (Braves) | Allan | 3 | 0 | 0 | 0 | 0 | - | - | - | - | - |
| 1945-46 | Halifax (RCAF) | NSDHL | 3 | 7 | 8 | 15 | 4 | - | - | - | - | - |
| 1946-47 | Charlottetown (Legion) | NSSHL | | 10 | 8 | 18 | 16 | 11 | *41 | 12 | *53 | 4 |
| 1947-48 | North Sydney (Victorias) | NSSHL | 6 | 2 | 11 | 7 | 18 | 2 | - | - | - | - |
| 1948-49 | Maritimes All-Stars | Exh. | 2 | 11 | 7 | 18 | 2 | - | - | - | - | - |
| 1949-50 | St. John (Beavers) | NBSHL | 49 | 48 | 24 | 72 | 40 | 11 | 1 | 4 | 5 | 12 |
| | | LNH | 311 | 155 | 139 | 294 | 56 | 50 | 26 | 15 | 41 | 10 |
| | | Montréal | 49 | 28 | 22 | 50 | 14 | 5 | 4 | 2 | 6 | 0 |

• Première équipe d'étoiles (LNH) en 1937-38, 1938-39 • Deuxième équipe d'étoiles (LNH) en 1941-42 • Trophée Art-Ross (LNH) en 1937-38 • Trophée Lady-Byng (LNH) en 1937-38 • Match des étoiles (LNH) en 1939-40 • Coupe Stanley (LNH) en 1941-42 • Membre du Temple de la Renommée (LNH) en 1975
• Signe avec Toronto le 26 novembre 1936 • Droits vendus à Montréal par Toronto le 4 octobre 1942

### DROUIN, JUDE

**Né à Mont-Louis, Québec, le 28 octobre 1948. Centre, lance de la droite, 5'10", 165 lb**
**(3e choix de Montréal, 17e au total lors du repêchage de 1966)**

| SAISON | CLUB | LIGUE | PJ | B | A | PTS | PUN | PJ | B | A | PTS | PUN |
|---|---|---|---|---|---|---|---|---|---|---|---|---|
| 1965-66 | Verdun (Maple Leafs) | LHJQ | 38 | 33 | 32 | 65 | 103 | - | - | - | - | - |
| 1966-67 | Montréal (Canadien Jr) | OHA Jr | 47 | 32 | 32 | 64 | 64 | 3 | 0 | 3 | 3 | 9 |
| 1967-68 | Houston (Apollos) | CPHL | 68 | 22 | 38 | 60 | 59 | - | - | - | - | - |
| 1968-69 | Houston (Apollos) | CHL | 53 | 23 | 31 | 54 | 117 | 3 | 1 | 1 | 2 | 23 |
| | **Montréal (Canadiens)** | **LNH** | 9 | 0 | 1 | 1 | 0 | - | - | - | - | - |
| 1969-70 | Montréal (Voyageurs) | AHL | 65 | 37 | *69 | *106 | 88 | 8 | 0 | 6 | 6 | 2 |
| | **Montréal (Canadiens)** | **LNH** | 3 | 0 | 0 | 0 | 2 | - | - | - | - | - |
| 1970-71 | Minnesota (North Stars) | LNH | 75 | 16 | 52 | 68 | 49 | 12 | 5 | 7 | 12 | 10 |
| 1971-72 | Minnesota (North Stars) | LNH | 63 | 13 | 43 | 56 | 31 | 7 | 4 | 4 | 8 | 6 |
| 1972-73 | Minnesota (North Stars) | LNH | 78 | 27 | 46 | 73 | 61 | 6 | 1 | 3 | 4 | 0 |
| 1973-74 | Minnesota (North Stars) | LNH | 65 | 19 | 24 | 43 | 30 | - | - | - | - | - |
| 1974-75 | Minnesota (North Stars) | LNH | 38 | 4 | 18 | 22 | 16 | - | - | - | - | - |
| | New York (Islanders) | LNH | 40 | 14 | 18 | 32 | 6 | 17 | 6 | *12 | 18 | 6 |
| 1975-76 | New York (Islanders) | LNH | 76 | 21 | 41 | 62 | 58 | 13 | 6 | 9 | 15 | 0 |
| 1976-77 | New York (Islanders) | LNH | 78 | 24 | 29 | 53 | 27 | 12 | 5 | 6 | 11 | 6 |
| 1977-78 | New York (Islanders) | LNH | 56 | 5 | 17 | 22 | 12 | 5 | 0 | 0 | 0 | 5 |
| 1978-79 | | | | | | *N'a pas joué* | | | | | | |
| 1979-80 | Winnipeg (Jets) | LNH | 78 | 8 | 16 | 24 | 50 | - | - | - | - | - |
| 1980-81 | Winnipeg (Jets) | LNH | 7 | 0 | 0 | 0 | 4 | - | - | - | - | - |
| | | LNH | 666 | 151 | 305 | 456 | 346 | 72 | 27 | 41 | 68 | 33 |
| | | Montréal | 12 | 0 | 1 | 1 | 2 | - | - | - | - | - |

• Première équipe d'étoiles (AHL) en 1969-70 • Trophée Dudley-Garrett (AHL) en 1969-70 • Trophée John-B.-Sollenberger (AHL) en 1969-70
• Échangé au Minnesota par Montréal pour Bill Collins le 10 juin 1970 • Échangé à New York (Islanders) par Minnesota pour Craig Cameron le 7 janvier 1975 • Signe avec Winnipeg comme agent libre le 5 octobre 1979

### DROUIN, PAUL-ÉMILE (POLLY)

**Né à Verdun, Québec, le 16 janvier 1916, décédé le 1er janvier 1968**
**Ailier gauche, lance de la gauche, 5'7", 160 lb**

| SAISON | CLUB | LIGUE | PJ | B | A | PTS | PUN | PJ | B | A | PTS | PUN |
|---|---|---|---|---|---|---|---|---|---|---|---|---|
| 1931-32 | Ottawa (Primrose) | OCJHL | 15 | 6 | 3 | 9 | 8 | 4 | 0 | 1 | 1 | 0 |
| 1932-33 | Ottawa (Primrose) | OCJHL | 13 | 6 | 3 | 8 | 6 | 4 | 2 | 1 | 3 | 6 |
| 1933-34 | Hull (Lasalle) | OCJHL | 16 | 20 | *18 | *38 | 47 | 4 | 4 | 3 | 7 | 4 |
| | Hull (Lasalle) | OCHL | 1 | 0 | 0 | 0 | - | - | - | - | - | - |
| 1934-35 | Ottawa (Senators) | OCHL | 20 | 10 | 7 | 17 | 8 | 8 | 2 | 0 | 2 | *20 |

| SAISON | CLUB | LIGUE | PJ | B | A | PTS | PUN | PJ | B | A | PTS | PUN |
|---|---|---|---|---|---|---|---|---|---|---|---|---|
| 1935-36 | Ottawa (Senators) | OCHL | 12 | 7 | 7 | 14 | 12 | - | - | - | - | - |
| | **Montréal (Canadiens)** | **LNH** | **30** | **1** | **8** | **9** | **19** | - | - | - | - | - |
| 1936-37 | New Haven (Eagles) | IAHL | 27 | 10 | 13 | 23 | 33 | - | - | - | - | - |
| | **Montréal (Canadiens)** | **LNH** | **4** | **0** | **0** | **0** | **0** | - | - | - | - | - |
| 1937-38 | **Montréal (Canadiens)** | **LNH** | **31** | **7** | **13** | **20** | **8** | **3** | **0** | **0** | **0** | **0** |
| 1938-39 | **Montréal (Canadiens)** | **LNH** | **28** | **7** | **11** | **18** | **2** | **3** | **0** | **1** | **1** | **5** |
| 1939-40 | **Montréal (Canadiens)** | **LNH** | **42** | **4** | **11** | **15** | **51** | - | - | - | - | - |
| | Match des étoiles | LNH | 1 | 0 | 1 | 1 | 0 | - | - | - | - | - |
| | New Haven (Eagles) | IAHL | 7 | 1 | 6 | 7 | 0 | - | - | - | - | - |
| 1940-41 | **Montréal (Canadiens)** | **LNH** | **21** | **4** | **7** | **11** | **0** | **1** | **0** | **0** | **0** | **0** |
| | New Haven (Eagles) | AHL | 19 | 8 | 4 | 12 | 8 | 2 | 0 | 1 | 1 | 0 |
| 1941-42 | Washington (Lions) | AHL | 56 | 23 | 21 | 44 | 31 | 2 | 0 | 2 | 2 | 0 |
| 1942-43 | Ottawa (Commandos) | LHSQ | 29 | 22 | 14 | 36 | 31 | - | - | - | - | - |
| | Ottawa (RCAF) | LHSQ | 11 | 10 | 19 | 29 | 6 | - | - | - | - | - |
| 1943-44 | *Service militaire* | | | | | | | | | | | |
| 1944-45 | *Service militaire* | | | | | | | | | | | |
| 1945-46 | Hull (Volants) | LHSQ | 13 | 8 | 13 | 21 | 10 | - | - | - | - | - |
| | Ottawa (QMG) | LHCQ | - | - | - | - | - | 4 | 6 | *14 | *20 | - |
| 1946-47 | Saint-Hyacinthe (Gaulois) | LHPQ | 40 | 24 | 30 | 54 | 20 | 4 | 1 | 0 | 1 | 5 |
| | **LNH** | | **156** | **23** | **50** | **73** | **80** | **7** | **0** | **1** | **1** | **5** |
| | **Montréal** | | **156** | **23** | **50** | **73** | **80** | **7** | **0** | **1** | **1** | **5** |

• Match des étoiles (LNH) en 1939-40
• Signe avec Montréal le 22 décembre 1935 • Droits vendus à Washington par Montréal le 9 octobre 1941

## DUBÉ, GILLES

**Né à Sherbrooke, Québec, le 2 juin 1927**
**Ailier gauche, lance de la gauche, 5'11", 165 lb**

| SAISON | CLUB | LIGUE | PJ | B | A | PTS | PUN | PJ | B | A | PTS | PUN |
|---|---|---|---|---|---|---|---|---|---|---|---|---|
| 1945-46 | Sherbrooke (Randies) | LHPQ | 7 | 1 | 3 | 4 | 0 | - | - | - | - | - |
| 1946-47 | **Montréal (Canadiens)** | **LHPQ** | **12** | **16** | **16** | **32** | **8** | **2** | **1** | **2** | **3** | **2** |
| 1947-48 | Sherbrooke (Saint-Xavier) | LHPQ | 43 | 31 | 41 | 72 | 44 | 8 | 6 | 10 | 16 | 13 |
| 1948-49 | Sherbrooke (Saints) | LHSQ | 62 | 30 | 56 | 86 | 56 | 12 | 3 | 7 | 10 | 6 |
| 1949-50 | **Montréal (Canadiens)** | **LNH** | **12** | **1** | **2** | **3** | **2** | - | - | - | - | - |
| | Cincinnati (Mohawks) | AHL | 46 | 19 | 18 | 37 | 12 | - | - | - | - | - |
| 1950-51 | Cincinnati (Mohawks) | AHL | 62 | 16 | 26 | 42 | 29 | - | - | - | - | - |
| 1951-52 | Sherbrooke (Saints) | LHMQ | 51 | 17 | 15 | 32 | 33 | 11 | 5 | 6 | 11 | 10 |
| 1952-53 | Sherbrooke (Saints) | LHMQ | 60 | 21 | 32 | 53 | 55 | 7 | 3 | 2 | 5 | 14 |
| 1953-54 | Sherbrooke (Saints) | LHQ | 72 | 17 | 45 | 62 | 68 | 5 | 1 | 5 | 6 | 4 |
| | Detroit (Red Wings) | LNH | - | - | - | - | - | 2 | 0 | 0 | 0 | 0 |
| 1954-55 | Shawinigan (Cataractes) | LHQ | 56 | 18 | 41 | 59 | 30 | 13 | 1 | 7 | 8 | 7 |
| | Shawinigan (Cataractes) | Edin. | 7 | 4 | 3 | 7 | 2 | - | - | - | - | - |
| 1955-56 | Shawinigan (Cataractes) | LHQ | 64 | *37 | *54 | *91 | 68 | 11 | 3 | 5 | 8 | 2 |
| 1956-57 | Shawinigan (Cataractes) | LHQ | 58 | 12 | 31 | 43 | 38 | - | - | - | - | - |
| 1957-58 | *Statistiques non disponibles* | | | | | | | | | | | |
| 1958-59 | *Statistiques non disponibles* | | | | | | | | | | | |
| 1959-60 | *Statistiques non disponibles* | | | | | | | | | | | |
| 1960-61 | Sherbrooke (Cantons) | LHSQ | 30 | 14 | 22 | 36 | 30 | 3 | 1 | 1 | 2 | 19 |
| 1961-62 | Sherbrooke (Cantons) | LHSQ | 18 | 6 | 17 | 23 | 18 | 7 | 0 | 8 | 8 | 8 |
| | **LNH** | | **12** | **1** | **2** | **3** | **2** | **2** | **0** | **0** | **0** | **0** |
| | **Montréal** | | **12** | **1** | **2** | **3** | **2** | - | - | - | - | - |

• Coupe Stanley (LNH) en 1953-54 • Première équipe d'étoiles (LHQ) en 1955-56 • Trophée du Président (LHQ) 1955-56
• Signe avec Montréal le 27 septembre 1949 • Prêté à Cincinnati (AHL) par Montréal le 16 novembre 1949 • Droits vendus à Sherbrooke (QMHL) par Montréal le 17 septembre 1951 • Signe avec Detroit le 10 avril 1954

## DUBEAU, ERNEST (ERNIE)

**Né à Brockville, Ontario, en 1885, décédé. Défenseur, lance de la droite, 5'9", 160 lb**

| SAISON | CLUB | LIGUE | PJ | B | A | PTS | PUN | PJ | B | A | PTS | PUN |
|---|---|---|---|---|---|---|---|---|---|---|---|---|
| 1905-06 | Brockville (HC) | FAHL | 7 | 3 | 0 | 3 | - | - | - | - | - | - |
| 1906-07 | Portage-La-Prairie | MHL | 9 | 0 | 0 | 0 | - | - | - | - | - | - |
| 1907-08 | Portage-La-Prairie | MHL | 16 | 2 | 0 | 2 | - | - | - | - | - | - |
| 1908-09 | Berlin (Deutchemen) | OPHL | 11 | 3 | 0 | 3 | - | - | - | - | - | - |
| | Montréal (Shamrocks) | ECHA | 3 | 1 | 0 | 1 | - | - | - | - | - | - |
| 1909-10 | *Statistiques non disponibles* | | | | | | | | | | | |
| 1910-11 | *Statistiques non disponibles* | | | | | | | | | | | |
| 1911-12 | **Montréal (Canadiens)** | **NHA** | **18** | **3** | **0** | **3** | | - | - | - | - | - |
| 1912-13 | **Montréal (Canadiens)** | **NHA** | **19** | **0** | **0** | **0** | | - | - | - | - | - |
| 1913-14 | **Montréal (Canadiens)** | **NHA** | **20** | **7** | **11** | **18** | | **2** | **0** | **1** | **1** | - |
| 1914-15 | **Montréal (Canadiens)** | **NHA** | **19** | **6** | **3** | **9** | **36** | - | - | - | - | - |
| | **NHA** | | **76** | **16** | **14** | **30** | **36** | **2** | **0** | **1** | **1** | - |
| | **Montréal** | | **76** | **16** | **14** | **30** | **36** | **2** | **0** | **1** | **1** | - |

• Signe avec Montréal (NHA) le 27 novembre 1911 • Échangé à Toronto (NHA) par Montréal (NHA) pour Skene Ronan le 17 janvier 1916

## DUFF, RICHARD (DICK)

**Né à Kirkland Lake, Ontario, le 18 février 1936**
**Ailier gauche, lance de la gauche, 5'9", 165 lb**

| SAISON | CLUB | LIGUE | PJ | B | A | PTS | PUN | PJ | B | A | PTS | PUN |
|---|---|---|---|---|---|---|---|---|---|---|---|---|
| 1952-53 | St. Michael's (Buzzers) | OHA B | *Statistiques non disponibles* | | | | | | | | | |
| | St. Michael's (Majors) | OHA Jr | 16 | 3 | 2 | 5 | 2 | 16 | 6 | 9 | 15 | 15 |
| 1953-54 | St. Michael's (Majors) | OHA Jr | 59 | 35 | 40 | 75 | 120 | 8 | 2 | 3 | 5 | 23 |
| 1954-55 | St. Michael's (Majors) | OHA Jr | 47 | 33 | 20 | 53 | 113 | 5 | 5 | 2 | 7 | 22 |
| | Toronto (Maple Leafs) | LNH | 3 | 0 | 0 | 0 | 0 | - | - | - | - | - |
| 1955-56 | Toronto (Maple Leafs) | LNH | 69 | 18 | 19 | 37 | 74 | 5 | 1 | 4 | 5 | 2 |
| 1956-57 | Toronto (Maple Leafs) | LNH | 70 | 26 | 14 | 40 | 50 | - | - | - | - | - |
| | Match des étoiles | LNH | 1 | 0 | 0 | 0 | 0 | - | - | - | - | - |
| 1957-58 | Toronto (Maple Leafs) | LNH | 65 | 26 | 23 | 49 | 79 | - | - | - | - | - |
| | Match des étoiles | LNH | 1 | 0 | 0 | 0 | 0 | - | - | - | - | - |
| 1958-59 | Toronto (Maple Leafs) | LNH | 69 | 29 | 24 | 53 | 73 | 12 | 4 | 3 | 7 | 8 |
| | Match des étoiles | LNH | 1 | 0 | 0 | 0 | 0 | - | - | - | - | - |
| 1959-60 | Toronto (Maple Leafs) | LNH | 67 | 19 | 22 | 41 | 51 | 10 | 2 | 4 | 6 | 6 |
| 1960-61 | Toronto (Maple Leafs) | LNH | 67 | 16 | 17 | 33 | 54 | 5 | 0 | 1 | 1 | 2 |
| 1961-62 | Toronto (Maple Leafs) | LNH | 51 | 17 | 20 | 37 | 37 | 12 | 3 | 10 | 13 | 20 |
| 1962-63 | Toronto (Maple Leafs) | LNH | 69 | 16 | 19 | 35 | 56 | 10 | 4 | 1 | 5 | 2 |
| | Match des étoiles | LNH | 1 | 1 | 0 | 1 | 0 | - | - | - | - | - |
| 1963-64 | Toronto (Maple Leafs) | LNH | 52 | 7 | 10 | 17 | 59 | - | - | - | - | - |
| | Match des étoiles | LNH | 1 | 0 | 0 | 0 | 2 | - | - | - | - | - |
| | New York (Rangers) | LNH | 14 | 4 | 4 | 8 | 2 | - | - | - | - | - |
| 1964-65 | New York (Rangers) | LNH | 29 | 3 | 9 | 12 | 20 | - | - | - | - | - |
| | **Montréal (Canadiens)** | **LNH** | **40** | **7** | **9** | **16** | **13** | **13** | **3** | **6** | **9** | **17** |
| 1965-66 | **Montréal (Canadiens)** | **LNH** | **63** | **21** | **24** | **45** | **78** | **10** | **5** | **7** | **12** | **7** |
| | Match des étoiles | LNH | 1 | 0 | 1 | 1 | 0 | - | - | - | - | - |
| 1966-67 | **Montréal (Canadiens)** | **LNH** | **51** | **12** | **11** | **23** | **23** | **10** | **2** | **3** | **5** | **4** |
| | Match des étoiles | LNH | 1 | 0 | 0 | 0 | 0 | - | - | - | - | - |
| 1967-68 | **Montréal (Canadiens)** | **LNH** | **66** | **25** | **21** | **46** | **21** | **13** | **3** | **4** | **7** | **4** |
| 1968-69 | **Montréal (Canadiens)** | **LNH** | **68** | **19** | **21** | **40** | **24** | **14** | **6** | **8** | **14** | **11** |
| 1969-70 | **Montréal (Canadiens)** | **LNH** | **17** | **1** | **1** | **2** | **4** | - | - | - | - | - |
| | Los Angeles (Kings) | LNH | 32 | 5 | 8 | 13 | 8 | - | - | - | - | - |
| 1970-71 | Los Angeles (Kings) | LNH | 7 | 1 | 0 | 1 | 0 | - | - | - | - | - |
| | Buffalo (Sabres) | LNH | 53 | 7 | 13 | 20 | 12 | - | - | - | - | - |
| 1971-72 | Buffalo (Sabres) | LNH | 8 | 2 | 2 | 4 | 0 | - | - | - | - | - |
| | **LNH** | | **1030** | **283** | **289** | **572** | **743** | **114** | **30** | **49** | **79** | **78** |
| | **Montréal** | | **305** | **87** | **85** | **172** | **166** | **60** | **16** | **26** | **42** | **38** |

• Match des étoiles (LNH) en 1956-57, 1957-58, 1958-59, 1962-63, 1963-64, 1965-66, 1966-67 • Coupe Stanley (LNH) en 1961-62, 1962-63, 1964-65, 1965-66, 1967-68, 1968-69
• Échangé à New York par Toronto avec Bob Nevin, Arnie Brown, Bill Collins et Rod Seiling pour Andy Bathgate et Don McKenney le 22 février 1964 • Échangé à Montréal par New York avec Dave McComb pour Bill Hicke et Jean-Guy Morissette le 22 décembre 1964. • Échangé à Los Angeles par Montréal pour Dennis Hextall le 23 janvier 1970 • Échangé à Buffalo par Los Angeles avec Eddie Shack pour Mike McMahon le 24 novembre 1970

## DUFRESNE, DONALD

**Né à Québec, Québec, le 10 avril 1967. Défenseur, lance de la droite, 6'1", 206 lb**
**(8e choix de Montréal, 117e au total lors du repêchage de 1985)**

| SAISON | CLUB | LIGUE | PJ | B | A | PTS | PUN | PJ | B | A | PTS | PUN |
|---|---|---|---|---|---|---|---|---|---|---|---|---|
| 1983-84 | Trois-Rivières (Draveurs) | LHJMQ | 67 | 7 | 12 | 19 | 97 | - | - | - | - | - |
| 1984-85 | Trois-Rivières (Draveurs) | LHJMQ | 65 | 5 | 30 | 35 | 112 | 7 | 1 | 3 | 4 | 12 |
| 1985-86 | Trois-Rivières (Draveurs) | LHJMQ | 63 | 8 | 32 | 40 | 160 | 1 | 0 | 0 | 0 | 0 |
| 1986-87 | Trois-Rivières (Draveurs) | LHJMQ | 51 | 5 | 21 | 26 | 79 | - | - | - | - | - |
| | Longueuil (Chevaliers) | LHJMQ | 16 | 0 | 8 | 8 | 18 | 20 | 1 | 8 | 9 | 38 |
| | Longueuil (Chevaliers) | Mem. | 5 | 0 | 0 | 0 | - | - | - | - | - | - |
| 1987-88 | Sherbrooke (Canadien) | AHL | 47 | 1 | 8 | 9 | 107 | 6 | 1 | 0 | 1 | 34 |
| 1988-89 | Sherbrooke (Canadien) | AHL | 47 | 0 | 12 | 12 | 170 | - | - | - | - | - |
| | **Montréal (Canadiens)** | **LNH** | **13** | **0** | **1** | **1** | **43** | **6** | **1** | **1** | **2** | **4** |
| 1989-90 | **Montréal (Canadiens)** | **LNH** | **38** | **2** | **11** | **13** | **104** | - | - | - | - | - |
| | **Montréal (Canadiens)** | **LNH** | **18** | **0** | **4** | **4** | **23** | **10** | **0** | **1** | **1** | **18** |
| 1990-91 | **Montréal (Canadiens)** | **LNH** | **53** | **2** | **13** | **15** | **55** | **10** | **0** | **1** | **1** | **21** |
| | Fredericton (Canadien) | AHL | 10 | 1 | 4 | 5 | 35 | - | - | - | - | - |
| 1991-92 | **Montréal (Canadiens)** | **LNH** | **3** | **0** | **0** | **0** | **2** | - | - | - | - | - |
| | Fredericton (Canadien) | AHL | 31 | 8 | 12 | 20 | 60 | 7 | 0 | 0 | 0 | 10 |
| 1992-93 | **Montréal (Canadiens)** | **LNH** | **32** | **1** | **2** | **3** | **32** | **2** | **0** | **0** | **0** | **0** |
| 1993-94 | Tampa Bay (Lightning) | LNH | 51 | 2 | 6 | 8 | 48 | - | - | - | - | - |
| | Los Angeles (Kings) | LNH | 9 | 0 | 0 | 0 | 10 | - | - | - | - | - |
| 1994-95 | St. Louis (Blues) | LNH | 22 | 0 | 3 | 3 | 10 | 3 | 0 | 0 | 0 | 4 |
| 1995-96 | St. Louis (Blues) | LNH | 3 | 0 | 0 | 0 | 4 | - | - | - | - | - |
| | Worcester (IceCats) | AHL | 13 | 1 | 1 | 2 | 10 | - | - | - | - | - |
| | Edmonton (Oilers) | LNH | 42 | 0 | 6 | 6 | 42 | - | - | - | - | - |
| 1996-97 | Edmonton (Oilers) | LNH | 22 | 0 | 1 | 1 | 15 | 3 | 0 | 0 | 0 | 0 |
| 1997-98 | Québec (Rafales) | IHL | 15 | 4 | 20 | 24 | 20 | - | - | - | - | - |
| | **LNH** | | **268** | **6** | **36** | **42** | **258** | **34** | **1** | **3** | **4** | **47** |
| | **Montréal** | | **119** | **3** | **20** | **23** | **155** | **28** | **1** | **3** | **4** | **43** |

• Deuxième équipe d'étoiles (LHJMQ) en 1985-86, 1986-87 • Troisième équipe d'étoiles (LHJMQ) en 1983-84 • Coupe du Président (LHJMQ) en 1986-87 • Coupe Stanley (LNH) en 1992-93
• Échangé à Tampa Bay par Montréal pour compléter la transaction de Rob Ramage (23 mars 1993) le 18 juin 1993 • Échangé à Los Angeles par Tampa Bay pour le choix de 6e ronde de Los Angeles au repêchage de 1994 (Daniel Juden) le 19 mars 1994 • Réclamé par St. Louis de Los Angeles au repêchage inter-équipes le 18 janvier 1995 • Échangé à Edmonton par St. Louis avec Jeff Norton pour Igor Kravchuk et Ken Sutton le 4 janvier 1996

## DUPONT, NORMAND

**Né à Montréal, Québec, le 5 février 1957. Ailier gauche, lance de la gauche,**
**5'10", 185 lb (2e choix de Montréal, 18e au total lors du repêchage de 1977)**

| SAISON | CLUB | LIGUE | PJ | B | A | PTS | PUN | PJ | B | A | PTS | PUN |
|---|---|---|---|---|---|---|---|---|---|---|---|---|
| 1973-74 | Montréal (Junior) | LHJMQ | 70 | 55 | 70 | 125 | 4 | - | - | - | - | - |
| 1974-75 | Montréal (Junior) | LHJMQ | 72 | *84 | 74 | *158 | 13 | - | - | - | - | - |
| 1975-76 | Montréal (Junior) | LHJMQ | 70 | 69 | 63 | 132 | 8 | 6 | 7 | 3 | 10 | 0 |
| 1976-77 | Montréal (Junior) | LHJMQ | 71 | 70 | 83 | 153 | 52 | 13 | 9 | 10 | 19 | 9 |
| 1977-78 | Nlle-Écosse (Voyageurs) | AHL | 81 | 31 | 29 | 60 | 21 | - | - | - | - | - |
| 1978-79 | Nlle-Écosse (Voyageurs) | AHL | 48 | 27 | 31 | 58 | 10 | 10 | 7 | 4 | 11 | 2 |
| 1979-80 | **Montréal (Canadiens)** | **LNH** | **35** | **1** | **3** | **4** | **4** | **8** | **1** | **1** | **2** | **0** |
| 1980-81 | Winnipeg (Jets) | LNH | 80 | 27 | 26 | 53 | 8 | - | - | - | - | - |
| 1981-82 | Winnipeg (Jets) | LNH | 62 | 13 | 25 | 38 | 22 | 4 | 2 | 0 | 2 | 0 |
| 1982-83 | Sherbrooke (Jets) | AHL | 3 | 2 | 1 | 3 | 2 | - | - | - | - | - |
| | Winnipeg (Jets) | LNH | 39 | 7 | 14 | 21 | 6 | 1 | 1 | 1 | 2 | 0 |
| 1983-84 | Hartford (Whalers) | LNH | 40 | 7 | 15 | 22 | 12 | - | - | - | - | - |
| | Binghamton (Whalers) | AHL | 27 | 14 | 24 | 38 | 6 | - | - | - | - | - |
| 1984-85 | EHC Biel-Bienne | SUI | 38 | 41 | 33 | 74 | - | 3 | 0 | 3 | 3 | - |
| 1985-86 | EHC Biel-Bienne | SUI | 36 | 44 | *45 | *89 | - | - | - | - | - | - |
| 1986-87 | EHC Biel-Bienne | SUI | 35 | 30 | 42 | 72 | - | - | - | - | - | - |
| 1987-88 | EHC Biel-Bienne | SUI | 37 | *50 | 35 | 85 | - | - | - | - | - | - |

| SAISON | CLUB | LIGUE | PJ | B | A | PTS | PUN | PJ | B | A | PTS | PUN |
|---|---|---|---|---|---|---|---|---|---|---|---|---|
| 1988-89 EHC Biel-Bienne | SUI | 38 | *35 | *37 | *75 | - | 7 | 3 | 4 | 7 | 0 | |
| 1989-90 EHC Biel-Bienne | SUI | 39 | 23 | 28 | 51 | - | - | - | - | - | - | |
| 1990-91 EHC Biel-Bienne | SUI | 25 | 15 | 17 | 32 | 20 | - | - | - | - | - | |
| 1991-92 HC Ajoie | SUI | 25 | 43 | 48 | 91 | - | - | - | - | - | - | |
| 1992-93 HC Ajoie | SUI | 25 | 15 | 17 | 32 | 20 | - | - | - | - | - | |
| **LNH** | | **256** | **55** | **85** | **140** | **52** | **13** | **4** | **2** | **6** | **0** | |
| **Montréal** | | **35** | **1** | **3** | **4** | **4** | **8** | **1** | **1** | **2** | **0** | |

• Première équipe d'étoiles (LHJMQ) en 1974-75 • Première équipe d'étoiles, Division Ouest (LHJMQ) en 1975-76 • Deuxième équipe d'étoiles (LHJMQ) en 1976-77 • Trophée Jean-Béliveau (LHJMQ) en 1974-75 • Trophée Frank-J.-Selke (LHJMQ) en 1975-76 • Trophée Dudley-Garrett (AHL) en 1977-78
• Échangé à Winnipeg par Montréal pour le choix de 2e ronde de Winnipeg au repêchage de 1982 (David Maley) le 26 septembre 1980 • Échangé à Hartford par Winnipeg pour le choix de 4e ronde du Hartford au repêchage de 1984 (Chris Mills) le 4 juillet 1983

## DUSSAULT, NORMAND

**Né à Springfield, Massachusetts, le 26 septembre 1925**
**Ailier gauche, lance de la gauche, 5'6", 150 lb**

| SAISON | CLUB | LIGUE | PJ | B | A | PTS | PUN | PJ | B | A | PTS | PUN |
|---|---|---|---|---|---|---|---|---|---|---|---|---|
| 1944-45 Petewawa (Engineers) | OVSHL | *Statistique non disponible* | | | | | | | | | | |
| 1945-46 Baltimore (Clippers) | EAHL | 43 | 12 | 16 | 28 | 13 | 7 | 0 | 0 | 0 | 0 | |
| 1946-47 Victoriaville (Tigres) | LHPQ | 42 | 35 | 36 | 71 | 39 | 5 | 2 | 1 | 3 | 6 | |
| 1947-48 Victoriaville (Tigres) | LHPQ | 31 | 24 | 24 | 48 | 9 | - | - | - | - | - | |
| **Montréal (Canadiens)** | **LNH** | **28** | **5** | **10** | **15** | **4** | - | - | - | - | - | |
| 1948-49 **Montréal (Canadiens)** | **LNH** | **47** | **9** | **8** | **17** | **6** | **2** | **0** | **0** | **0** | **0** | |
| 1949-50 **Montréal (Canadiens)** | **LNH** | **67** | **13** | **24** | **37** | **22** | **5** | **3** | **1** | **4** | **0** | |
| 1950-51 **Montréal (Canadiens)** | **LNH** | **64** | **4** | **20** | **24** | **15** | - | - | - | - | - | |
| 1951-52 Chicoutimi (Saguenéens) | LHMQ | 48 | 16 | 23 | 39 | 21 | 18 | 3 | 11 | 14 | 4 | |
| 1952-53 Chicoutimi (Saguenéens) | LHMQ | 60 | 23 | 20 | 43 | 10 | 20 | 4 | 2 | 6 | 6 | |
| 1953-54 Chicoutimi (Saguenéens) | LHQ | 68 | 25 | 34 | 59 | 14 | 5 | 0 | 2 | 2 | 0 | |
| 1954-55 Chicoutimi (Saguenéens) | LHQ | 60 | 10 | 32 | 42 | 14 | 5 | 0 | 1 | 1 | 2 | |
| 1955-56 | | | | *Statistiques non disponibles* | | | | | | | | |
| 1956-57 | | | | *Statistiques non disponibles* | | | | | | | | |
| 1957-58 | | | | *Statistiques non disponibles* | | | | | | | | |
| 1958-59 | | | | *Statistiques non disponibles* | | | | | | | | |
| 1959-60 | | | | *Statistiques non disponibles* | | | | | | | | |
| 1960-61 Sherbrooke (Cantons) | LHSQ | 21 | 7 | 9 | 16 | 10 | 7 | 2 | 1 | 3 | 8 | |
| 1961-62 Sherbrooke (Castors) | ETSHL | - | - | - | - | - | 7 | 1 | 3 | 4 | 6 | |
| **LNH** | | **206** | **31** | **62** | **93** | **47** | **7** | **3** | **1** | **4** | **0** | |
| **Montréal** | | **206** | **31** | **62** | **93** | **47** | **7** | **3** | **1** | **4** | **0** | |

• Signe avec Montréal le 27 décembre 1947 • Droits vendus à Chicoutimi (LHMQ) par Montréal le 19 novembre 1951

## DWYER, GORDIE

**Né à Dalhousie, Nouveau-Brunswick, le 25 janvier 1978. Ailier gauche, lance de la gauche, 6'03", 216 lb (5e choix de Montréal, 152e au total lors du repêchage de 1998)**

| SAISON | CLUB | LIGUE | PJ | B | A | PTS | PUN | PJ | B | A | PTS | PUN |
|---|---|---|---|---|---|---|---|---|---|---|---|---|
| 1993-94 Magog (Cantonniers) | QAAA | 42 | 7 | 15 | 22 | 62 | 4 | 2 | 1 | 3 | 0 | |
| 1994-95 Hull (Olympiques) | LHJMQ | 57 | 3 | 7 | 10 | 204 | 17 | 1 | 3 | 4 | 54 | |
| Hull (Olympiques) | Mem. | 1 | 0 | 0 | 0 | 10 | - | - | - | - | - | |
| 1995-96 Hull (Olympiques) | LHJMQ | 25 | 5 | 9 | 14 | 199 | - | - | - | - | - | |
| Laval (Titan) | LHJMQ | 22 | 5 | 17 | 22 | 72 | - | - | - | - | - | |
| Beauport (Harfangs) | LHJMQ | 22 | 4 | 9 | 13 | 87 | 20 | 3 | 5 | 8 | 104 | |
| 1996-97 Drummondville (Voltigeurs) | LHJMQ | 66 | 21 | 48 | 69 | 393 | 8 | 6 | 1 | 7 | 39 | |
| 1997-98 Québec (Remparts) | LHJMQ | 59 | 18 | 27 | 45 | 365 | 14 | 4 | 9 | 13 | 67 | |
| 1998-99 Fredericton (Canadien) | AHL | 14 | 0 | 0 | 0 | 46 | - | - | - | - | - | |
| New Orleans (Brass) | ECHL | 36 | 1 | 3 | 4 | 163 | 11 | 0 | 0 | 0 | 27 | |
| 1999-00 Québec (Citadelles) | AHL | 7 | 0 | 0 | 0 | 37 | - | - | - | - | - | |
| Tampa Bay (Lightning) | LNH | 24 | 0 | 1 | 1 | 135 | - | - | - | - | - | |
| Detroit (Vipers) | IHL | 27 | 0 | 2 | 2 | 147 | - | - | - | - | - | |
| 2000-01 Tampa Bay (Lightning) | LNH | 28 | 0 | 1 | 1 | 96 | - | - | - | - | - | |
| Detroit (Vipers) | IHL | 24 | 2 | 3 | 5 | 169 | - | - | - | - | - | |
| 2001-02 Tampa Bay (Lightning) | LNH | 26 | 0 | 2 | 2 | 14 | - | - | - | - | - | |
| Springfield (Falcons) | AHL | 11 | 1 | 3 | 4 | 80 | - | - | - | - | - | |
| 2002-03 New York (Rangers) | LNH | 17 | 0 | 1 | 1 | 50 | - | - | - | - | - | |
| **Montréal (Canadiens)** | **LNH** | **11** | **0** | **0** | **0** | **46** | - | - | - | - | - | |
| **LNH** | | **78** | **0** | **4** | **4** | **291** | - | - | - | - | - | |
| **Montréal** | | **11** | **0** | **0** | **0** | **46** | - | - | - | - | - | |

• Coupe du Président (LHJMQ) en 1994-95
• Échangé à Tampa Bay par Montréal pour Mike McBain le 26 novembre 1999 • Réclamé au ballottage par Montréal de New York (Rangers) le 21 février 2003

## DYKHUIS, KARL

**Né à Sept-Îles, Québec, le 8 juillet 1972. Défenseur, lance de la gauche, 6'3", 214 lb (1er choix de Chicago et 16e au total lors du repêchage de 1990)**

| SAISON | CLUB | LIGUE | PJ | B | A | PTS | PUN | PJ | B | A | PTS | PUN |
|---|---|---|---|---|---|---|---|---|---|---|---|---|
| 1987-88 Lac-Saint-Jean (Cascades) | QAAA | 37 | 2 | 12 | 14 | | - | - | - | - | - | |
| 1988-89 Hull (Olympiques) | LHJMQ | 63 | 2 | 29 | 31 | 59 | 9 | 1 | 9 | 10 | 6 | |
| 1989-90 Hull (Olympiques) | LHJMQ | 69 | 10 | 46 | 56 | 119 | 11 | 2 | 5 | 7 | 2 | |
| 1990-91 Longueuil (Collège français) | LHJMQ | 3 | 1 | 4 | 5 | 0 | 6 | 2 | 5 | 7 | 0 | |
| Canada | Éq. nat. | 37 | 2 | 9 | 11 | 16 | - | - | - | - | - | |
| Canada | CMJ | 7 | 1 | 2 | 3 | 2 | - | - | - | - | - | |
| 1991-92 Verdun (Collège français) | LHJMQ | 29 | 5 | 19 | 24 | 55 | 17 | 0 | 12 | 12 | 14 | |
| Canada | Éq. nat. | 19 | 1 | 2 | 3 | 16 | - | - | - | - | - | |
| Canada | CMJ | 7 | 0 | 0 | 0 | 2 | - | - | - | - | - | |
| Chicago (Blackhawks) | LNH | 6 | 1 | 1 | 2 | 4 | - | - | - | - | - | |
| Verdun (Collège français) | Mem. | 3 | 0 | 0 | 0 | 0 | - | - | - | - | - | |
| 1992-93 Chicago (Blackhawks) | LNH | 12 | 0 | 5 | 5 | 4 | - | - | - | - | - | |
| Indianapolis (Ice) | IHL | 59 | 5 | 18 | 23 | 76 | 5 | 1 | 3 | 4 | 2 | |
| 1993-94 Indianapolis (Ice) | IHL | 73 | 7 | 25 | 32 | 132 | - | - | - | - | - | |
| 1994-95 Indianapolis (Ice) | IHL | 52 | 6 | 21 | 23 | 63 | - | - | - | - | - | |

---

| SAISON | CLUB | LIGUE | PJ | B | A | PTS | PUN | PJ | B | A | PTS | PUN |
|---|---|---|---|---|---|---|---|---|---|---|---|---|
| Philadelphie (Flyers) | LNH | 33 | 2 | 6 | 8 | 37 | 15 | 4 | 4 | 8 | 14 | |
| 1995-96 Philadelphie (Flyers) | LNH | 82 | 5 | 15 | 20 | 101 | 12 | 2 | 2 | 4 | 22 | |
| 1996-97 Philadelphie (Flyers) | LNH | 62 | 4 | 15 | 19 | 35 | 18 | 0 | 3 | 3 | 2 | |
| 1997-98 Tampa Bay (Lightning) | LNH | 78 | 5 | 9 | 14 | 110 | - | - | - | - | - | |
| 1998-99 Tampa Bay (Lightning) | LNH | 33 | 2 | 1 | 3 | 18 | - | - | - | - | - | |
| Philadelphie (Flyers) | LNH | 45 | 2 | 4 | 6 | 32 | 5 | 1 | 0 | 1 | 4 | |
| 1999-00 Philadelphie (Flyers) | LNH | 5 | 0 | 1 | 1 | 6 | - | - | - | - | - | |
| **Montréal (Canadiens)** | **LNH** | **67** | **7** | **12** | **19** | **40** | - | - | - | - | - | |
| 2000-01 Montréal (Canadiens) | LNH | 67 | 8 | 9 | 17 | 44 | - | - | - | - | - | |
| 2001-02 Montréal (Canadiens) | LNH | 80 | 5 | 7 | 12 | 32 | 12 | 1 | 1 | 2 | 8 | |
| 2002-03 Montréal (Canadiens) | LNH | 65 | 1 | 4 | 5 | 34 | - | - | - | - | - | |
| **LNH** | | **635** | **42** | **91** | **133** | **493** | **62** | **8** | **10** | **18** | **50** | |
| **Montréal** | | **279** | **21** | **32** | **53** | **150** | **12** | **1** | **1** | **2** | **8** | |

• Équipe d'étoiles des recrues (LHJMQ) en 1988-89 • Trophée Raymond-Lagacé (LHJMQ) en 1988-89 • Première équipe étoiles (LHJMQ) en 1989-90 • Trophée Michael-Bossy (LHJMQ) en 1989-90 • Médaille d'or (CMJ) en 1990-91 • Trophée du Président (LHJMQ) en 1991-92
• Échangé à Philadelphie par Chicago pour Bob Wilkie et le choix de 5e ronde de Philadelphie au repêchage de 1995 (Kyle Calder) le 16 février 1995 • Échangé à Tampa Bay par Philadelphie avec Mikael Renberg pour le 1er choix de Philadelphie (propriété de Tampa Bay suite à une transaction antérieure) au repêchage de 1998 (Simon Gagné), 1999 (Maxime Ouellet), 2000 et 2001 le 20 août 1997 • Échangé à Philadelphie par Tampa Bay pour Petr Svoboda le 28 décembre 1998 • Droits vendus à Montréal par Philadelphie le 20 octobre 1999

## EDDOLLS, FRANK

**Né à Lachine, Québec, le 5 juillet 1921, décédé le 13 août 1961**
**Défenseur, lance de la gauche, 5'8", 180 lb**

| SAISON | CLUB | LIGUE | PJ | B | A | PTS | PUN | PJ | B | A | PTS | PUN |
|---|---|---|---|---|---|---|---|---|---|---|---|---|
| 1937-38 Verdun (Maple Leafs) | LHJMM | 12 | 2 | 5 | 7 | 8 | 4 | 0 | 1 | 1 | 2 | |
| Verdun (Maple Leafs) | LHSQ | 1 | 0 | 0 | 0 | 0 | - | - | - | - | - | |
| Verdun (Maple Leafs) | Mem. | 5 | 4 | 5 | 9 | 12 | - | - | - | - | - | |
| 1938-39 Verdun (Maple Leafs) | LHJQ | 10 | 9 | 5 | 14 | 24 | 3 | 1 | 1 | 2 | 8 | |
| Verdun (Maple Leafs) | LHSQ | 1 | 0 | 0 | 0 | 0 | - | - | - | - | - | |
| Verdun (Maple Leafs) | Mem. | 7 | 4 | 4 | 8 | 22 | - | - | - | - | - | |
| 1939-40 Oshawa (Generals) | OHA Jr | 15 | 13 | 8 | 21 | 8 | 7 | 3 | 5 | 8 | 8 | |
| Oshawa (Generals) | Mem. | 8 | 1 | 2 | 3 | 2 | - | - | - | - | - | |
| 1940-41 Oshawa (Generals) | OHA Jr | 16 | 9 | 12 | 21 | 31 | 12 | 3 | 8 | 11 | 6 | |
| Oshawa (Generals) | Mem. | 5 | 2 | 4 | 6 | 10 | - | - | - | - | - | |
| 1941-42 Hershey (Bears) | AHL | 51 | 8 | 11 | 19 | 30 | 10 | 0 | 1 | 1 | 8 | |
| 1942-43 Montréal (RCAF) | LHSQ | 35 | 8 | 10 | 18 | 42 | 12 | 2 | 4 | 6 | 4 | |
| 1943-44 Montréal (RCAF) | LHCM | 1 | 0 | 0 | 0 | 0 | - | - | - | - | - | |
| Montréal (Canada Cars) | LHCM | 1 | 0 | 0 | 0 | 0 | - | - | - | - | - | |
| Montréal (Services) | LHCM | 3 | 5 | 0 | 9 | 0 | - | - | - | - | - | |
| 1944-45 **Montréal (Canadiens)** | **LNH** | **43** | **5** | **8** | **13** | **20** | **3** | **0** | **0** | **0** | **0** | |
| 1945-46 Buffalo (Bisons) | AHL | 34 | 6 | 23 | 29 | 52 | - | - | - | - | - | |
| **Montréal (Canadiens)** | **LNH** | **8** | **0** | **1** | **1** | **6** | **8** | **0** | **1** | **1** | **2** | |
| 1946-47 Buffalo (Bisons) | AHL | 29 | 3 | 7 | 10 | 18 | 4 | 0 | 5 | 5 | 0 | |
| **Montréal (Canadiens)** | **LNH** | **6** | **0** | **0** | **0** | **0** | **7** | **0** | **0** | **0** | **4** | |
| 1947-48 New York (Rangers) | LNH | 58 | 6 | 13 | 19 | 16 | 2 | 0 | 0 | 0 | 0 | |
| 1948-49 New York (Rangers) | LNH | 34 | 1 | 2 | 3 | 12 | - | - | - | - | - | |
| 1949-50 New York (Rangers) | LNH | 58 | 2 | 6 | 8 | 20 | 11 | 0 | 1 | 1 | 4 | |
| 1950-51 New York (Rangers) | LNH | 68 | 5 | 17 | 22 | 24 | - | - | - | - | - | |
| 1951-52 New York (Rangers) | LNH | 42 | 3 | 5 | 8 | 14 | - | - | - | - | - | |
| Match des étoiles | LNH | 1 | 0 | 0 | 0 | 2 | - | - | - | - | - | |
| Cincinnati (Mohawks) | AHL | 12 | 0 | 4 | 4 | 4 | - | - | - | - | - | |
| Saskatoon (Quakers) | PCHL | 12 | 1 | 3 | 4 | 0 | - | - | - | - | - | |
| 1952-53 Buffalo (Bisons) | AHL | 50 | 5 | 25 | 30 | 24 | - | - | - | - | - | |
| 1953-54 Buffalo (Bisons) | AHL | 63 | 3 | 52 | 55 | 45 | 3 | 0 | 2 | 2 | 2 | |
| **LNH** | | **317** | **23** | **43** | **66** | **114** | **31** | **0** | **2** | **2** | **10** | |
| **Montréal** | | **57** | **5** | **9** | **14** | **26** | **18** | **0** | **1** | **1** | **6** | |

• Coupe Memorial en 1939-40 • Trophée Vimy (LHSQ) en 1942-43 • Coupe Stanley (LNH) en 1945-46 • Première équipe d'étoiles (AHL) en 1953-54 • Match des étoiles (LNH) en 1951-52
• Échangé à Toronto par Montréal pour les droits sur Joe Benoit le 7 juin 1940.
• Échangé à Montréal par Toronto pour les droits sur Ted Kennedy le 10 septembre 1943.
• Prêté à Buffalo (AHL) par Montréal avec Ken Mosdell, Wilf Field pour Lorrian Thibeault le 24 octobre 1945 • Prêté à Buffalo (AHL) par Montréal pour Roger Léger le 4 novembre 1946 • Échangé à New York (Rangers) par Montréal avec Buddy O'Connor pour Hall Laycoe, Joe Bell et George Robertson le 19 août 1947 • Droits vendus à Montréal par New York (Rangers) le 8 octobre 1952

## EDMUNDSON, GARRY

**Né à Sexsmith, Alberta, le 6 mai 1932. Ailier gauche, lance de la gauche, 6'3", 175 lb**

| SAISON | CLUB | LIGUE | PJ | B | A | PTS | PUN | PJ | B | A | PTS | PUN |
|---|---|---|---|---|---|---|---|---|---|---|---|---|
| 1948-49 Edmonton (Athletic Club) | EJHL | - | 5 | 10 | 15 | 14 | 6 | 2 | 2 | 4 | 16 | |
| Edmonton (Athletic Club) | Mem. | 7 | 1 | 1 | 2 | 4 | - | - | - | - | - | |
| 1949-50 Edmonton (Athletic Club) | AAHA | - | 19 | 13 | 32 | 11 | - | - | - | - | - | |
| 1950-51 Regina (Pats) | WCJHL | 23 | 12 | 6 | 18 | 38 | 12 | 11 | 8 | 19 | 13 | |
| Regina (Pats) | Mem. | 15 | 7 | 6 | 13 | 18 | - | - | - | - | - | |
| 1951-52 Kitchener (Greenshirts) | OHA Jr | 51 | 35 | 53 | 88 | 80 | 4 | 1 | 1 | 2 | 6 | |
| **Montréal (Canadiens)** | **LNH** | **1** | **0** | **0** | **0** | **2** | **2** | **0** | **0** | **0** | **4** | |
| 1952-53 Montréal (Royals) | LHMQ | 12 | 4 | 3 | 7 | 8 | 12 | 3 | 4 | 7 | 16 | |
| 1953-54 Cincinnati (Mohawks) | IHL | 64 | 46 | 53 | 78 | 105 | 11 | 4 | 5 | 9 | 13 | |
| 1954-55 Cincinnati (Mohawks) | IHL | 60 | 24 | 32 | 56 | 96 | 9 | 3 | 6 | 9 | 6 | |
| 1955-56 Cincinnati (Mohawks) | IHL | 56 | 35 | 52 | 87 | 95 | 8 | 5 | 5 | 10 | 10 | |
| Winnipeg (Warriors) | WHL | - | - | - | - | - | - | - | - | - | - | |
| 1956-57 Shawinigan (Cataractes) | LHQ | 52 | 25 | 48 | 74 | 7 | 3 | 5 | 8 | *28 | | |
| Cincinnati (Mohawks) | IHL | 52 | 23 | 51 | 74 | 74 | 7 | 3 | 5 | 8 | *28 | |
| 1957-58 New Westminster (Royals) | WHL | 69 | 21 | 43 | 64 | *188 | 4 | 1 | 3 | 4 | 7 | |
| 1958-59 Springfield (Indians) | AHL | 62 | 17 | 27 | 44 | 113 | - | - | - | - | - | |
| 1959-60 Toronto (Maple Leafs) | LNH | 39 | 4 | 10 | 14 | 47 | 9 | 0 | 0 | 0 | 0 | |
| 1960-61 Rochester (Americans) | AHL | 52 | 25 | 44 | 69 | 62 | - | - | - | - | - | |
| Toronto (Maple Leafs) | LNH | 3 | 0 | 0 | 0 | 6 | - | - | - | - | - | |
| 1961-62 San Francisco (Seals) | WHL | 51 | 15 | 21 | 36 | 53 | 2 | 0 | 0 | 0 | 0 | |

| SAISON | CLUB | LIGUE | SAISONS RÉGULIÈRES PJ | B | A | PTS | PUN | SÉRIES ÉLIMINATOIRES PJ | B | A | PTS | PUN |
|---|---|---|---|---|---|---|---|---|---|---|---|---|
| 1962-63 | San Francisco (Seals) | WHL | 70 | 34 | 42 | 76 | 96 | 17 | 5 | 3 | 8 | 12 |
| 1963-64 | San Francisco (Seals) | WHL | 46 | 13 | 21 | 34 | 55 | - | - | - | - | - |
| | **LNH** | | 43 | 4 | 6 | 10 | 49 | 11 | 0 | 1 | 1 | 8 |
| | **Montréal** | | 1 | 0 | 0 | 0 | 2 | 2 | 0 | 0 | 0 | 4 |

• **Première équipe d'étoiles (IHL) en 1955-56** • **Deuxième équipe d'étoiles (IHL) en 1956-57**
• Prêté à Montréal par Kitchener (OHA Jr) le 22 mars 1952 • Réclamé par Springfield (AHL) de New Westminster (WHL) au repêchage inter-ligues le 3 juin 1958 • Échangé à Toronto par Springfield (AHL) pour Frank Roggeveen le 9 juin 1959

## EMBERG, EDWIN (ED)

### Né à Verdun, Québec, le 18 novembre 1921
### Ailier gauche, lance de la gauche, 5'10", 160 lb

| SAISON | CLUB | LIGUE | PJ | B | A | PTS | PUN | PJ | B | A | PTS | PUN |
|---|---|---|---|---|---|---|---|---|---|---|---|---|
| 1940-41 | Verdun (Maple Leafs) | LHJQ | 12 | 11 | 6 | 17 | 4 | 2 | 1 | 0 | 1 | 0 |
| 1941-42 | Montréal (Royals) | LHJQ | 12 | 11 | 9 | 20 | 4 | 2 | *5 | 2 | 7 | 2 |
| | Montréal (Royals) | LHSQ | 1 | 1 | 0 | 1 | 0 | - | - | - | - | - |
| | Montréal (Royals) | Mem. | 9 | 8 | 8 | 16 | 9 | - | - | - | - | - |
| 1942-43 | Montréal (RCAF) | LHSQ | 26 | 7 | 10 | 17 | 0 | 12 | 1 | 2 | 3 | 0 |
| | Montréal (RCAF) | LHCM | 8 | 4 | 12 | 16 | 0 | 1 | 0 | 0 | 0 | 0 |
| 1943-44 | Montréal (RCAF) | LHSQ | 1 | 0 | 0 | 0 | 0 | - | - | - | - | - |
| 1944-45 | Montréal (RCAF) | LHCM | 3 | 3 | 2 | 5 | 0 | - | - | - | - | - |
| | Québec (As) | LHSQ | 12 | 5 | 3 | 8 | 7 | 7 | 6 | 4 | *10 | 4 |
| | **Montréal (Canadiens)** | **LNH** | - | - | - | - | - | 2 | 1 | 0 | 1 | 0 |
| | Québec (As) | Allan | 3 | 1 | 0 | 1 | 0 | - | - | - | - | - |
| 1945-46 | Québec (As) | LHSQ | 31 | 19 | 7 | 26 | 18 | 6 | 2 | 2 | 4 | 0 |
| 1946-47 | Valleyfield (Braves) | LHSQ | 40 | 23 | *44 | 67 | 10 | - | - | - | - | - |
| | Boston (Olympics) | EAHL | | | | | | 2 | 4 | 1 | 5 | 2 |
| 1947-48 | Ottawa (Senators) | LHSQ | 36 | 29 | 24 | 53 | 13 | 12 | 4 | 4 | 8 | 2 |
| | Ottawa (Senators) | Allan | 14 | 6 | 8 | 14 | 2 | - | - | - | - | - |
| 1948-49 | Ottawa (Senators) | LHSQ | 62 | 31 | 53 | 84 | 27 | 11 | 2 | 5 | 7 | 8 |
| | Ottawa (Senators) | Allan | 6 | 3 | 0 | 3 | 0 | - | - | - | - | - |
| 1949-50 | Ottawa (Senators) | LHSQ | 59 | 22 | 47 | 69 | 16 | 7 | 3 | 5 | 8 | 2 |
| 1950-51 | Ottawa (Senators) | LHMQ | 58 | 19 | 41 | 60 | 16 | 5 | 0 | 3 | 3 | 0 |
| 1951-52 | Ottawa (Senators) | LHMQ | 60 | 11 | 26 | 37 | 28 | - | - | - | - | - |
| | **LNH** | | - | - | - | - | - | 2 | 1 | 0 | 1 | 0 |
| | **Montréal** | | - | - | - | - | - | 2 | 1 | 0 | 1 | 0 |

• **Deuxième équipe d'étoiles (LHSQ) en 1947-48** • Prêté à Montréal par Québec (LHSQ) avec Nil Tremblay le 21 mars 1945

## ENGBLOM, BRIAN

### Né à Winnipeg, Manitoba, le 27 janvier 1955. Défenseur, lance de la gauche,
### 6'2", 190 lb (3e choix de Montréal, 22e au total lors du repêchage de 1975)

| SAISON | CLUB | LIGUE | PJ | B | A | PTS | PUN | PJ | B | A | PTS | PUN |
|---|---|---|---|---|---|---|---|---|---|---|---|---|
| 1972-73 | Winnipeg (Blues) | MJHL | 48 | 17 | 46 | 63 | | - | - | - | - | - |
| 1973-74 | Wisconsin University | WCHA | 36 | 10 | 21 | 31 | 54 | - | - | - | - | - |
| 1974-75 | Wisconsin University | WCHA | 38 | 13 | 23 | 36 | 58 | - | - | - | - | - |
| 1975-76 | Nlle-Écosse (Voyageurs) | AHL | 73 | 4 | 34 | 38 | 79 | 9 | 1 | 7 | 8 | 26 |
| 1976-77 | Nlle-Écosse (Voyageurs) | AHL | 80 | 8 | 42 | 50 | 89 | 11 | 3 | 10 | 13 | 10 |
| | **Montréal (Canadiens)** | **LNH** | - | - | - | - | - | 2 | 0 | 0 | 0 | 2 |
| 1977-78 | Nlle-Écosse (Voyageurs) | AHL | 7 | 1 | 5 | 6 | 4 | - | - | - | - | - |
| | **Montréal (Canadiens)** | **LNH** | 28 | 1 | 2 | 3 | 23 | 5 | 0 | 0 | 0 | 2 |
| 1978-79 | **Montréal (Canadiens)** | **LNH** | 62 | 3 | 11 | 14 | 60 | 16 | 0 | 1 | 1 | 11 |
| 1979-80 | **Montréal (Canadiens)** | **LNH** | 70 | 3 | 20 | 23 | 43 | 10 | 2 | 4 | 6 | 8 |
| 1980-81 | **Montréal (Canadiens)** | **LNH** | 80 | 3 | 25 | 28 | 96 | 3 | 1 | 0 | 1 | 4 |
| | Canada | CC | 5 | 1 | 0 | 1 | 4 | - | - | - | - | - |
| 1981-82 | **Montréal (Canadiens)** | **LNH** | 76 | 4 | 29 | 33 | 76 | 5 | 0 | 2 | 2 | 14 |
| 1982-83 | Washington (Capitals) | LNH | 73 | 5 | 22 | 27 | 59 | 4 | 0 | 2 | 2 | 2 |
| | Canada | CM | 10 | 1 | 2 | 3 | 0 | - | - | - | - | - |
| 1983-84 | Washington (Capitals) | LNH | 6 | 0 | 1 | 1 | 8 | - | - | - | - | - |
| | Los Angeles (Kings) | LNH | 74 | 2 | 27 | 29 | 59 | - | - | - | - | - |
| 1984-85 | Los Angeles (Kings) | LNH | 79 | 4 | 19 | 23 | 70 | 3 | 0 | 1 | 1 | 4 |
| 1985-86 | Los Angeles (Kings) | LNH | 49 | 3 | 13 | 16 | 61 | - | - | - | - | - |
| | Buffalo (Sabres) | LNH | 30 | 1 | 5 | 16 | | - | - | - | - | - |
| 1986-87 | Calgary (Flames) | LNH | 32 | 0 | 4 | 4 | 18 | - | - | - | - | - |
| | **LNH** | | 659 | 29 | 177 | 206 | 599 | 48 | 3 | 9 | 12 | 43 |
| | **Montréal** | | 316 | 14 | 87 | 101 | 298 | 41 | 3 | 7 | 10 | 39 |

• **Première équipe étoiles (WCHA) en 1974-75** • **Première équipe All-American, Division Ouest (NCAA) en 1974-75** • **Coupe Calder (AHL) en 1975-76, 1976-77** • **Première équipe d'étoiles (AHL) en 1976-77** • **Trophée Eddie-Shore (AHL) en 1976-77** • **Coupe Stanley (LNH) en 1976-77, 1977-78, 1978-79** • **Deuxième équipe d'étoiles (LNH) en 1981-82** • **Médaille de bronze (CM) en 1983**
• Échangé à Washington avec Rod Langway, Doug Jarvis et Craig Laughlin pour Ryan Walter et Rick Green le 9 septembre 1982 • Échangé à Los Angeles par Washington avec Ken Houston pour Larry Murphy le 18 octobre 1983 • Échangé à Buffalo par Los Angeles avec Doug Smith pour Larry Playfair, Sean McKenna et Ken Baumgartner le 30 janvier 1986 • Échangé à Calgary par Buffalo pour Jim Korn le 3 octobre 1986

## EVANS, STEWART (STEW)

### Né à Ottawa, Ontario, le 19 juin 1908, décédé le 9 juin 1996
### Défenseur, lance de la gauche, 5'10", 170 lb

| SAISON | CLUB | LIGUE | PJ | B | A | PTS | PUN | PJ | B | A | PTS | PUN |
|---|---|---|---|---|---|---|---|---|---|---|---|---|
| 1926-27 | McIntyre (Mines) | NOHA | *Statistiques non disponibles* | | | | | | | | | |
| 1927-28 | Iroquois Falls (Papermakers) | NOHA | *Statistiques non disponibles* | | | | | | | | | |
| 1928-29 | Iroquois Falls (Papermakers) | NOHA | *Statistiques non disponibles* | | | | | | | | | |
| 1929-30 | Detroit (Olympics) | IHL | 38 | 8 | 11 | 19 | 113 | 3 | 1 | 0 | 1 | 7 |
| 1930-31 | Detroit (Falcons) | LNH | 43 | 1 | 4 | 5 | 14 | - | - | - | - | - |
| 1931-32 | Detroit (Olympics) | IHL | 45 | 3 | 9 | 12 | 72 | 6 | 0 | 0 | 0 | 18 |
| 1932-33 | Detroit (Red Wings) | LNH | 48 | 2 | 6 | 8 | 74 | 4 | 0 | 0 | 0 | 6 |
| 1933-34 | Detroit (Red Wings) | LNH | 17 | 0 | 0 | 0 | 0 | - | - | - | - | - |
| | Montréal (Maroons) | LNH | 27 | 4 | 2 | 6 | 35 | 4 | 0 | 0 | 0 | 8 |
| 1934-35 | Montréal (Maroons) | LNH | 46 | 7 | 12 | 19 | 54 | 7 | 0 | 1 | 1 | 6 |
| 1935-36 | Montréal (Maroons) | LNH | 48 | 3 | 5 | 8 | 57 | 3 | 0 | 0 | 0 | 0 |
| 1936-37 | Montréal (Maroons) | LNH | 47 | 4 | 7 | 11 | 54 | 5 | 0 | 0 | 0 | 8 |

| 1937-38 | Montréal (Maroons) | LNH | 48 | 5 | 11 | 16 | 59 | - | - | - | - | - |
| 1938-39 | **Montréal (Canadiens)** | LNH | 43 | 2 | 7 | 9 | 58 | 3 | 0 | 0 | 0 | 2 |
| | **LNH** | | 367 | 28 | 49 | 77 | 425 | 26 | 0 | 0 | 0 | 20 |
| | **Montréal** | | 43 | 2 | 7 | 9 | 58 | 3 | 0 | 0 | 0 | 2 |

• **Coupe Stanley (LNH) en 1934-35** • Signe avec Detroit le 12 septembre 1929
• Échangé à Montréal (Maroons) par Detroit pour Ted Graham le 2 janvier 1934 • Droits vendus à Montréal (Canadiens) par Montréal (Maroons) avec Bob Gracie, Ernie Cain, Jimmy Ward, Cy Wentworth, Dessie Smith, plus les droits sur Claude Bourque le 14 septembre 1938

## EWEN, TODD

### Né à Saskatoon, Saskatchewan, le 22 mars 1966. Ailier droit, lance de la droite,
### 6'2", 230 lb (9e choix d'Edmonton, 168e au total lors du repêchage de 1984)

| SAISON | CLUB | LIGUE | PJ | B | A | PTS | PUN | PJ | B | A | PTS | PUN |
|---|---|---|---|---|---|---|---|---|---|---|---|---|
| 1982-83 | Vernon (Lakers) | BCJHL | 42 | 14 | 10 | 24 | 178 | - | - | - | - | - |
| | Kamloops (Oilers) | WHL | 3 | 0 | 0 | 0 | 0 | 2 | 0 | 0 | 0 | 0 |
| 1983-84 | New Westminster (Bruins) | WHL | 68 | 11 | 13 | 24 | 176 | 7 | 2 | 1 | 3 | 15 |
| 1984-85 | New Westminster (Bruins) | WHL | 56 | 11 | 20 | 31 | 304 | 10 | 1 | 8 | 9 | 60 |
| 1985-86 | New Westminster (Bruins) | WHL | 60 | 28 | 24 | 52 | 289 | - | - | - | - | - |
| | Maine (Mariners) | AHL | - | - | - | - | - | 3 | 0 | 0 | 0 | 7 |
| 1986-87 | Peoria (Rivermen) | IHL | 16 | 3 | 3 | 6 | 110 | - | - | - | - | - |
| | St. Louis (Blues) | LNH | 23 | 2 | 0 | 2 | 84 | 4 | 0 | 0 | 0 | 23 |
| 1987-88 | St. Louis (Blues) | LNH | 64 | 4 | 2 | 6 | 227 | 6 | 0 | 0 | 0 | 21 |
| 1988-89 | St. Louis (Blues) | LNH | 34 | 4 | 5 | 9 | 171 | 2 | 0 | 0 | 0 | 21 |
| 1989-90 | St. Louis (Blues) | LNH | 3 | 0 | 0 | 0 | 11 | - | - | - | - | - |
| | Peoria (Rivermen) | IHL | 2 | 0 | 0 | 0 | 12 | - | - | - | - | - |
| | **Montréal (Canadiens)** | **LNH** | 41 | 4 | 6 | 10 | 158 | 10 | 0 | 0 | 0 | 4 |
| 1990-91 | **Montréal (Canadiens)** | **LNH** | 28 | 3 | 2 | 5 | 128 | - | - | - | - | - |
| 1991-92 | **Montréal (Canadiens)** | **LNH** | 46 | 1 | 2 | 3 | 130 | 3 | 0 | 0 | 0 | 18 |
| 1992-93 | **Montréal (Canadiens)** | **LNH** | 75 | 5 | 9 | 14 | 193 | 1 | 0 | 0 | 0 | 0 |
| 1993-94 | Anaheim (Mighty Ducks) | LNH | 76 | 9 | 9 | 18 | 272 | - | - | - | - | - |
| 1994-95 | Anaheim (Mighty Ducks) | LNH | 24 | 0 | 0 | 0 | 90 | - | - | - | - | - |
| 1995-96 | Anaheim (Mighty Ducks) | LNH | 53 | 4 | 3 | 7 | 285 | - | - | - | - | - |
| 1996-97 | San Jose (Sharks) | LNH | 51 | 0 | 0 | 2 | 162 | - | - | - | - | - |
| | **LNH** | | 518 | 36 | 40 | 76 | 1911 | 26 | 0 | 0 | 0 | 87 |
| | **Montréal** | | 190 | 13 | 19 | 32 | 609 | 14 | 0 | 0 | 0 | 22 |

• **Coupe Stanley (LNH) en 1992-93** • Échangé à St. Louis par Edmonton pour Shawn Evans le 15 octobre 1986
• Échangé à Montréal par St. Louis pour le choix de 3e ronde de St. Louis (propriété de Montréal suite à une transaction antérieure, St. Louis sélectionne Nathan Lafayette) au repêchage de 1991 le 12 décembre 1989 • Échangé à Anaheim par Montréal avec Patrick Carnback pour le choix de 3e ronde d'Anaheim au repêchage de 1994 (Chris Murray) le 10 août 1993 • Signe avec San Jose comme agent libre le 4 septembre 1996

## FERGUSON, CRAIG

### Né à Castro Valley, Californie, le 8 avril 1970. Ailier droit/centre, lance de la gauche,
### 190 lb (7e choix de Montréal, 146e au total lors du repêchage de 1989)

| SAISON | CLUB | LIGUE | PJ | B | A | PTS | PUN | PJ | B | A | PTS | PUN |
|---|---|---|---|---|---|---|---|---|---|---|---|---|
| 1988-89 | Yale University | ECAC | 24 | 11 | 6 | 17 | 20 | - | - | - | - | - |
| 1989-90 | Yale University | ECAC | 28 | 6 | 13 | 19 | 36 | - | - | - | - | - |
| 1990-91 | Yale University | ECAC | 29 | 11 | 10 | 21 | 34 | - | - | - | - | - |
| 1991-92 | Yale University | ECAC | 27 | 9 | 16 | 25 | 26 | - | - | - | - | - |
| 1992-93 | Fredericton (Canadien) | AHL | 55 | 13 | 13 | 28 | 20 | 5 | 0 | 1 | 1 | 2 |
| | Wheeling (Thunderbirds) | ECHL | 9 | 6 | 5 | 11 | 24 | - | - | - | - | - |
| 1993-94 | **Montréal (Canadiens)** | **LNH** | 2 | 0 | 1 | 1 | 0 | - | - | - | - | - |
| | Fredericton (Canadien) | AHL | 57 | 29 | 32 | 61 | 60 | - | - | - | - | - |
| 1994-95 | **Montréal (Canadiens)** | **LNH** | 1 | 0 | 0 | 0 | 0 | - | - | - | - | - |
| | Fredericton (Canadien) | AHL | 80 | 27 | 35 | 62 | 62 | 17 | 6 | 3 | 9 | 6 |
| 1995-96 | **Montréal (Canadiens)** | **LNH** | 10 | 1 | 0 | 1 | 2 | - | - | - | - | - |
| | Calgary (Flames) | LNH | 8 | 0 | 0 | 0 | 4 | - | - | - | - | - |
| | Saint John (Flames) | AHL | 18 | 5 | 13 | 18 | 8 | - | - | - | - | - |
| | Phoenix (Roadrunners) | IHL | 31 | 6 | 9 | 15 | 25 | 4 | 0 | 0 | 0 | 0 |
| 1996-97 | Floride (Panthers) | LNH | 3 | 0 | 0 | 0 | 0 | - | - | - | - | - |
| | Caroline (Monarchs) | AHL | 74 | 29 | 41 | 70 | 57 | - | - | - | - | - |
| 1997-98 | New Haven (Beats) | AHL | 64 | 24 | 28 | 52 | 41 | 7 | 2 | 1 | 3 | 2 |
| 1998-99 | New Haven (Beats) | AHL | 61 | 18 | 27 | 45 | 76 | - | - | - | - | - |
| 1999-00 | Floride (Panthers) | LNH | 3 | 0 | 0 | 0 | 0 | - | - | - | - | - |
| | Louisville (Panthers) | AHL | 61 | 29 | 27 | 56 | 28 | 4 | 1 | 3 | 4 | 2 |
| 2000-01 | Fribourg-Gotteron | SUI | 42 | 16 | 22 | 38 | 89 | 5 | 3 | 0 | 3 | 18 |
| 2001-02 | Fribourg-Gotteron | SUI | 43 | 13 | 13 | 18 | 106 | - | - | - | - | - |
| 2002-03 | Fribourg-Gotteron | BCJHL | 44 | 18 | 14 | 32 | 52 | - | - | - | - | - |
| | **LNH** | | 27 | 1 | 1 | 2 | 6 | - | - | - | - | - |
| | **Montréal** | | 13 | 1 | 1 | 2 | 2 | - | - | - | - | - |

• Échangé à Calgary par Montréal avec Yves Sarault pour le choix de 8e ronde de Calgary au repêchage de 1997 (Petr Kubos) le 26 novembre 1995 • Échangé à Los Angeles par Calgary pour Pat Conacher le 10 février 1996 • Signe avec Floride comme agent libre le 24 juillet 1996

## FERGUSON, JOHN

### Né à Vancouver, Colombie-Britannique, le 5 septembre 1938
### Ailier gauche, lance de la gauche, 5'11", 190 lb

| SAISON | CLUB | LIGUE | PJ | B | A | PTS | PUN | PJ | B | A | PTS | PUN |
|---|---|---|---|---|---|---|---|---|---|---|---|---|
| 1956-57 | Melville (Millionaires) | SJHL | 51 | 11 | 17 | 28 | 49 | - | - | - | - | - |
| 1957-58 | Melville (Millionaires) | SJHL | 50 | 14 | 30 | 44 | 100 | - | - | - | - | - |
| 1958-59 | Melville (Millionaires) | SJHL | 44 | 32 | 34 | 66 | 83 | - | - | - | - | - |
| 1959-60 | Fort Wayne (Komets) | IHL | 68 | 32 | 33 | 65 | 126 | 13 | 1 | 1 | 2 | 17 |
| 1960-61 | Cleveland (Barons) | AHL | 62 | 13 | 21 | 34 | 126 | - | - | - | - | - |
| 1961-62 | Cleveland (Barons) | AHL | 70 | 20 | 21 | 41 | 146 | 6 | 2 | 2 | 4 | 6 |
| 1962-63 | Cleveland (Barons) | AHL | 72 | 38 | 40 | 78 | 179 | 6 | 3 | 3 | 6 | 17 |
| 1963-64 | **Montréal (Canadiens)** | **LNH** | 59 | 18 | 27 | 45 | 125 | 7 | 0 | 1 | 1 | 25 |
| 1964-65 | **Montréal (Canadiens)** | **LNH** | 69 | 17 | 27 | 44 | 156 | 13 | 3 | 1 | 4 | 28 |
| 1965-66 | **Montréal (Canadiens)** | **LNH** | 65 | 11 | 14 | 25 | 153 | 10 | 2 | 0 | 2 | *44 |
| | Match des étoiles | LNH | 1 | 0 | 0 | 0 | | | | | | |

| SAISON | CLUB | LIGUE | PJ | B | A | PTS | PUN | PJ | B | A | PTS | PUN |
|---|---|---|---|---|---|---|---|---|---|---|---|---|

| SAISON | CLUB | LIGUE | PJ | B | A | PTS | PUN | PJ | B | A | PTS | PUN |
|---|---|---|---|---|---|---|---|---|---|---|---|---|
| 1966-67 | **Montréal (Canadiens)** | LNH | 67 | 20 | 22 | 42 | *177 | 10 | 4 | 2 | 6 | 22 |
| | Match des étoiles | LNH | 1 | 2 | 0 | 2 | - | - | - | - | - | - |
| 1967-68 | **Montréal (Canadiens)** | LNH | 61 | 15 | 18 | 33 | 117 | 13 | 3 | 5 | 8 | 25 |
| 1968-69 | **Montréal (Canadiens)** | LNH | 71 | 29 | 23 | 52 | 185 | 14 | 4 | 3 | 7 | 80 |
| 1969-70 | **Montréal (Canadiens)** | LNH | 48 | 19 | 13 | 32 | 139 | - | - | - | - | - |
| 1970-71 | **Montréal (Canadiens)** | LNH | 60 | 16 | 14 | 30 | 162 | 18 | 4 | 6 | 10 | 36 |
| | **LNH** | | 500 | 145 | 158 | 303 | 1214 | 85 | 20 | 18 | 38 | 260 |
| | **Montréal** | | 500 | 145 | 158 | 303 | 1214 | 85 | 20 | 18 | 38 | 260 |

• Première équipe d'étoiles (AHL) en 1962-63 • Coupe Stanley (LNH) en 1964-65, 1965-66, 1967-68, 1968-69, 1970-71 • Match des étoiles (LNH) en 1965-66, 1966-67
• Droits vendus à Montréal par Cleveland (AHL) le 2 juillet 1963

### FIELD, WILFRED (WILF)

Né à Winnipeg, Manitoba, le 29 avril 1915, décédé le 17 mars 1979
Défenseur, lance de la droite, 5'11", 185 lb

| SAISON | CLUB | LIGUE | PJ | B | A | PTS | PUN | PJ | B | A | PTS | PUN |
|---|---|---|---|---|---|---|---|---|---|---|---|---|
| 1933-34 | Winnipeg (Monarchs) | MJHL | 14 | 3 | 2 | 5 | 18 | 3 | 2 | 1 | 3 | 2 |
| 1934-35 | Winnipeg (Monarchs) | MJHL | 10 | 6 | 1 | 7 | 16 | 4 | 3 | 1 | 4 | 10 |
| | Winnipeg (Monarchs) | Mem. | 9 | 5 | 2 | 7 | 14 | - | - | - | - | - |
| 1935-36 | Winnipeg (Monarchs) | MJHL | 2 | 0 | 1 | 1 | 0 | - | - | - | - | - |
| | Providence (Reds) | IAHL | 42 | 0 | 1 | 1 | 5 | 7 | 0 | 0 | 0 | 8 |
| 1936-37 | New Haven (Eagles) | IAHL | 46 | 3 | 3 | 6 | 48 | - | - | - | - | - |
| | New York (Americans) | LNH | 2 | 0 | 0 | 0 | 0 | - | - | - | - | - |
| 1937-38 | Seattle (Seahawks) | PCHL | 41 | 12 | 12 | 24 | 38 | 4 | 0 | 1 | 1 | 2 |
| 1938-39 | New York (Americans) | LNH | 47 | 1 | 3 | 4 | 37 | 2 | 0 | 0 | 0 | 2 |
| 1939-40 | New York (Americans) | LNH | 45 | 1 | 3 | 4 | 28 | - | - | - | - | - |
| 1940-41 | New York (Americans) | LNH | 36 | 5 | 6 | 11 | 31 | - | - | - | - | - |
| 1941-42 | Brooklyn (Americans) | LNH | 41 | 6 | 9 | 15 | 23 | - | - | - | - | - |
| 1942-43 | Winnipeg (RCAF) | MHL Sr | 2 | 0 | 1 | 1 | 5 | - | - | - | - | - |
| | Calgary (Mustangs) | ASHL | 16 | 1 | 4 | 5 | 32 | 8 | 2 | 4 | 6 | 8 |
| 1943-44 | Ottawa (Commandos) | LHSQ | 8 | 0 | 4 | 4 | 22 | - | - | - | - | - |
| 1944-45 | **Montréal (Canadiens)** | LNH | 9 | 1 | 0 | 1 | 10 | - | - | - | - | - |
| | Chicago (Black Hawks) | LNH | 39 | 3 | 4 | 7 | 10 | - | - | - | - | - |
| 1945-46 | Buffalo (Bisons) | AHL | 36 | 1 | 10 | 11 | 22 | 12 | 0 | 2 | 2 | 8 |
| 1946-47 | Buffalo (Bisons) | AHL | 62 | 2 | 14 | 16 | 34 | 4 | 0 | 0 | 0 | 4 |
| 1947-48 | Buffalo (Bisons) | AHL | 51 | 0 | 17 | 17 | 28 | 4 | 0 | 2 | 2 | 4 |
| 1948-49 | Houston (Huskies) | USHL | 64 | 6 | 18 | 24 | 34 | - | - | - | - | - |
| 1949-50 | Buffalo (Bisons) | AHL | 66 | 3 | 10 | 13 | 31 | 5 | 0 | 0 | 0 | 0 |
| 1950-51 | Kansas City (Royals) | USHL | 52 | 4 | 13 | 17 | 16 | - | - | - | - | - |
| 1951-52 | Halifax (Saints) | MMHL | 5 | 0 | 1 | 1 | 12 | - | - | - | - | - |
| | **LNH** | | 219 | 17 | 25 | 42 | 151 | 2 | 0 | 0 | 0 | 2 |
| | **Montréal** | | 9 | 1 | 0 | 1 | 10 | - | - | - | - | - |

• Coupe Memorial en 1934-35 • Signe avec New York (Americans) en novembre 1936
• Réclamé par Montréal lors du repêchage de dispersion de Brooklyn le 11 septembre 1943
• Prêté à Chicago par Montréal le 21 décembre 1944 • Prêté à Buffalo (AHL) par Montréal avec Frank Eddolls et Ken Mosdell pour Larry Thibeault le 24 octobre 1945

### FILLION, ROBERT (BOB)

Né à Thetford-Mines, Québec le 12 juillet 1921
Ailier gauche, lance de la gauche, 5'10", 170 lb

| SAISON | CLUB | LIGUE | PJ | B | A | PTS | PUN | PJ | B | A | PTS | PUN |
|---|---|---|---|---|---|---|---|---|---|---|---|---|
| 1938-39 | Verdun (Maple Leafs) | LHJQ | 11 | 4 | 12 | 16 | 8 | 3 | 1 | 1 | 2 | 2 |
| | Verdun (Maple Leafs) | Mem. | 7 | 4 | 3 | 7 | 10 | - | - | - | - | - |
| 1939-40 | Verdun (Maple Leafs) | LHJQ | 11 | 10 | 6 | 16 | 6 | - | - | - | - | - |
| | Verdun (Maple Leafs) | LHSQ | 6 | 4 | 3 | 3 | 0 | 8 | 0 | 2 | 2 | 0 |
| 1940-41 | Shawinigan (Cataractes) | LHSQ | 24 | 10 | 20 | 30 | 25 | 10 | 3 | 6 | 9 | 15 |
| 1941-42 | Shawinigan (Cataractes) | LHSQ | 8 | 1 | 5 | 6 | 6 | 8 | 6 | 6 | 12 | 4 |
| 1942-43 | Montréal (Armée) | LHSQ | 33 | 4 | 13 | 17 | 8 | 7 | 1 | 3 | 4 | 2 |
| 1943-44 | **Montréal (Canadiens)** | LNH | 41 | 7 | 23 | 30 | 14 | 3 | 0 | 0 | 0 | 2 |
| 1944-45 | **Montréal (Canadiens)** | LNH | 31 | 8 | 4 | 12 | 6 | 3 | 0 | 0 | 0 | 0 |
| 1945-46 | **Montréal (Canadiens)** | LNH | 50 | 10 | 6 | 16 | 12 | 9 | 4 | 3 | 7 | 6 |
| 1946-47 | **Montréal (Canadiens)** | LNH | 57 | 3 | 5 | 8 | 8 | 0 | 0 | 0 | 0 | 0 |
| 1947-48 | **Montréal (Canadiens)** | LNH | 32 | 9 | 9 | 18 | 8 | - | - | - | - | - |
| | Buffalo (Bisons) | AHL | 18 | 4 | 14 | 18 | 4 | - | - | - | - | - |
| 1948-49 | **Montréal (Canadiens)** | LNH | 59 | 3 | 9 | 12 | 14 | 7 | 0 | 1 | 1 | 4 |
| 1949-50 | **Montréal (Canadiens)** | LNH | 57 | 2 | 5 | 7 | 20 | 5 | 0 | 0 | 0 | 0 |
| 1950-51 | Sherbrooke (Saints) | LHMQ | 44 | 15 | 18 | 33 | 45 | 7 | 1 | 1 | 2 | 6 |
| | **LNH** | | 327 | 42 | 61 | 103 | 84 | 38 | 7 | 4 | 11 | 12 |
| | **Montréal** | | 327 | 42 | 61 | 103 | 84 | 38 | 7 | 4 | 11 | 12 |

• Coupe Stanley (LNH) en 1943-44, 1945-46 • Signe avec Montréal le 3 novembre 1943

### FITZPATRICK, RORY

Né à Rochester, New York, le 11 janvier 1975. Défenseur, lance de la droite, 6'2", 208 lb (2e choix de Montréal et 47e choix au repêchage de 1993)

| SAISON | CLUB | LIGUE | PJ | B | A | PTS | PUN | PJ | B | A | PTS | PUN |
|---|---|---|---|---|---|---|---|---|---|---|---|---|
| 1990-91 | Rochester (Monarchs) | USHL B | 40 | 0 | 5 | 5 | - | - | - | - | - | - |
| 1991-92 | Rochester (Mustangs) | USHL | 28 | 8 | 28 | 36 | 141 | - | - | - | - | - |
| 1992-93 | Sudbury (Wolves) | OHL | 58 | 4 | 20 | 24 | 68 | 14 | 0 | 0 | 0 | 17 |
| 1993-94 | Sudbury (Wolves) | OHL | 65 | 12 | 34 | 46 | 112 | 10 | 2 | 5 | 7 | 10 |
| 1994-95 | Sudbury (Wolves) | OHL | 56 | 12 | 36 | 48 | 72 | 18 | 3 | 15 | 18 | 21 |
| | États-Unis | CMJ | 7 | 0 | 2 | 2 | 8 | - | - | - | - | - |
| | Fredericton (Canadien) | AHL | - | - | - | - | - | 10 | 1 | 2 | 3 | 5 |
| 1995-96 | Fredericton (Canadien) | AHL | 18 | 4 | 10 | 14 | 36 | - | - | - | - | - |
| | **Montréal (Canadiens)** | LNH | 42 | 0 | 2 | 2 | 18 | 6 | 1 | 1 | 2 | 0 |
| 1996-97 | **Montréal (Canadiens)** | LNH | 6 | 0 | 1 | 1 | 6 | - | - | - | - | - |
| | St. Louis (Blues) | LNH | 2 | 0 | 0 | 0 | 0 | - | - | - | - | - |
| | Worcester (IceCats) | AHL | 49 | 4 | 13 | 17 | 78 | 5 | 1 | 2 | 3 | 6 |
| 1997-98 | Worcester (IceCats) | AHL | 62 | 8 | 22 | 30 | 111 | 11 | 0 | 3 | 3 | 26 |
| 1998-99 | Worcester (IceCats) | AHL | 53 | 5 | 16 | 21 | 92 | 4 | 0 | 1 | 1 | 17 |
| | St. Louis (Blues) | LNH | 1 | 0 | 0 | 0 | 2 | - | - | - | - | - |
| 1999-00 | Worcester (IceCats) | AHL | 69 | 5 | 40 | 45 | 48 | - | - | - | - | - |
| | Milwaukee (Admirals) | IHL | 27 | 3 | 2 | 1 | 27 | 2 | 0 | 2 | 2 | 2 |
| 2000-01 | Nashville (Predators) | LNH | 2 | 0 | 0 | 0 | 2 | - | - | - | - | - |
| | Milwaukee (Admirals) | IHL | 22 | 0 | 2 | 2 | 32 | - | - | - | - | - |
| | Hamilton (Bulldogs) | AHL | 34 | 3 | 17 | 20 | 29 | - | - | - | - | - |
| 2001-02 | Buffalo (Sabres) | LNH | 5 | 0 | 0 | 0 | 4 | - | - | - | - | - |
| | Rochester (Americans) | AHL | 60 | 4 | 8 | 12 | 83 | 2 | 0 | 1 | 1 | 0 |
| 2002-03 | Buffalo (Sabres) | LNH | 36 | 1 | 3 | 4 | 16 | - | - | - | - | - |
| | Rochester (Americans) | AHL | | | | | | | | | | |
| | **LNH** | | 94 | 1 | 6 | 7 | 50 | 6 | 1 | 1 | 2 | 0 |
| | **Montréal** | | 48 | 0 | 3 | 3 | 24 | 6 | 1 | 1 | 2 | 0 |

• Échangé à St. Louis par Montréal avec Pierre Turgeon et Craig Conroy pour Murray Baron, Shayne Corson et le choix de 5e ronde de St. Louis au repêchage de 1997 (Gennady Razin) le 29 octobre 1996 • Réclamé par Boston de St. Louis lors du repêchage inter-équipes le 5 octobre 1998 • Réclamé au ballottage par St. Louis de Boston le 7 octobre 1998 • Échangé à Nashville par St. Louis pour Dan Keczmer le 9 février 2000 • Échangé à Edmonton par Nashville pour des considérations futures le 12 janvier 2001 • Signe avec Buffalo comme agent libre le 14 août 2001

### FLEMING, GERRY

Né à Montréal, Québec, le 16 octobre 1967
Ailier gauche, lance de la gauche, 6'5", 253 lb

| SAISON | CLUB | LIGUE | PJ | B | A | PTS | PUN | PJ | B | A | PTS | PUN |
|---|---|---|---|---|---|---|---|---|---|---|---|---|
| 1983-84 | Verdun (Junior) | LHJMQ | 52 | 4 | 11 | 15 | 270 | 3 | 0 | 4 | 4 | 2 |
| 1984-85 | Verdun (Canadien Junior) | LHJMQ | 44 | 15 | 23 | 38 | 160 | 14 | 5 | 6 | 11 | *96 |
| | Verdun (Canadien Junior) | Mem. | 3 | 0 | 0 | 0 | 18 | - | - | - | - | - |
| 1985-86 | Verdun (Canadien Junior) | LHJMQ | 47 | 15 | 21 | 36 | 339 | 4 | 0 | 1 | 1 | 18 |
| 1986-87 | Université PEI | AUAA | 20 | 19 | 11 | 30 | 73 | - | - | - | - | - |
| 1987-88 | Université PEI | AUAA | 23 | 11 | 15 | 26 | 61 | - | - | - | - | - |
| 1988-89 | Université PEI | AUAA | 17 | 11 | 23 | 34 | 61 | - | - | - | - | - |
| 1989-90 | Fredericton (Alpines) | NBSHL | 24 | 12 | 18 | 30 | 83 | 5 | 3 | 6 | 9 | - |
| 1990-91 | Université PEI | AUAA | 9 | 2 | 6 | 8 | 41 | - | - | - | - | - |
| | Charlottetown (Islanders) | NSSHL | Statistiques non disponibles | | | | | | | | | |
| 1991-92 | Fredericton (Canadien) | AHL | 37 | 4 | 6 | 10 | 133 | 1 | 0 | 0 | 0 | 7 |
| 1992-93 | Fredericton (Canadien) | AHL | 64 | 9 | 17 | 26 | 262 | 5 | 1 | 2 | 3 | 14 |
| 1993-94 | **Montréal (Canadiens)** | LNH | 5 | 0 | 0 | 0 | 25 | - | - | - | - | - |
| | Fredericton (Canadien) | AHL | 46 | 6 | 16 | 22 | 188 | - | - | - | - | - |
| 1994-95 | **Montréal (Canadiens)** | LNH | 6 | 0 | 0 | 0 | 17 | - | - | - | - | - |
| | Fredericton (Canadien) | AHL | 36 | 3 | 3 | 6 | 60 | 10 | 2 | 1 | 4 | 67 |
| 1995-96 | Fredericton (Canadien) | AHL | 40 | 9 | 17 | 26 | 127 | 1 | 0 | 0 | 0 | 7 |
| 1996-97 | Fredericton (Canadien) | AHL | 48 | 5 | 11 | 16 | 164 | - | - | - | - | - |
| 1997-98 | Fredericton (Canadien) | AHL | 28 | 3 | 3 | 6 | 101 | - | - | - | - | - |
| | **LNH** | | 11 | 0 | 0 | 0 | 42 | - | - | - | - | - |
| | **Montréal** | | 11 | 0 | 0 | 0 | 42 | - | - | - | - | - |

• Coupe du Président (LHJMQ) en 1984-85
• Signe avec Montréal comme agent libre le 17 février 1992 • Nommé entraîneur-adjoint du Canadien de Fredericton le 21 août 1998. • Nommée entraîneur de Tallahassee (ÉCHL) le 12 juillet 2000

### FLEMING, REGINALD (REGGIE)

Né à Montréal, Québec, le 21 avril 1936
Défenseur/ailier gauche, lance de la gauche, 5'8", 170 lb

| SAISON | CLUB | LIGUE | PJ | B | A | PTS | PUN | PJ | B | A | PTS | PUN |
|---|---|---|---|---|---|---|---|---|---|---|---|---|
| 1953-54 | **Montréal (Canadiens)** | LHJQ | 48 | 7 | 7 | 14 | 47 | 8 | 0 | 0 | 0 | 14 |
| 1954-55 | **Montréal (Canadiens)** | LHJQ | 44 | 3 | 11 | 14 | *139 | 5 | 0 | 0 | 0 | 11 |
| 1955-56 | St. Michael's (Majors) | OHA Jr | 42 | 1 | 8 | 9 | 93 | 8 | 0 | 2 | 2 | 18 |
| 1956-57 | Shawinigan (Cataractes) | LHQ | 61 | 2 | 9 | 11 | 109 | - | - | - | - | - |
| 1957-58 | Shawinigan (Cataractes) | LHQ | 51 | 6 | 15 | 21 | *227 | 8 | 3 | 2 | 5 | 16 |
| 1958-59 | Rochester (Americans) | AHL | 70 | 6 | 16 | 22 | 112 | 5 | 0 | 1 | 1 | 13 |
| 1959-60 | Rochester (Americans) | AHL | 9 | 1 | 5 | 6 | 4 | - | - | - | - | - |
| | **Montréal (Canadiens)** | LNH | 3 | 0 | 0 | 0 | 0 | - | - | - | - | - |
| | Kingston (Frontenacs) | EPHL | 52 | 19 | 49 | 68 | 91 | - | - | - | - | - |
| 1960-61 | Chicago (Black Hawks) | LNH | 66 | 4 | 4 | 8 | 145 | 12 | 1 | 0 | 1 | 12 |
| 1961-62 | Chicago (Black Hawks) | LNH | 70 | 7 | 9 | 16 | 71 | 12 | 2 | 2 | 4 | 27 |
| | Match des étoiles | LNH | 1 | 0 | 0 | 0 | 0 | - | - | - | - | - |
| 1962-63 | Chicago (Black Hawks) | LNH | 64 | 7 | 7 | 14 | 99 | 6 | 0 | 0 | 0 | 27 |
| 1963-64 | Chicago (Black Hawks) | LNH | 61 | 3 | 6 | 9 | 140 | 7 | 0 | 0 | 0 | 18 |
| 1964-65 | Boston (Bruins) | LNH | 67 | 18 | 23 | 41 | 136 | - | - | - | - | - |
| 1965-66 | Boston (Bruins) | LNH | 35 | 10 | 14 | 24 | *42 | - | - | - | - | - |
| | New York (Rangers) | LNH | 35 | 10 | 4 | 14 | *124 | - | - | - | - | - |
| 1966-67 | New York (Rangers) | LNH | 61 | 15 | 16 | 31 | 146 | 4 | 0 | 2 | 2 | 11 |
| 1967-68 | New York (Rangers) | LNH | 73 | 17 | 7 | 24 | 132 | 6 | 0 | 2 | 2 | 4 |
| 1968-69 | New York (Rangers) | LNH | 72 | 8 | 12 | 20 | 138 | 4 | 0 | 0 | 0 | 7 |
| 1969-70 | Philadelphie (Flyers) | LNH | 65 | 9 | 10 | 19 | 134 | - | - | - | - | - |
| 1970-71 | Buffalo (Sabres) | LNH | 78 | 6 | 10 | 16 | 159 | - | - | - | - | - |
| 1971-72 | Cincinnati (Swords) | AHL | 11 | 3 | 5 | 8 | 62 | - | - | - | - | - |
| | Salt Lake (Eagles) | WHL | 56 | 20 | 28 | 48 | 134 | - | - | - | - | - |
| 1972-73 | Chicago (Cougars) | AMH | 74 | 23 | 45 | 68 | 95 | - | - | - | - | - |
| 1973-74 | Chicago (Cougars) | AMH | 45 | 2 | 12 | 14 | 49 | 12 | 0 | 4 | 4 | 12 |
| 1974-75 | Kenosha (Flyers) | ContHL | 21 | 18 | 27 | 45 | - | - | - | - | - | - |
| | Saginaw (Gears) | IHL | 9 | 1 | 6 | 7 | 14 | 17 | 8 | 13 | 21 | - |
| 1975-76 | Lake County (Flyers) | ContHL | Statistiques non disponibles | | | | | | | | | |
| | Milwaukee (Admirals) | USHL | - | - | - | - | - | - | - | - | - | - |
| 1976-77 | Milwaukee (Admirals) | USHL | 26 | 3 | 23 | 26 | 81 | - | - | - | - | - |
| | **LNH** | | 749 | 108 | 132 | 240 | 1468 | 50 | 3 | 6 | 9 | 106 |
| | **Montréal** | | 3 | 0 | 0 | 0 | 0 | - | - | - | - | - |

• Coupe Stanley (LNH) en 1960-61 • Match des étoiles (LNH) en 1961-62
• Échangé à Chicago par Montréal avec Cecil Hoekstra, Ab McDonald et Bob Courcy pour Terry Gray, Ian Skov, Danny Lewicki, Lorne Ferguson et Bob Bailey le 7 juin 1960 • Échangé à Boston par Chicago avec Ab McDonald pour Doug Mohns le 8 juin 1964 • Échangé à New York par Boston pour John McKenzie le 10 janvier 1966 • Échangé à Philadelphie par New York pour Léon Rochefort et Don Blackburn le 6 juin 1969 • Réclamé par Buffalo de Philadelphie lors de l'expansion de la LNH le 10 juin 1970 • Droits vendus à Salt Lake (WHL) par Buffalo le 10 novembre 1971 • Sélectionné par Chicago lors de l'expansion de l'AMH le 12 février 1972

FIE-FLE

## FLETCHER, STEVEN

**Né à Montréal, Québec, le 31 mars 1962. Ailier gauche, lance de la gauche, 6'2", 180 lb (11e choix de Calgary, 202e au total lors du repêchage de 1980)**

| SAISON | CLUB | LIGUE | PJ | B | A | PTS | PUN | PJ | B | A | PTS | PUN |
|---|---|---|---|---|---|---|---|---|---|---|---|---|
| 1979-80 | Hull (Olympiques) | LHJMQ | 61 | 2 | 14 | 16 | 183 | - | - | - | - | - |
| 1980-81 | Hull (Olympiques) | LHJMQ | 66 | 4 | 13 | 17 | 231 | - | - | - | - | - |
| 1981-82 | Hull (Olympiques) | LHJMQ | 60 | 4 | 20 | 24 | 230 | - | - | - | - | - |
| 1982-83 | Sherbrooke (Jets) | AHL | 36 | 0 | 1 | 1 | 119 | - | - | - | - | - |
| | Fort Wayne (Komets) | IHL | 34 | 1 | 9 | 10 | 115 | 10 | 1 | 6 | 7 | 45 |
| 1983-84 | Sherbrooke (Jets) | AHL | 77 | 3 | 7 | 10 | 208 | - | - | - | - | - |
| 1984-85 | Sherbrooke (Canadien) | AHL | 50 | 2 | 4 | 6 | 192 | 13 | 0 | 0 | 0 | 48 |
| 1985-86 | Sherbrooke (Canadien) | AHL | 64 | 2 | 12 | 14 | 293 | - | - | - | - | - |
| 1986-87 | Sherbrooke (Canadien) | AHL | 70 | 15 | 11 | 26 | 261 | 17 | 5 | 5 | 10 | *82 |
| 1987-88 | Sherbrooke (Canadien) | AHL | 76 | 8 | 21 | 29 | 338 | 5 | 2 | 1 | 3 | 28 |
| | **Montréal (Canadiens)** | LNH | - | - | - | - | - | 1 | 0 | 0 | 0 | 5 |
| 1988-89 | Winnipeg (Jets) | LNH | 3 | 0 | 0 | 0 | 5 | - | - | - | - | - |
| | Moncton (Hawks) | AHL | 23 | 1 | 1 | 2 | 89 | - | - | - | - | - |
| | Halifax (Citadels) | AHL | 29 | 5 | 8 | 13 | 91 | - | - | - | - | - |
| 1989-90 | Hershey (Bears) | AHL | 28 | 1 | 1 | 2 | 132 | - | - | - | - | - |
| 1990-91 | Fort Wayne (Komets) | IHL | 66 | 7 | 9 | 16 | 289 | 15 | 2 | 0 | 2 | 70 |
| 1991-92 | Fort Wayne (Komets) | IHL | 60 | 8 | 3 | 11 | 320 | 5 | 0 | 0 | 0 | 4 |
| 1992-93 | Fort Wayne (Komets) | IHL | 52 | 5 | 6 | 11 | 337 | 3 | 0 | 0 | 0 | - |
| 1993-94 | Fort Wayne (Komets) | IHL | 47 | 4 | 6 | 10 | 277 | 5 | 0 | 0 | 0 | 33 |
| 1994-95 | Fort Wayne (Komets) | IHL | 43 | 0 | 2 | 2 | 204 | 1 | 0 | 0 | 0 | - |
| 1995-96 | Fort Wayne (Komets) | IHL | 42 | 2 | 2 | 4 | 39 | - | - | - | - | - |
| | Atlanta (Knights) | IHL | 23 | 0 | 1 | 1 | 110 | - | - | - | - | - |
| | **LNH** | | 3 | 0 | 0 | 0 | 5 | 1 | 0 | 0 | 0 | 5 |
| | **Montréal** | | | | | | | 1 | 0 | 0 | 0 | 5 |

• Coupe Calder (LNH) en 1984-85
• Signe avec Montréal le 21 août 1984 • Signe avec Winnipeg le 15 juillet 1988 • Échangé à Philadelphie par Winnipeg pour des considérations futures le 12 décembre 1988

## FLOCKHART, RONALD (RON)

**Né à Smithers, Colombie-Britannique, le 10 octobre 1960
Centre, lance de la gauche, 5'11", 190 lb**

| SAISON | CLUB | LIGUE | PJ | B | A | PTS | PUN | PJ | B | A | PTS | PUN |
|---|---|---|---|---|---|---|---|---|---|---|---|---|
| 1977-78 | Revelstoke (Bruins) | BCJHL | 43 | 21 | 19 | 40 | 37 | - | - | - | - | - |
| | Medecine Hat (Tigers) | WCJHL | 5 | 1 | 0 | 1 | 2 | - | - | - | - | - |
| 1978-79 | Revelstoke (Bruins) | BCJHL | 61 | 47 | 41 | 88 | 54 | - | - | - | - | - |
| 1979-80 | Regina (Pats) | WHL | 65 | 54 | 76 | 130 | 63 | 17 | 11 | 23 | 34 | 18 |
| | Regina (Pats) | Mem. | 4 | 3 | 6 | 9 | 4 | - | - | - | - | - |
| 1980-81 | Maine (Mariners) | AHL | 59 | 33 | 33 | 66 | 26 | - | - | - | - | - |
| | Philadelphie (Flyers) | LNH | 14 | 3 | 7 | 10 | 11 | 3 | 1 | 0 | 1 | 2 |
| 1981-82 | Philadelphie (Flyers) | LNH | 72 | 33 | 39 | 72 | 44 | 4 | 0 | 1 | 1 | 2 |
| 1982-83 | Philadelphie (Flyers) | LNH | 73 | 29 | 31 | 60 | 49 | 2 | 1 | 1 | 2 | 2 |
| 1983-84 | Philadelphie (Flyers) | LNH | 8 | 0 | 3 | 3 | 4 | - | - | - | - | - |
| | Pittsburgh (Penguins) | LNH | 68 | 27 | 18 | 45 | 40 | - | - | - | - | - |
| 1984-85 | Pittsburgh (Penguins) | LNH | 12 | 0 | 5 | 5 | 4 | - | - | - | - | - |
| | **Montréal (Canadiens)** | LNH | 42 | 10 | 12 | 22 | 14 | 2 | 1 | 1 | 2 | 0 |
| 1985-86 | St. Louis (Blues) | LNH | 79 | 22 | 45 | 67 | 26 | 8 | 1 | 3 | 4 | 6 |
| 1986-87 | St. Louis (Blues) | LNH | 60 | 16 | 19 | 35 | 12 | - | - | - | - | - |
| 1987-88 | St. Louis (Blues) | LNH | 21 | 5 | 4 | 9 | 4 | - | - | - | - | - |
| 1988-89 | Peoria (Rivermen) | IHL | 2 | 0 | 2 | 2 | 0 | - | - | - | - | - |
| | Boston (Bruins) | LNH | 4 | 0 | 0 | 0 | 0 | - | - | - | - | - |
| | Maine (Mariners) | AHL | 5 | 6 | 6 | 11 | 0 | - | - | - | - | - |
| | SG Cortina | ITA | 31 | 31 | 34 | 65 | 25 | - | - | - | - | - |
| 1989-90 | HC Bolzano | ITA | 36 | 48 | 85 | 133 | 15 | 9 | 5 | 9 | 14 | 0 |
| 1990-91 | HC Bolzano | ITA | 33 | 35 | 44 | 79 | 32 | 10 | 7 | 12 | 19 | 2 |
| 1991-92 | HC Bolzano | Alpes | 12 | 6 | 7 | 13 | 2 | - | - | - | - | - |
| | **LNH** | | 453 | 145 | 183 | 328 | 208 | 19 | 4 | 6 | 10 | 14 |
| | **Montréal** | | 42 | 10 | 12 | 22 | 14 | 2 | 1 | 1 | 2 | 0 |

• Signe avec Philadelphie comme agent libre le 2 juillet 1980 • Échangé à Pittsburgh par Philadelphie avec Andy Brickley, Mark Taylor et le 1er choix (Roger Belanger) et le choix de 3e ronde de Philadelphie (cédé à Vancouver qui sélectionne Mike Stevens) au repêchage de 1984 pour Rick Sutter, le choix de 2e ronde (Greg Smyth) et le choix de 3e ronde (David McLay) de Pittsburgh au repêchage de 1984 le 23 octobre 1984 • Échangé à Montréal par Pittsburgh pour John Chabot le 9 novembre 1984 • Échangé à St. Louis par Montréal pour Perry Ganchar le 26 août 1985 • Échangé à Boston par St. Louis pour des considérations futures le 13 février 1989

## FOGARTY, BRYAN

**Né à Brantford, Ontario, le 11 juin 1969, décédé le 6 mars 2002. Défenseur, lance de la gauche, 6'2", 206 lb (1er choix de Québec, 9e au total lors du repêchage de 1987)**

| SAISON | CLUB | LIGUE | PJ | B | A | PTS | PUN | PJ | B | A | PTS | PUN |
|---|---|---|---|---|---|---|---|---|---|---|---|---|
| 1983-84 | Brantford (Alexanders) | OJHL B | 1 | 0 | 1 | 1 | 0 | - | - | - | - | - |
| 1984-85 | Aurora (Tigers) | OJHL | 42 | 9 | 12 | 21 | 57 | - | - | - | - | - |
| | Aurora (Tigers) | Cent. | 4 | 2 | 2 | 4 | 8 | - | - | - | - | - |
| 1985-86 | Kingston (Canadians) | OHL | 47 | 2 | 19 | 21 | 14 | 10 | 1 | 3 | 4 | 4 |
| 1986-87 | Kingston (Canadians) | OHL | 56 | 20 | 50 | 70 | 46 | 12 | 2 | 3 | 5 | 5 |
| 1987-88 | Kingston (Canadians) | OHL | 48 | 11 | 36 | 47 | 50 | - | - | - | - | - |
| 1988-89 | Niagara Falls (Thunders) | OHL | 60 | 47 | *108 | *155 | 88 | 17 | 10 | 22 | 32 | 36 |
| 1989-90 | Québec (Nordiques) | LNH | 45 | 4 | 10 | 14 | 31 | - | - | - | - | - |
| | Halifax (Citadels) | AHL | 22 | 5 | 14 | 19 | 6 | 6 | 2 | 4 | 6 | 2 |
| 1990-91 | Québec (Nordiques) | LNH | 45 | 9 | 22 | 31 | 24 | - | - | - | - | - |
| | Halifax (Citadels) | AHL | 5 | 0 | 2 | 2 | 0 | - | - | - | - | - |
| 1991-92 | Québec (Nordiques) | LNH | 20 | 3 | 12 | 15 | 16 | - | - | - | - | - |
| | Halifax (Citadels) | AHL | 2 | 0 | 0 | 0 | 2 | - | - | - | - | - |
| | New Haven (Nighthawks) | AHL | 4 | 0 | 1 | 1 | 6 | - | - | - | - | - |
| | Muskegon (Lumberjacks) | IHL | 4 | 2 | 4 | 6 | 30 | - | - | - | - | - |
| 1992-93 | Pittsburgh (Penguins) | LNH | 12 | 0 | 4 | 4 | 4 | - | - | - | - | - |
| | Cleveland (Lumberjacks) | IHL | 15 | 2 | 5 | 7 | 4 | 3 | 0 | 1 | 1 | 17 |
| 1993-94 | Atlanta (Knights) | IHL | 1 | 0 | 1 | 1 | 5 | - | - | - | - | - |
| | Las Vegas (Thunder) | IHL | 33 | 4 | 15 | 19 | 38 | - | - | - | - | - |
| | Kansas City (Blades) | IHL | 3 | 2 | 1 | 3 | 2 | - | - | - | - | - |
| | **Montréal (Canadiens)** | LNH | 13 | 1 | 2 | 3 | 10 | - | - | - | - | - |
| 1994-95 | **Montréal (Canadiens)** | LNH | 21 | 5 | 2 | 7 | 34 | - | - | - | - | - |
| 1995-96 | Minnesota (Moose) | IHL | 17 | 3 | 12 | 15 | 24 | - | - | - | - | - |
| | Detroit (Vipers) | IHL | 18 | 4 | 5 | 9 | 10 | - | - | - | - | - |
| | HC Davos | SUI | 2 | 0 | 0 | 0 | 6 | 3 | 1 | 1 | 2 | 0 |
| 1996-97 | HC Milano (Devils) | Alpes | 7 | 3 | 7 | 10 | - | - | - | - | - | - |
| | HC Milano (Devils) | ITA | 10 | 4 | 11 | 15 | 18 | 6 | 4 | 9 | 13 | 26 |
| | Kansas City (Blades) | IHL | 22 | 3 | 9 | 12 | 10 | - | - | - | - | - |
| 1997-98 | Hannover (Scorpions) | GER | 39 | 8 | 25 | 33 | 75 | 4 | 1 | 0 | 1 | 2 |
| 1998-99 | Indianapolis (Ices) | IHL | 7 | 7 | 15 | 22 | 28 | - | - | - | - | - |
| | Baton Rouge (Kingfish) | ECHL | 5 | 4 | 3 | 7 | 24 | 4 | 1 | 3 | 4 | 8 |
| 1999-00 | St. John's (Maple Leafs) | AHL | 3 | 0 | 0 | 0 | 0 | - | - | - | - | - |
| | Knoxville (Speed) | UHL | 16 | 5 | 12 | 17 | 29 | - | - | - | - | - |
| | Hannover (Scorpions) | GER | 30 | 7 | 17 | 24 | 40 | - | - | - | - | - |
| 2000-01 | Huntsville (Tornado) | CHL | 11 | 1 | 4 | 5 | 16 | - | - | - | - | - |
| | Elmira (Jackals) | UHL | 18 | 1 | 8 | 9 | 16 | - | - | - | - | - |
| | **LNH** | | 156 | 22 | 52 | 74 | 119 | - | - | - | - | - |
| | **Montréal** | | 34 | 6 | 4 | 10 | 44 | - | - | - | - | - |

• Première équipe d'étoiles (OHL) en 1986-87, 1988-89 • Joueur par excellence au hockey junior canadien en 1988-89 • Défenseur par excellence au hockey junior canadien en 1988-89
• Échangé à Pittsburgh par Québec pour Scott Young le 10 mars 1992 • Signe avec Tampa Bay comme agent libre le 28 septembre 1993 • Signe avec Montréal comme agent libre le 25 février 1994 • Signe avec Buffalo comme agent libre le 8 septembre 1995 • Signe avec Chicago comme agent libre le 2 septembre 1998 • Signe avec Toronto comme agent libre le 14 septembre 1999 • Signe avec Knoxville (UHL) le 20 octobre 1999

## FONTINATO, LOUIS (LOU)

**Né à Guelph, Ontario, le 20 janvier 1932. Défenseur, lance de la gauche, 6'1", 195 lb**

| SAISON | CLUB | LIGUE | PJ | B | A | PTS | PUN | PJ | B | A | PTS | PUN |
|---|---|---|---|---|---|---|---|---|---|---|---|---|
| 1949-50 | Guelph (Biltmores) | OHA B | *Statistiques non disponibles* | | | | | | | | | |
| 1950-51 | Guelph (Biltmores) | OHA Jr | 45 | 3 | 11 | 14 | 93 | 5 | 0 | 0 | 0 | 0 |
| 1951-52 | Gulph (Biltmores) | OHA | 48 | 6 | 15 | 21 | 152 | 11 | 0 | 1 | 1 | 37 |
| | Guelph (Biltmores) | Mem. | 12 | 1 | 3 | 4 | *50 | - | - | - | - | - |
| 1952-53 | Vancouver (Canucks) | WHL | 65 | 3 | 18 | 21 | 169 | 9 | 1 | 3 | 4 | 12 |
| 1953-54 | Vancouver/Saskatoon | WHL | 63 | 4 | 14 | 18 | 147 | 6 | 0 | 1 | 1 | 25 |
| 1954-55 | Saskatoon (Quakers) | WHL | 35 | 4 | 6 | 10 | 55 | - | - | - | - | - |
| | New York (Rangers) | LNH | 27 | 2 | 2 | 4 | 60 | - | - | - | - | - |
| 1955-56 | New York (Rangers) | LNH | 70 | 3 | 15 | 18 | *202 | 4 | 0 | 0 | 0 | 6 |
| 1956-57 | New York (Rangers) | LNH | 70 | 3 | 12 | 15 | 139 | 5 | 0 | 0 | 0 | 6 |
| 1957-58 | New York (Rangers) | LNH | 70 | 3 | 8 | 11 | *152 | 6 | 0 | 1 | 1 | 6 |
| 1958-59 | New York (Rangers) | LNH | 64 | 7 | 6 | 13 | 149 | - | - | - | - | - |
| 1959-60 | New York (Rangers) | LNH | 64 | 2 | 13 | 15 | 137 | - | - | - | - | - |
| 1960-61 | New York (Rangers) | LNH | 53 | 2 | 3 | 5 | 100 | - | - | - | - | - |
| 1961-62 | **Montréal (Canadiens)** | LNH | 54 | 2 | 13 | 15 | *167 | 6 | 0 | 1 | 1 | 23 |
| 1962-63 | **Montréal (Canadiens)** | LNH | 63 | 2 | 8 | 10 | 141 | - | - | - | - | - |
| | **LNH** | | 535 | 26 | 78 | 104 | 1247 | 21 | 0 | 2 | 2 | 42 |
| | **Montréal** | | 117 | 4 | 21 | 25 | 308 | 6 | 0 | 1 | 1 | 23 |

• Coupe Memorial en 1951-52 • Droits vendus à Montréal par New York le 13 juin 1961

## FOURNIER, JACQUES (JACK)

**Né à Ottawa, Ontario, le 4 août 1892, décédé. Avant, lance de la droite, 5'11", 175 lb**

| SAISON | CLUB | LIGUE | PJ | B | A | PTS | PUN | PJ | B | A | PTS | PUN |
|---|---|---|---|---|---|---|---|---|---|---|---|---|
| 1914-15 | **Montréal (Canadien)** | NHA | 9 | 0 | 0 | 0 | 3 | - | - | - | - | - |
| 1915-16 | **Montréal (Canadien)** | NHA | 10 | 1 | 0 | 1 | 4 | - | - | - | - | - |
| 1916-17 | Ottawa (Senators) | NHA | 8 | 0 | 0 | 0 | 0 | - | - | - | - | - |
| | **NHA** | | 27 | 1 | 0 | 1 | 7 | - | - | - | - | - |
| | **Montréal** | | 19 | 1 | 0 | 1 | 7 | - | - | - | - | - |

• Coupe Stanley (NHA) en 1915-16 • Signe avec Montréal (NHA) le 14 janvier 1915
• Échangé à Ottawa (NHA) par Montréal (NHA) pour Harold McNamara le 27 novembre 1916

## FRAMPTON, ROBERT (BOB)

**Né à Toronto, Ontario, le 20 janvier 1929
Ailier gauche, lance de la gauche, 5'10", 175 lb**

| SAISON | CLUB | LIGUE | PJ | B | A | PTS | PUN | PJ | B | A | PTS | PUN |
|---|---|---|---|---|---|---|---|---|---|---|---|---|
| 1946-47 | Montréal (Royals) | LHJQ | 27 | 22 | 9 | 31 | 25 | 8 | 4 | 4 | 8 | 4 |
| 1947-48 | Montréal (Royals) | LHJQ | 27 | 19 | 27 | 46 | 40 | 7 | 3 | 2 | 5 | 11 |
| 1948-49 | Montréal (Royals) | LHJQ | 46 | 32 | 33 | 65 | 44 | 10 | 11 | 4 | 15 | 8 |
| | Montréal (Royals) | LHSQ | 2 | 0 | 1 | 1 | 2 | - | - | - | - | - |
| | Montréal (Royals) | Mem. | 15 | 13 | 4 | 17 | 12 | - | - | - | - | - |
| 1949-50 | Cincinnati (Mohawks) | AHL | 60 | 9 | 19 | 28 | 29 | - | - | - | - | - |
| | **Montréal (Canadiens)** | LNH | 2 | 0 | 0 | 0 | 0 | 3 | 0 | 0 | 0 | 0 |
| 1950-51 | Victoria (Cougars) | PCHL | 52 | 20 | 41 | 61 | 40 | 12 | 2 | 5 | 7 | 2 |
| 1951-52 | Victoria (Cougars) | PCHL | 69 | 34 | 26 | 60 | 50 | 13 | 8 | 3 | 11 | 4 |
| 1952-53 | Montréal (Royals) | LHMQ | 59 | 19 | 18 | 37 | 32 | 16 | 4 | 8 | 12 | 10 |
| 1953-54 | Montréal (Royals) | LHQ | 55 | 12 | 18 | 30 | 18 | 8 | 0 | 1 | 1 | 6 |
| 1954-55 | Montréal (Royals) | LHQ | 6 | 1 | 1 | 2 | 0 | - | - | - | - | - |
| | **LNH** | | 2 | 0 | 0 | 0 | 0 | 3 | 0 | 0 | 0 | 0 |
| | **Montréal** | | 2 | 0 | 0 | 0 | 0 | 3 | 0 | 0 | 0 | 0 |

• Première équipe d'Étoiles (LHJQ) en 1946-47 • Coupe Memorial en 1948-49
• Signe avec Montréal le 28 juin 1949 • Réclamé par Chicago de Montréal (Royals- LHQ) lors du repêchage inversé le 10 juin 1953

## FRASER, GORDON (GORD)

**Né à Pembroke, Ontario, le 3 janvier 1902, décédé en 1966
Défenseur, lance de la gauche, 6', 180 lb**

| SAISON | CLUB | LIGUE | PJ | B | A | PTS | PUN | PJ | B | A | PTS | PUN |
|---|---|---|---|---|---|---|---|---|---|---|---|---|
| 1916-17 | Pembroke (Munitions) | OVJHL | 5 | 2 | 0 | 2 | | - | - | - | - | - |
| 1917-18 | Pembroke (Munitions) | OVJHL | 6 | 4 | 0 | 4 | | - | - | - | - | - |
| 1918-19 | Port Arthur (Ports) | TBJHL | 6 | 4 | 0 | 4 | | - | - | - | - | - |
| 1919-20 | Calgary (Wanderers) | BIG 4 | 10 | 2 | 1 | 3 | 20 | 2 | 1 | 0 | 0 | |
| 1920-21 | Calgary (Tigers) | BIG 4 | 15 | 11 | 6 | 17 | 33 | - | - | - | - | - |

| SAISON | CLUB | LIGUE | PJ | B | A | PTS | PUN | PJ | B | A | PTS | PUN |
SAISONS RÉGULIÈRES · SÉRIES ÉLIMINATOIRES

| SAISON | CLUB | LIGUE | PJ | B | A | PTS | PUN | PJ | B | A | PTS | PUN |
|---|---|---|---|---|---|---|---|---|---|---|---|---|
| 1921-22 | Seattle (Metropolitans) | PCHA | 24 | 5 | 2 | 7 | 32 | 2 | 0 | 0 | 0 | 0 |
| 1922-23 | Seattle (Metropolitans) | PCHA | 29 | 4 | 4 | 8 | 46 | - | - | - | - | - |
| 1923-24 | Seattle (Metropolitans) | PCHA | 30 | 14 | 3 | 17 | *64 | 2 | 0 | 0 | 0 | 4 |
| 1924-25 | Victoria (Cougars) | WCHL | 28 | 9 | 3 | 12 | 64 | 8 | 2 | 1 | 3 | 18 |
| 1925-26 | Victoria (Cougars) | WHL | 7 | 1 | 0 | 1 | 12 | 8 | 2 | 0 | 2 | 24 |
| 1926-27 | Chicago (Black Hawks) | LNH | 44 | 14 | 6 | 20 | 89 | 2 | 1 | 0 | 1 | 6 |
| 1927-28 | Chicago (Black Hawks) | LNH | 11 | 1 | 1 | 2 | 10 | - | - | - | - | - |
| | Detroit (Cougars) | LNH | 30 | 3 | 1 | 4 | 50 | - | - | - | - | - |
| 1928-29 | Detroit (Cougars) | LNH | 14 | 0 | 0 | 0 | 12 | - | - | - | - | - |
| | Detroit (Olympics) | Can-Pro | 28 | 0 | 0 | 0 | 27 | 7 | 1 | 1 | 2 | 23 |
| 1929-30 | **Montréal (Canadiens)** | **LNH** | **10** | **0** | **0** | **0** | **4** | - | - | - | - | - |
| | Providence (Reds) | Can-Am | 7 | 5 | 1 | 6 | 34 | - | - | - | - | - |
| | Pittsburgh (Pirates) | LNH | 30 | 6 | 4 | 10 | 37 | - | - | - | - | - |
| 1930-31 | Philadelphie (Quakers) | LNH | 0 | 0 | 0 | 0 | 22 | - | - | - | - | - |
| | Pittsburgh (Yellowjackets) | IHL38 | 7 | 3 | 10 | 75 | | - | - | - | - | - |
| 1931-32 | Pittsburgh (Yellowjackets) | IHL45 | 10 | 15 | 25 | 90 | - | - | - | - | - | |
| 1932-33 | London (Tecumsehs) | IHL | 44 | 3 | 8 | 11 | 60 | 6 | 0 | 0 | 0 | 16 |
| 1933-34 | Seattle (Seahawks) | NWHL | 27 | 11 | 8 | 19 | 48 | - | - | - | - | - |
| | London (Tecumsehs) | IHL | 6 | 0 | 0 | 4 | | - | - | - | - | - |
| 1934-35 | Portland (Buckaroos) | NWHL | 32 | 10 | 7 | 17 | 66 | 3 | 1 | 0 | 1 | 10 |
| 1935-36 | Pittsburgh (Shamrocks) | IHL | 15 | 4 | 2 | 6 | 14 | | | | | |
| | | **LNH** | **144** | **24** | **12** | **36** | **224** | **2** | **1** | **0** | **1** | **6** |
| | | **Montréal** | **10** | **0** | **0** | **0** | **4** | | | | | |

• **Deuxième équipe d'étoiles (PCHA) en 1922-23 • Première équipe d'étoiles (PCHA) en 1923-24 • Deuxième équipe d'étoiles (WCHL) en 1924-25 • Coupe Stanley (WCHL) en 1924-25**
• Signe avec Seattle (PCHA) en novembre 1921 • Signe avec Victoria (WCHL) le 7 novembre 1924 • Transfert de la concession de Victoria (WHL) à Detroit le 15 mai 1926 • Échangé à Chicago par Detroit avec Art Gagné pour les droits sur Art Duncan le 18 octobre 1926. • Échangé à Detroit par Chicago avec une somme d'argent pour Duke Keats le 16 décembre 1927 • Droits vendus à Montréal par Detroit le 10 octobre 1929 • Prêté à Providence (Can-Am) par Montréal le 8 décembre 1929 • Échangé à Pittsburgh par Montréal pour Bert McCaffrey le 23 décembre 1929 • Transfert de la concession de Pittsburgh à Philadelphie le 18 octobre 1930 • Droits vendus à Pittsburgh (IHL) par Philadelphie le 28 novembre 1930

## FRASER, SCOTT

**Né à Moncton, Nouveau-Brunswicks, le 3 mai 1972. Centre, lance de la droite, 6'1", 178 lb (12e choix de Montréal, 193e au total lors du repêchage de 1991)**

| SAISON | CLUB | LIGUE | PJ | B | A | PTS | PUN | PJ | B | A | PTS | PUN |
|---|---|---|---|---|---|---|---|---|---|---|---|---|
| 1987-88 | Moncton (Flyers) | NBAHA | | | Statistiques non disponible | | | - | - | - | - | - |
| 1988-89 | Wexford (Raiders) | OJHL B | 42 | 3 | 13 | 16 | 54 | - | - | - | - | - |
| 1990-91 | Dartmouth College | ECAC | 24 | 10 | 10 | 20 | 30 | - | - | - | - | - |
| 1991-92 | Dartmouth College | ECAC | 24 | 11 | 7 | 18 | 60 | - | - | - | - | - |
| 1992-93 | Dartmouth College | ECAC | 26 | 21 | 23 | 44 | 13 | - | - | - | - | - |
| | Canada | Éq. nat. | 5 | 1 | 0 | 1 | 0 | - | - | - | - | - |
| 1993-94 | Dartmouth College | ECAC | 24 | 17 | 13 | 30 | 34 | - | - | - | - | - |
| | Canada | Éq. nat. | 4 | 0 | 1 | 1 | 4 | - | - | - | - | - |
| 1994-95 | Fredericton (Canadien) | AHL | 65 | 23 | 25 | 48 | 36 | 16 | 3 | 5 | 8 | 14 |
| | Wheeling (Thunderbirds) | ECHL | 8 | 4 | 3 | 6 | 2 | - | - | - | - | - |
| 1995-96 | **Montréal (Canadiens)** | **LNH** | **15** | **2** | **0** | **2** | **4** | - | - | - | - | - |
| | Fredericton (Canadien) | AHL | 58 | 37 | 37 | 74 | 43 | 10 | 9 | 7 | 16 | 2 |
| 1996-97 | Fredericton (Canadien) | AHL | 7 | 3 | 8 | 11 | 0 | - | - | - | - | - |
| | Saint John (Flames) | AHL | 37 | 22 | 10 | 32 | 24 | - | - | - | - | - |
| | San Antonio (Dragons) | IHL | 8 | 0 | 1 | 1 | 2 | - | - | - | - | - |
| | Caroline (Monarchs) | AHL | 18 | 9 | 19 | 28 | 12 | - | - | - | - | - |
| 1997-98 | Edmonton (Oilers) | LNH | 29 | 12 | 11 | 23 | 6 | 11 | 1 | 1 | 2 | 0 |
| | Hamilton (Bulldogs) | AHL | 50 | 29 | 32 | 61 | 26 | - | - | - | - | - |
| 1998-99 | New York (Rangers) | LNH | 6 | 4 | 1 | 6 | 14 | - | - | - | - | - |
| | Hartford (Wolf Pack) | AHL | 36 | 13 | 24 | 37 | 20 | 4 | 4 | 3 | 4 | 4 |
| | | **LNH** | **72** | **16** | **15** | **31** | **24** | **11** | **1** | **1** | **2** | **0** |
| | | **Montréal** | **15** | **2** | **0** | **4** | | - | - | - | - | - |

• **Deuxième équipe d'étoiles (ECAC) en 1992-93**
• Échangé à Calgary par Montréal pour David Lang et le choix de 6e ronde de Calgary au repêchage de 1998 (Gordie Dwyer) le 24 octobre 1996 • Signe avec Edmonton comme agent libre le 28 juillet 1997 • Échangé à San Antonio (IHL) par Calgary pour Brent Bilodeau en février 1997 • Signe avec New York (Rangers) comme agent libre le 29 août 1998

## FRÉCHETTE, CLAYTON

**Décédé. Ailier gauche, défenseur**

| SAISON | CLUB | LIGUE | PJ | B | A | PTS | PUN | PJ | B | A | PTS | PUN |
|---|---|---|---|---|---|---|---|---|---|---|---|---|
| 1912-13 | **Montréal (Canadiens)** | **NHA** | **1** | **0** | **0** | **0** | **0** | - | - | - | - | - |
| 1913-14 | **Montréal (Canadiens)** | **NHA** | **1** | **0** | **0** | **0** | **0** | - | - | - | - | - |
| | | **NHA** | **2** | **0** | **0** | **0** | **0** | - | - | - | - | - |
| | | **Montréal** | **2** | **0** | **0** | **0** | **0** | - | - | - | - | - |

• Droits vendus à Montréal (NHA) par Hamilton (Alerts) avec James Roy le 3 février 1913

## FREW, IRVINE (IRV)

**Né à Kilsyth, Écosse, le 16 août 1907, décédé**
**Défenseur, lance de la droite, 5'10", 180 lb**

| SAISON | CLUB | LIGUE | PJ | B | A | PTS | PUN | PJ | B | A | PTS | PUN |
|---|---|---|---|---|---|---|---|---|---|---|---|---|
| 1925-26 | Calgary (Canadien) | CCJHL | | | Statistiques non disponible | | | | | | | |
| | Calgary (Canadien) | Mem. | 9 | 1 | 2 | 3 | 20 | - | - | - | - | - |
| 1926-27 | Calgary (Tigers) | PrHL | 27 | 0 | 0 | 0 | 8 | 2 | 0 | 0 | 0 | 0 |
| 1927-28 | Stratford (Nationals) | Can-Pro | 41 | 6 | 1 | 7 | 72 | 5 | 1 | 0 | 1 | 12 |
| 1928-29 | Buffalo (Bisons) | Can-Pro | 24 | 1 | 1 | 2 | 43 | - | - | - | - | - |
| | Toronto (Millionaires) | Can-Pro | 20 | 2 | 2 | 4 | 24 | 2 | 0 | 0 | 0 | 12 |
| 1929-30 | Cleveland (Indians) | IHL | 41 | 3 | 3 | 6 | 61 | 6 | 0 | 0 | 0 | 6 |
| 1930-31 | Cleveland (Indians) | IHL | 45 | 3 | 5 | 8 | 59 | 4 | 0 | 0 | 0 | 6 |
| 1931-32 | Cleveland (Indians) | IHL | 9 | 1 | 0 | 1 | 31 | - | - | - | - | - |
| 1932-33 | Cleveland (Indians) | IHL | 19 | 2 | 0 | 2 | 56 | - | - | - | - | - |

| SAISON | CLUB | LIGUE | PJ | B | A | PTS | PUN | PJ | B | A | PTS | PUN |
|---|---|---|---|---|---|---|---|---|---|---|---|---|
| | Québec (Castors) | Can-Am | 26 | 1 | 2 | 3 | 57 | - | - | - | - | - |
| 1933-34 | Montréal (Maroons) | LNH | 30 | 2 | 1 | 3 | 41 | 4 | 0 | 0 | 0 | 6 |
| | Québec (Castors) | Can-Am | 14 | 3 | 1 | 4 | 16 | - | - | - | - | - |
| 1934-35 | St. Louis (Eagles) | LNH | 48 | 0 | 2 | 2 | 89 | - | - | - | - | - |
| 1935-36 | **Montréal (Canadiens)** | **LNH** | **18** | **0** | **2** | **2** | **16** | - | - | - | - | - |
| | Springfield (Indians) | Can-Am | 14 | 0 | 2 | 3 | 23 | 3 | 0 | 0 | 0 | 4 |
| 1936-37 | Springfield (Indians) | IAHL | 47 | 6 | 5 | 11 | 65 | 5 | 0 | 0 | 0 | 11 |
| 1937-38 | Springfield (Indians) | IAHL | 14 | 0 | 0 | 19 | | - | - | - | - | - |
| | Vancouver (Lions) | PCHL | 10 | 0 | 1 | 25 | | 6 | 0 | 0 | 0 | *22 |
| 1938-39 | Spokane (Clippers) | PCHL | 45 | 1 | 7 | 8 | 106 | - | - | - | - | - |
| 1939-40 | Springfield (Indians) | IAHL | 50 | 2 | 4 | 8 | 69 | 3 | 0 | 1 | 1 | 2 |
| 1940-41 | St. Louis (Flyers) | AHA | 39 | 6 | 5 | 11 | 37 | 9 | 1 | 0 | 1 | 17 |
| | | **LNH** | **96** | **2** | **5** | **7** | **146** | **4** | **0** | **0** | **0** | **6** |
| | | **Montréal** | **18** | **0** | **2** | **2** | **16** | - | - | - | - | - |

• **Deuxième équipe d'étoiles (AHA) en 1940-41 • Signe avec Stratford (Can-Pro) le 20 novembre 1927**
• Échangé à Ottawa par Montréal (Maroons) avec considérations futures (Vern Ayres et Norman Smith le 22 octobre 1934) pour Al Shields le 20 septembre 1934 • Transféré à St. Louis lors de la relocalisation de la concession d'Ottawa le 22 septembre 1934.
• Réclamé par Montréal avec Bill Beveridge et Henri Lauzon lors du repêchage de dispersion de St. Louis le 15 octobre 1935

## FRYDAY, ROBERT (BOB)

**Né à Toronto, Ontario, le 5 décembre 1928. Ailier droit, lance de la droite, 5'10", 155 lb**

| SAISON | CLUB | LIGUE | PJ | B | A | PTS | PUN | PJ | B | A | PTS | PUN |
|---|---|---|---|---|---|---|---|---|---|---|---|---|
| 1944-45 | Etobicoke (Indians) | OHA B | | | Statistiques non disponibles | | | | | | | |
| 1945-46 | Toronto (Marlboros) | OHA Jr | 25 | 10 | 7 | 17 | 18 | 4 | 3 | 1 | 4 | 0 |
| | Toronto (Mahers) | TIHL | 20 | 11 | 13 | 24 | 8 | 10 | 9 | 4 | 13 | 0 |
| 1946-47 | Montréal (Royals) | LHJQ | 27 | 26 | 26 | 52 | 11 | 8 | 8 | 7 | 15 | 6 |
| | Montréal (Royals) | Mem. | 7 | 9 | 10 | 19 | 5 | - | - | - | - | - |
| 1947-48 | Montréal (Royals) | LHSQ | 44 | 22 | 8 | 30 | 21 | 3 | 0 | 1 | 1 | 0 |
| 1848-49 | Montréal (Royals) | LHSQ | 64 | 24 | 20 | 44 | 32 | 8 | 3 | 3 | 6 | 11 |
| 1949-50 | Montréal (Royals) | LHSQ | 55 | 15 | 32 | 47 | 28 | 5 | 0 | 0 | 0 | 0 |
| | **Montréal (Canadiens)** | **LNH** | **2** | **1** | **0** | **1** | **0** | - | - | - | - | - |
| 1950-51 | Montréal (Royals) | LHSQ | 43 | 17 | 26 | 43 | 35 | 7 | 2 | 4 | 2 | 2 |
| 1951-52 | Montréal (Royals) | LHSQ | 51 | 15 | 15 | 30 | 32 | 6 | 2 | 0 | 1 | 2 |
| | **Montréal (Canadiens)** | **LNH** | **3** | **0** | **0** | **0** | **0** | - | - | - | - | - |
| | Cincinnati (Mohawks) | AHL | | | | | | 5 | 1 | 4 | 5 | 2 |
| 1952-53 | Buffalo (Bisons) | AHL | 57 | 18 | 13 | 31 | 6 | - | - | - | - | - |
| | | **LNH** | **5** | **1** | **0** | **1** | **0** | - | - | - | - | - |
| | | **Montréal** | **5** | **1** | **0** | **1** | **0** | - | - | - | - | - |

• Prêté à Montréal par Montréal (Royals- LHSQ) avec Lulu Denis le 11 février 1950 • Prêté à Montréal par Montréal (Royals- LHSQ) le 13 février 1952

## GAGNÉ, ARTHUR (ART)

**Né à Ottawa, Ontario, le 11 octobre 1897, décédé**
**Ailier droit, lance de la droite, 5'7", 160 lb**

| SAISON | CLUB | LIGUE | PJ | B | A | PTS | PUN | PJ | B | A | PTS | PUN |
|---|---|---|---|---|---|---|---|---|---|---|---|---|
| 1914-15 | Ottawa (Aberdeens) | OCHL | 3 | 1 | 0 | 1 | | 1 | 0 | 0 | 0 | - |
| | Ottawa (Royal Canadians) | OCHL | 5 | 2 | 0 | 2 | | 2 | 0 | 0 | 0 | - |
| 1915-16 | Ottawa (Aberdeens) | OCHL | 5 | 4 | 0 | 4 | | - | - | - | - | - |
| 1916-17 | Ottawa (Grand Trunks) | OCHL | 3 | 1 | 0 | 1 | | - | - | - | - | - |
| | Laval (Université) | LHCM | 7 | 11 | 5 | 16 | | - | - | - | - | - |
| 1917-18 | Québec (Sons of Ireland) | LHCQ | 9 | 1 | 0 | 1 | | 1 | 1 | 0 | 1 | 0 |
| 1918-19 | Québec (Montagnais) | LHSQ | 5 | 7 | 0 | 7 | | 3 | 5 | 0 | 5 | 9 |
| 1919-20 | Québec (Montagnais) | LHCQ | | | Statistiques non disponibles | | | | | | | |
| 1920-21 | Edmonton (Eskimos) | BIG 4 | 15 | 9 | 4 | 13 | 22 | - | - | - | - | - |
| 1921-22 | Edmonton (Eskimos) | WCHL | 20 | 15 | 7 | 22 | 24 | 2 | 0 | 0 | 0 | 0 |
| 1922-23 | Edmonton (Eskimos) | WCHL | 29 | 22 | *21 | *43 | 63 | 4 | 1 | 0 | 1 | 2 |
| 1923-24 | Regina (Capitals) | WCHL | 25 | 7 | 7 | 14 | 39 | 2 | 0 | 0 | 0 | 0 |
| 1924-25 | Regina (Capitals) | WCHL | 28 | 8 | 7 | 15 | 32 | - | - | - | - | - |
| 1925-26 | Edmonton (Eskimos) | WHL | 24 | 35 | 10 | 45 | 24 | 2 | 1 | 2 | 3 | 6 |
| 1926-27 | **Montréal (Canadiens)** | **LNH** | **44** | **14** | **3** | **17** | **42** | **4** | **0** | **0** | **0** | **0** |
| 1927-28 | **Montréal (Canadiens)** | **LNH** | **44** | **20** | **10** | **30** | **75** | **2** | **1** | **1** | **2** | **4** |
| 1928-29 | **Montréal (Canadiens)** | **LNH** | **44** | **7** | **3** | **10** | **52** | **3** | **0** | **0** | **0** | **12** |
| 1929-30 | Boston (Bruins) | LNH | 6 | 0 | 1 | 6 | | - | - | - | - | - |
| | Ottawa (Senators) | LNH | 30 | 4 | 1 | 5 | 13 | - | - | - | - | - |
| 1930-31 | Ottawa (Senators) | LNH | 44 | 19 | 11 | 30 | 50 | - | - | - | - | - |
| 1931-32 | Detroit (Falcons) | LNH | 13 | 1 | 1 | 2 | 7 | - | - | - | - | - |
| | Detroit (Olympics) | IHL | 29 | 6 | 7 | 13 | 18 | 6 | 0 | 1 | 1 | 2 |
| 1932-33 | Edmonton (Eskimos) | WCHL | 29 | 25 | 7 | 32 | 25 | *6 | 1 | *7 | 7 |
| 1933-34 | Edmonton (Eskimos) | NWHL | 33 | 18 | *21 | 39 | 29 | 2 | 1 | 1 | 2 | 2 |
| 1934-35 | Edmonton (Eskimos) | NWHL | 28 | 20 | 12 | 32 | 18 | 4 | 0 | 1 | 1 | 0 |
| 1935-36 | Seattle (Seahawks) | NWHL | 10 | 1 | 4 | 5 | 8 | - | - | - | - | - |
| | Edmonton (Eskimos) | NWHL | 12 | 6 | | | | - | - | - | - | - |
| | | **LNH** | **228** | **67** | **33** | **100** | **257** | **11** | **2** | **1** | **3** | **20** |
| | | **Montréal** | **132** | **41** | **16** | **57** | **169** | **9** | **1** | **1** | **2** | **16** |

• **Deuxième équipe d'étoiles (OCHL) en 1915-16 • Première équipe d'étoiles (WCHL) en 1922-23 • Deuxième équipe d'étoiles (WCHL) en 1921-22 • Première équipe d'étoiles (WHL) en 1925-26**
• Signe avec Edmonton (WCHL) le 4 novembre 1921 • Échangé à Regina (WCHL) par Edmonton (WCHL) pour Emory Sparrow et une somme d'argent le 3 octobre 1923 • Transféré à Portland lors de la relocalisation de la concession de Regina (WCHL) le 28 septembre 1925. • Échangé à Edmonton (WHL) par Portland (WHL) avec Eddie Shore pour Joe McCormack et Bob Trapp le 7 octobre 1925 • Droits vendus à Detroit par Edmonton (WHL) le 5 octobre 1926. • Échangé à Chicago par Detroit avec Gord Fraser pour les droits sur Art Duncan le 18 octobre 1926 • Droits vendus à Montréal par Chicago le 18 octobre 1926 • Droits vendus à Boston par Montréal avec Herb Gardiner et George Patterson le 13 mai 1929 • Droits vendus à Ottawa par Boston le 21 décembre 1929 • Réclamé par Detroit lors du repêchage de dispersion d'Ottawa le 26 septembre 1931 • Échangé à Seattle (NWHL) par Edmonton (NWHL) pour Les Whittles en septembre 1935 • Signe avec Edmonton (NWHL) le 20 décembre 1935

## GAGNON, GERMAIN

**Né à Chicoutimi, Québec, le 9 décembre 1942**
**Ailier gauche, lance de la gauche, 6', 175 lb**

| SAISON | CLUB | LIGUE | PJ | B | A | PTS | PUN | PJ | B | A | PTS | PUN |
|---|---|---|---|---|---|---|---|---|---|---|---|---|
| 1960-61 | Lachine (Maroons) | LHJMM | | | | Statistiques non disponible | | | | | | |
| | Hull (Canadien) | Allan | 3 | 0 | 0 | 0 | 0 | - | - | - | - | - |
| 1961-62 | Montréal (Canadien Jr) | OHA Jr | 48 | 20 | 37 | 57 | 63 | 6 | 3 | 4 | 7 | 4 |
| 1962-63 | Montréal (Canadien Jr) | OHA Jr | 50 | 19 | 38 | 57 | 72 | 10 | 3 | 4 | 7 | 16 |
| | Hull-Ottawa (Canadien) | EPHL | 1 | 0 | 0 | 0 | 0 | - | - | - | - | - |
| 1963-64 | Omaha (Knights) | CPHL | 59 | 10 | 25 | 35 | 32 | 10 | 7 | 4 | 11 | 6 |
| 1964-65 | Québec (As) | AHL | 14 | 2 | 7 | 9 | 9 | lb | | | | |
| | Omaha (Knights) | CPHL | 55 | 13 | 25 | 38 | 73 | 6 | 0 | 1 | 1 | 11 |
| 1965-66 | Houston (Apollos) | CPHL | 64 | 14 | 30 | 44 | 58 | - | - | - | - | - |
| 1966-67 | Québec (As) | AHL | 7 | 0 | 1 | 1 | 0 | - | - | - | - | - |
| | Providence (Reds) | AHL | 5 | 0 | 0 | 0 | 0 | - | - | - | - | - |
| | Houston (Apollos) | CPHL | 30 | 6 | 10 | 16 | 43 | 5 | 2 | 2 | 4 | 0 |
| 1967-68 | Memphis (South Stars) | CPHL | 65 | 26 | 34 | 60 | 23 | 3 | 0 | 0 | 0 | 0 |
| 1968-69 | Vancouver (Canucks) | WHL | 61 | 8 | 21 | 29 | 16 | 8 | 1 | 2 | 3 | 0 |
| 1969-70 | Vancouver (Canucks) | WHL | 72 | 16 | 27 | 43 | 23 | 11 | 2 | 3 | 5 | 4 |
| 1970-71 | Montréal (Voyageurs) | AHL | 61 | 20 | 28 | 48 | 36 | 3 | 3 | 1 | 4 | 0 |
| 1971-72 | Montréal (Canadiens) | LNH | 4 | 0 | 0 | 0 | 0 | - | - | - | - | - |
| | Nlle-Écosse (Voyageurs) | AHL | 70 | 25 | 56 | 81 | 34 | 15 | 5 | *15 | 20 | 8 |
| 1972-73 | New York (Islanders) | LNH | 63 | 12 | 29 | 41 | 31 | - | - | - | - | - |
| 1973-74 | New York (Islanders) | LNH | 62 | 8 | 14 | 22 | 8 | - | - | - | - | - |
| | Chicago (Black Hawks) | LNH | 14 | 3 | 14 | 17 | 4 | 11 | 2 | 2 | 4 | 0 |
| 1974-75 | Chicago (Black Hawks) | LNH | 80 | 16 | 35 | 51 | 21 | 8 | 0 | 1 | 1 | 0 |
| 1975-76 | Chicago (Black Hawks) | LNH | 5 | 0 | 0 | 0 | 0 | - | - | - | - | - |
| | Springfield (Indians) | AHL | 4 | 1 | 1 | 2 | 0 | - | - | - | - | - |
| | Kansas City (Scouts) | LNH | 31 | 1 | 9 | 10 | 4 | - | - | - | - | - |
| | New Haven (Nighthawks) | AHL | 26 | 12 | 16 | 28 | 14 | 3 | 1 | 0 | 1 | 0 |
| | **LNH** | | **259** | **40** | **101** | **141** | **72** | **19** | **2** | **3** | **5** | **2** |
| | **Montréal** | | **4** | **0** | **0** | **0** | **0** | **-** | **-** | **-** | **-** | **-** |

• Prêté à Vancouver (WHL) par Montréal le 10 octobre 1968 • Réclamé par Salt Lake (WHL) de Montréal lors du repêchage inversé du 12 juin 1969 • Échangé à Vancouver (WHL) par Salt Lake (WHL) avec une somme d'argent pour Billy McNeil le 19 août 1969 • Droits transférés à Vancouver lors de l'achat de la concession de Vancouver (WHL) pour la LNH le 19 décembre 1969 • Droits vendus à Montréal par Vancouver le 3 novembre 1970 • Échangé à New York (Islanders) par Montréal pour le choix de 2e ronde des Islanders au repêchage de 1973 (Glen Goldup) le 18 août 1972 • Échangé à Chicago par New York (Islanders) pour une compensation financière et un joueur à être nommé plus tard (Walt Ledingham le 24 mars 1974) le 7 mars 1974 • Réclamé au ballottage par Kansas City de Chicago le 28 octobre 1975

## GAGNON, JOHN (JOHNNY)

**Né à Chicoutimi, Québec, le 8 juin 1905, décédé le 22 mars 1984**
**Ailier droit, lance de la droite, 5'5", 140 lb**

| SAISON | CLUB | LIGUE | PJ | B | A | PTS | PUN | PJ | B | A | PTS | PUN |
|---|---|---|---|---|---|---|---|---|---|---|---|---|
| 1922-23 | Chicoutimi (Bleuets) | LHPQ | 7 | 0 | 0 | 0 | - | 1 | 0 | 0 | 0 | - |
| | Québec (Bulldogs) | BIG 4 | 3 | 0 | 0 | 0 | - | - | - | - | - | - |
| 1923-24 | Trois-Rivières (Renards) | ECHL | 9 | 2 | 0 | 2 | - | - | - | - | - | - |
| 1924-25 | Trois-Rivières (Renards) | ECHL | 16 | 18 | 0 | 18 | - | 2 | 5 | 0 | 5 | - |
| 1925-26 | Québec (Sons of Ireland) | AHAQ | 10 | 5 | 0 | 5 | - | 6 | 4 | 0 | 4 | - |
| 1926-27 | Québec (Castors) | Can-Am | 32 | *27 | 6 | *33 | 54 | 2 | 0 | 0 | 0 | 5 |
| 1927-28 | Providence (Reds) | Can-Am | 39 | 20 | 4 | 24 | 80 | - | - | - | - | - |
| 1928-29 | Providence (Reds) | Can-Am | 39 | 7 | 3 | 10 | 50 | 6 | *4 | 0 | 4 | 10 |
| 1929-30 | Providence (Reds) | Can-Am | 39 | 21 | 17 | 38 | 72 | 3 | 2 | *4 | *6 | 6 |
| 1930-31 | Montréal (Canadiens) | LNH | 41 | 18 | 7 | 25 | 43 | 10 | 6 | 2 | 8 | 8 |
| 1931-32 | Montréal (Canadiens) | LNH | 48 | 19 | 18 | 37 | 40 | 4 | 1 | 1 | 2 | 4 |
| 1932-33 | Montréal (Canadiens) | LNH | 48 | 12 | 23 | 35 | 64 | 2 | 0 | 2 | 2 | 0 |
| 1933-34 | Montréal (Canadiens) | LNH | 48 | 9 | 15 | 24 | 25 | 2 | 1 | 0 | 1 | 2 |
| 1934-35 | Boston (Bruins) | LNH | 24 | 1 | 1 | 2 | 9 | - | - | - | - | - |
| | Montréal (Canadiens) | LNH | 23 | 1 | 5 | 6 | 2 | 2 | 0 | 1 | 1 | 2 |
| 1935-36 | Montréal (Canadiens) | LNH | 48 | 7 | 9 | 16 | 42 | - | - | - | - | - |
| 1936-37 | Montréal (Canadiens) | LNH | 48 | 20 | 16 | 36 | 38 | 5 | 2 | 1 | 3 | 9 |
| 1937-38 | Montréal (Canadiens) | LNH | 47 | 13 | 17 | 30 | 9 | 3 | 1 | 3 | 4 | 2 |
| | Match des étoiles | LNH | 1 | 2 | 1 | 3 | 0 | - | - | - | - | - |
| 1938-39 | Montréal (Canadiens) | LNH | 45 | 12 | 22 | 34 | 23 | 3 | 0 | 2 | 2 | 10 |
| 1939-40 | Montréal (Canadiens) | LNH | 10 | 1 | 5 | 6 | 0 | - | - | - | - | - |
| | Match des étoiles | LNH | 1 | 0 | 0 | 0 | 0 | - | - | - | - | - |
| | New York (Americans) | LNH | 24 | 4 | 7 | 11 | 2 | 1 | 0 | 1 | 1 | 0 |
| 1940-41 | Shawinigan (Cataractes) | LHSQ | 33 | 15 | 26 | 41 | 58 | 10 | 3 | *8 | 11 | 12 |
| 1941-42 | North Sydney (Victorias) | CBSHL | 23 | 5 | 11 | 16 | 6 | 4 | 2 | 3 | 5 | 4 |
| 1942-43 | Providence (Reds) | AHL | 50 | 9 | 19 | 12 | - | - | - | - | - | - |
| 1943-44 | | | | | | N'a pas joué- Entraîneur | | | | | | |
| 1944-45 | Providence (Reds) | AHL | 9 | 0 | 5 | 5 | 0 | - | - | - | - | - |
| | **LNH** | | **454** | **120** | **141** | **261** | **295** | **32** | **12** | **12** | **24** | **37** |
| | **Montréal** | | **406** | **115** | **137** | **252** | **286** | **31** | **11** | **12** | **23** | **37** |

• Match des étoiles (LNH) en 1937-38, 1939-40 • Coupe Stanley (LNH) en 1930-31
• Échangé à Montréal par Providence pour Gerry Carson, une somme d'argent et le prêt de Jean Pusie le 21 octobre 1930 • Échangé à Boston par Montréal pour Joe Lamb le 2 octobre 1934 • Droits vendus à Montréal par Boston le 9 janvier 1935 • Droits vendus à New York (Americans) par Montréal le 3 janvier 1940 • Signe avec North Sidney (CBSHL) le 18 décembre 1941

## GAINEY, ROBERT (BOB)

**Né à Peterborough, Ontario, le 13 décembre 1953. Ailier gauche, lance de la gauche,**
**6'2", 200 lb (1er choix de Montréal, 8e au total lors du repêchage de 1973)**

| SAISON | CLUB | LIGUE | PJ | B | A | PTS | PUN | PJ | B | A | PTS | PUN |
|---|---|---|---|---|---|---|---|---|---|---|---|---|
| 1970-71 | Peterborough (Petes) | OHA B | | | | Statistiques non disponible | | | | | | |
| | Peterborough (Petes) | OHA Jr | - | - | - | - | - | 4 | 0 | 0 | 4 | |
| 1971-72 | Peterborough (Petes) | OHA Jr | | | | Statistiques non disponible | | | | | | |
| | Peterborough (Petes) | OMJHL | 4 | 2 | 1 | 3 | 33 | - | - | - | - | - |
| 1972-73 | Peterborough (Petes) | OMJHL | 52 | 22 | 21 | 43 | 99 | - | - | - | - | - |

---

| SAISON | CLUB | LIGUE | PJ | B | A | PTS | PUN | PJ | B | A | PTS | PUN |
|---|---|---|---|---|---|---|---|---|---|---|---|---|
| 1973-74 | Nlle-Écosse (Voyageurs) | AHL | 6 | 2 | 5 | 7 | 4 | - | - | - | - | - |
| | Montréal (Canadiens) | LNH | 66 | 3 | 7 | 10 | 34 | 6 | 0 | 0 | 0 | 6 |
| 1974-75 | Montréal (Canadiens) | LNH | 80 | 17 | 20 | 37 | 49 | 11 | 2 | 4 | 6 | 4 |
| 1975-76 | Montréal (Canadiens) | LNH | 78 | 15 | 13 | 28 | 57 | 13 | 1 | 3 | 4 | 20 |
| 1976-77 | Canada | CC | 5 | 2 | 0 | 2 | 0 | - | - | - | - | - |
| | Montréal (Canadiens) | LNH | 80 | 14 | 19 | 33 | 41 | 14 | 4 | 1 | 5 | 25 |
| | Match des étoiles | LNH | 1 | 0 | 1 | 1 | 0 | - | - | - | - | - |
| 1977-78 | Montréal (Canadiens) | LNH | 66 | 15 | 16 | 31 | 57 | 15 | 2 | 7 | 9 | 14 |
| | Match des étoiles | LNH | 1 | 0 | 0 | 0 | 0 | - | - | - | - | - |
| 1978-79 | Montréal (Canadiens) | LNH | 79 | 20 | 18 | 38 | 44 | 16 | 6 | 10 | 16 | 10 |
| | Étoiles | LNH | 3 | 0 | 0 | 0 | 0 | - | - | - | - | - |
| 1979-80 | Montréal (Canadiens) | LNH | 64 | 14 | 19 | 33 | 32 | 10 | 1 | 1 | 2 | 4 |
| | Match des étoiles | LNH | 1 | 0 | 0 | 0 | 0 | - | - | - | - | - |
| 1980-81 | Montréal (Canadiens) | LNH | 78 | 23 | 24 | 47 | 36 | 3 | 0 | 0 | 0 | 2 |
| | Match des étoiles | LNH | 1 | 0 | 0 | 0 | 0 | - | - | - | - | - |
| 1981-82 | Canada | CC | 7 | 1 | 3 | 4 | 2 | - | - | - | - | - |
| | Montréal (Canadiens) | LNH | 79 | 21 | 24 | 45 | 24 | 5 | 0 | 1 | 1 | 8 |
| | Canada | CM | 10 | 2 | 1 | 3 | 0 | - | - | - | - | - |
| 1982-83 | Montréal (Canadiens) | LNH | 80 | 12 | 18 | 30 | 43 | 3 | 0 | 0 | 0 | 4 |
| | Canada | CM | 10 | 0 | 6 | 6 | 2 | - | - | - | - | - |
| 1983-84 | Montréal (Canadiens) | LNH | 77 | 17 | 22 | 39 | 41 | 15 | 1 | 5 | 6 | 9 |
| 1984-85 | Montréal (Canadiens) | LNH | 79 | 19 | 13 | 32 | 40 | 12 | 1 | 3 | 4 | 13 |
| 1985-86 | Montréal (Canadiens) | LNH | 80 | 20 | 23 | 43 | 20 | 20 | 5 | 5 | 10 | 12 |
| 1986-87 | Montréal (Canadiens) | LNH | 47 | 8 | 8 | 16 | 19 | 17 | 1 | 3 | 4 | 6 |
| 1987-88 | Montréal (Canadiens) | LNH | 78 | 11 | 11 | 22 | 14 | 6 | 0 | 1 | 1 | 6 |
| 1988-89 | Montréal (Canadiens) | LNH | 49 | 10 | 7 | 17 | 34 | 16 | 1 | 4 | 5 | 6 |
| 1989-90 | Épinals (Écureuils) | FRA | 18 | 14 | 12 | 26 | 16 | 10 | 6 | 7 | 13 | 14 |
| | **LNH** | | **1160** | **239** | **262** | **501** | **585** | **182** | **25** | **48** | **73** | **151** |
| | **Montréal** | | **1160** | **239** | **262** | **501** | **585** | **182** | **25** | **48** | **73** | **151** |

• Coupe Stanley (LNH) en 1975-76, 1976-77, 1977-78, 1978-79, 1985-86 • Match des étoiles (LNH) en 1976-77, 1977-78, 1979-80, 1980-81 • Coupe Canada en 1977 • Trophée Frank-J.-Selke (LNH) en 1977-78, 1978-79, 1979-80, 1980-81 • Trophée Conn-Smythe (LNH) en 1978-79 • Médaille de bronze (CM) en 1982, 1983 • Temple de la renommée (LNH) en 1992

## GAMBLE, RICHARD (DICK)

**Né à Moncton Nouveau-Brunswick, le 16 novembre 1928**
**Ailier gauche, lance de la gauche, 6', 178 lb**

| SAISON | CLUB | LIGUE | PJ | B | A | PTS | PUN | PJ | B | A | PTS | PUN |
|---|---|---|---|---|---|---|---|---|---|---|---|---|
| 1944-45 | Moncton (Bruins) | NBJHL | 3 | *3 | 1 | *4 | 2 | 10 | *25 | *9 | *34 | 2 |
| 1945-46 | Moncton (Bruins) | NBJHL | 1 | 0 | 1 | 1 | 7 | 3 | *6 | 3 | *9 | 2 |
| | Saint John (Pontiacs) | Mem. | 4 | 8 | 3 | 11 | 0 | - | - | - | - | - |
| | Halifax (St. Mary's) | Mem. | 1 | 0 | 1 | 0 | 0 | - | - | - | - | - |
| 1946-47 | Oshawa (Generals) | OHA Jr | 24 | 15 | 20 | 35 | 26 | 5 | 3 | 0 | 3 | 0 |
| 1947-48 | Oshawa (Generals) | OHA Jr | 34 | 31 | 16 | 47 | 21 | 3 | 0 | 0 | 0 | 0 |
| 1948-49 | Oshawa (Generals) | OHA Jr | 46 | 39 | 23 | 62 | 10 | 2 | 2 | 0 | 2 | 0 |
| 1949-50 | Québec (As) | LHSQ | 56 | 20 | 25 | 45 | 18 | 12 | 9 | 3 | 12 | 4 |
| 1950-51 | Québec (As) | LHMQ | 58 | *46 | 34 | 80 | 44 | 19 | 10 | 8 | 18 | 14 |
| | Montréal (Canadiens) | LNH | 1 | 0 | 0 | 0 | 0 | - | - | - | - | - |
| 1951-52 | Montréal (Canadiens) | LNH | 64 | 23 | 17 | 40 | 8 | 7 | 0 | 2 | 2 | 0 |
| 1952-53 | Montréal (Canadiens) | LNH | 69 | 11 | 24 | 26 | 5 | 5 | 1 | 0 | 1 | 2 |
| 1953-54 | Montréal (Canadiens) | LNH | 32 | 4 | 8 | 12 | 18 | - | - | - | - | - |
| | Match des étoiles | LNH | 1 | 0 | 0 | 0 | 0 | - | - | - | - | - |
| | Montréal (Royals) | LHQ | 32 | 20 | 25 | 49 | 49 | 10 | 5 | 1 | 6 | 4 |
| 1954-55 | Buffalo (Bisons) | AHL | 45 | 24 | 31 | 59 | 26 | 10 | 4 | 4 | 8 | 4 |
| | Chicago (Black Hawks) | LNH | 14 | 2 | 1 | 3 | 0 | - | - | - | - | - |
| | Montréal (Canadiens) | LNH | - | - | - | - | - | 2 | 0 | 0 | 0 | 2 |
| 1955-56 | Montréal (Canadiens) | LNH | 12 | 0 | 3 | 3 | 8 | - | - | - | - | - |
| | Québec (As) | LHQ | 52 | 23 | 24 | 47 | 45 | 7 | 4 | 3 | 7 | 9 |
| 1956-57 | Québec (As) | LHQ | 63 | 35 | 14 | 49 | 28 | 10 | 4 | 4 | 8 | 6 |
| | Québec (As) | Edin. | 6 | 3 | 2 | 5 | 8 | - | - | - | - | - |
| 1957-58 | Buffalo (Bisons) | AHL | 70 | 32 | 22 | 54 | 32 | - | - | - | - | - |
| 1958-59 | Buffalo (Bisons) | AHL | 70 | 31 | 30 | 61 | 24 | 11 | 2 | 4 | 6 | 4 |
| 1959-60 | Buffalo (Bisons) | AHL | 72 | 27 | 50 | 77 | 22 | - | - | - | - | - |
| 1960-61 | Buffalo (Bisons) | AHL | 72 | 40 | 36 | 76 | 18 | 4 | 0 | 2 | 6 | - |
| 1961-62 | Rochester (Americans) | AHL | 66 | 39 | 29 | 68 | 32 | 2 | 0 | 2 | 2 | 0 |
| 1962-63 | Rochester (Americans) | AHL | 70 | 35 | 22 | 57 | 16 | 2 | 0 | 1 | 1 | 0 |
| 1963-64 | Rochester (Americans) | AHL | 72 | 34 | 34 | 68 | 24 | - | - | - | - | - |
| 1964-65 | Rochester (Americans) | AHL | 70 | 37 | 36 | 73 | 16 | 8 | 5 | 8 | 13 | 6 |
| 1965-66 | Toronto (Maple Leafs) | LNH | 1 | 1 | 0 | 1 | 0 | - | - | - | - | - |
| | Rochester (Americans) | AHL | 71 | *47 | 51 | *98 | 22 | 12 | 2 | *9 | 11 | 16 |
| 1966-67 | Toronto (Maple Leafs) | LNH | 2 | 0 | 0 | 0 | 0 | - | - | - | - | - |
| | Rochester (Americans) | AHL | 46 | 37 | 46 | 83 | 22 | 13 | 4 | 2 | 6 | 4 |
| 1967-68 | Rochester (Americans) | AHL | 67 | 24 | 53 | 77 | 42 | 4 | 0 | 1 | 1 | 8 |
| 1968-69 | Rochester (Americans) | AHL | 74 | 30 | 37 | 67 | 37 | - | - | - | - | - |
| 1969-70 | Rochester (Americans) | AHL | 8 | 3 | 5 | 5 | 0 | - | - | - | - | - |
| | **LNH** | | **195** | **41** | **41** | **82** | **66** | **14** | **1** | **2** | **3** | **4** |
| | **Montréal** | | **178** | **38** | **41** | **79** | **60** | **14** | **1** | **2** | **3** | **4** |

• Première équipe d'étoiles (LHMQ) en 1950-51 • Coupe Stanley (LNH) en 1952-53 • Match des étoiles (LNH) en 1952-53 • Première équipe d'étoiles (AHL) en 1960-61, 1965-66. • Deuxième équipe d'étoiles (AHL) en 1954-55, 1961-62, 1964-65, 1966-67 • Coupe Calder (AHL) en 1964-65, 1965-66, 1967-68 • Trophée John-B.-Sollenberger (AHL) en 1965-66 • Trophée Les-Cunninghan (AHL) en 1965-66
• Signe avec Montréal, Montréal prête Murdo MacKay à Québec (LHMQ) en compensation le 24 septembre 1951 • Échangé à New York (Rangers) par Montréal avec les droits sur Eddie Dorohoy pour Hy Buller le 8 juin 1954 • Transaction annulée à la retraite de Hy Buller en septembre 1954 • Échangé à Chicago par Montréal pour Bill Shevtz et une somme d'argent, Montréal conserve un droit de rappel le 9 octobre 1954 • Droits retournés à Montréal par Chicago le 24 novembre 1954 • Droits vendus à Buffalo (AHL) par Montréal en juillet 1957 • Échangé à Toronto par Buffalo (AHL) pour Dave Creighton en juillet 1961 • Droits transférés à Vancouver (WHL) lorsque Vancouver achète la concession de Rochester (AHL) le 13 août 1968 • Nommé joueur-entraîneur à Rochester (AHL) par Vancouver (WHL) le 23 août 1968

**GAG-GAM**

## GANCHAR, PERRY
Né à Saskatoon, Saskatchewan, le 28 octobre 1963. Ailier droit, lance de la droite, 5'9", 180 lb (3e choix St. Louis, 113e au total lors du repêchage de 1982)

| SAISON | CLUB | LIGUE | SAISONS RÉGULIÈRES | | | | | SÉRIES ÉLIMINATOIRES | | | | |
|---|---|---|---|---|---|---|---|---|---|---|---|---|
| | | | PJ | B | A | PTS | PUN | PJ | B | A | PTS | PUN |
| 1978-79 | Saskatoon (Olympics) | SJHL | 50 | 21 | 33 | 54 | 72 | - | - | - | - | - |
| 1979-80 | Saskatoon (Blades) | WHL | 27 | 9 | 14 | 23 | 60 | - | - | - | - | - |
| 1980-81 | Saskatoon (Blades) | WHL | 72 | 26 | 53 | 79 | 117 | - | - | - | - | - |
| 1981-82 | Saskatoon (Blades) | WHL | 53 | 38 | 52 | 90 | 82 | 5 | 3 | 3 | 6 | 17 |
| 1982-83 | Saskatoon (Blades) | WHL | 68 | 68 | 48 | 116 | 105 | 6 | 1 | 4 | 5 | 24 |
| | Salt Lake (Eagles) | CHL | - | - | - | - | - | 1 | 0 | 1 | 1 | 0 |
| 1983-84 | St. Louis (Blues) | LNH | 1 | 0 | 0 | 0 | 0 | 7 | 3 | 1 | 4 | 0 |
| | Montana (Magic) | CHL | 59 | 23 | 22 | 45 | 77 | - | - | - | - | - |
| 1984-85 | St. Louis (Blues) | LNH | 7 | 0 | 2 | 2 | 0 | - | - | - | - | - |
| | Peoria (Rivermen) | IHL | 63 | 41 | 29 | 70 | 114 | 20 | 4 | 11 | 15 | 49 |
| 1985-86 | Sherbrooke (Canadien) | AHL | 75 | 25 | 29 | 54 | 42 | - | - | - | - | - |
| 1986-87 | Sherbrooke (Canadien) | AHL | 68 | 22 | 29 | 51 | 64 | 17 | 9 | 8 | 17 | 37 |
| 1987-88 | Sherbrooke (Canadien) | AHL | 28 | 12 | 18 | 30 | 61 | - | - | - | - | - |
| | Montréal (Canadiens) | LNH | 1 | 1 | 0 | 1 | 0 | - | - | - | - | - |
| | Pittsburgh (Penguins) | LNH | 30 | 2 | 5 | 7 | 36 | - | - | - | - | - |
| 1988-89 | Pittsburgh (Penguins) | LNH | 3 | 0 | 0 | 0 | 0 | - | - | - | - | - |
| | Muskegon (Lumberjacks) | IHL | 70 | 39 | 34 | 73 | 114 | 14 | 7 | 8 | 15 | 6 |
| 1989-90 | Muskegon (Lumberjacks) | IHL | 79 | 40 | 45 | 85 | 111 | 14 | 3 | 5 | 8 | 27 |
| 1990-91 | Muskegon (Lumberjacks) | IHL | 80 | 37 | 38 | 75 | 87 | 5 | 2 | 1 | 3 | 0 |
| 1991-92 | Muskegon (Lumberjacks) | IHL | 65 | 29 | 20 | 49 | 65 | 14 | 9 | 9 | 18 | 18 |
| 1992-93 | Cleveland (Lumberjacks) | IHL | 79 | 37 | 37 | 74 | 156 | 3 | 0 | 0 | 0 | 4 |
| 1993-94 | Cleveland (Lumberjacks) | IHL | 63 | 14 | 17 | 31 | 48 | - | - | - | - | - |
| 1994-95 | Cleveland (Lumberjacks) | IHL | 60 | 11 | 17 | 28 | 56 | - | - | - | - | - |
| 1995-96 | Cleveland (Lumberjacks) | IHL | 1 | 0 | 0 | 0 | 0 | - | - | - | - | - |
| | **LNH** | | 42 | 3 | 7 | 10 | 36 | 7 | 3 | 1 | 4 | 0 |
| | **Montréal** | | 1 | 1 | 0 | 1 | 0 | - | - | - | - | - |

• Deuxième équipe d'étoiles (IHL) en 1984-85
• Échangé à Montréal par St. Louis pour Ron Flockhart le 26 août 1985 • Échangé à Pittsburgh par Montréal pour des considérations futures (inversion de choix de 3e ronde au repêchage de 1988, Montréal sélectionne Neil Carnes et Pittsburgh Daniel Gauthier) le 17 décembre 1987

## GARDINER, HERBERT (HERB)
Né à Winnipeg, Manitoba, le 8 mai 1891, décédé le 11 janvier 1972
Défenseur, lance de la gauche, 5'10", 190 lb

| SAISON | CLUB | LIGUE | SAISONS RÉGULIÈRES | | | | | SÉRIES ÉLIMINATOIRES | | | | |
|---|---|---|---|---|---|---|---|---|---|---|---|---|
| | | | PJ | B | A | PTS | PUN | PJ | B | A | PTS | PUN |
| 1908-09 | Winnipeg (Victorias) | WSHL | *Statistiques non disponibles* | | | | | | | | | |
| 1909-10 | Winnipeg (Victorias) | WSHL | *Statistiques non disponibles* | | | | | | | | | |
| 1910-11 | | | *N'a pas joué* | | | | | | | | | |
| 1911-12 | | | *N'a pas joué* | | | | | | | | | |
| 1912-13 | | | *N'a pas joué* | | | | | | | | | |
| 1913-14 | | | *N'a pas joué* | | | | | | | | | |
| 1914-15 | Calgary (Monarchs) | AAHL | *Statistiques non disponibles* | | | | | | | | | |
| 1915-16 | | | *Service militaire* | | | | | | | | | |
| 1916-17 | | | *Service militaire* | | | | | | | | | |
| 1917-18 | | | *Service militaire* | | | | | | | | | |
| 1918-19 | Calgary (Wanderers) | CCSHL | *Statistiques non disponibles* | | | | | | | | | |
| 1919-20 | Calgary (Wanderers) | BIG 4 | 12 | 8 | 9 | 17 | 6 | 2 | 0 | 0 | 0 | 2 |
| 1920-21 | Calgary (Wanderers) | BIG 4 | 13 | 7 | 3 | 10 | 6 | - | - | - | - | - |
| 1921-22 | Calgary (Tigers) | WCHL | 24 | 4 | 1 | 5 | 6 | 2 | 0 | 0 | 0 | 0 |
| 1922-23 | Calgary (Tigers) | WCHL | 29 | 9 | 3 | 12 | 9 | - | - | - | - | - |
| 1923-24 | Calgary (Tigers) | WCHL | 22 | 5 | 5 | 10 | 4 | 7 | 3 | 1 | 4 | 0 |
| 1924-25 | Calgary (Tigers) | WCHL | 28 | 8 | 2 | 10 | 18 | 2 | 0 | 0 | 0 | 0 |
| 1925-26 | Calgary (Tigers) | WHL | 27 | 1 | 3 | 4 | 10 | - | - | - | - | - |
| 1926-27 | Montréal (Canadiens) | LNH | 44 | 6 | 6 | 12 | 26 | 4 | 0 | 0 | 0 | 10 |
| 1927-28 | Montréal (Canadiens) | LNH | 44 | 4 | 3 | 7 | 26 | 2 | 0 | 1 | 1 | 4 |
| 1928-29 | Chicago (Black Hawks) | LNH | 13 | 0 | 0 | 0 | 0 | - | - | - | - | - |
| | Montréal (Canadiens) | LNH | 8 | 0 | 0 | 0 | 0 | 3 | 0 | 0 | 0 | 2 |
| 1929-30 | Philadelphie (Arrows) | Can-Am | 1 | 0 | 0 | 0 | 0 | - | - | - | - | - |
| 1931-32 | Philadelphie (Arrows) | Can-Am | 1 | 0 | 0 | 0 | 0 | - | - | - | - | - |
| 1934-35 | Philadelphie (Arrows) | Can-Am | 12 | 0 | 0 | 0 | 0 | - | - | - | - | - |
| | **LNH** | | 109 | 10 | 9 | 19 | 52 | 9 | 0 | 1 | 1 | 16 |
| | **Montréal** | | 96 | 10 | 9 | 19 | 52 | 9 | 0 | 1 | 1 | 16 |

• Première équipe d'étoiles (WCHL) en 1922-23, 1924-25 • Trophée Hart (LNH) en 1926-27 • Membre du Temple de la Renommée (LNH) en 1957-58 • Signe avec Calgary le 4 novembre 1921
• Droits vendus à Montréal par Calgary le 20 octobre 1926 • Prêté à Chicago par Montréal le 27 août 1928 • Rappelé de Chicago par Montréal le 12 février 1929 • Droits vendus à Boston par Montréal avec Art Gagné et George Patterson le 13 mai 1929 • Droits vendus à Philadelphie par Boston le 4 octobre 1929

## GARDNER, DAVID (DAVE)
Né à Toronto, Ontario, le 23 août 1952. Centre, lance de la droite, 6', 180 lb
(3e choix de Montréal, 8e au total lors du repêchage de 1972)

| SAISON | CLUB | LIGUE | SAISONS RÉGULIÈRES | | | | | SÉRIES ÉLIMINATOIRES | | | | |
|---|---|---|---|---|---|---|---|---|---|---|---|---|
| | | | PJ | B | A | PTS | PUN | PJ | B | A | PTS | PUN |
| 1969-70 | St. Michael's (Buzzers) | OHA B | 36 | 54 | 42 | 96 | - | - | - | - | - | - |
| 1970-71 | Toronto (Marlboros) | OMJHL | 62 | 56 | *81 | 137 | 7 | 13 | 7 | 10 | 17 | 2 |
| 1971-72 | Toronto (Marlboros) | OMJHL | 57 | 53 | *76 | *129 | 16 | 10 | 7 | 17 | 24 | 4 |
| 1972-73 | Nlle-Écosse (Voyageurs) | AHL | 66 | 28 | 44 | 72 | 15 | 13 | 5 | 6 | 11 | 4 |
| | Montréal (Canadiens) | LNH | 5 | 1 | 1 | 2 | 0 | - | - | - | - | - |
| 1973-74 | Montréal (Canadiens) | LNH | 31 | 1 | 10 | 11 | 2 | - | - | - | - | - |
| | St. Louis (Blues) | LNH | 15 | 5 | 7 | 12 | 0 | - | - | - | - | - |
| 1974-75 | St. Louis (Blues) | LNH | 8 | 1 | 2 | 3 | 0 | - | - | - | - | - |
| | Californie (Seals) | LNH | 64 | 16 | 20 | 36 | 6 | - | - | - | - | - |
| 1975-76 | Californie (Seals) | LNH | 74 | 16 | 32 | 48 | 8 | - | - | - | - | - |
| 1976-77 | Cleveland (Barons) | LNH | 76 | 16 | 22 | 38 | 9 | - | - | - | - | - |
| 1977-78 | Cleveland (Barons) | LNH | 75 | 19 | 25 | 44 | 10 | - | - | - | - | - |
| 1978-79 | Springfield (Indians) | AHL | 10 | 1 | 3 | 4 | 0 | - | - | - | - | - |
| | Tulsa (Oilers) | CHL | 20 | 4 | 10 | 14 | 2 | - | - | - | - | - |
| | Dallas (Black Hawks) | CHL | 39 | 6 | 27 | 33 | 6 | 9 | 5 | 7 | 12 | 4 |
| 1979-80 | Philadelphie (Flyers) | LNH | 2 | 1 | 1 | 2 | 0 | - | - | - | - | - |
| | Binghamton (Whalers) | AHL | 18 | 3 | 9 | 12 | 2 | - | - | - | - | - |
| | Maine (Mariners) | AHL | 37 | 20 | 35 | 55 | 16 | 12 | 2 | 5 | 7 | 4 |
| 1980-81 | HC Ambri-Piotta | SUI | *Statistiques non disponibles* | | | | | | | | | |
| 1981-82 | HC Ambri-Piotta | SUI | *Statistiques non disponibles* | | | | | | | | | |
| 1982-83 | HC Ambri-Piotta | SUI | 36 | 36 | 22 | 58 | - | - | - | - | - | - |
| 1983-84 | EHC Visp | SUI 2 | 38 | 41 | 33 | 74 | - | - | - | - | - | - |
| 1984-85 | EHC Visp | SUI 2 | 38 | 47 | 47 | 94 | - | - | - | - | - | - |
| | **LNH** | | 350 | 75 | 115 | 190 | 41 | - | - | - | - | - |
| | **Montréal** | | 36 | 2 | 11 | 13 | 2 | - | - | - | - | - |

• Deuxième équipe d'étoile (OHA) en 1970-71, 1971-72
• Échangé à St. Louis par Montréal pour le 1er choix de St. Louis au repêchage de 1974 (Doug Risebrough) le 9 mars 1974 • Échangé à la Californie par St. Louis avec Butch Williams pour Craig Patrick et Stan Gilbertson le 11 novembre 1974 • Transfert de la concession de la Californie à Cleveland le 26 août 1976 • Placé sur la liste de réserve du Minnesota lors du repêchage de dispersion de Cleveland le 15 juin 1978 • Cédé à Los Angeles par Minnesota avec Rick Hampton et Steve Jensen en compensation de la signature de l'agent libre Gary Sergent avec Minnesota le 15 juillet 1978 • Signe avec Philadelphie comme agent libre le 21 janvier 1980

## GARDNER, JAMES (JIMMY)
Né à Montréal, Québec, le 21 mai 1881, décédé le 7 novembre 1940
Centre/ailier gauche, lance de la gauche, 5'9", 180 lb

| SAISON | CLUB | LIGUE | SAISONS RÉGULIÈRES | | | | | SÉRIES ÉLIMINATOIRES | | | | |
|---|---|---|---|---|---|---|---|---|---|---|---|---|
| | | | PJ | B | A | PTS | PUN | PJ | B | A | PTS | PUN |
| 1900-01 | Montréal (AAA) | LCHA | 1 | 0 | 0 | 0 | - | - | - | - | - | - |
| 1901-02 | Montréal (AAA) | LCHA | 8 | 1 | 0 | 1 | 16 | 3 | 0 | 0 | 0 | *12 |
| 1902-03 | Montréal (AAA) | LCHA | 3 | 3 | 0 | 3 | 9 | 2 | 1 | 0 | 1 | 6 |
| 1903-04 | Montréal (Wanderers) | FAHL | 6 | 5 | 0 | 5 | 12 | 1 | 1 | 0 | 1 | 0 |
| 1904-05 | Calumet (Wanderers) | IHL | 23 | 16 | 0 | 16 | 33 | - | - | - | - | - |
| 1905-06 | Calumet (Wanderers) | IHL | 19 | 3 | 0 | 3 | 30 | - | - | - | - | - |
| 1906-07 | Pittsburgh (Pro HC) | IHL | 20 | 10 | 8 | 18 | 61 | - | - | - | - | - |
| 1907-08 | Montréal (Shamrocks) | ECAHA | 10 | 7 | 0 | 7 | *42 | - | - | - | - | - |
| 1908-09 | Montréal (Wanderers) | ECHA | 12 | 11 | 0 | 11 | 51 | 2 | 0 | 0 | 0 | *13 |
| 1909-10 | Montréal (Wanderers) | NHA | 12 | 10 | 0 | 10 | *58 | - | - | - | - | - |
| 1910-11 | Montréal (Wanderers) | NHA | 14 | 5 | 0 | 5 | 35 | - | - | - | - | - |
| 1911-12 | New Westminster (Royals) | PCHA | 15 | 6 | 0 | 6 | 50 | - | - | - | - | - |
| 1912-13 | New Westminster (Royals) | PCHA | 15 | 3 | 4 | 7 | 21 | - | - | - | - | - |
| 1913-14 | Montréal (Canadiens) | NHA | 15 | 10 | 9 | 19 | 0 | 1 | 0 | 0 | 0 | 6 |
| 1914-15 | Montréal (Canadiens) | NHA | 2 | 0 | 0 | 0 | 0 | - | - | - | - | - |
| | **NHA** | | 43 | 25 | 9 | 34 | 93 | 1 | 0 | 0 | 0 | 6 |
| | **Montréal** | | 17 | 10 | 9 | 19 | 0 | 1 | 0 | 0 | 0 | 6 |

• Coupe Stanley (LCHA) en 1901-02, 1902-03 • Deuxième équipe d'étoile (IHL) en 1904-05
• Coupe Stanley (NHA) en 1909-10 • Membre du Temple de la Renommée (LNH) en 1962
• Signe avec Montréal (Wanderers - NHA) en décembre 1909 • Signe avec New Westminster (PCHA) le 27 novembre 1911 • Signe avec Vancouver (PCHA) le 1er septembre 1913 • Échangé à Montréal (Canadien - NHA) par Vancouver (PCHA) plus une somme d'argent pour Newsy Lalonde le 4 septembre 1913

## GAUDREAULT, LÉONARD (LÉO)
Né à Chicoutimi, Québec, le 19 octobre 1905, décédé en 1950
Ailier gauche, lance de la gauche, 5'10", 150 lb

| SAISON | CLUB | LIGUE | SAISONS RÉGULIÈRES | | | | | SÉRIES ÉLIMINATOIRES | | | | |
|---|---|---|---|---|---|---|---|---|---|---|---|---|
| | | | PJ | B | A | PTS | PUN | PJ | B | A | PTS | PUN |
| 1921-22 | Chicoutimi (Bleuets) | LHPQ | 5 | 1 | 0 | 1 | - | - | - | - | - | - |
| 1922-23 | Chicoutimi (Bleuets) | LHPQ | 10 | 2 | 0 | 2 | - | 1 | 0 | 0 | 0 | - |
| 1923-24 | Québec (Sons of Ireland) | ECHA | 12 | 3 | 0 | 3 | - | 9 | 0 | 0 | 0 | - |
| 1924-25 | Montréal (National) | LHCM | 6 | 2 | 0 | 2 | - | - | - | - | - | - |
| 1925-26 | Montréal (National) | LHBM | 9 | 6 | 2 | 8 | - | - | - | - | - | - |
| 1926-27 | Saint-François-Xavier | LHCM | 12 | 6 | 3 | 9 | 20 | 5 | 1 | 4 | 5 | 2 |
| | Montréal (National) | LHBM | 10 | 6 | 4 | 10 | 14 | 1 | 1 | 0 | 1 | 4 |
| 1927-28 | Montréal (Canadiens) | LNH | 32 | 6 | 2 | 8 | 24 | 2 | 0 | 0 | 0 | 0 |
| 1928-29 | Montréal (Canadiens) | LNH | 11 | 0 | 0 | 0 | 4 | - | - | - | - | - |
| | Providence (Reds) | Can-Am | 28 | 0 | 2 | 2 | 45 | 6 | 0 | 0 | 0 | 14 |
| 1929-30 | Providence (Reds) | Can-Am | 39 | 7 | 12 | 19 | 64 | 3 | 1 | 0 | 1 | 0 |
| 1930-31 | Providence (Reds) | Can-Am | 40 | 22 | 20 | 42 | 44 | 2 | 1 | 2 | 3 | 8 |
| 1931-32 | Providence (Reds) | Can-Am | 40 | 13 | 15 | 28 | 22 | 5 | 1 | 1 | 2 | 6 |
| 1932-33 | Montréal (Canadiens) | LNH | 24 | 2 | 2 | 4 | 2 | - | - | - | - | - |
| | Providence (Reds) | Can-Am | 26 | 12 | 15 | 27 | 26 | 2 | 0 | 1 | 1 | 0 |
| 1933-34 | Providence (Reds) | Can-Am | 40 | 9 | 23 | 32 | 14 | 3 | 1 | 3 | 4 | 2 |
| 1934-35 | Providence (Reds) | Can-Am | 40 | 23 | 26 | 49 | 12 | 4 | 0 | 1 | 1 | 0 |
| 1935-36 | Providence (Reds) | Can-Am | 46 | 17 | 24 | 41 | 8 | 7 | 0 | 0 | 0 | 2 |
| 1936-37 | Minneapolis (Millers) | AHA | 42 | 16 | 23 | 39 | 20 | 2 | 2 | 5 | 7 | 2 |
| | **LNH** | | 67 | 8 | 4 | 12 | 30 | 2 | 0 | 0 | 0 | 0 |
| | **Montréal** | | 67 | 8 | 4 | 12 | 30 | 2 | 0 | 0 | 0 | 0 |

• Signe avec Montréal le 7 octobre 1927 • Échangé à Providence par Montréal pour Armand Mondou le 19 décembre 1928 • Droits vendus à Montréal par Providence avec Gerry Carson le 6 mai 1932 • Échangé à Providence par Montréal avec Armand Mondou pour Hago Harrington et Léo Murray le 23 janvier 1933

## GAUTHIER, ARTHUR (ART)
Né à Espanola, Ontario, le 10 octobre 1904, décédé
Centre, lance de la gauche, 5'8", 158 lb

| SAISON | CLUB | LIGUE | SAISONS RÉGULIÈRES | | | | | SÉRIES ÉLIMINATOIRES | | | | |
|---|---|---|---|---|---|---|---|---|---|---|---|---|
| | | | PJ | B | A | PTS | PUN | PJ | B | A | PTS | PUN |
| 1921-22 | Iroquois Falls (Eskimos) | NOJHA | - | - | - | - | - | 7 | 5 | 5 | 10 | - |
| 1922-23 | Iroquois Falls (Eskimos) | NOJHA | *Statistiques non disponibles* | | | | | | | | | |
| 1923-24 | North Bay (Trappers) | NOHA | 6 | 2 | 0 | 2 | - | 5 | 9 | 0 | 9 | - |
| 1924-25 | Galt (Terriers) | OHA Sr | 20 | 7 | 10 | 17 | 34 | - | - | - | - | - |
| 1925-26 | Galt (Terriers) | OHA Sr | 13 | 7 | 20 | 31 | - | 2 | 2 | 2 | 4 | 0 |
| 1926-27 | Galt (Terriers) | OHA Sr | 11 | 6 | 7 | 13 | 23 | - | - | - | - | - |
| | Montréal (Canadiens) | LNH | 13 | 0 | 0 | 0 | 0 | 1 | 0 | 0 | 0 | 0 |
| 1927-28 | Providence (Reds) | Can-Am | 16 | 2 | 0 | 2 | 6 | - | - | - | - | - |

| SAISON CLUB | LIGUE | PJ | B | A | PTS | PUN | PJ | B | A | PTS | PUN |
|---|---|---|---|---|---|---|---|---|---|---|---|
| London (Panthers) | Can-Pro | 23 | 8 | 3 | 11 | 22 | | | | | |
| 1928-29 Toronto (Millionaires) | Can-Pro | 38 | 10 | 5 | 15 | 24 | 2 | 0 | 1 | 1 | 2 |
| 1929-30 Hamilton (Tigers) | IHL | 21 | 2 | 1 | 3 | 6 | | | | | |
| Niagara Falls (Cataracts) | IHL | 19 | 4 | 2 | 6 | 36 | | | | | |
| 1930-31 Galt (Terriers) | OPHL | 10 | 0 | 0 | 0 | 0 | | | | | |
| London (Tecumsehs) | IHL | 1 | 0 | 0 | 0 | 0 | | | | | |
| Buffalo (Bisons) | IHL | 22 | 3 | 0 | 3 | 8 | 6 | 0 | 0 | 0 | 0 |
| 1931-32 Buffalo (Bisons) | IHL | 23 | 3 | 1 | 3 | 0 | | | | | |
| **LNH** | | 13 | 0 | 0 | 0 | 0 | 1 | 0 | 0 | 0 | 0 |
| **Montréal** | | 13 | 0 | 0 | 0 | 0 | 1 | 0 | 0 | 0 | 0 |

• Signe avec Montréal le 8 février 1927 • Droits vendus à London (Can-Pro) par Montréal le 10 janvier 1928 • Droits vendus à Hamilton (IHL) par Toronto (IHL) le 4 novembre 1929.
• Échangé à Niagara Falls (IHL) par Hamilton (IHL) pour Wilfred Desy le 21 janvier 1930.
• Signe avec London (IHL) en janvier 1931 • Signe avec Buffalo (IHL) le 23 janvier 1931.

## GAUTHIER, FERNAND (FERN)
**Né à Chicoutimi, Québec, le 31 août 1919, décédé le 7 novembre 1992**
**Ailier droit, lance de la droite, 5'11", 175 lb**

| SAISON CLUB | LIGUE | PJ | B | A | PTS | PUN | PJ | B | A | PTS | PUN |
|---|---|---|---|---|---|---|---|---|---|---|---|
| 1938-39 Shawinigan (Cataractes) | LHPQ | 30 | 1 | 7 | 8 | 11 | | | | | |
| 1939-40 Shawinigan (Cataractes) | LHPQ | 38 | 16 | 10 | 26 | 23 | | | | | |
| 1940-41 Shawinigan (Cataractes) | LHPQ | 31 | 27 | 26 | 53 | 33 | 10 | 6 | 5 | 11 | 2 |
| 1941-42 Shawinigan (Cataractes) | LHPQ | 32 | 30 | 21 | 51 | 22 | 10 | 7 | 4 | 11 | 6 |
| Washington (Lions) | AHL | 7 | 0 | 1 | 1 | 0 | | | | | |
| 1942-43 Washington (Lions) | AHL | 35 | 11 | 6 | 17 | 11 | | | | | |
| Buffalo (Bisons) | AHL | 14 | 1 | 7 | 8 | 11 | 6 | 0 | 0 | 0 | 2 |
| 1943-44 Montréal (Royals) | LHSO | | | | | | | | | | |
| New York (Rangers) | LNH | 33 | 14 | 10 | 24 | 0 | | | | | |
| 1944-45 **Montréal (Canadiens)** | LNH | 50 | 18 | 13 | 31 | 23 | 4 | 0 | 0 | 0 | 0 |
| 1945-46 Detroit (Red Wings) | LNH | 30 | 9 | 8 | 17 | 6 | 5 | 3 | 0 | 3 | 2 |
| Indianapolis (Capitols) | AHL | 14 | 4 | 8 | 12 | 0 | | | | | |
| 1946-47 Detroit (Red Wings) | LNH | 40 | 1 | 12 | 13 | 2 | 3 | 1 | 0 | 1 | 0 |
| Indianapolis (Capitols) | AHL | 16 | 7 | 17 | 24 | 6 | | | | | |
| 1947-48 Detroit (Red Wings) | LNH | 35 | 1 | 5 | 6 | 2 | 10 | 1 | 1 | 2 | 0 |
| Indianapolis (Capitols) | AHL | 32 | 16 | 17 | 33 | 4 | | | | | |
| 1948-49 Detroit (Red Wings) | LNH | 41 | 3 | 2 | 5 | 2 | | | | | |
| Indianapolis (Capitols) | AHL | 11 | 1 | 3 | 4 | 0 | | | | | |
| 1949-50 St. Louis (Flyers) | AHL | 41 | 16 | 15 | 31 | 6 | | | | | |
| 1950-51 Sherbrooke (Saints) | LHMQ | 5 | 2 | 5 | 7 | 6 | | | | | |
| Québec (As) | LHMQ | 25 | 6 | 19 | 25 | 8 | 19 | 4 | 4 | 8 | |
| 1951-52 Saint-Laurent (Castors) | LHPQ | 46 | 33 | 32 | 65 | | | | | | |
| **LNH** | | 229 | 46 | 50 | 96 | 35 | 22 | 5 | 1 | 6 | 7 |
| **Montréal** | | 50 | 18 | 13 | 31 | 23 | 4 | 0 | 0 | 0 | 0 |

• Coupe Calder (AHL) en 1942-43
• Droits vendus à Montréal par Washington (AHL) le 8 février 1943 • Prêté à New York (Rangers) par Montréal pour Phil Watson le 10 décembre 1943 • Échangé à Detroit par Montréal (pour remplacer Ray Getliffe qui a pris sa retraite suite à l'échange pour Billy Reay le 11 septembre 1945) le 18 octobre 1945 • Échangé à St. Louis par Detroit avec Cliff Simpson, Ed Nicholson et des considérations futures pour Stephen Black et Bill Brennan le 29 août 1949

## GAUTHIER, JEAN-PHILIPPE
**Né à Montréal, Québec, le 29 avril 1937. Défenseur, lance de la droite, 6'1", 190 lb**

| SAISON CLUB | LIGUE | PJ | B | A | PTS | PUN | PJ | B | A | PTS | PUN |
|---|---|---|---|---|---|---|---|---|---|---|---|
| 1955-56 St. Boniface (Canadien) | MJHL | 23 | 1 | 9 | 10 | *99 | 10 | 2 | 3 | 5 | *27 |
| St. Boniface (Canadien) | Mem. | 6 | 0 | 2 | 2 | 6 | | | | | |
| 1956-57 St. Boniface (Canadien) | TBJHL | - | 9 | 16 | 25 | *133 | | | | | |
| St. Boniface (Canadien) | Mem. | 12 | 1 | 5 | 6 | 28 | | | | | |
| Flin Flon (Bombers) | Mem. | 7 | 0 | 4 | 4 | 14 | | | | | |
| 1957-58 Kingston (CKLC's) | EOHL | 46 | 8 | 20 | 28 | 118 | 7 | 0 | 3 | 3 | 12 |
| 1958-59 Hull-Ottawa (Canadien) | EPHL | 52 | 5 | 5 | 10 | 110 | 8 | 2 | 3 | 5 | 29 |
| 1959-60 Hull-Ottawa (Canadien) | EPHL | 68 | 2 | 23 | 25 | 152 | 7 | 0 | 1 | 1 | 8 |
| 1960-61 Hull-Ottawa (Canadien) | EPHL | 64 | 8 | 13 | 21 | *138 | 14 | 0 | 5 | 5 | *42 |
| **Montréal (Canadiens)** | LNH | 4 | 0 | 1 | 1 | 8 | | | | | |
| 1961-62 Hull-Ottawa (Canadien) | EPHL | 47 | 11 | 20 | 31 | 85 | 13 | 5 | 4 | 9 | *38 |
| **Montréal (Canadiens)** | LNH | 12 | 0 | 1 | 1 | 10 | | | | | |
| 1962-63 **Montréal (Canadiens)** | LNH | 65 | 1 | 17 | 18 | 46 | 5 | 0 | 0 | 0 | 12 |
| 1963-64 Québec (As) | AHL | 29 | 3 | 7 | 10 | 58 | 9 | 1 | 2 | 3 | 4 |
| **Montréal (Canadiens)** | LNH | 1 | 0 | 0 | 0 | 2 | | | | | |
| 1964-65 Omaha (Knights) | CPHL | 70 | 14 | 37 | 51 | 182 | 6 | 4 | 1 | 5 | 10 |
| **Montréal (Canadiens)** | LNH | - | - | - | - | - | 2 | 0 | 0 | 0 | 4 |
| 1965-66 Québec (As) | AHL | 3 | 0 | 0 | 0 | 0 | 3 | 0 | 3 | 3 | 4 |
| **Montréal (Canadiens)** | LNH | 2 | 0 | 0 | 0 | 0 | | | | | |
| Houston (Apollos) | CHL | 66 | 13 | 9 | 22 | 4 | | | | | |
| 1966-67 Seattle (Totems) | WHL | 69 | 9 | 22 | 31 | 68 | 10 | 1 | 3 | 4 | 12 |
| **Montréal (Canadiens)** | LNH | 2 | 0 | 0 | 0 | 2 | | | | | |
| 1967-68 Philadelphie (Flyers) | LNH | 65 | 5 | 7 | 12 | 74 | 7 | 1 | 3 | 4 | 6 |
| 1968-69 Providence (Reds) | AHL | 39 | 5 | 14 | 19 | 58 | | | | | |
| Boston (Bruins) | LNH | 11 | 0 | 2 | 2 | 4 | | | | | |
| 1969-70 Montréal (Voyageurs) | AHL | 54 | 6 | 22 | 28 | 70 | 8 | 3 | 2 | 5 | 18 |
| **Montréal (Canadiens)** | LNH | 4 | 0 | 1 | 1 | 0 | | | | | |
| 1970-71 Montréal (Voyageurs) | AHL | 52 | 3 | 19 | 22 | 80 | 3 | 0 | 1 | 1 | 0 |
| 1971-72 Baltimore (Clippers) | AHL | 64 | 3 | 37 | 40 | 104 | 18 | 5 | 7 | 12 | 38 |
| 1972-73 New York (Raiders) | AMH | 31 | 2 | 1 | 3 | 21 | | | | | |
| Long Island (Ducks) | EHL | 4 | 1 | 1 | 2 | 2 | | | | | |
| 1973-74 Rochester (Americans) | AHL | 12 | 1 | 12 | 63 | 5 | 0 | 2 | | | |
| **LNH** | | 166 | 6 | 29 | 35 | 150 | 14 | 1 | 3 | 4 | 22 |
| **Montréal** | | 90 | 1 | 20 | 21 | 68 | 7 | 0 | 0 | 0 | 16 |

• Meilleur défenseur, à égalité avec Harry Sinden (EPHL) en 1961-62 • Première équipe d'étoiles (CPHL) en 1964-65 • Coupe Stanley (LNH) en 1964-65 • Deuxième équipe d'étoiles (CPHL) en 1965-66

• Réclamé par Philadelphie de Montréal lors de l'expansion de la LNH le 6 juin 1967.
• Réclamé par Boston de Philadelphie au repêchage intra-ligue le 12 juin 1968 • Réclamé par Cleveland de Boston lors du repêchage inversé le 12 juin 1969 • Droits vendus à Montréal par Cleveland en 1969 • Sélectionné par Dayton-Houston lors de l'expansion de l'AMH le 13 février 1972 • Droits vendus à New York (AMH) par Houston (AMH) pour des considérations futures le 14 août 1972

## GAUTHIER, LUC
**Né à Longueuil, Québec, le 19 avril 1964. Défenseur, lance de la droite, 5'9", 195 lb**

| SAISON CLUB | LIGUE | PJ | B | A | PTS | PUN | PJ | B | A | PTS | PUN |
|---|---|---|---|---|---|---|---|---|---|---|---|
| 1982-83 Longueuil (Chevaliers) | LHJMQ | 67 | 3 | 18 | 21 | 132 | 15 | 0 | 4 | 4 | 35 |
| 1983-84 Longueuil (Chevaliers) | LHJMQ | 70 | 8 | 54 | 62 | 207 | 17 | 4 | 9 | 13 | 24 |
| 1984-85 Longueuil (Chevaliers) | LHJMQ | 60 | 13 | 47 | 60 | 111 | | | | | |
| Flint (Generals) | IHL | 21 | 1 | 0 | 1 | 20 | | | | | |
| 1985-86 Saginaw (Generals) | IHL | 66 | 9 | 29 | 38 | 160 | | | | | |
| 1986-87 Sherbrooke (Canadien) | AHL | 78 | 5 | 17 | 22 | 8 | 17 | 2 | 4 | 6 | 31 |
| 1987-88 Sherbrooke (Canadien) | AHL | 61 | 4 | 10 | 14 | 105 | 6 | 0 | 0 | 0 | 8 |
| 1988-89 Sherbrooke (Canadien) | AHL | 77 | 8 | 20 | 28 | 178 | 6 | 0 | 0 | 0 | 10 |
| 1989-90 Sherbrooke (Canadien) | AHL | 79 | 3 | 23 | 26 | 139 | 12 | 0 | 4 | 4 | 35 |
| 1990-91 **Montréal (Canadiens)** | LNH | 3 | 0 | 0 | 0 | 2 | | | | | |
| Fredericton (Canadien) | AHL | 69 | 7 | 20 | 27 | 238 | 9 | 1 | 1 | 2 | 10 |
| 1991-92 Fredericton (Canadien) | AHL | 80 | 4 | 14 | 18 | 252 | 7 | 1 | 1 | 2 | 6 |
| 1992-93 Fredericton (Canadien) | AHL | 78 | 9 | 33 | 42 | 167 | 5 | 2 | 1 | 3 | 20 |
| 1993-94 | | | | *N'a pas joué - Entraîneur adjoint* | | | | | | | |
| 1994-95 | | | | *N'a pas joué - Entraîneur adjoint* | | | | | | | |
| 1995-96 | | | | *N'a pas joué - Entraîneur adjoint* | | | | | | | |
| 1996-97 Fredericton (Canadien) | AHL | 2 | 0 | 0 | 0 | 0 | | | | | |
| **LNH** | | 3 | 0 | 0 | 0 | 2 | | | | | |
| **Montréal** | | 3 | 0 | 0 | 0 | 2 | | | | | |

• Troisième équipe d'étoiles (LHJMQ) en 1983-84
• Signe avec Montréal comme agent libre le 7 octobre 1986

## GAUVREAU, JOCELYN
**Né à Masham, Québec, le 4 mars 1964. Défenseur, lance de la gauche, 5'11", 180 lb**
**(2e choix de Montréal, 31e au total lors du repêchage de 1982)**

| SAISON CLUB | LIGUE | PJ | B | A | PTS | PUN | PJ | B | A | PTS | PUN |
|---|---|---|---|---|---|---|---|---|---|---|---|
| 1980-81 Hull (Olympiques) | LHJMQ | 54 | 12 | 12 | 24 | 55 | | | | | |
| 1981-82 Hull (Olympiques) | LHJMQ | 19 | 5 | 8 | 13 | 8 | | | | | |
| Granby (Bisons) | LHJMQ | 33 | 12 | 21 | 33 | 66 | 14 | 3 | 10 | 13 | 16 |
| 1982-83 Granby (Bisons) | LHJMQ | 68 | 33 | 63 | 96 | 42 | | | | | |
| Nlle-Écosse (Voyageurs) | AHL | | | | | | 5 | 0 | 1 | 1 | 0 |
| 1983-84 Granby (Bisons) | LHJMQ | 58 | 19 | 39 | 58 | 55 | 4 | 2 | 2 | 4 | 2 |
| **Montréal (Canadiens)** | LNH | 2 | 0 | 0 | 0 | 0 | | | | | |
| Nlle-Écosse (Voyageurs) | AHL | 1 | 0 | 2 | 2 | 0 | 3 | 1 | 1 | 2 | 0 |
| 1984-85 Sherbrooke (Canadien) | AHL | 10 | 1 | 2 | 3 | 4 | | | | | |
| **LNH** | | 2 | 0 | 0 | 0 | 0 | | | | | |
| **Montréal** | | 2 | 0 | 0 | 0 | 0 | | | | | |

• Deuxième équipe d'étoiles (LHJMQ) en 1982-83

## GENDRON, JEAN-GUY
**Né à Montréal, Québec, le 30 août 1934. Ailier gauche, lance de la gauche, 5'09", 165 lb**

| SAISON CLUB | LIGUE | PJ | B | A | PTS | PUN | PJ | B | A | PTS | PUN |
|---|---|---|---|---|---|---|---|---|---|---|---|
| 1951-52 Trois-Rivières (Reds) | LHJQ | 41 | 9 | 28 | 37 | 77 | 5 | 0 | 1 | 1 | 16 |
| 1952-53 Trois-Rivières (Reds) | LHJQ | 47 | 19 | 10 | 29 | 98 | 6 | 2 | 3 | 5 | 12 |
| Québec (As) | LHMQ | | | | | | 3 | 0 | 0 | 1 | 0 |
| 1953-54 Trois-Rivières (Reds) | LHJQ | 54 | 42 | 45 | 87 | *179 | 4 | 0 | 1 | 1 | 8 |
| 1954-55 Providence (Reds) | AHL | 47 | 24 | 15 | 39 | 38 | | | | | |
| 1955-56 New York (Rangers) | LNH | 63 | 5 | 7 | 12 | 38 | 5 | 2 | 1 | 3 | 2 |
| 1956-57 New York (Rangers) | LNH | 70 | 6 | 9 | 15 | 40 | 5 | 0 | 1 | 1 | 6 |
| 1957-58 New York (Rangers) | LNH | 70 | 11 | 16 | 27 | 68 | 6 | 0 | 1 | 1 | 11 |
| 1958-59 Boston (Bruins) | LNH | 60 | 15 | 9 | 24 | 57 | 7 | 1 | 0 | 1 | 18 |
| 1959-60 Boston (Bruins) | LNH | 67 | 24 | 11 | 35 | 64 | | | | | |
| 1960-61 Boston (Bruins) | LNH | 13 | 1 | 7 | 8 | 24 | | | | | |
| **Montréal (Canadiens)** | LNH | 53 | 9 | 12 | 21 | 51 | 5 | 0 | 0 | 0 | 2 |
| 1961-62 New York (Rangers) | LNH | 69 | 14 | 11 | 25 | 71 | 6 | 3 | 1 | 4 | 2 |
| 1962-63 Boston (Bruins) | LNH | 66 | 21 | 22 | 43 | 42 | | | | | |
| 1963-64 Providence (Reds) | AHL | 6 | 1 | 1 | 2 | 0 | | | | | |
| Boston (Bruins) | LNH | 54 | 5 | 13 | 18 | 43 | | | | | |
| 1964-65 Québec (As) | AHL | 53 | 20 | 14 | 34 | 61 | 5 | 1 | 1 | 2 | 8 |
| 1965-66 Québec (As) | AHL | 58 | 26 | 33 | 61 | 70 | 6 | 1 | 1 | 2 | 4 |
| 1966-67 Québec (As) | AHL | 68 | 28 | 45 | 73 | 72 | 5 | 2 | 1 | 3 | 4 |
| 1967-68 Québec (As) | AHL | 72 | 29 | 58 | 87 | 72 | 15 | 7 | *14 | *21 | 24 |
| Philadelphie (Flyers) | LNH | 1 | 0 | 1 | 1 | 2 | | | | | |
| 1968-69 Philadelphie (Flyers) | LNH | 74 | 20 | 35 | 55 | 65 | 4 | 0 | 0 | 0 | 6 |
| 1969-70 Philadelphie (Flyers) | LNH | 71 | 23 | 21 | 44 | 54 | | | | | |
| 1970-71 Philadelphie (Flyers) | LNH | 76 | 16 | 36 | 46 | 40 | 1 | 1 | 1 | 2 | 0 |
| 1971-72 Philadelphie (Flyers) | LNH | 56 | 6 | 13 | 19 | 30 | | | | | |
| 1972-73 Québec (Nordiques) | AMH | 63 | 17 | 33 | 50 | 113 | | | | | |
| 1973-74 Québec (Nordiques) | AMH | 64 | 11 | 8 | 19 | 42 | | | | | |
| **LNH** | | 863 | 182 | 201 | 383 | 701 | 42 | 7 | 4 | 11 | 47 |
| **Montréal** | | 43 | 9 | 12 | 21 | 51 | 5 | 0 | 0 | 0 | 2 |

• Échangé à New York par Providence pour Bill Ezinicki le 8 mai 1955 • Réclamé par Boston de New York au repêchage intra-ligue le 3 juin 1958 • Échangé à Montréal par Boston pour André Pronovost le 27 novembre 1960 • Réclamé par New York de Montréal au repêchage intra-ligue le 4 juin 1961 • Réclamé par Boston de New York au repêchage intra-ligue le 6 juin 1962 • Droits dans la LNH transférés à Philadelphie lors de l'achat de la concession de Québec (AHL) par Philadelphie le 8 mai 1967 • Réclamé par Montréal de Philadelphie au repêchage intra-ligue le 11 juin 1969 • Droits vendus à Philadelphie par Montréal le 12 juin 1969 • Sélectionné par Los Angeles lors de l'expansion de l'AMH le 12 février 1972. • Signe comme agent libre avec Québec lorsque Los Angeles le retire de sa liste de négociations en juin 1972

## GEOFFRION, BERNARD

**Né à Montréal, Québec, le 16 février 1931. Ailier droit, lance de la droite, 5'9", 185 lb**

| SAISON | CLUB | LIGUE | PJ | B | A | PTS | PUN | PJ | B | A | PTS | PUN |
|---|---|---|---|---|---|---|---|---|---|---|---|---|
| 1946-47 | Montréal (Concordia) | LHJQ | 26 | 7 | 8 | 15 | 6 | - | - | - | - | - |
| 1947-48 | Laval (National) | LHJQ | 29 | 20 | 15 | 35 | 49 | 11 | 7 | 5 | 12 | 11 |
| | Laval (National) | Mem. | 8 | 3 | 2 | 5 | 11 | - | - | - | - | - |
| 1948-49 | Laval (National) | LHJQ | 42 | 41 | 35 | 76 | 49 | 9 | 3 | 6 | 9 | 22 |
| 1949-50 | Laval (National) | LHJQ | 34 | *52 | 34 | *86 | 77 | 3 | 6 | 0 | 6 | 8 |
| | Montréal (Royals) | LHSQ | 1 | 0 | 0 | 0 | 0 | - | - | - | - | - |
| 1950-51 | Montréal (National) | LHJQ | 36 | 54 | 44 | 98 | 80 | - | - | - | - | - |
| | Montréal (Canadiens) | LNH | 18 | 8 | 6 | 14 | 9 | 11 | 1 | 1 | 2 | 6 |
| 1951-52 | Montréal (Canadiens) | LNH | 67 | 30 | 24 | 54 | 66 | 11 | 3 | 1 | 4 | 6 |
| 1952-53 | Montréal (Canadiens) | LNH | 65 | 22 | 17 | 39 | 37 | 12 | *6 | 4 | 10 | 12 |
| | Match des étoiles | LNH | 1 | 0 | 0 | 0 | 0 | - | - | - | - | - |
| 1953-54 | Montréal (Canadiens) | LNH | 54 | 29 | 25 | 54 | 87 | 11 | *6 | 5 | 11 | 18 |
| | Match des étoiles | LNH | 1 | 0 | 0 | 0 | 0 | - | - | - | - | - |
| 1954-55 | Montréal (Canadiens) | LNH | 70 | *38 | 37 | *75 | 57 | 12 | 8 | 5 | 13 | 8 |
| | Match des étoiles | LNH | 1 | 0 | 0 | 0 | 0 | - | - | - | - | - |
| 1955-56 | Montréal (Canadiens) | LNH | 59 | 29 | 33 | 62 | 66 | 10 | 5 | 9 | 14 | 6 |
| | Match des étoiles | LNH | 1 | 0 | 0 | 0 | 2 | - | - | - | - | - |
| 1956-57 | Montréal (Canadiens) | LNH | 41 | 19 | 21 | 40 | 18 | 10 | *11 | 7 | *18 | 2 |
| | Match des étoiles | LNH | 1 | 0 | 0 | 0 | 0 | - | - | - | - | - |
| 1957-58 | Montréal (Canadiens) | LNH | 42 | 27 | 23 | 50 | 51 | 10 | 6 | 5 | 11 | 2 |
| 1958-59 | Montréal (Canadiens) | LNH | 59 | 22 | 44 | 66 | 30 | 11 | 5 | 8 | 13 | 10 |
| | Match des étoiles | LNH | 1 | 0 | 0 | 0 | 0 | - | - | - | - | - |
| 1959-60 | Montréal (Canadiens) | LNH | 59 | 30 | 41 | 71 | 36 | 8 | 2 | *10 | *12 | 4 |
| | Match des étoiles | LNH | 1 | 0 | 1 | 1 | 0 | - | - | - | - | - |
| 1960-61 | Montréal (Canadiens) | LNH | 64 | *50 | 45 | *95 | 29 | 4 | 2 | 1 | 3 | 0 |
| | Match des étoiles | LNH | 1 | 0 | 1 | 1 | 0 | - | - | - | - | - |
| 1961-62 | Montréal (Canadiens) | LNH | 62 | 23 | 36 | 59 | 36 | 5 | 0 | 1 | 1 | 6 |
| | Match des étoiles | LNH | 1 | 0 | 0 | 0 | 0 | - | - | - | - | - |
| 1962-63 | Montréal (Canadiens) | LNH | 51 | 23 | 18 | 41 | 73 | 5 | 0 | 1 | 1 | 4 |
| 1963-64 | Montréal (Canadiens) | LNH | 55 | 21 | 18 | 39 | 41 | 7 | 1 | 1 | 2 | 4 |
| | Match des étoiles | LNH | 1 | 0 | 1 | 1 | 0 | - | - | - | - | - |
| 1964-66 | | | | | *N'a pas joué* | | | | | | | |
| 1966-67 | New York (Rangers) | LNH | 58 | 17 | 25 | 42 | 42 | 4 | 2 | 0 | 2 | 0 |
| 1967-68 | New York (Rangers) | LNH | 59 | 5 | 16 | 21 | 11 | 1 | 0 | 1 | 1 | 0 |
| | **LNH** | | 883 | 393 | 429 | 822 | 689 | 132 | 58 | 60 | 118 | 88 |
| | **Montréal** | | 766 | 371 | 388 | 759 | 636 | 127 | 56 | 59 | 115 | 88 |

- Trophée Calder (LNH) en 1951-52 • Coupe Stanley (LNH) en 1952-53, 1955-56, 1956-57, 1957-58, 1958-59, 1959-60 • Trophée Art Ross (LNH) en 1954-55, 1960-61 • Trophée Hart (LNH) en 1960-61 • Première équipe d'étoiles (LNH) en 1960-61 • Deuxième équipe d'étoiles (LNH) en 1954-55, 1959-60 • Match des étoiles (LNH) en 1952-53, 1954-55, 1955-56, 1956-57, 1958-59, 1959-60, 1960-61, 1961-62, 1962-63, 1963-64 • Temple de la Renommée (LNH) en 1966
- Prêté à Montréal par Montréal (National - LHJQ) le 14 décembre 1950 • Signe avec Montréal le 14 février 1951 • Réclamé au ballottage par New York de Montréal le 9 juin 1966

## GEOFFRION, DANIEL (DANNY)

**Né Montréal, Québec, le 24 janvier 1958. Ailier droit, lance de la droite, 5'10", 185 lb**
**(1er choix de Montréal, 8e au total lors du repêchage de 1978)**

| SAISON | CLUB | LIGUE | PJ | B | A | PTS | PUN | PJ | B | A | PTS | PUN |
|---|---|---|---|---|---|---|---|---|---|---|---|---|
| 1973-74 | Cornwall (Royals) | LHJMQ | 28 | 6 | 5 | 11 | 5 | - | - | - | - | - |
| 1974-75 | Cornwall (Royals) | LHJMQ | 71 | 33 | 53 | 86 | 70 | - | - | - | - | - |
| 1975-76 | Cornwall (Royals) | LHJMQ | 53 | 42 | 58 | 100 | 123 | - | - | - | - | - |
| 1976-77 | Cornwall (Royals) | LHJMQ | 65 | 39 | 57 | 96 | 148 | - | - | - | - | - |
| 1977-78 | Cornwall (Royals) | LHJMQ | 71 | 68 | 75 | 143 | 183 | 9 | 4 | 12 | 16 | 37 |
| 1978-79 | Québec (Nordiques) | AMH | 77 | 12 | 14 | 26 | 74 | 4 | 1 | 2 | 3 | 2 |
| 1979-80 | Montréal (Canadiens) | LNH | 32 | 0 | 6 | 6 | 12 | 2 | 0 | 0 | 0 | 7 |
| 1980-81 | Winnipeg (Jets) | LNH | 78 | 20 | 26 | 46 | 82 | - | - | - | - | - |
| 1981-82 | Tulsa (Oilers) | CHL | 63 | 24 | 25 | 49 | 76 | 3 | 1 | 0 | 1 | 6 |
| | Winnipeg (Jets) | LNH | 1 | 0 | 0 | 0 | 5 | - | - | - | - | - |
| 1982-83 | Sherbrooke (Jets) | AHL | 80 | 37 | 39 | 76 | 46 | - | - | - | - | - |
| 1983-84 | Yukijirushi (Sapporo) | JAP | 30 | 17 | 25 | 42 | | - | - | - | - | - |
| | **LNH** | | 111 | 20 | 32 | 52 | 99 | 2 | 0 | 0 | 0 | 7 |
| | **Montréal** | | 32 | 0 | 6 | 6 | 12 | 2 | 0 | 0 | 0 | 7 |

- Deuxième équipe d'étoiles, Division Ouest (LHJMQ) en 1975-76 • Troisième équipe d'étoiles (LHJMQ) en 1977-78
- Signe avec Québec comme agent libre le 7 juillet 1978 • Réclamé avant le repêchage de l'expansion par Montréal de Québec le 9 juin 1979 • Réclamé par Québec de Montréal au repêchage inter-équipes le 8 octobre 1980 • Droits vendus à Winnipeg par Québec le 8 octobre 1980

## GETLIFFE, RAYMOND (RAY)

**Né à Galt, Ontario, le 3 avril 1914. Centre/Ailier gauche, lance de la gauche, 5'11", 175 lb**

| SAISON | CLUB | LIGUE | PJ | B | A | PTS | PUN | PJ | B | A | PTS | PUN |
|---|---|---|---|---|---|---|---|---|---|---|---|---|
| 1930-31 | London (Athletic Club) | OHA | 9 | 9 | 0 | 9 | 0 | 2 | 0 | 0 | 0 | 4 |
| 1931-32 | London (Diamonds) | OHA B | 6 | 8 | 4 | 12 | | - | - | - | - | - |
| 1932-33 | Strafford (Midgets) | OHA B | 6 | 4 | 7 | 11 | 12 | 11 | 6 | 0 | 6 | 20 |
| 1933-34 | Stratford (Midgets) | OHA B | 13 | 26 | *17 | 43 | 18 | 2 | *6 | 1 | *7 | 2 |
| 1934-35 | Charlottetown (Abbies) | MSHL | 20 | 15 | 4 | 19 | 29 | - | - | - | - | - |
| | St. John (St.Peters) | SJCSL | 17 | *35 | 25 | 60 | 15 | 12 | 9 | *14 | *23 | 11 |
| | St. John (Beavers) | Exh. | 1 | 0 | 0 | 0 | 0 | - | - | - | - | - |
| 1935-36 | London (Tecumsehs) | IHL | 17 | 3 | 9 | 17 | | - | - | - | - | - |
| | Boston (Cubs) | Can-Am | 29 | 16 | 14 | 30 | 14 | - | - | - | - | - |
| | Boston (Bruins) | LNH | 1 | 0 | 0 | 0 | 2 | 2 | 0 | 0 | 0 | 0 |
| 1936-37 | Boston (Bruins) | LNH | 48 | 16 | 15 | 31 | 28 | 3 | 2 | 1 | 3 | 2 |
| 1937-38 | Boston (Bruins) | LNH | 36 | 11 | 13 | 24 | 16 | 3 | 0 | 1 | 1 | 2 |
| 1938-39 | Boston (Bruins) | LNH | 43 | 10 | 12 | 22 | 11 | 1 | 1 | 2 | 3 | 2 |
| | Hershey (Bears) | IAHL | 4 | 1 | 4 | 5 | 2 | - | - | - | - | - |
| 1939-40 | Montréal (Canadiens) | LNH | 46 | 11 | 12 | 23 | 29 | - | - | - | - | - |
| | Match des étoiles | LNH | | | | | | | | | | |

| SAISON | CLUB | LIGUE | PJ | B | A | PTS | PUN | PJ | B | A | PTS | PUN |
|---|---|---|---|---|---|---|---|---|---|---|---|---|
| 1940-41 | Montréal (Canadiens) | LNH | 39 | 15 | 10 | 25 | 25 | 3 | 1 | 1 | 2 | 0 |
| 1941-42 | Montréal (Canadiens) | LNH | 45 | 11 | 15 | 26 | 35 | 3 | 0 | 0 | 0 | 0 |
| 1942-43 | Montréal (Canadiens) | LNH | 50 | 18 | 28 | 46 | 26 | 5 | 0 | 1 | 1 | 8 |
| 1943-44 | Montréal (Canadiens) | LNH | 48 | 28 | 25 | 53 | 44 | 9 | 4 | 9 | 16 | 4 |
| 1944-45 | Montréal (Canadiens) | LNH | 41 | 16 | 7 | 23 | 34 | 6 | 0 | 1 | 1 | 2 |
| | **LNH** | | 393 | 136 | 137 | 273 | 250 | 45 | 9 | 10 | 19 | 32 |
| | **Montréal** | | 265 | 99 | 97 | 196 | 193 | 26 | 6 | 7 | 13 | 26 |

- Coupe Stanley (LNH) en 1938-39, 1943-44 • Match des étoiles (LNH) en 1939-40
- Signe avec New York le 8 novembre 1935 • Prêté à London (IHL) par New York en novembre 1935 • Droits vendus à Boston par New York le 28 décembre 1935 • Droits vendus à Montréal par Boston le 7 juin 1939 • Échangé à Detroit par Montréal avec Roland Rossignol et une somme d'argent pour Billy Reay le 11 septembre 1945

## GILCHRIST, BRENT

**Né à Moose Jaw, Saskatchewan, le 3 avril 1967. Centre, lance de la gauche, 5'11", 175 lb**
**(6e choix de Montréal, 79e au total lors du repêchage de 1985)**

| SAISON | CLUB | LIGUE | PJ | B | A | PTS | PUN | PJ | B | A | PTS | PUN |
|---|---|---|---|---|---|---|---|---|---|---|---|---|
| 1983-84 | Kelowna (Wings) | WHL | 69 | 16 | 11 | 27 | 16 | - | - | - | - | - |
| 1984-85 | Kelowna (Wings) | WHL | 51 | 35 | 38 | 73 | 58 | 6 | 5 | 2 | 7 | 8 |
| 1985-86 | Spokane (Chiefs) | WHL | 52 | 45 | 45 | 90 | 57 | 9 | 6 | 7 | 13 | 19 |
| 1986-87 | Spokane (Chiefs) | WHL | 46 | 45 | 55 | 100 | 71 | 5 | 2 | 7 | 9 | 6 |
| | Sherbrooke (Canadien) | AHL | | | | | | 10 | 4 | 2 | 9 | 2 |
| 1987-88 | Sherbrooke (Canadien) | AHL | 77 | 26 | 48 | 74 | 83 | 6 | 1 | 3 | 4 | 6 |
| 1988-89 | Sherbrooke (Canadien) | AHL | 49 | 8 | 16 | 24 | 16 | 9 | 1 | 1 | 2 | 10 |
| | Montréal (Canadiens) | LNH | 49 | 8 | 16 | 24 | 16 | 9 | 1 | 1 | 2 | 10 |
| 1989-90 | Montréal (Canadiens) | LNH | 57 | 9 | 15 | 24 | 28 | 8 | 2 | 0 | 2 | 2 |
| 1990-91 | Montréal (Canadiens) | LNH | 51 | 6 | 9 | 15 | 10 | 13 | 5 | 3 | 8 | 6 |
| 1991-92 | Montréal (Canadiens) | LNH | 79 | 23 | 27 | 50 | 57 | 11 | 2 | 4 | 6 | 6 |
| 1992-93 | Edmonton (Oilers) | LNH | 60 | 10 | 10 | 20 | 47 | - | - | - | - | - |
| | Minnesota (North Stars) | LNH | 8 | 0 | 1 | 1 | 2 | - | - | - | - | - |
| 1993-94 | Dallas (Stars) | LNH | 76 | 17 | 14 | 31 | 31 | 9 | 3 | 1 | 4 | 2 |
| 1994-95 | Dallas (Stars) | LNH | 32 | 9 | 4 | 13 | 16 | 5 | 0 | 1 | 1 | 2 |
| 1995-96 | Dallas (Stars) | LNH | 77 | 20 | 22 | 42 | 36 | - | - | - | - | - |
| 1996-97 | Dallas (Stars) | LNH | 67 | 10 | 20 | 30 | 24 | 6 | 2 | 3 | 5 | 6 |
| 1997-98 | Detroit (Red Wings) | LNH | 61 | 13 | 14 | 27 | 40 | 15 | 2 | 1 | 3 | 12 |
| 1998-99 | Detroit (Red Wings) | LNH | 11 | 1 | 1 | 2 | 2 | 3 | 0 | 0 | 0 | 0 |
| 1999-00 | Detroit (Red Wings) | LNH | 24 | 4 | 2 | 6 | 24 | 6 | 0 | 0 | 0 | 0 |
| 2000-01 | Detroit (Red Wings) | LNH | 60 | 9 | 8 | 17 | 41 | 5 | 0 | 1 | 1 | 0 |
| 2001-02 | Detroit (Red Wings) | LNH | 19 | 1 | 1 | 2 | 8 | - | - | - | - | - |
| | Dallas (Stars) | LNH | 26 | 2 | 5 | 7 | 6 | - | - | - | - | - |
| 2002-03 | Nashville (Predators) | LNH | 41 | 1 | 2 | 3 | 14 | - | - | - | - | - |
| | **LNH** | | 792 | 135 | 170 | 305 | 400 | 90 | 17 | 14 | 31 | 48 |
| | **Montréal** | | 236 | 46 | 67 | 113 | 111 | 41 | 10 | 8 | 18 | 24 |

- Coupe Stanley (LNH) en 1997-98
- Échangé à Edmonton par Montréal avec Shayne Corson et Vladimir Vujtek pour Vincent Damphousse et le choix de 4e ronde de Edmonton au repêchage de 1993 (Adam Wiesel) le 27 août 1992 • Échangé au Minnesota par Edmonton pour Todd Elik le 5 mars 1993. • Transfert de la concession du Minnesota à Dallas le 9 juin 1993 • Signe avec Detroit comme agent libre le 1er août 1997 • Réclamé par Tampa Bay de Detroit lors du repêchage inter-équipes le 5 octobre 1998 • Échangé à Detroit par Tampa Bay pour des considérations futures le 5 octobre 1998 • Réclamé au ballottage par Dallas de Detroit le 13 février 2002 • Signe avec Nashville comme agent libre le 1 juillet 2002

## GILMOUR, DOUG

**Né à Kingston, Ontario, le 25 juin 1963. Centre, lance de la gauche, 5'11", 177 lb**
**(4e choix de St. Louis, 134e au total lors du repêchage de 1982)**

| SAISON | CLUB | LIGUE | PJ | B | A | PTS | PUN | PJ | B | A | PTS | PUN |
|---|---|---|---|---|---|---|---|---|---|---|---|---|
| 1978-79 | Kingston (Legionaires) | OMHA | | | *Statistiques non disponibles* | | | - | - | - | - | - |
| 1979-80 | Kingston (Voyageurs) | OHA-B | 15 | 2 | 5 | 7 | 26 | - | - | - | - | - |
| 1979-80 | Belleville (Bulls) | OPJHL | 25 | 9 | 14 | 23 | 18 | - | - | - | - | - |
| 1980-81 | Cornwall (Royals) | LHJMQ | 51 | 12 | 23 | 35 | 35 | - | - | - | - | - |
| | Canada | CMJ | 5 | 0 | 0 | 0 | 0 | - | - | - | - | - |
| | Cornwall (Royals) | Mem. | 5 | 2 | 5 | 7 | 8 | - | - | - | - | - |
| 1981-82 | Cornwall (Royals) | OHL | 67 | 46 | 73 | 119 | 42 | 5 | 6 | 9 | 15 | 2 |
| 1982-83 | Cornwall (Royals) | OHL | 68 | 70 | 107 | 177 | 62 | 8 | 8 | 10 | 18 | 16 |
| 1983-84 | St. Louis (Blues) | LNH | 80 | 25 | 28 | 53 | 57 | 11 | 2 | 9 | 11 | 10 |
| 1984-85 | St. Louis (Blues) | LNH | 78 | 21 | 36 | 57 | 49 | 3 | 1 | 1 | 2 | 2 |
| 1985-86 | St. Louis (Blues) | LNH | 74 | 25 | 28 | 53 | 41 | 19 | 9 | 12 | 21 | 25 |
| 1986-87 | St. Louis (Blues) | LNH | 80 | 42 | 63 | 105 | 58 | 6 | 2 | 2 | 4 | 16 |
| 1987-88 | Canada | CC | 8 | 2 | 0 | 2 | 4 | - | - | - | - | - |
| | St. Louis (Blues) | LNH | 72 | 36 | 50 | 86 | 59 | 10 | 3 | 14 | 17 | 18 |
| 1988-89 | Calgary (Flames) | LNH | 72 | 26 | 59 | 85 | 44 | 22 | 11 | 11 | 22 | 20 |
| 1989-90 | Calgary (Flames) | LNH | 78 | 24 | 67 | 91 | 54 | 6 | 3 | 2 | 5 | 8 |
| | Canada | CM | 9 | 4 | 5 | 9 | 18 | - | - | - | - | - |
| 1990-91 | Calgary (Flames) | LNH | 78 | 20 | 61 | 81 | 144 | 7 | 1 | 1 | 2 | 4 |
| 1991-92 | Calgary (Flames) | LNH | 38 | 11 | 27 | 38 | 46 | - | - | - | - | - |
| | Toronto (Maple Leafs) | LNH | 40 | 15 | 34 | 49 | 32 | - | - | - | - | - |
| 1992-93 | Toronto (Maple Leafs) | LNH | 83 | 32 | 95 | 127 | 100 | 21 | 10 | 25 | 35 | 30 |
| | Match des étoiles | LNH | 1 | 0 | 0 | 0 | 0 | - | - | - | - | - |
| 1993-94 | Toronto (Maple Leafs) | LNH | 83 | 27 | 84 | 111 | 105 | 18 | 6 | 22 | 28 | 42 |
| | Match des étoiles | LNH | 1 | 0 | 1 | 1 | 0 | - | - | - | - | - |
| 1994-95 | HC Rapperswil-Jona | SUI | 9 | 3 | 13 | 16 | 18 | - | - | - | - | - |
| | Toronto (Maple Leafs) | LNH | 44 | 10 | 23 | 33 | 26 | 7 | 0 | 6 | 6 | 6 |
| 1995-96 | Toronto (Maple Leafs) | LNH | 81 | 32 | 40 | 72 | 77 | 6 | 1 | 7 | 8 | 12 |
| 1996-97 | Toronto (Maple Leafs) | LNH | 61 | 15 | 45 | 60 | 46 | - | - | - | - | - |
| | New Jersey (Devils) | LNH | 20 | 7 | 15 | 22 | 22 | 10 | 4 | 4 | 14 | 14 |
| 1997-98 | New Jersey (Devils) | LNH | 63 | 13 | 40 | 53 | 68 | 6 | 2 | 2 | 4 | 2 |
| 1998-99 | Chicago (Blackhawks) | LNH | 72 | 16 | 40 | 56 | 56 | - | - | - | - | - |
| 1999-00 | Chicago (Blackhawks) | LNH | 63 | 22 | 34 | 56 | 51 | - | - | - | - | - |
| 1999-00 | Buffalo (Sabres) | LNH | 11 | 3 | 14 | 17 | 4 | 5 | 3 | 1 | 4 | 2 |
| 2000-01 | Buffalo (Sabres) | LNH | 71 | 7 | 31 | 38 | 70 | 13 | 1 | 0 | 1 | 6 |
| 2001-02 | Montréal (Canadiens) | LNH | 70 | 10 | 31 | 41 | 48 | 12 | 4 | 6 | 10 | 16 |

| SAISON | CLUB | LIGUE | PJ | B | A | PTS | PUN | PJ | B | A | PTS | PUN |
|---|---|---|---|---|---|---|---|---|---|---|---|---|
| 2002-03 | Montréal (Canadiens) | LNH | 61 | 11 | 19 | 30 | 36 | - | - | - | - | - |
| | Toronto (Maple Leafs) | LNH | 1 | 0 | 0 | 0 | 0 | - | - | - | - | - |
| | LNH | | 1474 | 450 | 964 | 1414 | 1301 | 182 | 60 | 128 | 188 | 235 |
| | Montréal | | 131 | 21 | 50 | 71 | 84 | 12 | 4 | 6 | 10 | 16 |

• Coupe du Président (LHJMQ) en 1980-81 • Coupe Memorial en 1980-81 • Première équipe d'étoiles (OHL) 1982-83 • Coupe Stanley (LNH) en 1988-89 • Trophée Frank-J.-Selke (LNH) en 1992-93 • Match des étoiles (LNH) en 1992-93, 1993-94
• Échangé à Calgary par St. Louis avec Mark Hunter, Steve Bozek et Michael Dark pour Mike Bullard, Craig Coxe et Tim Corkery le 6 septembre 1988 • Échangé à Toronto par Calgary avec Jamie Macoun, Ric Nattress, Kent Manderville et Rick Wamsley pour Gary Leeman, Alexander Godynyuk, Jeff Reese, Michel Petit et Craig Berube le 2 janvier 1992 • Échangé au New Jersey par Toronto avec Dave Ellett et le choix de 3e ronde du New Jersey au repêchage de 1999 (propriété du Toronto suite à une transaction antérieure, New Jersey sélectionne Andre Lakos) pour Jason Smith, Steve Sullivan et les droits sur Alyn McCauley le 25 février 1997 • Signe avec Chicago comme agent libre le 28 juillet 1998 • Échangé à Buffalo par Chicago avec Jean-Pierre Dumont et des considérations futures pour Michal Grosek le 10 mars 2000 • Signe avec Montréal comme agent libre le 5 octobre 2001. • Échangé à Toronto par Montréal pour le choix de 6e ronde de Toronto au repêchage de 2003 le 11 mars 2003

### GINGRAS, GASTON

**Né à Temiscaming, Québec, le 13 février 1959. Défenseur, lance de la gauche, 6'01", 200 lb (1er choix de Montréal, 27e au total lors repêchage de 1979)**

| SAISON | CLUB | LIGUE | PJ | B | A | PTS | PUN | PJ | B | A | PTS | PUN |
|---|---|---|---|---|---|---|---|---|---|---|---|---|
| 1974-75 | North Bay (Trappers) | NOJHA | 41 | 11 | 27 | 38 | 74 | | | | | |
| 1975-76 | Kitchener (Rangers) | OMJHL | 66 | 13 | 31 | 44 | 94 | 8 | 3 | 3 | 6 | 7 |
| 1976-77 | Kitchener (Rangers) | OMJHL | 59 | 13 | 62 | 75 | 134 | 3 | 0 | 1 | 1 | 6 |
| 1977-78 | Kitchener (Rangers) | OMJHL | 13 | 12 | 24 | 37 | 31 | - | | | | |
| | Hamilton (Fincups) | OMJHL | 29 | 11 | 19 | 30 | 37 | 15 | 3 | 11 | 14 | 13 |
| 1978-79 | Birmingham (Bulls) | AMH | 60 | 13 | 34 | 35 | | - | | | | |
| 1979-80 | Nlle-Écosse (Voyageurs) | AHL | 30 | 11 | 27 | 38 | 17 | - | | | | |
| | Montréal (Canadiens) | LNH | 34 | 3 | 7 | 10 | 18 | 10 | 1 | 6 | 7 | 8 |
| 1980-81 | Montréal (Canadiens) | LNH | 55 | 5 | 16 | 21 | 22 | 1 | 1 | 0 | 1 | 0 |
| 1981-82 | Montréal (Canadiens) | LNH | 34 | 6 | 18 | 24 | 28 | 5 | 0 | 1 | 1 | 0 |
| 1982-83 | Montréal (Canadiens) | LNH | 22 | 1 | 8 | 9 | 8 | - | | | | |
| | Toronto (Maple Leafs) | LNH | 45 | 10 | 18 | 28 | 10 | 3 | 1 | 2 | 3 | 2 |
| 1983-84 | Toronto (Maple Leafs) | LNH | 59 | 7 | 20 | 27 | 16 | - | | | | |
| 1984-85 | Toronto (Maple Leafs) | LNH | 5 | 0 | 2 | 2 | 0 | - | | | | |
| | St. Catharines (Saints) | AHL | 36 | 7 | 12 | 19 | 13 | - | | | | |
| | Sherbrooke (Canadien) | AHL | 21 | 3 | 14 | 17 | 6 | 17 | 5 | 4 | 9 | 4 |
| 1985-86 | Sherbrooke (Canadien) | AHL | 42 | 11 | 20 | 31 | 14 | - | | | | |
| | Montréal (Canadiens) | LNH | 34 | 8 | 18 | 26 | 12 | 11 | 2 | 3 | 5 | 4 |
| 1986-87 | Montréal (Canadiens) | LNH | 66 | 11 | 34 | 45 | 21 | 5 | 0 | 2 | 2 | 0 |
| 1987-88 | Montréal (Canadiens) | LNH | 2 | 0 | 1 | 1 | 2 | - | | | | |
| | St. Louis (Blues) | LNH | 68 | 7 | 22 | 29 | 18 | 10 | 1 | 3 | 4 | 4 |
| 1988-89 | St. Louis (Blues) | LNH | 52 | 5 | 13 | 18 | 6 | 7 | 0 | 1 | 1 | 2 |
| 1989-90 | EHC Biel-Bienne | SUI | 36 | 17 | 20 | 37 | - | 6 | 3 | 3 | 6 | |
| 1990-91 | EHC Biel-Bienne | SUI | 13 | 1 | 7 | 8 | | - | | | | |
| 1991-92 | HC Lugano | SUI | 38 | 10 | 19 | 29 | 24 | - | | | | |
| 1992-93 | HC Gardena-Groden | Alpes | 30 | 10 | 19 | 29 | 28 | - | | | | |
| | HC Gardena-Groden | ITA | 19 | 3 | 24 | 27 | 16 | - | | | | |
| 1993-94 | HC Gardena-Groden | Alpes | 27 | 5 | 15 | 20 | 6 | - | | | | |
| | HC Gardena-Groden | ITA | 21 | 3 | 14 | 17 | 14 | - | | | | |
| 1994-95 | HC Gardena-Groden | AHL | 1 | 0 | 0 | 0 | 2 | - | | | | |
| | Fredericton (Canadien) | Alpes | 19 | 3 | 6 | 9 | 4 | 17 | 2 | 12 | 14 | 8 |
| 1995-96 | Fredericton (Canadien) | AHL | 39 | 11 | 23 | 18 | | - | | | | |
| 1996-97 | | | | | | | *N'a pas joué* | | | | | |
| 1997-98 | | | | | | | *N'a pas joué* | | | | | |
| 1998-99 | Chesapeake (Icebreakers) | ECHL | 5 | 0 | 4 | 4 | 6 | | | | | |
| | LNH | | 476 | 61 | 174 | 235 | 161 | 52 | 6 | 18 | 24 | 20 |
| | Montréal | | 247 | 34 | 102 | 136 | 111 | 32 | 4 | 12 | 16 | 12 |

• Coupe Calder (AHL) en 1984-85 • Coupe Stanley (LNH) en 1985-86
• Signe avec Birmingham (AMH) comme agent libre en juin 1978 • Échangé à Toronto par Montréal pour le choix de 2e ronde de Toronto au repêchage de 1986 (Benoît Brunet) le 17 décembre 1982 • Échangé à Montréal par Toronto pour Larry Landon le 14 février 1985. • Échangé à St. Louis par Montréal pour Larry Trader et des considérations futures (inversion des choix de 3e ronde au repêchage de 1989, Montréal sélectionne Pierre Sevigny et St. Louis Chris Draper) le 13 octobre 1987 • Signe avec Montréal comme agent libre le 1er mars 1995 • Signe avec Chesapeake (ECHL) comme agent libre le 9 février 1999

### GIROUX, ARTHUR (ART)

**Né à Winnipeg, Manitoba, le 6 juin 1908, décédé le 5 juin 1982**
**Ailier droit, lance de la droite, 5'10", 165 lb**

| SAISON | CLUB | LIGUE | PJ | B | A | PTS | PUN | PJ | B | A | PTS | PUN |
|---|---|---|---|---|---|---|---|---|---|---|---|---|
| 1926-27 | Saskatoon (Sheiks) | PrHL | 27 | 1 | 0 | 1 | 4 | 2 | 0 | 0 | 0 | 0 |
| 1927-28 | Saskatoon (Sheiks) | PrHL | 19 | 6 | 1 | 7 | 2 | - | | | | |
| 1928-29 | San Francisco (Tigers) | Cal-Pro | - | 7 | 1 | 8 | | - | | | | |
| 1929-30 | San Francisco (Tigers) | Cal-Pro | - | *34 | 10 | 44 | 59 | | | | | |
| 1930-31 | Providence (Reds) | Can-Am | 39 | 16 | 7 | 23 | 41 | 2 | 0 | 0 | 0 | 4 |
| 1931-32 | Providence (Reds) | Can-Am | 36 | 11 | 10 | 21 | 25 | 5 | 0 | 1 | 1 | 0 |
| 1932-33 | Providence (Reds) | Can-Am | 6 | 5 | 1 | 6 | 2 | - | | | | |
| | Montréal (Canadiens) | LNH | 40 | 5 | 2 | 7 | 14 | 2 | 0 | 0 | 0 | 0 |
| 1933-34 | Providence (Reds) | Can-Am | 40 | 20 | 15 | 35 | 28 | 3 | *7 | 1 | *8 | 6 |
| 1934-35 | Boston (Bruins) | LNH | 10 | 1 | 0 | 1 | 0 | - | | | | |
| | Boston (Cubs) | Can-Am | 32 | 20 | 16 | 36 | 19 | 3 | 1 | 0 | 1 | 2 |
| 1935-36 | Detroit (Red Wings) | LNH | 4 | 0 | 0 | 0 | 0 | - | | | | |
| | Detroit (Olympics) | IHL | 35 | 17 | 12 | 29 | 28 | 4 | 4 | 0 | 4 | 4 |
| 1936-37 | Pittsburgh (Hornets) | IAHL | 47 | 21 | 7 | 28 | 30 | 5 | 3 | 0 | 3 | 2 |
| 1937-38 | Providence (Reds) | IAHL | 43 | 12 | 10 | 22 | 13 | 7 | 3 | 5 | 8 | 2 |
| 1938-39 | Providence (Reds) | IAHL | 51 | 23 | 24 | 47 | 44 | 5 | 1 | 4 | 5 | 6 |
| 1939-40 | Providence (Reds) | AHL | 50 | 15 | 25 | 40 | 12 | 5 | 0 | 3 | 3 | 2 |
| 1940-41 | Providence (Reds) | AHL | 48 | 20 | 19 | 39 | 12 | 4 | 1 | 3 | 4 | 4 |
| 1941-42 | Cleveland (Barons) | AHL | 54 | 18 | 22 | 40 | 18 | 5 | 1 | 0 | 1 | 2 |

| SAISON | CLUB | LIGUE | PJ | B | A | PTS | PUN | PJ | B | A | PTS | PUN |
|---|---|---|---|---|---|---|---|---|---|---|---|---|
| 1942-43 | Cleveland (Barons) | AHL | 53 | 13 | 11 | 24 | 22 | 2 | 0 | 0 | 0 | 0 |
| 1943-44 | Providence (Reds) | AHL | 31 | 12 | 10 | 22 | 5 | - | | | | |
| | Pittsburgh (Hornets) | AHL | 11 | 11 | 5 | 16 | 0 | - | | | | |
| 1944-45 | Pittsburgh (Hornets) | AHL | 3 | 0 | 2 | 2 | 2 | - | | | | |
| | St. Louis (Flyers) | AHL | 40 | 18 | 15 | 33 | 6 | - | | | | |
| | LNH | | 54 | 6 | 4 | 10 | 14 | 2 | 0 | 0 | 0 | 0 |
| | Montréal | | 40 | 5 | 2 | 7 | 14 | 2 | 0 | 0 | 0 | 0 |

• Coupe Calder (AHL) en 1937-38, 1939-40 • Deuxième équipe d'étoile (IAHL) en 1939-40
• Droits vendus à Montréal par San Francisco avec Georges Giroux le 13 février 1930 • Droits vendus à Boston par Montréal le 18 octobre 1934 • Échangé à Detroit par Boston avec Marty Barry pour Ralph Weiland et Walter Buswell le 30 juin 1935

### GLASS, FRANK (PUD)

**Né à Kirk's Ferry, Écosse, le 2 octobre 1884, décédé le 2 mars 1965**
**Rover/Ailier gauche/Centre, lance de la gauche, 5'10", 190 lb**

| SAISON | CLUB | LIGUE | PJ | B | A | PTS | PUN | PJ | B | A | PTS | PUN |
|---|---|---|---|---|---|---|---|---|---|---|---|---|
| 1902-03 | Montréal (St. Laurent) | MCSHL | | | *Statistiques non disponibles* | | | | | | | |
| 1903-04 | Montréal (Saint-Charles) | MCSHL | | | *Statistiques non disponibles* | | | | | | | |
| 1904-05 | Montréal (Wanderers) | FAHL | 6 | 9 | 0 | 9 | 6 | - | | | | |
| 1905-06 | Montréal (Wanderers) | ECAHA | 10 | 10 | 0 | 10 | 12 | 3 | 7 | 0 | 3 | 6 |
| 1906-07 | Montréal (Wanderers) | ECAHA | 10 | 14 | 0 | 14 | 11 | 6 | 8 | 0 | 8 | 21 |
| 1907-08 | Montréal (Wanderers) | ECAHA | 9 | 3 | 0 | 3 | 23 | 5 | 6 | 0 | 6 | 13 |
| 1908-09 | Montréal (Wanderers) | ECHA | 12 | 18 | 0 | 18 | 29 | 2 | 5 | 0 | 5 | 11 |
| 1909-10 | Montréal (Wanderers) | NHA | 12 | 15 | 0 | 15 | 38 | 1 | 0 | 0 | 0 | 0 |
| 1910-11 | Montréal (Wanderers) | NHA | 16 | 17 | 0 | 17 | 31 | - | | | | |
| 1911-12 | Montréal (Canadiens) | NHA | 16 | 7 | 0 | 7 | | - | | | | |
| | NHA | | 44 | 39 | 0 | 39 | 69 | 1 | 0 | 0 | 0 | 0 |
| | Montréal | | 16 | 7 | 0 | 7 | | - | | | | |

• Coupe Stanley (ECAHA) en 1905-06, 1906-07, 1907-08 • Deuxième équipe d'étoiles (ECAHA) en 1907-08 • Coupe Stanley (NHA) en 1909-10
• Droits vendus à Montréal (Canadien) par Montréal (Wanderers) le 7 janvier 1912

### GLOVER, HOWARD (HOWIE)

**Né à Toronto, Ontario, le 14 février 1935. Ailier droit, lance de la droite, 5'11", 180 lb**

| SAISON | CLUB | LIGUE | PJ | B | A | PTS | PUN | PJ | B | A | PTS | PUN |
|---|---|---|---|---|---|---|---|---|---|---|---|---|
| 1952-53 | Weston (Dukes) | OHA B | | | *Statistiques non disponible* | | | | | | | |
| | Toronto (Marlboros) | OHA Jr | 19 | 1 | 4 | 5 | 9 | 6 | 0 | 1 | 1 | 6 |
| 1953-54 | Toronto (Marlboros) | OHA Jr | 19 | 5 | 3 | 8 | 17 | - | | | | |
| | Kitchener (Greenshirts) | OHA Jr | 42 | 17 | 9 | 26 | 53 | 4 | 0 | 0 | 0 | 7 |
| 1954-55 | Kitchener-Barrie | OHA Jr | 18 | 9 | 19 | 72 | | - | | | | |
| 1955-56 | Toledo (Mercurys) | LIHL | 60 | 23 | 23 | 46 | 108 | 9 | 1 | 3 | 4 | 4 |
| | Cleveland (Barons) | AHL | 2 | 0 | 1 | 1 | 0 | - | | | | |
| 1956-57 | | | | | | | *N'a pas joué — Suspendu* | | | | | |
| 1957-58 | Winnipeg (Warriors) | WHL | 67 | 38 | 34 | 72 | 72 | 7 | 4 | 1 | 5 | 8 |
| 1958-59 | Calgary (Stampeders) | WHL | 42 | 12 | 22 | 34 | 63 | 4 | 3 | 7 | 8 | |
| | Chicago (Black Hawks) | LNH | 13 | 0 | 1 | 1 | 2 | - | | | | |
| 1959-60 | Buffalo (Bisons) | AHL | 68 | 31 | 25 | 56 | 95 | - | | | | |
| 1960-61 | Detroit (Red Wings) | LNH | 66 | 21 | 8 | 29 | 46 | 11 | 3 | 2 | 3 | 2 |
| 1961-62 | Detroit (Red Wings) | LNH | 39 | 7 | 8 | 15 | 44 | - | | | | |
| 1962-63 | Pittsburgh (Hornets) | AHL | 71 | 22 | 30 | 52 | 94 | - | | | | |
| 1963-64 | New York (Rangers) | LNH | 25 | 1 | 0 | 1 | 9 | - | | | | |
| 1964-65 | Cleveland (Barons) | AHL | 26 | 21 | 7 | 28 | 49 | - | | | | |
| 1965-66 | Cleveland (Barons) | AHL | 59 | 9 | 14 | 23 | 96 | 12 | 5 | 0 | 5 | 21 |
| 1966-67 | Cleveland (Barons) | AHL | 48 | 18 | 16 | 34 | 66 | 5 | 2 | 0 | 2 | 6 |
| 1967-68 | Cleveland (Barons) | AHL | 69 | 41 | 22 | 63 | 121 | - | | | | |
| 1968-69 | Cleveland (Barons) | AHL | 73 | 24 | 35 | 59 | 44 | 3 | 1 | 2 | 3 | 4 |
| | Montréal (Canadiens) | LNH | 1 | 0 | 0 | 0 | 0 | - | | | | |
| 1969-70 | Cleveland (Barons) | AHL | 32 | 12 | 14 | 26 | 49 | - | | | | |
| | LNH | | 144 | 29 | 17 | 46 | 101 | 11 | 1 | 2 | 3 | 2 |
| | Montréal | | 1 | 0 | 0 | 0 | 0 | - | | | | |

• Réclamé par Chicago de Winnipeg (WHL) au repêchage inter-ligues le 3 juin 1958 • Échangé à Detroit par Chicago pour Jim Morrison le 5 juin 1960 • Droits vendus à Portland (WHL) par Detroit le 27 mai 1963 • Échangé New York à Portland (WHL) pour Pat Hannigan le 19 septembre 1963 • Échangé à Montréal par New York pour Ray Brunel et Bev Bell le 19 avril 1964 • Droits vendus à Cleveland (AHL) par Montréal le 19 avril 1964 • Échangé à Montréal par Cleveland pour Jim Mikol et Bill Staub en août 1968

### GODIN, SAMUEL (SAM)

**Né à Rockland, Ontario, le 20 septembre 1909, décédé**
**Ailier droit, lance de la droite, 5'10", 155 lb**

| SAISON | CLUB | LIGUE | PJ | B | A | PTS | PUN | PJ | B | A | PTS | PUN |
|---|---|---|---|---|---|---|---|---|---|---|---|---|
| 1926-27 | Rockland Hockey Club | OVHL | | | *Statistiques non disponibles* | | | | | | | |
| 1927-28 | Rockland Hockey Club | OVHL | 8 | 8 | 2 | 10 | 6 | - | | | | |
| | Ottawa (Senators) | LNH | 24 | 0 | 0 | 0 | 0 | - | | | | |
| 1928-29 | Ottawa (Senators) | LNH | 23 | 2 | 1 | 3 | 21 | - | | | | |
| | Niagara Falls (Cataracts) | Can-Pro | 18 | 8 | 1 | 9 | 33 | - | | | | |
| 1929-30 | Buffalo (Bisons) | IHL | 39 | 9 | 6 | 15 | 22 | 7 | 0 | 0 | 0 | 8 |
| 1930-31 | Buffalo (Bisons) | IHL | 26 | 3 | 5 | 8 | 16 | 6 | 0 | 0 | 0 | 2 |
| 1931-32 | Buffalo (Bisons) | IHL | 38 | 13 | 7 | 20 | 35 | 6 | 1 | 1 | 2 | 8 |
| 1932-33 | Buffalo (Bisons) | IHL | 42 | 15 | 12 | 27 | 45 | 6 | 0 | 4 | 4 | 8 |
| 1933-34 | Montréal (Canadiens) | LNH | 36 | 2 | 2 | 4 | 15 | - | | | | |
| | Windsor (Bulldogs) | IHL | 9 | 0 | 0 | 0 | 7 | - | | | | |
| 1934-35 | Buffalo (Bisons) | IHL | 17 | 2 | 3 | 5 | 16 | - | | | | |
| | London (Tecumsehs) | IHL | 27 | 11 | 7 | 18 | 24 | 5 | 2 | 1 | 3 | 0 |
| 1935-36 | Buffalo (Bisons) | IAHL | 48 | 19 | 18 | 37 | 14 | 5 | 2 | 3 | 5 | 0 |
| 1936-37 | Vancouver (Lions) | PCHL | 31 | 8 | 7 | 15 | 12 | - | | | | |
| 1937-38 | Springfield (Indians) | IAHL | 3 | 0 | 1 | 1 | 0 | - | | | | |
| | Minneapolis (Millers) | AHA | 44 | 24 | 17 | 41 | 19 | 7 | *5 | 1 | *6 | 0 |
| 1938-39 | Minneapolis (Millers) | AHA | 29 | 6 | 12 | 18 | 16 | - | | | | |
| | Kansas City (Greyhounds) | AHA | 29 | 12 | 5 | 17 | 6 | - | | | | |
| 1939-40 | Wichita (Skyhawks) | AHA | 15 | 1 | 4 | 5 | 0 | - | | | | |
| 1940-41 | Ottawa (Canadien) | OCHL | | | | | | | | | | |

| SAISON CLUB | LIGUE | PJ | B | A | PTS | PUN | PJ | B | A | PTS | PUN |
|---|---|---|---|---|---|---|---|---|---|---|---|
| Hamilton (Dofascos) | OHA Sr | 13 | 1 | 2 | 3 | 20 | - | - | - | - | - |
| 1941-42 Ottawa (Canadien) | OCHL | | | *N'a pas joué – Entraîneur* | | | | | | | |
| 1942-43 Hamilton (Majors) | OHA Sr | 1 | 0 | 0 | 0 | 0 | - | - | - | - | - |
| **LNH** | | 83 | 4 | 3 | 7 | 36 | - | - | - | - | - |
| **Montréal** | | 36 | 2 | 2 | 4 | 15 | - | - | - | - | - |

• Signe avec Ottawa le 24 janvier 1928 • Droits vendus à Buffalo (IHL) par Ottawa en novembre 1929 • Droits vendus à Montréal par Buffalo (IHL) le 11 septembre 1933. • Prêté à Windsor (IHL) par Montréal le 12 février 1934 • Prêté à London (IHL) par Montréal le 30 décembre 1934 • Signe avec Vancouver (PCHL) au retrait de Buffalo (IAHL) le 9 décembre 1936 • Échangé à Springfield (IAHL) par Montréal pour Red Conn le 30 septembre 1937 • Droits vendus à Minneapolis (AHA) par Springfield (IAHL) le 7 novembre 1937

### GOLDSWORTHY, LEROY
**Né à Two Harbors, Minnesota, le 18 octobre 1906, décédé le 16 mars 1980**
**Défenseur/Ailier droit, lance de la droite 6', 165 lb**

| SAISON CLUB | LIGUE | PJ | B | A | PTS | PUN | PJ | B | A | PTS | PUN |
|---|---|---|---|---|---|---|---|---|---|---|---|
| 1924-25 Edmonton (Victorias) | EJHL | 1 | 0 | 0 | 0 | | 3 | 0 | 0 | 0 | 2 |
| 1925-26 Edmonton (Eskimos) | WHL | 11 | 0 | 0 | 0 | 0 | - | - | - | - | - |
| 1926-27 Springfield (Indians) | Can-Am | 31 | 2 | 1 | 3 | 4 | 6 | 1 | 0 | 1 | 8 |
| 1927-28 Springfield (Indians) | Can-Am | 38 | 8 | 5 | 13 | 32 | 4 | 2 | 0 | 2 | 2 |
| 1928-29 Springfield (Indians) | Can-Am | 39 | 9 | 7 | 16 | 40 | - | - | - | - | - |
| New York (Rangers) | LNH | - | - | - | - | - | 1 | 0 | 0 | 0 | 0 |
| 1929-30 New York (Rangers) | LNH | 44 | 4 | 5 | 9 | 16 | 4 | 0 | 0 | 0 | 2 |
| 1930-31 London (Tecumsehs) | IHL | 25 | 9 | 5 | 14 | 27 | - | - | - | - | - |
| Detroit (Falcons) | LNH | 12 | 1 | 0 | 1 | 2 | - | - | - | - | - |
| Detroit (Olympics) | IHL | 8 | 4 | 2 | 6 | 4 | - | - | - | - | - |
| 1931-32 Detroit (Olympics) | IHL | 47 | 16 | 9 | 25 | 16 | 6 | 2 | 0 | 2 | 2 |
| 1932-33 Detroit (Red Wings) | LNH | 25 | 4 | 2 | 6 | 6 | 4 | 0 | 0 | 0 | 2 |
| Detroit (Olympics) | IHL | 17 | 12 | 2 | 14 | 22 | - | - | - | - | - |
| 1933-34 London (Tecumsehs) | IHL | 18 | 11 | 4 | 15 | 10 | - | - | - | - | - |
| Chicago (Black Hawks) | LNH | 27 | 3 | 3 | 6 | 0 | 7 | 0 | 3 | 3 | 0 |
| 1934-35 London (Tecumsehs) | IHL | 7 | 4 | 1 | 5 | 6 | - | - | - | - | - |
| Chicago (Black Hawks) | LNH | 7 | 0 | 0 | 0 | 2 | - | - | - | - | - |
| Montréal (Canadiens) | LNH | 33 | 20 | 9 | 29 | 13 | 2 | 1 | 0 | 1 | 0 |
| 1935-36 Montréal (Canadiens) | LNH | 47 | 15 | 11 | 26 | 8 | - | - | - | - | - |
| 1936-37 Boston (Bruins) | LNH | 43 | 8 | 6 | 14 | 26 | 3 | 0 | 0 | 0 | 0 |
| 1937-38 Boston (Bruins) | LNH | 46 | 9 | 10 | 19 | 14 | 3 | 0 | 0 | 0 | 2 |
| 1938-39 New York (Americans) | LNH | 48 | 3 | 11 | 14 | 10 | 2 | 0 | 0 | 0 | 0 |
| 1939-40 Cleveland (Barons) | IAHL | 56 | 9 | 22 | 31 | 10 | - | - | - | - | - |
| 1940-41 Buffalo (Bisons) | AHL | 56 | 6 | 18 | 24 | 8 | - | - | - | - | - |
| 1941-42 Dallas (Texans) | AHA | 50 | 15 | 24 | 39 | 31 | - | - | - | - | - |
| 1942-43 | | | | *Service militaire* | | | | | | | |
| 1943-44 Edmonton (Vics) | Exh. | | | *Statistiques non disponibles* | | | | | | | |
| Edmonton (Vics) | Allan | 4 | 0 | 0 | 0 | 0 | - | - | - | - | - |
| 1944-45 | | | | *Service militaire* | | | | | | | |
| 1945-46 Dallas (Texans) | USHL | 1 | 0 | 0 | 0 | 0 | - | - | - | - | - |
| **LNH** | | 336 | 66 | 57 | 123 | 79 | 24 | 1 | 0 | 1 | 4 |
| **Montréal** | | 80 | 35 | 20 | 55 | 21 | 2 | 1 | 0 | 1 | 0 |

• Coupe Stanley (LNH) en 1933-34
• Signe avec Edmonton (WHL) le 2 décembre 1925 • Droits vendus à New York (Rangers) par Edmonton (WHL) le 19 octobre 1926 • Droits vendus à London (IHL) par New York (Rangers) le 29 octobre 1930 • Échangé à Detroit par London (IHL) pour Harold Hicks le 12 janvier 1931 • Échangé à Chicago par Detroit avec Frank Waite pour Gene Carrigan le 19 octobre 1933 • Droits vendus à London (IHL) par Chicago le 22 novembre 1933. • Échangé à Chicago par London (IHL) pour Bill Kendall et une somme d'argent le 4 janvier 1934 • Échangé à Montréal par Chicago avec Lionel Conacher et Roger Jenkins pour Lorne Chabot, Howie Morenz et Marty Burke le 1er octobre 1934 • Droits vendus à Chicago par Montréal le 4 octobre 1934 • Droits vendus à Montréal par Chicago le 18 décembre 1934 • Échangé à Boston par Montréal avec Sammy McManus et une somme d'argent pour Babe Siebert et Roger Jenkins le 10 septembre 1936 • Droits vendus à New York (Americans) par Boston avec Art Jackson le 24 octobre 1938 • Droits vendus à Cleveland (IAHL) par New York (Americains) le 12 octobre 1939.

### GOLDUP, GLENN
**Né à St. Catharines, Ontario, le 26 avril 1953. Ailier droit, lance de la gauche, 6', 190 lb (2e choix de Montréal, 17e au total lors du repêchage de 1973)**

| SAISON CLUB | LIGUE | PJ | B | A | PTS | PUN | PJ | B | A | PTS | PUN |
|---|---|---|---|---|---|---|---|---|---|---|---|
| 1968-69 Toronto (Marlboros) | OHA Jr | 35 | 20 | 20 | 40 | | - | - | - | - | - |
| 1969-70 Markham (Waxers) | OHA B | 27 | 22 | 19 | 41 | | - | - | - | - | - |
| Toronto (Marlboros) | OHA Jr | 2 | 0 | 1 | 1 | 0 | 14 | 4 | 5 | 9 | 9 |
| 1970-71 Toronto (Marlboros) | OHA JR | 58 | 12 | 22 | 34 | 82 | 14 | 2 | 1 | 3 | 16 |
| 1971-72 Toronto (Marlboros) | OMJHL | 63 | 24 | 34 | 58 | 161 | 10 | 2 | 2 | 4 | 30 |
| 1972-73 Toronto (Marlboros) | OMJHL | 54 | 42 | 53 | 95 | 193 | 16 | 7 | 11 | 18 | - |
| Toronto (Marlboros) | Mem. | 3 | 3 | 2 | 5 | | - | - | - | - | - |
| 1973-74 Nlle-Écosse (Voyageurs) | AHL | 44 | 18 | 15 | 33 | 64 | - | - | - | - | - |
| Montréal (Canadiens) | LNH | 6 | 0 | 0 | 0 | 0 | - | - | - | - | - |
| 1974-75 Nlle-Écosse (Voyageurs) | AHL | 49 | 15 | 16 | 31 | 140 | 5 | 1 | 4 | 5 | 36 |
| Montréal (Canadiens) | LNH | 9 | 0 | 1 | 1 | 2 | - | - | - | - | - |
| 1975-76 Nlle-Écosse (Voyageurs) | AHL | 65 | 23 | 22 | 45 | 131 | 9 | *8 | 3 | 11 | *33 |
| Montréal (Canadiens) | LNH | 3 | 0 | 0 | 0 | 0 | - | - | - | - | - |
| 1976-77 Fort Worth (Texans) | CHL | 7 | 2 | 2 | 4 | 9 | - | - | - | - | - |
| Los Angeles (Kings) | LNH | 28 | 7 | 6 | 13 | 29 | 8 | 2 | 2 | 4 | 2 |
| 1977-78 Los Angeles (Kings) | LNH | 64 | 14 | 18 | 32 | 66 | 2 | 1 | 0 | 1 | 11 |
| 1978-79 Los Angeles (Kings) | LNH | 73 | 15 | 22 | 37 | 89 | 2 | 0 | 1 | 1 | 0 |
| 1979-80 Los Angeles (Kings) | LNH | 55 | 10 | 11 | 21 | 35 | 4 | 1 | 0 | 1 | 0 |
| 1980-81 Los Angeles (Kings) | LNH | 49 | 6 | 9 | 15 | 35 | - | - | - | - | - |
| New Haven (Nighthawks) | AHL | 15 | 6 | 4 | 8 | 36 | - | - | - | - | - |
| 1981-82 Los Angeles (Kings) | LNH | 4 | 0 | 1 | 1 | 4 | - | - | - | - | - |
| New Haven (Nighthawks) | AHL | 51 | 14 | 17 | 31 | 91 | 4 | 3 | 1 | 4 | 3 |
| 1982-83 New Haven (Nighthawks) | AHL | 28 | 0 | 8 | 8 | 39 | - | - | - | - | - |
| 1983-84 New Haven (Nighthawks) | AHL | | | | | | - | - | - | - | - |
| **LNH** | | 291 | 52 | 67 | 119 | 303 | 16 | 4 | 3 | 7 | 22 |
| **Montréal** | | 18 | 0 | 1 | 1 | 4 | - | - | - | - | - |

• Coupe Memorial en 1972-73 • Deuxième équipe d'étoiles (AHL) en 1975-76 • Coupe Calder (AHL) en 1975-76
• Échangé à Los Angeles par Montréal avec le choix de 3e ronde de Montréal (cédé plus tard à Detroit qui sélectionne Doug Derkson) au repêchage de 1978 pour le choix de 3e ronde de Los Angeles (Moe Robinson) au repêchage de 1977 et le 1er choix de Los Angeles (Danny Geoffrion) au repêchage de 1978 le 12 juin 1976

### GOUPILLE, CLIFFORD (RED)
**Né à Trois-Rivières, Québec, le 2 septembre 1915**
**Défenseur, lance de la gauche, 6', 190 lb**

| SAISON CLUB | LIGUE | PJ | B | A | PTS | PUN | PJ | B | A | PTS | PUN |
|---|---|---|---|---|---|---|---|---|---|---|---|
| 1935-36 Montréal (Lafontaine) | LHMC | 22 | 7 | 11 | 18 | 54 | - | - | - | - | - |
| Montréal (Canadiens) | LNH | 4 | 0 | 0 | 0 | 0 | - | - | - | - | - |
| 1936-37 New Haven (Eagles) | IAHL | 34 | 4 | 6 | 10 | 78 | - | - | - | - | - |
| Montréal (Canadiens) | LNH | 4 | 0 | 0 | 0 | 0 | - | - | - | - | - |
| 1937-38 Montréal (Canadiens) | LNH | 47 | 4 | 5 | 9 | 44 | 3 | 2 | 0 | 2 | 4 |
| 1938-39 Montréal (Canadiens) | LNH | 18 | 0 | 2 | 2 | 24 | - | - | - | - | - |
| New Haven (Eagles) | IAHL | 36 | 6 | 6 | 12 | 54 | - | - | - | - | - |
| 1939-40 Montréal (Canadiens) | LNH | 48 | 2 | 10 | 12 | 48 | - | - | - | - | - |
| Match des étoiles | LNH | 1 | 0 | 0 | 0 | 0 | - | - | - | - | - |
| 1940-41 Montréal (Canadiens) | LNH | 48 | 6 | 9 | 81 | | 2 | 0 | 0 | 0 | 0 |
| 1941-42 Montréal (Canadiens) | LNH | 47 | 1 | 5 | 6 | 51 | 3 | 0 | 0 | 0 | 2 |
| 1942-43 Montréal (Canadiens) | LNH | 6 | 0 | 2 | 2 | 8 | - | - | - | - | - |
| Montréal (Armée) | LHSQ | 22 | 3 | 5 | 8 | 37 | 7 | 0 | 3 | 3 | 20 |
| 1943-44 | | | | *Service militaire* | | | | | | | |
| 1944-45 | | | | *Service militaire* | | | | | | | |
| 1945-46 Hull (Volants) | LHSQ | 40 | 4 | 13 | 17 | *95 | - | - | - | - | - |
| 1946-47 Sherbrooke (Saints) | LHPQ | 42 | 9 | 19 | 28 | *112 | 10 | 4 | 7 | 11 | 10 |
| Sherbrooke (Saints) | Allan | 4 | 0 | 1 | 1 | 4 | - | - | - | - | - |
| 1947-48 Sherbrooke (Saints) | LHPQ | 61 | 12 | 31 | 43 | 101 | 9 | 1 | 3 | 4 | 20 |
| 1948-49 Sherbrooke (Saints) | LHSQ | 63 | 6 | 16 | 22 | 90 | 12 | 1 | 1 | 2 | 24 |
| 1949-50 Sherbrooke (Saints) | LHSQ | 57 | 6 | 17 | 23 | 51 | 12 | 0 | 2 | 2 | 6 |
| Sherbrooke (Saints) | Allan | 5 | 1 | 1 | 2 | 6 | - | - | - | - | - |
| 1950-51 Sherbrooke (Saints) | LHMQ | 59 | 1 | 15 | 16 | 54 | 3 | 0 | 0 | 0 | 6 |
| **LNH** | | 222 | 12 | 28 | 40 | 256 | 8 | 2 | 0 | 2 | 6 |
| **Montréal** | | 222 | 12 | 28 | 40 | 256 | 8 | 2 | 0 | 2 | 6 |

• Match des étoiles (LNH) en 1939-40
• Signe avec Montréal le 13 mars 1936

### GOYETTE, PHILIPPE (PHIL)
**Né à Lachine, Québec, le 31 octobre 1933. Centre, lance de la gauche, 5'11", 170 lb**

| SAISON CLUB | LIGUE | PJ | B | A | PTS | PUN | PJ | B | A | PTS | PUN |
|---|---|---|---|---|---|---|---|---|---|---|---|
| 1950-51 Montréal (National) | LHJQ | 44 | 10 | 19 | 29 | 26 | 3 | 1 | 3 | 4 | 0 |
| 1951-52 Montréal (National) | LHJQ | 45 | 23 | 28 | 51 | 11 | 9 | 3 | 5 | 8 | 4 |
| 1952-53 Montréal (Canadien Jr) | LHJQ | 44 | 23 | 36 | 59 | 13 | 7 | 2 | 4 | 6 | 0 |
| 1953-54 Montréal (Canadien Jr) | LHJQ | 50 | 43 | 47 | 90 | 19 | 4 | 5 | 4 | 9 | 0 |
| 1954-55 Cincinnati (Mohawks) | IHL | 57 | *41 | 51 | *92 | 17 | 10 | 6 | 8 | *14 | 2 |
| Montréal (Royals) | LHQ | | | | | | 4 | 0 | 1 | 1 | 0 |
| 1955-56 Montréal (Royals) | LHQ | 58 | 19 | 15 | 34 | 413 | *10 | 7 | 17 | 0 | |
| Montréal (Royals) | Edin. | 6 | 1 | 3 | 4 | 0 | - | - | - | - | - |
| 1956-57 Montréal (Royals) | LHQ | 47 | 13 | 18 | 31 | 10 | - | - | - | - | - |
| Montréal (Canadiens) | LNH | 14 | 3 | 4 | 7 | 0 | 10 | 2 | 1 | 3 | 4 |
| 1957-58 Montréal (Canadiens) | LNH | 70 | 9 | 37 | 46 | 8 | 10 | 4 | 1 | 5 | 4 |
| Match des étoiles | LNH | 1 | 0 | 0 | 0 | 0 | - | - | - | - | - |
| 1958-59 Montréal (Canadiens) | LNH | 63 | 10 | 18 | 28 | 8 | 10 | 0 | 4 | 4 | 0 |
| Match des étoiles | LNH | 1 | 0 | 0 | 0 | 0 | - | - | - | - | - |
| 1959-60 Montréal (Canadiens) | LNH | 65 | 21 | 22 | 43 | 4 | 2 | 1 | 3 | 4 | 0 |
| Match des étoiles | LNH | 1 | 0 | 0 | 0 | 0 | - | - | - | - | - |
| 1960-61 Montréal (Canadiens) | LNH | 62 | 7 | 4 | 11 | 4 | 6 | 3 | 3 | 6 | 0 |
| 1961-62 Montréal (Canadiens) | LNH | 69 | 7 | 27 | 34 | 8 | 6 | 1 | 5 | 6 | 0 |
| Match des étoiles | LNH | 1 | 0 | 0 | 0 | 0 | - | - | - | - | - |
| 1962-63 Montréal (Canadiens) | LNH | 32 | 5 | 8 | 13 | 2 | 5 | 0 | 0 | 0 | 0 |
| 1963-64 New York (Rangers) | LNH | 70 | 24 | 41 | 65 | 15 | - | - | - | - | - |
| 1964-65 New York (Rangers) | LNH | 52 | 12 | 42 | 54 | 6 | - | - | - | - | - |
| 1965-66 New York (Rangers) | LNH | 60 | 11 | 31 | 42 | 6 | - | - | - | - | - |
| 1966-67 New York (Rangers) | LNH | 70 | 12 | 49 | 61 | 6 | 4 | 1 | 0 | 1 | 0 |
| 1967-68 New York (Rangers) | LNH | 73 | 25 | 40 | 65 | 6 | 6 | 0 | 1 | 1 | 4 |
| 1968-69 New York (Rangers) | LNH | 67 | 13 | 32 | 45 | 8 | 4 | 0 | 0 | 0 | 0 |
| 1969-70 St. Louis (Blues) | LNH | 72 | 29 | 49 | 78 | 16 | 16 | 3 | 11 | 14 | 6 |
| 1970-71 Buffalo (Sabres) | LNH | 60 | 15 | 46 | 61 | 6 | - | - | - | - | - |
| 1971-72 Buffalo (Sabres) | LNH | 37 | 3 | 21 | 24 | 14 | - | - | - | - | - |
| New York (Rangers) | LNH | 8 | 1 | 4 | 5 | 0 | 13 | 1 | 3 | 4 | 2 |
| **LNH** | | 941 | 207 | 467 | 674 | 131 | 94 | 17 | 29 | 46 | 26 |
| **Montréal** | | 375 | 62 | 120 | 182 | 44 | 52 | 12 | 14 | 26 | 14 |

• Première équipe d'étoiles (IHL) en 1954-55 • Trophée George-H.-Wilkinson (IHL) en 1954-55 • Trophée James-Gatschene (IHL) en 1954-55 • Match des étoiles de la LNH en 1957-58, 1958-59, 1959-60, 1961-62 • Coupe Stanley (LNH) en 1956-57, 1957-58, 1958-59, 1959-60 • Trophée Lady-Bing (LNH) en 1969-70
• Réclamé par Montréal de Montréal (Royals - LHQ) au repêchage inter-ligues le 5 juin 1956 • Échangé à New York par Montréal avec Don Marshall et Jacques Plante pour Lorne Worsley, Dave Balon, Léon Rochefort et Len Ronson le 4 juin 1963 • Échangé à St. Louis par New York pour le 1er choix de St. Louis au repêchage de 1969 (André Dupont) le 10 juin 1969 • Réclamé par Buffalo de St. Louis lors de l'expansion de la LNH le 10 juin 1970. • Droits vendus à New York par Buffalo le 5 mars 1972

### GRABOSKI, ANTHONY (TONY)
**Né à Timmins, Ontario, le 9 mai 1916. Défenseur, lance de la gauche, 5'10", 178 lb**

| SAISON CLUB | LIGUE | PJ | B | A | PTS | PUN | PJ | B | A | PTS | PUN |
|---|---|---|---|---|---|---|---|---|---|---|---|
| 1933-34 Oshawa (Majors) | OHA Jr | 16 | 6 | 6 | 12 | 16 | 3 | 0 | 1 | 1 | 8 |
| 1934-35 Oshawa (Majors) | OHA Jr | 13 | 3 | 7 | 10 | 6 | 2 | 1 | 2 | 3 | 2 |
| 1935-36 Sudbury (Wolves) | NOJHA | 10 | 5 | 3 | 8 | 10 | 4 | *8 | 2 | 10 | 4 |
| Falconbridge (Falcons) | Allan | 5 | 2 | 0 | 2 | 4 | - | - | - | - | - |

| SAISON CLUB | LIGUE | PJ | B | A | PTS | PUN | PJ | B | A | PTS | PUN |
|---|---|---|---|---|---|---|---|---|---|---|---|

SAISONS RÉGULIÈRES    SÉRIES ÉLIMINATOIRES

| SAISON | CLUB | LIGUE | SAISONS RÉGULIÈRES | | | | | SÉRIES ÉLIMINATOIRES | | | | |
|---|---|---|---|---|---|---|---|---|---|---|---|---|
| | | | PJ | B | A | PTS | PUN | PJ | B | A | PTS | PUN |
| 1936-37 Hershey (B'ars) | EAHL | 48 | 17 | 9 | 26 | 36 | 4 | 2 | 1 | 3 | 2 | |
| 1937-38 Hershey (B'ars) | EAHL | 50 | 29 | 26 | 55 | 17 | | | | | | |
| 1938-39 Hershey (Cubs) | EAHL | 52 | 27 | 13 | 40 | 12 | | | | | | |
| 1939-40 Sydney (Millionaires) | CBSHL | 34 | *29 | *27 | *56 | 50 | 4 | 4 | 4 | *8 | *14 | |
| 1940-41 New Haven (Eagles) | AHL | 10 | 3 | 4 | 7 | 4 | | | | | | |
| **Montréal (Canadiens)** | **LNH** | **34** | **4** | **3** | **7** | **12** | **3** | **0** | **0** | **0** | **6** | |
| 1941-42 Washington (Lions) | AHL | 24 | 3 | 2 | 5 | 12 | 2 | 0 | 0 | 0 | 0 | |
| **Montréal (Canadiens)** | **LNH** | **23** | **2** | **5** | **7** | **8** | | | | | | |
| 1942-43 Washington (Lions) | AHL | 14 | 2 | 4 | 6 | 4 | | | | | | |
| Hershey (Bears) | AHL | 38 | 8 | 26 | 34 | 10 | 6 | 0 | 0 | 0 | 2 | |
| **Montréal (Canadien)** | **LNH** | **9** | **0** | **2** | **2** | **4** | | | | | | |
| 1943-44 | | Service militaire | | | | | | | | | | |
| 1944-45 | | Service militaire | | | | | | | | | | |
| 1945-46 Ottawa (Senators) | LHSQ | 19 | 5 | 5 | 10 | 32 | 9 | 1 | 3 | 4 | 10 | |
| **LNH** | | **66** | **6** | **10** | **16** | **24** | **3** | **0** | **0** | **0** | **6** | |
| **Montréal** | | **66** | **6** | **10** | **16** | **24** | **3** | **0** | **0** | **0** | **6** | |

• Signe avec Montréal le 25 octobre 1940 • Droits vendus à Hershey (AHL) par Montréal le 18 janvier 1943

### GRACIE, ROBERT (BOB)

**Né à North Bay, Ontario, le 8 novembre 1910, décédé le 10 août 1963**
**Centre/Ailier gauche, lance de la gauche, 5'09", 155 lb**

| SAISON CLUB | LIGUE | PJ | B | A | PTS | PUN | PJ | B | A | PTS | PUN |
|---|---|---|---|---|---|---|---|---|---|---|---|
| 1926-27 North Bay (Trappers) | NOJHA | 4 | 8 | 4 | 12 | 2 | | | | | |
| 1927-28 North Bay (Trappers) | NOJHA | 11 | 11 | 1 | 12 | 6 | 2 | 1 | 0 | 1 | 0 |
| 1928-29 Kirkland Lake (Lakers) | NOHA | 6 | *24 | 6 | *30 | 4 | 4 | 3 | 3 | 6 | 2 |
| 1929-30 Toronto (Nationals) | OHA Jr | 17 | 6 | *23 | 12 | | 2 | 2 | 1 | 3 | 0 |
| Toronto (Nationals) | Mem. | 13 | *15 | 6 | 21 | 2 | | | | | |
| 1930-31 Toronto (Eatons) | TMHL | 15 | 11 | 4 | 15 | 45 | | | | | |
| Toronto (Marlboros) | OHA Jr | 10 | 4 | 6 | 10 | 6 | 3 | 2 | 0 | 2 | 6 |
| Toronto (Maple Leafs) | LNH | 8 | 4 | 2 | 6 | 4 | 2 | 0 | 0 | 0 | 0 |
| 1931-32 Toronto (Maple Leafs) | LNH | 48 | 13 | 8 | 21 | 29 | 7 | 3 | 1 | 4 | 0 |
| 1932-33 Toronto (Maple Leafs) | LNH | 48 | 9 | 13 | 22 | 27 | 9 | 0 | 1 | 1 | 0 |
| 1933-34 Boston (Bruins) | LNH | 24 | 2 | 6 | 8 | 8 | | | | | |
| New York (Americans) | LNH | 24 | 4 | 6 | 10 | 4 | | | | | |
| 1934-35 New York (Americans) | LNH | 14 | 2 | 1 | 3 | 4 | | | | | |
| New Haven (Eagles) | Can-Am | 1 | 1 | 2 | 3 | 0 | | | | | |
| Montréal (Maroons) | LNH | 32 | 10 | 8 | 18 | 11 | 7 | 0 | 2 | 2 | 2 |
| 1935-36 Montréal (Maroons) | LNH | 48 | 11 | 14 | 25 | 31 | 3 | 0 | 1 | 1 | 0 |
| 1936-37 Montréal (Maroons) | LNH | 47 | 11 | 25 | 36 | 18 | 5 | 1 | 2 | 3 | 2 |
| 1937-38 Montréal (Maroons) | LNH | 48 | 12 | 19 | 31 | 32 | | | | | |
| **1938-39 Montréal (Canadiens)** | **LNH** | **7** | **0** | **1** | **1** | **4** | - | - | - | - | - |
| Chicago (Black Hawks) | LNH | 31 | 4 | 6 | 10 | 27 | | | | | |
| Cleveland (Barons) | IAHL | 11 | 1 | 5 | 6 | 0 | 9 | 4 | 2 | 6 | 0 |
| 1939-40 Cleveland (Barons) | IAHL | 37 | 10 | 11 | 21 | 13 | | | | | |
| Indianapolis (Capitols) | IAHL | 19 | 5 | 9 | 14 | 19 | 5 | 1 | 0 | 1 | 0 |
| 1940-41 Buffalo (Bisons) | AHL | 56 | 22 | 26 | 48 | 2 | | | | | |
| 1941-42 Buffalo (Bisons) | AHL | 35 | 10 | 10 | 20 | 0 | | | | | |
| Pittsburgh (Hornets) | AHL | 1 | 0 | 0 | 0 | 0 | | | | | |
| Hershey (Bears) | AHL | 17 | 8 | 6 | 14 | 0 | 7 | 2 | 3 | 5 | 0 |
| 1942-43 Hershey (Bears) | AHL | 11 | 0 | 4 | 4 | 0 | | | | | |
| Washington (Lions) | AHL | 46 | 27 | 32 | 59 | 16 | | | | | |
| 1943-44 Pittsburgh (Hornets) | AHL | 41 | 13 | 24 | 37 | 13 | | | | | |
| 1944-45 Pittsburgh (Hornets) | AHL | 58 | 40 | 55 | *95 | 4 | | | | | |
| 1945-46 Pittsburgh (Hornets) | AHL | 4 | 4 | 4 | 8 | 0 | | | | | |
| Hollywood (Wolves) | PCHL | 16 | 7 | 7 | 14 | 13 | | | | | |
| 1946-47 Hollywood (Wolves) | PCHL | 14 | 9 | 4 | 13 | 4 | | | | | |
| 1947-48 Fresno (Falcons) | PCHL | 8 | 3 | 2 | 5 | 2 | | | | | |
| **LNH** | | **379** | **82** | **109** | **191** | **205** | **33** | **4** | **7** | **11** | **4** |
| **Montréal** | | **7** | **0** | **1** | **1** | **4** | - | - | - | - | - |

• Coupe Stanley (LNH) en 1931-32, 1934-35
• Signe avec Toronto le 27 février 1931 • Échangé à Ottawa par Toronto plus une somme d'argent pour Hec Kilrea le 4 octobre 1933 • Échangé à Boston par Ottawa pour Perk Galbraith, Ted Saunders et Bud Cook le 4 octobre 1933 • Échangé à New York (Americans) par Boston avec Art Chapman pour George Patterson et Lloyd Gross le 11 janvier 1934. • Droits vendus à Montréal (Maroons) par New York (Americans) le 25 décembre 1934. • Droits vendus à Montréal (Canadiens) par Montréal (Maronns) avec Ernie Cain, Jimmy Ward, Cy Wentworth, Stew Evans et Dessie Smith le 14 septembre 1938 • Droits vendus à Chicago par Montréal le 25 novembre 1938 • Échangé à Detroit par Cleveland (IAHL) plus une somme d'argent pour Don Deacon le 5 février 1940 • Droits vendus à Buffalo (AHL) par Detroit le 20 octobre 1940 • Échangé à Hershey (AHL) à Buffalo (AHL) pour Kilby MacDonald le 2 février 1942 • Échangé à Washington (AHL) par Hershey (AHL) pour Jim O'Neill le 21 novembre 1942.

### GRANT, DANIEL (DANNY)

**Né à Fredericton, Nouveau-Brunswick, le 21 février 1946**
**Ailier gauche, lance de la gauche, 5'10", 185 lb**

| SAISON CLUB | LIGUE | PJ | B | A | PTS | PUN | PJ | B | A | PTS | PUN |
|---|---|---|---|---|---|---|---|---|---|---|---|
| 1959-60 Barkers Point (Aces) | NBAHA | 6 | 23 | 3 | 26 | 0 | - | - | - | - | - |
| 1960-61 Fredericton (Bears) | NBAHA | 10 | 17 | 10 | 27 | 4 | - | - | - | - | - |
| 1961-62 Fredericton (Canadien) | YCHL | 13 | *12 | 2 | *14 | - | 2 | 4 | 1 | 5 | 0 |
| 1962-63 Peterborough (Petes) | OHA Jr | 39 | 18 | 23 | 41 | 38 | 6 | 0 | 1 | 1 | 0 |
| 1963-64 Peterborough (Petes) | OHA Jr | 44 | 18 | 21 | 39 | 20 | 5 | 2 | 2 | 4 | 4 |
| 1964-65 Peterborough (Petes) | OHA Jr | 56 | 47 | 59 | 106 | 23 | 12 | 7 | 7 | 14 | 4 |
| Québec (As) | AHL | 1 | 0 | 1 | 1 | 0 | | | | | |
| 1965-66 Peterborough (Petes) | OHA Jr | *44 | *44 | 52 | 96 | 34 | 2 | 5 | 7 | 10 | |
| **Montréal (Canadiens)** | **LNH** | **1** | **0** | **0** | **0** | **0** | | | | | |
| 1966-67 Houston (Apollos) | CPHL | 64 | 22 | 28 | 50 | 29 | 6 | 4 | 4 | 8 | 2 |
| 1967-68 Houston (Apollos) | CPHL | 19 | 14 | 8 | 22 | 6 | | | | | |
| **Montréal (Canadiens)** | **LNH** | **22** | **3** | **4** | **7** | **10** | **10** | **0** | **3** | **3** | **5** |
| 1968-69 Minnesota (North Stars) | LNH | 75 | 34 | 31 | 65 | 46 | | | | | |
| Match des étoiles | LNH | 1 | 0 | 1 | 0 | | | | | | |
| 1969-70 Minnesota (North Stars) | LNH | 76 | 29 | 28 | 57 | 23 | 6 | 0 | 2 | 2 | 4 |
| Match des étoiles | LNH | 1 | 0 | 0 | 0 | 0 | | | | | |
| 1970-71 Minnesota (North Stars) | LNH | 78 | 34 | 23 | 57 | 46 | 12 | 5 | 5 | 10 | 8 |
| Match des étoiles | LNH | 1 | 0 | 0 | 0 | 0 | | | | | |
| 1971-72 Minnesota (North Stars) | LNH | 78 | 18 | 25 | 43 | 18 | 7 | 2 | 1 | 3 | 0 |
| 1972-73 Minnesota (North Stars) | LNH | 78 | 32 | 35 | 67 | 12 | 6 | 3 | 1 | 4 | 0 |
| 1973-74 Minnesota (North Stars) | LNH | 78 | 29 | 35 | 64 | 16 | | | | | |
| 1974-75 Detroit (Red Wings) | LNH | 80 | 50 | 37 | 87 | 28 | | | | | |
| 1975-76 Detroit (Red Wings) | LNH | 39 | 10 | 13 | 23 | 20 | | | | | |
| 1976-77 Detroit (Red Wings) | LNH | 42 | 2 | 10 | 12 | 4 | | | | | |
| 1977-78 Detroit (Red Wings) | LNH | 13 | 2 | 2 | 4 | 6 | | | | | |
| Los Angeles (Kings) | LNH | 41 | 10 | 19 | 29 | 2 | 2 | 1 | 2 | 3 | 0 |
| 1978-79 Los Angeles (Kings) | LNH | 35 | 10 | 11 | 21 | 8 | | | | | |
| 1979-81 | | N'a pas joué – Entraîneur | | | | | | | | | |
| 1980-81 | | N'a pas joué – Entraîneur | | | | | | | | | |
| 1981-82 Fredericton (Express) | AHL | 18 | 2 | 7 | 9 | 4 | | | | | |
| **LNH** | | **736** | **263** | **273** | **536** | **239** | **43** | **10** | **14** | **24** | **19** |
| **Montréal** | | **23** | **3** | **4** | **7** | **10** | **10** | **0** | **3** | **3** | **5** |

• Première équipe d'étoiles (OHA Jr) en 1965-66 • Deuxième équipe d'étoiles (OHA Jr) en 1964-65 • Coupe Stanley (LNH) en 1967-68 • Trophée Calder (LNH) en 1968-69 • Match des étoiles (LNH) en 1968-69, 1969-70, 1970-71
• Échangé au Minnesota par Montréal avec Claude Larose pour le 1er choix du Minnesota au repêchage de 1972 (Dave Gardner) et un joueur à être nommé plus tard (Marshall Johnston le 25 mai 1971) le 10 juin 1968 • Échangé à Detroit par Minnesota pour Henry Boucha le 27 août 1974 • Échangé à Los Angeles par Detroit pour le choix de 3e ronde de Montréal (propriété de Detroit suite à une transaction antérieure) au repêchage de 1978 (Doug Derkson) et le droit de négocier avec Barry Long le 9 janvier 1978

### GRATTON, BENOÎT

**Né à Montréal, Québec, le 28 décembre 1976. Centre, lance de la gauche, 5'11", 180 lb (6e choix de Washington, 105e au total lors du repêchage de 1995)**

| SAISON CLUB | LIGUE | PJ | B | A | PTS | PUN | PJ | B | A | PTS | PUN |
|---|---|---|---|---|---|---|---|---|---|---|---|
| 1992-93 Laval (Régents) | QAAA | 40 | 19 | 38 | 57 | 74 | 13 | 1 | 9 | 10 | 27 |
| 1993-94 Laval (Titan) | LHJMQ | 51 | 9 | 14 | 23 | 70 | 20 | 2 | 1 | 3 | 19 |
| 1994-95 Laval (Titan) | LHJMQ | 71 | 30 | 58 | 88 | 199 | 20 | 8 | 21 | 29 | 42 |
| Laval (Titan) | Mem. | 5 | 0 | 0 | 0 | 0 | | | | | |
| 1995-96 Laval (Titan) | LHJMQ | 38 | 21 | 39 | 60 | 130 | | | | | |
| Granby (Prédateurs) | LHJMQ | 27 | 12 | 46 | 58 | 97 | 21 | 13 | 26 | 39 | 68 |
| Granby (Prédateurs) | Mem. | 4 | 1 | 5 | 6 | 2 | | | | | |
| 1996-97 Portland (Pirates) | AHL | 76 | 6 | 40 | 46 | 140 | 5 | 2 | 1 | 3 | 14 |
| **1997-98 Washington (Capitals)** | **LNH** | **6** | **0** | **1** | **1** | **6** | | | | | |
| Portland (Pirates) | AHL | 58 | 19 | 31 | 50 | 137 | 6 | 4 | 2 | 6 | 24 |
| **1998-99 Washington (Capitals)** | **LNH** | **16** | **4** | **1** | **5** | **18** | | | | | |
| Portland (Pirates) | AHL | 60 | | | | 135 | | | | | |
| **1999-00 Calgary (Flames)** | **LNH** | **10** | **0** | **2** | **2** | **6** | | | | | |
| Saint John (Flames) | AHL | 65 | 17 | 49 | 66 | 137 | 3 | 0 | 1 | 1 | 6 |
| **2000-01 Calgary (Flames)** | **LNH** | **14** | **1** | **3** | **4** | **14** | | | | | |
| Saint John (Flames) | AHL | 53 | 10 | 36 | 46 | 153 | | | | | |
| **2001-02 Montréal (Canadiens)** | **LNH** | **8** | **1** | **0** | **1** | **8** | | | | | |
| Québec (Citadelles) | AHL | 35 | 10 | 19 | 29 | 70 | 3 | 2 | 3 | 5 | 10 |
| 2002-03 Hamilton (Bulldogs) | AHL | 43 | 21 | 39 | 60 | 78 | 22 | 2 | 15 | 17 | 73 |
| **LNH** | | **54** | **6** | **9** | **15** | **54** | - | - | - | - | - |
| **Montréal** | | **8** | **1** | **0** | **1** | **8** | - | - | - | - | - |

• Coupe du Président (LHJMQ) en 1995-96 • Coupe Memorial en 1995-96
• Échangé à Calgary par Washington pour Steve Shirreffs le 18 août 1999 • Réclamé au ballottage par Montréal de Calgary le 11 avril 2001

### GRAVELLE, LÉO

**Né à Aylmer, Québec, le 10 juin 1925. Ailier droit, lance de la droite, 5'09", 160 lb**

| SAISON CLUB | LIGUE | PJ | B | A | PTS | PUN | PJ | B | A | PTS | PUN |
|---|---|---|---|---|---|---|---|---|---|---|---|
| 1942-43 Port Colborne (Sailors) | OHA B | Statistiques non disponibles | | | | | | | | | |
| 1943-44 Brantford (Lions) | OHA B | Statistiques non disponibles | | | | | | | | | |
| 1944-45 St. Michael's (Majors) | OHA J | 17 | *30 | 22 | *52 | 6 | 9 | *12 | 9 | *21 | 0 |
| St. Michael's (Majors) | Mem. | | | | | | | | | | |
| 1945-46 Montréal (Royals) | LHSQ | 34 | 21 | 21 | 42 | 20 | 11 | 10 | 4 | *14 | 2 |
| 1946-47 Montréal (Royals) | LHSQ | 2 | 2 | 2 | 4 | 0 | | | | | |
| **Montréal (Canadiens)** | **LNH** | **53** | **16** | **14** | **30** | **12** | **6** | **2** | **0** | **2** | **2** |
| **1947-48 Montréal (Canadiens)** | **LNH** | **15** | **0** | **0** | **0** | **0** | | | | | |
| Buffalo (Bisons) | AHL | 29 | 11 | 13 | 24 | 6 | | | | | |
| Houston (Huskies) | USHL | 24 | 14 | 15 | 29 | 7 | 12 | 4 | 3 | 7 | 0 |
| 1948-49 Buffalo (Bisons) | AHL | 25 | 6 | 4 | 10 | 0 | | | | | |
| **Montréal (Canadiens)** | **LNH** | **36** | **4** | **6** | **10** | **6** | **7** | **2** | **1** | **3** | **0** |
| **1949-50 Montréal (Canadiens)** | **LNH** | **70** | **19** | **10** | **29** | **18** | **4** | **0** | **0** | **0** | **0** |
| **1950-51 Montréal (Canadiens)** | **LNH** | **31** | **4** | **2** | **6** | **0** | | | | | |
| Detroit (Red Wings) | LNH | 18 | 1 | 2 | 3 | 6 | | | | | |
| Indianapolis (Capitols) | AHL | 15 | 3 | 10 | 13 | 6 | | | | | |
| 1951-52 Ottawa (Senators) | LHMQ | 59 | 26 | 44 | 70 | 17 | 7 | 3 | 2 | 5 | 2 |
| 1952-53 Ottawa (Senators) | LHMQ | 60 | 28 | 28 | 56 | 14 | 7 | 1 | 2 | 3 | 2 |
| 1953-54 Ottawa (Senators) | LHQ | 68 | *45 | 41 | 86 | 6 | 22 | *9 | 7 | 16 | 8 |
| 1954-55 Ottawa/Chicoutimi | LHQ | 45 | 13 | 14 | 27 | 18 | 7 | 2 | 1 | 3 | 0 |
| 1955-56 Montréal (Royals) | LHQ | 42 | 13 | 12 | 25 | 11 | | | | | |
| **LNH** | | **223** | **44** | **34** | **78** | **42** | **17** | **4** | **1** | **5** | **2** |
| **Montréal** | | **205** | **43** | **32** | **75** | **36** | **17** | **4** | **1** | **5** | **2** |

• Coupe Memorial en 1944-45 • Première équipe d'étoiles (LHQ) en 1953-54
• Signe avec Montréal le 5 novembre 1946 • Échangé à Detroit par Montréal pour Bert Olmstead le 19 décembre 1950 • Droits vendus à Ottawa par Detroit le 5 septembre 1951

### GRAY, TERRENCE (TERRY)

**Né à Montréal, Québec, le 21 mars 1938. Ailier droit, lance de la droite, 6', 175 lb**

| SAISON CLUB | LIGUE | PJ | B | A | PTS | PUN | PJ | B | A | PTS | PUN |
|---|---|---|---|---|---|---|---|---|---|---|---|
| 1953-54 Montréal (Royals) | LHJQ | 49 | 3 | 4 | 7 | 63 | 4 | 0 | 1 | 1 | 12 |
| 1954-55 Montréal (Royals) | LHJQ | Statistiques non disponibles | | | | | | | | | |

| SAISON | CLUB | LIGUE | PJ | B | A | PTS | PUN | PJ | B | A | PTS | PUN |
|---|---|---|---|---|---|---|---|---|---|---|---|---|
| 1955-56 | Montréal (National) | LHJQ | 46 | 45 | 29 | 74 | 33 | - | - | - | - | - |
| 1956-57 | Montréal (National) | LHJQ | 30 | 30 | 24 | 54 | 59 | - | - | - | - | - |
| | Hull-Ottawa (Canadien) | OHA Jr | 1 | 0 | 0 | 0 | 0 | - | - | - | - | - |
| | Montréal (Royals) | LHQ | 3 | 1 | 0 | 1 | 0 | - | - | - | - | - |
| 1957-58 | Hull-Ottawa (Canadien) | OHA Jr | 24 | 9 | 11 | 20 | 15 | - | - | - | - | - |
| | Hull-Ottawa (Canadien) | EOHL | 33 | 13 | 13 | 26 | 15 | - | - | - | - | - |
| | Montréal (Royals) | LHQ | 1 | 0 | 0 | 0 | 0 | - | - | - | - | - |
| | Hull-Ottawa (Canadien) | Mem. | 13 | 6 | 2 | 8 | 12 | - | - | - | - | - |
| 1958-59 | Montréal (Royals) | LHQ | 19 | 11 | 9 | 20 | 33 | - | - | - | - | - |
| | Rochester (Americans) | AHL | 45 | 10 | 14 | 24 | 14 | 5 | 1 | 2 | 3 | 2 |
| 1959-60 | Sault Ste. Marie (Thunderbirds) | EPHL | 16 | 4 | 11 | 15 | 19 | - | - | - | - | - |
| | Calgary (Stampeders) | WHL | 49 | 20 | 14 | 34 | 29 | - | - | - | - | - |
| | Buffalo (Bisons) | AHL | 3 | 0 | 0 | 0 | 0 | - | - | - | - | - |
| 1960-61 | Hull-Ottawa (Canadien) | EPHL | 69 | 40 | 37 | 77 | 63 | 14 | 8 | *11 | *19 | 13 |
| 1961-62 | Boston (Bruins) | LNH | 42 | 8 | 7 | 15 | 15 | - | - | - | - | - |
| | Kingston (Frontenacs) | EPHL | 24 | 9 | 11 | 20 | 24 | 9 | *9 | 6 | 15 | 9 |
| 1962-63 | Cleveland (Barons) | AHL | 10 | 3 | 5 | 8 | 8 | - | - | - | - | - |
| | Québec (As) | AHL | 58 | 22 | 20 | 42 | 53 | - | - | - | - | - |
| 1963-64 | Québec (As) | AHL | 55 | 25 | 22 | 47 | 65 | 4 | 0 | 1 | 1 | 6 |
| | **Montréal (Canadiens)** | **LNH** | **4** | **0** | **0** | **0** | **6** | - | - | - | - | - |
| 1964-65 | Québec (As) | AHL | 72 | 39 | 28 | 67 | 54 | 5 | 2 | 1 | 3 | 12 |
| 1965-66 | Québec (As) | AHL | 56 | 26 | 29 | 55 | 6 | - | - | - | - | - |
| | Pittsburgh (Hornets) | AHL | 15 | 4 | 4 | 8 | 12 | 3 | 2 | 0 | 2 | 4 |
| 1966-67 | Pittsburgh (Hornets) | AHL | 63 | 25 | 29 | 54 | 52 | 9 | 3 | 4 | 7 | 11 |
| 1967-68 | Los Angeles (Kings) | LNH | 65 | 12 | 16 | 28 | 22 | 7 | 0 | 2 | 2 | 10 |
| 1968-69 | Kansas City (Blues) | CHL | 53 | 22 | 28 | 50 | 84 | - | - | - | - | - |
| | St. Louis (Blues) | LNH | 8 | 4 | 0 | 4 | 4 | 11 | 3 | 2 | 5 | 8 |
| 1969-70 | Kansas City (Blues) | CHL | 22 | 15 | 15 | 30 | 89 | - | - | - | - | - |
| | St. Louis (Blues) | LNH | 28 | 2 | 5 | 7 | 17 | 16 | 2 | 1 | 3 | 4 |
| 1970-71 | Montréal (Voyageurs) | AHL | 63 | 24 | 22 | 46 | 78 | 3 | 1 | 1 | 2 | 4 |
| | St. Louis (Blues) | LNH | - | - | - | - | - | 1 | 0 | 0 | 0 | 0 |
| 1971-72 | | | | | *N'a pas joué – Entraîneur* | | | | | | | |
| 1972-73 | New Haven (Nighthawks) | AHL | 71 | 25 | 15 | 50 | 40 | - | - | - | - | - |
| 1973-74 | Fort Worth (Wings) | CHL | 60 | 18 | 17 | 35 | 30 | - | - | - | - | - |
| | **LNH** | | **147** | **26** | **28** | **54** | **64** | **35** | **5** | **5** | **10** | **22** |
| | **Montréal** | | **4** | **0** | **0** | **0** | **6** | - | - | - | - | - |

• Première équipe d'étoiles (LHJQ) en 1956-57 • Coupe Memorial en 1957-58 • Coupe Calder (AHL) en 1966-6

• Échangé à Montréal par Chicago avec Glen Skov, Lorne Ferguson, Bob Bailey et les droits sur Danny Lewicki pour Cec Hoekstra, Ab McDonald, Reggie Fleming et Bob Courcy le 7 juin 1960 • Échangé à Boston par Montréal avec Cliff Pennington pour Stan Maxwell et Willie O'Ree le 11 mai 1961 • Prêté à Montréal par Boston en juillet 1962 • Échangé à Québec (AHL) par Montréal pour Gary Bergman tout en laissant les droits à Boston le 1er novembre 1962 • Échangé à Springfield (AHL) par Boston avec Dale Rolfe, Randy Miller et Bruce Gamble pour Bob McCord en juin 1963 • Échangé à Montréal par Springfield (AHL) avec John Chasczewski, Ted Harris, Bruce Cline et Wayne Larkin pour Gary Bergman, Wayne Boddy, Brian Smith, Fred Hilts, John Rodger et Lorne O'Donnell le 10 septembre 1963 • Échangé à Detroit par Québec (AHL) pour Claude Laforge le 1er mars 1966 • Réclamé par Los Angeles de Detroit lors de l'expansion de la LNH le 6 juin 1967 • Échangé à St. Louis par Los Angeles pour Myron Stankiewicz le 11 juin 1968 • Prêté à Montréal par St. Louis qui le nomme joueur et entraîneur adjoint avec les Voyageurs de Montréal (AHL) le 20 octobre 1970

### GREEN, RICHARD (RICK)

Né à Belleville, Ontario, le 20 février 1956. Défenseur, lance de la gauche, 6'03", 220 lb
(1er choix de Washington, 1er au total lors du repêchage de 1976)

| SAISON | CLUB | LIGUE | PJ | B | A | PTS | PUN | PJ | B | A | PTS | PUN |
|---|---|---|---|---|---|---|---|---|---|---|---|---|
| 1972-73 | London (Knights) | OMJHL | 8 | 0 | 1 | 1 | 2 | - | - | - | - | - |
| 1973-74 | London (Knights) | OMJHL | 65 | 6 | 30 | 36 | 45 | - | - | - | - | - |
| 1974-75 | London (Knights) | OMJHL | 65 | 8 | 45 | 53 | 68 | - | - | - | - | - |
| 1975-76 | London (Knights) | OMJHL | 61 | 13 | 47 | 60 | 69 | 5 | 1 | 0 | 1 | 4 |
| 1976-77 | Washington (Capitals) | LNH | 45 | 3 | 12 | 15 | 16 | - | - | - | - | - |
| 1977-78 | Washington (Capitals) | LNH | 60 | 5 | 14 | 19 | 67 | - | - | - | - | - |
| 1978-79 | Washington (Capitals) | LNH | 71 | 8 | 33 | 41 | 62 | - | - | - | - | - |
| | Canada | CM | 8 | 1 | 1 | 2 | 2 | - | - | - | - | - |
| 1979-80 | Washington (Capitals) | LNH | 71 | 4 | 20 | 24 | 52 | - | - | - | - | - |
| | Canada | CM | 7 | 1 | 3 | 4 | 2 | - | - | - | - | - |
| 1980-81 | Washington (Capitals) | LNH | 65 | 8 | 23 | 31 | 91 | - | - | - | - | - |
| | Canada | CM | 7 | 1 | 1 | 2 | 4 | - | - | - | - | - |
| 1981-82 | Washington (Capitals) | LNH | 65 | 3 | 25 | 28 | 93 | - | - | - | - | - |
| | Canada | CM | 8 | 0 | 5 | 5 | 2 | - | - | - | - | - |
| 1982-83 | **Montréal (Canadiens)** | **LNH** | **66** | **2** | **24** | **26** | **58** | **3** | **0** | **0** | **0** | **2** |
| 1983-84 | **Montréal (Canadiens)** | **LNH** | **7** | **0** | **1** | **1** | **7** | **15** | **1** | **2** | **3** | **33** |
| 1984-85 | **Montréal (Canadiens)** | **LNH** | **77** | **1** | **18** | **19** | **30** | **12** | **0** | **3** | **3** | **14** |
| 1985-86 | **Montréal (Canadiens)** | **LNH** | **46** | **3** | **2** | **5** | **20** | **18** | **1** | **4** | **5** | **8** |
| 1986-87 | **Montréal (Canadiens)** | **LNH** | **72** | **1** | **9** | **10** | **10** | **17** | **0** | **4** | **4** | **8** |
| | Étoiles de la LNH | RV 87 | 2 | 0 | 0 | 0 | | - | - | - | - | - |
| 1987-88 | **Montréal (Canadiens)** | **LNH** | **59** | **2** | **11** | **13** | **33** | **11** | **0** | **2** | **2** | **2** |
| 1988-89 | **Montréal (Canadiens)** | **LNH** | **72** | **1** | **14** | **15** | **25** | **21** | **1** | **1** | **2** | **6** |
| 1989-90 | HC Meran | ITA | 9 | 2 | 6 | 8 | 2 | 10 | 3 | 6 | 9 | 4 |
| | Canada | CM | 10 | 0 | 0 | 0 | 0 | - | - | - | - | - |
| 1990-91 | Detroit (Red Wings) | LNH | 65 | 2 | 14 | 16 | 24 | 3 | 0 | 0 | 0 | 0 |
| 1991-92 | New York (Islanders) | LNH | 4 | 0 | 0 | 0 | 0 | - | - | - | - | - |
| | **LNH** | | **845** | **43** | **220** | **263** | **588** | **100** | **3** | **16** | **19** | **73** |
| | **Montréal** | | **399** | **10** | **79** | **89** | **183** | **97** | **3** | **16** | **19** | **73** |

• Première équipe d'étoiles (OMJHL) en 1975-76 • Trophée Max-Kaminsky (OMJHL) en 1975-76 • Médaille de bronze (CM) en 1982 • Coupe Stanley (LNH) en 1985-86

• Échangé à Montréal par Washington avec Ryan Walter pour Brian Engblom, Rod Langway, Doug Jarvis et Craig Laughlin le 9 septembre 1982 • Échangé à Detroit par Montréal pour le choix de 5e ronde d'Edmonton (propriété de Detroit suite à une transaction) au repêchage de 1991 (Brad Layzell) le 15 juin 1990 • Échangé à New York (Islanders) par Detroit pour Alan Kerr et des considérations futures le 26 mai 1991

**GRE-GUÈ**

### GRENIER, LUCIEN

Né à Malartic, Québec, le 3 novembre 1946
Ailier droit, lance de la gauche, 5'10", 165 lb

| SAISON | CLUB | LIGUE | PJ | B | A | PTS | PUN | PJ | B | A | PTS | PUN |
|---|---|---|---|---|---|---|---|---|---|---|---|---|
| 1961-62 | Québec (Citadelles) | LHJQ | | | *Statistiques non disponibles* | | | - | - | - | - | - |
| | Québec (Citadelles) | Mem. | 9 | 0 | 4 | 4 | 12 | - | - | - | - | - |
| 1962-63 | Québec (Citadelles) | LHJQ | | | *Statistiques non disponibles* | | | - | - | - | - | - |
| 1963-64 | Notre Dame (Monarchs) | MMJHL | 44 | 19 | 29 | 48 | 19 | 18 | 9 | 7 | 16 | 15 |
| | Notre Dame (Monarchs) | Mem. | | | | | | - | - | - | - | - |
| 1964-65 | Montréal (Canadien Jr) | OHA Jr | 54 | 17 | 7 | 24 | 23 | 7 | 1 | 4 | 5 | 4 |
| 1965-66 | Montréal (Canadien Jr) | OHA Jr | 47 | 32 | 41 | 73 | 42 | 10 | 4 | 4 | 8 | 0 |
| 1966-67 | Houston (Apollos) | CPHL | 58 | 16 | 18 | 34 | 20 | 6 | 1 | 0 | 1 | 2 |
| 1967-68 | Houston (Apollos) | CPHL | 55 | 10 | 22 | 32 | 22 | - | - | - | - | - |
| 1968-69 | Houston (Apollos) | CHL | 56 | 17 | 23 | 40 | 22 | 3 | 1 | 0 | 1 | 0 |
| | **Montréal (Canadiens)** | **LNH** | - | - | - | - | - | **2** | **0** | **0** | **0** | **0** |
| 1969-70 | Montréal (Voyageurs) | AHL | 25 | 0 | 20 | 20 | 4 | - | - | - | - | - |
| | **Montréal (Canadiens)** | **LNH** | **23** | **2** | **3** | **5** | **2** | - | - | - | - | - |
| 1970-71 | Los Angeles (Kings) | LNH | 68 | 9 | 7 | 16 | 12 | - | - | - | - | - |
| 1971-72 | Los Angeles (Kings) | LNH | 60 | 5 | 5 | 10 | 4 | - | - | - | - | - |
| 1972-73 | | | | | *N'a pas joué – Blessé* | | | | | | | |
| 1973-74 | Omaha (Knights) | CHL | 56 | 5 | 10 | 15 | 5 | 5 | 0 | 1 | 0 | 0 |
| 1974-75 | Omaha (Knights) | CHL | 31 | 4 | 3 | 7 | 4 | - | - | - | - | - |
| | **LNH** | | **151** | **14** | **14** | **28** | **18** | **2** | **0** | **0** | **0** | **0** |
| | **Montréal** | | **23** | **2** | **3** | **5** | **2** | **2** | **0** | **0** | **0** | **0** |

• Coupe Stanley (LNH) en 1968-69
• Échangé à Los Angeles par Montréal avec Larry Mickey et Jack Norris pour Léon Rochefort, Gregg Boddy et Wayne Thomas le 22 mai 1970 • Réclamé par Atlanta de Los Angeles lors de l'expansion de la LNH le 6 juin 1972

### GROLEAU, FRANÇOIS

Né à Longueuil, Québec, le 23 janvier 1973. Défenseur, lance de la gauche, 6', 197 lb
(2e choix de Calgary, 41e au total lors du repêchage de 1991)

| SAISON | CLUB | LIGUE | PJ | B | A | PTS | PUN | PJ | B | A | PTS | PUN |
|---|---|---|---|---|---|---|---|---|---|---|---|---|
| 1988-89 | Sainte-Foy (Gouverneurs) | QAAA | 42 | 3 | 24 | 27 | 42 | - | - | - | - | - |
| 1989-90 | Shawinigan (Cataractes) | LHJMQ | 65 | 11 | 54 | 65 | 80 | 6 | 0 | 1 | 1 | 12 |
| 1990-91 | Shawinigan (Catatactes) | LHJMQ | 70 | 9 | 60 | 69 | 70 | 6 | 0 | 3 | 3 | 2 |
| 1991-92 | Shawinigan (Cataractes) | LHJMQ | 65 | 8 | 70 | 78 | 74 | 10 | 5 | 15 | 20 | 8 |
| 1992-93 | Saint-Jean (Lynx) | LHJMQ | 48 | 7 | 38 | 45 | 66 | 4 | 0 | 1 | 1 | 14 |
| 1993-94 | Saint John (Flames) | AHL | 73 | 8 | 14 | 22 | 49 | 7 | 0 | 1 | 1 | 2 |
| 1994-95 | Saint John (Flames) | AHL | 65 | 6 | 34 | 40 | 28 | - | - | - | - | - |
| | Cornwall (Aces) | AHL | 8 | 1 | 2 | 3 | 7 | 14 | 2 | 7 | 9 | 16 |
| 1995-96 | San Francisco (Spiders) | LIH | 63 | 6 | 26 | 32 | 60 | - | - | - | - | - |
| | **Montréal (Canadiens)** | **LNH** | **2** | **0** | **1** | **1** | **2** | - | - | - | - | - |
| | Fredericton (Canadien) | AHL | 12 | 3 | 5 | 8 | 10 | 10 | 1 | 6 | 7 | 14 |
| 1996-97 | **Montréal (Canadiens)** | **LNH** | **5** | **0** | **0** | **0** | **4** | - | - | - | - | - |
| | Fredericton (Canadien) | AHL | 47 | 8 | 24 | 32 | 43 | - | - | - | - | - |
| 1997-98 | **Montréal (Canadiens)** | **LNH** | **1** | **0** | **0** | **0** | **0** | - | - | - | - | - |
| | Fredericton (Canadien) | AHL | 63 | 14 | 26 | 40 | 70 | 4 | 0 | 2 | 2 | 4 |
| 1998-99 | Augsburger (Panthers) | GER | 52 | 9 | 21 | 30 | 67 | 5 | 0 | 4 | 4 | 4 |
| 1999-00 | Québec (Citadelles) | AHL | 63 | 7 | 24 | 31 | 48 | 3 | 0 | 2 | 2 | 0 |
| 2000-01 | Adler Mannheim | GER | 59 | 2 | 16 | 18 | 52 | 4 | 0 | 0 | 0 | 2 |
| 2001-02 | Adler Mannheim | GER | 60 | 2 | 7 | 9 | 72 | 12 | 1 | 1 | 2 | 10 |
| 2002-03 | Adler Mannheim | GER | 43 | 2 | 8 | 10 | 56 | 8 | 0 | 2 | 2 | 6 |
| | **LNH** | | **8** | **0** | **1** | **1** | **6** | - | - | - | - | - |
| | **Montréal** | | **8** | **0** | **1** | **1** | **6** | - | - | - | - | - |

• Première équipe d'étoiles (LHJMQ) en 1991-92 • Deuxième équipe d'étoiles (LHJMQ) en 1989-90
• Échangé à Québec par Calgary pour Ed Ward le 23 mars 1995 • Signe avec Montréal comme agent libre le 17 juin 1995

### GROSVENOR, LÉONARD (LEN)

Né à Ottawa, Ontario, le 21 juillet 1905
Centre/Ailier droit, lance de la droite, 5'09", 175 lb

| SAISON | CLUB | LIGUE | PJ | B | A | PTS | PUN | PJ | B | A | PTS | PUN |
|---|---|---|---|---|---|---|---|---|---|---|---|---|
| 1925-26 | Ottawa (Rideaus) | OCHL | - | 1 | 0 | 1 | | - | - | - | - | - |
| 1926-27 | Ottawa (Rideaus) | OCHL | 14 | 9 | 4 | 13 | | - | - | - | - | - |
| 1927-28 | Ottawa (Senators) | LNH | 43 | 1 | 2 | 3 | 18 | 2 | 0 | 0 | 0 | 2 |
| 1928-29 | Ottawa (Senators) | LNH | 42 | 2 | 3 | 5 | 16 | - | - | - | - | - |
| 1929-30 | Ottawa (Senators) | LNH | 15 | 0 | 3 | 3 | 19 | - | - | - | - | - |
| | London (Panthers) | IHL | 27 | 6 | 1 | 7 | 24 | - | - | - | - | - |
| 1930-31 | Ottawa (Senators) | LNH | 33 | 1 | 8 | 9 | 25 | - | - | - | - | - |
| | London (Tecumsehs) | IHL | 9 | 4 | 1 | 5 | 9 | - | - | - | - | - |
| 1931-32 | New York (Americans) | LNH | 1 | 0 | 0 | 0 | 0 | - | - | - | - | - |
| | Bronx (Tigers) | Can-Am | 30 | 6 | 5 | 11 | 28 | 2 | 0 | 0 | 0 | 0 |
| 1932-33 | **Montréal (Canadiens)** | **LNH** | **4** | **0** | **0** | **0** | **0** | **2** | **0** | **0** | **0** | **0** |
| | **LNH** | | **149** | **9** | **11** | **20** | **78** | **4** | **0** | **0** | **0** | **2** |
| | **Montréal** | | **4** | **0** | **0** | **0** | **0** | **2** | **0** | **0** | **0** | **0** |

• Signe avec Ottawa le 24 octobre 1927 • Prêté à London (IHL) par Ottawa le 26 décembre 1929 • Droits vendus à London (IHL) par Ottawa le 24 octobre 1930 • Échangé à Ottawa par London (IHL) pour Harry Connor le 1er décembre 1930 • Réclamé par New York (Americans) lors du repêchage de dispersion d'Ottawa le 26 septembre 1931 • Signe avec Montréal (Canadien) le 7 janvier 1933

### GUÈVREMONT, HYACINTHE

Né à Trois-Rivières, Québec, décédé. Avant, lance de la gauche, 5'10", 175 lb

| SAISON | CLUB | LIGUE | PJ | B | A | PTS | PUN | PJ | B | A | PTS | PUN |
|---|---|---|---|---|---|---|---|---|---|---|---|---|
| 1912-13 | Montréal (Canadien) | NHA | 2 | 0 | 0 | 0 | | - | - | - | - | - |
| | **NHA** | | **2** | **0** | **0** | **0** | | - | - | - | - | - |
| | **Montréal** | | **2** | **0** | **0** | **0** | | - | - | - | - | - |

• Prêté à Montréal (NHA) par Montréal (Saint-Jacques) le 21 février 1913

## GUREN, MILOSLAV

Né à Uherske Hradiste, République tchèque, le 24 septembre 1976. Défenseur, lance de la gauche, 6'2", 210 lb (2e choix de Montréal, 60e au total lors du repêchage de 1995)

| SAISON | CLUB | LIGUE | PJ | B | A | PTS | PUN | PJ | B | A | PTS | PUN |
|---|---|---|---|---|---|---|---|---|---|---|---|---|
| 1993-94 | ZPS Zlin | CZE | 22 | 1 | 5 | 6 | - | 3 | 0 | 0 | 0 | - |
| | République tchèque | EJC-A | 5 | 1 | 3 | 4 | 2 | - | - | - | - | - |
| 1994-95 | ZPS Zlin | CZE | 32 | 3 | 7 | 10 | 10 | 12 | 1 | 0 | 1 | 6 |
| | République tchèque | CMJ | 7 | 0 | 0 | 0 | 4 | - | - | - | - | - |
| 1995-96 | ZPS Zlin | CZE | 28 | 1 | 2 | 3 | - | 7 | 1 | 0 | 1 | 2 |
| | République tchèque | CMJ | 6 | 0 | 2 | 2 | 2 | - | - | - | - | - |
| 1996-97 | Fredericton (Canadien) | AHL | 79 | 6 | 26 | 32 | 26 | - | - | - | - | - |
| 1997-98 | Fredericton (Canadien) | AHL | 78 | 15 | 36 | 51 | 36 | 4 | 1 | 2 | 3 | 0 |
| 1998-99 | Fredericton (Canadien) | AHL | 63 | 8 | 36 | 44 | 24 | 15 | 4 | 7 | 11 | 10 |
| | Montréal (Canadiens) | LNH | 12 | 0 | 1 | 1 | 4 | - | - | - | - | - |
| 1999-00 | Montréal (Canadiens) | LNH | 24 | 1 | 2 | 3 | 12 | - | - | - | - | - |
| | Québec (Citadelles) | AHL | 29 | 5 | 12 | 17 | 16 | 3 | 0 | 0 | 0 | 2 |
| 2000-01 | Québec (Citadelles) | AHL | 75 | 11 | 40 | 51 | 24 | - | - | - | - | - |
| 2001-02 | Trinec | CZE | 52 | 2 | 9 | 11 | 44 | 6 | 1 | 2 | 3 | 9 |
| 2002-03 | CSKA Moscou | RUS | 39 | 2 | 7 | 9 | 12 | - | - | - | - | - |
| | | LNH | 36 | 1 | 3 | 4 | 16 | - | - | - | - | - |
| | Montréal | | 36 | 1 | 3 | 4 | 16 | - | - | - | - | - |

## HAGGERTY, JAMES (JIM)

Né à Port Arthur, Ontario, le 14 avril 1914, décédé le 8 mars 1998
Ailier gauche. lance de la gauche, 5'11", 165 lb

| SAISON | CLUB | LIGUE | PJ | B | A | PTS | PUN | PJ | B | A | PTS | PUN |
|---|---|---|---|---|---|---|---|---|---|---|---|---|
| 1932-33 | Port Arthur (Ports) | TBJHL | 12 | *14 | 5 | *19 | 4 | 2 | 0 | 0 | 0 | 0 |
| | Port Arthur (Ports) | Mem. | 4 | 1 | 3 | 4 | 0 | - | - | - | - | - |
| 1933-34 | Port Arthur (Ports) | TBJHL | 10 | 6 | 4 | 10 | 9 | 2 | 3 | 0 | 3 | 0 |
| | Port Arthur (Ports) | Mem. | 5 | 10 | 4 | 14 | 2 | - | - | - | - | - |
| 1934-35 | Port Arthur (Ports) | TBJHL | 16 | 11 | 2 | 13 | 21 | 3 | *5 | 1 | *6 | 5 |
| | Port Arthur (Ports) | Allan | 7 | 8 | 1 | 9 | 4 | - | - | - | - | - |
| 1935-36 | Wembley (Canadians) | Ln-Cup | - | 8 | 2 | 10 | - | - | - | - | - | - |
| | Wembley (Canadians) | GBR | - | 15 | 2 | 17 | - | - | - | - | - | - |
| | Canada | JO | 2 | 2 | 3 | 5 | 0 | - | - | - | - | - |
| 1936-37 | Wembley (Monarchs) | GBR | 40 | 29 | 14 | 43 | 6 | - | - | - | - | - |
| 1937-38 | Wembley (Monarchs) | Ln-Cup | - | 0 | 1 | 1 | - | - | - | - | - | - |
| | Wembley (Monarchs) | GBR | - | 7 | 8 | 15 | - | - | - | - | - | - |
| 1938-39 | Wembley (Monarchs) | Ln-Cup | - | 1 | 1 | 2 | - | - | - | - | - | - |
| | Wembley (Monarchs) | GBR | - | 10 | 16 | 26 | - | - | - | - | - | - |
| 1939-40 | Montréal (Royals) | LHSQ | 28 | 7 | 8 | 15 | 0 | 4 | 0 | 2 | 2 | 2 |
| | Montréal (Royals) | Allan | 2 | 1 | 1 | 2 | 0 | - | - | - | - | - |
| 1940-41 | Montréal (Royals) | LHSQ | 21 | 8 | 10 | 18 | 4 | 9 | 2 | 3 | 5 | 14 |
| | Montréal (Royals) | Allan | 14 | 7 | 6 | 13 | 0 | - | - | - | - | - |
| 1941-42 | Montréal (Royals) | LHSQ | 36 | 24 | 14 | 38 | 12 | - | - | - | - | - |
| | Montréal (Canadiens) | LNH | 5 | 1 | 1 | 2 | 0 | 3 | 2 | 1 | 3 | 2 |
| 1942-43 | Montréal (RCAF) | LHSQ | 35 | 15 | 14 | 32 | 6 | 12 | 8 | 1 | 9 | 4 |
| 1943-44 | Malton (RCAF) | TNDHL | 4 | 5 | 2 | 7 | 2 | - | - | - | - | - |
| 1944-45 | Montréal (RCAF) | LHSQ | 5 | 9 | 11 | 20 | 2 | - | - | - | - | - |
| | Valleyfield (Braves) | LHSQ | 9 | 7 | 2 | 9 | 0 | - | - | - | - | - |
| 1945-46 | Middleton (RCAF) | GBR | Statistiques non disponibles | | | | | | | | | |
| | Montréal (Royals) | LHSQ | - | - | - | - | - | 3 | 1 | 0 | 1 | 0 |
| 1946-47 | Montréal (Royals) | LHSQ | 36 | 15 | 17 | 32 | 8 | 10 | 3 | 0 | 3 | 0 |
| | Montréal (Royals) | Allan | 6 | 1 | 2 | 3 | 0 | - | - | - | - | - |
| 1947-48 | Montréal (Royals) | LHSQ | 48 | 20 | 42 | 62 | 12 | - | - | - | - | - |
| 1948-49 | Montréal (Royals) | LHSQ | 29 | 17 | 30 | 47 | 8 | 9 | 1 | 7 | 8 | 0 |
| 1949-50 | Montréal (Royals) | LHSQ | 8 | 1 | 6 | 7 | 0 | - | - | - | - | - |
| | Valleyfield (Braves) | LHSQ | 24 | 1 | 2 | 3 | 0 | - | - | - | - | - |
| | | LNH | 5 | 1 | 1 | 2 | 0 | 3 | 2 | 1 | 3 | 2 |
| | Montréal | | 5 | 1 | 1 | 2 | 0 | 3 | 2 | 1 | 3 | 2 |

• Médaille d'argent (JO) en 1936
• Signe avec Montréal le 3 mars 1942

## HAINSEY, RON

Né à Bolton, Connecticut, le 19 janvier 1982. Défenseur, lance de la droite, 6'04", 240 lb (1er choix de Montréal, 7e au total lors du repêchage de 2001)

| SAISON | CLUB | LIGUE | PJ | B | A | PTS | PUN | PJ | B | A | PTS | PUN |
|---|---|---|---|---|---|---|---|---|---|---|---|---|
| 1997-98 | États-Unis | USDP | 66 | 6 | 15 | 21 | 44 | - | - | - | - | - |
| 1998-99 | États-Unis | USDP | 48 | 5 | 12 | 17 | 45 | - | - | - | - | - |
| 1999-00 | Mass-Lowell | H. East | 30 | 3 | 8 | 11 | 20 | - | - | - | - | - |
| | États-Unis | CMJ | 7 | 1 | 1 | 2 | - | - | - | - | - | - |
| 2000-01 | Mass-Lowell | H. East | 33 | 10 | 26 | 36 | 51 | - | - | - | - | - |
| | Québec (Citadelles) | AHL | 4 | 1 | 0 | 1 | 0 | 1 | 0 | 0 | 0 | 0 |
| | États-Unis | CMJ | 7 | 0 | 5 | 5 | 2 | - | - | - | - | - |
| 2001-02 | Québec (Citadelles) | AHL | 63 | 7 | 24 | 31 | 26 | - | - | - | - | - |
| 2002-03 | Hamilton (Bulldogs) | AHL | 33 | 2 | 11 | 13 | 26 | 23 | 1 | 10 | 11 | 20 |
| | Montréal (Canadiens) | LNH | 21 | 0 | 0 | 0 | 2 | - | - | - | - | - |
| | | LNH | 21 | 0 | 0 | 0 | 2 | - | - | - | - | - |
| | Montréal | | 21 | 0 | 0 | 0 | 2 | - | - | - | - | - |

• Équipes d'étoiles des recrues (Hockey East) en 1999-00 • Équipe d'étoiles (Hockey East) en 2000-01 • Deuxième équipe d'étoiles de l'est de la NCAA en 2000-01 • Équipe d'étoiles des recrues (AHL) en 2001-02

## HALL, JOSEPH (JOE)

Né à Staffordshire, Angleterre, le 3 mai 1882, décédé le 5 avril 1919
Défenseur/Ailier, lance de la droite, 5'10", 175 lb

| SAISON | CLUB | LIGUE | PJ | B | A | PTS | PUN | PJ | B | A | PTS | PUN |
|---|---|---|---|---|---|---|---|---|---|---|---|---|
| 1902-03 | Brandon (Regals) | MHL SR | 6 | 8 | 0 | 8 | - | - | - | - | - | - |
| 1903-04 | Winnipeg Rowing Club | MHL SR | 6 | 6 | 0 | 6 | - | 3 | 1 | 0 | 1 | 0 |
| 1904-05 | Brandon Hockey Club | MHL SR | 6 | 6 | 0 | 6 | - | - | - | - | - | - |
| 1905-06 | Portage Lakes | IHL | 20 | 33 | 0 | 33 | *98 | - | - | - | - | - |
| | Québec (Bulldogs) | ECAHA | 3 | 2 | 0 | 2 | 3 | - | - | - | - | - |
| 1906-07 | Brandon (Regals) | MHL SR | 9 | 4 | 0 | 4 | - | 2 | 5 | 0 | 5 | 5 |
| 1907-08 | Montréal (AAA) | ECAHA | 4 | 5 | 0 | 5 | 11 | - | - | - | - | - |
| | Montréal (Shamrocks) | ECAHA | 4 | 4 | 0 | 4 | 6 | - | - | - | - | - |
| 1908-09 | Edmonton (Pros) | APHL | 1 | 8 | 0 | 8 | 6 | - | - | - | - | - |
| | Montréal (Wanderers) | ECHA | 5 | 10 | 0 | 10 | 18 | - | - | - | - | - |
| | Winnipeg (Maple Leafs) | MHL | | 2 | 1 | 3 | 0 | 2 | 2 | 1 | 3 | 9 |
| 1909-10 | Montréal (Shamrocks) | CHA | 1 | 7 | 0 | 7 | 6 | - | - | - | - | - |
| | Montréal (Shamrocks) | NHA | 10 | 8 | 0 | 8 | 47 | - | - | - | - | - |
| 1910-11 | Québec (Bulldogs) | NHA | 10 | 0 | 0 | 0 | 20 | - | - | - | - | - |
| 1911-12 | Québec (Bulldogs) | NHA | 18 | 15 | 0 | 15 | - | 2 | 2 | 0 | 2 | 2 |
| 1912-13 | Québec (Bulldogs) | NHA | 17 | 8 | 0 | 8 | - | 2 | 3 | 0 | 3 | 0 |
| 1913-14 | Québec (Bulldogs) | NHA | 19 | 13 | 4 | 17 | - | - | - | - | - | - |
| 1914-15 | Québec (Bulldogs) | NHA | 20 | 3 | | 4 | 52 | - | - | - | - | - |
| 1915-16 | Québec (Bulldogs) | NHA | 23 | 1 | 2 | 3 | 89 | - | - | - | - | - |
| 1916-17 | Québec (Bulldogs) | NHA | 19 | 6 | 5 | 11 | 95 | - | - | - | - | - |
| 1917-18 | Montréal (Canadiens) | LNH | 21 | 8 | 7 | 15 | *100 | 2 | 0 | 1 | 1 | 12 |
| 1918-19 | Montréal (Canadiens) | LNH | 17 | 7 | 1 | 8 | *89 | 10 | 0 | 0 | 0 | 23 |
| | NHA | | 136 | 54 | 13 | 67 | 303 | 4 | 5 | 0 | 5 | 2 |
| | LNH | | 38 | 15 | 8 | 23 | 189 | 12 | 0 | 1 | 1 | 35 |
| | Montréal | | 38 | 15 | 8 | 23 | 189 | 12 | 0 | 1 | 1 | 35 |

• Coupe Stanley (NHA) en 1911-12, 1912-13 • Temple de la Renommée (LNH) en 1960-61
• Signe avec Portage Lakes (IHL) le 2 novembre 1906 • Signe avec Brandon (MHL Sr) le 19 novembre 1906 • Signe avec Montréal AAA (ECAHA) le 18 janvier 1908 • Signe avec les Shamrocks de Montréal (ECAHA) le 11 février 1908 • Signe avec Edmonton (APHL) le 7 décembre 1908 • Signe avec Québec (NHA) comme agent libre en décembre 1910.
• Réclamé par Montréal avec Joe Malone et Walter Mummery lors du repêchage de dispersion de Québec le 26 novembre 1917

## HALLER, KEVIN

Né à Trochu, Alberta, le 5 décembre 1970. Défenseur, lance de la gauche, 6'2", 195 lb (1er choix de Buffalo, 14e au total lors du repêchage de 1989)

| SAISON | CLUB | LIGUE | PJ | B | A | PTS | PUN | PJ | B | A | PTS | PUN |
|---|---|---|---|---|---|---|---|---|---|---|---|---|
| 1986-87 | Three Hills (Braves) | AAHA | 12 | 10 | 11 | 21 | 8 | - | - | - | - | - |
| 1987-88 | Olds (Grizzlies) | AJHL | 51 | 13 | 31 | 44 | 58 | - | - | - | - | - |
| | Regina (Pats) | WHL | 5 | 0 | 1 | 1 | 2 | 4 | 1 | 1 | 2 | 2 |
| 1988-89 | Regina (Pats) | WHL | 72 | 10 | 31 | 41 | 99 | - | - | - | - | - |
| 1989-90 | Regina (Pats) | WHL | 58 | 16 | 37 | 53 | 93 | 11 | 2 | 9 | 11 | 16 |
| | Buffalo (Sabres) | LNH | 2 | 0 | 0 | 0 | 0 | - | - | - | - | - |
| | Canada | CMJ | 7 | 2 | 2 | 4 | 8 | - | - | - | - | - |
| 1990-91 | Rochester (Americans) | AHL | 52 | 2 | 8 | 10 | 53 | 10 | 2 | 1 | 3 | 6 |
| | Buffalo (Sabres) | LNH | 21 | 1 | 8 | 9 | 20 | 6 | 1 | 4 | 5 | 10 |
| 1991-92 | Rochester (Americans) | AHL | 4 | 0 | 0 | 0 | 18 | - | - | - | - | - |
| | Buffalo (Sabres) | LNH | 58 | 6 | 15 | 21 | 75 | - | - | - | - | - |
| | Montréal (Canadiens) | LNH | 8 | 2 | 2 | 4 | 17 | 9 | 0 | 0 | 0 | 6 |
| 1992-93 | Montréal (Canadiens) | LNH | 73 | 11 | 14 | 25 | 117 | 17 | 1 | 6 | 7 | 16 |
| 1993-94 | Montréal (Canadiens) | LNH | 68 | 4 | 9 | 13 | 118 | 7 | 1 | 1 | 2 | 19 |
| 1994-95 | Philadelphie (Flyers) | LNH | 36 | 2 | 8 | 10 | 48 | 15 | 4 | 4 | 8 | 10 |
| 1995-96 | Philadelphie (Flyers) | LNH | 69 | 5 | 9 | 14 | 92 | 6 | 0 | 1 | 1 | 8 |
| 1996-97 | Philadelphie (Flyers) | LNH | 27 | 0 | 5 | 5 | 37 | - | - | - | - | - |
| | Hartford (Whalers) | LNH | 35 | 2 | 6 | 8 | 94 | - | - | - | - | - |
| 1997-98 | Caroline (Hurricanes) | LNH | 65 | 3 | 5 | 8 | 94 | - | - | - | - | - |
| 1998-99 | Anaheim (Mighty Ducks) | LNH | 82 | 1 | 6 | 7 | 122 | 4 | 0 | 0 | 0 | 6 |
| 1999-00 | Anaheim (Mighty Ducks) | LNH | 67 | 3 | 5 | 8 | 61 | - | - | - | - | - |
| 2000-01 | New York (Islanders) | LNH | 30 | 1 | 5 | 6 | 56 | - | - | - | - | - |
| 2001-02 | New York (Islanders) | LNH | 1 | 0 | 0 | 0 | 0 | - | - | - | - | - |
| | | LNH | 642 | 41 | 97 | 138 | 907 | 64 | 7 | 16 | 23 | 71 |
| | Montréal | | 149 | 17 | 25 | 42 | 252 | 33 | 2 | 7 | 9 | 41 |

• Première équipe d'étoiles de l'Est (WHL) en 1989-90 • Médaille d'or (CMJ) en 1990
• Coupe Stanley (LNH) en 1992-93
• Échangé à Montréal par Buffalo pour Petr Svoboda le 10 mars 1992 • Échangé à Philadelphie par Montréal pour Yves Racine le 29 juin 1994 • Échangé à Hartford par Philadelphie avec le 1er choix de Philadelphie au repêchage de 1997 (cédé à San Jose qui sélectionne Scott Hannan) et le choix de 7e ronde de Hartford au repêchage de 1997 (acquis par Philadelphie suite à une transaction avec la Caroline, antérieurement Hartford, sélectionne Andrew Merrick) pour Paul Coffey et le choix de 3e ronde de Hartford au repêchage de 1997 (Kris Mallette) le 15 décembre 1996 • Transfert de la concession de Hartford en Caroline le 25 juin 1997. • Échangé à Anaheim par la Caroline avec Stu Grimson pour David Karpa et le choix de 4e ronde d'Anaheim au repêchage de 2000 (cédé à Atlanta qui sélectionne Blake Robson) le 11 août 1998 • Signe avec New York (Islanders) comme agent libre le 3 juillet 2000

## HAMEL, JEAN

Né à Asbestos, Québec, le 6 juin 1952. Défenseur, lance de la gauche, 5'11", 195 lb (2e choix de St. Louis et 41e au total lors du repêchage de 1972)

| SAISON | CLUB | LIGUE | PJ | B | A | PTS | PUN | PJ | B | A | PTS | PUN |
|---|---|---|---|---|---|---|---|---|---|---|---|---|
| 1969-70 | Drummondville (Rangers) | LHJMQ | 56 | 4 | 11 | 15 | 75 | 6 | 1 | 1 | 2 | 20 |
| 1970-71 | Drummondville (Rangers) | LHJMQ | 61 | 7 | 23 | 30 | 109 | 6 | 1 | 1 | 2 | 8 |
| 1971-72 | Drummondville (Rangers) | LHJMQ | 59 | 6 | 29 | 35 | 132 | 9 | 1 | 0 | 1 | 48 |
| 1972-73 | Denver (Spurs) | WHL | 13 | 0 | 6 | 6 | 22 | - | - | - | - | - |
| | St. Louis (Blues) | LNH | 55 | 2 | 7 | 9 | 24 | 2 | 0 | 0 | 0 | 0 |
| 1973-74 | Denver (Spurs) | WHL | 10 | 0 | 2 | 2 | 12 | - | - | - | - | - |
| | St. Louis (Blues) | LNH | 23 | 1 | 1 | 2 | 6 | - | - | - | - | - |
| | Detroit (Red Wings) | LNH | 22 | 0 | 3 | 3 | 40 | - | - | - | - | - |
| 1974-75 | Detroit (Red Wings) | LNH | 80 | 5 | 19 | 24 | 136 | - | - | - | - | - |
| 1975-76 | Detroit (Red Wings) | LNH | 77 | 3 | 6 | 9 | 83 | - | - | - | - | - |
| 1976-77 | Detroit (Red Wings) | LNH | 71 | 1 | 10 | 11 | 63 | - | - | - | - | - |
| 1977-78 | Kansas City (Red Wings) | CHL | 28 | 2 | 10 | 12 | 29 | - | - | - | - | - |
| | Detroit (Red Wings) | LNH | 32 | 2 | 6 | 8 | 34 | 7 | 0 | 0 | 0 | 10 |
| 1978-79 | Detroit (Red Wings) | LNH | 52 | 2 | 6 | 8 | 52 | - | - | - | - | - |
| 1979-80 | Detroit (Red Wings) | LNH | 49 | 1 | 6 | 7 | 29 | - | - | - | - | - |
| 1980-81 | Detroit (Red Wings) | LNH | 68 | 3 | 11 | 14 | 100 | - | - | - | - | - |
| | Adirondack (Red Wings) | AHL | 4 | 1 | 3 | 4 | 36 | - | - | - | - | - |
| 1981-82 | Fredericton (Express) | AHL | 16 | 1 | 6 | 7 | 29 | - | - | - | - | - |
| | Québec (Nordiques) | LNH | 40 | 1 | 6 | 7 | 32 | 5 | 0 | 0 | 0 | 16 |

| SAISON | CLUB | LIGUE | PJ | B | A | PTS | PUN | PJ | B | A | PTS | PUN |
|---|---|---|---|---|---|---|---|---|---|---|---|---|
| 1982-83 | Québec (Nordiques) | LNH | 51 | 2 | 7 | 9 | 38 | 4 | 0 | 0 | 0 | 2 |
| 1983-84 | Montréal (Canadiens) | LNH | 79 | 1 | 12 | 13 | 92 | 15 | 0 | 2 | 2 | 16 |
| | | LNH | 699 | 26 | 95 | 121 | 766 | 33 | 0 | 2 | 2 | 44 |
| | Montréal | | 79 | 1 | 12 | 13 | 92 | 15 | 0 | 2 | 2 | 16 |

• Deuxième équipe d'étoiles (LHJMQ) en 1971-72
• Échangé à Detroit de St. Louis avec Chris Evans et Bryan Watson pour Ted Harris, Bill Collins et Garnet Bailey le 14 février 1974 • Signe avec Québec comme agent libre le 6 octobre 1981 • Réclamé par Montréal de Québec au repêchage inter-équipes le 3 octobre 1983

## HAMILTON, CHARLES (CHUCK)

Né à Kirkland Lake, Ontario, le 18 janvier 1939
Ailier gauche, lance de la gauche, 5,11", 175 lb

| SAISON | CLUB | LIGUE | PJ | B | A | PTS | PUN | PJ | B | A | PTS | PUN |
|---|---|---|---|---|---|---|---|---|---|---|---|---|
| 1956-57 | Peterborough (Petes) | OHA Jr | 52 | 7 | 11 | 18 | 15 | - | - | - | - | - |
| 1957-58 | Peterborough (Petes) | OHA Jr | 52 | 8 | 14 | 22 | 50 | 5 | 1 | 1 | 2 | 4 |
| 1958-59 | Peterborough (Petes) | OHA Jr | 46 | 18 | 28 | 46 | 47 | 19 | 7 | 9 | 16 | 16 |
| | Peterborough (Petes) | Mem. | 12 | 1 | 3 | 4 | 48 | | | | | |
| 1959-60 | Hull-Ottawa (Canadien) | EPHL | 66 | 6 | 13 | 19 | 39 | 7 | 0 | 2 | 2 | 6 |
| 1960-61 | Hull-Ottawa (Canadien) | EPHL | 40 | 1 | 7 | 8 | 56 | 14 | 0 | 2 | 2 | 20 |
| 1961-62 | Hull-Ottawa (Canadien) | EPHL | 57 | 5 | 9 | 14 | 50 | 11 | 1 | 3 | 4 | 4 |
| | **Montréal (Canadiens)** | LNH | 1 | 0 | 0 | 0 | 0 | - | - | - | - | - |
| 1962-63 | Hull-Ottawa (Canadien) | EPHL | 64 | 17 | 33 | 50 | 51 | 3 | 0 | 1 | 1 | 6 |
| 1963-64 | Hershey (Bears) | AHL | 72 | 8 | 30 | 38 | 31 | 6 | 0 | 3 | 3 | 2 |
| 1964-65 | Hershey (Bears) | AHL | 55 | 15 | 22 | 47 | 15 | 2 | 0 | 2 | 2 | 0 |
| 1965-66 | Hershey (Bears) | AHL | 67 | 7 | 16 | 23 | 24 | 3 | 0 | 2 | 2 | 0 |
| 1966-67 | Hershey (Bears) | AHL | 62 | 9 | 12 | 21 | 20 | 5 | 0 | 0 | 0 | 6 |
| 1967-68 | Hershey (Bears) | AHL | 69 | 8 | 22 | 30 | 46 | 5 | 0 | 1 | 1 | 18 |
| 1968-69 | Hershey (Bears) | AHL | 74 | 28 | 46 | 74 | 46 | 11 | 2 | 4 | 6 | 16 |
| 1969-70 | Hershey (Bears) | AHL | 60 | 10 | 20 | 30 | 31 | 7 | 1 | 4 | 5 | 0 |
| 1970-71 | | | *N'a pas joué - Blessé* | | | | | | | | | |
| 1971-72 | Denver (Spurs) | WHL | 70 | 14 | 18 | 32 | 29 | 9 | 1 | 3 | 4 | 4 |
| 1972-73 | Denver (Spurs) | WHL | 47 | 7 | 25 | 32 | 64 | 5 | 0 | 0 | 0 | 4 |
| | St. Louis (Blues) | LNH | 3 | 0 | 2 | 2 | 2 | - | - | - | - | - |
| | | LNH | 4 | 0 | 2 | 2 | 2 | | | | | |
| | Montréal | | 1 | 0 | 0 | 0 | 0 | | | | | |

• Coupe Calder (AHL) en 1968-69
• Prêté à Hershey (AHL) par Montréal avec Ralph Keller pour Marc Reaume le 11 juin 1963. • Droits vendus à Hersey (AHL) à Montréal en octobre 1964 • Réclamé par Detroit de Hershey (AHL) au repêchage inter-ligues le 10 juin 1969 • Droits vendus à Montréal par Detroit le 11 juin 1969 • Droits vendus à Hershey (AHL) par Montréal en octobre 1969. • Droits vendus à St. Louis (Denver-WHL) par Hershey (AHL) en septembre 1971

## HANNA, JOHN

Né à Sydney, Nouvelle-Écosse, le 5 avril 1935
Défenseur, lance de la droite, 5'11", 175 lb

| SAISON | CLUB | LIGUE | PJ | B | A | PTS | PUN | PJ | B | A | PTS | PUN |
|---|---|---|---|---|---|---|---|---|---|---|---|---|
| 1953-54 | Sydney (Bruins) | CBJHL | *Statistiques non disponibles* | | | | | | | | | |
| | North Sydney (Franklins) | Mem. | 5 | 1 | 1 | 2 | 4 | | | | | |
| 1954-55 | Trois-Rivières (Reds) | LHJQ | 42 | 3 | 6 | 9 | 107 | 9 | 0 | 1 | 1 | 10 |
| 1955-56 | Philadelphie (Ramblers) | EHL | 28 | 1 | 4 | 5 | 13 | - | - | - | - | - |
| | Chicoutimi (Saguenéens) | LHQ | 40 | 3 | 14 | 17 | 101 | 5 | 0 | 0 | 0 | 4 |
| 1956-57 | Chicoutimi (Saguenéens) | LHQ | 43 | 1 | 14 | 15 | 64 | 10 | 1 | 2 | 3 | 10 |
| 1957-58 | Trois-Rivières (Lions) | LHQ | 48 | 3 | 25 | 28 | 66 | | | | | |
| | Providence (Reds) | AHL | 7 | 0 | 3 | 3 | 24 | 1 | 0 | 1 | 1 | 10 |
| 1958-59 | New York (Rangers) | LNH | 70 | 1 | 10 | 11 | 83 | - | - | - | - | - |
| 1959-60 | New York (Rangers) | LNH | 61 | 4 | 8 | 12 | 87 | | | | | |
| 1960-61 | Springfield (Indians) | AHL | 18 | 2 | 2 | 4 | 14 | | | | | |
| | New York (Rangers) | LNH | 46 | 1 | 8 | 9 | 34 | - | - | - | - | - |
| 1961-62 | Québec (As) | AHL | 65 | 0 | 17 | 17 | 85 | | | | | |
| 1962-63 | Québec (As) | AHL | 70 | 7 | 21 | 28 | 61 | | | | | |
| 1963-64 | Québec (As) | AHL | 58 | 4 | 14 | 18 | 54 | 9 | 0 | 4 | 4 | 10 |
| | **Montréal (Canadiens)** | LNH | 6 | 0 | 0 | 0 | 2 | - | - | - | - | - |
| 1964-65 | Québec (As) | AHL | 70 | 9 | 25 | 34 | 83 | 5 | 0 | 0 | 0 | 6 |
| 1965-66 | Québec (As) | AHL | 69 | 4 | 22 | 26 | 93 | 6 | 0 | 1 | 1 | 20 |
| 1966-67 | Québec (As) | AHL | 67 | 6 | 20 | 26 | 54 | 4 | 0 | 0 | 0 | 4 |
| 1967-68 | Québec (As) | AHL | 24 | 1 | 12 | 13 | 27 | 14 | 2 | 6 | 8 | 34 |
| | Philadelphie (Flyers) | LNH | 15 | 0 | 0 | 0 | 2 | | | | | |
| 1968-69 | Seattle (Totems) | WHL | 71 | 25 | 27 | 52 | 49 | 4 | 0 | 1 | 1 | 2 |
| 1969-70 | Seattle (Totems) | WHL | 66 | 9 | 33 | 42 | 38 | 6 | 0 | 1 | 1 | 11 |
| 1970-71 | Seattle (Totems) | WHL | 70 | 20 | 40 | 60 | 68 | | | | | |
| 1971-72 | Seattle (Totems) | WHL | 36 | 5 | 10 | 15 | 16 | | | | | |
| 1972-73 | Cleveland (Crusaders) | AMH | 66 | 6 | 20 | 26 | 68 | | | | | |
| 1973-74 | Jacksonville (Barons) | AHL | 11 | 1 | 4 | 5 | 2 | | | | | |
| 1974-75 | Syracuse (Eagles) | AHL | 1 | 0 | 0 | 0 | 0 | | | | | |
| | | LNH | 198 | 6 | 26 | 32 | 206 | | | | | |
| | Montréal | | 6 | 0 | 0 | 0 | 2 | | | | | |

• Deuxième équipe d'étoiles (LHQ) en 1957-58 • Première équipe d'étoiles (WHL) en 1968-69, 1970-71 • Trophée Hal-Laycoe (WHL) en 1968-69, 1970-71 • Deuxième équipe d'étoiles (WHL) en 1969-70
• Réclamé par New York de Montréal lors du repêchage intra-ligue le 5 juin 1957 • Échangé à Montréal par New York pour Albert Langlois le 13 juin 1961 • Droits dans la LNH transférés à Philadelphie lors de l'achat de la concession de Québec (AHL) par Philadelphie le 8 mai 1967 • Sélectionné par Los Angeles lors de l'expansion de l'AMH le 12 février 1972 • Échangé à Cleveland (AMH) par Los Angeles (AMH) pour des considérations futures en juillet 1972

## HARMON, GLEN

Né à Holland, Manitoba, le 2 janvier 1921. Défenseur, lance de la gauche, 5'09", 160 lb

| SAISON | CLUB | LIGUE | PJ | B | A | PTS | PUN | PJ | B | A | PTS | PUN |
|---|---|---|---|---|---|---|---|---|---|---|---|---|
| 1937-38 | East Kildonen (Bisons) | MAHA | *Statistiques non disponibles* | | | | | | | | | |
| | Winnipeg (Gordon Bell) | H.S. | *Statistiques non disponibles* | | | | | | | | | |
| 1938-39 | Brandon (Elks) | MJHL | 17 | 2 | 5 | 7 | 47 | 8 | 3 | 6 | | 28 |
| | Brandon (Wheat Kings) | MJHL | - | - | - | - | - | 7 | 1 | 2 | 3 | 10 |
| | Brandon (Wheat Kings) | Mem. | 6 | 2 | 1 | 3 | 18 | - | - | - | - | - |
| 1939-40 | Brandon (Elks) | MJHL | 23 | 4 | 10 | 14 | 67 | 2 | 1 | 0 | 1 | 0 |
| 1940-41 | Winnipeg (Rangers) | MJHL | 17 | 5 | 5 | 10 | 42 | 6 | 4 | 1 | 5 | 14 |
| | Winnipeg (Rangers) | Mem. | 14 | 5 | 4 | 9 | 20 | | | | | |
| 1941-42 | **Montréal (Canadiens)** | LHSQ | 39 | 8 | 8 | 16 | 40 | 6 | 0 | 1 | 1 | 6 |
| 1942-43 | **Montréal (Canadiens)** | LHSQ | 20 | 5 | 8 | 13 | 35 | | | | | |
| | **Montréal (Canadiens)** | LNH | 27 | 5 | 9 | 14 | 25 | 5 | 0 | 1 | 1 | 2 |
| 1943-44 | **Montréal (Canadiens)** | LNH | 43 | 5 | 16 | 21 | 36 | 9 | 1 | 2 | 3 | 4 |
| 1944-45 | **Montréal (Canadiens)** | LNH | 42 | 5 | 8 | 13 | 41 | 6 | 1 | 0 | 1 | 2 |
| 1945-46 | **Montréal (Canadiens)** | LNH | 49 | 7 | 10 | 17 | 28 | 9 | 1 | 4 | 5 | 0 |
| 1946-47 | **Montréal (Canadiens)** | LNH | 57 | 5 | 9 | 14 | 53 | 11 | 1 | 1 | 2 | 4 |
| 1947-48 | **Montréal (Canadiens)** | LNH | 56 | 10 | 4 | 14 | 52 | - | - | - | - | - |
| 1948-49 | **Montréal (Canadiens)** | LNH | 59 | 8 | 12 | 20 | 44 | 7 | 1 | 1 | 2 | 4 |
| 1949-50 | Match des étoiles | LNH | 1 | 0 | 0 | 0 | 0 | | | | | |
| | **Montréal (Canadiens)** | LNH | 62 | 3 | 16 | 19 | 28 | 5 | 0 | 1 | 1 | 21 |
| 1950-51 | Match des étoiles | LNH | 1 | 0 | 0 | 0 | 0 | | | | | |
| | **Montréal (Canadiens)** | LNH | 57 | 2 | 12 | 14 | 27 | 1 | 0 | 0 | 0 | 0 |
| 1951-52 | Montréal (Royals) | LHMQ | 55 | 5 | 20 | 25 | 33 | 5 | 3 | 4 | 7 | 2 |
| 1952-53 | Montréal (Royals) | LHMQ | 58 | 5 | 17 | 22 | 26 | 16 | 5 | 4 | 9 | 4 |
| 1953-54 | Montréal (Royals) | LHQ | 65 | 8 | 22 | 30 | 31 | 8 | 0 | 2 | 2 | 2 |
| 1954-55 | Montréal (Royals) | LHQ | 62 | 7 | 24 | 31 | 64 | 14 | 2 | 5 | 7 | 6 |
| | | LNH | 452 | 50 | 96 | 146 | 334 | 53 | 5 | 10 | 15 | 37 |
| | Montréal | | 452 | 50 | 96 | 146 | 334 | 53 | 5 | 10 | 15 | 37 |

• Coupe Memorial en 1940-41 • Coupe Stanley (LNH) en 1943-44, 1945-46 • Deuxième équipe d'étoiles(LNH) en 1944-45, 1948-49 • Match des étoiles(LNH) en 1949-50, 1950-51
• Réclamé par Montréal de Tulsa (AHA) au repêchage inter-ligues le 27 juin 1941

## HARPER, TERRANCE (TERRY)

Né à Regina, Saskatchewan, le 27 janvier 1940. Défenseur, lance de la droite, 6'1", 195 lb

| SAISON | CLUB | LIGUE | PJ | B | A | PTS | PUN | PJ | B | A | PTS | PUN |
|---|---|---|---|---|---|---|---|---|---|---|---|---|
| 1957-58 | Regina (Pats) | SJHL | 51 | 6 | 10 | 16 | 74 | 12 | 2 | 3 | 5 | 12 |
| | Regina (Pats) | Mem. | 16 | 3 | 2 | 5 | 8 | | | | | |
| 1958-59 | Regina (Pats) | SJHL | 48 | 1 | 19 | 20 | 79 | 9 | 1 | 2 | 3 | 6 |
| 1959-60 | Regina (Pats) | SJHL | 59 | 17 | 21 | 38 | 56 | 13 | 3 | 7 | 10 | 6 |
| 1960-61 | Montréal (Royals) | EPHL | 69 | 3 | 14 | 17 | 85 | | | | | |
| 1961-62 | Hull-Ottawa (Canadien) | EPHL | 65 | 2 | 18 | 20 | 101 | 12 | 0 | 1 | 1 | 15 |
| 1962-63 | Québec (As) | AHL | 3 | 0 | 0 | 0 | 0 | | | | | |
| | Hull-Ottawa (Canadien) | EPHL | 52 | 6 | 31 | 37 | 83 | | | | | |
| | **Montréal (Canadiens)** | LNH | 14 | 1 | 1 | 2 | 10 | 5 | 1 | 0 | 1 | 8 |
| 1963-64 | **Montréal (Canadiens)** | LNH | 70 | 2 | 15 | 17 | 149 | 7 | 0 | 0 | 0 | 6 |
| 1964-65 | **Montréal (Canadiens)** | LNH | 62 | 0 | 7 | 7 | 93 | 13 | 0 | 0 | 0 | 19 |
| 1965-66 | Match des étoiles | LNH | 1 | 0 | 0 | 0 | 0 | | | | | |
| | **Montréal (Canadiens)** | LNH | 69 | 1 | 11 | 12 | 91 | 10 | 2 | 3 | 5 | 18 |
| 1966-67 | Match des étoiles | LNH | 1 | 0 | 0 | 0 | 0 | | | | | |
| | **Montréal (Canadiens)** | LNH | 56 | 0 | 16 | 16 | 99 | 10 | 0 | 1 | 1 | 15 |
| 1967-68 | **Montréal (Canadiens)** | LNH | 57 | 3 | 8 | 11 | 66 | 13 | 0 | 1 | 1 | 8 |
| 1968-69 | Cleveland (Barons) | AHL | 28 | 2 | 4 | 6 | 21 | | | | | |
| | **Montréal (Canadiens)** | LNH | 21 | 0 | 3 | 3 | 37 | 11 | 0 | 0 | 0 | 8 |
| 1969-70 | **Montréal (Canadiens)** | LNH | 75 | 4 | 18 | 22 | 109 | | | | | |
| 1970-71 | **Montréal (Canadiens)** | LNH | 78 | 1 | 21 | 22 | 116 | 20 | 0 | 6 | 6 | 28 |
| 1971-72 | **Montréal (Canadiens)** | LNH | 52 | 2 | 12 | 14 | 35 | 5 | 1 | 1 | 2 | 6 |
| 1972-73 | Los Angeles (Kings) | LNH | 77 | 1 | 8 | 9 | 74 | | | | | |
| | Match des étoiles | LNH | 1 | 1 | 1 | 2 | 0 | | | | | |
| 1973-74 | Los Angeles (Kings) | LNH | 76 | 0 | 17 | 17 | 119 | 5 | 0 | 0 | 0 | 16 |
| 1974-75 | Los Angeles (Kings) | LNH | 80 | 5 | 21 | 26 | 120 | 3 | 0 | 0 | 0 | 0 |
| 1975-76 | Match des étoiles | LNH | 1 | 0 | 0 | 0 | 2 | | | | | |
| | Detroit (Red Wings) | LNH | 69 | 8 | 25 | 33 | 59 | | | | | |
| 1976-77 | Detroit (Red Wings) | LNH | 75 | 4 | 8 | 12 | 28 | | | | | |
| 1977-78 | Detroit (Red Wings) | LNH | 80 | 2 | 17 | 19 | 85 | 7 | 1 | 1 | 2 | 6 |
| 1978-79 | Detroit (Red Wings) | LNH | 51 | 0 | 6 | 6 | 19 | | | | | |
| | Kansas City (Red Wings) | CHL | 22 | 0 | 13 | 13 | 36 | | | | | |
| 1979-80 | St. Louis (Blues) | LNH | 11 | 1 | 5 | 6 | 4 | 3 | 0 | 0 | 0 | 0 |
| 1980-81 | Colorado (Rockies) | LNH | 21 | 0 | 2 | 2 | 8 | | | | | |
| | | LNH | 1066 | 35 | 221 | 256 | 1362 | 112 | 4 | 13 | 17 | 140 |
| | Montréal | | 554 | 14 | 112 | 126 | 805 | 94 | 4 | 12 | 16 | 116 |

• Première équipe d'étoiles (SJHL) en 1959-60 • Première équipe d'étoiles (EPHL) en 1961-62 • Deuxième équipe d'étoiles (EPHL) en 1962-63 • Coupe Stanley (LNH) en 1964-65, 1965-66, 1967-68, 1968-69, 1970-71 • Match des étoiles(LNH) en 1965-66, 1966-67, 1972-73, 1974-75
• Échangé à Los Angeles par Montréal pour le choix de 2e ronde de Los Angeles au repêchage de 1974 (Gary MacGregor), le 1er choix de Los Angeles de 1975 (Pierre Mondou), le choix de 3e ronde de Los Angeles de 1975 (Paul Woods) et le 1er choix de Los Angeles au repêchage de 1976 (Rod Schutt) le 22 août 1972 • Échangé à Detroit par Los Angeles avec Don Maloney et le choix de 2e ronde de Los Angeles au repêchage de 1976 (cédé au Minnesota qui sélectionne Jim Roberts) pour Bart Crashley et les droits sur Marcel Dionne le 23 juin 1975 • Signe avec St. Louis comme agent libre le 10 mars 1980 • Signe avec Colorado comme agent libre le 12 février 1981

## HARRINGTON, LELAND (HAGO)

Né à Melrosse, Massachusetts le 13 août 1904, décédé en 1959
Ailier gauche, lance de la gauche, 5'08", 165 lb

| SAISON | CLUB | LIGUE | PJ | B | A | PTS | PUN | PJ | B | A | PTS | PUN |
|---|---|---|---|---|---|---|---|---|---|---|---|---|
| 1923-24 | Boston AA (Unicorns) | USAHA | 12 | 9 | 0 | 9 | - | 5 | 2 | 0 | 2 | - |
| 1924-25 | Boston AAA | USAHA | 18 | 14 | 0 | 14 | - | 4 | 1 | 0 | 1 | - |
| 1925-26 | Boston (Bruins) | LNH | 26 | 7 | 2 | 9 | 6 | - | - | - | - | - |
| 1926-27 | New Haven (Eagles) | Can-Am | 32 | 21 | 4 | 25 | 36 | 4 | 2 | 1 | 3 | 0 |
| 1927-28 | New Haven (Eagles) | Can-Am | 16 | 13 | 5 | 18 | 22 | | | | | |
| | Boston (Bruins) | LNH | 21 | 1 | 0 | 1 | 2 | 7 | 2 | 0 | 0 | 0 |
| 1928-29 | Providence (Reds) | Can-Am | 31 | 5 | 3 | 8 | 44 | 6 | 3 | 0 | 3 | 14 |
| 1929-30 | Providence (Reds) | Can-Am | 37 | 11 | 6 | 17 | 51 | 3 | 1 | 1 | 2 | 2 |

| SAISON CLUB | LIGUE | PJ | B | A | PTS | PUN | PJ | B | A | PTS | PUN |
|---|---|---|---|---|---|---|---|---|---|---|---|
| 1930-31 Providence (Reds) | Can-Am | 39 | 8 | 16 | 24 | 41 | 2 | 1 | 0 | 1 | 2 |
| 1931-32 Providence (Reds) | Can-Am | 39 | 15 | 20 | 35 | 44 | 5 | 3 | 1 | 4 | 0 |
| 1932-33 Providence (Reds) | Can-Am | 22 | 11 | 12 | 23 | 20 | | | | | |
| Montréal (Canadiens) | LNH | 24 | 1 | 1 | 2 | 2 | 2 | 1 | 0 | 1 | 2 |
| 1933-34 Providence (Reds) | Can-Am | 40 | 13 | 19 | 32 | 26 | 3 | 0 | 2 | 2 | 0 |
| 1934-35 Providence (Reds) | Can-Am | 46 | 17 | 32 | 49 | 32 | 6 | 0 | 1 | 1 | 8 |
| 1935-36 Providence (Reds) | Can-Am | 45 | 12 | 3 | 15 | 22 | 7 | 0 | 0 | 0 | 0 |
| **LNH** | | 72 | 9 | 3 | 12 | 15 | 4 | 1 | 0 | 1 | 2 |
| **Montréal** | | 24 | 1 | 1 | 2 | 2 | 2 | 1 | 0 | 1 | 2 |

• Signe avec Boston le 4 janvier 1926 • Droits vendus à Providence (Can-Am) par Boston en octobre 1928 • Échangé à Montréal par Providence (Can-Am) avec Léo Murray pour Armand Mondou et Léo Gaudreault le 23 janvier 1933

## HARRIS, EDWARD (TED)

**Né à Winnipeg, Manitoba, le 18 juillet 1936. Défenseur, lance de la gauche, 6'2", 185 lb**

| SAISON CLUB | LIGUE | PJ | B | A | PTS | PUN | PJ | B | A | PTS | PUN |
|---|---|---|---|---|---|---|---|---|---|---|---|
| 1953-54 Winnipeg (Monarchs) | MJHL | 36 | 4 | 5 | 9 | 94 | 5 | 1 | 1 | 2 | 10 |
| 1954-55 Winnipeg (Monarchs) | MJHL | 32 | 2 | 15 | 17 | *137 | 17 | 1 | 3 | 4 | 57 |
| 1955-56 Winnipeg (Monarchs) | MJHL | 20 | 6 | 23 | 29 | 78 | 4 | 0 | 0 | 0 | 21 |
| 1956-57 Philadelphie (Ramblers) | EHL | 61 | 11 | 33 | 44 | 103 | 13 | 2 | 2 | 4 | 31 |
| Springfield (Indians) | AHL | 2 | 0 | 0 | 0 | 4 | - | - | - | - | - |
| 1957-58 Philadelphie (Ramblers) | EHL | 62 | 10 | 19 | 29 | 82 | - | - | - | - | - |
| 1958-59 Victoria (Cougars) | WHL | 58 | 4 | 12 | 16 | 82 | 3 | 0 | 0 | 0 | 4 |
| Springfield (Indians) | AHL | 9 | 0 | 2 | 2 | 11 | - | - | - | - | - |
| 1959-60 Springfield (Indians) | AHL | 63 | 4 | 13 | 17 | 100 | 10 | 0 | 2 | 2 | 16 |
| 1960-61 Springfield (Indians) | AHL | 69 | 4 | 22 | 26 | 76 | 8 | 0 | 1 | 1 | 18 |
| 1961-62 Springfield (Indians) | AHL | 70 | 2 | 29 | 31 | 142 | 11 | 3 | 3 | 6 | 14 |
| 1962-63 Springfiled (Indians) | AHL | 72 | 8 | 30 | 38 | 172 | - | - | - | - | - |
| 1963-64 Cleveland (Barons) | AHL | 67 | 6 | 23 | 29 | 109 | 9 | 0 | 5 | 5 | 20 |
| **Montréal (Canadiens)** | LNH | 4 | 0 | 1 | 1 | 0 | - | - | - | - | - |
| 1964-65 **Montréal (Canadiens)** | LNH | 68 | 1 | 14 | 15 | 107 | 13 | 0 | 5 | 5 | 45 |
| 1965-66 Match des étoiles | LNH | 1 | 0 | 0 | 0 | 0 | - | - | - | - | - |
| **Montréal (Canadiens)** | LNH | 53 | 0 | 13 | 13 | 87 | 10 | 0 | 0 | 0 | 38 |
| 1966-67 **Montréal (Canadiens)** | LNH | 65 | 2 | 16 | 18 | 86 | 10 | 0 | 1 | 1 | 19 |
| Match des étoiles | LNH | 1 | 0 | 0 | 0 | 0 | - | - | - | - | - |
| 1967-68 **Montréal (Canadiens)** | LNH | 67 | 5 | 16 | 21 | 78 | 13 | 0 | 4 | 4 | 22 |
| 1968-69 Match des étoiles | LNH | 1 | 0 | 1 | 1 | 0 | - | - | - | - | - |
| 1969-70 **Montréal (Canadiens)** | LNH | 76 | 7 | 18 | 25 | 102 | 14 | 1 | 2 | 3 | 34 |
| 1969-70 **Montréal (Canadiens)** | LNH | 74 | 3 | 17 | 20 | 116 | - | - | - | - | - |
| 1970-71 Minnesota (North Stars) | LNH | 78 | 2 | 13 | 15 | 130 | 12 | 0 | 4 | 4 | 36 |
| Match des étoiles | LNH | 1 | 0 | 0 | 0 | 2 | - | - | - | - | - |
| 1971-72 Minnesota (North Stars) | LNH | 78 | 2 | 15 | 17 | 74 | 7 | 0 | 1 | 1 | 17 |
| Match des étoiles | LNH | 1 | 0 | 0 | 0 | 0 | - | - | - | - | - |
| 1972-73 Minnesota (North Stars) | LNH | 78 | 7 | 23 | 30 | 83 | 5 | 0 | 1 | 1 | 15 |
| 1973-74 Minnesota (North Stars) | LNH | 12 | 0 | 1 | 1 | 4 | - | - | - | - | - |
| Detroit (Red Wings) | LNH | 41 | 0 | 11 | 11 | 66 | - | - | - | - | - |
| St. Louis (Blues) | LNH | 24 | 0 | 4 | 4 | 16 | - | - | - | - | - |
| 1974-75 Philadelphie (Flyers) | LNH | 70 | 1 | 6 | 7 | 48 | 16 | 0 | 4 | 4 | 4 |
| **LNH** | | 788 | 30 | 168 | 198 | 1000 | 100 | 1 | 22 | 23 | 230 |
| **Montréal** | | 407 | 18 | 95 | 113 | 576 | 60 | 1 | 12 | 13 | 158 |

• Coupe Calder (AHL) en 1959-60, 1960-61, 1961-62, 1963-64 • Première équipe d'étoiles (AHL) en 1963-64 • Trophée Eddie-Shore (AHL) en 1963-64 • Match des étoiles (LNH) en 1965-66, 1966-67, 1968-69, 1970-71, 1971-72 • Coupe Stanley (LNH) en 1964-65, 1965-66, 1967-68, 1968-69, 1974-75 • Deuxième équipe d'étoiles (LNH) en 1968-69
• Prêté à Victoria (WHL) par Springfield (AHL) le 4 novembre 1958 • Échangé à Montréal par Springfield avec Terry Gray, Wayne Larkin, John Chasczewski et Bruce Cline pour Brian Smith, Wayne Boddy, Fred Hilts, Lorne O'Donnell, John Rodger et Gary Bergman le 10 septembre 1963 • Réclamé de Minnesota de Montréal au repêchage intra-ligue le 9 juin 1970 • Échangé à Detroit par Minnesota pour Gary Bergman le 7 novembre 1973. • Échangé à St. Louis par Detroit avec Bill Collins et Garnet Bailey pour Jean Hamel, Bryan Watson et Chris Evans le 14 février 1974 • Droits vendus à Philadelphie par St. Louis le 16 septembre 1974

## HART, WILFRED (GIZZY)

**Né à Weyburn, Saskatchewan, le 1er juin 1902, décédé le 22 janvier 1964**
**Ailier gauche, lance de la gauche, 5,09", 170 lb**

| SAISON CLUB | LIGUE | PJ | B | A | PTS | PUN | PJ | B | A | PTS | PUN |
|---|---|---|---|---|---|---|---|---|---|---|---|
| 1919-20 Weyburn (Wanderers) | S-SSHL | 10 | 16 | 0 | 16 | 0 | 2 | 2 | 0 | 2 | 2 |
| 1920-21 Weyburn (Wanderers) | S-SSHL | 11 | 2 | 2 | 4 | 0 | | | | | |
| 1921-22 Moose Jaw (Maple Leafs) | S-SSHL | 7 | 3 | 0 | 3 | 2 | | | | | |
| 1922-23 Weyburn (Wanderers) | S-SSHL | 10 | 17 | 6 | 23 | 4 | 5 | *6 | *2 | *8 | 2 |
| 1923-24 Victoria (Cougars) | PCHA | 29 | 15 | 1 | 16 | 10 | | | | | |
| 1924-25 Victoria (Cougars) | WCHL | 26 | 8 | 6 | 14 | 8 | 8 | 2 | 1 | 3 | 0 |
| 1925-26 Victoria (Cougars) | WHL | 27 | 4 | 0 | 4 | 2 | 6 | 1 | 0 | 1 | 4 |
| 1926-27 Detroit (Cougars) | LNH | 2 | 0 | 0 | 0 | 0 | - | - | - | - | - |
| Windsor (Hornets) | Can-Pro | 5 | 4 | 0 | 4 | 0 | | | | | |
| **Montréal (Canadiens)** | LNH | 34 | 3 | 3 | 6 | 8 | 4 | 0 | 0 | 0 | 0 |
| 1927-28 **Montréal (Canadiens)** | LNH | 44 | 3 | 2 | 5 | 4 | 2 | 0 | 0 | 0 | 0 |
| 1928-29 Providence (Reds) | Can-Am | 18 | 14 | 14 | 14 | | | | | | |
| 1929-30 Providence (Reds) | Can-Am | 39 | 24 | 12 | 36 | 28 | 2 | 3 | 5 | 0 | |
| 1930-31 Providence (Reds) | Can-Am | 37 | 25 | 13 | 38 | 12 | 2 | 1 | 3 | 0 | |
| 1931-32 Providence (Reds) | Can-Am | 40 | 21 | 17 | 38 | 29 | 5 | 2 | 4 | 6 | 0 |
| 1932-33 Providence (Reds) | Can-Am | 46 | 7 | 9 | 16 | 60 | | | | | |
| **Montréal (Canadiens)** | LNH | 18 | 0 | 3 | 3 | 0 | 2 | 0 | 1 | 1 | 0 |
| 1933-34 Providence (Reds) | Can-Am | 40 | 13 | 9 | 22 | 12 | 3 | 0 | 4 | 4 | 7 |
| 1934-35 Weyburn (Beavers) | S-SSHL | 1 | 0 | | 0 | 0 | | | | | |
| 1935-36 Weyburn (Beavers) | S-SSHL | *N'a pas joué - Entraîneur* | | | | | | | | | |
| 1936-37 Weyburn (Beavers) | S-SSHL | *N'a pas joué - Entraîneur* | | | | | | | | | |
| 1937-38 Weyburn (Beavers) | S-SSHL | | | | | | | | | | |
| **LNH** | | 98 | 6 | 8 | 14 | 12 | 8 | 0 | 1 | 1 | 0 |
| **Montréal** | | 96 | 6 | 8 | 14 | 12 | 8 | 0 | 1 | 1 | 0 |

• Équipe d'étoiles (PCHA) en 1923-24 • Coupe Stanley (WCHL) en 1924-25
• Signe avec Victoria (WCHL) le 24 octobre 1923 • Transfert de la concession de Victoria (WHL) à Detroit de la LNH le 15 mai 1926 • Prêté à Windsor (Can-Pro) par Detroit le 24 novembre 1926 • Droits vendus à Montréal par Detroit le 12 décembre 1926 • Droits vendus à Providence (Can-Am) par Montréal le 17 octobre 1928 • Prêté à Montréal par Providence (Can-Am) avec Art Alexandre et Bobby Trapp le 6 février 1933

## HARVEY, DOUGLAS (DOUG)

**Né à Montréal, Québec, le 19 décembre 1924, décédé le 26 décembre 1989**
**Défenseur, lance de la gauche, 5'11", 180 lb**

| SAISON CLUB | LIGUE | PJ | B | A | PTS | PUN | PJ | B | A | PTS | PUN |
|---|---|---|---|---|---|---|---|---|---|---|---|
| 1942-43 Montréal (Marine) | LHCM | 4 | 0 | 0 | 0 | 0 | - | - | - | - | - |
| Montréal (Royals Jr) | LHJQ | 21 | 4 | 6 | 10 | 17 | 6 | 3 | 4 | 7 | 10 |
| Montréal (Royals) | LHSQ | 1 | 0 | 0 | 0 | 0 | - | - | - | - | - |
| 1943-44 Montréal (Marine) | LHCM | 15 | 4 | 1 | 5 | 24 | 5 | 3 | 1 | 4 | 15 |
| Montréal (Royals Jr) | LHJQ | 13 | 4 | 6 | 10 | 14 | 4 | 2 | 6 | 8 | 10 |
| Montréal (Royals Jr) | Mem. | 3 | 0 | 1 | 1 | 6 | - | - | - | - | - |
| 1944-45 Montréal (Royals Jr) | LHJQ | - | - | - | - | - | 9 | 2 | 2 | 4 | 10 |
| Montréal (Marine) | LHCM | 3 | 0 | 2 | 2 | 6 | 3 | 1 | 3 | 4 | 6 |
| 1945-46 Montréal (Royals) | LHSQ | 34 | 2 | 6 | 8 | 90 | 11 | 1 | 6 | 7 | *37 |
| 1946-47 Montréal (Royals) | LHSQ | 40 | 2 | 26 | 28 | *171 | 11 | 2 | 4 | 6 | *62 |
| Montréal (Royals) | Allan | 14 | 4 | 9 | 13 | 26 | | | | | |
| 1947-48 Buffalo (Bisons) | AHL | 24 | 1 | 7 | 8 | 38 | - | - | - | - | - |
| 1948-49 **Montréal (Canadiens)** | LNH | 35 | 4 | 4 | 8 | 32 | - | - | - | - | - |
| 1949-50 **Montréal (Canadiens)** | LNH | 55 | 3 | 13 | 16 | 87 | 7 | 0 | 1 | 1 | 10 |
| 1950-51 **Montréal (Canadiens)** | LNH | 70 | 4 | 20 | 24 | 76 | 5 | 0 | 2 | 2 | 10 |
| 1951-52 **Montréal (Canadiens)** | LNH | 70 | 5 | 24 | 29 | 93 | 11 | 0 | 5 | 5 | 12 |
| Match des étoiles | LNH | 1 | 0 | 0 | 0 | 0 | - | - | - | - | - |
| 1952-53 **Montréal (Canadiens)** | LNH | 69 | 4 | 30 | 34 | 67 | 12 | 0 | 5 | 5 | 8 |
| Match des étoiles | LNH | 1 | 0 | 0 | 0 | 0 | - | - | - | - | - |
| 1953-54 **Montréal (Canadiens)** | LNH | 68 | 8 | 29 | 37 | 110 | 10 | 2 | 2 | 2 | 12 |
| Match des étoiles | LNH | 1 | 0 | 0 | 0 | 0 | - | - | - | - | - |
| 1954-55 **Montréal (Canadiens)** | LNH | 70 | 6 | 43 | 49 | 58 | 12 | 0 | 8 | 8 | 6 |
| Match des étoiles | LNH | 1 | 0 | 1 | 1 | 2 | - | - | - | - | - |
| 1955-56 **Montréal (Canadiens)** | LNH | 62 | 5 | 39 | 44 | 60 | 10 | 2 | 5 | 7 | 10 |
| Match des étoiles | LNH | 1 | 0 | 1 | 1 | 0 | - | - | - | - | - |
| 1956-57 **Montréal (Canadiens)** | LNH | 70 | 6 | 44 | 50 | 92 | 10 | 0 | 7 | 7 | 10 |
| Match des étoiles | LNH | 1 | 0 | 1 | 1 | 2 | - | - | - | - | - |
| 1957-58 **Montréal (Canadiens)** | LNH | 68 | 9 | 32 | 41 | 131 | 10 | 2 | 9 | 11 | 16 |
| Match des étoiles | LNH | 1 | 0 | 1 | 1 | 0 | - | - | - | - | - |
| 1958-59 **Montréal (Canadiens)** | LNH | 61 | 4 | 16 | 20 | 61 | 11 | 1 | 11 | 12 | 22 |
| Match des étoiles | LNH | 1 | 0 | 1 | 1 | 2 | - | - | - | - | - |
| 1959-60 **Montréal (Canadiens)** | LNH | 66 | 6 | 21 | 27 | 45 | 8 | 3 | 0 | 3 | 6 |
| Match des étoiles | LNH | 1 | 0 | 3 | 3 | 0 | - | - | - | - | - |
| 1960-61 **Montréal (Canadiens)** | LNH | 58 | 6 | 33 | 39 | 48 | 6 | 0 | 1 | 1 | 8 |
| Match des étoiles | LNH | 1 | 0 | 0 | 0 | 0 | - | - | - | - | - |
| 1961-62 New York (Rangers) | LNH | 69 | 6 | 24 | 30 | 42 | 6 | 0 | 1 | 1 | 2 |
| Match des étoiles | LNH | 1 | 0 | 0 | 0 | 0 | - | - | - | - | - |
| 1962-63 New York (Rangers) | LNH | 68 | 4 | 35 | 39 | 92 | - | - | - | - | - |
| Match des étoiles | LNH | 1 | 0 | 1 | 1 | 0 | - | - | - | - | - |
| 1963-64 New York (Rangers) | LNH | 14 | 0 | 2 | 2 | 10 | - | - | - | - | - |
| St. Paul (Rangers) | CPHL | 5 | 2 | 2 | 4 | 6 | - | - | - | - | - |
| Québec (As) | AHL | 52 | 6 | 36 | 42 | 30 | 9 | 0 | 4 | 4 | 10 |
| 1964-65 Québec (As) | AHL | 64 | 1 | 36 | 37 | 72 | 4 | 1 | 1 | 2 | 9 |
| 1965-66 Baltimore (Clippers) | AHL | 67 | 7 | 32 | 39 | 80 | | | | | |
| 1966-67 Baltimore (Clippers) | AHL | 24 | 2 | 9 | 11 | 10 | | | | | |
| Pittsburgh (Hornets) | AHL | 28 | 0 | 9 | 22 | 9 | 0 | 0 | 0 | 0 | 0 |
| Detroit (Red Wings) | LNH | 2 | 0 | 0 | 0 | 0 | - | - | - | - | - |
| 1967-68 Kansas City (Blues) | CPHL | 59 | 4 | 16 | 20 | 12 | 7 | 0 | 6 | 6 | 6 |
| St. Louis (Blues) | LNH | - | - | - | - | - | 8 | 0 | 4 | 4 | 12 |
| 1968-69 St. Louis (Blues) | LNH | 70 | 2 | 20 | 22 | 30 | - | - | - | - | - |
| Match des étoiles | LNH | 1 | 0 | 0 | 0 | 0 | - | - | - | - | - |
| **LNH** | | 1113 | 88 | 452 | 540 | 1216 | 137 | 8 | 64 | 72 | 152 |
| **Montréal** | | 890 | 76 | 371 | 447 | 1042 | 123 | 8 | 59 | 67 | 138 |

• Première équipe d'étoiles (LNH) en 1951-52, 1952-53, 1953-54, 1954-55, 1955-56, 1956-57, 1957-58, 1959-60, 1960-61, 1961-62 • Deuxième équipe d'étoiles (LNH) en 1958-59 • Coupe Stanley (LNH) en 1952-53, 1955-56, 1956-57, 1957-58, 1958-59, 1959-60 • Trophée James-Norris (LNH) en 1954-55, 1955-56, 1956-57, 1957-58, 1959-60, 1960-61, 1961-62 • Match des étoiles (LNH) en 1951-52, 1952-53, 1953-54, 1954-55, 1955-56, 1956-57, 1957-58, 1958-59, 1959-60, 1960-61, 1961-62, 1962-63, 1968-69 • Deuxième équipe d'étoiles (AHL) en 1964 • Coupe Calder (AHL) en 1966-67 • Temple de la Renommée (LNH) en 1973
• Échangé à New York (Rangers) par Montréal pour Lou Fontinato le 13 juin 1961 • Signe avec Québec (AHL) le 26 novembre 1963 • Signe avec Baltimore (AHL) le 10 juin 1965 • Droits vendus à Pittsburgh (AHL) par Baltimore (AHL) le 23 décembre 1966 • Signe avec Detroit comme agent libre le 6 janvier 1967 • Signe avec St. Louis comme agent libre et est nommé joueur-entraîneur de Kansas City (CPHL) en juin 1967

## HAYNES, PAUL

**Né à Montréal, Québec, le 1er mars 1910, décédé**
**Centre, lance de la gauche, 5'09", 160 lb**

| SAISON CLUB | LIGUE | PJ | B | A | PTS | PUN | PJ | B | A | PTS | PUN |
|---|---|---|---|---|---|---|---|---|---|---|---|
| 1928-29 Montréal (Champêtre) | LHJMC | - | 2 | 0 | 2 | - | - | - | - | - | - |
| Loyola (Collège) | LHCQ | *Statistiques non disponibles* | | | | | | | | | |
| 1929-30 Montréal AAA | LHCM | 10 | 2 | 1 | 3 | 4 | 2 | 0 | 0 | 0 | 0 |
| 1930-31 Windsor (Bulldogs) | IHL | 27 | 11 | 16 | 27 | 16 | 6 | 4 | *6 | *10 | 2 |
| Montréal (Maroons) | LNH | 19 | 1 | 0 | 1 | 0 | - | - | - | - | - |
| 1931-32 Windsor (Bulldogs) | IHL | 33 | 10 | 14 | 24 | 6 | | | | | |
| Montréal (Maroons) | LNH | 48 | 16 | 25 | 41 | 18 | 2 | 0 | 0 | 0 | 0 |
| 1932-33 Montréal (Maroons) | LNH | 48 | 16 | 25 | 41 | 18 | 2 | 0 | 0 | 0 | 0 |
| 1933-34 Windsor (Bulldogs) | IHL | 4 | 0 | 1 | 1 | 0 | | | | | |

| SAISON | CLUB | LIGUE | PJ | B | A | PTS | PUN | PJ | B | A | PTS | PUN |
|---|---|---|---|---|---|---|---|---|---|---|---|---|
| | Montréal (Maroons) | LNH | 44 | 5 | 4 | 9 | 18 | 4 | 0 | 1 | 1 | 2 |
| 1934-35 | Montréal (Maroons) | LNH | 11 | 1 | 2 | 3 | 0 | - | - | - | - | - |
| | Boston (Bruins) | LNH | 37 | 4 | 3 | 7 | 8 | 3 | 0 | 0 | 0 | 0 |
| 1935-36 | Montréal (Canadiens) | LNH | 48 | 5 | 19 | 24 | 24 | - | - | - | - | - |
| 1936-37 | Montréal (Canadiens) | LNH | 47 | 8 | 18 | 26 | 24 | 5 | 2 | 3 | 5 | 0 |
| 1937-38 | Montréal (Canadiens) | LNH | 48 | 13 | 22 | 35 | 25 | 3 | 0 | 4 | 4 | 5 |
| | Match des étoiles | LNH | 1 | 1 | 0 | 1 | 0 | - | - | - | - | - |
| 1938-39 | Montréal (Canadiens) | LNH | 47 | 5 | 33 | 38 | 27 | 3 | 0 | 0 | 0 | 4 |
| 1939-40 | Montréal (Canadiens) | LNH | 23 | 2 | 8 | 10 | 8 | - | - | - | - | - |
| | Match des étoiles | LNH | 1 | 0 | 0 | 0 | 0 | - | - | - | - | - |
| 1940-41 | Montréal (Canadiens) | LNH | 7 | 0 | 0 | 0 | 12 | - | - | - | - | - |
| | New Haven (Eagles) | AHL | 31 | 3 | 11 | 14 | 4 | 2 | 0 | 0 | 0 | 0 |
| | **LNH** | | **391** | **61** | **134** | **195** | **164** | **24** | **2** | **8** | **10** | **13** |
| | **Montréal** | | **220** | **33** | **100** | **133** | **120** | **11** | **2** | **7** | **9** | **9** |

• Match des étoiles(LNH) en 1937-38, 1939-40
• Signe avec Montréal (Maroons) le 2 septembre 1930 • Droits vendus à Boston par Montréal (Maroons) le 28 décembre 1934 • Échangé à Montréal (Canadien) par Boston pour Jack Riley le 30 septembre 1935 • Signe avec New Haven le 6 janvier 1941

### HEADLEY, FERN (CURLEY)
Né à Crystal, North Dakota, le 2 mars 1901, décédé en 1950
Défenseur, lance de la droite, 5'10", 175 lb.

| SAISON | CLUB | LIGUE | PJ | B | A | PTS | PUN | PJ | B | A | PTS | PUN |
|---|---|---|---|---|---|---|---|---|---|---|---|---|
| 1919-20 | Saskatoon (Quakers) | S-SSHL | 3 | 6 | 1 | 7 | 4 | 3 | 3 | 1 | 4 | 4 |
| | Saskatoon (Quakers) | SJHL | - | - | - | - | - | 3 | 6 | 1 | 7 | 4 |
| 1920-21 | Saskatoon (Collegiate) | S-SSHL | 4 | 6 | 2 | 8 | 6 | 5 | 4 | 0 | 4 | 6 |
| 1921-22 | Saskatoon (5e Bataillon) | S-SSHL | 9 | 7 | 2 | 9 | 2 | - | - | - | - | - |
| 1922-23 | Saskatoon (Sheiks) | WCHL | 10 | 2 | 0 | 2 | 4 | - | - | - | - | - |
| 1923-24 | Saskatoon (Crescents) | WCHL | 20 | 2 | 0 | 2 | 6 | - | - | - | - | - |
| 1924-25 | Boston (Bruins) | LNH | 13 | 1 | 3 | 4 | | | | | | |
| | Montréal (Canadiens) | LNH | 17 | 0 | 1 | 1 | 6 | 5 | 0 | 0 | 0 | 0 |
| 1925-26 | Calgary (Tigers) | WHL | 29 | 4 | 3 | | 47 | | | | | |
| 1926-27 | Calgary (Tigers) | PHL | 30 | 16 | 10 | 26 | 30 | 2 | 0 | 0 | 0 | 4 |
| 1927-28 | Minneapolis (Millers) | AHA | 37 | 6 | 5 | 11 | 37 | 8 | 0 | 0 | 0 | 0 |
| 1928-29 | St. Louis (Flyers) | AHA | 40 | 14 | 11 | 25 | 54 | | | | | |
| 1929-30 | St. Louis (Flyers) | AHA | 48 | 5 | 6 | 11 | 59 | | | | | |
| 1930-31 | Chicago (Shamrocks) | AHA | 47 | 5 | 8 | 13 | 44 | | | | | |
| 1931-32 | Chicago (Shamrocks) | AHA | 47 | 6 | 5 | 11 | 50 | 0 | 0 | 0 | 0 | 5 |
| 1932-33 | Wichita/Duluth | AHA | 41 | 10 | 9 | 19 | 37 | | | | | |
| 1933-34 | Tulsa (Oilers) | AHA | 32 | 6 | 2 | 8 | 34 | 4 | 0 | 0 | 0 | 4 |
| 1934-35 | Tulsa (Oilers) | AHA | 48 | 5 | 11 | 16 | 31 | 5 | 0 | 0 | 0 | 2 |
| 1935-36 | Tulsa (Oilers) | AHA | 43 | 1 | 4 | 5 | 33 | | | | | |
| 1936-37 | Tulsa (Oilers) | AHA | 18 | 0 | 0 | 0 | 6 | | | | | |
| | Kansas City (Greyhounds) | AHA | 7 | 1 | 1 | 2 | 13 | | | | | |
| 1937-38 | | | | | N'a pas joué | | | | | | | |
| 1938-39 | Wichita (Skyhawks) | AHA | 33 | 4 | 7 | 13 | 36 | | | | | |
| | **LNH** | | **30** | **1** | **3** | **4** | **10** | **1** | **0** | **0** | **0** | **0** |
| | **Montréal** | | **17** | **0** | **1** | **1** | **6** | **5** | **0** | **0** | **0** | **0** |

• Première équipe d'étoiles (PHL) en 1926-27 • Deuxième équipe d'étoiles (AHA) en 1934-35
• Signe avec Saskatoon (WCHL) le 30 octobre 1922 • Droits vendus à Boston par Saskatoon (WCHL) le 2 novembre 1924 • Prêté à Montréal par Boston le 14 janvier 1925. • Droits vendus à Vancouver (WHL) par Boston le 29 octobre 1925 • Échangé à Calgary (WHL) par Vancouver (WHL) pour Rusty Crawford le 3 novembre 1925 • Signe avec Calgary (PHL) le 19 novembre 1926 • Droits vendus à Minneapolis (AHA) par Calgary (PHL) le 13 octobre 1927

### HEFFERNAN, GERALD (GERRY)
Né à Montréal, Québec, le 24 juillet 1916. Ailier droit, lance de la droite, 5'09", 160 lb

| SAISON | CLUB | LIGUE | PJ | B | A | PTS | PUN | PJ | B | A | PTS | PUN |
|---|---|---|---|---|---|---|---|---|---|---|---|---|
| 1934-35 | Montréal (Royals) | LHJQ | 12 | 8 | 6 | 14 | 2 | 2 | 1 | 0 | 1 | 2 |
| 1935-36 | Montréal (Royals) | LHJQ | 9 | 5 | 3 | 8 | 2 | 2 | 3 | 1 | 4 | 0 |
| | Montréal (Royals) | LHSQ | - | - | - | - | - | 5 | 0 | 0 | 0 | 0 |
| 1936-37 | Montréal (Royals) | LHSQ | 21 | 6 | 15 | 21 | 12 | 5 | 2 | 0 | 2 | 2 |
| 1937-38 | Harringay (Greyhounds) | GBR | 18 | 18 | 12 | 30 | | - | - | - | - | - |
| 1938-39 | Montréal (Royals) | LHSQ | 21 | 12 | 10 | 22 | 35 | 5 | 2 | 8 | 10 | 8 |
| | Montréal (Royals) | Allan | 15 | 9 | 13 | 22 | 14 | | | | | |
| 1939-40 | Montréal (Royals) | LHSQ | 29 | 11 | 19 | 30 | 38 | 8 | 4 | 6 | 10 | 2 |
| | Montréal (Royals) | Allan | 5 | 1 | 5 | 6 | 0 | | | | | |
| 1940-41 | Montréal (Royals) | LHSQ | 33 | 15 | 18 | 33 | 24 | 8 | 4 | 3 | 7 | 2 |
| | Montréal (Royals) | Allan | 14 | 4 | 4 | 8 | 6 | | | | | |
| 1941-42 | Montréal (Royals) | LHSQ | 9 | 2 | 4 | 6 | 4 | | | | | |
| | Montréal (Canadiens) | LNH | 40 | 5 | 15 | 20 | 15 | 2 | 2 | 1 | 3 | 0 |
| 1942-43 | Montréal (Royals) | LHSQ | 22 | 19 | 15 | 34 | 28 | 4 | 0 | 1 | 1 | 2 |
| | Montréal (Canadiens) | LNH | - | - | - | - | - | 2 | 0 | 0 | 0 | 0 |
| 1943-44 | Montréal (Canadiens) | LNH | 43 | 28 | 20 | 48 | 12 | 7 | 1 | 2 | 3 | 8 |
| 1944-45 | Montréal (Royals) | LHSQ | 23 | 23 | 28 | 51 | 14 | 7 | 4 | 4 | 8 | 2 |
| 1945-46 | Montréal (Royals) | LHSQ | 28 | 20 | 24 | 44 | 41 | 11 | 7 | 6 | 13 | 4 |
| | **LNH** | | **83** | **33** | **35** | **68** | **27** | **11** | **3** | **3** | **6** | **8** |
| | **Montréal** | | **83** | **33** | **35** | **68** | **27** | **11** | **3** | **3** | **6** | **8** |

• Coupe Stanley (LNH) en 1943-44
• Signe avec Montréal avec Pete Morin et Buddy O'Connor le 28 novembre 1941

### HERON, ROBERT (RED)
Né à Toronto, Ontario, le 31 décembre 1917
Ailier gauche, lance de la gauche, 5'10", 170 lb

| SAISON | CLUB | LIGUE | PJ | B | A | PTS | PUN | PJ | B | A | PTS | PUN |
|---|---|---|---|---|---|---|---|---|---|---|---|---|
| 1932-33 | Toronto (Marlboros) | OHA Jr | 9 | 4 | 1 | 5 | 4 | 3 | 0 | 0 | 0 | 2 |
| 1933-34 | Toronto (Native Sons) | OHA Jr | 12 | 11 | 7 | 18 | 7 | - | - | - | - | - |
| 1934-35 | Toronto (Nationals) | OHA Jr | 12 | 1 | 3 | 4 | 14 | | | | | |
| 1935-36 | Toronto (Nationals) | OHA Jr | 9 | 11 | 6 | 17 | 16 | 5 | *6 | *4 | *10 | 2 |
| | Toronto (Goodyears) | OHA Sr | 13 | *16 | 1 | *17 | 4 | 6 | 4 | 3 | 6 | 9 |
| | West Toronto (Nationals) | Mem. | 12 | *18 | 8 | *26 | 20 | - | - | - | - | - |

| SAISON | CLUB | LIGUE | PJ | B | A | PTS | PUN | PJ | B | A | PTS | PUN |
|---|---|---|---|---|---|---|---|---|---|---|---|---|
| 1936-37 | Toronto (Goodyears) | OHA Sr | 8 | 5 | 3 | 8 | 16 | 5 | 3 | 0 | 3 | 8 |
| 1937-38 | Toronto (Goodyears) | OHA Sr | 16 | *21 | 15 | 36 | 6 | 6 | 3 | 2 | 5 | 4 |
| | Syracuse (Stars) | IAHL | 1 | 0 | 0 | 0 | 0 | 6 | 1 | 2 | 3 | 0 |
| 1938-39 | Syracuse (Stars) | IAHL | 46 | 12 | 14 | 26 | 26 | 3 | 0 | 1 | 1 | 0 |
| | Toronto (Maple Leafs) | LNH | 6 | 0 | 0 | 0 | 0 | 2 | 0 | 0 | 0 | 4 |
| 1939-40 | Pittsburgh (Hornets) | IAHL | 4 | 3 | 1 | 4 | 0 | | | | | |
| | Toronto (Maple Leafs) | LNH | 42 | 11 | 12 | 23 | 12 | 9 | 2 | 0 | 2 | 4 |
| 1940-41 | Pittsburgh (Hornets) | AHL | 2 | 0 | 2 | 2 | 0 | | | | | |
| | Toronto (Maple Leafs) | LNH | 35 | 9 | 5 | 14 | 12 | 7 | 0 | 2 | 2 | 0 |
| 1941-42 | Brooklyn (Americans) | LNH | 11 | 0 | 1 | 1 | 2 | | | | | |
| | Montréal (Canadiens) | LNH | 12 | 1 | 1 | 2 | 12 | 3 | 0 | 0 | 0 | 0 |
| | Pittsburgh (Hornets) | AHL | 23 | 20 | 16 | 36 | 10 | | | | | |
| | Springfield (Indians) | AHL | 7 | 3 | 3 | 6 | 2 | | | | | |
| 1942-43 | Research (Colonels) | TMHL | 12 | *22 | 12 | *34 | 4 | | | | | |
| | Toronto (Peoples) | TIHL | 5 | 5 | 4 | 9 | 8 | 7 | 8 | 10 | 18 | 12 |
| 1943-44 | Toronto (RCAF) | OHA Sr | 15 | 6 | 10 | 16 | 12 | | | | | |
| | Toronto (Staffords) | TMHL | 6 | 9 | 5 | 14 | 4 | 9 | 9 | 5 | 14 | 8 |
| 1944-45 | Rockcliffe (RCAF) | ONDHL | - | - | - | - | - | 2 | 2 | 0 | 2 | 2 |
| 1945-46 | | | | | Statistiques non disponibles | | | | | | | |
| 1946-47 | Toronto (Barkers) | TIHL | 26 | 37 | 25 | 62 | 6 | | *9 | 3 | 12 | 4 |
| 1947-48 | Toronto (Barkers) | TIHL | 27 | 20 | 14 | 34 | 8 | 9 | 6 | 5 | 11 | 4 |
| | **LNH** | | **106** | **21** | **19** | **40** | **38** | **21** | **2** | **2** | **4** | **6** |
| | **Montréal** | | **12** | **1** | **1** | **2** | **12** | **3** | **0** | **0** | **0** | **0** |

• Coupe Memorial en 1935-36
• Prêté à Brooklyn par Toronto avec Nick Knott, Gus Marker et des considérations futures (Droits vendus à Brooklyn le 2 février 1942) pour Lorne Carr le 30 octobre 1941 • Prêté à Montréal par Brooklyn pour le prêt de Murph Chamberlain le 13 février 1942

### HICKE, WILLIAM (BILL)
Né à Regina, Saskatchewan, le 31 mars 1938
Ailier droit, lance de la gauche, 5'8", 164 lb

| SAISON | CLUB | LIGUE | PJ | B | A | PTS | PUN | PJ | B | A | PTS | PUN |
|---|---|---|---|---|---|---|---|---|---|---|---|---|
| 1954-55 | Regina (Pats) | SJHL | 8 | 3 | 9 | 12 | 7 | 14 | 6 | 8 | 14 | 4 |
| | Regina (Pats) | Mem. | 15 | 5 | 13 | 18 | 8 | | | | | |
| 1955-56 | Regina (Pats) | SJHL | 36 | 33 | 9 | 42 | 51 | 10 | 6 | 8 | 14 | 10 |
| | Regina (Pats) | Mem. | 19 | 11 | 18 | 29 | 44 | | | | | |
| 1956-57 | Regina (Pats) | SJHL | 53 | 52 | 48 | 100 | 94 | 7 | 5 | 5 | 10 | 14 |
| 1957-58 | Regina (Pats) | SJHL | 49 | *54 | 43 | *97 | 144 | 12 | 9 | 10 | 19 | 20 |
| | Regina (Pats) | Mem. | 26 | *18 | 8 | 26 | 31 | | | | | |
| 1958-59 | Rochester (Americans) | AHL | 69 | 41 | 56 | *97 | 41 | 5 | 1 | 1 | 2 | 12 |
| | Montréal (Canadiens) | LNH | - | - | - | - | - | 1 | 0 | 0 | 0 | 0 |
| 1959-60 | Rochester (Americans) | AHL | 14 | 8 | 5 | 13 | 22 | | | | | |
| | Montréal (Canadiens) | LNH | 43 | 3 | 10 | 13 | 17 | 7 | 1 | 2 | 3 | 0 |
| | Match des étoiles | LNH | 1 | 0 | 2 | 2 | 0 | | | | | |
| 1960-61 | Montréal (Canadiens) | LNH | 70 | 18 | 27 | 45 | 31 | 5 | 2 | 0 | 2 | 19 |
| | Match des étoiles | LNH | 1 | 0 | 0 | 0 | 0 | | | | | |
| 1961-62 | Montréal (Canadiens) | LNH | 70 | 20 | 31 | 51 | 42 | 6 | 0 | 2 | 2 | 14 |
| 1962-63 | Montréal (Canadiens) | LNH | 70 | 17 | 22 | 39 | 39 | 5 | 0 | 0 | 0 | 0 |
| 1963-64 | Montréal (Canadiens) | LNH | 48 | 11 | 9 | 20 | 41 | 7 | 0 | 2 | 2 | 2 |
| 1964-65 | Montréal (Canadiens) | LNH | 17 | 0 | 1 | 1 | 6 | | | | | |
| | Cleveland (Barons) | AHL | 6 | 3 | 2 | 5 | 2 | | | | | |
| | New York (Rangers) | LNH | 40 | 6 | 11 | 17 | 26 | | | | | |
| 1965-66 | Minnesota (Rangers) | CPHL | 3 | 2 | 0 | 2 | 4 | | | | | |
| | New York (Rangers) | LNH | 49 | 9 | 18 | 27 | 21 | | | | | |
| 1966-67 | New York (Rangers) | LNH | 48 | 4 | 7 | 11 | 11 | | | | | |
| | Baltimore (Clippers) | AHL | 18 | 14 | 14 | 28 | 15 | 9 | 6 | *8 | *14 | 23 |
| 1967-68 | Oakland (Seals) | LNH | 52 | 21 | 19 | 40 | 32 | | | | | |
| 1968-69 | Oakland (Seals) | LNH | 67 | 25 | 36 | 61 | 68 | 7 | 3 | 3 | 6 | 2 |
| | Match des étoiles | LNH | 1 | 0 | 0 | 0 | 0 | | | | | |
| 1969-70 | Oakland (Seals) | LNH | 69 | 15 | 29 | 44 | 14 | 4 | 0 | 1 | 1 | 2 |
| 1970-71 | California (Golden Seals) | LNH | 74 | 18 | 17 | 35 | 41 | | | | | |
| 1971-72 | Pittsburgh (Penguins) | LNH | 12 | 2 | 0 | 2 | 6 | | | | | |
| | Tidewater (Wings) | AHL | 16 | 4 | 12 | 16 | 6 | | | | | |
| | Fort Worth (Wings) | CHL | 34 | 9 | 10 | 19 | 50 | 7 | 0 | 5 | 5 | 12 |
| 1972-73 | Alberta (Oilers) | AMH | 74 | 14 | 24 | 38 | 20 | | | | | |
| | **LNH** | | **729** | **168** | **234** | **402** | **395** | **42** | **3** | **10** | **13** | **41** |
| | **Montréal** | | **318** | **69** | **100** | **169** | **176** | **31** | **3** | **6** | **9** | **35** |

• Première équipe d'étoiles(AHL) en 1958-59 • Trophée Dudley-Garrett (AHL) en 1958-59. • Trophée John-B.-Sollenberger (AHL) en 1958-59 • Trophée Les-Cunningham (AHL) en 1958-59 • Match des étoiles(LNH) en 1959-60, 1960-61, 1968-69 • Coupe Stanley (LNH) en 1959, 1960
• Échangé à New York par Montréal en plus du prêt de Jean-Guy Morisette pour le reste de la saison pour Dick Duff et Dave McComb le 22 décembre 1964 • Réclamé par Oakland de New York lors de l'expansion de la LNH le 6 juin 1967 • Droits vendus à Pittsburgh par Californie le 7 septembre 1971 • Droits vendus à Detroit par Pittsburgh le 22 novembre 1971 • Signe avec Alberta (AMH) en septembre 1972

### HICKS, WAYNE
Né à Aberdeen, Washington, le 9 avril 1937. Ailier droit, lance de la droite, 5'10", 190 lb

| SAISON | CLUB | LIGUE | PJ | B | A | PTS | PUN | PJ | B | A | PTS | PUN |
|---|---|---|---|---|---|---|---|---|---|---|---|---|
| 1953-54 | Calgary (Buffalo) | WCJHL | 8 | 1 | 1 | 2 | 4 | 5 | 0 | 0 | 0 | 0 |
| 1954-55 | Moose Jaw (Canucks) | WCJHL | 35 | 4 | 5 | 9 | 12 | - | - | - | - | - |
| 1955-56 | Yorkton (Terriers) | SJHL | 48 | 28 | 25 | 53 | 81 | 5 | - | - | - | - |
| 1956-57 | Melville (Millionaires) | SJHL | 50 | 42 | 38 | 80 | 76 | - | - | - | - | - |
| | Calgary (Stampeders) | WHL | 4 | 0 | 0 | 0 | 0 | | | | | |
| 1957-58 | Calgary (Stampeders) | WHL | 60 | 7 | 14 | 21 | 19 | 14 | 0 | 1 | 1 | 5 |
| 1958-59 | Calgary (Stampeders) | WHL | 64 | 15 | 20 | 35 | 40 | 8 | 1 | 3 | 4 | 5 |
| 1959-60 | Sault Ste. Marie (Greyhounds) | EPHL | 69 | 30 | 47 | 77 | 64 | | | | | |
| | Chicago (Black Hawks) | LNH | - | - | - | - | - | 1 | 0 | 1 | 0 | 0 |
| 1960-61 | Buffalo (Bisons) | AHL | 72 | 20 | 35 | 55 | 57 | 4 | 2 | 1 | 3 | 0 |
| | Chicago (Black Hawks) | LNH | 1 | 0 | 0 | 0 | 0 | 1 | 0 | 0 | 0 | 2 |

| SAISON | CLUB | LIGUE | PJ | B | A | PTS | PUN | PJ | B | A | PTS | PUN |
|---|---|---|---|---|---|---|---|---|---|---|---|---|
| 1961-62 | Buffalo (Bisons) | AHL | 70 | 22 | 42 | 64 | 74 | 11 | 3 | 3 | 6 | 8 |
| 1963-64 | Québec (As) | AHL | 70 | 36 | 42 | 78 | - | 9 | 4 | 2 | 6 | 12 |
| | **Montréal (Canadiens)** | **LNH** | **2** | **0** | **0** | **0** | **0** | - | - | - | - | - |
| 1964-65 | Québec (As) | AHL | 72 | 38 | 47 | 85 | 52 | 5 | 1 | 0 | 1 | 2 |
| 1965-66 | Québec (As) | AHL | 72 | 32 | 49 | 81 | 24 | 6 | 0 | 0 | 0 | 0 |
| 1966-67 | Québec (As) | AHL | 72 | 31 | 60 | 91 | 34 | 5 | 1 | 2 | 3 | 2 |
| 1967-68 | Québec (As) | AHL | 13 | 4 | 9 | 13 | 13 | - | - | - | - | - |
| | Philadelphie (Flyers) | LNH | 32 | 2 | 7 | 9 | 6 | - | - | - | - | - |
| | Pittsburgh (Penguins) | LNH | 15 | 4 | 7 | 11 | 2 | - | - | - | - | - |
| 1968-69 | Baltimore (Clippers) | AHL | 65 | 33 | 36 | 69 | 55 | - | - | - | - | - |
| 1969-70 | Baltimore (Clippers) | AHL | 64 | 14 | 21 | 35 | 58 | 3 | 0 | 0 | 0 | 0 |
| 1970-71 | Salt Lake (Golden Eagles) | WHL | 8 | 1 | 3 | 4 | 5 | - | - | - | - | - |
| | Phoenix (Roadrunners) | WHL | 67 | 29 | 32 | 61 | 36 | 10 | 1 | 8 | 9 | 2 |
| 1971-72 | Phoenix (Roadrunners) | WHL | 69 | 17 | 31 | 48 | 59 | 6 | 3 | 3 | 6 | 2 |
| 1972-73 | Phoenix (Roadrunners) | WHL | 67 | 17 | 33 | 50 | 31 | 10 | 4 | *12 | *16 | 4 |
| 1973-74 | Phoenix (Roadrunners) | WHL | 72 | 27 | 32 | 59 | 23 | 9 | 4 | 5 | 9 | 4 |
| | **LNH** | | **115** | **13** | **23** | **36** | **22** | **2** | **0** | **1** | **1** | **2** |
| | **Montréal** | | **2** | **0** | **0** | **0** | **0** | - | - | - | - | - |

• Coupe Stanley (LNH) en 1960-61 • Deuxième équipe d'étoiles(AHL) en 1964-65, 1968-69
• Première équipe d'étoiles(AHL) en 1966-67
• Échangé à Montréal par Chicago pour Al MacNeil le 30 mai 1962 • Réclamé par Boston de Montréal au repêchage intra-ligue le 5 juin 1962 • Droits vendus à Montréal par Boston le 28 septembre 1963 • Droits dans la LNH transférés à Philadelphie lors de l'achat de la concession de Québec (AHL) par Philadelphie le 8 mai 1967 • Échangé à Pittsburgh par Philadelphie pour Art Stratton le 27 février 1968 • Échangé à Phoenix (WHL) par Salt Lake (WHL) pour Rick Charron en novembre 1970

## HIGGINS, MATT

**Né à Calgary, Alberta, le 29 octobre 1977. Centre, lance de la gauche, 6'2", 188 lb**
**(1er choix de Montréal, 18e au total lors du repêchage de 1996)**

| SAISON | CLUB | LIGUE | PJ | B | A | PTS | PUN | PJ | B | A | PTS | PUN |
|---|---|---|---|---|---|---|---|---|---|---|---|---|
| 1992-93 | Vernon (Bantam Lakers) | BCAHA | 70 | 53 | 76 | 129 | 54 | - | - | - | - | - |
| 1993-94 | Moose Jaw (Warriors) | WHL | 64 | 6 | 10 | 16 | 10 | - | - | - | - | - |
| 1994-95 | Moose Jaw (Warriors) | WHL | 72 | 36 | 34 | 70 | 26 | 10 | 1 | 2 | 3 | 2 |
| 1995-96 | Moose Jaw (Warriors) | WHL | 67 | 30 | 33 | 63 | 43 | - | - | - | - | - |
| 1996-97 | Moose Jaw (Warriors) | WHL | 71 | 33 | 57 | 90 | 51 | 12 | 3 | 5 | 8 | 2 |
| 1997-98 | Fredericton (Canadien) | AHL | 50 | 5 | 22 | 27 | 12 | 4 | 1 | 2 | 3 | 2 |
| | **Montréal (Canadiens)** | **LNH** | **1** | **0** | **0** | **0** | **0** | - | - | - | - | - |
| 1998-99 | Fredericton (Canadien) | AHL | 11 | 3 | 4 | 7 | 4 | 5 | 0 | 2 | 2 | 0 |
| | **Montréal (Canadiens)** | **LNH** | **25** | **1** | **0** | **1** | **0** | - | - | - | - | - |
| 1999-00 | **Montréal (Canadiens)** | **LNH** | **25** | **0** | **2** | **2** | **4** | - | - | - | - | - |
| | Québec (Citadelles) | AHL | 29 | 1 | 15 | 16 | 21 | - | - | - | - | - |
| 2000-01 | **Montréal (Canadiens)** | **LNH** | **6** | **0** | **0** | **0** | **2** | - | - | - | - | - |
| | Québec (Citadelles) | AHL | 66 | 10 | 18 | 28 | 18 | 8 | 0 | 1 | 1 | 4 |
| 2001-02 | Bridgeport (Sound Tigers) | AHL | 43 | 13 | 19 | 32 | 24 | 15 | 1 | 0 | 1 | 6 |
| 2002-03 | Bridgeport (Sound Tigers) | AHL | 45 | 11 | 12 | 23 | 30 | 2 | 0 | 0 | 0 | 2 |
| | **LNH** | | **57** | **1** | **2** | **3** | **6** | - | - | - | - | - |
| | **Montréal** | | **57** | **1** | **2** | **3** | **6** | - | - | - | - | - |

• Signe avec Bridgeport (AHL) comme agent libre le 26 décembre 2001

## HILL, SEAN

**Né à Duluth, Minnesota, le 14 février 1970. Défenseur, lance de la droite, 6', 205 lb**
**(9e choix de Montréal, 167e au total lors du repêchage de 1988)**

| SAISON | CLUB | LIGUE | PJ | B | A | PTS | PUN | PJ | B | A | PTS | PUN |
|---|---|---|---|---|---|---|---|---|---|---|---|---|
| 1988-89 | Wisconsin University | WCHA | 45 | 2 | 23 | 25 | 69 | - | - | - | - | - |
| 1989-90 | Wisconsin University | WCHA | 42 | 14 | 39 | 53 | 78 | - | - | - | - | - |
| | États-Unis | CMJ | 7 | 0 | 3 | 3 | 10 | - | - | - | - | - |
| 1990-91 | Wisconsin University | WCHA | 37 | 19 | 32 | 51 | 122 | - | - | - | - | - |
| | Fredericton (Canadien) | AHL | - | - | - | - | - | 3 | 0 | 2 | 2 | 2 |
| | **Montréal (Canadiens)** | **LNH** | - | - | - | - | - | **1** | **0** | **0** | **0** | **0** |
| 1991-92 | Fredericton (Canadien) | AHL | 42 | 7 | 20 | 27 | 65 | 7 | 1 | 3 | 4 | 6 |
| | États-Unis | Éq. Nat. | 12 | 4 | 3 | 7 | 16 | - | - | - | - | - |
| | États-Unis | JO | 8 | 0 | 2 | 2 | 6 | - | - | - | - | - |
| | **Montréal (Canadiens)** | **LNH** | - | - | - | - | - | **4** | **1** | **0** | **1** | **2** |
| 1992-93 | Fredericton (Canadien) | AHL | 6 | 1 | 3 | 4 | 10 | - | - | - | - | - |
| | **Montréal (Canadiens)** | **LNH** | **31** | **2** | **6** | **8** | **54** | **3** | **0** | **0** | **0** | **4** |
| 1993-94 | Anaheim (Mighty Ducks) | LNH | 68 | 7 | 20 | 27 | 78 | - | - | - | - | - |
| | États-Unis | WHC | 8 | 0 | 2 | 2 | 6 | - | - | - | - | - |
| 1994-95 | Ottawa (Sénateurs) | LNH | 45 | 1 | 14 | 15 | 30 | - | - | - | - | - |
| 1995-96 | Ottawa (Sénateurs) | LNH | 80 | 7 | 14 | 21 | 94 | - | - | - | - | - |
| 1996-97 | Ottawa (Sénateurs) | LNH | 13 | 1 | 2 | 3 | 6 | - | - | - | - | - |
| | Caroline (Hurricanes) | LNH | 42 | 0 | 5 | 5 | 48 | - | - | - | - | - |
| 1998-99 | Caroline (Hurricanes) | LNH | 50 | 0 | 10 | 10 | 48 | - | - | - | - | - |
| 1999-00 | Caroline (Hurricanes) | LNH | 62 | 13 | 31 | 44 | 59 | - | - | - | - | - |
| 2000-01 | St. Louis (Blues) | LNH | 48 | 1 | 10 | 11 | 45 | 15 | 0 | 1 | 1 | 12 |
| 2001-02 | St. Louis (Blues) | LNH | 23 | 0 | 3 | 3 | 28 | - | - | - | - | - |
| | Caroline (Hurricanes) | LNH | 47 | 7 | 23 | 30 | 61 | 23 | 4 | 4 | 8 | 20 |
| 2002-03 | Caroline (Hirricanes) | LNH | 82 | 5 | 24 | 29 | 141 | - | - | - | - | - |
| | **LNH** | | **602** | **44** | **161** | **205** | **702** | **46** | **5** | **5** | **10** | **38** |
| | **Montréal** | | **31** | **2** | **6** | **8** | **54** | **8** | **1** | **0** | **1** | **6** |

• Deuxième équipe d'étoiles(WCHA) en 1989-90, 1990-91 • Deuxième équipe d'étoiles Division Ouest – All American (NCAA) en 1990-91 • Coupe Stanley (LNH) en 1992-93
• Réclamé par Anaheim de Montréal lors de l'expansion de la LNH le 24 juin 1993 • Échangé à Ottawa par Anaheim avec le choix de 9e ronde Anaheim au repêchage de 1994 (Frederic Cassivi) pour le choix de 3e ronde d'Ottawa au repêchage de 1994 (cédé à Tampa Bay qui sélectionne Vadim Epanchintsev) le 29 juin 1994 • Échangé à la Caroline par Ottawa pour Chris Murray le 18 novembre 1997 • Signe avec St. Louis comme agent libre le 1er juillet 2000 • Échangé à Caroline par St. Louis pour Steve Halko et le choix de 4e ronde de la Caroline au repêchage de 2002 (cédé à Atlanta qui sélectionnne Lane Manson) le 5 décembre 2001.

## HILLER, WILBERT (DUTCH)

**Né à Kitchener, Ontario, le 11 mai 1915. Ailier gauche, lance de la gauche, 5'8", 160 lb**

| SAISON | CLUB | LIGUE | PJ | B | A | PTS | PUN | PJ | B | A | PTS | PUN |
|---|---|---|---|---|---|---|---|---|---|---|---|---|
| 1932-33 | Kitchener (Empires) | OHA Jr | 11 | 7 | 3 | 10 | 19 | 5 | 6 | 2 | 8 | 4 |
| 1933-34 | Sudbury (Cub Wolves) | NOJHA | 8 | 7 | 0 | 7 | 15 | 2 | *5 | 1 | *6 | 2 |
| 1934-35 | Sudbury (Cub Wolves) | NOJHA | 4 | 5 | 0 | 5 | 8 | 3 | 2 | 0 | 2 | 8 |
| 1935-36 | Sundbury (Frood Miners) | NBHL | 6 | 5 | 0 | 5 | 10 | - | - | - | - | - |
| | Falconbridge (Falcons) | Allan | 13 | 6 | 1 | 7 | 4 | - | - | - | - | - |
| 1936-37 | Harringay (Greyhounds) | GBR | 42 | 22 | 11 | 33 | 16 | - | - | - | - | - |
| 1937-38 | New-York (Rovers) | EAHL | 43 | 26 | 30 | 56 | 31 | - | - | - | - | - |
| | New York (Rangers) | LNH | 8 | 0 | 1 | 1 | 2 | 1 | 0 | 0 | 0 | 0 |
| 1938-39 | New York (Rangers) | LNH | 48 | 13 | 16 | 29 | 22 | 7 | 1 | 0 | 1 | 9 |
| 1939-40 | New York (Rangers) | LNH | 48 | 13 | 18 | 31 | 57 | 12 | 2 | 4 | 6 | 2 |
| 1940-41 | New York (Rangers) | LNH | 44 | 8 | 10 | 18 | 20 | 3 | 0 | 0 | 0 | 0 |
| 1941-42 | Detroit (Red Wings) | LNH | 7 | 0 | 0 | 0 | 0 | - | - | - | - | - |
| | Boston (Bruins) | LNH | 37 | 10 | 9 | 19 | 5 | 5 | 1 | 0 | 1 | 6 |
| 1942-43 | Boston (Bruins) | LNH | 3 | 0 | 0 | 0 | 0 | - | - | - | - | - |
| | Washington (Lions) | AHL | 2 | 0 | 1 | 1 | 0 | - | - | - | - | - |
| | **Montréal (Canadiens)** | **LNH** | **39** | **8** | **6** | **14** | **4** | **5** | **1** | **0** | **1** | **4** |
| 1943-44 | New York (Rangers) | LNH | 50 | 18 | 22 | 40 | 15 | - | - | - | - | - |
| 1944-45 | **Montréal (Canadiens)** | **LNH** | **48** | **20** | **16** | **36** | **20** | **6** | **1** | **1** | **2** | **4** |
| 1945-46 | **Montréal (Canadiens)** | **LNH** | **45** | **7** | **11** | **18** | **4** | **9** | **4** | **2** | **6** | **2** |
| 1946-47 | Pittsburgh (Hornets) | AHL | 64 | 13 | 16 | 29 | 37 | 12 | 2 | 3 | 5 | 12 |
| 1947-48 | Kitchener (Dutchmen) | OHA Sr | 19 | 15 | 12 | 27 | 20 | 9 | 2 | 4 | 6 | 8 |
| | **LNH** | | **383** | **91** | **113** | **204** | **163** | **48** | **9** | **8** | **17** | **21** |
| | **Montréal** | | **132** | **35** | **33** | **68** | **28** | **20** | **6** | **3** | **9** | **10** |

• Première équipe d'étoiles(EHL) en 1937-38 • Coupe Stanley (LNH) en 1939-40, 1945-46
• Signe avec New York (Rangers) le 24 février 1938 • Réclamé au ballottage par Detroit de New York (Rangers) le 8 avril 1941 • Échangé à Boston par Detroit plus une somme d'argent pour Pat McReavy le 24 novembre 1941 • Droits vendus à Montréal par Boston le 7 novembre 1942 • Prêté à New York (Rangers) par Montréal avec Charlie Sands pour Phil Watson le 27 octobre 1943 • Échangé à Toronto (Pittsburgh – AHL) par Montréal avec Vic Lynn pour John Mahaffy et Gerry Brown le 21 septembre 1946

## HILLMAN, LARRY

**Né à Kirkland Lake, Ontario, le 5 février 1937. Défenseur, lance de la gauche, 6', 185 lb**

| SAISON | CLUB | LIGUE | PJ | B | A | PTS | PUN | PJ | B | A | PTS | PUN |
|---|---|---|---|---|---|---|---|---|---|---|---|---|
| 1952-53 | Windsor (Spitfires) | OHA Jr | 56 | 1 | 6 | 7 | 39 | - | - | - | - | - |
| 1953-54 | Hamilton (Tiger Cubs) | OHA Jr | 58 | 6 | 14 | 20 | 99 | 7 | 0 | 2 | 2 | 10 |
| 1954-55 | Hamilton (Tiger Cubs) | OHA Jr | 49 | 5 | 20 | 25 | 106 | 3 | 0 | 1 | 1 | 9 |
| | Detroit (Red Wings) | LNH | 6 | 0 | 0 | 0 | 2 | 3 | 0 | 0 | 0 | 0 |
| 1955-56 | Buffalo (Bisons) | AHL | 15 | 1 | 3 | 4 | 21 | - | - | - | - | - |
| | Match des étoiles | LNH | 1 | 0 | 0 | 0 | 0 | - | - | - | - | - |
| | Detroit (Red Wings) | LNH | 47 | 0 | 3 | 3 | 53 | 10 | 0 | 1 | 1 | 6 |
| 1956-57 | Edmonton (Flyers) | WHL | 46 | 2 | 6 | 8 | 87 | 8 | 0 | 4 | 4 | 2 |
| | Detroit (Red Wings) | LNH | 16 | 1 | 2 | 3 | 4 | - | - | - | - | - |
| 1957-58 | Boston (Bruins) | LNH | 70 | 3 | 19 | 22 | 60 | 11 | 0 | 2 | 2 | 6 |
| 1958-59 | Boston (Bruins) | LNH | 55 | 3 | 10 | 13 | 19 | 7 | 0 | 1 | 1 | 0 |
| 1959-60 | Boston (Bruins) | LNH | 2 | 0 | 1 | 1 | 2 | - | - | - | - | - |
| | Providence (Reds) | AHL | 70 | 12 | 31 | 43 | 159 | 5 | 0 | 1 | 1 | 4 |
| 1960-61 | Toronto (Maple Leafs) | LNH | 62 | 3 | 10 | 13 | 59 | 5 | 0 | 1 | 1 | 4 |
| 1961-62 | Rochester (Americans) | AHL | 26 | 1 | 14 | 15 | 16 | - | - | - | - | - |
| | Toronto (Maple Leafs) | LNH | 5 | 0 | 1 | 1 | 0 | - | - | - | - | - |
| 1962-63 | Match des étoiles | LNH | 1 | 0 | 0 | 0 | 0 | - | - | - | - | - |
| | Springfield (Indians) | AHL | 65 | 5 | 23 | 28 | 56 | - | - | - | - | - |
| | Toronto (Maple Leafs) | LNH | 5 | 0 | 0 | 0 | 0 | - | - | - | - | - |
| 1963-64 | Match des étoiles | LNH | 1 | 0 | 0 | 0 | 0 | - | - | - | - | - |
| | Rochester (Americans) | AHL | 32 | 1 | 18 | 19 | 48 | - | - | - | - | - |
| | Toronto (Maple Leafs) | LNH | 33 | 0 | 4 | 4 | 31 | 11 | 0 | 0 | 0 | 0 |
| 1964-65 | Match des étoiles | LNH | 1 | 0 | 0 | 0 | 0 | - | - | - | - | - |
| | Rochester (Americans) | AHL | 71 | 9 | 43 | 52 | 98 | 10 | 3 | 5 | 8 | 31 |
| | Toronto (Maple Leafs) | LNH | 2 | 0 | 0 | 0 | 0 | - | - | - | - | - |
| 1965-66 | Rochester (Americans) | AHL | 22 | 2 | 20 | 22 | 34 | - | - | - | - | - |
| | Toronto (Maple Leafs) | LNH | 48 | 3 | 25 | 28 | 34 | 4 | 1 | 1 | 2 | 6 |
| 1966-67 | Rochester (Americans) | AHL | 12 | 1 | 12 | 13 | 16 | - | - | - | - | - |
| | Toronto (Maple Leafs) | LNH | 55 | 4 | 19 | 23 | 40 | 12 | 1 | 2 | 3 | 0 |
| 1967-68 | Toronto (Maple Leafs) | LNH | 55 | 3 | 17 | 20 | 13 | - | - | - | - | - |
| | Match des étoiles | LNH | 1 | 0 | 0 | 0 | 0 | - | - | - | - | - |
| | Rochester (Americans) | AHL | 6 | 0 | 1 | 1 | 6 | - | - | - | - | - |
| 1968-69 | **Montréal (Canadiens)** | **LNH** | **25** | **0** | **5** | **5** | **17** | **1** | **0** | **0** | **0** | **0** |
| 1969-70 | Philadelphie (Flyers) | LNH | 76 | 5 | 26 | 31 | 73 | - | - | - | - | - |
| 1970-71 | Philadelphie (Flyers) | LNH | 73 | 3 | 13 | 16 | 39 | 4 | 0 | 2 | 2 | 4 |
| 1971-72 | Los Angeles (Kings) | LNH | 22 | 1 | 2 | 3 | 11 | - | - | - | - | - |
| | Buffalo (Sabres) | LNH | 43 | 1 | 11 | 12 | 58 | - | - | - | - | - |
| 1972-73 | Buffalo (Sabres) | LNH | 78 | 5 | 24 | 29 | 56 | 6 | 0 | 0 | 0 | 8 |
| 1973-74 | Cleveland (Crusaders) | AMH | 44 | 5 | 21 | 26 | 37 | - | - | - | - | - |
| 1974-75 | Cleveland (Crusaders) | AMH | 78 | 1 | 16 | 16 | 83 | 5 | 1 | 3 | 4 | 8 |
| 1975-76 | Winnipeg (Jets) | AMH | 71 | 1 | 12 | 13 | 62 | 12 | 0 | 2 | 2 | 32 |
| | **LNH** | | **790** | **36** | **196** | **232** | **579** | **74** | **2** | **9** | **11** | **30** |
| | **Montréal** | | **25** | **0** | **5** | **5** | **17** | **1** | **0** | **0** | **0** | **0** |

• Coupe Stanley (LNH) en 1954-55, 1963-64, 1966-67, 1968-69 • Match des étoiles (LNH) en 1955-56, 1962-63, 1963-64, 1964-65, 1967-68 • Première équipe d'étoiles (AHL) en 1959-60, 1964-65 • Trophée Eddie-Shore (AHL) en 1959-60
• Réclamé par Chicago de Detroit au repêchage intra-ligue le 5 juin 1957 • Réclamé au ballottage par Boston de Chicago le 14 octobre 1957 • Réclamé par Toronto de Boston au repêchage intra-ligue le 8 juin 1960 • Réclamé par New York de Toronto au repêchage intra-ligue le 12 juin 1968 • Réclamé par Minnesota de New York au repêchage intra-ligue le 12 juin 1968 • Réclamé au ballottage par Pittsburgh du Minnesota le 22 novembre 1968 • Échangé à Montréal par Pittsburgh pour Jean-Guy Lagacé et une somme d'argent le 22 novembre 1968 • Réclamé par Philadelphie de Montréal au repêchage intra-ligue le 11 juin

| SAISON | CLUB | LIGUE | PJ | B | A | PTS | PUN | PJ | B | A | PTS | PUN |
|---|---|---|---|---|---|---|---|---|---|---|---|---|

SAISONS RÉGULIÈRES — SÉRIES ÉLIMINATOIRES

1969 • Échangé à Los Angeles par Philadelphie pour Larry Mickey le 13 juin 1971 • Échangé à Buffalo par Los Angeles avec Mike Byers pour Mike Keeler et Doug Barrie le 16 décembre 1971 • Sélectionné par Ontario-Ottawa lors de l'expansion de l'AMH le 12 février 1972 • Droits cédés à Cleveland (AMH) par Ottawa (AMH) pour une somme d'argent en juin 1973 • Réclamé par Winnipeg (AMH) de Cleveland (AMH) au repêchage intra-ligue le 19 juin 1975.

### HIRSCHFELD, JOHN (BERT)

**Né à Halifax, Nouvelle-Écosse, le 1er mars 1929, décédé le 3 juillet 1996**
**Ailier gauche, lance de la gauche, 5'10", 165 lb**

| SAISON | CLUB | LIGUE | PJ | B | A | PTS | PUN | PJ | B | A | PTS | PUN |
|---|---|---|---|---|---|---|---|---|---|---|---|---|
| 1946-47 | Halifax (St. Mary's) | Exh. | 7 | *13 | *15 | *28 | 0 | - | - | - | - | - |
| | Halifax (St. Mary's) | Mem. | 7 | 8 | 12 | 20 | 2 | - | - | - | - | - |
| 1947-48 | Halifax (St. Mary's) | Exh. | 25 | 16 | *39 | 55 | 11 | - | - | - | - | - |
| | Halifax (Crescents) | HCSHL | 2 | 1 | 3 | 4 | 2 | - | - | - | - | - |
| | Halifax (St. Mary's) | Mem. | 8 | 19 | 8 | 27 | 0 | - | - | - | - | - |
| 1948-49 | Montréal (Royals) | LHJQ | 40 | 32 | 26 | 58 | 17 | 10 | 11 | 4 | 15 | 5 |
| | Montréal (Royals) | LHSQ | 1 | 0 | 0 | 0 | 0 | - | - | - | - | - |
| | Montréal (Royals) | Mem. | 15 | 12 | 11 | 23 | 10 | - | - | - | - | - |
| 1949-50 | Montréal (Royals) | LHSQ | 8 | 1 | 1 | 2 | 0 | - | - | - | - | - |
| | Cincinnati (Mohawks) | AHL | 53 | 22 | 12 | 34 | 2 | - | - | - | - | - |
| | **Montréal (Canadiens)** | **LNH** | 13 | 1 | 2 | 3 | 2 | 5 | 1 | 0 | 1 | 0 |
| 1950-51 | Cincinnati (Mohawks) | AHL | 42 | 15 | 8 | 23 | 2 | - | - | - | - | - |
| | **Montréal (Canadien)** | **LNH** | 20 | 0 | 2 | 2 | 0 | - | - | - | - | - |
| 1951-52 | Indianapolis (Capitols) | AHL | 67 | 23 | 38 | 61 | 8 | - | - | - | - | - |
| 1952-53 | St. Louis (Flyers) | AHL | 58 | 12 | 27 | 39 | 4 | - | - | - | - | - |
| 1953-54 | Providence(Reds) | AHL | 60 | 10 | 26 | 36 | 10 | - | - | - | - | - |
| 1954-55 | Moncton (Hawks) | ACSHL | 66 | 29 | 27 | 56 | 10 | 13 | 7 | 8 | 15 | 0 |
| | Moncton (Hawks) | Allan | 13 | 11 | 5 | 16 | 0 | - | - | - | - | - |
| 1955-56 | New Haven (Blades) | EHL | 1 | 0 | 2 | 2 | 0 | - | - | - | - | - |
| | Moncton (Hawks) | NBSHL | 70 | 12 | 40 | 52 | 31 | 8 | 1 | 2 | 3 | 2 |
| 1956-57 | Campbellton (Tigers) | NNBSL | 27 | 9 | 15 | 24 | 6 | 12 | 10 | 4 | 14 | 4 |
| 1957-58 | N'a pas joué | | | | | | | | | | | |
| 1958-59 | Halifax (Wolves) | NSSHL | 28 | 3 | 9 | 12 | 6 | - | - | - | - | - |
| 1959-60 | Halifax (Wolves) | NSSHL | 28 | 11 | 6 | 17 | 9 | - | - | - | - | - |
| 1960-61 | Halifax (Wolves) | NSSHL | 28 | 25 | 17 | 42 | 2 | 5 | 3 | 2 | 5 | 2 |
| 1961-62 | Halifax (Wolves) | NSSHL | 25 | 11 | 20 | 31 | 2 | 5 | 6 | 6 | 12 | 2 |
| | **LNH** | | 33 | 1 | 4 | 5 | 2 | 5 | 1 | 0 | 1 | 0 |
| | **Montréal** | | 33 | 1 | 4 | 5 | 2 | 5 | 1 | 0 | 1 | 0 |

• Coupe Memorial en 1948-49
• Échangé à Detroit par Montréal pour Gerry Couture le 19 juin 1951 • Signe avec Providence (AHL) le 27 septembre 1953 • Droits vendus à Moncton (ACSHL) par Providence (AHL) le 14 octobre 1954

### HOEKSTRA, CECIL (CEC)

**Né à Winnipeg, Manitoba, le 2 avril 1935**
**Ailier gauche/Centre, lance de la gauche, 6', 175 lb**

| SAISON | CLUB | LIGUE | PJ | B | A | PTS | PUN | PJ | B | A | PTS | PUN |
|---|---|---|---|---|---|---|---|---|---|---|---|---|
| 1951-52 | Weston (Wildcats) | OHA B | 25 | 15 | 15 | 30 | - | - | - | - | - | - |
| 1952-53 | St. Boniface (Canadiens) | MJHL | 31 | 11 | 17 | 28 | 10 | 8 | 5 | 6 | 11 | 2 |
| | St. Boniface (Canadiens) | Mem. | 17 | 14 | 14 | 16 | 0 | - | - | - | - | - |
| 1953-54 | St. Catharines (Teepees) | OHA Jr | 59 | 24 | 35 | 59 | 8 | 14 | 4 | 8 | 12 | 0 |
| | St. Bonifaces (Teepees) | Mem. | 11 | 2 | 5 | 7 | 2 | - | - | - | - | - |
| 1954-55 | St. Catharines (Teepees) | OHA Jr | 49 | 30 | 50 | 80 | 24 | 11 | 5 | 7 | 12 | 11 |
| | Montréal (Royals) | LHQ | - | - | - | - | - | 3 | 1 | 0 | 1 | 0 |
| 1955-56 | Montréal (Royals) | LHQ | 34 | 6 | 5 | 11 | 8 | - | - | - | - | - |
| | Winnipeg (Warriors) | WHL | 28 | 1 | 9 | 10 | 4 | 14 | 0 | 0 | 0 | 0 |
| | Winnipeg (Warriors) | Edin. | - | - | - | - | - | - | - | - | - | - |
| 1956-57 | Winnipeg (Warriors) | WHL | 69 | 21 | 12 | 33 | 16 | - | - | - | - | - |
| 1957-58 | Montréal (Royals) | LHQ | 31 | 13 | 24 | 37 | 11 | 7 | 3 | 4 | 7 | 0 |
| | Rochester (Americans) | AHL | 1 | 2 | 3 | 0 | | - | - | - | - | - |
| 1958-59 | Rochester (Americans) | AHL | 70 | 26 | 24 | 50 | 4 | 5 | 1 | 1 | 2 | 0 |
| 1959-60 | Rochester (Americans) | AHL | 69 | 17 | 32 | 49 | 2 | 5 | 1 | 1 | 2 | 0 |
| | **Montréal (Canadiens)** | **LNH** | 4 | 0 | 0 | 0 | 0 | - | - | - | - | - |
| 1960-61 | Buffalo (Bisons) | AHL | 68 | 6 | 16 | 22 | 14 | 4 | 0 | 0 | 0 | 0 |
| 1961-62 | Pittsburgh (Hornets) | AHL | 68 | 16 | 31 | 47 | 16 | - | - | - | - | - |
| 1962-63 | Calgary (Stampeders) | WHL | 67 | 14 | 31 | 45 | 10 | - | - | - | - | - |
| 1963-64 | Cleveland (Barons) | AHL | 72 | 23 | 28 | 51 | 8 | 9 | 3 | 7 | 10 | 0 |
| 1964-65 | Cleveland (Barons) | AHL | 20 | 2 | 3 | 5 | 2 | - | - | - | - | - |
| 1965-66 | Cleveland (Barons) | AHL | 70 | 21 | 26 | 47 | 10 | 12 | 2 | 6 | 8 | 6 |
| 1966-67 | Cleveland (Barons) | AHL | 59 | 20 | 34 | 54 | 10 | - | - | - | - | - |
| 1967-68 | Cleveland (Barons) | AHL | 72 | 24 | 36 | 60 | 14 | - | - | - | - | - |
| 1968-69 | Cleveland (Barons) | AHL | 73 | 15 | 26 | 41 | 8 | 5 | 0 | 2 | 2 | 6 |
| 1969-70 | Cleveland (Barons) | AHL | 72 | 8 | 20 | 28 | 8 | - | - | - | - | - |
| 1970-71 | Galt (Hornets) | OHA Sr | *Statistiques non disponibles* | | | | | | | | | |
| 1971-72 | Galt (Hornets) | OHA Sr | 3 | 0 | 1 | 1 | 4 | - | - | - | - | - |
| | **LNH** | | 4 | 0 | 0 | 0 | 0 | - | - | - | - | - |
| | **Montréal** | | 4 | 0 | 0 | 0 | 0 | - | - | - | - | - |

• Coupe Calder (AHL) en 1963-64
• Échangé à Chicago par Montréal avec Ab McDonald, Reggie Fleming et Bob Courcy pour Bob Bailey, Lorne Ferguson, Terry Gray, Danny Lewicki et Glen Skov le 7 juin 1960 • Droits vendus à Pittsburgh (AHL) par Chicago en juin 1961 • Droits vendus à Chicago par Pittsburgh (AHL) en septembre 1962

### HOGANSON, DALE

**Né à North Battleford, Saskatchewan, le 8 juillet 1949. Défenseur, lance de la gauche, 5'10", 190 lb (1er choix de Los Angeles, 16e au total lors du repêchage de 1969)**

| SAISON | CLUB | LIGUE | PJ | B | A | PTS | PUN | PJ | B | A | PTS | PUN |
|---|---|---|---|---|---|---|---|---|---|---|---|---|
| 1964-65 | Estevan (Bruins) | SJHL | 3 | 0 | 0 | 0 | 0 | 2 | 0 | 0 | 0 | 4 |
| 1965-66 | Estevan (Bruins) | SJHL | 56 | 15 | 18 | 33 | 19 | 12 | 0 | 0 | 0 | 6 |
| | Estevan (Bruins) | Mem. | 11 | 3 | 4 | 7 | 10 | - | - | - | - | - |
| 1966-67 | Estevan (Bruins) | WCJHL | 55 | 3 | 17 | 20 | 35 | 13 | 2 | 3 | 5 | 21 |
| 1967-68 | Estevan (Bruins) | WCJHL | 56 | 11 | 40 | 59 | 36 | 14 | 9 | 13 | 22 | 4 |
| | Estevan (Bruins) | Mem. | 14 | 7 | 10 | 17 | 0 | - | - | - | - | - |
| 1968-69 | Estevan (Bruins) | WCJHL | 54 | 16 | 44 | 60 | 67 | 10 | 0 | 3 | 3 | - |
| | Estevan (Bruins) | Mem. | 14 | 7 | 9 | 16 | 8 | - | - | - | - | - |
| 1969-70 | Springfield (Kings) | AHL | 19 | 2 | 5 | 7 | 43 | - | - | - | - | - |
| | Los Angeles (Kings) | LNH | 49 | 1 | 7 | 8 | 37 | - | - | - | - | - |
| 1970-71 | Los Angeles (Kings) | LNH | 70 | 4 | 10 | 14 | 52 | - | - | - | - | - |
| 1971-72 | Los Angeles (Kings) | LNH | 10 | 1 | 2 | 3 | 14 | - | - | - | - | - |
| | Nlle-Écosse (Voyageurs) | AHL | 13 | 3 | 4 | 7 | 11 | - | - | - | - | - |
| | **Montréal (Canadiens)** | **LNH** | 21 | 0 | 0 | 0 | 2 | - | - | - | - | - |
| 1972-73 | **Montréal (Canadiens)** | **LNH** | 25 | 0 | 2 | 2 | 2 | - | - | - | - | - |
| 1973-74 | Québec (Nordiques) | AMH | 62 | 8 | 33 | 41 | 27 | - | - | - | - | - |
| 1974-75 | Québec (Nordiques) | AMH | 78 | 9 | 35 | 44 | 47 | 13 | 1 | 3 | 4 | 2 |
| 1975-76 | Québec (Nordiques) | AMH | 45 | 3 | 14 | 17 | 18 | 5 | 1 | 3 | 4 | 2 |
| 1976-77 | Birmingham (Bulls) | AMH | 81 | 7 | 48 | 55 | 48 | - | - | - | - | - |
| 1977-78 | Birmingham (Bulls) | AMH | 43 | 1 | 12 | 13 | 29 | 5 | 0 | 0 | 0 | 7 |
| 1978-79 | Québec (Nordiques) | AMH | 69 | 2 | 19 | 21 | 17 | 4 | 0 | 0 | 0 | 2 |
| 1979-80 | Québec (Nordiques) | LNH | 77 | 4 | 36 | 40 | 31 | - | - | - | - | - |
| 1980-81 | Québec (Nordiques) | LNH | 61 | 3 | 14 | 17 | 32 | 5 | 0 | 3 | 3 | 10 |
| 1981-82 | Fredericton (Express) | AHL | 19 | 2 | 4 | 6 | 18 | - | - | - | - | - |
| | Québec (Nordiques) | LNH | 30 | 1 | 6 | 6 | 16 | 6 | 0 | 0 | 0 | 6 |
| | **LNH** | | 343 | 13 | 77 | 90 | 186 | 11 | 0 | 3 | 3 | 12 |
| | **Montréal** | | 46 | 0 | 2 | 2 | 4 | - | - | - | - | - |

• Échangé à Montréal par Los Angeles avec Noel Price, Denis DeJordy et Doug Robinson pour Rogatien Vachon le 4 novembre 1971 • Sélectionné par Calgary-Cleveland lors de l'expansion de l'AMH le 12 février 1972 • Droits cédés à Québec (AMH) par Cleveland (AMH) en retour de considérations futures le 29 mai 1973 • Droits vendus à Atlanta par Montréal le 29 mai 1973 • Échangé à Birmingham (AMH) par Québec (AMH) pour Jim Dorey le 3 juin 1976 • Droits vendus à Québec (AMH) par Birmingham (AMH) le 7 juillet 1978 • Droits retenus par Québec lors du repêchage d'expansion de la LNH le 9 juin 1979

### HOGLUND, JONAS

**Né à Hammaro, Suède, le 29 août 1972. Ailier gauche, lance de la droite, 6'3", 200 lb**
**(11e choix de Calgary, 222e au total lors du repêchage de 1992)**

| SAISON | CLUB | LIGUE | PJ | B | A | PTS | PUN | PJ | B | A | PTS | PUN |
|---|---|---|---|---|---|---|---|---|---|---|---|---|
| 1990-91 | Farjestad BK Karlstad | SWE | 40 | 5 | 5 | 10 | 4 | 8 | 1 | 0 | 1 | 0 |
| 1991-92 | Farjestad BK Karlstad | SWE | 40 | 14 | 11 | 25 | 6 | 6 | 2 | 4 | 6 | 2 |
| | Suède | CMJ | 7 | 3 | 2 | 5 | 0 | - | - | - | - | - |
| 1992-93 | Farjestad BK Karlstad | SWE | 40 | 13 | 13 | 26 | 14 | 3 | 1 | 0 | 1 | 0 |
| 1993-94 | Farjestad BK Karlstad | SWE | 29 | 7 | 2 | 9 | 10 | - | - | - | - | - |
| 1994-95 | Farjestad BK Karlstad | SWE | 40 | 14 | 12 | 26 | 16 | 4 | 3 | 2 | 5 | 0 |
| 1995-96 | Farjestad BK Karlstad | SWE | 40 | 32 | 11 | 43 | 18 | 8 | 2 | 1 | 3 | 6 |
| 1996-97 | Calgary (Flames) | LNH | 68 | 19 | 16 | 35 | 12 | - | - | - | - | - |
| | Suède | CM | 11 | 4 | 3 | 7 | 4 | - | - | - | - | - |
| 1997-98 | Calgary (Flames) | LNH | 50 | 6 | 8 | 14 | 8 | - | - | - | - | - |
| | **Montréal (Canadiens)** | **LNH** | 28 | 6 | 5 | 11 | 6 | 10 | 2 | 0 | 2 | 0 |
| 1998-99 | **Montréal (Canadiens)** | **LNH** | 74 | 8 | 10 | 18 | 16 | - | - | - | - | - |
| 1999-00 | Toronto (Maple Leafs) | LNH | 82 | 29 | 27 | 56 | 10 | 12 | 2 | 4 | 6 | 2 |
| 2000-01 | Toronto (Maple Leafs) | LNH | 82 | 23 | 26 | 49 | 14 | 10 | 0 | 0 | 0 | 4 |
| 2001-02 | Toronto (Maple Leafs) | LNH | 82 | 13 | 34 | 47 | 26 | 20 | 4 | 6 | 10 | 2 |
| 2002-03 | Toronto (Maple Leafs) | LNH | 79 | 13 | 19 | 32 | 12 | 7 | 0 | 1 | 1 | 0 |
| | Suède | CM | 9 | 2 | 2 | 4 | 0 | - | - | - | - | - |
| | **LNH** | | 545 | 117 | 145 | 262 | 112 | 59 | 8 | 11 | 19 | 8 |
| | **Montréal** | | 102 | 14 | 15 | 29 | 22 | 10 | 2 | 0 | 2 | 0 |

• Médaille d'argent (CMJ) en 1991-92 • Médaille d'argent (CM) en 1996-97 et en 2002-03
• Échangé à Montréal par Calgary avec Zarley Zalapski pour Valeri Bure et le choix de 4e ronde de Montréal au repêchage de 1998 (Shaun Sutter) le 1er février 1998 • Signe avec Toronto comme agent libre le 13 juillet 1999

### HOLMES, WILLIAM (BILL)

**Né à Portage la Prairie, Manitoba, le 9 mars 1899, décédé le 14 mars 1961**
**Centre, lance de la droite, 6', 200 lb**

| SAISON | CLUB | LIGUE | PJ | B | A | PTS | PUN | PJ | B | A | PTS | PUN |
|---|---|---|---|---|---|---|---|---|---|---|---|---|
| 1921-22 | Brandon (Elks) | MHL SR | 12 | 8 | 1 | 9 | 4 | 2 | 0 | 0 | 0 | 6 |
| | Brandon (Elks) | Allan | 4 | 1 | 5 | 0 | | - | - | - | - | - |
| 1922-23 | Brandon (Elks) | MHL SR | 16 | 16 | 2 | 18 | 19 | - | - | - | - | - |
| 1923-24 | Brandon (Elks) | MHL SR | 11 | 1 | 2 | 3 | 5 | 3 | 0 | 1 | 1 | 6 |
| 1924-25 | Edmonton (Eskimos) | WCHL | 0 | 0 | 0 | 0 | 0 | - | - | - | - | - |
| 1925-26 | **Montréal (Canadiens)** | **LNH** | 9 | 1 | 0 | 1 | 2 | - | - | - | - | - |
| 1926-27 | Niagara Falls(Cataracts) | Can-Pro | 25 | 20 | 4 | 24 | 51 | - | - | - | - | - |
| | New York (Americans) | LNH | 1 | 0 | 0 | 0 | 0 | - | - | - | - | - |
| 1927-28 | Niagara Falls(Cataracts) | Can-Pro | 18 | 8 | 2 | 10 | 49 | - | - | - | - | - |
| | London (Panthers) | Can-Pro | 23 | 14 | 2 | 16 | 42 | - | - | - | - | - |
| 1928-29 | New Haven (Eagles) | Can-Am | 38 | 9 | 6 | 15 | 76 | 2 | 1 | 0 | 1 | 8 |
| 1929-30 | New York (Americans) | LNH | 42 | 5 | 4 | 9 | 33 | - | - | - | - | - |
| 1930-31 | Syracuse (Stars) | IHL | 48 | 19 | *37 | 56 | 61 | - | - | - | - | - |
| 1931-32 | Buffalo (Majors) | AHA | 19 | 0 | 1 | 1 | 6 | - | - | - | - | - |
| | Cleveland (Indians) | IHL | 2 | 0 | 0 | 0 | 0 | - | - | - | - | - |
| | Pittsburgh(Yellowjackets) | IHL | 4 | 1 | 0 | 1 | 2 | - | - | - | - | - |
| 1932-33 | N'a pas joué | | | | | | | | | | | |
| 1933-34 | Syracuse (Stars) | IHL | 16 | 3 | 2 | 5 | 4 | - | - | - | - | - |
| 1934-35 | London (Tecumsehs) | IHL | 16 | 1 | 2 | 3 | 6 | - | - | - | - | - |
| | New Haven (Eagles) | Can-Am | 39 | 11 | 19 | 30 | 11 | - | - | - | - | - |
| 1935-36 | Pittsburgh (Yellowjackets) | EAHL | 21 | 1 | 4 | 5 | 8 | - | - | - | - | - |
| | **LNH** | | 52 | 6 | 4 | 10 | 35 | - | - | - | - | - |
| | **Montréal** | | 9 | 1 | 0 | 1 | 2 | - | - | - | - | - |

• Signe avec Edmonton (WCHL) le 13 novembre 1924 • Droits vendus à New York (Americans) par Edmonton (WCHL) le 2 octobre 1925 • Signe avec Montréal le 25 décembre 1925 • Signe avec Niagara Falls (Can-Pro) le 1er novembre 1926 • Droits vendus à Kitchener (Can-Pro) par Niagara Falls (Can-Pro) le 13 janvier 1928 • Échangé à London (Can-Pro) par Kitchener (Can-Pro) pour une somme d'argent et des considérations futures (Albert Pudas en mars 1928) le 16 janvier 1928 • Échangé à New York (Americans) par London (Can-Pro) pour Mickey Roach le 29 octobre 1928 • Signe avec Buffalo (AHA) le 6 novembre 1931

SAISONS RÉGULIÈRES | SÉRIES ÉLIMINATOIRES

## HORVATH, BRONCO

Né à Port Colborne, Ontario, le 12 mars 1930. Centre, lance de la gauche, 5'11", 185 lb

| SAISON | CLUB | LIGUE | PJ | B | A | PTS | PUN | PJ | B | A | PTS | PUN |
|---|---|---|---|---|---|---|---|---|---|---|---|---|
| 1948-49 | Galt (Black Hawks) | OHA Jr | 33 | 22 | 18 | 40 | 45 | | | | | |
| 1949-50 | Galt (Black Hawks) | OHA Jr | 47 | 20 | 33 | 53 | 91 | | | | | |
| | Grand Rapids (Rockets) | ÉAHL | 5 | 6 | 1 | 7 | 12 | 6 | 2 | 6 | 8 | 8 |
| 1950-51 | Springfield (Indians) | AHL | 43 | 12 | 26 | 38 | 37 | 2 | 0 | 0 | 0 | 2 |
| 1951-52 | Syracuse (Warriors) | AHL | 50 | 12 | 36 | 48 | 56 | | | | | |
| 1952-53 | Syracuse (Warriors) | AHL | 52 | 19 | 40 | 59 | 44 | 4 | 0 | 0 | 0 | 2 |
| 1953-54 | Springfield (Indians) | AHL | 19 | 11 | 14 | 25 | 25 | | | | | |
| | Syracuse (Warriors) | AHL | 46 | 21 | 39 | 60 | 54 | | | | | |
| 1954-55 | Edmonton (Flyers) | WHL | 67 | *50 | 60 | *110 | 71 | 9 | *7 | 4 | *11 | 12 |
| | Edmonton (Flyers) | Édin. | 7 | *5 | 3 | *8 | 28 | | | | | |
| 1955-56 | New York (Rangers) | LNH | 66 | 12 | 17 | 29 | 40 | 5 | 1 | 2 | 3 | 4 |
| 1956-57 | Rochester (Americans) | AHL | 56 | 37 | 44 | 81 | 39 | 10 | 6 | 7 | 13 | 14 |
| | New York (Rangers) | LNH | 7 | 1 | 2 | 3 | 4 | | | | | |
| | Montréal (Canadiens) | LNH | | | | | | | | | | |
| 1957-58 | Boston (Bruins) | LNH | 67 | 30 | 36 | 66 | 71 | 12 | 5 | 3 | 8 | 8 |
| 1958-59 | Boston (Bruins) | LNH | 45 | 19 | 20 | 39 | 58 | 7 | 2 | 3 | 5 | 0 |
| 1959-60 | Boston (Bruins) | LNH | 68 | *39 | 41 | 80 | 60 | | | | | |
| 1960-61 | Boston (Bruins) | LNH | 47 | 15 | 15 | 30 | 15 | | | | | |
| | Match des étoiles | LNH | 1 | 0 | 0 | 0 | 0 | | | | | |
| 1961-62 | Chicago (Black Hawks) | LNH | 68 | 17 | 29 | 46 | 21 | 12 | 4 | 1 | 5 | 6 |
| | Match des étoiles | LNH | 1 | 0 | 0 | 0 | 0 | | | | | |
| 1962-63 | New York (Rangers) | LNH | 41 | 7 | 15 | 22 | 34 | | | | | |
| | Toronto (Maple Leafs) | LNH | 10 | 0 | 4 | 4 | 12 | | | | | |
| | Rochester (Americans) | AHL | 18 | 7 | 15 | 22 | 6 | | | | | |
| 1963-64 | Rochester (Americans) | AHL | 70 | 25 | 59 | 84 | 28 | 2 | 0 | 0 | 0 | 2 |
| 1964-65 | Rochester (Americans) | AHL | 72 | 38 | 68 | 106 | 24 | 10 | 4 | 5 | 9 | 16 |
| 1965-66 | Rochester (Americans) | AHL | 70 | 27 | 48 | 75 | 34 | 12 | 3 | 7 | 10 | 22 |
| 1966-67 | Rochester (Americans) | AHL | 72 | 29 | 49 | 78 | 54 | 12 | 2 | 7 | 9 | 2 |
| 1967-68 | Rochester (Americans) | AHL | 44 | 15 | 29 | 44 | 10 | 10 | 0 | 7 | 7 | 0 |
| | Tulsa (Oilers) | CPHL | 4 | 1 | 3 | 4 | 0 | | | | | |
| | Minnesota (North Stars) | LNH | 14 | 1 | 6 | 7 | 4 | | | | | |
| 1968-69 | Rochester (Americans) | AHL | 66 | 18 | 30 | 48 | 30 | | | | | |
| 1969-70 | Rochester (Americans) | AHL | 34 | 6 | 17 | 23 | 10 | | | | | |
| | **LNH** | | 434 | 141 | 185 | 326 | 319 | 36 | 12 | 9 | 21 | 18 |
| | **Montréal** | | 1 | 0 | 0 | 0 | 0 | | | | | |

• Première équipe d'étoiles (WHL) en 1954-55 • Première équipe d'étoiles (AHL) en 1956-57 • Deuxième équipe d'étoiles (AHL) en 1963-64, 1964-65 • Deuxième équipe d'étoiles (LNH) en 1959-60 • Match des étoiles (LNH) en 1960-61, 1961-62 • Coupe Calder (AHL) en 1964-65, 1965-66, 1967-68
• Échangé à New York par Detroit avec Dave Creighton pour Aggie Kukulwicz et Bill Dea le 18 août 1955 • Droits vendus à Montréal par New York le 4 novembre 1956 • Réclamé par Boston de Montréal au repêchage intra-ligue le 5 juin 1957 • Réclamé par Chicago de Boston au repêchage intra-ligue le 13 juin 1961 • Réclamé par New York de Chicago au repêchage intra-ligue le 4 juin 1962 • Réclamé au ballottage par Toronto de New York le 23 janvier 1963 • Prêté au Minnesota par Toronto le 21 janvier 1968

## HOSSA, MARCEL

Né à Ilava, Slovaquie, le 12 septembre 1981. Ailier gauche, lance de la gauche, 6'2", 212 lb (2e choix de Montréal, 16e au total lors du repêchage de 2000)

| SAISON | CLUB | LIGUE | PJ | B | A | PTS | PUN | PJ | B | A | PTS | PUN |
|---|---|---|---|---|---|---|---|---|---|---|---|---|
| 1996-97 | Dukla Trencin | SVK | 45 | 30 | 21 | 51 | 30 | | | | | |
| 1997-98 | Dukla Trencin | SVK | 39 | 11 | 38 | 49 | 44 | | | | | |
| 1998-99 | Portland (Winter Hawks) | WHL | 70 | 7 | 14 | 21 | 66 | 2 | 0 | 0 | 0 | 0 |
| 1999-00 | Portland (Winter Hawks) | WHL | 60 | 24 | 29 | 53 | 58 | | | | | |
| | Slovaquie | CMJ | 7 | 0 | 1 | 1 | 8 | | | | | |
| 2000-01 | Portland (Winter Hawks) | WHL | 58 | 34 | 56 | 90 | 58 | 16 | 5 | 7 | 12 | 14 |
| | Slovaquie | CMJ | 7 | 1 | 3 | 4 | 8 | | | | | |
| 2001-02 | Montréal (Canadien) | LNH | 10 | 3 | 1 | 4 | 2 | | | | | |
| | Québec (Citadelles) | AHL | 50 | 17 | 15 | 32 | 24 | 3 | 0 | 0 | 0 | 4 |
| 2002-03 | Hamilton (Bulldogs) | AHL | 37 | 19 | 13 | 32 | 18 | 21 | 4 | 7 | 11 | 12 |
| | Montréal (Canadien) | LNH | 34 | 6 | 7 | 13 | 14 | | | | | |
| | **LNH** | | 44 | 9 | 8 | 17 | 16 | | | | | |
| | **Montréal** | | 44 | 9 | 8 | 17 | 16 | | | | | |

• Deuxième équipe d'étoiles, Division Ouest (WHL) en 2000-01.

## HOUDE, ÉRIC

Né à Montréal, Québec, le 19 décembre 1976. Centre, lance de la gauche, 5'11", 191 lb (9e choix de Montréal, 216e au total lors du repêchage de 1995)

| SAISON | CLUB | LIGUE | PJ | B | A | PTS | PUN | PJ | B | A | PTS | PUN |
|---|---|---|---|---|---|---|---|---|---|---|---|---|
| 1992-93 | Saint-Hubert (Sélect) | QAAA | 35 | 45 | 40 | 85 | | | | | | |
| 1993-94 | Saint-Jean (Lynx) | LHJMQ | 71 | 16 | 16 | 32 | 14 | 5 | 1 | 1 | 2 | 4 |
| 1994-95 | Saint-Jean (Lynx) | LHJMQ | 40 | 10 | 13 | 23 | 23 | | | | | |
| | Halifax (Mooseheads) | LHJMQ | 28 | 13 | 23 | 36 | 8 | 3 | 2 | 1 | 3 | 4 |
| 1995-96 | Halifax (Mooseheads) | LHJMQ | 69 | 40 | 48 | 88 | 35 | 6 | 3 | 4 | 7 | 2 |
| 1996-97 | Fredericton (Canadien) | AHL | 66 | 30 | 36 | 66 | 20 | | | | | |
| | Montréal (Canadiens) | LNH | 13 | 0 | 2 | 2 | 2 | | | | | |
| 1997-98 | Fredericton (Canadien) | AHL | 71 | 28 | 42 | 70 | 24 | 4 | 5 | 2 | 7 | 6 |
| | Montréal (Canadiens) | LNH | 9 | 2 | 0 | 2 | 0 | | | | | |
| 1998-99 | Fredericton (Canadien) | AHL | 69 | 27 | 37 | 64 | 32 | 14 | 2 | 7 | 9 | 4 |
| | Montréal (Canadiens) | LNH | 8 | 0 | 1 | 1 | 2 | | | | | |
| 1999-00 | Hamilton (Bulldogs) | AHL | 58 | 3 | 4 | 7 | 10 | | | | | |
| | Springfield (Falcons) | AHL | 57 | 28 | 34 | 62 | 32 | | | | | |
| 2000-01 | Utah (Grizzlies) | IHL | 34 | 2 | 13 | 15 | 18 | | | | | |
| | Chicago (Wolves) | IHL | 30 | 2 | 6 | 10 | 1 | 0 | 0 | 0 | 0 | |
| 2001-02 | A&O Asiago | ITA | 30 | 25 | 22 | 47 | 26 | 3 | 1 | 3 | 4 | |
| 2002-03 | Schwenninger (Wild Wings) | GER | 52 | 9 | 17 | 26 | 60 | 6 | 0 | 3 | 3 | 4 |
| | **LNH** | | 30 | 2 | 3 | 5 | 4 | | | | | |
| | **Montréal** | | 30 | 2 | 3 | 5 | 4 | | | | | |

• Équipe d'étoiles des recrues (AHL) en 1995-96

---

• Signe avec Edmonton comme agent libre le 11 juillet 1999 • Échangé à Phoenix par Edmonton pour Rob Murray le 30 novembre 1999 • Signe avec Dallas comme agent libre le 28 juillet 2000

## HOULE, RÉJEAN

Né à Rouyn, Québec, le 25 octobre 1949. Ailier droit et gauche, lance de la gauche, 5'11", 170 lb (1er choix de Montréal, 1er au total lors du repêchage de 1969)

| SAISON | CLUB | LIGUE | PJ | B | A | PTS | PUN | PJ | B | A | PTS | PUN |
|---|---|---|---|---|---|---|---|---|---|---|---|---|
| 1966-67 | Thetford-Mines (Canadien) | LHJQ | 43 | 30 | 30 | 60 | 80 | 11 | 10 | 12 | 22 | 27 |
| | Thetford-Mines (Canadien) | Mem. | 19 | 14 | 16 | 30 | 12 | | | | | |
| 1967-68 | Montréal (Canadien Jr) | OHA Jr | 45 | 27 | 38 | 65 | 102 | 11 | 12 | 8 | 20 | 10 |
| 1968-69 | Montréal (Canadien Jr) | OHA Jr | 54 | 53 | 55 | *108 | 76 | 14 | 13 | 10 | 23 | 13 |
| | Montréal (Canadien Jr) | Mem. | 8 | 6 | 2 | 8 | 20 | | | | | |
| 1969-70 | Montréal (Voyageurs) | AHL | 27 | 9 | 16 | 25 | 23 | 8 | 3 | 2 | 5 | 4 |
| | **Montréal (Canadiens)** | LNH | 9 | 0 | 1 | 1 | 0 | | | | | |
| 1970-71 | **Montréal (Canadiens)** | LNH | 66 | 9 | 19 | 28 | 28 | 20 | 2 | 5 | 7 | 20 |
| 1971-72 | **Montréal (Canadiens)** | LNH | 77 | 11 | 17 | 28 | 21 | 6 | 0 | 0 | 0 | 2 |
| 1972-73 | **Montréal (Canadiens)** | LNH | 72 | 13 | 35 | 48 | 36 | 17 | 3 | 6 | 9 | 0 |
| 1973-74 | Québec (Nordiques) | AMH | 69 | 27 | 35 | 62 | 17 | | | | | |
| 1974-75 | Québec (Nordiques) | AMH | 66 | 40 | 52 | 92 | 37 | 15 | *10 | 6 | 16 | 2 |
| | Équipe Canada | Défi 74 | 7 | 1 | 1 | 2 | 2 | | | | | |
| 1975-76 | Québec (Nordiques) | AMH | 81 | 51 | 52 | 103 | 61 | 5 | 2 | 0 | 2 | 8 |
| 1976-77 | **Montréal (Canadiens)** | LNH | 65 | 22 | 30 | 52 | 24 | 14 | 1 | 1 | 2 | 4 |
| 1977-78 | **Montréal (Canadiens)** | LNH | 76 | 30 | 28 | 58 | 50 | 15 | 3 | 8 | 11 | 14 |
| 1978-79 | **Montréal (Canadiens)** | LNH | 66 | 17 | 34 | 51 | 43 | 7 | 1 | 5 | 6 | 2 |
| 1979-80 | **Montréal (Canadiens)** | LNH | 60 | 27 | 45 | 68 | 68 | 10 | 4 | 5 | 9 | 12 |
| 1980-81 | **Montréal (Canadiens)** | LNH | 77 | 27 | 31 | 58 | 83 | 1 | 0 | 1 | 1 | 6 |
| 1981-82 | **Montréal (Canadiens)** | LNH | 51 | 11 | 32 | 43 | 34 | 5 | 0 | 4 | 4 | 6 |
| 1982-83 | **Montréal (Canadiens)** | LNH | 16 | 2 | 3 | 5 | 8 | 1 | 0 | 0 | 0 | 0 |
| | **LNH** | | 635 | 161 | 247 | 408 | 395 | 90 | 14 | 34 | 48 | 66 |
| | **Montréal** | | 635 | 161 | 247 | 408 | 395 | 90 | 14 | 34 | 48 | 66 |

• Première équipe d'étoiles (OHA Jr) en 1968-69 • Coupe Memorial en 1968-69 • Coupe Stanley (LNH) en 1970-71, 1972-73, 1976-77, 1977-78, 1978-79
• Sélectionné par Québec lors de l'expansion de l'AMH le 13 février 1972 • Signe avec Montréal le 10 juin 1976

## HUCK, FRANCIS (FRAN)

Né à Regina, Saskatchewan, le 4 décembre 1945. Centre, lance de la droite, 5'7", 165 lb

| SAISON | CLUB | LIGUE | PJ | B | A | PTS | PUN | PJ | B | A | PTS | PUN |
|---|---|---|---|---|---|---|---|---|---|---|---|---|
| 1962-63 | Regina (Pats) | SJHL | 28 | 4 | 11 | 15 | 20 | 6 | 4 | 2 | 6 | 8 |
| 1963-64 | Regina (Pats) | SJHL | 62 | *86 | 67 | *153 | 104 | 19 | *22 | 18 | *40 | 60 |
| | Estevan (Bruins) | Mem. | 5 | 3 | 0 | 3 | 4 | | | | | |
| | Edmonton (Oil Kings) | Mem. | 4 | 2 | 3 | 5 | 0 | | | | | |
| 1964-65 | Regina (Pats) | SJHL | 56 | 77 | 59 | 136 | 36 | 12 | 10 | 13 | 23 | 18 |
| | Edmonton (Oil Kings) | Mem. | 10 | *15 | 10 | 25 | 4 | | | | | |
| 1965-66 | Canada | Éq. nat. | | | | *Statistiques non disponibles* | | | | | | |
| | Canada | CM | 7 | 4 | 4 | 8 | 8 | | | | | |
| 1966-67 | Canada | Éq. nat. | | | | *Statistiques non disponibles* | | | | | | |
| | Canada | CM | 7 | 5 | 6 | 11 | 6 | | | | | |
| 1967-68 | Ottawa (Nationals) | OHA SR | 18 | 8 | 17 | 25 | 24 | | | | | |
| | Canada | JO | 7 | 4 | 5 | 9 | 10 | | | | | |
| 1968-69 | Canada | Éq. nat. | | | | *Statistiques non disponibles* | | | | | | |
| | Canada | CM | 10 | 3 | 2 | 5 | 12 | | | | | |
| 1969-70 | Canada | Éq. nat. | | | | *Statistiques non disponibles* | | | | | | |
| | Montréal (Voyageurs) | AHL | 2 | 1 | 2 | 3 | 0 | | | | | |
| | **Montréal (Canadiens)** | LNH | 2 | 0 | 0 | 0 | 0 | | | | | |
| 1970-71 | Montréal (Voyageurs) | AHL | 31 | 12 | 17 | 29 | 18 | | | | | |
| | **Montréal (Canadiens)** | LNH | 5 | 1 | 2 | 3 | 0 | | | | | |
| | St. Louis (Blues) | LNH | 29 | 7 | 8 | 15 | 18 | 7 | 3 | 2 | 5 | 2 |
| 1971-72 | Denver (Spurs) | WHL | 72 | 28 | 63 | 91 | 83 | 9 | *9 | 4 | *13 | 16 |
| 1972-73 | St. Louis (Blues) | LNH | 58 | 16 | 20 | 36 | 20 | 4 | 0 | 2 | 2 | 0 |
| 1973-74 | Winnipeg (Jets) | AMH | 74 | 26 | 48 | 74 | 68 | | | | | |
| 1974-75 | Minnesota (Fighting Saints) | AMH | 66 | 24 | 46 | 70 | 26 | 12 | 3 | *13 | 16 | 6 |
| 1975-76 | Minnesota (Fighting Saints) | AMH | 59 | 17 | 32 | 49 | 27 | | | | | |
| 1976-77 | Winnipeg (Jets) | AMH | 12 | 2 | 8 | 10 | 4 | 7 | 0 | 2 | 2 | 6 |
| 1977-78 | Winnipeg (Jets) | AMH | 5 | 0 | 0 | 0 | 2 | | | | | |
| | **LNH** | | 94 | 24 | 30 | 54 | 38 | 11 | 3 | 4 | 7 | 2 |
| | **Montréal** | | 7 | 1 | 2 | 3 | 0 | | | | | |

• Première équipe d'étoiles (SJHL) en 1963-64 • Deuxième équipe d'étoiles (SJHL) en 1964-65 • Équipe d'étoiles (CM) en 1966 • Médaille bronze (CM) en 1966, 1967 • Médaille d'or (JO) en 1968 • Deuxième équipe d'étoiles (WHL) en 1971-72 • Coupe Avco (AMH) en 1977-78
• Prêté à Estevan et Edmonton par Regina pour la série de la coupe Memorial en avril 1963. • Prêté à Edmonton par Regina pour la série de la coupe Memorial en avril 1965 • Signe avec Montréal comme agent libre en mars 1970 • Échangé à St. Louis par Montréal pour le choix de 2e ronde de St. Louis au repêchage de 1971 (Michel Deguise) le 28 janvier 1971 • Sélectionné par Winnipeg lors de l'expansion de l'AMH le 12 février 1972 • Droits vendus au Minnesota (AMH) par Winnipeg en juin 1974 • Signe avec Winnipeg (AMH) comme agent libre en juin 1976

## HUGHES, PATRICK (PAT)

Né à Calgary, Alberta, le 25 mars 1955. Ailier droit, lance de la droite, 6'1", 180 lb (6e choix de Montréal, 52e au total lors du repêchage de 1975)

| SAISON | CLUB | LIGUE | PJ | B | A | PTS | PUN | PJ | B | A | PTS | PUN |
|---|---|---|---|---|---|---|---|---|---|---|---|---|
| 1973-74 | Michigan University | WCHA | 38 | 13 | 7 | 20 | 34 | | | | | |
| 1974-75 | Michigan University | WCHA | 43 | 13 | | | 64 | | | | | |
| 1975-76 | Michigan University | WCHA | 35 | 16 | 18 | 34 | 70 | | | | | |
| 1976-77 | Nlle-Écosse (Voyageurs) | AHL | 77 | 29 | 39 | 68 | 144 | 12 | 2 | 2 | 4 | 8 |
| 1977-78 | Nlle-Écosse (Voyageurs) | AHL | 74 | 40 | 28 | 68 | 128 | 11 | 5 | *9 | *14 | 24 |
| | **Montréal (Canadiens)** | LNH | 3 | 0 | 0 | 0 | 2 | | | | | |

| SAISON | CLUB | LIGUE | PJ | B | A | PTS | PUN | PJ | B | A | PTS | PUN |
|---|---|---|---|---|---|---|---|---|---|---|---|---|
| 1978-79 | **Montréal (Canadiens)** | LNH | 41 | 9 | 8 | 17 | 22 | 8 | 1 | 2 | 3 | 4 |
| 1979-80 | Pittsburgh (Penguins) | LNH | 76 | 18 | 14 | 32 | 78 | 5 | 0 | 0 | 0 | 21 |
| 1980-81 | Pittsburgh (Penguins) | LNH | 58 | 10 | 9 | 19 | 161 | - | - | - | - | - |
| | Edmonton (Oilers) | LNH | 2 | 0 | 0 | 0 | 0 | 5 | 0 | 5 | 5 | 16 |
| 1981-82 | Edmonton (Oilers) | LNH | 68 | 24 | 22 | 46 | 99 | 5 | 2 | 1 | 3 | 6 |
| 1982-83 | Edmonton (Oilers) | LNH | 80 | 25 | 20 | 45 | 85 | 16 | 2 | 5 | 7 | 14 |
| 1983-84 | Edmonton (Oilers) | LNH | 77 | 27 | 28 | 55 | 61 | 19 | 2 | 11 | 13 | 12 |
| 1984-85 | Edmonton (Oilers) | LNH | 73 | 12 | 13 | 25 | 85 | 10 | 1 | 1 | 2 | 4 |
| 1985-86 | Buffalo (Sabres) | LNH | 50 | 4 | 9 | 13 | 25 | - | - | - | - | - |
| | Rochester (Americans) | AHL | 10 | 3 | 3 | 6 | 7 | - | - | - | - | - |
| 1986-87 | St. Louis (Blues) | LNH | 43 | 1 | 5 | 6 | 26 | - | - | - | - | - |
| | Hartford (Whalers) | LNH | 2 | 0 | 0 | 0 | 0 | 3 | 0 | 0 | 0 | 0 |
| | **LNH** | | **573** | **130** | **128** | **258** | **646** | **71** | **8** | **25** | **33** | **77** |
| | **Montréal** | | **44** | **9** | **8** | **17** | **24** | **8** | **1** | **2** | **3** | **4** |

• Coupe Calder (AHL) en 1976-77 • Deuxième équipe d'étoiles(AHL) en 1977-78 • Coupe Stanley (LNH) en 1978-79, 1983-84, 1984-85
• Échangé à Pittsburgh par Montréal avec Robbie Holland pour Denis Herron et le choix de 2e ronde de Pittsburgh au repêchage de 1982 (Jocelyn Gauvreau) le 30 août 1979 • Échangé à Edmonton par Pittsburgh pour Pat Price le 10 mars 1981 • Échangé à Pittsburgh par Edmonton pour Mike Moller le 4 octobre 1985 • Échangé à Buffalo par Pittsburgh pour Randy Cunneyworth et Mike Moller le 4 octobre 1985 • Réclamé au ballottage par St. Louis de Buffalo le 6 octobre 1986 • Échangé à Hartford par St. Louis pour le choix de 10e ronde de Hartford au repêchage de 1987 (Andy Cesarski) le 10 mars 1987

## HUNT, BERT
**Avant**

| SAISON | CLUB | LIGUE | PJ | B | A | PTS | PUN | PJ | B | A | PTS | PUN |
|---|---|---|---|---|---|---|---|---|---|---|---|---|
| 1912-13 | Toronto (Tecumsehs) | NHA | 3 | 0 | 0 | 0 | - | - | - | - | - | - |
| 1913-14 | Toronto (Ontarios) | NHA | 11 | 1 | 1 | 2 | - | - | - | - | - | - |
| 1914-15 | Toronto (Ontarios/Shamrocks) | NHA | 7 | 0 | 0 | 0 | 3 | - | - | - | - | - |
| | **Montréal (Canadiens)** | NHA | 4 | 0 | 0 | 0 | 0 | - | - | - | - | - |
| | **NHA** | | **25** | **1** | **1** | **2** | **3** | | | | | |
| | **Montréal** | | **4** | **0** | **0** | **0** | **0** | | | | | |

• Signe avec Toronto (Tecumsehs – NHA) en décembre 1912 • Signe avec Toronto (Ontarios – NHA) en décembre 1913 • Droits vendus à Montréal (NHA) par Toronto (Shamrocks – NHA) le 18 janvier 1915

## HUNTER, MARK
Né à Petrolia, Ontario, le 12 novembre 1962. Ailier droit, lance de la droite, 6', 200 lb
(1er choix de Montréal, 7e au total lors du repêchage de 1981)

| SAISON | CLUB | LIGUE | PJ | B | A | PTS | PUN | PJ | B | A | PTS | PUN |
|---|---|---|---|---|---|---|---|---|---|---|---|---|
| 1978-79 | Petrolia (Jets) | OJHL | 44 | 35 | 44 | 79 | 160 | - | - | - | - | - |
| 1979-80 | Brantford (Alexanders) | OMJHL | 66 | 34 | 56 | 90 | 171 | 11 | 2 | 8 | 10 | 27 |
| 1980-81 | Brantford (Alexanders) | OMJHL | 53 | 39 | 40 | 79 | 157 | 6 | 3 | 3 | 6 | 27 |
| 1981-82 | **Montréal (Canadiens)** | LNH | 71 | 18 | 11 | 29 | 143 | 5 | 0 | 0 | 0 | 20 |
| 1982-83 | **Montréal (Canadiens)** | LNH | 31 | 8 | 8 | 16 | 73 | - | - | - | - | - |
| 1983-84 | **Montréal (Canadiens)** | LNH | 22 | 6 | 4 | 10 | 42 | 14 | 2 | 1 | 3 | 69 |
| 1984-85 | **Montréal (Canadiens)** | LNH | 72 | 21 | 12 | 33 | 123 | 11 | 0 | 3 | 3 | 13 |
| 1985-86 | St. Louis (Blues) | LNH | 78 | 44 | 30 | 74 | 171 | 19 | 7 | 7 | 14 | 48 |
| | Match des étoiles | LNH | 1 | 0 | 0 | 0 | 0 | - | - | - | - | - |
| 1986-87 | St. Louis (Blues) | LNH | 74 | 36 | 33 | 69 | 167 | 5 | 0 | 3 | 3 | 10 |
| 1987-88 | St. Louis (Blues) | LNH | 66 | 32 | 31 | 63 | 136 | 5 | 2 | 3 | 5 | 24 |
| 1988-89 | Calgary (Flames) | LNH | 66 | 22 | 8 | 30 | 194 | 10 | 2 | 2 | 4 | 23 |
| 1989-90 | Calgary (Flames) | LNH | 10 | 2 | 3 | 5 | 39 | - | - | - | - | - |
| 1990-91 | Calgary (Flames) | LNH | 57 | 10 | 15 | 25 | 125 | - | - | - | - | - |
| | Hartford (Whalers) | LNH | 11 | 4 | 3 | 7 | 40 | 6 | 5 | 1 | 6 | 17 |
| 1991-92 | Hartford (Whalers) | LNH | 63 | 10 | 13 | 23 | 159 | 4 | 0 | 0 | 0 | 6 |
| 1992-93 | Washington (Capitals) | LNH | 7 | 0 | 0 | 0 | 14 | - | - | - | - | - |
| | Baltimore (Skipjacks) | AHL | 28 | 13 | 18 | 31 | 66 | 7 | 3 | 1 | 4 | 12 |
| | **LNH** | | **628** | **213** | **171** | **384** | **1426** | **79** | **18** | **20** | **38** | **230** |
| | **Montréal** | | **196** | **53** | **35** | **88** | **381** | **30** | **2** | **4** | **6** | **102** |

• Match des étoiles(LNH) en 1985-86
• Échangé à St. Louis par Montréal pour Michael Dark, le choix de 2e (Herb Raglan), 5e (Dan Brooks) et de 6e rondes (Rick Burchill) de Montréal au repêchage de 1985 et le choix 3e ronde de Pittsburgh (propriété du Canadien suite à une transaction antérieure – Nelson Emerson) pour le choix de 1re (Jose Charbonneau), 2e (Todd Richard), 4e (Martin Desjardins), 5e (Tom Sagissor) et 6e rondes (Donald Dufresne) de St. Louis au repêchage de 1985 le 15 juin 1985 • Échangé à Calgary par St. Louis avec Doug Gilmour, Steve Bosek et Michael Dark pour Mike Bullard, Craig Coxe et Tim Corkery le 6 septembre 1988 • Échangé à Hartford par Calgary pour Carey Wilson le 5 mars 1991 • Échangé à Washington par Hartford avec des considérations futures (Yvon Corriveau le 20 août 1992) pour Nick Kypreos le 15 juin 1992

## IRWIN, IVAN
Né à à Chicago, Illinois, le 13 mars 1927. Défenseur, lance de la gauche, 6'2", 185 lb

| SAISON | CLUB | LIGUE | PJ | B | A | PTS | PUN | PJ | B | A | PTS | PUN |
|---|---|---|---|---|---|---|---|---|---|---|---|---|
| 1943-44 | Northern (Vocational) | H.S. | 6 | 1 | 2 | 3 | 8 | 1 | 0 | 0 | 0 | 0 |
| | Scarborough (Colts) | OHA B | *Statistiques non disponibles* | | | | | | | | | |
| 1944-45 | Scarborough (Colts) | OHA B | *Statistiques non disponibles* | | | | | | | | | |
| 1945-46 | Toronto (Dorsts) | TMHL | 1 | 0 | 0 | 0 | 0 | - | - | - | - | - |
| | Toronto (Tip Tops) | TIHL | 5 | 2 | 0 | 2 | 0 | - | - | - | - | - |
| | Scarborough (Rangers) | OHA B | - | - | - | - | - | 5 | 3 | 4 | 7 | 16 |
| 1946-47 | Scarborough (Rangers) | OHA B | *Statistiques non disponibles* | | | | | | | | | |
| 1947-48 | Boston (Olympics) | LHSQ | 40 | 1 | 3 | 4 | 30 | - | - | - | - | - |
| | Boston (Olympics) | EAHL | 16 | 2 | 1 | 3 | 17 | - | - | - | - | - |
| 1948-49 | Sherbrooke (Saints) | LHSQ | 55 | 1 | 8 | 9 | 124 | 12 | 1 | 2 | 3 | *36 |
| 1949-50 | Sherbrooke (Saints) | LHSQ | 7 | 1 | 0 | 1 | 30 | - | - | - | - | - |
| | Cincinnati (Mohawks) | AHL | 52 | 2 | 7 | 9 | 114 | - | - | - | - | - |
| 1950-51 | Cincinnati (Mohawks) | AHL | 62 | 3 | 14 | 17 | 145 | - | - | - | - | - |
| 1951-52 | Cincinnati (Mohawks) | AHL | 67 | 4 | 10 | 14 | 111 | 7 | 0 | 1 | 1 | 18 |
| 1952-53 | Victoria (Cougars) | WHL | 58 | 5 | 20 | 25 | 116 | - | - | - | - | - |
| | **Montréal (Canadiens)** | LNH | 4 | 0 | 1 | 1 | 0 | - | - | - | - | - |
| 1953-54 | Vancouver (Canucks) | WHL | 13 | 1 | 6 | 7 | 18 | - | - | - | - | - |
| | New York (Rangers) | LNH | 56 | 2 | 12 | 14 | 109 | - | - | - | - | - |
| 1954-55 | New York (Rangers) | LNH | 60 | 0 | 13 | 13 | 85 | - | - | - | - | - |
| 1955-56 | Providenvce (Reds) | AHL | 19 | 0 | 5 | 5 | 43 | - | - | - | - | - |
| | New York (Rangers) | LNH | 34 | 0 | 1 | 1 | 20 | 5 | 0 | 0 | 0 | 8 |
| 1956-57 | Providence (Reds) | AHL | 62 | 4 | 14 | 18 | 149 | 5 | 0 | 1 | 1 | 8 |
| 1957-58 | Providence (Reds) | AHL | 63 | 2 | 16 | 18 | 146 | 5 | 1 | 2 | 3 | 6 |
| | New York (Rangers) | LNH | 1 | 0 | 0 | 0 | 0 | - | - | - | - | - |
| 1958-59 | Buffalo (Bisons) | AHL | 63 | 3 | 12 | 15 | 106 | 11 | 0 | 3 | 3 | 16 |
| 1959-60 | Buffalo (Bisons) | AHL | 40 | 1 | 8 | 9 | 53 | - | - | - | - | - |
| 1960-61 | Toronto (Westsides) | OIHA | *Statistiques non disponibles* | | | | | | | | | |
| 1961-62 | Toronto (Westsides) | OIHA | *Statistiques non disponibles* | | | | | | | | | |
| 1962-63 | Toronto (Westsides) | OIHA | *Statistiques non disponibles* | | | | | | | | | |
| 1963-64 | Toronto (Westsides) | OIHA | *Statistiques non disponibles* | | | | | | | | | |
| 1964-65 | New Glasgow (Rangers) | MSHL | 12 | 1 | 2 | 3 | 4 | - | - | - | - | - |
| 1965-66 | Providence (Reds) | OHA Sr | *N'a pas joué – Entraîneur-chef* | | | | | | | | | |
| 1966-67 | Orillia (Pepsis) | OHA Sr | 23 | 4 | 10 | 14 | | - | - | - | - | - |
| | **LNH** | | **155** | **2** | **27** | **29** | **214** | **5** | **0** | **0** | **0** | **8** |
| | **Montréal** | | **4** | **0** | **1** | **1** | **0** | | | | | |

• Première équipe d'étoiles(AHL) en 1957-58, 1958-59 • Deuxièmes équipes d'étoiles(AHL) en 1956-57 • Deuxième équipe d'étoiles (OHA Sr) en 1966-67
• Droits vendus à Montréal par Cincinnati (AHL) le 3 octobre 1951 • Échangé à New York (Rangers) par Montréal pour Pete Babando et Eddie Slowinski le 8 août 1953

## JÄRVENTIE, MARTTI
Né à Tampere, Finlande, le 4 avril 1976. Défenseur, lance de la gauche, 5'11", 196 lb
(5e choix de Montréal, 109e au total lors du repêchage de 2001)

| SAISON | CLUB | LIGUE | PJ | B | A | PTS | PUN | PJ | B | A | PTS | PUN |
|---|---|---|---|---|---|---|---|---|---|---|---|---|
| 1992-93 | Ilves B | FIN Jr. | 27 | 1 | 4 | 5 | 92 | - | - | - | - | - |
| | Ilves Jr. | FIN Jr. | 12 | 0 | 1 | 1 | 6 | - | - | - | - | - |
| 1993-94 | Ilves B | FIN Jr. | 5 | 2 | 2 | 4 | 14 | - | - | - | - | - |
| | Ilves Jr. | FIN Jr. | 36 | 7 | 6 | 13 | 34 | 6 | 1 | 2 | 3 | |
| 1994-95 | Ilves Jr. | FIN Jr. | 9 | 2 | 2 | 4 | 26 | - | - | - | - | - |
| | Ilves | FIN | 37 | 1 | 6 | 7 | 18 | - | - | - | - | - |
| | Ilves | FIN | 7 | 0 | 1 | 1 | 0 | - | - | - | - | - |
| 1995-96 | Ilves | FIN | 21 | 2 | 1 | 3 | 30 | - | - | - | - | - |
| | Ilves Jr. | FIN Jr. | 3 | 2 | 2 | 4 | 4 | - | - | - | - | - |
| | KooVee | FIN | 3 | 0 | 0 | 0 | 2 | - | - | - | - | - |
| | Lukko | FIN | 15 | 0 | 1 | 1 | 0 | - | - | - | - | - |
| 1996-97 | Ilves Jr. | FIN Jr. | 2 | 0 | 0 | 0 | 0 | - | - | - | - | - |
| | Ilves | FIN | 44 | 2 | 11 | 13 | 34 | 6 | 0 | 1 | 1 | 0 |
| 1997-98 | Ilves Tampere | FIN | 37 | 5 | 7 | 12 | 22 | 9 | 2 | 2 | 4 | 14 |
| 1998-99 | Ilves Tampere | FIN | 40 | 2 | 4 | 6 | 66 | 4 | 0 | 0 | 0 | 0 |
| 1999-00 | Ilves Tampere | FIN | 50 | 14 | 14 | 28 | 77 | 3 | 1 | 1 | 2 | 2 |
| 2000-01 | TPS Turku | FIN | 55 | 5 | 14 | 19 | 71 | 10 | 1 | 2 | 3 | 4 |
| 2001-02 | **Montréal (Canadiens)** | LNH | 1 | 0 | 0 | 0 | 0 | - | - | - | - | - |
| | Québec (Citadelles) | AHL | 59 | 7 | 14 | 21 | 18 | - | - | - | - | - |
| 2002-03 | Ilves Tampere | FIN | 19 | 2 | 6 | 8 | 30 | - | - | - | - | - |
| | Jokerit Helsinki | FIN | 15 | 1 | 4 | 5 | 10 | 10 | 0 | 2 | 2 | 4 |
| | **LNH** | | **1** | **0** | **0** | **0** | **0** | **-** | **-** | **-** | **-** | **-** |
| | **Montréal** | | **1** | **0** | **0** | **0** | **0** | | | | | |

## JARVIS, DOUGLAS (DOUG)
Né à Brantford, Ontario, le 24 mars 1955. Centre, lance de la gauche, 5'9", 170 lb
(2e choix du Toronto, 24e au total lors du repêchage de 1975)

| SAISON | CLUB | LIGUE | PJ | B | A | PTS | PUN | PJ | B | A | PTS | PUN |
|---|---|---|---|---|---|---|---|---|---|---|---|---|
| 1971-72 | Brantford (Legionaires) | OMHA | 11 | 2 | 10 | 12 | 0 | - | - | - | - | - |
| 1972-73 | Peterborough (Petes) | OMJHL | 63 | 20 | 49 | 69 | 14 | - | - | - | - | - |
| 1973-74 | Peterborough (Petes) | OMJHL | 70 | 31 | 53 | 84 | 27 | - | - | - | - | - |
| | Canada | CMJ | 5 | 4 | 1 | 5 | 2 | - | - | - | - | - |
| 1974-75 | Peterborough (Petes) | OMJHL | 64 | 45 | 88 | 133 | 38 | 11 | 4 | 11 | 15 | 8 |
| 1975-76 | **Montréal (Canadiens)** | LNH | 80 | 5 | 30 | 35 | 16 | 13 | 2 | 1 | 3 | 2 |
| 1976-77 | **Montréal (Canadiens)** | LNH | 80 | 16 | 22 | 38 | 14 | 14 | 0 | 7 | 7 | 2 |
| 1977-78 | **Montréal (Canadiens)** | LNH | 80 | 11 | 28 | 39 | 23 | 15 | 3 | 5 | 8 | 12 |
| 1978-79 | **Montréal (Canadiens)** | LNH | 80 | 10 | 13 | 23 | 16 | 12 | 1 | 3 | 4 | 4 |
| 1979-80 | **Montréal (Canadiens)** | LNH | 80 | 13 | 11 | 24 | 28 | 10 | 4 | 4 | 8 | 2 |
| 1980-81 | **Montréal (Canadiens)** | LNH | 80 | 16 | 22 | 38 | 34 | 3 | 0 | 0 | 0 | 0 |
| 1981-82 | **Montréal (Canadiens)** | LNH | 80 | 20 | 28 | 48 | 20 | 5 | 1 | 0 | 1 | 0 |
| 1982-83 | Washington (Capitals) | LNH | 80 | 8 | 22 | 30 | 10 | 4 | 0 | 1 | 1 | 0 |
| 1983-84 | Washington (Capitals) | LNH | 80 | 13 | 29 | 42 | 12 | 8 | 2 | 3 | 5 | 6 |
| 1984-85 | Washington (Capitals) | LNH | 80 | 9 | 28 | 37 | 32 | 5 | 1 | 0 | 1 | 2 |
| 1985-86 | Washington (Capitals) | LNH | 25 | 1 | 2 | 3 | 16 | - | - | - | - | - |
| | Hartford (Whalers) | LNH | 57 | 8 | 16 | 24 | 20 | 10 | 0 | 3 | 3 | 4 |
| 1986-87 | Hartford (Whalers) | LNH | 80 | 9 | 13 | 22 | 20 | 6 | 0 | 0 | 0 | 4 |
| | Binghamton (Whalers) | AHL | 24 | | | | | - | - | - | - | - |
| 1987-88 | Hartford (Whalers) | LNH | 2 | 0 | 0 | 0 | 2 | - | - | - | - | - |
| | Binghamton (Whalers) | AHL | 24 | | | | | - | - | - | - | - |
| | **LNH** | | **964** | **139** | **264** | **403** | **263** | **105** | **14** | **27** | **41** | **42** |
| | **Montréal** | | **560** | **91** | **154** | **245** | **151** | **72** | **11** | **20** | **31** | **26** |

• Deuxième équipe d'étoiles (OHA) en 1974-75 • Coupe Stanley (LNH) en 1975-76, 1976-77, 1977-78, 1978-79 • Trophée Frank-Selke (LNH) en 1983-84 • Trophée Bill-Masterton (LNH) en 1986-87
• Échangé à Montréal par Toronto pour Greg Hubick le 26 juin 1975 • Échangé à Washington par Montréal avec Rod Langway, Brian Engblom et Craig Laughlin pour Ryan Walter et Rick Green le 9 septembre 1982 • Échangé à Hartford par Washington pour Jorgen Pettersson le 6 décembre 1985

## JENKINS, ROGER
Né à Appleton, Wisconsin, le 18 novembre 1911. Défenseur, lance de la droite, 5'11", 170 lb

| SAISON | CLUB | LIGUE | PJ | B | A | PTS | PUN | PJ | B | A | PTS | PUN |
|---|---|---|---|---|---|---|---|---|---|---|---|---|
| 1929-30 | Edmonton (Imperials) | EJHL | 13 | 8 | 3 | 11 | 14 | - | - | - | - | - |
| 1930-31 | Chicago (Black Hawks) | LNH | 10 | 1 | 1 | 2 | | 3 | 0 | 0 | 0 | 0 |
| | London (Tecumsehs) | IHL | 8 | 0 | 0 | 6 | | - | - | - | - | - |
| | Toronto (Maple Leafs) | LNH | 21 | 0 | 0 | 0 | 12 | | | | | |

| SAISON CLUB | LIGUE | PJ | B | A | PTS | PUN | PJ | B | A | PTS | PUN |
|---|---|---|---|---|---|---|---|---|---|---|---|
| 1931-32 Bronx (Tigers) | Can-Am | 39 | 9 | 7 | 16 | 66 | 2 | 0 | 0 | 0 | 6 |
| 1932-33 Chicago (Black Hawks) | LNH | 46 | 3 | 10 | 13 | 42 | - | - | - | - | - |
| 1933-34 Chicago (Black Hawks) | LNH | 48 | 2 | 2 | 4 | 37 | 8 | 0 | 0 | 0 | 0 |
| **1934-35 Montréal (Canadiens)** | **LNH** | 45 | 4 | 6 | 10 | 63 | 2 | 1 | 0 | 1 | 2 |
| 1935-36 Boston (Bruins) | LNH | 40 | 2 | 6 | 8 | 51 | 2 | 0 | 1 | 1 | 2 |
| Boston (Cubs) | Can-Am | 5 | 2 | 2 | 4 | 9 | - | - | - | - | - |
| **1936-37 Montréal (Canadiens)** | **LNH** | 10 | 0 | 0 | 0 | 8 | - | - | - | - | - |
| Montréal (Maroons) | LNH | 1 | 0 | 0 | 0 | 0 | - | - | - | - | - |
| New York (Americans) | LNH | 26 | 1 | 4 | 5 | 6 | - | - | - | - | - |
| 1937-38 Chicago (Black Hawks) | LNH | 37 | 1 | 8 | 9 | 26 | 10 | 0 | 6 | 6 | 8 |
| 1938-39 Chicago (Black Hawks) | LNH | 14 | 1 | 1 | 2 | 4 | - | - | - | - | - |
| New York (Americans) | LNH | 27 | 1 | 1 | 2 | 2 | - | - | - | - | - |
| 1939-40 Springfield (Indians) | AHL | 50 | 8 | 18 | 26 | 29 | 2 | 0 | 0 | 0 | 0 |
| 1940-41 Hershey (Bears) | AHL | 56 | 5 | 19 | 24 | 81 | 10 | 2 | 1 | 3 | 14 |
| 1941-42 Hershey (Bears) | AHL | 59 | 9 | 28 | 37 | 110 | 10 | 3 | 5 | 8 | 12 |
| 1942-43 Hershey (Bears) | AHL | 56 | 10 | 33 | 43 | 90 | 6 | 0 | 1 | 1 | 4 |
| Washington (Lions) | AHL | 1 | 0 | 0 | 0 | 0 | - | - | - | - | - |
| 1943-44 Seattle (Ironmen) | PCHL | 16 | 16 | 19 | 35 | 45 | 2 | 1 | 3 | 4 | 2 |
| Portland (Oilers) | PCHL | - | - | - | - | - | 4 | 2 | 3 | 5 | 12 |
| 1944-45 | | | | *N'a pas joué – Entraîneur* | | | | | | | |
| 1945-46 Seattle (Ironmen) | PCHL | 55 | 12 | 20 | 32 | 69 | 3 | 0 | 0 | 0 | 2 |
| 1946-47 Tacoma (Rockets) | PCHL | 55 | 9 | 22 | 31 | 40 | - | - | - | - | - |
| 1947-48 Tacoma (Rockets) | PCHL | 58 | 6 | 24 | 30 | 101 | 5 | 0 | 2 | 2 | 6 |
| **LNH** | | 325 | 15 | 39 | 54 | 253 | 25 | 1 | 7 | 8 | 12 |
| **Montréal** | | 55 | 4 | 6 | 10 | 71 | 2 | 1 | 0 | 1 | 2 |

• Coupe Stanley (LNH) en 1933-34, 1936-37 • Première équipe d'étoiles (AHL) en 1942-43
• Signe avec Chicago le 28 octobre 1930 • Prêté à Toronto par Chicago le 4 décembre 1930. • Retourné à Chicago par Toronto le 3 février 1931 • Échangé à Montréal par Chicago avec Lionel Conacher et Leroy Goldsworthy pour Lorne Chabot, Marty Burke et Howie Morenz le 1er octobre 1934 • Échangé à Boston par Montréal pour Walter Buswell et Jean Pusie le 13 juillet 1935 • Échangé à Montréal (Canadien) par Montréal (Maroons) avec Babe Siebert pour Leroy Goldsworthy, Sammy McManus et une somme d'argent le 10 septembre 1936 • Signe avec Montréal (Maroons) le 17 décembre 1936 • Prêté à New York (Americans) par Montréal (Maroons) le 1er janvier 1937 • Signe avec Chicago le 20 novembre 1937 • Signe avec New York (Americans) le 6 janvier 1939 • Droits vendus à Springfield (IAHL) par New York (Americans) le 2 octobre 1939

## JETTÉ, ALPHONSE
Défenseur/Avant

| SAISON CLUB | LIGUE | PJ | B | A | PTS | | PJ | B | A | PTS | PUN |
|---|---|---|---|---|---|---|---|---|---|---|---|
| **1911-12 Montréal (Canadiens)** | **NHA** | 3 | 0 | 0 | 0 | | - | | | | |
| **1912-13 Montréal (Canadiens)** | **NHA** | 3 | 0 | 0 | 0 | | - | | | | |
| **1913-14 Montréal (Canadiens)** | **NHA** | 10 | 1 | 1 | 2 | | - | | | | |
| **1914-15 Montréal (Canadiens)** | **NHA** | 3 | 0 | 0 | 0 | | - | | | | |
| **NHA** | | 19 | 1 | 1 | 2 | 0 | - | | | | |
| **Montréal** | | 19 | 1 | 1 | 2 | 0 | - | | | | |

• Signe avec Montréal (NHA) le 15 février 1912

## JOANETTE, ROSARIO
Né à Valleyfield, Québec, le 27 août 1919, décédé le 9 octobre 1998
Centre, lance de la droite, 5'10", 160 lb

| SAISON CLUB | LIGUE | PJ | B | A | PTS | PUN | PJ | B | A | PTS | PUN |
|---|---|---|---|---|---|---|---|---|---|---|---|
| 1939-40 Valleyfield (Braves) | LHPQ | 26 | 3 | 8 | 11 | 2 | 4 | 2 | 1 | 3 | 6 |
| 1940-41 Valleyfield (Braves) | LHCM | 37 | 28 | 37 | 65 | 18 | 3 | 0 | 0 | 0 | 2 |
| 1941-42 Valleyfield (V's) | LHCM | 26 | 17 | 23 | 40 | 32 | 7 | 4 | 4 | 8 | 0 |
| 1942-43 Valleyfield (Braves) | LHCM | | | *Statistiques non disponibles* | | | | | | | |
| 1943-44 Valleyfield (Braves) | LHCM | | | *Statistiques non disponibles* | | | | | | | |
| 1944-45 Valleyfield (Braves) | LHPQ | 37 | *45 | *56 | *101 | 30 | 11 | 6 | 7 | 13 | 8 |
| **Montréal (Canadiens)** | **LNH** | 2 | 0 | 1 | 1 | 4 | - | - | - | - | - |
| Valleyfield (Braves) | Allan | 3 | 1 | 0 | 1 | 0 | - | - | - | - | - |
| 1945-46 Valleyfield (Braves) | LHSQ | 40 | 23 | 25 | 48 | 17 | - | - | - | - | - |
| Shawinigan (Cataractes) | LHSQ | - | - | - | - | - | 4 | 2 | 1 | 3 | 11 |
| 1946-47 Valleyfield (Braves) | LHSQ | 39 | 13 | 22 | 35 | 41 | - | - | - | - | - |
| Baltimore (Clippers) | EAHL | - | - | - | - | - | 9 | 2 | 1 | 3 | 11 |
| 1947-48 Valleyfield (Braves) | LHSQ | 44 | 20 | 37 | 57 | 23 | 6 | 6 | 6 | 12 | 2 |
| 1948-49 Valleyfield (Braves) | LHSQ | 51 | 23 | 33 | 56 | 11 | 4 | 0 | 2 | 2 | 0 |
| 1949-50 Valleyfield (Braves) | LHSQ | 59 | 23 | 50 | 73 | 22 | 5 | 1 | 4 | 5 | 0 |
| 1950-51 Valleyfield (Braves) | LHMQ | 58 | 30 | 42 | 72 | 18 | 16 | *13 | 6 | 19 | 8 |
| Valleyfield (Braves) | Alexa. | 11 | 5 | 9 | 14 | 2 | - | - | - | - | - |
| 1951-52 Valleyfield (Braves) | LHMQ | 55 | 18 | 31 | 49 | 14 | 6 | 0 | 4 | 4 | 0 |
| 1952-53 Valleyfield (Braves) | LHMQ | 58 | 18 | 34 | 52 | 14 | 4 | 0 | 2 | 2 | 0 |
| 1953-54 Valleyfield (Braves) | LHQ | 60 | 13 | 16 | 29 | 10 | 2 | 1 | 4 | 6 | 0 |
| 1954-55 Valleyfield (Braves) | LHQ | 53 | 13 | 37 | 50 | 11 | - | - | - | - | - |
| 1955-56 Trois-Rivières (Lions) | LHQ | 32 | 0 | 12 | 12 | 9 | - | - | - | - | - |
| Cornwall (Colts) | EOHL | 16 | 21 | 20 | 41 | 18 | 7 | 2 | 8 | 10 | 18 |
| 1956-57 Cornwall (Chevies) | EOHL | 49 | 22 | 31 | 53 | 20 | 6 | 0 | 2 | 2 | 4 |
| **LNH** | | 2 | 0 | 1 | 1 | 4 | - | - | - | - | - |
| **Montréal** | | 2 | 0 | 1 | 1 | 4 | - | - | - | - | - |

• Prêté à Montréal par Valleyfield (LHPQ) le 27 décembre 1944 • Prêté à Montréal par Valleyfield (LHPQ) le 10 mars 1945

## JOHNS, DONALD (DON)
Né à St George, Ontario, le 13 décembre 1937. Défenseur, lance de la droite, 6', 190 lb

| SAISON CLUB | LIGUE | PJ | B | A | PTS | PUN | PJ | B | A | PTS | PUN |
|---|---|---|---|---|---|---|---|---|---|---|---|
| 1956-57 Hull-Ottawa (Canadien) | OHA Jr | 27 | 2 | 3 | 5 | 12 | - | - | - | - | - |
| Hull-Ottawa (Canadien) | LHQ | 15 | 0 | 1 | 1 | 0 | - | - | - | - | - |
| Hull-Ottawa (Canadien) | EOHL | 8 | 0 | 2 | 2 | 4 | - | - | - | - | - |
| Hull-Ottawa (Canadien) | Mem. | 1 | 0 | 0 | 0 | 0 | - | - | - | - | - |
| 1957-58 Fort William (Canadien) | TBJHL | 50 | 3 | 14 | 17 | 56 | 4 | 1 | 1 | 2 | 8 |
| Fort William (Canadien) | Mem. | 5 | 0 | 2 | 2 | 12 | - | - | - | - | - |
| 1958-59 Winnipeg (Warriors) | WHL | 60 | 4 | 18 | 22 | 112 | 7 | 1 | 0 | 1 | 18 |
| 1959-60 Winnipeg (Warriors) | WHL | 70 | 3 | 21 | 24 | 72 | - | - | - | - | - |
| 1960-61 New York (Rangers) | LNH | 63 | 1 | 7 | 8 | 34 | - | - | - | - | - |
| 1961-62 Springfield (Indians) | AHL | 59 | 3 | 10 | 13 | 14 | 11 | 1 | 4 | 5 | 10 |
| 1962-63 New York (Rangers) | LNH | 4 | 0 | 4 | 4 | 6 | - | - | - | - | - |
| Baltimore (Clippers) | AHL | 69 | 9 | 17 | 26 | 30 | 3 | 1 | 3 | 4 | 2 |
| 1963-64 New York (Rangers) | LNH | 57 | 1 | 9 | 10 | 26 | - | - | - | - | - |
| Baltimore (Clippers) | AHL | 12 | 0 | 1 | 1 | 10 | - | - | - | - | - |
| 1964-65 Baltimore (Clippers) | AHL | 64 | 2 | 10 | 12 | 28 | 9 | 0 | 2 | 2 | 14 |
| New York (Rangers) | LNH | 22 | 0 | 1 | 1 | 4 | - | - | - | - | - |
| St. Louis (Braves) | CPHL | 23 | 1 | 5 | 6 | 10 | - | - | - | - | - |
| 1965-66 Québec (As) | AHL | 63 | 2 | 24 | 26 | 78 | - | - | - | - | - |
| **Montréal (Canadiens)** | **LNH** | 1 | 0 | 0 | 0 | 0 | - | - | - | - | - |
| 1966-67 Québec (As) | AHL | 69 | 1 | 15 | 16 | 54 | - | - | - | - | - |
| 1967-68 Minnesota (North Stars) | LNH | 4 | 0 | 0 | 0 | 6 | - | - | - | - | - |
| Memphis (South Stars) | CPHL | 27 | 0 | 9 | 9 | 22 | - | - | - | - | - |
| Rochester (Americans) | AHL | 42 | 1 | 13 | 14 | 32 | 11 | 1 | 1 | 2 | 18 |
| 1968-69 Vancouver (Canucks) | WHL | 66 | 1 | 22 | 23 | 102 | 7 | 0 | 3 | 3 | 18 |
| **LNH** | | 153 | 2 | 21 | 23 | 76 | - | - | - | - | - |
| **Montréal** | | 1 | 0 | 0 | 0 | 0 | - | - | - | - | - |

• Coupe Calder (AHL) en 1961-62, 1967-68
• Réclamé par New York de Winnipeg (WHL) lors du repêchage inter-ligues le 7 juin 1960.
• Échangé à Chicago par New York avec Camille Henry, Billy Taylor et Wally Chevrier pour Doug Robinson, Wayne Hillman et John Brenneman le 4 février 1965 • Échangé à Montréal par Chicago pour Bryan Watson le 9 juin 1965 • Droits vendus à Minnesota par Montréal le 5 octobre 1967 • Échangé à Rochester (AHL) par Minnesota avec Murray Hall, Len Lunde, Duke Harris et Carl Wetzel pour Jean-Paul Parise et Milan Marcetta le 23 décembre 1967 • Droits transférés à Vancouver (WHL) lors de l'achat de la concession de Rochester (AHL) le 13 août 1968

## JOHNSON, ALLAN (AL)
Né à Winnipeg, Manitoba, le 30 mars 1935
Ailier droit/centre, lance de la droite, 5'11", 180 lb

| SAISON CLUB | LIGUE | PJ | B | A | PTS | PUN | PJ | B | A | PTS | PUN |
|---|---|---|---|---|---|---|---|---|---|---|---|
| 1951-52 St. Boniface (Canadien) | MAHA | 10 | 8 | 15 | 23 | | - | - | - | - | - |
| St. Boniface (Canadien) | MJHL | 1 | 0 | 0 | 0 | 2 | - | - | - | - | - |
| 1952-53 St. Boniface (Canadien) | MJHL | 22 | 4 | 12 | 16 | | 7 | 2 | 2 | 4 | 2 |
| St. Boniface (Canadien) | Mem. | 17 | 4 | 7 | 11 | 8 | - | - | - | - | - |
| 1953-54 St. Boniface (Canadien) | MJHL | 36 | 13 | *31 | 44 | 40 | 10 | 8 | 10 | 18 | 34 |
| St. Boniface (Canadien) | Mem. | 8 | 3 | 2 | 5 | 8 | - | - | - | - | - |
| 1954-55 Trois-Rivières (Reds) | LHJQ | 44 | 14 | 17 | 31 | 23 | 10 | 5 | 5 | 10 | 2 |
| Montréal (Royals) | LHQ | 2 | 0 | 1 | 1 | 2 | - | - | - | - | - |
| 1955-56 Souris (Elks) | BIG 6 | 28 | 33 | 30 | 63 | 18 | - | - | - | - | - |
| Winnipeg (Warriors) | WHL | 2 | 0 | 0 | 0 | 0 | - | - | - | - | - |
| Winnipeg (Marrons) | Allan | 9 | 2 | 4 | 6 | 2 | - | - | - | - | - |
| 1956-57 Cincinnati (Mohawks) | IHL | 56 | 29 | 29 | 58 | 36 | 7 | 2 | 2 | 4 | 2 |
| **Montréal (Canadiens)** | **LNH** | 2 | 0 | 1 | 1 | 2 | - | - | - | - | - |
| 1957-58 Shawinigan (Cataracts) | LHQ | 57 | 15 | 28 | 43 | 18 | 14 | 8 | 10 | 18 | 2 |
| 1958-59 Spokane (Spokes) | WHL | 68 | 30 | 33 | 63 | 28 | 4 | 0 | 0 | 0 | 8 |
| 1959-60 Spokane (Spokes) | WHL | 69 | 29 | 27 | 56 | 28 | - | - | - | - | - |
| 1960-61 Detroit (Red Wings) | LNH | 70 | 16 | 21 | 37 | 14 | 11 | 2 | 2 | 4 | 2 |
| 1961-62 Detroit (Red Wings) | LNH | 31 | 5 | 6 | 11 | 14 | - | - | - | - | - |
| Hershey (Bears) | AHL | 40 | 15 | 25 | 40 | 14 | 7 | 4 | 0 | 4 | 0 |
| 1962-63 Detroit (Red Wings) | LNH | 2 | 0 | 0 | 0 | 0 | - | - | - | - | - |
| Pittsburgh (Hornets) | AHL | 58 | 15 | 19 | 34 | 24 | - | - | - | - | - |
| 1963-64 Winnipeg (Maroons) | SSHL | 6 | 6 | 4 | 10 | 2 | - | - | - | - | - |
| Winnipeg (Maroons) | Allan | 13 | 8 | 10 | 18 | 0 | - | - | - | - | - |
| 1964-65 Winnipeg (Maroons) | SSHL | 6 | 6 | 8 | 14 | 6 | - | - | - | - | - |
| Canada | CM | 7 | 4 | 3 | 7 | | - | - | - | - | - |
| 1965-66 Canada | Éq. nat. | | | *Statistiques non disponibles* | | | | | | | |
| 1966-67 | | | | *N'a pas joué* | | | | | | | |
| 1967-68 Fort Worth (Wings) | CPHL | 46 | 23 | 27 | 50 | 27 | - | - | - | - | - |
| 1968-69 Denver (Spurs) | WHL | 71 | 27 | 22 | 49 | 10 | - | - | - | - | - |
| **LNH** | | 105 | 21 | 28 | 49 | 30 | 11 | 2 | 2 | 4 | 6 |
| **Montréal** | | 2 | 0 | 1 | 1 | 2 | - | - | - | - | - |

• Deuxième équipe d'étoiles, Division Coast (WHL) en 1958-59 • Première équipe d'étoiles (WHL) en 1959-60
• Réclamé par Detroit de Spokane (WHL) au repêchage inter-ligues en juin 1960

## JOHNSON, THOMAS (TOM)
Né à Baldur, Manitoba, le 18 février 1928. Défenseur, lance de la gauche, 6' 180 lb

| SAISON CLUB | LIGUE | PJ | B | A | PTS | PUN | PJ | B | A | PTS | PUN |
|---|---|---|---|---|---|---|---|---|---|---|---|
| 1946-47 Winnipeg (Monarchs) | MJHL | 14 | 10 | 4 | 14 | 12 | 7 | 3 | 1 | 4 | 19 |
| 1947-48 Montréal (Royals) | LHSQ | 16 | 1 | 3 | 4 | 10 | - | - | - | - | - |
| **Montréal (Canadiens)** | **LNH** | 1 | 0 | 0 | 0 | 0 | - | - | - | - | - |
| 1948-49 Buffalo (Bisons) | AHL | 68 | 4 | 18 | 22 | 70 | - | - | - | - | - |
| 1949-50 Buffalo (Bisons) | AHL | 58 | 7 | 19 | 26 | 52 | 5 | 0 | 0 | 0 | 20 |
| **Montréal (Canadiens)** | **LNH** | - | - | - | - | - | 1 | 0 | 0 | 0 | 0 |
| **1950-51 Montréal (Canadiens)** | **LNH** | 70 | 2 | 8 | 10 | 128 | 11 | 0 | 0 | 0 | 6 |
| **1951-52 Montréal (Canadiens)** | **LNH** | 67 | 7 | 7 | 14 | 76 | 11 | 1 | 0 | 1 | 2 |
| **1952-53 Montréal (Canadiens)** | **LNH** | 70 | 3 | 11 | 14 | 63 | 12 | 2 | 3 | 5 | 8 |
| Match des étoiles | LNH | 1 | 0 | 0 | 0 | 0 | - | - | - | - | - |
| **1953-54 Montréal (Canadiens)** | **LNH** | 70 | 7 | 11 | 18 | 85 | 11 | 1 | 3 | 4 | 30 |
| **1954-55 Montréal (Canadiens)** | **LNH** | 70 | 6 | 19 | 25 | 74 | 12 | 0 | 4 | 4 | 22 |
| **1955-56 Montréal (Canadiens)** | **LNH** | 64 | 3 | 10 | 13 | 75 | 10 | 0 | 2 | 2 | 8 |
| **1956-57 Montréal (Canadiens)** | **LNH** | 70 | 4 | 11 | 15 | 59 | 10 | 0 | 2 | 2 | 13 |
| Match des étoiles | LNH | 1 | 0 | 0 | 0 | 0 | - | - | - | - | - |
| **1957-58 Montréal (Canadiens)** | **LNH** | 66 | 3 | 18 | 21 | 75 | 2 | 0 | 0 | 0 | 0 |
| Match des étoiles | LNH | 1 | 0 | 0 | 0 | 0 | - | - | - | - | - |
| **1958-59 Montréal (Canadiens)** | **LNH** | 70 | 10 | 29 | 39 | 76 | 11 | 1 | 5 | 6 | 8 |
| Match des étoiles | LNH | 1 | 0 | 0 | 0 | 0 | - | - | - | - | - |

| SAISON | CLUB | LIGUE | SAISONS RÉGULIÈRES | | | | | SÉRIES ÉLIMINATOIRES | | | | |
|---|---|---|---|---|---|---|---|---|---|---|---|---|
| | | | PJ | B | A | PTS | PUN | PJ | B | A | PTS | PUN |
| 1959-60 | Montréal (Canadiens) | LNH | 64 | 4 | 25 | 29 | 59 | 8 | 0 | 1 | 1 | 4 |
| | Match des étoiles | LNH | 1 | 0 | 1 | 1 | 0 | | | | | |
| 1960-61 | Montréal (Canadiens) | LNH | 70 | 1 | 15 | 16 | 54 | 6 | 0 | 1 | 1 | 8 |
| | Match des étoiles | LNH | 1 | 0 | 0 | 0 | 2 | | | | | |
| 1961-62 | Montréal (Canadiens) | LNH | 62 | 1 | 17 | 18 | 45 | 6 | 0 | 1 | 1 | 0 |
| 1962-63 | Montréal (Canadiens) | LNH | 43 | 3 | 5 | 8 | 28 | - | - | - | - | - |
| 1963-64 | Boston (Bruins) | LNH | 70 | 4 | 21 | 25 | 53 | - | - | - | - | - |
| | Match des étoiles | LNH | 1 | 0 | 0 | 0 | 0 | | | | | |
| 1964-65 | Boston (Bruins) | LNH | 51 | 0 | 9 | 9 | 30 | - | - | - | - | - |
| | **LNH** | | 978 | 51 | 213 | 264 | 960 | 111 | 8 | 15 | 23 | 109 |
| | **Montréal** | | 857 | 47 | 183 | 230 | 897 | 111 | 8 | 15 | 23 | 109 |

• Match des étoiles(LNH) en 1952-53, 1953-54, 1956-57, 1957-58, 1958-59, 1959-60, 1960-61, 1963-64 • Coupe Stanley (LNH) en 1952-53, 1955-56, 1956-57, 1957-58, 1958-59, 1959-60 • Première équipe d'étoiles (LNH) en 1958-59 • Deuxième équipe d'étoiles (LNH) en 1955-56 • Trophée James-Norris (LNH) en 1958-59 • Temple de la Renommée (LNH) en 1970
• Signe avec Montréal le 30 avril 1947 • Réclamé par Boston de Montréal au repêchage interligues le 4 juin 1963

### JOLIAT, AURÈLE

**Né à Ottawa, Ontario, le 29 août 1901, décédé le 2 juin 1986**
**Ailier gauche, lance de la gauche, 5'7", 135 lb**

| SAISON | CLUB | LIGUE | PJ | B | A | PTS | PUN | PJ | B | A | PTS | PUN |
|---|---|---|---|---|---|---|---|---|---|---|---|---|
| 1916-17 | Ottawa (New Edinburghs) | OCHL | 8 | 2 | 0 | 2 | - | 2 | 0 | 0 | 0 | 0 |
| 1917-18 | Ottawa (Aberdeens) | OCJHL | 3 | 2 | 1 | 3 | - | - | - | - | - | - |
| 1918-19 | Ottawa (New Edinburghs) | OCHL | 8 | 5 | 3 | 8 | 9 | - | - | - | - | - |
| 1919-20 | Ottawa (New Edinburghs) | OCHL | 7 | *12 | 0 | *12 | - | - | - | - | - | - |
| 1920-21 | Iroquois Falls (Flyers) | OHA | *Statistiques non disponibles* | | | | | | | | | |
| 1921-22 | | | *N'a pas joué* | | | | | | | | | |
| 1922-23 | Montréal (Canadiens) | LNH | 24 | 12 | 9 | 21 | 37 | 2 | 1 | 0 | 1 | 11 |
| 1923-24 | Montréal (Canadiens) | LNH | 24 | 15 | 5 | 20 | 27 | 6 | 4 | 2 | 6 | 6 |
| 1924-25 | Montréal (Canadiens) | LNH | 25 | 30 | 11 | 41 | 85 | 5 | 2 | 0 | 2 | 21 |
| 1925-26 | Montréal (Canadiens) | LNH | 35 | 17 | 9 | 26 | 52 | - | - | - | - | - |
| 1926-27 | Montréal (Canadiens) | LNH | 43 | 14 | 4 | 18 | 79 | 4 | 1 | 0 | 1 | 10 |
| 1927-28 | Montréal (Canadiens) | LNH | 44 | 28 | 11 | 39 | 105 | 2 | 0 | 0 | 0 | 4 |
| 1928-29 | Montréal (Canadiens) | LNH | 44 | 12 | 5 | 17 | 59 | 3 | 1 | 1 | 2 | 10 |
| 1929-30 | Montréal (Canadiens) | LNH | 42 | 19 | 12 | 31 | 40 | 6 | 0 | 2 | 2 | 6 |
| 1930-31 | Montréal (Canadiens) | LNH | 43 | 13 | 22 | 35 | 73 | 10 | 0 | 4 | 4 | 12 |
| 1931-32 | Montréal (Canadiens) | LNH | 48 | 15 | 24 | 39 | 46 | 4 | 2 | 0 | 2 | 4 |
| 1932-33 | Montréal (Canadiens) | LNH | 48 | 18 | 21 | 39 | 53 | 2 | 2 | 1 | 3 | 2 |
| 1933-34 | Montréal (Canadiens) | LNH | 48 | 22 | 15 | 37 | 27 | 3 | 0 | 1 | 1 | 0 |
| | Match des étoiles | LNH | 1 | 0 | 1 | 1 | 0 | | | | | |
| 1934-35 | Montréal (Canadiens) | LNH | 48 | 17 | 12 | 29 | 18 | 2 | 1 | 0 | 1 | 0 |
| 1935-36 | Montréal (Canadiens) | LNH | 48 | 15 | 8 | 23 | 16 | - | - | - | - | - |
| 1936-37 | Montréal (Canadiens) | LNH | 47 | 17 | 15 | 32 | 30 | 5 | 0 | 3 | 3 | 2 |
| 1937-38 | Montréal (Canadiens) | LNH | 44 | 6 | 7 | 13 | 24 | - | - | - | - | - |
| | Match des étoiles | LNH | 1 | 0 | 0 | 0 | 0 | | | | | |
| | **LNH** | | 655 | 270 | 190 | 460 | 771 | 54 | 14 | 14 | 28 | 88 |
| | **Montréal** | | 655 | 270 | 190 | 460 | 771 | 54 | 14 | 14 | 28 | 88 |

• Coupe Stanley (LNH) en 1923-24, 1929-30, 1930-31 • Première équipe d'étoiles (LNH) en 1930-31 • Deuxième équipe d'étoiles (LNH) en 1931-32, 1933-34, 1934-35 • Trophée Hart (LNH) en 1933-34 • Match des étoiles(LNH) en 1933-34, 1937-38 • Temple de la Renommée (LNH) en 1945
• Échangé à Montréal par Saskatoon pour Newsy Lalonde et une somme d'argent le 4 novembre 1922

### JOLIAT, RENÉ

**Né à Ottawa, Ontario, le 25 avril 1898, décédé le 10 août 1953**
**Ailier droit, lance de la droite, 5'5", 140 lb**

| SAISON | CLUB | LIGUE | PJ | B | A | PTS | PUN | PJ | B | A | PTS | PUN |
|---|---|---|---|---|---|---|---|---|---|---|---|---|
| 1916-17 | Ottawa (Grand Trunks) | OCHL | 7 | 3 | 0 | 3 | 6 | - | - | - | - | - |
| 1917-18 | Ottawa (Aberdeens) | OCHL | 3 | 2 | 0 | 2 | 6 | - | - | - | - | - |
| 1918-19 | Ottawa (New Edinburghs) | OCHL | 8 | 4 | 1 | 5 | 9 | - | - | - | - | - |
| 1919-20 | Ottawa (New Edinburghs) | OCHL | 2 | 0 | 0 | 0 | 0 | - | - | - | - | - |
| 1920-21 | Ottawa (New Edinburghs) | OCHL | 7 | 2 | 0 | 2 | 9 | - | - | - | - | - |
| | Iroquois Falls (P-Makers) | NOHA | *Statistiques non disponibles* | | | | | | | | | |
| 1921-22 | Ottawa (New Edinburghs) | OCHL | 4 | 0 | 1 | 1 | 0 | - | - | - | - | - |
| 1922-23 | Ottawa (New Edinburghs) | OCHL | 16 | 1 | 1 | 2 | 0 | 3 | 0 | 0 | 0 | 0 |
| 1923-24 | Hull (Volants) | OCHL | *Statistiques non disponibles* | | | | | | | | | |
| 1924-25 | Montréal (Canadiens) | LNH | 1 | 0 | 0 | 0 | 0 | - | - | - | - | - |
| | Boston (Maples) | USAHA | 2 | 2 | 0 | 0 | | - | - | - | - | - |
| 1925-26 | Réintégré comme amateur | | | | | | | | | | | |
| 1926-27 | | | *N'a pas joué* | | | | | | | | | |
| 1927-28 | | | *N'a pas joué* | | | | | | | | | |
| 1928-29 | | | *N'a pas joué* | | | | | | | | | |
| 1929-30 | Ottawa (Shamrocks) | OCHL | 15 | 14 | 6 | 20 | | 6 | 0 | 0 | 0 | 4 |
| | **LNH** | | 1 | 0 | 0 | 0 | 0 | - | - | - | - | - |
| | **Montréal** | | 1 | 0 | 0 | 0 | 0 | - | - | - | - | - |

• Signe avec Montréal le 17 novembre 1924

### JOLY, YVAN

**Né à Hawkesbury, Ontario, le 6 février 1960. Ailier droit, lance de la droite, 5'8", 175 lb**
**(7e choix de Montréal, 100e au total lors du repêchage de 1979)**

| SAISON | CLUB | LIGUE | PJ | B | A | PTS | PUN | PJ | B | A | PTS | PUN |
|---|---|---|---|---|---|---|---|---|---|---|---|---|
| 1976-77 | Ottawa (67's) | OMJHL | 62 | 30 | 26 | 56 | 36 | - | - | - | - | - |
| 1977-78 | Ottawa (67's) | OMJHL | 64 | 34 | 37 | 71 | 67 | 16 | 7 | 8 | 15 | 24 |
| 1978-79 | Ottawa (67's) | OMJHL | 63 | 53 | 59 | 112 | 45 | 4 | 0 | 2 | 2 | 6 |
| | Canada | CMJ | 5 | 2 | 0 | 2 | - | - | - | - | - | - |
| 1979-80 | Ottawa (67's) | OMJHL | 67 | *66 | 93 | 159 | 47 | 11 | 4 | 12 | 16 | 13 |
| | Canada | CMJ | 5 | | | | | - | - | - | - | - |
| | **Montréal (Canadiens)** | **LNH** | - | - | - | - | - | 1 | 0 | 0 | 0 | 0 |

---

| SAISON | CLUB | LIGUE | PJ | B | A | PTS | PUN | PJ | B | A | PTS | PUN |
|---|---|---|---|---|---|---|---|---|---|---|---|---|
| 1980-81 | Nlle-Écosse (Voyageurs) | AHL | 68 | 14 | 27 | 41 | 74 | 4 | 1 | 0 | 1 | 0 |
| | Montréal (Canadiens) | LNH | 1 | 0 | 0 | 0 | 0 | - | - | - | - | - |
| 1981-82 | Nlle-Écosse (Voyageurs) | AHL | 71 | 20 | 30 | 50 | 75 | 9 | 2 | 3 | 5 | 8 |
| 1982-83 | Nlle-Écosse (Voyageurs) | AHL | 76 | 43 | 37 | 80 | 52 | 7 | 2 | 1 | 3 | 2 |
| | Montréal (Canadiens) | LNH | 1 | 0 | 0 | 0 | 0 | - | - | - | - | - |
| 1983-84 | HC Gardena-Groden | ITA | 19 | 15 | 18 | 33 | 10 | - | - | - | - | - |
| | Maine (Mariners) | AHL | 39 | 12 | 17 | 29 | 25 | 14 | 0 | 5 | 5 | 4 |
| 1984-85 | | | *N'a pas joué* | | | | | | | | | |
| 1985-86 | Indianapolis (Checkers) | IHL | 17 | 1 | 6 | 7 | 28 | - | - | - | - | - |
| | **LNH** | | 2 | 0 | 0 | 0 | 0 | 1 | 0 | 0 | 0 | 0 |
| | **Montréal** | | 2 | 0 | 0 | 0 | 0 | 1 | 0 | 0 | 0 | 0 |

• Deuxième équipe d'étoiles (OMJHL) en 1978-79 • Première équipe d'étoiles (OMJHL) en 1979-80 • Coupe Calder (AHL) en 1983-84

### JOMPHE, JEAN-FRANÇOIS

**Né à Havre Saint-Pierre, Québec, le 28 décembre 1972**
**Centre, lance de la gauche, 6'1", 195 lb**

| SAISON | CLUB | LIGUE | PJ | B | A | PTS | PUN | PJ | B | A | PTS | PUN |
|---|---|---|---|---|---|---|---|---|---|---|---|---|
| 1990-91 | Shawinigan (Cataractes) | LHJMQ | 42 | 17 | 22 | 39 | 14 | 6 | 2 | 1 | 3 | 2 |
| 1991-92 | Shawinigan (Cataractes) | LHJMQ | 44 | 28 | 33 | 61 | 69 | 10 | 6 | 10 | 16 | 10 |
| 1992-93 | Sherbrooke (Faucons) | LHJMQ | 60 | 43 | 43 | 86 | 86 | 15 | 10 | 13 | 23 | 18 |
| 1993-94 | San Diego (Gulls) | IHL | 29 | 3 | 9 | 12 | 5 | - | - | - | - | - |
| | Greensboro (Monarchs) | ECHL | 25 | 9 | 9 | 18 | 41 | 1 | 1 | 0 | 1 | 0 |
| 1994-95 | Canada | Éq. nat. | 52 | 33 | 25 | 58 | 85 | - | - | - | - | - |
| | Canada | CM | 8 | 4 | 0 | 4 | 6 | - | - | - | - | - |
| 1995-96 | Anaheim (Mighty Ducks) | LNH | 31 | 2 | 12 | 14 | 39 | - | - | - | - | - |
| | Baltimore (Bandits) | AHL | 47 | 21 | 34 | 55 | 75 | - | - | - | - | - |
| | Canada | CM | 8 | 0 | 1 | 1 | 2 | - | - | - | - | - |
| 1996-97 | Anaheim (Mighty Ducks) | LNH | 64 | 7 | 14 | 21 | 53 | - | - | - | - | - |
| 1997-98 | Anaheim (Mighty Ducks) | LNH | 9 | 1 | 3 | 4 | 8 | - | - | - | - | - |
| | Cincinnati (Mighty Ducks) | AHL | 38 | 9 | 19 | 28 | 32 | - | - | - | - | - |
| | Québec (Rafales) | IHL | 17 | 6 | 4 | 10 | 24 | - | - | - | - | - |
| 1998-99 | Las Vegas (Thunder) | IHL | 32 | 4 | 16 | 20 | 63 | - | - | - | - | - |
| | Springfield (Falcons) | AHL | 29 | 10 | 18 | 28 | 36 | - | - | - | - | - |
| | Phoenix (Coyotes) | LNH | 1 | 0 | 0 | 0 | 2 | - | - | - | - | - |
| | Fredericton (Canadien) | AHL | 31 | 3 | 13 | 16 | 49 | 15 | 5 | 11 | 16 | 49 |
| | Montréal (Canadiens) | LNH | 6 | 0 | 0 | 0 | 0 | - | - | - | - | - |
| 1999-00 | Krefeld Pinguine | GER | 47 | 12 | 33 | 45 | 109 | 4 | 0 | 1 | 1 | 6 |
| 2000-01 | Adler Mannheim | GER | 47 | 11 | 16 | 27 | 178 | 11 | 5 | 5 | 10 | 22 |
| 2001-02 | | | *N'a pas joué* | | | | | | | | | |
| 2002-03 | ERC Ingolstadt | GER | 46 | 13 | 27 | 40 | 110 | - | - | - | - | - |
| | **LNH** | | 111 | 10 | 29 | 39 | 102 | - | - | - | - | - |
| | **Montréal** | | 6 | 0 | 0 | 0 | 0 | - | - | - | - | - |

• Médaille de bronze (CM) en 1995 • Médaille d'argent (CM) en 1996
• Signe avec Anaheim comme agent libre le 7 septembre 1993 • Échangé à Phoenix par Anaheim pour Jim McKenzie le 18 juin 1998 • Droits vendus à Montréal par Phoenix le 23 mars 1999 • Signe avec ERC Ingolstadt comme agent libre le 21 juillet 2002

### JUNEAU, JOÉ

**Né à Pont-Rouge, Québec, le 5 janvier 1968. Centre, lance de la gauche, 6', 190 lb**
**(3e choix de Boston, 81e au total lors du repêchage de 1988)**

| SAISON | CLUB | LIGUE | PJ | B | A | PTS | PUN | PJ | B | A | PTS | PUN |
|---|---|---|---|---|---|---|---|---|---|---|---|---|
| 1983-84 | Sainte-Foy (Gouverneurs) | QAAA | 30 | 3 | 7 | 10 | 24 | 3 | 1 | 3 | 4 | 4 |
| 1984-85 | Sainte-Foy (Gouverneurs) | QAAA | 41 | 25 | 46 | 71 | 60 | 13 | 9 | 15 | 24 | 20 |
| 1985-86 | Lévis-Lauzon | CEGEP | *Statistiques non disponibles* | | | | | | | | | |
| 1986-87 | Lévis-Lauzon | CEGEP | 38 | 27 | 57 | 84 | - | - | - | - | - | - |
| 1987-88 | RPI (Engineers) | ECAC | 31 | 16 | 29 | 45 | 18 | - | - | - | - | - |
| 1988-89 | RPI (Engineers) | ECAC | 30 | 12 | 23 | 35 | 40 | - | - | - | - | - |
| 1989-90 | RPI (Engineers) | ECAC | 34 | 18 | 52 | 70 | 31 | - | - | - | - | - |
| | Équipe Canada | Éq. nat. | 3 | 0 | 2 | 2 | 4 | - | - | - | - | - |
| 1990-91 | RPI (Engineers) | ECAC | 29 | 23 | 40 | 63 | 68 | - | - | - | - | - |
| | Équipe Canada | Éq. nat. | 7 | 2 | 3 | 5 | 0 | - | - | - | - | - |
| 1991-92 | Équipe Canada | Éq. nat. | 60 | 20 | 49 | 69 | 35 | - | - | - | - | - |
| | Canada | JO | 8 | 6 | 9 | 15 | 4 | - | - | - | - | - |
| | Boston (Bruins) | LNH | 14 | 5 | 14 | 19 | 4 | 15 | 4 | 8 | 12 | 21 |
| 1992-93 | Boston (Bruins) | LNH | 84 | 32 | 70 | 102 | 33 | 4 | 2 | 4 | 6 | 6 |
| 1993-94 | Boston (Bruins) | LNH | 63 | 14 | 58 | 72 | 35 | - | - | - | - | - |
| 1994-95 | Washington (Capitals) | LNH | 44 | 5 | 38 | 43 | 8 | 7 | 2 | 6 | 8 | 2 |
| 1995-96 | Washington (Capitals) | LNH | 80 | 14 | 50 | 64 | 30 | 5 | 0 | 7 | 7 | 6 |
| 1996-97 | Washington (Capitals) | LNH | 58 | 15 | 27 | 42 | 8 | - | - | - | - | - |
| 1997-98 | Washington (Capitals) | LNH | 56 | 9 | 22 | 31 | 26 | 21 | 7 | 10 | 17 | 8 |
| 1998-99 | Washington (Capitals) | LNH | 63 | 14 | 27 | 41 | 20 | - | - | - | - | - |
| | Buffalo (Sabres) | LNH | 9 | 1 | 1 | 2 | 2 | 20 | 3 | 8 | 11 | 10 |
| 1999-00 | Ottawa (Sénateurs) | LNH | 65 | 13 | 24 | 37 | 22 | - | - | - | - | - |
| 2000-01 | Phoenix (Coyotes) | LNH | 69 | 10 | 23 | 33 | 28 | - | - | - | - | - |
| 2001-02 | **Montréal (Canadiens)** | **LNH** | 70 | 8 | 28 | 36 | 10 | 12 | 1 | 4 | 5 | 6 |
| 2002-03 | **Montréal (Canadiens)** | **LNH** | 72 | 6 | 16 | 22 | 20 | - | - | - | - | - |
| | **LNH** | | 758 | 151 | 406 | 557 | 252 | 101 | 25 | 53 | 78 | 211 |
| | **Montréal** | | 142 | 14 | 44 | 58 | 30 | 12 | 1 | 4 | 5 | 6 |

• Première équipe d'étoiles de l'Est (NCAA) en 1989-90 • Deuxième équipe d'étoiles de l'Est (NCAA) en 1990-91 • Deuxième équipe d'étoiles (ECAC) en 1990-91 • Médaille d'argent (JO) en 1991-92 • Équipe d'étoiles des recrues (LNH) en 1992-93
• Échangé à Washington par Boston pour Al Lafrate le 21 mars 1999 • Échangé à Buffalo par Washington avec le choix de 3e ronde de Washington au repêchage de 1999 (Tim Preston) pour Alexei Tezikov et le choix de 4e ronde de Buffalo au repêchage de 2000 (cédé à Calgary qui sélectionne Levente Szuper) le 22 mars 1999 • Signe avec Ottawa comme agent libre le 25 octobre 1999 • Réclamé par Minnesota d'Ottawa lors de l'expansion de la LNH le 23 juin 2000 • Échangé à Phoenix par Minnesota pour les droits sur Rickard Wallin le 23 juin 2000 • Échangé à Montréal par Phoenix pour des considérations futures le 15 juin 2001

## KAISER, VERNON (VERN)

**Né à Preston, Ontario, le 28 septembre 1925**
**Ailier gauche, lance de la gauche, 6', 180 lb**

| SAISON | CLUB | LIGUE | PJ | B | A | PTS | PUN | PJ | B | A | PTS | PUN |
|---|---|---|---|---|---|---|---|---|---|---|---|---|
| 1944-45 | Winnipeg (Navy) | WSHL | 4 | 0 | 1 | 1 | 10 | 6 | 0 | 2 | 2 | 8 |
| 1945-46 | Washington/New York | EAHL | 46 | 5 | 6 | 11 | 83 | 12 | 0 | 0 | 0 | 20 |
| 1946-47 | Seattle (Ironmen) | PCHL | 50 | 10 | 8 | 18 | 153 | 9 | 1 | 2 | 3 | 10 |
| 1947-48 | Fort Worth (Rangers) | USHL | 59 | 13 | 18 | 31 | 41 | 4 | 1 | 0 | 1 | 2 |
| 1948-49 | Springfield (Indians) | AHL | 61 | 25 | 17 | 42 | 32 | 3 | 1 | 1 | 2 | 4 |
| 1949-50 | Springfield (Indians) | AHL | 64 | 19 | 19 | 38 | 65 | 2 | 1 | 0 | 1 | 0 |
| 1950-51 | **Montréal (Canadiens)** | **LNH** | 50 | 7 | 5 | 12 | 33 | 2 | 0 | 0 | 0 | 0 |
| | Buffalo (Bisons) | AHL | 15 | 7 | 13 | 20 | 4 | 4 | 1 | 2 | 3 | 2 |
| 1951-52 | Buffalo (Bisons) | AHL | 58 | 24 | 26 | 50 | 67 | 2 | 0 | 1 | 1 | 2 |
| 1952-53 | Buffalo (Bisons) | AHL | 61 | 14 | 15 | 29 | 87 | | | | | |
| 1953-54 | Montréal (Royals) | LHQ | 43 | 14 | 22 | 36 | 27 | | | | | |
| | Syracuse (Warriors) | AHL | 17 | 11 | 11 | 22 | 10 | | | | | |
| | | **LNH** | 50 | 7 | 5 | 12 | 33 | 2 | 0 | 0 | 0 | 0 |
| | | **Montréal** | 50 | 7 | 5 | 12 | 33 | 2 | 0 | 0 | 0 | 0 |

• Échangé à Montréal par Springfield (AHL) pour Charles Gagnon et des considérations futures le 18 avril 1950 • Droits vendus à Syracuse (AHL) par Montréal le 1er janvier 1954

## KEANE, MICHAEL (MIKE)

**Né à Winnipeg, Manitoba, le 29 mai 1967. Ailier droit, lance de la droite 6', 185 lb**

| SAISON | CLUB | LIGUE | PJ | B | A | PTS | PUN | PJ | B | A | PTS | PUN |
|---|---|---|---|---|---|---|---|---|---|---|---|---|
| 1983-84 | Winnipeg (Monarchs) | MAHA | 21 | 17 | 19 | 36 | 59 | | | | | |
| | Winnipeg (Warriors) | WHL | 1 | 0 | 0 | 0 | 0 | | | | | |
| 1984-85 | Moose Jaw (Warriors) | WHL | 65 | 17 | 26 | 43 | 141 | | | | | |
| 1985-86 | Moose Jaw (Warriors) | WHL | 67 | 34 | 49 | 83 | 162 | 13 | 6 | 8 | 14 | 9 |
| 1986-87 | Moose Jaw (Warriors) | WHL | 53 | 25 | 45 | 70 | 107 | 9 | 3 | 9 | 12 | 11 |
| | Sherbrooke (Canadien) | AHL | | | | | | 9 | 2 | 2 | 4 | 16 |
| | Canada | CMJ | 6 | 0 | 1 | 1 | 4 | | | | | |
| 1987-88 | Sherbrooke (Canadien) | AHL | 78 | 25 | 43 | 68 | 70 | 6 | 1 | 1 | 2 | 18 |
| 1988-89 | **Montréal (Canadiens)** | **LNH** | 69 | 16 | 19 | 35 | 69 | 21 | 4 | 3 | 7 | 17 |
| 1989-90 | **Montréal (Canadiens)** | **LNH** | 74 | 9 | 15 | 24 | 78 | 11 | 0 | 1 | 1 | 6 |
| 1990-91 | **Montréal (Canadiens)** | **LNH** | 73 | 13 | 23 | 36 | 50 | 12 | 3 | 2 | 5 | 6 |
| 1991-92 | **Montréal (Canadiens)** | **LNH** | 67 | 11 | 30 | 41 | 64 | 8 | 1 | 1 | 2 | 6 |
| 1992-93 | **Montréal (Canadiens)** | **LNH** | 77 | 15 | 45 | 60 | 95 | 19 | 2 | 13 | 15 | 6 |
| 1993-94 | **Montréal (Canadiens)** | **LNH** | 80 | 16 | 30 | 46 | 119 | 6 | 1 | 1 | 2 | 6 |
| 1994-95 | **Montréal (Canadiens)** | **LNH** | 48 | 10 | 10 | 20 | 15 | | | | | |
| 1995-96 | **Montréal (Canadiens)** | **LNH** | 18 | 0 | 7 | 7 | 6 | | | | | |
| | Colorado (Avalanche) | LNH | 55 | 10 | 10 | 20 | 40 | 22 | 3 | 2 | 5 | 16 |
| 1996-97 | Colorado (Avalanche) | LNH | 81 | 10 | 17 | 27 | 63 | 17 | 3 | 1 | 4 | 24 |
| 1997-98 | New York (Rangers) | LNH | 70 | 8 | 10 | 18 | 47 | | | | | |
| | Dallas (Stars) | LNH | 13 | 2 | 3 | 5 | 11 | 17 | 4 | 4 | 8 | 0 |
| 1998-99 | Dallas (Stars) | LNH | 81 | 6 | 23 | 29 | 62 | 23 | 5 | 3 | 7 | 6 |
| 1999-00 | Dallas (Stars) | LNH | 81 | 13 | 21 | 34 | 41 | 23 | 2 | 4 | 6 | 14 |
| 2000-01 | Dallas (Stars) | LNH | 67 | 10 | 14 | 24 | 35 | 10 | 3 | 2 | 5 | 4 |
| 2001-02 | St. Louis (Blues) | LNH | 56 | 4 | 6 | 10 | 22 | | | | | |
| | Colorado (Avalanche) | LNH | 22 | 0 | 5 | 5 | 7 | 18 | 1 | 4 | 5 | 8 |
| 2002-03 | Colorado (Avalanche) | LNH | 65 | 5 | 5 | 10 | 34 | 6 | 0 | 0 | 0 | 2 |
| | | **LNH** | 1097 | 160 | 293 | 453 | 861 | 213 | 34 | 40 | 74 | 131 |
| | | **Montréal** | 506 | 90 | 179 | 269 | 496 | 77 | 13 | 21 | 34 | 57 |

• Coupe Stanley (LNH) en 1992-93, 1995-96, 1998-99
• Signe avec Montréal comme agent libre le 25 septembre 1985 • Échangé au Colorado par Montréal avec Patrick Roy pour Martin Rucinsky, Andrei Kovalenko et Jocelyn Thibault le 6 décembre 1995 • Signe avec New York (Rangers) comme agent libre le 30 juillet 1997 • Échangé à Dallas par New York (Rangers) avec Brian Skrudland et le choix de 6e ronde des Rangers au repêchage de 1998 (Pavel Patera) pour Bob Erry, Todd Harvey et le choix de 4e ronde de Dallas au repêchage de 1998 (Boyd Kane) le 24 mars 1998 • Signe avec St. Louis comme agent libre 10 juillet 2001 • Échangé au Colorado par St. Louis pour Shjon Podein le 11 février 2002

## KILGER, WILLIAM (CHAD)

**Né à Cornwall, Ontario, le 27 novembre 1976. Centre, lance de la gauche, 6'3", 215 lb**
**(1er choix Anaheim, 4e au total lors du repêchage de 1995)**

| SAISON | CLUB | LIGUE | PJ | B | A | PTS | PUN | PJ | B | A | PTS | PUN |
|---|---|---|---|---|---|---|---|---|---|---|---|---|
| 1992-93 | Cornwall (Colts) | OJHL | 55 | 30 | 36 | 66 | 26 | 6 | 0 | 0 | 0 | 0 |
| 1993-94 | Kingston (Frontenacs) | OHL | 66 | 17 | 35 | 52 | 23 | 6 | 7 | 2 | 9 | 8 |
| 1994-95 | Kingston (Frontenacs) | OHL | 65 | 42 | 53 | 95 | 95 | 6 | 5 | 2 | 7 | 8 |
| 1995-96 | Anaheim (Mighty Ducks) | LHN | 45 | 5 | 7 | 12 | 22 | | | | | |
| | Winnipeg (Jets) | LNH | 29 | 3 | 5 | 7 | 12 | 4 | 1 | 0 | 1 | 0 |
| 1996-97 | Phoenix (Coyotes) | LNH | 24 | 4 | 3 | 7 | 13 | | | | | |
| | Springfield (Falcons) | AHL | 52 | 17 | 28 | 45 | 36 | 16 | 5 | 7 | 12 | 56 |
| 1997-98 | Phoenix (Coyotes) | LNH | 10 | 0 | 1 | 1 | 4 | | | | | |
| | Springfield (Falcons) | AHL | 35 | 14 | 14 | 28 | 43 | | | | | |
| | Chicago (Blackhawks) | LNH | 22 | 3 | 8 | 11 | 9 | | | | | |
| 1998-99 | Chicago (Blackhawks) | LNH | 64 | 14 | 11 | 25 | 30 | | | | | |
| | Edmonton (Oilers) | LNH | 13 | 1 | 4 | 5 | 4 | 4 | 0 | 0 | 0 | 4 |
| 1999-00 | Edmonton (Oilers) | LNH | 40 | 3 | 2 | 5 | 18 | | | | | |
| | Hamilton (Bulldogs) | AHL | | | | | | | | | | |
| 2000-01 | Edmonton (Oilers) | LNH | 34 | 5 | 2 | 7 | 14 | | | | | |
| | **Montréal (Canadiens)** | **LNH** | 43 | 9 | 16 | 25 | 34 | | | | | |
| 2001-02 | **Montréal (Canadiens)** | **LNH** | 75 | 8 | 15 | 23 | 27 | 12 | 0 | 1 | 1 | 9 |
| 2002-03 | **Montréal (Canadiens)** | **LNH** | 60 | 9 | 7 | 16 | 21 | | | | | |
| | | **LNH** | 459 | 63 | 76 | 139 | 208 | 23 | 1 | 1 | 2 | 13 |
| | | **Montréal** | 178 | 26 | 38 | 64 | 82 | 12 | 0 | 1 | 1 | 9 |

• Échangé à Winnipeg par Anaheim avec Oleg Tverdovsky et le choix de 3e ronde d'Anaheim au repêchage de 1996 (Per-Anton Lundstrom) pour Teemu Selanne, Marc Chouinard et le choix de 4e ronde du Winnipeg au repêchage de 1996 (cédé à Toronto, cédé à Montréal qui sélectionne Kim Staal) le 7 février 1996 • Transfert de la concession de Winnipeg à Phoenix le 1er juillet 1996 • Échangé à Chicago par Phoenix avec Jayson More pour Keith Carney et Jim Cummins le 4 mars 1998 • Échangé à Edmonton par Chicago avec Daniel Cleary, Ethan Moreau et Christian Laflamme pour Boris Mironov, Dean McAmmond et Jonas Elofsson le 20 mars 1999 • Échangé à Montréal par Edmonton pour Sergei Zholtok le 18 décembre 2000

## KING, FRANK

**Né à Toronto, Ontario, le 7 mars 1929. Centre, lance de la gauche, 5'11", 185 lb**

| SAISON | CLUB | LIGUE | PJ | B | A | PTS | PUN | PJ | B | A | PTS | PUN |
|---|---|---|---|---|---|---|---|---|---|---|---|---|
| 1947-48 | Brandon (Wheat Kings) | MJHL | 22 | 13 | 8 | 21 | 31 | 5 | 4 | 0 | 4 | 10 |
| 1948-49 | Brandon (Wheat Kings) | MJHL | 30 | 27 | 14 | 41 | *78 | 7 | 6 | 2 | 8 | 4 |
| | Brandon (Wheat Kings) | Mem. | 18 | *16 | 7 | *23 | 7 | | | | | |
| 1949-50 | Minneapolis (Millers) | USHL | 70 | 34 | 30 | 64 | 49 | 7 | 5 | 4 | 9 | 10 |
| 1950-51 | **Montréal (Canadiens)** | **LNH** | 10 | 1 | 0 | 1 | 2 | | | | | |
| | Cincinnati (Mohawks) | AHL | 21 | 5 | 6 | 11 | 20 | | | | | |
| | Seattle (Ironmen) | PCHL | 3 | 1 | 1 | 2 | 3 | | | | | |
| | Providence (Reds) | AHL | 21 | 3 | 12 | 15 | 16 | | | | | |
| 1951-52 | Québec (As) | LHMQ | 36 | 4 | 4 | 8 | 24 | 7 | 1 | 1 | 2 | 10 |
| | Québec (As) | Alexa. | 1 | 0 | 0 | 0 | 0 | | | | | |
| 1952-53 | Halifax (Atlantics) | MMHL | 72 | 38 | 40 | 78 | 92 | 15 | 7 | 8 | 15 | 31 |
| 1953-54 | Sudbury (Wolves) | NOHA | 45 | 14 | 11 | 25 | 26 | 1 | 0 | 0 | 0 | 0 |
| 1954-55 | Vernon (Canadien) | LHSQ | 50 | 22 | 27 | 49 | 121 | 5 | 1 | 3 | 4 | 0 |
| | Vernon (Canadien) | Allan | 17 | *12 | 8 | 20 | 29 | | | | | |
| 1955-56 | Vernon (Canadien) | LHSQ | 56 | 40 | 34 | 74 | 115 | 8 | 4 | 6 | 10 | 14 |
| | Vernon (Canadien) | Allan | 16 | *18 | 3 | 21 | *35 | | | | | |
| 1956-57 | Vernon (Canadien) | LHSQ | 50 | 17 | 33 | 50 | 90 | 12 | 7 | *13 | *20 | 18 |
| 1957-58 | Vernon (Canadien) | LHSQ | 54 | 38 | 29 | 67 | 111 | 4 | 1 | 1 | 2 | 13 |
| 1958-59 | Vernon (Canadien) | LHSQ | 52 | 23 | 28 | 51 | - | 16 | 3 | 9 | 12 | 38 |
| 1959-60 | Vernon (Canadien) | LHSQ | 12 | 11 | 8 | 19 | 2 | 13 | 11 | 9 | 20 | 24 |
| | | **LNH** | 10 | 1 | 0 | 1 | 2 | | | | | |
| | | **Montréal** | 10 | 1 | 0 | 1 | 2 | | | | | |

• Droits vendus à Montréal par Cleveland (AHL) le 12 avril 1950 • Prêté à Seattle (PCHL) par Montréal le 9 janvier 1951 • Échangé à Providence (AHL) par Montréal (Cincinnati – AHL) pour Roger Bédard le 29 janvier 1951 • Signe avec Halifax (MMHL) le 6 octobre 1952

## KIPRUSOFF, MARKO

**Né à Turku, Finlande, le 6 juin 1972. Défenseur, lance de la droite, 6', 195 lb**
**(4e choix de Montréal, 70e au total lors du repêchage de 1994)**

| SAISON | CLUB | LIGUE | PJ | B | A | PTS | PUN | PJ | B | A | PTS | PUN |
|---|---|---|---|---|---|---|---|---|---|---|---|---|
| 1988-89 | TPS Turku | FIN Jr | 19 | 3 | 5 | 8 | 4 | | | | | |
| 1989-90 | TPS Turku | FIN Jr | 23 | 4 | 9 | 13 | 4 | | | | | |
| 1990-91 | TPS Turku | FIN Jr | 17 | 2 | 9 | 11 | 2 | | | | | |
| | Tuto Turku | FIN | 22 | 4 | 8 | 12 | 0 | | | | | |
| | TPS Turku | FIN | 3 | 0 | 0 | 0 | 0 | | | | | |
| 1991-92 | TPS Turku | FIN | 23 | 0 | 2 | 2 | 0 | | | | | |
| | Kiekko 67 Turku | FIN | 3 | 0 | 0 | 0 | 0 | | | | | |
| | HPK Hameenlinna | FIN | 3 | 0 | 0 | 0 | 0 | | | | | |
| | Finlande | CMJ | 7 | 2 | 2 | 4 | 2 | | | | | |
| 1992-93 | Kiekko 67 Turku | FIN | 1 | 0 | 1 | 1 | 2 | | | | | |
| | TPS Turku | FIN | 43 | 3 | 7 | 10 | 14 | 12 | 2 | 3 | 5 | 6 |
| | Finlande | Éq. nat. | 7 | 0 | 0 | 0 | 0 | | | | | |
| 1993-94 | TPS Turku | FIN | 48 | 5 | 19 | 24 | 8 | 11 | 0 | 6 | 6 | 4 |
| | Finlande | Éq. nat. | 11 | 0 | 2 | 2 | 10 | | | | | |
| | Finlande | JO | 8 | 3 | 3 | 6 | 4 | | | | | |
| | Finlande | CM | 8 | 2 | 1 | 3 | 2 | | | | | |
| 1994-95 | TPS Turku | FIN | 50 | 10 | 21 | 31 | 16 | 13 | 0 | 9 | 9 | 2 |
| | Finlande | Éq. nat. | 15 | 2 | 1 | 3 | 12 | | | | | |
| | Finlande | CM | 8 | 0 | 2 | 2 | 0 | | | | | |
| 1995-96 | **Montréal (Canadiens)** | **LNH** | 24 | 0 | 4 | 4 | 8 | | | | | |
| | Fredericton (Canadien) | AHL | 28 | 4 | 10 | 14 | 2 | 10 | 2 | 5 | 7 | 2 |
| 1996-97 | Finlande | CDM | 4 | 0 | 1 | 1 | 0 | | | | | |
| | Malmo IF | SWE | 50 | 10 | 18 | 28 | 24 | 4 | 0 | 0 | 0 | 0 |
| | Finlande | Éq. nat. | 25 | 5 | 7 | 12 | 6 | | | | | |
| | Finlande | CM | 8 | 0 | 2 | 2 | 0 | | | | | |
| 1997-98 | Malmo IF | SWE | 46 | 7 | 16 | 23 | 23 | | | | | |
| | Finlande | Éq. nat. | 10 | 2 | 1 | 3 | 4 | | | | | |
| | Finlande | CM | 10 | 2 | 1 | 3 | 4 | | | | | |
| 1998-99 | TPS Turku | FIN | 49 | 15 | 22 | 37 | 12 | 10 | 3 | 6 | 9 | 2 |
| | Finlande | CM | 11 | 2 | 1 | 3 | 4 | | | | | |
| 1999-00 | TPS Turku | FIN | 53 | 6 | 27 | 33 | 10 | 11 | 0 | 3 | 3 | 8 |
| | TPS Turku | EuroHL | 5 | 1 | 2 | 3 | 2 | 5 | 2 | 0 | 2 | 2 |
| 2000-01 | EHC Kloten | SUI | 43 | 6 | 20 | 26 | 10 | 9 | 2 | 7 | 9 | 2 |
| 2001-02 | New York (Islanders) | LNH | 27 | 0 | 6 | 6 | 4 | | | | | |
| | Bridgeport (Sound Tigers) | AHL | 9 | 0 | 2 | 2 | 0 | | | | | |
| | TPS Turku | FIN | 11 | 0 | 2 | 2 | 4 | 6 | 0 | 1 | 1 | 0 |
| 2002-03 | EHC Kloten | SUI | 39 | 7 | 12 | 19 | 20 | 5 | 0 | 1 | 1 | 0 |
| | Finlande | CM | 4 | 0 | 1 | 1 | 0 | | | | | |
| | | **LNH** | 51 | 0 | 10 | 10 | 12 | | | | | |
| | | **Montréal** | 24 | 0 | 4 | 4 | 8 | | | | | |

• Médaille d'argent (CMJ) en 1992 • Médaille d'argent (CM) en 1994, 1998, 1999 • Médaille de bronze (JO) en 1994 • Médaille d'or (CM) en 1995
• Signe avec New York (Islanders) comme agent libre le 15 juin 2001

## KITCHEN, BILL

**Né à Schomberg, Ontario, le 2 octobre 1960. Défenseur, lance de la gauche, 6'1", 200 lb**

| SAISON | CLUB | LIGUE | PJ | B | A | PTS | PUN | PJ | B | A | PTS | PUN |
|---|---|---|---|---|---|---|---|---|---|---|---|---|
| 1976-77 | Aurora (Eagles) | OJHL | 44 | 3 | 24 | 27 | 87 | | | | | |
| | Windsor (Spitfires) | OMJHL | 2 | 0 | 1 | 1 | 0 | | | | | |
| 1977-78 | Ottawa (67's) | OMJHL | 67 | 5 | 6 | 11 | 54 | 15 | 1 | 2 | 3 | 9 |
| 1978-79 | Ottawa (67's) | OMJHL | 55 | 3 | 16 | 19 | 188 | 4 | 0 | 1 | 1 | 14 |
| 1979-80 | Ottawa (67's) | OMJHL | 63 | 7 | 19 | 26 | 195 | 11 | 1 | 8 | 9 | 21 |
| | Canada | CMJ | 5 | 0 | 1 | 1 | 10 | | | | | |
| | Nlle-Écosse (Voyageurs) | AHL | | | | | | 2 | 0 | 1 | 1 | 0 |
| 1980-81 | Nlle-Écosse (Voyageurs) | AHL | 57 | 3 | 13 | 16 | 120 | 6 | 0 | 1 | 1 | 5 |
| 1981-82 | Nlle-Écosse (Voyageurs) | AHL | 71 | 3 | 17 | 20 | 135 | 9 | 0 | 2 | 2 | 16 |
| | **Montréal (Canadiens)** | **LNH** | 1 | 0 | 0 | 0 | 7 | 3 | 0 | 1 | 1 | 0 |

**KJE-KOV**

| SAISON | CLUB | LIGUE | PJ | B | A | PTS | PUN | PJ | B | A | PTS | PUN |
|---|---|---|---|---|---|---|---|---|---|---|---|---|
| 1982-83 | Nlle-Écosse (Voyageurs) | AHL | 53 | 3 | 11 | 14 | 71 | - | - | - | - | - |
| | **Montréal (Canadiens)** | **LNH** | **8** | **0** | **0** | **0** | **4** | - | - | - | - | - |
| 1983-84 | Nlle-Écosse (Voyageurs) | AHL | 68 | 4 | 20 | 24 | 193 | 10 | 1 | 1 | 2 | 8 |
| | **Montréal (Canadiens)** | **LNH** | **3** | **0** | **0** | **0** | **2** | - | - | - | - | - |
| 1984-85 | Toronto (Maple Leafs) | LNH | 29 | 1 | 4 | 5 | 27 | - | - | - | - | - |
| | St. Catharines (Saints) | AHL | 31 | 3 | 7 | 10 | 52 | - | - | - | - | - |
| 1985-86 | St. Catharines (Saints) | AHL | 72 | 7 | 32 | 39 | 109 | 12 | 0 | 2 | 2 | 19 |
| | | **LNH** | **41** | **1** | **4** | **5** | **40** | **3** | **0** | **1** | **1** | **0** |
| | | **Montréal** | **12** | **0** | **0** | **0** | **13** | **3** | **0** | **1** | **1** | **0** |

• Signe avec Montréal comme agent libre le 23 octobre 1979 • Signe avec Toronto comme agent libre le 16 août 1984

### KJELLBERG, PATRIK
Né à Falun, Suède, le 7 juin 1969. Ailier gauche, lance de la gauche, 6'2", 195 lb
(4e choix de Montréal, 83e au total lors du repêchage de 1988)

| SAISON | CLUB | LIGUE | PJ | B | A | PTS | PUN | PJ | B | A | PTS | PUN |
|---|---|---|---|---|---|---|---|---|---|---|---|---|
| 1985-86 | Falun IF | SWE | 5 | 0 | 2 | 2 | 0 | - | - | - | - | - |
| 1986-87 | Falun IF | SWE | 32 | 11 | 13 | 24 | 16 | - | - | - | - | - |
| | Suède | EJC | 7 | 8 | 3 | 11 | 2 | - | - | - | - | - |
| 1987-88 | Falun IF | SWE | 29 | 15 | 10 | 25 | 16 | - | - | - | - | - |
| 1988-89 | AIK Solna Stockholm | SWE | 25 | 7 | 9 | 16 | 8 | - | - | - | - | - |
| | Suède | CMJ | 7 | 3 | 4 | 7 | 4 | - | - | - | - | - |
| 1989-90 | AIK Solna Stockholm | SWE | 33 | 8 | 16 | 24 | 6 | 3 | 1 | 0 | 1 | 0 |
| 1990-91 | AIK Solna Stockholm | SWE | 38 | 4 | 11 | 15 | 18 | - | - | - | - | - |
| 1991-92 | AIK Solna Stockholm | SWE | 40 | 20 | 13 | 33 | 14 | 3 | 1 | 0 | 1 | 2 |
| | Suède | JO | 8 | 1 | 3 | 4 | 2 | - | - | - | - | - |
| 1992-93 | **Montréal (Canadiens)** | **LNH** | **7** | **0** | **0** | **0** | **2** | - | - | - | - | - |
| | Fredericton (Canadien) | AHL | 41 | 10 | 27 | 37 | 14 | 5 | 2 | 2 | 4 | 0 |
| 1993-94 | HV-71 Jonkoping | SWE | 40 | 11 | 17 | 28 | 18 | - | - | - | - | - |
| | Suède | JO | 8 | 0 | 1 | 1 | 2 | - | - | - | - | - |
| 1994-95 | HV-71 Jonkoping | SWE | 29 | 5 | 15 | 20 | 12 | - | - | - | - | - |
| 1995-96 | Djurgardens IF Stockholm | SWE | 40 | 9 | 7 | 16 | 10 | 4 | 0 | 2 | 2 | 2 |
| 1996-97 | Djurgardens IF Stockholm | SWE | 49 | 29 | 15 | 44 | 18 | 4 | 2 | 3 | 5 | 4 |
| 1997-98 | Djurgardens IF Stockholm | SWE | 46 | 30 | 18 | 48 | 16 | 15 | 7 | 3 | 10 | 12 |
| 1998-99 | Nashville (Predators) | LNH | 71 | 11 | 20 | 31 | 24 | - | - | - | - | - |
| 1999-00 | Nashville (Predators) | LNH | 82 | 23 | 23 | 46 | 14 | - | - | - | - | - |
| 2000-01 | Nashville (Predators) | LNH | 81 | 14 | 31 | 45 | 12 | - | - | - | - | - |
| 2001-02 | Nashville (Predators) | LNH | 12 | 1 | 3 | 4 | 6 | - | - | - | - | - |
| | Anaheim (Mighty Ducks) | LNH | 65 | 7 | 8 | 15 | 10 | - | - | - | - | - |
| 2002-03 | Anaheim (Mighty Ducks) | LNH | 76 | 8 | 11 | 19 | 16 | 10 | 0 | 0 | 0 | 0 |
| | | **LNH** | **394** | **64** | **96** | **160** | **84** | **10** | **0** | **0** | **0** | **0** |
| | | **Montréal** | **7** | **0** | **0** | **0** | **2** | | | | | |

• Équipe d'étoiles (SWE) en 1987 • Équipe d'étoiles (EJC-A) en 1987 • Médaille d'or (CM) en 1992 • Médaille d'or (JO) en 1994
• Signe avec Nashville comme agent libre le 7 juillet 1998 • Échangé à Anaheim par Nashville pour Petr Tenkrat le 1er novembre 2001

### KOIVU, SAKU
Né à Turku, Finlande, le 23 novembre 1974. Centre, lance de la gauche, 5'10", 183 lb
(1er choix de Montréal, 21e au total lors du repêchage de 1993)

| SAISON | CLUB | LIGUE | PJ | B | A | PTS | PUN | PJ | B | A | PTS | PUN |
|---|---|---|---|---|---|---|---|---|---|---|---|---|
| 1990-91 | TPS Turku B | FIN Jr | 24 | 20 | 28 | 48 | 26 | - | - | - | - | - |
| 1991-92 | TPS Turku B | FIN Jr | 12 | 3 | 7 | 10 | 6 | - | - | - | - | - |
| | TPS Turku | FIN | 34 | 25 | 28 | 53 | 57 | 8 | 5 | *9 | *14 | 6 |
| | Finlande | EJC | 6 | 3 | 5 | 8 | 18 | - | - | - | - | - |
| 1992-93 | TPS Turku | FIN | 46 | 3 | 7 | 10 | 28 | 11 | 3 | 2 | 5 | 2 |
| | Finlande | CMJ | 7 | 1 | 8 | 9 | 6 | - | - | - | - | - |
| | Finlande | Éq. nat. | 4 | 2 | 2 | 4 | 2 | - | - | - | - | - |
| | Finlande | CM | 6 | 0 | 1 | 1 | 2 | - | - | - | - | - |
| 1993-94 | TPS Turku | FIN | 47 | 23 | 30 | 53 | 42 | 11 | 4 | 8 | 12 | 16 |
| | Finlande | CMJ | 7 | 3 | 4 | 7 | 12 | - | - | - | - | - |
| | Finlande | Éq. nat. | 7 | 2 | 3 | 5 | 12 | - | - | - | - | - |
| | Finlande | JO | 8 | 4 | 3 | 7 | 12 | - | - | - | - | - |
| | Finlande | CDM | 8 | 5 | 6 | 11 | 4 | - | - | - | - | - |
| 1994-95 | TPS Turku | FIN | 45 | 27 | *47 | *74 | 73 | 13 | 7 | 10 | 17 | 16 |
| | Finlande | Éq. nat. | 7 | 1 | 5 | 6 | 4 | - | - | - | - | - |
| | Finlande | CM | 8 | 5 | 5 | 10 | 18 | - | - | - | - | - |
| 1995-96 | **Montréal (Canadiens)** | **LNH** | **82** | **20** | **25** | **45** | **40** | **6** | **3** | **1** | **4** | **8** |
| 1996-97 | **Montréal (Canadiens)** | CDM | 4 | 1 | 3 | 4 | 4 | | | | | |
| | **Montréal (Canadiens)** | **LNH** | **50** | **17** | **39** | **56** | **38** | **5** | **1** | **3** | **4** | **10** |
| | Finlande | Éq. nat. | 6 | 1 | 5 | 6 | 8 | - | - | - | - | - |
| | Finlande | CDM | 6 | 2 | 4 | 6 | 2 | | | | | |
| 1997-98 | Finlande | JO | 6 | 2 | *8 | *10 | 4 | | | | | |
| | **Montréal (Canadiens)** | **LNH** | **69** | **14** | **43** | **57** | **48** | **6** | **2** | **3** | **5** | **2** |
| | Match des étoiles | LNH | 1 | 0 | 3 | 3 | 0 | | | | | |
| 1998-99 | **Montréal (Canadiens)** | **LNH** | **65** | **14** | **30** | **44** | **38** | - | - | - | - | - |
| | Finlande | CM | 10 | 4 | 12 | 16 | 4 | | | | | |
| 1999-00 | **Montréal (Canadiens)** | **LNH** | **24** | **3** | **18** | **21** | **14** | - | - | - | - | - |
| 2000-01 | **Montréal (Canadiens)** | **LNH** | **54** | **17** | **30** | **47** | **40** | - | - | - | - | - |
| 2001-02 | **Montréal (Canadiens)** | **LNH** | **3** | **0** | **2** | **2** | **0** | **12** | **4** | **6** | **10** | **4** |
| 2002-03 | **Montréal (Canadiens)** | **LNH** | **82** | **21** | **50** | **71** | **72** | - | - | - | - | - |
| | Finlande | CM | 7 | 1 | 10 | 11 | 4 | | | | | |
| | | **LNH** | **429** | **106** | **237** | **343** | **290** | **29** | **10** | **13** | **23** | **24** |
| | | **Montréal** | **429** | **106** | **237** | **343** | **290** | **29** | **10** | **13** | **23** | **24** |

• Médaille de bronze (JO) en 1994 • Médaille d'argent (CM) en 1994, 1998, 1999 • Équipe d'étoiles (CM) en 1994, 1995, 1999 • Médaille d'or (CM) en 1995 • Meilleur attaquant (CM) en 1995 • Match des étoiles(LNH) en 1997-98 • Trophée Bill-Masterton (LNH) en 2001-02

### KOMISAREK, MIKE
Né à West Islip, New York, le 19 janvier 1982. Défenseur, lance de la droite, 6'04", 240 lb
(1er choix Montréal, 7e au total lors du repêchage de 2001)

| SAISON | CLUB | LIGUE | PJ | B | A | PTS | PUN | PJ | B | A | PTS | PUN |
|---|---|---|---|---|---|---|---|---|---|---|---|---|
| 1998-99 | New England | EJHL | 53 | 17 | 24 | 51 | | - | - | - | - | - |
| 1999-00 | États-Unis | USDP | 51 | 8 | 13 | | 124 | - | - | - | - | - |
| 2000-01 | Michigan University | CCHA | 41 | 4 | 12 | 16 | 77 | - | - | - | - | - |
| | États-Unis | CMJ | 7 | 0 | 0 | 0 | 0 | - | - | - | - | - |
| 2001-02 | Michigan University | CCHA | 40 | 11 | 19 | 30 | 70 | - | - | - | - | - |
| | États-Unis | CMJ | 7 | 0 | 2 | 2 | 14 | - | - | - | - | - |
| 2002-03 | Hamilton (Bulldogs) | AHL | 56 | 5 | 25 | 30 | 79 | 23 | 1 | 5 | 6 | 60 |
| | **Montréal (Canadiens)** | **LNH** | **21** | **0** | **1** | **1** | **28** | - | - | - | - | - |
| | | **LNH** | **21** | **0** | **1** | **1** | **28** | | | | | |
| | | **Montréal** | **21** | **0** | **1** | **1** | **28** | | | | | |

• Équipe d'étoiles des recrues (CCHA) en 2000-01 • Première équipe d'étoiles (CCHA) en 2001-02 • Équipe d'étoiles, Division Ouest (NCAA) en 2001-02 • Nommé meilleur défenseur (CCHA) en 2001-02

### KORDIC, JOHN
Né à Edmonton, Alberta, le 22 mars 1965, décédé le 8 août 1992. Ailier droit, lance de la droite, 6'2", 210 lb. (6e choix de Montréal, 78e au total lord du repêchage de 1983)

| SAISON | CLUB | LIGUE | PJ | B | A | PTS | PUN | PJ | B | A | PTS | PUN |
|---|---|---|---|---|---|---|---|---|---|---|---|---|
| 1981-82 | Edmonton (Pats) | AAHA | 48 | 23 | 41 | 64 | 178 | - | - | - | - | - |
| 1982-83 | Portland (Winter Hawks) | WHL | 72 | 3 | 22 | 25 | 235 | 14 | 1 | 6 | 7 | 30 |
| | Portland (Winter Hawks) | Mem. | 4 | 0 | 1 | 1 | 6 | - | - | - | - | - |
| 1983-84 | Portland (Winter Hawks) | WHL | 67 | 9 | 50 | 59 | 232 | 14 | 0 | 13 | 13 | 56 |
| 1984-85 | Portland (Winted Hawks) | WHL | 25 | 6 | 22 | 28 | 73 | - | - | - | - | - |
| | Seattle (Breakers) | WHL | 46 | 17 | 36 | 53 | 154 | - | - | - | - | - |
| | Sherbrooke (Canadien) | AHL | 4 | 0 | 0 | 0 | 4 | 4 | 0 | 0 | 0 | 11 |
| 1985-86 | Sherbrooke (Canadien) | AHL | 14 | 3 | 14 | 17 | 238 | - | - | - | - | - |
| | **Montréal (Canadiens)** | **LNH** | **5** | **0** | **1** | **1** | **12** | **18** | **0** | **0** | **0** | **53** |
| 1986-87 | Sherbrooke (Canadien) | AHL | 10 | 4 | 4 | 8 | 49 | - | - | - | - | - |
| | **Montréal (Canadiens)** | **LNH** | **44** | **5** | **3** | **8** | **151** | **11** | **0** | **2** | **2** | **19** |
| 1987-88 | **Montréal (Canadiens)** | **LNH** | **60** | **2** | **6** | **8** | **159** | **7** | **2** | **2** | **4** | **26** |
| 1988-89 | **Montréal (Canadiens)** | **LNH** | **6** | **0** | **0** | **0** | **13** | - | - | - | - | - |
| | Toronto (Maple Leafs) | LNH | 46 | 1 | 2 | 3 | 185 | - | - | - | - | - |
| 1989-90 | Toronto (Maple Leafs) | LNH | 55 | 9 | 4 | 13 | 252 | 5 | 0 | 1 | 1 | 33 |
| 1990-91 | Toronto (Maple Leafs) | LNH | 33 | 0 | 0 | 0 | 101 | - | - | - | - | - |
| | Newmarket (Saints) | AHL | 8 | 1 | 1 | 2 | 79 | - | - | - | - | - |
| | Washington (Capitals) | LNH | 7 | 0 | 0 | 0 | 101 | - | - | - | - | - |
| 1991-92 | Québec (Nordiques) | LNH | 19 | 0 | 2 | 2 | 115 | - | - | - | - | - |
| | Cap-Breton (Oilers) | AHL | 12 | 2 | 1 | 3 | 141 | 5 | 0 | 1 | 1 | 53 |
| | | **LNH** | **244** | **17** | **18** | **35** | **997** | **41** | **4** | **3** | **7** | **131** |
| | | **Montréal** | **115** | **7** | **10** | **17** | **335** | **36** | **4** | **2** | **6** | **98** |

• Coupe Memorial en 1982-83 • Deuxième équipe d'étoiles, Division Ouest (WHL) en 1985 • Coupe Calder (AHL) en 1984-85 • Coupe Stanley (LNH) en 1985-86
• Échangé à Toronto par Montréal avec le choix de 6e ronde de Montréal au repêchage de 1989 (Michael Doers) pour Russ Courtnall le 7 novembre 1988 • Échangé à Washington par Toronto avec Paul Fenton pour le choix de 5e ronde de Washington à repêchage de 1991 (Alexei Kudashov) le 24 janvier 1991 • Signe avec Québec comme agent libre le 4 octobre 1991

### KOVALENKO, ANDREI
Né à Balakovo, Russie, le 7 juin 1970. Ailier droit, lance de la gauche, 5'10", 215 lb
(6e choix de Québec, 148e au total lors du repêchage de 1990)

| SAISON | CLUB | LIGUE | PJ | B | A | PTS | PUN | PJ | B | A | PTS | PUN |
|---|---|---|---|---|---|---|---|---|---|---|---|---|
| 1988-89 | SKA Kalinin | URSS | 30 | 8 | 7 | 15 | 29 | - | - | - | - | - |
| | CSKA Moscou | URSS | 1 | 0 | 1 | 0 | 0 | - | - | - | - | - |
| 1989-90 | CSKA Moscou | URSS | 48 | 5 | 8 | 13 | 20 | - | - | - | - | - |
| | USSR | CMJ | 7 | 5 | 6 | 11 | 8 | - | - | - | - | - |
| 1990-91 | CSKA Moscou | URSS | 45 | 13 | 8 | 21 | 26 | - | - | - | - | - |
| | CSKA Moscou | Super S | 3 | 3 | 2 | 9 | 2 | - | - | - | - | - |
| 1991-92 | USSR | CC | 5 | 1 | 2 | 3 | 10 | - | - | - | - | - |
| | CSKA Moscou | CIS | 44 | 19 | 13 | 32 | 32 | - | - | - | - | - |
| | Russie | JO | 8 | 1 | 1 | 2 | 2 | - | - | - | - | - |
| | Russie | CM | 6 | 3 | 1 | 4 | 2 | - | - | - | - | - |
| 1992-93 | CSKA Moscou | CIS | 3 | 3 | 1 | 4 | 4 | - | - | - | - | - |
| | Québec (Nordiques) | LNH | 81 | 27 | 41 | 68 | 57 | 4 | 1 | 0 | 1 | 2 |
| 1993-94 | Québec (Nordiques) | LNH | 58 | 16 | 17 | 33 | 46 | - | - | - | - | - |
| | Russie | CDM | 6 | 5 | 4 | 9 | 2 | - | - | - | - | - |
| 1994-95 | Lada Togliatti | CIS | 11 | 6 | | 11 | 14 | - | - | - | - | - |
| | Québec (Nordiques) | LNH | 45 | 14 | 10 | 24 | 31 | 6 | 0 | 1 | 1 | 2 |
| 1995-96 | **Montréal (Canadiens)** | **LNH** | **51** | **17** | **17** | **34** | **33** | **6** | **0** | **0** | **0** | **6** |
| 1996-97 | Russie | CDM | 5 | 2 | 0 | 2 | 4 | - | - | - | - | - |
| | Edmonton (Oilers) | LNH | 74 | 32 | 27 | 59 | 81 | 12 | 4 | 3 | 7 | 6 |
| 1997-98 | Russie | JO | 6 | 4 | 1 | 5 | 14 | - | - | - | - | - |
| | Edmonton (Oilers) | LNH | 59 | 6 | 17 | 23 | 28 | 1 | 0 | 0 | 0 | 0 |
| 1998-99 | Edmonton (Oilers) | LNH | 43 | 13 | 14 | 27 | 30 | - | - | - | - | - |
| | Philadelphie (Flyers) | LNH | 13 | 0 | 1 | 1 | 2 | - | - | - | - | - |
| | Caroline (Hurricanes) | LNH | | | | | | - | - | - | - | - |
| 1999-00 | Caroline (Hurricanes) | LNH | 76 | 15 | 24 | 39 | 38 | - | - | - | - | - |
| | Russie | CDM | 6 | 0 | 0 | 0 | 6 | - | - | - | - | - |
| 2000-01 | Boston (Bruins) | LNH | 76 | 16 | 21 | 37 | 62 | - | - | - | - | - |
| 2001-02 | Yaroslavl | RUS | 51 | *27 | 20 | 47 | 62 | 9 | 4 | 3 | 7 | 28 |
| 2002-03 | Lukomutiv Yaroslavl | RUS | 51 | 14 | 16 | 30 | 62 | 10 | 5 | 4 | 9 | 12 |
| | Russie | CM | 8 | 0 | 4 | 4 | | | | | | |
| | | **LNH** | **620** | **173** | **206** | **379** | **389** | **33** | **5** | **6** | **11** | **20** |
| | | **Montréal** | **51** | **17** | **17** | **34** | **33** | **6** | **0** | **0** | **0** | **6** |

• Transfert de la concession de Québec au Colorado le 21 juin 1995 • Échangé à Montréal par Colorado avec Martin Rucinsky et Jocelyn Thibault pour Patrick Roy et Mike Keane le 6 décembre 1995 • Échangé à Edmonton par Montréal pour Scott Thornton le 6 septembre

SAISON CLUB | LIGUE | PJ B A PTS PUN | PJ B A PTS PUN
SAISONS RÉGULIÈRES | SÉRIES ÉLIMINATOIRES     SAISONS RÉGULIÈRES | SÉRIES ÉLIMINATOIRES

1996 • Échangé à Philadelphie par Edmonton pour Alexandre Daigle le 29 janvier 1999 • Échangé à la Caroline par Philadelphie pour Adam Burt le 6 mars 1999 • Signe avec Boston comme agent libre le 25 juillet 2000

## KURVERS, THOMAS (TOM)

Né à Minneapolis, Minnesota, le 14 septembre 1962. Défenseur, lance de la gauche, 6'2", 195 lb (10e choix de Montréal et 145e au total lors du repêchage de 1981)

| SAISON | CLUB | LIGUE | PJ | B | A | PTS | PUN | PJ | B | A | PTS | PUN |
|---|---|---|---|---|---|---|---|---|---|---|---|---|
| 1980-81 | Minnesota-Duluth | WCHA | 39 | 6 | 24 | 30 | 48 | - | - | - | - | - |
| 1981-82 | Minnesota-Duluth | WCHA | 37 | 11 | 31 | 42 | 18 | - | - | - | - | - |
| | États-Unis | CMJ | 7 | 3 | 3 | 6 | 16 | - | - | - | - | - |
| 1982-83 | Minnesota-Duluth | WCHA | 26 | 4 | 23 | 27 | 24 | - | - | - | - | - |
| 1983-84 | Minnesota-Duluth | WCHA | 43 | 18 | 58 | 76 | 46 | - | - | - | - | - |
| 1984-85 | **Montréal (Canadiens)** | LNH | 75 | 10 | 35 | 45 | 30 | 12 | 0 | 6 | 6 | 6 |
| 1985-86 | **Montréal (Canadiens)** | LNH | 62 | 7 | 23 | 30 | 36 | - | - | - | - | - |
| 1986-87 | **Montréal (Canadiens)** | LNH | 1 | 0 | 0 | 0 | 0 | - | - | - | - | - |
| | Buffalo (Sabres) | LNH | 55 | 6 | 17 | 23 | 22 | - | - | - | - | - |
| | États-Unis | CM | 10 | 3 | 1 | 4 | 11 | - | - | - | - | - |
| 1987-88 | New Jersey (Devils) | LNH | 56 | 5 | 29 | 34 | 46 | 19 | 6 | 9 | 15 | 38 |
| 1988-89 | New Jersey (Devils) | LNH | 74 | 16 | 50 | 66 | 38 | - | - | - | - | - |
| | États-Unis | CM | 10 | 2 | 4 | 8 | 8 | - | - | - | - | - |
| 1989-90 | New Jersey (Devils) | LNH | 1 | 0 | 0 | 0 | 0 | - | - | - | - | - |
| | Toronto (Maple Leafs) | LNH | 70 | 15 | 37 | 52 | 29 | 5 | 0 | 3 | 3 | 4 |
| 1990-91 | Toronto (Maple Leafs) | LNH | 19 | 0 | 3 | 3 | 8 | - | - | - | - | - |
| | Vancouver (Canucks) | LNH | 32 | 4 | 23 | 27 | 20 | 6 | 2 | 2 | 4 | 12 |
| 1991-92 | New York (Islanders) | LNH | 74 | 9 | 47 | 56 | 30 | - | - | - | - | - |
| 1992-93 | New York (Islanders) | LNH | 52 | 9 | 30 | 38 | 38 | 12 | 0 | 6 | 6 | 6 |
| | Capital (Islanders) | AHL | 7 | 3 | 4 | 7 | 8 | - | - | - | - | - |
| 1993-94 | New York (Islanders) | LNH | 66 | 9 | 31 | 40 | 47 | 3 | 0 | 0 | 0 | 0 |
| 1994-95 | Anaheim (Mighty Ducks) | LNH | 22 | 4 | 3 | 7 | 6 | - | - | - | - | - |
| 1995-96 | Seibu-Tetsudo | JAP | 20 | 18 | 34 | 52 | | - | - | - | - | - |
| | **LNH** | | 659 | 93 | 328 | 421 | 350 | 57 | 8 | 22 | 30 | 68 |
| | **Montréal** | | 138 | 17 | 58 | 75 | 66 | 12 | 0 | 6 | 6 | 6 |

• Première équipe d'étoiles (WCHA) en 1983-84 • Première équipe d'étoiles All-American (NCAA) en 1983-84 • Trophée Hobey-Baker (WCHA) en 1983-84 • Coupe Stanley (LNH) en 1985-86 • Échangé à Buffalo par Montréal pour le choix de 2e ronde du Buffalo au repêchage de 1988 (Martin St-Amour) le 18 novembre 1986 • Échangé à New Jersey par Buffalo pour le choix de 3e ronde de Detroit (propriété du New Jersey suite à une transaction antérieure) au repêchage de 1987 (Andrew McVicar) le 13 juin 1987 • Échangé à Toronto par New Jersey pour le 1er choix de Toronto au repêchage de 1991 (Scott Niedermayer) le 16 octobre 1989 • Échangé à Vancouver pour Toronto pour Brian Bradley le 12 janvier 1991 • Échangé au Minnesota par Vancouver pour Dave Babych le 22 juin 1991 • Échangé à New York (Islanders) par Minnesota pour Craig Ludwig le 22 juin 1991 • Échangé à Anaheim par New York (Islanders) pour Troy Loney le 29 juin 1994

## LACH, ELMER

Né à Nokomis, Saskatchewan, le 22 janvier 1918. Centre, lance de la gauche, 5'10", 170 lb

| SAISON | CLUB | LIGUE | PJ | B | A | PTS | PUN | PJ | B | A | PTS | PUN |
|---|---|---|---|---|---|---|---|---|---|---|---|---|
| 1935-36 | Regina (Abbotts) | S-SJHL | 2 | 0 | 1 | 1 | 2 | 4 | 3 | 0 | 3 | 6 |
| 1936-37 | Weyburn (Beavers) | S-SSHL | 23 | 16 | 6 | 22 | 27 | 3 | 0 | 1 | 1 | 4 |
| 1937-38 | Weyburn (Beavers) | S-SSHL | 22 | 12 | 12 | 24 | 44 | 3 | 2 | 1 | 3 | 0 |
| 1938-39 | Moose Jaw (Millers) | S-SSHL | 29 | 17 | *20 | 37 | 23 | 10 | 6 | *4 | *10 | 8 |
| 1939-40 | Moose Jaw (Millers) | S-SSHL | 30 | 15 | 29 | 44 | 20 | 8 | 5 | *9 | *14 | 12 |
| | Moose Jaw (Millers) | Allan | 13 | | | | | | | | | |
| 1940-41 | **Montréal (Canadiens)** | LNH | 43 | 7 | 14 | 21 | 16 | 3 | 1 | 0 | 1 | 0 |
| 1941-42 | **Montréal (Canadiens)** | LNH | 1 | 0 | 1 | 1 | 0 | - | - | - | - | - |
| 1942-43 | **Montréal (Canadiens)** | LNH | 45 | 18 | 40 | 58 | 14 | 5 | 2 | 4 | 6 | 6 |
| 1943-44 | **Montréal (Canadiens)** | LNH | 48 | 24 | 48 | 72 | 23 | 9 | 2 | *11 | 13 | 4 |
| 1944-45 | **Montréal (Canadiens)** | LNH | 50 | 26 | *54 | *80 | 37 | 6 | 4 | 2 | 6 | 4 |
| 1945-46 | **Montréal (Canadiens)** | LNH | 50 | 13 | *34 | 47 | 34 | 9 | 5 | *12 | *17 | 4 |
| 1946-47 | **Montréal (Canadiens)** | LNH | 31 | 14 | 16 | 30 | 22 | - | - | - | - | - |
| 1947-48 | **Montréal (Canadiens)** | LNH | 60 | 30 | 31 | *61 | 72 | - | - | - | - | - |
| 1948-49 | **Montréal (Canadiens)** | LNH | 36 | 11 | 18 | 29 | 59 | 1 | 0 | 0 | 0 | 4 |
| | Match des étoiles | LNH | 1 | 0 | 1 | 1 | 0 | - | - | - | - | - |
| 1949-50 | **Montréal (Canadiens)** | LNH | 64 | 15 | 33 | 48 | 33 | 5 | 1 | 2 | 3 | 4 |
| 1950-51 | **Montréal (Canadiens)** | LNH | 65 | 21 | 24 | 45 | 48 | 11 | 2 | 2 | 4 | 2 |
| 1951-52 | **Montréal (Canadiens)** | LNH | 70 | 15 | *50 | 65 | 36 | 11 | 1 | 2 | 3 | 4 |
| 1952-53 | **Montréal (Canadiens)** | LNH | 53 | 16 | 25 | 41 | 56 | 12 | 1 | 6 | 7 | 6 |
| | Match des étoiles | LNH | 1 | 0 | 0 | 0 | 2 | - | - | - | - | - |
| 1953-54 | **Montréal (Canadiens)** | LNH | 48 | 5 | 20 | 25 | 28 | 4 | 0 | 2 | 2 | 6 |
| | Match des étoiles | LNH | 1 | 0 | 0 | 0 | 0 | - | - | - | - | - |
| | **LNH** | | 664 | 215 | 408 | 623 | 478 | 76 | 19 | 45 | 64 | 36 |
| | **Montréal** | | 664 | 215 | 408 | 623 | 478 | 76 | 19 | 45 | 64 | 36 |

• Première équipe d'étoiles (S-SSHL) en 1939-40 • Première équipe d'étoiles (LNH) en 1944-45, 1947-48, 1951-52 • Deuxième équipe d'étoiles (LNH) en 1943-44, 1945-46 • Coupe Stanley (LNH) en 1943-44, 1945-46, 1952-53 • Trophée-Hart (LNH) en 1944-45 • Trophée Art-Ross (LNH) en 1947-48 • Match des étoiles (LNH) en 1948-49, 1952-53, 1953-54 • Temple de la Renommée (LNH) en 1966
• Signe avec Montréal le 24 octobre 1940

## LACHANCE, SCOTT

Né à Charlottesville, Virginie, le 22 septembre 1972. Défenseur, lance de la gauche, 6'1", 209 lb (1er choix de New York (Islanders), 4e au total lors du repêchage de 1991)

| SAISON | CLUB | LIGUE | PJ | B | A | PTS | PUN | PJ | B | A | PTS | PUN |
|---|---|---|---|---|---|---|---|---|---|---|---|---|
| 1988-89 | Springfield (Blues) | NEJHL | 36 | 8 | 28 | 36 | 20 | | | | | |
| 1989-90 | Springfield (Blues) | NEJHL | 34 | 25 | 41 | 66 | 62 | | | | | |
| 1990-91 | Boston University | H. East | 31 | 5 | 19 | 24 | 48 | | | | | |
| | États-Unis | CMJ | 8 | 2 | 1 | 3 | 2 | | | | | |
| 1991-92 | États-Unis | Éq. nat. | 36 | 1 | 10 | 11 | 34 | | | | | |
| | États-Unis | CMJ | 7 | 1 | 4 | 5 | 0 | | | | | |
| | États-Unis | JO | 8 | 1 | 1 | 2 | 4 | | | | | |
| | New York (Islanders) | LNH | 17 | 1 | 4 | 5 | 9 | | | | | |
| 1992-93 | New York (Islanders) | LNH | 75 | 7 | 17 | 24 | 67 | - | - | - | - | - |
| 1993-94 | New York (Islanders) | LNH | 74 | 3 | 11 | 14 | 70 | 3 | 0 | 0 | 0 | 0 |
| 1994-95 | New York (Islanders) | LNH | 26 | 6 | 7 | 13 | 26 | - | - | - | - | - |
| 1995-96 | New York (Islanders) | LNH | 55 | 3 | 10 | 13 | 54 | - | - | - | - | - |
| | États-Unis | CM | 8 | 0 | 0 | 0 | 2 | - | - | - | - | - |
| 1996-97 | New York (Islanders) | LNH | 81 | 3 | 11 | 14 | 47 | - | - | - | - | - |
| | Match des étoiles | LNH | 1 | 0 | 0 | 0 | 0 | - | - | - | - | - |
| | États-Unis | CM | 8 | 0 | 2 | 2 | 4 | - | - | - | - | - |
| 1997-98 | New York (Islanders) | LNH | 63 | 2 | 11 | 13 | 45 | - | - | - | - | - |
| 1998-99 | New York (Islanders) | LNH | 59 | 1 | 8 | 9 | 30 | - | - | - | - | - |
| | **Montréal (Canadiens)** | LNH | 17 | 1 | 1 | 2 | 11 | - | - | - | - | - |
| | États-Unis | CM | 6 | 0 | 0 | 0 | 4 | - | - | - | - | - |
| 1999-00 | **Montréal Canadiens** | LNH | 57 | 0 | 6 | 6 | 22 | - | - | - | - | - |
| 2000-01 | Vancouver (Canucks) | LNH | 76 | 3 | 11 | 14 | 46 | 2 | 0 | 1 | 1 | 2 |
| 2001-02 | Vancouver (Canucks) | LNH | 81 | 1 | 10 | 11 | 50 | 6 | 1 | 1 | 2 | 4 |
| 2002-03 | Columbus (Blue Jackets) | LNH | 61 | 0 | 1 | 1 | 46 | - | - | - | - | - |
| | **LNH** | | 742 | 31 | 108 | 139 | 523 | 11 | 1 | 2 | 3 | 6 |
| | **Montréal** | | 74 | 1 | 7 | 8 | 33 | | | | | |

• Équipe d'étoiles (CMJ) en 1990-91 • Médaille d'argent (CMJ) en 1992 • Médaille d'argent (CM) en 1996 • Match des étoiles (LNH) en 1996-97
• Échangé à Montréal par New York (Islanders) pour le choix de 3e ronde de Montréal au repêchage de 1999 (Mattias Weinhandl) le 9 mars 1999 • Signe avec Vancouver comme agent libre le 13 août 2000 • Signe avec Columbus comme agent libre le 4 juillet 2002

## LAFLAMME, CHRISTIAN

Né à Saint-Charles, Québec le 24 novembre 1976. Défenseur, lance de la droite, 6'1", 202 lb (2e choix de Chicago et 45e au total lors du repêchage de 1995)

| SAISON | CLUB | LIGUE | PJ | B | A | PTS | PUN | PJ | B | A | PTS | PUN |
|---|---|---|---|---|---|---|---|---|---|---|---|---|
| 1991-92 | Sainte-Foy (Gouverneurs) | QAAA | 42 | 5 | 27 | 32 | 100 | - | - | - | - | - |
| 1992-93 | Verdun (Collège français) | LHJMQ | 69 | 2 | 17 | 19 | 85 | 3 | 0 | 2 | 2 | 6 |
| 1993-94 | Verdun (Collège français) | LHJMQ | 72 | 4 | 34 | 38 | 85 | 4 | 0 | 3 | 3 | 4 |
| 1994-95 | Beauport (Harfangs) | LHJMQ | 67 | 6 | 41 | 47 | 82 | 8 | 1 | 4 | 5 | 6 |
| 1995-96 | Beauport (Harfangs) | LHJMQ | 41 | 13 | 23 | 36 | 63 | 20 | 7 | 17 | 24 | 32 |
| 1996-97 | Chicago (Blackhawks) | LNH | 4 | 0 | 1 | 1 | 2 | - | - | - | - | - |
| | Indianapolis (Ice) | IHL | 62 | 5 | 15 | 20 | 60 | 4 | 1 | 2 | | 16 |
| 1997-98 | Chicago (Blackhawks) | LNH | 72 | 0 | 11 | 11 | 59 | - | - | - | - | - |
| 1998-99 | Chicago (Blackhawks) | LNH | 22 | 1 | 11 | 13 | 70 | - | - | - | - | - |
| | Portland (Pirates) | AHL | 2 | 1 | 1 | 2 | 4 | - | - | - | - | - |
| | Edmonton (Oilers) | LNH | 11 | 0 | 1 | 1 | 4 | 4 | 0 | 1 | 1 | 2 |
| 1999-00 | Edmonton (Oilers) | LNH | 50 | 0 | 5 | 5 | 32 | - | - | - | - | - |
| | **Montréal (Canadiens)** | LNH | 15 | 0 | 2 | 2 | 8 | - | - | - | - | - |
| 2000-01 | **Montréal (Canadiens)** | LNH | 39 | 0 | 3 | 3 | 42 | - | - | - | - | - |
| 2001-02 | St. Louis (Blues) | LNH | 1 | 0 | 0 | 0 | 0 | - | - | - | - | - |
| | Worcester (Icecats) | AHL | 62 | 2 | 17 | 19 | 52 | - | - | - | - | - |
| 2002-03 | St. Louis (Blues) | LNH | 47 | 0 | 9 | 9 | 45 | 9 | 0 | 0 | 0 | 4 |
| | Worcester (Icecats) | AHL | 4 | 0 | 1 | 1 | 4 | - | - | - | - | - |
| | **LNH** | | 308 | 2 | 44 | 46 | 262 | 9 | 0 | 1 | 1 | 6 |
| | **Montréal** | | 54 | 0 | 5 | 5 | 50 | - | - | - | - | - |

• Deuxième équipe d'étoiles (LHJMQ) en 1994-95
• Échangé à Edmonton par Chicago avec Daniel Cleary, Ethan Moreau et Chad Kilger pour Boris Mironov, Dean McAmmond et Jonas Elofsson le 20 mars 1999 • Échangé à Montréal par Edmonton avec Mathieu Descoteaux pour Igor Ulanov et Alain Nasreddine le 9 mars 2000 • Signe avec St. Louis comme agent libre le 21 août 2001

## LAFLEUR, GUY

Né à Thurso, Québec, le 20 septembre 1951. Ailier droit, lance de la droite, 6', 185 lb (1er choix de Montréal, 1er au total lors du repêchage de 1971)

| SAISON | CLUB | LIGUE | PJ | B | A | PTS | PUN | PJ | B | A | PTS | PUN |
|---|---|---|---|---|---|---|---|---|---|---|---|---|
| 1966-67 | Québec (As) | LHJQ | 8 | 1 | 1 | 2 | 0 | - | - | - | - | - |
| 1967-68 | Québec (As) | LHJQ | 43 | 30 | 19 | 49 | | - | - | - | - | - |
| 1968-69 | Québec (As) | LHJQ | 49 | 50 | 6 | 110 | 83 | - | - | - | - | - |
| 1969-70 | Québec (Remparts) | LHJMQ | 56 | *103 | 67 | 170 | 105 | 15 | *25 | 18 | *43 | 34 |
| | Québec (Remparts) | Mem. | 12 | 18 | 18 | 36 | 23 | - | - | - | - | - |
| 1970-71 | Québec (Remparts) | LHJMQ | 62 | *130 | 79 | *209 | 135 | 14 | *22 | *21 | *43 | 24 |
| | Québec (Remparts) | Mem. | 7 | 9 | 5 | 14 | 18 | - | - | - | - | - |
| 1971-72 | **Montréal (Canadiens)** | LNH | 73 | 29 | 35 | 64 | 48 | 6 | 1 | 4 | 5 | 2 |
| 1972-73 | **Montréal (Canadiens)** | LNH | 69 | 28 | 27 | 55 | 51 | 17 | 3 | 5 | 8 | 9 |
| 1973-74 | **Montréal (Canadiens)** | LNH | 73 | 21 | 35 | 56 | 29 | 6 | 0 | 1 | 1 | 4 |
| 1974-75 | **Montréal (Canadiens)** | LNH | 70 | 53 | 66 | 119 | 37 | 11 | *12 | 7 | 19 | 15 |
| | Match des étoiles | LNH | 1 | | 3 | 3 | 0 | - | - | - | - | - |
| 1975-76 | **Montréal (Canadiens)** | LNH | 80 | 56 | 69 | *125 | 36 | 13 | 7 | 10 | 17 | 2 |
| | Match des étoiles | LNH | 1 | 1 | 3 | 3 | 0 | - | - | - | - | - |
| 1976-77 | **Montréal (Canadiens)** | LNH | 80 | 56 | *80 | *136 | 20 | 14 | 9 | *17 | *26 | 6 |
| | Match des étoiles | LNH | 1 | 0 | 1 | 1 | 0 | - | - | - | - | - |
| | Canada | CC | 7 | 1 | 5 | 6 | 12 | - | - | - | - | - |
| 1977-78 | **Montréal (Canadiens)** | LNH | 78 | *60 | 72 | *132 | 26 | 15 | *10 | 11 | *21 | 16 |
| | Match des étoiles | LNH | 1 | 0 | 0 | 0 | 0 | - | - | - | - | - |
| 1978-79 | **Montréal (Canadiens)** | LNH | 80 | 52 | 77 | 129 | 28 | 16 | 10 | *13 | *23 | 0 |
| | Étoiles LNH | Défi'79 | 3 | 1 | 2 | 3 | 0 | - | - | - | - | - |
| 1979-80 | **Montréal (Canadiens)** | LNH | 74 | 50 | 75 | 125 | 12 | 3 | 3 | 1 | 4 | 0 |
| | Match des étoiles | LNH | 1 | 1 | 0 | 1 | 0 | - | - | - | - | - |
| 1980-81 | **Montréal (Canadiens)** | LNH | 51 | 27 | 43 | 70 | 29 | 3 | 0 | 1 | 1 | 2 |
| | Canada | CM | 7 | 1 | 0 | 1 | 2 | - | - | - | - | - |
| 1981-82 | **Montréal (Canadiens)** | LNH | 66 | 27 | 57 | 84 | 24 | 5 | 2 | 1 | 3 | 4 |
| | Canada | CC | 7 | 2 | 9 | 11 | 0 | - | - | - | - | - |
| 1982-83 | **Montréal (Canadiens)** | LNH | 68 | 27 | 49 | 76 | 12 | 3 | 0 | 2 | 2 | 2 |
| 1983-84 | **Montréal (Canadiens)** | LNH | 80 | 30 | 40 | 70 | 19 | 12 | 0 | 3 | 3 | 5 |
| 1984-85 | **Montréal (Canadiens)** | LNH | 19 | 2 | 3 | 5 | 10 | - | - | - | - | - |
| 1985-86 | | | | | | N'a pas joué – Retraite | | | | | | |
| 1986-87 | | | | | | N'a pas joué – Retraite | | | | | | |
| 1987-88 | | | | | | N'a pas joué – Retraite | | | | | | |

KUR-LAF

| SAISON CLUB | | LIGUE | PJ | B | A | PTS | PUN | PJ | B | A | PTS | PUN |
|---|---|---|---|---|---|---|---|---|---|---|---|---|
| 1988-89 New York (Rangers) | | LNH | 67 | 18 | 27 | 45 | 12 | 4 | 1 | 0 | 1 | 0 |
| 1989-90 Québec (Nordiques) | | LNH | 39 | 12 | 22 | 34 | 4 | - | - | - | - | - |
| 1990-91 Québec (Nordiques) | | LNH | 59 | 12 | 16 | 28 | 2 | - | - | - | - | - |
| Match des étoiles | | LNH | 1 | 0 | 0 | 0 | 0 | | | | | |
| **LNH** | | | **1126** | **560** | **793** | **1353** | **399** | **128** | **58** | **76** | **134** | **67** |
| **Montréal** | | | **961** | **518** | **728** | **1246** | **381** | **124** | **57** | **76** | **133** | **67** |

• Première équipe d'étoiles (LHJMQ) en 1969-70, 1970-71 • Coupe du Président (LHJMQ) en 1969-70, 1970-71 • Trophée Jean-Béliveau (LHJMQ) en 1970-71 • Coupe Memorial en 1970-71 • Coupe Stanley (LNH) en 1972-73, 1975-76, 1976-77, 1977-78, 1978-79 • Match des étoiles (LNH) en 1974-75, 1975-76, 1976-77, 1977-78, 1979-80, 1990-91 • Première équipe d'étoiles (LNH) en 1974-75, 1975-76, 1976-77, 1977-78, 1978-79, 1979-80 • Trophée Art-Ross (LNH) en 1975-76, 1976-77, 1977-78 • Trophée Hart (LNH) en 1976-77, 1977-78 • Trophée Conn-Smythe (LNH) en 1976-77 • Trophée Lester-B.-Pearson (LNH) en 1975-76, 1976-77, 1977-78 • Temple de la Renommée (LNH) en 1988

• Signe avec New York (Rangers) comme agent libre le 26 septembre 1988 • Signe avec Québec comme agent libre, New York (Rangers) reçoit en compensation le choix de 5e ronde de Québec au repêchage de 1990 (Sergei Zubov) le 14 juillet 1989 • Réclamé par Minnesota de Québec lors de l'expansion de la LNH le 30 mai 1991 • Échangé à Québec par Minnesota pour Alan Haworth le 31 mai 1991

### LAFLEUR, RENÉ

**Né à Ottawa, Ontario en 1899, décédé. Ailier gauche, lance de la gauche, 5'9", 160 lb**

| SAISON CLUB | | LIGUE | PJ | B | A | PTS | PUN | PJ | B | A | PTS | PUN |
|---|---|---|---|---|---|---|---|---|---|---|---|---|
| 1917-18 Ottawa (St. Brigids) | | OCHL | 5 | 3 | 0 | 3 | 3 | | | | | |
| Ottawa (Royal Canadians) | | HOHL | 1 | 0 | 0 | 0 | | 1 | 1 | 0 | 1 | 3 |
| 1918-19 Ottawa (Royal Canadians) | | OCHL | 7 | 0 | 0 | 0 | 3 | 1 | 0 | 0 | 0 | 3 |
| 1919-20 Ottawa (Mallettes) | | OCHL | 7 | 3 | 0 | 3 | | | | | | |
| 1920-21 Ottawa (Lasalle) | | OCHL | 11 | 4 | 0 | 4 | | | | | | |
| 1921-22 Ottawa (Montagnards) | | OCHL | 14 | *14 | 4 | 18 | 15 | 8 | 8 | *6 | 14 | 10 |
| 1922-23 Ottawa (Montagnards) | | OCHL | 9 | *8 | *9 | *17 | 14 | 2 | 0 | 0 | 0 | 7 |
| 1923-24 Ottawa (Royal Canadians) | | OCHL | 13 | 0 | 3 | 0 | 3 | | | | | |
| 1924-25 Montréal (Canadiens) | | LNH | 1 | 0 | 0 | 0 | 0 | | | | | |
| Ottawa (New Edinburghs) | | OCHL | 16 | 8 | 1 | | | | | | | |
| 1925-26 Berlin (Wanderers) | | OCHL | | | *Statistiques non disponibles* | | | | | | | |
| 1926-27 Ottawa (Gunners) | | OCHL | 14 | 2 | 3 | 5 | | | | | | |
| 1927-28 Ottawa (Rideaus) | | OCHL | 14 | 5 | 2 | 7 | | | | | | |
| 1928-29 Ottawa (Lasalle) | | OCHL | 13 | 5 | 0 | 5 | | 3 | 0 | 0 | 0 | |
| 1929-30 Ottawa (Lasalle) | | OCHL | 20 | 3 | 1 | 4 | 32 | | | | | |
| 1930-31 Ottawa (Lasalle) | | OCHL | 20 | 5 | 0 | 5 | 33 | 2 | 0 | 0 | 0 | 6 |
| **LNH** | | | **1** | **0** | **0** | **0** | **0** | - | - | - | - | - |
| **Montréal** | | | **1** | **0** | **0** | **0** | **0** | - | - | - | - | - |

• Deuxième équipe d'étoiles (OCHL) en 1921-22 • Première équipe d'étoiles (OCHL) en 1922-23
• Signe avec Montréal le 17 novembre 1924

### LAFORCE, ERNEST (ERNIE)

**Né à Montréal, Québec, le 23 juin 1916. Défenseur, lance de la gauche, 5'11", 175 lb**

| SAISON CLUB | | LIGUE | PJ | B | A | PTS | PUN | PJ | B | A | PTS | PUN |
|---|---|---|---|---|---|---|---|---|---|---|---|---|
| 1937-38 Montréal (Lafontaine) | | LHPQ | 3 | 0 | 0 | 0 | 2 | | | | | |
| 1938-39 Verdun (Maple Leafs) | | LHSQ | 18 | 4 | 4 | 8 | 14 | 2 | 0 | 0 | 0 | 4 |
| 1939-40 Verdun (Bulldogs) | | LHPQ | 38 | 10 | 20 | 30 | 24 | | | | | |
| 1940-41 Verdun (Maple Leafs) | | LHSQ | 34 | 6 | 9 | 15 | 23 | | | | | |
| 1941-42 Montréal (St. Pats) | | LHCM | 37 | 5 | 15 | 20 | 12 | | | | | |
| 1942-43 Montréal (Royals) | | LHSQ | 32 | 1 | 15 | 16 | 18 | 4 | 0 | 2 | 2 | 0 |
| Montréal (Canadiens) | | LNH | 1 | 0 | 0 | 0 | 0 | | | | | |
| 1943-44 Montréal (Canada Car) | | LHCM | 7 | 3 | 3 | 6 | 2 | | | | | |
| Montréal (Royals) | | LHSQ | 19 | 1 | 15 | 16 | 6 | 7 | 0 | 1 | 1 | 8 |
| 1944-45 Montréal (Royals) | | LHSQ | 22 | 7 | 13 | 20 | 19 | 7 | 0 | 3 | 3 | 2 |
| 1945-46 Montréal (Royals) | | LHSQ | 24 | 9 | 7 | 16 | 4 | 6 | 1 | 0 | 1 | 6 |
| 1946-47 Montréal (Royals) | | LHSQ | 21 | 3 | 6 | 9 | 18 | 11 | 1 | 7 | 8 | 10 |
| Montréal (Royals) | | Allan | 14 | 2 | 3 | 5 | 4 | | | | | |
| 1947-48 Montréal (Royals) | | LHSQ | 44 | 6 | 20 | 26 | 16 | 3 | 0 | 0 | 0 | 0 |
| 1948-49 Montréal (Royals) | | LHSQ | 58 | 2 | 18 | 20 | 20 | 9 | 3 | 4 | 7 | 8 |
| 1949-50 Montréal (Royals) | | LHSQ | 52 | 2 | 14 | 16 | 31 | 6 | 0 | 0 | 0 | 2 |
| **LNH** | | | **1** | **0** | **0** | **0** | **0** | - | - | - | - | - |
| **Montréal** | | | **1** | **0** | **0** | **0** | **0** | - | - | - | - | - |

• Première équipe d'étoiles (LHPQ) en 1939-40
• Prêté à Montréal par Montréal (Royals – LHSQ) le 4 mars 1943

### LAFORGE, CLAUDE

**Né à Sorel, Québec, le 1er juillet 1936. Ailier gauche, lance de la gauche, 5'9", 172 lb**

| SAISON CLUB | | LIGUE | PJ | B | A | PTS | PUN | PJ | B | A | PTS | PUN |
|---|---|---|---|---|---|---|---|---|---|---|---|---|
| 1954-55 Montréal (Canadien Jr) | | LHJQ | 45 | 18 | 4 | 22 | 43 | 5 | 1 | 0 | 1 | |
| 1955-56 Montréal (Canadien Jr) | | LHJQ | | | *Statistiques non disponibles* | | | | | | | |
| Montréal (Royals) | | LHQ | 2 | 0 | 0 | 0 | 2 | | | | | |
| Montréal (Canadiens) | | Mem. | 10 | 1 | 4 | 5 | 11 | | | | | |
| 1956-57 Shawinigan (Cataractes) | | LHQ | 60 | 12 | 13 | 25 | 10 | | | | | |
| Cincinnati (Mohawks) | | IHL | 8 | 5 | 5 | 10 | 2 | | | | | |
| 1957-58 Shawinigan (Cataractes) | | LHQ | 52 | 26 | 27 | 53 | 45 | | | | | |
| Montréal (Canadiens) | | LNH | 5 | 0 | 0 | 0 | 0 | | | | | |
| Rochester (Americans) | | AHL | 14 | 7 | 6 | 13 | 10 | | | | | |
| 1958-59 Detroit (Red Wings) | | LNH | 57 | 2 | 5 | 7 | 18 | | | | | |
| Hershey (Bears) | | AHL | 10 | 4 | 9 | 13 | 6 | | | | | |
| 1959-60 Hershey (Bears) | | AHL | 68 | 27 | 31 | 58 | 38 | | | | | |
| 1960-61 Hershey (Bears) | | AHL | 49 | 20 | 30 | 50 | 55 | 8 | 2 | 1 | 3 | *35 |
| Detroit (Red Wings) | | LNH | 10 | 1 | 0 | 1 | 2 | | | | | |
| 1961-62 Hershey (Bears) | | AHL | 31 | 13 | 13 | 26 | 59 | | | | | |
| Detroit (Red Wings) | | LNH | 38 | 10 | 9 | 19 | 10 | | | | | |
| 1962-63 Pittsburgh (Hornets) | | AHL | 50 | 10 | 23 | 33 | 73 | | | | | |
| 1963-64 Detroit (Red Wings) | | LNH | 17 | 2 | 5 | 7 | 4 | | | | | |
| Pittsburgh (Hornets) | | AHL | 51 | 19 | 23 | 42 | 59 | 5 | 1 | 3 | 4 | 4 |
| 1964-65 Detroit (Red Wings) | | LNH | 1 | 0 | 0 | 0 | 0 | | | | | |
| Pittsburgh (Hornets) | | AHL | 67 | 23 | 32 | 55 | 26 | 4 | 4 | 2 | 6 | 2 |
| 1965-66 Pittsburgh (Hornets) | | AHL | 55 | 11 | 20 | 31 | 38 | - | - | - | - | - |
| Québec (As) | | AHL | 9 | 2 | 6 | 8 | 0 | - | - | - | - | - |
| 1966-67 Québec (As) | | AHL | 60 | 16 | 25 | 51 | 46 | 5 | 4 | 2 | 6 | 0 |
| 1967-68 Québec (As) | | AHL | 8 | 5 | 4 | 9 | 2 | - | - | - | - | - |
| Philadelphie (Flyers) | | LNH | 63 | 9 | 16 | 25 | 36 | 5 | 1 | 2 | 3 | 15 |
| 1968-69 Philadelphie (Flyers) | | LNH | 2 | 0 | 0 | 0 | 0 | - | - | - | - | - |
| Québec (As) | | AHL | 57 | 21 | 31 | 52 | 24 | 11 | 0 | 7 | 7 | 2 |
| 1969-70 Québec (As) | | AHL | 72 | 28 | 39 | 67 | 44 | 6 | 0 | 2 | 2 | 6 |
| 1970-71 Denver (Spurs) | | WHL | 64 | 25 | 28 | 53 | 34 | 2 | 3 | 5 | 3 | 4 |
| 1971-72 Denver (Spurs) | | WHL | 56 | 15 | 31 | 46 | 12 | 9 | 1 | 5 | 6 | 6 |
| 1972-73 Denver (Spurs) | | WHL | 25 | 8 | 11 | 19 | 12 | - | - | - | - | - |
| **LNH** | | | **193** | **24** | **33** | **57** | **82** | **5** | **1** | **2** | **3** | **15** |
| **Montréal** | | | **5** | **0** | **0** | **0** | **0** | - | - | - | - | - |

• Deuxième équipe d'étoiles (LHQ) en 1957-58
• Droits vendus à Detroit par Montréal avec Bud MacPherson et Gene Achtymichuk le 3 juin 1958 • Échangé à Québec par Detroit pour Terry Gray le 1er mars 1966 • Droits dans la LNH transférés à Philadelphie lors de l'achat de la concession de Québec (AHL) par Philadelphie le 8 mai 1967 • Droits vendus à Denver par Philadelphie en août 1970

### LAFRANCE, ADÉLARD

**Né à Chapleau, Ontario, le 13 janvier 1912
Ailier gauche, lance de la gauche, 5'10", 165 lb**

| SAISON CLUB | | LIGUE | PJ | B | A | PTS | PUN | PJ | B | A | PTS | PUN |
|---|---|---|---|---|---|---|---|---|---|---|---|---|
| 1929-30 Sudbury (St. Louis) | | NOJHA | 8 | 4 | 1 | 5 | 0 | - | - | - | - | - |
| 1930-31 Sudbury (St. Louis) | | NOJHA | 8 | 4 | 1 | 5 | 4 | 3 | *4 | 0 | *4 | 0 |
| Sudbury (Wolf Cubs) | | NOJHA | - | - | - | - | - | 1 | 0 | 0 | 0 | 0 |
| Sudbury (St. Louis) | | Allan | 3 | 2 | 0 | 2 | 2 | | | | | |
| Sudbury (Wolf Cubs) | | Mem. | 5 | 2 | 1 | 3 | 2 | | | | | |
| 1931-32 Falconbridge (Falcons) | | NOHA | 9 | 4 | 7 | 2 | | 2 | 0 | 0 | 0 | 4 |
| Sudbury (Wolves) | | NOHA | 7 | 4 | 2 | 6 | | | | | | |
| 1932-33 Sudbury (Wolfes) | | NOHA | 7 | 4 | 2 | 6 | 10 | 2 | 1 | 0 | 1 | 2 |
| 1933-34 Falconbridge (Falcons) | | NOHA | 8 | 1 | 6 | 13 | | 2 | 1 | 0 | 1 | 2 |
| Montréal (Canadiens) | | LNH | 3 | 0 | 0 | 0 | 2 | 2 | 0 | 0 | 0 | 0 |
| 1934-35 Québec (Castors) | | Can-Am | 46 | 4 | 4 | 8 | 10 | 3 | 0 | 0 | 0 | 2 |
| 1935-36 Springfield (Indians) | | Can-Am | 48 | 13 | 19 | 32 | 32 | 3 | 2 | 3 | 5 | 4 |
| 1936-37 Springfield (Indians) | | IAHL | 33 | 9 | 10 | 19 | 13 | | | | | |
| 1937-38 Springfield (Indians) | | IAHL | 41 | 8 | 13 | 21 | 17 | | | | | |
| 1938-39 Springfield (Indians) | | IAHL | 26 | 12 | 16 | 37 | 23 | 2 | 0 | 0 | 0 | 0 |
| **LNH** | | | **3** | **0** | **0** | **0** | **2** | **2** | **0** | **0** | **0** | **0** |
| **Montréal** | | | **3** | **0** | **0** | **0** | **2** | **2** | **0** | **0** | **0** | **0** |

• Coupe Memorial en 1931-32
• Signe avec Montréal le 9 mars 1934

### LAFRANCE, LÉONARD (LÉO)

**Né à Allumette, Québec, le 3 novembre 1902, décédé le 7 avril 1993
Ailier gauche, lance de la gauche, 5'8", 160 lb**

| SAISON CLUB | | LIGUE | PJ | B | A | PTS | PUN | PJ | B | A | PTS | PUN |
|---|---|---|---|---|---|---|---|---|---|---|---|---|
| 1920-21 Sudbury (Cubs Wolves) | | NOJHA | 2 | 2 | 2 | 4 | - | 5 | *7 | *4 | *11 | 0 |
| 1921-22 Iroquois (Papermakers) | | NOHA | - | - | - | - | - | 7 | 7 | *5 | *12 | 0 |
| 1922-23 Iroquois (Papermakers) | | NOHA | | | *Statistiques non disponibles* | | | | | | | |
| 1923-24 Iroquois (Papermakers) | | NOHA | 8 | 2 | 1 | 3 | 15 | | | | | |
| 1924-25 Duluth (Hornets) | | USAHA | 31 | 6 | 0 | 6 | | | | | | |
| 1925-26 Duluth (Hornets) | | CHL | 40 | 8 | 2 | 10 | 28 | 8 | 1 | 1 | 2 | 12 |
| 1926-27 Montréal (Canadiens) | | LNH | 4 | 0 | 0 | 0 | 0 | | | | | |
| Duluth (Hornets) | | AHA | 37 | 12 | 4 | 16 | 41 | | | | | |
| 1927-28 Montréal (Canadiens) | | LNH | 15 | 1 | 0 | 1 | 2 | | | | | |
| Chicago (Black Hawks) | | LNH | 14 | 1 | 0 | 1 | 8 | | | | | |
| Kansas City (Pla-Mors) | | AHA | 13 | 1 | 0 | 1 | 8 | 3 | 0 | 0 | 0 | 2 |
| 1928-29 Tulsa (Oilers) | | AHA | 40 | 19 | 7 | 26 | 33 | 4 | 0 | 0 | 0 | 4 |
| 1929-30 | | | | | *N'a pas joué* | | | | | | | |
| 1930-31 Tulsa (Oilers) | | AHA | 48 | 27 | 15 | 42 | 41 | 4 | 3 | 0 | 3 | 6 |
| 1931-32 Tulsa (Oilers) | | AHA | 48 | 11 | 5 | 16 | 51 | | | | | |
| 1932-33 Duluth-Wichita | | AHA | 39 | 16 | 8 | 24 | 33 | | | | | |
| 1933-34 Duluth (Hornets) | | CHL | 14 | 0 | 0 | | 41 | | | | | |
| Tulsa (Oilers) | | AHA | 31 | 6 | 10 | 16 | 35 | 4 | 1 | 0 | 1 | 0 |
| 1934-35 Minneapolis (Millers) | | CHL | 46 | 16 | 11 | 27 | 26 | 5 | 2 | 3 | 5 | 2 |
| 1935-36 Rochester (Cardinals) | | IHL | 9 | 1 | 0 | 1 | 0 | | | | | |
| Calgary (Tigers) | | NWHL | 3 | 0 | 0 | 0 | 6 | | | | | |
| Seattle (Seahawks) | | NWHL | 26 | 8 | 14 | 22 | 25 | 4 | 3 | 2 | 5 | 2 |
| **LNH** | | | **33** | **2** | **0** | **2** | **6** | - | - | - | - | - |
| **Montréal** | | | **19** | **1** | **0** | **1** | **2** | - | - | - | - | - |

• Deuxième équipe d'étoiles (CHL) en 1934-35
• Signe avec Duluth (AHA) le 2 novembre 1926 • Droits vendus à Montréal par Duluth (AHA) le 10 novembre 1926 • Prêté à Duluth (AHA) le 24 novembre 1926 • Prêté à Chicago par Montréal le 30 décembre 1927

### LALONDE, ÉDOUARD (NEWSY)

**Né à Cornwall, Ontario, le 31 octobre 1887, décédé le 21 novembre 1970
Centre/Ailier/Défenseur/Rover, lance de la droite, 5'9", 170 lb**

| SAISON CLUB | | LIGUE | PJ | B | A | PTS | PUN | PJ | B | A | PTS | PUN |
|---|---|---|---|---|---|---|---|---|---|---|---|---|
| 1904-05 Cornwall (Victorias) | | FAHL | 2 | 1 | 0 | 1 | 0 | | | | | |
| 1905-06 Woodstock Seniors | | OHA Sr | 7 | 8 | 0 | 8 | | | | | | |
| 1906-07 Canadian Soo | | IHL | 18 | 29 | 4 | 33 | 27 | | | | | |
| 1907-08 Portage-la-Prairie | | MHL Sr | 1 | 0 | 0 | 0 | | | | | | |
| Toronto (Professionals) | | OPHL | 11 | *29 | 0 | *29 | 37 | 1 | 2 | 0 | 2 | 0 |
| Haileybury (Silver Kings) | | TPHL | - | - | - | - | - | 1 | 3 | 0 | 3 | 0 |
| 1908-09 Toronto (Professionals) | | OPHL | 11 | 29 | 0 | 29 | 79 | | | | | |
| 1909-10 Montréal (Canadiens) | | NHA | 6 | *16 | 0 | *16 | 40 | | | | | |
| Renfrew (Creamery Kings) | | NHA | 5 | *22 | 0 | *22 | 16 | | | | | |
| 1910-11 Montréal (Canadiens) | | NHA | 16 | 19 | 0 | 19 | 63 | | | | | |
| 1911-12 Vancouver (Millionaires) | | PCHA | 15 | *27 | 0 | *27 | 51 | | | | | |

| Saison | Club | Ligue | PJ | B | A | PTS | PUN | PJ | B | A | PTS | PUN |
|---|---|---|---|---|---|---|---|---|---|---|---|---|
| | Équipe d'étoiles (PCHA) | Exh. | 3 | 5 | 0 | 5 | 11 | - | - | - | - | - |
| 1912-13 | Montréal (Canadiens) | NHA | 18 | 25 | 0 | 25 | - | - | - | - | - | - |
| 1913-14 | Montréal (Canadiens) | NHA | 14 | 22 | 5 | 27 | - | 2 | 0 | 1 | 1 | 0 |
| 1914-15 | Montréal (Canadiens) | NHA | 6 | 4 | 3 | 7 | 17 | - | - | - | - | - |
| 1915-16 | Montréal (Canadiens) | NHA | 24 | *28 | 6 | 34 | 78 | 4 | 3 | 0 | 3 | 43 |
| 1916-17 | Montréal (Canadiens) | NHA | 18 | 28 | 7 | 30 | 61 | 5 | 2 | 0 | 2 | 47 |
| 1917-18 | Montréal (Canadiens) | LNH | 14 | 23 | 7 | 30 | 51 | 2 | 4 | 2 | 6 | 17 |
| 1918-19 | Montréal (Canadiens) | LNH | 17 | *22 | *10 | *32 | 40 | 10 | *17 | 2 | *19 | 9 |
| 1919-20 | Montréal (Canadiens) | LNH | 23 | 37 | 9 | 46 | 34 | - | - | - | - | - |
| 1920-21 | Montréal (Canadiens) | LNH | 24 | 33 | 10 | *43 | 36 | - | - | - | - | - |
| 1921-22 | Montréal (Canadiens) | LNH | 20 | 6 | 14 | 20 | - | - | - | - | - | - |
| 1922-23 | Saskatoon (Sheiks) | WCHL | 29 | *30 | 4 | 34 | 44 | - | - | - | - | - |
| 1923-24 | Saskatoon (Crescents) | WCHL | 21 | 10 | 5 | 15 | | - | - | - | - | - |
| 1924-25 | Saskatoon (Crescents) | WCHL | 22 | 8 | 6 | 14 | 42 | 2 | 0 | 0 | 0 | 4 |
| 1925-26 | Saskatoon (Crescents) | WHL | 3 | 0 | 0 | 0 | 2 | 2 | 0 | 0 | 0 | 4 |
| 1926-27 | New York (Americans) | LNH | 1 | 0 | 0 | 0 | 2 | | | | | |
| 1927-28 | Québec (Castors) | Can-Am | 1 | 0 | 0 | 0 | 0 | | | | | |
| | | NHA | 102 | 164 | 21 | 185 | 275 | 11 | 5 | 1 | 6 | 88 |
| | | LNH | 98 | 124 | 41 | 165 | 183 | 12 | 21 | 4 | 25 | 26 |
| | | Montréal | 200 | 266 | 62 | 328 | 440 | 23 | 26 | 5 | 31 | 114 |

• Deuxième équipe d'étoiles (IHL) en 1906-07 • Première équipe d'étoiles (OPHL) en 1907-08 • Deuxième équipe d'étoiles (OPHL) en 1908-09 • Première équipe d'étoiles (PCHA) en 1911-12 • Coupe Stanley (NHA) en 1915-16 • Première équipe d'étoiles (WCHL) en 1923-24 • Temple de la Renommée (LNH) en 1950

• Signe avec Canadian Soo le 2 janvier 1907 • Signe avec American Soo (IHL) le 3 novembre 1907 • Signe avec Portage (MHL Sr) le 18 novembre 1907 • Signe avec Toronto (OPHL) le 15 janvier 1908 • Signe avec Haileybury (TPHL) le 15 février 1908 • Signe avec Montréal (NHA) en décembre 1909 • Prêté à Renfrew (NHA) par Montréal (NHA) le 16 février 1910 • Signe avec Vancouver (PCHA) comme agent libre le 3 novembre 1911 • Signe avec Montréal le 21 novembre 1912 • Échangé à Vancouver (PCHA) par Montréal pour James Gardner et une somme d'argent le 4 septembre 1913 • Refuse de se rapporter à Vancouver (PCHA), Montréal (NHA) cède Didier Pitre le 24 octobre 1913 • Échangé à Saskatoon (WHL) par Montréal avec une somme d'argent pour Aurèle Joliat le 4 novembre 1922 • Droits vendus à New York (Americans) par Saskatoon le 27 septembre 1926

## LALOR, MICHAEL (MIKE)

**Né à Buffalo, New York, le 8 mars 1963. Défenseur, lance de la gauche, 6', 200 lb**

| Saison | Club | Ligue | PJ | B | A | PTS | PUN | PJ | B | A | PTS | PUN |
|---|---|---|---|---|---|---|---|---|---|---|---|---|
| 1980-81 | Hamilton (Mountain A's) | OJHL | 44 | 5 | 28 | 33 | 83 | - | - | - | - | - |
| 1981-82 | Brantford (Alexanders) | OHL | 64 | 3 | 13 | 16 | 114 | 11 | 0 | 6 | 6 | 11 |
| 1982-83 | Brantford (Alexanders) | OHL | 65 | 10 | 30 | 40 | 113 | 8 | 1 | 3 | 4 | 20 |
| 1983-84 | Nlle-Écosse (Voyageurs) | AHL | 67 | 5 | 11 | 16 | 80 | 12 | 0 | 2 | 2 | 13 |
| 1984-85 | Sherbrooke (Canadien) | AHL | 79 | 9 | 23 | 32 | 114 | 17 | 3 | 5 | 8 | 36 |
| 1985-86 | Montréal (Canadiens) | LNH | 62 | 3 | 5 | 8 | 56 | 17 | 1 | 2 | 3 | 29 |
| 1986-87 | Montréal (Canadiens) | LNH | 57 | 0 | 10 | 10 | 47 | 13 | 2 | 1 | 3 | 29 |
| 1987-88 | Montréal (Canadiens) | LNH | 66 | 1 | 10 | 11 | 113 | 11 | 0 | 0 | 0 | 11 |
| 1988-89 | Montréal (Canadiens) | LNH | 12 | 1 | 4 | 5 | 15 | | | | | |
| | St. Louis (Blues) | LNH | 36 | 1 | 14 | 15 | 54 | 10 | 1 | 1 | 2 | 14 |
| 1989-90 | St. Louis (Blues) | LNH | 78 | 0 | 16 | 16 | 81 | 12 | 0 | 2 | 2 | 31 |
| 1990-91 | Washington (Capitals) | LNH | 68 | 5 | 1 | 6 | 61 | 10 | 1 | 2 | 3 | 22 |
| 1991-92 | Washington (Capitals) | LNH | 64 | 5 | 7 | 12 | 64 | | | | | |
| | Winnipeg (Jets) | LNH | 15 | 2 | 3 | 5 | 14 | 7 | 0 | 0 | 0 | 19 |
| 1992-93 | Winnipeg (Jets) | LNH | 64 | 1 | 8 | 9 | 76 | 4 | 0 | 2 | 2 | 6 |
| 1993-94 | San Jose (Sharks) | LNH | 23 | 0 | 2 | 2 | 8 | | | | | |
| | Dallas (Stars) | LNH | 12 | 0 | 1 | 1 | 0 | 6 | 0 | 1 | 1 | 6 |
| 1994-95 | Dallas (Stars) | LNH | 12 | 0 | 0 | 0 | 9 | 3 | 0 | 0 | 0 | 2 |
| | Kalamazoo (Wings) | IHL | 5 | 0 | 1 | 1 | 11 | | | | | |
| 1995-96 | Dallas (Stars) | LNH | 63 | 1 | 6 | 7 | 32 | | | | | |
| | San Francisco (Spiders) | IHL | 12 | 1 | 2 | 3 | 6 | | | | | |
| | États-Unis | CM | 8 | 0 | 0 | 0 | 4 | | | | | |
| 1996-97 | Dallas (Stars) | LNH | 55 | 1 | 1 | 2 | 18 | | | | | |
| | | LNH | 687 | 17 | 88 | 105 | 677 | 92 | 5 | 10 | 15 | 167 |
| | | Montréal | 197 | 5 | 29 | 34 | 231 | 41 | 3 | 3 | 6 | 69 |

• Coupe Calder (AHL) en 1984-85 • Coupe Stanley (LNH) en 1985-86 • Médaille de bronze (CM) en 1996

• Signe avec Montréal comme agent libre le 5 octobre 1983 • Échangé à St. Louis par Montréal avec le 1er choix de Montréal au repêchage de 1990 (cédé à Vancouver qui sélectionne Shaw Antoski) pour le 1er choix de St. Louis au repêchage de 1990 (Turner Stevenson) et le choix de 3e ronde de 1991 (droits cédés ensuite à St. Louis qui sélectionne Nathan Lafayette) le 16 janvier 1989 • Échangé à Washington par St. Louis avec Peter Zezel pour Geoff Courtnall le 13 juillet 1990 • Échangé à Winnipeg par Washington pour Paul MacDermid le 2 mars 1992 • Signe avec San Jose comme agent libre le 13 août 1993 • Échangé à Dallas par San Jose avec Doug Zmolek pour Ulf Dahlen et le choix de 7e ronde de Dallas au repêchage de 1994 (Brad Mehalko) le 19 mars 1994

## LAMB, JOSEPH (JOE)

**Né à Sussex, Nouveau-Brunswick, le 18 juin 1906, décédé**
**Ailier droit, lance de la droite, 5'10", 170 lb**

| Saison | Club | Ligue | PJ | B | A | PTS | PUN | PJ | B | A | PTS | PUN |
|---|---|---|---|---|---|---|---|---|---|---|---|---|
| 1922-23 | Sussex (Dairy Kings) | SNBHL | 8 | 4 | 0 | 4 | 4 | 4 | 2 | 0 | 2 | 2 |
| 1923-24 | Sussex (Dairy Kings) | SNBHL | 6 | 3 | 4 | 7 | 2 | 6 | 4 | 1 | 5 | 6 |
| 1924-25 | Sussex (Dairy Kings) | SNBHL | 12 | 14 | 4 | 18 | 8 | 6 | 2 | 3 | 5 | 6 |
| 1925-26 | Montréal (Royal Bank) | LHBM | 5 | 2 | 3 | 5 | 12 | - | - | - | - | - |
| | Montréal (Young Royals) | LHJCM | 6 | 6 | 0 | 6 | 9 | | | | | |
| | Montréal (Young Royals) | Mem. | 4 | 4 | 2 | 6 | 13 | | | | | |
| 1926-27 | Montréal (Victorias) | LHCM | 7 | 3 | 2 | 5 | 26 | | | | | |
| | Montréal (Victorias) | Exh. | 15 | 28 | 0 | 28 | | | | | | |
| | Montréal (Royal Bank) | LHBM | 4 | 4 | 3 | 7 | 14 | | | | | |
| 1927-28 | Montréal (Victorias) | LHCM | 7 | 4 | 2 | 6 | | | | | | |
| | Montréal (Royal Bank) | LHBM | 9 | 5 | 8 | 13 | 39 | | | | | |
| | Montréal (Maroons) | LNH | 21 | 8 | 1 | 9 | 33 | 2 | 0 | 1 | 1 | 32 |

| Saison | Club | Ligue | PJ | B | A | PTS | PUN | PJ | B | A | PTS | PUN |
|---|---|---|---|---|---|---|---|---|---|---|---|---|
| 1928-29 | Montréal (Maroons) | LNH | 30 | 4 | 1 | 5 | 44 | - | - | - | - | - |
| | Ottawa (Senators) | LNH | 6 | 0 | 0 | 0 | 8 | - | - | - | - | - |
| 1929-30 | Ottawa (Senators) | LNH | 44 | 29 | 20 | 49 | *119 | 2 | 0 | 0 | 0 | 11 |
| 1930-31 | Ottawa (Senators) | LNH | 44 | 11 | 14 | 25 | 91 | - | - | - | - | - |
| 1931-32 | New York (Americans) | LNH | 48 | 14 | 11 | 25 | 71 | - | - | - | - | - |
| 1932-33 | Boston (Bruins) | LNH | 42 | 11 | 8 | 19 | 68 | 5 | 0 | 1 | 1 | 6 |
| 1933-34 | Boston (Bruins) | LNH | 40 | 10 | 15 | 25 | 47 | - | - | - | - | - |
| 1934-35 | Montréal (Canadiens) | LNH | 7 | 3 | 2 | 5 | 4 | - | - | - | - | - |
| | St. Louis (Eagles) | LNH | 31 | 11 | 12 | 23 | 19 | - | - | - | - | - |
| 1935-36 | Montréal (Maroons) | LNH | 35 | 0 | 3 | 3 | 12 | 3 | 0 | 0 | 0 | 4 |
| 1936-37 | New York (Americans) | LNH | 48 | 9 | 3 | 12 | 53 | - | - | - | - | - |
| 1937-38 | New York (Americans) | LNH | 25 | 1 | 0 | 1 | 20 | - | - | - | - | - |
| | Detroit (Red Wings) | LNH | 14 | 3 | 1 | 4 | 6 | - | - | - | - | - |
| | Pittsburgh (Hornets) | IAHL | 6 | 2 | 0 | 2 | 4 | | | | | |
| 1938-39 | Springfield (Indians) | IAHL | 51 | 11 | 16 | 27 | 72 | 3 | 0 | 1 | 1 | 4 |
| 1939-40 | Springfield (Indians) | IAHL | 54 | 20 | 14 | 34 | 44 | 3 | 0 | 0 | 0 | 4 |
| | | LNH | 443 | 108 | 101 | 209 | 601 | 18 | 1 | 1 | 2 | 51 |
| | | Montréal | 7 | 3 | 2 | 5 | 4 | | | | | |

• Signe avec Montréal (Maroons) le 29 janvier 1928 • Échangé à Ottawa par Montréal (Maroons) pour George Boucher le 14 février 1929 • Réclamé par New York (Americans) pour la saison 1931-32 lors du repêchage de dispersion d'Ottawa le 26 septembre 1931 • Échangé à Boston par Ottawa avec une somme d'argent pour Conney Weiland le 25 juillet 1932 • Échangé à Montréal par Boston pour John Gagnon le 2 octobre 1934 • Droits vendus à Boston par Montréal le 4 décembre 1934 • Échangé à St. Louis par Boston pour Desse Roche et Max Kaminsky le 4 décembre 1934 • Réclamé par Montréal (Maroons) lors du repêchage de dispersion de St. Louis le 15 octobre 1935 • Échangé à New York (Americans) par Montréal (Maroons) avec une somme d'argent pour Carl Voss le 6 septembre 1936 • Échangé à Detroit avec droit de rappel par New York (Americans) pour Red Beattle le 24 janvier 1938

## LAMB, MARK

**Né à Ponteix, Saskatchewan, le 3 août 1964. Centre, lance de la gauche, 5'9", 180 lb (5e choix de Calgary, 72e au total lors du repêchage de 1982)**

| Saison | Club | Ligue | PJ | B | A | PTS | PUN | PJ | B | A | PTS | PUN |
|---|---|---|---|---|---|---|---|---|---|---|---|---|
| 1980-81 | Melville (Millionaires) | SJHL | Statistiques non disponibles | | | | | | | | | |
| | Billings (Bighorns) | WHL | 24 | 1 | 8 | 9 | 12 | - | - | - | - | - |
| 1981-82 | Billings (Bighorns) | WHL | 72 | 45 | 56 | 101 | 46 | 5 | 4 | 6 | 10 | 4 |
| 1982-83 | Nanaimo (Islanders) | WHL | 30 | 14 | 37 | 51 | 16 | - | - | - | - | - |
| | Medecine Hat (Tigers) | WHL | 46 | 22 | 43 | 65 | 33 | 3 | 2 | 5 | 4 | |
| | Colorado (Flames) | CHL | | | | | | 6 | 2 | 2 | 0 | |
| 1983-84 | Medecine Hat (Tigers) | WHL | 72 | 59 | 77 | 136 | 30 | 14 | 12 | 11 | 23 | 6 |
| 1984-85 | Moncton (Golden Flames) | AHL | 80 | 23 | 49 | 72 | 53 | - | - | - | - | - |
| 1985-86 | Moncton (Golden Flames) | AHL | 79 | 26 | 50 | 76 | 51 | 10 | 2 | 6 | 8 | 17 |
| | Calgary (Flames) | LNH | 1 | 0 | 0 | 0 | 0 | - | - | - | - | - |
| 1986-87 | Adirondack (Red Wings) | AHL | 49 | 14 | 36 | 50 | 45 | - | - | - | - | - |
| | Detroit (Red Wings) | LNH | 22 | 2 | 1 | 3 | 8 | - | - | - | - | - |
| 1987-88 | Nova Scotia (Oilers) | AHL | 69 | 27 | 61 | 88 | 45 | - | - | - | - | - |
| | Edmonton (Oilers) | LNH | 2 | 0 | 0 | 0 | 0 | - | - | - | - | - |
| 1988-89 | Cap-Breton (Oilers) | AHL | 54 | 33 | 49 | 82 | 29 | - | - | - | - | - |
| | Edmonton (Oilers) | LNH | 20 | 2 | 8 | 10 | 14 | 7 | 0 | 2 | 2 | 8 |
| 1989-90 | Edmonton (Oilers) | LNH | 58 | 12 | 16 | 28 | 42 | 22 | 6 | 11 | 17 | 2 |
| 1990-91 | Edmonton (Oilers) | LNH | 37 | 4 | 8 | 12 | 25 | 15 | 0 | 5 | 5 | 2 |
| 1991-92 | Edmonton (Oilers) | LNH | 59 | 6 | 22 | 28 | 46 | 16 | 1 | 1 | 2 | 10 |
| 1992-93 | Ottawa (Sénateurs) | LNH | 71 | 7 | 19 | 26 | 64 | - | - | - | - | - |
| 1993-94 | Ottawa (Sénateurs) | LNH | 66 | 11 | 18 | 29 | 56 | - | - | - | - | - |
| | Philadelphie (Flyers) | LNH | 18 | 1 | 6 | 7 | 10 | - | - | - | - | - |
| 1994-95 | Philadelphie (Flyers) | LNH | 8 | 0 | 2 | 2 | 2 | - | - | - | - | - |
| | Montréal (Canadiens) | LNH | 39 | 1 | 0 | 1 | 18 | - | - | - | - | - |
| 1995-96 | Montréal (Canadiens) | LNH | 1 | 0 | 0 | 0 | 0 | - | - | - | - | - |
| | Houston (Aeros) | IHL | 67 | 17 | 60 | 77 | 65 | - | - | - | - | - |
| 1996-97 | Houston (Aeros) | IHL | 81 | 25 | 53 | 78 | 83 | 13 | 2 | 13 | 15 | 10 |
| 1997-98 | EV Landshut | GER | 46 | 7 | 21 | 28 | 30 | 6 | 3 | 1 | 4 | 8 |
| 1998-99 | Houston (Aeros) | IHL | 79 | 21 | 49 | 70 | 72 | 19 | 1 | 10 | 11 | 12 |
| 1999-00 | Houston (Aeros) | IHL | 79 | 15 | 46 | 61 | 58 | 11 | 2 | 7 | 9 | 6 |
| | | LNH | 403 | 46 | 100 | 146 | 291 | 70 | 7 | 19 | 26 | 51 |
| | | Montréal | 40 | 1 | 0 | 1 | 18 | | | | | |

• Première équipe d'étoiles (WHL) en 1983-84 • Coupe Stanley (LNH) en 1989-90

• Signe avec Detroit comme agent libre le 28 juillet 1986 • Réclamé au ballottage par Edmonton de Detroit le 5 octobre 1987 • Réclamé par Ottawa de Edmonton lors de l'expansion de la LNH le 18 juin 1992 • Échangé à Philadelphie par Ottawa pour Kirk Daubenspeck et Claude Boivin le 5 mars 1994 • Droits vendus à Montréal par Philadelphie le 10 février 1995 • Prêté à Houston (IHL) par Montréal le 1er novembre 1995 • Signe avec Houston (IHL) comme agent libre le 13 septembre 1996

## LAMBERT, YVON

**Né à Drummondville, Québec, le 20 mai 1950. Ailier gauche, lance de la gauche, 6', 195 lb (3e choix de Detroit et 40e au total lors du repêchage de 1970)**

| Saison | Club | Ligue | PJ | B | A | PTS | PUN | PJ | B | A | PTS | PUN |
|---|---|---|---|---|---|---|---|---|---|---|---|---|
| 1969-70 | Drummondville (Rangers) | LHJMQ | 52 | 50 | 51 | 101 | 89 | 6 | 7 | 4 | 11 | 6 |
| 1970-71 | Port Huron (Flags) | IHL | 62 | 23 | 18 | 41 | 81 | 14 | 8 | 1 | 9 | 32 |
| 1971-72 | Nlle-Écosse (Voyageurs) | AHL | 67 | 18 | 21 | 39 | 116 | 15 | 4 | 4 | 8 | 28 |
| 1972-73 | Nlle-Écosse (Voyageurs) | AHL | 76 | *52 | 52 | *104 | 84 | 13 | 9 | 9 | 18 | 32 |
| | Montréal (Canadiens) | LNH | 1 | 0 | 0 | 0 | 0 | - | - | - | - | - |
| 1973-74 | Montréal (Canadiens) | LNH | 60 | 6 | 10 | 16 | 42 | 5 | 0 | 0 | 0 | 7 |
| 1974-75 | Montréal (Canadiens) | LNH | 80 | 32 | 35 | 67 | 74 | 11 | 4 | 2 | 6 | 0 |
| 1975-76 | Montréal (Canadiens) | LNH | 80 | 32 | 35 | 67 | 28 | 13 | 2 | 3 | 5 | 18 |
| 1976-77 | Montréal (Canadiens) | LNH | 79 | 24 | 28 | 52 | 50 | 14 | 3 | 6 | 9 | 12 |
| 1977-78 | Montréal (Canadiens) | LNH | 77 | 18 | 22 | 40 | 20 | 15 | 5 | 5 | 10 | 18 |
| 1978-79 | Montréal (Canadiens) | LNH | 79 | 26 | 40 | 66 | 26 | 16 | 5 | 11 | 16 | 24 |
| 1979-80 | Montréal (Canadiens) | LNH | 77 | 21 | 32 | 53 | 23 | 10 | 8 | 4 | 12 | 8 |
| 1980-81 | Montréal (Canadiens) | LNH | 73 | 22 | 29 | 51 | 99 | 3 | 0 | 1 | 1 | 9 |
| 1981-82 | Buffalo (Sabres) | LNH | 77 | 25 | 39 | 64 | 38 | 4 | 0 | 3 | 3 | 2 |

| SAISON CLUB | LIGUE | PJ | B | A | PTS | PUN | PJ | B | A | PTS | PUN |
|---|---|---|---|---|---|---|---|---|---|---|---|
| 1982-83 Rochester (Americans) | AHL | 79 | 26 | 22 | 48 | 10 | 12 | 2 | 4 | 6 | 2 |
| 1983-84 Rochester (Americans) | AHL | 79 | 27 | 43 | 70 | 14 | 18 | 8 | 11 | 19 | 2 |
| **LNH** | | **683** | **206** | **273** | **479** | **340** | **90** | **27** | **22** | **49** | **67** |
| **Montréal** | | **606** | **181** | **234** | **415** | **302** | **86** | **24** | **22** | **46** | **65** |

• Coupe Calder (AHL) en 1971-72, 1982-83 • Première équipe d'étoiles (AHL) en 1972-73.
• Trophée John-B.-Sollenberger (AHL) en 1972-73 • Coupe Stanley (LNH) en 1975-76, 1976-77, 1977-78, 1978-79
• Réclamé par Montréal de Detroit lors du repêchage inversé le 9 juin 1971 • Réclamé par Buffalo de Montréal lors du repêchage inter-équipes le 5 octobre 1981

## LAMIRANDE, JEAN-PAUL

**Né à Shawinigan, Québec, le 21 août 1923, décédé le 30 janvier 1976**
**Défenseur, lance de la droite, 5'8", 170 lb**

| SAISON CLUB | LIGUE | PJ | B | A | PTS | PUN | PJ | B | A | PTS | PUN |
|---|---|---|---|---|---|---|---|---|---|---|---|
| 1943-44 Montréal (Armée) | LHCM | 2 | 0 | 0 | 0 | 0 | 2 | 0 | 0 | 0 | 2 |
| 1944-45 Montréal (Armée) | LHCM | 14 | 3 | 5 | 8 | 10 | 3 | 0 | 0 | 0 | 0 |
| Montréal (Cyclones) | LHCM | 12 | 2 | 8 | 10 | - | - | - | - | - | - |
| 1945-46 Montréal (Royals) | LHSQ | 36 | 6 | 8 | 14 | 60 | 9 | 2 | 2 | 4 | 22 |
| 1946-47 New York (Rangers) | LNH | 14 | 1 | 1 | 2 | 14 | - | - | - | - | - |
| New Haven (Ramblers) | AHL | 4 | 0 | 1 | 1 | 6 | - | - | - | - | - |
| St. Paul (Saints) | USHL | 26 | 0 | 4 | 4 | 18 | - | - | - | - | - |
| 1947-48 New York (Rangers) | LNH | 18 | 0 | 1 | 1 | 6 | 6 | 0 | 0 | 0 | 4 |
| New Haven (Ramblers) | AHL | 46 | 7 | 20 | 27 | 22 | - | - | - | - | - |
| 1948-49 New Haven (Ramblers) | AHL | 30 | 3 | 7 | 10 | 18 | - | - | - | - | - |
| 1949-50 New Haven (Ramblers) | AHL | 52 | 26 | 31 | 57 | 16 | - | - | - | - | - |
| New York (Rangers) | LNH | 16 | 4 | 3 | 7 | 6 | 2 | 0 | 0 | 0 | 0 |
| 1950-51 St. Louis (Flyers) | AHL | 64 | 13 | 36 | 49 | 6 | - | - | - | - | - |
| 1951-52 Chicoutimi (Saguenéens) | LHMQ | 58 | 11 | 28 | 39 | 32 | 18 | 2 | 7 | 9 | 4 |
| 1952-53 Chicoutimi (Saguenéens) | LHMQ | 56 | 4 | 19 | 23 | 36 | 20 | 2 | 6 | 8 | 17 |
| 1953-54 Chicoutimi (Saguenéens) | LHQ | 68 | 5 | 22 | 27 | 65 | 7 | 0 | 0 | 0 | 4 |
| 1954-55 Shawinigan (Cataractes) | LHQ | 60 | 3 | 29 | 32 | 59 | 11 | 2 | 4 | 6 | 8 |
| **Montréal (Canadiens)** | **LNH** | **1** | **0** | **0** | **0** | **0** | - | - | - | - | - |
| Shawinigan (Cataractes) | Édin. | 7 | 2 | 2 | 4 | 4 | - | - | - | - | - |
| 1955-56 Trois-Rivières | LHQ | 58 | 6 | 16 | 22 | 44 | 11 | 1 | 2 | 3 | 10 |
| 1956-57 Québec (As) | LHQ | 67 | 4 | 14 | 18 | 52 | 10 | 0 | 5 | 5 | 6 |
| Québec (As) | Édin. | 6 | 1 | 0 | 1 | 6 | - | - | - | - | - |
| 1957-58 Québec (As) | LHQ | 45 | 3 | 16 | 19 | 24 | 13 | 1 | 2 | 3 | 6 |
| Canada | CM | 7 | 1 | 0 | 1 | 0 | - | - | - | - | - |
| 1958-59 Belleville (McFarlands) | EOHL | 20 | 5 | 8 | 13 | 10 | - | - | - | - | - |
| Canada | CM | 8 | 1 | 0 | 1 | 0 | - | - | - | - | - |
| 1959-60 Windsor (Bulldogs) | OHA Sr | 49 | 6 | 16 | 22 | 50 | 14 | 0 | 4 | 4 | 2 |
| 1960-61 Kingston (Frontenacs) | EPHL | 2 | 0 | 1 | 1 | 2 | - | - | - | - | - |
| Clinton (Comets) | EHL | 52 | 6 | 27 | 33 | 22 | 4 | 0 | 1 | 1 | 7 |
| **LNH** | | **49** | **5** | **5** | **10** | **26** | **8** | **0** | **0** | **0** | **4** |
| **Montréal** | | **1** | **0** | **0** | **0** | **0** | - | - | - | - | - |

• Première équipe d'étoiles (LHMQ) en 1950-51, 1952-53 • Première équipe d'étoiles (LHQ) en 1954-55 • Deuxième équipe d'étoiles (LHQ) en 1955-56, 1956-57 • Nommé meilleur défenseur (CM) en 1958-59 • Médaille d'or (CM) en 1958 et en 1959 • Deuxième équipe d'étoiles (EHL) en 1960-61
• Droits vendus à Chicago par New York (Rangers) le 19 septembre 1951 • Droits vendus à Montréal par Chicago le 25 octobre 1954 • Réclamé au ballotage par Québec (LHQ) de Shawinigan (LHQ) en octobre 1956

## LAMOUREUX, LÉO

**Né à Espanola, Ontario, le 1er octobre 1916, décédé le 11 janvier 1961**
**Défenseur, lance de la gauche, 5'11", 175 lb**

| SAISON CLUB | LIGUE | PJ | B | A | PTS | PUN | PJ | B | A | PTS | PUN |
|---|---|---|---|---|---|---|---|---|---|---|---|
| 1932-33 Timmins (Combines) | NOHA | | | | *Statistiques non disponibles* | | | | | | |
| Timmins (Combines) | Allan | 6 | 1 | 1 | 2 | 4 | - | - | - | - | - |
| 1933-34 Timmins (Combines) | NOHA | | | | *Statistiques non disponibles* | | | | | | |
| Toronto (CCM) | TMHL | 5 | 1 | 0 | 1 | 2 | - | - | - | - | - |
| 1934-35 Oshawa (Generals) | OHA Jr | 14 | 6 | 14 | 20 | 8 | 2 | 4 | 0 | 4 | 4 |
| 1935-36 Timmins (Black Shirts) | NOHA | 14 | 10 | 11 | 21 | 19 | - | - | - | - | - |
| 1936-37 Kirkland Lake (Blue Devils) | NOHA | 6 | 4 | 5 | 9 | 0 | 4 | 1 | 0 | 1 | 2 |
| 1937-38 Windsor (Chryslers) | MOHL | 31 | 13 | 15 | 28 | 36 | 8 | 4 | 5 | 9 | 6 |
| 1938-39 Earls Court (Rangers) | GBR | - | 9 | 7 | 16 | - | - | - | - | - | - |
| 1939-40 Cornwall (Royals) | LHSQ | 29 | 7 | 9 | 16 | 29 | 5 | 1 | 2 | 3 | 6 |
| 1940-41 Hamilton (Dafascos) | OHA Sr | 28 | 12 | 9 | 21 | 50 | 6 | 1 | 4 | 5 | 8 |
| 1941-42 Washington (Lions) | AHL | 55 | 19 | 24 | 40 | 2 | 0 | 2 | 2 | 0 | |
| **Montréal (Canadiens)** | **LNH** | **1** | **0** | **0** | **0** | **0** | - | - | - | - | - |
| 1942-43 Montréal (Canadiens) | **LNH** | **46** | **2** | **16** | **18** | **53** | - | - | - | - | - |
| Washington (Lions) | AHL | 1 | 1 | 0 | 1 | 0 | - | - | - | - | - |
| 1943-44 **Montréal (Canadiens)** | **LNH** | **44** | **8** | **23** | **31** | **32** | **9** | **0** | **3** | **3** | **8** |
| 1944-45 **Montréal (Canadiens)** | **LNH** | **49** | **2** | **22** | **24** | **58** | **6** | **1** | **1** | **2** | **2** |
| 1945-46 **Montréal (Canadiens)** | **LNH** | **45** | **5** | **7** | **12** | **18** | **9** | **0** | **2** | **2** | **2** |
| 1946-47 **Montréal (Canadiens)** | **LNH** | **50** | **2** | **11** | **13** | **14** | **4** | **0** | **0** | **4** | |
| 1947-48 Buffalo (Bisons) | AHL | 15 | 1 | 4 | 5 | 4 | - | - | - | - | - |
| Springfield (Indians) | AHL | 41 | 14 | 15 | 16 | - | - | - | - | - | - |
| 1948-49 Shawinigan (Cataractes) | LHSQ | 31 | 1 | 18 | 19 | 26 | - | - | - | - | - |
| 1949-50 Shawinigan (Cataractes) | LHSQ | 22 | 1 | 15 | 16 | 8 | - | - | - | - | - |
| 1950-51 Detroit (Hettche) | IHL | 13 | 0 | 4 | 4 | 12 | - | - | - | - | - |
| Charlottetown (Islanders) | MMHL | 1 | 0 | 1 | 1 | 0 | - | - | - | - | - |
| 1951-52 Charlottetown (Islanders) | MMHL | 1 | 0 | 0 | 0 | 0 | - | - | - | - | - |
| 1952-53 North Bay (Trappers) | NOHA | 8 | 1 | 3 | 4 | 6 | - | - | - | - | - |
| 1953-54 | | | | | *N'a pas joué* | | | | | | |
| 1954-55 | | | | | *N'a pas joué* | | | | | | |
| 1955-56 Indianapolis (Chiefs) | IHL | 24 | 0 | 5 | 5 | 19 | - | - | - | - | - |
| **LNH** | | **235** | **19** | **79** | **98** | **175** | **28** | **1** | **6** | **7** | **16** |
| **Montréal** | | **235** | **19** | **79** | **98** | **175** | **28** | **1** | **6** | **7** | **16** |

• Première équipe d'étoiles (LHSQ) en 1939-40 • Coupe Stanley (LNH) en 1943-44, 1945-46
• Signe avec Cornwall (LHSQ) le 2 octobre 1939 • Signe avec Montréal le 16 octobre 1941

---

• Prêté à Washington par Montréal avec Connie Tudin, Paul Bibeault et Paul Gauthier le 29 octobre 1941 • Droits vendus à Springfield (AHL) par Montréal le 12 décembre 1947

## LANDON, LARRY

**Né à Niagara Falls, Ontario, le 4 mai 1958. Ailier droit, lance de la droite, 6', 191 lb**
**(10e choix de Montréal, 137e au total lors du repêchage de 1978)**

| SAISON CLUB | LIGUE | PJ | B | A | PTS | PUN | PJ | B | A | PTS | PUN |
|---|---|---|---|---|---|---|---|---|---|---|---|
| 1975-76 Niagara Falls (Canucks) | OHA B | 48 | 56 | 56 | 112 | - | - | - | - | - | - |
| St. Catharines (Fincups) | OMJHL | 16 | 1 | 4 | 5 | 2 | - | - | - | - | - |
| 1976-77 St. Catharines (Falcons) | OHA B | 32 | 20 | 28 | 48 | - | - | - | - | - | - |
| 1977-78 RPI Engineers | ECAC | 29 | 13 | 22 | 35 | 18 | - | - | - | - | - |
| 1978-79 RPI Engineers | ECAC | 28 | 17 | 28 | 45 | 12 | - | - | - | - | - |
| 1979-80 RPI Engineers | ECAC | 28 | 20 | 27 | 47 | 14 | - | - | - | - | - |
| 1980-81 RPI Engineers | ECAC | 28 | 13 | 17 | 30 | 27 | - | - | - | - | - |
| Nlle-Écosse (Voyageurs) | AHL | 2 | 0 | 0 | 0 | 0 | 0 | 0 | 0 | 0 | 0 |
| 1981-82 Nlle-Écosse (Voyageurs) | AHL | 69 | 11 | 15 | 26 | 31 | 8 | 1 | 0 | 1 | 6 |
| 1982-83 Nlle-Écosse (Voyageurs) | AHL | 68 | 18 | 25 | 43 | 43 | 7 | 2 | 0 | 2 | 0 |
| 1983-84 Nlle-Écosse (Voyageurs) | AHL | 79 | 26 | 30 | 56 | 19 | 12 | 7 | 2 | 9 | 2 |
| **Montréal (Canadiens)** | **LNH** | **2** | **0** | **0** | **0** | **0** | - | - | - | - | - |
| 1984-85 Sherbrooke (Canadien) | AHL | 21 | 7 | 9 | 16 | 2 | - | - | - | - | - |
| Toronto (Maple Leafs) | LNH | 7 | 0 | 0 | 0 | 0 | - | - | - | - | - |
| St. Catharines (Saints) | AHL | 44 | 21 | 36 | 57 | 8 | - | - | - | - | - |
| **LNH** | | **9** | **0** | **0** | **0** | **2** | - | - | - | - | - |
| **Montréal** | | **2** | **0** | **0** | **0** | **0** | - | - | - | - | - |

• Échangé à Toronto par Montréal pour Gaston Gingras le 14 février 1985

## LANDRY, ÉRIC

**Né à Gatineau, Québec, le 20 janvier 1975. Centre, lance de la gauche, 5'10", 187 lb**

| SAISON CLUB | LIGUE | PJ | B | A | PTS | PUN | PJ | B | A | PTS | PUN |
|---|---|---|---|---|---|---|---|---|---|---|---|
| 1992-93 Abitibi-Témiscamingue | QAAA | 40 | 15 | 11 | 26 | 98 | 1 | 0 | 0 | 0 | 19 |
| 1993-94 Saint-Hyacinthe (Laser) | LHJMQ | 69 | 42 | 34 | 76 | 128 | 7 | 4 | 2 | 6 | 13 |
| 1994-95 Saint-Hyacinthe (Laser) | LHJMQ | 68 | 38 | 36 | 74 | 249 | 5 | 2 | 1 | 3 | 10 |
| 1995-96 Cap-Breton (Oilers) | AHL | 74 | 19 | 33 | 52 | 187 | - | - | - | - | - |
| 1996-97 Hamilton (Bulldogs) | AHL | 74 | 15 | 17 | 32 | 139 | 22 | 6 | 7 | 13 | 43 |
| 1997-98 Calgary (Flames) | LNH | 12 | 1 | 0 | 1 | 4 | - | - | - | - | - |
| Saint John (Flames) | AHL | 61 | 17 | 21 | 38 | 194 | 20 | 4 | 6 | 10 | 58 |
| États-Unis | CMH | 5 | 1 | 1 | 2 | 8 | - | - | - | - | - |
| 1998-99 Calgary (Flames) | LNH | 3 | 0 | 1 | 1 | 0 | - | - | - | - | - |
| Saint John (Flames) | AHL | 56 | 19 | 22 | 41 | 158 | 7 | 3 | 5 | 7 | 12 |
| 1999-00 Kentucky (Thoroughblades) | AHL | 79 | 35 | 31 | 66 | 170 | 9 | 3 | 6 | 9 | 2 |
| 2000-01 **Montréal (Canadiens)** | **LNH** | **51** | **4** | **7** | **11** | **43** | - | - | - | - | - |
| Québec (Citadelles) | AHL | 27 | 14 | 18 | 32 | 90 | 9 | 4 | 4 | 8 | 35 |
| 2001-02 **Montréal (Canadiens)** | **LNH** | **2** | **0** | **1** | **1** | **0** | - | - | - | - | - |
| Québec (Citadelles) | AHL | 63 | 32 | 43 | 75 | 125 | 3 | 1 | 1 | 2 | 16 |
| 2002-03 Utah (Grizzlies) | AHL | 73 | 26 | 36 | 62 | 119 | 2 | 0 | 1 | 1 | 2 |
| **LNH** | | **68** | **5** | **9** | **14** | **47** | - | - | - | - | - |
| **Montréal** | | **53** | **4** | **8** | **12** | **43** | - | - | - | - | - |

• Équipe d'étoiles des recrues (LHJMQ) en 1993-94
• Signe avec Calgary comme agent libre le 20 août 1997 • Échangé à San Jose par Calgary pour Fredrik Oduya le 12 juillet 1999 • Signe avec Montréal comme agent libre le 7 juillet 2000

## LANGLOIS, ALBERT

**Né à Magog, Québec, le 6 novembre 1934. Défenseur, lance de la gauche, 6', 205 lb**

| SAISON CLUB | LIGUE | PJ | B | A | PTS | PUN | PJ | B | A | PTS | PUN |
|---|---|---|---|---|---|---|---|---|---|---|---|
| 1952-53 Québec (Citadelle) | LHJQ | 9 | 0 | 0 | 0 | 0 | - | - | - | - | - |
| 1953-54 Québec (Frontenacs) | LHJQ | 63 | 2 | 11 | 13 | 84 | 8 | 1 | 2 | 3 | 8 |
| Québec (Frontenacs) | Mem. | 8 | 0 | 4 | 4 | 0 | - | - | - | - | - |
| 1954-55 Québec (Citadelle) | LHJQ | 43 | 2 | 18 | 20 | 73 | 9 | 1 | 3 | 4 | 12 |
| Québec (Citadelle) | Mem. | 9 | 2 | 4 | 6 | 2 | - | - | - | - | - |
| 1955-56 Shawinigan (Cataractes) | LHQ | 64 | 6 | 14 | 48 | 11 | 2 | 4 | 6 | 14 | |
| 1956-57 Shawinigan (Cataractes) | LHQ | 16 | 0 | 1 | 1 | 12 | - | - | - | - | - |
| Rochester (Americans) | AHL | 47 | 5 | 24 | 29 | 64 | 10 | 0 | 4 | 4 | 18 |
| 1957-58 Rochester (Americans) | AHL | 68 | 0 | 11 | 11 | 88 | - | - | - | - | - |
| **Montréal (Canadiens)** | **LNH** | **1** | **0** | **0** | **0** | **0** | **7** | **0** | **1** | **1** | **4** |
| 1958-59 **Montréal (Canadiens)** | **LNH** | **48** | **0** | **3** | **3** | **26** | **7** | **0** | **0** | **0** | **4** |
| 1959-60 **Montréal (Canadiens)** | **LNH** | **67** | **1** | **4** | **15** | **48** | **8** | **0** | **3** | **3** | **18** |
| Match des étoiles | LNH | 1 | 0 | 0 | 0 | 0 | - | - | - | - | - |
| 1960-61 **Montréal (Canadiens)** | **LNH** | **61** | **1** | **12** | **13** | **56** | **5** | **0** | **0** | **0** | **6** |
| Match des étoiles | LNH | 1 | 0 | 0 | 0 | 0 | - | - | - | - | - |
| 1961-62 New York (Rangers) | LNH | 69 | 7 | 18 | 25 | 90 | 6 | 0 | 1 | 1 | 2 |
| 1962-63 New York (Rangers) | LNH | 60 | 2 | 14 | 16 | 62 | - | - | - | - | - |
| 1963-64 New York (Rangers) | LNH | 44 | 4 | 2 | 6 | 32 | - | - | - | - | - |
| Baltimore (Clippers) | AHL | 6 | 1 | 6 | 7 | 4 | - | - | - | - | - |
| Detroit (Red Wings) | LNH | 16 | 1 | 6 | 7 | 13 | 14 | 0 | 0 | 0 | 12 |
| 1964-65 Detroit (Red Wings) | LNH | 65 | 1 | 12 | 13 | 107 | 6 | 1 | 0 | 1 | 4 |
| 1965-66 Boston (Bruins) | LNH | 65 | 4 | 10 | 14 | 54 | - | - | - | - | - |
| 1966-67 Los Angeles (Blades) | WHL | 59 | 6 | 34 | 40 | 97 | - | - | - | - | - |
| **LNH** | | **497** | **21** | **91** | **112** | **488** | **51** | **1** | **5** | **6** | **50** |
| **Montréal** | | **177** | **2** | **29** | **31** | **130** | **27** | **0** | **4** | **4** | **32** |

• Deuxième équipe d'étoiles (LHQ) en 1955-56 • Coupe Stanley (LNH) en 1957-58, 1958-59, 1959-60 • Match des étoiles (LNH) en 1959-60, 1960-61
• Échangé à New York par Montréal pour John Hanna le 13 juin 1961 • Échangé à Detroit par New York pour Ron Ingram le 14 février 1964 • Échangé à Boston par Detroit avec Ron Harris, Parker MacDonald, Bob Dillabough pour Al McDonald, Bob McCord et Ken Stephanson le 31 mai 1965

## LANGLOIS, CHARLES

**Né à Lotbinière, Québec, le 25 août 1894, décédé le 31 août 1965**
**Défenseur/Ailier droit, lance de la droite, 6', 210 lb**

| SAISON CLUB | LIGUE | PJ | B | A | PTS | PUN | PJ | B | A | PTS | PUN |
|---|---|---|---|---|---|---|---|---|---|---|---|
| 1916-17 Montréal (Stars) | LHCM | 10 | 2 | 5 | 7 | 24 | 4 | 3 | 2 | 5 | 15 |
| Montréal (Lyalls) | LHCM | 11 | 8 | 0 | 8 | - | - | - | - | - | - |
| 1917-18 Montréal (Lyalls) | LHCM | 11 | 10 | 7 | 17 | 24 | 1 | 1 | 0 | 1 | 0 |

## (suite — joueur précédent)

| SAISON | CLUB | LIGUE | PJ | B | A | PTS | PUN | PJ | B | A | PTS | PUN |
|---|---|---|---|---|---|---|---|---|---|---|---|---|
| 1918-19 | Montréal (National) | LHCM | 3 | 5 | 3 | 8 | 3 | - | - | - | - | - |
| | Montréal (Vickers) | LHCM | 6 | 4 | 0 | 4 | | - | - | - | - | - |
| 1919-20 | Sudbury (Wolves) | NOHA | 6 | 5 | 2 | 7 | 2 | 7 | 6 | 4 | 10 | 12 |
| 1920-21 | Sudbury (Wolves) | NOHA | 9 | 8 | 5 | 13 | *61 | | | | | |
| 1921-22 | Sudbury (Wolves) | NOHA | 8 | 1 | 2 | 3 | 21 | | | | | |
| 1922-23 | Sudbury (Wolves) | NOHA | 7 | 1 | 1 | 2 | 6 | 2 | 0 | 0 | 0 | 0 |
| 1923-24 | Sudbury (Wolves) | NOHA | | | | *Statistiques non disponibles* | | | | | | |
| 1924-24 | Hamilton (Tigers) | LNH | 30 | 6 | 3 | 10 | 47 | | | | | |
| 1925-26 | New York (Americans) | LNH | 36 | 9 | 1 | 10 | 76 | | | | | |
| 1926-27 | New York (Americans) | LNH | 9 | 2 | 0 | 2 | 8 | | | | | |
| | Pittsburgh (Pirates) | LNH | 36 | 5 | 1 | 6 | 36 | | | | | |
| 1927-28 | Pittsburgh (Pirates) | LNH | 8 | 0 | 0 | 0 | 8 | | | | | |
| | **Montréal (Canadiens)** | LNH | 32 | 0 | 0 | 0 | 14 | 2 | 0 | 0 | 0 | 0 |
| 1928-29 | Providence (Reds) | Can-Am | 37 | 3 | 0 | 3 | 26 | 5 | 0 | 0 | 0 | *24 |
| 1929-30 | Duluth (Hornets) | AHA | 46 | 7 | 1 | 8 | 87 | 4 | 0 | 0 | 0 | 0 |
| 1930-31 | Duluth (Hornets) | AHA | 47 | 2 | 6 | 8 | 64 | 4 | 0 | 0 | 0 | 6 |
| 1931-32 | Tulsa (Oilers) | AHA | 30 | 1 | 2 | 3 | 73 | | | | | |
| | **LNH** | | 151 | 22 | 5 | 27 | 189 | 2 | 0 | 0 | 0 | 0 |
| | **Montréal** | | 32 | 0 | 0 | 0 | 14 | 2 | 0 | 0 | 0 | 0 |

• Deuxième équipe d'étoiles (LHCM) en 1916-17, 1917-18 • Première équipe d'étoiles (NOHA) en 1920-21
• Signe avec Hamilton le 16 octobre 1924 • Transfert de la concession de Hamilton à New York (Americans) le 26 septembre 1925 • Échangé à Pittsburgh par New York (Americains) avec une somme d'argent pour Lionel Conacher le 16 décembre 1926 • Prêté à Montréal par Pittsburgh pour Marty Burke le 16 décembre 1927

### LANGWAY, ROD

**Né à Maag, Formose (Taiwan), le 3 mai 1957. Défenseur, lance de la gauche, 6'3", 218 lb (3e choix de Montréal, 36e au total lors du repêchage de 1977)**

| SAISON | CLUB | LIGUE | PJ | B | A | PTS | PUN | PJ | B | A | PTS | PUN |
|---|---|---|---|---|---|---|---|---|---|---|---|---|
| 1975-76 | New Hampshire University | ECAC | 31 | 3 | 13 | 16 | 10 | - | - | - | - | |
| 1976-77 | New Hampshire University | ECAC | 34 | 10 | 43 | 53 | 52 | - | - | - | - | |
| 1977-78 | Birmingham (Bulls) | AMH | 52 | 3 | 18 | 21 | 52 | 4 | 0 | 0 | 0 | 9 |
| | Hampton (Gulls) | AHL | 30 | 6 | 16 | 22 | 50 | | | | | |
| 1978-79 | Nlle-Écosse (Voyageurs) | AHL | 18 | 6 | 13 | 19 | 29 | | | | | |
| | **Montréal (Canadiens)** | LNH | 45 | 3 | 4 | 7 | 30 | 8 | 0 | 0 | 0 | 16 |
| 1979-80 | **Montréal (Canadiens)** | LNH | 77 | 7 | 29 | 36 | 81 | 10 | 3 | 3 | 6 | 2 |
| 1980-81 | **Montréal (Canadiens)** | LNH | 80 | 11 | 34 | 45 | 120 | 0 | 0 | 0 | 0 | 6 |
| | Match des étoiles | LNH | 1 | 0 | 0 | 0 | 0 | | | | | |
| 1981-82 | **Montréal (Canadiens)** | LNH | 66 | 5 | 34 | 39 | 116 | 5 | 0 | 3 | 3 | 18 |
| | Match des étoiles | LNH | 1 | 0 | 0 | 0 | 0 | | | | | |
| | États Unis | CC | 6 | 0 | 1 | 1 | 8 | | | | | |
| 1982-83 | Washington (Capitals) | LNH | 80 | 3 | 29 | 32 | 75 | 4 | 0 | 0 | 0 | 0 |
| | Match des étoiles | LNH | 1 | 0 | 0 | 0 | 0 | | | | | |
| 1983-84 | Washington (Capitals) | LNH | 80 | 9 | 24 | 33 | 61 | 8 | 0 | 5 | 5 | 7 |
| | Match des étoiles | LNH | 1 | 0 | 0 | 0 | 0 | | | | | |
| 1984-85 | Washington (Capitals) | LNH | 79 | 4 | 22 | 26 | 54 | 5 | 0 | 1 | 1 | 6 |
| | Match des étoiles | LNH | 1 | 0 | 1 | 1 | 0 | | | | | |
| | États Unis | CC | 6 | 1 | 1 | 2 | 8 | | | | | |
| 1985-86 | Washington (Capitals) | LNH | 71 | 1 | 17 | 18 | 61 | 9 | 1 | 2 | 3 | 6 |
| | Match des étoiles | LNH | 1 | 0 | 0 | 0 | 0 | | | | | |
| 1986-87 | Washington (Capitals) | LNH | 78 | 2 | 25 | 27 | 53 | 7 | 0 | 1 | 1 | 2 |
| | Étoiles LNH | RV-87 | 2 | 0 | 0 | 0 | 0 | | | | | |
| 1987-88 | Washington (Capitals) | LNH | 63 | 3 | 13 | 16 | 28 | 6 | 0 | 0 | 0 | 6 |
| | États Unis | CC | 5 | 0 | 1 | 1 | 6 | | | | | |
| 1988-89 | Washington (Capitals) | LNH | 76 | 2 | 19 | 21 | 65 | 6 | 0 | 0 | 0 | 5 |
| 1989-90 | Washington (Capitals) | LNH | 58 | 0 | 8 | 8 | 39 | 15 | 1 | 4 | 5 | 12 |
| 1990-91 | Washington (Capitals) | LNH | 56 | 1 | 7 | 8 | 24 | 11 | 0 | 2 | 2 | 6 |
| 1991-92 | Washington (Capitals) | LNH | 64 | 0 | 13 | 13 | 22 | 7 | 0 | 1 | 1 | 2 |
| 1992-93 | Washington (Capitals) | LNH | 21 | 0 | 0 | 0 | 20 | | | | | |
| 1993-94 | Richmond (Renegades) | ECHL | | | | *N'a pas joué – assistant coach* | | | | | | |
| 1994-95 | Richmond (Renegades) | ECHL | 6 | 0 | 0 | 0 | 2 | 9 | 1 | 1 | 2 | 4 |
| 1995-96 | San Francisco (Spiders) | IHL | 46 | 1 | 5 | 6 | 38 | | | | | |
| 1996-97 | Richmond (Renegades) | ECHL | | | | *N'a pas joué – assistant coach* | | | | | | |
| 1997-98 | Providence (Bruins) | ECHL | 10 | 0 | 1 | 1 | 10 | | | | | |
| | **LNH** | | 994 | 51 | 278 | 329 | 849 | 104 | 5 | 22 | 27 | 97 |
| | **Montréal** | | 268 | 26 | 101 | 127 | 347 | 26 | 3 | 6 | 9 | 42 |

• Coupe Stanley (LNH) en 1978-79 • Match des étoiles(LNH) en 1980-81, 1981-82, 1982-83, 1983-84, 1984-85, 1985-86 • Première équipe d'étoiles (LNH) en 1982-83, 1983-84 • Deuxième équipe d'étoiles (LNH) en 1984-85 • Trophée James-Norris (LNH) en 1982-83, 1983-84 • Équipe d'étoiles (CC) en 1984
• Réclamé par Birmingham lors du repêchage de 1977 de l'AMH en mai 1977 • Échangé à Washington par Montréal avec Doug Jarvis, Brian Engblom et Craig Laughlin pour Ryan Walter et Rick Green le 9 septembre 1982

### LAPERRIÈRE, JACQUES

**Né à Rouyn, Québec, le 22 novembre 1941. Défenseur, lance de la gauche, 6'2", 190 lb**

| SAISON | CLUB | LIGUE | PJ | B | A | PTS | PUN | PJ | B | A | PTS | PUN |
|---|---|---|---|---|---|---|---|---|---|---|---|---|
| 1958-59 | Hull-Ottawa (Canadien) | EOHL | 1 | 1 | 1 | 2 | 2 | 2 | 0 | 0 | 0 | 0 |
| | Hull-Ottawa (Canadien) | Mem. | 9 | 1 | 0 | 1 | 16 | | | | | |
| 1959-60 | Brockville (Canadien) | OVJHL | | | | *Statistiques non disponibles* | | | | | | |
| | Hull-Ottawa (Canadien) | EPHL | 5 | 0 | 2 | 2 | 0 | | | | | |
| | Brockville (Canadien) | Mem. | 13 | 0 | 13 | 13 | 34 | | | | | |
| 1960-61 | Hull (Canadien) | IPSHL | | 11 | 29 | 40 | | | | | | |
| | Hull-Ottawa (Canadien) | EPHL | 5 | 0 | 0 | 0 | 2 | 3 | 0 | 2 | 2 | 4 |
| | Hull (Canadien) | Allan | | | | | | | | | | |
| 1961-62 | Montréal (Canadiens) | OHA Jr | 48 | 20 | 37 | 57 | 98 | 6 | 0 | 1 | 1 | 11 |
| | Hull-Ottawa (Canadien) | EPHL | 1 | 0 | 0 | 0 | 4 | 7 | 1 | 4 | 5 | 6 |
| 1962-63 | Hull-Ottawa (Canadien) | EPHL | 40 | 8 | 19 | 27 | 51 | 2 | 0 | 0 | 0 | 0 |
| | **Montréal (Canadiens)** | LNH | 6 | 0 | 2 | 2 | 2 | 5 | 0 | 1 | 1 | 4 |
| 1963-64 | **Montréal (Canadiens)** | LNH | 65 | 2 | 28 | 30 | 102 | 7 | 1 | 1 | 2 | 8 |

---

## (suite — LAPOINTE, GUY — première partie non visible)

| SAISON | CLUB | LIGUE | PJ | B | A | PTS | PUN | PJ | B | A | PTS | PUN |
|---|---|---|---|---|---|---|---|---|---|---|---|---|
| 1964-65 | **Montréal (Canadiens)** | LNH | 67 | 5 | 22 | 27 | 92 | 6 | 1 | 1 | 2 | 16 |
| | Match des étoiles | LNH | 1 | 0 | 1 | 1 | 2 | | | | | |
| 1965-66 | **Montréal (Canadiens)** | LNH | 57 | 6 | 25 | 31 | 85 | | | | | |
| | Match des étoiles | LNH | 1 | 1 | 0 | 1 | 0 | | | | | |
| 1966-67 | **Montréal (Canadiens)** | LNH | 61 | 0 | 20 | 20 | 48 | 9 | 0 | 1 | 1 | 9 |
| | Match des étoiles | LNH | 1 | 0 | 0 | 0 | 0 | | | | | |
| 1967-68 | **Montréal (Canadiens)** | LNH | 72 | 4 | 21 | 25 | 84 | 13 | 1 | 3 | 4 | 20 |
| | Match des étoiles | LNH | 1 | 0 | 0 | 0 | 0 | | | | | |
| 1968-69 | **Montréal (Canadiens)** | LNH | 69 | 5 | 26 | 31 | 45 | 14 | 1 | 3 | 4 | 28 |
| 1969-70 | **Montréal (Canadiens)** | LNH | 73 | 3 | 31 | 37 | 98 | | | | | |
| | Match des étoiles | LNH | 1 | 0 | 0 | 0 | 0 | | | | | |
| 1970-71 | **Montréal (Canadiens)** | LNH | 49 | 0 | 16 | 16 | 20 | 20 | 4 | 9 | 13 | 12 |
| 1971-72 | **Montréal (Canadiens)** | LNH | 73 | 3 | 25 | 28 | 50 | 4 | 0 | 0 | 0 | 2 |
| 1972-73 | **Montréal (Canadiens)** | LNH | 57 | 7 | 16 | 23 | 34 | 10 | 1 | 3 | 4 | 2 |
| 1973-74 | **Montréal (Canadiens)** | LNH | 42 | 2 | 10 | 12 | 14 | | | | | |
| | **LNH** | | 691 | 40 | 242 | 282 | 674 | 88 | 9 | 22 | 31 | 101 |
| | **Montréal** | | 691 | 40 | 242 | 282 | 674 | 88 | 9 | 22 | 31 | 101 |

• Match des étoiles(LNH) en 1964-65, 1965-66, 1966-67, 1967-68, 1969-70 • Première équipe d'étoiles (LNH) en 1964-65, 1965-66 • Deuxième équipe d'étoiles (LNH) en 1963-64, 1969-70 • Trophée Calder (LNH) en 1963-64 • Coupe Stanley (LNH) en 1964-65, 1967-68, 1968-69, 1970-71, 1972-73 • Trophée James-Norris (LNH) en 1965-66 • Temple de la Renommée (LNH) en 1987

### LAPOINTE, GUY

**Né à Montréal, Québec, le 18 mars 1948. Défenseur, lance de la gauche, 6', 205 lb**

| SAISON | CLUB | LIGUE | PJ | B | A | PTS | PUN | PJ | B | A | PTS | PUN |
|---|---|---|---|---|---|---|---|---|---|---|---|---|
| 1965-66 | Verdun (Maple Leafs) | LHJQ | 37 | 7 | 13 | 20 | 96 | - | - | - | - | |
| 1966-67 | Verdun (Maple Leafs) | LHJQ | | | | | | 12 | 1 | 1 | 2 | 14 |
| 1967-68 | Montréal (Canadien Jr) | OHA Jr | 51 | 11 | 27 | 38 | 147 | 11 | 1 | 6 | 7 | 40 |
| 1968-69 | Houston (Apollos) | CHL | 65 | 3 | 15 | 18 | 120 | 3 | 1 | 0 | 1 | 6 |
| | **Montréal (Canadiens)** | LNH | 1 | 0 | 0 | 0 | 2 | | | | | |
| 1969-70 | Montréal (Voyageurs) | AHL | 57 | 8 | 30 | 38 | 92 | 8 | 3 | 5 | 8 | 6 |
| | **Montréal (Canadiens)** | LNH | 5 | 0 | 0 | 0 | 4 | | | | | |
| 1970-71 | **Montréal (Canadiens)** | LNH | 78 | 15 | 29 | 44 | 107 | 20 | 4 | 5 | 9 | 34 |
| 1971-72 | **Montréal (Canadiens)** | LNH | 69 | 11 | 38 | 49 | 58 | 6 | 0 | 1 | 1 | 6 |
| 1972-73 | **Montréal (Canadiens)** | LNH | 76 | 19 | 35 | 54 | 117 | 17 | 6 | 7 | 13 | 20 |
| | Match des étoiles | LNH | 1 | 0 | 1 | 1 | 0 | | | | | |
| | Canada | Siècle | 7 | 0 | 1 | 1 | 0 | | | | | |
| 1973-74 | **Montréal (Canadiens)** | LNH | 71 | 13 | 40 | 53 | 63 | 6 | 0 | 2 | 2 | 4 |
| 1974-75 | **Montréal (Canadiens)** | LNH | 80 | 28 | 47 | 75 | 88 | 11 | 6 | 4 | 10 | 4 |
| | Match des étoiles | LNH | 1 | 0 | 1 | 1 | 0 | | | | | |
| 1975-76 | **Montréal (Canadiens)** | LNH | 77 | 21 | 47 | 68 | 78 | 13 | 3 | 3 | 6 | 12 |
| | Match des étoiles | LNH | 1 | 0 | 0 | 0 | 0 | | | | | |
| 1976-77 | **Montréal (Canadiens)** | LNH | 77 | 25 | 51 | 76 | 53 | 12 | 3 | 9 | 12 | 4 |
| | Match des étoiles | LNH | 1 | 0 | 0 | 0 | 0 | | | | | |
| | Canada | CC | 7 | 1 | 2 | 3 | 0 | | | | | |
| 1977-78 | **Montréal (Canadiens)** | LNH | 49 | 13 | 29 | 42 | 19 | 14 | 1 | 6 | 7 | 16 |
| 1978-79 | **Montréal (Canadiens)** | LNH | 69 | 13 | 42 | 55 | 43 | 10 | 2 | 6 | 8 | 10 |
| | Équipe d'Étoiles LNH | Défi 79 | 1 | 0 | 0 | 0 | 0 | | | | | |
| 1979-80 | **Montréal (Canadiens)** | LNH | 45 | 6 | 20 | 26 | 29 | 2 | 0 | 0 | 0 | 0 |
| 1980-81 | **Montréal (Canadiens)** | LNH | 33 | 1 | 9 | 10 | 79 | 1 | 0 | 0 | 0 | 17 |
| 1981-82 | **Montréal (Canadiens)** | LNH | 47 | 1 | 19 | 20 | 72 | | | | | |
| | St. Louis (Blues) | LNH | 8 | 0 | 6 | 6 | 4 | 7 | 1 | 0 | 1 | 8 |
| 1982-83 | St. Louis (Blues) | LNH | 54 | 3 | 23 | 26 | 43 | 4 | 0 | 1 | 1 | 9 |
| 1983-84 | Boston (Bruins) | LNH | 45 | 2 | 16 | 18 | 34 | | | | | |
| | **LNH** | | 884 | 171 | 451 | 622 | 893 | 123 | 26 | 44 | 70 | 138 |
| | **Montréal** | | 777 | 166 | 406 | 572 | 812 | 112 | 25 | 43 | 68 | 121 |

• Première équipe d'étoiles (AHL) en 1969-70 • Coupe Stanley (LNH) en 1970-71, 1972-73, 1975-76, 1976-77, 1977-78, 1978-79 • Première équipe d'étoiles (LNH) en 1972-73 • Deuxième équipe d'étoiles (LNH) en 1974-75, 1975-76 • Match des étoiles(LNH) en 1972-73, 1974-75, 1975-76, 1976-77 • Membre du Temple de la Renommée (LNH) en 1993
• Échangé à St. Louis par Montréal pour le choix de 2e ronde de St. Louis au repêchage de 1983 (Sergio Momesso) le 9 mars 1982 • Signe avec Boston comme agent libre le 15 août 1983

### LAROCHELLE, WIILDOR

**Né à Sorel, Québec, le 23 septembre 1906, décédé le 21 mars 1964**
**Ailier droit, lance de la droite, 5'8", 155 lb**

| SAISON | CLUB | LIGUE | PJ | B | A | PTS | PUN | PJ | B | A | PTS | PUN |
|---|---|---|---|---|---|---|---|---|---|---|---|---|
| 1925-26 | **Montréal (Canadiens)** | LNH | 33 | 2 | 1 | 3 | 10 | - | - | - | - | |
| 1926-27 | **Montréal (Canadiens)** | LNH | 41 | 0 | 1 | 1 | 6 | 4 | 0 | 0 | 0 | 0 |
| 1927-28 | **Montréal (Canadiens)** | LNH | 40 | 3 | 1 | 4 | 30 | 2 | 0 | 0 | 0 | 0 |
| 1928-29 | Providence (Reds) | Can-Am | 39 | 8 | 4 | 12 | 50 | 6 | 0 | 1 | 1 | 8 |
| | **Montréal (Canadiens)** | LNH | 2 | 0 | 0 | 0 | 0 | | | | | |
| 1929-30 | **Montréal (Canadiens)** | LNH | 44 | 14 | 11 | 25 | 28 | 5 | 1 | 0 | 1 | 6 |
| 1930-31 | **Montréal (Canadiens)** | LNH | 40 | 6 | 13 | 19 | 35 | 10 | 1 | 2 | 3 | 8 |
| 1931-32 | **Montréal (Canadiens)** | LNH | 48 | 18 | 8 | 26 | 16 | 4 | 1 | 2 | 3 | 4 |
| 1932-33 | **Montréal (Canadiens)** | LNH | 47 | 11 | 4 | 15 | 27 | 2 | 1 | 0 | 0 | 2 |
| 1933-34 | **Montréal (Canadiens)** | LNH | 48 | 16 | 11 | 27 | 27 | 2 | 1 | 0 | 1 | 2 |
| 1934-35 | **Montréal (Canadiens)** | LNH | 48 | 9 | 19 | 28 | 12 | 2 | 0 | 0 | 0 | 0 |
| 1935-36 | **Montréal (Canadiens)** | LNH | 13 | 2 | 4 | 6 | 2 | | | | | |
| | Chicago (Black Hawks) | LNH | 27 | 1 | 2 | 3 | 8 | 2 | 0 | 0 | 0 | 0 |
| | Philadelphie (Arrows) | Can-Am | 6 | 2 | 3 | 5 | 10 | | | | | |
| 1936-37 | Chicago (Black Hawks) | LNH | 43 | 9 | 10 | 19 | 6 | | | | | |
| 1937-38 | | | | | | *N'a pas joué* | | | | | | |
| 1938-39 | New Haven (Eagles) | IAHL | 21 | 2 | 3 | 5 | | | | | | |
| | **LNH** | | 474 | 92 | 74 | 166 | 211 | 34 | 6 | 4 | 10 | 24 |
| | **Montréal** | | 404 | 81 | 63 | 144 | 197 | 32 | 6 | 4 | 10 | 24 |

• Coupe Stanley (LNH) en 1929-30, 1930-31
• Signe avec Montréal le 23 novembre 1925 • Prêté à Providence (Can-Am) par Montréal le 12 novembre 1928 • Droits vendus à Chicago par Montréal le 21 décembre 1935 • Droits vendus à St. Louis par Chicago le 24 septembre 1937

## LAROSE, CLAUDE

**Né à Hearst, Ontario, le 2 mars 1942. Ailier droit, lance de la droite, 6', 180 lb**

| Saison | Club | Ligue | PJ | B | A | PTS | PUN | PJ | B | A | PTS | PUN |
|---|---|---|---|---|---|---|---|---|---|---|---|---|
| 1959-60 | Peterborough (Petes) | OHA Jr | 48 | 9 | 10 | 19 | 34 | 12 | 2 | 7 | 9 | 17 |
| 1960-61 | Peterborough (Petes) | OHA Jr | 46 | 36 | 27 | 63 | 108 | 5 | 5 | 0 | 5 | 31 |
| 1961-62 | Peterborough (Petes) | OHA Jr | 50 | 18 | 36 | 54 | 150 | - | - | - | - | - |
|  | Hull-Ottawa (Canadien) | EPHL | 1 | 0 | 1 | 1 | 2 | 6 | 3 | 1 | 4 | 6 |
| 1962-63 | Hull-Ottawa (Canadien) | EPHL | 49 | 19 | 24 | 43 | 42 | 3 | 1 | 0 | 1 | 2 |
|  | **Montréal (Canadiens)** | **LNH** | 4 | 0 | 0 | 0 | 0 | - | - | - | - | - |
| 1963-64 | Omaha (Knights) | CPHL | 47 | 27 | 22 | 49 | 105 | 8 | 8 | 6 | 14 | 17 |
|  | **Montréal (Canadiens)** | **LNH** | 21 | 1 | 1 | 2 | 43 | 2 | 1 | 0 | 1 | 0 |
| 1964-65 | **Montréal (Canadiens)** | **LNH** | 68 | 21 | 16 | 37 | 82 | 13 | 0 | 1 | 1 | 14 |
| 1965-66 | **Montréal (Canadiens)** | **LNH** | 64 | 15 | 18 | 33 | 67 | 6 | 0 | 1 | 1 | 31 |
|  | Match des étoiles | LNH | 1 | 0 | 1 | 1 | 2 | - | - | - | - | - |
| 1966-67 | **Montréal (Canadiens)** | **LNH** | 69 | 19 | 16 | 35 | 82 | 10 | 1 | 5 | 6 | 15 |
|  | Match des étoiles | LNH | 1 | 0 | 1 | 1 | 0 | - | - | - | - | - |
| 1967-68 | Houston (Apollos) | CPHL | 10 | 6 | 7 | 13 | 32 | - | - | - | - | - |
|  | **Montréal (Canadiens)** | **LNH** | 42 | 2 | 9 | 11 | 28 | 12 | 3 | 2 | 5 | 8 |
| 1968-69 | Minnesota (North Stars) | LNH | 67 | 25 | 37 | 62 | 106 | - | - | - | - | - |
|  | Match des étoiles | LNH | 1 | 0 | 1 | 1 | 0 | - | - | - | - | - |
| 1969-70 | Minnesota (North Stars) | LNH | 75 | 24 | 23 | 47 | 109 | 6 | 1 | 1 | 2 | 25 |
|  | Match des étoiles | LNH | 1 | 0 | 0 | 0 | 0 | - | - | - | - | - |
| 1970-71 | **Montréal (Canadiens)** | **LNH** | 64 | 10 | 13 | 23 | 90 | 11 | 1 | 0 | 1 | 10 |
| 1971-72 | **Montréal (Canadiens)** | **LNH** | 77 | 20 | 18 | 38 | 64 | 6 | 2 | 1 | 3 | 23 |
| 1972-73 | **Montréal (Canadiens)** | **LNH** | 73 | 11 | 23 | 34 | 30 | 17 | 3 | 4 | 7 | 6 |
| 1973-74 | **Montréal (Canadiens)** | **LNH** | 39 | 17 | 7 | 24 | 52 | 5 | 0 | 2 | 2 | 11 |
| 1974-75 | **Montréal (Canadiens)** | **LNH** | 8 | 1 | 2 | 3 | 6 | - | - | - | - | - |
|  | St. Louis (Blues) | LNH | 56 | 10 | 17 | 27 | 38 | 2 | 1 | 1 | 2 | 0 |
| 1975-76 | St. Louis (Blues) | LNH | 67 | 13 | 25 | 38 | 48 | 3 | 0 | 0 | 0 | 0 |
| 1976-77 | St. Louis (Blues) | LNH | 80 | 29 | 19 | 48 | 22 | 4 | 1 | 0 | 1 | 0 |
| 1977-78 | St. Louis (Blues) | LNH | 69 | 8 | 13 | 21 | 20 | - | - | - | - | - |
|  | **LNH** |  | 943 | 226 | 257 | 483 | 887 | 97 | 14 | 18 | 32 | 143 |
|  | **Montréal** |  | 529 | 117 | 123 | 240 | 544 | 82 | 11 | 16 | 27 | 118 |

• Coupe Stanley (LNH) en 1964-65, 1965-66, 1966-67, 1970-71, 1972-73 • Match des étoiles (LNH) en 1965-66, 1966-67, 1968-69, 1969-70
• Échangé au Minnesota par Montréal avec Danny Grant pour le 1er choix du Minnesota au repêchage de 1972 (Dave Gardner) et des considérations futures (Marshall Johnston le 25 mai 1971) le 10 juin 1968 • Échangé à Montréal par Minnesota pour Robert Rousseau le 10 juin 1970 • Droits vendus à St. Louis par Montréal le 5 décembre 1974

## LAROUCHE, PIERRE

**Né à Taschereau, Québec, le 16 novembre 1955. Centre, lance de la droite, 5'11", 175 lb**
**(1er choix de Pittsburgh, 8e au total lors du repêchage de 1974)**

| Saison | Club | Ligue | PJ | B | A | PTS | PUN | PJ | B | A | PTS | PUN |
|---|---|---|---|---|---|---|---|---|---|---|---|---|
| 1972-73 | Québec (Remparts) | LHJMQ | 20 | 6 | 7 | 13 | 20 | - | - | - | - | - |
|  | Sorel (Éperviers) | LHJMQ | 43 | 47 | 54 | 101 | 24 | 10 | 7 | 6 | 13 | 2 |
| 1973-74 | Sorel (Éperviers) | LHJMQ | 67 | 94 | *157 | *251 | 53 | 13 | 15 | 18 | 33 | 20 |
| 1974-75 | Pittsburgh (Penguins) | LNH | 79 | 31 | 37 | 68 | 52 | 9 | 2 | 5 | 7 | 2 |
| 1975-76 | Pittsburgh (Penguins) | LNH | 76 | 53 | 58 | 111 | 33 | 3 | 0 | 1 | 1 | 0 |
|  | Match des étoiles | LNH | 1 | 0 | 1 | 1 | 0 | - | - | - | - | - |
| 1976-77 | Pittsburgh (Penguins) | LNH | 65 | 29 | 34 | 63 | 14 | 3 | 0 | 3 | 3 | 0 |
|  | Canada | CM | 10 | 7 | 8 | 15 | 16 | - | - | - | - | - |
| 1977-78 | Pittsburgh (Penguins) | LNH | 20 | 6 | 5 | 11 | 0 | - | - | - | - | - |
|  | **Montréal (Canadiens)** | **LNH** | 44 | 17 | 32 | 49 | 11 | 5 | 2 | 1 | 3 | 4 |
| 1978-79 | **Montréal (Canadiens)** | **LNH** | 36 | 9 | 13 | 22 | 4 | 6 | 1 | 3 | 4 | 0 |
| 1979-80 | **Montréal (Canadiens)** | **LNH** | 73 | 50 | 41 | 91 | 16 | 9 | 1 | 7 | 8 | 2 |
| 1980-81 | **Montréal (Canadiens)** | **LNH** | 61 | 25 | 28 | 53 | 28 | 2 | 0 | 2 | 2 | 0 |
| 1981-82 | **Montréal (Canadiens)** | **LNH** | 22 | 9 | 12 | 21 | 0 | - | - | - | - | - |
|  | Hartford (Whalers) | LNH | 45 | 25 | 25 | 50 | 12 | - | - | - | - | - |
| 1982-83 | Hartford (Whalers) | LNH | 38 | 18 | 22 | 40 | 8 | - | - | - | - | - |
| 1983-84 | New York (Rangers) | LNH | 77 | 48 | 33 | 81 | 22 | 5 | 3 | 1 | 4 | 2 |
|  | Match des étoiles | LNH | 1 | 0 | 2 | 2 | 0 | - | - | - | - | - |
| 1984-85 | New York (Rangers) | LNH | 65 | 24 | 36 | 60 | 8 | - | - | - | - | - |
| 1985-86 | New York (Rangers) | LNH | 28 | 20 | 7 | 27 | 4 | 16 | 8 | 9 | 17 | 2 |
|  | Hershey (Bears) | AHL | 32 | 22 | 17 | 39 | 16 | - | - | - | - | - |
| 1986-87 | New York (Rangers) | LNH | 73 | 28 | 35 | 63 | 12 | 6 | 3 | 2 | 5 | 4 |
| 1987-88 | New York (Rangers) | LNH | 10 | 3 | 9 | 12 | 13 | - | - | - | - | - |
|  | **LNH** |  | 812 | 395 | 427 | 822 | 237 | 64 | 20 | 34 | 54 | 16 |
|  | **Montréal** |  | 236 | 110 | 126 | 236 | 59 | 22 | 4 | 13 | 17 | 6 |

• Deuxième équipe d'étoiles (LHJMQ) en 1973-74 • Trophée Jean-Béliveau (LHJMQ) en 1973-74 • Trophée Michel-Bergeron (LHJMQ) en 1973-74 • Match des étoiles (LNH) en 1975-76, 1983-84 • Coupe Stanley (LNH) en 1977-78, 1978-79
• Échangé à Montréal par Pittsburgh pour des considérations futures (Peter Marsh le 15 décembre 1977) pour Pete Mahovlich et Peter Lee le 29 novembre 1977 • Échangé à Hartford par Montréal dans une inversion des choix de 1re ronde (Montréal sélectionne Pert Svoboda et Hartford, Sylvain Côté), plus le choix de 2e ronde de Hartford au repêchage de 1984 (cédé à St. Louis qui sélectionne Brian Benning) et une inversion des choix de 3e ronde au repêchage de 1985 (Montréal sélectionne Rocky Dundas et Hartford (qui cède ensuite les droits à Pittsburgh, qui sélectionne Bruce Racine) le 21 décembre 1981 • Signe avec New York (Rangers) comme agent libre le 12 septembre 1983

## LAUGHLIN, CRAIG

**Né à Toronto, Ontario, le 19 septembre 1957. Ailier droit, lance de la droite, 6', 190 lb**
**(17e choix de Montréal, 162e au total lors du repêchage de 1977)**

| Saison | Club | Ligue | PJ | B | A | PTS | PUN | PJ | B | A | PTS | PUN |
|---|---|---|---|---|---|---|---|---|---|---|---|---|
| 1976-77 | Clarkson College | ECAC | 33 | 12 | 13 | 25 | 44 | - | - | - | - | - |
| 1977-78 | Clarkson College | ECAC | 30 | 17 | 31 | 48 | 56 | - | - | - | - | - |
| 1978-79 | Clarkson College | ECAC | 30 | 18 | 29 | 47 | 22 | - | - | - | - | - |
| 1979-80 | Clarkson College | ECAC | 34 | 18 | 30 | 48 | 38 | - | - | - | - | - |
|  | Nlle-Écosse (Voyageurs) | AHL | 2 | 0 | 0 | 0 | 2 | - | - | - | - | - |
| 1980-81 | Nlle-Écosse (Voyageurs) | AHL | 46 | 32 | 29 | 61 | 15 | 6 | 0 | 1 | 1 | 6 |
| 1981-82 | Nova Scotia (Voyageurs) | AHL | 26 | 14 | 15 | 29 | 16 | - | - | - | - | - |
|  | **Montréal (Canadiens)** | **LNH** | 36 | 12 | 11 | 23 | 33 | 3 | 0 | 1 | 1 | 0 |
| 1982-83 | Washington (Capitals) | LNH | 75 | 17 | 27 | 44 | 41 | 4 | 1 | 0 | 1 | 0 |
| 1983-84 | Washington (Capitals) | LNH | 80 | 20 | 32 | 52 | 69 | 8 | 4 | 2 | 6 | 6 |
| 1984-85 | Washington (Capitals) | LNH | 78 | 16 | 34 | 50 | 38 | 5 | 0 | 0 | 0 | 2 |
| 1985-86 | Washington (Capitals) | LNH | 75 | 30 | 45 | 75 | 43 | 9 | 1 | 2 | 3 | 10 |
| 1986-87 | Washington (Capitals) | LNH | 80 | 22 | 30 | 52 | 67 | 1 | 0 | 0 | 0 | 0 |
| 1987-88 | Washington (Capitals) | LNH | 40 | 5 | 5 | 10 | 26 | - | - | - | - | - |
|  | Los Angeles (Kings) | LNH | 19 | 4 | 8 | 12 | 6 | 3 | 0 | 1 | 1 | 2 |
| 1988-89 | Toronto (Maple Leafs) | LNH | 66 | 10 | 13 | 23 | 41 | - | - | - | - | - |
| 1989-90 | EV Landshut | GER | 35 | 22 | 11 | 33 | 80 | 18 | 10 | 37 | 47 | 10 |
|  | **LNH** |  | 549 | 136 | 205 | 341 | 364 | 33 | 6 | 6 | 12 | 20 |
|  | **Montréal** |  | 36 | 12 | 11 | 23 | 33 | 3 | 0 | 1 | 1 | 0 |

• Échangé à Washington par Montréal avec Rod Langway, Brian Engblom et Doug Jarvis pour Rick Green et Ryan Walter le 9 septembre 1982 • Échangé à Los Angeles par Washington pour Grant Ledyard le 9 février 1988 • Signe avec Toronto comme agent libre le 10 juin 1988

## LAVIOLETTE, JEAN-BAPTISTE (JACK)

**Né à Belleville, Ontario, le 27 juillet 1879, décédé le 9 janvier 1960**
**Défenseur/Ailier droit, lance de la droite, 5'11", 170 lb**

| Saison | Club | Ligue | PJ | B | A | PTS | PUN | PJ | B | A | PTS | PUN |
|---|---|---|---|---|---|---|---|---|---|---|---|---|
| 1902-03 | Montréal (Bell AAA) | LHCM | Statistiques non disponibles | | | | | | | | | |
| 1903-04 | Montréal (National) | FAHL | 6 | 8 | 0 | 8 | - | - | - | - | - | - |
| 1904-05 | Michigan Soo (Indians) | IHL | 4 | 15 | 0 | 15 | 24 | - | - | - | - | - |
| 1905-06 | Michigan Soo (Indians) | IHL | 17 | 15 | 0 | 15 | 28 | - | - | - | - | - |
| 1906-07 | Michigan Soo (Indians) | IHL | 19 | 10 | 7 | 17 | 34 | - | - | - | - | - |
| 1907-08 | Montréal (Shamrocks) | ECAHA | 6 | 0 | 1 | 1 | 36 | - | - | - | - | - |
| 1908-09 | Montréal (Shamrocks) | ECHA | 9 | 1 | 0 | 1 | 36 | - | - | - | - | - |
| 1909-10 | Montréal (Canadiens) | NHA | 11 | 3 | 0 | 3 | 26 | - | - | - | - | - |
| 1910-11 | Montréal (Canadiens) | NHA | 16 | 0 | 0 | 0 | 21 | - | - | - | - | - |
| 1911-12 | Montréal (Canadiens) | NHA | 17 | 7 | 0 | 7 |  | - | - | - | - | - |
| 1912-13 | Montréal (Canadiens) | NHA | 20 | 8 | 0 | 8 |  | - | - | - | - | - |
| 1913-14 | Montréal (Canadiens) | NHA | 20 | 7 | 9 | 16 | - | 2 | 0 | 0 | 0 | - |
| 1914-15 | Montréal (Canadiens) | NHA | 18 | 6 | 3 | 9 | 35 | - | - | - | - | - |
| 1915-16 | Montréal (Canadiens) | NHA | 18 | 5 | 3 | 11 | 62 | - | - | - | - | 6 |
| 1916-17 | Montréal (Canadiens) | NHA | 17 | 7 | 3 | 10 | 24 | 6 | 1 | 2 | 3 | 9 |
| 1917-18 | Montréal (Canadiens) | LNH | 18 | 2 | 1 | 3 | 6 | 2 | 0 | 0 | 0 | 0 |
|  | **NHA** |  | 137 | 46 | 18 | 64 | 171 | 12 | 1 | 2 | 3 | 15 |
|  | **LNH** |  | 18 | 2 | 1 | 3 | 6 | 2 | 0 | 0 | 0 | 0 |
|  | **Montréal** |  | 155 | 48 | 19 | 67 | 174 | 14 | 1 | 2 | 3 | 15 |

• Première équipe d'étoiles (IHL) en 1904-05, 1906-07 • Deuxième équipe d'étoiles (IHL) en 1905-06 • Coupe Stanley (NHA) en 1915-16 • Membre du Temple de la Renommée (LNH) en 1962 • Signe avec Montréal (ECAHA) le 15 décembre 1907 • Signe avec Montréal (NHA) le 4 décembre 1909

## LAYCOE, HAROLD (HAL)

**Né à Sutherland, Saskatchewan, le 23 juin 1922, décédé le 29 avril 1997**
**Défenseur, lance de la gauche, 6'1", 175 lb**

| Saison | Club | Ligue | PJ | B | A | PTS | PUN | PJ | B | A | PTS | PUN |
|---|---|---|---|---|---|---|---|---|---|---|---|---|
| 1938-39 | Saskatoon (Chiefs) | N-SJHL | 3 | 0 | 0 | 0 | 0 | - | - | - | - | - |
| 1939-40 | Saskatoon (Dodgers) | N-SJHL | 4 | 1 | 5 | 6 | 6 | 2 | 0 | 4 | 4 | 4 |
| 1940-41 | Saskatoon (Quakers Jr) | N-SJHL | 11 | 12 | 11 | 23 | 13 | 2 | 3 | 4 | 7 | 0 |
|  | Saskatoon (Quakers) | N-SSHL | 1 | 0 | 0 | 0 | 0 | - | - | - | - | - |
|  | Saskatoon (Quakers Jr) | Mem. | 1 | 0 | 4 | 8 | 12 | - | - | - | - | - |
| 1941-42 | Saskatoon (Quakers) | N-SSHL | 28 | 14 | 13 | 27 | 27 | 9 | 5 | 4 | 9 | 4 |
|  | Saskatoon (Quakers) | Mem. | 4 | 0 | 1 | 1 | 0 | - | - | - | - | - |
| 1942-43 | Canadian (CP Corps) | OCHL | 1 | 0 | 0 | 0 | 0 | - | - | - | - | - |
| 1943-44 | Toronto (Navy) | OHA Sr | 14 | 6 | 6 | 12 | 4 | - | - | - | - | - |
|  | Toronto (Peoples Credit) | TIHL | 9 | 3 | 1 | 4 | 2 | 9 | 2 | 6 | 8 | 11 |
| 1944-45 | Winnipeg (Navy) | WNDHL | 15 | 10 | 15 | 25 | 8 | 5 | 5 | *8 | *13 | 0 |
| 1945-46 | New York (Rovers) | EAHL | 35 | 7 | 22 | 29 | 25 | - | - | - | - | - |
|  | New York (Rangers) | LNH | 10 | 0 | 2 | 2 | 6 | - | - | - | - | - |
| 1946-47 | New York (Rangers) | LNH | 58 | 6 | 13 | 19 | 25 | - | - | - | - | - |
| 1947-48 | Buffalo (Bisons) | AHL | 45 | 8 | 25 | 33 | 36 | 8 | 2 | 0 | 2 | 15 |
|  | **Montréal (Canadiens)** | **LNH** | 14 | 1 | 2 | 3 | 4 | - | - | - | - | - |
| 1948-49 | Buffalo (Bisons) | AHL | 4 | 1 | 0 | 1 | 4 | - | - | - | - | - |
|  | **Montréal (Canadiens)** | **LNH** | 51 | 3 | 5 | 8 | 31 | 7 | 0 | 1 | 1 | 13 |
| 1949-50 | **Montréal (Canadiens)** | **LNH** | 30 | 0 | 2 | 2 | 21 | 2 | 0 | 0 | 0 | 0 |
| 1950-51 | **Montréal (Canadiens)** | **LNH** | 38 | 0 | 2 | 2 | 25 | - | - | - | - | - |
|  | Boston (Bruins) | LNH |  |  |  |  |  | 6 | 0 | 1 | 1 | 6 |
| 1951-52 | Boston (Bruins) | LNH | 70 | 5 | 12 | 17 | 61 | 7 | 1 | 1 | 2 | 11 |
| 1952-53 | Boston (Bruins) | LNH | 54 | 2 | 10 | 12 | 36 | 11 | 0 | 2 | 2 | 10 |
| 1953-54 | Boston (Bruins) | LNH | 58 | 3 | 16 | 19 | 29 | 2 | 0 | 0 | 0 | 0 |
| 1954-55 | Boston (Bruins) | LNH | 70 | 4 | 13 | 17 | 34 | 5 | 1 | 0 | 1 | 0 |
| 1955-56 | Boston (Bruins) | LNH | 65 | 5 | 10 | 15 | 49 | - | - | - | - | - |
|  | **LNH** |  | 531 | 25 | 77 | 102 | 292 | 40 | 2 | 5 | 7 | 39 |
|  | **Montréal** |  | 133 | 4 | 11 | 15 | 81 | 9 | 0 | 1 | 1 | 13 |

• Deuxième équipe d'étoiles (EHL) en 1945-46
• Échangé à Montréal par New York (Rangers) avec Joe Bell et George Robertson pour Frank Eddols et Buddy O'Connors le 19 août 1947 • Prêté à Buffalo par Montréal le 6 février 1948 • Échangé à Boston par Montréal pour Ross Lowe le 14 février 1951

## LEBEAU, PATRICK

**Né à Saint-Jérôme, Québec, le 17 mars 1970. Ailier gauche, lance de la gauche, 5'10", 173 lb (8e choix de Montréal, 167e au total lors du repêchage de 1989)**

| Saison | Club | Ligue | PJ | B | A | PTS | PUN | PJ | B | A | PTS | PUN |
|---|---|---|---|---|---|---|---|---|---|---|---|---|
| 1985-86 | Montréal (Cantonniers) | QAAA | 38 | 16 | 19 | 35 | - | - | - | - | - | - |
| 1986-87 | Montréal (Cantonniers) | QAAA | 42 | 43 | 47 | 90 | - | - | - | - | - | - |
| 1986-87 | Shawinigan (Cataractes) | LHJMQ | 66 | 26 | 52 | 78 | 90 | 13 | 2 | 6 | 8 | 17 |
| 1987-88 | Shawinigan (Cataractes) | LHJMQ | 53 | 43 | 56 | 99 | 116 | 11 | 3 | 9 | 12 | 16 |
| 1988-89 | Shawinigan (Cataractes) | LHJMQ | 17 | 19 | 17 | 36 | 18 | - | - | - | - | - |
|  | Saint-Jean (Lynx) | LHJMQ | 49 | 43 | 70 | 113 | 71 | 4 | 4 | 3 | 7 | 6 |

| SAISON | CLUB | LIGUE | PJ | B | A | PTS | PUN | PJ | B | A | PTS | PUN |
|---|---|---|---|---|---|---|---|---|---|---|---|---|
| | | | SAISONS RÉGULIÈRES | | | | | SÉRIES ÉLIMINATOIRES | | | | |
| 1989-90 | Victoriaville (Tigres) | LHJMQ | 72 | 68 | *106 | *174 | 109 | 16 | 7 | 15 | 22 | 12 |
| 1990-91 | Fredericton (Canadiens) | AHL | 69 | 50 | 51 | 101 | 32 | 9 | 4 | 7 | 11 | 8 |
| | **Montréal (Canadiens)** | **LNH** | **2** | **1** | **1** | **2** | **0** | - | - | - | - | - |
| 1991-92 | Fredericton (Canadien) | AHL | 55 | 33 | 38 | 71 | 48 | 7 | 4 | 5 | 9 | 10 |
| | Canada | Éq. nat. | 7 | 4 | 2 | 6 | 6 | - | - | - | - | - |
| | Canada | JO | 8 | 1 | 3 | 4 | 4 | - | - | - | - | - |
| 1992-93 | Salt Lake (Golden Eagles) | IHL | 75 | 40 | 60 | 100 | 65 | - | - | - | - | - |
| | Calgary (Flames) | LNH | 1 | 0 | 0 | 0 | 0 | - | - | - | - | - |
| 1993-94 | Cincinnati (Cyclones) | IHL | 74 | 47 | 42 | 89 | 90 | 11 | 4 | 8 | 12 | 14 |
| | Floride (Panthers) | LNH | 1 | 0 | 0 | 0 | 0 | - | - | - | - | - |
| 1994-95 | ZSC Lions Zurich | SUI | 36 | 27 | 25 | 52 | 22 | 5 | 4 | 6 | 10 | 6 |
| 1995-96 | ZSC Lions Zurich | SUI | 11 | 6 | 8 | 14 | 0 | - | - | - | - | - |
| | Dusseldorfer EG | GER | 17 | 13 | 8 | 21 | 18 | 13 | 11 | 5 | 16 | 14 |
| 1996-97 | ZSC Lions Zurich | SUI | 38 | 27 | 19 | 46 | 26 | 4 | 1 | 0 | 1 | 25 |
| 1997-98 | HC La Chaux-de-Fonds | SUI | 40 | 17 | 45 | 62 | 32 | - | - | - | - | - |
| 1998-99 | Pittsburgh (Penguins) | LNH | 8 | 1 | 0 | 1 | 2 | - | - | - | - | - |
| 1999-00 | HC Ambri-Piotta | SUI | 44 | *25 | 38 | 63 | 32 | 9 | 5 | 5 | 10 | 8 |
| 2000-01 | Grosslopper Club | Zurich | 3 | 1 | 4 | 5 | 0 | - | - | - | - | - |
| 2001-02 | HC La Chaux-de-Fonds | SUI | 5 | 3 | 15 | 18 | 2 | 5 | 3 | 5 | 8 | 0 |
| 2002-03 | Frankfort (Lions) | GER | 31 | 22 | 15 | 37 | 10 | 1 | 0 | 0 | 0 | 0 |
| | **LNH** | | **15** | **3** | **2** | **5** | **6** | - | - | - | - | - |
| | **Montréal** | | **2** | **1** | **1** | **2** | **0** | - | - | - | - | - |

• Première équipe d'étoiles (LHJMQ) en 1989-90 • Joueur offensif de l'année (LHJMQ) en 1989-90 • Trophée Jean-Béliveau (LHJMQ) en 1989-90 • Deuxième équipe d'étoiles (AHL) en 1990-91 • Trophée Dudley-Garrett (AHL) en 1990-91 • Médaille d'argent (JO) en 1992
• Échangé à Calgary par Montréal pour des considérations futures le 5 octobre 1992 • Signe avec la Floride comme agent libre le 26 juillet 1993 • Signe avec Pittsburgh comme agent libre le 18 octobre 1998

## LEBEAU, STÉPHAN

Né à Saint-Jérôme, Québec, le 28 février 1968. Centre, lance de la droite, 5'10", 173 lb

| SAISON | CLUB | LIGUE | PJ | B | A | PTS | PUN | PJ | B | A | PTS | PUN |
|---|---|---|---|---|---|---|---|---|---|---|---|---|
| 1983-84 | Montréal (Cantonniers) | QAAA | 25 | 15 | 35 | 50 | | | | | | |
| 1984-85 | Shawinigan (Cataractes) | LHJMQ | 66 | 41 | 38 | 79 | 18 | 9 | 4 | 5 | 9 | 4 |
| | Shawinigan | Mem. | 2 | 0 | 0 | 0 | 2 | - | - | - | - | - |
| 1985-86 | Shawinigan (Cataractes) | LHJMQ | 72 | 69 | 77 | 146 | 22 | 5 | 4 | 5 | 9 | 4 |
| 1986-87 | Shawinigan (Cataractes) | LHJMQ | 65 | 77 | 90 | 167 | 60 | 14 | 9 | 20 | 29 | 20 |
| 1987-88 | Shawinigan (Cataractes) | LHJMQ | 67 | *94 | 94 | 188 | 66 | 11 | 17 | 9 | 26 | 10 |
| | Sherbrooke (Canadien) | LNH | | | | | | 1 | 0 | 1 | 1 | 0 |
| 1988-89 | Sherbrooke (Canadien) | AHL | 78 | *70 | 64 | *134 | 47 | 6 | 1 | 4 | 5 | 8 |
| | **Montréal (Canadiens)** | **LNH** | **1** | **0** | **1** | **1** | **2** | - | - | - | - | - |
| 1989-90 | **Montréal (Canadiens)** | **LNH** | **57** | **15** | **20** | **35** | **11** | **2** | **0** | **3** | **3** | **0** |
| 1990-91 | **Montréal (Canadiens)** | **LNH** | **73** | **22** | **31** | **53** | **24** | **7** | **2** | **1** | **3** | **2** |
| 1991-92 | **Montréal (Canadiens)** | **LNH** | **77** | **27** | **31** | **58** | **14** | **8** | **1** | **3** | **4** | **4** |
| 1992-93 | **Montréal (Canadiens)** | **LNH** | **71** | **31** | **49** | **80** | **20** | **13** | **3** | **3** | **6** | **4** |
| 1993-94 | **Montréal (Canadiens)** | **LNH** | **34** | **9** | **7** | **16** | **8** | - | - | - | - | - |
| | Anaheim (Mighty Ducks) | LNH | 22 | 6 | 4 | 10 | 4 | - | - | - | - | - |
| 1994-95 | Anaheim (Mighty Ducks) | LNH | 38 | 8 | 16 | 24 | 12 | - | - | - | - | - |
| 1995-96 | HC Lugano | SUI | 36 | 25 | 28 | 53 | 10 | 4 | 2 | 2 | 4 | 0 |
| 1996-97 | HC Lugano | SUI | 18 | 14 | 12 | 26 | 10 | - | - | - | - | - |
| 1997-98 | HC La Chaux-de-Fonds | SUI | 40 | 31 | 39 | 70 | 14 | - | - | - | - | - |
| 1998-99 | HC La chaux-de-Fonds | SUI | 40 | 32 | 48 | 80 | - | 11 | 9 | 10 | 19 | - |
| 1999-00 | HC Ambri-Piotta | SUI | 45 | 20 | *47 | *67 | 39 | 9 | 0 | 7 | 7 | 6 |
| 2000-01 | HC Ambri-Piotta | SUI | 43 | 12 | 22 | 34 | 36 | 2 | 0 | 0 | 0 | 6 |
| | Grasshopper Club Zurich | SUI | 3 | 1 | 4 | 5 | 2 | - | - | - | - | - |
| 2001-02 | HC La Chaux-De-Fonds | SUI | 5 | 3 | 15 | 18 | 2 | 5 | 3 | 5 | 8 | 0 |
| 2002-03 | Frankfurt Cliunst | GER | 31 | 22 | 15 | 37 | 10 | 1 | 0 | 0 | 0 | 0 |
| | **LNH** | | **373** | **118** | **159** | **277** | **105** | **30** | **9** | **7** | **16** | **12** |
| | **Montréal** | | **313** | **104** | **139** | **243** | **79** | **30** | **9** | **7** | **16** | **12** |

• Deuxième équipe d'étoiles (LHJMQ) en 1986-87, 1987-88 • Trophée Frank-J.-Selke (LHJMQ) en 1987-88 • Première équipe d'étoiles (LHJMQ) en 1988-89 • Trophée Les-Cunningham (AHL) en 1988-89 • Trophée Dudley-Garrett (AHL) en 1988-89 • Trophée John-B.-Sollenberger (AHL) en 1988-89 • Coupe Stanley (LNH) en 1992-93
• Signe avec Montréal comme agent libre le 27 septembre 1986 • Échangé à Anaheim par Montréal pour Ron Tugnutt le 20 février 1994

## LECLAIR, JEAN-LOUIS (JACKIE)

Né à Québec, Québec, le 30 mai 1929. Centre, lance de la gauche, 5'10", 150 lb

| SAISON | CLUB | LIGUE | PJ | B | A | PTS | PUN | PJ | B | A | PTS | PUN |
|---|---|---|---|---|---|---|---|---|---|---|---|---|
| 1946-47 | Ottawa (St. Pats) | OCJHL | 22 | 16 | 19 | 35 | 14 | 7 | *21 | *11 | *32 | 2 |
| 1947-48 | Lethbridge (Native Sons) | AJHL | 16 | 12 | 29 | 41 | 20 | 6 | 7 | 6 | 13 | 20 |
| | Lethbridge (Native Sons) | Mem. | 11 | 6 | 4 | 10 | 4 | - | - | - | - | - |
| 1948-49 | Québec (Citadelle) | LHJQ | 36 | 21 | 27 | 48 | 30 | 13 | 4 | 9 | 13 | 4 |
| 1949-50 | Québec (Senators) | LHSQ | 56 | 19 | 42 | 61 | 28 | 7 | 2 | 0 | 2 | 2 |
| 1950-51 | Ottawa (Senators) | LHMQ | 56 | 20 | 42 | 42 | 43 | 7 | 0 | 1 | 1 | 0 |
| 1951-52 | Québec (As) | LHMQ | 57 | 25 | 29 | 54 | 22 | 7 | 7 | 4 | 11 | 9 |
| | Québec (As) | Alexa. | 4 | 0 | 2 | 2 | 2 | - | - | - | - | - |
| 1952-53 | Ottawa (Senators) | LHMQ | 72 | 22 | 37 | 59 | 27 | 11 | 3 | 2 | 8 | 10 |
| 1953-54 | Pittsburgh (Hornets) | AHL | 4 | 3 | 1 | 2 | 2 | - | - | - | - | - |
| | Ottawa (Senators) | LHQ | 52 | 14 | 17 | 31 | 11 | 4 | 0 | 1 | 1 | 2 |
| 1954-55 | **Montréal (Canadien)** | **LNH** | **59** | **11** | **22** | **33** | **12** | **12** | **5** | **0** | **5** | **2** |
| 1955-56 | Montréal (Royals) | LHQ | 12 | 5 | 10 | 15 | 0 | - | - | - | - | - |
| | **Montréal (Canadiens)** | **LNH** | **54** | **6** | **8** | **14** | **30** | **8** | **1** | **1** | **2** | **4** |
| 1956-57 | Chicoutimi (Saguenéens) | LHQ | 14 | 8 | 9 | 17 | 4 | 1 | 0 | 1 | 1 | 0 |
| | Match des étoiles | LNH | 1 | 0 | 0 | 0 | 0 | - | - | - | - | - |
| | **Montréal (Canadiens)** | **LNH** | **47** | **5** | **8** | **13** | **14** | - | - | - | - | - |
| 1957-58 | Chicoutimi (Saguenéens) | LHQ | 48 | 18 | 40 | 60 | 32 | 6 | 0 | 1 | 1 | 4 |
| 1958-59 | Québec (As) | LHQ | 61 | 22 | 42 | 64 | 54 | - | - | - | - | - |
| 1959-60 | Québec (As) | AHL | 72 | 12 | 34 | 46 | 22 | - | - | - | - | - |
| 1960-61 | Québec (As) | AHL | 72 | 22 | 34 | 56 | 30 | - | - | - | - | - |
| 1961-62 | Québec (As) | AHL | 50 | 3 | 11 | 14 | 10 | - | - | - | - | - |
| 1962-63 | Charlotte (Checkers) | EHL | 67 | 31 | 67 | 98 | 32 | 10 | 7 | 9 | 16 | 0 |
| 1963-64 | Charlotte (Checkers) | EHL | 57 | 27 | 56 | 83 | 34 | 3 | 1 | 2 | 3 | 0 |
| 1964-65 | Charlotte/New Haven | EHL | 44 | 23 | 35 | 58 | 78 | - | - | - | - | - |
| | Knoxville (Knights) | EHL | - | - | - | - | - | 10 | 4 | 3 | 7 | 6 |
| 1965-66 | New Haven (Blades) | EHL | 63 | 32 | 64 | 96 | 87 | 3 | 1 | 0 | 1 | 0 |
| 1966-67 | New Haven (Blades) | EHL | 68 | 20 | 55 | 75 | 49 | - | - | - | - | - |
| 1967-68 | Floride (Rockets) | EHL | 62 | 34 | 65 | 99 | 12 | 5 | 0 | 5 | 5 | 4 |
| | **LNH** | | **160** | **20** | **40** | **60** | **56** | **20** | **6** | **1** | **7** | **6** |
| | **Montréal** | | **160** | **20** | **40** | **60** | **56** | **20** | **6** | **1** | **7** | **6** |

• Deuxième équipe d'étoiles (LHJQ) en 1948-49 • Recrue de l'année (LHSQ) en 1949-50. • Match des étoiles (LNH) en 1956-57 • Coupe Stanley (LNH) en 1955-56 • Deuxième équipe d'étoiles, Division Nord (EHL) en 1965-66
• Droits vendus à Ottawa (LHMQ) par Toronto en octobre 1952 • Réclamé par Toronto d'Ottawa (LHQ) lors du repêchage inter-ligues le 10 juin 1953 • Échangé à Buffalo (AHL) par Toronto pour George Blair et Frank Sullivan pour Brian Cullen le 4 mai 1954 • Échangé à Montréal par Buffalo (AHL) avec une somme d'argent pour Gaye Stewart, Pete Babando et Eddie Slowinski le 17 août 1954 • Échangé à Chicoutimi (LHQ) par Montréal avec Guy Rousseau et Jacques Deslauriers pour Stan Smrke le 27 octobre 1957 • Échangé à la Floride (EHL) par New Haven (EHL) pour Russ McClenaghan en septembre 1967

## LeCLAIR, JOHN

Né à St. Albans, Vermont, le 5 juillet 1969. Ailier gauche, lance de la gauche, 6'3", 226 lb (2e choix de Montréal et 33e choix au total lors du repêchage de 1987)

| SAISON | CLUB | LIGUE | PJ | B | A | PTS | PUN | PJ | B | A | PTS | PUN |
|---|---|---|---|---|---|---|---|---|---|---|---|---|
| 1985-86 | Bellows Free Academy | H.S. | 23 | 21 | 28 | 69 | 14 | - | - | - | - | - |
| 1986-87 | Bellows Free Academy | H.S. | 23 | 44 | 40 | 84 | 14 | - | - | - | - | - |
| 1987-88 | Vermont University | ECAC | 31 | 12 | 22 | 34 | 62 | - | - | - | - | - |
| | États-Unis | CMJ | 7 | 4 | 2 | 6 | 12 | - | - | - | - | - |
| 1988-89 | Vermont University | ECAC | 18 | 9 | 12 | 21 | 40 | - | - | - | - | - |
| | États-Unis Jr | CMJ | 7 | 6 | 4 | 10 | 12 | - | - | - | - | - |
| 1989-90 | Vermont University | ECAC | 10 | 10 | 6 | 16 | 38 | - | - | - | - | - |
| 1990-91 | Vermont University | ECAC | 33 | 25 | 20 | 45 | 58 | - | - | - | - | - |
| | **Montréal (Canadiens)** | **LNH** | **10** | **2** | **5** | **7** | **2** | **3** | **0** | **0** | **0** | **0** |
| 1991-92 | Fredericton (Canadien) | AHL | 8 | 7 | 7 | 14 | 10 | 2 | 0 | 0 | 0 | 4 |
| | **Montréal (Canadiens)** | **LNH** | **59** | **8** | **11** | **19** | **14** | **8** | **1** | **1** | **2** | **4** |
| 1992-93 | **Montréal (Canadiens)** | **LNH** | **72** | **19** | **25** | **44** | **33** | **20** | **4** | **6** | **10** | **14** |
| 1993-94 | **Montréal (Canadiens)** | **LNH** | **74** | **19** | **24** | **43** | **32** | **7** | **2** | **1** | **3** | **8** |
| 1994-95 | **Montréal (Canadiens)** | **LNH** | **9** | **1** | **4** | **5** | **10** | - | - | - | - | - |
| | Philadelphie (Flyers) | LNH | 37 | 25 | 24 | 49 | 20 | 15 | 5 | 7 | 12 | 4 |
| 1995-96 | Philadelphie (Flyers) | LNH | 82 | 51 | 46 | 97 | 64 | 11 | 6 | 5 | 11 | 6 |
| | Match des étoiles | LNH | 1 | 0 | 1 | 1 | 0 | - | - | - | - | - |
| 1996-97 | Philadelphie (Flyers) | LNH | 82 | 50 | 47 | 97 | 58 | 19 | 9 | 12 | 21 | 10 |
| | Match des étoiles | LNH | 1 | 0 | 0 | 0 | 0 | - | - | - | - | - |
| | États-Unis | CDM | 7 | 6 | 4 | 10 | 6 | - | - | - | - | - |
| 1997-98 | États-Unis | JO | 4 | 0 | 1 | 1 | 0 | - | - | - | - | - |
| | Philadelphie (Flyers) | LNH | 82 | 51 | 36 | 87 | 32 | 5 | 1 | 1 | 2 | 8 |
| | Match des étoiles | LNH | 1 | 1 | 0 | 1 | 0 | - | - | - | - | - |
| 1998-99 | Philadelphie (Flyers) | LNH | 76 | 43 | 47 | 90 | 30 | 6 | 3 | 0 | 3 | 12 |
| | Match des étoiles | LNH | 1 | 0 | 0 | 0 | 0 | - | - | - | - | - |
| 1999-00 | Philadelphie (Flyers) | LNH | 82 | 40 | 37 | 77 | 36 | 18 | 6 | 7 | 13 | 6 |
| | Match des étoiles | LNH | 1 | 0 | 0 | 0 | 0 | - | - | - | - | - |
| 2000-01 | Philadelphie (Flyers) | LNH | 16 | 7 | 5 | 12 | 0 | 6 | 1 | 2 | 3 | 0 |
| 2001-02 | Philadelphie (Flyers) | LNH | 82 | 25 | 26 | 51 | 30 | 5 | 0 | 0 | 0 | 2 |
| | États-Unis | JO | 6 | *6 | 1 | 7 | 2 | - | - | - | - | - |
| 2002-03 | Philadelphie (Flyers) | LNH | 35 | 18 | 10 | 28 | 16 | 13 | 2 | 3 | 5 | 10 |
| | **LNH** | | **798** | **359** | **347** | **706** | **377** | **136** | **40** | **45** | **85** | **86** |
| | **Montréal** | | **224** | **49** | **69** | **118** | **91** | **38** | **7** | **8** | **15** | **26** |

• Deuxième équipe d'étoiles (ECAC) en 1990-91 • Coupe Stanley (LNH) en 1992-93 • Première équipe d'étoiles (LNH) en 1994-95, 1997-98 • Deuxième équipe d'étoiles (LNH) en 1995-96, 1996-97, 1998-99 • Coupe du Monde en 1996 • Équipe d'étoiles de la Coupe du Monde en 1996 • Match des étoiles (LNH) en 1995-96, 1996-97, 1997-98, 1998-99, 1999-00 • Trophée Bud Light pour les Plus/Moins (LNH) en 1994-95 • Trophée Bud Light pour les Plus/Moins (LNH) en 1998-99 • Médaille d'argent (JO) en 2002 • Équipe d'étoiles (JO) en 2002
• Échangé à Philadelphie par Montréal avec Éric Desjardins et Gilbert Dionne pour Mark Recchi et le choix de 3e ronde de Philadelphie au repêchage de 1995 (Martin Hohenberger) le 9 février 1995

## LEDUC, ALBERT

Né à Valleyfield, Québec, le 22 novembre 1902, décédé le 31 juillet 1990
Défenseur, lance de la droite, 5'9", 180 lb

| SAISON | CLUB | LIGUE | PJ | B | A | PTS | PUN | PJ | B | A | PTS | PUN |
|---|---|---|---|---|---|---|---|---|---|---|---|---|
| 1920-21 | Valleyfield (Braves) | LHCM | Statistiques non disponibles | | | | | | | | | |
| 1921-22 | Montréal (Université) | LHCM | Statistiques non disponibles | | | | | | | | | |
| 1922-23 | Québec (As) | LHCQ | Statistiques non disponibles | | | | | | | | | |
| 1923-24 | Montréal (Hochelaga) | LHCM | 9 | 6 | 0 | 6 | 4 | - | - | - | - | - |
| | Montréal (Voltigeurs) | LHCM | Statistiques non disponibles | | | | | | | | | |
| 1924-25 | Montréal (National) | ECHL | 11 | 9 | 0 | 9 | | - | - | - | - | - |
| 1925-26 | **Montréal (Canadiens)** | **LNH** | **32** | **10** | **3** | **13** | **62** | - | - | - | - | - |
| 1926-27 | **Montréal (Canadiens)** | **LNH** | **43** | **5** | **2** | **7** | **62** | **4** | **0** | **0** | **0** | **2** |
| 1927-28 | **Montréal (Canadiens)** | **LNH** | **42** | **8** | **5** | **13** | **73** | **2** | **1** | **0** | **1** | **5** |
| 1928-29 | **Montréal (Canadiens)** | **LNH** | **43** | **9** | **2** | **11** | **79** | **3** | **1** | **0** | **1** | **4** |
| 1929-30 | **Montréal (Canadiens)** | **LNH** | **44** | **8** | **7** | **15** | **90** | **6** | **1** | **3** | **4** | **8** |
| 1930-31 | **Montréal (Canadiens)** | **LNH** | **44** | **8** | **6** | **14** | **90** | | | | | |
| 1931-32 | **Montréal (Canadiens)** | **LNH** | **41** | **3** | **8** | **11** | **60** | | | | | |
| 1932-33 | **Montréal (Canadiens)** | **LNH** | **48** | **5** | **3** | **8** | **62** | | | | | |
| 1933-34 | Ottawa (Senators) | LNH | 32 | 4 | 0 | 4 | 34 | | | | | |
| | New York (Rangers) | LNH | | | | | | | | | | |
| 1934-35 | **Montréal (Canadiens)** | **LNH** | **4** | **0** | **0** | **0** | **4** | | | | | |
| | Québec (Castors) | Can-Am | 41 | 12 | 14 | 26 | 53 | | 0 | 0 | 0 | 13 |
| 1935-36 | Providence (Reds) | Can-Am | 48 | 5 | 15 | 20 | 82 | 7 | 2 | 4 | 6 | 8 |
| 1936-37 | Providence (Reds) | AHL | | | | | | | | | | |
| | **LNH** | | **383** | **58** | **35** | **93** | **614** | **28** | **5** | **6** | **11** | **32** |
| | **Montréal** | | **341** | **57** | **32** | **89** | **574** | **28** | **5** | **6** | **11** | **32** |

• Coupe Stanley (LNH) en 1929-30, 1930-31 • Deuxième équipe d'étoiles (Can-Am) en 1935-36
• Signe avec Montréal le 16 avril 1925 • Droits vendus à Ottawa par Montréal le 22 octobre 1933 • Prêté à New York (Rangers) par Ottawa le 15 février 1934 • Droits vendus à Montréal par Ottawa le 9 avril 1934 • Signe comme joueur et gérant avec Québec (Can-Am) le 24 octobre 1934 • Prêté à Montréal par Québec (Can-Am) le 23 février 1935

### LEDUC, EDGARD
**Décédé. Ailier droit**

| SAISON CLUB | LIGUE | PJ | B | A | PTS | PUN | PJ | B | A | PTS | PUN |
|---|---|---|---|---|---|---|---|---|---|---|---|
| 1909-10 Montréal (Canadiens) | NHA | 3 | 3 | 0 | 3 | 0 | - | - | - | - | - |
| 1910-11 | | | | | *Statistiques non disponibles* | | | | | | |
| 1911-12 Montréal (Canadiens) | NHA | 3 | 0 | 0 | 0 | 0 | - | - | - | - | - |
| | NHA | 6 | 3 | 0 | 3 | 0 | - | - | - | - | - |
| | **Montréal** | 6 | 3 | 0 | 3 | 0 | - | - | - | - | - |

• Prêté à Montréal (NHA) par Montréal (National - LHCM) le 3 mars 1910 • Signe avec Montréal (NHA) le 21 décembre 1911

### LEE, ROBERT (BOBBY)
**Né à Verdun, Québec, le 28 décembre 1911, décédé le 31 décembre 1974**
**Centre, lance de la droite, 5'10", 165 lb**

| SAISON CLUB | LIGUE | PJ | B | A | PTS | PUN | PJ | B | A | PTS | PUN |
|---|---|---|---|---|---|---|---|---|---|---|---|
| 1929-30 Queens University | OHA Sr | 9 | 3 | 0 | 3 | 0 | - | - | - | - | - |
| 1930-31 Montréal (Colombus) | LHJCM | 9 | 4 | 0 | 4 | 8 | - | - | - | - | - |
| 1931-33 Queens University | OHA Sr | | | | *Statistiques non disponibles* | | | | | | |
| 1933-34 Montréal (Lafontaine) | LHJCM | 15 | 6 | 2 | 8 | 10 | - | - | - | - | - |
| 1934-35 Montréal (Lafontaine) | LHJCM | 18 | 6 | 15 | 24 | | | | | | |
| Baltimore (Orioles) | EAHL | 4 | 0 | 1 | 1 | 4 | 9 | 5 | 2 | 7 | 4 |
| 1935-36 Baltimore (Orioles) | EAHL | 40 | 19 | 20 | 39 | 45 | 8 | 4 | 6 | 10 | 15 |
| 1936-37 Brighton (Tigers) | ENG | 36 | 32 | 21 | 53 | 22 | - | - | - | - | - |
| 1937-38 Earls Court (Rangers) | Ln-Cup | - | 2 | 1 | 3 | - | | | | | |
| Earls Court (Rangers) | ENG | - | 14 | 8 | 22 | 17 | - | - | - | - | - |
| Earls Court (Rangers) | Éq. nat. | - | 6 | 4 | 10 | - | | | | | |
| 1938-39 Earls Court (Rangers) | Ln-Cup | - | 2 | 2 | 4 | - | | | | | |
| Earls Court (Rangers) | ENG | - | 13 | 19 | 32 | - | | | | | |
| Earls Court (Rangers) | Éq. nat. | - | 4 | 4 | 8 | - | | | | | |
| 1939-40 Québec (As) | LHSQ | 30 | 8 | 13 | 21 | 27 | - | - | - | - | - |
| 1940-41 Québec (As) | LHSQ | 36 | 14 | 24 | 38 | 15 | 4 | 3 | 1 | 4 | 2 |
| 1941-42 Québec (As) | LHSQ | 40 | 20 | 30 | 50 | 10 | 7 | 0 | 7 | 7 | 2 |
| Québec (As) | Allan | 8 | 5 | *8 | *13 | 4 | - | - | - | - | - |
| 1942-43 Montréal (Royals) | LHSQ | 33 | 14 | 20 | 34 | 26 | 4 | 1 | 0 | 1 | 2 |
| **Montréal (Canadiens)** | **LNH** | 1 | 0 | 0 | 0 | 0 | - | - | - | - | - |
| Montréal (RCAF) | LHCM | - | - | - | - | - | 5 | 2 | 2 | 4 | 4 |
| 1943-44 Montréal (RCAF) | LHCM | 7 | 1 | 4 | 5 | 2 | - | - | - | - | - |
| Montréal (Canada Car) | LHCM | 6 | 1 | 10 | 11 | 2 | - | - | - | - | - |
| Montréal (RCAF) | LHCM | 8 | 8 | 12 | 20 | 4 | 4 | 4 | 7 | 11 | 6 |
| 1944-45 Toronto (RCAF) | SCT | | | | *Statistiques non disponibles* | | | | | | |
| 1945-46 Wembley (Lions) | ENG | | | | *Statistiques non disponibles* | | | | | | |
| 1946-47 Brighton (Tigers) | Ln-Cup | 2 | 3 | 2 | 5 | 0 | - | - | - | - | - |
| Brighton (Tigers) | A-Cup | 12 | 19 | 9 | 28 | 4 | - | - | - | - | - |
| Brighton (Tigers) | ENG | 36 | 57 | *54 | *111 | 22 | 2 | 3 | 2 | 5 | 8 |
| Brighton (Tigers) | Éq. nat. | 6 | 9 | 10 | 19 | 4 | - | - | - | - | - |
| 1947-48 Brighton (Tigers) | A-Cup | 10 | 7 | 11 | 18 | 4 | - | - | - | - | - |
| Brighton (Tigers) | ENG | 36 | 45 | 41 | 86 | 22 | - | - | - | - | - |
| Brighton (Tigers) | Éq. nat. | 12 | 11 | 7 | 18 | 7 | - | - | - | - | - |
| 1948-49 Brighton (Tigers) | A-Cup | 11 | 17 | 4 | 21 | 8 | - | - | - | - | - |
| Brighton (Tigers) | ENG | 28 | 20 | 31 | 51 | 12 | - | - | - | - | - |
| Brighton (Tigers) | Éq. nat. | 14 | 19 | 18 | 37 | 8 | - | - | - | - | - |
| 1949-50 Brighton (Tigers) | A-Cup | 35 | 33 | 39 | 72 | 12 | - | - | - | - | - |
| Brighton (Tigers) | ENG | 9 | 2 | 8 | 10 | 2 | - | - | - | - | - |
| Brighton (Tigers) | Éq. nat. | 8 | 3 | 4 | 7 | 6 | - | - | - | - | - |
| 1950-51 Brighton (Tigers) | A-Cup | 30 | 29 | 24 | 53 | 16 | - | - | - | - | - |
| Brighton (Tigers) | ENG | 30 | 12 | 13 | 25 | 2 | - | - | - | - | - |
| 1951-52 Brighton (Tigers) | A-Cup | 30 | 12 | 14 | 26 | 16 | - | - | - | - | - |
| Brighton (Tigers) | ENG | 30 | 22 | 15 | 37 | 10 | - | - | - | - | - |
| 1952-53 Brighton (Tigers) | A-Cup | 30 | 12 | 10 | 22 | 30 | - | - | - | - | - |
| Brighton (Tigers) | ENG | 30 | 8 | 7 | 15 | 6 | - | - | - | - | - |
| 1953-54 Brighton (Tigers) | A-Cup | 21 | 20 | 15 | 35 | 10 | - | - | - | - | - |
| Brighton (Tigers) | ENG | 24 | 23 | 25 | 48 | 14 | - | - | - | - | - |
| Brighton (tigers) | Ln-Cup | 12 | 13 | 17 | 30 | 10 | - | - | - | - | - |
| | **LNH** | 1 | 0 | 0 | 0 | 0 | - | - | - | - | - |
| | **Montréal** | 1 | 0 | 0 | 0 | 0 | - | - | - | - | - |

• Trophée John-Carlin (EHL) en 1935-36
• Prêté à Montréal par Montréal (Royals – LHSQ) le 19 décembre 1942

### LEEMAN, GARY
**Né à Toronto, Ontario, le 19 février 1964. Ailier droit, lance de la droite, 5'11", 175 lb (2e choix de Toronto, 24e au total lors du repêchage de 1982)**

| SAISON CLUB | LIGUE | PJ | B | A | PTS | PUN | PJ | B | A | PTS | PUN |
|---|---|---|---|---|---|---|---|---|---|---|---|
| 1980-81 Notre Dame Midget Hounds | SAHA | 24 | 15 | 23 | 38 | 28 | - | - | - | - | - |
| 1981-82 Regina (Pats) | WHL | 72 | 19 | 41 | 60 | 112 | 3 | 2 | 2 | 4 | 0 |
| 1982-83 Regina (Pats) | WHL | 63 | 24 | 62 | 86 | 88 | 5 | 1 | 5 | 6 | 4 |
| Canada Jr | CMJ | 7 | 1 | 2 | 3 | 2 | - | - | - | - | - |
| Toronto (Maple Leafs) | LNH | - | - | - | - | - | 2 | 0 | 0 | 0 | 0 |
| 1983-84 Toronto (Maple Leafs) | LNH | 52 | 4 | 8 | 12 | 31 | - | - | - | - | - |
| Canada | CMJ | 7 | 3 | 6 | 9 | 12 | - | - | - | - | - |
| 1984-85 Toronto (Maple Leafs) | LNH | 53 | 5 | 26 | 31 | 72 | - | - | - | - | - |
| St. Catharines (Saints) | AHL | 7 | 2 | 4 | 6 | 11 | - | - | - | - | - |
| 1985-86 Toronto (Maple Leafs) | LNH | 53 | 9 | 23 | 32 | 20 | 10 | 2 | 10 | 12 | 2 |
| St. Catharines (Saints) | AHL | 25 | 15 | 13 | 28 | 6 | - | - | - | - | - |
| 1986-87 Toronto (Maple Leafs) | LNH | 80 | 21 | 31 | 52 | 66 | 5 | 0 | 1 | 1 | 14 |
| 1987-88 Toronto (Maple Leafs) | LNH | 80 | 30 | 31 | 61 | 62 | 2 | 2 | 0 | 2 | 2 |
| 1988-89 Toronto (Maple Leafs) | LNH | 61 | 32 | 43 | 75 | 66 | - | - | - | - | - |
| Match des étoiles | LNH | 1 | 1 | 1 | 2 | 0 | - | - | - | - | - |
| 1989-90 Toronto (Maple Leafs) | LNH | 80 | 51 | 44 | 95 | 63 | 5 | 3 | 3 | 6 | 16 |
| 1990-91 Toronto (Maple Leafs) | LNH | 52 | 17 | 12 | 29 | 39 | - | - | - | - | - |
| 1991-92 Toronto (Maple Leafs) | LNH | 34 | 7 | 13 | 20 | 44 | - | - | - | - | - |
| Calgary (Flames) | LNH | 29 | 2 | 7 | 9 | 27 | - | - | - | - | - |
| 1992-93 Calgary (Flames) | LNH | 30 | 9 | 5 | 14 | 10 | - | - | - | - | - |
| **Montréal (Canadiens)** | **LNH** | 20 | 6 | 12 | 18 | 14 | 11 | 1 | 2 | 3 | 2 |
| 1993-94 **Montréal (Canadiens)** | **LNH** | 31 | 4 | 11 | 15 | 17 | 1 | 0 | 0 | 0 | 0 |
| Fredericton (Canadien) | AHL | 23 | 18 | 8 | 26 | 16 | - | - | - | - | - |
| 1994-95 Vancouver (Canucks) | LNH | 10 | 2 | 0 | 2 | 0 | - | - | - | - | - |
| 1995-96 HC Garden-Groden | Alpes | 7 | 5 | 4 | 9 | 4 | - | - | - | - | - |
| HC Garden-Groden | ITA | 20 | 7 | 12 | 19 | 59 | 7 | 2 | 4 | 6 | 12 |
| 1996-97 St. Louis (Blues) | LNH | 2 | 0 | 1 | 1 | 0 | - | - | - | - | - |
| Worcester (IceCats) | AHL | 24 | 9 | 7 | 16 | 41 | - | - | - | - | - |
| Utah (Grizzlies) | IHL | 15 | 6 | 1 | 7 | 20 | 4 | 0 | 3 | 3 | 4 |
| 1997-98 Hannover (Scorpions) | GER | 44 | 13 | 38 | 51 | 16 | 4 | 2 | 0 | 2 | 12 |
| 1998-99 Hannover (Scorpions) | GER | 10 | 2 | 3 | 5 | 31 | - | - | - | - | - |
| EHC Biel-Bienne | SUI | 8 | 7 | 4 | 11 | 10 | - | - | - | - | - |
| HC Sierre | SUI | 1 | 2 | 1 | 3 | 0 | - | - | - | - | - |
| | **LNH** | 667 | 199 | 267 | 466 | 531 | 36 | 8 | 16 | 24 | 36 |
| | **Montréal** | 51 | 10 | 23 | 33 | 31 | 12 | 1 | 2 | 3 | 2 |

• Première équipe d'étoiles (WHL) en 1982-83 • Match des étoiles (LNH) en 1988-89.
• Coupe Stanley (LNH) en 1992-93
• Échangé à Calgary par Toronto avec Craig Berube, Alexander Godynyuk, Michel Petit et Jeff Reese pour Doug Gilmour, Jamie Macoun, Ric Nattress, Rick Wamsley et Kent Manderville le 2 janvier 1992 • Échangé à Montréal par Calgary pour Brian Skrudland le 28 janvier 1993 • Signe avec Vancouver comme agent libre le 18 janvier 1995 • Signe avec St. Louis comme agent libre le 26 septembre 1996

### LEFEBVRE, SYLVAIN
**Né à Richmond, Québec, le 14 octobre 1967. Défenseur, lance de la gauche, 6'2", 205 lb**

| SAISON CLUB | LIGUE | PJ | B | A | PTS | PUN | PJ | B | A | PTS | PUN |
|---|---|---|---|---|---|---|---|---|---|---|---|
| 1984-85 Laval (Voisins) | LHJMQ | 66 | 7 | 5 | 12 | 31 | - | - | - | - | - |
| 1985-86 Laval (Titan) | LHJMQ | 71 | 8 | 17 | 25 | 48 | 14 | 1 | 0 | 1 | 25 |
| 1986-87 Laval (Titan) | LHJMQ | 70 | 10 | 36 | 46 | 44 | 15 | 1 | 6 | 7 | 12 |
| 1987-88 Sherbrooke (Canadien) | AHL | 79 | 3 | 24 | 27 | 73 | 6 | 2 | 3 | 5 | 4 |
| 1988-89 Sherbrooke (Canadien) | AHL | 77 | 15 | 32 | 47 | 119 | 6 | 1 | 3 | 4 | 4 |
| 1989-90 **Montréal (Canadiens)** | **LNH** | 68 | 3 | 10 | 13 | 61 | 6 | 0 | 0 | 0 | 2 |
| 1990-91 **Montréal (Canadiens)** | **LNH** | 63 | 5 | 18 | 23 | 30 | 11 | 0 | 1 | 1 | 6 |
| 1991-92 **Montréal (Canadiens)** | **LNH** | 69 | 3 | 14 | 17 | 91 | 2 | 0 | 0 | 0 | 2 |
| 1992-93 Toronto (Maple Leafs) | LNH | 81 | 2 | 12 | 14 | 90 | 21 | 3 | 3 | 6 | 20 |
| 1993-94 Toronto (Maple Leafs) | LNH | 84 | 2 | 9 | 11 | 79 | 18 | 0 | 3 | 3 | 16 |
| 1994-95 Québec (Nordiques) | LNH | 48 | 2 | 11 | 13 | 17 | 6 | 0 | 2 | 2 | 2 |
| 1995-96 Colorado (Avalanche) | LNH | 75 | 5 | 11 | 16 | 49 | 22 | 0 | 5 | 5 | 12 |
| 1996-97 Colorado (Avalanche) | LNH | 71 | 2 | 11 | 13 | 30 | 17 | 0 | 0 | 0 | 25 |
| 1997-98 Colorado (Avalanche) | LNH | 81 | 0 | 10 | 10 | 48 | 7 | 0 | 0 | 0 | 4 |
| 1998-99 Colorado (Avalanche) | LNH | 76 | 2 | 18 | 20 | 48 | 19 | 0 | 1 | 1 | 12 |
| 1999-00 New York (Rangers) | LNH | 82 | 2 | 10 | 12 | 43 | - | - | - | - | - |
| 2000-01 New York (Rangers) | LNH | 71 | 2 | 13 | 15 | 55 | - | - | - | - | - |
| 2001-02 New York (Rangers) | LNH | 41 | 2 | 11 | 13 | 24 | - | - | - | - | - |
| Hartford (Wolf Pack) | AHL | 15 | 0 | 5 | 5 | 11 | - | - | - | - | - |
| 2002-03 New York (Rangers) | LNH | 35 | 2 | 1 | 3 | 10 | - | - | - | - | - |
| | **LNH** | 945 | 30 | 154 | 184 | 674 | 129 | 4 | 14 | 18 | 101 |
| | **Montréal** | 200 | 11 | 42 | 53 | 182 | 19 | 1 | 0 | 1 | 10 |

• Deuxième équipe d'étoiles (AHL) en 1988-89 • Coupe Stanley (LNH) en 1995-96
• Signe avec Montréal comme agent libre le 24 septembre 1986 • Échangé à Toronto par Montréal pour le choix de 3e ronde de Toronto au repêchage de 1994 (Martin Bélanger) le 20 août 1992 • Échangé à Québec par Toronto avec Wendel Ckark, Landon Wilson et le 1er choix de Toronto au repêchage de 1994 (Jeffrey Kealty) pour Mats Sundin, Garth Butcher, Todd Warriner et le 1er choix de Philadelphie au repêchage de 1994 (propriété de Québec suite à une transaction antérieure, cédé à Washington qui sélectionne Nolan Baumgartner) le 28 juin 1994 • Transfert de la concession de Québec au Colorado le 21 juin 1995 • Signe avec New York (Rangers) comme agent libre le 22 juillet 1999

### LEFLEY, CHARLES (CHUCK)
**Né à Winnipeg, Manitoba, le 20 janvier 1950. Centre, lance de la gauche, 6'1", 185 lb (2e choix de Montréal, 6e au total lors du repêchage de 1970)**

| SAISON CLUB | LIGUE | PJ | B | A | PTS | PUN | PJ | B | A | PTS | PUN |
|---|---|---|---|---|---|---|---|---|---|---|---|
| 1965-66 Winnipeg (Rangers) | MJHL | 46 | 19 | 20 | 39 | 10 | 9 | 4 | 5 | 9 | 2 |
| 1966-67 Winnipeg (Rangers) | MJHL | 43 | 25 | 21 | 46 | 33 | 7 | 6 | 2 | 8 | 2 |
| 1967-68 Canada | Éq. nat. | | | | *Statistiques non disponibles* | | | | | | |
| 1968-69 Canada | Éq. nat. | | | | *Statistiques non disponibles* | | | | | | |
| Canada | CM | 7 | 0 | 1 | 1 | 10 | - | - | - | - | - |
| 1969-70 Canada | Éq. nat. | | | | *Statistiques non disponibles* | | | | | | |
| Brandon (Wheat Kings) | WCJHL | 7 | 6 | 6 | 12 | 0 | - | - | - | - | - |
| 1970-71 Montréal (Voyageurs) | AHL | 48 | 16 | 19 | 35 | 53 | 3 | 1 | 1 | 2 | 2 |
| **Montréal (Canadiens)** | **LNH** | 1 | 0 | 0 | 0 | 0 | 1 | 0 | 0 | 0 | 0 |
| 1971-72 Nlle-Écosse (Voyageurs) | AHL | 45 | 15 | 30 | 45 | 18 | 15 | 7 | 7 | 14 | 0 |
| **Montréal (Canadiens)** | **LNH** | 16 | 0 | 2 | 2 | 0 | - | - | - | - | - |
| 1972-73 **Montréal (Canadiens)** | **LNH** | 65 | 21 | 25 | 46 | 22 | 17 | 3 | 5 | 8 | 6 |
| 1973-74 **Montréal (Canadiens)** | **LNH** | 74 | 21 | 31 | 54 | 34 | 6 | 0 | 1 | 1 | 0 |
| 1974-75 **Montréal (Canadiens)** | **LNH** | 18 | 1 | 2 | 3 | 4 | - | - | - | - | - |
| St. Louis (Blues) | LNH | 57 | 23 | 26 | 49 | 24 | 2 | 2 | 1 | 3 | 0 |
| 1975-76 St. Louis (Blues) | LNH | 75 | 43 | 42 | 85 | 41 | 2 | 1 | 3 | 4 | 0 |
| 1976-77 St. Louis (Blues) | LNH | 71 | 11 | 30 | 41 | 12 | 1 | 0 | 1 | 1 | 0 |
| 1977-78 Jokerit Helsinki | FIN | 24 | 11 | 12 | 23 | 12 | - | - | - | - | - |
| 1978-79 Dusseldorf EG | GER | 26 | 17 | 5 | 22 | 0 | - | - | - | - | - |
| 1979-80 St. Louis (Blues) | LNH | 28 | 5 | 4 | 9 | 12 | - | - | - | - | - |
| 1980-81 St. Louis (Blues) | LNH | | | | | | | | | | |
| | **LNH** | 407 | 128 | 164 | 292 | 137 | 29 | 5 | 8 | 13 | 10 |
| | **Montréal** | 174 | 45 | 60 | 105 | 60 | 24 | 3 | 6 | 9 | 6 |

| SAISON | CLUB | LIGUE | PJ | B | A | PTS | PUN | PJ | B | A | PTS | PUN |
|---|---|---|---|---|---|---|---|---|---|---|---|---|

• Coupe Stanley (LNH) en 1970-71, 1972-73 • Coupe Calder (AHL) en 1971-72
• Échangé à St. Louis par Montréal pour Don Awrey le 28 novembre 1974

### LÉGER, ROGER

**Né à L'Annonciation, Québec, le 26 mars 1919, décédé le 7 avril 1965**
**Défenseur, lance de la gauche, 5'11", 210 lb**

| SAISON | CLUB | LIGUE | PJ | B | A | PTS | PUN | PJ | B | A | PTS | PUN |
|---|---|---|---|---|---|---|---|---|---|---|---|---|
| 1940-41 | Joliette (Cyclones) | LHCM | 26 | 19 | 28 | 47 | 22 | 4 | 4 | 3 | 7 | 6 |
| 1941-42 | Joliette (Cyclones) | LHCM | 30 | 29 | 24 | 53 | 62 | - | - | - | - | - |
| 1942-43 | | | | | | Service militaire | | | | | | |
| 1943-44 | New York (Rovers) | EAHL | 3 | 4 | 1 | 5 | 4 | - | - | - | - | - |
| | New York (Rangers) | LNH | 1 | 1 | 2 | 3 | 2 | - | - | - | - | - |
| | Buffalo (Bisons) | AHL | 29 | 7 | 17 | 24 | 10 | 9 | 6 | 7 | 13 | 4 |
| 1944-45 | Buffalo (Bisons) | AHL | 54 | 19 | 36 | 55 | 36 | 6 | 0 | 4 | 4 | 12 |
| 1945-46 | Buffalo (Bisons) | AHL | 57 | 22 | 35 | 57 | 41 | 12 | 1 | 8 | 9 | 4 |
| 1946-47 | Buffalo (Bisons) | AHL | 10 | 2 | 3 | 5 | 8 | - | - | - | - | - |
| | **Montréal (Canadiens)** | **LNH** | 49 | 4 | 18 | 22 | 12 | 11 | 0 | 6 | 6 | 10 |
| 1947-48 | **Montréal (Canadiens)** | **LNH** | 48 | 4 | 14 | 18 | 26 | - | - | - | - | - |
| 1948-49 | **Montréal (Canadiens)** | **LNH** | 28 | 6 | 7 | 13 | 10 | 5 | 0 | 1 | 1 | 2 |
| | Buffalo (Bisons) | AHL | 10 | 1 | 2 | 3 | 6 | - | - | - | - | - |
| | Dallas (Texans) | USHL | 12 | 3 | 5 | 8 | 12 | - | - | - | - | - |
| 1949-50 | **Montréal (Canadiens)** | **LNH** | 55 | 3 | 12 | 15 | 21 | 4 | 0 | 0 | 0 | 2 |
| | Cincinnati (Mohawks) | AHL | 11 | 4 | 4 | 8 | 2 | - | - | - | - | - |
| 1950-51 | Victoria (Cougars) | PCHL | 68 | 17 | 67 | 84 | 12 | 1 | 4 | 5 | 9 | 6 |
| 1951-52 | Victoria (Cougars) | PCHL | 70 | 16 | 47 | 63 | 68 | 13 | 2 | 9 | 11 | 14 |
| 1952-53 | Montréal (Royals) | LHMQ | 60 | 5 | 30 | 35 | 62 | 16 | 2 | 7 | 9 | 15 |
| 1953-54 | Montréal (Royals) | LHQ | 61 | 8 | 29 | 37 | 50 | 11 | 1 | 5 | 6 | 2 |
| 1954-55 | Shawinigan (Cataractes) | LHQ | 59 | 2 | 29 | 31 | 83 | 11 | 1 | 9 | 10 | 6 |
| | Shawinigan (Cataractes) | Edin. | 7 | 2 | 3 | 5 | 4 | - | - | - | - | - |
| 1955-56 | Shawinigan (Cataractes) | LHQ | 45 | 4 | 17 | 21 | 29 | 10 | 0 | 0 | 0 | 0 |
| | | **LNH** | **187** | **18** | **53** | **71** | **71** | **20** | **0** | **7** | **7** | **14** |
| | | **Montréal** | **180** | **17** | **51** | **68** | **69** | **20** | **0** | **7** | **7** | **14** |

• Coupe Calder (AHL) en 1943-44, 1945-46 • Première équipe d'étoiles (AHL) en 1944-45, 1945-46 • Première équipe d'étoiles (PCHL) en 1950-51, 1951-52 • Première équipe d'étoiles (LHMQ) en 1952-53 • Première équipe d'étoiles (LHQ) en 1953-54
• Signe avec New York (Rangers) le 23 novembre 1943 • Échangé à Montréal par New York (Rangers) avec Gord Davidson pour Bob Dill le 4 janvier 1944 • Droits vendus à Victoria (WHL) par Montréal et nommé joueur-entraîneur le 16 septembre 1950

### LEMAIRE, JACQUES

**Né à Lasalle, Québec, le 7 septembre 1945. Centre, lance de la gauche, 5'10", 180 lb**

| SAISON | CLUB | LIGUE | PJ | B | A | PTS | PUN | PJ | B | A | PTS | PUN |
|---|---|---|---|---|---|---|---|---|---|---|---|---|
| 1962-63 | Lachine (Maroons) | LHJQ | 42 | 41 | 63 | *104 | - | - | - | - | - | - |
| 1963-64 | Montréal (Canadien Jr) | OHA Jr | 42 | 25 | 30 | 55 | 17 | 17 | 10 | 6 | 16 | 4 |
| 1964-65 | Montréal (Canadien Jr) | OHA Jr | 56 | 25 | 47 | 72 | 52 | 7 | 1 | 5 | 6 | 0 |
| | Québec (As) | AHL | 1 | 0 | 0 | 0 | - | - | - | - | - | - |
| 1965-66 | Montréal (Canadien Jr) | OHA Jr | 48 | 41 | 52 | 93 | 69 | 10 | 5 | 2 | 13 | 14 |
| 1966-67 | Houston (Apollos) | CPHL | 69 | 19 | 30 | 49 | 19 | 6 | 0 | 1 | 1 | 0 |
| 1967-68 | **Montréal (Canadiens)** | **LNH** | 69 | 22 | 20 | 42 | 16 | 13 | 7 | 6 | 13 | 6 |
| 1968-69 | **Montréal (Canadiens)** | **LNH** | 75 | 29 | 34 | 63 | 29 | 14 | 4 | 2 | 6 | 6 |
| 1969-70 | **Montréal (Canadiens)** | **LNH** | 69 | 32 | 28 | 60 | 16 | - | - | - | - | - |
| | Match des étoiles | LNH | 1 | 0 | 1 | 1 | 0 | - | - | - | - | - |
| 1970-71 | **Montréal (Canadiens)** | **LNH** | 78 | 28 | 28 | 56 | 18 | 20 | 9 | 10 | 19 | 17 |
| 1971-72 | **Montréal (Canadiens)** | **LNH** | 77 | 32 | 49 | 81 | 26 | 6 | 2 | 1 | 3 | 2 |
| 1972-73 | **Montréal (Canadiens)** | **LNH** | 77 | 44 | 51 | 95 | 16 | 17 | 7 | 13 | 20 | 2 |
| | Match des étoiles | LNH | 1 | 1 | 0 | 1 | 0 | - | - | - | - | - |
| 1973-74 | **Montréal (Canadiens)** | **LNH** | 66 | 29 | 38 | 67 | 10 | 6 | 0 | 4 | 4 | 2 |
| 1974-75 | **Montréal (Canadiens)** | **LNH** | 80 | 36 | 56 | 92 | 20 | 11 | 5 | 7 | 12 | 4 |
| 1975-76 | **Montréal (Canadiens)** | **LNH** | 61 | 20 | 32 | 52 | 20 | 13 | 3 | 6 | 9 | 2 |
| 1976-77 | **Montréal (Canadiens)** | **LNH** | 75 | 34 | 41 | 75 | 22 | 14 | 7 | 12 | 19 | 6 |
| 1977-78 | **Montréal (Canadiens)** | **LNH** | 76 | 36 | 61 | 97 | 14 | 15 | 6 | 8 | 14 | 10 |
| 1978-79 | **Montréal (Canadiens)** | **LNH** | 50 | 24 | 31 | 55 | 10 | 16 | *11 | 12 | *23 | 6 |
| 1979-80 | HC Sierre | SUI | 28 | 29 | 16 | 45 | - | - | - | - | - | - |
| 1980-81 | HC Sierre | SUI | 12 | 13 | 13 | 26 | - | - | - | - | - | - |
| | | **LNH** | **853** | **366** | **469** | **835** | **217** | **145** | **61** | **78** | **139** | **63** |
| | | **Montréal** | **853** | **366** | **469** | **835** | **217** | **145** | **61** | **78** | **139** | **63** |

• Coupe Stanley (LNH) en 1967-68, 1968-69, 1970-71, 1972-73, 1975-76, 1976-77, 1977-78, 1978-79 • Match des étoiles (LNH) en 1969-70, 1972-73 • Temple de la Renommée (LNH) en 1984

### LEMIEUX, CLAUDE

**Né à Buckingham, Québec, le 16 juillet 1965. Ailier droit, lance de la droite, 6'1", 215 lb (2e choix de Montréal, 26e au total lors du repêchage de 1983)**

| SAISON | CLUB | LIGUE | PJ | B | A | PTS | PUN | PJ | B | A | PTS | PUN |
|---|---|---|---|---|---|---|---|---|---|---|---|---|
| 1981-82 | Richelieu (Régents) | QAAA | 48 | 24 | 48 | 72 | 96 | - | - | - | - | - |
| 1982-83 | Trois-Rivières (Draveurs) | LHJMQ | 62 | 28 | 38 | 66 | 187 | 4 | 1 | 0 | 1 | 30 |
| 1983-84 | Verdun (Junior) | LHJMQ | 51 | 41 | 45 | 86 | 225 | 9 | 8 | 12 | 20 | 63 |
| | Nlle-Écosse (Voyageurs) | AHL | - | - | - | - | - | 2 | 1 | 0 | 1 | 0 |
| | **Montréal (Canadiens)** | **LNH** | 8 | 1 | 1 | 2 | 12 | - | - | - | - | - |
| 1984-85 | Verdun (Canadien Junior) | LHJMQ | 52 | 58 | 66 | 124 | 152 | 14 | 23 | 17 | 40 | 38 |
| | Verdun (Canadien Junior) | Mém. | 3 | 2 | 1 | 3 | - | - | - | - | - | - |
| | Canada | CMJ | 6 | 3 | 2 | 5 | 6 | - | - | - | - | - |
| | **Montréal (Canadiens)** | **LNH** | 1 | 0 | 1 | 1 | 7 | - | - | - | - | - |
| 1985-86 | Sherbrooke (Canadien) | AHL | 58 | 21 | 32 | 53 | 145 | - | - | - | - | - |
| | **Montréal (Canadiens)** | **LNH** | 10 | 1 | 2 | 3 | 22 | 20 | 10 | 6 | 16 | 68 |
| 1986-87 | **Montréal (Canadiens)** | **LNH** | 76 | 27 | 26 | 53 | 156 | 17 | 4 | 9 | 13 | 41 |
| | Étoiles LNH | RV 87 | 2 | 0 | 0 | 0 | 4 | - | - | - | - | - |
| 1987-88 | **Montréal (Canadiens)** | **LNH** | 78 | 31 | 30 | 61 | 137 | 11 | 3 | 3 | 6 | 34 |
| | Canada | CC | 6 | 1 | 2 | 3 | 2 | - | - | - | - | - |
| 1988-89 | **Montréal (Canadiens)** | **LNH** | 69 | 29 | 22 | 51 | 136 | s18 | 4 | 3 | 7 | 58 |
| 1989-90 | **Montréal (Canadiens)** | **LNH** | 39 | 8 | 10 | 18 | 106 | 1 | 1 | 3 | 4 | 38 |
| 1990-91 | New Jersey (Devils) | LNH | 78 | 30 | 17 | 47 | 105 | 7 | 4 | 0 | 4 | 34 |

---

| SAISON | CLUB | LIGUE | PJ | B | A | PTS | PUN | PJ | B | A | PTS | PUN |
|---|---|---|---|---|---|---|---|---|---|---|---|---|
| 1991-92 | New Jersey (Devils) | LNH | 74 | 41 | 27 | 68 | 109 | 7 | 4 | 3 | 7 | 26 |
| 1992-93 | New Jersey (Devils) | LNH | 77 | 30 | 51 | 81 | 155 | 5 | 2 | 0 | 2 | 19 |
| 1993-94 | New Jersey (Devils) | LNH | 79 | 18 | 26 | 44 | 86 | 20 | 7 | 11 | 18 | 44 |
| 1994-95 | New Jersey (Devils) | LNH | 45 | 6 | 13 | 19 | 86 | 20 | *13 | 3 | 16 | 20 |
| 1995-96 | Colorado (Avalanche) | LNH | 79 | 39 | 32 | 71 | 117 | 19 | 5 | 7 | 12 | 55 |
| 1996-97 | Colorado (Avalanche) | LNH | 45 | 11 | 17 | 28 | 43 | 17 | *13 | 10 | 23 | 32 |
| | Canada | CDM | 8 | 1 | 1 | 2 | 19 | - | - | - | - | - |
| 1997-98 | Colorado (Avalanche) | LNH | 78 | 26 | 27 | 53 | 115 | 7 | 3 | 3 | 6 | 8 |
| 1998-99 | Colorado (Avalanche) | LNH | 82 | 27 | 24 | 51 | 102 | 9 | 3 | 11 | 14 | 26 |
| 1999-00 | Colorado (Avalanche) | LNH | 13 | 3 | 6 | 9 | 4 | - | - | - | - | - |
| | New Jersey (Devils) | LNH | 70 | 17 | 21 | 38 | 86 | 23 | 4 | 6 | 10 | 28 |
| 2000-01 | Phoenix (Coyotes) | LNH | 46 | 10 | 16 | 26 | 58 | - | - | - | - | - |
| 2001-02 | Phoenix (Coyotes) | LNH | 82 | 16 | 25 | 41 | 70 | 5 | 0 | 0 | 0 | 2 |
| 2002-03 | Phoenix (Coyotes) | LNH | 36 | 6 | 8 | 14 | 30 | - | - | - | - | - |
| | Dallas (Stars) | LNH | 32 | 2 | 4 | 6 | 14 | 7 | 0 | 1 | 1 | 10 |
| | | **LNH** | **1197** | **379** | **406** | **785** | **1756** | **233** | **80** | **77** | **157** | **529** |
| | | **Montréal** | **281** | **97** | **92** | **189** | **576** | **77** | **22** | **23** | **45** | **225** |

• Première équipe d'étoiles (LHJMQ) en 1984-85 • Deuxième équipe d'étoiles (LHJMQ) en 1983-84 • Médaille d'or (CMJ) en 1984-85 • Coupe du Président (LHJMQ) en 1984-85 • Trophée Guy-Lafleur (LHJMQ) en 1984-85 • Coupe Stanley (LNH) en 1985-86, 1994-95, 1995-96, 1999-00 • Coupe Canada en 1988 • Trophée Conn-Smythe (LNH) en 1994-95
• Échangé au New Jersey par Montréal pour Sylvain Turgeon le 4 septembre 1990 • Échangé à New York (Islanders) par New Jersey pour Steve Thomas le 3 octobre 1995 • Échangé au Colorado par New York (Islanders) pour Wendel Clark le 3 octobre 1995 • Échangé au New Jersey par Colorado avec le 1er (David Hale) choix de 2e ronde (Matt DeMarchi) du Colorado au repêchage de 2000 pour Brian Rolston, le 1er choix du Colorado au repêchage de 2000 (cédé à Boston qui sélectionne Martin Samuelsson) et des considérations futures le 3 novembre 1999 • Signe avec Phoenix comme agent libre le 5 décembre 2000 • Échangé à Dallas par Phoenix pour Scott Pellerin et un choix de Dallas au repêchage de 2004 le 16 janvier 2003

### LEMIEUX, JOCELYN

**Né à Mont-Laurier, Québec, le 18 novembre 1967. Ailier droit, lance de la gauche, 5'11", 220 lb (1er choix de St. Louis, 10e au total lors du repêchage de 1986)**

| SAISON | CLUB | LIGUE | PJ | B | A | PTS | PUN | PJ | B | A | PTS | PUN |
|---|---|---|---|---|---|---|---|---|---|---|---|---|
| 1983-84 | Montréal (Concordia) | QAAA | 40 | 15 | 36 | 51 | - | - | - | - | - | - |
| 1984-85 | Laval (Voisins) | LHJMQ | 68 | 13 | 19 | 32 | 92 | - | - | - | - | - |
| 1985-86 | Laval (Titan) | LHJMQ | 71 | 57 | 68 | 125 | 131 | 14 | 9 | 15 | 24 | 37 |
| 1986-87 | St. Louis (Blues) | LNH | 53 | 10 | 8 | 18 | 94 | 5 | 0 | 1 | 1 | 6 |
| 1987-88 | St. Louis (Blues) | LNH | 23 | 1 | 0 | 1 | 42 | 5 | 0 | 0 | 0 | 15 |
| | Peoria (Rivermen) | IHL | 8 | 0 | 5 | 5 | 35 | - | - | - | - | - |
| 1988-89 | Sherbrooke (Canadien) | AHL | 73 | 25 | 28 | 53 | 134 | 4 | 3 | 1 | 4 | 6 |
| | **Montréal (Canadiens)** | **LNH** | 1 | 0 | 1 | 1 | 0 | - | - | - | - | - |
| 1989-90 | **Montréal (Canadiens)** | **LNH** | 34 | 4 | 2 | 6 | 61 | - | - | - | - | - |
| | Chicago (Blackhawks) | LNH | 39 | 10 | 11 | 21 | 47 | 18 | 1 | 8 | 9 | 28 |
| 1990-91 | Chicago (Blackhawks) | LNH | 67 | 6 | 7 | 13 | 119 | 4 | 0 | 0 | 0 | 6 |
| 1991-92 | Chicago (Blackhawks) | LNH | 78 | 6 | 10 | 16 | 80 | 18 | 3 | 1 | 4 | 33 |
| 1992-93 | Chicago (Blackhawks) | LNH | 81 | 10 | 21 | 31 | 111 | 4 | 1 | 0 | 1 | 2 |
| 1993-94 | Chicago (Blackhawks) | LNH | 66 | 12 | 8 | 20 | 63 | - | - | - | - | - |
| | Hartford (Whalers) | LNH | 16 | 6 | 1 | 7 | 19 | - | - | - | - | - |
| 1994-95 | Hartford (Whalers) | LNH | 41 | 6 | 5 | 11 | 32 | - | - | - | - | - |
| 1995-96 | Hartford (Whalers) | LNH | 29 | 1 | 2 | 3 | 31 | - | - | - | - | - |
| | New Jersey (Devils) | LNH | 18 | 0 | 1 | 1 | 4 | - | - | - | - | - |
| | Calgary (Flames) | LNH | 20 | 4 | 4 | 8 | 4 | 0 | 0 | 0 | 0 | 0 |
| 1996-97 | Long Beach (Ice Dogs) | IHL | 28 | 4 | 10 | 14 | 54 | - | - | - | - | - |
| | Phoenix (Coyotes) | LNH | 28 | 4 | 1 | 5 | 12 | 7 | 0 | 0 | 0 | 4 |
| 1997-98 | Phoenix (Coyotes) | LNH | 30 | 3 | 6 | 9 | 27 | - | - | - | - | - |
| | Springfield (Falcons) | AHL | 6 | 3 | 1 | 4 | 0 | 4 | 2 | 2 | 4 | 2 |
| | Long Beach (Ice Dogs) | IHL | 6 | 3 | 0 | 3 | 24 | - | - | - | - | - |
| 1998-99 | Long Beach (Ice Dogs) | IHL | 17 | 4 | 4 | 8 | 16 | 4 | 0 | 2 | 2 | 15 |
| | | **LNH** | **598** | **80** | **84** | **164** | **740** | **60** | **5** | **10** | **15** | **88** |
| | | **Montréal** | **35** | **4** | **3** | **7** | **61** | **-** | **-** | **-** | **-** | **-** |

• Première équipe d'étoiles (LHJMQ) en 1985-86
• Échangé à Montréal par St. Louis avec Darrel May et le choix de 2e ronde de St. Louis au repêchage de 1989 (Patrice Brisebois) pour Sergio Momesso et Vincent Riendeau le 9 août 1988 • Échangé à Chicago par Montréal pour le choix de 3e ronde de Chicago au repêchage de 1990 (Charles Poulin) le 5 janvier 1990 • Échangé à Hartford par Chicago avec Frantisek Kucera pour Gary Suter, Randy Cunneyworth et le choix de 3e ronde de Hartford au repêchage de 1995 (cédé à Vancouver qui sélectionne Larry Courville) le 11 mars 1994 • Échangé au New Jersey par Hartford avec le choix de 2e ronde de Hartford au repêchage de 1998 (cédé à Dallas qui sélectionne John Erskine) pour Jim Dowd et le choix de 2e ronde de New Jersey au repêchage de 1997 (cédé à Calgary qui sélectionne Dmitri Kokorev) le 19 décembre 1995. • Échangé à Calgary par New Jersey avec Tommy Abelin et Cale Hulse pour Phil Housley et Dan Keczmer le 26 février 1996 • Signe avec Phoenix comme agent libre le 18 mars 1997

### LÉPINE, ALFRED (PIT)

**Né à Sainte-Anne-de-Bellevue, Québec, le 30 juillet 1901, décédé le 2 août 1955. Centre, lance de la gauche, 6', 165 lb**

| SAISON | CLUB | LIGUE | PJ | B | A | PTS | PUN | PJ | B | A | PTS | PUN |
|---|---|---|---|---|---|---|---|---|---|---|---|---|
| 1922-23 | Montréal (Royals) | LHCM | 4 | 2 | 0 | 2 | 0 | - | - | - | - | - |
| | Montréal (Shamrocks) | LHCM | 1 | 1 | 0 | 1 | 0 | - | - | - | - | - |
| 1923-24 | Montréal (Hochelaga) | LHCM | 9 | 3 | 0 | 3 | 0 | - | - | - | - | - |
| 1924-25 | Montréal (National) | ECHL | 15 | 8 | 0 | 8 | 0 | - | - | - | - | - |
| 1925-26 | Montréal (National) | ECHL | 3 | 0 | 2 | 0 | 0 | - | - | - | - | - |
| | **Montréal (Canadiens)** | **LNH** | 27 | 9 | 1 | 10 | 18 | - | - | - | - | - |
| 1926-27 | **Montréal (Canadiens)** | **LNH** | 44 | 16 | 1 | 17 | 20 | 4 | 0 | 0 | 0 | 4 |
| 1927-28 | **Montréal (Canadiens)** | **LNH** | 20 | 4 | 1 | 5 | 16 | 1 | 0 | 0 | 0 | 0 |
| 1928-29 | **Montréal (Canadiens)** | **LNH** | 44 | 6 | 1 | 7 | 48 | 3 | 0 | 0 | 0 | 0 |
| 1929-30 | **Montréal (Canadiens)** | **LNH** | 44 | 24 | 9 | 33 | 47 | 6 | 2 | 5 | 7 | 0 |
| 1930-31 | **Montréal (Canadiens)** | **LNH** | 44 | 17 | 7 | 24 | 63 | 10 | 4 | 2 | 6 | 6 |
| 1931-32 | **Montréal (Canadiens)** | **LNH** | 48 | 19 | 11 | 30 | 42 | 3 | 1 | 0 | 1 | 4 |

| SAISON | CLUB | LIGUE | PJ | B | A | PTS | PUN | PJ | B | A | PTS | PUN |
|---|---|---|---|---|---|---|---|---|---|---|---|---|
| 1932-33 | Montréal (Canadiens) | LNH | 46 | 8 | 8 | 16 | 45 | 2 | 0 | 0 | 0 | 2 |
| 1933-34 | Montréal (Canadiens) | LNH | 48 | 10 | 8 | 18 | 44 | 2 | 0 | 0 | 0 | 0 |
| 1934-35 | Montréal (Canadiens) | LNH | 48 | 12 | 19 | 31 | 16 | 2 | 0 | 0 | 0 | 2 |
| 1935-36 | Montréal (Canadiens) | LNH | 32 | 6 | 10 | 16 | 4 | - | - | - | - | - |
| 1936-37 | Montréal (Canadiens) | LNH | 34 | 7 | 8 | 15 | 15 | 5 | 0 | 1 | 1 | 0 |
| 1937-38 | Montréal (Canadiens) | LNH | 47 | 5 | 14 | 19 | 24 | 3 | 0 | 0 | 0 | 0 |
| | Match des étoiles | LNH | 1 | 1 | 0 | 1 | 0 | - | - | - | - | - |
| 1938-39 | New Haven (Eagles) | IAHL | 52 | 8 | 23 | 31 | 16 | - | - | - | - | - |
| | | LNH | 526 | 143 | 98 | 241 | 392 | 41 | 7 | 5 | 12 | 26 |
| | | Montréal | 526 | 143 | 98 | 241 | 392 | 41 | 7 | 5 | 12 | 26 |

• Coupe Stanley (LNH) en 1929-30, 1930-31 • Match des étoiles(LNH) en 1937-38
• Signe avec Montréal le 29 décembre 1925

## LÉPINE, HECTOR

**Né à Sainte-Annne-de-Bellevue, Québec, le 7 décembre 1897, décédé le 29 mars 1951. Centre, lance de la droite, 5'11", 185 lb**

| SAISON | CLUB | LIGUE | PJ | B | A | PTS | PUN | PJ | B | A | PTS | PUN |
|---|---|---|---|---|---|---|---|---|---|---|---|---|
| 1917-18 | Montréal (La Casquette) | LHCM | 8 | 3 | 0 | 3 | 9 | - | - | - | - | - |
| 1918-19 | Montréal (Garnets) | LHCM | 6 | 0 | 0 | 0 | 0 | - | - | - | - | - |
| 1919-20 | Sainte-Anne-de-Bellevue | AHIQ | | | *Statistiques non disponibles* | | | - | - | - | - | - |
| 1920-21 | Sainte-Anne-de-Bellevue | AHIQ | | | *Statistiques non disponibles* | | | - | - | - | - | - |
| 1921-22 | Sainte-Anne-de-Bellevue | AHIQ | | | *Statistiques non disponibles* | | | - | - | - | - | - |
| 1922-23 | Montréal (Royals Sr) | LHCM | 4 | 14 | 0 | 14 | 0 | - | - | - | - | - |
| 1923-24 | Montréal (Hochelaga) | LHCM | 7 | *15 | 0 | *15 | 0 | - | - | - | - | - |
| 1924-25 | Montréal (National) | ÉCHL | 3 | 2 | 0 | 2 | 0 | - | - | - | - | - |
| | Fort Pitt (Hornets) | CHL | 21 | 11 | 0 | 11 | - | 8 | 1 | 0 | 1 | - |
| 1925-26 | Montréal (Canadiens) | LNH | 33 | 5 | 2 | 7 | 2 | - | - | - | - | - |
| 1926-27 | Providence (Reds) | Can-Am | 28 | 6 | 1 | 7 | 28 | - | - | - | - | - |
| | | LNH | 33 | 5 | 2 | 7 | 2 | - | - | - | - | - |
| | | Montréal | 33 | 5 | 2 | 7 | 2 | - | - | - | - | - |

• Signe avec Montréal le 13 novembre 1925

## LEROUX, GASTON

**Né à Montréal, Québec, le 9 janvier 1913. Défenseur, lance de la droite, 6', 190 lb**

| SAISON | CLUB | LIGUE | PJ | B | A | PTS | PUN | PJ | B | A | PTS | PUN |
|---|---|---|---|---|---|---|---|---|---|---|---|---|
| 1930-31 | Montréal (Canadien Sr) | LHCM | 7 | 0 | 0 | 0 | 2 | - | - | - | - | - |
| 1931-32 | Saint-François-Xavier | LHCM | | | *Statistiques non disponibles* | | | - | - | - | - | - |
| | Montréal (National) | LHBM | | | *Statistiques non disponibles* | | | - | - | - | - | - |
| 1932-33 | Montréal (National) | LHBM | | | *Statistiques non disponibles* | | | - | - | - | - | - |
| 1933-34 | Montréal (Lafontaine) | LHCM | 14 | 4 | 2 | 6 | 11 | - | - | - | - | - |
| | Québec (Castors) | Can-Am | 8 | 0 | 0 | 0 | 0 | - | - | - | - | - |
| 1934-35 | Clevelands (Falcons) | IHL | 42 | 2 | 6 | 8 | 15 | 2 | 0 | 0 | 0 | 0 |
| 1935-36 | Springfield (Indians) | Can-Am | 23 | 1 | 3 | 4 | 20 | - | - | - | - | - |
| | Montréal (Canadiens) | LNH | 2 | 0 | 0 | 0 | 0 | - | - | - | - | - |
| | Windsor (Bulldogs) | IHL | 12 | 1 | 1 | 2 | 7 | 0 | 0 | 0 | 0 | 0 |
| 1936-37 | Sherbrooke (Red Raiders) | LHPQ | | | *Statistiques non disponibles* | | | - | - | - | - | - |
| 1937-38 | Sherbrooke (Red Raiders) | LHPQ | 21 | 8 | 5 | 13 | 5 | 9 | 1 | 4 | 5 | 8 |
| 1938-39 | Sherbrooke (Red Raiders) | LHPQ | 35 | 3 | 5 | 8 | 5 | 5 | 0 | 1 | 1 | 2 |
| | | LNH | 2 | 0 | 0 | 0 | 0 | - | - | - | - | - |
| | | Montréal | 2 | 0 | 0 | 0 | 0 | - | - | - | - | - |

• Signe avec Montréal le 24 octobre 1935

## LESIEUR, ARTHUR (ART)

**Né à Fall River, Massachusets, le 13 septembre 1907
Défenseur, lance de la droite, 5'11", 190 lb**

| SAISON | CLUB | LIGUE | PJ | B | A | PTS | PUN | PJ | B | A | PTS | PUN |
|---|---|---|---|---|---|---|---|---|---|---|---|---|
| 1927-28 | Nashua (Nationals) | NEHL | 23 | 3 | 2 | 5 | 20 | 4 | 1 | 2 | 3 | 6 |
| | Providence (Reds) | Can-Am | 1 | 0 | 0 | 0 | 2 | - | - | - | - | - |
| 1928-29 | Montréal (Canadiens) | LNH | 15 | 0 | 0 | 0 | 0 | - | - | - | - | - |
| | Chicago (Black Hawks) | LNH | 2 | 0 | 0 | 0 | 0 | - | - | - | - | - |
| | Providence (Reds) | Can-Am | 16 | 1 | 0 | 1 | 16 | 4 | 0 | 0 | 0 | 2 |
| 1929-30 | Providence (Reds) | Can-Am | 40 | 3 | 0 | 3 | 57 | 3 | 0 | 0 | 0 | 4 |
| 1930-31 | Providence (Reds) | Can-Am | 19 | 3 | 3 | 6 | 26 | - | - | - | - | - |
| | Montréal (Canadiens) | LNH | 21 | 2 | 0 | 2 | 14 | 10 | 0 | 0 | 0 | 4 |
| 1931-32 | Providence (Reds) | Can-Am | 18 | 4 | 3 | 7 | 35 | - | - | - | - | - |
| | Montréal (Canadiens) | LNH | 24 | 1 | 2 | 3 | 12 | 4 | 0 | 0 | 0 | 0 |
| 1932-33 | Providence (Reds) | Can-Am | 25 | 1 | 3 | 4 | 34 | - | - | - | - | - |
| 1933-34 | Providence (Reds) | Can-Am | 40 | 2 | 1 | 3 | 68 | 3 | 0 | 1 | 1 | 8 |
| 1934-35 | Providence (Reds) | Can-Am | 47 | 5 | 9 | 14 | 80 | 6 | 1 | 0 | 1 | 10 |
| 1935-36 | Montréal (Canadiens) | LNH | 38 | 1 | 0 | 1 | 10 | - | - | - | - | - |
| 1936-37 | Providence (Reds) | IAHL | 51 | 7 | 10 | 17 | 54 | 3 | 0 | 0 | 0 | 2 |
| 1937-38 | Providence (Reds) | IAHL | 47 | 6 | 10 | 16 | 36 | 7 | 0 | 1 | 1 | 8 |
| 1938-39 | Providence (Reds) | IAHL | 54 | 5 | 7 | 12 | 53 | 5 | 0 | 0 | 0 | 4 |
| 1939-40 | Providence (Reds) | IAHL | 54 | 6 | 7 | 13 | 26 | 4 | 0 | 0 | 0 | 4 |
| 1940-41 | Pittsburgh (Hornets) | AHL | 32 | 2 | 0 | 2 | 22 | - | - | - | - | - |
| | | LNH | 100 | 4 | 2 | 6 | 50 | 14 | 0 | 0 | 0 | 4 |
| | | Montréal | 98 | 4 | 2 | 6 | 50 | 14 | 0 | 0 | 0 | 4 |

• Première équipe d'étoiles (NEHL) en 1927-28 • Deuxième équipe d'étoiles (IAHL) en 1937-38, 1938-39 • Coupe Calder (IAHL) en 1937-38, 1939-40
• Signe avec Montréal le 30 octobre 1928 • Prêté à Chicago par Montréal le 9 janvier 1929. • Prêté à Providence par Montréal pour Bert McCafferty le 15 janvier 1931 • Droits vendus à Providence (Can-Am) par Montréal avec Art Alexandre, Gus Rivers et Art Giroux le 8 mai 1932 • Droits vendus à Montréal par Providence le 30 septembre 1935 • Échangé à Pittsburgh (AHL) par Montréal (Providence – IAHL) pour Babe Taupin le 15 octobre 1940

## LEWIS, DOUGLAS (DOUG)

**Né à Winnipeg, Manitoba, le 3 mars 1921. Ailier gauche, lance de la gauche, 5'8", 155 lb**

| SAISON | CLUB | LIGUE | PJ | B | A | PTS | PUN | PJ | B | A | PTS | PUN |
|---|---|---|---|---|---|---|---|---|---|---|---|---|
| 1939-40 | Kenora (Thistles) | MJHL | 23 | 8 | 6 | 14 | 6 | 18 | 2 | 0 | 2 | 14 |
| | Kenora (Thistles) | Mem. | 10 | 1 | 0 | 1 | 12 | - | - | - | - | - |
| 1940-41 | Edmonton (Athletic Club) | EJHL | 16 | 6 | 7 | 13 | 16 | 5 | 1 | 3 | 4 | 7 |
| | Edmonton (Athletic Club) | Mem. | 5 | 3 | 0 | 3 | 4 | - | - | - | - | - |
| 1941-42 | Springfield (Indians) | AHL | 56 | 9 | 25 | 34 | 15 | 5 | 0 | 3 | 3 | 0 |

| SAISON | CLUB | LIGUE | PJ | B | A | PTS | PUN | PJ | B | A | PTS | PUN |
|---|---|---|---|---|---|---|---|---|---|---|---|---|
| 1942-43 | Buffalo (Bisons) | AHL | 55 | 9 | 27 | 36 | 21 | 7 | 0 | 4 | 4 | 7 |
| 1943-44 | Winnipeg (Navy) | WNDHL | 10 | 3 | 2 | 5 | 8 | - | - | - | - | - |
| | Cornwalls (Navy) | NSDHL | 2 | 2 | 4 | 6 | 2 | 1 | 1 | 1 | 2 | 0 |
| 1944-45 | Buffalo (Bisons) | AHL | 56 | 15 | 27 | 42 | 19 | 6 | 0 | 1 | 1 | 0 |
| 1945-46 | Buffalo (Bisons) | AHL | 62 | 20 | 32 | 52 | 8 | 4 | 0 | 1 | 1 | 0 |
| 1946-47 | Buffalo (Bisons) | AHL | 55 | 10 | 25 | 35 | 16 | 4 | 0 | 1 | 1 | 0 |
| | Montréal (Canadiens) | LNH | 3 | 0 | 0 | 0 | 0 | - | - | - | - | - |
| 1947-48 | Buffalo (Bisons) | AHL | 67 | 20 | 24 | 44 | 12 | 8 | 2 | 1 | 3 | 2 |
| 1948-49 | Buffalo (Bisons) | AHL | 64 | 22 | 16 | 38 | 23 | - | - | - | - | - |
| 1949-50 | Buffalo (Bisons) | AHL | 70 | 9 | 20 | 29 | 30 | 5 | 1 | 0 | 1 | 0 |
| 1950-51 | Seattle (Ironmen) | PCHL | 29 | 11 | 4 | 15 | 4 | - | - | - | - | - |
| | Boston (Olympics) | EHL | 17 | 5 | 1 | 6 | 6 | - | - | - | - | - |
| 1951-52 | Halifax (St. Mary's) | MMHL | 46 | 10 | 8 | 18 | 0 | - | - | - | - | - |
| 1952-53 | Winnipeg (Maroons) | Exh. | | | *Statistiques non disponibles* | | | - | - | - | - | - |
| | Winnipeg (Maroons) | Allan | 5 | 1 | 1 | 2 | 12 | - | - | - | - | - |
| 1953-54 | Winnipeg (Maroons) | Exh. | | | *Statistiques non disponibles* | | | - | - | - | - | - |
| | Winnipeg (Maroons) | Allan | 2 | 2 | 0 | 2 | 0 | - | - | - | - | - |
| | | LNH | 3 | 0 | 0 | 0 | 0 | - | - | - | - | - |
| | | Montréal | 3 | 0 | 0 | 0 | 0 | - | - | - | - | - |

• Coupe Calder (AHL) en 1942-43, 1945-46
• Prêté à Montréal par Buffalo (AHL) le 24 janvier 1947 • Signe avec Halifax (MMHL) le 27 septembre 1951

## LIND, JUHA

**Né à Helsinki, Finlande, le 2 janvier 1974. Centre, lance de la gauche, 5'11", 180 lb
(6e choix du Minnesota, 178e au total lors du repêchage de 1992)**

| SAISON | CLUB | LIGUE | PJ | B | A | PTS | PUN | PJ | B | A | PTS | PUN |
|---|---|---|---|---|---|---|---|---|---|---|---|---|
| 1990-91 | Jokerit (Helsinki) | FIN Jr | 8 | 1 | 1 | 2 | 0 | - | - | - | - | - |
| 1991-92 | Jokerit (Helsinki) | FIN Jr | 14 | 9 | 16 | 25 | 2 | 14 | 7 | 8 | 15 | 8 |
| | Finlande | EJC | 6 | 2 | 7 | 9 | 4 | - | - | - | - | - |
| 1992-93 | Vantaa HT | FIN | 25 | 8 | 12 | 20 | 8 | - | - | - | - | - |
| | Jokerit (Helsinki) | FIN | 3 | 0 | 4 | 4 | 2 | - | - | - | - | - |
| | Jokerit (Helsinki) | FIN | 6 | 0 | 0 | 0 | 2 | 1 | 0 | 0 | 0 | 0 |
| 1993-94 | Jokerit (Helsinki) | FIN | 11 | 6 | 7 | 13 | 4 | - | - | - | - | - |
| | Finlande | CMJ | 7 | 5 | 2 | 7 | 2 | - | - | - | - | - |
| | Jokerit (Helsinki) | FIN | 47 | 17 | 11 | 28 | 37 | 11 | 2 | 5 | 7 | 4 |
| 1994-95 | Jokerit (Helsinki) | FIN Jr | 2 | 1 | 3 | 2 | - | - | - | - | - | - |
| | Jokerit (Helsinki) | FIN | 50 | 8 | 18 | 12 | 11 | 1 | 2 | 3 | 6 |
| 1995-96 | Jokerit (Helsinki) | FIN | 50 | 15 | 22 | 37 | 32 | 11 | 4 | 5 | 9 | 4 |
| 1996-97 | Jokerit (Helsinki) | FIN | 50 | 16 | 22 | 38 | 28 | 9 | 5 | 3 | 8 | 0 |
| | Jokerit (Helsinki) | EuroHL | 6 | 4 | 1 | 5 | 6 | 2 | 1 | 0 | 1 | 0 |
| | Finlande | CM | 8 | 0 | 1 | 1 | 8 | - | - | - | - | - |
| 1997-98 | Dallas (Stars) | LNH | 39 | 2 | 3 | 5 | 6 | 15 | 2 | 2 | 4 | 8 |
| | Michigan (K-Wing) | IHL | 3 | 2 | 2 | 4 | 2 | - | - | - | - | - |
| | Finlande | JO | 6 | 0 | 1 | 1 | 6 | - | - | - | - | - |
| 1998-99 | Jokerit (Helsinki) | FIN | 50 | 20 | 19 | 39 | 22 | 3 | 3 | 1 | 4 | 2 |
| | Jokerit (Helsinki) | EuroHL | 6 | 6 | 2 | 8 | 14 | 2 | 0 | 2 | 2 | 0 |
| | Finlande | CM | 12 | 3 | 2 | 5 | 2 | - | - | - | - | - |
| 1999-00 | Dallas (Stars) | LNH | 34 | 3 | 4 | 7 | 6 | - | - | - | - | - |
| | Montréal (Canadiens) | LNH | 13 | 1 | 2 | 3 | 4 | - | - | - | - | - |
| | Filande | CM | 3 | 0 | 1 | 1 | 0 | - | - | - | - | - |
| 2000-01 | Montréal (Canadiens) | LNH | 47 | 3 | 4 | 7 | 4 | - | - | - | - | - |
| | Québec (Citadelles) | AHL | 3 | 1 | 1 | 2 | 0 | - | - | - | - | - |
| 2001-02 | Sodertalje SK | SWE | 41 | 16 | 10 | 26 | 26 | - | - | - | - | - |
| | Finlande | JO | 4 | 0 | 0 | 0 | 0 | - | - | - | - | - |
| | Finlande | CM | 9 | 0 | 1 | 1 | 2 | - | - | - | - | - |
| 2002-03 | Sodertalte SK | SWD | 47 | 17 | 9 | 36 | 24 | - | - | - | - | - |
| | | LNH | 133 | 9 | 13 | 22 | 20 | 15 | 2 | 2 | 4 | 8 |
| | | Montréal | 60 | 4 | 6 | 10 | 8 | - | - | - | - | - |

• Médaille d'argent (CM) en 1999 • Médaille de bronze (CM) en 2000
• La concession du Minnesota est transférée à Dallas le 9 juin 1993 • Échangé à Montréal par Dallas pour Scott Thornton le 22 janvier 2000

## LINDEN, TREVOR

**Né à Medicine Hat, Alberta le 11 avril 1970. Centre/ailier droit, lance de la droite, 6'4", 220 lb (1er choix de Vancouver, 2e au total lors du repêchage de 1988)**

| SAISON | CLUB | LIGUE | PJ | B | A | PTS | PUN | PJ | B | A | PTS | PUN |
|---|---|---|---|---|---|---|---|---|---|---|---|---|
| 1985-86 | Medicine Hat (Tigers) | AAHA | 40 | 14 | 22 | 36 | 14 | - | - | - | - | - |
| | Medicine Hat (Tigers) | WHL | 5 | 2 | 0 | 2 | 0 | - | - | - | - | - |
| 1986-87 | Medicine Hat (Tigers) | WHL | 72 | 14 | 22 | 36 | 59 | 20 | 5 | 4 | 9 | 17 |
| | Medicine Hat (Tigers) | Mem. | 5 | 2 | 1 | 3 | 6 | - | - | - | - | - |
| 1987-88 | Medicine Hat (Tigers) | WHL | 67 | 46 | 64 | 110 | 76 | 16 | *13 | 12 | 25 | 19 |
| | Medicine Hat (Tigers) | Mem. | 5 | 3 | 4 | 7 | 0 | - | - | - | - | - |
| | Canada | CMJ | 7 | 1 | 0 | 1 | 0 | - | - | - | - | - |
| 1988-89 | Vancouver (Canucks) | LNH | 80 | 30 | 29 | 59 | 41 | 7 | 3 | 4 | 7 | 8 |
| 1989-90 | Vancouver (Canucks) | LNH | 73 | 21 | 30 | 51 | 43 | - | - | - | - | - |
| 1990-91 | Vancouver (Canucks) | LNH | 80 | 33 | 37 | 70 | 65 | 6 | 0 | 7 | 7 | 2 |
| | Match des étoiles | LNH | 1 | 0 | 0 | 0 | 0 | - | - | - | - | - |
| | Canada | CM | 10 | 1 | 4 | 5 | 4 | - | - | - | - | - |
| 1991-92 | Vancouver (Canucks) | LNH | 80 | 31 | 44 | 75 | 101 | 13 | 4 | 8 | 12 | 6 |
| | Match des étoiles | LNH | 1 | 1 | 2 | 0 | - | - | - | - | - |
| 1992-93 | Vancouver (Canucks) | LNH | 84 | 33 | 39 | 72 | 64 | 12 | 5 | 8 | 13 | 16 |
| 1993-94 | Vancouver (Canucks) | LNH | 84 | 32 | 29 | 61 | 73 | 24 | 12 | 13 | 25 | 18 |
| 1994-95 | Vancouver (Canucks) | LNH | 48 | 18 | 22 | 40 | 40 | 11 | 2 | 6 | 8 | 12 |
| 1995-96 | Vancouver (Canucks) | LNH | 82 | 33 | 47 | 80 | 42 | 6 | 4 | 4 | 8 | 6 |
| 1996-97 | Vancouver (Canucks) | LNH | 49 | 9 | 31 | 40 | 27 | - | - | - | - | - |
| | Canada | CDM | 8 | 1 | 1 | 2 | 0 | - | - | - | - | - |
| 1997-98 | Vancouver (Canucks) | LNH | 42 | 7 | 14 | 21 | 49 | - | - | - | - | - |
| | New York (Islanders) | LNH | 25 | 10 | 7 | 17 | 33 | - | - | - | - | - |
| | Canada | JO | 6 | 1 | 0 | 1 | 0 | - | - | - | - | - |
| | Canada | CM | 6 | 1 | 4 | 5 | 4 | - | - | - | - | - |

| SAISON | CLUB | LIGUE | PJ | B | A | PTS | PUN | PJ | B | A | PTS | PUN |
|---|---|---|---|---|---|---|---|---|---|---|---|---|
| 1998-99 | New York (Islanders) | LNH | 82 | 18 | 29 | 47 | 32 | - | - | - | - | - |
| 1999-00 | Montréal (Canadiens) | LNH | 50 | 13 | 17 | 30 | 34 | - | - | - | - | - |
| 2000-01 | Montréal (Canadiens) | LNH | 57 | 12 | 21 | 33 | 52 | - | - | - | - | - |
| | Washington (Capitals) | LNH | 12 | 3 | 1 | 4 | 8 | 6 | 0 | 4 | 4 | 14 |
| 2001-02 | Washington (Capitals) | LNH | 16 | 1 | 2 | 3 | 6 | - | - | - | - | - |
| | Vancouver (Canucks) | LNH | 64 | 12 | 22 | 34 | 65 | 6 | 1 | 4 | 5 | 0 |
| 2002-03 | Vancouver (Canucks) | LNH | 71 | 19 | 22 | 41 | 30 | 14 | 1 | 2 | 3 | 2 |
| | **NHL** | | **1079** | **335** | **443** | **778** | **805** | **105** | **32** | **60** | **92** | **92** |
| | **Montréal** | | **107** | **25** | **38** | **63** | **86** | - | - | - | - | - |

• Coupe Memorial en 1986-87, 1987-88 • Deuxième équipe d'étoiles, Division Est (WHL) en 1987-88 • Équipe d'étoile des recrues (WHL) en 1988-89 • Match des étoiles(LNH) en 1990-91, 1991-92 • Trophée King-Clancy (LNH) en 1996-97
• Échangé à New York (Islanders) par Vancouver pour Todd Bertuzzi, Bryan McCabe et le choix de 3e ronde des Islanders au repêchage de 1998 (Jarkko Ruutu) le 6 février 1998 • Échangé à Montréal par New York (Islanders) pour le 1er choix de Montréal au repêchage de 1999 (Branislav Mezel) le 29 mai 1999 • Échangé à Washington par Montréal avec Dainius Zubrus et le choix de 2e ronde du New Jersey au repêchage de 2001 (propriété de Montréal suite à une transaction antérieure, cédé plus tard à Tampa Bay qui sélectionne Andreas Holmqvist) pour Richard Zednik et le 1er choix de Washington au repêchage de 2001 (Alexander Perezhogin) le 11 mars 2001 • Échangé à Vancouver par Washington avec le choix de 2e ronde des Islanders de New York au repêchage de 2002 (propriété de Washington suite à une transaction antérieure, Vancouver sélectionne Denis Grot) pour le 1er choix de Vancouver au repêchage de 2002 (Boyd Gordon) et le choix de 3e ronde de Vancouver au repêchage de 2003 le 10 novembre 2001.

## LINDSAY, BILL

Né à Fernie, Colombie-Britannique, le 17 mai 1971. Ailier droit, lance de la gauche, 6'3", 224 lb (6e choix de Québec, 103e au total lors du repêchage de 1991)

| SAISON | CLUB | LIGUE | PJ | B | A | PTS | PUN | PJ | B | A | PTS | PUN |
|---|---|---|---|---|---|---|---|---|---|---|---|---|
| 1988-89 | Vernon (Lakers) | BCJHL | 56 | 24 | 29 | 53 | 166 | - | - | - | - | - |
| 1989-90 | Tri-City (Americans) | WHL | 72 | 40 | 45 | 85 | 84 | 7 | 3 | 0 | 3 | 17 |
| 1990-91 | Tri-City (Americans) | WHL | 63 | 46 | 47 | 93 | 151 | 5 | 3 | 6 | 9 | 10 |
| | États-Unis | CMJ | 7 | 3 | 5 | 8 | 8 | - | - | - | - | - |
| 1991-92 | Tri-City (Americans) | WHL | 42 | 34 | 59 | 93 | 81 | 3 | 2 | 3 | 5 | 16 |
| | Québec (Nordiques) | LNH | 23 | 2 | 4 | 6 | 14 | - | - | - | - | - |
| 1992-93 | Québec (Nordiques) | LNH | 44 | 4 | 9 | 13 | 16 | - | - | - | - | - |
| | Halifax (Citadels) | AHL | 20 | 11 | 13 | 24 | 18 | - | - | - | - | - |
| 1993-94 | Florida (Panthers) | LNH | 84 | 6 | 6 | 12 | 97 | - | - | - | - | - |
| | États-Unis | CM | 3 | 3 | 1 | 4 | 2 | - | - | - | - | - |
| 1994-95 | Florida (Panthers) | LNH | 48 | 10 | 9 | 19 | 46 | - | - | - | - | - |
| 1995-96 | Florida (Panthers) | LNH | 73 | 12 | 22 | 34 | 57 | 22 | 5 | 5 | 10 | 18 |
| 1996-97 | Florida (Panthers) | LNH | 81 | 11 | 23 | 34 | 120 | 3 | 0 | 1 | 1 | 8 |
| 1997-98 | Florida (Panthers) | LNH | 82 | 12 | 16 | 28 | 80 | - | - | - | - | - |
| 1998-99 | Florida (Panthers) | LNH | 75 | 12 | 15 | 27 | 92 | - | - | - | - | - |
| 1999-00 | Calgary (Flames) | LNH | 80 | 8 | 12 | 20 | 86 | - | - | - | - | - |
| 2000-01 | Calgary (Flames) | LNH | 52 | 1 | 9 | 10 | 97 | - | - | - | - | - |
| | San Jose (Sharks) | LNH | 16 | 0 | 4 | 4 | 29 | 6 | 0 | 0 | 0 | 16 |
| 2001-02 | Floride (Panthers) | LNH | 63 | 4 | 7 | 11 | 117 | - | - | - | - | - |
| | **Montréal (Canadiens)** | **LNH** | **13** | **1** | **3** | **4** | **23** | **11** | **2** | **2** | **4** | **2** |
| 2002-03 | **Montréal (Canadiens)** | **LNH** | **19** | **0** | **2** | **2** | **23** | - | - | - | - | - |
| | Hamilton (Bulldogs) | AHL | 28 | 6 | 12 | 18 | 89 | 23 | 10 | 3 | 13 | 31 |
| | **LNH** | | **753** | **83** | **141** | **224** | **897** | **42** | **7** | **8** | **15** | **44** |
| | **Montréal** | | **32** | **1** | **5** | **6** | **46** | **11** | **2** | **2** | **4** | **2** |

• Deuxième équipe d'étoiles, Division Ouest (WHL) en 1991-92
• Réclamé par la Floride de Québec lors du repêchage d'expansion de la LNH le 24 juin 1993
• Échangé par Calgary de la Floride pour Todd Simpson le 30 septembre 1999 • Échangé à San Jose par Calgary pour le choix de 8e ronde du Minnesota au repêchage de 2001 (propriété de San Jose suite à une transaction antérieure, Calgary sélectionne Joe Campbell) le 6 mars 2001 • Signe avec la Floride comme agent libre le 23 août 2001 • Réclamé au ballottage par Montréal de la Floride le 19 mars 2002

## LING, DAVID

Né à Halifax, Nouveau-Brunswick, le 9 janvier 1975. Ailier droit, lance de la droite, 5'9", 185 lb (9e choix de Québec, 179e au total lors du repêchage de 1993)

| SAISON | CLUB | LIGUE | PJ | B | A | PTS | PUN | PJ | B | A | PTS | PUN |
|---|---|---|---|---|---|---|---|---|---|---|---|---|
| 1991-92 | Charlottetown (Abbies) | MJHL | 30 | 33 | 42 | 75 | 270 | - | - | - | - | - |
| | St. Michael's (Buzzers) | OJHL | 8 | 5 | 14 | 19 | 25 | - | - | - | - | - |
| 1992-93 | Kingston (Frontenacs) | OHL | 64 | 17 | 46 | 63 | 275 | 16 | 3 | 12 | 15 | *72 |
| 1993-94 | Kingston (Frontenacs) | OHL | 61 | 37 | 40 | 77 | *254 | 6 | 4 | 2 | 6 | 16 |
| 1994-95 | Kingston (Frontenacs) | OHL | 62 | *61 | 74 | 135 | 136 | 6 | 8 | 5 | 13 | 12 |
| 1995-96 | Saint John (Flames) | AHL | 75 | 24 | 32 | 56 | 179 | 9 | 0 | 5 | 5 | 12 |
| 1996-97 | Saint John (Flames) | AHL | 5 | 0 | 1 | 1 | 9 | - | - | - | - | - |
| | Fredericton (Canadien) | AHL | 48 | 22 | 36 | 58 | 229 | - | - | - | - | - |
| | **Montréal (Canadiens)** | **LNH** | **1** | **0** | **0** | **0** | **0** | - | - | - | - | - |
| 1997-98 | Fredericton (Canadien) | AHL | 67 | 25 | 41 | 66 | 148 | - | - | - | - | - |
| | **Montréal (Canadiens)** | **LNH** | **1** | **0** | **0** | **0** | **0** | - | - | - | - | - |
| | Indianapolis (Ice) | IHL | 8 | 6 | 14 | 30 | 5 | 4 | 1 | 5 | 31 | |
| 1998-99 | Kansas City (Blades) | IHL | 82 | 30 | 42 | 72 | 112 | 3 | 1 | 0 | 1 | 20 |
| 1999-00 | Kansas City (Blades) | IHL | 82 | 35 | 48 | 83 | 210 | - | - | - | - | - |
| 2000-01 | Utah (Grizzlies) | IHL | 79 | 15 | 28 | 43 | 202 | - | - | - | - | - |
| 2001-02 | Columbus (Blue Jackets) | LNH | 5 | 0 | 0 | 0 | 2 | - | - | - | - | - |
| | Syracuse (Crunch) | AHL | 71 | 19 | 41 | 60 | 240 | 10 | 5 | 5 | 10 | 16 |
| 2002-03 | Columbus (Blue Jackets) | LNH | 35 | 3 | 2 | 5 | 86 | - | - | - | - | - |
| | Syracuse (Crunch) | AHL | 46 | 7 | 34 | 41 | 129 | - | - | - | - | - |
| | **LNH** | | **43** | **3** | **2** | **5** | **93** | - | - | - | - | - |
| | **Montréal** | | **3** | **0** | **0** | **0** | **0** | - | - | - | - | - |

• Trophée Red-Tilson (OHL) en 1994-95 • Trophée Jim-Mahon (OHL) en 1994-95 • Première équipe d'étoiles (OHL) en 1994-95 • Première équipe d'étoiles au hockey junior canadien en 1994-95 • Joueur par excellence au hockey junior canadien en 1995 • Première équipe d'étoiles (IHL) en 1999-00
• Transfert de la concession de Québec au Colorado le 21 juin 1995 • Échangé à Calgary par Colorado avec le choix de 9e ronde du Colorado au repêchage de 1995 (Steve Shirreffs) pour

le choix de 9e ronde de Calgary au repêchage de 1995(Chris George) le 7 juillet 1995 • Échangé à Montréal par Calgary avec le choix de 6e ronde de Calgary au repêchage de 1999 (Gordie Dwyer) pour Scott Fraser le 24 octobre 1996 • Échangé à Chicago par Montréal pour Martin Gendron le 14 mars 1998 • Échangé à Dallas par Chicago pour des considérations futures le 11 août 2000 • Signe avec Columbus comme agent libre le 7 juillet 2001

## LITZENBERGER, EDWARD (ED)

Né à Neudorf, Saskatchewan, le 15 juillet 1932
Ailier droit/centre, lance de la droite, 6'1", 174 lb

| SAISON | CLUB | LIGUE | PJ | B | A | PTS | PUN | PJ | B | A | PTS | PUN |
|---|---|---|---|---|---|---|---|---|---|---|---|---|
| 1949-50 | Regina (Pats) | WCJHL | 40 | 25 | 19 | 44 | 16 | 9 | *11 | 4 | 15 | 4 |
| | Regina (Pats) | Mem. | 14 | 12 | 10 | 22 | 2 | - | - | - | - | - |
| 1950-51 | Regina (Pats) | WCJHL | 40 | *44 | 35 | 79 | 23 | 12 | *14 | 16 | *30 | 6 |
| | Regina (Pats) | Mem. | 17 | 12 | 10 | 22 | 14 | - | - | - | - | - |
| 1951-52 | Regina (Pats) | WCJHL | 41 | 42 | 29 | 71 | 75 | 8 | 8 | 5 | 13 | 8 |
| | Regina (Pats) | Mem. | 14 | *14 | 12 | *26 | 12 | - | - | - | - | - |
| 1952-53 | Montréal (Royals) | LHMQ | 59 | 26 | 24 | 50 | 42 | 16 | 8 | 4 | 12 | 15 |
| | **Montréal (Canadiens)** | **LNH** | **2** | **1** | **0** | **1** | **2** | - | - | - | - | - |
| 1953-54 | Montréal (Royals) | LHQ | 67 | 31 | 39 | 70 | 44 | 11 | 4 | 5 | 9 | 6 |
| | **Montréal (Canadiens)** | **LNH** | **3** | **0** | **0** | **0** | **0** | - | - | - | - | - |
| 1954-55 | **Montréal (Canadiens)** | **LNH** | **29** | **7** | **4** | **11** | **0** | - | - | - | - | - |
| | Chicago (Black Hawks) | LNH | 44 | 16 | 24 | 40 | 28 | - | - | - | - | - |
| 1955-56 | Chicago (Black Hawks) | LNH | 70 | 10 | 29 | 39 | 36 | - | - | - | - | - |
| | Match des étoiles | LNH | 1 | 0 | 0 | 0 | 0 | - | - | - | - | - |
| 1956-57 | Chicago (Black Hawks) | LNH | 70 | 32 | 32 | 64 | 48 | - | - | - | - | - |
| 1957-58 | Chicago (Black Hawks) | LNH | 70 | 32 | 30 | 62 | 63 | - | - | - | - | - |
| | Match des étoiles | LNH | 1 | 0 | 2 | 2 | 0 | - | - | - | - | - |
| 1958-59 | Chicago (Black Hawks) | LNH | 70 | 33 | 44 | 77 | 37 | 6 | 3 | 5 | 8 | 8 |
| | Match des étoiles | LNH | 1 | 0 | 1 | 1 | 0 | - | - | - | - | - |
| 1959-60 | Chicago (Black Hawks) | LNH | 52 | 12 | 18 | 30 | 15 | 4 | 0 | 1 | 1 | 4 |
| | Match des étoiles | LNH | 1 | 0 | 1 | 1 | 0 | - | - | - | - | - |
| 1960-61 | Chicago (Black Hawks) | LNH | 62 | 10 | 22 | 32 | 14 | 10 | 1 | 3 | 4 | 2 |
| 1961-62 | Detroit (Red Wings) | LNH | 32 | 8 | 12 | 20 | 0 | - | - | - | - | - |
| | Toronto (Maple Leafs) | LNH | 37 | 10 | 10 | 20 | 14 | 10 | 0 | 2 | 2 | 4 |
| 1962-63 | Toronto (Maple Leafs) | LNH | 58 | 5 | 13 | 18 | 10 | 9 | 1 | 3 | 4 | 6 |
| | Match des étoiles | LNH | 1 | 0 | 0 | 0 | 0 | - | - | - | - | - |
| 1963-64 | Toronto (Maple Leafs) | LNH | 19 | 2 | 1 | 3 | 2 | 1 | 0 | 0 | 0 | 10 |
| | Match des étoiles | LNH | 1 | 1 | 1 | 2 | 0 | - | - | - | - | - |
| | Rochester (Americans) | AHL | 33 | 15 | 14 | 29 | 26 | 2 | 1 | 1 | 2 | 2 |
| 1964-65 | Rochester (Americans) | AHL | 72 | 25 | 61 | 86 | 34 | 10 | 1 | 3 | 4 | 6 |
| 1965-66 | Victoria (Maple Leafs) | WHL | 23 | 17 | 24 | 26 | | - | - | - | - | - |
| | Rochester (Americans) | AHL | 47 | 7 | 15 | 22 | 12 | - | - | - | - | - |
| | **LNH** | | **618** | **178** | **238** | **416** | **283** | **40** | **5** | **13** | **18** | **34** |
| | **Montréal** | | **34** | **8** | **4** | **12** | **14** | - | - | - | - | - |

• Trophée Williiam-Northey (LHMQ) en 1952-53 • Deuxième équipe d'étoiles (LHMQ) en 1952-53 • Deuxième équipe d'étoiles (LHQ) en 1953-54 • Trophée Calder (LNH) en 1954-55 • Match des étoiles(LNH) en 1955-56, 1957-58, 1958-59, 1959-60, 1962-63, 1963-64 • Deuxième équipe d'étoiles (LNH) en 1956-57 • Coupe Stanley (LNH) en 1960-61, 1961-62, 1962-63, 1963-64 • Coupe Calder (AHL) en 1964-65, 1965-66
• Échangé à Chicago par Montréal pour Paul Masnick et Paul Meger le 10 décembre 1954 • Échangé à Detroit par Chicago pour Brian Smith et Gerry Melynk le 12 juin 1961 • Réclamé au ballottage par Toronto de Detroit le 29 décembre 1961

## LOCAS, JACQUES

Né à Pointe-aux-Trembles, Québec, le 12 février 1926, décédé
Ailier droit, lance de la droite, 5'11", 175 lb

| SAISON | CLUB | LIGUE | PJ | B | A | PTS | PUN | PJ | B | A | PTS | PUN |
|---|---|---|---|---|---|---|---|---|---|---|---|---|
| 1943-44 | Concordia (Civics) | LHJQ | 13 | 8 | 7 | 15 | 8 | 5 | 3 | 0 | 3 | 2 |
| 1944-45 | Concordia (Civics) | LHJQ | 20 | 6 | 5 | 11 | 29 | 1 | 0 | 1 | 1 | 2 |
| 1945-46 | Concordia (Civics) | LHJQ | 24 | *25 | 8 | *33 | 31 | 5 | *7 | 3 | 10 | 4 |
| 1946-47 | Montréal (Royals) | LHSQ | 38 | 23 | 12 | 35 | 69 | 10 | *11 | 3 | 14 | 12 |
| | Montréal (Royals) | Allan | 14 | 11 | 7 | 18 | 14 | - | - | - | - | - |
| 1947-48 | **Montréal (Canadiens)** | **LNH** | **56** | **7** | **8** | **15** | **66** | - | - | - | - | - |
| 1948-49 | Dallas (Texans) | USHL | 6 | 3 | 1 | 4 | 19 | - | - | - | - | - |
| | **Montréal (Canadiens)** | **LNH** | **3** | **0** | **0** | **0** | **0** | - | - | - | - | - |
| 1949-50 | Cincinnati (Mohawks) | AHL | 62 | 8 | 15 | 23 | 36 | - | - | - | - | - |
| 1950-51 | Montréal (Royals) | LHMQ | 22 | 15 | 7 | 22 | 63 | 7 | 2 | 4 | 10 | |
| 1951-52 | Montréal (Royals) | LHMQ | 41 | 11 | 15 | 26 | 44 | 7 | 0 | 1 | 1 | 0 |
| 1952-53 | Sherbrooke (Saints) | LHMQ | 57 | 36 | 28 | 64 | 61 | 7 | 3 | 2 | 5 | 24 |
| 1953-54 | Chicoutimi (Saguenéens) | LHQ | 65 | 35 | 20 | 55 | 45 | 7 | 2 | 2 | 4 | 2 |
| 1954-55 | Chicoutimi (Saguenéens) | LHQ | 46 | 24 | 14 | 38 | 36 | - | - | - | - | - |
| 1955-56 | Chicoutimi (Saguenéens) | LHQ | 62 | 27 | 23 | 50 | 80 | 5 | 2 | 1 | 3 | 6 |
| 1956-57 | Chicoutimi (Saguenéens) | LHQ | 67 | 33 | 13 | 46 | 54 | 10 | 5 | 2 | 7 | *24 |
| 1957-58 | Chicoutimi (Saguenéens) | LHQ | 64 | *40 | 16 | 56 | 54 | 5 | 4 | 2 | 6 | 2 |
| 1958-59 | Chicoutimi (Saguenéens) | LHQ | 61 | *49 | 24 | 73 | 66 | 4 | 3 | 0 | 3 | 6 |
| 1959-60 | Québec (As) | AHL | 39 | 9 | 8 | 17 | 20 | - | - | - | - | - |
| | **LNH** | | **59** | **7** | **8** | **15** | **66** | - | - | - | - | - |
| | **Montréal** | | **59** | **7** | **8** | **15** | **66** | - | - | - | - | - |

• Première équipe d'étoiles (LHQ) en 1957-58, 1958-59
• Prêté à Dallas (USHL) par Montréal le 17 décembre 1948

## LONG, STANLEY (STAN)

Né à Owen Sound, Ontario, le 6 novembre 1929, décédé
Défenseur, lance de la gauche, 5'11", 190 lb

| SAISON | CLUB | LIGUE | PJ | B | A | PTS | PUN | PJ | B | A | PTS | PUN |
|---|---|---|---|---|---|---|---|---|---|---|---|---|
| 1946-47 | Barrie (Flyers) | OHA Jr | 14 | 1 | 1 | 2 | 29 | 5 | 0 | 1 | 1 | 4 |
| 1947-48 | Barrie (Flyers) | OHA Jr | 34 | 9 | 25 | 34 | 60 | 13 | 8 | 8 | 16 | 38 |
| | Barrie (Flyers) | Mem. | 10 | 3 | 7 | 10 | 18 | - | - | - | - | - |
| 1948-49 | Barrie (Flyers) | OHA Jr | 42 | 11 | 39 | 50 | 89 | 9 | 2 | 9 | 11 | 11 |
| | Barrie (Flyers) | Mem. | 8 | 2 | 3 | 5 | 6 | - | - | - | - | - |
| 1949-50 | Barrie (Flyers) | OHA Jr | 48 | 19 | 37 | 56 | 112 | 9 | 1 | 8 | 9 | 12 |
| | Buffalo (Bisons) | AHL | 1 | 0 | 0 | 0 | 0 | - | - | - | - | - |

| SAISON | CLUB | LIGUE | PJ | B | A | PTS | PUN | PJ | B | A | PTS | PUN |
|---|---|---|---|---|---|---|---|---|---|---|---|---|
| 1950-51 | Victoria (Cougars) | PCHL | 62 | 9 | 15 | 24 | 77 | 12 | 2 | 4 | 6 | 16 |
| | Montréal (Royals) | LHMQ | 5 | 0 | 0 | 0 | 9 | - | - | - | - | - |
| 1951-52 | Buffalo (Bisons) | AHL | 61 | 11 | 20 | 31 | 96 | 3 | 2 | 1 | 3 | 2 |
| | **Montréal (Canadiens)** | **LNH** | - | - | - | - | - | 3 | 0 | 0 | 0 | 0 |
| 1952-53 | Victoria (Cougars) | WHL | 51 | 9 | 19 | 28 | 55 | - | - | - | - | - |
| 1953-54 | Buffalo (Bisons) | AHL | 6 | 0 | 4 | 4 | 10 | - | - | - | - | - |
| | **LNH** | | - | - | - | - | - | 3 | 0 | 0 | 0 | 0 |
| | **Montréal** | | - | - | - | - | - | 3 | 0 | 0 | 0 | 0 |

• Droits vendus à Buffalo (AHL) par Montréal le 15 octobre 1953

### LORRAIN, RODRIGUE (ROD)
**Né à Buckingham, Québec, le 26 juillet 1914, décédé le 22 octobre 1980**
**Ailier droit, lance de la droite, 5'5", 156 lb**

| SAISON | CLUB | LIGUE | PJ | B | A | PTS | PUN | PJ | B | A | PTS | PUN |
|---|---|---|---|---|---|---|---|---|---|---|---|---|
| 1932-33 | Hull-Lasalle Juniors | HOHL | 11 | 5 | 2 | 7 | 2 | - | - | - | - | - |
| 1933-34 | Hull-Lasalle Juniors | HOHL | 11 | *21 | 14 | 35 | 2 | 4 | 3 | 6 | 9 | 2 |
| 1934-35 | Ottawa (Senators) | OCHL | 14 | 4 | 6 | 10 | 10 | 8 | 1 | 2 | 3 | 4 |
| 1935-36 | Ottawa (Senators) | OCHL | 11 | 8 | 4 | 12 | 4 | - | - | - | - | - |
| | **Montréal (Canadiens)** | **LNH** | 1 | 0 | 0 | 0 | 2 | - | - | - | - | - |
| | Providence (Reds) | Can-Am | 22 | 2 | 1 | 3 | 4 | 3 | 0 | 0 | 0 | 2 |
| 1936-37 | **Montréal (Canadiens)** | **LNH** | 47 | 3 | 6 | 9 | 8 | 5 | 0 | 0 | 0 | 5 |
| 1937-38 | **Montréal (Canadiens)** | **LNH** | 48 | 13 | 19 | 32 | 14 | 3 | 0 | 0 | 0 | 0 |
| 1938-39 | **Montréal (Canadiens)** | **LNH** | 38 | 10 | 9 | 19 | 0 | 3 | 0 | 3 | 3 | 0 |
| | New Haven (Eagles) | IAHL | 9 | 1 | 4 | 5 | 0 | - | - | - | - | - |
| 1939-40 | **Montréal (Canadiens)** | **LNH** | 41 | 1 | 5 | 6 | 6 | - | - | - | - | - |
| | Match des étoiles | LNH | 1 | 0 | 1 | 1 | 0 | - | - | - | - | - |
| 1940-41 | Saint-Jérôme (Papermakers) | LHPQ | 34 | 34 | 24 | 58 | 12 | 13 | *10 | 6 | *16 | 11 |
| 1941-42 | **Montréal (Canadiens)** | **LNH** | 4 | 1 | 0 | 1 | 0 | - | - | - | - | - |
| | Washington (Lions) | AHL | 34 | 4 | 15 | 19 | 0 | 2 | 2 | 0 | 2 | 0 |
| 1942-43 | Washington (Lions) | AHL | 49 | 8 | 20 | 28 | 8 | - | - | - | - | - |
| 1943-44 | Montréal (Université) | LHCM | 3 | 1 | 2 | 3 | 0 | - | - | - | - | - |
| | Montréal (Vickers) | LHCM | 8 | 5 | 3 | 8 | 0 | - | - | - | - | - |
| 1944-45 | Hull (Volants) | LHSQ | 11 | 2 | 9 | 11 | 0 | - | - | - | - | - |
| | **LNH** | | 179 | 28 | 39 | 67 | 30 | 11 | 0 | 3 | 3 | 0 |
| | **Montréal** | | 179 | 28 | 39 | 67 | 30 | 11 | 0 | 3 | 3 | 0 |

• Match des étoiles(LNH) en 1939-40
• Signe avec Montréal le 23 décembre 1935 • Prêté à Providence (Can-Am) par Montréal le 7 janvier 1936

### LOWE, ROSS
**Né à Oshawa, Ontario, le 21 septembre 1928, décédé le 8 août 1955**
**Défenseur, lance de la droite, 6'2", 180 lb**

| SAISON | CLUB | LIGUE | PJ | B | A | PTS | PUN | PJ | B | A | PTS | PUN |
|---|---|---|---|---|---|---|---|---|---|---|---|---|
| 1944-45 | Oshawa (Generals) | OHA Jr | 17 | 3 | 0 | 3 | 20 | 3 | 1 | 1 | 2 | 0 |
| 1945-46 | Oshawa (Generals) | OHA Jr | 23 | 19 | 10 | 29 | 40 | 12 | 9 | 7 | 16 | 13 |
| 1946-47 | Oshawa (Generals) | OHA Jr | 13 | 5 | 4 | 9 | 11 | 5 | 2 | 0 | 2 | 2 |
| 1947-48 | Oshawa (Generals) | OHA Jr | 36 | 21 | 16 | 37 | 80 | 6 | 1 | 2 | 3 | 30 |
| 1948-49 | Hershey (Bears) | AHL | 43 | 4 | 7 | 11 | 55 | 11 | 0 | 0 | 0 | 2 |
| 1949-50 | Hershey (Bears) | AHL | 57 | 7 | 15 | 22 | 76 | - | - | - | - | - |
| | Boston (Bruins) | LNH | 3 | 0 | 0 | 0 | 0 | - | - | - | - | - |
| 1950-51 | Hershey (Bears) | AHL | 10 | 1 | 3 | 4 | 28 | - | - | - | - | - |
| | Boston (Bruins) | LNH | 43 | 5 | 3 | 8 | 40 | - | - | - | - | - |
| | Buffalo (Bisons) | AHL | 15 | 4 | 2 | 6 | 29 | 4 | 0 | 0 | 0 | 17 |
| | **Montréal (Canadiens)** | **LNH** | - | - | - | - | - | 2 | 0 | 0 | 0 | 0 |
| 1951-52 | **Montréal (Canadiens)** | **LNH** | 31 | 1 | 5 | 6 | 42 | - | - | - | - | - |
| 1952-53 | Buffalo (Bisons) | AHL | 43 | 5 | 15 | 20 | 53 | - | - | - | - | - |
| 1953-54 | Victoria (Cougars) | WHL | 66 | 15 | 23 | 38 | 101 | 5 | 0 | 1 | 1 | 10 |
| 1954-55 | Springfield (Indians) | AHL | 60 | 32 | 50 | 82 | 91 | 4 | 1 | 2 | 3 | 16 |
| | **LNH** | | 77 | 6 | 8 | 14 | 82 | 2 | 0 | 0 | 0 | 0 |
| | **Montréal** | | 31 | 1 | 5 | 6 | 42 | 2 | 0 | 0 | 0 | 0 |

• Première équipe d'étoiles (AHL) en 1954-55 • Trophée Les-Cunningham (AHL) en 1954-55
• Échangé à Montréal par Boston pour Hal Laycoe le 14 février 1951 • Réclamé par Syracuse (AHL) de Montréal (Victoria — WHL) au repêchage inter-ligues le 14 juin 1954 • Transfert de la concession de Syracuse (AHL) à Springfield (AHL) en septembre 1954 • Réclamé par New York (Rangers) de Springfield (AHL) lors du repêchage inter-ligues le 31 mai 1955

### LOWREY, EDWARD (ED)
**Né à Manotick, Ontario, le 13 août 1891, décédé**
**Centre, lance de la droite, 5'6", 160 lb**

| SAISON | CLUB | LIGUE | PJ | B | A | PTS | PUN | PJ | B | A | PTS | PUN |
|---|---|---|---|---|---|---|---|---|---|---|---|---|
| 1909-10 | Ottawa (Stewartons) | OCHL | 6 | 7 | 0 | 7 | 18 | 1 | 0 | 0 | 0 | 0 |
| | Hull (Volants) | LOVHL | 1 | 0 | 0 | 0 | 0 | - | - | - | - | - |
| 1910-11 | Ottawa (Buena Vistas) | OCHL | 10 | 4 | 0 | 4 | 23 | - | - | - | - | - |
| 1911-12 | Ottawa (Stewartons) | IPAHU | 10 | 9 | 0 | 9 | 20 | - | - | - | - | - |
| 1912-13 | Ottawa (Senators) | NHA | 13 | 4 | 0 | 4 | - | - | - | - | - | - |
| | Ottawa (New Edinburghs) | IPAHU | 2 | 2 | 0 | 2 | 15 | - | - | - | - | - |
| 1913-14 | Toronto (Ontarios) | NHA | 16 | 1 | 3 | 4 | - | - | - | - | - | - |
| 1914-15 | Ottawa (Senators) | NHA | 4 | 2 | 1 | 3 | 3 | 2 | 0 | 0 | 0 | 0 |
| | **Montréal (Canadiens)** | **NHA** | 1 | 0 | 0 | 0 | 0 | - | - | - | - | - |
| 1915-16 | Toronto (Blueshirts) | NHA | 2 | 0 | 0 | 0 | 0 | - | - | - | - | - |
| 1916-17 | Ottawa (Senators) | NHA | 19 | 3 | 1 | 4 | 3 | 2 | 0 | 0 | 0 | 0 |
| 1917-18 | Ottawa (Senators) | LNH | 12 | 2 | 1 | 3 | 3 | - | - | - | - | - |
| 1918-19 | Ottawa (Senators) | LNH | 10 | 2 | 0 | 2 | 3 | - | - | - | - | - |
| 1919-20 | Ottawa (Munitions) | OCHL | | | N'a pas joué – Entraîneur | | | | | | | |
| 1920-21 | Hamilton (Tigers) | LNH | 5 | 0 | 0 | 0 | 0 | - | - | - | - | - |
| 1921-22 | Regina (Capitals) | WCHL | 7 | 1 | 0 | 1 | 0 | - | - | - | - | - |
| | Ottawa University | OCHL | | | N'a pas joué – Entraîneur | | | | | | | |
| | **NHA** | | 55 | 10 | 5 | 13 | 6 | 4 | 0 | 0 | 0 | 0 |
| | **LNH** | | 27 | 2 | 2 | 4 | 6 | - | - | - | - | - |
| | **Montréal** | | 1 | 0 | 0 | 0 | 0 | - | - | - | - | - |

• Droits vendus à Toronto (NHA) par Ottawa (NHA) le 1er janvier 1914 • Droits vendus à Montréal (NHA) par Ottawa (NHA) le 18 janvier 1915 • Signe avec Hamilton le 12 décembre 1920 • Signe avec Regina (WCHL) le 1er décembre 1921

### LUDWIG, CRAIG
**Né à Rhinelander, Wisconsin, le 15 mars 1961. Défenseur, lance de la gauche, 6'3" 220 lb (5e choix de Montréal, 61e au total lors du repêchage de 1980)**

| SAISON | CLUB | LIGUE | PJ | B | A | PTS | PUN | PJ | B | A | PTS | PUN |
|---|---|---|---|---|---|---|---|---|---|---|---|---|
| 1979-80 | North Dakota University | WCHA | 33 | 1 | 8 | 9 | 32 | - | - | - | - | - |
| 1980-81 | North Dakota University | WCHA | 34 | 4 | 8 | 12 | 48 | - | - | - | - | - |
| | États-Unis | CMJ | 5 | 0 | 0 | 0 | 12 | - | - | - | - | - |
| 1981-82 | Nord Dakota University | WCHA | 37 | 4 | 17 | 21 | 42 | - | - | - | - | - |
| 1982-83 | **Montréal (Canadiens)** | **LNH** | 80 | 0 | 25 | 25 | 59 | 3 | 0 | 0 | 0 | 2 |
| 1983-84 | **Montréal (Canadiens)** | **LNH** | 80 | 7 | 18 | 25 | 52 | 15 | 0 | 3 | 3 | 23 |
| 1984-85 | **Montréal (Canadiens)** | **LNH** | 72 | 5 | 14 | 19 | 90 | 12 | 0 | 2 | 2 | 6 |
| 1985-86 | **Montréal (Canadiens)** | **LNH** | 69 | 2 | 4 | 6 | 63 | 20 | 0 | 1 | 1 | 48 |
| 1986-87 | **Montréal (Canadiens)** | **LNH** | 75 | 4 | 12 | 16 | 105 | 17 | 2 | 3 | 5 | 30 |
| 1987-88 | **Montréal (Canadiens)** | **LNH** | 74 | 4 | 10 | 14 | 69 | 11 | 1 | 1 | 2 | 6 |
| 1988-89 | **Montréal (Canadiens)** | **LNH** | 74 | 3 | 13 | 16 | 73 | 21 | 0 | 2 | 2 | 24 |
| 1989-90 | **Montréal (Canadiens)** | **LNH** | 73 | 1 | 15 | 16 | 108 | 11 | 0 | 1 | 1 | 16 |
| 1990-91 | New York (Islanders) | LNH | 75 | 1 | 8 | 9 | 77 | - | - | - | - | - |
| 1991-92 | Minnesota (North Stars) | LNH | 73 | 2 | 9 | 11 | 54 | 7 | 0 | 1 | 1 | 19 |
| 1992-93 | Minnesota (North Stars) | LNH | 78 | 1 | 10 | 11 | 153 | - | - | - | - | - |
| 1993-94 | Dallas (Stars) | LNH | 84 | 1 | 13 | 14 | 123 | 9 | 0 | 3 | 3 | 8 |
| 1994-95 | Dallas (Stars) | LNH | 47 | 2 | 9 | 11 | 61 | 4 | 0 | 1 | 1 | 2 |
| 1995-96 | Dallas (Stars) | LNH | 65 | 1 | 2 | 3 | 70 | - | - | - | - | - |
| 1996-97 | Dallas (Stars) | LNH | 77 | 2 | 11 | 13 | 62 | 7 | 0 | 2 | 2 | 18 |
| 1997-98 | Dallas (Stars) | LNH | 80 | 0 | 7 | 7 | 131 | 17 | 0 | 1 | 1 | 22 |
| 1998-99 | Dallas (Stars) | LNH | 80 | 2 | 6 | 8 | 87 | 23 | 1 | 4 | 5 | 20 |
| | **LNH** | | 1256 | 38 | 184 | 222 | 1437 | 177 | 4 | 25 | 29 | 244 |
| | **Montréal** | | 597 | 26 | 111 | 137 | 619 | 110 | 3 | 13 | 16 | 155 |

• Deuxième équipe d'étoiles (WCHA) en 1981-82 • Coupe Stanley (LNH) en 1985-86, 1998-99
• Échangé à New York (Islanders) par Montréal pour Gerald Diduck le 4 septembre 1990
• Échangé au Minnesota par New York (Islanders) pour Tom Kurvers le 22 juin 1991 • Transfert de la concession du Minnesota à Dallas le 9 juin 1993

### LUMLEY, DAVE
**Né à Toronto, Ontario, le 9 janvier 1954. Ailier droit, lance de la droite, 6', 185 lb (17e choix de Montréal, 199e au total lors du repêchage de 1974)**

| SAISON | CLUB | LIGUE | PJ | B | A | PTS | PUN | PJ | B | A | PTS | PUN |
|---|---|---|---|---|---|---|---|---|---|---|---|---|
| 1973-74 | New Hampshire University | ECAC | 31 | 12 | 19 | 31 | 38 | - | - | - | - | - |
| 1974-75 | New Hampshire University | ECAC | 26 | 12 | 26 | 38 | 56 | - | - | - | - | - |
| 1975-76 | New Hampshire University | ECAC | 30 | 9 | 32 | 41 | 55 | - | - | - | - | - |
| 1976-77 | New Hampshire University | ECAC | 39 | 22 | 38 | 60 | 42 | - | - | - | - | - |
| 1977-78 | Nlle-Écosse (Voyageurs) | AHL | 58 | 22 | 21 | 43 | 58 | 2 | 0 | 1 | 1 | 5 |
| 1978-79 | Nlle-Écosse (Voyageurs) | AHL | 61 | 22 | 58 | 80 | 160 | 10 | 6 | 8 | 14 | 35 |
| | **Montréal (Canadiens)** | **LNH** | 3 | 0 | 0 | 0 | 0 | - | - | - | - | - |
| 1979-80 | Edmonton (Oilers) | LNH | 80 | 20 | 38 | 58 | 138 | 3 | 1 | 0 | 1 | 12 |
| 1980-81 | Edmonton (Oilers) | LNH | 53 | 7 | 9 | 16 | 74 | 7 | 1 | 0 | 1 | 4 |
| 1981-82 | Edmonton (Oilers) | LNH | 66 | 32 | 42 | 74 | 96 | 5 | 2 | 1 | 3 | 21 |
| 1982-83 | Edmonton (Oilers) | LNH | 72 | 13 | 24 | 37 | 158 | 16 | 0 | 0 | 0 | 19 |
| 1983-84 | Edmonton (Oilers) | LNH | 56 | 6 | 15 | 21 | 68 | 19 | 2 | 5 | 7 | 44 |
| 1984-85 | Hartford (Whalers) | LNH | 48 | 8 | 20 | 28 | 98 | - | - | - | - | - |
| | Edmonton (Oilers) | LNH | 12 | 1 | 3 | 4 | 13 | 8 | 0 | 0 | 0 | 29 |
| 1985-86 | Edmonton (Oilers) | LNH | 46 | 11 | 9 | 20 | 35 | 3 | 0 | 2 | 2 | 2 |
| 1986-87 | Edmonton (Oilers) | LNH | - | - | - | - | - | - | - | - | - | - |
| | **LNH** | | 437 | 98 | 160 | 258 | 680 | 61 | 6 | 8 | 14 | 131 |
| | **Montréal** | | 3 | 0 | 0 | 0 | 0 | - | - | - | - | - |

• Deuxième équipe d'étoiles (AHL) en 1978-79 • Coupe Stanley (LNH) en 1983-84, 1984-85
• Échangé à Edmonton par Montréal avec Dan Newman pour le choix de 2e ronde d'Edmonton au repêchage de 1980 (Ric Nattress) le 13 juin 1979 • Réclamé par Hartford d'Edmonton lors du repêchage inter-équipes le 9 octobre 1984 • Réclamé au ballottage par Edmonton de Hartford le 6 février 1985

### LUMME, JYRKI
**Né à Tampere, Finlande, le 16 juillet 1966. Défenseur, lance de la gauche, 6'1", 190 lb (3e choix de Montréal, 57e au total lors du repêchage de 1986)**

| SAISON | CLUB | LIGUE | PJ | B | A | PTS | PUN | PJ | B | A | PTS | PUN |
|---|---|---|---|---|---|---|---|---|---|---|---|---|
| 1983-84 | KooVee Tampere | FIN Jr | 28 | 5 | 4 | 9 | 61 | - | - | - | - | - |
| 1984-85 | KooVee Tampere | FIN | 30 | 6 | 4 | 10 | 44 | - | - | - | - | - |
| 1985-86 | Llves Tampere | FIN Jr | 6 | 3 | 3 | 6 | 6 | 4 | 0 | 0 | 0 | 8 |
| | Llves Tampere | FIN | 31 | 1 | 4 | 5 | 4 | - | - | - | - | - |
| | Finlande | CMJ | 7 | 1 | 4 | 5 | 2 | - | - | - | - | - |
| 1986-87 | Llves Tampere | FIN | 43 | 12 | 12 | 24 | 52 | 4 | 0 | 1 | 1 | 2 |
| 1987-88 | Llves Tampere | FIN | 43 | 8 | 22 | 30 | 75 | - | - | - | - | - |
| | Finlande | JO | 6 | 0 | 1 | 1 | 2 | - | - | - | - | - |
| 1988-89 | Sherbrooke (Canadiens) | AHL | 26 | 4 | 11 | 15 | 10 | 6 | 1 | 3 | 4 | 4 |
| | **Montréal (Canadiens)** | **LNH** | 21 | 1 | 3 | 4 | 10 | - | - | - | - | - |
| 1989-90 | **Montréal (Canadiens)** | **LNH** | 54 | 1 | 19 | 20 | 41 | - | - | - | - | - |
| | Vancouver (Canucks) | LNH | 11 | 3 | 7 | 10 | 8 | - | - | - | - | - |
| | Finlande | CM | 10 | 3 | 4 | 7 | 6 | - | - | - | - | - |
| 1990-91 | Vancouver (Canucks) | LNH | 80 | 5 | 27 | 32 | 59 | 6 | 2 | 3 | 5 | 0 |
| | Finlande | CM | 10 | 1 | 3 | 4 | 6 | - | - | - | - | - |
| 1991-92 | Vancouver (Canucks) | LNH | 75 | 12 | 32 | 44 | 65 | 13 | 2 | 3 | 5 | 6 |
| | Finlande | CC | 4 | 0 | 2 | 2 | 6 | - | - | - | - | - |
| 1992-93 | Vancouver (Canucks) | LNH | 74 | 8 | 36 | 44 | 55 | 12 | 0 | 5 | 5 | 6 |
| 1993-94 | Vancouver (Canucks) | LNH | 83 | 13 | 42 | 55 | 50 | 24 | 2 | 11 | 13 | 16 |
| 1994-95 | Llves Tampere | FIN | 13 | 4 | 8 | 12 | 24 | - | - | - | - | - |
| | Vancouver (Canucks) | LNH | 36 | 5 | 12 | 17 | 26 | 11 | 2 | 6 | 8 | 8 |
| 1995-96 | Finlande | CM | | | | | | | | | | |
| | Vancouver (Canucks) | LNH | 80 | 17 | 37 | 54 | 50 | 6 | 1 | 4 | 5 | 8 |
| 1996-97 | Finlande | CDM | | | | | | | | | | |
| | Vancouver (Canucks) | LNH | 66 | 11 | 24 | 35 | 32 | - | - | - | - | - |
| | Finlande | CM | 8 | 0 | 3 | 3 | 4 | - | - | - | - | - |

## [Lumme, Jyrki] (suite)

| | | | SAISONS RÉGULIÈRES | | | | | SÉRIES ÉLIMINATOIRES | | | | |
|---|---|---|---|---|---|---|---|---|---|---|---|---|
| Saison | Club | Ligue | PJ | B | A | PTS | PUN | PJ | B | A | PTS | PUN |
| 1997-98 | Finlande | JO | 6 | 1 | 0 | 1 | 16 | | | | | |
| | Vancouver (Canucks) | LNH | 74 | 9 | 21 | 30 | 34 | | | | | |
| 1998-99 | Phoenix (Coyotes) | LNH | 60 | 7 | 21 | 28 | 34 | 7 | 0 | 1 | 1 | 6 |
| 1999-00 | Phoenix (Coyotes) | LNH | 74 | 8 | 32 | 40 | 44 | 5 | 0 | 1 | 1 | 2 |
| | Finlande | CM | 9 | 2 | 3 | 5 | 4 | | | | | |
| 2000-01 | Phoenix (Coyotes) | LNH | 58 | 4 | 21 | 25 | 44 | | | | | |
| 2001-02 | Dallas (Stars) | LNH | 15 | 0 | 1 | 1 | 4 | | | | | |
| | Toronto (Maple Leafs) | LNH | 51 | 4 | 8 | 12 | 18 | 14 | 0 | 0 | 0 | 4 |
| | Finlande | JO | 4 | 0 | 1 | 1 | 0 | | | | | |
| 2002-03 | Toronto (Maple Leafs) | LNH | 73 | 6 | 11 | 17 | 46 | 7 | 0 | 2 | 2 | 4 |
| | **LNH** | | **985** | **114** | **354** | **468** | **620** | **105** | **9** | **35** | **44** | **52** |
| | **Montréal** | | **75** | **2** | **22** | **24** | **51** | | | | | |

• Médaille d'argent (JO) en 1988 • Médaille de bronze (JO) en 1998 • Médaille de bronze (CM) en 2000
• Échangé à Vancouver par Montréal pour le choix de 2e ronde de St. Louis (propriété des Canucks suite à une transaction antérieure) au repêchage de 1991 (Craig Darby) le 6 mars 1990 • Signe avec Phoenix comme agent libre le 3 juillet 1998 • Échangé à Dallas par Phoenix pour Tyler Bouck le 23 juin 2001 • Échangé à Toronto par Dallas pour Dave Manson le 21 novembre 2001

## LUPIEN, GILLES
Né à Lachute, Québec, le 20 avril 1954. Défenseur, lance de la gauche, 6'6", 210 lb
(7e choix de Montréal et 33e au total lors du repêchage de 1974)

| | | | SAISONS RÉGULIÈRES | | | | | SÉRIES ÉLIMINATOIRES | | | | |
|---|---|---|---|---|---|---|---|---|---|---|---|---|
| Saison | Club | Ligue | PJ | B | A | PTS | PUN | PJ | B | A | PTS | PUN |
| 1971-72 | Québec (Remparts) | LHJMQ | 36 | 0 | 5 | 5 | 54 | 15 | 1 | 3 | 3 | 17 |
| 1972-73 | Montréal (Bleu-Blanc-Rouge) | LHJMQ | 26 | 4 | 4 | 8 | 66 | | | | | |
| | Sherbrooke (Castors) | LHJMQ | 26 | 0 | 5 | 5 | 71 | | | | | |
| 1973-74 | Montréal (Junior) | LHJMQ | 44 | 3 | 29 | 32 | 168 | | | | | |
| 1974-75 | Nlle-Écosse (Voyageurs) | AHL | 73 | 6 | 9 | 15 | *316 | 6 | 0 | 0 | 0 | 61 |
| 1975-76 | Nlle-Écosse (Voyageurs) | AHL | 56 | 2 | 6 | 8 | 134 | 9 | 0 | 4 | 4 | 29 |
| 1976-77 | Nlle-Écosse (Voyageurs) | AHL | 69 | 6 | 16 | 22 | *215 | 12 | 0 | 2 | 2 | *35 |
| 1977-78 | Nlle-Écosse (Voyageurs) | AHL | 7 | 1 | 2 | 3 | 10 | | | | | |
| | **Montréal (Canadiens)** | **LNH** | **46** | **1** | **3** | **4** | **108** | **8** | **0** | **0** | **0** | **17** |
| 1978-79 | **Montréal (Canadiens)** | **LNH** | **72** | **1** | **9** | **10** | **124** | **13** | **0** | **0** | **0** | **2** |
| 1979-80 | **Montréal (Canadiens)** | **LNH** | **56** | **1** | **7** | **8** | **109** | **4** | **0** | **0** | **0** | **2** |
| 1980-81 | Pittsburgh (Penguins) | LNH | 31 | 0 | 1 | 1 | 34 | | | | | |
| | Hartford (Whalers) | LNH | 20 | 1 | 6 | 7 | 39 | | | | | |
| | Binghamton (Whalers) | AHL | 11 | 4 | 4 | 5 | 71 | | | | | |
| 1981-82 | Binghamton (Whalers) | AHL | 53 | 8 | 12 | 20 | 280 | 13 | 2 | 5 | 7 | 58 |
| | Hartford (Whalers) | LNH | 1 | 0 | 1 | 1 | 2 | | | | | |
| | **LNH** | | **226** | **5** | **25** | **30** | **416** | **25** | **0** | **0** | **0** | **21** |
| | **Montréal** | | **174** | **3** | **19** | **22** | **341** | **25** | **0** | **0** | **0** | **21** |

• Coupe Calder (AHL) en 1975-76, 1976-77 • Coupe Stanley (LNH) en 1977-78, 1978-79
• Échangé à Pittsburgh par Montréal pour le choix de 3e ronde de Pittsburgh au repêchage de 1983 (cédé à Winnipeg qui sélectionne Peter Taglianetti) le 26 septembre 1980 • Échangé à Hartford par Pittsburgh pour le choix de 6e ronde de Hartford au repêchage de 1981 (Paul Edwards) le 20 février 1981

## LYNN, VICTOR (VIC)
Né à Saskatoon, Saskatchewan, le 26 janvier 1925
Défenseur, lance de la gauche, 5'10", 175 lb

| | | | SAISONS RÉGULIÈRES | | | | | SÉRIES ÉLIMINATOIRES | | | | |
|---|---|---|---|---|---|---|---|---|---|---|---|---|
| Saison | Club | Ligue | PJ | B | A | PTS | PUN | PJ | B | A | PTS | PUN |
| 1941-42 | Saskatoon (Quakers) | SJHL | 7 | 6 | 8 | 14 | 12 | 6 | 0 | 2 | 2 | 10 |
| | Saskatoon (Quakers) | Mem. | 3 | 1 | 0 | 1 | 12 | | | | | |
| 1942-43 | New York (Rovers) | EAHL | 38 | 4 | 6 | 10 | *122 | 10 | 3 | 3 | 6 | 30 |
| 1943-44 | Detroit (Red Wings) | LNH | 3 | 0 | 0 | 0 | 4 | | | | | |
| | Indianapolis (Capitals) | AHL | 32 | 4 | 5 | 9 | 61 | | | | | |
| | Saskatoon (Quakers) | N-SSHL | | | | | | 4 | 2 | 0 | 2 | 13 |
| 1944-45 | St. Louis (Flyers) | AHL | 60 | 15 | 23 | 38 | 92 | | | | | |
| 1945-46 | Buffalo (Bisons) | AHL | 46 | 25 | 35 | 60 | 12 | 5 | 5 | 5 | 10 | 10 |
| | **Montréal (Canadiens)** | **LNH** | **2** | **0** | **0** | **0** | **0** | | | | | |
| 1946-47 | Toronto (Maple Leafs) | LNH | 31 | 6 | 14 | 20 | 44 | 11 | 4 | 1 | 5 | 16 |
| 1947-48 | Toronto (Maple Leafs) | LNH | 60 | 12 | 22 | 34 | 53 | 9 | 2 | 5 | 7 | *20 |
| | Match des étoiles | LNH | 1 | 0 | 0 | 0 | 7 | | | | | |
| 1948-49 | Toronto (Maple Leafs) | LNH | 52 | 7 | 9 | 16 | 36 | 8 | 0 | 1 | 1 | 2 |
| | Match des étoiles | LNH | 1 | 0 | 0 | 0 | 0 | | | | | |
| 1949-50 | Toronto (Maple Leafs) | LNH | 70 | 7 | 13 | 20 | 39 | 7 | 0 | 2 | 2 | 0 |
| | Match des étoiles | LNH | 1 | 0 | 0 | 0 | 0 | | | | | |
| 1950-51 | Pittsburgh (Hornets) | AHL | 16 | 2 | 4 | 6 | 17 | | | | | |
| | Boston (Bruins) | LNH | 56 | 14 | 16 | 30 | 50 | 6 | 0 | 0 | 0 | 4 |
| 1951-52 | Providence (Reds) | AHL | 5 | 1 | 4 | 5 | 4 | | | | | |
| | Boston (Bruins) | LNH | 12 | 2 | 4 | 6 | 9 | | | | | |
| | Cleveland (Barons) | AHL | 39 | 1 | 4 | 5 | 14 | 5 | 1 | 3 | 4 | 2 |
| 1952-53 | Cleveland (Barons) | AHL | 35 | 11 | 17 | 28 | 46 | | | | | |
| | Chicago (Black Hawks) | LNH | 29 | 0 | 10 | 10 | 23 | 7 | 1 | 2 | 3 | 2 |
| 1953-54 | Saskatoon (Quakers) | WHL | 38 | 11 | 12 | 23 | 14 | 6 | 2 | 3 | 5 | 9 |
| | Chicago (Black Hawks) | LNH | 11 | 1 | 0 | 1 | 4 | | | | | |
| 1954-55 | Saskatoon (Quakers) | WHL | 70 | 20 | 24 | 44 | 82 | | | | | |
| 1955-56 | Saskatoon (Quakers) | WHL | 64 | 17 | 26 | 43 | 100 | 3 | 0 | 1 | 1 | 6 |
| 1956-57 | Brandon (Regats) | WHL | 61 | 10 | 21 | 31 | 137 | 9 | 2 | 7 | 9 | 8 |
| | Brandon (Regats) | Edin | 6 | 1 | 3 | 4 | 12 | | | | | |
| 1957-58 | Saskatoon/St-Paul | WHL | 38 | 13 | 19 | 32 | 49 | | | | | |
| | Sudbury (Wolves) | NOHA | 7 | 0 | 1 | 1 | 8 | | | | | |
| 1958-59 | Prince Albert (Mintos) | SJHL | N'a pas joué – Entraîneur | | | | | | | | | |
| | Saskatoon (Quakers) | WHL | 20 | 3 | 8 | 11 | 20 | | | | | |
| 1959-60 | Saskatoon (Quakers) | SSHL | 20 | 10 | 10 | 20 | 30 | 7 | 2 | 8 | 10 | 10 |
| | Saskatoon (Quakers) | Allan | 2 | 0 | 0 | 0 | 2 | | | | | |
| 1960-61 | Saskatoon (Quakers) | SSHL | Statistiques non disponibles | | | | | | | | | |
| 1961-62 | Saskatoon (Quakers) | SSHL | 12 | 5 | 5 | 10 | 16 | 8 | 1 | 3 | 4 | 6 |
| | Saskatoon (Quakers) | Allan | 1 | 0 | 0 | 0 | 0 | | | | | |
| 1962-63 | Saskatoon (Quakers) | SSHL | 18 | 5 | 11 | 16 | 28 | | | | | |
| 1963-64 | Saskatoon (Quakers) | SSHL | Statistiques non disponibles | | | | | | | | | |

## [Macey, Hubert] (suite)

| | | | SAISONS RÉGULIÈRES | | | | | SÉRIES ÉLIMINATOIRES | | | | |
|---|---|---|---|---|---|---|---|---|---|---|---|---|
| Saison | Club | Ligue | PJ | B | A | PTS | PUN | PJ | B | A | PTS | PUN |
| | **LNH** | | **327** | **49** | **76** | **125** | **274** | **47** | **7** | **10** | **17** | **46** |
| | **Montréal** | | **2** | **0** | **0** | **0** | **0** | | | | | |

• Coupe Calder (AHL) en 1945-46 • Match des étoiles (LNH) en 1947-48, 1948-49, 1949-50 • Coupe Stanley (LNH) en 1946-47, 1947-48, 1948-49
• Droits vendus à Montréal (Buffalo – AHL) par Detroit, le 14 octobre 1945 • Échangé à Toronto de Montréal (Buffalo – AHL) avec Dutch Hiller pour John Mahaffy et Gerry Brown le 21 septembre 1946 • Échangé à Boston par Toronto avec Bill Ezinicki pour Fern Flaman, Ken Smith, Leo Boivin et Phil Maloney le 16 novembre 1950 • Échangé à Cleveland par Boston (Providence – AHL) avec Ken Davies pour Joe Lund et Jean-Paul Gladu le 10 décembre 1951 • Échangé à Chicago par Cleveland (AHL) pour des considérations futures (Fred Glover le 16 janvier 1953) le 4 janvier 1953

## MacKEY, HUBERT (HUB)
Né à Big River, Saskatchewan, le 13 avril 1921
Ailier gauche/centre lance de la gauche, 5'8", 178 lb

| | | | SAISONS RÉGULIÈRES | | | | | SÉRIES ÉLIMINATOIRES | | | | |
|---|---|---|---|---|---|---|---|---|---|---|---|---|
| Saison | Club | Ligue | PJ | B | A | PTS | PUN | PJ | B | A | PTS | PUN |
| 1938-39 | Portage (Terriers) | MJHL | 18 | 12 | 3 | 15 | 12 | 3 | 2 | 2 | 4 | 0 |
| 1939-40 | Portage (Terriers) | MJHL | 21 | 14 | 7 | 21 | 14 | 4 | 2 | 2 | 4 | 0 |
| 1940-41 | Portage (Terriers) | MJHL | 19 | 18 | 10 | 28 | 6 | 6 | 5 | 2 | 7 | 2 |
| | Winnipeg (Rangers) | Mem. | 10 | 9 | 6 | 15 | 4 | | | | | |
| 1941-42 | New York (Rovers) | EAHL | 47 | 39 | 33 | 72 | 8 | | | | | |
| | New York (Rangers) | LNH | 9 | 3 | 5 | 8 | 0 | 1 | 0 | 0 | 0 | 0 |
| 1942-43 | Kingston (Frontenacs) | OVHL | 13 | 13 | 9 | 22 | 24 | 4 | 0 | 5 | 5 | 0 |
| | New York (Rangers) | LNH | 9 | 3 | 3 | 6 | 0 | | | | | |
| 1943-44 | Kingston (Army) | OHA Sr | 2 | 2 | 1 | 3 | 2 | | | | | |
| 1944-45 | | | Service militaire | | | | | | | | | |
| 1945-46 | London (Army) | ENG | Statistiques non disponibles | | | | | | | | | |
| 1946-47 | Buffalo (Bisons) | AHL | 32 | 15 | 16 | 31 | 4 | | | | | |
| | Houston (Huskies) | USHL | 9 | 4 | 2 | 6 | 0 | | | | | |
| | **Montréal (Canadiens)** | **LNH** | **12** | **0** | **1** | **1** | **0** | **7** | **0** | **0** | **0** | **0** |
| 1947-48 | Houston (Huskies) | USHL | 59 | 31 | 60 | 91 | 8 | 12 | 4 | 5 | 9 | 0 |
| 1948-49 | Houston (Huskies) | USHL | 14 | 6 | 9 | 15 | 0 | | | | | |
| | Springfield (Indians) | AHL | 43 | 20 | 29 | 49 | 2 | 3 | 0 | 1 | 1 | 0 |
| 1949-50 | Springfield (Indians) | AHL | 48 | 10 | 26 | 36 | 2 | 1 | 0 | 1 | 1 | 0 |
| 1950-51 | Vancouver (Canucks) | PCHL | 19 | 6 | 5 | 11 | 2 | | | | | |
| | Tulsa (Oilers) | USHL | 41 | 17 | 21 | 38 | 6 | 6 | 3 | 0 | 3 | 0 |
| 1951-52 | Glace Bay (Miners) | MMHL | 71 | 30 | 27 | 57 | 24 | 3 | 0 | 0 | 0 | 0 |
| 1952-53 | Glace Bay (Miners) | MMHL | 62 | 22 | 34 | 56 | 56 | 3 | 1 | 3 | 4 | 0 |
| 1953-54 | Sault Ste. Marie (Indians) | NOHA | | 4 | 11 | 15 | 4 | | | | | |
| 1954-55 | | | N'a pas joué | | | | | | | | | |
| 1955-56 | Kingston (Goodyears) | EOHL | 30 | 20 | 22 | 42 | 14 | | 7 | 13 | 20 | 2 |
| 1956-57 | Kingston (CKLC's) | EOHL | 44 | 23 | 28 | 51 | 28 | 5 | 3 | 0 | 3 | 0 |
| | **LNH** | | **30** | **6** | **9** | **15** | **0** | **8** | **0** | **0** | **0** | **0** |
| | **Montréal** | | **12** | **0** | **1** | **1** | **0** | **7** | **0** | **0** | **0** | **0** |

• Coupe Memorial en 1940-41 • Première équipe d'étoiles (EHL) en 1941-42
• Échangé à Montréal (Buffalo – AHL) par New York (Rangers) avec Nestor Lubeck et Spencer Tatchell pour Kilby MacDonald le 12 janvier 1944 • Échangé à Springfield (AHL) par Montréal pour Gordie Bell et les droits sur Sid McNabney le 21 décembre 1948 • Signe avec Vancouver (PCHL) en octobre 1950 • Signe avec Tulsa (USHL) le 23 novembre 1950 • Signe avec Glace Bay (MMHL) le 19 septembre 1951

## MacKAY, CALUM
Né à Toronto, Ontario, le 1er janvier 1927
Ailier gauche, lance de la gauche, 5'10", 178 lb

| | | | SAISONS RÉGULIÈRES | | | | | SÉRIES ÉLIMINATOIRES | | | | |
|---|---|---|---|---|---|---|---|---|---|---|---|---|
| Saison | Club | Ligue | PJ | B | A | PTS | PUN | PJ | B | A | PTS | PUN |
| 1943-44 | Port Arthur (Bruins) | TBJHL | 10 | 5 | 12 | 17 | 7 | 4 | 4 | 0 | 4 | 4 |
| | Port Arthur (Flyers) | Mem. | | | | | | 2 | 2 | 0 | 2 | 0 |
| | Port Arthur (Flyers) | Mem. | 9 | 6 | 2 | 8 | 2 | | | | | |
| 1944-45 | Port Arthur (Bruins) | TBJHL | 10 | 12 | 15 | 27 | 24 | 8 | 7 | 3 | 10 | 6 |
| | Port Arthur (Flyers) | Mem. | 10 | 5 | 5 | 10 | 10 | | | | | |
| 1945-46 | Port Arthur (Bruins) | TBJHL | 3 | 3 | 4 | 7 | 10 | 6 | 9 | 5 | 14 | 6 |
| 1946-47 | Oshawa (Generals) | OHA Sr | 27 | 16 | 22 | 38 | 54 | 5 | 1 | 0 | 1 | 25 |
| | Detroit (Red Wings) | LNH | 5 | 0 | 0 | 0 | 0 | | | | | |
| 1947-48 | Omaha (Knights) | USHL | 25 | 9 | 10 | 19 | 22 | | | | | |
| | Indianapolis (Capitols) | AHL | 36 | 18 | 16 | 34 | 18 | | | | | |
| 1948-49 | Detroit (Red Wings) | LNH | 1 | 0 | 0 | 0 | 0 | | | | | |
| | Indianapolis (Capitols) | AHL | 65 | 26 | 48 | 74 | 34 | 2 | 0 | 0 | 0 | 2 |
| 1949-50 | **Montréal (Canadiens)** | **LNH** | **52** | **8** | **10** | **18** | **44** | **5** | **0** | **1** | **1** | **2** |
| 1950-51 | **Montréal (Canadiens)** | **LNH** | **70** | **18** | **10** | **28** | **69** | **11** | **1** | **0** | **1** | **0** |
| 1951-52 | Buffalo (Bisons) | AHL | 47 | 20 | 21 | 41 | 45 | 1 | 0 | 1 | 1 | 0 |
| | **Montréal (Canadiens)** | **LNH** | **12** | **0** | **1** | **1** | **0** | | | | | |
| 1952-53 | Buffalo (Bisons) | AHL | 64 | 28 | 42 | 70 | 65 | | | | | |
| | **Montréal (Canadiens)** | **LNH** | | | | | | **7** | **1** | **3** | **4** | **10** |
| 1953-54 | **Montréal (Canadiens)** | **LNH** | **47** | **10** | **13** | **23** | **54** | **3** | **0** | **1** | **1** | **0** |
| | Match des étoiles | LNH | 1 | 0 | 0 | 0 | 0 | | | | | |
| 1954-55 | **Montréal (Canadiens)** | **LNH** | **50** | **14** | **21** | **35** | **39** | **12** | **3** | **8** | **11** | **8** |
| 1955-56 | Montréal (Royals) | LHQ | 32 | 13 | 17 | 30 | 56 | 13 | 3 | 2 | 5 | 4 |
| | Montréal (Royals) | Edin. | | | | | | | | | | |
| | **LNH** | | **237** | **50** | **55** | **105** | **214** | **38** | **5** | **13** | **18** | **20** |
| | **Montréal** | | **231** | **50** | **55** | **105** | **214** | **38** | **5** | **13** | **18** | **20** |

• Coupe Stanley (LNH) en 1952-53 • Match des étoiles (LNH) en 1953-54
• Échangé à Montréal par Detroit pour Joe Carveth le 11 novembre 1949

## MacKAY, MURDO
Né à Fort William, Ontario, le 8 août 1917, décédé
Centre/Ailier droit, lance de la droite, 5'11", 175 lb

| | | | SAISONS RÉGULIÈRES | | | | | SÉRIES ÉLIMINATOIRES | | | | |
|---|---|---|---|---|---|---|---|---|---|---|---|---|
| Saison | Club | Ligue | PJ | B | A | PTS | PUN | PJ | B | A | PTS | PUN |
| 1932-33 | Fort William (Forts) | TBJHL | 7 | 2 | 0 | 2 | 0 | | | | | |
| 1933-34 | Fort William (Cubs) | TBJHL | 19 | 11 | 3 | 14 | 16 | | | | | |
| 1934-35 | Fort William (Kams) | TBJHL | 8 | 3 | 8 | 11 | 6 | | | | | |
| 1935-36 | Fort William (Kams) | TBJHL | 16 | *23 | 9 | *32 | 10 | 2 | 1 | 0 | 1 | 2 |

| SAISON | CLUB | LIGUE | PJ | B | A | PTS | PUN | PJ | B | A | PTS | PUN |
|---|---|---|---|---|---|---|---|---|---|---|---|---|
| | Fort William (Kams) | Mem. | 4 | *7 | 3 | *10 | 0 | - | - | - | - | - |
| 1936-37 | New York (Rovers) | EAHL | 47 | 5 | 5 | 10 | 6 | 3 | 0 | 0 | 0 | 0 |
| 1937-38 | New York (Rovers) | EAHL | 39 | 7 | 6 | 13 | 4 | - | - | - | - | - |
| 1938-39 | New York (Rovers) | EAHL | 42 | 20 | 18 | 38 | 8 | - | - | - | - | - |
| 1939-40 | New York (Rovers) | EAHL | 58 | 44 | 44 | 88 | 29 | - | - | - | - | - |
| 1940-41 | Philadelphie (Rockets) | AHL | 56 | 20 | 15 | 35 | 12 | - | - | - | - | - |
| 1941-42 | Buffalo (Bisons) | AHL | 56 | 21 | 20 | 41 | 17 | - | - | - | - | - |
| 1942-43 | Nanaimo (Navy) | NNDHL | 20 | 22 | 7 | 29 | 8 | 6 | 5 | 3 | 8 | 6 |
| 1943-44 | Nanaimo (Navy) | NNDHL | 18 | 16 | 8 | 24 | 4 | - | - | - | - | - |
| 1944-45 | Halifax (Navy) | NSDHL | 12 | 8 | 6 | 14 | 0 | 6 | 3 | 1 | 4 | 0 |
| 1945-46 | Buffalo (Bisons) | AHL | 58 | 32 | 31 | 63 | 18 | 12 | 5 | 8 | 13 | 2 |
| | **Montréal (Canadiens)** | **LNH** | 5 | 0 | 1 | 1 | 0 | - | - | - | - | - |
| 1946-47 | Buffalo (Bisons) | AHL | 59 | 35 | 26 | 61 | 13 | 4 | 1 | 1 | 2 | 4 |
| | **Montréal (Canadiens)** | **LNH** | - | - | - | - | - | 9 | 0 | 1 | 1 | 0 |
| 1947-48 | Buffalo (Bisons) | AHL | 55 | 37 | 39 | 76 | 15 | 8 | 4 | 4 | 8 | 0 |
| | **Montréal (Canadiens)** | **LNH** | 14 | 0 | 2 | 2 | 0 | - | - | - | - | - |
| 1948-49 | Buffalo (Bisons) | AHL | 68 | 32 | 52 | 84 | 20 | - | - | - | - | - |
| | **Montréal (Canadiens)** | **LNH** | - | - | - | - | - | 6 | 1 | 1 | 2 | 0 |
| 1949-50 | Buffalo (Bisons) | AHL | 67 | 30 | 24 | 54 | 6 | 5 | 0 | 0 | 0 | 0 |
| 1950-51 | Cleveland (Barons) | AHL | 69 | 25 | 36 | 61 | 6 | 11 | 2 | 2 | 4 | 0 |
| 1951-52 | Québec (As) | LHMQ | 40 | 14 | 24 | 38 | 4 | 15 | 5 | 6 | 11 | 6 |
| 1952-53 | Québec (As) | LHMQ | 55 | 4 | 18 | 22 | 4 | 22 | 3 | 8 | 11 | 6 |
| | **LNH** | | 19 | 0 | 3 | 3 | 0 | 15 | 1 | 2 | 3 | 0 |
| | **Montréal** | | 19 | 0 | 3 | 3 | 0 | 15 | 1 | 2 | 3 | 0 |

• **Deuxième équipe d'étoile (EHL) en 1939-40 • Coupe Calder (AHL) en 1945-46, 1950-51 • Première équipe d'étoile (AHL) en 1949**

• Signe avec New York (Rangers) le 21 octobre 1940 • Droits vendus à Buffalo (AHL) par New York (Rangers) le 11 septembre 1941 • Échangé à Montréal par Buffalo (AHL) pour John Adams et Moe White le 14 janvier 1946 • Échangé à Cleveland (AHL) par Montréal pour Pete Leswick le 4 août 1950 • Signe avec Montréal en septembre 1951 • Échangé à Québec (LHMQ) par Montréal pour les droits sur Dick Gamble le 24 septembre 1951

### MacKENZIE, WILLIAM (BILL)
Né à Winnipeg, Manitoba, le 12 décembre 1911, décédé le 29 mai 1990
Défenseur, lance de la droite, 5'11", 175 lb

| SAISON | CLUB | LIGUE | PJ | B | A | PTS | PUN | PJ | B | A | PTS | PUN |
|---|---|---|---|---|---|---|---|---|---|---|---|---|
| 1929-30 | Elmwoods (Millionaires) | WJHL | 9 | 7 | 1 | 8 | 10 | 2 | 1 | 0 | 1 | 6 |
| | Elmwoods (Millionaires) | Mem. | 5 | 1 | 2 | 3 | 0 | - | - | - | - | - |
| 1930-31 | Elmwoods (Millionaires) | WJHL | 11 | 8 | 6 | 14 | 6 | 12 | 6 | 3 | 9 | 2 |
| | Elmwoods (Millionaires) | Mem. | 9 | *7 | *4 | *11 | 2 | - | - | - | - | - |
| 1931-32 | Montréal (AAA) | LHCM | 10 | 0 | 3 | 3 | 22 | 4 | 1 | 1 | 2 | 8 |
| | Montréal (AAA) | Allan | 6 | 0 | 0 | 0 | 0 | - | - | - | - | - |
| 1932-33 | Montréal (Royals) | LHCM | 12 | 7 | 4 | 11 | 33 | - | - | - | - | - |
| | Chicago (Black Hawks) | LNH | 36 | 4 | 4 | 8 | 13 | - | - | - | - | - |
| | Montréal (Royals) | Allan | 6 | 4 | 0 | 4 | 23 | - | - | - | - | - |
| 1933-34 | Montréal (Maroons) | LNH | 47 | 4 | 3 | 7 | 20 | 4 | 0 | 0 | 0 | 0 |
| 1934-35 | Montréal (Maroons) | LNH | 5 | 0 | 0 | 0 | 0 | - | - | - | - | - |
| | New York (Rangers) | LNH | 15 | 0 | 1 | 1 | 10 | 3 | 0 | 0 | 0 | 0 |
| | Windsor (Bulldogs) | IHL | 21 | 3 | 1 | 4 | 19 | - | - | - | - | - |
| 1935-36 | Windsor (Bulldogs) | IHL | 42 | 8 | 18 | 26 | 52 | 8 | 0 | 1 | 1 | 6 |
| 1936-37 | Montréal (Maroons) | LNH | 10 | 0 | 1 | 1 | 6 | - | - | - | - | - |
| | **Montréal (Canadiens)** | **LNH** | 39 | 4 | 3 | 7 | 22 | 5 | 1 | 0 | 1 | 0 |
| 1937-38 | **Montréal (Canadiens)** | **LNH** | 11 | 0 | 0 | 0 | 4 | - | - | - | - | - |
| | Chicago (Black Hawks) | LNH | 35 | 1 | 2 | 3 | 20 | 9 | 0 | 1 | 1 | 11 |
| 1938-39 | Chicago (Black Hawks) | LNH | 47 | 1 | 0 | 1 | 36 | - | - | - | - | - |
| 1939-40 | Chicago (Black Hawks) | LNH | 19 | 0 | 1 | 1 | 14 | - | - | - | - | - |
| | Providence (Reds) | AHL | 21 | 6 | 7 | 13 | 30 | 7 | 1 | 2 | 3 | 5 |
| 1940-41 | Cleveland (Barons) | AHL | 56 | 7 | 10 | 17 | 34 | 9 | 1 | 1 | 2 | 4 |
| 1941-42 | Cleveland (Barons) | AHL | 55 | 5 | 12 | 17 | 20 | 5 | 0 | 0 | 0 | 0 |
| 1942-43 | Cleveland (Barons) | AHL | 42 | 6 | 8 | 14 | 18 | 4 | 0 | 2 | 2 | 2 |
| 1943-44 | | | | | | *Service militaire* | | | | | | |
| 1944-45 | Cleveland (Barons) | AHL | 13 | 0 | 2 | 2 | 0 | - | - | - | - | - |
| | **LNH** | | 264 | 15 | 14 | 29 | 145 | 21 | 1 | 1 | 2 | 11 |
| | **Montréal** | | 50 | 4 | 3 | 7 | 26 | 5 | 1 | 0 | 1 | 0 |

• **Coupe Memorial en 1930-31 • Coupe Stanley (LNH) en 1937-38 • Deuxième équipe d'étoiles (AHL) en 1939-40, 1942-43 • Première équipe d'étoiles (AHL) en 1940-41, 1941-42 • Coupe Calder (AHL) en 1940-41**

• Signe avec Montréal (Maroons) le 25 juin 1933 • Prêté à New York (Rangers) par Montréal (Maroons) le 29 janvier 1935 • Échangé à Montréal (Canadiens) par Montréal (Maroons) pour Paul Runge le 3 décembre 1936 • Échangé à Chicago par Montréal pour Marty Burke le 10 décembre 1937 • Droits vendus à Montréal par Chicago le 11 mai 1940 • Échangé à Cleveland (AHL) par Montréal avec Bill Summerhil pour Jim O'Neill le 17 mai 1940

### MacNEIL, ALLISTER (AL)
Né à Sydney, Nouvelle-Écosse, le 27 septembre 1935
Défenseur, lance de la gauche, 5'10", 185 lb

| SAISON | CLUB | LIGUE | PJ | B | A | PTS | PUN | PJ | B | A | PTS | PUN |
|---|---|---|---|---|---|---|---|---|---|---|---|---|
| 1953-54 | Toronto (Marlboros) | OHA Jr | 59 | 3 | 12 | 15 | 112 | 15 | 2 | 3 | 5 | 18 |
| 1954-55 | Toronto (Marlboros) | OHA Jr | 47 | 3 | 16 | 19 | 141 | 13 | 0 | 4 | 4 | *37 |
| | Toronto (Marlboros) | Mem. | 11 | 2 | 3 | 5 | 17 | - | - | - | - | - |
| 1955-56 | Toronto (Marlboros) | OHA Jr | 48 | 9 | 12 | 21 | 58 | 11 | 0 | 5 | 5 | *63 |
| | Toronto (Maple Leafs) | LNH | 1 | 0 | 0 | 0 | 2 | - | - | - | - | - |
| | Toronto (Marlboros) | Mem. | 13 | 1 | 8 | 9 | 28 | - | - | - | - | - |
| 1956-57 | Rochester (Americans) | AHL | 13 | 0 | 4 | 4 | 35 | - | - | - | - | - |
| | Toronto (Maple Leafs) | LNH | 53 | 4 | 8 | 12 | 84 | - | - | - | - | - |
| 1957-58 | Rochester (Americans) | AHL | 54 | 3 | 18 | 21 | 91 | - | - | - | - | - |
| | Toronto (Maple Leafs) | LNH | 13 | 0 | 0 | 0 | 0 | - | - | - | - | - |
| 1958-59 | Rochester (Americans) | AHL | 69 | 4 | 13 | 17 | 119 | 5 | 1 | 1 | 2 | 17 |
| 1959-60 | Toronto (Maple Leafs) | LNH | 4 | 0 | 0 | 0 | 2 | - | - | - | - | - |
| | Rochester (Americans) | AHL | 49 | 4 | 16 | 20 | 44 | 12 | 1 | 2 | 3 | 12 |
| 1960-61 | Hull-Ottawa (Canadien) | EPHL | 60 | 6 | 20 | 26 | 101 | 14 | 2 | 4 | 6 | 21 |

| SAISON | CLUB | LIGUE | PJ | B | A | PTS | PUN | PJ | B | A | PTS | PUN |
|---|---|---|---|---|---|---|---|---|---|---|---|---|
| 1961-62 | **Montréal (Canadiens)** | **LNH** | 61 | 1 | 7 | 8 | 74 | 5 | 0 | 0 | 0 | 2 |
| 1962-63 | Chicago (Black Hawks) | LNH | 70 | 2 | 19 | 21 | 100 | 4 | 0 | 1 | 1 | 4 |
| 1963-64 | Chicago (Black Hawks) | LNH | 70 | 5 | 19 | 24 | 91 | 7 | 0 | 2 | 2 | 25 |
| 1964-65 | Chicago (Black Hawks) | LNH | 69 | 3 | 7 | 10 | 119 | 14 | 0 | 1 | 1 | 34 |
| 1965-66 | Chicago (Black Hawks) | LNH | 51 | 0 | 1 | 1 | 34 | 4 | 0 | 0 | 0 | 0 |
| 1966-67 | New York (Rangers) | LNH | 58 | 0 | 4 | 4 | 44 | 4 | 0 | 0 | 0 | 2 |
| 1967-68 | Pittsburgh (Penguins) | LNH | 74 | 2 | 10 | 12 | 58 | - | - | - | - | - |
| 1968-69 | Houston (Apollos) | CHL | 70 | 1 | 11 | 12 | 79 | 3 | 0 | 1 | 1 | 0 |
| 1969-70 | Montréal (Voyageurs) | AHL | 66 | 0 | 10 | 10 | 14 | 8 | 0 | 1 | 1 | 0 |
| | **LNH** | | 524 | 17 | 75 | 92 | 617 | 37 | 0 | 4 | 4 | 67 |
| | **Montréal** | | 61 | 1 | 7 | 8 | 74 | 5 | 0 | 0 | 0 | 2 |

• **Coupe Memorial en 1954-55, 1955-56 • Première équipe d'étoiles (EPHL) en 1960-61**

• Échangé à Montréal par Toronto pour Stan Smrke le 7 juin 1960 • Échangé à Chicago par Montréal pour Wayne Hicks le 30 mai 1962 • Réclamé par Montréal de Chicago lors du repêchage intra-ligue le 15 juin 1966 • Réclamé par New York de Montréal lors du repêchage intra-ligue le 15 juin 1966 • Réclamé par Pittsburgh de New York lors de l'expansion de la LNH le 6 juin 1967 • Échangé à Montréal par Pittsburgh pour Wally Boyer le 12 juin 1968

### MacPHERSON, JAMES (BUD)
Né à Edmonton, Alberta, le 31 mars 1927, décédé en 1988
Défenseur, lance de la gauche, 6'4", 200 lb

| SAISON | CLUB | LIGUE | PJ | B | A | PTS | PUN | PJ | B | A | PTS | PUN |
|---|---|---|---|---|---|---|---|---|---|---|---|---|
| 1943-44 | Edmonton (Maple Leafs) | AJHL | *Statistiques non disponibles* | | | | | | | | | |
| 1944-45 | Edmonton (Canadians) | EJHL | *Statistiques non disponibles* | | | | | | | | | |
| 1945-46 | Edmonton (Canadians) | EJHL | *Statistiques non disponibles* | | | | | | | | | |
| 1946-47 | Oshawa (Generals) | OHA Jr | 11 | 1 | 0 | 1 | 8 | 2 | 0 | 1 | 1 | 7 |
| 1947-48 | Edmonton (Flyers) | ASHL | 37 | 8 | 11 | 19 | 21 | 10 | 0 | 0 | 0 | 41 |
| | Edmonton (Flyers) | Allan | 14 | 3 | 3 | 6 | 26 | - | - | - | - | - |
| 1948-49 | Edmonton (Flyers) | WCSHL | 44 | 5 | 17 | 22 | 65 | 9 | 0 | 3 | 3 | 10 |
| | **Montréal (Canadiens)** | **LNH** | 3 | 0 | 0 | 0 | 2 | - | - | - | - | - |
| 1949-50 | Cincinnati (Mohawks) | AHL | 42 | 2 | 9 | 11 | 38 | - | - | - | - | - |
| 1950-51 | Cincinnati (Mohawks) | AHL | 6 | 0 | 0 | 0 | 10 | - | - | - | - | - |
| | **Montréal (Canadiens)** | **LNH** | 62 | 0 | 16 | 16 | 40 | 11 | 0 | 2 | 2 | 8 |
| 1951-52 | **Montréal (Canadiens)** | **LNH** | 54 | 2 | 1 | 3 | 24 | 11 | 0 | 0 | 0 | 0 |
| 1952-53 | **Montréal (Canadiens)** | **LNH** | 59 | 2 | 5 | 7 | 67 | 4 | 0 | 1 | 1 | 9 |
| 1953-54 | **Montréal (Canadiens)** | **LNH** | 41 | 0 | 5 | 5 | 41 | 3 | 0 | 0 | 0 | 4 |
| | Match des étoiles | LNH | 1 | 0 | 0 | 0 | 2 | - | - | - | - | - |
| | Montréal (Royals) | LHQ | 5 | 0 | 2 | 2 | 12 | - | - | - | - | - |
| | Buffalo (Bisons) | AHL | 8 | 0 | 1 | 1 | 6 | - | - | - | - | - |
| 1954-55 | **Montréal (Canadiens)** | **LNH** | 30 | 1 | 8 | 9 | 55 | - | - | - | - | - |
| 1955-56 | Montréal (Royals) | LHQ | 31 | 9 | 11 | 20 | 63 | 13 | 2 | 1 | 3 | 30 |
| | Montréal (Royals) | Edin. | 6 | 0 | 1 | 1 | 2 | - | - | - | - | - |
| 1956-57 | Montréal (Royals) | LHQ | 46 | 3 | 10 | 13 | 53 | 4 | 0 | 1 | 1 | 4 |
| | **Montréal (Canadiens)** | **LNH** | 10 | 0 | 0 | 0 | 4 | - | - | - | - | - |
| | Rochester (Americans) | AHL | 7 | 0 | 3 | 3 | 12 | - | - | - | - | - |
| 1957-58 | Edmonton (Flyers) | WHL | 52 | 3 | 22 | 27 | 57 | 5 | 0 | 1 | 1 | 4 |
| 1958-59 | Edmonton (Flyers) | WHL | 63 | 3 | 13 | 16 | 54 | 3 | 1 | 1 | 2 | 12 |
| | Hershey (Bears) | AHL | - | - | - | - | - | 10 | 0 | 2 | 2 | 6 |
| 1959-60 | Edmonton (Flyers) | WHL | 62 | 7 | 12 | 19 | 20 | 4 | 0 | 1 | 1 | 4 |
| 1960-61 | Edmonton (Flyers) | WHL | 11 | 0 | 1 | 1 | 8 | - | - | - | - | - |
| | **LNH** | | 259 | 5 | 33 | 38 | 233 | 29 | 0 | 3 | 3 | 21 |
| | **Montréal** | | 259 | 5 | 33 | 38 | 233 | 29 | 0 | 3 | 3 | 21 |

• **Coupe Stanley (LNH) en 1952-53 • Match des étoiles (LNH) en 1953-54 • Coupe Calder (AHL) en 1958-59**

• Droits vendus à Chicago par Montréal avec Ken Mosdell et Eddie Mazur pour une somme d'argent avec option de retour le 17 mai 1956 • Retourné à Montréal par Chicago le 10 octobre 1956 • Droits vendus à Detroit par Montréal avec Gene Achtymichuk et Claude Laforge le 3 juin 1958

### MAHAFFY, JOHN
Né à Montréal, Québec, le 18 juillet 1919. Centre, lance de la gauche, 5'7", 165 lb

| SAISON | CLUB | LIGUE | PJ | B | A | PTS | PUN | PJ | B | A | PTS | PUN |
|---|---|---|---|---|---|---|---|---|---|---|---|---|
| 1934-35 | Montréal (Royals) | LHJQ | 10 | 3 | 6 | 9 | 4 | 2 | 0 | 0 | 0 | 0 |
| 1935-36 | Montréal (Royals) | LHJQ | 7 | 5 | 6 | 11 | 4 | - | - | - | - | - |
| 1936-37 | Montréal (Royals) | LHCM | 21 | 4 | 8 | 12 | 16 | 5 | 0 | 1 | 1 | 2 |
| 1937-38 | Montréal (Royals) | LHCM | 22 | 4 | 3 | 7 | 20 | 1 | 0 | 0 | 0 | 2 |
| 1938-39 | Streatham Hockey Club | Ln-Cup | - | 4 | 9 | 13 | - | - | - | - | - | - |
| | Streatham Hockey Club | ENG | - | 4 | 4 | 8 | - | - | - | - | - | - |
| 1939-40 | Montréal (Royals) | LHCM | 29 | 9 | 13 | 22 | 25 | 8 | 2 | 0 | 2 | 12 |
| | Montréal (Royals) | Allan | 5 | 0 | 4 | 4 | 0 | - | - | - | - | - |
| 1940-41 | Montréal (Royals) | LHCM | 33 | 17 | 25 | 42 | 60 | 8 | 6 | 5 | 11 | 16 |
| | Montréal (Royals) | Allan | 9 | 4 | 3 | 7 | 22 | - | - | - | - | - |
| 1941-42 | Montréal (Royals) | LHSQ | 39 | 9 | 16 | 25 | 35 | - | - | - | - | - |
| 1942-43 | **Montréal (Canadiens)** | **LNH** | 9 | 2 | 5 | 7 | 4 | - | - | - | - | - |
| | Montréal (Royals/Armée) | LHSQ | 28 | 21 | 16 | 37 | 14 | 7 | 4 | 2 | 6 | 4 |
| 1943-44 | Montréal (Armée) | LHSQ | 4 | 0 | 0 | 0 | 0 | - | - | - | - | - |
| | Montréal (Royals) | LHSQ | | | | | | - | - | - | - | - |
| | New York (Rangers) | LNH | 28 | 9 | 20 | 29 | 6 | - | - | - | - | - |
| 1944-45 | Montréal (Royals) | LHSQ | 3 | 4 | 5 | 9 | 4 | - | - | - | - | - |
| | Pittsburgh (Hornets) | AHL | 37 | 17 | 23 | 40 | 10 | - | - | - | - | - |
| | **Montréal (Canadiens)** | **LNH** | - | - | - | - | - | 1 | 0 | 1 | 1 | 0 |
| 1945-46 | Pittsburgh (Hornets) | AHL | 58 | 28 | 36 | 64 | 35 | 4 | 2 | 4 | 6 | 10 |
| 1946-47 | Buffalo (Bisons) | AHL | 63 | 29 | 40 | 69 | 37 | 4 | 0 | 0 | 0 | 6 |
| 1947-48 | Philadelphie (Rockets) | AHL | 60 | 26 | 57 | 83 | 6 | - | - | - | - | - |
| 1948-49 | Philadelphie (Rockets) | AHL | 67 | 21 | 50 | 71 | 10 | - | - | - | - | - |
| 1949-50 | Hershey (Bears) | AHL | 69 | 23 | 36 | 59 | 18 | - | - | - | - | - |
| 1950-51 | Hershey (Bears) | AHL | 13 | 4 | 15 | 19 | 7 | - | - | - | - | - |
| 1951-52 | Shawinigan (Cataractes) | LHMQ | 60 | 16 | 28 | 44 | 18 | - | - | - | - | - |
| 1952-53 | Saint-Hyacinthe (Saints) | LHPQ | 61 | 28 | 58 | 86 | | - | - | - | - | - |
| | **LNH** | | 37 | 11 | 25 | 36 | 4 | 1 | 0 | 1 | 1 | 0 |
| | **Montréal** | | 9 | 2 | 5 | 7 | 4 | 1 | 0 | 1 | 1 | 0 |

• Prêté à Montréal (Royals) par Montréal le 21 décembre 1942 • Prêté à New York (Rangers) par Montréal avec Fernand Gauthier pour Phil Watson le 9 décembre 1943 • Droits vendus à Pittsburgh (AHL) par Montréal le 24 novembre 1944 • Prêté à Montréal par Pittsburgh (AHL) le 24 mars 1945 • Échangé à Montréal par Toronto (Pittsburgh – AHL) avec Gerry Brown pour Dutch Hiller et Vic Lynn le 21 septembre 1946

## MAHOVLICH, FRANCIS (FRANK)
**Né à Timmins, Ontario, le 10 janvier 1938. Ailier gauche, lance de la gauche, 6', 205 lb**

| SAISON | CLUB | LIGUE | PJ | B | A | PTS | PUN | PJ | B | A | PTS | PUN |
|---|---|---|---|---|---|---|---|---|---|---|---|---|
| 1954-55 | St. Michael's (Majors) | OHA Jr | 25 | 12 | 11 | 23 | 18 | - | - | - | - | - |
| 1955-56 | St. Michael's (Majors) | OHA Jr | 30 | 24 | 26 | 50 | 55 | 8 | 5 | 5 | 10 | 24 |
| 1956-57 | St. Michael's (Majors) | OHA Jr | 49 | *52 | 36 | 88 | 122 | 4 | 2 | 7 | 9 | 14 |
|  | Toronto (Maple Leafs) | LNH | 3 | 1 | 0 | 1 | 2 | - | - | - | - | - |
| 1957-58 | Toronto (Maple Leafs) | LNH | 67 | 20 | 16 | 36 | 67 | - | - | - | - | - |
| 1958-59 | Toronto (Maple Leafs) | LNH | 63 | 22 | 27 | 49 | 94 | 12 | 6 | 5 | 11 | 18 |
| 1959-60 | Toronto (Maple Leafs) | LNH | 70 | 18 | 21 | 39 | 61 | 10 | 3 | 1 | 4 | 27 |
|  | Match des étoiles | LNH | 1 | 0 | 0 | 0 | 0 | - | - | - | - | - |
| 1960-61 | Toronto (Maple Leafs) | LNH | 70 | 48 | 36 | 84 | 131 | 5 | 1 | 1 | 2 | 6 |
|  | Match des étoiles | LNH | 1 | 1 | 0 | 1 | 0 | - | - | - | - | - |
| 1961-62 | Toronto (Maple Leafs) | LNH | 70 | 33 | 38 | 71 | 87 | 12 | 6 | 6 | 12 | *29 |
|  | Match des étoiles | LNH | 1 | 0 | 0 | 0 | 6 | - | - | - | - | - |
| 1962-63 | Toronto (Maple Leafs) | LNH | 67 | 36 | 37 | 73 | 56 | 9 | 0 | 2 | 2 | 8 |
|  | Match des étoiles | LNH | 1 | 0 | 0 | 0 | 0 | - | - | - | - | - |
| 1963-64 | Toronto (Maple Leafs) | LNH | 70 | 26 | 29 | 55 | 66 | 14 | 4 | *11 | 15 | 20 |
|  | Match des étoiles | LNH | 1 | 2 | 1 | 3 | 0 | - | - | - | - | - |
| 1964-65 | Toronto (Maple Leafs) | LNH | 59 | 23 | 28 | 51 | 76 | 6 | 0 | 3 | 3 | 9 |
|  | Match des étoiles | LNH | 1 | 0 | 1 | 1 | 0 | - | - | - | - | - |
| 1965-66 | Toronto (Maple Leafs) | LNH | 68 | 32 | 24 | 56 | 68 | 4 | 1 | 0 | 1 | 10 |
|  | Match des étoiles | LNH | 1 | 0 | 1 | 1 | 0 | - | - | - | - | - |
| 1966-67 | Toronto (Maple Leafs) | LNH | 63 | 18 | 28 | 46 | 44 | 12 | 3 | 7 | 10 | 8 |
|  | Match des étoiles | LNH | 1 | 0 | 0 | 0 | 0 | - | - | - | - | - |
| 1967-68 | Toronto (Maple Leafs) | LNH | 50 | 19 | 17 | 36 | 30 | - | - | - | - | - |
|  | Match des étoiles | LNH | 1 | 0 | 2 | 2 | 0 | - | - | - | - | - |
|  | Detroit (Red Wings) | LNH | 13 | 7 | 9 | 16 | 2 | - | - | - | - | - |
| 1968-69 | Detroit (Red Wings) | LNH | 76 | 49 | 29 | 78 | 38 | - | - | - | - | - |
|  | Match des étoiles | LNH | 1 | 2 | 0 | 2 | 0 | - | - | - | - | - |
| 1969-70 | Detroit (Red Wings) | LNH | 74 | 38 | 32 | 70 | 59 | 4 | 0 | 0 | 0 | 2 |
|  | Match des étoiles | LNH | 1 | 0 | 0 | 0 | 0 | - | - | - | - | - |
| 1970-71 | Detroit (Red Wings) | LNH | 35 | 14 | 18 | 32 | 30 | - | - | - | - | - |
|  | Montréal (Canadiens) | LNH | 38 | 17 | 24 | 41 | 11 | 20 | *14 | 13 | *27 | 18 |
|  | Match des étoiles | LNH | 1 | 0 | 0 | 0 | 2 | - | - | - | - | - |
| 1971-72 | Montréal (Canadiens) | LNH | 76 | 43 | 53 | 96 | 36 | 6 | 3 | 2 | 5 | 2 |
|  | Match des étoiles | LNH | 1 | 0 | 0 | 0 | 0 | - | - | - | - | - |
| 1972-73 | Montréal (Canadiens) | LNH | 78 | 38 | 55 | 93 | 51 | 17 | 9 | 14 | 23 | 6 |
|  | Match des étoiles | LNH | 1 | 1 | 1 | 2 | 0 | - | - | - | - | - |
|  | Canada (LNH) | Siècle | 6 | 1 | 1 | 2 | 0 | - | - | - | - | - |
| 1973-74 | Montréal (Canadiens) | LNH | 71 | 31 | 49 | 80 | 47 | 6 | 1 | 2 | 3 | 0 |
|  | Match des étoiles | LNH | 1 | 1 | 0 | 1 | 0 | - | - | - | - | - |
| 1974-75 | Toronto (Toros) | AMH | 73 | 38 | 44 | 82 | 27 | 6 | 3 | 0 | 3 | 2 |
|  | Canada (AMH) | Défi 74 | 6 | 1 | 1 | 2 | 6 | - | - | - | - | - |
| 1975-76 | Toronto (Toros) | AMH | 75 | 34 | 55 | 89 | 14 | - | - | - | - | - |
| 1976-77 | Birmingham (Bulls) | AMH | 17 | 3 | 20 | 23 | 12 | - | - | - | - | - |
| 1977-78 | Birmingham (Bulls) | AMH | 72 | 14 | 24 | 38 | 22 | 3 | 1 | 1 | 2 | 0 |
|  | **LNH** | | 1181 | 533 | 570 | 1103 | 1056 | 137 | 51 | 67 | 118 | 163 |
|  | **Montréal** | | 263 | 129 | 181 | 310 | 145 | 49 | 27 | 31 | 58 | 26 |

• Trophée Calder (LNH) en 1957-58 • Match des étoiles(LNH) en 1959-60, 1960-61, 1961-62, 1962-63, 1963-64, 1964-65, 1965-66, 1966-67, 1967-68, 1968-69, 1969-70, 1970-71, 1971-72, 1972-73, 1973-74 • Première équipe d'étoiles (LNH) en 1960-61, 1962-63, 1972-73 • Deuxième équipe d'étoiles (LNH) en 1961-62, 1963-64, 1964-65, 1965-66, 1968-69, 1969-70 • Coupe Stanley (LNH) en 1961-62, 1962-63, 1963-64, 1966-67, 1970-71, 1972-73 • Temple de la Renommée (LNH) en 1981

• Échangé à Detroit par Toronto avec Garry Unger, Pete Stemkowski, et les droits sur Carl Brewer pour Paul Henderson, Norm Ullman et Floyd Smith le 3 mars 1968 • Échangé à Montréal par Detroit pour Mickey Redmond, Guy Charron et Bill Collins le 13 janvier 1971 • Sélectionné par Dayton-Houston (AMH) lors de l'expansion de l'AMH le 12 février 1972 • Droits transféré à Toronto (AMH) par Houston (AMH) pour des considérations futures le 10 juin 1974 • Transfert de la concession de Toronto (AMH) à Birmingham (AMH) le 30 juin 1976

## MAHOVLICH, PETER (PETE)
**Né à Timmins, Ontario, le 10 octobre 1946. Centre, lance de la gauche, 6'5", 210 lb**

| SAISON | CLUB | LIGUE | PJ | B | A | PTS | PUN | PJ | B | A | PTS | PUN |
|---|---|---|---|---|---|---|---|---|---|---|---|---|
| 1963-64 | Hamilton (Red Wings) | OHA Jr | 54 | 20 | 27 | 47 | 67 | - | - | - | - | - |
| 1964-65 | Hamilton (Red Wings) | OHA Jr | 55 | 20 | 35 | 55 | 88 | - | - | - | - | - |
| 1965-66 | Hamilton (Red Wings) | OHA Jr | 46 | 14 | 22 | 36 | 121 | 4 | 0 | 0 | 0 | 2 |
|  | Detroit (Red Wings) | LNH | 3 | 0 | 1 | 1 | 0 | - | - | - | - | - |
| 1966-67 | Pittsburgh (Hornets) | AHL | 18 | 4 | 7 | 11 | 37 | 9 | 0 | 0 | 0 | 4 |
|  | Detroit (Red Wings) | LNH | 34 | 3 | 4 | 7 | 16 | - | - | - | - | - |
| 1967-68 | Fort Worth (Wings) | CHL | 42 | 14 | 34 | 48 | 103 | - | - | - | - | - |
|  | Detroit (Red Wings) | LNH | 15 | 6 | 4 | 10 | 13 | - | - | - | - | - |
| 1968-69 | Fort Worth (Wings) | CHL | 34 | 19 | 17 | 36 | 54 | - | - | - | - | - |
|  | Detroit (Red Wings) | LNH | 30 | 3 | 4 | 7 | 21 | - | - | - | - | - |
| 1969-70 | Montréal (Voyageurs) | AHL | 31 | 21 | 19 | 40 | 77 | - | - | - | - | - |
|  | Montréal (Canadiens) | LNH | 36 | 9 | 8 | 17 | 51 | - | - | - | - | - |
| 1970-71 | Montréal (Canadiens) | LNH | 78 | 35 | 26 | 61 | 181 | 20 | 10 | 6 | 16 | 43 |
|  | Match des étoiles | LNH | 1 | 0 | 0 | 0 | 0 | - | - | - | - | - |
| 1971-72 | Montréal (Canadiens) | LNH | 75 | 35 | 32 | 67 | 103 | 6 | 0 | 2 | 2 | 12 |
| 1972-73 | Montréal (Canadiens) | LNH | 61 | 21 | 38 | 59 | 49 | 17 | 4 | 9 | 13 | 22 |
|  | Canada (LNH) | Siècle | 7 | 1 | 1 | 2 | 4 | - | - | - | - | - |
| 1973-74 | Montréal (Canadiens) | LNH | 78 | 36 | 37 | 73 | 122 | 6 | 2 | 1 | 3 | 4 |
| 1974-75 | Montréal (Canadiens) | LNH | 80 | 35 | 82 | 117 | 64 | 11 | 6 | 10 | 16 | 10 |
| 1975-76 | Montréal (Canadiens) | LNH | 80 | 34 | 71 | 105 | 76 | 13 | 4 | 8 | 12 | 24 |
|  | Match des étoiles | LNH | 1 | 1 | 3 | 4 | 0 | - | - | - | - | - |
| 1976-77 | Montréal (Canadiens) | LNH | 76 | 15 | 47 | 62 | 45 | 13 | 4 | 5 | 9 | 19 |
| 1977-78 | Montréal (Canadiens) | LNH | 17 | 3 | 5 | 8 | 4 | - | - | - | - | - |
|  | Pittsburgh (Penguins) | LNH | 57 | 25 | 36 | 61 | 37 | - | - | - | - | - |
| 1978-79 | Pittsburgh (Penguins) | LNH | 60 | 14 | 39 | 53 | 39 | 2 | 0 | 1 | 1 | 0 |
| 1979-80 | Detroit (Red Wings) | LNH | 80 | 16 | 50 | 66 | 69 | - | - | - | - | - |
| 1980-81 | Detroit (Red Wings) | LNH | 24 | 1 | 4 | 5 | 26 | - | - | - | - | - |
|  | Adirondack (Red Wings) | AHL | 37 | 18 | 18 | 36 | 49 | 18 | 1 | *18 | 19 | 23 |
| 1981-82 | Adirondack (Red Wings) | AHL | 80 | 22 | 45 | 67 | 71 | 4 | 2 | 1 | 3 | 2 |
| 1982-83 | | | | | | *N'a pas joué* | | | | | | |
| 1983-84 | | | | | | *N'a pas joué* | | | | | | |
| 1984-85 | | | | | | *N'a pas joué* | | | | | | |
| 1985-86 | Toledo (Goaldiggers) | IHL | 23 | 4 | 10 | 14 | 50 | - | - | - | - | - |
|  | **LNH** | | 884 | 288 | 485 | 773 | 916 | 88 | 30 | 42 | 72 | 134 |
|  | **Montréal** | | 581 | 223 | 346 | 569 | 695 | 86 | 30 | 41 | 71 | 134 |

• Coupe Calder (AHL) en 1966-67, 1980-81 • Coupe Stanley (LNH) en 1970-71, 1972-73, 1975-76, 1976-77 • Match des étoiles(LNH) en 1970-71, 1975-76

• Échangé à Montréal par Detroit avec Bart Crashley pour Garry Monahan et Doug Piper le 6 juin 1969 • Échangé à Pittsburgh par Montréal avec Peter Lee pour Pierre Larouche et des considérations futures (Peter Marsh le 15 décembre 1977) le 29 novembre 1977 • Échangé à Detroit par Pittsburgh pour Nick Libett le 3 août 1979

## MAILLEY, FRANK
**Né à Lachine, Québec, le 1er août 1916. Défenseur, lance de la gauche, 5'9", 182 lb**

| SAISON | CLUB | LIGUE | PJ | B | A | PTS | PUN | PJ | B | A | PTS | PUN |
|---|---|---|---|---|---|---|---|---|---|---|---|---|
| 1938-39 | Miami Beach (Pirates) | THL | 14 | 8 | 8 | 16 | 14 | - | - | - | - | - |
|  | Lachine (Rapides) | LHSQ | 1 | 0 | 0 | 0 | 0 | - | - | - | - | - |
| 1939-40 | Saint-Hyacinthe (Gaulois) | LHSQ | 22 | 9 | 13 | 22 | 12 | 2 | 0 | 0 | 0 | 6 |
| 1940-41 | Washington (Eagles) | EHL | 65 | 18 | 27 | 45 | 30 | 2 | 1 | 2 | 3 | 0 |
| 1941-42 | Washington (Lions) | AHL | 56 | 6 | 20 | 26 | 15 | 2 | 0 | 0 | 0 | 0 |
| 1942-43 | Washington (Lions) | AHL | 51 | 4 | 14 | 18 | 30 | - | - | - | - | - |
|  | **Montréal (Canadiens)** | LNH | 1 | 0 | 0 | 0 | 0 | - | - | - | - | - |
| 1943-44 | | | | | | *Service militaire* | | | | | | |
| 1944-45 | | | | | | *Service militaire* | | | | | | |
| 1945-46 | Québec (As) | LHSQ | 6 | 0 | 0 | 0 | 4 | 6 | 0 | 0 | 0 | 0 |
|  | **LNH** | | 1 | 0 | 0 | 0 | 0 | - | - | - | - | - |
|  | **Montréal** | | 1 | 0 | 0 | 0 | 0 | - | - | - | - | - |

• Prêté à Montréal par Washington (AHL) le 23 décembre 1942

## MAJEAU, FERNAND (FERN)
**Né à Verdun, Québec, le 3 mai 1916, décédé le 21 juin 1966**
**Centre/Ailier gauche, lance de la gauche, 5'9", 155 lb**

| SAISON | CLUB | LIGUE | PJ | B | A | PTS | PUN | PJ | B | A | PTS | PUN |
|---|---|---|---|---|---|---|---|---|---|---|---|---|
| 1934-35 | Verdun (Maple Leafs) | LHJCM | 10 | 9 | 12 | 21 | 12 | 5 | 6 | 2 | 8 | 6 |
|  | Verdun (Maple Leafs) | LHCM | 1 | 0 | 0 | 0 | 2 | - | - | - | - | - |
| 1935-36 | Verdun (Maple Leafs) | LHJCM | 9 | 8 | 8 | 16 | 10 | 7 | 2 | 2 | 4 | 2 |
|  | Verdun (Maple Leafs) | LHCM | 5 | 0 | 3 | 3 | 0 | 7 | 2 | 2 | 4 | 2 |
| 1936-37 | Verdun (Maple Leafs) | LHCM | 21 | 3 | 6 | 9 | 40 | - | - | - | - | - |
| 1937-38 | Montréal (Royals) | LHCM | 12 | 4 | 5 | 9 | 8 | 1 | 0 | 1 | 1 | 0 |
| 1938-39 | Lachine (Rapides) | LHPQ | 36 | 12 | 9 | 21 | 38 | 6 | 0 | 1 | 1 | 4 |
| 1939-40 | Lachine (Rapides) | LHPQ | 41 | 17 | 25 | 42 | 54 | 9 | 8 | 6 | 14 | 4 |
| 1940-41 | Verdun (Maple Leafs) | LHCM | 34 | 16 | 18 | 34 | 31 | - | - | - | - | - |
| 1941-42 | Montréal (Pats) | LHCM | 28 | 11 | 8 | 19 | 22 | - | - | - | - | - |
| 1942-43 | Montréal (Canadiens) | LHSQ | 24 | 8 | 5 | 13 | 17 | 4 | 4 | 2 | 6 | 2 |
| 1943-44 | **Montréal (Canadiens)** | LNH | 44 | 20 | 18 | 38 | 39 | 1 | 0 | 0 | 0 | 0 |
| 1944-45 | **Montréal (Canadiens)** | LNH | 12 | 2 | 6 | 8 | 4 | - | - | - | - | - |
|  | Montréal (Royals) | LHSQ | 9 | 6 | 3 | 9 | 10 | 1 | 0 | 0 | 4 | 10 |
| 1945-46 | Valleyfield (Braves) | LHSQ | 39 | 17 | 27 | 44 | 46 | - | - | - | - | - |
| 1946-47 | Valleyfield (Braves) | LHSQ | 33 | 10 | 25 | 35 | 32 | - | - | - | - | - |
| 1947-48 | Lachine (Rapides) | LHSQ | 23 | 23 | 32 | 55 | 42 | 6 | 3 | 3 | 6 | 2 |
| 1948-49 | Montréal (Hydro Québec) | LHCM | 11 | 6 | 10 | 16 | - | - | - | - | - | - |
|  | **LNH** | | 56 | 22 | 24 | 46 | 43 | 1 | 0 | 0 | 0 | 0 |
|  | **Montréal** | | 56 | 22 | 24 | 46 | 43 | 1 | 0 | 0 | 0 | 0 |

• Coupe Stanley (LNH) en 1943-44
• Signe avec Montréal le 28 octobre 1943

## MAJOR, DAVE
**Défenseur**

| SAISON | CLUB | LIGUE | PJ | B | A | PTS | PUN | PJ | B | A | PTS | PUN |
|---|---|---|---|---|---|---|---|---|---|---|---|---|
| 1916-17 | **Montréal (Canadien)** | NHA | 2 | 0 | 0 | 0 | 0 | - | - | - | - | - |
|  | **NHA** | | 2 | 0 | 0 | 0 | 0 | - | - | - | - | - |
|  | **Montréal** | | 2 | 0 | 0 | 0 | 0 | - | - | - | - | - |

• Prêté à Montréal (NHA) par Montréal (Hochelaga - LHCM) le 25 janvier 1917

## MALAKHOV, VLADIMIR
**Né à Ekaterinburg, Russie, le 30 août 1968. Défenseur, lance de la gauche, 6'4", 230 lb**
**(12e choix de New York (Islander), 191e au total lors du repêchage de 1989)**

| SAISON | CLUB | LIGUE | PJ | B | A | PTS | PUN | PJ | B | A | PTS | PUN |
|---|---|---|---|---|---|---|---|---|---|---|---|---|
| 1986-87 | Moscou (Spartak) | URSS | 22 | 0 | 1 | 1 | 12 | - | - | - | - | - |
| 1987-88 | Moscou (Spartak) | URSS | 28 | 2 | 2 | 4 | 26 | - | - | - | - | - |
| 1988-89 | Moscou (CSKA) | URSS | 34 | 6 | 2 | 8 | 16 | - | - | - | - | - |
|  | Moscou (CSKA) | Siècle | 7 | 0 | 1 | 1 | 4 | - | - | - | - | - |
| 1989-90 | Moscou (CSKA) | URSS | 48 | 2 | 10 | 12 | 34 | - | - | - | - | - |
|  | Moscou (CSKA) | Super S | 5 | 0 | 1 | 1 | 0 | - | - | - | - | - |
|  | Union Soviétique | CM | 10 | 0 | 1 | 1 | 0 | - | - | - | - | - |
| 1990-91 | Moscou (CSKA) | URSS | 46 | 5 | 13 | 18 | 22 | - | - | - | - | - |
|  | Moscou (CSKA) | Super S | 3 | 1 | 0 | 1 | 0 | - | - | - | - | - |
|  | Union Soviétique | CM | 10 | 0 | 1 | 1 | 0 | - | - | - | - | - |
| 1991-92 | Union Soviétique | CC | 5 | 0 | 0 | 0 | 0 | - | - | - | - | - |
|  | Moscou (CSKA) | CIS | 40 | 1 | 7 | 8 | 12 | - | - | - | - | - |
|  | Russie | JO | | | | | | - | - | - | - | - |
|  | Russie | CDM | 6 | 3 | 5 | 8 | | - | - | - | - | - |
| 1992-93 | Capital (Islanders) | AHL | 3 | 2 | 1 | 3 | 11 | - | - | - | - | - |
|  | New York (Islanders) | LNH | 64 | 14 | 38 | 52 | 59 | 17 | 3 | 6 | 9 | 12 |

| | | | SAISONS RÉGULIÈRES | | | | | SÉRIES ÉLIMINATOIRES | | | | |
|---|---|---|---|---|---|---|---|---|---|---|---|---|
| SAISON | CLUB | LIGUE | PJ | B | A | PTS | PUN | PJ | B | A | PTS | PUN |
| 1993-94 | New York (Islanders) | LNH | 76 | 10 | 47 | 57 | 80 | 4 | 0 | 0 | 0 | 6 |
| 1994-95 | New York (Islanders) | LNH | 26 | 3 | 13 | 16 | 32 | | | | | |
| | Montréal (Canadiens) | LNH | 14 | 1 | 4 | 5 | 14 | | | | | |
| 1995-96 | Montréal (Canadiens) | LNH | 61 | 5 | 23 | 28 | 79 | | | | | |
| 1996-97 | Montréal (Canadiens) | LNH | 65 | 10 | 20 | 30 | 43 | 5 | 0 | 0 | 0 | 6 |
| | Russie | CDM | 4 | 1 | 0 | 1 | 8 | | | | | |
| 1997-98 | Montréal (Canadiens) | LNH | 74 | 13 | 31 | 44 | 70 | 9 | 3 | 4 | 7 | 10 |
| 1998-99 | Montréal (Canadiens) | LNH | 62 | 13 | 21 | 34 | 77 | | | | | |
| 1999-00 | Montréal (Canadiens) | LNH | 7 | 0 | 0 | 0 | 4 | | | | | |
| | New Jersey (Devils) | LNH | 17 | 1 | 4 | 5 | 19 | 23 | 1 | 4 | 5 | 18 |
| 2000-01 | New York (Rangers) | LNH | 3 | 0 | 2 | 2 | 4 | | | | | |
| 2001-02 | New York (Rangers) | LNH | 81 | 6 | 22 | 28 | 83 | | | | | |
| | Russie | JO | 6 | 1 | 3 | 4 | 4 | | | | | |
| 2002-03 | New York (Rangers) | LNH | 71 | 3 | 14 | 17 | 52 | | | | | |
| | **LNH** | | 621 | 79 | 239 | 318 | 650 | 58 | 7 | 14 | 21 | 52 |
| | **Montréal** | | 283 | 42 | 99 | 141 | 287 | 14 | 3 | 4 | 7 | 16 |

• Médaille d'or (CM) en 1990 • Médaille de bronze (CM) en 1991 • Médaille d'or (JO) en 1992
• Choisi sur l'équipe d'étoiles des recrues (LNH) en 1993 • Coupe Stanley (LNH) en 1999-00
• Échangé à Montréal par New York (Islanders) avec Pierre Turgeon pour Kirk Muller, Mathieu Schneider et Craig Darby le 5 avril 1995 • Échangé au New Jersey par Montréal pour Sheldon Souray, Josh DeWolf et le choix de 2e ronde du New Jersey au repêchage de 2001 le 1er mars 2000 • Signe avec New York (Rangers) comme agent libre le 10 juillet 2000

## MALEY, DAVID

**Né à Beaver Dam, Wisconsin, le 24 avril 1963. Ailier gauche, lance de la gauche, 6'2", 195 lb (4e choix de Montréal, 33e au total lors du repêchage de 1982)**

| SAISON | CLUB | LIGUE | PJ | B | A | PTS | PUN | PJ | B | A | PTS | PUN |
|---|---|---|---|---|---|---|---|---|---|---|---|---|
| 1982-83 | Wisconsin University | WCHA | 47 | 17 | 23 | 40 | 24 | | | | | |
| 1983-84 | Wisconsin University | WCHA | 38 | 10 | 28 | 38 | 56 | | | | | |
| 1984-85 | Wisconsin University | WCHA | 38 | 19 | 9 | 28 | 86 | | | | | |
| 1985-86 | Wisconsin University | WCHA | 42 | 20 | 40 | 60 | 135 | | | | | |
| | Montréal (Canadiens) | LNH | 3 | 0 | 0 | 0 | 0 | 7 | 1 | 3 | 4 | 2 |
| 1986-87 | Sherbrooke (Canadien) | AHL | 11 | 1 | 5 | 6 | 25 | 12 | 7 | 7 | 14 | 10 |
| | Montréal (Canadiens) | LNH | 48 | 6 | 12 | 18 | 55 | | | | | |
| 1987-88 | New Jersey (Devils) | LNH | 44 | 4 | 2 | 6 | 65 | 20 | 3 | 1 | 4 | 80 |
| | Utica (Devils) | AHL | 9 | 4 | 3 | 8 | 40 | | | | | |
| 1988-89 | New Jersey (Devils) | LNH | 68 | 5 | 6 | 11 | 249 | | | | | |
| 1989-90 | New Jersey (Devils) | LNH | 67 | 8 | 17 | 25 | 160 | 6 | 0 | 0 | 0 | 25 |
| 1990-91 | New Jersey (Devils) | LNH | 64 | 8 | 14 | 22 | 151 | | | | | |
| | États-Unis | CM | 8 | 0 | 1 | 1 | 2 | | | | | |
| 1991-92 | New Jersey (Devils) | LNH | 37 | 7 | 11 | 18 | 58 | | | | | |
| | Edmonton (Oilers) | LNH | 23 | 3 | 6 | 9 | 46 | 10 | 1 | 1 | 2 | 4 |
| 1992-93 | Edmonton (Oilers) | LNH | 13 | 1 | 1 | 2 | 29 | | | | | |
| | San José (Sharks) | LNH | 43 | 1 | 6 | 7 | 126 | | | | | |
| 1993-94 | San José (Sharks) | LNH | 19 | 0 | 0 | 0 | 30 | | | | | |
| | New York (Islanders) | LNH | 37 | 4 | 2 | 6 | 74 | 3 | 0 | 0 | 0 | 0 |
| 1994-95 | | | | | | *N'a pas joué* | | | | | | |
| 1995-96 | San Francisco (Spiders) | IHL | 71 | 16 | 13 | 29 | 248 | 4 | 0 | 0 | 0 | 2 |
| 1996-97 | | | | | | *N'a pas joué* | | | | | | |
| 1997-98 | | | | | | *N'a pas joué* | | | | | | |
| 1998-99 | | | | | | *N'a pas joué* | | | | | | |
| 1999-00 | Albany (River Rats) | AHL | 60 | 5 | 10 | 15 | 52 | 5 | 0 | 1 | 1 | 4 |
| | **LNH** | | 466 | 43 | 81 | 124 | 1043 | 46 | 5 | 5 | 10 | 111 |
| | **Montréal** | | 51 | 6 | 12 | 18 | 55 | 7 | 1 | 3 | 4 | 2 |

• Coupe Stanley (LNH) en 1985-86
• Échangé à New Jersey par Montréal pour le choix de 3e ronde du New Jersey au repêchage de 1987 (Mathieu Schneider) le 13 juin 1987 • Échangé à Edmonton par New Jersey pour Troy Mallette le 12 janvier 1992 • Réclamé au ballottage par San Jose d'Edmonton le 1er janvier 1993 • Droits vendus à New York (Islanders) par San Jose le 23 janvier 1994 • Signe avec New Jersey comme agent libre le 1er octobre 1999

## MALONE, CLIFFORD (CLIFF)

**Né à Québec, Québec, le 4 septembre 1925. Ailier droit, lance de la droite, 5'10", 155 lb**

| SAISON | CLUB | LIGUE | PJ | B | A | PTS | PUN | PJ | B | A | PTS | PUN |
|---|---|---|---|---|---|---|---|---|---|---|---|---|
| 1943-44 | Montréal (Royals) | LHJQ | 9 | 8 | 8 | 16 | 2 | | | | | |
| | Toronto (Fuels) | TMHL | 3 | 5 | 8 | 0 | | | | | | |
| 1944-45 | Montréal (Royals) | LHJQ | 13 | 14 | 9 | 23 | 2 | 7 | 7 | 3 | 10 | 4 |
| | Montréal (RCAF) | LHCM | 14 | 11 | 6 | 17 | 6 | 1 | 3 | 0 | 3 | 0 |
| | Montréal (Royals) | LHSQ | 2 | 0 | 0 | 0 | 0 | 1 | 0 | 0 | 0 | 2 |
| | | Mem. | 8 | 5 | 6 | 11 | 0 | | | | | |
| 1945-46 | Montréal (Royals) | LHSQ | | | | | | 2 | 1 | 0 | 1 | 0 |
| 1946-47 | Montréal (Royals) | LHSQ | 31 | 16 | 19 | 35 | 6 | 11 | 4 | 4 | 8 | 12 |
| | Montréal (Royals) | Allan | 14 | 8 | 13 | 21 | 4 | | | | | |
| 1947-48 | Montréal (Royals) | LHSQ | 46 | 18 | 49 | 67 | 21 | 3 | 1 | 0 | 1 | 2 |
| 1948-49 | Montréal (Royals) | LHSQ | 64 | 35 | 60 | 95 | 40 | 9 | 3 | 4 | 7 | 10 |
| 1949-50 | Montréal (Royals) | LHSQ | 60 | 21 | 36 | 57 | 50 | 6 | 2 | 1 | 3 | 4 |
| 1950-51 | Montréal (Royals) | LHSQ | 60 | 25 | 24 | 49 | 54 | 7 | 0 | 4 | 4 | 2 |
| 1951-52 | Montréal (Royals) | LHMQ | 56 | 29 | 37 | 66 | 10 | 7 | 3 | 4 | 7 | 0 |
| | Montréal (Canadiens) | LNH | 3 | 0 | 0 | 0 | 0 | | | | | |
| 1952-53 | Montréal (Royals) | LHMQ | 60 | 15 | 34 | 49 | 42 | 15 | 3 | 6 | 9 | 2 |
| 1953-54 | Montréal (Royals) | LHJQ | 13 | 0 | 0 | 0 | 0 | | | | | |
| | Sainte-Thérèse (Titans) | LHPQ | | | | *Statistiques non disponibles* | | | | | | |
| | **LNH** | | 3 | 0 | 0 | 0 | 0 | | | | | |
| | **Montréal** | | 3 | 0 | 0 | 0 | 0 | | | | | |

• Deuxième équipe d'étoiles (LHMQ) en 1951-52
• Prêté à Montréal par Montréal (Royals) le 19 janvier 1952

## MALONE, JOSEPH (JOE)

**Né à Québec, Québec, le 28 février 1890, décédé le 15 mai 1969**
**Centre/Ailier gauche, lance de la gauche, 5'10", 150 lb**

| SAISON | CLUB | LIGUE | PJ | B | A | PTS | PUN | PJ | B | A | PTS | PUN |
|---|---|---|---|---|---|---|---|---|---|---|---|---|
| 1908-09 | Québec (Bulldogs) | ECHA | 12 | 8 | 0 | 8 | 17 | | | | | |
| 1909-10 | Québec (Bulldogs) | CHA | 2 | 5 | 0 | 5 | 3 | | | | | |
| | Waterloo (Colts) | OPHL | 11 | 9 | 0 | 9 | 10 | | | | | |
| 1910-11 | Québec (Bulldogs) | NHA | 13 | 9 | 0 | 9 | 3 | | | | | |
| 1911-12 | Québec (Bulldogs) | NHA | 18 | 21 | 0 | 21 | - | 2 | 5 | 0 | 5 | 0 |
| 1912-13 | Québec (Bulldogs) | NHA | 20 | *43 | 0 | 43 | - | 2 | *9 | 0 | *9 | 0 |
| 1913-14 | Québec (Bulldogs) | NHA | 17 | 24 | 4 | 28 | | | | | | |
| 1914-15 | Québec (Bulldogs) | NHA | 12 | 16 | 5 | 21 | 21 | | | | | |
| 1915-16 | Québec (Bulldogs) | NHA | 24 | 25 | 10 | 35 | 21 | | | | | |
| 1916-17 | Québec (Bulldogs) | NHA | 19 | *41 | 8 | 49 | 15 | | | | | |
| 1917-18 | Montréal (Canadiens) | LNH | 20 | *44 | 4 | *48 | 30 | 2 | 1 | 0 | 1 | 3 |
| 1918-19 | Montréal (Canadiens) | LNH | 8 | 7 | 2 | 9 | 3 | 5 | 5 | 0 | 5 | 0 |
| 1919-20 | Québec (Bulldogs) | LNH | 24 | *39 | 10 | *49 | 12 | | | | | |
| 1920-21 | Hamilton (Tigers) | LNH | 20 | 28 | 9 | 37 | 6 | | | | | |
| 1921-22 | Hamilton (Tigers) | LNH | 24 | 24 | 7 | 31 | 4 | | | | | |
| 1922-23 | Montréal (Canadiens) | LNH | 20 | 1 | 0 | 1 | 2 | 2 | 0 | 0 | 0 | 0 |
| 1923-24 | Montréal (Canadiens) | LNH | 10 | 0 | 0 | 0 | 0 | | | | | |
| | **NHA** | | 123 | 179 | 27 | 206 | 60 | 4 | 14 | 0 | 14 | 0 |
| | **LNH** | | 126 | 143 | 32 | 175 | 57 | 9 | 6 | 0 | 6 | 3 |
| | **Montréal** | | 58 | 52 | 6 | 58 | 35 | 9 | 6 | 0 | 6 | 3 |

• Coupe Stanley (NHA) en 1911-12, 1912-13 • Coupe Stanley (LNH) en 1923-24
• Signe avec Waterloo (OPHL) le 20 janvier 1910 • Signe avec Québec le 12 novembre 1910.
• Réclamé par Montréal avec Joe Hall et Walter Mummery lors du repêchage de dispersion de Québec le 26 novembre 1917 • Droits transférés à Québec avec Jack McDonald au retour de la concession de Québec dans la LNH le 25 novembre 1919 • Transfert de la concession de Québec à Hamilton le 6 décembre 1920 • Échangé à Montréal par Hamilton pour Edmond Bouchard le 22 décembre 1922

## MALONE, SARSFIELD

**Né à Trois-Rivières, Québec, le 8 mars 1886, décédé**
**Défenseur/Centre, lance de la droite, 6', 200 lb**

| SAISON | CLUB | LIGUE | PJ | B | A | PTS | PUN | PJ | B | A | PTS | PUN |
|---|---|---|---|---|---|---|---|---|---|---|---|---|
| 1916-17 | Montréal (Canadiens) | NHA | 12 | 1 | 0 | 1 | 0 | 2 | 0 | 0 | 0 | 5 |
| | **NHA** | | 12 | 1 | 0 | 1 | 0 | 2 | 0 | 0 | 0 | 5 |
| | **Montréal** | | 12 | 1 | 0 | 1 | 0 | 2 | 0 | 0 | 0 | 5 |

• Signe avec Montréal (NHA) le 18 décembre 1916

## MALTAIS, JOE

**Ailier droit**

| SAISON | CLUB | LIGUE | PJ | B | A | PTS | PUN | PJ | B | A | PTS | PUN |
|---|---|---|---|---|---|---|---|---|---|---|---|---|
| 1916-17 | Montréal (Canadiens) | NHA | 1 | 0 | 0 | 0 | 0 | | | | | |
| | **NHA** | | 1 | 0 | 0 | 0 | 0 | | | | | |
| | **Montréal** | | 1 | 0 | 0 | 0 | 0 | | | | | |

• Prêté à Montréal (NHA) par Montréal (Hochelaga - LHCM) le 2 mars 1917

## MANASTERSKY, THOMAS (TOM)

**Né à Montréal, Québec, le 7 mars 1929. Défenseur, lance de la droite, 5'9", 185 lb**

| SAISON | CLUB | LIGUE | PJ | B | A | PTS | PUN | PJ | B | A | PTS | PUN |
|---|---|---|---|---|---|---|---|---|---|---|---|---|
| 1945-46 | Montréal (Royals) | LHJQ | 19 | 0 | 4 | 4 | 23 | | | | | |
| | Montréal (Royals) | LHSQ | 1 | 0 | 0 | 0 | 2 | | | | | |
| 1946-47 | Montréal (Royals) | LHJQ | 25 | 1 | 3 | 4 | 68 | 7 | 0 | 1 | 1 | 29 |
| | Montréal (Royals) | LHSQ | 3 | 0 | 0 | 0 | 0 | | | | | |
| 1947-48 | Montréal (Royals) | LHJQ | 8 | 1 | 1 | 2 | 16 | 13 | 0 | 1 | 1 | *38 |
| 1948-49 | Montréal (Royals) | LHJQ | 30 | 2 | 5 | 7 | 63 | 10 | 2 | 4 | 6 | 16 |
| | Montréal (Royals) | LHSQ | 1 | 0 | 0 | 0 | 0 | | | | | |
| | Montréal (Royals) | Mem. | 15 | 1 | 5 | 6 | 67 | | | | | |
| 1949-50 | Montréal (Royals) | LHSQ | 27 | 2 | 7 | 9 | 87 | 3 | 0 | 0 | 0 | 25 |
| 1950-51 | Montréal (Royals) | LHMQ | 1 | 0 | 0 | 0 | 0 | | | | | |
| | Montréal (Canadiens) | LNH | 6 | 0 | 0 | 0 | 11 | | | | | |
| | Cincinnati (Mohawks) | AHL | 5 | 0 | 0 | 0 | 18 | | | | | |
| | Victoria (Cougars) | PCHL | 18 | 1 | 1 | 2 | 45 | | | | | |
| | **LNH** | | 6 | 0 | 0 | 0 | 11 | | | | | |
| | **Montréal** | | 6 | 0 | 0 | 0 | 11 | | | | | |

• Coupe Memorial en 1948-49
• Signe avec Montréal le 18 décembre 1950 • Prêté à Cincinnati (AHL) par Montréal le 19 janvier 1951

## MANCUSO, FELIX (GUS)

**Né à Niagara Falls, Ontario, le 11 avril 1914**
**Ailier droit, lance de la gauche, 5'7", 160 lb**

| SAISON | CLUB | LIGUE | PJ | B | A | PTS | PUN | PJ | B | A | PTS | PUN |
|---|---|---|---|---|---|---|---|---|---|---|---|---|
| 1930-31 | Niagara Falls (Cataracts) | OHA Jr | 3 | 1 | 2 | 3 | 0 | | | | | |
| 1931-32 | Niagara Falls (Cataracts) | OHA Jr | 4 | 1 | 0 | 1 | 2 | 5 | 3 | 0 | 3 | 2 |
| 1932-33 | Niagara Falls (Cataracts) | OHA Jr | - | - | - | - | 2 | 1 | 0 | 1 | 0 | |
| | Niagara Falls (Cataracts) | Mem. | 3 | 5 | 2 | 7 | 4 | | | | | |
| 1933-34 | Niagara Falls (Cataracts) | OHA Sr | 24 | 9 | 1 | 10 | 20 | 2 | 0 | 0 | 0 | 0 |
| 1934-35 | Hershey (B'ars) | EAHL | 21 | 16 | 5 | 21 | 31 | 9 | 6 | 4 | 10 | 4 |
| 1935-36 | Hershey (B'ars) | EAHL | 40 | 24 | 12 | 36 | 37 | 8 | 3 | 0 | 3 | 18 |
| 1936-37 | Hershey (B'ars) | EAHL | 48 | 14 | 14 | 28 | 17 | 4 | 1 | 0 | 1 | 2 |
| 1937-38 | New Haven (Eagles) | IAHL | 32 | 6 | 4 | 10 | 17 | 2 | 0 | 0 | 0 | 0 |
| | Montréal (Canadiens) | LNH | 17 | 1 | 1 | 2 | 4 | | | | | |
| 1938-39 | New Haven (Eagles) | IAHL | 42 | 4 | 14 | 18 | 47 | | | | | |
| | Montréal (Canadiens) | LNH | 2 | 0 | 0 | 0 | 0 | | | | | |
| 1939-40 | New Haven (Eagles) | IAHL | 47 | 9 | 20 | 29 | 41 | 3 | 0 | 1 | 1 | 0 |
| | Montréal (Canadiens) | LNH | 2 | 0 | 0 | 0 | 0 | | | | | |
| 1940-41 | New Haven (Eagles) | AHL | 56 | 10 | 27 | 37 | 50 | 2 | 0 | 0 | 0 | 0 |
| 1941-42 | New Haven (Eagles) | AHL | 46 | 15 | 29 | 44 | 24 | 2 | 0 | 0 | 0 | 0 |
| 1942-43 | New Haven (Eagles) | AHL | 30 | 10 | 16 | 26 | 19 | | | | | |
| | New York (Rangers) | LNH | 21 | 8 | 6 | 14 | 13 | | | | | |
| 1943-44 | | | | | | *Service militaire* | | | | | | |
| 1944-45 | | | | | | *Service militaire* | | | | | | |
| 1945-46 | Providence (Reds) | AHL | 15 | 3 | 5 | 8 | 4 | | | | | |
| | Hollywood (Wolves) | PCHL | 6 | 2 | 4 | 6 | 0 | 9 | 3 | 2 | 5 | 10 |

| SAISON | CLUB | LIGUE | PJ | B | A | PTS | PUN | PJ | B | A | PTS | PUN |
|---|---|---|---|---|---|---|---|---|---|---|---|---|
| 1946-47 | Hollywood (Wolves) | PCHL | 59 | 27 | 17 | 44 | 33 | 7 | 1 | 1 | 2 | 9 |
| 1947-48 | Los Angeles (Monarchs) | PCHL | 51 | 17 | 15 | 32 | 15 | 4 | 0 | 2 | 2 | 2 |
| 1948-49 | Los Angeles (Monarchs) | PCHL | 22 | 3 | 3 | 6 | 11 | - | - | - | - | - |
| | | LNH | 42 | 7 | 9 | 16 | 17 | - | - | - | - | - |
| | Montréal | | 21 | 1 | 1 | 2 | 4 | - | - | - | - | - |

• Deuxième équipe d'étoiles (EAHL) en 1934-35 • Première équipe d'étoiles (EAHL) en 1935-36
• Signe avec Montréal le 30 octobre 1937 • Droits vendus à New York (Rangers) par Montréal le 4 novembre 1942

### MANSON, DAVE

**Né à Prince Albert, Saskatchewan, le 27 janvier 1967. Défenseur, lance de la gauche, 6'2", 202 lb (1er choix de Chicago, 11e au total lors du repêchage de 1985)**

| SAISON | CLUB | LIGUE | PJ | B | A | PTS | PUN | PJ | B | A | PTS | PUN |
|---|---|---|---|---|---|---|---|---|---|---|---|---|
| 1982-83 | Prince Albert (Raiders) | SAHA | 28 | 11 | 11 | 22 | 170 | - | - | - | - | - |
| | Prince Albert (Raiders) | WHL | 6 | 0 | 1 | 1 | 9 | - | - | - | - | - |
| 1983-84 | Prince Albert (Raiders) | WHL | 70 | 2 | 7 | 9 | 233 | 5 | 0 | 0 | 0 | 4 |
| 1984-85 | Prince Albert (Raiders) | WHL | 72 | 8 | 30 | 38 | 247 | 13 | 1 | 0 | 1 | 34 |
| | Prince Albert (Raiders) | Mem. | 5 | 0 | 1 | 1 | 6 | - | - | - | - | - |
| 1985-86 | Prince Albert (Raiders) | WHL | 70 | 14 | 34 | 48 | 177 | 20 | 1 | 8 | 9 | 63 |
| 1986-87 | Chicago (Blackhawks) | LNH | 63 | 1 | 8 | 9 | 146 | 3 | 0 | 0 | 0 | 10 |
| 1987-88 | Chicago (Blackhawks) | LNH | 54 | 1 | 6 | 7 | 185 | 5 | 0 | 0 | 0 | 27 |
| | Saginaw (Hawks) | LIH | 6 | 0 | 3 | 3 | 37 | - | - | - | - | - |
| 1988-89 | Chicago (Blackhawks) | LNH | 79 | 18 | 36 | 54 | 352 | 16 | 0 | 8 | 8 | 84 |
| | Match des étoiles | LNH | 1 | 0 | 1 | 1 | 0 | - | - | - | - | - |
| 1989-90 | Chicago (Blackhawks) | LNH | 59 | 5 | 23 | 28 | 301 | 20 | 2 | 4 | 6 | 46 |
| 1990-91 | Chicago (Blackhawks) | LNH | 75 | 14 | 15 | 29 | 191 | 6 | 0 | 1 | 1 | 36 |
| 1991-92 | Edmonton (Oilers) | LNH | 79 | 15 | 32 | 47 | 220 | 16 | 3 | 9 | 12 | 44 |
| 1992-93 | Edmonton (Oilers) | LNH | 83 | 15 | 30 | 45 | 210 | - | - | - | - | - |
| | Match des étoiles | LNH | 1 | 0 | 1 | 1 | 2 | - | - | - | - | - |
| | Canada | CM | 8 | 3 | 7 | 10 | 22 | - | - | - | - | - |
| 1993-94 | Edmonton (Oilers) | LNH | 57 | 3 | 13 | 16 | 140 | - | - | - | - | - |
| | Winnipeg (Jets) | LNH | 13 | 1 | 4 | 5 | 51 | - | - | - | - | - |
| 1994-95 | Winnipeg (Jets) | LNH | 44 | 3 | 15 | 18 | 139 | - | - | - | - | - |
| 1995-96 | Winnipeg (Jets) | LNH | 82 | 7 | 23 | 30 | 205 | 6 | 2 | 1 | 3 | 30 |
| 1996-97 | Phoenix (Coyotes) | LNH | 66 | 3 | 17 | 20 | 164 | - | - | - | - | - |
| | **Montréal (Canadiens)** | **LNH** | 9 | 1 | 1 | 2 | 23 | 5 | 0 | 0 | 0 | 17 |
| 1997-98 | **Montréal (Canadiens)** | **LNH** | 81 | 4 | 30 | 34 | 122 | 10 | 0 | 1 | 1 | 14 |
| 1998-99 | **Montréal (Canadiens)** | **LNH** | 11 | 0 | 2 | 2 | 48 | - | - | - | - | - |
| | Chicago (Blackhawks) | LNH | 64 | 6 | 15 | 21 | 107 | - | - | - | - | - |
| 1999-00 | Chicago (Blackhawks) | LNH | 37 | 0 | 7 | 7 | 40 | - | - | - | - | - |
| | Dallas (Stars) | LNH | 26 | 1 | 2 | 3 | 22 | 23 | 0 | 0 | 0 | 33 |
| 2000-01 | Toronto (Maple Leafs) | LNH | 74 | 4 | 7 | 11 | 93 | 2 | 0 | 0 | 0 | 2 |
| 2001-02 | Toronto (Maple Leafs) | LNH | 13 | 0 | 1 | 1 | 10 | - | - | - | - | - |
| | Dallas (Stars) | LNH | 34 | 0 | 1 | 1 | 23 | - | - | - | - | - |
| | Utah (Grizzlies) | AHL | 2 | 0 | 0 | 0 | 2 | - | - | - | - | - |
| | **LNH** | | **1103** | **102** | **288** | **390** | **2792** | **112** | **7** | **24** | **31** | **343** |
| | **Montréal** | | **101** | **5** | **33** | **38** | **193** | **15** | **0** | **1** | **1** | **31** |

• Coupe Memorial en 1984-85 • Deuxième équipe d'étoiles (WHL) en 1985-86 • Match des étoiles (LNH) en 1988-89, 1992-93 • Équipe d'étoiles (CM) en 1992-93
• Échangé à Edmonton par Chicago avec choix de 3e ronde au repêchage de 1992 (Kirk Maltby) pour Steve Smith le 2 octobre 1991 • Échangé à Winnipeg par Edmonton avec le choix de 6e ronde de St. Louis (propriété d'Edmonton suite à une transaction antérieure, Winnipeg sélectionne Chris Kibermanis) au repêchage de 1994 (pour Boris Mironov, Mats Lindgren, le 1er choix de Winnipeg au repêchage de 1994 (Jason Bonsignore) et le choix de 4e ronde de la Floride (propriété du Winnipeg suite à une transaction antérieure, Edmonton sélectionne Adam Copeland) au repêchage de 1994 le 15 mars 1994 • Transfert de la concession de Winnipeg à Phoenix le 1er juillet 1996 • Échangé à Montréal par Phoenix pour Murray Baron et Chris Murray le 18 mars 1997 • Échangé à Chicago par Montréal avec Brad Brown et Jocelyn Thibault pour Jeff Hackett, Eric Weinrich, Alain Nasreddine et le choix de 4e ronde de Chicago suite à une transaction antérieure, Montréal sélectionne Chris Dyment) au repêchage de 1999 le 16 novembre 1998 • Échangé à Dallas par Chicago avec Sylvain Côté pour Kevin Dean, Derek Plante et le choix de 2e ronde de Dallas au repêchage de 2001 le 8 février 2000 • Signe avec Toronto comme agent libre le 16 août 2000 • Échangé à Dallas par Toronto pour Jyrki Lumme le 21 novembre 2001

### MANTHA, GEORGES

**Né à Lachine, Québec, le 29 novembre 1908, décédé le 25 janvier 1990
Ailier gauche, lance de la gauche, 5'8", 160 lb**

| SAISON | CLUB | LIGUE | PJ | B | A | PTS | PUN | PJ | B | A | PTS | PUN |
|---|---|---|---|---|---|---|---|---|---|---|---|---|
| 1925-26 | Montréal (Bell Téléphone) | LHRTM | 4 | 2 | 0 | 2 | 4 | - | - | - | - | - |
| 1926-27 | Montréal (Bell Téléphone) | LHRTM | 4 | 2 | 0 | 2 | 4 | - | - | - | - | - |
| 1927-28 | Montréal (Bell Téléphone) | LHRTM | 3 | 0 | 1 | 1 | 2 | - | - | - | - | - |
| 1928-29 | Montréal (Bell Téléphone) | LHRTM | 3 | 1 | 1 | 2 | 14 | - | - | - | - | - |
| | Montréal (Université) | LHCM | 3 | 0 | 1 | 1 | | - | - | - | - | - |
| | **Montréal (Canadiens)** | **LNH** | 21 | 0 | 0 | 0 | 8 | 3 | 0 | 0 | 0 | 0 |
| 1929-30 | **Montréal (Canadiens)** | **LNH** | 44 | 5 | 2 | 7 | 16 | 6 | 0 | 0 | 0 | 8 |
| 1930-31 | **Montréal (Canadiens)** | **LNH** | 44 | 11 | 6 | 17 | 25 | 10 | 5 | 1 | 6 | 4 |
| 1931-32 | **Montréal (Canadiens)** | **LNH** | 48 | 1 | 7 | 8 | 4 | 4 | 1 | 0 | 1 | 8 |
| 1932-33 | **Montréal (Canadiens)** | **LNH** | 43 | 6 | 9 | 15 | 10 | - | - | - | - | - |
| 1933-34 | **Montréal (Canadiens)** | **LNH** | 46 | 6 | 9 | 15 | 12 | - | - | - | - | - |
| 1934-35 | **Montréal (Canadiens)** | **LNH** | 42 | 12 | 10 | 22 | 14 | 2 | 0 | 0 | 0 | 4 |
| 1935-36 | **Montréal (Canadiens)** | **LNH** | 35 | 1 | 12 | 13 | 14 | - | - | - | - | - |
| 1936-37 | **Montréal (Canadiens)** | **LNH** | 47 | 13 | 14 | 27 | 17 | 5 | 0 | 0 | 0 | 0 |
| 1937-38 | **Montréal (Canadiens)** | **LNH** | 47 | 23 | 19 | 42 | 12 | 3 | 1 | 0 | 1 | 0 |
| | Match des étoiles | LNH | 1 | 0 | 1 | 1 | 0 | - | - | - | - | - |
| 1938-39 | **Montréal (Canadiens)** | **LNH** | 25 | 9 | 11 | 20 | 6 | 3 | 0 | 0 | 0 | 0 |
| 1939-40 | **Montréal (Canadiens)** | **LNH** | 42 | 9 | 11 | 20 | 6 | - | - | - | - | - |
| | Match des étoiles | LNH | 1 | 0 | 0 | 0 | 0 | - | - | - | - | - |
| 1940-41 | **Montréal (Canadiens)** | **LNH** | 6 | 0 | 1 | 1 | 0 | - | - | - | - | - |
| | New Haven (Eagles) | AHL | 49 | 16 | 15 | 31 | 8 | - | - | - | - | - |
| 1941-42 | Washington (Lions) | AHL | 50 | 18 | 25 | 43 | 4 | 1 | 0 | 0 | 0 | 0 |

---

| SAISON | CLUB | LIGUE | PJ | B | A | PTS | PUN | PJ | B | A | PTS | PUN |
|---|---|---|---|---|---|---|---|---|---|---|---|---|
| 1942-43 | Washington (Lions) | AHL | 19 | 2 | 2 | 4 | 4 | - | - | - | - | - |
| | **Montréal** | **LNH** | 488 | 89 | 102 | 191 | 148 | 36 | 6 | 2 | 8 | 24 |
| | **Montréal** | | **488** | **89** | **102** | **191** | **148** | **36** | **6** | **2** | **8** | **24** |

• Coupe Stanley (LNH) en 1929-30, 1930-31 • Match des étoiles (LNH) en 1937-38, 1939-40
• Deuxième équipe d'étoiles (AHL) en 1940-41
• Signe avec Montréal le 17 janvier 1929 • Droits vendus à Washington (AHL) par Montréal le 9 octobre 1941

### MANTHA, SYLVIO

**Né à Montréal, Québec, le 14 avril 1902, décédé le 7 août 1974
Défenseur, lance de la droite, 5'10", 175 lb**

| SAISON | CLUB | LIGUE | PJ | B | A | PTS | PUN | PJ | B | A | PTS | PUN |
|---|---|---|---|---|---|---|---|---|---|---|---|---|
| 1922-23 | Montréal (National) | LHBM | 9 | 4 | 0 | 4 | | - | - | - | - | - |
| 1923-24 | **Montréal (Canadiens)** | **LNH** | 24 | 1 | 3 | 4 | 11 | 6 | 0 | 0 | 0 | 0 |
| 1924-25 | **Montréal (Canadiens)** | **LNH** | 30 | 2 | 3 | 5 | 66 | 6 | 0 | 1 | 1 | 2 |
| 1925-26 | **Montréal (Canadiens)** | **LNH** | 34 | 2 | 1 | 3 | 66 | - | - | - | - | - |
| 1926-27 | **Montréal (Canadiens)** | **LNH** | 43 | 10 | 5 | 15 | 77 | 4 | 1 | 0 | 1 | 0 |
| 1927-28 | **Montréal (Canadiens)** | **LNH** | 43 | 4 | 11 | 15 | 61 | 2 | 0 | 0 | 0 | 6 |
| 1928-29 | **Montréal (Canadiens)** | **LNH** | 44 | 9 | 4 | 13 | 56 | 3 | 0 | 0 | 0 | 0 |
| 1929-30 | **Montréal (Canadiens)** | **LNH** | 44 | 13 | 11 | 24 | 108 | 6 | 3 | 1 | 4 | 18 |
| 1930-31 | **Montréal (Canadiens)** | **LNH** | 44 | 4 | 7 | 11 | 75 | 10 | 2 | 1 | 3 | *26 |
| 1931-32 | **Montréal (Canadiens)** | **LNH** | 47 | 5 | 11 | 16 | 62 | 4 | 0 | 1 | 1 | 8 |
| 1932-33 | **Montréal (Canadiens)** | **LNH** | 48 | 1 | 10 | 11 | 50 | 2 | 0 | 1 | 1 | 2 |
| 1933-34 | **Montréal (Canadiens)** | **LNH** | 48 | 4 | 10 | 14 | 24 | 2 | 0 | 0 | 0 | 0 |
| 1934-35 | **Montréal (Canadiens)** | **LNH** | 47 | 3 | 11 | 14 | 36 | 2 | 0 | 0 | 0 | 2 |
| 1935-36 | **Montréal (Canadiens)** | **LNH** | 42 | 2 | 4 | 6 | 25 | - | - | - | - | - |
| 1936-37 | Boston (Bruins) | LNH | 14 | 0 | 0 | 0 | 2 | - | - | - | - | - |
| | **LNH** | | **542** | **63** | **78** | **141** | **671** | **47** | **5** | **5** | **10** | **66** |
| | **Montréal** | | **538** | **63** | **78** | **141** | **669** | **47** | **5** | **5** | **10** | **66** |

• Coupe Stanley (LNH) en 1929-30, 1930-31 • Deuxième équipe d'étoiles (LNH) en 1930-31, 1931-32 • Temple de la Renommée (LNH) en 1960
• Signe avec Montréal le 30 octobre 1923 • Signe avec Boston le 11 février 1937

### MARCHILDON, EMILE (SHARLRY)

**Né à Sturgeon Falls, Ontario, le 22 novembre 1888
Avant, lance de la droite, 5'7", 160 lb**

| SAISON | CLUB | LIGUE | PJ | B | A | PTS | PUN | PJ | B | A | PTS | PUN |
|---|---|---|---|---|---|---|---|---|---|---|---|---|
| 1913-14 | Toronto (Ontarios) | NHA | 3 | 0 | 0 | 0 | 0 | - | - | - | - | - |
| | **Montréal (Canadiens)** | **NHA** | 2 | 0 | 0 | 0 | 0 | - | - | - | - | - |
| | **NHA** | | **5** | **0** | **0** | **0** | **0** | - | - | - | - | - |
| | **Montréal** | | **2** | **0** | **0** | **0** | **0** | - | - | - | - | - |

• Droits vendus à Montréal (NHA) par Toronto (NHA) le 5 février 1914.

### MARKOV, ANDREI

**Né à Voskresenk, Russie, le 20 décembre 1981. Défenseur, lance de la gauche, 6', 198 lb (6e choix de Montréal, 162e au total lors du repêchage de 1998)**

| SAISON | CLUB | LIGUE | PJ | B | A | PTS | PUN | PJ | B | A | PTS | PUN |
|---|---|---|---|---|---|---|---|---|---|---|---|---|
| 1995-96 | Khimik Voskresensk | CIS | 38 | 0 | 0 | 0 | 14 | - | - | - | - | - |
| 1996-97 | Khimik Voskresensk | RUS | 43 | 8 | 4 | 12 | 32 | 2 | 1 | 1 | 2 | 0 |
| | Russie | CMJ | 6 | 0 | 1 | 1 | 2 | - | - | - | - | - |
| 1997-98 | Khimik Voskresensk | RUS | 43 | 10 | 5 | 15 | 83 | - | - | - | - | - |
| | Russie | CMJ | 7 | 3 | 2 | 5 | 6 | - | - | - | - | - |
| 1998-99 | Moscou (Dynamo) | RUS | 30 | 10 | 11 | 21 | 32 | 16 | 3 | 6 | 9 | 10 |
| | Moscou (Dynamo) | EuroHL | 12 | 7 | 5 | 12 | 12 | 6 | 2 | 2 | 4 | 4 |
| | Russie | CM | 6 | 1 | 4 | 5 | 2 | - | - | - | - | - |
| 1999-00 | Moscou (Dynamo) | RUS | 29 | 11 | 12 | 23 | 28 | 17 | 4 | 3 | 7 | 8 |
| | Russie | CM | 6 | 0 | 2 | 2 | 0 | - | - | - | - | - |
| 2000-01 | **Montréal (Canadiens)** | **LNH** | 63 | 6 | 17 | 23 | 18 | - | - | - | - | - |
| | Québec (Citadelles) | AHL | 14 | 0 | 5 | 5 | 4 | 7 | 1 | 1 | 2 | 2 |
| 2001-02 | **Montréal (Canadiens)** | **LNH** | 56 | 5 | 19 | 24 | 24 | 12 | 1 | 3 | 4 | 8 |
| | Québec (Citadelles) | AHL | 6 | 1 | 4 | 5 | 4 | - | - | - | - | - |
| 2002-03 | **Montréal (Canadiens)** | **LNH** | 79 | 13 | 24 | 37 | 34 | - | - | - | - | - |
| | **LNH** | | **198** | **24** | **60** | **84** | **76** | **12** | **1** | **3** | **4** | **8** |
| | **Montréal** | | **198** | **24** | **60** | **84** | **76** | **12** | **1** | **3** | **4** | **8** |

• Première équipe d'étoiles (CMJ) en 1997-98 • Médaille d'or (CMJ) 1998-99
• Membre de l'équipe d'étoiles (Russie) en 1999-00 • Défenseur par excellence de la ligue de Russie en 1998-99, 1999-00 • Joueur le plus utile de la ligue de Russie en 1999-00

### MARSHALL, DONALD (DON)

**Né à Verdun, Québec, le 23 mars 1932. Ailier gauche, lance de la gauche, 5'10", 165 lb**

| SAISON | CLUB | LIGUE | PJ | B | A | PTS | PUN | PJ | B | A | PTS | PUN |
|---|---|---|---|---|---|---|---|---|---|---|---|---|
| 1949-50 | Montréal (Canadien Jr) | LHJQ | 35 | 8 | 7 | 15 | 10 | 16 | 1 | 4 | 5 | 4 |
| | Montréal (Canadien Jr) | Mem. | 13 | 8 | 6 | 14 | 2 | - | - | - | - | - |
| 1950-51 | Montréal (Canadien Jr) | LHJQ | 37 | 18 | 32 | 51 | 6 | 9 | 5 | 8 | 13 | 0 |
| 1951-52 | Montréal (Canadien Jr) | LHJQ | 43 | 32 | 46 | 78 | 6 | 11 | 4 | 5 | 9 | 6 |
| | **Montréal (Canadiens)** | **LNH** | 1 | 0 | 0 | 0 | 0 | - | - | - | - | - |
| | Montréal (Canadien Jr) | Mem. | 8 | 6 | 5 | 11 | 8 | - | - | - | - | - |
| 1952-53 | Cincinnati (Mohawks) | IHL | 60 | 46 | 51 | 97 | 24 | 9 | 5 | 5 | 10 | 0 |
| | Montréal (Royals) | LHSQ | | | | | | - | - | - | - | - |
| 1953-54 | Buffalo (Bisons) | AHL | 70 | 39 | 55 | 94 | 8 | 3 | 1 | 4 | 5 | 0 |
| 1954-55 | Montréal (Royals) | LHQ | 10 | 5 | 3 | 8 | | - | - | - | - | - |
| | **Montréal (Canadiens)** | **LNH** | 39 | 5 | 3 | 8 | 9 | 12 | 1 | 1 | 2 | 2 |
| 1955-56 | **Montréal (Canadiens)** | **LNH** | 66 | 4 | 5 | 9 | 10 | 10 | 1 | 0 | 1 | 0 |
| 1956-57 | **Montréal (Canadiens)** | **LNH** | 70 | 12 | 8 | 20 | 6 | 10 | 1 | 3 | 4 | 2 |
| | Match des étoiles | LNH | 1 | 0 | 0 | 0 | 0 | - | - | - | - | - |
| 1957-58 | **Montréal (Canadiens)** | **LNH** | 68 | 22 | 19 | 41 | 14 | 10 | 0 | 2 | 2 | 0 |
| | Match des étoiles | LNH | 1 | 0 | 0 | 0 | 0 | - | - | - | - | - |
| 1958-59 | **Montréal (Canadiens)** | **LNH** | 70 | 10 | 22 | 32 | 10 | 11 | 0 | 2 | 2 | 0 |
| | Match des étoiles | LNH | 1 | 0 | 0 | 0 | 0 | - | - | - | - | - |
| 1959-60 | **Montréal (Canadiens)** | **LNH** | 70 | 16 | 22 | 38 | 4 | 8 | 0 | 2 | 2 | 0 |
| | Match des étoiles | LNH | 1 | 0 | 0 | 0 | 0 | - | - | - | - | - |
| 1960-61 | **Montréal (Canadiens)** | **LNH** | 70 | 14 | 17 | 31 | 6 | 6 | 0 | 2 | 2 | 0 |
| | Match des étoiles | LNH | 1 | 0 | 0 | 0 | 0 | - | - | - | - | - |

|  |  |  | SAISONS RÉGULIÈRES |  |  |  |  | SÉRIES ÉLIMINATOIRES |  |  |  |  |
| --- | --- | --- | --- | --- | --- | --- | --- | --- | --- | --- | --- | --- |
| SAISON | CLUB | LIGUE | PJ | B | A | PTS | PUN | PJ | B | A | PTS | PUN |
| 1961-62 Montréal (Canadiens) | | LNH | 66 | 18 | 28 | 46 | 12 | 6 | 0 | 1 | 1 | 2 |
| Match des étoiles | | LNH | 1 | 0 | 0 | 0 | 0 | - | - | - | - | - |
| 1962-63 Montréal (Canadiens) | | LNH | 65 | 13 | 20 | 33 | 6 | 5 | 0 | 0 | 0 | 0 |
| 1963-64 New York (Rangers) | | LNH | 70 | 11 | 12 | 23 | 8 | - | - | - | - | - |
| 1964-65 New York (Rangers) | | LNH | 69 | 20 | 15 | 35 | 2 | - | - | - | - | - |
| 1965-66 New York (Rangers) | | LNH | 69 | 26 | 28 | 54 | 6 | - | - | - | - | - |
| 1966-67 New York (Rangers) | | LNH | 70 | 24 | 22 | 46 | 4 | 4 | 0 | 1 | 1 | 2 |
| 1967-68 New York (Rangers) | | LNH | 70 | 19 | 30 | 49 | 2 | 6 | 1 | 2 | 3 | 0 |
| Match des étoiles | | LNH | 1 | 0 | 0 | 0 | 0 | - | - | - | - | - |
| 1968-69 New York (Rangers) | | LNH | 74 | 20 | 19 | 39 | 12 | 4 | 1 | 0 | 1 | 0 |
| 1969-70 New York (Rangers) | | LNH | 57 | 9 | 15 | 24 | 6 | 1 | 0 | 0 | 0 | 0 |
| 1970-71 Buffalo (Sabres) | | LNH | 62 | 20 | 29 | 49 | 6 | - | - | - | - | - |
| 1971-72 Toronto (Maple Leafs) | | LNH | 50 | 2 | 14 | 16 | 0 | 1 | 0 | 0 | 0 | 0 |
| **LNH** | | | 1176 | 265 | 324 | 589 | 127 | 94 | 8 | 15 | 23 | 14 |
| **Montréal** | | | 585 | 114 | 140 | 254 | 81 | 78 | 5 | 13 | 18 | 12 |

• Coupe Memorial en 1949-50 • Première équipe d'étoiles (LHJQ) en 1951-52 • Première équipe d'étoiles (IHL) en 1952-53 • Trophée James-Gatschene (IHL) en 1952-53 • Trophée Dudley-Garrett (AHL) en 1953-54 • Coupe Stanley (LNH) en 1955-56, 1956-57, 1957-58, 1958-59, 1959-60 • Match des étoiles (LNH) en 1956-57, 1957-58, 1958-59, 1959-60, 1960-61, 1961-62, 1967-68 • Deuxième équipe d'étoiles (LNH) en 1966-67
• Échangé à New York par Montréal avec Jacques Plante et Phil Goyette pour Dave Balon, Léon Rochefort, Len Ronson et Lorne Worsley le 4 juin 1963 • Réclamé par Buffalo de New York lors de l'expansion de la LNH le 10 juin 1970 • Réclamé par Toronto de Buffalo lors du repêchage intra-ligue le 8 juin 1971

## MARTINSON, STEVEN
### Né à Minnetonka, Minnesota, le 21 juin 1959
### Ailier gauche, lance de la gauche, 6'1", 205 lb

|  |  |  | SAISONS RÉGULIÈRES |  |  |  |  | SÉRIES ÉLIMINATOIRES |  |  |  |  |
| --- | --- | --- | --- | --- | --- | --- | --- | --- | --- | --- | --- | --- |
| SAISON | CLUB | LIGUE | PJ | B | A | PTS | PUN | PJ | B | A | PTS | PUN |
| 1981-82 Toledo (Goaldiggers) | | IHL | 35 | 12 | 18 | 30 | 128 | - | - | - | - | - |
| 1982-83 Toledo (Goaldiggers) | | IHL | 32 | 9 | 10 | 19 | 111 | - | - | - | - | - |
| Birmingham (South Stars) | | CHL | 43 | 4 | 5 | 9 | 184 | 13 | 1 | 2 | 3 | *80 |
| 1983-84 Tulsa (Oilers) | | CHL | 42 | 3 | 6 | 9 | 240 | 6 | 0 | 0 | 0 | 43 |
| 1984-85 Toledo (Goaldiggers) | | IHL | 54 | 4 | 10 | 14 | 300 | 2 | 0 | 0 | 0 | 21 |
| 1985-86 Hershey (Bears) | | AHL | 69 | 3 | 6 | 9 | *432 | 3 | 0 | 0 | 0 | 56 |
| 1986-87 Hershey (Bears) | | AHL | 17 | 0 | 3 | 3 | 85 | - | - | - | - | - |
| Adirondack (Red Wings) | | AHL | 14 | 1 | 1 | 2 | 78 | 11 | 2 | 0 | 2 | 108 |
| 1987-88 Adirondack (Red Wings) | | AHL | 32 | 6 | 8 | 14 | 146 | 6 | 1 | 2 | 3 | 66 |
| Detroit (Red Wings) | | LNH | 10 | 1 | 1 | 2 | 84 | - | - | - | - | - |
| 1988-89 Sherbrooke (Canadien) | | AHL | 10 | 5 | 7 | 12 | 61 | - | - | - | - | - |
| Montréal (Canadiens) | | LNH | 25 | 1 | 0 | 1 | 87 | 1 | 0 | 0 | 0 | 10 |
| 1989-90 Sherbrooke (Canadien) | | AHL | 37 | 6 | 20 | 26 | 113 | - | - | - | - | - |
| Montréal (Canadiens) | | LNH | 13 | 0 | 0 | 0 | 64 | - | - | - | - | - |
| 1990-91 San Diego (Gulls) | | IHL | 53 | 16 | 24 | 40 | 268 | - | - | - | - | - |
| 1991-92 San Diego (Gulls) | | IHL | 70 | 18 | 15 | 33 | 279 | 4 | 1 | 1 | 2 | 15 |
| Minnesota (North Stars) | | LNH | 1 | 0 | 0 | 0 | 0 | - | - | - | - | - |
| 1992-93 San Diego (Gulls) | | IHL | 10 | 0 | 4 | 4 | 55 | - | - | - | - | - |
| 1993-94 | | | | | | N'a pas joué | | | | | | |
| 1994-95 Houston (Aeros) | | IHL | 6 | 0 | 1 | 1 | 30 | - | - | - | - | - |
| Fresno (Falcons) | | SunHL | 1 | 0 | 0 | 0 | 0 | - | - | - | - | - |
| 1995-96 San Diego (Gulls) | | WCHL | 1 | 0 | 0 | 0 | 0 | - | - | - | - | - |
| **LNH** | | | 49 | 2 | 1 | 3 | 244 | 1 | 0 | 0 | 0 | 10 |
| **Montréal** | | | 38 | 1 | 0 | 1 | 151 | 1 | 0 | 0 | 0 | 10 |

• Signe avec Philadelphie comme agent libre le 30 septembre 1985 • Signe avec Detroit comme agent libre le 3 octobre 1987 • Signe avec Montréal comme agent libre le 2 août 1988 • Signe avec Winnipeg comme agent libre le 28 août 1990 • Signe avec Minnesota comme agent libre le 1er octobre 1991

## MASNICK, PAUL
### Né à Regina, Saskatchewan, le 14 avril 1931. Centre, lance de la droite, 5'9", 165 lb

|  |  |  | SAISONS RÉGULIÈRES |  |  |  |  | SÉRIES ÉLIMINATOIRES |  |  |  |  |
| --- | --- | --- | --- | --- | --- | --- | --- | --- | --- | --- | --- | --- |
| SAISON | CLUB | LIGUE | PJ | B | A | PTS | PUN | PJ | B | A | PTS | PUN |
| 1948-49 Regina (Pats) | | WCJHL | 26 | 7 | 10 | 17 | 4 | 7 | 1 | 1 | 2 | 0 |
| 1949-50 Regina (Pats) | | WCJHL | 40 | 44 | 43 | 87 | 62 | 9 | 9 | 14 | 23 | 4 |
| Regina (Pats) | | Mem. | 14 | 13 | 14 | 27 | 12 | - | - | - | - | - |
| 1950-51 Montréal (Canadiens) | | LNH | 43 | 4 | 1 | 5 | 14 | 11 | 2 | 1 | 3 | 4 |
| Cincinnati (Mohawks) | | AHL | 19 | 5 | 7 | 12 | 15 | - | - | - | - | - |
| 1951-52 Montréal (Canadiens) | | LNH | 15 | 1 | 2 | 3 | 2 | 6 | 1 | 0 | 1 | 12 |
| Buffalo/Cincinnati | | AHL | 31 | 12 | 16 | 28 | 23 | 7 | 0 | 4 | 4 | 4 |
| 1952-53 Montréal (Canadiens) | | LNH | 53 | 5 | 7 | 12 | 44 | 6 | 1 | 0 | 1 | 7 |
| Montréal (Royals) | | LHMQ | 10 | 6 | 6 | 12 | 10 | - | - | - | - | - |
| 1953-54 Montréal (Canadiens) | | LNH | 50 | 5 | 21 | 26 | 57 | 10 | 0 | 4 | 4 | 4 |
| Montréal (Royals) | | LHQ | 14 | 3 | 14 | 17 | 9 | - | - | - | - | - |
| 1954-55 Montréal (Canadiens) | | LNH | 19 | 0 | 1 | 1 | 8 | - | - | - | - | - |
| Chicago (Black Hawks) | | LNH | 11 | 1 | 0 | 1 | 8 | - | - | - | - | - |
| Montréal (Royals) | | LHQ | 27 | 10 | 13 | 23 | 14 | 14 | 2 | 9 | 11 | 14 |
| 1955-56 Winnipeg (Warriors) | | WHL | 62 | 29 | 39 | 68 | 37 | 14 | *11 | 9 | 20 | 14 |
| Winnipeg (Warriors) | | Edin. | 6 | 3 | 5 | 8 | 4 | - | - | - | - | - |
| 1956-57 Rochester (Americans) | | AHL | 64 | 24 | 38 | 62 | 46 | 10 | 5 | 5 | 10 | 17 |
| 1957-58 Toronto (Maple Leafs) | | LNH | 41 | 2 | 9 | 11 | 14 | - | - | - | - | - |
| 1958-59 Saskatoon (Quakers) | | WHL | 64 | 24 | 51 | 75 | 48 | - | - | - | - | - |
| 1959-60 Victoria/Winnipeg | | WHL | 66 | 16 | 29 | 45 | 16 | 11 | 2 | 5 | 7 | 2 |
| 1960-61 St. Paul (Saints) | | IHL | 60 | 31 | 59 | 90 | 34 | 11 | 2 | 6 | 8 | 12 |
| 1961-62 St. Paul (Saints) | | IHL | 31 | 11 | 21 | 32 | 4 | - | - | - | - | - |
| **LNH** | | | 232 | 18 | 41 | 59 | 139 | 33 | 4 | 5 | 9 | 27 |
| **Montréal** | | | 180 | 15 | 32 | 47 | 117 | 33 | 4 | 5 | 9 | 27 |

• Coupe Stanley (LNH) en 1952-53
• Signe avec Montréal le 10 octobre 1950 • Prêté à Cincinnati (AHL) par Montréal pour Bob Dawes le 13 février 1951 • Échangé à Chicago par Montréal pour Al Dewsbury le 9 novembre 1954 • Droits vendus à Chicago par Montréal le 10 décembre 1954 • Prêté à Winnipeg (WHL) par Montréal avec Garry Blaine et Eddie Mazur le 4 juin 1955 • Droits vendus à Toronto par Montréal le 30 septembre 1957 • Droits vendus à Winnipeg (WHL) par Victoria (WHL) le 27 février 1960

## MATTE, JOSEPH (JOE)
### Né à Bourget, Ontario, le 6 mars 1893, décédé le 13 juin 1961
### Défenseur, lance de la droite, 5'11", 165 lb

|  |  |  | SAISONS RÉGULIÈRES |  |  |  |  | SÉRIES ÉLIMINATOIRES |  |  |  |  |
| --- | --- | --- | --- | --- | --- | --- | --- | --- | --- | --- | --- | --- |
| SAISON | CLUB | LIGUE | PJ | B | A | PTS | PUN | PJ | B | A | PTS | PUN |
| 1913-14 Montréal (Gaieté Canadien) | | LHCM | 5 | 3 | 0 | 3 | | - | - | - | - | - |
| 1914-15 Van Cleek Hill | | OVHL | | | Statistiques non disponibles | | | - | - | - | - | - |
| 1915-16 Montréal (La Casquette) | | LHCM | 12 | 0 | 4 | 4 | 6 | - | - | - | - | - |
| 1916-17 Montréal (La Casquette) | | LHCM | 10 | 9 | 0 | 9 | 12 | - | - | - | - | - |
| 1917-18 Montréal (Hochelaga) | | LHCM | 11 | *23 | 3 | *26 | 9 | 3 | 6 | 1 | 7 | - |
| 1918-19 Hamilton (Tigers) | | OHA Sr | 8 | 12 | 5 | 17 | - | 4 | 2 | 1 | 3 | - |
| Hamilton (Tigers) | | Allan | 2 | 2 | 0 | 2 | - | - | - | - | - | - |
| 1919-20 Hamilton (Tigers) | | OHA Sr | 1 | 0 | 1 | 1 | 0 | - | - | - | - | - |
| Toronto (St. Patricks) | | LNH | 3 | 8 | 3 | 11 | 19 | - | - | - | - | - |
| 1920-21 Hamilton (Tigers) | | LNH | 21 | 6 | 9 | 15 | 29 | - | - | - | - | - |
| 1921-22 Hamilton (Tigers) | | LNH | 21 | 3 | 3 | 6 | 6 | - | - | - | - | - |
| 1922-23 Saskatoon (Sheiks) | | WCHL | 29 | 14 | 6 | 20 | 25 | - | - | - | - | - |
| 1923-24 Vancouver (Maroons) | | PCHA | 29 | 11 | 4 | 15 | 14 | 7 | 1 | 1 | 2 | 8 |
| 1924-25 Vancouver (Maroons) | | WCHL | 24 | 8 | 1 | 9 | 20 | - | - | - | - | - |
| 1925-26 Boston (Bruins) | | LNH | 3 | 0 | 0 | 0 | 0 | - | - | - | - | - |
| Montréal (Canadiens) | | LNH | 6 | 0 | 0 | 0 | 0 | - | - | - | - | - |
| **LNH** | | | 54 | 17 | 15 | 32 | 54 | - | - | - | - | - |
| **Montréal** | | | 6 | 0 | 0 | 0 | 0 | - | - | - | - | - |

• Première équipe d'étoiles (OHA Sr) en 1918-19
• Signe avec Toronto le 16 janvier 1920 • Échangé à Montréal par Toronto avec Goldie Prodgers pour Harry Cameron le 27 novembre 1920 • Échangé à Hamilton par Montréal avec Goldie Prodgers pour Harry Mummery, Jack McDonald le 9 décembre 1920 • Droits vendus à Saskatoon (WCHL) par Hamilton le 1er octobre 1922 • Droits vendus à Vancouver (PCHA) par Saskatoon (WCHL) le 30 octobre 1923 • Signe avec Boston le 5 décembre 1925 • Droits vendus à Montréal par Boston le 15 janvier 1926

## MATZ, JOHN (JOHNNY)
### Né à Omaha, Nouveau-Brunswick, le 1er juin 1891, décédé le 21 décembre 1969
### Centre, lance de la droite, 5'10", 185 lb

|  |  |  | SAISONS RÉGULIÈRES |  |  |  |  | SÉRIES ÉLIMINATOIRES |  |  |  |  |
| --- | --- | --- | --- | --- | --- | --- | --- | --- | --- | --- | --- | --- |
| SAISON | CLUB | LIGUE | PJ | B | A | PTS | PUN | PJ | B | A | PTS | PUN |
| 1911-12 Edmonton (YMCA) | | ESHL | 6 | 5 | 0 | 5 | 0 | - | - | - | - | - |
| Edmonton (Maritimers) | | ESHL | - | - | - | - | - | 3 | 3 | 0 | 3 | 5 |
| 1912-13 Edmonton (Dominions) | | ESHL | 7 | 7 | 0 | 7 | 4 | - | - | - | - | - |
| 1913-14 Grand Forks Clubs | | BCBHL | | | Statistiques non disponibles | | | - | - | - | - | - |
| 1914-15 Grand Forks Clubs | | BCBHL | | | Statistiques non disponibles | | | - | - | - | - | - |
| Vancouver (Millionaires) | | PCHA1 | 1 | 0 | 1 | 1 | 0 | - | - | - | - | - |
| 1915-16 Rossland Seniors | | WKHL | | | Statistiques non disponibles | | | - | - | - | - | - |
| 1916-17 | | | | | Statistiques non disponibles | | | | | | | |
| 1917-18 | | | | | Statistiques non disponibles | | | | | | | |
| 1918-19 | | | | | Statistiques non disponibles | | | | | | | |
| 1919-20 Edmonton (Hustlers) | | ESHL | 12 | 11 | 3 | 14 | 9 | - | - | - | - | - |
| 1920-21 Edmonton (Dominos) | | BIG 4 | 16 | 1 | 7 | 8 | | - | - | - | - | - |
| 1921-22 Edmonton (Eskimos) | | WCHL | 24 | 4 | 1 | 5 | 2 | 2 | 0 | 0 | 0 | 0 |
| 1922-23 Edmonton (Eskimos) | | WCHL | 4 | 0 | 0 | 0 | 0 | - | - | - | - | - |
| Saskatoon (Crescents) | | WCHL | 24 | 3 | 4 | 7 | 6 | - | - | - | - | - |
| 1923-24 Saskatoon (Crescents) | | WCHL | 24 | 1 | 3 | 4 | | - | - | - | - | - |
| 1924-25 Montréal (Canadiens) | | LNH | 30 | 2 | 3 | 5 | 0 | 5 | 0 | 0 | 0 | 2 |
| 1925-26 | | | | | | N'a pas joué | | | | | | |
| 1926-27 Moose Jaw (Maroons) | | PrHL | 32 | 1 | 10 | 11 | 62 | - | - | - | - | - |
| 1927-28 Moose Jaw (Maroons) | | PrHL | 28 | 3 | 3 | 6 | 44 | - | - | - | - | - |
| **LNH** | | | 30 | 2 | 3 | 5 | 0 | 5 | 0 | 0 | 0 | 2 |
| **Montréal** | | | 30 | 2 | 3 | 5 | 0 | 5 | 0 | 0 | 0 | 2 |

• Signe avec Grand Forks (BCBHL) le 24 novembre 1913 • Signe avec Vancouver (PCHA) le 17 novembre 1914 • Signe avec Edmonton (WCHL) le 5 décembre 1921 • Échangé à Saskatoon (WCHL) par Edmonton (WCHL) pour Rube Brandow le 1er janvier 1923 • Droits vendus à Montréal par Saskatoon (WCHL) le 25 novembre 1924 • Signe avec Moose Jaw (PrHL) le 19 novembre 1926

## MAZUR, EDWARD (EDDIE)
### Né à Winnipeg, Manitoba, le 25 juillet 1929, décédé le 3 juillet 1995
### Défenseur/ailier gauche, lance de la gauche, 6'2", 185 lb

|  |  |  | SAISONS RÉGULIÈRES |  |  |  |  | SÉRIES ÉLIMINATOIRES |  |  |  |  |
| --- | --- | --- | --- | --- | --- | --- | --- | --- | --- | --- | --- | --- |
| SAISON | CLUB | LIGUE | PJ | B | A | PTS | PUN | PJ | B | A | PTS | PUN |
| 1947-48 Winnipeg (Monarchs) | | MJHL | 11 | 5 | 5 | 10 | 0 | 6 | 2 | 0 | 2 | 2 |
| Winnipeg (Monarchs) | | Mem. | 4 | 2 | 1 | 3 | 0 | - | - | - | - | - |
| 1948-49 Dallas (Texans) | | USHL | 66 | 10 | 20 | 30 | 48 | 4 | 1 | 1 | 2 | 0 |
| 1949-50 Victoria (Cougars) | | PCHL | 65 | 33 | 26 | 59 | 17 | - | - | - | - | - |
| 1950-51 Victoria (Cougars) | | PCHL | 70 | 43 | 30 | 73 | 41 | 12 | 4 | 6 | 10 | 8 |
| Montréal (Canadiens) | | LNH | - | - | - | - | - | 2 | 0 | 0 | 0 | 0 |
| 1951-52 Buffalo (Bisons) | | AHL | 60 | 19 | 18 | 37 | 55 | 1 | 0 | 1 | 1 | 2 |
| Montréal (Canadiens) | | LNH | - | - | - | - | - | 5 | 2 | 0 | 2 | 4 |
| 1952-53 Victoria (Cougars) | | WHL | 51 | 20 | 18 | 38 | 56 | - | - | - | - | - |
| Montréal (Canadiens) | | LNH | - | - | - | - | - | 7 | 2 | 2 | 4 | 11 |
| 1953-54 Montréal (Canadiens) | | LNH | 67 | 7 | 14 | 21 | 95 | 11 | 0 | 3 | 3 | 7 |
| Match des étoiles | | LNH | 1 | 0 | 0 | 0 | 0 | - | - | - | - | - |
| 1954-55 Montréal (Royals) | | LHQ | 19 | 4 | 8 | 12 | 16 | 14 | *8 | 5 | 13 | 27 |
| Montréal (Canadiens) | | LNH | 25 | 1 | 5 | 6 | 21 | - | - | - | - | - |
| 1955-56 Winnipeg (Warriors) | | WHL | 70 | 34 | 30 | 64 | 72 | 14 | 6 | 11 | 17 | 16 |
| Winnipeg (Warriors) | | Edin. | 6 | 3 | 6 | 11 | - | - | - | - | - | - |
| 1956-57 Chicago (Black Hawks) | | LNH | 15 | 0 | 1 | 1 | 4 | - | - | - | - | - |
| Rochester (Americans) | | AHL | 47 | 24 | 40 | 64 | 90 | 10 | 3 | 9 | 12 | 18 |
| 1957-58 Rochester (Americans) | | AHL | 59 | 22 | 25 | 47 | 76 | - | - | - | - | - |
| 1958-59 Cleveland (Barons) | | AHL | 70 | 34 | 44 | 78 | 54 | 7 | 2 | 4 | 6 | 24 |
| 1959-60 Cleveland (Barons) | | AHL | 61 | 29 | 24 | 53 | 79 | 7 | 2 | 6 | 8 | 2 |
| 1960-61 Cleveland (Barons) | | AHL | 72 | 30 | 39 | 69 | 73 | 4 | 0 | 1 | 1 | 17 |
| 1961-62 Cleveland (Barons) | | AHL | 70 | 24 | 20 | 44 | 46 | 6 | 0 | 0 | 0 | 0 |
| 1962-63 Providence (Reds) | | AHL | 72 | 18 | 33 | 51 | 72 | 4 | 1 | 1 | 2 | 4 |
| 1963-64 Providence (Reds) | | AHL | 64 | 23 | 33 | 56 | 56 | - | - | - | - | - |
| 1964-65 Victoria (Maple Leafs) | | WHL | 62 | 16 | 30 | 46 | 97 | 11 | 2 | 6 | 1 | 6 |
| 1965-66 Grand Forks (Flyers) | | MHL Sr | 25 | *22 | *37 | *59 | 23 | - | - | - | - | - |

| | | | SAISONS RÉGULIÈRES | | | | | SÉRIES ÉLIMINATOIRES | | | | |
|---|---|---|---|---|---|---|---|---|---|---|---|---|
| SAISON | CLUB | LIGUE | PJ | B | A | PTS | PUN | PJ | B | A | PTS | PUN |
| | | LNH | 107 | 8 | 20 | 28 | 120 | 25 | 4 | 5 | 9 | 22 |
| | Montréal | | 92 | 8 | 19 | 27 | 116 | 25 | 4 | 5 | 9 | 22 |

• Deuxième équipe d'étoiles (PCHL) en 1949-50, 1950-51 • Coupe Stanley (LNH) en 1952-53
• Match des étoiles (LNH) en 1953-54 • Deuxième équipe d'étoiles (AHL) en 1956-57, 1958-59
• Signe avec Montréal le 27 septembre 1948 • Prêté à Winnipeg (WHL) par Montréal avec Paul Masnick et Garry Blaine le 4 juin 1955 • Droits vendus à Chicago par Montréal avec Ken Mosdell et Bud MacPherson pour une somme d'argent avec option de retour à la fin de la saison le 24 mai 1956 • Échangé à Cleveland (AHL) par Rochester (AHL) pour Bo Elik le 23 septembre 1958 • Droits vendus à Providence (AHL) par Cleveland (AHL) en septembre 1962 • Signe avec Toronto en septembre 1964 • Droits vendus à Baltimore (AHL) par Toronto en septembre 1965

## McAVOY, GEORGE
### Né à Edmonton, Alberta, le 21 juin 1931, décédé le 15 mai 1998
### Défenseur, lance de la gauche, 6', 185 lb

| SAISON | CLUB | LIGUE | PJ | B | A | PTS | PUN | PJ | B | A | PTS | PUN |
|---|---|---|---|---|---|---|---|---|---|---|---|---|
| 1947-48 | Edmonton Athletic Club | EJHL | 17 | 3 | 5 | 6 | | 4 | 0 | 0 | 0 | 4 |
| 1948-49 | Edmonton Athletic Club | EJHL | 17 | 6 | 9 | 15 | 41 | 6 | 2 | 1 | 3 | 17 |
| | Edmonton Athletic club | Mem. | 8 | 1 | 5 | 6 | 10 | - | - | - | - | - |
| 1949-50 | Laval (National) | LHJQ | 36 | 2 | 6 | 8 | 73 | 7 | 1 | 1 | 2 | 15 |
| 1950-51 | Montréal (Canadien Jr) | LHJQ | 41 | 7 | 12 | 19 | 54 | 9 | 1 | 1 | 2 | 18 |
| 1951-52 | Halifax (St. Mary's) | MMHL | 6 | 0 | 0 | 0 | 4 | - | - | - | - | - |
| | Boston (Olympics) | EAHL | 61 | 4 | 18 | 22 | 153 | 4 | 0 | 2 | 2 | 9 |
| 1952-53 | Penticton (Vees) | OSHL | 44 | 9 | 5 | 14 | *162 | 10 | 1 | 1 | 2 | 16 |
| | Penticton (Vees) | Allan | 18 | 1 | 0 | 1 | 70 | - | - | - | - | - |
| 1953-54 | Penticton (Vees) | OSHL | 61 | 11 | 24 | 35 | *265 | 10 | 1 | 5 | 6 | 12 |
| | Penticton (Vees) | Allan | 23 | 4 | 2 | 6 | 28 | - | - | - | - | - |
| 1954-55 | Penticton (Vees) | OSHL | 53 | 8 | 26 | 34 | 122 | - | - | - | - | - |
| | Canada | CM | 8 | 2 | 2 | 4 | 14 | - | - | - | - | - |
| | **Montréal (Canadiens)** | **LNH** | - | - | - | - | - | 4 | 0 | 0 | 0 | 0 |
| 1955-56 | Providence (Reds) | AHL | 60 | 4 | 19 | 23 | 131 | 9 | 1 | 7 | 8 | 25 |
| 1956-57 | Providence (Reds) | AHL | 64 | 8 | 27 | 30 | 141 | 5 | 1 | 0 | 1 | 9 |
| 1957-58 | Providence (Reds) | AHL | 25 | 2 | 10 | 12 | 45 | 5 | 0 | 0 | 0 | 10 |
| 1958-59 | New Westminster (Royals) | WHL | 11 | 4 | 14 | 18 | 4 | - | - | - | - | - |
| | Cleveland (Barons) | AHL | 59 | 6 | 24 | 30 | 99 | 7 | 0 | 3 | 3 | 14 |
| 1959-60 | Cleveland (Barons) | AHL | 72 | 6 | 21 | 27 | 124 | 7 | 0 | 0 | 0 | 6 |
| 1960-61 | Calgary (Stampeders) | WHL | 70 | 5 | 28 | 33 | 111 | 5 | 0 | 2 | 2 | 10 |
| 1961-62 | Calgary (Stampeders) | WHL | 70 | 5 | 30 | 35 | 113 | 7 | 0 | 2 | 2 | 13 |
| 1962-63 | Calgary (Stampeders) | WHL | 70 | 9 | 16 | 25 | 141 | - | - | - | - | - |
| 1963-64 | | | *N'a pas joué* | | | | | | | | | |
| 1964-65 | Edmonton (Nuggets) | Exh. | *Statistiques non disponibles* | | | | | | | | | |
| 1965-66 | Edmonton (Nuggets) | WCSHL | 19 | 3 | 2 | 5 | 23 | - | - | - | - | - |
| | | **LNH** | - | - | - | - | - | 4 | 0 | 0 | 0 | 0 |
| | **Montréal** | | - | - | - | - | - | 4 | 0 | 0 | 0 | 0 |

• Deuxième équipe d'étoiles (OSHL) EN 1953-54 • Première équipe d'étoiles (OSHL) en 1954-55 • Médaille d'or (CM) en 1955 • Coupe Calder (AHL) en 1955-56
• Signe avec Montréal le 25 mars 1955 • Échangé à Cleveland (AHL) par Providence (AHL) avec Bob Robertson pour Ed MacQueen le 3 novembre 1958

## McCAFFREY, ALBERT (BERT)
### Né à Chelsey, Ontario, décédé le 15 avril 1955
### Défenseur/Ailier droit, lance de la droite, 5'10", 180 lb

| SAISON | CLUB | LIGUE | PJ | B | A | PTS | PUN | PJ | B | A | PTS | PUN |
|---|---|---|---|---|---|---|---|---|---|---|---|---|
| 1916-17 | Toronto (Riversides) | OHA Sr | 8 | 9 | 0 | 9 | - | 2 | 1 | 0 | 1 | 4 |
| 1917-18 | Toronto (Crescents) | OHA Sr | 9 | *23 | 0 | *23 | - | - | - | - | - | - |
| 1918-19 | Toronto (Dentals) | OHA Sr | 6 | 7 | 1 | 8 | - | 2 | 0 | 0 | 0 | 0 |
| 1919-20 | Parkdale (Canoe Club) | OHA Sr | 6 | 6 | 1 | 7 | - | 1 | 1 | 1 | 2 | 0 |
| 1920-21 | Toronto (Granites) | OHA Sr | 6 | 3 | 0 | 3 | - | 2 | 0 | 2 | 2 | 0 |
| 1921-22 | Toronto (Granites) | OHA Sr | 5 | 8 | 5 | 13 | - | 2 | 3 | 2 | 5 | 0 |
| | Toronto (Granites) | Allan | 6 | 3 | 1 | 4 | - | - | - | - | - | - |
| 1922-23 | Toronto (Granites) | OHA Sr | 12 | 10 | 4 | 14 | - | 2 | 0 | 0 | 0 | 0 |
| | Toronto (Granites) | Allan | 6 | 3 | 4 | 7 | - | - | - | - | - | - |
| 1923-24 | Toronto (Granites) | Exh. | 14 | 18 | 10 | 28 | - | - | - | - | - | - |
| | Canada | JO | 5 | 19 | 15 | 34 | - | - | - | - | - | - |
| 1924-25 | Toronto (St. Patricks) | LNH | 30 | 9 | 6 | 15 | 12 | 2 | 1 | 0 | 1 | 4 |
| 1925-26 | Toronto (St. Pats/Leafs) | LNH | 36 | 14 | 7 | 21 | 42 | - | - | - | - | - |
| 1926-27 | Toronto (Maple Leafs) | LNH | 43 | 5 | 5 | 10 | 43 | - | - | - | - | - |
| 1927-28 | Toronto (Maple Leafs) | LNH | 9 | 1 | 1 | 2 | 9 | - | - | - | - | - |
| | Pittsburgh (Pirates) | LNH | 35 | 3 | 6 | 9 | 14 | - | - | - | - | - |
| 1928-29 | Pittsburgh (Pirates) | LNH | 42 | 0 | 1 | 1 | 34 | - | - | - | - | - |
| 1929-30 | Pittsburgh (Pirates) | LNH | 15 | 3 | 4 | 7 | 12 | - | - | - | - | - |
| | **Montréal (Canadiens)** | **LNH** | 28 | 1 | 3 | 4 | 26 | 6 | 1 | 1 | 2 | 6 |
| 1930-31 | **Montréal (Canadiens)** | **LNH** | 22 | 2 | 1 | 3 | 10 | - | - | - | - | - |
| | Providence (Reds) | Can-Am | 20 | 6 | 2 | 8 | 24 | 2 | 1 | 2 | 3 | 2 |
| 1931-32 | Philadelphie (Arrows) | Can-Am | 39 | 9 | 16 | 25 | 59 | - | - | - | - | - |
| 1932-33 | Philadelphie (Arrows) | Can-Am | 7 | 1 | 0 | 1 | 4 | - | - | - | - | - |
| | | **LNH** | 260 | 42 | 30 | 72 | 202 | 8 | 2 | 1 | 3 | 10 |
| | **Montréal** | | 50 | 3 | 4 | 7 | 36 | 6 | 1 | 1 | 2 | 6 |

• Médaille d'or (JO) en 1924
• Signe avec Toronto le 16 octobre 1924 • Échangé à Pittsburgh par Toronto pour Ty Arbour le 7 novembre 1927 • Échangé à Montréal par Pittsburgh pour Gord Fraser le 23 décembre 1929 • Prêté à Providence Can-Am par Montréal pour Art Lesieur le 15 janvier 1931 • Droits vendus à Philadelphie (Can-Am) par Montréal le 28 octobre 1931

## McCARTNEY, WALTER (WALT)
### Né à Regina, Saskatchewan, le 26 avril 1911, décédé
### Ailier gauche, lance de la gauche, 5'10", 160 lb

| SAISON | CLUB | LIGUE | PJ | B | A | PTS | PUN | PJ | B | A | PTS | PUN |
|---|---|---|---|---|---|---|---|---|---|---|---|---|
| 1926-27 | Indian Head Bengals | S-SJHL | 6 | 2 | 0 | 2 | 0 | - | - | - | - | - |
| 1927-28 | Weyburn (Beavers) | S-SJHL | 9 | 4 | 2 | 6 | 2 | - | - | - | - | - |
| 1928-29 | Weyburn (Beavers) | S-SJHL | 20 | 15 | 4 | 19 | 0 | - | - | - | - | - |
| 1929-30 | Weyburn (Beavers) | S-SJHL | 20 | 5 | 5 | 10 | 8 | 4 | 0 | 0 | 0 | 0 |
| | Weyburn (Beavers) | Allan | 2 | 1 | 0 | 1 | 0 | - | - | - | - | - |
| 1930-31 | Weyburn (Beavers) | S-SJHL | 20 | 11 | 0 | 11 | 10 | - | - | - | - | - |
| 1931-32 | Weyburn (Beavers) | S-SJHL | 17 | 10 | 1 | 11 | 8 | 3 | 1 | 1 | 2 | 4 |
| | Weyburn (Beavers) | Allan | 6 | 6 | 1 | 7 | 16 | - | - | - | - | - |
| 1932-33 | **Montréal (Canadiens)** | **LNH** | 2 | 0 | 0 | 0 | 0 | - | - | - | - | - |
| | Québec (Castors) | Can-Am | 12 | 0 | 0 | 0 | 6 | - | - | - | - | - |
| 1933-34 | Vancouver (Lions) | NWHL | 27 | 4 | 3 | 7 | 10 | 7 | 2 | 0 | 2 | 4 |
| 1934-35 | Calgary (Tigers) | NWHL | 14 | 12 | 2 | 14 | 2 | - | - | - | - | - |
| 1935-36 | Calgary (Tigers) | NWHL | 24 | 9 | 4 | 13 | 6 | - | - | - | - | - |
| | Portland (Buckaroos) | NWHL | 13 | 4 | 3 | 7 | 6 | - | - | - | - | - |
| 1936-37 | Vancouver/Spokane | PCHL | 32 | 6 | 10 | 16 | 16 | 6 | 3 | 1 | 4 | 6 |
| 1937-38 | Spokane (Clippers) | PCHL | 42 | 6 | 7 | 13 | 19 | - | - | - | - | - |
| 1938-39 | Portland (Buckaroos) | PCHL | 45 | 21 | 19 | 40 | 49 | 5 | 2 | 1 | 3 | 6 |
| 1939-40 | Portland (Buckaroos) | PCHL | 37 | 14 | 9 | 23 | 26 | 5 | 2 | 0 | 2 | 6 |
| 1940-41 | Portland/Seattle | PCHL | 46 | 11 | 16 | 27 | 16 | 2 | 1 | 1 | 2 | 6 |
| 1941-42 | | | *N'a pas joué* | | | | | | | | | |
| 1942-43 | Kingston (Frontenacs) | LOVHL | 2 | 0 | 0 | 0 | 0 | - | - | - | - | - |
| 1943-44 | Vancouver (St. Regis) | NWIHL | 2 | 0 | 0 | 0 | 0 | - | - | - | - | - |
| | Portland (Oilers) | NWIHL | 15 | 15 | 10 | 25 | 2 | 6 | *11 | 1 | *12 | 6 |
| | | **LNH** | 2 | 0 | 0 | 0 | 0 | - | - | - | - | - |
| | **Montréal** | | 2 | 0 | 0 | 0 | 0 | - | - | - | - | - |

• Prêté à Montréal par Québec le 3 décembre 1932

## McCLEARY, TRENT
### Né à Swift Current, Saskatchewan, le 8 septembre 1972
### Ailier droit, lance de la droite, 6', 180 lb

| SAISON | CLUB | LIGUE | PJ | B | A | PTS | PUN | PJ | B | A | PTS | PUN |
|---|---|---|---|---|---|---|---|---|---|---|---|---|
| 1988-89 | Swift Current (Legionaries) | SAHA | 34 | 12 | 12 | 24 | 85 | - | - | - | - | - |
| | Swift Current (Broncos) | WHL | 3 | 0 | 0 | 0 | 0 | - | - | - | - | - |
| 1989-90 | Swift Current (Broncos) | WHL | 70 | 3 | 15 | 18 | 43 | 4 | 1 | 0 | 1 | 0 |
| 1990-91 | Swift Current (Broncos) | WHL | 70 | 16 | 24 | 40 | 53 | 3 | 0 | 0 | 0 | 2 |
| 1991-92 | Swift Current (Broncos) | WHL | 72 | 23 | 22 | 45 | 190 | 8 | 1 | 2 | 3 | 16 |
| 1992-93 | Swift Current (Broncos) | WHL | 63 | 17 | 33 | 50 | 138 | 17 | 5 | 4 | 9 | 18 |
| | Swift Current (Broncos) | Mem. | 4 | 0 | 0 | 0 | 0 | - | - | - | - | - |
| | New Haven (Nighthawks) | AHL | 2 | 1 | 0 | 1 | 6 | - | - | - | - | - |
| 1993-94 | P.E.I. (Senators) | AHL | 4 | 0 | 0 | 0 | 6 | - | - | - | - | - |
| | Thunder Bay (Senators) | ColHL | 51 | 23 | 17 | 40 | 123 | 9 | 2 | 11 | 13 | 15 |
| 1994-95 | P.E.I. (Senators) | AHL | 51 | 9 | 20 | 29 | 60 | 9 | 2 | 3 | 5 | 26 |
| 1995-96 | Ottawa (Sénateurs) | LNH | 75 | 4 | 10 | 14 | 68 | - | - | - | - | - |
| 1996-97 | Boston (Bruins) | LNH | 59 | 3 | 5 | 8 | 33 | - | - | - | - | - |
| 1997-98 | Detroit (Vipers) | IHL | 21 | 1 | 1 | 2 | 45 | - | - | - | - | - |
| | Las Vegas (Thunders) | IHL | 54 | 7 | 6 | 13 | 120 | 1 | 0 | 1 | 1 | 2 |
| 1998-99 | **Montréal (Canadiens)** | **LNH** | 46 | 4 | 0 | 4 | 29 | - | - | - | - | - |
| 1999-00 | **Montréal (Canadiens)** | **LNH** | 12 | 1 | 0 | 1 | 4 | - | - | - | - | - |
| | | **LNH** | 192 | 8 | 15 | 23 | 134 | - | - | - | - | - |
| | **Montréal** | | 58 | 1 | 0 | 1 | 33 | - | - | - | - | - |

• Signe avec Ottawa comme agent libre le 9 octobre 1992 • Échangé à Boston par Ottawa avec le choix de 3e ronde d'Ottawa au repêchage de 1996 (Eric Naud) pour Shawn McEachern le 22 juin 1996 • Signe avec Montréal comme agent libre le 9 octobre 1998

## McCORMACK, JOHN
### Né à Edmonton, Alberta, le 2 août 1925. Centre, lance de la gauche, 6', 185 lb

| SAISON | CLUB | LIGUE | PJ | B | A | PTS | PUN | PJ | B | A | PTS | PUN |
|---|---|---|---|---|---|---|---|---|---|---|---|---|
| 1943-44 | St. Michael's (Majors) | OHA Jr | 24 | 18 | 30 | 48 | 6 | 25 | 15 | 24 | 39 | 14 |
| 1944-45 | St. Michael's (Majors) | OHA Jr | 15 | 18 | 23 | 41 | 6 | 9 | 10 | *11 | *21 | 8 |
| | Toronto (Tip Tops) | TIHL | 1 | 1 | 1 | 2 | 0 | - | - | - | - | - |
| | St. Michael's (Majors) | Mem. | 14 | 8 | 16 | 24 | 0 | - | - | - | - | - |
| 1945-46 | Tulsa (Oilers) | USHL | 45 | 9 | 32 | 41 | 11 | 13 | 4 | *12 | *16 | 0 |
| 1946-47 | Leaside (Lions) | OMHA | *N'a pas joué - Entraîneur* | | | | | | | | | |
| 1947-48 | Toronto (Marlboros) | OHA Sr | 33 | 28 | *49 | *77 | 10 | 5 | 0 | 4 | 4 | 2 |
| | Toronto (Maple Leafs) | LNH | 3 | 0 | 1 | 1 | 0 | - | - | - | - | - |
| 1948-49 | Toronto (Marlboros) | OHA Sr | 37 | 21 | 18 | 39 | 10 | 6 | 5 | 11 | 16 | 2 |
| | Toronto (Maple Leafs) | LNH | 1 | 0 | 0 | 0 | 0 | - | - | - | - | - |
| | Toronto (Marlboros) | Allan | 13 | 7 | 8 | 15 | 0 | - | - | - | - | - |
| 1949-50 | Toronto (Marlboros) | OHA Sr | 29 | 17 | 33 | 50 | 10 | - | - | - | - | - |
| | Toronto (Maple Leafs) | LNH | 34 | 6 | 5 | 11 | 0 | 6 | 1 | 0 | 1 | 0 |
| 1950-51 | Toronto (Maple Leafs) | LNH | 46 | 7 | 6 | 13 | 2 | - | - | - | - | - |
| | Pittsburgh (Hornets) | AHL | 17 | 4 | 12 | 16 | 0 | 13 | 6 | 9 | 15 | 2 |
| 1951-52 | Buffalo (Bisons) | AHL | 8 | 5 | 3 | 8 | 0 | - | - | - | - | - |
| | **Montréal (Canadiens)** | **LNH** | 54 | 2 | 10 | 12 | 4 | - | - | - | - | - |
| 1952-53 | **Montréal (Canadiens)** | **LNH** | 59 | 1 | 9 | 10 | 9 | 9 | 0 | 0 | 0 | 0 |
| 1953-54 | Buffalo (Bisons) | AHL | 16 | 7 | 15 | 22 | 0 | - | - | - | - | - |
| | Match des étoiles | LNH | 1 | 0 | 0 | 0 | 0 | - | - | - | - | - |
| | **Montréal (Canadiens)** | **LNH** | 51 | 5 | 10 | 15 | 12 | 7 | 0 | 1 | 1 | 0 |
| 1954-55 | Chicago (Black Hawks) | LNH | 63 | 5 | 6 | 11 | 8 | - | - | - | - | - |
| 1955-56 | Edmonton (Flyers) | WHL | 37 | 6 | 9 | 15 | 0 | - | - | - | - | - |
| | | **LNH** | 311 | 25 | 49 | 74 | 35 | 22 | 1 | 1 | 2 | 0 |
| | **Montréal** | | 164 | 8 | 29 | 37 | 25 | 16 | 0 | 1 | 1 | 0 |

• Coupe Memorial en 1944-45 • Coupe Stanley (LNH) en 1952-53 • Match des étoiles (LNH) en 1953-54
• Signe avec Toronto le 11 janvier 1950 • Droits vendus à Montréal par Toronto le 23 septembre 1951 • Réclamé par Chicago de Montréal au repêchage intra-ligue le 15 septembre 1954 • Échangé à Detroit par Chicago avec Jerry Toppazzini, Dave Creighton et Gord Hollingworth pour Tony Leswick, John Wilson, Benny Woit et Glen Skov le 27 mai 1955

## McCREARY, KEITH
### Né à Sundridge, Ontario, le 19 juin 1940
### Ailier gauche, lance de la gauche, 5'10", 180 lb

| SAISON | CLUB | LIGUE | PJ | B | A | PTS | PUN | PJ | B | A | PTS | PUN |
|---|---|---|---|---|---|---|---|---|---|---|---|---|
| 1958-59 | Hull-Ottawa (Canadien) | Exh. | *Statistiques non disponibles* | | | | | | | | | |
| | Hull-Ottawa (Canadien) | EOHL | 3 | 1 | 0 | 1 | 0 | - | - | - | - | - |
| | Hull-Ottawa (Canadien) | Mem. | 7 | 1 | 4 | 5 | 2 | - | - | - | - | - |

| SAISON | CLUB | LIGUE | PJ | B | A | PTS | PUN | PJ | B | A | PTS | PUN |
SAISONS RÉGULIÈRES    SÉRIES ÉLIMINATOIRES

**SAISONS RÉGULIÈRES / SÉRIES ÉLIMINATOIRES**

| SAISON | CLUB | LIGUE | PJ | B | A | PTS | PUN | PJ | B | A | PTS | PUN |
|---|---|---|---|---|---|---|---|---|---|---|---|---|
| 1959-60 | Hull-Ottawa (Canadien) | Exh. | *Statistiques non disponibles* | | | | | | | | | |
| | Hull-Ottawa (Canadien) | ÉPHL | 5 | 0 | 0 | 0 | 0 | - | - | - | - | - |
| 1960-61 | Hull-Ottawa (Canadien) | ÉPHL | 61 | 19 | 21 | 40 | 35 | 14 | 4 | 2 | 6 | 15 |
| 1961-62 | Hull-Ottawa (Canadien) | ÉPHL | 64 | 30 | 36 | 66 | 48 | 12 | 5 | 8 | 13 | 2 |
| | **Montréal (Canadiens)** | **LNH** | - | - | - | - | - | 1 | 0 | 0 | 0 | 0 |
| 1962-63 | Hull-Ottawa (Canadien) | ÉPHL | 69 | 27 | 34 | 61 | 44 | 3 | 1 | 1 | 2 | 0 |
| 1963-64 | Hershey (Bears) | AHL | 66 | 25 | 19 | 44 | 21 | 6 | 2 | 4 | 6 | 2 |
| 1964-65 | Hershey (Bears) | AHL | 46 | 16 | 18 | 34 | 36 | 14 | 0 | 7 | 7 | 24 |
| | **Montréal (Canadiens)** | **LNH** | 9 | 0 | 3 | 3 | 4 | - | - | - | - | - |
| 1965-66 | Cleveland (Barons) | AHL | 66 | 18 | 24 | 42 | 42 | 12 | 5 | 4 | 9 | 8 |
| 1966-67 | Cleveland (Barons) | AHL | 70 | 28 | 29 | 57 | 50 | 5 | 1 | 2 | 3 | 0 |
| 1967-68 | Pittsburgh (Penguins) | LNH | 70 | 14 | 12 | 26 | 44 | - | - | - | - | - |
| 1968-69 | Pittsburgh (Penguins) | LNH | 70 | 25 | 23 | 48 | 42 | - | - | - | - | - |
| 1969-70 | Pittsburgh (Penguins) | LNH | 60 | 18 | 8 | 26 | 67 | 10 | 0 | 4 | 4 | 4 |
| 1970-71 | Pittsburgh (Penguins) | LNH | 59 | 21 | 12 | 33 | 24 | - | - | - | - | - |
| 1971-72 | Pittsburgh (Penguins) | LNH | 33 | 4 | 4 | 8 | 22 | 1 | 0 | 0 | 0 | 2 |
| 1972-73 | Atlanta (Flames) | LNH | 77 | 20 | 21 | 41 | 21 | - | - | - | - | - |
| 1973-74 | Atlanta (Flames) | LNH | 78 | 18 | 19 | 37 | 42 | 4 | 0 | 0 | 0 | 0 |
| 1974-75 | Atlanta (Flames) | LNH | 78 | 11 | 10 | 21 | 8 | - | - | - | - | - |
| | **LNH** | | 532 | 131 | 112 | 243 | 294 | 16 | 0 | 4 | 4 | 6 |
| | **Montréal** | | 9 | 0 | 3 | 3 | 4 | 1 | 0 | 0 | 0 | 0 |

• Première équipe d'étoiles (ÉPHL) en 1961-62 • Deuxième équipe d'étoiles (ÉPHL) en 1962-63
• Réclamé par Pittsburgh de Montréal lors de l'expansion de la LNH le 6 juin 1967 • Réclamé par Atlanta de Pittsburgh lors de l'expansion de la LNH le 6 juin 1972

### McCREARY, WILLIAM (BILL)

**Né à Sundridge, Ontario, le 2 décembre 1934**
**Ailier gauche, lance de la gauche, 5'10", 170 lb**

| SAISON | CLUB | LIGUE | PJ | B | A | PTS | PUN | PJ | B | A | PTS | PUN |
|---|---|---|---|---|---|---|---|---|---|---|---|---|
| 1951-52 | Guelph (Biltmores) | OHA Jr | 52 | 30 | 28 | 58 | 12 | 11 | 4 | 4 | 8 | 6 |
| | Guelph (Biltmores) | Mem. | 12 | 5 | 10 | 15 | 4 | - | - | - | - | - |
| 1952-53 | Guelph (Biltmores) | OHA Jr | 50 | 32 | 25 | 57 | 31 | - | - | - | - | - |
| | Toronto (Marlboros) | Mem. | 7 | 2 | 3 | 5 | 2 | - | - | - | - | - |
| 1953-54 | Guelph (Biltmores) | OHA Jr | 59 | 35 | 49 | 84 | 57 | 3 | 0 | 3 | 3 | 4 |
| | New York (Rangers) | LNH | 2 | 0 | 0 | 0 | 0 | - | - | - | - | - |
| 1954-55 | Guelph (Biltmores) | OHA Jr | 48 | 46 | 37 | 83 | 38 | 6 | 4 | 3 | 7 | 2 |
| | New York (Rangers) | LNH | 8 | 0 | 2 | 2 | 4 | - | - | - | - | - |
| 1955-56 | Providence (Reds) | AHL | 37 | 8 | 13 | 21 | 18 | - | - | - | - | - |
| | Saskatoon (Quakers) | WHL | 25 | 12 | 20 | 32 | 45 | 3 | 0 | 0 | 0 | 0 |
| 1956-57 | Edmonton (Flyers) | WHL | 69 | 33 | 26 | 59 | 37 | 8 | 2 | 7 | 9 | 4 |
| 1957-58 | Edmonton (Flyers) | WHL | 21 | 7 | 7 | 14 | 10 | 5 | 2 | 1 | 3 | 2 |
| | Detroit (Red Wings) | LNH | 3 | 1 | 0 | 1 | 2 | - | - | - | - | - |
| | Hershey (Bears) | AHL | 31 | 4 | 9 | 13 | 6 | - | - | - | - | - |
| 1958-59 | Springfield (Indians) | AHL | 65 | 14 | 34 | 48 | 22 | - | - | - | - | - |
| 1959-60 | Springfield (Indians) | AHL | 69 | 19 | 31 | 50 | 16 | 10 | 6 | 4 | 10 | 6 |
| 1960-61 | Springfield (Indians) | AHL | 72 | 33 | 54 | 87 | 26 | 8 | 5 | 4 | 9 | 6 |
| 1961-62 | Springfield (Indians) | AHL | 69 | 27 | 49 | 76 | 49 | 2 | 0 | 2 | 2 | 0 |
| 1962-63 | Hull-Ottawa (Canadien) | ÉPHL | 46 | 15 | 32 | 47 | 50 | - | - | - | - | - |
| | **Montréal (Canadiens)** | **LNH** | 14 | 2 | 3 | 5 | 0 | - | - | - | - | - |
| 1963-64 | Omaha (Knights) | CPHL | 72 | 24 | 51 | 75 | 56 | 3 | 1 | 0 | 1 | 2 |
| 1964-65 | Omaha (Knights) | CPHL | 70 | 24 | 44 | 68 | 48 | 6 | 0 | 3 | 3 | 0 |
| 1965-66 | Houston (Apollos) | CPHL | 70 | 26 | 26 | 52 | 44 | - | - | - | - | - |
| 1966-67 | Houston (Apollos) | CPHL | 56 | 22 | 34 | 56 | 34 | 6 | 1 | 2 | 3 | 0 |
| 1967-68 | St. Louis (Blues) | LNH | 70 | 13 | 13 | 26 | 22 | 15 | 3 | 2 | 5 | 0 |
| 1968-69 | St. Louis (Blues) | LNH | 71 | 13 | 17 | 30 | 50 | 12 | 1 | 5 | 6 | 14 |
| 1969-70 | St. Louis (Blues) | LNH | 73 | 15 | 17 | 32 | 16 | 15 | 1 | 7 | 8 | 0 |
| 1970-71 | St. Louis (Blues) | LNH | 68 | 9 | 10 | 19 | 16 | 6 | 1 | 2 | 3 | 0 |
| | **LNH** | | 309 | 53 | 62 | 115 | 108 | 48 | 6 | 16 | 22 | 14 |
| | **Montréal** | | 14 | 2 | 3 | 5 | 0 | - | - | - | - | - |

• Coupe Memorial en 1951-52 • Deuxième équipe d'étoiles (WHL) en 1956-57 • Coupe Calder (AHL) en 1959-60, 1960-61, 1961-62 • Deuxième équipe d'étoiles (CHL) en 1963-64, 1965-66
• Réclamé par Detroit de New York lors du repêchage intra-ligue le 5 juin 1956 • Échangé à Springfield par Detroit avec Hank Bassen et Dennis Olson pour Gerry Ehman le 21 mai 1958 • Échangé à Montréal par Springfield pour Bob McCammon, André Tardif et Norm Waslowski le 25 octobre 1962 • Échangé à St. Louis par Montréal pour Claude Cardin et Phil Obendorf le 14 juin 1967

### McCULLEY, BOB

**Né à Stratford, Ontario, le 8 février 1914**
**Défenseur/Ailier droit, lance de la droite, 6'2", 210 lb**

| SAISON | CLUB | LIGUE | PJ | B | A | PTS | PUN | PJ | B | A | PTS | PUN |
|---|---|---|---|---|---|---|---|---|---|---|---|---|
| 1929-30 | Stratford (Midgets) | OHA Jr | 6 | 6 | 1 | 7 | 12 | 2 | 1 | 0 | 1 | 8 |
| 1930-31 | Stratford (Midgets) | OHA Jr | 5 | 3 | 1 | 4 | 4 | 2 | 3 | 0 | 3 | 4 |
| | Stratford (Midgets) | Mem. | 2 | 3 | 0 | 3 | 4 | - | - | - | - | - |
| 1931-32 | Oshawa (Generals) | OHA Jr | *Statistiques non disponibles* | | | | | | | | | |
| 1932-33 | Providence (Reds) | Can-Am | 41 | 7 | 2 | 9 | 38 | 2 | 0 | 0 | 0 | 0 |
| 1933-34 | Providence (Reds) | Can-Am | 2 | 0 | 0 | 0 | 0 | - | - | - | - | - |
| | New Haven (Eagles) | Can-Am | 38 | 13 | 3 | 16 | 24 | - | - | - | - | - |
| 1934-35 | **Montréal (Canadiens)** | **LNH** | 1 | 0 | 0 | 0 | 0 | - | - | - | - | - |
| | New Haven (Eagles) | Can-Am | 7 | 1 | 2 | 3 | 11 | - | - | - | - | - |
| | Québec (Castors) | Can-Am | 8 | 1 | 2 | 3 | 4 | - | - | - | - | - |
| | Boston (Cubs) | Can-Am | 19 | 6 | 5 | 11 | 4 | 3 | 0 | 0 | 0 | 0 |
| 1935-36 | Boston (Cubs) | Can-Am | 42 | 14 | 6 | 20 | 20 | - | - | - | - | - |
| | New Haven (Eagles) | Can-Am | 5 | 4 | 1 | 5 | 2 | - | - | - | - | - |
| 1936-37 | New Haven (Eagles) | IAHL | 4 | 0 | 0 | 0 | 4 | - | - | - | - | - |
| | Providence (Reds) | IAHL | 4 | 1 | 2 | 3 | 0 | - | - | - | - | - |
| | Springfield (Indians) | IAHL | 33 | 7 | 7 | 14 | 10 | 5 | 1 | 2 | 3 | 2 |
| 1937-38 | Springfield (Indians) | IAHL | 8 | 0 | 0 | 0 | 14 | - | - | - | - | - |
| | New Haven (Eagles) | IAHL | 53 | 13 | 12 | 25 | 10 | - | - | - | - | - |
| 1938-39 | New Haven (Eagles) | IAHL | 51 | 8 | 8 | 16 | 32 | 3 | 0 | 1 | 1 | 6 |
| 1939-40 | New Haven (Eagles) | IAHL | 51 | 8 | 8 | 16 | 32 | - | - | - | - | - |

---

**SAISONS RÉGULIÈRES / SÉRIES ÉLIMINATOIRES**

| SAISON | CLUB | LIGUE | PJ | B | A | PTS | PUN | PJ | B | A | PTS | PUN |
|---|---|---|---|---|---|---|---|---|---|---|---|---|
| 1940-41 | Philadelphie (Rockets) | AHL | 54 | 2 | 4 | 6 | 52 | - | - | - | - | - |
| 1941-42 | Minneapolis (Millers) | AHA | 17 | 2 | 2 | 4 | 10 | - | - | - | - | - |
| | Providence (Reds) | AHL | 20 | 1 | 3 | 4 | 9 | - | - | - | - | - |
| | **LNH** | | 1 | 0 | 0 | 0 | 0 | - | - | - | - | - |
| | **Montréal** | | 1 | 0 | 0 | 0 | 0 | - | - | - | - | - |

• Signe avec Montréal le 23 octobre 1932 • Échangé à Boston par Montréal pour Sheldon-Buckles le 2 décembre 1934 • Droits vendus à Providence (IAHL) par Boston le 7 octobre 1936 • Échangé à New Haven (IAHL) par Springfield (AHL) pour Orville Heximer le 1er décembre 1937 • Droits vendus à Cleveland (AHL) par New York (Rangers) le 11 septembre 1941 • Assigné à Minneapolis (AHA) par Cleveland (AHL) en octobre 1941. • Signe avec Providence (AHL) le 19 janvier 1942

### McDONALD, ALVIN (AB)

**Né à Winnipeg, Manitoba, le 18 février 1936**
**Ailier gauche, lance de la gauche, 6'2", 195 lb**

| SAISON | CLUB | LIGUE | PJ | B | A | PTS | PUN | PJ | B | A | PTS | PUN |
|---|---|---|---|---|---|---|---|---|---|---|---|---|
| 1951-52 | St. Boniface (Canadien) | MJHL | 20 | 20 | 15 | 35 | - | 17 | 11 | 12 | 23 | 6 |
| 1952-53 | St. Boniface (Canadien) | MJHL | 35 | 26 | 24 | 50 | - | 8 | 5 | 7 | 12 | 0 |
| | St. Boniface (Canadien) | Mem. | 17 | 11 | 12 | 23 | 6 | - | - | - | - | - |
| 1953-54 | St. Boniface (Canadien) | MJHL | 35 | 33 | 25 | *58 | 14 | 10 | 7 | 6 | 13 | 4 |
| | St. Boniface (Canadien) | Mem. | 8 | 2 | 2 | 4 | 6 | - | - | - | - | - |
| 1954-55 | St. Catharines (Teepees) | OHA Jr | 49 | 33 | 37 | 70 | 20 | 10 | 2 | 6 | 8 | 25 |
| 1955-56 | St. Catharines (Teepees) | OHA Jr | 48 | 49 | 34 | 83 | 24 | 6 | 4 | 2 | 6 | 9 |
| 1956-57 | Rochester (Americans) | AHL | 64 | 21 | 31 | 52 | 8 | 9 | 3 | 1 | 4 | 0 |
| 1957-58 | Rochester (Americans) | AHL | 70 | 30 | 33 | 63 | 18 | - | - | - | - | - |
| | **Montréal (Canadiens)** | **LNH** | - | - | - | - | - | 2 | 0 | 0 | 0 | 2 |
| 1958-59 | **Montréal (Canadiens)** | **LNH** | 69 | 13 | 23 | 36 | 35 | 11 | 1 | 1 | 2 | 6 |
| | Match des étoiles | LNH | 1 | 1 | 0 | 1 | 0 | - | - | - | - | - |
| 1959-60 | **Montréal (Canadiens)** | **LNH** | 68 | 9 | 13 | 22 | 26 | - | - | - | - | - |
| | Match des étoiles | LNH | 1 | 1 | 0 | 1 | 0 | - | - | - | - | - |
| 1960-61 | Chicago (Black Hawks) | LNH | 61 | 17 | 16 | 33 | 22 | 8 | 2 | 2 | 4 | 0 |
| 1961-62 | Chicago (Black Hawks) | LNH | 65 | 22 | 18 | 40 | 8 | 12 | 6 | 6 | 12 | 0 |
| | Match des étoiles | LNH | 1 | 0 | 0 | 0 | 0 | - | - | - | - | - |
| 1962-63 | Chicago (Black Hawks) | LNH | 69 | 20 | 41 | 61 | 12 | 6 | 2 | 3 | 5 | 9 |
| 1963-64 | Chicago (Black Hawks) | LNH | 70 | 14 | 32 | 46 | 19 | 7 | 2 | 4 | 6 | 8 |
| 1964-65 | Boston (Bruins) | LNH | 60 | 9 | 18 | 27 | 6 | - | - | - | - | - |
| | Providence (Reds) | AHL | 6 | 2 | 1 | 3 | 2 | - | - | - | - | - |
| 1965-66 | Memphis (Wings) | CPHL | 20 | 9 | 6 | 15 | 4 | - | - | - | - | - |
| | Detroit (Red Wings) | LNH | 43 | 6 | 16 | 22 | 10 | 10 | 1 | 4 | 5 | 2 |
| 1966-67 | Detroit (Red Wings) | LNH | 12 | 2 | 0 | 2 | 2 | - | - | - | - | - |
| | Pittsburgh (Hornets) | AHL | 61 | 25 | 31 | 56 | 22 | 9 | 5 | 2 | 7 | 4 |
| 1967-68 | Pittsburgh (Penguins) | LNH | 74 | 22 | 21 | 43 | 38 | - | - | - | - | - |
| 1968-69 | St. Louis (Blues) | LNH | 76 | 21 | 42 | 63 | 12 | 12 | 2 | 3 | 5 | 10 |
| | Match des étoiles | LNH | 1 | 0 | 0 | 0 | 0 | - | - | - | - | - |
| 1969-70 | St. Louis (Blues) | LNH | 64 | 25 | 30 | 55 | 8 | 16 | 5 | 10 | 15 | 13 |
| | Match des étoiles | LNH | 1 | 0 | 0 | 0 | 0 | - | - | - | - | - |
| 1970-71 | St. Louis (Blues) | LNH | 20 | 5 | 3 | 8 | 4 | 6 | 1 | 2 | 3 | 0 |
| 1971-72 | Detroit (Red Wings) | LNH | 19 | 2 | 3 | 5 | 8 | - | - | - | - | - |
| | Tidewater (Wings) | AHL | 41 | 5 | 7 | 12 | 8 | 4 | 0 | 1 | 1 | 2 |
| 1972-73 | Winnipeg (Jets) | AMH | 77 | 17 | 24 | 41 | 16 | 14 | 2 | 5 | 7 | 2 |
| 1973-74 | Winnipeg (Jets) | AMH | 70 | 12 | 17 | 29 | 8 | 4 | 0 | 1 | 1 | 2 |
| | **LNH** | | 762 | 182 | 248 | 430 | 200 | 84 | 21 | 29 | 50 | 42 |
| | **Montréal** | | 137 | 22 | 36 | 58 | 61 | 13 | 1 | 1 | 2 | 8 |

• Deuxième équipe d'étoiles (MJHL) en 1952-53 • Coupe Stanley (LNH) en 1957-58, 1958-59, 1959-60, 1960-61 • Match des étoiles (LNH) en 1958-59, 1959-60, 1961-62, 1968-69, 1969-70 • Coupe Calder (AHL) en 1966-67
• Échangé à Chicago par Montréal avec Reggie Fleming, Bob Courcy et Cecil Hoekstra pour Terry Gray, Danny Lewicki, Lorne Ferguson, Bob Bailey et Glen Skov le 7 juin 1960 • Échangé à Boston par Chicago avec Reggie Fleming pour Doug Mohns le 8 juin 1964 • Échangé à Detroit par Boston avec Bob McCord et Ken Stephanson pour Parker MacDonald, Albert Langlois, Bob Dillabough et Ron Harris le 31 mai 1965 • Réclamé par Pittsburgh de Detroit lors de l'expansion de la LNH le 6 juin 1967 • Échangé à St. Louis par Pittsburgh pour Lou Angotti le 11 juin 1968 • Échangé à Detroit par St. Louis avec Bob Wall et Mike Love pour compléter la transaction de Carl Brewer à St. Louis (22 février 1971) le 12 mai 1971 • Sélectionné par Winnipeg lors de l'expansion de l'AMH le 12 février 1972

### McDONALD, JOHN (JACK)

**Né le 28 février 1887, décédé le 24 janvier 1958**
**Ailier gauche/Centre, lance de la gauche, 5'10", 155 lb**

| SAISON | CLUB | LIGUE | PJ | B | A | PTS | PUN | PJ | B | A | PTS | PUN |
|---|---|---|---|---|---|---|---|---|---|---|---|---|
| 1905-06 | Québec (Crescents) | LHICQ | *Statistiques non disponibles* | | | | | | | | | |
| | Québec (Bulldogs) | ECAHA | 3 | 0 | 0 | 0 | 0 | - | - | - | - | - |
| | New Glasgow (Cubs) | CBSHL | - | - | - | - | - | 2 | 2 | 0 | 2 | 0 |
| 1906-07 | Québec (Bulldogs) | ECAHA | 9 | 10 | 0 | 10 | 13 | - | - | - | - | - |
| 1907-08 | Québec (Bulldogs) | ECAHA | 9 | 8 | 0 | 9 | 14 | - | - | - | - | - |
| 1908-09 | Québec (Bulldogs) | ECHA | 9 | 8 | 0 | 8 | 17 | - | - | - | - | - |
| 1909-10 | Québec (Bulldogs) | CHA | 3 | 0 | 0 | 0 | 3 | - | - | - | - | - |
| | Waterloo (Colts) | OPHL | 15 | 22 | 0 | 22 | 18 | - | - | - | - | - |
| 1910-11 | Québec (Bulldogs) | NHA | 16 | 14 | 0 | 14 | 25 | - | - | - | - | - |
| 1911-12 | Québec (Bulldogs) | NHA | 17 | 18 | 0 | 18 | - | 2 | 9 | 0 | 9 | 0 |
| 1912-13 | Vancouver (Millionaires) | PCHA | 16 | 11 | 4 | 15 | 9 | - | - | - | - | - |
| 1913-14 | Toronto (Ontarios) | NHA | 20 | 27 | 8 | 35 | - | - | - | - | - | - |
| 1914-15 | Québec (Bulldogs) | NHA | 19 | 8 | 9 | 17 | 17 | - | - | - | - | - |
| 1915-16 | Québec (Bulldogs) | NHA | 20 | 9 | 5 | 14 | 10 | - | - | - | - | - |
| 1916-17 | Québec (Bulldogs) | NHA | 19 | 13 | 8 | 21 | 0 | - | - | - | - | - |
| 1917-18 | Montréal (Wanderers) | LNH | 8 | 9 | 1 | 10 | 12 | 2 | 1 | 0 | 1 | 0 |
| 1918-19 | **Montréal (Canadiens)** | **LNH** | 18 | 8 | 4 | 12 | 9 | 10 | 1 | 2 | 3 | 6 |
| 1919-20 | Québec (Bulldogs) | LNH | 24 | 6 | 7 | 13 | 4 | - | - | - | - | - |
| 1920-21 | **Montréal (Canadiens)** | **LNH** | 6 | 0 | 1 | 1 | 0 | - | - | - | - | - |
| | Toronto (St-Patricks) | LNH | 6 | 0 | 0 | 0 | 2 | - | - | - | - | - |

| Saison | Club | Ligue | PJ | B | A | PTS | PUN | PJ | B | A | PTS | PUN |
|---|---|---|---|---|---|---|---|---|---|---|---|---|
| 1921-22 | Montréal (Canadiens) | LNH | 3 | 0 | 0 | 0 | 0 | - | - | - | - | - |
| | | NHA | 111 | 90 | 29 | 119 | 52 | 2 | 9 | 0 | 9 | 0 |
| | | LNH | 69 | 26 | 14 | 40 | 30 | 12 | 2 | 2 | 4 | 6 |
| | | Montréal | 35 | 17 | 6 | 23 | 21 | 12 | 2 | 2 | 4 | 6 |

• Coupe Stanley (NHA) en 1911-12
• Signe avec Québec (NHA) le 18 novembre 1910 • Signe avec Toronto (NHA) en décembre 1913 • Échangé à Québec (NHA) par Toronto (NHA) pour Tommy Smith le 21 décembre 1914 • Réclamé par Montréal (Wanderers) avec Dave Ritchie, George Carey et Jack Marks lors du repêchage de dispersion de Québec le 26 novembre 1917 • Réclamé par Montréal (Canadien) avec Billy Bell, Jack Marks et Sprague Cleghorn lors du repêchage de dispersion de Montréal (Wanderers) le 4 janvier 1918 • Droits transférés à Québec avec Joe Malone au retour de la concession de Québec dans la LNH le 2 novembre 1919 • Transfert de la concession de Québec à Hamilton le 2 novembre 1920 • Échangé à Montréal par Hamilton avec Harry Mummery pour Joe Matte et Goldie Prodgers le 9 décembre 1920 • Prêté à Toronto par Montréal le 11 février 1921

### McGIBBON, IRVING (IRV)
**Né à Antigonish, Nouvelle-Écosse, le 11 octobre 1914, décédé le 1er février 1981**
**Ailier droit, lance de la droite, 6', 180 lb**

| Saison | Club | Ligue | PJ | B | A | PTS | PUN | PJ | B | A | PTS | PUN |
|---|---|---|---|---|---|---|---|---|---|---|---|---|
| 1934-35 | Antigonish (Bulldogs) | NSAPC | - | 21 | 12 | 33 | 20 | - | - | - | - | - |
| 1935-36 | Antigonish (Bulldogs) | NSAPC | - | 14 | 8 | 22 | 34 | - | - | - | - | - |
| 1936-37 | Antigonish (Bulldogs) | NSAPC | Statistiques non disponibles | | | | | | | | | |
| 1937-38 | Sydney (Millionaires) | CBSHL | Statistiques non disponibles | | | | | | | | | |
| 1938-39 | Sydney (Millionaires) | CBSHL | 21 | 17 | 9 | 26 | 36 | 3 | 5 | 1 | 6 | 4 |
| | Sydney (Millionaires) | Allan | 6 | 7 | 4 | 11 | 21 | - | - | - | - | - |
| 1939-40 | Glace Bay (Miners) | CBSHL | 40 | 25 | 15 | 40 | 59 | 4 | 1 | 0 | 1 | 4 |
| 1940-41 | Glace Bay (Miners) | CBSHL | 42 | 16 | 7 | 23 | 75 | 4 | 0 | 0 | 0 | 4 |
| 1941-42 | Montréal (Canadien) | LHSQ | 24 | 5 | 4 | 9 | 18 | - | - | - | - | - |
| | Washington (Lions) | AHL | 23 | 3 | 9 | 12 | 13 | 2 | 0 | 0 | 0 | 0 |
| 1942-43 | Montréal (Canadiens) | LNH | 1 | 0 | 0 | 0 | 0 | - | - | - | - | - |
| | New Glasgow (Bombers) | NSAPC | - | - | - | - | - | 8 | 4 | 5 | 9 | 9 |
| 1943-44 | | | Service militaire | | | | | | | | | |
| 1944-45 | | | Service militaire | | | | | | | | | |
| 1945-46 | Pictou (Royals) | NSSHL | 17 | 13 | 9 | 22 | 19 | 7 | 1 | 10 | 11 | 4 |
| | Pictou (Royals) | Allan | 4 | 1 | 5 | 6 | 0 | - | - | - | - | - |
| 1946-47 | Antigonish (Bulldogs) | CBSHL | 16 | 16 | 13 | 29 | - | - | - | - | - | - |
| 1947-48 | Antigonish (Bulldogs) | NSAPC | - | 9 | 12 | 21 | 4 | - | - | - | - | - |
| 1948-49 | Antigonish (Bulldogs) | NSAPC | - | 33 | *43 | 76 | 10 | - | - | - | - | - |
| | | LNH | 1 | 0 | 0 | 0 | 2 | | | | | |
| | | Montréal | 1 | 0 | 0 | 0 | 2 | | | | | |

• Signe avec Montréal le 16 octobre 1941

### McGILL, JOHN (JACK)
**Né à Ottawa, Ontario, le 3 novembre 1910, décédé**
**Centre/Ailier gauche, lance de la gauche, 5'10", 150 lb**

| Saison | Club | Ligue | PJ | B | A | PTS | PUN | PJ | B | A | PTS | PUN |
|---|---|---|---|---|---|---|---|---|---|---|---|---|
| 1928-29 | Ottawa (New Edinburghs) | OCHL | 15 | 3 | 0 | 3 | - | 2 | 0 | 0 | 0 | 0 |
| 1929-30 | Ottawa (New Edinburghs) | OCHL | 19 | 3 | 3 | 6 | 12 | - | - | - | - | - |
| 1930-31 | McGill (Redmen) | LHCM | 12 | 6 | 0 | 6 | 29 | 4 | 6 | 0 | 6 | 18 |
| | McGill (Redmen) | Allan | 6 | 0 | 2 | 2 | 18 | - | - | - | - | - |
| 1931-32 | McGill (Redmen) | LHCM | 12 | 5 | 2 | 7 | 36 | - | - | - | - | - |
| 1932-33 | McGill (Redmen) | LHCM | 12 | *12 | 6 | *18 | 45 | 3 | 0 | 2 | 2 | 8 |
| 1933-34 | McGill (Redmen) | LHCM | 12 | 9 | 8 | 17 | 24 | 4 | 2 | 4 | 6 | 6 |
| | McGill (Redmen) | Allan | 4 | 3 | 1 | 4 | - | - | - | - | - | - |
| 1934-35 | Montréal (Canadiens) | LNH | 44 | 9 | 1 | 10 | 34 | 2 | 2 | 0 | 2 | 0 |
| 1935-36 | Montréal (Canadiens) | LNH | 46 | 13 | 7 | 20 | 28 | - | - | - | - | - |
| 1936-37 | Montréal (Canadiens) | LNH | 44 | 5 | 2 | 7 | 9 | 1 | 0 | 0 | 0 | 0 |
| | | LNH | 134 | 27 | 10 | 37 | 71 | 3 | 2 | 0 | 2 | 0 |
| | | Montréal | 134 | 27 | 10 | 37 | 71 | 3 | 2 | 0 | 2 | 0 |

• Échangé à Montréal (Canadiens) par Montréal (Maroons) avec Neil Crutchfield pour Lionel Conacher le 3 octobre 1934

### McKAY, RANDY
**Né à Montréal, Québec, le 25 janvier 1967. Ailier droit, lance de la droite, 6'2", 210 lb (6e choix de Detroit, 113e au total lors du repêchage de 1985)**

| Saison | Club | Ligue | PJ | B | A | PTS | PUN | PJ | B | A | PTS | PUN |
|---|---|---|---|---|---|---|---|---|---|---|---|---|
| 1983-84 | Lac-Saint-Louis (Lions) | QAAA | 38 | 18 | 28 | 46 | 62 | 11 | 6 | 10 | 16 | 8 |
| 1984-85 | Michigan Tech (Huskies) | WCHA | 25 | 4 | 5 | 9 | 32 | - | - | - | - | - |
| 1985-86 | Michigan Tech (Huskies) | WCHA | 40 | 12 | 22 | 34 | 46 | - | - | - | - | - |
| 1986-87 | Michigan Tech (Huskies) | WCHA | 39 | 5 | 11 | 16 | 46 | - | - | - | - | - |
| 1987-88 | Michigan Tech (Huskies) | WCHA | 41 | 17 | 24 | 41 | 70 | - | - | - | - | - |
| 1987-88 | Adirondack (Red Wings) | AHL | 10 | 0 | 3 | 3 | 12 | 6 | 0 | 4 | 4 | 0 |
| 1988-89 | Detroit (Red Wings) | LNH | 3 | 0 | 0 | 0 | 0 | 2 | 0 | 0 | 0 | 2 |
| 1988-89 | Adirondack (Red Wings) | AHL | 58 | 29 | 34 | 63 | 170 | 14 | 4 | 7 | 11 | 60 |
| 1989-90 | Detroit (Red Wings) | LNH | 33 | 3 | 6 | 9 | 51 | - | - | - | - | - |
| 1989-90 | Adirondack (Red Wings) | AHL | 36 | 16 | 23 | 39 | 99 | 6 | 3 | 0 | 3 | 35 |
| 1990-91 | Detroit (Red Wings) | LNH | 47 | 1 | 7 | 8 | 183 | 5 | 0 | 1 | 1 | 41 |
| 1991-92 | New Jersey (Devils) | LNH | 80 | 17 | 16 | 33 | 246 | 7 | 1 | 3 | 4 | 10 |
| 1992-93 | New Jersey (Devils) | LNH | 73 | 11 | 11 | 22 | 206 | 5 | 0 | 0 | 0 | 6 |
| 1993-94 | New Jersey (Devils) | LNH | 78 | 12 | 15 | 27 | 244 | 20 | 1 | 2 | 3 | 24 |
| 1994-95 | New Jersey (Devils) | LNH | 33 | 5 | 7 | 12 | 44 | 19 | 8 | 4 | 12 | 11 |
| 1995-96 | New Jersey (Devils) | LNH | 76 | 11 | 10 | 21 | 145 | - | - | - | - | - |
| 1996-97 | New Jersey (Devils) | LNH | 77 | 9 | 18 | 27 | 109 | 10 | 1 | 2 | 3 | 0 |
| 1997-98 | New Jersey (Devils) | LNH | 74 | 24 | 24 | 48 | 86 | 6 | 0 | 1 | 1 | 0 |
| 1998-99 | New Jersey (Devils) | LNH | 70 | 17 | 20 | 37 | 143 | 7 | 3 | 2 | 5 | 2 |
| 1999-00 | New Jersey (Devils) | LNH | 67 | 16 | 23 | 39 | 80 | 23 | 6 | 6 | 9 | 9 |
| 2000-01 | New Jersey (Devils) | LNH | 77 | 23 | 20 | 43 | 50 | 19 | 4 | 3 | 7 | 18 |
| 2001-02 | New Jersey (Devils) | LNH | 55 | 6 | 7 | 13 | 65 | - | - | - | - | - |
| | Dallas (Stars) | LNH | 14 | 1 | 4 | 5 | 7 | - | - | - | - | - |
| 2002-03 | Montréal (Canadiens) | LNH | 75 | 6 | 13 | 19 | 72 | - | - | - | - | - |
| | | LNH | 932 | 162 | 201 | 363 | 1731 | 123 | 20 | 23 | 43 | 123 |
| | | Montréal | 75 | 6 | 13 | 19 | 72 | - | - | - | - | - |

• Coupe Stanley (LNH) en 1994-95, 1999-00
• Transféré au New Jersey par Detroit avec Dave Barr à titre de compensation pour la signature de Troy Crowder par Detroit le 9 septembre 1991 • Échangé à Dallas par New Jersey avec Jason Arnott et le 1er choix du New Jersey au repêchage de 2002 (cédé à Columbus, cédé à Buffalo qui sélectionne Dan Paille) pour Joe Nieuwendyk et Jamie Langenbrunner le 19 mars 2002 • Signe avec Montréal comme agent libre le 4 juillet 2002

### McKINNON, JOHN
**Né à Guysborough, Nouvelle-Écosse, le 15 juillet 1902, décédé le 8 février 1969**
**Défenseur, lance de la droite, 5'8", 170 lb**

| Saison | Club | Ligue | PJ | B | A | PTS | PUN | PJ | B | A | PTS | PUN |
|---|---|---|---|---|---|---|---|---|---|---|---|---|
| 1923-24 | Cleveland (Indians) | USAHA | 10 | 0 | 0 | 0 | - | | | | | |
| 1924-25 | Fort Pitt (Hornets) | USAHA | 23 | *24 | 0 | *24 | - | 8 | 2 | 0 | 2 | - |
| 1925-26 | Minneapolis (Millers) | CHL | 32 | 12 | 8 | 20 | 44 | 3 | 3 | 1 | 4 | 6 |
| | Montréal (Canadiens) | LNH | 2 | 0 | 0 | 0 | 0 | - | - | - | - | - |
| 1926-27 | Pittsburgh (Pirates) | LNH | 44 | 10 | 3 | 13 | 21 | - | - | - | - | - |
| 1927-28 | Pittsburgh (Pirates) | LNH | 43 | 3 | 3 | 6 | 71 | 2 | 0 | 0 | 0 | 4 |
| 1928-29 | Pittsburgh (Pirates) | LNH | 39 | 1 | 0 | 1 | 44 | - | - | - | - | - |
| 1929-30 | Pittsburgh (Pirates) | LNH | 41 | 10 | 7 | 17 | 42 | - | - | - | - | - |
| 1930-31 | Philadelphie (Quakers) | LNH | 39 | 1 | 1 | 2 | 46 | - | - | - | - | - |
| 1931-32 | Kansas City (Pla-Mors) | AHA | 48 | 16 | 4 | 20 | 65 | 3 | 0 | 0 | 0 | 0 |
| 1932-33 | Kansas City (Greyhounds) | AHA | 32 | 7 | 4 | 11 | 32 | 4 | 0 | 0 | 0 | 4 |
| 1933-34 | Oklahoma City (Warriors) | AHA | 46 | 10 | 4 | 14 | 15 | - | - | - | - | - |
| 1934-35 | Oklahoma City (Warriors) | AHA | 43 | 3 | 4 | 7 | 15 | - | - | - | - | - |
| 1935-36 | St. Louis (Flyers) | AHA | 39 | 5 | 9 | 10 | 12 | 8 | 2 | 2 | 4 | 16 |
| 1936-37 | St. Louis (Flyers) | AHA | 47 | 5 | 9 | 14 | 16 | 6 | 1 | 0 | 1 | 2 |
| 1937-38 | St. Louis (Flyers) | AHA | 7 | 0 | 0 | 0 | 2 | - | - | - | - | - |
| | | LNH | 208 | 28 | 11 | 39 | 224 | 2 | 0 | 0 | 0 | 4 |
| | | Montréal | 2 | 0 | 0 | 0 | 0 | - | - | - | - | - |

• Signe avec Montréal le 23 novembre 1925 • Droits vendus à Pittsburgh par Montréal le 28 octobre 1926 • Transfert de la concession de Pittsburgh à Philadelphie le 18 octobre 1930

### McMAHON, MICHAEL (MIKE)
**Né à Brockville, Ontario, le 1er février 1915, décédé le 3 décembre 1974**
**Défenseur, lance de la gauche, 5'8", 215 lb**

| Saison | Club | Ligue | PJ | B | A | PTS | PUN | PJ | B | A | PTS | PUN |
|---|---|---|---|---|---|---|---|---|---|---|---|---|
| 1935-36 | Brockville (Magedomas) | LOVHL | 17 | 11 | 8 | 19 | 27 | 7 | 6 | 3 | 9 | 8 |
| | Brockville (Magedomas) | Allan | 6 | 3 | 6 | 13 | - | - | - | - | - | - |
| 1936-37 | Cornwall (Flyers) | LOVHL | 17 | 7 | 13 | 20 | 48 | 6 | 2 | 2 | 4 | 6 |
| 1937-38 | Cornwall (Flyers) | LOVHL | 24 | 17 | 17 | 34 | 34 | 11 | 6 | 4 | 10 | *33 |
| | Cornwall (Flyers) | Allan | 11 | 6 | 4 | 10 | 33 | - | - | - | - | - |
| 1938-39 | Cornwall (Flyers) | LOVHL | 38 | 20 | 34 | 54 | *144 | 9 | 3 | 5 | 8 | *22 |
| 1939-40 | Cornwall (Royals) | LHSQ | 30 | 2 | 7 | 9 | 81 | 5 | 2 | 3 | 5 | 14 |
| 1940-41 | Québec (As) | LHSQ | 33 | 5 | 11 | 16 | 57 | 4 | 1 | 1 | 2 | 4 |
| 1941-42 | Québec (As) | LHSQ | 40 | 16 | 11 | 27 | 76 | 4 | 2 | 6 | 14 | |
| | Québec (As) | Allan | 6 | 1 | 3 | 4 | 18 | - | - | - | - | - |
| 1942-43 | Québec (As) | LHSQ | 33 | 6 | 24 | 30 | 73 | 4 | 1 | 2 | 3 | 20 |
| | Montréal (Canadiens) | LNH | - | - | - | - | - | 5 | 0 | 0 | 0 | 14 |
| | Ottawa (Commandos) | LHSQ | - | - | - | - | - | 2 | 0 | 0 | 0 | 2 |
| | Montréal (Royals) | LHSQ | - | - | - | - | - | 1 | 0 | 0 | 0 | 2 |
| 1943-44 | Montréal (Canadiens) | LNH | 42 | 7 | 17 | 24 | *98 | 8 | 1 | 2 | 3 | 16 |
| 1944-45 | Montréal (Royals) | LHSQ | 10 | 6 | 16 | 22 | 58 | 7 | 1 | 2 | 3 | 8 |
| 1945-46 | Montréal (Canadiens) | LNH | 13 | 0 | 1 | 1 | 2 | - | - | - | - | - |
| | Boston (Bruins) | LNH | 2 | 0 | 0 | 0 | 2 | - | - | - | - | - |
| | Buffalo (Bisons) | AHL | 26 | 2 | 14 | 16 | 50 | 12 | 5 | 1 | 6 | 14 |
| 1946-47 | Dallas (Texans) | USHL | 13 | 1 | 3 | 4 | 43 | - | - | - | - | - |
| | Buffalo (Bisons) | AHL | 50 | 12 | 28 | 40 | 68 | 4 | 1 | 0 | 1 | 4 |
| 1947-48 | Houston (Huskies) | USHL | 39 | 7 | 11 | 18 | 97 | - | - | - | - | - |
| | Buffalo (Bisons) | AHL | 9 | 4 | 11 | 15 | 24 | - | - | - | - | - |
| 1948-49 | Springfield (Indians) | AHL | 16 | 1 | 5 | 6 | 16 | - | - | - | - | - |
| | | LNH | 57 | 7 | 18 | 25 | 102 | 13 | 1 | 2 | 3 | 30 |
| | | Montréal | 55 | 7 | 18 | 25 | 100 | 13 | 1 | 2 | 3 | 30 |

• Coupe Calder (AHL) en 1945-46
• Prêté à Montréal par Québec (LHSQ) le 18 mars 1943 • Signe avec Montréal le 27 octobre 1943 • Échangé à Boston par Montréal pour Paul Bibeault le 8 janvier 1946. • Droits vendus à Buffalo par Boston le 17 janvier 1946

### McNABNEY, SIDNEY (SID)
**Né à Toronto, Ontario, le 15 janvier 1929, décédé le 7 février 1957**
**Centre, lance de la gauche, 5'7", 155 lb**

| Saison | Club | Ligue | PJ | B | A | PTS | PUN | PJ | B | A | PTS | PUN |
|---|---|---|---|---|---|---|---|---|---|---|---|---|
| 1947-48 | Barrie (Flyers) | OHA Jr | 33 | 14 | 14 | 28 | 36 | 13 | 2 | 4 | 6 | 8 |
| | Barrie (Flyers) | Mem. | 10 | 6 | 9 | 12 | - | - | - | - | - | - |
| 1948-49 | Barrie (Flyers) | OHA Jr | 45 | 27 | 37 | 64 | 91 | 8 | 5 | 7 | 12 | 16 |
| | Barrie (Flyers) | Mem. | 8 | 5 | 9 | 22 | - | - | - | - | - | - |
| 1949-50 | Buffalo (Bisons) | AHL | 67 | 12 | 21 | 33 | 41 | 5 | 1 | 3 | 5 | 11 |
| 1950-51 | Buffalo (Bisons) | AHL | 70 | 28 | 42 | 70 | 35 | 4 | 2 | 3 | 5 | 8 |
| | Montréal (Canadiens) | LNH | - | - | - | - | - | 5 | 0 | 1 | 1 | 2 |
| 1951-52 | Buffalo (Bisons) | AHL | 57 | 19 | 23 | 42 | 51 | 3 | 0 | 0 | 0 | 0 |
| | Edmonton (Flyers) | PCHL | 9 | 4 | 3 | 7 | 10 | - | - | - | - | - |
| 1952-53 | Syracuse (Warriors) | AHL | 49 | 9 | 11 | 20 | 29 | 2 | 0 | 0 | 0 | 0 |
| | | LNH | - | - | - | - | - | 5 | 0 | 1 | 1 | 2 |
| | | Montréal | - | - | - | - | - | 5 | 0 | 1 | 1 | 2 |

• Prêté à Montréal par Buffalo (AHL) le 26 mars 1951

### McNAMARA, HAROLD
**Né à Randolph, Ontario, le 3 août 1889, décédé le 27 août 1937**
**Défenseur, lance de la gauche, 6'1", 190 lb**

| Saison | Club | Ligue | PJ | B | A | PTS | PUN | PJ | B | A | PTS | PUN |
|---|---|---|---|---|---|---|---|---|---|---|---|---|
| 1908-09 | Toronto (Maple Leafs) | OPHL | 1 | 0 | 0 | 0 | 0 | - | - | - | - | - |
| 1909-10 | Cobalt (Silver Kings) | NHA | 11 | 3 | 0 | 3 | 23 | | | | | |
| 1910-11 | Waterloo | OPHL | 10 | 0 | 0 | 0 | 17 | | | | | |
| | Renfrew (Creamery Kings) | NHA | 6 | 0 | 0 | 0 | 0 | | | | | |

| SAISON | CLUB | LIGUE | PJ | B | A | PTS | PUN | PJ | B | A | PTS | PUN |
|---|---|---|---|---|---|---|---|---|---|---|---|---|
| 1911-12 | | | Statistiques non disponibles | | | | | | | | | |
| 1912-13 | | | Statistiques non disponibles | | | | | | | | | |
| 1913-14 | | | Statistiques non disponibles | | | | | | | | | |
| 1914-15 | Toronto (Ontarios/Shamrocks) | NHA | 17 | 3 | 2 | 5 | 26 | - | - | - | - | - |
| 1915-16 | | | Statistiques non disponibles | | | | | | | | | |
| 1916-17 | Montréal (Canadiens) | NHA | 2 | 0 | 0 | 0 | 0 | - | - | - | - | - |
| | NHA | | 36 | 6 | 2 | 8 | 76 | - | - | - | - | - |
| | Montréal | | 2 | 0 | 0 | 0 | 0 | - | - | - | - | - |

• Signe avec Cobalt (NHA) en décembre 1909 • Échangé à Montréal (NHA) par Ottawa (NHA) pour Jack Fournier le 27 novembre 1916

## McNAMARA, HOWARD

**Né à Randolph, Ontario, le 3 août 1893, décédé le 4 septembre 1940**
**Défenseur, lance de la gauche, 6', 240 lb**

| SAISON | CLUB | LIGUE | PJ | B | A | PTS | PUN | PJ | B | A | PTS | PUN |
|---|---|---|---|---|---|---|---|---|---|---|---|---|
| 1908-09 | Montréal (Shamrocks) | ECHA | 10 | 4 | 0 | 4 | 61 | - | - | - | - | - |
| 1909-10 | Cobalt (Silver Kings) | NHA | 5 | 0 | 0 | 0 | 15 | - | - | - | - | - |
| | Berlin (Dutchmen) | OPHL | 3 | 0 | 0 | 0 | 0 | - | - | - | - | - |
| 1910-11 | Waterloo (Colts) | OPHL | 15 | 0 | 0 | 2 | - | - | - | - | - | - |
| 1911-12 | Halifax (Crescents) | MPHL | 11 | 4 | 0 | 4 | 26 | - | - | - | - | - |
| 1912-13 | Toronto (Tecumsehs) | NHA | 20 | 12 | 0 | 12 | 62 | - | - | - | - | - |
| 1913-14 | Toronto (Ontarios) | NHA | 20 | 7 | 6 | 13 | 36 | - | - | - | - | - |
| 1914-15 | Toronto (Ontarios/Shamrocks) | NHA | 18 | 4 | 1 | 5 | 67 | - | - | - | - | - |
| 1915-16 | Montréal (Canadiens) | NHA | 24 | 10 | 7 | 17 | 119 | 5 | 0 | 0 | 0 | 24 |
| 1916-17 | Toronto (228e Bataillon) | NHA | 12 | 11 | 3 | 14 | 36 | - | - | - | - | - |
| 1917-18 | | | Service militaire | | | | | | | | | |
| 1918-19 | | | Service militaire | | | | | | | | | |
| 1919-20 | Montréal (Canadiens) | LNH | 10 | 1 | 0 | 1 | 4 | - | - | - | - | - |
| | NHA | | 99 | 44 | 17 | 61 | 335 | 5 | 0 | 0 | 0 | 24 |
| | LNH | | 10 | 1 | 0 | 1 | 4 | - | - | - | - | - |
| | Montréal | | 34 | 11 | 7 | 18 | 123 | 5 | 0 | 0 | 0 | 24 |

• Coupe Stanley (NHA) en 1915-16
• Signe avec Cobalt (NHA) en décembre 1909 • Signe avec Montréal (NHA) le 7 décembre 1915 • Signe avec Toronto (228e Bataillon — NHA) le 18 avril 1916 • Signe avec Montréal le 7 décembre 1919

## McPHEE, MICHAEL (MIKE)

**Né à Sydney, Nouvelle-Écosse, le 14 juillet 1960. Ailier gauche, lance de la gauche, 6'1", 203 lb (8e choix de Montréal, 124e au total lors du repêchage de 1980)**

| SAISON | CLUB | LIGUE | PJ | B | A | PTS | PUN | PJ | B | A | PTS | PUN |
|---|---|---|---|---|---|---|---|---|---|---|---|---|
| 1977-78 | Port Hawkesbury (Pirates) | MJHL | 32 | 50 | 37 | 87 | - | - | - | - | - | - |
| 1978-79 | RPI (Engineers) | ECAC | 26 | 14 | 19 | 33 | 16 | - | - | - | - | - |
| 1979-80 | RPI (Engineers) | ECAC | 27 | 15 | 21 | 36 | 22 | - | - | - | - | - |
| 1980-81 | RPI (Engineers) | ECAC | 29 | 28 | 18 | 46 | 22 | - | - | - | - | - |
| 1981-82 | RPI (Engineers) | ECAC | 6 | 0 | 3 | 3 | 4 | - | - | - | - | - |
| 1982-83 | Nlle-Écosse (Voyageurs) | AHL | 42 | 10 | 15 | 25 | 29 | 7 | 1 | 1 | 2 | 14 |
| 1983-84 | Nlle-Écosse (Voyageurs) | AHL | 67 | 22 | 33 | 55 | 101 | - | - | - | - | - |
| | Montréal (Canadiens) | LNH | 14 | 5 | 2 | 7 | 41 | 15 | 1 | 0 | 1 | 31 |
| 1984-85 | Montréal (Canadiens) | LNH | 70 | 17 | 22 | 39 | 120 | 12 | 4 | 1 | 5 | 32 |
| 1985-86 | Montréal (Canadiens) | LNH | 70 | 19 | 21 | 40 | 69 | 20 | 3 | 4 | 7 | 45 |
| 1986-87 | Montréal (Canadiens) | LNH | 79 | 18 | 21 | 39 | 58 | 17 | 7 | 2 | 9 | 13 |
| 1987-88 | Montréal (Canadiens) | LNH | 77 | 23 | 20 | 43 | 53 | 11 | 4 | 3 | 7 | 8 |
| 1988-89 | Montréal (Canadiens) | LNH | 73 | 19 | 22 | 41 | 74 | 20 | 4 | 7 | 11 | 30 |
| | Match des étoiles | LNH | 1 | 0 | 0 | 0 | 0 | - | - | - | - | - |
| 1989-90 | Montréal (Canadiens) | LNH | 56 | 23 | 18 | 41 | 47 | 9 | 1 | 1 | 2 | 16 |
| 1990-91 | Montréal (Canadiens) | LNH | 64 | 22 | 21 | 43 | 56 | 13 | 1 | 7 | 8 | 12 |
| 1991-92 | Montréal (Canadiens) | LNH | 78 | 16 | 15 | 31 | 63 | 8 | 1 | 1 | 2 | 4 |
| 1992-93 | Minnesota (North Stars) | LNH | 84 | 18 | 22 | 40 | 44 | - | - | - | - | - |
| 1993-94 | Dallas (Stars) | LNH | 79 | 20 | 15 | 35 | 36 | 9 | 2 | 1 | 3 | 2 |
| | LNH | | 744 | 200 | 199 | 399 | 661 | 134 | 28 | 27 | 55 | 193 |
| | Montréal | | 581 | 162 | 162 | 324 | 581 | 125 | 26 | 26 | 52 | 191 |

• Coupe Stanley (LNH) en 1985-86 • Match des étoiles (LNH) en 1988-89
• Échangé au Minnesota par Montréal pour le choix de 5e ronde du Minnesota au repêchage de 1993 (Jeff Lank) le 17 août 1992 • Transfert de la concession du Minnesota à Dallas le 9 juin 1993

## MEAGHER, RICHARD (RICK)

**Né à Belleville, Ontario, le 2 novembre 1953. Centre, lance de la gauche, 5'9", 192 lb**

| SAISON | CLUB | LIGUE | PJ | B | A | PTS | PUN | PJ | B | A | PTS | PUN |
|---|---|---|---|---|---|---|---|---|---|---|---|---|
| 1973-74 | Boston University | ECAC | 30 | 19 | 21 | 40 | 26 | - | - | - | - | - |
| 1974-75 | Boston University | ECAC | 32 | 25 | 28 | 53 | 80 | - | - | - | - | - |
| 1975-76 | Boston University | ECAC | 28 | 12 | 25 | 37 | 22 | - | - | - | - | - |
| 1976-77 | Boston University | ECAC | 34 | 34 | 46 | 80 | 42 | - | - | - | - | - |
| 1977-78 | Nlle-Écosse (Voyageurs) | AHL | 57 | 20 | 27 | 47 | 33 | 11 | 5 | 3 | 8 | 11 |
| 1978-79 | Nlle-Écosse (Voyageurs) | AHL | 79 | 35 | 46 | 81 | 57 | 10 | 1 | 6 | 7 | 11 |
| 1979-80 | Nlle-Écosse (Voyageurs) | AHL | 64 | 32 | 44 | 76 | 53 | 4 | 3 | 4 | 7 | 2 |
| | Montréal (Canadiens) | LNH | 2 | 0 | 0 | 0 | 0 | - | - | - | - | - |
| 1980-81 | Binghamton (Whalers) | AHL | 50 | 23 | 35 | 58 | 54 | - | - | - | - | - |
| | Hartford (Whalers) | LNH | 27 | 7 | 10 | 17 | 19 | - | - | - | - | - |
| 1981-82 | Hartford (Whalers) | LNH | 65 | 24 | 19 | 43 | 51 | - | - | - | - | - |
| 1982-83 | Hartford (Whalers) | LNH | 4 | 0 | 4 | 4 | 2 | - | - | - | - | - |
| | New Jersey (Devils) | LNH | 57 | 15 | 14 | 29 | 11 | - | - | - | - | - |
| 1983-84 | Maine (Mariners) | AHL | 6 | 4 | 6 | 10 | 2 | - | - | - | - | - |
| | New Jersey (Devils) | LNH | 52 | 14 | 14 | 28 | 16 | - | - | - | - | - |
| 1984-85 | New Jersey (Devils) | LNH | 71 | 11 | 20 | 31 | 22 | - | - | - | - | - |
| 1985-86 | St. Louis (Blues) | LNH | 79 | 11 | 19 | 30 | 28 | 19 | 4 | 4 | 8 | 12 |
| 1986-87 | St. Louis (Blues) | LNH | 80 | 18 | 21 | 39 | 54 | 6 | 0 | 0 | 0 | 11 |
| 1987-88 | St. Louis (Blues) | LNH | 76 | 18 | 16 | 34 | 76 | 10 | 3 | 1 | 4 | 8 |
| 1988-89 | St. Louis (Blues) | LNH | 78 | 15 | 14 | 29 | 53 | 10 | 3 | 2 | 5 | 6 |
| 1989-90 | St. Louis (Blues) | LNH | 76 | 8 | 17 | 25 | 47 | 8 | 1 | 0 | 1 | 2 |
| 1990-91 | St. Louis (Blues) | LNH | 24 | 3 | 1 | 4 | 6 | 9 | 0 | 1 | 1 | 0 |

| SAISON | CLUB | LIGUE | PJ | B | A | PTS | PUN | PJ | B | A | PTS | PUN |
|---|---|---|---|---|---|---|---|---|---|---|---|---|
| | LNH | | 691 | 144 | 165 | 309 | 383 | 62 | 8 | 7 | 15 | 41 |
| | Montréal | | 2 | 0 | 0 | 0 | 0 | - | - | - | - | - |

• Première équipe d'étoiles (ECAC) en 1975-76, 1976-77 • Deuxième équipe d'étoiles (ECAC) en 1973-74, 1974-75 • Première équipe d'étoiles All-American (ECAC) en 1974-75, 1975-76, 1976-77 • Sélectionné sur l'équipe d'étoiles du tournoi de championnat de la NCAA en 1976-77 • Trophée Frank-J.-Selke (LNH) en 1989-90
• Signe avec Montréal comme agent libre le 27 juin 1977 • Échangé à Hartford par Montréal avec le choix de 3e ronde (Paul Macdermid) et le choix de 5e ronde (Dan Bourbonnais) de Montréal au repêchage de 1981 pour le choix de 3e ronde (Dieter Hegen) et le choix de 5e ronde (Steve Rooney) de Hartford au repêchage de 1981 le 5 juin 1980 • Échangé au New Jersey par Hartford avec Garry Howatt pour Merlin Malinowski et Scott Fusco le 15 octobre 1982 • Échangé à St. Louis par New Jersey avec le choix de 12e ronde du New Jersey au repêchage de 1986 (Bill Butler) pour Perry Anderson le 29 août 1985

## MEGER, PAUL

**Né à Watrous, Saskatchewan, le 17 février 1929**
**Ailier gauche, lance de la gauche, 5'7", 160 lb**

| SAISON | CLUB | LIGUE | PJ | B | A | PTS | PUN | PJ | B | A | PTS | PUN |
|---|---|---|---|---|---|---|---|---|---|---|---|---|
| 1946-47 | Barrie (Flyers) | OHA Jr | 31 | 13 | 14 | 27 | 20 | 5 | 3 | 2 | 5 | 9 |
| 1947-48 | Barrie (Flyers) | OHA Jr | 36 | 30 | 30 | 60 | 28 | 12 | 9 | 9 | 18 | 11 |
| | Barrie (Flyers) | Mem. | 10 | 5 | 12 | 17 | 9 | - | - | - | - | - |
| 1948-49 | Barrie (Flyers) | OHA Jr | 40 | 33 | 42 | 75 | 79 | 8 | 5 | 4 | 9 | 2 |
| | Barrie (Flyers) | Mem. | 8 | 3 | 4 | 7 | 6 | - | - | - | - | - |
| 1949-50 | Buffalo (Bisons) | AHL | 63 | 26 | 40 | 66 | 33 | 5 | 1 | 2 | 3 | 0 |
| | Montréal (Canadiens) | LNH | - | - | - | - | - | 2 | 0 | 0 | 0 | 2 |
| 1950-51 | Buffalo (Bisons) | AHL | 46 | 34 | 35 | 69 | 16 | - | - | - | - | - |
| | Montréal (Canadiens) | LNH | 12 | 2 | 4 | 6 | 11 | 11 | 1 | 3 | 4 | 4 |
| 1951-52 | Montréal (Canadiens) | LNH | 69 | 24 | 18 | 42 | 44 | 11 | 0 | 3 | 3 | 2 |
| | Match des étoiles | LNH | 1 | 0 | 0 | 0 | 4 | - | - | - | - | - |
| 1952-53 | Montréal (Canadiens) | LNH | 69 | 9 | 17 | 26 | 38 | 5 | 1 | 2 | 3 | 4 |
| | Match des étoiles | LNH | 1 | 0 | 0 | 0 | 0 | - | - | - | - | - |
| 1953-54 | Montréal (Royals) | LHQ | 23 | 13 | 17 | 30 | 28 | - | - | - | - | - |
| | Montréal (Canadiens) | LNH | 44 | 4 | 9 | 13 | 24 | 6 | 1 | 0 | 1 | 4 |
| | Match des étoiles | LNH | 1 | 0 | 0 | 0 | 0 | - | - | - | - | - |
| 1954-55 | Montréal (Canadiens) | LNH | 13 | 0 | 4 | 4 | 6 | - | - | - | - | - |
| | LNH | | 212 | 39 | 52 | 91 | 118 | 35 | 3 | 8 | 11 | 16 |
| | Montréal | | 212 | 39 | 52 | 91 | 118 | 35 | 3 | 8 | 11 | 16 |

• Première équipe d'étoiles (AHL) en 1950-51 • Deuxième équipe d'étoiles (AHL) en 1949-50 • Trophée Dudley-Garrett (AHL) en 1949-50 • Match des étoiles (LNH) en 1951-52, 1952-53, 1953-54 • Coupe Stanley (LNH) en 1952-53

## MERONEK, WILLIAM (SMILEY)

**Né à Stony Mountain, Manitoba, le 5 avril 1917, décédé le 25 mai 1999**
**Centre, lance de la gauche, 5'9", 155 lb**

| SAISON | CLUB | LIGUE | PJ | B | A | PTS | PUN | PJ | B | A | PTS | PUN |
|---|---|---|---|---|---|---|---|---|---|---|---|---|
| 1934-35 | St. Boniface (Seals) | MJHL | 10 | 7 | 7 | 14 | 0 | - | - | - | - | - |
| 1935-36 | Portage (Terriers) | MJHL | 16 | 16 | 7 | 23 | 2 | 6 | 6 | 6 | 12 | 6 |
| 1936-37 | Portage (Terriers) | MJHL | 16 | *21 | *20 | *41 | 4 | 4 | 3 | 0 | 3 | 2 |
| 1937-38 | Verdun (Maple Leafs) | LHSQ | 20 | 10 | 10 | 20 | 4 | 8 | 3 | 7 | 10 | 0 |
| 1938-39 | Verdun (Maple leafs) | LHSQ | 22 | *17 | 17 | 34 | 9 | 2 | 0 | 1 | 1 | 0 |
| 1939-40 | Verdun (Maple Leafs) | LHSQ | 26 | 14 | 23 | 37 | 10 | - | - | - | - | - |
| | Montréal (Canadiens) | LNH | 7 | 2 | 2 | 4 | 0 | - | - | - | - | - |
| 1940-41 | Montréal (Canadien Sr) | LHSQ | 29 | 17 | 10 | 27 | 4 | - | - | - | - | - |
| 1941-42 | Montréal (Canadien Sr) | LHSQ | 31 | 4 | 15 | 19 | 32 | 6 | *8 | 6 | *14 | 0 |
| 1942-43 | Montréal (Canadien Sr) | LHSQ | 12 | 3 | 6 | 9 | 0 | 1 | 0 | 0 | 0 | 0 |
| | Montréal (Canadiens) | LNH | 12 | 3 | 6 | 9 | 0 | 1 | 0 | 0 | 0 | 0 |
| 1943-44 | Montréal (Noordyn) | LHCM | 10 | *13 | 13 | 26 | 6 | - | - | - | - | - |
| | Montréal (Royals) | LHSQ | 19 | 12 | 16 | 28 | 0 | 7 | 6 | 4 | 10 | 0 |
| 1944-45 | Montréal (Royals) | LHSQ | 23 | 16 | *32 | 48 | 18 | 8 | 0 | 4 | 7 | 0 |
| 1945-46 | Montréal (Royals) | LHSQ | 35 | 15 | 36 | 51 | 18 | 8 | 3 | 4 | 7 | 0 |
| 1946-47 | Lachine (Rapides) | LHPQ | 49 | 39 | 63 | 102 | 14 | 10 | 4 | 7 | 11 | 10 |
| 1947-48 | Lachine (Rapides) | LHPQ | | | | | | | | | | |
| 1948-49 | Hull (Volants) | ECSHL | 15 | 11 | *27 | *38 | 4 | 7 | 3 | 1 | 1 | 7 |
| 1949-50 | Cornwall (Calumets) | ECSHL | 15 | 7 | 17 | 24 | 6 | - | - | - | - | - |
| | Hull (Volants) | ECSHL | 10 | 5 | 10 | 15 | 0 | 13 | 7 | 11 | 18 | 0 |
| | LNH | | 19 | 5 | 8 | 13 | 0 | 1 | 0 | 0 | 0 | 0 |
| | Montréal | | 19 | 5 | 8 | 13 | 0 | 1 | 0 | 0 | 0 | 0 |

• Signe avec Montréal le 1er février 1940 • Prêté à Montréal par Montréal (Canadien Sr — LHSQ) le 13 janvier 1943 • Signe avec Montréal le 1er février 1943

## MICKEY, LARRY

**Né à Lacombe, Alberta, le 21 octobre 1943, décédé le 23 juillet 1982**
**Ailier droit, lance de la droite, 5'11", 175 lb**

| SAISON | CLUB | LIGUE | PJ | B | A | PTS | PUN | PJ | B | A | PTS | PUN |
|---|---|---|---|---|---|---|---|---|---|---|---|---|
| 1961-62 | Moose Jaw (Canucks) | SJHL | | | Statistiques non disponibles | | | | | | | | |
| | Moose Jaw (Canucks) | Mem. | 4 | 2 | 1 | 3 | 10 | - | - | - | - | - |
| 1962-63 | Moose Jaw (Canucks) | SJHL | 54 | 32 | 38 | 70 | 85 | 6 | 1 | 5 | 6 | 23 |
| | Calgary (Stampeders) | WHL | 2 | 0 | 1 | 1 | 0 | - | - | - | - | - |
| 1963-64 | Moose Jaw (Canucks) | SJHL | 62 | 69 | 73 | 142 | 139 | 5 | 7 | 2 | 9 | 6 |
| | St. Louis (Braves) | CPHL | 1 | 0 | 0 | 0 | 0 | 5 | 1 | 2 | 3 | 2 |
| | Estevan (Bruins) | Mem. | 5 | 1 | 1 | 2 | 4 | - | - | - | - | - |
| | Edmonton (Oil Kings) | Mem. | 4 | 0 | 0 | 0 | 0 | - | - | - | - | - |
| 1964-65 | St. Louis (Braves) | CPHL | 52 | 16 | 21 | 37 | 85 | - | - | - | - | - |
| | Chicago (Black Hawks) | LNH | 1 | 0 | 0 | 0 | 0 | - | - | - | - | - |
| | Buffalo (Bisons) | AHL | 1 | 0 | 1 | 1 | 0 | - | - | - | - | - |
| 1965-66 | New York (Rangers) | LNH | 7 | 0 | 0 | 0 | 0 | - | - | - | - | - |
| | Minnesota (Rangers) | CPHL | 38 | 14 | 25 | 39 | 50 | 7 | 5 | 5 | 10 | 2 |
| 1966-67 | Omaha (Knights) | CPHL | 63 | 33 | 41 | 74 | 86 | 9 | *10 | *15 | 4 | 7 |
| | New York (Rangers) | LNH | 8 | 0 | 0 | 0 | 0 | - | - | - | - | - |
| 1967-68 | Buffalo (Bisons) | AHL | 30 | 9 | 17 | 26 | 43 | - | - | - | - | - |
| | New York (Rangers) | LNH | 4 | 0 | 0 | 0 | 2 | - | - | - | - | - |
| 1968-69 | Toronto (Maple Leafs) | LNH | 58 | 8 | 19 | 27 | 43 | 4 | 0 | 0 | 0 | 5 |

| SAISON | CLUB | LIGUE | SAISONS RÉGULIÈRES | | | | | SÉRIES ÉLIMINATOIRES | | | | |
|---|---|---|---|---|---|---|---|---|---|---|---|---|
| | | | PJ | B | A | PTS | PUN | PJ | B | A | PTS | PUN |
| 1969-70 | Montréal (Voyageurs) | AHL | 50 | 24 | 38 | 62 | 90 | - | - | - | - | - |
| | **Montréal (Canadiens)** | **LNH** | 21 | 4 | 4 | 8 | 4 | - | - | - | - | - |
| 1970-71 | Los Angeles (Kings) | LNH | 65 | 6 | 12 | 18 | 46 | - | - | - | - | - |
| 1971-72 | Philadelphie (Flyers) | LNH | 14 | 1 | 2 | 3 | 8 | - | - | - | - | - |
| | Buffalo (Sabres) | LNH | 4 | 0 | 1 | 1 | 0 | - | - | - | - | - |
| | Salt Lake (Golden Eagles) | WHL | 53 | 19 | 30 | 49 | 92 | - | - | - | - | - |
| 1972-73 | Buffalo (Sabres) | LNH | 77 | 15 | 9 | 24 | 47 | 6 | 1 | 0 | 1 | 5 |
| 1973-74 | Buffalo (Sabres) | LNH | 13 | 3 | 4 | 7 | 8 | - | - | - | - | - |
| | Cincinnati (Swords) | AHL | 9 | 2 | 3 | 5 | 5 | - | - | - | - | - |
| 1974-75 | Buffalo (Sabres) | LNH | 23 | 2 | 0 | 2 | 2 | - | - | - | - | - |
| 1975-76 | | | | | | | *N'a pas joué* | | | | | |
| 1976-77 | | | | | | | *N'a pas joué* | | | | | |
| 1977-78 | | | | | | | *N'a pas joué* | | | | | |
| 1978-79 | Utica (Mohawks) | NEHL | 12 | 5 | 4 | 9 | 21 | - | - | - | - | - |
| 1979-80 | Utica (Mohawks) | EHL | 4 | 0 | 4 | 4 | 14 | - | - | - | - | - |
| 1980-81 | Hampton (As) | EHL | 38 | 5 | 14 | 19 | 50 | - | - | - | - | - |
| | | **LNH** | 292 | 39 | 53 | 92 | 160 | 9 | 1 | 0 | 1 | 10 |
| | | **Montréal** | 21 | 4 | 4 | 8 | 4 | - | - | - | - | - |

• Première équipe d'étoiles (SJHL) en 1963-64 • Première équipe d'étoiles (CPHL) en 1966-67
• Réclamé par New York de Chicago lors du repêchage inter-ligues le 8 juin 1965 • Réclamé par Toronto de New York lors du repêchage inter-ligues le 12 juin 1968 • Réclamé par Montréal de Toronto lors du repêchage intra-ligue le 11 juin 1969 • Échangé à Los Angeles avec Lucien Grenier et Jack Norris pour Léon Rochefort, Wayne Thomas et Gregg Boddy le 22 mai 1970 • Échangé à Philadelphie par Los Angeles pour Larry Hillman le 13 juin 1971 • Échangé à Buffalo par Philadelphie pour Larry Keenan le 16 novembre 1971

## MILLAIRE, EDWARD (ED)

**Décédé. Rover**

| SAISON | CLUB | LIGUE | PJ | B | A | PTS | PUN | PJ | B | A | PTS | PUN |
|---|---|---|---|---|---|---|---|---|---|---|---|---|
| 1909-10 | **Montréal (Canadiens)** | NHA | 1 | 0 | 0 | 0 | 3 | - | - | - | - | - |
| | | **NHA** | 1 | 0 | 0 | 0 | 3 | - | - | - | - | - |
| | | **Montréal** | 1 | 0 | 0 | 0 | 3 | - | - | - | - | - |

• Signe avec Montréal (NHA) en décembre 1909

## MILLER, WILLIAM (BILL)

**Né à Campbellton, Nouveau-Brunswick, le 1er août 1908, décédé le 12 juin 1986**
**Centre/Défenseur, lance de la droite, 6', 160 lb**

| SAISON | CLUB | LIGUE | PJ | B | A | PTS | PUN | PJ | B | A | PTS | PUN |
|---|---|---|---|---|---|---|---|---|---|---|---|---|
| 1924-25 | Campbellton (Tigers) | NNBHL | 6 | 5 | 2 | 7 | 2 | - | - | - | - | - |
| 1925-26 | Campbellton (Tigers) | NNBHL | 4 | 3 | 1 | 4 | 2 | 1 | 2 | 1 | 3 | 0 |
| | Campbellton (Tigers) | Allan | 2 | 0 | 0 | 0 | 0 | - | - | - | - | - |
| 1926-27 | Campbellton (Tigers) | NNBHL | 2 | 2 | 0 | 2 | 0 | - | - | - | - | - |
| | Mount Allison University | MIHC | 2 | 4 | 0 | 4 | 3 | - | - | - | - | - |
| 1927-28 | Campbellton (Tigers) | NNBHL | 3 | 5 | 0 | 5 | 0 | - | - | - | - | - |
| | Mount Allison University | MIHC | 2 | 5 | 0 | 5 | 0 | - | - | - | - | - |
| 1928-29 | Mount Allison University | MIHC | 2 | 0 | 1 | 1 | 8 | - | - | - | - | - |
| | Mount Allison (Mounties) | NBSHL | 6 | 13 | 1 | 14 | - | - | - | - | - | - |
| 1929-30 | Mount Allison University | MIHC | 2 | 2 | 0 | 2 | - | - | - | - | - | - |
| | Campbellton (Tigers) | Exh. | | | | | | | | | | |
| 1930-31 | Campbellton (Tigers) | NNBHL | 11 | *28 | 11 | *39 | 6 | 5 | 8 | 3 | 11 | 2 |
| | Campbellton (Tigers) | Allan | 3 | 8 | 3 | 11 | 2 | - | - | - | - | - |
| 1931-32 | Campbellton (Tigers) | MSHL | 23 | *19 | 8 | 27 | 14 | 2 | 0 | 0 | 0 | 0 |
| | Fredericton (Capitals) | Exh. | 5 | 0 | 1 | 1 | 0 | - | - | - | - | - |
| 1932-33 | Moncton (Hawks) | MSHL | 23 | 5 | 0 | 5 | 0 | 5 | 1 | 2 | 3 | 0 |
| | Moncton (Hawks) | Allan | 8 | 1 | 6 | 7 | 4 | - | - | - | - | - |
| 1933-34 | Moncton (Hawks) | MSHL | 41 | 8 | 19 | 27 | 30 | 3 | 1 | 5 | 6 | 0 |
| | Moncton (Hawks) | Allan | 12 | 9 | 7 | 16 | 4 | - | - | - | - | - |
| 1934-35 | Moncton (Hawks) | MSHL | 20 | *17 | 5 | 22 | 4 | 3 | *5 | 2 | 7 | 0 |
| | Montréal (Maroons) | LNH | 22 | 3 | 0 | 3 | 2 | 7 | 0 | 0 | 0 | 0 |
| | Moncton (Hawks) | Big 3 | 4 | 2 | 1 | 3 | 0 | - | - | - | - | - |
| 1935-36 | Montréal (Maroons) | LNH | 8 | 0 | 0 | 0 | 0 | - | - | - | - | - |
| | New Haven (Eagles) | Can-Am | 11 | 0 | 0 | 0 | 0 | - | - | - | - | - |
| | **Montréal (Canadiens)** | **LNH** | 17 | 1 | 2 | 3 | 2 | - | - | - | - | - |
| 1936-37 | **Montréal (Canadiens)** | **LNH** | 48 | 3 | 1 | 4 | 12 | 5 | 0 | 0 | 0 | 0 |
| | | **LNH** | 95 | 7 | 3 | 10 | 16 | 12 | 0 | 0 | 0 | 0 |
| | | **Montréal** | 65 | 4 | 3 | 7 | 14 | 5 | 0 | 0 | 0 | 0 |

• Coupe Stanley (LNH) en 1934-35
• Droits vendus à Montréal (Canadiens) par Montréal (Maroons) le 9 février 1936
• Montréal (Canadiens) cède ensuite Lorne Chabot à Montréal (Maroons) pour Bill Miller, Toe Blake et les droits de négociations sur Ken Gravel le 12 février 1936

## MOMESSO, SERGIO

**Né à Montréal, Québec, le 4 septembre 1965. Ailier gauche, lance de la gauche, 6'3", 215 lb (3e choix de Montréal, 27e au total lors du repêchage de 1983)**

| SAISON | CLUB | LIGUE | PJ | B | A | PTS | PUN | PJ | B | A | PTS | PUN |
|---|---|---|---|---|---|---|---|---|---|---|---|---|
| 1980-81 | Montréal (Concordia) | QAAA | 46 | 18 | 17 | 35 | | - | - | - | - | - |
| 1981-82 | Montréal (Concordia) | QAAA | 45 | 30 | 38 | 68 | | - | - | - | - | - |
| 1982-83 | Shawinigan (Cataractes) | LHJMQ | 70 | 27 | 42 | 69 | 93 | 10 | 5 | 4 | 9 | 55 |
| 1983-84 | Shawinigan (Cataractes) | LHJMQ | 68 | 42 | 88 | 130 | 235 | 6 | 4 | 4 | 8 | 13 |
| | **Montréal (Canadiens)** | **LNH** | 1 | 0 | 0 | 0 | 0 | - | - | - | - | - |
| | Nlle-Écosse (Voyageurs) | AHL | - | - | - | - | - | 8 | 0 | 2 | 2 | 4 |
| 1984-85 | Shawinigan (Cataractes) | LHJMQ | 64 | 56 | 90 | 146 | 216 | 8 | 7 | 8 | 15 | 17 |
| | Shawinigan (Cataractes) | Mem. | 4 | 1 | 4 | 5 | | - | - | - | - | - |
| 1985-86 | **Montréal (Canadiens)** | **LNH** | 24 | 8 | 7 | 15 | 46 | - | - | - | - | - |
| 1986-87 | Sherbrooke (Canadien) | AHL | 6 | 1 | 0 | 1 | 0 | - | - | - | - | - |
| | **Montréal (Canadiens)** | **LNH** | 59 | 14 | 17 | 31 | 96 | 11 | 1 | 3 | 4 | 31 |
| 1987-88 | **Montréal (Canadiens)** | **LNH** | 53 | 7 | 14 | 21 | 101 | 6 | 0 | 2 | 2 | 16 |
| 1988-89 | St. Louis (Blues) | LNH | 53 | 9 | 17 | 26 | 139 | 10 | 2 | 5 | 7 | 24 |
| 1989-90 | St. Louis (Blues) | LNH | 79 | 24 | 32 | 56 | 199 | 12 | 3 | 2 | 5 | 63 |
| 1990-91 | St. Louis (Blues) | LNH | 59 | 10 | 18 | 28 | 131 | - | - | - | - | - |
| | Vancouver (Canucks) | LNH | 11 | 6 | 2 | 8 | 43 | 6 | 0 | 3 | 3 | 25 |
| 1991-92 | Vancouver (Canucks) | LNH | 58 | 20 | 23 | 43 | 198 | 13 | 0 | 5 | 5 | 30 |
| 1992-93 | Vancouver (Canucks) | LNH | 84 | 18 | 20 | 38 | 200 | 12 | 3 | 0 | 3 | 30 |
| 1993-94 | Vancouver (Canucks) | LNH | 68 | 14 | 13 | 27 | 149 | 24 | 3 | 4 | 7 | 56 |
| 1994-95 | HC Milano | ITA | 48 | 10 | 15 | 25 | 65 | 11 | 3 | 1 | 4 | 16 |
| | Vancouver (Canucks) | LNH | - | - | - | - | - | - | - | - | - | - |
| 1995-96 | Toronto (Maple Leafs) | LNH | 54 | 7 | 8 | 15 | 112 | - | - | - | - | - |
| | New York (Rangers) | LNH | 19 | 4 | 4 | 8 | 30 | 11 | 3 | 1 | 4 | 14 |
| 1996-97 | New York (Rangers) | LNH | 9 | 0 | 0 | 0 | 11 | - | - | - | - | - |
| | St. Louis (Blues) | LNH | 31 | 1 | 3 | 4 | 37 | 3 | 0 | 0 | 0 | 6 |
| 1997-98 | Kölner Haie | GER | 42 | 14 | 18 | 32 | 193 | 3 | 1 | 2 | 3 | 4 |
| | Kölner Haie | EuroHL | 6 | 4 | 4 | 8 | 29 | - | - | - | - | - |
| 1998-99 | Nuremberg (Ice Tigers) | GER | 47 | 26 | 33 | 59 | 212 | 13 | 4 | 7 | 11 | 24 |
| 1999-00 | Kölner Haie | GER | 51 | 16 | 21 | 37 | 165 | 10 | 4 | 1 | 5 | 6 |
| 2000-01 | Kölner Haie | GER | 31 | 6 | 11 | 17 | 76 | 2 | 0 | 0 | 0 | 0 |
| | | **LNH** | 710 | 152 | 193 | 345 | 1557 | 119 | 18 | 26 | 44 | 311 |
| | | **Montréal** | 137 | 29 | 38 | 67 | 243 | 17 | 1 | 5 | 6 | 47 |

• Première équipe d'étoiles (LHJMQ) en 1984-85 • Troisième équipe d'étoiles (LHJMQ) en 1983-84
• Échangé à St. Louis par Montréal avec Vincent Riendeau pour Jocelyn Lemieux, Darrell May et le choix de 2e ronde de St. Louis au repêchage de 1989 (Patrice Brisebois) le 9 août 1988 • Échangé à Vancouver par St. Louis avec Geoff Courtnall, Robert Dirk, Cliff Ronning et le choix de 5e ronde de St. Louis au repêchage de 1992 (Brian Loney) pour Dan Quinn et Garth Butcher le 5 mars 1991 • Échangé à Toronto par Vancouver pour Mike Ridley le 8 juillet 1995 • Échangé à New York (Rangers) par Toronto pour Wayne Presley le 29 février 1996 • Échangé à St. Louis par New York (Rangers) pour Brian Noonan le 13 novembre 1996

## MONAHAN, GARRY

**Né à Barrie, Ontario, le 20 octobre 1946. Ailier gauche, lance de la gauche, 6', 200 lb (1er choix de Montréal, 1er au total lors du repêchage de 1963)**

| SAISON | CLUB | LIGUE | PJ | B | A | PTS | PUN | PJ | B | A | PTS | PUN |
|---|---|---|---|---|---|---|---|---|---|---|---|---|
| 1964-65 | Peterborough (Petes) | OHA Jr | 55 | 12 | 16 | 28 | 28 | 12 | 1 | 2 | 3 | 11 |
| 1965-66 | Peterborough (Petes) | OHA Jr | 46 | 16 | 27 | 43 | 60 | 6 | 0 | 3 | 3 | 9 |
| 1966-67 | Peterborough (Petes) | OHA Jr | 47 | 30 | 54 | 84 | 79 | 6 | 2 | 4 | 6 | 20 |
| | Houston (Apollos) | CPHL | - | - | - | - | - | 3 | 1 | 0 | 1 | 0 |
| 1967-68 | Houston (Apollos) | CPHL | 56 | 17 | 31 | 48 | 86 | - | - | - | - | - |
| | **Montréal (Canadiens)** | **LNH** | 11 | 0 | 0 | 0 | 0 | - | - | - | - | - |
| 1968-69 | Cleveland (Barons) | AHL | 70 | 18 | 26 | 44 | 81 | 5 | 2 | 0 | 2 | 10 |
| | **Montréal (Canadiens)** | **LNH** | 3 | 0 | 0 | 0 | 0 | - | - | - | - | - |
| 1969-70 | Detroit (Red Wings) | LNH | 51 | 3 | 4 | 7 | 24 | - | - | - | - | - |
| | Los Angeles (Kings) | LNH | 21 | 0 | 3 | 3 | 12 | - | - | - | - | - |
| 1970-71 | Toronto (Maple Leafs) | LNH | 78 | 15 | 22 | 37 | 79 | 6 | 2 | 0 | 2 | 4 |
| 1971-72 | Toronto (Maple Leafs) | LNH | 78 | 14 | 17 | 31 | 47 | 5 | 0 | 0 | 0 | 2 |
| 1972-73 | Toronto (Maple Leafs) | LNH | 78 | 13 | 18 | 31 | 53 | - | - | - | - | - |
| 1973-74 | Toronto (Maple Leafs) | LNH | 78 | 9 | 16 | 25 | 70 | 4 | 0 | 1 | 1 | 7 |
| 1974-75 | Toronto (Maple Leafs) | LNH | 1 | 0 | 0 | 0 | 0 | - | - | - | - | - |
| | Vancouver (Canucks) | LNH | 78 | 14 | 20 | 34 | 51 | 5 | 1 | 0 | 1 | 2 |
| 1975-76 | Vancouver (Canucks) | LNH | 66 | 16 | 17 | 33 | 39 | 2 | 0 | 0 | 0 | 0 |
| 1976-77 | Vancouver (Canucks) | LNH | 76 | 18 | 26 | 44 | 48 | - | - | - | - | - |
| 1977-78 | Vancouver (Canucks) | LNH | 67 | 10 | 19 | 29 | 28 | - | - | - | - | - |
| | Tulsa (Oilers) | CHL | 7 | 3 | 2 | 5 | 0 | - | - | - | - | - |
| 1978-79 | Toronto (Maple Leafs) | LNH | 62 | 4 | 7 | 11 | 25 | - | - | - | - | - |
| 1979-80 | Seibu-Tetsudo Tokyo | JAP | 20 | 13 | 17 | 30 | | - | - | - | - | - |
| 1980-81 | Seibu-Tetsudo Tokyo | JAP | 20 | 12 | 14 | 26 | | - | - | - | - | - |
| 1981-82 | Seibu-Tetsudo Tokyo | JAP | 20 | 11 | 9 | 20 | | - | - | - | - | - |
| | | **LNH** | 748 | 116 | 169 | 285 | 484 | 22 | 3 | 1 | 4 | 13 |
| | | **Montréal** | 14 | 0 | 0 | 0 | 8 | - | - | - | - | - |

• Échangé à Detroit par Montréal avec Doug Piper pour Pete Mahovlich et Bart Crashley le 6 juin 1969 • Échangé à Los Angeles par Detroit avec Brian Gibbons pour Dale Rolfe, Larry Johnston et Gary Croteau le 20 février 1970 • Échangé à Toronto par Los Angeles avec Brian Murphy pour Bob Pulford le 3 septembre 1970 • Échangé à Vancouver par Toronto avec John Grisdale pour Dave Dunn le 16 octobre 1974 • Droits vendus à Toronto par Vancouver le 13 septembre 1978

## MONDOU, ARMAND

**Né à Yamaska, Québec, le 27 juin 1905, décédé le 13 septembre 1976**
**Ailier gauche, lance de la gauche, 5'10", 175 lb**

| SAISON | CLUB | LIGUE | PJ | B | A | PTS | PUN | PJ | B | A | PTS | PUN |
|---|---|---|---|---|---|---|---|---|---|---|---|---|
| 1925-26 | Montréal (National) | MBHL | 8 | 0 | 2 | 2 | 6 | - | - | - | - | - |
| 1926-27 | Providence (Reds) | Can-Am | 32 | 6 | 2 | 8 | 35 | - | - | - | - | - |
| 1927-28 | Providence (Reds) | Can-Am | 40 | 12 | 9 | 21 | 50 | - | - | - | - | - |
| 1928-29 | Providence (Reds) | Can-Am | 10 | 1 | 0 | 1 | 10 | - | - | - | - | - |
| | **Montréal (Canadiens)** | **LNH** | 32 | 3 | 4 | 7 | 6 | 3 | 0 | 0 | 0 | 2 |
| 1929-30 | **Montréal (Canadiens)** | **LNH** | 44 | 3 | 5 | 8 | 24 | 6 | 1 | 1 | 2 | 6 |
| 1930-31 | **Montréal (Canadiens)** | **LNH** | 44 | 5 | 9 | 14 | 48 | 10 | 0 | 0 | 0 | 8 |
| 1931-32 | **Montréal (Canadiens)** | **LNH** | 47 | 6 | 12 | 18 | 22 | 4 | 1 | 2 | 3 | 2 |
| 1932-33 | **Montréal (Canadiens)** | **LNH** | 24 | 1 | 3 | 4 | 15 | - | - | - | - | - |
| | Providence (Reds) | Can-Am | 23 | 9 | 8 | 17 | 14 | - | - | - | - | - |
| 1933-34 | **Montréal (Canadiens)** | **LNH** | 48 | 4 | 6 | 10 | 14 | 1 | 0 | 1 | 1 | 0 |
| | Québec (Castors) | Can-Am | 1 | 1 | 2 | 0 | | - | - | - | - | - |
| 1934-35 | **Montréal (Canadiens)** | **LNH** | 46 | 9 | 15 | 24 | 6 | 2 | 0 | 1 | 1 | 0 |
| 1935-36 | **Montréal (Canadiens)** | **LNH** | 36 | 11 | 10 | 21 | 10 | - | - | - | - | - |
| 1936-37 | **Montréal (Canadiens)** | **LNH** | 7 | 1 | 1 | 2 | 0 | 5 | 0 | 0 | 0 | 0 |
| | New Haven (Eagles) | IAHL | 36 | 7 | 21 | 28 | 12 | - | - | - | - | - |
| 1937-38 | **Montréal (Canadiens)** | **LNH** | 34 | 3 | 7 | 10 | 2 | 3 | 1 | 0 | 1 | 2 |
| | New Haven (Eagles) | IAHL | 14 | 8 | 5 | 13 | 26 | - | - | - | - | - |
| 1938-39 | **Montréal (Canadiens)** | **LNH** | 34 | 7 | 10 | 17 | 2 | 3 | 1 | 0 | 1 | 2 |
| | New Haven (Eagles) | IAHL | 21 | 6 | 15 | 21 | 4 | 3 | 0 | 0 | 0 | 2 |
| 1939-40 | **Montréal (Canadiens)** | **LNH** | 21 | 2 | 2 | 4 | 2 | - | - | - | - | - |
| | Match des étoiles | LNH | 1 | 0 | 0 | 0 | 0 | - | - | - | - | - |
| | New Haven (Eagles) | IAHL | 21 | 6 | 15 | 21 | 2 | 3 | 0 | 0 | 0 | 2 |
| | | **LNH** | 386 | 47 | 71 | 118 | 99 | 32 | 3 | 5 | 8 | 12 |
| | | **Montréal** | 386 | 47 | 71 | 118 | 99 | 32 | 3 | 5 | 8 | 12 |

• Coupe Stanley (LNH) en 1929-30, 1930-31 • Match des étoiles (LNH) en 1939-40
• Échangé à Montréal par Providence (Can-Am) pour Léo Gaudreault le 19 décembre 1928

| SAISON | CLUB | LIGUE | PJ | B | A | PTS | PUN | PJ | B | A | PTS | PUN |
|---|---|---|---|---|---|---|---|---|---|---|---|---|

• Prêté à Providence (Can-Am) par Montréal avec Léo Gaudreault pour Léo Murray et Hago Harrington le 23 janvier 1933 • Prêté à New Haven (IAHL) par Montréal avec Paul Runge le 24 novembre 1936

### MONDOU, PIERRE
Né à Sorel, Québec, le 27 novembre 1955. Centre, lance de la droite, 5'10", 185 lb
(2e choix de Montréal, 15e choix au total lors du repêchage de 1975)

| SAISON | CLUB | LIGUE | PJ | B | A | PTS | PUN | PJ | B | A | PTS | PUN |
|---|---|---|---|---|---|---|---|---|---|---|---|---|
| 1972-73 | Sorel (Éperviers) | LHJMQ | 64 | 37 | 43 | 80 | 57 | 10 | 6 | 4 | 10 | 12 |
| 1973-74 | Sorel (Éperviers) | LHJMQ | 60 | 62 | 57 | 119 | 104 | 2 | 0 | 0 | 0 | 0 |
| 1974-75 | Sorel (Éperviers) | LHJMQ | 28 | 16 | 23 | 39 | 13 | - | - | - | - | - |
| | Montréal (Junior) | LHJMQ | 40 | 40 | 47 | 87 | 23 | 9 | 8 | 7 | 15 | 13 |
| 1975-76 | Nlle-Écosse (Voyageurs) | AHL | 74 | 34 | 43 | 77 | 30 | 9 | 1 | 5 | 6 | 4 |
| 1976-77 | Nlle-Écosse (Voyageurs) | AHL | 71 | *44 | 45 | 89 | 21 | 12 | *8 | *11 | *19 | 6 |
| | **Montréal (Canadiens)** | **LNH** | - | - | - | - | - | 4 | 0 | 0 | 0 | 0 |
| 1977-78 | **Montréal (Canadiens)** | **LNH** | 71 | 19 | 30 | 49 | 8 | 15 | 3 | 7 | 10 | 4 |
| 1978-79 | **Montréal (Canadiens)** | **LNH** | 77 | 31 | 41 | 72 | 26 | 16 | 6 | 3 | 9 | 4 |
| 1979-80 | **Montréal (Canadiens)** | **LNH** | 75 | 30 | 36 | 66 | 12 | 10 | 1 | 4 | 5 | 4 |
| 1980-81 | **Montréal (Canadiens)** | **LNH** | 57 | 17 | 24 | 41 | 16 | 3 | 0 | 1 | 1 | 0 |
| 1981-82 | **Montréal (Canadiens)** | **LNH** | 73 | 35 | 33 | 68 | 57 | 5 | 2 | 5 | 7 | 8 |
| 1982-83 | **Montréal (Canadiens)** | **LNH** | 76 | 29 | 37 | 66 | 31 | 3 | 0 | 1 | 1 | 2 |
| 1983-84 | **Montréal (Canadiens)** | **LNH** | 52 | 15 | 22 | 37 | 8 | 14 | 6 | 3 | 9 | 2 |
| 1984-85 | **Montréal (Canadiens)** | **LNH** | 67 | 18 | 39 | 57 | 21 | 5 | 1 | 2 | 3 | 4 |
| | **LNH** | | 548 | 194 | 262 | 456 | 179 | 69 | 17 | 28 | 45 | 26 |
| | **Montréal** | | 548 | 194 | 262 | 456 | 179 | 69 | 17 | 28 | 45 | 26 |

• Deuxième équipe d'étoiles (LHJMQ) en 1974-75 • Trophée Dudley-Garrett (AHL) en 1975-76 • Coupe Calder (AHL) en 1975-76, 1976-77 • Deuxième équipe d'étoiles (AHL) en 1976-77 • Coupe Stanley (LNH) en 1976-77, 1977-78, 1978-79

### MONTGOMERY, JIM
Né à Montréal, Québec, le 30 juin 1969. Centre, lance de la droite, 5'10", 185 lb

| SAISON | CLUB | LIGUE | PJ | B | A | PTS | PUN | PJ | B | A | PTS | PUN |
|---|---|---|---|---|---|---|---|---|---|---|---|---|
| 1988-89 | Pembroke Lumber Kings | OJHL | 50 | 53 | *101 | 154 | 112 | - | - | - | - | - |
| 1989-90 | Maine University | H-East | 45 | 26 | 34 | 60 | 35 | - | - | - | - | - |
| 1990-91 | Maine University | H-East | 43 | 24 | *57 | 81 | 44 | - | - | - | - | - |
| 1991-92 | Maine University | H-East | 37 | 21 | 44 | 65 | 46 | - | - | - | - | - |
| 1992-93 | Maine University | H-East | 45 | 32 | 63 | 95 | 40 | - | - | - | - | - |
| 1993-94 | St. Louis (Blues) | LNH | 67 | 6 | 14 | 20 | 44 | - | - | - | - | - |
| | Peoria (Rivermen) | IHL | 12 | 8 | 7 | 15 | 10 | | | | | |
| 1994-95 | **Montréal (Canadiens)** | **LNH** | 5 | 0 | 0 | 0 | 2 | - | - | - | - | - |
| | Philadelphie (Flyers) | LNH | 5 | 2 | 4 | 6 | 7 | 7 | 1 | 0 | 1 | 2 |
| | Hershey (Bears) | AHL | 16 | 8 | 6 | 14 | 14 | 6 | 3 | 2 | 5 | 25 |
| 1995-96 | Philadelphie (Flyers) | LNH | 5 | 1 | 2 | 3 | 9 | 1 | 0 | 0 | 0 | 0 |
| | Hershey (Bears) | AHL | 78 | 34 | *71 | 105 | 95 | 4 | 3 | 2 | 5 | 6 |
| 1996-97 | Kolner Haie | GER | 50 | 12 | 35 | 47 | 111 | 4 | 0 | 1 | 1 | 6 |
| | Kolner Haie | EuroHL | 6 | 0 | 1 | 1 | 16 | | | | | |
| 1997-98 | Philadelphie (Phantoms) | AHL | 68 | 19 | 43 | 62 | 75 | 20 | 13 | 16 | 29 | 55 |
| 1998-99 | Philadelphie (Phantoms) | AHL | 78 | 29 | 58 | 87 | 89 | 16 | 4 | 11 | 15 | 20 |
| 1999-00 | Philadelphie (Phantoms) | AHL | 13 | 3 | 9 | 12 | 22 | - | - | - | - | - |
| | Manitoba (Moose) | IHL | 67 | 18 | 28 | 46 | 111 | - | - | - | - | - |
| 2000-01 | San Jose (Sharks) | LNH | 28 | 1 | 6 | 7 | 19 | - | - | - | - | - |
| | Kentucky (Thoroughblades) | AHL | 55 | 22 | 52 | 74 | 44 | 3 | 1 | 2 | 3 | 5 |
| 2001-02 | Dallas (Stars) | LNH | 8 | 0 | 2 | 2 | 6 | - | - | - | - | - |
| | Utah (Grizzlies) | AHL | 71 | 28 | 43 | 71 | 90 | 5 | 0 | 1 | 1 | 23 |
| 2002-03 | Dallas (Stars) | LNH | 1 | 0 | 0 | 0 | 0 | - | - | - | - | - |
| | Utah (Grizzlies) | AHL | 72 | 22 | 46 | 68 | 109 | 2 | 0 | 0 | 0 | 2 |
| | **LNH** | | 122 | 9 | 25 | 34 | 80 | 8 | 1 | 0 | 1 | 2 |
| | **Montréal** | | 5 | 0 | 0 | 0 | 2 | | | | | |

• Première équipe d'étoiles (H-East) en 1992-93 • Deuxième équipe d'étoiles (H-East) en 1990-91, 1991-92 • Deuxième équipe d'étoiles, Division Est (NCAA) en 1992-93. • Sélectionné sur l'équipe d'étoiles du championnat (NCAA) en 1992-93 • Joueur le plus utile (NCAA) en 1992-93 • Deuxième équipe d'étoiles (AHL) en 1995-96 • Coupe Calder (AHL) en 1997-98
• Signe avec St. Louis comme agent libre le 2 juin 1993 • Échangé à Montréal par St. Louis pour Guy Carbonneau le 19 août 1994 • Réclamé au ballottage par Philadelphie de Montréal le 10 février 1995 • Signe avec San Jose comme agent libre le 15 août 2000. • Signe avec Dallas comme agent libre le 10 juillet 2001

### MOORE, RICHARD (DICKIE)
Né à Montréal, Québec, le 6 janvier 1931
Ailier gauche, lance de la gauche, 5'10", 185 lb

| SAISON | CLUB | LIGUE | PJ | B | A | PTS | PUN | PJ | B | A | PTS | PUN |
|---|---|---|---|---|---|---|---|---|---|---|---|---|
| 1947-48 | Montréal (Royals) | LHJQ | 29 | 10 | 12 | 22 | 20 | 13 | 6 | 5 | 11 | 14 |
| 1948-49 | Montréal (Royals) | LHJQ | 47 | 22 | 34 | 56 | 71 | 10 | 4 | 8 | 12 | 6 |
| | Montréal (Royals) | LHSQ | 2 | 0 | 0 | 0 | 0 | | | | | |
| | Montréal (Royals) | Mem. | 15 | 5 | 8 | 13 | 31 | | | | | |
| 1949-50 | Montréal (Royals) | LHJQ | 1 | 0 | 1 | 1 | 5 | - | - | - | - | - |
| | Montréal (Canadien Jr) | LHJQ | 35 | 24 | 19 | 43 | 110 | 16 | 8 | *13 | 21 | *51 |
| | Montréal (Canadien Jr) | Mem. | 13 | 10 | 14 | 24 | *41 | | | | | |
| 1950-51 | Montréal (Canadien Jr) | LHJQ | 33 | 12 | 22 | 34 | 58 | 9 | 5 | 4 | 9 | 34 |
| 1951-52 | Montréal (Royals) | LHMQ | 26 | 15 | 20 | 35 | 32 | - | - | - | - | - |
| | **Montréal (Canadiens)** | **LNH** | 33 | 18 | 15 | 33 | 44 | 11 | 1 | 1 | 2 | 12 |
| 1952-53 | Buffalo (Bisons) | AHL | 12 | 3 | 5 | 8 | 10 | - | - | - | - | - |
| | **Montréal (Canadiens)** | **LNH** | 18 | 2 | 6 | 8 | 19 | 12 | 2 | 2 | 4 | 13 |
| 1953-54 | Montréal (Royals) | LHQ | 2 | 0 | 1 | 1 | 4 | | | | | |
| | **Montréal (Canadiens)** | **LNH** | 13 | 1 | 5 | 6 | 12 | 11 | 5 | *8 | *13 | 8 |
| | Match des étoiles | LNH | 1 | 0 | 0 | 0 | 0 | | | | | |
| 1954-55 | **Montréal (Canadiens)** | **LNH** | 67 | 16 | 20 | 36 | 32 | 12 | 1 | 5 | 6 | 22 |
| 1955-56 | **Montréal (Canadiens)** | **LNH** | 70 | 11 | 39 | 50 | 55 | 10 | 3 | 6 | 9 | 12 |
| 1956-57 | **Montréal (Canadiens)** | **LNH** | 70 | 29 | 29 | 58 | 56 | 10 | 3 | 7 | 10 | 4 |
| 1957-58 | **Montréal (Canadiens)** | **LNH** | 70 | *36 | 48 | *84 | 65 | 10 | 4 | 7 | 11 | 4 |
| | Match des étoiles | LNH | 1 | 0 | 1 | 1 | 0 | | | | | |
| 1958-59 | **Montréal (Canadiens)** | **LNH** | 70 | 41 | *55 | *96 | 61 | 11 | 5 | *12 | *17 | 8 |
| | Match des étoiles | LNH | 1 | 0 | 3 | 3 | 0 | | | | | |
| 1959-60 | **Montréal (Canadiens)** | **LNH** | 62 | 22 | 42 | 64 | 54 | 8 | *6 | 4 | 10 | 4 |
| | Match des étoiles | LNH | 1 | 1 | 1 | 2 | 0 | | | | | |
| 1960-61 | **Montréal (Canadiens)** | **LNH** | 57 | 35 | 34 | 69 | 62 | 6 | 3 | 1 | 4 | 4 |
| | Match des étoiles | LNH | 1 | 0 | 0 | 0 | 0 | | | | | |
| 1961-62 | **Montréal (Canadiens)** | **LNH** | 57 | 19 | 22 | 41 | 54 | 6 | 4 | 2 | 6 | 8 |
| 1962-63 | **Montréal (Canadiens)** | **LNH** | 67 | 24 | 26 | 50 | 61 | 5 | 0 | 1 | 1 | 2 |
| 1963-64 | *N'a pas joué* | | | | | | | | | | | |
| 1964-65 | Toronto (Maple Leafs) | LNH | 38 | 2 | 4 | 6 | 68 | 5 | 1 | 1 | 2 | 6 |
| 1965-66 | *N'a pas joué* | | | | | | | | | | | |
| 1966-67 | *N'a pas joué* | | | | | | | | | | | |
| 1967-68 | St. Louis (Blues) | LNH | 27 | 5 | 3 | 8 | 9 | 18 | 7 | 7 | 14 | 15 |
| | **LNH** | | 719 | 261 | 347 | 608 | 652 | 135 | 46 | 64 | 110 | 122 |
| | **Montréal** | | 654 | 254 | 340 | 594 | 575 | 112 | 38 | 56 | 94 | 101 |

• Coupe Memorial en 1949-50 • Coupe Stanley (LNH) en 1952-53, 1955-56, 1956-57, 1957-58, 1958-59, 1959-60 • Match des étoiles (LNH) en 1953-54, 1956-57, 1957-58, 1958-59, 1959-60, 1960-61 • Première équipe d'étoiles (LNH) en 1957-58, 1958-59. • Deuxième équipe d'étoiles (LNH) en 1960-61 • Trophée Art-Ross (LNH) en 1957-58, 1958-59 • Temple de la Renommée (LNH) en 1974
• Prêté à Montréal par Montréal (Royals – LHMQ) le 15 décembre 1951 • Signe avec Montréal le 26 décembre 1951 • Réclamé par Toronto de Montréal lors du repêchage inter-ligues le 10 juin 1964 • Signe avec St. Louis le 23 novembre 1967

### MORAN, AMBROSE (AMBY)
Né à Winnipeg, Manitoba, le 3 avril 1895, décédé le 8 avril 1958
Défenseur, lance de la gauche, 6', 200 lb

| SAISON | CLUB | LIGUE | PJ | B | A | PTS | PUN | PJ | B | A | PTS | PUN |
|---|---|---|---|---|---|---|---|---|---|---|---|---|
| 1919-20 | Winnipeg (Winnipegs) | MHL SR | 4 | 3 | 1 | 4 | 2 | 1 | 0 | 0 | 0 | 0 |
| 1920-21 | Brandon (Elks) | MHL SR | 12 | 12 | 4 | 16 | 16 | 6 | 9 | 1 | 10 | 4 |
| | Brandon (Elks) | Allan | 5 | 5 | 1 | 6 | 2 | - | - | - | - | - |
| 1921-22 | Regina (Capitals) | WCHL | 25 | 2 | 9 | 11 | 18 | 4 | 1 | 0 | 1 | 6 |
| 1922-23 | Regina (Capitals) | WCHL | 28 | 15 | 8 | 23 | 37 | 2 | 0 | 1 | 1 | 0 |
| 1923-24 | Regina (Capitals) | WCHL | 14 | 2 | 0 | 2 | 12 | | | | | |
| 1924-25 | Regina (Capitals) | WCHL | 6 | 0 | 0 | 0 | 8 | - | - | - | - | - |
| | Vancouver (Maroons) | WCHL | 15 | 1 | 0 | 1 | 26 | | | | | |
| 1925-26 | Vancouver (Maroons) | WHL | 30 | 5 | 0 | 5 | 38 | - | - | - | - | - |
| 1926-27 | **Montréal (Canadiens)** | **LNH** | 12 | 0 | 0 | 0 | 10 | - | - | - | - | - |
| | Moose Jaw (Canucks) | PrHL | 11 | 7 | 0 | 7 | 10 | | | | | |
| | New Haven (Eagles) | Can-Am | 6 | 0 | 0 | 0 | 18 | | | | | |
| 1927-28 | Moose Jaw (Canucks) | PrHL | 12 | 3 | 2 | 5 | 35 | | | | | |
| | Chicago (Black Hawks) | LNH | 23 | 1 | 1 | 2 | 14 | - | - | - | - | - |
| 1928-29 | Tulsa (Oilers) | AHA | 34 | 4 | 0 | 4 | 26 | | | | | |
| 1929-30 | Tulsa (Oilers) | AHA | 4 | 0 | 0 | 0 | 0 | | | | | |
| | St. Louis (Flyers) | AHA | | | | | | | | | | |
| 1930-31 | St. Louis (Flyers) | AHA | 1 | 0 | 1 | 1 | 0 | | | | | |
| | Buffalo (Majors) | AHA | 1 | 0 | 1 | 1 | 0 | | | | | |
| | **LNH** | | 35 | 1 | 1 | 2 | 24 | - | - | - | - | - |
| | **Montréal** | | 12 | 0 | 0 | 0 | 10 | | | | | |

• Signe avec Regina (WCHL) le 30 novembre 1921 • Droits vendus à Vancouver (WCHL) par Regina (WCHL) le 10 décembre 1925 • Droits vendus à Boston par Vancouver (WHL) le 4 septembre 1926 • Échangé à Montréal par Boston pour Billy Coutu le 22 octobre 1926. • Droits vendus à Boston par Montréal le 23 décembre 1926 • Signe avec Moose Jaw (PrHL) le 29 janvier 1927 • Échangé à Chicago par Moose Jaw (PrHL) pour Ted Graham et des considérations futures (Vic Hoffinger) le 11 janvier 1928 • Signe avec Buffalo (AHA) le 15 décembre 1930

### MORENZ, HOWARTH (HOWIE)
Né à Mitchell, Ontario, le 21 septembre 1902, décédé le 8 mars 1937
Centre, lance de la gauche, 5'9", 165 lb

| SAISON | CLUB | LIGUE | PJ | B | A | PTS | PUN | PJ | B | A | PTS | PUN |
|---|---|---|---|---|---|---|---|---|---|---|---|---|
| 1919-20 | Stratford (Midgets) | OHA Jr | 5 | 14 | 4 | 18 | - | 7 | 14 | 12 | 26 | |
| 1920-21 | Stratford (Midgets) | OHA Jr | 8 | 19 | *12 | *31 | - | 13 | *38 | *18 | *56 | - |
| 1921-22 | Stratford (Midgets) | OHA Jr | 4 | 17 | 6 | 23 | 10 | 5 | *17 | *4 | *21 | - |
| | Stratford (Indians) | OHA Sr | 4 | 10 | 3 | 13 | 2 | 8 | *15 | *8 | *23 | 21 |
| 1922-23 | Stratford (Indians) | OHA Sr | 10 | 15 | *13 | 28 | 19 | 10 | *28 | 7 | *35 | 36 |
| 1923-24 | **Montréal (Canadiens)** | **LNH** | 24 | 13 | 3 | 16 | 20 | 6 | 7 | 3 | 10 | 10 |
| 1924-25 | **Montréal (Canadiens)** | **LNH** | 30 | 28 | 11 | 39 | 46 | 6 | 7 | 1 | 8 | 8 |
| 1925-26 | **Montréal (Canadiens)** | **LNH** | 31 | 23 | 3 | 26 | 39 | - | - | - | - | - |
| 1926-27 | **Montréal (Canadiens)** | **LNH** | 44 | 25 | 7 | 32 | 49 | 4 | 1 | 0 | 1 | 4 |
| 1927-28 | **Montréal (Canadiens)** | **LNH** | 43 | *33 | *18 | *51 | 66 | 2 | 0 | 0 | 0 | 12 |
| 1928-29 | **Montréal (Canadiens)** | **LNH** | 42 | 17 | 10 | 27 | 47 | 3 | 0 | 3 | 3 | 10 |
| 1929-30 | **Montréal (Canadiens)** | **LNH** | 44 | 40 | 10 | 50 | 72 | 6 | 3 | 3 | 6 | 10 |
| 1930-31 | **Montréal (Canadiens)** | **LNH** | 39 | 28 | 23 | *51 | 49 | 10 | 1 | 4 | 5 | 10 |
| 1931-32 | **Montréal (Canadiens)** | **LNH** | 48 | 24 | 25 | 49 | 46 | 4 | 1 | 0 | 1 | 4 |
| 1932-33 | **Montréal (Canadiens)** | **LNH** | 46 | 14 | 21 | 35 | 32 | 2 | 0 | 3 | 3 | 2 |
| 1933-34 | **Montréal (Canadiens)** | **LNH** | 39 | 8 | 13 | 21 | 21 | 2 | 1 | 1 | 2 | 0 |
| | Match des étoiles | LNH | 1 | 1 | 0 | 1 | 0 | | | | | |
| 1934-35 | Chicago (Black Hawks) | LNH | 48 | 8 | 26 | 34 | 21 | 2 | 0 | 0 | 0 | 0 |
| 1935-36 | Chicago (Black Hawks) | LNH | 23 | 4 | 11 | 15 | 20 | - | - | - | - | - |
| | New York (Rangers) | LNH | 19 | 2 | 4 | 6 | 2 | - | - | - | - | - |
| 1936-37 | **Montréal (Canadiens)** | **LNH** | 30 | 4 | 16 | 20 | 12 | - | - | - | - | - |
| | **LNH** | | 550 | 271 | 201 | 472 | 546 | 47 | 21 | 12 | 33 | 66 |
| | **Montréal** | | 460 | 257 | 160 | 417 | 499 | 45 | 21 | 12 | 33 | 66 |

• Coupe Stanley (LNH) en 1923-24, 1929-30, 1930-31 • Trophée Hart (LNH) en 1927-28, 1930-31, 1931-32 • Première équipe d'étoiles (LNH) en 1930-31, 1931-32 • Deuxième équipe d'étoiles (LNH) en 1933 • Match des étoiles (LNH) en 1933-34 • Temple de la Renommée (LNH) en 1945
• Signe avec Montréal le 9 juillet 1923 • Échangé à Chicago par Montréal avec Marty Burke et Lorne Chabot pour Lionel Conacher, Roger Jenkins et Leroy Goldsworthy le 1er octobre 1934 • Échangé à New York (Rangers) par Chicago pour Glenn Brydson le 26 janvier 1936 • Droits vendus à Montréal par New York (Rangers) le 1er septembre 1936

| SAISON | CLUB | LIGUE | PJ | B | A | PTS | PUN | PJ | B | A | PTS | PUN |
|---|---|---|---|---|---|---|---|---|---|---|---|---|

### MORIN, PIERRE (PETE)

**Né à Lachine, Québec, le 8 décembre 1915, décédé le 5 janvier 2000**
Ailier gauche, lance de la gauche, 5'6", 150 lb

| SAISON | CLUB | LIGUE | PJ | B | A | PTS | PUN | PJ | B | A | PTS | PUN |
|---|---|---|---|---|---|---|---|---|---|---|---|---|
| 1936-37 | Montréal (Royals) | LHCM | 21 | 17 | 5 | 22 | 15 | 5 | 3 | 1 | 4 | 4 |
| 1937-38 | Montréal (Royals) | LHCM | 22 | 4 | 4 | 8 | 14 | 1 | 0 | 0 | 0 | 0 |
| 1938-39 | Montréal (Royals) | LHCM | 17 | 7 | 12 | 19 | 16 | 5 | 4 | 5 | 9 | 0 |
| | Montréal (Royals) | Allan | 15 | *17 | 8 | *25 | 6 | - | - | - | - | - |
| 1939-40 | Montréal (Royals) | LHSQ | 29 | 14 | 20 | 34 | 4 | 8 | 3 | 7 | 10 | 5 |
| | Montréal (Royals) | Allan | 2 | 3 | 5 | 2 | | - | - | - | - | - |
| 1940-41 | Montréal (Royals) | LHSQ | 35 | 17 | 19 | 36 | 17 | 8 | 6 | 2 | 8 | 4 |
| | Montréal (Royals) | Allan | 14 | 11 | 5 | 16 | 29 | - | - | - | - | - |
| 1941-42 | Montréal (Royals) | LHSQ | 11 | 3 | 1 | 4 | 4 | - | - | - | - | - |
| | **Montréal (Canadiens)** | **LNH** | **31** | **10** | **12** | **22** | **7** | **1** | **0** | **0** | **0** | **0** |
| 1942-43 | Montréal (RCAF) | LHSQ | 35 | 15 | 21 | 36 | 4 | 12 | 3 | 6 | 9 | 4 |
| 1943-44 | Montréal (RCAF) | LHSQ | 7 | 1 | 1 | 2 | 2 | - | - | - | - | - |
| 1944-45 | Lachine (Rapides) | LHPQ | | | | | *Statistiques non disponibles* | | | | | |
| 1945-46 | Montréal (Royals) | LHSQ | 39 | 33 | 28 | 61 | 17 | 11 | 2 | *12 | *14 | 2 |
| 1946-47 | Montréal (Royals) | LHSQ | 31 | 18 | 32 | 50 | 10 | 11 | 1 | *15 | *16 | 2 |
| | Montréal (Royals) | Allan | 14 | 3 | 15 | 18 | 2 | - | - | - | - | - |
| 1947-48 | Montréal (Royals) | LHSQ | 47 | 34 | *57 | *91 | 6 | 3 | 1 | 1 | 2 | 2 |
| 1948-49 | Montréal (Royals) | LHSQ | 53 | 25 | 54 | 79 | 20 | 8 | 6 | 6 | 12 | 2 |
| 1949-50 | Montréal (Royals) | LHSQ | 52 | 25 | 29 | 54 | 13 | 6 | 3 | 0 | 3 | 0 |
| | **LNH** | | **31** | **10** | **12** | **22** | **7** | **1** | **0** | **0** | **0** | **0** |
| | **Montréal** | | **31** | **10** | **12** | **22** | **7** | **1** | **0** | **0** | **0** | **0** |

- **Trophée Vimy (LHSQ) en 1945-46 • Première équipe d'étoiles (LHSQ) en 1947-48.**
- **Deuxième équipe d'étoiles (LHSQ) en 1948-49.**
- Signe avec Montréal avec Buddy O'Connor et Gerry Heffernan le 28 novembre 1941

### MORISSETTE, DAVE

**Né à Baie-Comeau, Québec, le 24 décembre 1971. Ailier gauche, lance de la gauche, 6'1", 224 lb (7e choix de Washington, 146e au total lors du repêchage de 1991)**

| SAISON | CLUB | LIGUE | PJ | B | A | PTS | PUN | PJ | B | A | PTS | PUN |
|---|---|---|---|---|---|---|---|---|---|---|---|---|
| 1987-88 | Lac-Saint-Jean (Cascades) | QAAA | 41 | 11 | 25 | 36 | | - | - | - | - | - |
| 1988-89 | Shawinigan (Cataractes) | LHJMQ | 66 | 4 | 11 | 15 | 298 | - | - | - | - | - |
| 1989-90 | Shawinigan (Cataractes) | LHJMQ | 66 | 2 | 9 | 11 | 269 | - | - | - | - | - |
| 1990-91 | Shawinigan (Cataractes) | LHJMQ | 64 | 20 | 26 | 46 | 224 | 6 | 1 | 1 | 2 | 17 |
| 1991-92 | Baltimore (Skipjacks) | AHL | 2 | 0 | 0 | 0 | 6 | - | - | - | - | - |
| | Hampton (Roads Admirals) | ECHL | 47 | 6 | 10 | 16 | 293 | 13 | 1 | 3 | 4 | 74 |
| 1992-93 | Hampton (Roads Admirals) | ECHL | 54 | 9 | 13 | 22 | 226 | 2 | 0 | 0 | 0 | 2 |
| 1993-94 | Roanoke (Express) | ECHL | 45 | 8 | 10 | 18 | 278 | 2 | 0 | 1 | 1 | 4 |
| 1994-95 | Minnesota (Moose) | IHL | 50 | 1 | 4 | 5 | 174 | - | - | - | - | - |
| 1995-96 | Minnesota (Moose) | IHL | 33 | 3 | 2 | 5 | 104 | - | - | - | - | - |
| 1996-97 | Houston (Aeros) | IHL | 59 | 2 | 1 | 3 | 214 | 2 | 0 | 0 | 0 | 0 |
| | Austin (Ice Bats) | WPHL | 5 | 2 | 3 | 5 | 10 | - | - | - | - | - |
| 1997-98 | Houston (Aeros) | IHL | 67 | 4 | 4 | 8 | 254 | 2 | 0 | 0 | 0 | 2 |
| 1998-99 | Fredericton (Canadien) | AHL | 39 | 4 | 4 | 8 | 152 | 12 | 1 | 0 | 1 | 31 |
| | **Montréal (Canadiens)** | **LNH** | **10** | **0** | **0** | **0** | **52** | - | - | - | - | - |
| 1999-00 | **Montréal (Canadiens)** | **LNH** | **1** | **0** | **0** | **0** | **5** | - | - | - | - | - |
| | Québec (Citadelles) | AHL | 47 | 2 | 4 | 6 | 231 | 2 | 0 | 0 | 0 | 0 |
| 2000-01 | Lake Charles | WPHL | 5 | 0 | 2 | 2 | 36 | - | - | - | - | - |
| | London (Knights) | GBR | 13 | 2 | 1 | 2 | 117 | - | - | - | - | - |
| | **LNH** | | **11** | **0** | **0** | **0** | **57** | - | - | - | - | - |
| | **Montréal** | | **11** | **0** | **0** | **0** | **57** | - | - | - | - | - |

- Signe avec Montréal comme agent libre le 10 juin 1998 • Signe avec London le 17 novembre 2000

### MOSDELL, KENNETH (KEN)

**Né à Montréal, Québec, le 13 juillet, 1922. Centre, lance de la gauche, 6'1", 1922**

| SAISON | CLUB | LIGUE | PJ | B | A | PTS | PUN | PJ | B | A | PTS | PUN |
|---|---|---|---|---|---|---|---|---|---|---|---|---|
| 1939-40 | Montréal (Royals Jr) | LHJQ | 12 | 7 | 9 | 16 | 4 | 2 | 0 | 0 | 0 | 0 |
| | Montréal (Royals) | LHSQ | 1 | 0 | 0 | 0 | 2 | - | - | - | - | - |
| 1940-41 | Montréal (Royals Jr) | LHJQ | 12 | 7 | 10 | 17 | 18 | 2 | 0 | 4 | 4 | 0 |
| | Montréal (Royals) | LHSQ | 1 | 0 | 0 | 0 | 0 | - | - | - | - | - |
| | Montréal (Royals Jr) | Mem. | 10 | 10 | 16 | 26 | 15 | - | - | - | - | - |
| 1941-42 | Springfield (Indians) | AHL | 1 | 0 | 0 | 0 | 0 | - | - | - | - | - |
| | Brooklyn (Americans) | LNH | 41 | 7 | 9 | 16 | 16 | - | - | - | - | - |
| 1942-43 | Lachine (RCAF) | LHSQ | 35 | 17 | 18 | 35 | 52 | 12 | 8 | 3 | 11 | 23 |
| 1943-44 | Montréal (RCAF) | LHSQ | 7 | 3 | 7 | 10 | 13 | - | - | - | - | - |
| | Montréal (Fairchild) | LHCM | 6 | 7 | 6 | 13 | 5 | - | - | - | - | - |
| 1944-45 | **Montréal (Canadiens)** | **LNH** | **31** | **12** | **6** | **18** | **16** | - | - | - | - | - |
| 1945-46 | Buffalo (Bisons) | AHL | 43 | 21 | 23 | 44 | 46 | - | - | - | - | - |
| | **Montréal (Canadiens)** | **LNH** | **13** | **2** | **1** | **3** | **8** | **9** | **4** | **1** | **5** | **6** |
| 1946-47 | **Montréal (Canadiens)** | **LNH** | **54** | **5** | **10** | **15** | **50** | **4** | **2** | **0** | **2** | **4** |
| 1947-48 | **Montréal (Canadiens)** | **LNH** | **23** | **1** | **0** | **1** | **19** | - | - | - | - | - |
| 1948-49 | **Montréal (Canadiens)** | **LNH** | **60** | **17** | **9** | **26** | **50** | **7** | **1** | **1** | **2** | **4** |
| 1949-50 | **Montréal (Canadiens)** | **LNH** | **67** | **15** | **12** | **27** | **42** | **5** | **0** | **0** | **0** | **12** |
| 1950-51 | **Montréal (Canadiens)** | **LNH** | **66** | **13** | **18** | **31** | **24** | **11** | **1** | **1** | **2** | **4** |
| 1951-52 | **Montréal (Canadiens)** | **LNH** | **44** | **5** | **11** | **16** | **19** | **2** | **1** | **0** | **1** | **0** |
| | Match des étoiles | LNH | 1 | 1 | 0 | 1 | 0 | - | - | - | - | - |
| 1952-53 | **Montréal (Canadiens)** | **LNH** | **63** | **5** | **14** | **19** | **27** | **7** | **3** | **2** | **5** | **4** |
| | Match des étoiles | LNH | 1 | 0 | 0 | 0 | 0 | - | - | - | - | - |
| 1953-54 | **Montréal (Canadiens)** | **LNH** | **67** | **22** | **24** | **46** | **64** | **11** | **1** | **0** | **1** | **4** |
| | Match des étoiles | LNH | 1 | 0 | 0 | 0 | 2 | - | - | - | - | - |
| 1954-55 | **Montréal (Canadiens)** | **LNH** | **70** | **22** | **32** | **54** | **82** | **12** | **2** | **7** | **9** | **8** |
| | Match des étoiles | LNH | 1 | 0 | 0 | 0 | 0 | - | - | - | - | - |
| 1955-56 | **Montréal (Canadiens)** | **LNH** | **67** | **13** | **17** | **30** | **48** | **9** | **1** | **1** | **2** | **2** |
| | Match des étoiles | LNH | 1 | 0 | 0 | 0 | 0 | - | - | - | - | - |
| 1956-57 | Chicago (Black Hawks) | LNH | 25 | 2 | 4 | 6 | 10 | - | - | - | - | - |
| 1957-58 | **Montréal (Canadiens)** | **LNH** | **2** | **0** | **1** | **1** | **0** | - | - | - | - | - |
| | Montréal (Royals) | LHQ | 62 | 27 | 42 | 69 | 51 | 7 | 3 | 6 | 9 | 2 |
| 1958-59 | Rochester (Americans) | AHL | | | | | | | | | | |

---

| SAISON | CLUB | LIGUE | PJ | B | A | PTS | PUN | PJ | B | A | PTS | PUN |
|---|---|---|---|---|---|---|---|---|---|---|---|---|
| | Montréal (Royals) | LHQ | 55 | 20 | 40 | 60 | 77 | 6 | 1 | 4 | 5 | 9 |
| | **Montréal (Canadiens)** | **LNH** | - | - | - | - | - | **2** | **0** | **0** | **0** | **0** |
| 1959-60 | Montréal (Royals) | EPHL | 61 | 26 | 36 | 62 | 50 | 14 | 3 | 3 | 6 | 12 |
| | **LNH** | | **693** | **141** | **168** | **309** | **475** | **79** | **16** | **13** | **29** | **48** |
| | **Montréal** | | **627** | **132** | **155** | **287** | **449** | **79** | **16** | **13** | **29** | **48** |

- **Coupe Stanley (LNH) en 1945-46, 1952-53, 1955-56, 1958-59 • Match des étoiles (LNH) en 1951-52, 1952-53, 1953-54, 1954-55, 1955-56 • Première équipe d'étoiles (LNH) en 1953-54**
- **Deuxième équipe d'étoiles (LNH) en 1954-55 • Deuxième équipe d'étoiles (LHQ) en 1958-59**
- Signe avec Brooklyn le 28 octobre 1941 • Droits transférés à Montréal avec Wilf Field lors du repêchage de dispersion de Brooklyn le 11 septembre 1943 • Prêté à Buffalo par Montréal avec Frank Eddolls le 28 octobre 1945 • Droits vendus à Chicago par Montréal avec Eddie Mazur et Bud MacPherson avec option de retour à la fin de la saison le 17 mai 1956

### MULLER, KIRK

**Né à Kingston, Ontario, le 8 février 1966. Ailier gauche, lance de la gauche, 6', 205 lb (1er choix du New Jersey, 2e au total lors du repêchage de 1984)**

| SAISON | CLUB | LIGUE | PJ | B | A | PTS | PUN | PJ | B | A | PTS | PUN |
|---|---|---|---|---|---|---|---|---|---|---|---|---|
| 1980-81 | Kingston (Voyageurs) | OHA B | 42 | 17 | 37 | 54 | 5 | - | - | - | - | - |
| | Kingston (Canadien) | OMJHL | 2 | 0 | 0 | 0 | 0 | - | - | - | - | - |
| 1981-82 | Kingston (Canadien) | OHL | 67 | 12 | 39 | 51 | 27 | 4 | 5 | 1 | 6 | 4 |
| 1982-83 | Guelph (Platers) | OHL | 66 | 52 | 60 | 112 | 41 | - | - | - | - | - |
| 1983-84 | Guelph (Platers) | OHL | 49 | 31 | 63 | 94 | 27 | - | - | - | - | - |
| | Canada | Éq. nat. | 15 | 2 | 2 | 4 | 6 | - | - | - | - | - |
| | Canada | CMJ | 7 | 2 | 1 | 3 | 16 | - | - | - | - | - |
| | Canada | JO | 6 | 2 | 1 | 3 | 0 | - | - | - | - | - |
| 1984-85 | New Jersey (Devils) | LNH | 80 | 17 | 37 | 54 | 69 | - | - | - | - | - |
| | Match des étoiles | LNH | 1 | 0 | 1 | 1 | 2 | - | - | - | - | - |
| | Canada | CM | 10 | 2 | 4 | 6 | 12 | - | - | - | - | - |
| 1985-86 | New Jersey (Devils) | LNH | 77 | 25 | 41 | 66 | 45 | - | - | - | - | - |
| | Match des étoiles | LNH | 1 | 0 | 0 | 0 | 0 | - | - | - | - | - |
| | Canada | CM | 10 | 3 | 4 | 7 | 10 | - | - | - | - | - |
| 1986-87 | New Jersey (Devils) | LNH | 79 | 26 | 50 | 76 | 75 | - | - | - | - | - |
| | Étoiles LNH | RV 87 | 2 | 0 | 0 | 0 | 0 | - | - | - | - | - |
| | Canada | CM | 10 | 2 | 0 | 2 | 8 | - | - | - | - | - |
| 1987-88 | New Jersey (Devils) | LNH | 80 | 37 | 57 | 94 | 114 | 20 | 4 | 8 | 12 | 37 |
| | Match des étoiles | LNH | 1 | 1 | 0 | 1 | 0 | - | - | - | - | - |
| 1988-89 | New Jersey (Devils) | LNH | 80 | 31 | 43 | 74 | 119 | - | - | - | - | - |
| | Canada | CM | 9 | 4 | 6 | 10 | 6 | - | - | - | - | - |
| 1989-90 | New Jersey (Devils) | LNH | 80 | 30 | 56 | 86 | 74 | 6 | 4 | 3 | 11 | |
| | Match des étoiles | LNH | 1 | 2 | 1 | 3 | 0 | - | - | - | - | - |
| 1990-91 | New Jersey (Devils) | LNH | 80 | 19 | 51 | 70 | 76 | 7 | 0 | 2 | 2 | 10 |
| 1991-92 | **Montréal (Canadiens)** | **LNH** | **78** | **36** | **41** | **77** | **86** | **11** | **4** | **3** | **7** | **31** |
| | Match des étoiles | LNH | 1 | 0 | 0 | 0 | 0 | - | - | - | - | - |
| 1992-93 | **Montréal (Canadiens)** | **LNH** | **80** | **37** | **57** | **94** | **77** | **20** | **10** | **7** | **17** | **18** |
| | Match des étoiles | LNH | 1 | 0 | 1 | 1 | 0 | - | - | - | - | - |
| 1993-94 | **Montréal (Canadiens)** | **LNH** | **76** | **23** | **34** | **57** | **96** | **7** | **6** | **2** | **8** | **4** |
| 1994-95 | **Montréal (Canadiens)** | **LNH** | **33** | **8** | **11** | **19** | **33** | - | - | - | - | - |
| | New York (Islanders) | LNH | 12 | 3 | 5 | 8 | 14 | - | - | - | - | - |
| 1995-96 | New York (Islanders) | LNH | 15 | 4 | 3 | 7 | 15 | - | - | - | - | - |
| | Toronto (Maple Leafs) | LNH | 36 | 9 | 16 | 25 | 42 | 6 | 3 | 5 | 8 | 4 |
| 1996-97 | Toronto (Maple Leafs) | LNH | 66 | 20 | 17 | 37 | 85 | - | - | - | - | - |
| | Floride (Panthers) | LNH | 10 | 1 | 2 | 3 | 4 | 5 | 1 | 2 | 3 | 4 |
| 1997-98 | Floride (Panthers) | LNH | 70 | 8 | 21 | 29 | 54 | - | - | - | - | - |
| 1998-99 | Floride (Panthers) | LNH | 82 | 4 | 11 | 15 | 49 | - | - | - | - | - |
| 1999-00 | Dallas (Stars) | LNH | 47 | 9 | 15 | 24 | 24 | 23 | 2 | 3 | 5 | 18 |
| 2000-01 | Dallas (Stars) | LNH | 55 | 1 | 9 | 10 | 26 | 10 | 1 | 3 | 4 | 12 |
| 2001-02 | Dallas (Stars) | LNH | 78 | 10 | 20 | 30 | 28 | - | - | - | - | - |
| 2002-03 | Dallas (Stars) | LNH | 55 | 1 | 5 | 6 | 18 | 12 | 1 | 1 | 2 | 8 |
| | **LNH** | | **1349** | **357** | **602** | **959** | **1223** | **127** | **33** | **36** | **69** | **153** |
| | **Montréal** | | **267** | **104** | **143** | **247** | **292** | **38** | **20** | **12** | **32** | **53** |

- **Trophée William-Hanley (OHL) en 1982-83 • Match des étoiles (LNH) en 1984-85, 1985-86, 1987-88, 1989-90, 1991-92, 1992-93 • Médaille d'argent (CM) en 1985, 1989 • Médaille de bronze (CM) en 1986 • Coupe Stanley (LNH) en 1992-93**
- **Échangé à Montréal par New Jersey avec Roland Melanson pour Stéphane Richer et Tom Chorske le 20 septembre 1991 • Échangé à New York (Islanders) par Montréal avec Mathieu Schneider et Craig Darby pour Pierre Turgeon et Vladimir Malakhov le 5 avril 1995.**
- **Échangé à Toronto par New York (Islanders) avec Don Beaupre pour Damian Rhodes et Ken Belanger le 23 janvier 1996 • Échangé à la Floride par Toronto pour Jason Podollan le 18 mars 1997 • Signe avec Dallas comme agent libre le 15 décembre 1999**

### MUMMERY, HAROLD (HARRY)

**Né à Chicago, Ilinois, le 25 août 1889, décédé le 7 décembre 1945**
Défenseur, lance de la gauche, 5'11", 220 lb

| SAISON | CLUB | LIGUE | PJ | B | A | PTS | PUN | PJ | B | A | PTS | PUN |
|---|---|---|---|---|---|---|---|---|---|---|---|---|
| 1907-08 | Brandon (YMCA) | MHL Sr | | | | | *Statistiques non disponibles* | | | | | |
| 1908-09 | Fort William (Forts) | NOHL | 12 | 3 | 0 | 3 | - | 1 | 0 | 0 | 0 | - |
| 1909-10 | Fort William (Forts) | NOHL | | | | | *Statistiques non disponibles* | | | | | |
| 1910-11 | Brandon (Shamrocks) | MPHL | 5 | 1 | 0 | 1 | | - | - | - | - | - |
| 1911-12 | Moose Jaw (Brewers) | SPHL | 5 | 1 | 0 | 1 | | - | - | - | - | - |
| 1912-13 | Québec (Bulldogs) | NHA | 19 | 5 | 0 | 5 | | 2 | 1 | 0 | 1 | 0 |
| 1913-14 | Québec (Bulldogs) | NHA | 20 | 8 | 5 | 13 | | - | - | - | - | - |
| 1914-15 | Québec (Bulldogs) | NHA | 20 | 7 | 4 | 11 | 88 | - | - | - | - | - |
| 1915-16 | Québec (Bulldogs) | NHA | 23 | 3 | 1 | 84 | | - | - | - | - | - |
| 1916-17 | **Montréal (Canadiens)** | **NHA** | **20** | **5** | **3** | **8** | **101** | **6** | **0** | **0** | **0** | **43** |
| 1917-18 | Toronto (Arenas) | LNH | 18 | 3 | 6 | 41 | | 7 | 1 | *7 | 8 | 17 |
| 1918-19 | Toronto (Arenas) | LNH | 11 | 1 | 0 | 1 | | - | - | - | - | - |
| 1919-20 | Québec (Bulldogs) | LNH | 24 | 9 | 18 | 42 | | - | - | - | - | - |
| 1920-21 | **Montréal (Canadiens)** | **LNH** | **24** | **15** | **5** | **20** | **69** | - | - | - | - | - |
| 1921-22 | Hamilton (Tigers) | LNH | 20 | 4 | 2 | 6 | 40 | - | - | - | - | - |
| 1922-23 | Hamilton (Tigers) | LNH | | | | | | | | | | |
| | Saskatoon (Sheiks) | WCHL | 4 | 0 | 0 | 0 | | - | - | - | - | - |

| SAISON | CLUB | LIGUE | PJ | B | A | PTS | PUN | PJ | B | A | PTS | PUN |
|---|---|---|---|---|---|---|---|---|---|---|---|---|

| | | | SAISONS RÉGULIÈRES | | | | | SÉRIES ÉLIMINATOIRES | | | | |

| SAISON | CLUB | LIGUE | PJ | B | A | PTS | PUN | PJ | B | A | PTS | PUN |
|---|---|---|---|---|---|---|---|---|---|---|---|---|
| | | NHA | 102 | 27 | 13 | 40 | 273 | 8 | 1 | 0 | 1 | 43 |
| | | LNH | 106 | 33 | 19 | 52 | 226 | 7 | 1 | 7 | 8 | 17 |
| | **Montréal** | | 44 | 20 | 8 | 28 | 170 | 6 | 0 | 0 | 0 | 43 |

• Coupe Stanley (NHA) en 1912-13 • Coupe Stanley (LNH) en 1917-18
• Signe avec Québec en décembre 1912 • Droits vendus à Montréal par Québec, avec option de retour à la fin de la saison le 5 décembre 1916 • Réclamé par Toronto avec Walter Johnstons lors du repêchage de dispersion de Québec le 26 novembre 1917 • Droits transférés à Québec au retour de la concession de Québec dans la LNH le 2 novembre 1919 • Transfert de la concession de Québec à Hamilton le 2 novembre 1920 • Échangé à Montréal par Hamilton avec Jack McDonald pour Goldie Prodgers et Joe Matte le 9 décembre 1920 • Échangé à Hamilton par Montréal avec Amos Arbour pour Sprague Cleghorn, le 26 novembre 1921 • Droits vendus à Saskatoon (WCHL) par Hamilton le 8 février 192.

### MUNRO, DUNCAN (DUNC)

**Né à Moray, Écosse, le 19 janvier 1901, décédé le 3 janvier 1958**
**Défenseur, lance de la gauche, 5'8", 190 lb**

| SAISON | CLUB | LIGUE | PJ | B | A | PTS | PUN | PJ | B | A | PTS | PUN |
|---|---|---|---|---|---|---|---|---|---|---|---|---|
| 1920-21 | Toronto (Granites) | OHA Sr | 8 | 4 | 5 | 9 | - | 2 | 1 | 0 | 1 | - |
| 1921-22 | Toronto (Granites) | OHA Sr | 10 | 4 | 6 | 10 | - | 2 | 2 | 1 | 3 | - |
| | Toronto (Granites) | Allan | 6 | 3 | 3 | 6 | - | - | - | - | - | - |
| 1922-23 | Toronto (Granites) | OHA Sr | 12 | 7 | 7 | 14 | - | 2 | 2 | 0 | 2 | 4 |
| 1923-24 | Toronto (Granites) | Exh. | 15 | 9 | 5 | 14 | - | - | - | - | - | - |
| | Canada | JO | 5 | 18 | 4 | 22 | 2 | - | - | - | - | - |
| 1924-25 | Montréal (Maroons) | LNH | 27 | 5 | 1 | 6 | 16 | - | - | - | - | - |
| 1925-26 | Montréal (Maroons) | LNH | 33 | 4 | 6 | 10 | 55 | 6 | 1 | 0 | 1 | 6 |
| 1926-27 | Montréal (Maroons) | LNH | 43 | 6 | 5 | 11 | 42 | 0 | 0 | 0 | 0 | 4 |
| 1927-28 | Montréal (Maroons) | LNH | 43 | 5 | 2 | 7 | 35 | 9 | 0 | 2 | 2 | 8 |
| 1928-29 | Montréal (Maroons) | LNH | 39 | 1 | 0 | 1 | 38 | - | - | - | - | - |
| 1929-30 | Montréal (Maroons) | LNH | 40 | 7 | 2 | 9 | 10 | 4 | 2 | 0 | 2 | 4 |
| 1930-31 | Montréal (Maroons) | LNH | 4 | 0 | 1 | 1 | 0 | - | - | - | - | - |
| 1931-32 | **Montréal (Canadiens)** | LNH | 48 | 1 | 1 | 2 | 14 | 4 | 0 | 0 | 0 | 2 |
| | | LNH | 239 | 28 | 18 | 46 | 172 | 25 | 3 | 2 | 5 | 24 |
| | **Montréal** | | 48 | 1 | 1 | 2 | 14 | 4 | 0 | 0 | 0 | 2 |

• Médaille d'or (JO) en 1924 • Coupe Stanley (LNH) en 1925-26
• Signe avec Montréal (Maroons) le 30 octobre 1924 • Nommé joueur-entraîneur des Maroons de Montréal le 23 septembre 1929 • Signe avec Montréal (Canadiens) le 6 novembre 1931

### MURDOCK, ROBERT (BOB)

**Né à Kirkland Lake, Ontario, le 20 novembre 1946**
**Défenseur, lance de la droite, 6', 200 lb**

| SAISON | CLUB | LIGUE | PJ | B | A | PTS | PUN | PJ | B | A | PTS | PUN |
|---|---|---|---|---|---|---|---|---|---|---|---|---|
| 1968-69 | Winnipeg (Nationals) | WCSHL | 6 | 0 | 1 | 1 | 2 | - | - | - | - | - |
| | Canada | Éq. nat. | Statistiques non disponibles | | | | | | | | | |
| | Canada | CM | 5 | 0 | 0 | 2 | - | - | - | - | - | - |
| 1969-70 | Canada | Éq. nat. | Statistiques non disponibles | | | | | | | | | |
| | Montréal (Voyageurs) | AHL | 6 | 0 | 2 | 2 | 6 | - | - | - | - | - |
| 1970-71 | Montréal (Voyageurs) | AHL | 66 | 8 | 20 | 28 | 69 | 3 | 1 | 2 | 3 | 4 |
| | **Montréal (Canadiens)** | LNH | 1 | 0 | 2 | 2 | 2 | 2 | 0 | 0 | 0 | 0 |
| 1971-72 | Nlle-Écosse (Voyageurs) | AHL | 53 | 7 | 32 | 39 | 53 | - | - | - | - | - |
| | **Montréal (Canadiens)** | LNH | 11 | 1 | 1 | 2 | 8 | 1 | 0 | 0 | 0 | 0 |
| 1972-73 | **Montréal (Canadiens)** | LNH | 69 | 2 | 22 | 24 | 55 | 13 | 0 | 3 | 3 | 10 |
| 1973-74 | Los Angeles (Kings) | LNH | 76 | 8 | 20 | 28 | 85 | 5 | 0 | 0 | 0 | 4 |
| 1974-75 | Los Angeles (Kings) | LNH | 80 | 13 | 29 | 42 | 116 | 3 | 0 | 1 | 1 | 4 |
| | Match des étoiles | LNH | 1 | 0 | 1 | 1 | 0 | - | - | - | - | - |
| 1975-76 | Los Angeles (Kings) | LNH | 80 | 6 | 29 | 35 | 103 | 9 | 0 | 5 | 5 | 15 |
| 1976-77 | Los Angeles (Kings) | LNH | 70 | 9 | 23 | 32 | 79 | 9 | 2 | 3 | 5 | 14 |
| 1977-78 | Los Angeles (Kings) | LNH | 32 | 2 | 17 | 19 | 68 | 2 | 0 | 1 | 1 | 5 |
| 1978-79 | Los Angeles (Kings) | LNH | 32 | 3 | 11 | 14 | 46 | - | - | - | - | - |
| | Atlanta (Flames) | LNH | 35 | 5 | 11 | 16 | 40 | - | - | - | - | - |
| 1979-80 | Atlanta (Flames) | LNH | 80 | 5 | 16 | 21 | 48 | 4 | 1 | 1 | 2 | 2 |
| 1980-81 | Calgary (Flames) | LNH | 74 | 3 | 19 | 22 | 54 | 9 | 1 | 4 | 5 | 36 |
| 1981-82 | Calgary (Flames) | LNH | 73 | 1 | 17 | 20 | 76 | 3 | 0 | 0 | 0 | 0 |
| | | LNH | 757 | 60 | 218 | 278 | 764 | 69 | 4 | 18 | 22 | 92 |
| | **Montréal** | | 81 | 3 | 25 | 28 | 65 | 16 | 0 | 3 | 3 | 10 |

• Coupe Stanley (LNH) en 1970-71, 1972-73 • Match des étoiles (LNH) en 1974-75
• Signe avec Montréal comme agent libre le 2 mars 1970 • Échangé au Minnesota par Montréal pour Marshall Johnston le 25 mai 1971 • Réclamé par Montréal du Minnesota lors du repêchage intra-ligue le 8 juin 1971 • Échangé à Los Angeles par Montréal avec Randy Rota au 1er choix de Los Angeles au repêchage de 1974 (Mario Tremblay) et compensation financière le 29 mai 1973 • Échangé à Atlanta par Los Angeles avec le choix de 2e ronde de Los Angeles au repêchage de 1980 (Tony Curtale) pour Richard Mulhern et le choix de 2e ronde d'Atlanta au repêchage de 1980 (Dave Morrison) le 16 janvier 1979. • Transfert de la concession d'Atlanta à Calgary le 24 juin 1980

### MURRAY, CHRIS

**Né à Port Hardy, Colombie-Britannique, le 25 octobre 1974. Ailier droit, lance de la droite, 6'2", 209 lb (3e choix de Montréal, 54e au total lors du repêchage de 1994)**

| SAISON | CLUB | LIGUE | PJ | B | A | PTS | PUN | PJ | B | A | PTS | PUN |
|---|---|---|---|---|---|---|---|---|---|---|---|---|
| 1990-91 | Bellingham (Ice Hawks) | BCJHL | 54 | 5 | 8 | 13 | 150 | - | - | - | - | - |
| 1991-92 | Kamloops (Blazers) | WHL | 33 | 1 | 1 | 2 | 218 | 5 | 0 | 0 | 0 | 10 |
| 1992-93 | Kamloops (Blazers) | WHL | 62 | 6 | 10 | 16 | 217 | 13 | 0 | 4 | 4 | 34 |
| 1993-94 | Kamloops (Blazers) | WHL | 59 | 14 | 16 | 30 | 260 | 15 | 4 | 2 | 6 | *107 |
| | Kamloops (Blazers) | Mem. | 4 | 2 | 2 | 4 | 24 | - | - | - | - | - |
| 1994-95 | Fredericton (Canadien) | AHL | 55 | 6 | 12 | 18 | 234 | 12 | 1 | 1 | 2 | 50 |
| | **Montréal (Canadiens)** | LNH | 3 | 0 | 0 | 0 | 4 | - | - | - | - | - |
| 1995-96 | Fredericton (Canadien) | AHL | 30 | 13 | 13 | 26 | 217 | - | - | - | - | - |
| | **Montréal (Canadiens)** | LNH | 48 | 3 | 4 | 7 | 163 | 4 | 0 | 0 | 0 | 4 |
| 1996-97 | **Montréal (Canadiens)** | LNH | 56 | 4 | 2 | 6 | 114 | - | - | - | - | - |
| | Hartford (Whalers) | LNH | 8 | 1 | 0 | 1 | 12 | - | - | - | - | - |
| 1997-98 | Caroline (Hurricanes) | LNH | 7 | 0 | 1 | 1 | 22 | - | - | - | - | - |
| | Ottawa (Sénateurs) | LNH | 46 | 5 | 3 | 8 | 96 | 11 | 1 | 0 | 1 | 8 |

---

| SAISON | CLUB | LIGUE | PJ | B | A | PTS | PUN | PJ | B | A | PTS | PUN |
|---|---|---|---|---|---|---|---|---|---|---|---|---|
| 1998-99 | Ottawa (Sénateurs) | LNH | 38 | 1 | 6 | 7 | 65 | - | - | - | - | - |
| | Chicago (Blackhawks) | LNH | 4 | 0 | 0 | 0 | 14 | - | - | - | - | - |
| 1999-00 | Dallas (Stars) | LNH | 32 | 2 | 1 | 3 | 62 | - | - | - | - | - |
| | Michigan (K-Wings) | IHL | 31 | 6 | 2 | 8 | 78 | - | - | - | - | - |
| 2000-01 | Worcester (IceCats) | AHL | 21 | 9 | 8 | 17 | 60 | - | - | - | - | - |
| | | LNH | 242 | 16 | 18 | 34 | 550 | 15 | 1 | 0 | 1 | 12 |
| | **Montréal** | | 107 | 7 | 6 | 13 | 281 | 4 | 0 | 0 | 0 | 4 |

• Coupe Memorial en 1993-94
• Échangé à Phoenix par Montréal avec Murray Baron pour Dave Manson le 18 mars 1997 • Échangé à Hartford par Phoenix pour Gerald Diduck le 18 mars 1997 • Transfert de la concession de Hartford en Caroline le 25 juin 1997 • Échangé à Ottawa par Caroline pour Sean Hill le 18 novembre 1997 • Échangé à Chicago par Ottawa pour Nelson Emerson le 23 mars 1999 • Réclamé au ballotage par Dallas de Chicago le 30 septembre 1999 • Signe avec St. Louis comme agent libre le 27 juillet 2000 • Signe avec Toronto comme agent libre le 7 août 2001

### MURRAY, LEO

**Né à Portage la Prairie, Manitoba, le 15 février 1906, décédé**
**Centre, lance de la gauche, 5'9", 165 lb**

| SAISON | CLUB | LIGUE | PJ | B | A | PTS | PUN | PJ | B | A | PTS | PUN |
|---|---|---|---|---|---|---|---|---|---|---|---|---|
| 1922-23 | Montréal (Sainte-Anne) | LHCM | 2 | 0 | 0 | 0 | 0 | - | - | - | - | - |
| 1923-24 | Montréal (Eurekas) | LHCM | Statistiques non disponibles | | | | | | | | | |
| 1924-25 | Montréal (Sainte-Anne) | ECHL | 12 | 8 | 0 | 8 | - | - | - | - | - | - |
| | Montréal (Eurekas) | LHCM | Statistiques non disponibles | | | | | | | | | |
| 1925-26 | Montréal (Colombus) | AHAQ | 8 | 5 | 0 | 5 | 15 | - | - | - | - | - |
| | Montréal (CNR) | LHRTM | 9 | 7 | 3 | 10 | 6 | 1 | 0 | 0 | 0 | 0 |
| 1926-27 | Québec (Castors) | Can-Am | 32 | 13 | 4 | 17 | 36 | 2 | 0 | 0 | 0 | 2 |
| 1927-28 | Québec (Castors) | Can-Am | 39 | 10 | 5 | 15 | 69 | 6 | 1 | 0 | 1 | 12 |
| 1928-29 | Newark (Bulldogs) | Can-Am | 40 | 6 | 3 | 9 | 78 | - | - | - | - | - |
| 1929-30 | Providence (Reds) | Can-Am | 22 | 3 | 3 | 6 | 42 | - | - | - | - | - |
| 1930-31 | Detroit (Olympics) | IHL | 24 | 5 | 3 | 8 | 18 | - | - | - | - | - |
| | Philadelphie (Arrows) | Can-Am | 15 | 5 | 1 | 6 | 27 | - | - | - | - | - |
| 1931-32 | Providence (Reds) | Can-Am | 39 | 17 | 11 | 28 | 65 | 5 | 2 | 2 | 4 | 2 |
| 1932-33 | Providence (Reds) | Can-Am | 42 | 16 | 14 | 30 | 51 | 2 | 1 | 1 | 2 | 0 |
| | **Montréal (Canadiens)** | LNH | 6 | 0 | 0 | 0 | 2 | - | - | - | - | - |
| 1933-34 | Providence (Reds) | Can-Am | 40 | 9 | 12 | 21 | 60 | 3 | 0 | 0 | 0 | 9 |
| 1934-35 | Providence (Reds) | Can-Am | 39 | 2 | 10 | 12 | 32 | 6 | 1 | 0 | 1 | 6 |
| 1935-36 | Springfield (Indians) | Can-Am | 16 | 2 | 6 | 8 | 13 | 3 | 0 | 1 | 1 | 0 |
| | | LNH | 6 | 0 | 0 | 0 | 2 | - | - | - | - | - |
| | **Montréal** | | 6 | 0 | 0 | 0 | 2 | - | - | - | - | - |

• Signe avec Québec le 3 novembre 1926 • Transfert de la concession de Québec (Can-Am) à Newark (Can-Am) en octobre 1928 • Droits vendus à Providence (Can-Am) par Newark (Can-Am) le 8 octobre 1929 • Signe avec New York (Americans) le 22 octobre 1930 • Signe avec Providence (Can-Am) en octobre 1931 • Prêté à Montréal par Providence (Can-Am) avec Hago Harrington pour Léo Gaudreault et Armand Mondou le 23 janvier 1933 • Échangé à Springfield (Can-Am) par Providence (Can-Am) avec Chris Speyer pour Albert Leduc le 12 octobre 1935

### NAPIER, MARK

**Né à Toronto, Ontario, le 28 janvier 1957. Ailier droit, lance de la gauche, 5'10", 182 lb (1er choix de Montréal, 10e au total lors du repêchage de 1977)**

| SAISON | CLUB | LIGUE | PJ | B | A | PTS | PUN | PJ | B | A | PTS | PUN |
|---|---|---|---|---|---|---|---|---|---|---|---|---|
| 1972-73 | Wexford (Raiders) | OHA B | 44 | 41 | 27 | 68 | 201 | - | - | - | - | - |
| 1973-74 | Toronto (Marlboros) | OMJHL | 70 | 47 | 46 | 93 | 63 | - | - | - | - | - |
| 1974-75 | Toronto (Marlboros) | OMJHL | 61 | 66 | 64 | 130 | 106 | 23 | *24 | 24 | *48 | 13 |
| | Toronto (Marlboros) | Mem. | 4 | 4 | 4 | 8 | 4 | - | - | - | - | - |
| 1975-76 | Toronto (Toros) | AMH | 78 | 43 | 50 | 93 | 20 | - | - | - | - | - |
| 1976-77 | Birmingham (Bulls) | AMH | 80 | 60 | 36 | 96 | 24 | - | - | - | - | - |
| 1977-78 | Birmingham (Bulls) | AMH | 79 | 33 | 32 | 65 | 9 | 5 | 0 | 2 | 2 | 14 |
| 1978-79 | **Montréal (Canadiens)** | LNH | 54 | 11 | 20 | 31 | 11 | 12 | 3 | 2 | 5 | 2 |
| 1979-80 | **Montréal (Canadiens)** | LNH | 76 | 16 | 33 | 49 | 7 | 10 | 2 | 6 | 8 | 0 |
| 1980-81 | **Montréal (Canadiens)** | LNH | 79 | 35 | 36 | 71 | 24 | 3 | 0 | 0 | 0 | 0 |
| 1981-82 | **Montréal (Canadiens)** | LNH | 80 | 40 | 41 | 81 | 14 | 5 | 3 | 2 | 5 | 0 |
| | Canada | CM | 9 | 5 | 5 | 10 | 4 | - | - | - | - | - |
| 1982-83 | **Montréal (Canadiens)** | LNH | 73 | 40 | 27 | 67 | 6 | 3 | 0 | 0 | 0 | 0 |
| 1983-84 | **Montréal (Canadiens)** | LNH | 5 | 3 | 2 | 5 | 0 | - | - | - | - | - |
| | Minnesota (North Stars) | LNH | 58 | 13 | 28 | 41 | 17 | 12 | 3 | 2 | 5 | 2 |
| 1984-85 | Minnesota (North Stars) | LNH | 39 | 10 | 18 | 28 | 2 | - | - | - | - | - |
| | Edmonton (Oilers) | LNH | 33 | 9 | 26 | 35 | 19 | 18 | 5 | 5 | 10 | 0 |
| 1985-86 | Edmonton (Oilers) | LNH | 80 | 24 | 32 | 56 | 14 | 10 | 1 | 4 | 5 | 0 |
| 1986-87 | Edmonton (Oilers) | LNH | 62 | 8 | 13 | 21 | 6 | - | - | - | - | - |
| | Buffalo (Sabres) | LNH | 15 | 5 | 5 | 10 | 0 | - | - | - | - | - |
| 1987-88 | Buffalo (Sabres) | LNH | 47 | 10 | 8 | 18 | 8 | 6 | 0 | 3 | 3 | 2 |
| 1988-89 | Buffalo (Sabres) | LNH | 66 | 11 | 17 | 28 | 33 | 1 | 0 | 1 | 1 | 0 |
| 1989-90 | HC Bolzano | ITA | 36 | 68 | 72 | 140 | 6 | 6 | 6 | 6 | 12 | 2 |
| 1990-91 | HC Varese | ITA | 36 | *45 | *73 | *118 | 4 | 10 | 8 | 18 | 26 | 0 |
| 1991-92 | HC Milano Devils | Alpes | 20 | 29 | 13 | 42 | 4 | - | - | - | - | - |
| | HC Milano Devils | ITA | 11 | 11 | 14 | 25 | 0 | 12 | 15 | 13 | 28 | 0 |
| | Canada | Éq. nat. | - | - | - | - | - | - | - | - | - | - |
| 1992-93 | HC Milano Devils | Alpes | 27 | 19 | 19 | 38 | 4 | - | - | - | - | - |
| | HC Milano Devils | ITA | 16 | 13 | 23 | 36 | 2 | 11 | 6 | 9 | 15 | 0 |
| | | LNH | 767 | 235 | 306 | 541 | 157 | 82 | 18 | 24 | 42 | 11 |
| | **Montréal** | | 367 | 145 | 159 | 304 | 62 | 33 | 8 | 10 | 18 | 4 |

• Première équipe d'étoiles (OMJHL) en 1974-75 • Coupe Memorial en 1974-75 • Trophée Lou-Kaplan (AMH) en 1975-76 • Coupe Stanley (LNH) en 1978-79, 1984-85 • Médaille de bronze (CM) en 1982
• Signe avec Toronto (AMH) en mai 1975 • Transfert de la concession de Toronto (AMH) à Birmingham (AMH) le 30 juin 1976 • Échangé au Minnesota par Montréal avec Keith Acton et le choix de 3e ronde de Toronto (propriété du Canadien suite à une transaction antérieure, Minnesota sélectionne Ken Hodge Jr) au repêchage de 1984 pour Bobby Smith le 28 octobre 1983 • Échangé à Edmonton par Minnesota pour Gord Sherven et Terry Martin le 24 janvier 1985

| SAISON | CLUB | LIGUE | PJ | B | A | PTS | PUN | PJ | B | A | PTS | PUN |
|---|---|---|---|---|---|---|---|---|---|---|---|---|

SAISONS RÉGULIÈRES — SÉRIES ÉLIMINATOIRES

• Échangé à Buffalo par Edmonton avec Lee Fogolin et le choix de ronde d'Edmonton au repêchage de 1987 (John Bradley) pour Normand Lacombe, Wayne Van Dorp et le choix de 4e ronde de Buffalo au repêchage de 1987 (Peter Eriksson) le 6 mars 1987

## NÄSLUND, MATS

**Né à Timra, Suède, le 31 octobre 1959. Ailier gauche, lance de la gauche, 5'7", 160 lb**
**(2e choix de Montréal, 37e au total lors du repêchage de 1979)**

| SAISON CLUB | LIGUE | PJ | B | A | PTS | PUN | PJ | B | A | PTS | PUN |
|---|---|---|---|---|---|---|---|---|---|---|---|
| 1976-77 Timra IK | SWE | 17 | 15 | 13 | 28 | | | | | | |
| Suède | EJC | 6 | 9 | 3 | 12 | 2 | | | | | |
| 1977-78 Timra IF | SWE | 35 | 13 | 6 | 19 | 14 | | | | | |
| Suède | CMJ | 7 | 2 | 8 | 10 | 6 | | | | | |
| 1978-79 Brynas IF Galve | SWE | 36 | 12 | 12 | 24 | 19 | | | | | |
| Suède | CMJ | 6 | 3 | 2 | 5 | 6 | | | | | |
| Suède | CM | 8 | 5 | 2 | 7 | 8 | | | | | |
| 1979-80 Brynas IF Galve | SWE | 36 | 18 | 19 | 37 | 34 | 7 | 2 | 2 | 4 | 4 |
| Suède | JO | 7 | 3 | 7 | 10 | 6 | | | | | |
| 1980-81 Brynas IF Galve | SWE | 36 | 17 | *25 | *42 | 34 | | | | | |
| Suède | CM | 8 | 0 | 3 | 3 | 6 | | | | | |
| 1981-82 Brynas IF Galve | SWE | 36 | 24 | 18 | 42 | 16 | | | | | |
| Suède | CM | 10 | 2 | 4 | 6 | 4 | | | | | |
| 1982-83 Montréal (Canadiens) | LNH | 74 | 26 | 45 | 71 | 10 | 3 | 1 | 0 | 1 | 0 |
| Suède | CM | 3 | 0 | 4 | 4 | 7 | | | | | |
| 1983-84 Montréal (Canadiens) | LNH | 77 | 29 | 35 | 64 | 4 | 15 | 6 | 8 | 14 | 4 |
| Match des étoiles | LNH | 1 | 1 | 0 | 1 | 0 | | | | | |
| 1984-85 Suède | CC | 8 | 2 | 3 | 5 | 6 | | | | | |
| Montréal (Canadiens) | LNH | 80 | 42 | 37 | 79 | 14 | 12 | 7 | 4 | 11 | 6 |
| 1985-86 Montréal (Canadiens) | LNH | 80 | 43 | 67 | 110 | 16 | 20 | 8 | 11 | 19 | 4 |
| Match des étoiles | LNH | 1 | 0 | 1 | 1 | 0 | | | | | |
| 1986-87 Montréal (Canadiens) | LNH | 79 | 25 | 55 | 80 | 16 | 17 | 7 | 15 | 22 | 11 |
| 1987-88 Suède | CC | 6 | 1 | 2 | 3 | 2 | | | | | |
| Montréal (Canadiens) | LNH | 78 | 24 | 59 | 83 | 14 | 6 | 0 | 7 | 7 | 2 |
| Match des étoiles | LNH | 1 | 0 | 5 | 5 | 0 | | | | | |
| 1988-89 Montréal (Canadiens) | LNH | 77 | 33 | 51 | 84 | 14 | 21 | 4 | 11 | 15 | 6 |
| 1989-90 Montréal (Canadiens) | LNH | 72 | 21 | 20 | 41 | 19 | 3 | 1 | 1 | 2 | 0 |
| 1990-91 HC Lugano | SUI | 31 | 27 | 29 | 56 | | 11 | 4 | 8 | 12 | |
| Suède | CM | 10 | 3 | 5 | 8 | 0 | | | | | |
| 1991-92 Suède | CC | 6 | 1 | 3 | 4 | 0 | | | | | |
| Malmo IF | SWE | 39 | 15 | 24 | 39 | 10 | 10 | 3 | 2 | 5 | |
| Suède | JO | 8 | 1 | 5 | 6 | 27 | | | | | |
| 1992-93 Malmo IF | SWE | 33 | 11 | 21 | 32 | 10 | 1 | 0 | 0 | 0 | 0 |
| 1993-94 Malmo IF | SWE | 40 | 14 | 30 | 44 | 8 | 11 | 2 | 4 | 6 | |
| Suède | JO | 8 | 0 | 7 | 7 | 0 | | | | | |
| 1994-95 Boston (Bruins) | LNH | 34 | 8 | 14 | 22 | 4 | 5 | 1 | 0 | 1 | 0 |
| **LNH** | | 651 | 251 | 383 | 634 | 111 | 102 | 35 | 57 | 92 | 33 |
| **Montréal** | | 617 | 243 | 369 | 612 | 107 | 97 | 34 | 57 | 91 | 33 |

• Équipe d'étoiles (CMJ) en 1978 • Équipe d'étoiles (SWE) en 1978-79, 1979-80, 1980-81, 1981-82, 1982-83 • Joueur de l'année (SWE) en 1979-80 • Médaille d'argent (CMJ) en 1978 • Médaille d'argent (CM) en 1981• Médaille de bronze (CMJ) en 1979 • Médaille de bronze (CM) en 1979 • Médaille d'or (JO) en 1980 • Médaille d'or (JO) en 1991 • Médaille d'or (JO) en 1994 • Équipe d'étoiles des joueurs recrues (LNH) en 1982-83 • Match des étoiles (LNH) en 1983-84, 1985-86, 1987-88 • Deuxième équipe d'étoiles (LNH) en 1985-86 • Coupe Stanley (LNH) en 1985-86 • Trophée Lady-Byng (LNH) en 1987-88. Équipe d'État suédoise en 1978-79, 1979-80, 1980-81, 1981-82 et 1982-83
• Signe avec Boston comme agent libre le 21 février 1994

## NASREDDINE, ALAIN

**Né à Montréal, Québec, le 10 juillet 1975. Défenseur, lance de la gauche, 6'1", 201 lb**
**(8e choix de Floride, 135e au total lors du repêchage de 1993)**

| SAISON CLUB | LIGUE | PJ | B | A | PTS | PUN | PJ | B | A | PTS | PUN |
|---|---|---|---|---|---|---|---|---|---|---|---|
| 1990-91 Montréal-Bourassa | QAAA | 35 | 10 | 25 | 35 | 50 | | | | | |
| 1991-92 Drummondville (Voltigeurs) | LHJMQ | 61 | 1 | 9 | 10 | 78 | 4 | 0 | 0 | 0 | 17 |
| 1992-93 Drummondville (Voltigeurs) | LHJMQ | 64 | 0 | 14 | 14 | 137 | 10 | 0 | 1 | 1 | 34 |
| 1993-94 Chicoutimi (Saguenéens) | LHJMQ | 60 | 3 | 24 | 27 | 218 | 26 | 2 | 10 | 12 | 118 |
| Chicoutimi (Saguenéens) | Mem. | 4 | 0 | 0 | 0 | 8 | | | | | |
| 1994-95 Chicoutimi (Saguenéens) | LHJMQ | 67 | 8 | 31 | 39 | 342 | 13 | 3 | 5 | 8 | 40 |
| 1995-96 Caroline (Monarchs) | AHL | 63 | 0 | 5 | 5 | 245 | | | | | |
| 1996-97 Caroline (Monarchs) | AHL | 26 | 0 | 4 | 4 | 109 | | | | | |
| Indianapolis (Ice) | AHL | 49 | 0 | 2 | 2 | 248 | | 1 | 1 | 2 | 27 |
| 1997-98 Indianapolis (Ice) | AHL | 75 | 1 | 12 | 13 | 258 | 5 | 0 | 2 | 2 | 12 |
| 1998-99 Chicago (Blackhawks) | LNH | 7 | 0 | 0 | 0 | 19 | | | | | |
| Portland (Pirates) | AHL | | 0 | 1 | 1 | 36 | | | | | |
| Fredericton (Canadien) | AHL | 38 | 0 | 10 | 10 | 108 | 15 | 0 | 3 | 3 | 39 |
| Montréal (Canadiens) | LNH | 8 | 0 | 0 | 0 | 33 | | | | | |
| 1999-00 Québec (Citadelles) | AHL | 59 | 1 | 6 | 7 | 178 | | | | | |
| Hamilton (Bulldogs) | AHL | 11 | 0 | 0 | 0 | 12 | 10 | 0 | 1 | 1 | 14 |
| 2000-01 Hamilton (Bulldogs) | AHL | 74 | 4 | 14 | 18 | 164 | | | | | |
| 2001-02 Hamilton (Bulldogs) | AHL | 79 | 7 | 10 | 17 | 154 | 12 | 1 | 3 | 4 | 22 |
| 2002-03 Bridgeport (Sound Tigers) | AHL | 67 | 3 | 9 | 12 | 114 | 9 | 0 | 0 | 0 | 27 |
| **LNH** | | 15 | 0 | 0 | 0 | 52 | | | | | |
| **Montréal** | | 8 | 0 | 0 | 0 | 33 | | | | | |

• Coupe du Président (LHJMQ) en 1993-94 • Deuxième équipe d'étoiles (LHJMQ) en 1994-95
• Échangé à Chicago par la Floride pour Ivan Droppa le 18 décembre 1996 • Échangé à Montréal par Chicago avec Jeff Hackett, Eric Weinrich et le choix de 4e ronde de Tampa Bay (propriété de Chicago suite à une transaction antérieure, Montréal sélectionne Chris Dyment) au repêchage de 1999 pour Brad Brown, Dave Manson et Jocelyn Thibault le 16 novembre 1998 • Échangé à Edmonton par Montréal avec Igor Ulanov pour Christian Laflamme et Matthieu Descoteaux le 9 mars 2000

## NATTRESS, ERIC (RIC)

**Né à Hamilton, Ontario, le 25 mai 1962. Défenseur, lance de la droite, 6'2", 210 lb**
**(2e choix de Montréal, 27e au total lors du repêchage de 1980)**

| SAISON CLUB | LIGUE | PJ | B | A | PTS | PUN | PJ | B | A | PTS | PUN |
|---|---|---|---|---|---|---|---|---|---|---|---|
| 1978-79 Hamilton (Huskies) | OMHA | 40 | 21 | 28 | 49 | 76 | | | | | |
| 1979-80 Brantford (Alexanders) | OMJHL | 65 | 3 | 21 | 24 | 94 | 11 | 1 | 6 | 7 | 38 |
| 1980-81 Brantford (Alexanders) | OMJHL | 51 | 8 | 34 | 42 | 106 | 6 | 1 | 4 | 5 | 19 |
| 1981-82 Brantford (Alexanders) | OHL | 59 | 11 | 50 | 61 | 126 | 11 | 3 | 7 | 10 | 17 |
| Nlle-Écosse (Voyageurs) | AHL | | | | | | 5 | 0 | 1 | 1 | 7 |
| 1982-83 Nlle-Écosse (Voyageurs) | AHL | 9 | 0 | 4 | 4 | 16 | | | | | |
| Montréal (Canadiens) | LNH | 40 | 1 | 3 | 4 | 19 | 3 | 0 | 0 | 0 | 10 |
| 1983-84 Montréal (Canadiens) | LNH | 34 | 0 | 12 | 12 | 15 | | | | | |
| 1984-85 Montréal (Canadiens) | LNH | 5 | 0 | 1 | 1 | 2 | 2 | 0 | 0 | 0 | 0 |
| Sherbrooke (Canadien) | AHL | 72 | 8 | 40 | 48 | 37 | 16 | 4 | 13 | 17 | 20 |
| 1985-86 St. Louis (Blues) | LNH | 78 | 4 | 20 | 24 | 52 | 18 | 1 | 4 | 5 | 24 |
| 1986-87 St. Louis (Blues) | LNH | 73 | 6 | 22 | 28 | 24 | 6 | 0 | 0 | 0 | 2 |
| 1987-88 Calgary (Flames) | LNH | 63 | 2 | 13 | 15 | 37 | 6 | 1 | 3 | 4 | 0 |
| 1988-89 Calgary (Flames) | LNH | 38 | 1 | 8 | 9 | 47 | 19 | 0 | 3 | 3 | 20 |
| 1989-90 Calgary (Flames) | LNH | 49 | 1 | 14 | 15 | 26 | 6 | 2 | 0 | 2 | 0 |
| 1990-91 Calgary (Flames) | LNH | 58 | 5 | 13 | 18 | 63 | 7 | 0 | 3 | 3 | 0 |
| Canada | CM | 7 | 0 | 1 | 1 | 4 | | | | | |
| 1991-92 Calgary (Flames) | LNH | 18 | 0 | 5 | 5 | 10 | | | | | |
| Toronto (Maple Leafs) | LNH | 36 | 2 | 14 | 16 | 32 | | | | | |
| 1992-93 Philadelphie (Flyers) | LNH | 44 | 1 | 8 | 9 | 17 | | | | | |
| **LNH** | | 536 | 29 | 135 | 164 | 377 | 67 | 5 | 10 | 15 | 60 |
| **Montréal** | | 79 | 1 | 16 | 17 | 36 | 5 | 0 | 0 | 0 | 12 |

• Coupe Calder (AHL) en 1984-85 • Coupe Stanley (LNH) en 1988-89 • Médaille d'argent (CM) en 1991
• Droits vendus à St. Louis par Montréal le 7 octobre 1985 • Échangé à Calgary par St. Louis pour le choix de 4e ronde de 1987 (Andy Rymsha) et le choix de 5e ronde de 1988 (Dave Lacouture) de Calgary au repêchage de 1988 le 13 juin 1987 • Échangé à Toronto par Calgary avec Doug Gilmour, Jamie Macoun, Ken Manderville et Rick Wamsley pour Gary Leeman, Alexander Godynyuk, Jeff Reese, Michel Petit et Craig Berube le 21 janvier 1992. • Signe avec Philadelphie comme agent libre le 21 août 1992

**NÄS-NEW**

## NEWBERRY, JOHN

**Né à Port Alberni, Colombie-Britannique, le 8 avril 1962. Centre, lance de la gauche, 6', 190 lb (4e choix de Montréal, 45e au total lors du repêchage de 1980)**

| SAISON CLUB | LIGUE | PJ | B | A | PTS | PUN | PJ | B | A | PTS | PUN |
|---|---|---|---|---|---|---|---|---|---|---|---|
| 1979-80 Nanaimo (Clippers) | BCJHL | 65 | *84 | *101 | *185 | 96 | | | | | |
| Victoria (Cougars) | WHL | 1 | 0 | 2 | 2 | 0 | | | | | |
| 1980-81 Wisconsin University | WCHA | 39 | 30 | 32 | 62 | 77 | | | | | |
| 1981-82 Wisconsin University | WCHA | 39 | 38 | 27 | 65 | 42 | | | | | |
| 1982-83 Nlle-Écosse (Voyageurs) | AHL | 71 | 29 | 29 | 58 | 43 | 6 | 3 | 1 | 4 | 2 |
| Montréal (Canadiens) | LNH | | | | | | 2 | 0 | 0 | 0 | 0 |
| 1983-84 Nlle-Écosse (Voyageurs) | AHL | 78 | 25 | 37 | 62 | 116 | 12 | 7 | 12 | 19 | 22 |
| Montréal (Canadiens) | LNH | 3 | 0 | 0 | 0 | 0 | | | | | |
| 1984-85 Sherbrooke (Canadien) | AHL | 58 | 23 | 40 | 63 | 30 | 17 | 6 | *14 | *20 | 18 |
| Montréal (Canadiens) | LNH | 16 | 0 | 4 | 4 | 6 | | | | | |
| 1985-86 Hartford (Whalers) | LNH | 3 | 0 | 0 | 0 | 0 | | | | | |
| Binghamton (Whalers) | AHL | 21 | 6 | 11 | 17 | 38 | | | | | |
| Moncton (Golden Flames) | AHL | 40 | 10 | 24 | 34 | 31 | 9 | 1 | 4 | 5 | 2 |
| 1986-87 Karpat Oulu | FIN | 39 | 16 | 14 | 30 | 63 | 9 | 3 | 4 | 7 | 17 |
| 1987-88 Vastra Frolunda | SWE | 34 | 22 | 39 | 61 | 32 | 10 | 3 | 6 | 9 | 10 |
| 1988-89 Vastra Frolunda | SWE | 33 | 24 | 22 | 46 | 32 | 11 | 5 | 5 | 10 | 8 |
| 1989-90 Orebro IK | SWE | 17 | 4 | 23 | 27 | 29 | | | | | |
| EV Zug | SUI | 19 | 5 | 8 | 13 | | 3 | 1 | 0 | 1 | 0 |
| 1990-91 Uppsala/Almtuna IS | SWE | 27 | 18 | 28 | 46 | | 2 | 0 | 1 | 1 | 27 |
| 1991-92 Uppsala/Almtuna IS | SWE | 29 | 10 | 25 | 35 | 46 | | | | | |
| 1992-93 Murrayfield Racers | GBR-Cup | 6 | 7 | 13 | 20 | 28 | | | | | |
| Murrayfield Racers | ENG | 32 | 59 | 85 | 144 | 120 | 7 | 11 | 13 | 24 | 10 |
| **LNH** | | 22 | 0 | 4 | 4 | 6 | 2 | 0 | 0 | 0 | 0 |
| **Montréal** | | 19 | 0 | 4 | 4 | 6 | 2 | 0 | 0 | 0 | 0 |

• Sélectionné sur l'équipe d'étoiles du tournoi de championnat de la NCAA en 1980-81, 1981-82 • Première équipe d'étoiles (WCHA) en 1981-82 • Première équipe d'étoiles de l'Est All-American (NCAA) en 1981-82 • Coupe Calder (AHL) en 1984-85
• Signe avec Hartford comme agent libre le 19 septembre 1985

## NEWMAN, DANIEL (DAN)

**Né à Windsor, Ontario, le 26 janvier 1952**
**Ailier gauche, lance de la gauche. 6'1", 195 lb**

| SAISON CLUB | LIGUE | PJ | B | A | PTS | PUN | PJ | B | A | PTS | PUN |
|---|---|---|---|---|---|---|---|---|---|---|---|
| 1970-71 St. Clair College | NCAA | 36 | 13 | 17 | 30 | 42 | | | | | |
| 1971-72 St. Clair College | NCAA | 32 | 20 | 28 | 48 | 41 | | | | | |
| 1972-73 Virginia (Wings) | AHL | 5 | 1 | 0 | 1 | 0 | | | | | |
| Des Moines/Port Huron | IHL | 61 | 8 | 14 | 22 | 27 | 3 | 0 | 0 | 0 | 0 |
| 1973-74 Port Huron (Wings) | IHL | 66 | 14 | 16 | 30 | 129 | | | | | |
| 1974-75 Port Huron (Flags) | IHL | 72 | 8 | 22 | 30 | 72 | 5 | 1 | 2 | 3 | 0 |
| 1975-76 Port Huron (Flags) | IHL | 75 | 39 | 45 | 84 | 114 | 15 | 6 | 9 | 15 | 35 |
| 1976-77 New Haven (Nighthawks) | AHL | | 12 | 17 | 29 | 57 | | | | | |
| New York (Rangers) | LNH | 41 | 8 | 9 | 17 | 37 | | | | | |
| 1977-78 New Haven (Nighthawks) | AHL | 8 | 1 | 5 | 6 | 8 | | | | | |
| New York (Rangers) | LNH | 65 | 5 | 13 | 18 | 22 | 3 | 0 | 0 | 0 | 4 |
| 1978-79 Nlle-Écosse (Voyageurs) | AHL | 54 | 24 | 22 | 46 | 54 | | | | | |
| Montréal (Canadiens) | LNH | 16 | 0 | 2 | 2 | 4 | | | | | |
| 1979-80 Edmonton (Oilers) | LNH | 4 | 4 | 0 | 4 | 0 | | | | | |
| Binghamton (Whalers) | AHL | 55 | 11 | 17 | 28 | 50 | | | | | |
| Houston (Apollos) | CHL | 14 | 5 | 9 | 14 | 4 | | | | | |
| **LNH** | | 126 | 17 | 24 | 41 | 63 | 3 | 0 | 0 | 0 | 4 |
| **Montréal** | | 16 | 0 | 2 | 2 | 4 | | | | | |

• Signe avec Port Huron (IHL) comme agent libre en septembre 1972 • Droits transférés à New York (Rangers) lors de l'entente d'affiliation de Port Huron (IHL) en juin 1974

• Réclamé par Montréal de New York (Rangers) lors du repêchage inter-équipes le 9 octobre 1978 • Échangé à Edmonton par Montréal avec Dave Lumley pour le choix de 2e ronde d'Edmonton au repêchage de 1980 (Ric Nattress) le 13 juin 1979 • Échangé à Boston par Edmonton pour Bobby Schmautz le 10 décembre 1979

## NILAN, CHRISTOPHER (CHRIS)

**Né à Boston, Massachusetts, le 9 février 1958. Ailier droit, lance de la droite, 6', 205 lb (21e choix de Montréal, 231e au total lors du repêchage de 1978)**

| SAISON / CLUB | LIGUE | PJ | B | A | PTS | PUN | PJ | B | A | PTS | PUN |
|---|---|---|---|---|---|---|---|---|---|---|---|
| 1978-79 Northeastern University | ECAC | 32 | 9 | 17 | 26 | 92 | - | - | - | - | - |
| 1979-80 Nlle-Écosse (Voyageurs) | AHL | 49 | 15 | 10 | 25 | *304 | - | - | - | - | - |
| **Montréal (Canadiens)** | LNH | 15 | 0 | 2 | 2 | 50 | 5 | 0 | 0 | 0 | 2 |
| 1980-81 **Montréal (Canadiens)** | LNH | 57 | 7 | 8 | 15 | 262 | - | - | - | - | - |
| 1981-82 **Montréal (Canadiens)** | LNH | 49 | 7 | 4 | 11 | 204 | 5 | 1 | 1 | 2 | 22 |
| 1982-83 **Montréal (Canadiens)** | LNH | 66 | 6 | 8 | 14 | 213 | 3 | 0 | 0 | 0 | 5 |
| 1983-84 **Montréal (Canadiens)** | LNH | 76 | 16 | 10 | 26 | *338 | 15 | 1 | 0 | 1 | *81 |
| 1984-85 **Montréal (Canadiens)** | LNH | 77 | 21 | 16 | 37 | *358 | 12 | 2 | 1 | 3 | 81 |
| 1985-86 **Montréal (Canadiens)** | LNH | 72 | 19 | 15 | 34 | 274 | 18 | 1 | 2 | 3 | *141 |
| 1986-87 **Montréal (Canadiens)** | LNH | 44 | 4 | 16 | 20 | 266 | 17 | 3 | 0 | 3 | 75 |
| 1987-88 États-Unis | CC | 5 | 2 | 0 | 2 | 14 | - | - | - | - | - |
| **Montréal (Canadiens)** | LNH | 50 | 7 | 5 | 12 | 209 | - | - | - | - | - |
| New York (Rangers) | LNH | 22 | 3 | 5 | 8 | 96 | - | - | - | - | - |
| 1988-89 New York (Rangers) | LNH | 38 | 7 | 7 | 14 | 177 | 0 | 0 | 1 | 1 | 38 |
| 1989-90 New York (Rangers) | LNH | 25 | 1 | 2 | 3 | 59 | 4 | 0 | 1 | 1 | 19 |
| 1990-91 Boston (Bruins) | LNH | 41 | 6 | 9 | 15 | 277 | 19 | 0 | 2 | 2 | 62 |
| 1991-92 Boston (Bruins) | LNH | 39 | 5 | 5 | 10 | 186 | - | - | - | - | - |
| **Montréal (Canadiens)** | LNH | 17 | 1 | 3 | 4 | 74 | 7 | 0 | 1 | 1 | 15 |
| | **LNH** | 688 | 110 | 115 | 225 | 3043 | 111 | 8 | 9 | 17 | 541 |
| | **Montréal** | 523 | 88 | 87 | 175 | 2248 | 84 | 8 | 5 | 13 | 422 |

• Coupe Stanley (LNH) en 1985-86
• Échangé à New York (Rangers) par Montréal avec le 1er choix de Montréal au repêchage de 1989 (Steven Rice) pour le 1er choix des Rangers au repêchage de 1989 (Lindsay Vallis) le 27 janvier 1988 • Échangé à Boston par New York (Rangers) pour Greg Johnston et des considérations futures le 28 juin 1990 • Réclamé au ballotage par Montréal de Boston le 12 février 1992

**NIL-ODE**

## NOBLE, REGINALD (REG)

**Né à Collingwood, Ontario, le 23 juin 1896, décédé le 19 janvier 1962
Centre/Défenseur, lance de la gauche, 5'8", 180 lbs**

| SAISON / CLUB | LIGUE | PJ | B | A | PTS | PUN | PJ | B | A | PTS | PUN |
|---|---|---|---|---|---|---|---|---|---|---|---|
| 1915-16 St. Michael's College | OHA | - | - | - | - | - | 6 | 9 | 0 | 9 | - |
| Toronto (Riversides) | OHA Sr | 10 | 14 | 0 | 14 | - | 4 | 6 | 0 | 6 | - |
| 1916-17 Toronto (Blueshirts) | NHA | 14 | 7 | 5 | 12 | 41 | - | - | - | - | - |
| **Montréal (Canadien)** | NHA | 6 | 4 | 0 | 4 | 15 | 2 | 0 | 1 | 1 | 3 |
| 1917-18 Toronto (Arenas) | LNH | 20 | 30 | 10 | 40 | 35 | 7 | 3 | 2 | 5 | 9 |
| 1918-19 Toronto (Arenas) | LNH | 17 | 10 | 5 | 15 | 35 | - | - | - | - | - |
| 1919-20 Toronto (St. Patricks) | LNH | 24 | 24 | 9 | 33 | 52 | - | - | - | - | - |
| 1920-21 Toronto (St. Patricks) | LNH | 24 | 19 | 8 | 27 | 54 | 2 | 0 | 0 | 0 | 0 |
| 1921-22 Toronto (St. Patricks) | LNH | 24 | 17 | 11 | 28 | 19 | 7 | 0 | 1 | 1 | 21 |
| 1922-23 Toronto (St. Patricks) | LNH | 24 | 12 | 11 | 23 | 47 | - | - | - | - | - |
| 1923-24 Toronto (St. Patricks) | LNH | 24 | 12 | 5 | 17 | 79 | - | - | - | - | - |
| 1924-25 Toronto (St. Patricks) | LNH | 3 | 1 | 0 | 1 | 8 | - | - | - | - | - |
| Montréal (Maroons) | LNH | 27 | 8 | 11 | 19 | 56 | - | - | - | - | - |
| 1925-26 Montréal (Maroons) | LNH | 33 | 9 | 9 | 18 | 96 | 8 | 1 | 1 | 2 | 10 |
| 1926-27 Montréal (Maroons) | LNH | 44 | 3 | 6 | 9 | 112 | 2 | 0 | 0 | 0 | 2 |
| 1927-28 Detroit (Cougars) | LNH | 43 | 8 | 6 | 14 | 63 | - | - | - | - | - |
| 1928-29 Detroit (Cougars) | LNH | 43 | 6 | 10 | 16 | 52 | 2 | 0 | 0 | 0 | 4 |
| 1929-30 Detroit (Cougars) | LNH | 43 | 6 | 4 | 10 | 80 | - | - | - | - | - |
| 1930-31 Detroit (Falcons) | LNH | 44 | 5 | 7 | 12 | 42 | - | - | - | - | - |
| 1931-32 Detroit (Falcons) | LNH | 48 | 3 | 6 | 9 | 72 | 2 | 0 | 0 | 0 | 0 |
| 1932-33 Detroit (Falcons) | LNH | 5 | 0 | 0 | 0 | 6 | - | - | - | - | - |
| Montréal (Maroons) | LNH | 20 | 0 | 0 | 0 | 16 | 2 | 0 | 0 | 0 | 0 |
| 1933-34 Cleveland (Indians) | IHL | 40 | 2 | 3 | 5 | 43 | - | - | - | - | - |
| | **NHA** | 20 | 11 | 5 | 16 | 56 | 2 | 0 | 1 | 1 | 3 |
| | **LNH** | 510 | 168 | 106 | 274 | 916 | 32 | 4 | 4 | 8 | 46 |
| | **Montréal** | 6 | 4 | 0 | 4 | 15 | 2 | 0 | 1 | 1 | 3 |

• Première équipe d'étoiles (OHA Jr) en 1914-15 • Coupe Stanley (LNH) en 1917-18, 1921-22, 1925-26
• Signe avec Toronto (NHA) le 25 novembre 1916 • Réclamé par Montréal (NHA) avec Arthur Brooks lors du repêchage de dispersion de Toronto (NHA) le 11 février 1917 • Signe avec Toronto le 5 décembre 1916 • Droits vendus à Montréal (Maroons) par Toronto le 9 décembre 1924 • Droits vendus à Detroit par Montréal (Maroons) le 4 octobre 1927 • Échangé à Montréal (Maroons) par Detroit pour John Gallagher le 9 décembre 1932

## NYROP, WILLIAM (BILL)

**Né à Washington, D.C., le 23 juillet 1952, décédé le 1er janvier 1996. Défenseur, lance de la gauche, 6'2", 205 lb (7e choix de Montréal, 66e au total lors du repêchage de 1972)**

| SAISON / CLUB | LIGUE | PJ | B | A | PTS | PUN | PJ | B | A | PTS | PUN |
|---|---|---|---|---|---|---|---|---|---|---|---|
| 1970-71 Notre Dame University | WCHA | 30 | 2 | 4 | 6 | 40 | - | - | - | - | - |
| 1971-72 Notre Dame University | WCHA | 31 | 3 | 18 | 21 | 44 | - | - | - | - | - |
| 1972-73 Notre Dame University | WCHA | 38 | 3 | 21 | 24 | 46 | - | - | - | - | - |
| 1973-74 Notre Dame University | WCHA | 33 | 9 | 29 | 38 | 44 | - | - | - | - | - |
| 1974-75 Nlle-Écosse (Voyageurs) | AHL | 75 | 2 | 22 | 24 | 76 | 6 | 0 | 5 | 5 | 0 |
| 1975-76 Nlle-Écosse (Voyageurs) | AHL | 52 | 3 | 25 | 28 | 30 | - | - | - | - | - |
| **Montréal (Canadiens)** | LNH | 19 | 0 | 3 | 3 | 13 | 13 | 0 | 3 | 3 | 12 |
| 1976-77 **Montréal (Canadiens)** | LNH | 74 | 3 | 19 | 22 | 21 | 8 | 1 | 0 | 1 | 4 |
| États-Unis | CC | 5 | 1 | 1 | 2 | 0 | - | - | - | - | - |
| 1977-78 **Montréal (Canadiens)** | LNH | 72 | 5 | 21 | 26 | 37 | 12 | 0 | 4 | 4 | 6 |
| 1978-79 | | | | | | *N'a pas joué* | | | | | |
| 1979-80 | | | | | | *N'a pas joué* | | | | | |
| 1980-81 | | | | | | *N'a pas joué* | | | | | |
| 1981-82 Minnesota (North Stars) | LNH | 42 | 4 | 8 | 12 | 35 | 2 | 0 | 0 | 0 | 0 |
| 1982-83 Kolner EC | GER | 19 | 3 | 2 | 5 | 8 | - | - | - | - | - |
| | **LNH** | 207 | 12 | 51 | 63 | 101 | 35 | 1 | 7 | 8 | 22 |
| | **Montréal** | 165 | 8 | 43 | 51 | 66 | 33 | 1 | 7 | 8 | 22 |

• Deuxième équipe d'étoiles (WCHA) en 1972-73 • Première équipe d'étoiles All-American de l'Ouest (NCAA) en 1972-73 • Coupe Stanley (LNH) en 1975-76, 1976-77, 1977-78
• Échangé à Minnesota par Montréal pour le choix de 2e ronde du Minnesota au repêchage de 1979 (Gaston Gingras) le 9 août 1979 • Échangé à Calgary par Minnesota avec Steve Christoff et le choix de 2e ronde de St. Louis (propriété du Minnesota suite à une transaction antérieure, Calgary sélectionne Dave Reierson) au repêchage de 1982 pour Will Plett et le choix de 4e ronde de Calgary au repêchage (Dusan Pasek) le 7 juin 1982

## O'CONNOR, WILLIAM (BUDDY)

**Né à Montréal, Québec, le 21 juin 1916, décédé le 24 août 1977
Centre, lance de la gauche, 5'8", 145 lb**

| SAISON / CLUB | LIGUE | PJ | B | A | PTS | PUN | PJ | B | A | PTS | PUN |
|---|---|---|---|---|---|---|---|---|---|---|---|
| 1934-35 Montréal (Royals Jr) | LHJQ | 10 | *15 | 7 | *22 | 4 | 2 | 1 | 1 | 2 | 0 |
| Montréal (Royals) | LHSQ | - | - | - | - | - | 4 | 1 | 0 | 1 | 2 |
| Montréal (Royals) | Allan | 1 | 1 | 0 | 1 | 0 | - | - | - | - | - |
| 1935-36 Montréal (Royals) | LHSQ | 22 | 14 | 10 | 24 | 6 | 8 | 6 | 5 | *11 | 6 |
| Montréal (Royals) | Allan | 4 | 1 | 0 | 1 | 4 | - | - | - | - | - |
| 1936-37 Montréal (Royals) | LHSQ | 19 | 10 | *17 | 27 | 27 | 5 | 0 | 4 | 4 | 2 |
| 1937-38 Montréal (Royals) | LHSQ | 22 | 9 | 14 | 23 | 10 | 1 | 0 | 0 | 0 | 0 |
| 1938-39 Montréal (Royals) | LHSQ | 22 | 13 | *23 | *36 | 28 | 5 | 5 | 4 | 9 | 2 |
| Montréal (Royals) | Allan | 13 | 10 | 10 | 20 | 15 | - | - | - | - | - |
| 1939-40 Montréal (Royals) | LHSQ | 29 | 16 | 25 | 41 | 6 | 8 | 8 | 6 | 14 | 2 |
| Montréal (Royals) | Allan | 5 | 5 | 5 | 10 | 0 | - | - | - | - | - |
| 1940-41 Montréal (Royals) | LHSQ | 35 | 15 | *38 | 53 | 12 | 8 | 2 | 7 | 9 | 4 |
| Montréal (Royals) | Allan | | 6 | 14 | 20 | 4 | - | - | - | - | - |
| 1941-42 Montréal (Royals) | LHSQ | 9 | 1 | 5 | 6 | 4 | - | - | - | - | - |
| **Montréal (Canadiens)** | LNH | 36 | 9 | 16 | 25 | 4 | 3 | 0 | 1 | 1 | 0 |
| 1942-43 **Montréal (Canadiens)** | LNH | 50 | 15 | 43 | 58 | 2 | 5 | 4 | 5 | 9 | 0 |
| 1943-44 **Montréal (Canadiens)** | LNH | 44 | 12 | 42 | 54 | 6 | 8 | 1 | 2 | 3 | 2 |
| 1944-45 **Montréal (Canadiens)** | LNH | 50 | 21 | 23 | 44 | 2 | 2 | 0 | 0 | 0 | 0 |
| 1945-46 **Montréal (Canadiens)** | LNH | 45 | 11 | 11 | 22 | 2 | 9 | 2 | 3 | 5 | 0 |
| Montréal (Royals) | LHSQ | 1 | 0 | 2 | 0 | 1 | 0 | 2 | 0 | 2 | 0 |
| 1946-47 **Montréal (Canadiens)** | LNH | 46 | 10 | 20 | 30 | 6 | 8 | 3 | 4 | 7 | 0 |
| 1947-48 New York (Rangers) | LNH | 60 | 24 | 36 | 60 | 8 | 6 | 1 | 4 | 5 | 0 |
| 1948-49 New York (Rangers) | LNH | 46 | 11 | 24 | 35 | 0 | - | - | - | - | - |
| 1949-50 New York (Rangers) | LNH | 66 | 11 | 22 | 33 | 4 | 12 | 4 | 3 | 7 | 0 |
| Match des étoiles | LNH | 1 | 0 | 0 | 0 | 0 | - | - | - | - | - |
| 1950-51 New York (Rangers) | LNH | 66 | 16 | 20 | 36 | 0 | - | - | - | - | - |
| 1951-52 Chicoutimi (Mohawks) | AHL | 65 | 11 | 43 | 54 | 4 | | 2 | 3 | 5 | 2 |
| 1952-53 Chicoutimi (Mohawks) | IHL | 1 | 0 | 0 | 0 | 0 | - | - | - | - | - |
| | **LNH** | 509 | 140 | 257 | 397 | 34 | 53 | 15 | 21 | 36 | 6 |
| | **Montréal** | 271 | 78 | 155 | 233 | 22 | 35 | 10 | 15 | 25 | 2 |

• Coupe Stanley (LNH) en 1943-44, 1945-46 • Deuxième équipe d'étoiles (LNH) en 1947-48
• Trophée Lady-Byng (LNH) en 1947-48 • Trophée Hart (LNH) en 1947-48 • Match des étoiles (LNH) en 1949-50 • Deuxième équipe d'étoiles (AHL) en 1951-52 • Temple de la Renommée (LNH) en 1988
• Échangé à Montréal (Maroons) par Montréal (Canadiens) pour Sammy McManus le 10 mai 1936 • Signe à Montréal avec Pete Morin et Gerry Hefferman le 28 novembre 1941 • Échangé à New York (Rangers) par Montréal avec Frank Eddols pour Hall Laycoe, George Robertson et Joe Bell le 19 août 1947

## ODELEIN, LYLE

**Né à Quil Lake, Saskatchewan, le 21 juillet 1968. Défenseur, lance de la droite, 5'11", 210 lb (8e choix de Montréal, 141e au total lors du repêchage de 1986)**

| SAISON / CLUB | LIGUE | PJ | B | A | PTS | PUN | PJ | B | A | PTS | PUN |
|---|---|---|---|---|---|---|---|---|---|---|---|
| 1985-86 Moose Jaw (Warriors) | WHL | 67 | 9 | 37 | 46 | 117 | 13 | 1 | 6 | 7 | 34 |
| 1986-87 Moose Jaw (Warriors) | WHL | 59 | 9 | 50 | 59 | 70 | 9 | 2 | 5 | 7 | 26 |
| 1987-88 Moose Jaw (Warriors) | WHL | 63 | 15 | 43 | 58 | 166 | - | - | - | - | - |
| 1988-89 Sherbrooke (Canadien) | AHL | 33 | 3 | 4 | 7 | 120 | 3 | 0 | 2 | 2 | 5 |
| Peoria (Rivermen) | IHL | 36 | 2 | 8 | 10 | 116 | - | - | - | - | - |
| 1989-90 Sherbrooke (Canadien) | AHL | 68 | 7 | 24 | 31 | 265 | 12 | 6 | 5 | 11 | 79 |
| **Montréal (Canadiens)** | LNH | 8 | 0 | 2 | 2 | 33 | - | - | - | - | - |
| 1990-91 **Montréal (Canadiens)** | LNH | 52 | 0 | 2 | 2 | 259 | 12 | 0 | 0 | 0 | 54 |
| 1991-92 **Montréal (Canadiens)** | LNH | 71 | 1 | 7 | 8 | 212 | 7 | 0 | 0 | 0 | 11 |
| 1992-93 **Montréal (Canadiens)** | LNH | 83 | 2 | 14 | 16 | 205 | 20 | 1 | 5 | 6 | 30 |
| 1993-94 **Montréal (Canadiens)** | LNH | 79 | 11 | 29 | 40 | 276 | 7 | 0 | 0 | 0 | 17 |
| 1994-95 **Montréal (Canadiens)** | LNH | 48 | 3 | 7 | 10 | 152 | - | - | - | - | - |
| 1995-96 **Montréal (Canadiens)** | LNH | 79 | 3 | 14 | 17 | 230 | 6 | 1 | 1 | 2 | 6 |
| 1996-97 Canada | CM | 2 | 0 | 0 | 0 | 0 | - | - | - | - | - |
| New Jersey (Devils) | LNH | 79 | 3 | 13 | 16 | 110 | 10 | 2 | 2 | 4 | 19 |
| 1997-98 New Jersey (Devils) | LNH | 79 | 4 | 19 | 23 | 171 | 6 | 1 | 1 | 2 | 21 |
| 1998-99 New Jersey (Devils) | LNH | 70 | 5 | 26 | 31 | 114 | 7 | 0 | 3 | 3 | 10 |
| 1999-00 New Jersey (Devils) | LNH | 57 | 1 | 15 | 16 | 104 | - | - | - | - | - |
| Phoenix (Coyotes) | LNH | 16 | 1 | 7 | 8 | 79 | 5 | 0 | 0 | 0 | 16 |
| 2000-01 Columbus (Blue Jackets) | LNH | 81 | 3 | 14 | 17 | 118 | - | - | - | - | - |
| 2001-02 Columbus (Blue Jackets) | LNH | 65 | 2 | 14 | 16 | 89 | - | - | - | - | - |
| Chicago (Blackhawks) | LNH | 12 | 0 | 2 | 2 | 44 | 5 | 0 | 1 | 1 | 25 |
| 2002-03 Chicago (Blackhawks) | LNH | 65 | 4 | 7 | 11 | 76 | - | - | - | - | - |
| Dallas (Stars) | LNH | 3 | 0 | 0 | 0 | 6 | - | - | - | - | - |
| | **LNH** | 947 | 46 | 189 | 235 | 2178 | 86 | 5 | 13 | 18 | 209 |
| | **Montréal** | 420 | 20 | 75 | 95 | 1367 | 52 | 2 | 6 | 8 | 118 |

• Coupe Stanley (LNH) en 1992-93
• Échangé au New Jersey par Montréal pour Stéphane Richer le 22 août 1996 • Échangé à Phoenix par New Jersey pour Deron Quint et le choix de 3e ronde de Phoenix au repêchage de 2001 (propriété du New Jersey suite à une transaction antérieure, Phoenix sélectionne Beat Forster) le 7 mars 2000 • Sélectionné par Columbus de Phoenix lors de l'expansion de la LNH le 23 juin 2000 • Échangé à Chicago par Columbus pour Jaroslav Spacek et le choix de 2e ronde de Chicago au repêchage de 2003 le 19 mars 2002

• Échangé à Dallas par Chicago pour Sami Helenius et un choix de repêchâge le 10 mars 2003

### ODJICK, GINO
Né à Maniwaki, Québec, le 7 septembre 1970. Ailier droit, lance de la droite, 6'3", 224 lb (5e choix de Vancouver, 86e au total lors du repêchage de 1990)

| SAISON | CLUB | LIGUE | PJ | B | A | PTS | PUN | PJ | B | A | PTS | PUN |
|---|---|---|---|---|---|---|---|---|---|---|---|---|
| 1987-88 | Hawkesbury (Hawks) | OCJHL | 40 | 2 | 4 | 6 | 167 | - | - | - | - | - |
| 1988-89 | Laval (Titan) | LHJMQ | 50 | 9 | 15 | 24 | 278 | 16 | 0 | 9 | 9 | 129 |
| | Laval (Titan) | Mem. | 3 | 0 | 1 | 1 | 5 | - | - | - | - | - |
| 1989-90 | Laval (Titan) | LHJMQ | 51 | 12 | 26 | 38 | 280 | 13 | 6 | 5 | 11 | 110 |
| | Laval (Titan) | Mem. | 4 | 0 | 1 | 1 | 10 | - | - | - | - | - |
| 1990-91 | Vancouver (Canucks) | LNH | 45 | 7 | 1 | 8 | 296 | 6 | 0 | 0 | 0 | 18 |
| | Milwaukee (Admirals) | IHL | 17 | 7 | 3 | 10 | 102 | - | - | - | - | - |
| 1991-92 | Vancouver (Canucks) | LNH | 65 | 4 | 6 | 10 | 348 | 4 | 0 | 0 | 0 | 6 |
| 1992-93 | Vancouver (Canucks) | LNH | 75 | 4 | 13 | 17 | 370 | 1 | 0 | 0 | 0 | 0 |
| 1993-94 | Vancouver (Canucks) | LNH | 76 | 16 | 13 | 29 | 271 | 10 | 0 | 0 | 0 | 18 |
| 1994-95 | Vancouver (Canucks) | LNH | 23 | 4 | 5 | 9 | 109 | 5 | 0 | 0 | 0 | 47 |
| 1995-96 | Vancouver (Canucks) | LNH | 55 | 3 | 4 | 7 | 181 | 6 | 3 | 1 | 4 | 6 |
| 1996-97 | Vancouver (Canucks) | LNH | 70 | 5 | 8 | 13 | 371 | - | - | - | - | - |
| 1997-98 | Vancouver (Canucks) | LHN | 35 | 3 | 2 | 5 | 181 | - | - | - | - | - |
| | New York (Islanders) | LNH | 13 | 0 | 0 | 0 | 44 | - | - | - | - | - |
| 1998-99 | New York (Islanders) | LNH | 23 | 4 | 3 | 7 | 133 | - | - | - | - | - |
| 1999-00 | New York (Islanders) | LNH | 46 | 5 | 10 | 15 | 90 | - | - | - | - | - |
| | Philadelphia (Flyers) | LNH | 13 | 1 | 3 | 4 | 28 | - | - | - | - | - |
| 2000-01 | Philadelphia (Flyers) | LNH | 17 | 1 | 3 | 4 | 28 | - | - | - | - | - |
| | Montréal (Canadiens) | LNH | 13 | 1 | 0 | 1 | 44 | - | - | - | - | - |
| 2001-02 | Montréal (Canadiens) | LNH | 36 | 4 | 4 | 8 | 104 | 12 | 1 | 0 | 1 | 47 |
| | Québec (Citadelles) | AHL | 13 | 2 | 1 | 3 | 40 | - | - | - | - | - |
| | **NLH** | | 605 | 64 | 73 | 137 | 2567 | 44 | 4 | 1 | 5 | 142 |
| | **Montréal** | | 49 | 5 | 4 | 9 | 148 | 12 | 1 | 0 | 1 | 47 |

• Coupe du Président (LHJMQ) en 1988-89, 1989-90
• Échangé à New York (Islanders) par Vancouver pour Jason Strudwick le 23 mars 1998.
• Échangé à Philadelphie par New York (Islanders) pour Mikael Andersson et le choix de 5e ronde de la Caroline au repêchage de 2000 (propriété de Philadelphie suite à une transaction antérieure, New York (Islanders) sélectionne Kristofer Ottosson) le 15 février 2000 • Échangé à Montréal par Philadelphie pour P. J. Stock et le choix de 6e ronde au repêchage de 2001 (Dennis Seidenberg) le 7 décembre 2000

### OLMSTEAD, ALBERT (BERT)
Né à Scepter, Saskatchewan, le 4 septembre 1926
Ailier gauche, lance de la gauche, 6'1", 180 lb

| SAISON | CLUB | LIGUE | PJ | B | A | PTS | PUN | PJ | B | A | PTS | PUN |
|---|---|---|---|---|---|---|---|---|---|---|---|---|
| 1944-45 | Moose Jaw (Canucks) | S-SJHL | 16 | 0 | 3 | 3 | 8 | 4 | 2 | 0 | 2 | 8 |
| | Moose Jaw (Canucks) | Mem. | 17 | 10 | 8 | 18 | 18 | - | - | - | - | - |
| 1945-46 | Moose Jaw (Canucks) | S-SJHL | 18 | 24 | 19 | 43 | 32 | 4 | 0 | 1 | 1 | 6 |
| | Moose Jaw (Canucks) | Mem. | 8 | 2 | 8 | 10 | 6 | - | - | - | - | - |
| 1946-47 | Kansas City (Pla-Mors) | USHL | 60 | 27 | 15 | 42 | 34 | 12 | 2 | 3 | 5 | 4 |
| 1947-48 | Kansas City (Pla-Mors) | USHL | 66 | 26 | 26 | 52 | 42 | 7 | 1 | 4 | 5 | 0 |
| 1948-49 | Kansas City (Pla-Mors) | USHL | 52 | 33 | 44 | 77 | 54 | 2 | 0 | 1 | 1 | 0 |
| | Chicago (Black Hawks) | LNH | 9 | 0 | 2 | 2 | 4 | - | - | - | - | - |
| 1949-50 | Chicago (Black Hawks) | LNH | 70 | 20 | 29 | 49 | 40 | - | - | - | - | - |
| 1950-51 | Milwaukee (Seagulls) | USHL | 12 | 8 | 7 | 15 | 11 | - | - | - | - | - |
| | Chicago (Black Hawks) | LNH | 15 | 1 | 3 | 3 | 10 | - | - | - | - | - |
| | **Montréal (Canadiens)** | **LNH** | 39 | 16 | 22 | 38 | 50 | 11 | 2 | 4 | 6 | 9 |
| 1951-52 | **Montréal (Canadiens)** | **LNH** | 69 | 7 | 28 | 35 | 49 | 11 | 0 | 1 | 1 | 4 |
| 1952-53 | **Montréal (Canadiens)** | **LNH** | 69 | 17 | 28 | 45 | 83 | 12 | 2 | 2 | 4 | 4 |
| 1953-54 | **Montréal (Canadiens)** | **LNH** | 70 | 15 | 37 | 52 | 85 | 11 | 0 | 1 | 1 | 19 |
| | Match des étoiles | LNH | 1 | 0 | 1 | 1 | 0 | - | - | - | - | - |
| 1954-55 | **Montréal (Canadiens)** | **LNH** | 70 | 10 | *48 | 58 | 103 | 12 | 0 | 4 | 4 | 21 |
| 1955-56 | **Montréal (Canadiens)** | **LNH** | 70 | 14 | *56 | 70 | 94 | 10 | 4 | 10 | 14 | 8 |
| 1956-57 | **Montréal (Canadiens)** | **LNH** | 64 | 15 | 33 | 48 | 74 | 10 | 0 | 9 | 9 | 13 |
| | Match des étoiles | LNH | 1 | 0 | 1 | 1 | 0 | - | - | - | - | - |
| 1957-58 | **Montréal (Canadiens)** | **LNH** | 57 | 9 | 28 | 37 | 71 | 9 | 0 | 3 | 3 | 0 |
| | Match des étoiles | LNH | 1 | 1 | 0 | 1 | 2 | - | - | - | - | - |
| 1958-59 | Toronto (Maple Leafs) | LNH | 70 | 10 | 31 | 41 | 74 | 12 | 4 | 2 | 6 | 13 |
| 1959-60 | Toronto (Maple Leafs) | LNH | 53 | 15 | 21 | 36 | 63 | 10 | 4 | 3 | 7 | 0 |
| | Match des étoiles | LNH | 1 | 0 | | | | - | - | - | - | - |
| 1960-61 | Toronto (Maple Leafs) | LNH | 67 | 18 | 34 | 52 | 84 | 3 | 1 | 2 | 3 | 10 |
| 1961-62 | Toronto (Maple Leafs) | LNH | 56 | 13 | 23 | 36 | | | | | | |
| | **LNH** | | 848 | 181 | 421 | 602 | 884 | 115 | 16 | 43 | 59 | 101 |
| | **Montréal** | | 508 | 103 | 280 | 383 | 609 | 86 | 8 | 34 | 42 | 78 |

• Deuxième équipe d'étoiles (LNH) en 1952-53, 1955-56 • Match des étoiles (LNH) en 1953-54, 1956-57, 1957-58, 1959-60 • Coupe Stanley (LNH) en 1952-53, 1955-56, 1956-57, 1957-58, 1961-62
• Échangé à Detroit par Chicago avec Vic Stasiuk pour Stephen Black et Lee Fogolin le 2 décembre 1950 • Échangé à Montréal par Detroit pour Léo Gravelle le 19 décembre 1950 • Réclamé par Toronto de Montréal lors du repêchage intra-ligue le 3 juin 1958 • Réclamé par New York (Rangers) de Toronto lors du repêchage intra-ligue le 4 juin 1962

### O'NEIL, JAMES (JIM)
Né à Semans, Saskatchewan, le 3 avril 1913, décédé le 13 février 1973
Centre/ailier droit, lance de la droite, 5'8", 160 lb

| SAISON | CLUB | LIGUE | PJ | B | A | PTS | PUN | PJ | B | A | PTS | PUN |
|---|---|---|---|---|---|---|---|---|---|---|---|---|
| 1930-31 | Saskatoon (Wesleys) | N-SJHL | 4 | 6 | 2 | 8 | 2 | 2 | 0 | 0 | 0 | 2 |
| 1931-32 | Saskatoon (Wesleys) | N-SJHL | 4 | 3 | 0 | 3 | 5 | 8 | 3 | 0 | 3 | 10 |
| | Saskatoon (Crescents) | N-SSHL | 18 | 6 | 3 | 9 | 22 | 4 | 0 | 1 | 1 | 12 |
| | Saskatoon (Wesleys) | Mem. | 2 | 0 | 0 | 0 | 6 | - | - | - | - | - |
| 1932-33 | Boston (Cubs) | Can-Am | 46 | 13 | 17 | 30 | 63 | 7 | 1 | 3 | 4 | 8 |
| 1933-34 | Boston (Cubs) | Can-Am | 12 | 6 | 5 | 11 | 19 | - | - | - | - | - |
| | Boston (Bruins) | LNH | 23 | 2 | 2 | 4 | 15 | - | - | - | - | - |
| 1934-35 | Boston (Bruins) | LNH | 48 | 2 | 11 | 13 | 35 | 4 | 0 | 0 | 0 | 9 |
| 1935-36 | Boston (Bruins) | LNH | 48 | 2 | 11 | 13 | 49 | 2 | 1 | 1 | 2 | 4 |
| 1936-37 | Providence (Reds) | IAHL | 15 | 2 | 8 | 10 | 14 | 3 | 0 | 1 | 1 | 2 |
| | Boston (Bruins) | LNH | 21 | 0 | 2 | 2 | 6 | - | - | - | - | - |
| 1937-38 | Cleveland (Barons) | IAHL | 38 | 5 | 24 | 29 | 66 | 2 | 0 | 0 | 0 | 0 |
| 1938-39 | Cleveland (Barons) | IAHL | 41 | 4 | 18 | 22 | 29 | 9 | 2 | 6 | 8 | 0 |
| 1939-40 | Cleveland (Barons) | IAHL | 56 | 7 | 20 | 27 | 35 | - | - | - | - | - |
| 1940-41 | New Haven (Eagles) | AHL | 40 | 7 | 17 | 24 | 40 | - | - | - | - | - |
| | **Montréal (Canadiens)** | **LNH** | 12 | 0 | 3 | 3 | 0 | 3 | 0 | 0 | 0 | 0 |
| 1941-42 | Washington (Lions) | AHL | 41 | 7 | 33 | 40 | 22 | 2 | 0 | 0 | 0 | 6 |
| | **Montréal (Canadiens)** | **LNH** | 4 | 0 | 1 | 1 | 4 | - | - | - | - | - |
| 1942-43 | Washington (Lions) | AHL | 10 | 2 | 7 | 9 | 4 | - | - | - | - | - |
| | Hersey (Bears) | AHL | 45 | 17 | 43 | 60 | 48 | 6 | 3 | 1 | 4 | 2 |
| 1943-44 | Hershey (Bears) | AHL | 54 | 20 | 33 | 53 | 18 | 7 | 0 | 6 | 6 | 2 |
| 1944-45 | Hershey (Bears) | AHL | 55 | 14 | 32 | 46 | 16 | 11 | 2 | 7 | 9 | 4 |
| 1945-46 | Hershey (Bears) | AHL | 52 | 5 | 26 | 31 | 33 | 3 | 0 | 0 | 0 | 2 |
| | **LNH** | | 156 | 6 | 30 | 36 | 109 | 9 | 1 | 1 | 2 | 13 |
| | **Montréal** | | 16 | 0 | 4 | 4 | 0 | 3 | 0 | 0 | 0 | 0 |

• Coupe Calder (AHL) en 1938-39
• Échangé à Montréal par Cleveland (AHL) pour Bill Summerhill le 17 mai 1940 • Échangé à Hershey (AHL) par Washington (AHL) pour Bob Gracie le 21 novembre 1942

### ORLESKI, DAVE
Né à Edmonton, Alberta, le 26 décembre 1959. Ailier gauche, lance de la gauche, 6'4", 210 lb (6e choix de Montréal, 79e au total lors du repêchage de 1979)

| SAISON | CLUB | LIGUE | PJ | B | A | PTS | PUN | PJ | B | A | PTS | PUN |
|---|---|---|---|---|---|---|---|---|---|---|---|---|
| 1976-77 | New Westminster (Bruins) | WCHL | 62 | 8 | 14 | 22 | 29 | 14 | 3 | 4 | 7 | 8 |
| | New Westminster (Bruins) | Mem. | 5 | 2 | 2 | 4 | 14 | - | - | - | - | - |
| 1977-78 | New Westminster (Bruins) | WCHL | 64 | 15 | 35 | 50 | 132 | 14 | 12 | 9 | 21 | 28 |
| 1978-79 | New Westminster (Bruins) | WHL | 71 | 27 | 39 | 66 | 128 | 8 | 3 | 4 | 7 | 2 |
| | Canada | CMJ | 2 | 2 | 0 | 2 | 0 | - | - | - | - | - |
| 1979-80 | Nlle-Écosse (Voyageurs) | AHL | 70 | 24 | 24 | 48 | 32 | 6 | 2 | 2 | 4 | 0 |
| 1980-81 | Nlle-Écosse (Voyageurs) | AHL | 37 | 8 | 13 | 21 | 44 | 6 | 2 | 1 | 3 | 7 |
| | **Montréal (Canadiens)** | **LNH** | 1 | 0 | 0 | 0 | 0 | - | - | - | - | - |
| 1981-82 | Nlle-Écosse (Voyageurs) | AHL | 64 | 14 | 23 | 37 | 15 | 9 | 1 | 2 | 3 | 6 |
| | **Montréal (Canadiens)** | **LNH** | 1 | 0 | 0 | 0 | 0 | - | - | - | - | - |
| 1982-83 | Nlle-Écosse (Voyageurs) | AHL | 68 | 30 | 37 | 67 | 20 | 3 | 1 | 1 | 2 | 0 |
| 1983-84 | Nlle-Écosse (Voyageurs) | AHL | 20 | 6 | 9 | 15 | 14 | 12 | 2 | 2 | 4 | 0 |
| | Salt Lake (Golden Eagles) | CHL | 3 | 0 | 1 | 1 | 4 | - | - | - | - | - |
| 1984-85 | Nlle-Écosse (Voyageurs) | AHL | 20 | 0 | 1 | 1 | 0 | - | - | - | - | - |
| | **LNH** | | 2 | 0 | 0 | 0 | 0 | | | | | |
| | **Montréal** | | 2 | 0 | 0 | 0 | 0 | | | | | |

• Coupe Memorial en 1976-77

### PALANGIO, PETER (PETE)
Né à North Bay, Ontario, le 10 septembre 1908
Ailier gauche, lance de la gauche, 5'11", 175 lb

| SAISON | CLUB | LIGUE | PJ | B | A | PTS | PUN | PJ | B | A | PTS | PUN |
|---|---|---|---|---|---|---|---|---|---|---|---|---|
| 1926-27 | North Bay (Trappers) | NOHA | 11 | *25 | 10 | *35 | 24 | 4 | *9 | 3 | *12 | 4 |
| | **Montréal (Canadiens)** | **LNH** | 6 | 0 | 0 | 0 | 0 | 4 | 0 | 0 | 0 | 0 |
| 1927-28 | Windsor (Hornets) | Can-Pro | 28 | 16 | 1 | 17 | 18 | - | - | - | - | - |
| | Detroit (Cougars) | LNH | 1 | 3 | 0 | 3 | 8 | - | - | - | - | - |
| 1928-29 | **Montréal (Canadiens)** | **LNH** | 2 | 0 | 0 | 0 | 0 | - | - | - | - | - |
| | Kitchener (Dutchmen) | Can-Pro | 37 | 17 | 7 | 24 | 26 | 3 | 1 | 0 | 1 | 4 |
| 1929-30 | London (Panthers) | IHL | 44 | 11 | 6 | 17 | 36 | 2 | 0 | 0 | 0 | 0 |
| 1930-31 | London (Tecumsehs) | IHL | 41 | 18 | 12 | 30 | 30 | - | - | - | - | - |
| | Syracuse (Stars) | IHL | | | | | | - | - | - | - | - |
| 1931-32 | Syracuse (Stars) | IHL | 43 | 12 | 5 | 17 | 18 | - | - | - | - | - |
| 1932-33 | St. Louis (Flyers) | AHA | 48 | 21 | 14 | 35 | 38 | 4 | 0 | 1 | 1 | 2 |
| 1933-34 | St. Louis (Flyers) | AHA | 48 | 21 | 9 | 30 | 22 | *3 | 1 | | *4 | 6 |
| 1934-35 | St. Louis (Flyers) | AHA | 47 | 34 | 19 | 53 | 26 | 8 | *4 | 3 | *7 | 11 |
| 1935-36 | St. Louis (Flyers) | AHA | 48 | 22 | 20 | 42 | 38 | 8 | *5 | 1 | *6 | 8 |
| 1936-37 | Chicago (Black Hawks) | LNH | 30 | 8 | 9 | 17 | 16 | - | - | - | - | - |
| 1937-38 | Chicago (Black Hawks) | LNH | 19 | 3 | 1 | 4 | 16 | 3 | 0 | 0 | 0 | 0 |
| | St. Louis (Flyers) | AHA | 25 | 8 | 13 | 21 | 19 | 7 | 3 | 0 | 3 | 2 |
| 1938-39 | Tulsa (Oilers) | AHA | 34 | 12 | 18 | 30 | 16 | 8 | 1 | 3 | 4 | 2 |
| 1939-40 | Tulsa (Oilers) | AHA | 41 | 21 | 27 | 48 | 14 | - | - | - | - | - |
| 1940-41 | Tulsa (Oilers) | AHA | 48 | 12 | 21 | 33 | 45 | - | - | - | - | - |
| 1941-42 | Dallas (Texans) | AHA | 49 | 22 | 29 | 51 | 26 | - | - | - | - | - |
| 1942-43 | Hershey (Bears) | AHL | 5 | 0 | 1 | 1 | - | - | - | - | - | - |
| | Pittsburgh (Hornets) | AHL | 29 | 6 | 18 | 24 | 4 | 2 | 1 | 0 | 1 | 2 |
| 1943-44 | Sudbury Open Pit Miners | NBHL | 1 | 0 | 1 | 1 | 0 | - | - | - | - | - |
| 1944-45 | North Bay (Merchants) | NBHL | - | *23 | *12 | *35 | - | - | - | - | - | - |
| 1945-46 | North Bay (Rangers) | NBHL | | | Statistiques non disponibles | | | | | | | |
| 1946-47 | North Bay (Rangers) | NBHL | | | Statistiques non disponibles | | | | | | | |
| 1947-48 | North Bay (Black Hawks) | NBHL | 14 | 19 | 22 | 41 | - | 6 | 8 | 7 | 15 | 2 |
| | North Bay (Black Hawks) | Allan | 5 | 3 | 5 | 8 | - | - | - | - | - | - |
| 1948-49 | North Bay (Black Hawks) | NBHL | 8 | 4 | 2 | 6 | - | - | - | - | - | - |
| | **LNH** | | 71 | 13 | 10 | 23 | 28 | 7 | 0 | 0 | 0 | 0 |
| | **Montréal** | | 8 | 0 | 0 | 0 | 0 | 4 | 0 | 0 | 0 | 0 |

• Première équipe d'étoiles (AHA) en 1934-35, 1935-36
• Signe avec Montréal le 2 mars 1927 • Prêté à Detroit par Montréal pour Stan Brown le 13 février 1928 • Prêté à Kitchener (Can-Pro) par Montréal le 26 novembre 1928 • Prêté à London (IHL) par Montréal le 11 novembre 1929 • Droits vendus à London (IHL) par Montréal le 11 novembre 1930 • Droits vendus à Syracuse (IHL) de London (IHL) le 28 novembre 1930 • Droits vendus à St. Louis (AHA) par Syracuse (IHL) le 19 octobre 1932 • Droits vendus à Chicago par St. Louis (AHA) le 19 décembre 1936 • Droits vendus à Tulsa (AHA) par Chicago le 24 octobre 1938

ODJ-PAL

663

| SAISON | CLUB | LIGUE | PJ | B | A | PTS | PUN | PJ | B | A | PTS | PUN |
| | | | SAISONS RÉGULIÈRES | | | | | SÉRIES ÉLIMINATOIRES | | | | |

## PARGETER, GEORGE

**Né à Calgary, Alberta, le 24 février 1923**
**Ailier gauche, lance de la gauche, 5'7", 168 lb**

| SAISON | CLUB | LIGUE | PJ | B | A | PTS | PUN | PJ | B | A | PTS | PUN |
|---|---|---|---|---|---|---|---|---|---|---|---|---|
| 1941-42 | Calgary (Royals) | CCJHL | | | *Statistiques non disponibles* | | | | | | | |
| | Calgary (Royals) | Mem. | 2 | 2 | 0 | 2 | 0 | – | – | – | – | – |
| 1942-43 | Red Deer (Wheelers) | ASHL | 24 | 18 | 9 | 27 | 8 | – | – | – | – | – |
| 1943-44 | Red Deer (Wheelers) | ASHL | 16 | 5 | 6 | 11 | 8 | 5 | 2 | *6 | *8 | 7 |
| 1944-45 | Buffalo (Bisons) | AHL | 53 | 25 | 14 | 39 | 12 | 6 | 3 | 5 | 8 | 0 |
| 1945-46 | New Haven (Eagles) | AHL | 48 | 21 | 15 | 36 | 6 | – | – | – | – | – |
| | Fort Worth (Rangers) | USHL | 14 | 8 | 4 | 12 | 0 | – | – | – | – | – |
| 1946-47 | Springfield (Indians) | AHL | 13 | 8 | 9 | 17 | 7 | – | – | – | – | – |
| | **Montréal (Canadiens)** | **LNH** | **4** | **0** | **0** | **0** | **0** | – | – | – | – | – |
| | Buffalo (Bisons) | AHL | 45 | 6 | 15 | 21 | 4 | 4 | 0 | 1 | 1 | 0 |
| 1947-48 | Houston (Huskies) | USHL | 26 | 11 | 16 | 27 | 2 | – | – | – | – | – |
| | Buffalo (Bisons) | AHL | 33 | 3 | 4 | 7 | 2 | 8 | 1 | 1 | 2 | 0 |
| 1948-49 | Buffalo (Bisons) | AHL | 66 | 31 | 34 | 65 | 18 | – | – | – | – | – |
| 1949-50 | Buffalo (Bisons) | AHL | 68 | 21 | 23 | 44 | 9 | 5 | 1 | 0 | 1 | 0 |
| 1950-51 | Buffalo (Bisons) | AHL | 63 | 20 | 24 | 44 | 6 | 4 | 0 | 1 | 1 | 0 |
| 1951-52 | Buffalo (Bisons) | AHL | 51 | 7 | 15 | 22 | 8 | 3 | 0 | 0 | 0 | 0 |
| 1952-53 | Seattle (Bombers) | WHL | 69 | 16 | 33 | 49 | 4 | 5 | 2 | 0 | 2 | 0 |
| 1953-54 | Calgary (Stampeders) | WHL | 67 | 20 | 15 | 35 | 4 | 18 | 5 | 8 | 13 | 2 |
| | Calgary (Stampeders) | Edin. | 7 | 2 | 4 | 6 | 0 | – | – | – | – | – |
| 1954-55 | Calgary (Stampeders) | WHL | 70 | 17 | 19 | 36 | 10 | 9 | 2 | 2 | 4 | 0 |
| | **LNH** | | **4** | **0** | **0** | **0** | **0** | – | – | – | – | – |
| | **Montréal** | | **4** | **0** | **0** | **0** | **0** | – | – | – | – | – |

• Échangé à Montréal par Springfield (AHL) pour Joe Benoit le 15 novembre 1946 • Prêté à Buffalo (AHL) par Montréal le 27 novembre 1946

## PASLAWSKI, GREGORY (GREG)

**Né à Kindersley, Saskatchewan, le 25 août 1961**
**Ailier droit, lance de la droite, 5'11", 190 lb**

| SAISON | CLUB | LIGUE | PJ | B | A | PTS | PUN | PJ | B | A | PTS | PUN |
|---|---|---|---|---|---|---|---|---|---|---|---|---|
| 1979-80 | Prince Albert (Raiders) | SJHL | 58 | 17 | 32 | 49 | 142 | – | – | – | – | – |
| 1980-81 | Prince Albert (Raiders) | SJHL | 59 | 55 | 60 | 115 | 106 | – | – | – | – | – |
| 1981-82 | Nlle-Écosse (Voyageurs) | AHL | 43 | 15 | 11 | 26 | 31 | – | – | – | – | – |
| 1982-83 | Nlle-Écosse (Voyageurs) | AHL | 75 | 46 | 42 | 88 | 32 | 6 | 1 | 3 | 4 | 8 |
| 1983-84 | **Montréal (Canadiens)** | **LNH** | **26** | **1** | **4** | **5** | **4** | – | – | – | – | – |
| | St. Louis (Blues) | LNH | 34 | 8 | 14 | 22 | 17 | 9 | 1 | 0 | 1 | 2 |
| 1984-85 | St. Louis (Blues) | LNH | 72 | 22 | 20 | 42 | 21 | 3 | 0 | 0 | 0 | 2 |
| 1985-86 | St. Louis (Blues) | LNH | 56 | 22 | 11 | 33 | 18 | 17 | 10 | 7 | 17 | 13 |
| 1986-87 | St. Louis (Blues) | LNH | 76 | 29 | 35 | 64 | 27 | 6 | 1 | 1 | 2 | 4 |
| 1987-88 | St. Louis (Blues) | LNH | 17 | 2 | 1 | 3 | 4 | 3 | 1 | 1 | 2 | 4 |
| 1988-89 | St. Louis (Blues) | LNH | 75 | 26 | 26 | 52 | 18 | 9 | 2 | 1 | 3 | 2 |
| 1989-90 | Winnipeg (Jets) | LNH | 71 | 18 | 30 | 48 | 14 | 7 | 1 | 3 | 4 | 0 |
| 1990-91 | Winnipeg (Jets) | LNH | 43 | 9 | 10 | 19 | 10 | – | – | – | – | – |
| | Buffalo (Sabres) | LNH | 12 | 2 | 1 | 3 | 4 | – | – | – | – | – |
| 1991-92 | Québec (Nordiques) | LNH | 80 | 28 | 17 | 45 | 18 | – | – | – | – | – |
| 1992-93 | Philadelphie (Flyers) | LNH | 60 | 14 | 19 | 33 | 12 | – | – | – | – | – |
| | Calgary (Flames) | LNH | 13 | 4 | 5 | 9 | 0 | 6 | 3 | 0 | 3 | 0 |
| 1993-94 | Calgary (Flames) | LNH | 15 | 2 | 0 | 2 | 2 | – | – | – | – | – |
| | Peoria (Rivermen) | IHL | 29 | 16 | 16 | 32 | 12 | 6 | 3 | 3 | 6 | 0 |
| 1994-95 | Peoria (Rivermen) | IHL | 69 | 26 | 43 | 69 | 15 | 9 | 9 | 1 | 10 | 4 |
| 1995-96 | Peoria (Rivermen) | IHL | 60 | 16 | 27 | 43 | 22 | 1 | 0 | 0 | 0 | 0 |
| | **LNH** | | **650** | **187** | **185** | **372** | **169** | **60** | **19** | **13** | **32** | **25** |
| | **Montréal** | | **26** | **1** | **4** | **5** | **4** | – | – | – | – | – |

• Signe avec Montréal comme agent libre le 5 octobre 1981 • Échangé à St. Louis par Montréal avec Gilbert Delorme et Doug Wickenheiser pour Perry Turnbull le 21 décembre 1983 • Échangé à Winnipeg par St. Louis avec le choix de 3e ronde de Montréal (propriété de St. Louis suite à une transaction antérieure, Winnipeg sélectionne Kris Draper) au repêchage de 1989 pour le choix de 3e ronde des Rangers de New York (propriété de Winnipeg suite à une transaction antérieure, St. Louis sélectionne Denny Felsner) au repêchage de 1989 et le choix de 2e ronde de Winnipeg au repêchage de 1991 (Steve Staios) le 17 juin 1989 • Droits vendus à Buffalo par Winnipeg le 4 février 1991 • Réclamé par San Jose de Buffalo lors de l'expansion de la LNH le 30 mai 1991 • Échangé à Québec par San Jose pour Tony Hrkac le 31 mai 1991 • Signe avec Philadelphie comme agent libre le 25 août 1992 • Échangé à Calgary par Philadelphie pour le choix de 9e ronde de Calgary au repêchage de 1993 (E. J. Bradley) le 18 mars 1993

## PATTERSON, GEORGE

**Né à Kingston, Ontario, le 22 mai 1906, décédé le 20 janvier 1977**
**Ailier droit, lance de la droite, 6'1", 175 lb**

| SAISON | CLUB | LIGUE | PJ | B | A | PTS | PUN | PJ | B | A | PTS | PUN |
|---|---|---|---|---|---|---|---|---|---|---|---|---|
| 1926-27 | Hamilton (Tigers) | Can-Pro | 23 | 14 | 3 | 17 | 30 | – | – | – | – | – |
| | Toronto (St. Pats/Leafs) | LNH | 17 | 4 | 6 | 10 | 17 | – | – | – | – | – |
| 1927-28 | Toronto (Maple Leafs) | LNH | 12 | 0 | 0 | 0 | 14 | – | – | – | – | – |
| | Toronto (Ravinas) | Can-Pro | 16 | 7 | 0 | 7 | 37 | – | – | – | – | – |
| | **Montréal (Canadiens)** | **LNH** | **16** | **1** | **1** | **2** | **0** | – | – | – | – | – |
| 1928-29 | **Montréal (Canadiens)** | **LNH** | **44** | **4** | **5** | **9** | **34** | **3** | **0** | **0** | **0** | **2** |
| 1929-30 | New York (Americans) | LNH | 39 | 13 | 4 | 17 | 24 | – | – | – | – | – |
| 1930-31 | New York (Americans) | LNH | 44 | 8 | 6 | 14 | 60 | – | – | – | – | – |
| 1931-32 | New York (Americans) | LNH | 20 | 6 | 0 | 6 | 26 | – | – | – | – | – |
| | New Haven (Eagles) | Can-Am | 25 | 17 | 10 | 27 | 33 | 2 | 2 | 0 | 2 | 12 |
| 1932-33 | New York (Americans) | LNH | 41 | 12 | 7 | 19 | 26 | – | – | – | – | – |
| 1933-34 | New York (Americans) | LNH | 13 | 2 | 4 | 6 | 2 | – | – | – | – | – |
| | Boston (Bruins) | LNH | 10 | 0 | 1 | 1 | 4 | – | – | – | – | – |
| | Boston (Cubs) | Can-Am | 17 | 7 | 3 | 10 | 15 | 5 | 0 | 2 | 2 | 0 |
| 1934-35 | Detroit (Red Wings) | LNH | 7 | 0 | 0 | 0 | 0 | – | – | – | – | – |
| | Detroit (Olympics) | IHL | | | | | | | | | | |
| | St. Louis (Eagles) | LNH | 21 | 0 | 1 | 1 | 2 | – | – | – | – | – |
| | Buffalo (Bisons) | IHL | 25 | 10 | 9 | 19 | 56 | – | – | – | – | – |
| 1935-36 | Buffalo (Bisons) | IHL | 48 | 17 | 18 | 35 | 31 | 1 | 0 | 0 | 0 | 2 |
| 1936-37 | Buffalo (Bisons) | IAHL | 11 | 2 | 1 | 3 | 16 | – | – | – | – | – |
| | Minneapolis (Millers) | AHA | 35 | 19 | 17 | 36 | 35 | 6 | *8 | 2 | *10 | 6 |
| 1937-38 | Minneapolis (Millers) | AHA | 48 | 25 | 34 | *59 | 46 | 7 | 1 | 4 | 5 | 0 |
| 1938-39 | Cleveland (Barons) | IAHL | 51 | 5 | 16 | 21 | 20 | 9 | 1 | 1 | 2 | 0 |
| 1939-40 | New Haven (Eagles) | IAHL | 54 | 25 | 27 | 52 | 42 | 3 | 2 | 2 | 4 | 2 |
| 1940-41 | New Haven (Eagles) | AHL | 45 | 19 | 33 | 52 | 33 | 2 | 0 | 0 | 0 | 0 |
| 1941-42 | New Haven (Eagles) | AHL | 28 | 9 | 16 | 25 | 18 | 2 | 0 | 1 | 1 | 2 |
| 1942-43 | New Haven (Eagles) | AHL | 26 | 10 | 12 | 22 | 2 | – | – | – | – | – |
| | Indianapolis (Capitols) | AHL | 23 | 9 | 16 | 28 | 6 | 7 | 1 | 4 | 5 | 0 |
| 1943-44 | Hershey (Bears) | AHL | 48 | 15 | 31 | 46 | 16 | 7 | 1 | 1 | 2 | 4 |
| 1944-45 | Hershey (Bears) | AHL | 24 | 9 | 13 | 22 | 5 | – | – | – | – | – |
| | Providence (Reds) | AHL | 30 | 17 | 20 | 37 | 4 | – | – | – | – | – |
| | **LNH** | | **284** | **51** | **27** | **78** | **218** | **3** | **0** | **0** | **0** | **2** |
| | **Montréal** | | **60** | **5** | **6** | **11** | **34** | **3** | **0** | **0** | **0** | **2** |

• Deuxième équipe d'étoiles (AHA) en 1936-37 • Première équipe d'étoiles (AHA) en 1937-38 • Coupe Calder (AHL) en 1938-39
• Signe avec Hamilton (Can-Pro) le 21 septembre 1926 • Échangé à Toronto par Hamilton (Can-Pro) pour Al Pudas et une somme d'argent le 1er février 1927 • Droits vendus à Boston par Montréal le 8 février 1928 • Droits vendus à Montréal par Toronto le 8 février 1928 • Échangé à Boston par Montréal avec Herb Gardiner et Art Gagné le 13 mai 1929 • Réclamé au ballottage par New York (Americans) de Boston le 23 octobre 1929 • Échangé à Boston par New York (Americans) avec Llyod Gross pour Art Chapman et Bob Gracie le 11 janvier 1934 • Échangé à Detroit par Boston pour Gene Carrigan le 10 octobre 1934 • Prêté à St. Louis par Detroit avec droit de rappel pour Mickey Blake et une somme d'argent le 29 novembre 1934 • Retourne à Detroit le 24 décembre 1934 • Droits vendus à Buffalo (IHL) par Detroit le 4 janvier 1935 • Signe avec Minneapolis (AHA) après le retrait de la concession de Buffalo (IAHL) le 9 décembre 1936

## PAULHUS, ROLAND

**Né à Montréal, Québec, le 1er septembre 1902, décédé**
**Défenseur, lance de la gauche, 5'8", 185 lb**

| SAISON | CLUB | LIGUE | PJ | B | A | PTS | PUN | PJ | B | A | PTS | PUN |
|---|---|---|---|---|---|---|---|---|---|---|---|---|
| 1924-25 | Verdun (Maple Leafs) | LHCM | | | *Statistiques non disponibles* | | | | | | | |
| 1925-26 | **Montréal (Canadiens)** | **LNH** | **33** | **0** | **0** | **0** | **0** | – | – | – | – | – |
| 1926-27 | Providence (Reds) | Can-Am | 29 | 5 | 3 | 8 | 74 | – | – | – | – | – |
| 1927-28 | Providence (Reds) | Can-Am | 39 | 15 | 3 | 18 | 76 | – | – | – | – | – |
| 1928-29 | Providence (Reds) | Can-Am | 38 | 5 | 2 | 7 | 108 | 2 | 0 | 0 | 0 | 2 |
| 1929-30 | Providence (Reds) | Can-Am | 8 | 0 | 0 | 0 | 0 | – | – | – | – | – |
| | London (Panthers) | IHL | 2 | 0 | 0 | 0 | 0 | – | – | – | – | – |
| | New Haven (Eagles) | Can-Am | 10 | 0 | 1 | 1 | 20 | – | – | – | – | – |
| | Windsor (Bulldogs) | IHL | 1 | 0 | 0 | 0 | 0 | – | – | – | – | – |
| 1930-31 | Philadelphie (Arrows) | Can-Am | 29 | 0 | 3 | 3 | 63 | – | – | – | – | – |
| 1931-32 | Philadelphie (Arrows) | Can-Am | 22 | 1 | 2 | 3 | 26 | – | – | – | – | – |
| | Cleveland (Indians) | IHL | | | *Statistiques non disponibles* | | | | | | | |
| | **LNH** | | **33** | **0** | **0** | **0** | **0** | – | – | – | – | – |
| | **Montréal** | | **33** | **0** | **0** | **0** | **0** | – | – | – | – | – |

• Signe avec Montréal le 16 novembre 1925 • Droits vendus (Can-Am) à London par Providence (Can-Am) le 27 janvier 1930 • Droits vendus à Providence (Can-Am) par London (Can-Am) le 5 février 1930 • Droits vendus à New Haven (Can-Am) par Providence (Can-Am) le 10 février 1930

## PAYAN, EUGÈNE

**Né à Saint-Hyacinthe, Québec, le 10 septembre 1888, décédé**
**Centre, lance de la gauche, 5'7", 160 lb**

| SAISON | CLUB | LIGUE | PJ | B | A | PTS | PUN | PJ | B | A | PTS | PUN |
|---|---|---|---|---|---|---|---|---|---|---|---|---|
| 1910-11 | **Montréal (Canadiens)** | **NHA** | **16** | **12** | **0** | **12** | **43** | – | – | – | – | – |
| 1911-12 | **Montréal (Canadiens)** | **NHA** | **18** | **8** | **0** | **8** | | – | – | – | – | – |
| 1912-13 | **Montréal (Canadiens)** | **NHA** | **6** | **3** | **0** | **3** | **0** | – | – | – | – | – |
| 1913-14 | **Montréal (Canadiens)** | **NHA** | **7** | **5** | **0** | **5** | **0** | **2** | **0** | **0** | **0** | **0** |
| | **LNH** | | **47** | **28** | **0** | **28** | **43** | **2** | **0** | **0** | **0** | **0** |
| | **Montréal** | | **47** | **28** | **0** | **28** | **43** | **2** | **0** | **0** | **0** | **0** |

• Signe avec Montréal (NHA) le 12 décembre 1910 • Prêté à Brooklyn par Montréal (NHA) le 6 janvier 1913 • Retourne à Montréal (NHA) par Brooklyn le 23 janvier 1913

## PAYER, ÉVARISTE

**Né à Rockland, Ontario, le 12 décembre 1887, décédé en 1963**
**Avant, lance de la gauche, 5'6", 150 lb**

| SAISON | CLUB | LIGUE | PJ | B | A | PTS | PUN | PJ | B | A | PTS | PUN |
|---|---|---|---|---|---|---|---|---|---|---|---|---|
| 1909-10 | Rockland Seniors | LOHA | | | *Statistiques non disponibles* | | | | | | | |
| 1910-11 | **Montréal (Canadiens)** | **NHA** | **6** | **0** | **0** | **0** | **3** | – | – | – | – | – |
| 1911-12 | Montréal (Hochelaga) | LHCM | 7 | 6 | 0 | 6 | 6 | – | – | – | – | – |
| | **Montréal (Canadiens)** | **NHA** | **3** | **1** | **0** | **1** | **0** | – | – | – | – | – |
| 1912-13 | Montréal (Champêtre) | LHCM | 12 | 13 | 0 | 13 | 15 | 1 | 1 | 0 | 1 | 0 |
| 1913-14 | Montréal (Champêtre) | LHCM | 10 | 10 | 0 | 10 | 20 | – | – | – | – | – |
| 1914-15 | Rockland Seniors | LOHA | | | *Statistiques non disponibles* | | | | | | | |
| 1915-16 | | | | | *Service militaire* | | | | | | | |
| 1916-17 | | | | | *Service militaire* | | | | | | | |
| 1917-18 | **Montréal (Canadiens)** | **LNH** | **1** | **0** | **0** | **0** | **0** | – | – | – | – | – |
| | Rockland Seniors | OCHL | | | *Statistiques non disponibles* | | | | | | | |
| | **NHA** | | **9** | **1** | **0** | **1** | **3** | – | – | – | – | – |
| | **LNH** | | **1** | **0** | **0** | **0** | **0** | – | – | – | – | – |
| | **Montréal** | | **10** | **1** | **0** | **1** | **3** | – | – | – | – | – |

• Première équipe d'étoiles (LHCM) en 1911-12, 1912-13 • Deuxième équipe d'étoiles (LHCM) en 1913-14
• Signe avec Montréal (NHA) le 23 janvier 1911 • Signe avec Montréal (NHA) le 19 février 1912 • Signe avec Montréal le 29 janvier 1918

## PEDERSON, MARK

**Né à Prelate, Saskatchewan, le 14 janvier 1968. Ailier gauche, lance de la gauche, 6'2", 196 lb (1er choix de Montréal, 15e au total lors du repêchage de 1986)**

| SAISON | CLUB | LIGUE | PJ | B | A | PTS | PUN | PJ | B | A | PTS | PUN |
|---|---|---|---|---|---|---|---|---|---|---|---|---|
| 1983-84 | Medecine Hat Cable Vision | AAHA | 42 | 43 | 47 | 90 | 64 | – | – | – | – | – |
| | Medecine Hat (Tigers) | WHL | 3 | 0 | 0 | 0 | 0 | – | – | – | – | – |
| 1984-85 | Medecine Hat (Tigers) | WHL | 71 | 42 | 40 | 82 | 63 | 10 | 3 | 2 | 5 | 0 |

| SAISON CLUB | LIGUE | PJ | B | A | PTS | PUN | PJ | B | A | PTS | PUN |
|---|---|---|---|---|---|---|---|---|---|---|---|
| 1985-86 Medecine Hat (Tigers) | WHL | 72 | 46 | 60 | 106 | 46 | 25 | 12 | 6 | 18 | 25 |
| 1986-87 Medecine Hat (Tigers) | WHL | 69 | 56 | 46 | 102 | 58 | 20 | *19 | 7 | 26 | 14 |
| Medecine Hat (Tigers) | Mem. | 5 | 0 | 3 | 3 | 6 | - | - | - | - | - |
| 1987-88 Medecine Hat (Tigers) | WHL | 62 | 53 | 58 | 111 | 55 | 16 | *13 | 6 | 19 | 16 |
| Medecine Hat (Tigers) | Mem. | 5 | 5 | 4 | 9 | 4 | - | - | - | - | - |
| Canada | CMJ | 7 | 1 | 2 | 3 | 4 | - | - | - | - | - |
| 1988-89 Sherbrooke (Canadien) | AHL | 75 | 43 | 38 | 81 | 53 | 6 | 7 | 5 | 12 | 4 |
| 1989-90 Sherbrooke (Canadien) | AHL | 72 | 53 | 42 | 95 | 60 | 11 | 10 | 8 | 18 | 19 |
| **Montréal (Canadiens)** | **LNH** | **9** | **0** | **2** | **2** | **2** | **2** | **0** | **0** | **0** | **0** |
| 1990-91 **Montréal (Canadiens)** | **LNH** | **47** | **8** | **15** | **23** | **18** | - | - | - | - | - |
| Philadelphie (Flyers) | LNH | 12 | 2 | 1 | 3 | 5 | - | - | - | - | - |
| 1991-92 Philadelphie (Flyers) | LNH | 58 | 15 | 25 | 40 | 22 | - | - | - | - | - |
| 1992-93 Philadelphie (Flyers) | LNH | 14 | 3 | 4 | 7 | 6 | - | - | - | - | - |
| San Jose (Sharks) | LNH | 27 | 7 | 3 | 10 | 22 | - | - | - | - | - |
| 1993-94 Detroit (Red Wings) | LNH | 2 | 0 | 0 | 0 | 2 | - | - | - | - | - |
| Adirondack (Red Wings) | AHL | 62 | 52 | 45 | 97 | 37 | 12 | 4 | 7 | 11 | 10 |
| 1994-95 Kalamazoo (Wings) | IHL | 75 | 31 | 32 | 63 | 47 | 16 | 8 | 4 | 12 | 2 |
| 1995-96 VSV Villach | AUT | 34 | 28 | 32 | 60 | 52 | - | - | - | - | - |
| 1996-97 Farjestads BK Karlstad | SWE | 30 | 7 | 4 | 11 | 26 | - | - | - | - | - |
| Farjestads BK Karlstad | EuroHL | 5 | 1 | 1 | 2 | 4 | - | - | - | - | - |
| ZSC Lions Zurich | SUI | 9 | 7 | 3 | 10 | 4 | 5 | 1 | 3 | 4 | 30 |
| 1997-98 Hannover Scorpions | GER | 47 | 20 | 38 | 58 | 61 | 4 | 0 | 1 | 1 | 2 |
| 1998-99 Krefeld Pinguine | GER | 52 | 21 | 27 | 48 | 40 | 4 | 3 | 1 | 4 | 4 |
| 1999-20 Krefeld Pinguine | GER | 44 | 20 | 17 | 37 | 80 | 3 | 2 | 0 | 2 | 4 |
| 2000-01 Adler Mannheom | GER | 42 | 7 | 7 | 14 | 16 | 11 | 3 | 5 | 8 | 4 |
| 2001-02 Hannover Scorpions | GER | 54 | 18 | 10 | 28 | 32 | - | - | - | - | - |
| 2002-03 San Diego (Gulls) | WCHL | 60 | 39 | 33 | 72 | 34 | 12 | 6 | 10 | 16 | 2 |
| | **LNH** | **169** | **35** | **50** | **85** | **77** | **2** | **0** | **0** | **0** | **0** |
| | **Montréal** | **56** | **8** | **17** | **25** | **20** | **2** | **0** | **0** | **0** | **0** |

• Première équipe d'étoiles (WHL) en 1986-87 • Coupe Memorial en 1986-87, 1987-88. • Deuxième équipe d'étoiles (WHL) en 1987-88 • Médaille d'or (CMJ) en 1988 • Première équipe d'étoiles (AHL) en 1989-90, 1993-94
• Échangé à Philadelphie par Montréal pour le choix de 2e ronde de Philadelphie au repêchage de 1991 (Jim Campbell) le 5 mars 1991 • Échangé à San Jose par Philadelphie avec des considérations futures pour Dave Snuggerud le 19 décembre 1992 • Signe avec Detroit comme agent libre le 23 août 1993

## PENNINGTON, CLIFFORD (CLIFF)

**Né à Winnipeg, Manitoba, le 18 avril 1940. Centre, lance de la droite, 6', 170 lb**

| SAISON CLUB | LIGUE | PJ | B | A | PTS | PUN | PJ | B | A | PTS | PUN |
|---|---|---|---|---|---|---|---|---|---|---|---|
| 1955-56 St. Boniface (Canadien) | MJHL | 1 | 1 | 1 | 2 | 0 | 1 | 1 | 2 | 3 | 0 |
| St. Boniface (Canadien) | Mem. | 4 | 1 | 0 | 1 | 2 | - | - | - | - | - |
| 1956-57 St. Boniface (Canadien) | MJHL | 30 | 28 | 27 | 55 | 2 | 7 | 3 | 1 | 4 | 0 |
| 1957-58 Flin Flon (Bombers) | SJHL | 47 | 32 | 39 | 71 | 8 | 12 | *12 | 5 | 17 | 0 |
| 1958-59 Flin Flon (Bombers) | SJHL | 48 | *62 | 50 | *112 | 4 | 11 | 14 | 9 | 23 | 4 |
| Winnipeg (Warriors) | WHL | 5 | 4 | 1 | 5 | 0 | - | - | - | - | - |
| Flin Flon (Bombers) | Mem. | 10 | 10 | 10 | 20 | 4 | - | - | - | - | - |
| 1959-60 Kitchener (Dutchmen) | OHA Sr | 47 | 23 | 28 | 51 | 5 | 6 | 4 | 6 | 10 | 0 |
| Canada | JO | 5 | 0 | 2 | 2 | 4 | - | - | - | - | - |
| Winnipeg (Warriors) | WHL | 2 | 1 | 1 | 2 | 0 | - | - | - | - | - |
| Flin Flon (Bombers) | MJHL | - | - | - | - | - | 1 | 0 | 0 | 0 | 0 |
| Flin Flon (Bombers) | Mem. | 5 | - | - | - | - | 4 | 1 | 3 | 4 | 2 |
| Edmonton (Oil Kings) | Mem. | 6 | 6 | 2 | 8 | 0 | - | - | - | - | - |
| 1960-61 Hull-Ottawa (Canadien) | EPHL | 65 | 33 | *69 | *102 | 10 | 14 | 4 | *11 | 15 | 0 |
| **Montréal (Canadiens)** | **LNH** | **4** | **1** | **0** | **1** | **0** | - | - | - | - | - |
| 1961-62 Boston (Bruins) | LNH | 70 | 9 | 32 | 41 | 2 | - | - | - | - | - |
| 1962-63 Boston (Bruins) | LNH | 27 | 7 | 10 | 17 | 4 | - | - | - | - | - |
| Kingston (Frontenacs) | EPHL | 39 | 21 | 41 | 62 | 6 | 5 | 2 | *9 | *11 | 0 |
| 1963-64 San Francisco (Seals) | WHL | 6 | 6 | 15 | 21 | 4 | - | - | - | - | - |
| Québec (As) | AHL | 43 | 11 | 19 | 30 | 2 | 7 | 1 | 1 | 2 | 0 |
| 1964-65 Verdun (Maple Leafs) | LHSQ | | | *Statistiques non disponibles* | | | | | | | |
| 1965-66 Los Angeles (Blades) | WHL | 36 | 6 | 8 | 14 | 6 | - | - | - | - | - |
| 1966-67 Floride (Rockets) | EHL | 64 | 37 | 49 | 86 | 2 | - | - | - | - | - |
| 1967-68 Nasville (Dixie Flyers) | EHL | 68 | 49 | 66 | 115 | 18 | 4 | 3 | 3 | 6 | 0 |
| 1968-69 Nasville (Dixie Flyers) | EHL | 72 | 59 | 58 | 117 | 26 | 14 | 6 | 11 | 17 | 4 |
| 1969-70 Des Moines (Oak Leafs) | IHL | 72 | 43 | 57 | 100 | 6 | 3 | 1 | 2 | 3 | 0 |
| 1970-71 Des Moines-Flint | IHL | 54 | 22 | 42 | 64 | 8 | - | - | - | - | - |
| 1971-72 St. Petersburg (Suns) | EHL | 66 | 25 | 56 | 81 | 61 | 2 | 1 | 2 | 3 | 2 |
| 1972-73 Sun Coast Suns | EHL | 48 | 25 | 47 | 72 | 10 | - | - | - | - | - |
| 1973-74 Sun Coast Suns | SHL | 5 | 0 | 5 | 5 | 2 | - | - | - | - | - |
| | **LNH** | **101** | **17** | **42** | **59** | **6** | - | - | - | - | - |
| | **Montréal** | **4** | **1** | **0** | **1** | **0** | - | - | - | - | - |

• Médaille d'argent (JO) en 1960 • Première équipe d'étoiles (EPHL) en 1961-62. • Première équipe d'étoiles (EHL) en 1968-69 • Première équipe d'étoiles (IHL) en 1969-70 • Trophée James-Gatschene (IHL) en 1969-70
• Échangé à Boston par Montréal avec Terry Gray pour Stan Maxwell et Willie O'Ree en juin 1961 • Droits vendus à San Francisco (WHL) par Boston en juin 1963 • Échangé à Boston par San Francisco (WHL) pour Gerry Odrowski et des considérations futures (prêt de Dallas Smith pour la saison 1964-65 le 8 juillet 1964) le 17 décembre 1963 • Signe avec Los Angeles (WHL) le 22 août 1965 • Réclamé au ballottage par Nashville (EHL) de Jacksonville (EHL) en octobre 1967 • Droits vendus à Des Moines (IHL) par Nashville (EHL) en octobre 1969 • Échangé à Flint (IHL) par Des Moines pour Peter Mara en décembre 1970 • Échangé à Jacksonville (EHL) par Flint (IHL) pour Pierre Farmer en septembre 1971 • Droits vendus à St-Petersburg (EHL) par Jacksonville (EHL) en décembre 1971

## PERREAULT, YANIC

**Né à Sherbrooke, Québec, le 4 avril 1971. Centre, lance de la gauche, 5'11", 185 lb**
**(1er choix de Toronto, 47e au total lors du repêchage de 1991)**

| SAISON CLUB | LIGUE | PJ | B | A | PTS | PUN | PJ | B | A | PTS | PUN |
|---|---|---|---|---|---|---|---|---|---|---|---|
| 1987-88 Montréal-Est (Cantonniers) | QAAA | 42 | 70 | 57 | 127 | 14 | 8 | 12 | 10 | 22 | 6 |
| 1988-89 Trois-Rivières (Draveurs) | LHJMQ | 70 | 53 | 55 | 108 | 48 | - | - | - | - | - |
| 1989-90 Trois-Rivières (Draveurs) | LHJMQ | 63 | 51 | 63 | 114 | 75 | 7 | 6 | 5 | 11 | 19 |
| 1990-91 Trois-Rivières (Draveurs) | LHJMQ | 67 | 87 | 98 | 185 | 103 | 6 | 4 | 7 | 11 | 6 |
| 1991-92 St. John's (Maple Leafs) | AHL | 62 | 38 | 38 | 76 | 19 | 16 | 7 | 8 | 15 | 4 |
| 1992-93 St. John's (Maple Leafs) | AHL | 79 | 49 | 46 | 95 | 56 | 9 | 4 | 5 | 9 | 2 |
| 1993-94 Toronto (Maple Leafs) | LNH | 13 | 3 | 3 | 6 | 0 | - | - | - | - | - |
| St. John's (Maple Leafs) | AHL | 62 | 45 | 60 | 105 | 38 | 11 | 12 | 6 | 18 | 14 |
| 1994-95 Phoenix (Roadrunners) | IHL | 68 | 51 | 48 | 99 | 52 | - | - | - | - | - |
| Los Angeles (Kings) | LNH | 26 | 2 | 5 | 7 | 20 | - | - | - | - | - |
| 1995-96 Los Angeles (Kings) | LNH | 78 | 25 | 24 | 49 | 16 | - | - | - | - | - |
| Canada | CMH | 8 | 6 | 3 | 9 | 0 | - | - | - | - | - |
| 1996-97 Los Angeles (Kings) | LNH | 41 | 11 | 14 | 25 | 20 | - | - | - | - | - |
| 1997-98 Los Angeles (Kings) | LNH | 79 | 28 | 20 | 48 | 32 | 4 | 1 | 3 | 4 | 0 |
| 1998-99 Los Angeles (Kings) | LNH | 64 | 10 | 17 | 27 | 30 | - | - | - | - | - |
| Toronto (Maple Leafs) | LNH | 12 | 7 | 8 | 15 | 12 | 17 | 3 | 6 | 9 | 6 |
| 1999-00 Toronto (Maple Leafs) | LNH | 58 | 18 | 27 | 45 | 22 | 1 | 0 | 1 | 1 | 0 |
| 2000-01 Toronto (Maple Leafs) | LNH | 76 | 24 | 28 | 52 | 52 | 11 | 2 | 3 | 5 | 4 |
| 2001-02 **Montréal (Canadiens)** | **LNH** | **82** | **27** | **29** | **56** | **40** | **11** | **3** | **5** | **8** | **0** |
| 2002-03 **Montréal (Canadiens)** | **LNH** | **73** | **24** | **22** | **46** | **30** | - | - | - | - | - |
| | **LNH** | **602** | **179** | **197** | **376** | **274** | **44** | **9** | **17** | **26** | **16** |
| | **Montréal** | **155** | **51** | **51** | **102** | **70** | **11** | **3** | **5** | **8** | **0** |

• Équipe d'étoiles des recrues (LHJMQ) en 1988-89 • Première équipe d'étoiles (LHJMQ) en 1990-91 • Recrue de l'année par excellence du hockey junior canadien en 1988-89. • Trophée Michel-Bergeron (LHJMQ) en 1988-89 • Trophée Marcel-Robert (LHJMQ) en 1989-90 • Trophée Frank-J.-Selke (LHJMQ) en 1990-91 • Coupe Shell (LHJMQ) en 1990-91 • Trophée Michel-Brière (LHJMQ) en 1990-91 • Trophée Jean-Béliveau (LHJMQ) en 1990-91 • Médaille d'argent (CMH) en 1995-96
• Échangé à Los Angeles par Toronto pour le choix de 4e ronde de Los Angeles au repêchage de 1996 (échangé à Philadelphie, réacquis par Los Angeles qui sélectionne Mikael Simons) le 11 juillet 1994 • Échangé à Toronto par Los Angeles pour Jason Podollan et le choix de 3e ronde de Toronto au repêchage de 1999 (Cory Campbell) le 23 mars 1999 • Signe avec Montréal comme agent libre le 4 juillet 2001

## PETERS, GARRY

**Né à Regina, Saskatchewan, le 9 octobre 1942. Centre, lance de la gauche, 5'10", 185 lb**

| SAISON CLUB | LIGUE | PJ | B | A | PTS | PUN | PJ | B | A | PTS | PUN |
|---|---|---|---|---|---|---|---|---|---|---|---|
| 1959-60 Regina (Pats) | SJHL | 37 | 9 | 6 | 15 | 39 | - | - | - | - | - |
| 1960-61 Regina (Pats) | SJHL | 57 | 36 | 46 | 82 | 94 | 10 | *10 | *12 | *22 | 8 |
| Regina (Pats) | Mem. | 6 | 2 | 2 | 4 | 7 | - | - | - | - | - |
| 1961-62 Regina (Pats) | SJHL | 56 | 45 | *69 | *114 | 68 | 16 | 10 | 14 | 24 | 4 |
| 1962-63 Regina (Pats) | SJHL | 50 | 37 | 39 | 76 | 100 | 4 | 1 | 0 | 1 | 15 |
| Hull-Ottawa (Canadien) | EPHL | 4 | 0 | 1 | 1 | 2 | 1 | 0 | 0 | 0 | 0 |
| Estevan (Bruins) | Mem. | 6 | 4 | 0 | 4 | 25 | - | - | - | - | - |
| 1963-64 Omaha (Knights) | CPHL | 72 | 32 | 49 | 81 | 82 | 10 | 5 | 9 | 14 | 17 |
| 1964-65 Québec (As) | AHL | 4 | 1 | 2 | 3 | 2 | - | - | - | - | - |
| **Montréal (Canadiens)** | **LNH** | **13** | **0** | **2** | **2** | **6** | - | - | - | - | - |
| Ohama (Knights) | CPHL | 43 | 21 | 23 | 44 | 56 | - | - | - | - | - |
| 1965-66 New York (Rangers) | LNH | 63 | 7 | 3 | 10 | 42 | - | - | - | - | - |
| 1966-67 Houston (Apollos) | CPHL | | 21 | 31 | 52 | 90 | - | - | - | - | - |
| 1967-68 Philadelphie (Flyers) | LNH | 31 | 7 | 5 | 12 | 22 | - | - | - | - | - |
| 1968-69 Philadelphie (Flyers) | LNH | 66 | 8 | 6 | 14 | 59 | 4 | 0 | 0 | 0 | 4 |
| 1969-70 Philadelphie (Flyers) | LNH | 59 | 6 | 10 | 16 | 69 | - | - | - | - | - |
| 1970-71 Philadelphie (Flyers) | LNH | 73 | 6 | 7 | 13 | 98 | 1 | 0 | 2 | 2 | 15 |
| 1971-72 Boston (Braves) | AHL | 58 | 39 | 34 | 73 | 118 | 8 | 1 | 2 | 3 | 4 |
| Boston (Bruins) | LNH | 2 | 0 | 0 | 0 | 2 | - | - | - | - | - |
| 1972-73 New York (Raiders) | AMH | 23 | 2 | 5 | 7 | 10 | - | - | - | - | - |
| 1973-74 New York/New Jersey | AMH | 34 | 2 | 5 | 7 | 18 | - | - | - | - | - |
| | **LNH** | **311** | **34** | **34** | **68** | **261** | **9** | **2** | **2** | **4** | **31** |
| | **Montréal** | **?** | **?** | **?** | **?** | **?** | **?** | **?** | **?** | **?** | **?** |

• Première équipe d'étoiles (SJHL) en 1961-62 • Trophée Ken-McKenzie (CPHL) avec Poul Popiel en 1963-64 • Première équipe d'étoiles (AHL) en 1971-72 • Trophée Les-Cuningham (AHL) en 1971-72 • Coupe Stanley (LNH) en 1971-72
• Échangé à New York par Montréal pour Cesare Maniago pour Earl Ingarfield, Gord Labossière, Noel Price et Dave McComb le 8 juin 1965 • Échangé à New York par Montréal avec Ted Taylor pour Red Berenson le 13 juin 1966 • Réclamé par Philadelphie de Montréal lors de l'expansion de la LNH le 6 juin 1967 • Réclamé par Boston par Philadelphie lors du repêchage intra-ligue le 8 juin 1971 • Sélectionné par New York lors de l'expansion de l'AMH le 12 février 1972 • Réclamé par New York (Islanders) de Boston lors de l'expansion de la LNH le 6 juin 1972

## PETERS, JAMES (JIMMY)

**Né à Montréal, Québec, le 2 octobre 1922. Ailier droit, lance de la droite, 5'11", 165 lb**

| SAISON CLUB | LIGUE | PJ | B | A | PTS | PUN | PJ | B | A | PTS | PUN |
|---|---|---|---|---|---|---|---|---|---|---|---|
| 1939-40 Verdun (Canadien Jr) | LHJQ | 11 | 0 | 3 | 3 | 10 | 4 | 0 | 0 | 0 | 0 |
| Verdun (Canadien Jr) | Mem. | 7 | 1 | 3 | 4 | 4 | - | - | - | - | - |
| 1940-41 Montréal (Canadien Jr) | LHJQ | 11 | 7 | 8 | 15 | 6 | 4 | 1 | 4 | 5 | 4 |
| Montréal (Royals Jr) | Mem. | 16 | 4 | 11 | 19 | 22 | - | - | - | - | - |
| Montréal (Canadien Sr) | LHSQ | 1 | 0 | 0 | 0 | 0 | - | - | - | - | - |
| 1941-42 Springfield (Indians) | AHL | 24 | 1 | 4 | 5 | 8 | - | - | - | - | - |
| 1942-43 Montréal (Armée) | LHCM | 5 | 3 | 5 | 8 | 4 | - | - | - | - | - |
| Montréal (Armée) | LHCM | 27 | 16 | 18 | 34 | 15 | 9 | 3 | 1 | 4 | 6 |
| 1943-44 Montréal (Armée) | LHCM | 1 | 0 | 0 | 0 | 0 | - | - | - | - | - |
| Montréal (Armée) | OHA Sr | 13 | 13 | 15 | 28 | 10 | - | - | - | - | - |
| 1944-45 Canadian (Armée) | BEL | | | *Statistiques non disponibles* | | | | | | | |
| 1945-46 **Montréal (Canadiens)** | **LNH** | **47** | **11** | **19** | **30** | **10** | **9** | **3** | **1** | **4** | **6** |
| Montréal (Royals) | LHSQ | 1 | 0 | 0 | 0 | 0 | - | - | - | - | - |
| 1946-47 **Montréal (Canadiens)** | **LNH** | **60** | **11** | **13** | **24** | **27** | **11** | **1** | **2** | **3** | **10** |
| 1947-48 **Montréal (Canadiens)** | **LNH** | **22** | **1** | **3** | **4** | **6** | - | - | - | - | - |
| Boston (Bruins) | LNH | 37 | 12 | 16 | 28 | 9 | 5 | 1 | 0 | 1 | 6 |
| 1948-49 Boston (Bruins) | LNH | 60 | 16 | 15 | 31 | 38 | 5 | 0 | 0 | 0 | 2 |
| 1949-50 Detroit (Red Wings) | LNH | 70 | 14 | 16 | 30 | 20 | 9 | 0 | 2 | 2 | 6 |
| 1950-51 Detroit (Red Wings) | LNH | 68 | 17 | 21 | 38 | 14 | 6 | 0 | 0 | 0 | 0 |
| | | | Match des étoiles | | | | | | | | |
| 1951-52 Chicago (Black Hawks) | LNH | 70 | 15 | 21 | 36 | 30 | - | - | - | - | - |

| SAISON | CLUB | LIGUE | PJ | B | A | PTS | PUN | PJ | B | A | PTS | PUN |
|---|---|---|---|---|---|---|---|---|---|---|---|---|
| 1952-53 | Chicago (Black Hawks) | LNH | 69 | 22 | 19 | 41 | 16 | 7 | 0 | 1 | 1 | 4 |
| 1953-54 | Chicago (Black Hawks) | LNH | 46 | 6 | 4 | 10 | 21 | - | - | - | - | - |
| | Detroit (Red Wings) | LNH | 25 | 0 | 4 | 4 | 10 | 10 | 0 | 0 | 0 | 0 |
| 1954-55 | Windsor (Bulldogs) | OHA Sr | 46 | 25 | 31 | 56 | 62 | 12 | 10 | 7 | 17 | 2 |
| 1955-56 | Windsor (Bulldogs) | OHA Sr | 48 | 12 | 37 | 49 | 72 | - | - | - | - | - |
| | | **LNH** | 574 | 125 | 150 | 275 | 186 | 60 | 5 | 9 | 14 | 22 |
| | | **Montréal** | 129 | 23 | 35 | 58 | 43 | 20 | 4 | 3 | 7 | 16 |

• Coupe Stanley (LNH) en 1945-46, 1949-50 • Match des étoiles (LNH) en 1950-51.
• Signe avec Brooklyn (Americans) le 28 octobre 1941 • Réclamé par Buffalo (AHL) lors du repêchage de dispersion de Brooklyn (Americans) le 9 octobre 1942 • Réclamé par Montréal de Buffalo (AHL) lors du repêchage inter-ligues le 14 juin 1945 • Échangé à Boston par Montréal pour John Quilty pour Joe Carveth le 17 décembre 1947 • Échangé à Detroit par Boston avec Pete Babando, Clare Martin et Lloyd Durham pour Pete Horeck et Bill Quakenbush le 16 août 1949 • Échangé à Chicago par Detroit avec Jim McFadden, Max McNab, George Gee, Rags Raglin et Clare Martin pour une somme d'argent et des considérations futures (Hugh Coffin en octobre 1951) le 20 août 1951 • Échangé à Detroit par Chicago pour des considérations futures le 25 janviers 1954

### PETROV, OLEG
**Né à Moscou, Russie, le 18 avril 1971. Ailier droit, lance de la gauche, 5'8", 175 lb**
**(9e choix de Montréal, 127e au total lors du repêchage de 1991)**

| SAISON | CLUB | LIGUE | PJ | B | A | PTS | PUN | PJ | B | A | PTS | PUN |
|---|---|---|---|---|---|---|---|---|---|---|---|---|
| 1988-89 | Moscou CSKA | URSS Jr | *Statistiques non disponibles* | | | | | | | | | |
| | Union Soviétique | EJC | 6 | 1 | 4 | 5 | 4 | - | - | - | - | - |
| 1989-90 | Moscou CSKA | URSS | 30 | 4 | 7 | 11 | 4 | - | - | - | - | - |
| | Moscou CSKA | SuperS | 1 | 1 | 0 | 1 | 0 | - | - | - | - | - |
| 1990-91 | Moscou CSKA | URSS | 43 | 7 | 4 | 11 | 8 | - | - | - | - | - |
| | Russie | CMJ | 7 | 4 | 4 | 8 | 4 | - | - | - | - | - |
| 1991-92 | Moscou CSKA | CIS | 42 | 10 | 16 | 26 | 8 | - | - | - | - | - |
| 1992-93 | Fredericton (Canadien) | AHL | 55 | 26 | 29 | 55 | 36 | 5 | 4 | 1 | 5 | 0 |
| | **Montréal (Canadiens)** | **LNH** | 9 | 2 | 1 | 3 | 10 | 1 | 0 | 0 | 0 | 0 |
| 1993-94 | Fredericton (Canadien) | AHL | 23 | 8 | 20 | 28 | 18 | - | - | - | - | - |
| | **Montréal (Canadiens)** | **LNH** | 55 | 12 | 15 | 27 | 2 | 2 | 0 | 0 | 0 | 0 |
| 1994-95 | Fredericton (Canadien) | AHL | 17 | 7 | 11 | 18 | 12 | 17 | 5 | 6 | 11 | 10 |
| | **Montréal (Canadiens)** | **LNH** | 12 | 2 | 3 | 5 | 4 | - | - | - | - | - |
| 1995-96 | **Montréal (Canadiens)** | **LNH** | 36 | 4 | 7 | 11 | 23 | 5 | 0 | 1 | 1 | 0 |
| | Fredericton (Canadiens) | LNH | 22 | 12 | 18 | 30 | 71 | 6 | 2 | 6 | 8 | 0 |
| 1996-97 | HC Ambri-Piotta | SUI | 45 | 24 | 28 | 52 | 44 | - | - | - | - | - |
| | HC Meran | ITA | 12 | 5 | 12 | 17 | 4 | - | - | - | - | - |
| 1997-98 | HC Ambri-Piotta | SUI | 40 | 30 | 63 | 93 | 60 | 14 | 11 | 11 | 22 | 40 |
| | Russie | CM | 6 | 3 | 3 | 6 | 4 | - | - | - | - | - |
| 1998-99 | HC Ambri-Piotta | SUI | 45 | 35 | 52 | 87 | 52 | 15 | 9 | 11 | 20 | 32 |
| | Russie | CM | 6 | 0 | 2 | 2 | 4 | - | - | - | - | - |
| 1999-20 | **Montréal (Canadiens)** | **LNH** | 44 | 2 | 24 | 26 | 8 | - | - | - | - | - |
| | Québec (Citadelles) | AHL | 16 | 7 | 7 | 14 | 0 | - | - | - | - | - |
| | Russie | CM | 6 | 1 | 2 | 3 | 0 | - | - | - | - | - |
| 2000-01 | **Montréal (Canadiens)** | **LNH** | 81 | 17 | 30 | 47 | 24 | - | - | - | - | - |
| 2001-02 | **Montréal (Canadiens)** | **LNH** | 75 | 24 | 17 | 41 | 12 | 12 | 1 | 5 | 6 | 2 |
| 2002-03 | **Montréal (Canadiens)** | **LNH** | 53 | 7 | 16 | 23 | 16 | - | - | - | - | - |
| | Nashville (Predators) | LNH | 14 | 0 | 0 | 0 | 10 | - | - | - | - | - |
| | | **LNH** | 382 | 72 | 115 | 187 | 101 | 20 | 1 | 6 | 7 | 2 |
| | | **Montréal** | 365 | 70 | 113 | 183 | 99 | 20 | 1 | 6 | 7 | 2 |

• Médaille d'argent (CMJ) en 1991 • Coupe Stanley (LNH) en 1992-93 • Équipe d'étoile des joueurs recrues (LNH) en 1993
• Signe avec Montréal comme agent libre le 15 juillet 1999 • Échangé à Nashville par Montréal pour le choix de 4e ronde de Nashville au repêchage de 2003 le 3 mars 2003

### PHILLIPS, CHARLES (CHARLIE)
**Né à Toronto, Ontario, le 10 mai 1917. Défenseur, lance de la gauche, 5'11", 200 lb**

| SAISON | CLUB | LIGUE | PJ | B | A | PTS | PUN | PJ | B | A | PTS | PUN |
|---|---|---|---|---|---|---|---|---|---|---|---|---|
| 1936-37 | Toronto (Lions) | OHA Jr | 12 | 8 | 2 | 10 | 14 | - | - | - | - | - |
| 1937-38 | Moncton (Maroons) | SNBHL | 29 | 24 | 9 | 33 | *90 | 3 | 1 | 0 | 1 | 8 |
| | Moncton (Maroons) | Allan | 8 | 8 | 3 | 11 | 29 | - | - | - | - | - |
| 1938-39 | Saint John (Beavers) | Exh. | 34 | 16 | 16 | 32 | *60 | - | - | - | - | - |
| | Saint John (Beavers) | Allan | 13 | 7 | 9 | 16 | 20 | - | - | - | - | - |
| 1939-40 | Glace Bay (Miners) | CBSHL | 40 | 8 | 7 | 15 | 33 | 4 | 1 | 0 | 1 | 2 |
| 1940-41 | Glace Bay (Miners) | CBSHL | 43 | 6 | 14 | 20 | 51 | 4 | 1 | 0 | 1 | 6 |
| 1941-42 | Glace Bay (Miners) | CBSHL | 40 | 29 | 33 | 62 | *97 | 7 | *6 | 5 | *11 | *18 |
| 1942-43 | **Montréal (Canadiens)** | **LNH** | 17 | 0 | 0 | 0 | 6 | - | - | - | - | - |
| | Washington (Lions) | AHL | 10 | 5 | 3 | 8 | 14 | - | - | - | - | - |
| 1943-44 | Kingston (Army) | OHA Sr | 14 | 1 | 5 | 6 | 17 | - | - | - | - | - |
| 1944-45 | Providence (Reds) | AHL | - | - | - | - | - | - | - | - | - | - |
| 1945-46 | Lachine (Rapides) | LHPQ | 3 | 0 | 0 | 0 | 0 | - | - | - | - | - |
| 1946-47 | Montréal (Royals) | LHSQ | 1 | 0 | 0 | 0 | 0 | - | - | - | - | - |
| | Lachine (Rapides) | LHPQ | 4 | 4 | 4 | 8 | 4 | - | - | - | - | - |
| | Washington (Lions) | EAHL | 14 | 7 | 9 | 16 | 21 | 9 | 4 | 3 | 7 | 9 |
| 1947-48 | Glace Bay (Miners) | CBSHL | 47 | 17 | 17 | 34 | 105 | 4 | 2 | 1 | 3 | 4 |
| | Moncton (Hawks) | MSHL | - | - | - | - | - | 1 | 1 | 0 | 1 | 0 |
| 1948-49 | Saint John (Beavers) | MSHL | 48 | 20 | 20 | 40 | 57 | 7 | 2 | 0 | 2 | 4 |
| 1949-50 | Glace Bay (Miners) | CBSHL | 66 | 11 | 20 | 40 | 31 | 10 | 1 | 3 | 4 | 6 |
| 1950-51 | Moncton (Hawks) | MMHL | 19 | 5 | 2 | 7 | 4 | - | - | - | - | - |
| | | **LNH** | 17 | 0 | 0 | 0 | 6 | - | - | - | - | - |
| | | **Montréal** | 17 | 0 | 0 | 0 | 6 | - | - | - | - | - |

• Signe avec Montréal le 5 novembre 1943

### PICARD, JEAN-NOËL
**Né à Montréal, Québec, le 25 décembre 1938. Défenseur, lance de la droite, 6'1", 185 lb**

| SAISON | CLUB | LIGUE | PJ | B | A | PTS | PUN | PJ | B | A | PTS | PUN |
|---|---|---|---|---|---|---|---|---|---|---|---|---|
| 1960-61 | Jersey (Devils) | EHL | 55 | 4 | 8 | | 55 | - | - | - | - | - |
| 1961-62 | Montréal (Olympiques) | LHSQ | 18 | 3 | 7 | 10 | 8 | 6 | 1 | 3 | 4 | 17 |
| | Montréal (Olympiques) | Allan | 15 | 2 | 6 | 8 | 38 | - | - | - | - | - |
| 1962-63 | Montréal (Olympiques) | LHSQ | *Statistiques non disponibles* | | | | | | | | | |
| | Sherbrooke (Castors) | LHSQ | - | - | - | - | - | 1 | 0 | 0 | 0 | 0 |
| 1963-64 | Omaha (Knights) | CPHL | 59 | 4 | 25 | 29 | 147 | 9 | 1 | 2 | 3 | 12 |
| 1964-65 | Omaha (Knights) | CPHL | 50 | 13 | 23 | 36 | 142 | - | - | - | - | - |
| | **Montréal (Canadiens)** | **LNH** | 16 | 0 | 7 | 7 | 33 | 3 | 0 | 1 | 1 | 0 |
| 1965-66 | Houston (Apollos) | CPHL | 58 | 3 | 15 | 18 | 186 | - | - | - | - | - |
| 1966-67 | Seattle (Totems) | WHL | 63 | 3 | 24 | 27 | 135 | 10 | 2 | 5 | 7 | 16 |
| | Providence (Reds) | AHL | 9 | 0 | 3 | 3 | 17 | - | - | - | - | - |
| 1967-68 | St. Louis (Blues) | LNH | 66 | 1 | 10 | 11 | 142 | 13 | 0 | 3 | 3 | 46 |
| 1968-69 | St. Louis (Blues) | LNH | 67 | 5 | 19 | 24 | 131 | 12 | 1 | 4 | 5 | 30 |
| | Match des étoiles | LNH | 1 | 0 | 2 | 2 | 0 | - | - | - | - | - |
| 1969-70 | St. Louis (Blues) | LNH | 39 | 1 | 4 | 5 | 88 | 16 | 0 | 2 | 2 | 65 |
| 1970-71 | St. Louis (Blues) | LNH | 75 | 3 | 8 | 11 | 119 | 6 | 1 | 1 | 2 | 26 |
| 1971-72 | St. Louis (Blues) | LNH | 15 | 1 | 5 | 6 | 50 | - | - | - | - | - |
| 1972-73 | St. Louis (Blues) | LNH | 16 | 1 | 0 | 1 | 10 | - | - | - | - | - |
| | Atlanta (Flames) | LNH | 14 | 0 | 10 | 10 | 40 | - | - | - | - | - |
| | | **LNH** | 335 | 12 | 63 | 75 | 616 | 50 | 2 | 11 | 13 | 167 |
| | | **Montréal** | 16 | 0 | 7 | 7 | 33 | 3 | 0 | 1 | 1 | 0 |

• Coupe Stanley (LNH) en 1964-65 • Match des étoiles (LNH) en 1968-69
• Réclamé par St. Louis de Montréal lors de l'expansion de la LNH le 6 juin 1967 • Réclamé au ballottage par Atlanta de St. Louis le 25 novembre 1972

### PICARD, ROBERT
**Né à Montréal, Québec, le 25 mai 1957. Défenseur, lance de la gauche, 6'2", 205 lb**
**(1er choix de Washington, 3e au total lors du repêchage de 1977)**

| SAISON | CLUB | LIGUE | PJ | B | A | PTS | PUN | PJ | B | A | PTS | PUN |
|---|---|---|---|---|---|---|---|---|---|---|---|---|
| 1973-74 | Montréal (Junior) | LHJMQ | 70 | 7 | 46 | 53 | *296 | - | - | - | - | - |
| 1974-75 | Montréal (Junior) | LHJMQ | 70 | 13 | 74 | 87 | 339 | - | - | - | - | - |
| 1975-76 | Montréal (Junior) | LHJMQ | 72 | 14 | 67 | 81 | 282 | 6 | 2 | 9 | 11 | 25 |
| 1976-77 | Montréal (Junior) | LHJMQ | 70 | 32 | 60 | 92 | 267 | 13 | 2 | 10 | 12 | 20 |
| 1977-78 | Washington (Capitals) | LNH | 75 | 10 | 27 | 37 | 101 | - | - | - | - | - |
| | Canada | CM | 10 | 1 | 2 | 3 | 4 | - | - | - | - | - |
| 1978-79 | Washington (Capitals) | LNH | 77 | 21 | 44 | 65 | 85 | - | - | - | - | - |
| | Canada | CM | 7 | 0 | 0 | 0 | 2 | - | - | - | - | - |
| 1979-80 | Washington (Capitals) | LNH | 78 | 11 | 43 | 54 | 122 | - | - | - | - | - |
| | Match des étoiles | LNH | 1 | 0 | 0 | 0 | 0 | - | - | - | - | - |
| 1980-81 | Toronto (Maple Leafs) | LNH | 59 | 6 | 19 | 25 | 68 | - | - | - | - | - |
| | Match des étoiles | LNH | | | | | | - | - | - | - | - |
| | **Montréal (Canadiens)** | **LNH** | 8 | 2 | 2 | 4 | 6 | 1 | 0 | 0 | 0 | 0 |
| 1981-82 | **Montréal (Canadiens)** | **LNH** | 62 | 2 | 26 | 28 | 106 | 5 | 1 | 1 | 2 | 7 |
| 1982-83 | **Montréal (Canadiens)** | **LNH** | 64 | 7 | 31 | 38 | 60 | 3 | 0 | 0 | 0 | 0 |
| 1983-84 | **Montréal (Canadiens)** | **LNH** | 7 | 0 | 2 | 2 | 0 | - | - | - | - | - |
| | Winnipeg (Jets) | LNH | 62 | 6 | 16 | 22 | 34 | 3 | 0 | 0 | 0 | 12 |
| 1984-85 | Winnipeg (Jets) | LNH | 78 | 12 | 22 | 34 | 107 | 8 | 2 | 2 | 4 | 8 |
| 1985-86 | Winnipeg (Jets) | LNH | 20 | 2 | 5 | 7 | 17 | - | - | - | - | - |
| | Québec (Nordiques) | LNH | 48 | 7 | 27 | 34 | 36 | 3 | 0 | 2 | 2 | 9 |
| 1986-87 | Québec (Nordiques) | LNH | 78 | 8 | 20 | 28 | 71 | 13 | 2 | 10 | 12 | 10 |
| 1987-88 | Québec (Nordiques) | LNH | 65 | 3 | 13 | 16 | 103 | - | - | - | - | - |
| 1988-89 | Québec (Nordiques) | LNH | 74 | 7 | 14 | 21 | 61 | - | - | - | - | - |
| 1989-90 | Québec (Nordiques) | LNH | 24 | 0 | 5 | 5 | 28 | - | - | - | - | - |
| | Detroit (Red Wings) | LNH | 20 | 1 | 3 | 4 | 43 | - | - | - | - | - |
| | | **LNH** | 899 | 104 | 319 | 423 | 1025 | 36 | 5 | 15 | 20 | 39 |
| | | **Montréal** | 141 | 11 | 61 | 72 | 172 | 9 | 1 | 1 | 2 | 7 |

• Première équipe d'étoiles (LHJMQ) en 1976-77 • Deuxième équipe d'étoiles (LHJMQ) en 1974-75 • Première équipe d'étoiles, Division Ouest (LHJMQ) en 1975-76 • Trophée Émile-Bouchard (LHJMQ) en 1977 • Médaille de bronze (CM) en 1978 • Match des étoiles (LNH) en 1980, 1981
• Échangé à Toronto par Washington avec Tim Coulis et le choix de 2e ronde de Washington au repêchage de 1980 (Bob McGill) pour Mike Palmateer et le choix de 3e ronde Toronto au repêchage de 1980 (Torrie Robertson) le 11 juin 1980 • Échangé à Montréal par Toronto pour Michel Larocque le 10 mars 1981 • Échangé à Winnipeg par Montréal pour le choix de 3e ronde de Winnipeg au repêchage de 1984 (Patrick Roy) le 4 novembre 1983 • Échangé à Québec par Winnipeg pour Mario Marois le 27 novembre 1985 • Échangé à Detroit par Québec avec Greg Adams pour Tony McKegney le 4 décembre 1989

### PITRE, DIDIER
**Né à Valleyfield, Québec, le 1er septembre 1883, décédé le 29 juillet 1934**
**Ailier droit/Défenseur, lance de la droite, 5'11", 185 lb**

| SAISON | CLUB | LIGUE | PJ | B | A | PTS | PUN | PJ | B | A | PTS | PUN |
|---|---|---|---|---|---|---|---|---|---|---|---|---|
| 1903-04 | Montréal (National) | FAHL | 2 | 1 | 0 | 1 | 0 | - | - | - | - | - |
| 1904-05 | Montréal (National) | LCHA | 2 | 1 | 0 | 1 | 0 | - | - | - | - | - |
| | Michigan Soo Indians | IHL | 13 | 11 | 0 | 11 | 6 | - | - | - | - | - |
| 1905-06 | Michigan Soo Indians | IHL | 22 | *41 | 0 | *41 | 29 | - | - | - | - | - |
| 1906-07 | Michigan Soo Indians | IHL | 23 | 25 | 11 | 36 | 28 | - | - | - | - | - |
| 1907-08 | Montréal (Shamrocks) | ECAHA | 10 | 3 | 0 | 3 | 15 | - | - | - | - | - |
| 1908-09 | Edmonton (Eskimos) | ESHL | 3 | 0 | 0 | 0 | 0 | 2 | 0 | 2 | 2 | 11 |
| | Renfrew (Creamery Kings) | FAHL | *Statistiques non disponibles* | | | | | | | | | |
| 1909-10 | **Montréal (Canadiens)** | NHA | 12 | 11 | 0 | 11 | 5 | - | - | - | - | - |
| 1910-11 | **Montréal (Canadiens)** | NHA | 16 | 19 | 0 | 19 | 22 | - | - | - | - | - |
| 1911-12 | **Montréal (Canadiens)** | NHA | 18 | 28 | 0 | 28 | | - | - | - | - | - |
| 1912-13 | **Montréal (Canadiens)** | NHA | 20 | 24 | 0 | 24 | | - | - | - | - | - |
| 1913-14 | Vancouver (Millionaires) | PCHA | 15 | 2 | 1 | 16 | 12 | - | - | - | - | - |
| 1914-15 | **Montréal (Canadiens)** | NHA | 20 | 30 | 4 | 34 | 50 | - | - | - | - | - |
| 1915-16 | **Montréal (Canadiens)** | NHA | 24 | 24 | *15 | *39 | 42 | 5 | *4 | 0 | *4 | 18 |
| 1916-17 | **Montréal (Canadiens)** | NHA | 20 | 21 | 0 | 21 | 50 | 6 | 7 | 0 | 7 | 32 |
| 1917-18 | **Montréal (Canadiens)** | LNH | 20 | 17 | 6 | 23 | 29 | 2 | 1 | 0 | 1 | 13 |
| 1918-19 | **Montréal (Canadiens)** | LNH | 17 | 14 | 5 | 19 | 12 | 10 | 2 | 6 | 8 | 3 |
| 1919-20 | **Montréal (Canadiens)** | LNH | 22 | 14 | 12 | 26 | 6 | - | - | - | - | - |
| 1920-21 | **Montréal (Canadiens)** | LNH | 23 | 15 | 5 | 20 | 25 | - | - | - | - | - |
| 1921-22 | **Montréal (Canadiens)** | LNH | 23 | 2 | 3 | 5 | 6 | - | - | - | - | - |
| 1922-23 | **Montréal (Canadiens)** | LNH | 22 | 1 | 2 | 3 | 0 | 2 | 0 | 0 | 0 | 0 |
| | | **NHA** | 127 | 157 | 25 | 182 | 134 | 11 | 11 | 0 | 11 | 50 |
| | | **LNH** | 127 | 63 | 34 | 97 | 84 | 14 | 2 | 7 | 9 | 32 |
| | | **Montréal** | 254 | 220 | 59 | 279 | 218 | 25 | 13 | 7 | 20 | 66 |

- Première équipe d'étoiles (IHL) en 1905-06, 1906-07 • Coupe Stanley (NHA) en 1915-16.
- Membre du Temple de la Renommée (LNH) en 1962
- Signe avec Michigan Soo (IHL) le 5 janvier 1905 • Signe avec Montréal (ECHA) le 15 décembre 1907 • Signe avec Edmonton (ESHL) le 3 décembre 1908 • Signe avec Renfrew (NHA) le 3 janvier 1909 • Signe avec Montréal (NHA) le 15 décembre 1909 • Échangé à Vancouver (PCHA) par Montréal (NHA) pour Newsy Lalonde le 24 novembre 1913 • Signe avec Montréal (NHA) le 18 novembre 1914

## PLAMONDON, GÉRARD (GERRY)

Né à Sherbrooke, Québec, le 5 janvier 1925
Ailier gauche, lance de la gauche, 5'8", 170 lb

| SAISON | CLUB | LIGUE | PJ | B | A | PTS | PUN | PJ | B | A | PTS | PUN |
|---|---|---|---|---|---|---|---|---|---|---|---|---|
| 1943-44 | Montréal (Canadien Jr) | LHJQ | 15 | *21 | 7 | 28 | 2 | 3 | 6 | 1 | 7 | 0 |
| | Montréal (Canada Car) | LHCM | 11 | 6 | 6 | 12 | 0 | | | | | |
| | Montréal (Royals Jr) | Mem. | 4 | 1 | 3 | 4 | 4 | | | | | |
| 1944-45 | Pittsburgh (Hornets) | AHL | 4 | 2 | 2 | 4 | 10 | | | | | |
| | Valleyfield (Braves) | LHSQ | 23 | 14 | 20 | 34 | 8 | 11 | *13 | 7 | *21 | 2 |
| | Valleyfield (Braves) | Allan | 3 | 1 | 0 | 1 | 0 | | | | | |
| 1945-46 | Valleyfield (Braves) | LHSQ | 39 | *40 | 28 | 68 | 12 | | | | | |
| | **Montréal (Canadiens)** | LNH | 6 | 0 | 2 | 2 | 2 | 1 | 0 | 0 | 0 | 0 |
| 1946-47 | Montréal (Royals) | LHSQ | 26 | 15 | 15 | 30 | 21 | 11 | 5 | 4 | 9 | 4 |
| | Montréal (Royals) | Allan | 14 | 7 | 12 | 19 | 2 | | | | | |
| 1947-48 | Montréal (Royals) | LHSQ | 46 | *51 | 22 | 73 | 16 | 3 | 0 | 1 | 1 | 0 |
| | **Montréal (Canadiens)** | LNH | 3 | 1 | 1 | 2 | 0 | | | | | |
| 1948-49 | Montréal (Royals) | LHSQ | 36 | 34 | 25 | 59 | 24 | | | | | |
| | **Montréal (Canadiens)** | LNH | 27 | 5 | 5 | 10 | 8 | 7 | 5 | 1 | 6 | 0 |
| 1949-50 | Cincinnati (Mohawks) | AHL | 20 | 8 | 9 | 17 | 6 | | | | | |
| | **Montréal (Canadiens)** | LNH | 37 | 1 | 5 | 6 | 0 | 3 | 0 | 1 | 1 | 2 |
| 1950-51 | Cincinnati (Mohawks) | AHL | 70 | 21 | 29 | 50 | 43 | | | | | |
| | **Montréal (Canadiens)** | LNH | 1 | 0 | 0 | 0 | 0 | | | | | |
| 1951-52 | Montréal (Royals) | LHMQ | 60 | 23 | 29 | 52 | 21 | 7 | 3 | 1 | 4 | 0 |
| 1952-53 | Montréal (Royals) | LHMQ | 57 | 18 | 22 | 40 | 6 | 16 | 2 | 4 | 6 | 0 |
| 1953-54 | Matane (Red Rockets) | LVSL | 68 | 18 | 43 | 61 | 16 | | | | | |
| | Matane (Red Rockets) | Allan | 16 | 6 | 6 | 12 | 10 | | | | | |
| 1954-55 | | | *N'a pas joué – Entraîneur* | | | | | | | | | |
| 1955-56 | Chicoutimi (Saguenéens) | LHQ | 7 | 1 | 1 | 2 | 12 | | | | | |
| 1956-57 | Cornwall (Chevies) | EOHL | 50 | 7 | 24 | 31 | 20 | 6 | 0 | 0 | 0 | 10 |
| 1957-58 | Pembroke (Lumber Kings) | EOHL | 50 | 12 | 21 | 33 | 18 | 12 | 1 | 4 | 5 | 6 |
| | **LNH** | | 74 | 7 | 13 | 20 | 10 | 11 | 5 | 2 | 7 | 2 |
| | **Montréal** | | 74 | 7 | 13 | 20 | 10 | 11 | 5 | 2 | 7 | 2 |

- Coupe Stanley (LNH) en 1954-46 • Première équipe d'étoiles (LHSQ) en 1947-48
- Droits vendus à Pittsburgh (AHL) par Montréal le 24 novembre 1944 • Signe avec Valleyfield (LHSQ) le 19 septembre 1945 • Signe avec Montréal le 6 mars 1946

## PLEAU, LAURENCE (LARRY)

Né à Lynn, Massachusetts, le 29 janvier 1947. Centre, lance de la gauche, 6'1", 190 lb

| SAISON | CLUB | LIGUE | PJ | B | A | PTS | PUN | PJ | B | A | PTS | PUN |
|---|---|---|---|---|---|---|---|---|---|---|---|---|
| 1963-64 | Notre Dame (Monarchs) | MMJHL | 44 | 8 | 22 | 30 | 33 | 18 | 5 | 10 | 15 | 12 |
| | Notre Dame (Monarchs) | Mem. | 13 | 4 | 10 | 14 | 4 | | | | | |
| 1964-65 | Montréal (Canadien Jr) | OHA Jr | 55 | 9 | 17 | 26 | 24 | 7 | 0 | 0 | 0 | 10 |
| 1965-66 | Montréal (Canadien Jr) | OHA Jr | 40 | 13 | 11 | 24 | 47 | 10 | 0 | 6 | 6 | 6 |
| 1966-67 | Montréal (Canadien Jr) | OHA Jr | 45 | 20 | 32 | 52 | 34 | 4 | 0 | 2 | 2 | 2 |
| 1967-68 | États-Unis | Éq. nat. | *Statistiques non disponibles* | | | | | | | | | |
| | États-Unis | JO | 7 | 2 | 4 | 6 | 2 | | | | | |
| 1968-69 | New Jersey (Devils) | EHL | 66 | 37 | 44 | 81 | 53 | | | | | |
| | États-Unis | CM | 10 | 5 | 0 | 5 | 8 | | | | | |
| 1969-70 | Montréal (Voyageurs) | AHL | 50 | 15 | 16 | 31 | 19 | | | | | |
| | **Montréal (Canadiens)** | LNH | 20 | 1 | 0 | 1 | 0 | | | | | |
| 1970-71 | **Montréal (Canadiens)** | LNH | 19 | 1 | 5 | 6 | 6 | | | | | |
| 1971-72 | **Montréal (Canadiens)** | LNH | 55 | 7 | 10 | 17 | 19 | 4 | 0 | 0 | 0 | 0 |
| | Nlle-Écosse (Voyageurs) | AHL | 11 | 6 | 13 | 19 | | | | | | |
| 1972-73 | Nlle-Angleterre (Whalers) | AMH | 78 | 39 | 48 | 87 | 42 | 15 | 12 | 7 | 19 | 15 |
| 1973-74 | Nlle-Angleterre (Whalers) | AMH | 77 | 26 | 43 | 69 | 35 | 2 | 2 | 0 | 2 | 0 |
| 1974-75 | Nlle-Angleterre (Whalers) | AMH | 78 | 30 | 34 | 64 | 50 | 6 | 2 | 3 | 5 | 14 |
| 1975-76 | Nlle-Angleterre (Whalers) | AMH | 75 | 29 | 46 | 79 | 21 | 14 | 5 | 7 | 12 | 0 |
| 1976-77 | Nlle-Angleterre (Whalers) | AMH | 78 | 11 | 21 | 32 | 59 | 5 | 1 | 0 | 1 | 0 |
| 1977-78 | Nlle-Angleterre (Whalers) | AMH | 18 | 6 | 18 | 34 | 4 | 14 | 5 | 4 | 9 | 8 |
| 1978-79 | Nlle-Angleterre (Whalers) | AMH | 28 | 6 | 14 | 20 | 21 | 10 | 2 | 1 | 3 | 0 |
| | Springfield (Indians) | AHL | 5 | 1 | 3 | 4 | 0 | | | | | |
| | **LNH** | | 94 | 9 | 15 | 24 | 27 | 4 | 0 | 0 | 0 | 0 |
| | **Montréal** | | 94 | 9 | 15 | 24 | 27 | 4 | 0 | 0 | 0 | 0 |

- Recrue de l'année (EHL) en 1968-69 • Coupe Avco (AMH) en 1972-73
- Sélectionné par la Nlle-Angleterre lors de l'expansion de l'AMH le 12 février 1972
- Réclamé par Toronto de Montréal lors du repêchage intra-ligue le 5 juin 1972

## POIRIER, GORDON (GORD)

Né à Maple Creek, Saskatchewan, le 27 octobre 1914
Centre, lance de la gauche, 5'6", 150 lb

| SAISON | CLUB | LIGUE | PJ | B | A | PTS | PUN | PJ | B | A | PTS | PUN |
|---|---|---|---|---|---|---|---|---|---|---|---|---|
| 1931-32 | Montréal (Columbus) | QAHA | 10 | 6 | 2 | 8 | 14 | | | | | |
| 1932-33 | Saint-François-Xavier | LHJQ | 11 | 4 | 0 | 4 | 15 | 2 | 1 | 0 | 1 | 6 |
| 1933-34 | Montréal (Canadien Sr) | LHCM | 15 | 1 | 1 | 2 | 8 | 4 | 1 | 2 | 3 | 0 |
| 1934-35 | Montréal (Canadien Sr) | LHCM | 20 | 7 | 11 | 18 | 20 | 2 | 1 | 1 | 2 | 0 |
| 1935-36 | | | *N'a pas joué* | | | | | | | | | |
| 1936-37 | Brighton (Tigers) | ENG | 40 | 25 | 9 | 34 | 36 | | | | | |
| 1937-38 | Brighton (Tigers) | Ln-Cup | | 5 | 7 | 12 | | | | | | |
| | Brighton (Tigers) | Eng. | | 9 | 12 | 21 | | | | | | |
| | Brighton (Tigers) | Éq. nat. | | | 2 | | 8 | | | | | |
| 1938-39 | Brighton (Tigers) | Ln-Cup | | 6 | 2 | 8 | | | | | | |
| | Brighton (Tigers) | ENG | | 14 | 13 | 24 | | | | | | |
| | Brighton (Tigers) | Éq. nat. | | 4 | 8 | 12 | | | | | | |
| 1939-40 | Saint-Hyacinthe (Gaulois) | LHPQ | 36 | 37 | 43 | 80 | 22 | | | | | |
| | **Montréal (Canadiens)** | LNH | 10 | 0 | 0 | 0 | 0 | - | - | - | - | - |
| 1940-41 | Ottawa/Montréal | LHSQ | 29 | 8 | 23 | 31 | 16 | 8 | 0 | 5 | 5 | 10 |
| 1941-42 | Ottawa (Senators) | LHSQ | 40 | 21 | 19 | 40 | 12 | 8 | 1 | 4 | 5 | 13 |
| 1942-43 | Ottawa (Commandos) | LHSQ | 32 | 17 | 14 | 31 | 19 | 22 | 13 | 5 | 18 | 10 |
| | Ottawa (Army) | OHA Sr | 10 | 15 | 16 | 31 | 5 | | | | | |
| 1943-44 | Ottawa (Commandos) | LHSQ | 8 | 2 | 6 | 8 | 6 | | | | | |
| 1944-45 | | | *Service militaire* | | | | | | | | | |
| 1945-46 | Ottawa (GMC) | OCHL | | 9 | 13 | 22 | | 4 | 6 | 10 | 16 | |
| | Ottawa (Senators) | LHSQ | 29 | 12 | 16 | 28 | 9 | 5 | 1 | 2 | 3 | 0 |
| 1946-47 | Brighton (Tigers) | A-Cup | 6 | 8 | 3 | 11 | 8 | | | | | |
| | Brighton (Tigers) | ENG | 36 | 28 | 32 | 60 | 35 | | | | | |
| | Brighton (Tigers) | Ln-Cup | 2 | 3 | 1 | 4 | 0 | | | | | |
| 1947-48 | Brighton (Tigers) | A-Cup | 9 | 13 | 5 | 18 | 8 | | | | | |
| | Brighton (Tigers) | ENG | 34 | 18 | 25 | 43 | 30 | | | | | |
| | Brighton (Tigers) | Ln-Cup | 4 | 0 | 1 | 1 | 6 | | | | | |
| 1948-49 | Brighton (Tigers) | A-Cup | 10 | 8 | 6 | 14 | 14 | | | | | |
| | Brighton (Tigers) | ENG | 25 | 9 | 12 | 21 | 22 | | | | | |
| | Brighton (Tigers) | Éq. Nat. | 14 | 13 | 23 | 36 | 23 | | | | | |
| 1949-50 | | | *N'a pas joué* | | | | | | | | | |
| 1950-51 | Harringay (Greyhounds) | A-Cup | 27 | 1 | 12 | 13 | 18 | | | | | |
| | Harringay (Greyhounfs) | ENG | 13 | 1 | 0 | 1 | 2 | | | | | |
| | **LNH** | | 10 | 0 | 0 | 0 | 0 | - | - | - | - | - |
| | **Montréal** | | 10 | 0 | 0 | 0 | 0 | - | - | - | - | - |

- Première équipe d'étoiles (LHPQ) en 1939-40
- Signe avec Montréal le 14 février 1940

## POLICH, MIKE

Né à Hibbing, Minnesota, le 19 décembre 1952
Centre/Ailier gauche, lance de la gauche, 5'8", 165 lb

| SAISON | CLUB | LIGUE | PJ | B | A | PTS | PUN | PJ | B | A | PTS | PUN |
|---|---|---|---|---|---|---|---|---|---|---|---|---|
| 1971-72 | Minnesota University | WCHA | 32 | 8 | 5 | 13 | 14 | | | | | |
| 1972-73 | Minnesota University | WCHA | 34 | 18 | 14 | 32 | 34 | | | | | |
| 1973-74 | Minnesota University | WCHA | 40 | 19 | 33 | 52 | 36 | | | | | |
| 1974-75 | Minnesota University | WCHA | 42 | 25 | 37 | 62 | 84 | | | | | |
| | États-Unis | CM | 7 | 3 | 4 | 7 | 34 | | | | | |
| 1975-76 | Nlle-Écosse (Voyageurs) | AHL | 75 | 24 | 42 | 66 | 66 | 9 | 4 | 5 | 9 | 6 |
| 1976-77 | États-Unis | CC | 5 | 1 | 1 | 2 | 4 | | | | | |
| | Nlle-Écosse (Voyageurs) | AHL | 69 | 19 | 41 | 60 | 48 | 11 | 4 | 4 | 8 | 6 |
| | **Montréal (Canadiens)** | LNH | - | - | - | - | - | 5 | 0 | 0 | 0 | 0 |
| 1977-78 | Nlle-Écosse (Voyageurs) | AHL | 79 | 22 | 38 | 60 | 70 | 11 | 2 | 6 | 8 | 4 |
| | **Montréal (Canadiens)** | LNH | 1 | 0 | 0 | 0 | 0 | | | | | |
| 1978-79 | Oklahoma City (Stars) | CHL | 9 | 0 | 7 | 7 | 0 | | | | | |
| | Minnesota (North Stars) | LNH | 73 | 6 | 10 | 16 | 18 | | | | | |
| 1979-80 | Minnesota (North Stars) | LNH | 78 | 10 | 14 | 24 | 20 | 15 | 2 | 1 | 3 | 2 |
| 1980-81 | Minnesota (North Stars) | LNH | 74 | 8 | 5 | 13 | 19 | 3 | 0 | 0 | 0 | 0 |
| | **LNH** | | 226 | 24 | 29 | 53 | 57 | 23 | 2 | 1 | 3 | 2 |
| | **Montréal** | | 1 | 0 | 0 | 0 | 0 | 5 | 0 | 0 | 0 | 0 |

- Équipe d'étoiles du championnat de la NCAA en 1973-74 • Première équipe d'étoiles (WCHA) en 1974-75 • Première équipe d'étoiles de l'Est All-American (NCAA) en 1974-75 • Coupe Calder (AHL) en 1975-76, 1976-77 • Coupe Stanley (LNH) en 1976-77
- Signe avec Montréal comme agent libre le 27 septembre 1975 • Signe avec Minnesota comme agent libre le 6 septembre 1978

## POPOVIC, PETER

Né à Koping, Suède, le 10 février 1968. Défenseur, lance de la gauche, 6'6", 235 lb
(5e choix de Montréal, 93e au total lors du repêchage de 1988)

| SAISON | CLUB | LIGUE | PJ | B | A | PTS | PUN | PJ | B | A | PTS | PUN |
|---|---|---|---|---|---|---|---|---|---|---|---|---|
| 1986-87 | Vasteras IK | SWE | 24 | 1 | 2 | 3 | 10 | 12 | 2 | 8 | 10 | 6 |
| 1987-88 | Vasteras IK | SWE | 28 | 3 | 17 | 20 | 16 | 15 | 1 | 4 | 5 | 20 |
| 1988-89 | Vasteras IK | SWE | 22 | 1 | 4 | 5 | 32 | | | | | |
| 1989-90 | Vasteras IK | SWE | 30 | 2 | 10 | 12 | 24 | 2 | 0 | 1 | 1 | 2 |
| 1990-91 | Vasteras IK | SWE | 40 | 3 | 2 | 5 | 42 | 4 | 0 | 0 | 0 | 4 |
| 1991-92 | Vasteras IK | SWE | 34 | 7 | 11 | 17 | 30 | | | | | |
| 1992-93 | Vasteras IK | SWE | 39 | 6 | 12 | 18 | 46 | 3 | 0 | 1 | 1 | 2 |
| | Suède | CM | 8 | 0 | 1 | 1 | 2 | | | | | |
| 1993-94 | **Montréal (Canadiens)** | LNH | 47 | 2 | 12 | 14 | 26 | 6 | 0 | 1 | 1 | 0 |
| 1994-95 | Vasteras IK | SWE | 11 | 0 | 3 | 3 | 4 | | | | | |
| | **Montréal (Canadiens)** | LNH | 33 | 0 | 5 | 5 | 8 | | | | | |
| 1995-96 | **Montréal (Canadiens)** | LNH | 76 | 2 | 12 | 14 | 69 | 6 | 0 | 2 | 2 | 4 |
| 1996-97 | Suède | CDM | 3 | 0 | 0 | 0 | 2 | | | | | |
| | **Montréal (Canadiens)** | LNH | 78 | 1 | 13 | 14 | 32 | 3 | 0 | 0 | 0 | 2 |
| 1997-98 | **Montréal (Canadiens)** | LNH | 69 | 2 | 6 | 8 | 38 | 10 | 1 | 1 | 2 | 2 |
| 1998-99 | New York (Rangers) | LNH | 68 | 1 | 4 | 5 | 40 | | | | | |
| 1999-20 | Pittsburgh (Penguins) | LNH | 54 | 1 | 5 | 6 | 30 | 10 | 0 | 0 | 0 | 10 |
| 2000-01 | Boston (Bruins) | LNH | 60 | 1 | 6 | 7 | 48 | | | | | |
| 2001-02 | Sodertalje SKE | SWE | 50 | 3 | 18 | 21 | | | | | | |
| 2002-03 | Sodertalje SKE | SWE | 50 | 3 | 9 | 12 | 20 | | | | | |
| | **LNH** | | 485 | 10 | 63 | 73 | 291 | 35 | 1 | 4 | 5 | 18 |
| | **Montréal** | | 303 | 7 | 48 | 55 | 173 | 25 | 1 | 4 | 5 | 8 |

- Médaille d'argent (CM) en 1993
- Échangé à New York (Rangers) par Montréal pour Sylvain Blouin et le choix de 6e ronde des Rangers au repêchage de 1999 (cédé à Phoenix qui sélectionne Eric Leverstrom) le 30 juin 1998 • Échangé à Pittsburgh par New York (Rangers) pour Kevin Hatcher le 30 septembre 1999 • Signe avec Boston comme agent libre le 2 juillet 2000

## PORTLAND, JOHN (JACK)

Né à Waubaushene, Ontario, le 30 juillet 1912, décédé
Défenseur, lance de la gauche, 6'2", 185 lb

| SAISON | CLUB | LIGUE | PJ | B | A | PTS | PUN | PJ | B | A | PTS | PUN |
|---|---|---|---|---|---|---|---|---|---|---|---|---|
| 1932-33 | Collingwood (Combines) | OHA SR | *Statistiques non disponibles* | | | | | | | | | |
| 1933-34 | **Montréal (Canadiens)** | LNH | 31 | 0 | 2 | 2 | 10 | 2 | 0 | 0 | 0 | 0 |
| 1934-35 | **Montréal (Canadiens)** | LNH | 5 | 0 | 0 | 0 | 2 | - | - | - | - | - |

| SAISON | CLUB | LIGUE | PJ | B | A | PTS | PUN | PJ | B | A | PTS | PUN |
|---|---|---|---|---|---|---|---|---|---|---|---|---|
| | Boston (Bruins) | LNH | 15 | 1 | 1 | 2 | 2 | - | - | - | - | - |
| | Boston (Cubs) | Can-Am | 28 | 7 | 5 | 12 | 34 | 3 | 0 | 0 | 0 | 4 |
| 1935-36 | Boston (Bruins) | LNH | 2 | 0 | 0 | 0 | 0 | - | - | - | - | - |
| | Boston (Cubs) | Can-Am | 47 | 4 | 6 | 10 | 95 | - | - | - | - | - |
| 1936-37 | Boston (Bruins) | LNH | 46 | 2 | 4 | 6 | 58 | 3 | 0 | 0 | 0 | 4 |
| 1937-38 | Boston (Bruins) | LNH | 48 | 0 | 5 | 5 | 26 | 3 | 0 | 0 | 0 | 4 |
| 1938-39 | Boston (Bruins) | LNH | 48 | 4 | 5 | 9 | 46 | 12 | 0 | 0 | 0 | 11 |
| 1939-40 | Boston (Bruins) | LNH | 28 | 0 | 5 | 5 | 16 | - | - | - | - | - |
| | Chicago (Black Hawks) | LNH | 16 | 1 | 4 | 5 | 20 | 2 | 0 | 0 | 0 | 0 |
| 1940-41 | Chicago (Black Hawks) | LNH | 5 | 0 | 0 | 0 | 4 | - | - | - | - | - |
| | Montréal (Canadiens) | LNH | 42 | 2 | 7 | 9 | 34 | 3 | 0 | 1 | 1 | 2 |
| 1941-42 | Montréal (Canadiens) | LNH | 46 | 2 | 9 | 11 | 53 | 3 | 0 | 0 | 0 | 0 |
| 1942-43 | Montréal (Canadiens) | LNH | 49 | 3 | 14 | 17 | 52 | 5 | 1 | 2 | 3 | 2 |
| 1943-44 | | | *Service militaire* | | | | | | | | | |
| 1944-45 | | | *Service militaire* | | | | | | | | | |
| 1945-46 | | | *Service militaire* | | | | | | | | | |
| 1946-47 | Buffalo (Bisons) | AHL | 50 | 2 | 14 | 16 | 25 | 2 | 0 | 0 | 0 | 0 |
| 1947-48 | Philadelphie (Rockets) | AHL | 1 | 0 | 1 | 1 | 6 | - | - | - | - | - |
| | Washington (Lions) | AHL | 56 | 5 | 14 | 19 | 19 | - | - | - | - | - |
| | **LNH** | | **381** | **15** | **56** | **71** | **323** | **33** | **1** | **3** | **4** | **25** |
| | **Montréal** | | **173** | **7** | **32** | **39** | **151** | **13** | **1** | **3** | **4** | **4** |

• **Première équipe d'étoiles (CAN-AM) en 1935-36** • **Coupe Stanley (LNH) en 1938-39**
• Signe avec Montréal le 21 décembre 1933 • Échangé à Boston par Montréal pour Tony Savage et une somme d'argent le 3 décembre 1934 • Échangé à Chicago par Boston pour Dessie Smith le 27 janvier 1940 • Droits vendus à Montréal par Chicago le 19 novembre 1940

### POULIN, GEORGE (SKINNER)
Né à Smiths Falls, Ontario, le 17 septembre 1887, décédé le 3 mai 1971
Avant, lance de la droite, 5'6", 155 lb

| SAISON | CLUB | LIGUE | PJ | B | A | PTS | PUN | PJ | B | A | PTS | PUN |
|---|---|---|---|---|---|---|---|---|---|---|---|---|
| 1904-05 | Smiths Falls (Mic-Macs) | OHA Jr | *Statistiques non disponibles* | | | | | | | | | |
| 1905-06 | Smiths Falls (Mic-Macs) | OHA | *Statistiques non disponibles* | | | | | | | | | |
| 1906-07 | Smiths Falls (Mic-Macs) | OHA | 4 | *19 | 0 | *19 | - | 3 | 4 | 0 | 4 | 0 |
| 1907-08 | Portage la Prairie | Man-Pro | 15 | 14 | 0 | 14 | - | | | | | |
| 1908-09 | Winnipeg (Maple Leafs) | Man-Pro | 4 | 7 | 3 | 10 | *18 | | | | | |
| | Winnipeg (Maple Leafs) | Man-Pro | 4 | 5 | 1 | 6 | 0 | | | | | |
| 1909-10 | Galt (Professionel) | OPHL | 2 | 0 | 2 | 2 | 3 | | | | | |
| | Montréal (Canadiens) | NHA | 12 | 8 | 0 | 8 | 53 | | | | | |
| 1910-11 | Montréal (Canadiens) | NHA | 14 | 3 | 0 | 3 | 59 | | | | | |
| 1911-12 | Victoria (Aristocrats) | PCHA | 16 | 9 | 0 | 9 | 48 | | | | | |
| 1912-13 | Victoria (Aristocrats) | PCHA | 15 | 5 | 4 | 9 | *64 | 3 | 2 | 0 | 2 | 0 |
| 1913-14 | Victoria (Aristocrats) | PCHA | 15 | 9 | 9 | 18 | *47 | 3 | 2 | 0 | 2 | 0 |
| 1914-15 | Victoria (Aristocrats) | PCHA | 16 | 4 | 4 | 8 | *47 | | | | | |
| 1915-16 | Montréal (Canadiens) | NHA | 16 | 5 | 1 | 6 | 43 | 3 | 1 | 0 | 1 | 9 |
| 1916-17 | Montréal (Canadiens) | NHA | 4 | 0 | 0 | 0 | 8 | | | | | |
| | Montréal (Wanderers) | NHA | 9 | 3 | 0 | 3 | 8 | | | | | |
| 1917-18 | | | *N'a pas joué* | | | | | | | | | |
| 1918-19 | Victoria (Aristocrats) | PCHA | 1 | 0 | 0 | 0 | - | | | | | |
| 1919-20 | Saskatoon (Crescents) | N-SSHL | 12 | 4 | 2 | 6 | *31 | | | | | |
| 1920-21 | Saskatoon (Crescents) | N-SSHL | 4 | 1 | 1 | 2 | 11 | 4 | 0 | 0 | 0 | 3 |
| | **NHA** | | **55** | **19** | **1** | **20** | **171** | **3** | **1** | **0** | **1** | **9** |
| | **Montréal** | | **46** | **16** | **1** | **17** | **163** | **3** | **1** | **0** | **1** | **9** |

• **Coupe Stanley (NHA) en 1915-16**
• Signe avec Montréal (NHA) le 16 décembre 1909 • Signe avec Victoria (PCHA) le 17 novembre 1911 • Signe avec Montréal (NHA) le 10 décembre 1915 • Droits vendus à Montréal (Wanderers – NHA) par Montréal (Canadiens – NHA) le 8 janvier 1917

### POULIN, PATRICK
Né à Vanier, Québec, le 23 avril 1973. Ailier gauche, lance de la gauche, 6'1", 216 lb
(3e choix de Hartford, 9e au total lors du repêchage de 1991)

| SAISON | CLUB | LIGUE | PJ | B | A | PTS | PUN | PJ | B | A | PTS | PUN |
|---|---|---|---|---|---|---|---|---|---|---|---|---|
| 1988-89 | Sainte-Foy (Gouverneurs) | QAAA | 42 | 28 | 42 | 70 | 44 | 13 | 13 | 23 | 36 | 24 |
| 1989-90 | Saint-Hyacinthe (Laser) | LHJMQ | 60 | 25 | 26 | 51 | 55 | 12 | 1 | 9 | 10 | 5 |
| 1990-91 | Saint-Hyacinthe (Laser) | LHJMQ | 56 | 32 | 38 | 70 | 82 | 4 | 0 | 2 | 2 | 23 |
| 1991-92 | Saint-Hyacinthe (Laser) | LHJMQ | 56 | 52 | 86 | *138 | 58 | 5 | 2 | 2 | 4 | 4 |
| | Canada | CMJ | 7 | 2 | 2 | 4 | 2 | | | | | |
| | Hartford (Whalers) | LNH | - | - | - | - | - | 7 | 2 | 1 | 3 | 0 |
| | Springfield (Indians) | AHL | - | - | - | - | - | 1 | 0 | 0 | 0 | 0 |
| 1992-93 | Hartford (Whalers) | LNH | 81 | 20 | 31 | 51 | 37 | - | - | - | - | - |
| 1993-94 | Hartford (Whalers) | LNH | 9 | 2 | 1 | 3 | 11 | - | - | - | - | - |
| | Chicago (Blackhawks) | LNH | 58 | 12 | 13 | 25 | 40 | 4 | 0 | 0 | 0 | 4 |
| 1994-95 | Chicago (Blackhawks) | LNH | 45 | 15 | 15 | 30 | 53 | 16 | 4 | 1 | 5 | 8 |
| 1995-96 | Chicago (Blackhawks) | LNH | 38 | 7 | 8 | 15 | 16 | - | - | - | - | - |
| | Indianapolis (Ice) | IHL | 1 | 0 | 1 | 1 | 0 | - | - | - | - | - |
| | Tampa Bay (Lightning) | LNH | 8 | 0 | 1 | 1 | 0 | 2 | 0 | 0 | 0 | 0 |
| 1996-97 | Tampa Bay (Lightning) | LNH | 73 | 12 | 14 | 26 | 56 | - | - | - | - | - |
| 1997-98 | Tampa Bay (Lightning) | LNH | 44 | 2 | 7 | 9 | 19 | - | - | - | - | - |
| | Montréal (Canadiens) | LNH | 34 | 4 | 6 | 10 | 8 | 3 | 0 | 0 | 0 | 0 |
| 1998-99 | Montréal (Canadiens) | LNH | 81 | 8 | 17 | 25 | 21 | - | - | - | - | - |
| 1999-20 | Montréal (Canadiens) | LNH | 82 | 10 | 15 | 25 | 17 | - | - | - | - | - |
| 2000-01 | Montréal (Canadiens) | LNH | 59 | 9 | 11 | 20 | 13 | - | - | - | - | - |
| 2001-02 | Montréal (Canadiens) | LNH | 28 | 0 | 5 | 5 | 6 | - | - | - | - | - |
| | Québec (Citadelles) | AHL | 31 | 12 | 7 | 19 | 6 | 3 | 0 | 2 | 2 | 0 |
| | **LNH** | | **634** | **101** | **134** | **235** | **299** | **32** | **6** | **2** | **8** | **8** |
| | **Montréal** | | **277** | **31** | **44** | **75** | **65** | **3** | **0** | **0** | **0** | **0** |

• **Première équipe d'étoiles (LHJMQ) en 1991-92** • **Troisième équipe d'étoiles (LHJMQ) en 1989-90** • **Trophée Paul-Dumont (LHJMQ) en 1991-92** • **Trophée Jean-Béliveau (LHJMQ) en 1991-92** • **Joueur par excellence du hockey junior canadien (LHJMQ) en 1991-92**
• Échangé à Chicago par Hartford avec Eric Weinrich pour Steve Larmer et Bryan Marchment le 2 novembre 1993 • Échangé à Tampa Bay par Chicago avec Igor Ulanov et le choix de 2e ronde de Chicago au repêchage (cédé à New Jersey qui sélectionne Pierre Dagenais) de 1996 pour Enrico Ciccone et le choix de 2e ronde de Tampa Bay au repêchage de 1996 (Jeff Paul) le 20 mars 1996 • Échangé à Montréal par Tampa Bay avec Mick Vukota et Igor Ulanov pour Stéphane Richer, Darcy Tucker et David Wilkie le 15 janvier 1998

### POVEY, FRED
Né à Sherbrooke, Québec, le 1er mars 1884, décédé
Ailier/Défenseur, lance de la gauche 5'8", 170 lb

| SAISON | CLUB | LIGUE | PJ | B | A | PTS | PUN | PJ | B | A | PTS | PUN |
|---|---|---|---|---|---|---|---|---|---|---|---|---|
| 1908-09 | Brantford (Indians) | OPHL | 8 | 4 | 0 | 4 | - | | | | | |
| 1909-10 | Haileybury (Comets) | NHA | 5 | 6 | 0 | 6 | 17 | | | | | |
| 1910-11 | Waterloo (Professionals) | OPHL | 13 | 2 | 0 | 2 | - | | | | | |
| 1911-12 | Moncton (Victorias) | MPHL | - | - | - | - | - | 2 | 0 | 0 | 0 | 5 |
| 1912-13 | Montréal (Canadiens) | NHA | 4 | 0 | 0 | 0 | 0 | - | - | - | - | - |
| | **NHA** | | **9** | **6** | **0** | **6** | **17** | **-** | **-** | **-** | **-** | **-** |
| | **Montréal** | | **4** | **0** | **0** | **0** | **0** | **-** | **-** | **-** | **-** | **-** |

• Signe avec Haileybury (NHA) en décembre 1909 • Signe avec Montréal (NHA) le 17 décembre 1912

### POWER, JAMES (ROCKET)
Né à Sillery, Québec, décédé le 6 avril 1920
Défenseur, lance de la gauche, 5'10, 160 lb

| SAISON | CLUB | LIGUE | PJ | B | A | PTS | PUN | PJ | B | A | PTS | PUN |
|---|---|---|---|---|---|---|---|---|---|---|---|---|
| 1902-03 | Québec HC | LCHA | 5 | 0 | 0 | 0 | - | | | | | |
| 1903-04 | | | *Statistiques non disponibles* | | | | | | | | | |
| 1904-05 | Québec HC | LCHA | 5 | 1 | 0 | 1 | - | | | | | |
| 1905-06 | | | *Statistiques non disponibles* | | | | | | | | | |
| 1906-07 | | | *Statistiques non disponibles* | | | | | | | | | |
| 1907-08 | Québec HC | ECAHA | 9 | 1 | 0 | 1 | - | | | | | |
| 1908-09 | | | *Statistiques non disponibles* | | | | | | | | | |
| 1909-10 | Waterloo | OPHL | 11 | 7 | 0 | 7 | - | | | | | |
| 1910-11 | Québec (Bulldogs) | NHA | 5 | 2 | 0 | 2 | - | | | | | |
| | Montréal (Canadiens) | NHA | 8 | 1 | 0 | 1 | 9 | | | | | |
| 1911-12 | | | *Statistiques non disponibles* | | | | | | | | | |
| 1912-13 | Québec (Bulldogs) | NHA | 1 | 0 | 0 | 0 | - | | | | | |
| | **NHA** | | **14** | **3** | **0** | **3** | **18** | **-** | **-** | **-** | **-** | **-** |
| | **Montréal** | | **8** | **1** | **0** | **1** | **9** | **-** | **-** | **-** | **-** | **-** |

• Signe avec Québec (NHA) en décembre 1910 • Signe avec Montréal (NHA) le 2 février 1911

### PRICE, NOEL
Né à Brockville, Ontario, le 9 décembre 1935. Défenseur, lance de la gauche, 6', 190 lb

| SAISON | CLUB | LIGUE | PJ | B | A | PTS | PUN | PJ | B | A | PTS | PUN |
|---|---|---|---|---|---|---|---|---|---|---|---|---|
| 1952-53 | St. Michael's (Majors) | OHA Jr | 44 | 0 | 4 | 4 | 120 | 17 | 1 | 4 | 5 | 28 |
| 1953-54 | St. Michael's (Majors) | OHA Jr | 58 | 6 | 5 | 11 | 157 | 8 | 1 | 2 | 3 | 31 |
| 1954-55 | St. Michael's (Majors) | OHA Jr | 47 | 4 | 11 | 15 | 129 | 5 | 1 | 2 | 3 | 12 |
| 1955-56 | St. Michael's (Majors) | OHA Jr | 46 | 10 | 22 | 32 | 84 | 8 | 1 | 0 | 1 | 8 |
| 1956-57 | Rochester (Americans) | AHL | 1 | 1 | 1 | 2 | 0 | 10 | 0 | 1 | 1 | 16 |
| | Winnipeg (Warriors) | WHL | 70 | 5 | 22 | 27 | 142 | - | - | - | - | - |
| 1957-58 | Rochester (Americans) | AHL | 69 | 4 | 20 | 24 | 153 | - | - | - | - | - |
| | Toronto (Maple Leafs) | LNH | 1 | 0 | 0 | 0 | 0 | - | - | - | - | - |
| 1958-59 | Toronto (Maple Leafs) | LNH | 28 | 0 | 4 | 4 | 5 | 0 | 0 | 2 | 0 | - |
| 1959-60 | Springfield (Indians) | AHL | 31 | 0 | 6 | 6 | 52 | 10 | 1 | 3 | 4 | 20 |
| | New York (Rangers) | LNH | 6 | 0 | 0 | 0 | 6 | - | - | - | - | - |
| 1960-61 | Springfield (Indians) | AHL | 71 | 6 | 21 | 27 | 97 | 8 | 1 | 4 | 5 | 30 |
| | New York (Rangers) | LNH | 1 | 0 | 0 | 0 | 0 | - | - | - | - | - |
| 1961-62 | Springfield (Indians) | AHL | 47 | 4 | 19 | 23 | 75 | - | - | - | - | - |
| | Detroit (Red Wings) | LNH | 20 | 0 | 1 | 1 | 6 | - | - | - | - | - |
| 1962-63 | Baltimore (Clippers) | AHL | 68 | 7 | 29 | 36 | 103 | 3 | 0 | 0 | 0 | 4 |
| 1963-64 | Baltimore (Clippers) | AHL | 72 | 6 | 35 | 41 | 109 | - | - | - | - | - |
| 1964-65 | Baltimore (Clippers) | AHL | 72 | 4 | 35 | 39 | 78 | 5 | 0 | 2 | 2 | 4 |
| 1965-66 | Québec (As) | AHL | 55 | 8 | 20 | 28 | 48 | - | - | - | - | - |
| | Montréal (Canadiens) | LNH | 15 | 0 | 6 | 6 | 8 | 3 | 0 | 1 | 1 | 0 |
| 1966-67 | Québec (As) | AHL | 47 | 3 | 23 | 26 | 60 | 5 | 1 | 4 | 5 | 2 |
| | Montréal (Canadiens) | LNH | 24 | 0 | 3 | 3 | 8 | - | - | - | - | - |
| | Match des étoiles | LNH | 1 | 0 | 0 | 0 | 0 | | | | | |
| 1967-68 | Pittsburgh (Penguins) | LNH | 70 | 6 | 27 | 33 | 48 | - | - | - | - | - |
| 1968-69 | Pittsburgh (Penguins) | LNH | 73 | 2 | 18 | 20 | 61 | - | - | - | - | - |
| 1969-70 | Springfield (Kings) | AHL | 72 | 10 | 44 | 54 | 58 | 14 | 1 | 3 | 4 | 14 |
| 1970-71 | Los Angeles (Kings) | LNH | 62 | 1 | 19 | 20 | 29 | - | - | - | - | - |
| 1971-72 | Springfield (Kings) | AHL | 9 | 1 | 3 | 4 | 4 | - | - | - | - | - |
| | Nlle-Écosse (Voyageurs) | AHL | 64 | 3 | 26 | 29 | 81 | 15 | 4 | 7 | 11 | 16 |
| 1972-73 | Atlanta (Flames) | LNH | 54 | 1 | 13 | 14 | 18 | - | - | - | - | - |
| 1973-74 | Atlanta (Flames) | LNH | 62 | 0 | 13 | 13 | 38 | 4 | 0 | 0 | 0 | 6 |
| 1974-75 | Atlanta (Flames) | LNH | 80 | 4 | 14 | 18 | 44 | - | - | - | - | - |
| 1975-76 | Atlanta (Flames) | LNH | 3 | 0 | 0 | 0 | 2 | - | - | - | - | - |
| | Nlle-Écosse (Voyageurs) | AHL | 73 | 2 | 37 | 39 | 55 | 8 | 0 | 7 | 7 | 12 |
| | **LNH** | | **499** | **14** | **114** | **128** | **333** | **12** | **0** | **1** | **1** | **8** |
| | **Montréal** | | **39** | **0** | **9** | **9** | **16** | **3** | **0** | **1** | **1** | **0** |

• **Deuxième équipe d'étoiles, Division Prairies (WHL) en 1956-57** • **Coupe Calder (AHL) en 1959-60, 1960-61, 1971-72, 1975-76** • **Deuxième équipe d'étoiles (AHL) en 1965-66.** • **Coupe Stanley (LNH) en 1965-66** • **Match des étoiles (LNH) en 1966-67** • **Première équipe d'étoiles (AHL) en 1969-70, 1971-72, 1975-76** • **Trophée Eddie-Shore (AHL) en 1969-70, 1971-72, 1975-76**
• Échangé à New York par Toronto pour Hank Ciesla, Bill Kennedy et des considérations futures le 3 octobre 1959 • Échangé à Detroit par New York pour Pete Goegan le 16 février 1962 • Échangé à New York par Detroit pour Pete Goegan le 8 octobre 1962 • Échangé à Montréal par New York avec Gord Labossière, Earl Ingarfield et Dave McComb pour Garry Peters et Cesare Maniago le 8 juin 1965 • Réclamé par Pittsburgh de Montréal lors de l'expansion de la LNH le 6 juin 1967 • Réclamé par Springfield (Los Angeles) de Pittsburgh lors du repêchage inversé le 12 juin 1968 • Échangé à Montréal par Los Angeles avec Denis DeJordy, Dale Hoganson et Doug Robinson pour Rogation Vachon le 4 novembre 1971 • Droits vendus à Atlanta par Montréal le 14 août 1972

| SAISON | CLUB | LIGUE | PJ | B | A | PTS | PUN | PJ | B | A | PTS | PUN |
|---|---|---|---|---|---|---|---|---|---|---|---|---|

## PRODGERS, GEORGE (GOLDIE)

### Né à London, Ontario, le 18 octobre 1891, décédé le 25 octobre 1935
### Défenseur/Ailier, lance de la droite, 5'10", 180 lb

| SAISON | CLUB | LIGUE | PJ | B | A | PTS | PUN | PJ | B | A | PTS | PUN |
|---|---|---|---|---|---|---|---|---|---|---|---|---|
| 1910-11 | Warterloo (Colts) | OPHL | 16 | 9 | 0 | 9 | | - | | | | |
| 1911-12 | Québec (Bulldogs) | NHA | 18 | 3 | 0 | 3 | - | 2 | 0 | 0 | 0 | 0 |
| 1912-13 | Victoria (Aristocrats) | PCHA | 15 | 6 | 0 | 6 | 21 | 3 | 1 | 0 | 1 | 0 |
| 1913-14 | Québec (Bulldogs) | NHA | 20 | 2 | 3 | 5 | | - | | | | |
| 1914-15 | Montréal (Wanderers) | NHA | 18 | 8 | 5 | 13 | 54 | 2 | 0 | 0 | 0 | 15 |
| 1915-16 | **Montréal (Canadiens)** | **NHA** | **24** | **8** | **3** | **11** | **86** | **4** | **3** | **0** | **3** | **13** |
| 1916-17 | Toronto (228e Bataillon) | NHA | 12 | 16 | 3 | 19 | 30 | | | | | |
| 1917-18 | | | | | | *Service militaire* | | | | | | |
| 1918-19 | | | | | | *Service militaire* | | | | | | |
| 1919-20 | Toronto (St. Patricks) | LNH | 16 | 8 | 6 | 14 | 4 | | - | | | |
| 1920-21 | Hamilton (Tigers) | LNH | 24 | 18 | 9 | 27 | 8 | | - | | | |
| 1921-22 | Hamilton (Tigers) | LNH | 24 | 15 | 6 | 21 | 4 | | - | | | |
| 1922-23 | Hamilton (Tigers) | LNH | 23 | 13 | 4 | 17 | 17 | | - | | | |
| 1923-24 | Hamilton (Tigers) | LNH | 23 | 4 | 4 | 13 | 6 | | - | | | |
| 1924-25 | Hamilton (Tigers) | LNH | 1 | 0 | 0 | 0 | | - | | | | |
| 1925-26 | | | | | | *N'a pas joué* | | | | | | |
| 1926-27 | London (Panthers) | Can-Pro | 16 | 1 | 0 | 1 | 10 | | - | | | |
| | **NHA** | | **92** | **37** | **14** | **51** | **170** | **8** | **3** | **0** | **3** | **28** |
| | **LNH** | | **111** | **63** | **29** | **92** | **39** | | **-** | | | |
| | **Montréal** | | **24** | **8** | **3** | **11** | **86** | **4** | **3** | **0** | **3** | **13** |

• Coupe Stanley (NHA) en 1911-12, 1915-16
• Signe avec Waterloo (OPHL) le 5 janvier 1911 • Signe avec Québec (NHA) en novembre 1911
• Signe avec Victoria (PCHA) le 18 novembre 1912 • Droits vendus à Montréal (Wanderers –
NHA) par Québec (NHA) le 4 décembre 1914 • Droits vendus à Montréal (Canadiens – NHA)
par Montréal (Wanderers – NHA) le 4 décembre 1915 • Signe avec Toronto (228e Bataillon –
NHA) le 21 juin 1916 • Droits transférés à Québec au retour de la concession de Québec dans
la LNH le 25 novembre 1919 • Échangé à Montréal par Québec pour Eddie Carpenter le 21
décembre 1919 • Échangé à Toronto par Montréal pour Harry Cameron le 14 janvier 1920 •
Échangé à Montréal par Toronto pour Harry Cameron le 1er décembre 1920 • Échangé à Hamilton par Montréal avec Joe Matte pour Harry Mummery et Jack McDonald le 9 décembre 1920

## PRONOVOST, ANDRÉ

### Né à Shawinigan, Québec, le 9 juillet 1936
### Ailier gauche, lance de la gauche, 5'10", 185 lb

| SAISON | CLUB | LIGUE | PJ | B | A | PTS | PUN | PJ | B | A | PTS | PUN |
|---|---|---|---|---|---|---|---|---|---|---|---|---|
| 1953-54 | Verdun (Canadien Jr) | LHJQ | 54 | 31 | 46 | 77 | 28 | 8 | 3 | 2 | 5 | 2 |
| 1954-55 | Montréal (Canadien Jr) | LHJQ | 42 | 22 | 13 | 35 | 60 | 5 | 1 | 3 | 4 | 4 |
| 1955-56 | Montréal (Canadien Jr) | LHJQ | | | | *Statistiques non disponibles* | | | | | | |
| | Shawinigan (Cataractes) | LHQ | 3 | 0 | 1 | 1 | 4 | | - | | | |
| | Montréal (Canadien Jr) | Mem. | 10 | 1 | 4 | 5 | 12 | | - | | | |
| 1956-57 | Shawinigan (Cataractes) | LHQ | 7 | 2 | 2 | 4 | 11 | | - | | | |
| | **Montréal (Canadiens)** | **LNH** | **64** | **10** | **11** | **21** | **58** | **8** | **1** | **0** | **1** | **4** |
| 1957-58 | **Montréal (Canadiens)** | **LNH** | **66** | **16** | **12** | **28** | **55** | **10** | **2** | **0** | **2** | **16** |
| | Match des étoiles | LNH | 1 | 0 | 0 | 0 | | - | | | | |
| 1958-59 | **Montréal (Canadiens)** | **LNH** | **70** | **9** | **14** | **23** | **48** | **11** | **2** | **1** | **3** | **6** |
| | Match des étoiles | LNH | 1 | 0 | 0 | 0 | | - | | | | |
| 1959-60 | **Montréal (Canadiens)** | **LNH** | **69** | **12** | **19** | **31** | **61** | **8** | **1** | **2** | **3** | **0** |
| | Match des étoiles | LNH | 1 | 1 | 0 | 1 | | - | | | | |
| 1960-61 | **Montréal (Canadiens)** | **LNH** | **21** | **1** | **5** | **6** | **4** | | - | | | |
| | Match des étoiles | LNH | 1 | 0 | 1 | 1 | | - | | | | |
| | Boston (Bruins) | LNH | 41 | 11 | 11 | 22 | 30 | | - | | | |
| 1961-62 | Boston (Bruins) | LNH | 70 | 15 | 8 | 23 | 74 | | - | | | |
| 1962-63 | Boston (Bruins) | LNH | 21 | 0 | 2 | 2 | 6 | | - | | | |
| | Detroit (Red Wings) | LNH | 47 | 13 | 5 | 18 | 18 | 11 | 1 | 4 | 5 | 6 |
| 1963-64 | Detroit (Red Wings) | LNH | 70 | 7 | 16 | 23 | 54 | 14 | 4 | 3 | 7 | 26 |
| 1964-65 | Pittsburgh (Hornets) | AHL | 22 | 5 | 2 | 7 | 4 | | - | | | |
| | Detroit (Red Wings) | LNH | 3 | 0 | 1 | 1 | 0 | | - | | | |
| | Memphis (Wings) | CPHL | 55 | 23 | 38 | 61 | 75 | | - | | | |
| 1965-66 | Pittsburgh (Hornets) | AHL | 72 | 25 | 21 | 46 | 64 | 3 | 0 | 1 | 1 | 0 |
| 1966-67 | Memphis (Wings) | CPHL | 70 | 25 | 42 | 67 | 85 | 7 | 1 | 1 | 2 | 19 |
| 1967-68 | Memphis (South Stars) | CPHL | 60 | 20 | 18 | 38 | 49 | 3 | 2 | 1 | 3 | 0 |
| | Minnesota (North Stars) | LNH | 8 | 0 | 0 | 0 | 0 | 8 | 0 | 1 | 1 | 0 |
| 1968-69 | Phoenix (Roadrunners) | WHL | 51 | 18 | 14 | 32 | 31 | | - | | | |
| | Baltimore (Clippers) | AHL | 25 | 4 | 5 | 9 | 0 | 4 | 0 | 0 | 0 | 0 |
| 1969-70 | Muskegon (Mohawks) | IHL | 71 | 50 | 57 | 107 | 55 | 6 | 0 | 3 | 3 | 8 |
| 1970-71 | Muskegon (Mohawks) | IHL | 60 | 18 | 24 | 42 | 24 | 6 | 2 | 0 | 2 | 0 |
| 1971-72 | Jersey (Devils) | EHL | 5 | 2 | 1 | 3 | 2 | | - | | | |
| | **LNH** | | **556** | **94** | **104** | **198** | **408** | **70** | **11** | **11** | **22** | **58** |
| | **Montréal** | | **290** | **48** | **61** | **109** | **226** | **37** | **6** | **3** | **9** | **26** |

• Coupe Stanley (LNH) en 1956-57, 1957-58, 1958-59, 1959-60 • Match des étoiles (LNH)
en 1957-58, 1958-59, 1959-60, 1960-61 • Première équipe d'étoiles (IHL) en 1969-70
• Échangé à Boston par Montréal pour Jean-Guy Gendron le 27 novembre 1960 • Échangé à Detroit
par Boston pour Forbes Kennedy le 3 décembre 1962 • Réclamé par Minnesota de Detroit lors de
l'expansion de la LNH le 6 juin 1967 • Droits vendus à Montréal par Minnesota le 12 septembre
1969 • Échangé à Baltimore (AHL) par Phoenix (AHL) pour Bob Cunningham en février 1969

## PROULX, CHRISTIAN

### Né à Sherbrooke, Québec, le 10 décembre 1973. Défenseur, lance de la gauche,
### 6', 185 lb (9e choix de Montréal, 164e au total lors du repêchage de 1992)

| SAISON | CLUB | LIGUE | PJ | B | A | PTS | PUN | PJ | B | A | PTS | PUN |
|---|---|---|---|---|---|---|---|---|---|---|---|---|
| 1988-89 | Montréal (Cantonniers) | QAAA | 36 | 2 | 4 | 6 | | - | | | | |
| 1989-90 | Montréal (Cantonniers) | QAAA | 41 | 4 | 19 | 23 | | - | | | | |
| 1990-91 | Saint-Jean (Lynx) | LHJMQ | 67 | 1 | 8 | 9 | 73 | | - | | | |
| 1991-92 | Saint-Jean (Lynx) | LHJMQ | 68 | 1 | 17 | 18 | 180 | | - | | | |
| 1992-93 | Saint-Jean (Lynx) | LHJMQ | 70 | 3 | 34 | 37 | 147 | 4 | 0 | 0 | 0 | 12 |
| | Fredericton (Canadien) | AHL | | | | | | - | | | | |
| 1993-94 | Fredericton (Canadien) | AHL | 70 | 2 | 12 | 14 | 183 | | - | | | |
| | **Montréal (Canadiens)** | **LNH** | **7** | **1** | **2** | **3** | **20** | | - | | | |
| 1994-95 | Fredericton (Canadien) | AHL | 75 | 1 | 10 | 10 | 184 | 9 | 0 | 1 | 1 | 6 |

| SAISON | CLUB | LIGUE | PJ | B | A | PTS | PUN | PJ | B | A | PTS | PUN |
|---|---|---|---|---|---|---|---|---|---|---|---|---|
| 1995-96 | San Francisco (Spiders) | IHL | 80 | 1 | 15 | 16 | 154 | 4 | 0 | 0 | 0 | 6 |
| 1996-97 | Milwaukee (Admirals) | IHL | 74 | 3 | 4 | 7 | 145 | 1 | 0 | 0 | 0 | 2 |
| 1997-98 | Hershey (Bears) | AHL | 32 | 2 | 2 | 4 | 76 | | - | | | |
| | Milwaukee (Admirals) | LIH | 31 | 4 | 6 | 10 | 84 | 10 | 0 | 1 | 1 | 20 |
| 1998-99 | HC Asiago | Alpes | 29 | 3 | 12 | 15 | 106 | 18 | 3 | 9 | 12 | 27 |
| 1999-20 | EC Bad Totz | GER | 44 | 9 | 18 | 27 | 192 | | - | | | |
| 2000-01 | EC Bad Totz | GER | 42 | 7 | 10 | 17 | 120 | | - | | | |
| 2001-02 | DEG Metro Stars | GER | 57 | 4 | 4 | 151 | | - | | | | |
| 2002-03 | Straubing | GER | 54 | 3 | 15 | 18 | 132 | 3 | 1 | 0 | 1 | 4 |
| | **LNH** | | **7** | **1** | **2** | **3** | **20** | | **-** | | | |
| | **Montréal** | | **7** | **1** | **2** | **3** | **20** | | **-** | | | |

## PROVOST, CLAUDE

### Né à Montréal, Québec, le 17 septembre 1933, décédé le 17 avril 1984
### Ailier droit, lance de la droite, 5'9", 175 lb

| SAISON | CLUB | LIGUE | PJ | B | A | PTS | PUN | PJ | B | A | PTS | PUN |
|---|---|---|---|---|---|---|---|---|---|---|---|---|
| 1951-52 | Montréal (National) | LHJQ | 49 | 24 | 29 | 53 | 46 | 9 | 5 | 2 | 7 | 4 |
| 1952-53 | Montréal (Canadien Jr) | LHJQ | 46 | 24 | 36 | 60 | 29 | 7 | 6 | 5 | 11 | 10 |
| 1953-54 | Montréal (Canadien Jr) | LHJQ | 48 | 45 | 39 | 84 | 83 | 8 | 3 | 8 | 11 | 16 |
| 1954-55 | Shawinigan (Cataractes) | LHQ | 61 | 25 | 23 | 48 | 44 | 13 | 6 | 3 | 9 | 6 |
| | Shawinigan (Cataractes) | Edin. | 7 | 2 | 2 | 4 | 4 | | - | | | |
| 1955-56 | Shawinigan (Cataractes) | LHQ | 9 | 7 | 8 | 15 | 12 | | - | | | |
| | **Montréal (Canadiens)** | **LNH** | **60** | **13** | **16** | **29** | **30** | **10** | **3** | **3** | **6** | **12** |
| 1956-57 | **Montréal (Canadiens)** | **LNH** | **67** | **16** | **14** | **30** | **24** | **10** | **0** | **1** | **1** | **8** |
| | Match des étoiles | LNH | 1 | 0 | 0 | 0 | | - | | | | |
| 1957-58 | **Montréal (Canadiens)** | **LNH** | **70** | **19** | **32** | **51** | **71** | **10** | **1** | **3** | **4** | **8** |
| | Match des étoiles | LNH | 1 | 0 | 0 | 0 | | - | | | | |
| 1958-59 | **Montréal (Canadiens)** | **LNH** | **69** | **16** | **22** | **38** | **37** | **11** | **6** | **2** | **8** | **2** |
| | Match des étoiles | LNH | 1 | 0 | 2 | 2 | | - | | | | |
| 1959-60 | **Montréal (Canadiens)** | **LNH** | **70** | **17** | **29** | **46** | **42** | **8** | **1** | **1** | **2** | **0** |
| | Match des étoiles | LNH | 1 | 0 | 0 | 0 | | - | | | | |
| 1960-61 | **Montréal (Canadiens)** | **LNH** | **49** | **11** | **4** | **15** | **32** | **6** | **1** | **3** | **4** | **0** |
| | Match des étoiles | LNH | 1 | 1 | 0 | 1 | | - | | | | |
| 1961-62 | **Montréal (Canadiens)** | **LNH** | **70** | **33** | **29** | **62** | **22** | **6** | **2** | **2** | **4** | **2** |
| | Match des étoiles | LNH | 1 | 0 | 0 | 0 | | - | | | | |
| 1962-63 | **Montréal (Canadiens)** | **LNH** | **67** | **20** | **30** | **50** | **26** | **5** | **0** | **1** | **1** | **2** |
| | Match des étoiles | LNH | 1 | 0 | 0 | 0 | | - | | | | |
| 1963-64 | **Montréal (Canadiens)** | **LNH** | **68** | **15** | **17** | **32** | **37** | **7** | **2** | **2** | **4** | **22** |
| | Match des étoiles | LNH | 1 | 0 | 1 | 1 | | - | | | | |
| 1964-65 | **Montréal (Canadiens)** | **LNH** | **70** | **27** | **37** | **64** | **28** | **13** | **2** | **6** | **8** | **12** |
| | Match des étoiles | LNH | 1 | 0 | 0 | 0 | | - | | | | |
| 1965-66 | **Montréal (Canadiens)** | **LNH** | **70** | **19** | **36** | **55** | **38** | **10** | **2** | **3** | **5** | **2** |
| | Match des étoiles | LNH | 1 | 0 | 0 | 0 | | - | | | | |
| 1966-67 | **Montréal (Canadiens)** | **LNH** | **64** | **11** | **13** | **24** | **16** | **7** | **1** | **1** | **2** | **0** |
| | Match des étoiles | LNH | 1 | 0 | 0 | 0 | | - | | | | |
| 1967-68 | **Montréal (Canadiens)** | **LNH** | **73** | **14** | **30** | **44** | **26** | **13** | **3** | **8** | **10** | **10** |
| 1968-69 | **Montréal (Canadiens)** | **LNH** | **73** | **13** | **15** | **28** | **18** | **10** | **2** | **4** | **6** | **2** |
| 1969-70 | **Montréal (Canadiens)** | **LNH** | **65** | **10** | **11** | **21** | **22** | | - | | | |
| | **LNH** | | **1005** | **254** | **335** | **589** | **469** | **126** | **25** | **38** | **63** | **86** |
| | **Montréal** | | **1005** | **254** | **335** | **589** | **469** | **126** | **25** | **38** | **63** | **86** |

• Match des étoiles (LNH) en 1956-57, 1957-58, 1958-59, 1959-60, 1960-61, 1961-62,
1962-63, 1963-64, 1964-65, 1965-66, 1966-67 • Coupe Stanley (LNH) en 1955-56,
1956-57, 1957-58, 1958-59, 1959-60, 1964-65, 1965-66, 1967-68, 1968-69 • Première
équipe d'étoiles (LNH) en 1964-65 • Trophée Bill-Masterson (LNH) en 1967-68
• Droits vendus à Los Angeles par Montréal le 8 juin 1971

## PUSIE, JEAN

### Né à Montréal, Québec, le 15 octobre 1910, décédé le 21 avril 1956
### Défenseur, lance de la gauche, 6', 205 lb

| SAISON | CLUB | LIGUE | PJ | B | A | PTS | PUN | PJ | B | A | PTS | PUN |
|---|---|---|---|---|---|---|---|---|---|---|---|---|
| 1929-30 | Verdun (CPR) | LHMRM | | | | *Statistiques non disponibles* | | | | | | |
| | Montréal (Northern Electric) | LHTRM | | | | *Statistiques non disponibles* | | | | | | |
| | London (Panthers) | IHL | 11 | 1 | 0 | 1 | 2 | 2 | 0 | 0 | 0 | 2 |
| 1930-31 | Galt (Terriers) | OPHL | 22 | 16 | 8 | 24 | 29 | 2 | 0 | 1 | 1 | 0 |
| | **Montréal (Canadiens)** | **LNH** | **6** | **0** | **0** | **0** | **0** | **3** | **0** | **0** | **0** | **0** |
| | Detroit (Olympics) | IHL | 4 | 0 | 0 | 0 | | - | | | | |
| 1931-32 | **Montréal (Canadiens)** | **LNH** | **1** | **0** | **0** | **0** | **0** | | - | | | |
| | Philadelphie (Arrows) | Can-Am | 14 | 0 | 4 | 4 | 8 | | - | | | |
| | Trois-Rivières (Renards) | ECHL | 14 | 5 | 2 | 7 | 24 | | - | | | |
| 1932-33 | Québec (Castors) | Can-Am | 1 | 0 | 1 | 1 | 0 | | - | | | |
| | Regina/Vancouver | WCHL | 30 | *30 | *22 | *52 | 31 | 2 | 0 | 1 | 1 | 0 |
| 1933-34 | New York (Rangers) | LNH | 19 | 0 | 2 | 2 | 17 | | - | | | |
| | London (Tecumsehs) | IHL | 26 | 6 | 6 | 12 | 47 | 6 | 3 | 2 | 5 | 2 |
| 1934-35 | Boston (Bruins) | LNH | 1 | 0 | 1 | 0 | 4 | 0 | 0 | 0 | 0 | 0 |
| 1935-36 | Boston (Cubs) | Can-Am | 34 | 14 | 13 | 27 | 59 | | - | | | |
| | Boston (Cubs) | Can-Am | 16 | 4 | 5 | 9 | 18 | | - | | | |
| | **Montréal (Canadiens)** | **LNH** | **31** | **2** | **2** | **11** | | - | | | | |
| 1936-37 | Providence (Reds) | IAHL | 39 | 5 | 8 | 13 | 39 | 2 | 0 | 0 | 0 | 0 |
| 1937-38 | Cleveland (Barons) | IAHL | 39 | 0 | 6 | 13 | | 2 | 1 | 1 | 2 | 0 |
| 1938-39 | St. Louis (Flyers) | AHA | 35 | 18 | 12 | 30 | 60 | 5 | 2 | 2 | 4 | 16 |
| 1939-40 | Vancouver (Lions) | PCHL | 30 | 13 | 12 | 25 | *85 | | - | | | |
| 1940-41 | Seattle (Olympics) | PCHL | 18 | 10 | 13 | 23 | 48 | | - | | | |
| 1941-42 | St. Louis (Flyers) | AHA | 35 | 9 | 12 | 21 | 19 | | - | | | |
| 1942-43 | Montréal (Locomotive) | LHCM | | | | *Statistiques non disponibles* | | | | | | |
| 1943-44 | Montréal (Armée) | LHCM | 6 | 0 | 2 | 2 | 12 | 2 | 0 | 1 | 1 | 2 |
| 1944-45 | Montréal (Monarchs) | LHCM | | | | *Statistiques non disponibles* | | | | | | |
| 1945-46 | | | | | | *N'a pas joué* | | | | | | |
| 1946-47 | Verdun (Aigles) | LHPQ | 6 | 3 | 4 | 7 | 0 | | - | | | |
| | **LNH** | | **61** | **1** | **4** | **5** | **28** | **7** | **0** | **0** | **0** | **0** |
| | **Montréal** | | **38** | **0** | **2** | **2** | **11** | **3** | **0** | **0** | **0** | **0** |

• Coupe Stanley (LNH) en 1930-31
• Signe avec Montréal le 1er février 1930 • Prêté à London (IHL) par Montréal le 1er février 1930 • Prêté à Providence (Can-Am) avec Gerry Carson et une somme d'argent pour Johnny Gagnon le 21 octobre 1930 • Droits vendus à Galt (OPHL) par Montréal le 30 octobre 1930 • Signe avec Regina (WCHL) le 16 novembre 1932 • Droits vendus à New York (Rangers) par Vancouver (WCHL) le 11 mars 1933 • Échangé à Boston par New York (Rangers) pour Percy Jackson le 1er novembre 1934 • Échangé à Montréal par Boston avec Walter Buswell pour Roger Jenkins le 13 juillet 1935 • Droits vendus à Boston par Montréal le 9 février 1936 • Signe avec St. Louis (AHA) le 24 septembre 1938 • Droits vendus à Vancouver (PCHL) par St. Louis (AHA) le 11 octobre 1939 • Droits vendus à St. Louis (AHA) par St-Paul (AHA) le 3 novembre 1941 • Échangé à Fort Worth (AHA) par St. Louis (AHA) pour Andre Maloney le 12 février 1942

### QUILTY, JOHN

**Né à Ottawa, Ontario, le 21 janvier 1921, décédé le 12 septembre 1969**
**Centre, lance de la gauche, 5'10", 175 lb**

| SAISON CLUB | LIGUE | PJ | B | A | PTS | PUN | PJ | B | A | PTS | PUN |
|---|---|---|---|---|---|---|---|---|---|---|---|
| 1937-38 Ottawa (St. Pats) | OCJHL | | | *Statistiques non disponibles* | | | | | | | |
| 1938-39 Ottawa (St. Pats) | OCJHL | | | *Statistiques non disponibles* | | | | | | | |
| Ottawa (St. Pats) | Mem. | 5 | *11 | 5 | *16 | 0 | - | - | - | - | - |
| 1939-40 Ottawa (St. Pats) | OCJHL | | | *Statistiques non disponibles* | | | | | | | |
| 1940-41 **Montréal (Canadiens)** | **LNH** | 48 | 18 | 16 | 34 | 31 | 3 | 0 | 2 | 2 | 0 |
| 1941-42 **Montréal (Canadiens)** | **LNH** | 48 | 12 | 12 | 24 | 44 | 3 | 0 | 1 | 1 | 0 |
| 1942-43 Toronto (RCAF) | OHA Sr | 9 | 6 | 9 | 15 | 12 | - | - | - | - | - |
| 1943-44 Vancouver (RCAF) | NNDHL | 14 | 12 | 14 | 26 | 8 | 3 | 1 | 2 | 3 | 2 |
| 1944-45 | | | | *Service militaire* | | | | | | | |
| 1945-46 Ottawa (Senators) | LHSQ | 2 | 0 | 1 | 1 | 0 | 1 | 0 | 1 | 1 | 0 |
| 1946-47 Buffalo (Bisons) | AHL | 5 | 0 | 2 | 2 | 0 | - | - | - | - | - |
| **Montréal (Canadiens)** | **LNH** | 3 | 1 | 1 | 2 | 0 | 7 | 3 | 2 | 5 | 9 |
| Springfield (Indians) | AHL | 46 | 17 | 15 | 32 | 36 | 2 | 0 | 0 | 0 | 0 |
| 1947-48 **Montréal (Canadiens)** | **LNH** | 20 | 2 | 3 | 5 | 4 | - | - | - | - | - |
| Boston (Bruins) | LNH | 6 | 3 | 2 | 5 | 2 | - | - | - | - | - |
| 1948-49 North Sydney (Victorias) | CBSHL | 31 | 5 | 15 | 20 | 18 | 6 | 2 | 3 | 5 | 0 |
| 1949-50 Ottawa RCAF (Flyers) | ECSHL | 27 | 10 | 12 | 22 | 6 | 5 | 2 | 4 | 6 | 2 |
| 1950-51 Ottawa RCAF (Flyers) | ECSHL | 38 | 0 | 12 | 12 | 54 | 7 | 1 | 3 | 4 | 14 |
| Ottawa (Senators) | LHMQ | | | - | - | - | 3 | 0 | 0 | 0 | 4 |
| 1951-52 Ottawa (Senators) | LHMQ | 3 | 0 | 0 | 0 | 0 | - | - | - | - | - |
| Renfrew (Millionaires) | ECSHL | 40 | 9 | 27 | 36 | 52 | 3 | 1 | 1 | 2 | 10 |
| | **LNH** | 125 | 36 | 34 | 70 | 81 | 13 | 3 | 5 | 8 | 9 |
| | **Montréal** | 119 | 33 | 32 | 65 | 79 | 13 | 3 | 5 | 8 | 9 |

• Trophée Calder (LNH) en 1940-41
• Signe avec Montréal le 29 octobre 1940 • Échangé à Springfield (AHL) par Montréal pour George Pargeter le 19 novembre 1946 • Droits vendus à Montréal par Springfield (AHL) le 3 mars 1947 • Échangé à Boston par Montréal avec Jim Peters pour Joe Carveth le 16 décembre 1947

### QUINTAL, STÉPHANE

**Né à Boucherville, Québec, le 22 octobre 1968. Défenseur, lance de la droite, 6'3", 225 lb (2e choix de Boston, 14e au total lors du repêchage de 1987)**

| SAISON CLUB | LIGUE | PJ | B | A | PTS | PUN | PJ | B | A | PTS | PUN |
|---|---|---|---|---|---|---|---|---|---|---|---|
| 1984-85 Richelieu (Régents) | QAAA | 41 | 1 | 10 | 11 | - | - | - | - | - | - |
| 1985-86 Granby (Bisons) | LHJMQ | 67 | 2 | 17 | 19 | 144 | - | - | - | - | - |
| 1986-87 Granby (Bisons) | LHJMQ | 67 | 13 | 41 | 54 | 178 | 8 | 0 | 9 | 9 | 10 |
| 1987-88 Hull (Olympiques) | LHJMQ | 38 | 13 | 23 | 36 | 138 | 19 | 7 | 12 | 19 | 30 |
| Hull (Olympiques) | Mem. | 4 | 1 | 3 | 4 | 0 | - | - | - | - | - |
| 1988-89 Maine (Mariners) | AHL | 16 | 4 | 10 | 14 | 28 | - | - | - | - | - |
| Boston (Bruins) | LNH | 26 | 0 | 1 | 1 | 29 | - | - | - | - | - |
| 1989-90 Maine (Mariners) | AHL | 37 | 4 | 16 | 20 | 27 | - | - | - | - | - |
| Boston (Bruins) | LNH | 38 | 2 | 2 | 4 | 22 | - | - | - | - | - |
| 1990-91 Maine (Mariners) | AHL | 23 | 1 | 6 | 7 | 36 | - | - | - | - | - |
| Boston (Bruins) | LNH | 45 | 2 | 6 | 8 | 89 | 3 | 0 | 1 | 1 | 7 |
| 1991-92 Boston (Bruins) | LNH | 49 | 4 | 10 | 14 | 77 | - | - | - | - | - |
| St. Louis (Blues) | LNH | 26 | 0 | 6 | 6 | 32 | 4 | 1 | 2 | 3 | 6 |
| 1992-93 St. Louis (Blues) | LNH | 75 | 1 | 10 | 11 | 100 | 9 | 0 | 0 | 0 | 8 |
| 1993-94 Winnipeg (Jets) | LNH | 81 | 8 | 18 | 26 | 119 | - | - | - | - | - |
| 1994-95 Winnipeg (Jets) | LNH | 43 | 6 | 17 | 23 | 78 | - | - | - | - | - |
| 1995-96 **Montréal (Canadiens)** | **LNH** | 68 | 2 | 14 | 16 | 117 | 6 | 0 | 1 | 1 | 6 |
| 1996-97 **Montréal (Canadiens)** | **LNH** | 71 | 7 | 15 | 22 | 100 | 5 | 0 | 1 | 1 | 6 |
| 1997-98 **Montréal (Canadiens)** | **LNH** | 71 | 6 | 10 | 16 | 97 | 9 | 0 | 2 | 2 | 4 |
| 1998-99 **Montréal (Canadiens)** | **LNH** | 82 | 8 | 19 | 27 | 84 | - | - | - | - | - |
| Canada | CM | 10 | 3 | 2 | 5 | 4 | - | - | - | - | - |
| 1999-20 New York (Rangers) | LNH | 75 | 2 | 14 | 16 | 77 | - | - | - | - | - |
| 2000-01 Chicago (Blackhawks) | LNH | 72 | 1 | 18 | 19 | 60 | - | - | - | - | - |
| 2001-02 **Montréal (Canadiens)** | **LNH** | 75 | 6 | 10 | 16 | 87 | 12 | 1 | 3 | 4 | 12 |
| 2002-03 **Montréal (Canadiens)** | **LNH** | 67 | 5 | 5 | 10 | 70 | - | - | - | - | - |
| | **LNH** | 964 | 60 | 175 | 235 | 1238 | 48 | 2 | 10 | 12 | 49 |
| | **Montréal** | 434 | 34 | 73 | 107 | 555 | 32 | 1 | 7 | 8 | 26 |

• Première équipe d'étoiles (LHJMQ) en 1986-87 • Coupe du Président (LHJMQ) en 1987-88
• Échangé à St. Louis par Boston avec Craig Janney pour Adam Oates le 7 février 1992 • Échangé à Winnipeg par St. Louis avec Nelson Emerson pour Phil Housley le 24 septembre 1993 • Échangé à Montréal par Winnipeg pour le choix de 2e ronde de Montréal au repêchage de 1995 (Jason Doig) le 8 juillet 1995 • Signe avec New York (Rangers) comme agent libre le 13 juillet 1999 • Réclamé au ballottage par Chicago de New York (Rangers) le 5 octobre 2000 • Échangé à Montréal par Chicago pour le choix de 4e ronde de Montréal au repêchage de 2001 (Brent MacLellan) le 23 juin 2001

### RACINE, YVES

**Né à Matane, Québec, le 7 février 1969. Défenseur, lance de la gauche, 6', 205 lb (1er choix de Detroit, 11e au total lors du repêchage de 1987.)**

| SAISON CLUB | LIGUE | PJ | B | A | PTS | PUN | PJ | B | A | PTS | PUN |
|---|---|---|---|---|---|---|---|---|---|---|---|
| 1984-85 Sainte-Foy (Gouverneurs) | QAAA | 26 | 3 | 6 | 9 | - | - | - | - | - | - |
| 1985-86 Sainte-Foy (Gouverneurs) | QAAA | 42 | 4 | 38 | 42 | 66 | - | - | - | - | - |

| SAISON CLUB | LIGUE | PJ | B | A | PTS | PUN | PJ | B | A | PTS | PUN |
|---|---|---|---|---|---|---|---|---|---|---|---|
| 1986-87 Longueuil (Chevaliers) | LHJMQ | 70 | 7 | 43 | 50 | 50 | 20 | 3 | 11 | 14 | 14 |
| Longueuil (Chevaliers) | Mem. | 5 | 0 | 0 | 0 | 0 | - | - | - | - | - |
| 1987-88 Victoriaville (Tigres) | LHJMQ | 69 | 10 | 84 | 94 | 150 | 5 | 0 | 0 | 0 | 13 |
| Adirondack (Red Wings) | AHL | | | - | - | - | 9 | 4 | 2 | 6 | 2 |
| 1988-89 Victoriaville (Tigres) | LHJMQ | 63 | 23 | 85 | 108 | 95 | 16 | 3 | *30 | *33 | 41 |
| Canada | CMJ | 7 | 0 | 0 | 0 | 6 | - | - | - | - | - |
| Adirondack (Red Wings) | AHL | | | - | - | - | 2 | 1 | 1 | 2 | 0 |
| 1989-90 Adirondack (Red Wings) | AHL | 46 | 8 | 27 | 35 | 31 | - | - | - | - | - |
| Detroit (Red Wings) | LNH | 28 | 4 | 9 | 13 | 23 | - | - | - | - | - |
| 1990-91 Adirondack (Red Wings) | AHL | 16 | 3 | 9 | 12 | 10 | - | - | - | - | - |
| Detroit (Red Wings) | LNH | 62 | 7 | 40 | 47 | 33 | 7 | 2 | 6 | 8 | 6 |
| Canada | CM | 4 | 0 | 0 | 0 | 0 | - | - | - | - | - |
| 1991-92 Detroit (Red Wings) | LNH | 61 | 2 | 22 | 24 | 94 | 11 | 2 | 1 | 3 | 10 |
| 1992-93 Detroit (Red Wings) | LNH | 80 | 9 | 31 | 40 | 80 | 7 | 1 | 3 | 4 | 27 |
| 1993-94 Philadelphie (Flyers) | LNH | 67 | 9 | 43 | 52 | 48 | - | - | - | - | - |
| Canada | CM | 8 | 1 | 2 | 3 | 8 | - | - | - | - | - |
| 1994-95 **Montréal (Canadiens)** | **LNH** | 47 | 4 | 7 | 11 | 42 | - | - | - | - | - |
| 1995-96 **Montréal (Canadiens)** | **LNH** | 25 | 0 | 3 | 3 | 26 | - | - | - | - | - |
| San Jose (Sharks) | LNH | 32 | 1 | 16 | 17 | 28 | - | - | - | - | - |
| 1996-97 Kentucky (Thoroughblades) | AHL | 4 | 0 | 1 | 1 | 2 | - | - | - | - | - |
| Québec (Rafales) | IHL | 6 | 0 | 4 | 4 | 4 | - | - | - | - | - |
| Calgary (Flames) | LNH | 46 | 1 | 15 | 16 | 24 | - | - | - | - | - |
| 1997-98 Tampa Bay (Lightning) | LNH | 60 | 0 | 8 | 8 | 41 | - | - | - | - | - |
| 1998-99 Jokerit Helsinki | FIN | 52 | 8 | 18 | 26 | 108 | 3 | 1 | 0 | 1 | 6 |
| Jokerit Helsinki | EuroHL | 6 | 0 | 18 | 18 | 2 | 1 | 1 | 2 | 6 |
| 1999-20 Adler Mannheim | GER | 54 | 5 | 21 | 26 | 90 | 0 | 1 | 1 | 43 |
| Adler Mannheim | EuroHL | 6 | 0 | 1 | 1 | 0 | | | | | |
| 2000-01 Adler Mannheim | GER | 52 | 4 | 29 | 33 | 98 | 11 | 0 | 7 | 7 | 40 |
| 2001-02 Adler Mannheim | GER | 48 | 3 | 31 | 34 | 124 | 12 | 2 | 2 | 4 | 10 |
| 2002-03 Alder Mannheim | GER | 47 | 2 | 18 | 20 | 90 | 4 | 0 | 0 | 0 | 4 |
| | **LNH** | 508 | 37 | 194 | 231 | 439 | 25 | 5 | 4 | 9 | 37 |
| | **Montréal** | 72 | 4 | 10 | 14 | 68 | - | - | - | - | - |

• Troisième équipe d'étoiles (LHJMQ) en 1986-87 • Coupe du Président (LHJMQ) en 1986-87 • Première équipe d'étoiles (LHJMQ) en 1987-88, 1988-89 • Trophée Émile-Bouchard (LHJMQ) en 1988-89 • Coupe Calder (AHL) en 1988-89 • Médaille d'argent (CM) en 1991 • Médaille d'or (CM) en 1994
• Échangé à Philadelphie par Detroit avec le choix de 4e ronde de Detroit au repêchage de 1994 (Sébastien Vallée) pour Terry Carkner le 5 octobre 1993 • Échangé à Montréal par Philadelphie pour Kevin Haller le 29 juin 1994 • Réclamé au ballottage par San Jose de Montréal le 23 janvier 1996 • Droits vendus à Calgary par San Jose le 17 décembre 1996 • Signe avec Tampa Bay comme agent libre le 16 juillet 1997

### RAMAGE, ROBERT (ROB)

**Né à Byron, Ontario, le 11 janvier 1959. Défenseur, lance de la droite, 6'2", 200 lb (1er choix du Colorado, 1er au total lors du repêchage de 1979)**

| SAISON CLUB | LIGUE | PJ | B | A | PTS | PUN | PJ | B | A | PTS | PUN |
|---|---|---|---|---|---|---|---|---|---|---|---|
| 1975-76 London (Knights) | OMJHL | 65 | 12 | 31 | 43 | 113 | 6 | 1 | 1 | 1 | 11 |
| 1976-77 London (Knights) | OMJHL | 65 | 15 | 58 | 73 | 177 | 20 | 3 | 11 | 14 | 55 |
| Canada | CMJ | 7 | 0 | 1 | 1 | 6 | - | - | - | - | - |
| 1977-78 London (Knights) | OMJHL | 59 | 17 | 48 | 65 | 162 | 11 | 4 | 5 | 9 | 29 |
| Canada | CMJ | 6 | 1 | 3 | 4 | 6 | - | - | - | - | - |
| 1978-79 Birmingham (Bulls) | AMH | 80 | 12 | 36 | 48 | 165 | - | - | - | - | - |
| 1979-80 Colorado (Rockies) | LNH | 75 | 8 | 20 | 28 | 135 | - | - | - | - | - |
| 1980-81 Colorado (Rockies) | LNH | 79 | 20 | 42 | 62 | 193 | - | - | - | - | - |
| Match des étoiles | LNH | 1 | 0 | 0 | 0 | 0 | - | - | - | - | - |
| Canada | CM | 8 | 0 | 1 | 1 | 0 | - | - | - | - | - |
| 1981-82 Colorado (Rockies) | LNH | 80 | 13 | 29 | 42 | 201 | - | - | - | - | - |
| 1982-83 St. Louis (Blues) | LNH | 78 | 16 | 35 | 51 | 193 | 4 | 0 | 3 | 3 | 22 |
| 1983-84 St. Louis (Blues) | LNH | 80 | 15 | 45 | 60 | 121 | 11 | 1 | 9 | 9 | 32 |
| Match des étoiles | LNH | 1 | 0 | 0 | 0 | 0 | - | - | - | - | - |
| 1984-85 St. Louis (Blues) | LNH | 80 | 7 | 31 | 38 | 178 | 3 | 1 | 3 | 4 | 6 |
| 1985-86 St. Louis (Blues) | LNH | 77 | 10 | 56 | 66 | 171 | 19 | 1 | 10 | 11 | 66 |
| Match des étoiles | LNH | 1 | 0 | 0 | 0 | 0 | - | - | - | - | - |
| 1986-87 St. Louis (Blues) | LNH | 59 | 11 | 28 | 39 | 108 | 6 | 2 | 2 | 4 | 21 |
| 1987-88 St. Louis (Blues) | LNH | 67 | 8 | 34 | 42 | 127 | - | - | - | - | - |
| Match des étoiles | LNH | 1 | 0 | 0 | 0 | 0 | - | - | - | - | - |
| Calgary (Flames) | LNH | 12 | 1 | 6 | 7 | 37 | 9 | 1 | 3 | 4 | 21 |
| 1988-89 Calgary (Flames) | LNH | 68 | 3 | 13 | 16 | 156 | 20 | 1 | 11 | 12 | 26 |
| 1989-90 Toronto (Maple Leafs) | LNH | 80 | 8 | 41 | 49 | 202 | 5 | 0 | 3 | 3 | 20 |
| 1990-91 Toronto (Maple Leafs) | LNH | 80 | 10 | 25 | 35 | 173 | - | - | - | - | - |
| 1991-92 Minnesota (North Stars) | LNH | 34 | 4 | 5 | 9 | 69 | - | - | - | - | - |
| 1992-93 Tampa Bay (Lightning) | LNH | 66 | 5 | 12 | 17 | 138 | - | - | - | - | - |
| **Montréal (Canadiens)** | **LNH** | 8 | 0 | 1 | 1 | 8 | 7 | 0 | 0 | 0 | 4 |
| 1993-94 **Montréal (Canadiens)** | **LNH** | 6 | 0 | 1 | 1 | 2 | - | - | - | - | - |
| Philadelphie (Flyers) | LNH | 15 | 0 | 1 | 1 | 14 | - | - | - | - | - |
| | **LNH** | 1044 | 139 | 425 | 564 | 2226 | 84 | 8 | 42 | 50 | 218 |
| | **Montréal** | 14 | 0 | 2 | 2 | 10 | 7 | 0 | 0 | 0 | 4 |

• Médaille d'argent (CMJ) en 1976-77 • Médaille de bronze (CMJ) en 1976-77 • Première équipe d'étoiles (OHA) en 1977-78 • Première équipe d'étoiles (AMH) en 1978-79 • Match des étoiles (LNH) en 1980-81, 1983-84, 1985-86, 1987-88 • Coupe Stanley (LNH) en 1988-89, 1992-93
• Signe avec Birmingham (AMH) comme agent libre en juin 1978 • Échangé à St. Louis par Colorado (New Jersey) pour le 1er choix de St. Louis au repêchage de 1983 (John MacLean) le 9 juin 1982 • Échangé à Calgary par St. Louis avec Rick Wamsley pour Brett Hull et Steve Bosek le 7 mars 1988 • Échangé à Toronto par Calgary pour le choix de 2e ronde de Toronto au repêchage de 1989 (Kent Manderville) le 16 juin 1989 • Réclamé par Minnesota de Toronto lors du repêchage d'expansion le 30 mai 1989 • Réclamé par Tampa Bay du Minnesota lors du repêchage d'expansion le 18 juin 1992 • Échangé à Montréal par Tampa Bay pour Éric Charron, Alain Côté et des considérations futures (Donald Dufresne le 18 juin 1993) le 20 mars 1993 • Droits vendus à Philadelphie par Montréal le 27 novembre 1993

## RAYMOND, ARMAND

**Né à Mechanicsville, New York, le 12 janvier 1913, décédé**
**Défenseur, lance de la gauche, 5'9", 185 lb**

| SAISON | CLUB | LIGUE | PJ | B | A | PTS | PUN | PJ | B | A | PTS | PUN |
|---|---|---|---|---|---|---|---|---|---|---|---|---|
| 1931-32 | Montréal (Xavier Jr) | LHJCM | 10 | 0 | 0 | 0 | 8 | 2 | 0 | 0 | 0 | 8 |
| 1932-33 | Montréal (Xavier Jr) | LHJCM | 10 | 0 | 1 | 1 | 15 | 2 | 0 | 1 | 1 | 4 |
| 1933-34 | Montréal (Xavier Jr) | LHJCM | 7 | 1 | 1 | 2 | 20 | - | - | - | - | - |
|  | Montréal (Xavier Sr) | LHCM | 13 | 2 | 0 | 2 | 36 | - | - | - | - | - |
| 1934-35 |  |  |  | *N'a pas joué* |  |  |  |  |  |  |  |  |
| 1935-36 | Atlantic City (Seagulls) | EAHL | 21 | 0 | 4 | 4 | 14 | 8 | 1 | 1 | 2 | 6 |
| 1936-37 | Montréal (Canadien Sr) | LHSQ | 21 | 3 | 3 | 6 | 30 | 2 | 0 | 0 | 0 | 4 |
| 1937-38 | Montréal (Concordia) | LHCM | 21 | 6 | 7 | 13 | 32 | 1 | 0 | 0 | 0 | 4 |
|  | **Montréal (Canadiens)** | **LNH** | **11** | **0** | **1** | **1** | **10** | **3** | **0** | **0** | **0** | **2** |
| 1938-39 | Montréal (Concordia) | LHCM |  | *Statistiques non disponibles* |  |  |  |  |  |  |  |  |
| 1939-40 | Providence (Reds) | IAHL | 22 | 0 | 4 | 4 | 14 | - | - | - | - | - |
|  | **Montréal (Canadiens)** | **LNH** | **11** | **0** | **1** | **1** | **10** | - | - | - | - | - |
| 1940-41 | Saint-Jérôme (Papermakers) | LHPQ | 33 | 18 | 20 | 38 | 86 | 8 | 2 | 5 | 7 | 6 |
|  | Saint-Jérôme (Papermakers) | Allan | 4 | 0 | 0 | 0 | 0 | - | - | - | - | - |
| 1941-42 | Shawinigan (Cataractes) | LHPQ | 28 | 1 | 21 | 22 | 40 | 10 | 1 | 1 | 2 | 12 |
|  |  | **LNH** | **22** | **0** | **2** | **2** | **20** | **3** | **0** | **0** | **2** |  |
|  |  | **Montréal** | **22** | **0** | **2** | **2** | **20** | **3** | **0** | **0** | **2** |  |

• Signe avec Montréal le 21 février 1938

## RAYMOND, PAUL-MARCEL

**Né à Montréal, Québec, le 27 février 1913, décédé le 4 avril 1995**
**Ailier droit, lance de la droite, 5'8", 150 lb**

| SAISON | CLUB | LIGUE | PJ | B | A | PTS | PUN | PJ | B | A | PTS | PUN |
|---|---|---|---|---|---|---|---|---|---|---|---|---|
| 1930-31 | Montréal (Canadien Jr) | LHJCM | 4 | 2 | 1 | 3 | 2 | - | - | - | - | - |
| 1931-32 | Montréal (Canadien Sr) | LHCM | 11 | 5 | 4 | 9 | 8 | 2 | 2 | 0 | 2 | 0 |
| 1932-33 | **Montréal (Canadiens)** | **LNH** | **16** | **0** | **0** | **0** | **0** | - | - | - | - | - |
|  | Providence (Reds) | IHL | 20 | 1 | 5 | 6 | 0 | 2 | 0 | 0 | 0 | 0 |
| 1933-34 | **Montréal (Canadiens)** | **LNH** | **29** | **1** | **0** | **1** | **2** | **2** | **0** | **0** | **0** | **0** |
|  | Windsor (Bulldogs) | IHL | 20 | 1 | 1 | 2 | 6 | - | - | - | - | - |
| 1934-35 | **Montréal (Canadiens)** | **LNH** | **20** | **1** | **1** | **2** | **0** | - | - | - | - | - |
|  | Québec (Castors) | Can-Am | 30 | 9 | 12 | 21 | 24 | 3 | 0 | 0 | 0 | 6 |
| 1935-36 | Springfield (Indians) | Can-Am | 48 | 6 | 27 | 33 | 55 | 3 | 2 | 1 | 3 | 0 |
| 1936-37 | Springfield (Indians) | IAHL | 43 | 11 | 15 | 26 | 49 | 5 | 0 | 2 | 2 | 0 |
| 1937-38 | Springfield (Indians) | IAHL | 14 | 0 | 0 | 0 | 0 | - | - | - | - | - |
|  | New Haven (Eagles) | IAHL | 33 | 10 | 14 | 24 | 14 | 2 | 0 | 0 | 0 | 0 |
| 1938-39 | New Haven (Eagles) | IAHL | 51 | 2 | 5 | 7 | 22 | - | - | - | - | - |
| 1939-40 | Montréal (Royals) | LHSQ | 26 | 6 | 27 | 33 | 12 | 6 | 3 | 5 | 8 | 0 |
|  | Montréal (Royals) | Allan | 7 | 2 | 7 | 9 | 0 | - | - | - | - | - |
| 1940-41 | Montréal (Royals) | LHSQ | 33 | 13 | 19 | 32 | 31 | 4 | 3 | 0 | 3 | 0 |
|  | Montréal (Royals) | Allan | 10 | 1 | 4 | 5 | 6 | - | - | - | - | - |
| 1941-42 | Montréal (Royals) | LHSQ | 38 | 17 | 18 | 35 | 24 | - | - | - | - | - |
| 1942-43 | Montréal (Royals) | LHSQ | 5 | 0 | 0 | 0 | 8 | - | - | - | - | - |
| 1943-44 |  |  |  | *Service militaire* |  |  |  |  |  |  |  |  |
| 1944-45 |  |  |  | *Service militaire* |  |  |  |  |  |  |  |  |
| 1945-46 | Montréal (Royals) | LHSQ | 26 | 8 | 14 | 22 | 6 | 9 | 2 | 6 | 8 | 6 |
| 1946-47 | Montréal (Royals) | LHSQ | 2 | 0 | 1 | 1 | 0 | - | - | - | - | - |
|  | Lachine (Rapides) | LHPQ | 26 | 9 | 15 | 24 | 13 | 9 | 1 | 1 | 2 | 2 |
|  |  | **LNH** | **65** | **2** | **1** | **3** | **2** | **2** | **0** | **0** | **0** | **0** |
|  |  | **Montréal** | **65** | **2** | **1** | **3** | **2** | **2** | **0** | **0** | **0** | **0** |

• **Deuxième équipe d'étoiles (LHSQ) en 1939-40**
• Signe avec Montréal le 28 octobre 1932 • Prêté à Providence (IHL) par Montréal le 7 février 1933 • Prêté à Windsor (IHL) par Montréal le 20 décembre 1933 • Prêté à Québec (Can-Am) par Montréal le 17 janvier 1935 • Échangé à New Haven (IAHL) par Springfield (IAHL) pour Max Kaminsky le 23 décembre 1937

## REARDON, KENNETH (KEN)

**Né à Winnipeg, Manitoba, le 1er avril 1921. Défenseur, lance de la gauche, 5'10", 180 lb**

| SAISON | CLUB | LIGUE | PJ | B | A | PTS | PUN | PJ | B | A | PTS | PUN |
|---|---|---|---|---|---|---|---|---|---|---|---|---|
| 1937-38 | Blue River (Rebels) | BCJHL |  | *Statistiques non disponibles* |  |  |  |  |  |  |  |  |
| 1938-39 | Edmonton Athletic Club | EJHL | 9 | 0 | 1 | 1 | 15 | 2 | 0 | 2 | 2 | - |
|  | Edmonton Athletic Club | Mem. | 2 | 0 | 1 | 1 | 0 | - | - | - | - | - |
| 1939-40 | Edmonton Athletic Club | EJHL | 10 | - | - | *42 | - | 4 | 0 | 2 | 2 | *8 |
|  | Edmonton Athletic Club | Mem. | 14 | 18 | 13 | 31 | 46 | - | - | - | - | - |
| 1940-41 | **Montréal (Canadiens)** | **LNH** | **46** | **2** | **8** | **10** | **41** | **3** | **0** | **0** | **0** | **4** |
| 1941-42 | **Montréal (Canadiens)** | **LNH** | **41** | **3** | **12** | **15** | **93** | **3** | **0** | **0** | **0** | **4** |
| 1942-43 | Ottawa (Commandos) | OCHL | 26 | 7 | 16 | 23 | 77 | 23 | 3 | 9 | 12 | 47 |
|  | Ottawa (Army) | OCHL | 10 | 10 | 7 | 17 | 15 | - | - | - | - | - |
| 1943-44 | Ottawa (Commandos) | OCHL | 1 | 0 | 1 | 1 | 0 | - | - | - | - | - |
| 1944-45 |  |  |  | *Service militaire* |  |  |  |  |  |  |  |  |
| 1945-46 | **Montréal (Canadiens)** | **LNH** | **43** | **5** | **4** | **9** | **45** | **9** | **1** | **1** | **2** | **4** |
|  | Montréal (Royals) | LHSQ | 2 | 0 | 0 | 0 | 4 | - | - | - | - | - |
| 1946-47 | **Montréal (Canadiens)** | **LNH** | **52** | **5** | **17** | **22** | **84** | **7** | **1** | **2** | **3** | **20** |
| 1947-48 | **Montréal (Canadiens)** | **LNH** | **58** | **7** | **15** | **22** | **129** | - | - | - | - | - |
|  | Match des étoiles | LNH | 1 | 0 | 0 | 0 | 0 | - | - | - | - | - |
| 1948-49 | **Montréal (Canadiens)** | **LNH** | **46** | **3** | **13** | **16** | **103** | **7** | **0** | **0** | **0** | **18** |
|  | Match des étoiles | LNH | 1 | 0 | 0 | 0 | 2 | - | - | - | - | - |
| 1949-50 | **Montréal (Canadiens)** | **LNH** | **67** | **1** | **27** | **28** | **109** | **2** | **0** | **2** | **2** | **12** |
|  | Match des étoiles | LNH | 1 | 0 | 0 | 0 | 0 | - | - | - | - | - |
|  |  | **LNH** | **353** | **26** | **96** | **122** | **604** | **31** | **2** | **5** | **7** | **62** |
|  |  | **Montréal** | **353** | **26** | **96** | **122** | **604** | **31** | **2** | **5** | **7** | **62** |

• **Première équipe d'étoiles (LNH) en 1946-47, 1949-50 • Deuxième équipe d'étoiles (LNH) en 1945-46, 1947-48, 1948-49 • Coupe Stanley (LNH) en 1945-46 • Match des étoiles (LNH) en 1947-48, 1948-49, 1949-50 • Temple de la Renommée (LNH) en 1966**
• Signe avec Montréal le 26 octobre 1940

## REARDON, TERRANCE (TERRY)

**Né à Winnipeg, Manitoba, le 6 avril 1919, décédé le 14 février 1993**
**Ailier droit/Centre, lance de droite, 5'10", 170 lb**

| SAISON | CLUB | LIGUE | PJ | B | A | PTS | PUN | PJ | B | A | PTS | PUN |
|---|---|---|---|---|---|---|---|---|---|---|---|---|
| 1935-36 | St. Boniface (Seals) | MJHL | 13 | 9 | 3 | 12 | 4 | - | - | - | - | - |
| 1936-37 | St. Boniface (Seals) | MJHL | 16 | *22 | 10 | 32 | 27 | 7 | *8 | 2 | *10 | *17 |
| 1937-38 | Brandon (Wheat Kings) | MJHL | 16 | *29 | *16 | *45 | 20 | 5 | 5 | 1 | 6 | 2 |
| 1938-39 | Boston (Bruins) | LNH | 4 | 0 | 0 | 0 | 0 | - | - | - | - | - |
|  | Hershey (Bears) | IAHL | 50 | 7 | 20 | 27 | 31 | 5 | 1 | 0 | 1 | 2 |
| 1939-40 | Hershey (Bears) | IAHL | 55 | 13 | 24 | 37 | 26 | 4 | 4 | 0 | 4 | 2 |
|  | Boston (Bruins) | LNH | - | - | - | - | - | 1 | 0 | 1 | 1 | 0 |
| 1940-41 | Hershey (Bears) | AHL | 19 | 3 | 8 | 11 | 10 | - | - | - | - | - |
|  | Boston (Bruins) | LNH | 34 | 6 | 5 | 11 | 19 | 11 | 2 | 4 | 6 | 4 |
| 1941-42 | **Montréal (Canadiens)** | **LNH** | **33** | **17** | **17** | **34** | **14** | **3** | **2** | **2** | **4** | **2** |
| 1942-43 | **Montréal (Canadiens)** | **LNH** | **13** | **6** | **6** | **12** | **2** | - | - | - | - | - |
|  | Montréal (Armée) | LHCM | 19 | 7 | 17 | 24 | 6 | 7 | 4 | 2 | 6 | 2 |
| 1943-44 | Nanaimo (Army) | NNDHL | 11 | 6 | 7 | 13 | 12 | - | - | - | - | - |
| 1944-45 |  |  |  | *Service militaire* |  |  |  |  |  |  |  |  |
| 1945-46 | Boston (Bruins) | LNH | 49 | 12 | 11 | 23 | 21 | 10 | 4 | 0 | 4 | 2 |
| 1946-47 | Boston (Bruins) | LNH | 60 | 6 | 14 | 20 | 17 | 5 | 0 | 3 | 3 | 2 |
| 1947-48 | Providence (Reds) | AHL | 49 | 4 | 10 | 14 | 28 | 5 | 2 | 1 | 3 | 10 |
| 1948-49 | Providence (Reds) | AHL | 68 | 2 | 10 | 12 | 16 | 14 | 4 | 1 | 5 | 2 |
| 1949-50 | Providence (Reds) | AHL | 24 | 2 | 9 | 11 | 9 | 1 | 0 | 0 | 0 | 12 |
| 1950-51 | Providence (Reds) | AHL | 46 | 5 | 16 | 21 | 12 | - | - | - | - | - |
| 1951-52 | Providence (Reds) | AHL | 19 | 2 | 8 | 10 | 8 | 10 | 0 | 7 | 7 | 12 |
| 1952-53 | Providence (Reds) | AHL | 15 | 0 | 2 | 2 | 6 | - | - | - | - | - |
| 1953-54 | Sydney (Millionaires) | MMHL | 58 | 6 | 25 | 31 | 32 | 13 | 0 | 4 | 4 | 2 |
| 1954-55 | Providence (Reds) | AHL | 15 | 1 | 8 | 9 | 2 | - | - | - | - | - |
|  |  | **LNH** | **193** | **47** | **53** | **100** | **73** | **30** | **8** | **10** | **18** | **12** |
|  |  | **Montréal** | **46** | **23** | **23** | **46** | **16** | **3** | **2** | **2** | **4** | **2** |

• **Coupe Stanley (LNH) en 1940-41 • Coupe Calder (AHL) en 1948-49**
• Droits cédés à Boston par New York (Americans) avec les droits sur Tom Cooper pour compléter l'échange de Joe Jerwa à Boston (25 janvier 1937) le 17 octobre 1937 • Prêté à Montréal par Boston pour Paul Gauthier le 5 novembre 1941 • Nommé joueur-entraîneur avec Providence (AHL) le 24 septembre 1947 • Nommé joueur-entraîneur avec Sydney (MMHL) le 3 septembre 1953

## RÉAUME, MARC

**Né à Lasalle, Ontario, le 7 février 1934. Défenseur, lance de la gauche, 6'1", 185 lb**

| SAISON | CLUB | LIGUE | PJ | B | A | PTS | PUN | PJ | B | A | PTS | PUN |
|---|---|---|---|---|---|---|---|---|---|---|---|---|
| 1950-51 | St. Michael's (Buzzers) | OHA B |  | *Statistiques non disponibles* |  |  |  |  |  |  |  |  |
|  | St. Michael's (Majors) | OHA Jr | 5 | 0 | 0 | 0 | 2 | - | - | - | - | - |
| 1951-52 | St. Michael's (Majors) | OHA Jr | 46 | 11 | 16 | 27 | 44 | 7 | 1 | 2 | 3 | 8 |
| 1952-53 | St. Michael's (Majors) | OHA Jr | 46 | 5 | 16 | 21 | 75 | 17 | 0 | 3 | 3 | 16 |
| 1953-54 | St. Michael's (Majors) | OHA Jr | 54 | 14 | 27 | 41 | 24 | 8 | 3 | 6 | 9 | 6 |
| 1954-55 | Pittsburgh (Hornets) | AHL | 57 | 5 | 7 | 12 | 63 | 6 | 0 | 0 | 0 | 4 |
|  | Toronto (Maple Leafs) | LNH | 1 | 0 | 0 | 0 | 0 | 4 | 0 | 0 | 0 | 0 |
| 1955-56 | Pittsburgh (Hornets) | AHL | 16 | 2 | 5 | 7 | 24 | - | - | - | - | - |
|  | Toronto (Maple Leafs) | LNH | 48 | 0 | 12 | 12 | 50 | 5 | 0 | 2 | 2 | 6 |
| 1956-57 | Toronto (Maple Leafs) | LNH | 63 | 6 | 14 | 20 | 81 | - | - | - | - | - |
| 1957-58 | Toronto (Maple Leafs) | LNH | 68 | 1 | 7 | 8 | 49 | - | - | - | - | - |
| 1958-59 | Toronto (Maple Leafs) | LNH | 51 | 1 | 6 | 7 | 67 | 10 | 0 | 0 | 0 | 6 |
| 1959-60 | Toronto (Maple Leafs) | LNH | 36 | 0 | 1 | 1 | 8 | - | - | - | - | - |
|  | Detroit (Red Wings) | LNH | 9 | 0 | 1 | 1 | 2 | 2 | 0 | 0 | 0 | 0 |
| 1960-61 | Detroit (Red Wings) | LNH | 38 | 0 | 1 | 1 | 8 | - | - | - | - | - |
|  | Hershey (Bears) | AHL | 33 | 2 | 7 | 9 | 30 | 8 | 0 | 1 | 1 | 6 |
| 1961-62 | Hershey (Bears) | AHL | 70 | 3 | 18 | 21 | 42 | 7 | 1 | 2 | 3 | 6 |
| 1962-63 | Hershey (Bears) | AHL | 69 | 5 | 23 | 28 | 42 | 13 | 2 | 4 | 6 | 34 |
| 1963-64 | Hershey (Bears) | AHL | 69 | 5 | 23 | 28 | 45 | 6 | 0 | 1 | 1 | 2 |
|  | **Montréal (Canadiens)** | **LNH** | **3** | **0** | **0** | **0** | **2** | - | - | - | - | - |
| 1964-65 | Tulsa (Oilers) | CPHL | 68 | 4 | 28 | 32 | 31 | 12 | 0 | 7 | 7 | 6 |
| 1965-66 | Rochester (Americans) | AHL | 2 | 0 | 3 | 3 | 2 | - | - | - | - | - |
|  | Tulsa (Oilers) | CPHL | 68 | 8 | 25 | 33 | 43 | 11 | 1 | 0 | 1 | 0 |
| 1966-67 | Tulsa (Oilers) | CPHL | 62 | 7 | 18 | 25 | 59 | - | - | - | - | - |
|  | Rochester (Americans) | AHL | 2 | 0 | 0 | 0 | 0 | - | - | - | - | - |
| 1967-68 | Rochester (Americans) | AHL | 70 | 8 | 22 | 30 | 40 | 11 | 2 | 4 | 6 | 10 |
| 1968-69 | Rochester (Americans) | AHL | 11 | 0 | 6 | 6 | 6 | - | - | - | - | - |
|  | Vancouver (Canucks) | WHL | 59 | 4 | 19 | 23 | 31 | 8 | 2 | 1 | 3 | 6 |
| 1969-70 | Vancouver (Canucks) | WHL | 72 | 10 | 25 | 35 | 36 | 11 | 2 | 11 | 13 | 6 |
| 1970-71 | Vancouver (Canucks) | LNH | 27 | 0 | 1 | 1 | 10 | - | - | - | - | - |
|  | Rochester (Americans) | AHL |  |  |  |  |  |  |  |  |  |  |
|  |  | **LNH** | **344** | **8** | **43** | **51** | **273** | **21** | **0** | **2** | **2** | **28** |
|  |  | **Montréal** | **3** | **0** | **0** | **0** | **2** | - | - | - | - | - |

• **Coupe Calder (AHL) en 1954-55, 1967-68 • Première équipe d'étoiles (AHL) en 1962-63**
• **Deuxième équipe d'étoiles (AHL) en 1967-68 • Trophée Eddie-Shore (AHL) en 1962-63**
• **Deuxième équipe d'étoiles (CHL) en 1965-66 • Première équipe d'étoiles (WHL) en 1969-70 • Trophée Hal-Laycoe (WHL) en 1969-70**
• Échangé à Detroit par Toronto pour Red Kelly le 10 février 1960 • Échangé à Hershey (AHL) par Detroit avec Pete Conacher et Jack McIntyre pour Howie Young en janvier 1961 • Échangé à Montréal par Hersey (AHL) pour Ralph Keller et Chuck Hamilton le 11 juin 1963 • Réclamé par Toronto (Tulsa – CHL) de Montréal lors du repêchage inter-ligues le 9 juin 1964

## REAY, WILLIAM (BILLY)

**Né à Winnipeg. Manitoba, le 21 août 1918. Centre, lance de la gauche, 5'7", 155 lb**

| SAISON | CLUB | LIGUE | PJ | B | A | PTS | PUN | PJ | B | A | PTS | PUN |
|---|---|---|---|---|---|---|---|---|---|---|---|---|
| 1936-37 | St. Boniface (Seals) | MJHL | 15 | 4 | 4 | 8 | 6 | 7 | 1 | 0 | 1 | 2 |
| 1937-38 | St. Boniface (Seals) | MJHL | 15 | 15 | 7 | 22 | 14 | 10 | 5 | 5 | 10 | 12 |
|  | Winnipeg Hudson's Bay | WSHL |  |  |  |  |  |  |  |  |  |  |
| 1938-39 | Calgary (Stampeders) | CCSHL | 32 | 11 | 8 | 19 | 44 | - | - | - | - | - |
| 1939-40 | Omaha (Knights) | AHA | 48 | 18 | 20 | 38 | 23 | 9 | 6 | 1 | 7 | 4 |
| 1940-41 | Omaha (Knights) | AHA | 46 | 18 | 22 | 40 | 40 | - | - | - | - | - |

| SAISON | CLUB | LIGUE | PJ | B | A | PTS | PUN | PJ | B | A | PTS | PUN |
|---|---|---|---|---|---|---|---|---|---|---|---|---|
| 1941-42 | Québec (As) | LHSQ | 1 | 1 | 0 | 1 | 0 | 7 | 1 | 3 | 4 | 4 |
| | Québec (As) | Allan | 11 | 6 | 3 | 9 | 8 | - | - | - | - | - |
| 1942-43 | Québec (As) | LHSQ | 29 | 16 | 26 | 42 | 22 | 4 | 2 | 0 | 2 | 2 |
| 1943-44 | Québec (As) | LHSQ | 25 | 15 | *31 | 46 | 19 | 5 | 2 | 7 | 9 | 2 |
| | Detroit (Red Wings) | LNH | 2 | 2 | 0 | 2 | 0 | - | - | - | - | - |
| | Québec (As) | Allan | 9 | 3 | 9 | 12 | 0 | - | - | - | - | - |
| 1944-45 | Québec (As) | LHSQ | 20 | 17 | 29 | 46 | 6 | 7 | 3 | 1 | 4 | 4 |
| | Detroit (Red Wings) | LNH | 2 | 0 | 0 | 0 | 0 | - | - | - | - | - |
| | Québec (As) | Allan | 3 | 0 | 0 | 0 | 0 | - | - | - | - | - |
| 1945-46 | Montréal (Canadiens) | LNH | 44 | 17 | 12 | 29 | 10 | 9 | 1 | 2 | 3 | 4 |
| 1946-47 | Montréal (Canadiens) | LNH | 59 | 22 | 20 | 42 | 17 | 11 | 6 | 1 | 7 | 14 |
| 1947-48 | Montréal (Canadiens) | LNH | 60 | 6 | 14 | 20 | 24 | - | - | - | - | - |
| 1948-49 | Montréal (Canadiens) | LNH | 60 | 22 | 23 | 45 | 33 | 7 | 1 | 5 | 6 | 4 |
| 1949-50 | Montréal (Canadiens) | LNH | 68 | 19 | 26 | 45 | 48 | 4 | 0 | 1 | 1 | 0 |
| 1950-51 | Montréal (Canadiens) | LNH | 60 | 6 | 18 | 24 | 24 | 11 | 3 | 3 | 6 | 10 |
| 1951-52 | Montréal (Canadiens) | LNH | 68 | 7 | 34 | 41 | 20 | 10 | 2 | 2 | 4 | 7 |
| 1952-53 | Montréal (Canadiens) | LNH | 56 | 4 | 15 | 19 | 26 | 11 | 0 | 2 | 2 | 4 |
| | Match des étoiles | LNH | 1 | 0 | 0 | 0 | 0 | - | - | - | - | - |
| 1953-54 | Victoria (Cougars) | WHL | 69 | 10 | 14 | 24 | 30 | 5 | 0 | 0 | 0 | 2 |
| 1954-55 | Victoria (Cougars) | WHL | 70 | 3 | 28 | 31 | 43 | 5 | 1 | 1 | 2 | 4 |
| | **LNH** | | **479** | **105** | **162** | **267** | **202** | **63** | **13** | **16** | **29** | **43** |
| | **Montréal** | | **475** | **103** | **162** | **265** | **202** | **63** | **13** | **16** | **29** | **43** |

• Coupe Memorial en 1937-38 • Trophée Vimy (LHSQ) en 1944-45 • Coupe Stanley (LNH) en 1945-46, 1952-53 • Match des étoiles (LNH) en 1952-53

• Signe avec Detroit le 2 octobre 1939 • Échangé à Montréal par Detroit pour Ray Getliffe, Rolland Rossignol et une somme d'argent le 11 septembre 1945 (Detroit reçoit Fernand Gauthier comme compensation de la retraite de Ray Getliffe le 18 octobre 1945) • Nommé joueur-entraîneur à Victoria (WHL) le 25 juin 1953

## RECCHI, MARK

Né à Kamloops, Colombie-Britanique, le 1er février 1968. Ailier droit, lance de la gauche, 5'10", 185 lb. (4e choix de Pittsburgh, 67e au total lors du repêchage de 1988)

| SAISON | CLUB | LIGUE | PJ | B | A | PTS | PUN | PJ | B | A | PTS | PUN |
|---|---|---|---|---|---|---|---|---|---|---|---|---|
| 1984-85 | Langley (Eagles) | BCJHL | 51 | 26 | 39 | 65 | 39 | - | - | - | - | - |
| | New Westminster (Bruins) | WHL | 4 | 1 | 0 | 1 | 0 | - | - | - | - | - |
| 1985-86 | New Westminster (Bruins) | WHL | 72 | 21 | 40 | 61 | 55 | - | - | - | - | - |
| 1986-87 | Kamloops (Blazers) | WHL | 40 | 26 | 50 | 76 | 63 | 13 | 3 | 16 | 19 | 17 |
| 1987-88 | Kamloops (Blazers) | WHL | 62 | 61 | *93 | 154 | 75 | 17 | 10 | *21 | *31 | 18 |
| | Canada | CMJ | 7 | 0 | 5 | 5 | 4 | - | - | - | - | - |
| 1988-89 | Muskegon (Lumberjacks) | IHL | 63 | 50 | 49 | 99 | 86 | 14 | 7 | *14 | *21 | 28 |
| | Pittsburgh (Penguins) | LNH | 15 | 1 | 1 | 2 | 0 | - | - | - | - | - |
| 1989-90 | Muskegon (Lumberjacks) | IHL | 4 | 7 | 4 | 11 | 2 | - | - | - | - | - |
| | Pittsburgh (Penguins) | LNH | 74 | 30 | 37 | 67 | 44 | - | - | - | - | - |
| | Canada | CM | 5 | 0 | 2 | 2 | 2 | - | - | - | - | - |
| 1990-91 | Pittsburgh (Penguins) | LNH | 78 | 40 | 73 | 113 | 48 | 24 | 10 | 24 | 34 | 33 |
| | Match des étoiles | LNH | 1 | 0 | 0 | 0 | 0 | - | - | - | - | - |
| 1991-92 | Pittsburgh (Penguins) | LNH | 58 | 33 | 37 | 70 | 78 | - | - | - | - | - |
| | Philadelphie (Flyers) | LNH | 22 | 10 | 17 | 27 | 18 | - | - | - | - | - |
| 1992-93 | Philadelphie (Flyers) | LNH | 84 | 53 | 70 | 123 | 95 | - | - | - | - | - |
| | Canada | CM | 8 | 2 | 5 | 7 | 2 | - | - | - | - | - |
| | Match des étoiles | LNH | 1 | 1 | 4 | 5 | 0 | - | - | - | - | - |
| 1993-94 | Philadelphie (Flyers) | LNH | 84 | 40 | 67 | 107 | 46 | - | - | - | - | - |
| | Match des étoiles | LNH | 1 | 0 | 0 | 0 | 0 | - | - | - | - | - |
| 1994-95 | Philadelphie (Flyers) | LNH | 10 | 2 | 3 | 5 | 12 | - | - | - | - | - |
| | Montréal (Canadiens) | LNH | 39 | 14 | 29 | 43 | 16 | - | - | - | - | - |
| 1995-96 | Montréal (Canadiens) | LNH | 82 | 28 | 50 | 78 | 69 | 6 | 3 | 3 | 6 | 0 |
| 1996-97 | Montréal (Canadiens) | LNH | 82 | 34 | 46 | 80 | 58 | 5 | 4 | 2 | 6 | 4 |
| | Match des étoiles | LNH | 1 | 3 | 0 | 3 | 0 | - | - | - | - | - |
| | Canada | CDM | 9 | 3 | 3 | 6 | 0 | - | - | - | - | - |
| 1997-98 | Montréal (Canadiens) | LNH | 82 | 32 | 42 | 74 | 51 | 10 | 4 | 8 | 12 | 6 |
| | Match des étoiles | LNH | 1 | 0 | 1 | 1 | 0 | - | - | - | - | - |
| | Canada | JO | 5 | 0 | 2 | 2 | 0 | - | - | - | - | - |
| 1998-99 | Montréal (Canadiens) | LNH | 61 | 12 | 35 | 47 | 28 | - | - | - | - | - |
| | Match des étoiles | LNH | 1 | 1 | 1 | 2 | 0 | - | - | - | - | - |
| | Philadelphie (Flyers) | LNH | 10 | 4 | 2 | 6 | 6 | 6 | 0 | 1 | 1 | 2 |
| 1999-20 | Philadelphie (Flyers) | LNH | 82 | 28 | 63 | 91 | 50 | 18 | 6 | 12 | 18 | 6 |
| | Match des étoiles | LNH | 1 | 0 | 1 | 1 | 0 | - | - | - | - | - |
| 2000-01 | Philadelphie (Flyers) | LNH | 69 | 27 | 50 | 77 | 33 | 6 | 2 | 2 | 4 | 2 |
| 2001-02 | Philadelphie (Flyers) | LNH | 80 | 22 | 42 | 64 | 46 | 4 | 0 | 0 | 0 | 2 |
| 2002-03 | Philadelphie (Flyers) | LNH | 79 | 20 | 32 | 52 | 35 | 13 | 3 | 10 | 13 | 2 |
| | **LNH** | | **1091** | **430** | **696** | **1126** | **733** | **92** | **36** | **55** | **91** | **55** |
| | **Montréal** | | **346** | **120** | **202** | **322** | **222** | **21** | **11** | **13** | **24** | **10** |

• Équipe d'étoiles, Division Ouest (WHL) en 1987-88 • Deuxième équipe d'étoiles (AHL) en 1967-68 • Médaille d'or (CMJ) en 1988 • Deuxième équipe d'étoiles (IHL) en 1988-89 • Coupe Stanley (LNH) en 1990-91 • Deuxième équipe d'étoiles (LNH) en 1991-92 • Match des étoiles (LNH) en 199-91, 1992-93, 1993-94, 1996-97, 1997-98, 1998-99, 1999-20 • Médaille d'or (CM) en 1997

• Échangé à Philadelphie par Pittsburgh avec Brian Benning et le 1er choix de Los Angeles (propriété de Pittsburgh suite à une transaction antérieure, Philadelphie sélectionne Jason Bowen) au repêchage de 1992 pour Rick Tocchet, Kjell Samuelsson, Ken Wregget et le choix de 3e ronde de Philadelphie au repêchage de 1993 (Dave Roche) le 19 février 1992 • Échangé à Montréal par Philadelphie avec le choix de 3e ronde de Philadelphie au repêchage de 1995 (Martin Hohenberger) pour Éric Desjardins, Gilbert Dionne et John LeClair le 9 février 1995 • Échangé à Philadelphie par Montréal pour Danius Zubrus, le choix de 2e ronde de Philadelphie au repêchage de 1999 (Matt Carkner) et le choix de 6e ronde des Islanders de New York (propriété de Philadelphie suite à une transaction antérieure, Montréal sélectionne Scott Selig) le 10 mars 1999

## REDMOND, MICHAEL (MICKEY)

Né à Kirkland Lake, Ontario, le 27 décembre 1947
Ailier droit, lance de la droite, 5'11", 185 lb

| SAISON | CLUB | LIGUE | PJ | B | A | PTS | PUN | PJ | B | A | PTS | PUN |
|---|---|---|---|---|---|---|---|---|---|---|---|---|
| 1963-64 | Peterborough (Petes) | OHA Jr | 53 | 21 | 17 | 38 | 26 | 4 | 1 | 2 | 3 | 2 |
| 1964-65 | Peterborough (Petes) | OHA Jr | 52 | 23 | 20 | 43 | 30 | 12 | 9 | 1 | 10 | 11 |
| 1965-66 | Peterborough (Petes) | OHA Jr | 48 | 41 | 51 | 92 | 31 | 6 | 4 | 1 | 5 | 6 |
| 1966-67 | Peterborough (Petes) | OHA Jr | 48 | *51 | 44 | 95 | 44 | 6 | 2 | 5 | 7 | 14 |
| | Houston (Apollos) | CPHL | - | - | - | - | - | 5 | 3 | 2 | 5 | 2 |
| 1967-68 | Houston (Apollos) | CPHL | 15 | 9 | 8 | 17 | 9 | - | - | - | - | - |
| | Montréal (Canadiens) | LNH | 41 | 6 | 5 | 11 | 4 | 2 | 0 | 0 | 0 | 0 |
| 1968-69 | Montréal (Canadiens) | LNH | 65 | 9 | 15 | 24 | 12 | 14 | 2 | 3 | 5 | 2 |
| 1969-70 | Montréal (Canadiens) | LNH | 75 | 27 | 27 | 54 | 61 | - | - | - | - | - |
| 1970-71 | Montréal (Canadiens) | LNH | 40 | 14 | 15 | 29 | 35 | - | - | - | - | - |
| | Detroit (Red Wings) | LNH | 21 | 6 | 8 | 14 | 7 | - | - | - | - | - |
| 1971-72 | Detroit (Red Wings) | LNH | 78 | 42 | 29 | 71 | 34 | - | - | - | - | - |
| 1972-73 | Detroit (Red Wings) | LNH | 76 | 52 | 41 | 93 | 24 | - | - | - | - | - |
| | Canada | Siècle | 1 | 0 | 0 | 0 | 0 | - | - | - | - | - |
| 1973-74 | Detroit (Red Wings) | LNH | 76 | 51 | 26 | 77 | 14 | - | - | - | - | - |
| | Match des étoiles | LNH | 1 | 1 | 0 | 1 | 0 | - | - | - | - | - |
| 1974-75 | Detroit (Red Wings) | LNH | 29 | 15 | 12 | 27 | 18 | - | - | - | - | - |
| 1975-76 | Detroit (Red Wings) | LNH | 37 | 11 | 17 | 28 | 10 | - | - | - | - | - |
| | **LNH** | | **538** | **233** | **195** | **428** | **219** | **16** | **2** | **3** | **5** | **2** |
| | **Montréal** | | **221** | **56** | **62** | **118** | **112** | **16** | **2** | **3** | **5** | **2** |

• Coupe Stanley (LNH) en 1967-68, 1968-69 • Première équipe d'étoiles (LNH) en 1972-73 • Deuxième équipe d'étoiles (LNH) en 1973-74 • Match des étoiles (LNH) en 1973-74
• Échangé à Detroit par Montréal avec Guy Charron et Bill Collins pour Frank Mahovlich le 13 janvier 1971

## RIBEIRO, MIKE

Né à Montréal, Québec le 10 février 1980. Centre, lance de la gauche, 5'11", 176 lb
(2e choix de Montréal et 45e au total lors du repêchage de 1998)

| SAISON | CLUB | LIGUE | PJ | B | A | PTS | PUN | PJ | B | A | PTS | PUN |
|---|---|---|---|---|---|---|---|---|---|---|---|---|
| 1996-97 | Montréal (Cantonniers) | QAAA | 43 | 32 | 57 | 89 | 48 | - | - | - | - | - |
| 1997-98 | Rouyn-Noranda (Huskies) | LHJMQ | 67 | 40 | *85 | 125 | 55 | 6 | 3 | 1 | 4 | 0 |
| 1998-99 | Rouyn-Noranda (Huskies) | LHJMQ | 69 | *67 | *100 | *167 | 137 | 11 | 5 | 11 | 16 | 12 |
| | Fredericton (Canadien) | AHL | - | - | - | - | - | 5 | 0 | 1 | 1 | 2 |
| 1999-20 | Montréal (Canadiens) | LNH | 19 | 1 | 1 | 2 | 2 | - | - | - | - | - |
| | Québec (Citadelles) | AHL | 3 | 0 | 0 | 0 | 2 | - | - | - | - | - |
| | Canada | CMJ | 7 | 0 | 2 | 2 | 0 | - | - | - | - | - |
| | Rouyn-Noranda (Huskies) | LHJMQ | 21 | 3 | 4 | 7 | 16 | - | - | - | - | - |
| | Québec (Remparts) | LHJMQ | 21 | 17 | 28 | 45 | 30 | 11 | 3 | 20 | 23 | 38 |
| 2000-01 | Montréal (Canadiens) | LNH | 2 | 0 | 0 | 0 | 2 | - | - | - | - | - |
| | Québec (Citadelles) | AHL | 74 | 26 | 40 | 66 | 49 | 9 | 1 | 5 | 6 | 23 |
| 2001-02 | Montréal (Canadiens) | LNH | 43 | 8 | 10 | 18 | 12 | - | - | - | - | - |
| | Québec (Citadelles) | AHL | 23 | 9 | 14 | 23 | 36 | 3 | 0 | 3 | 3 | 0 |
| 2002-03 | Montréal (Canadiens) | LNH | 52 | 5 | 12 | 17 | 6 | - | - | - | - | - |
| | Hamilton (Bulldogs) | AHL | 3 | 0 | 1 | 1 | 0 | - | - | - | - | - |
| | **LNH** | | **116** | **14** | **23** | **37** | **22** | - | - | - | - | - |
| | **Montréal** | | **116** | **14** | **23** | **37** | **22** | - | - | - | - | - |

• Trophée Michel-Bergeron (LHJMQ) en 1997-98 • Trophée Paul-Dumont (LHJMQ) en 1997-98 • Deuxième équipe d'étoiles (LHJMQ) en 1997-98 • Équipe d'étoiles des recrues de la Ligue canadienne en 1997-98 • Première équipe d'étoiles (LHJMQ) en 1998-99 • Trophée Jean-Béliveau (LHJMQ) en 1998-99 • Première équipe d'étoiles de la Ligue canadienne de hockey en 1998-99 • Médaille de bronze (CMJ) en 1999-2000

## RICHARD, HENRI

Né à Montréal, Québec, le 29 février 1939. Centre, lance de la droite, 5'7", 160 lb

| SAISON | CLUB | LIGUE | PJ | B | A | PTS | PUN | PJ | B | A | PTS | PUN |
|---|---|---|---|---|---|---|---|---|---|---|---|---|
| 1951-52 | Montréal (National) | LHJQ | 49 | 23 | 32 | 55 | 35 | 4 | 1 | 0 | 1 | 0 |
| 1952-53 | Montréal (National) | LHJQ | 46 | 27 | 36 | 63 | 55 | 7 | 4 | 5 | 9 | 4 |
| | Montréal (Royals) | LHMQ | - | - | - | - | - | - | - | - | - | - |
| 1953-54 | Montréal (Canadien Jr) | LHJQ | 54 | *56 | *53 | *109 | 85 | 7 | 6 | 7 | 13 | 6 |
| 1954-55 | Montréal (Canadien Jr) | LHJQ | 44 | *33 | 33 | *66 | 65 | 4 | 3 | 1 | 4 | 2 |
| 1955-56 | Montréal (Canadiens) | LNH | 64 | 19 | 21 | 40 | 46 | 10 | 4 | 4 | 8 | 21 |
| 1956-57 | Montréal (Canadiens) | LNH | 63 | 18 | 36 | 54 | 71 | 10 | 2 | 8 | 10 | 8 |
| | Match des étoiles | LNH | 1 | 0 | 0 | 0 | 0 | - | - | - | - | - |
| 1957-58 | Montréal (Canadiens) | LNH | 67 | 28 | *52 | 80 | 56 | 10 | 1 | 7 | 8 | 11 |
| | Match des étoiles | LNH | 1 | 1 | 0 | 1 | 0 | - | - | - | - | - |
| 1958-59 | Montréal (Canadiens) | LNH | 63 | 21 | 30 | 51 | 33 | 11 | 3 | 8 | 11 | 13 |
| | Match des étoiles | LNH | 1 | 1 | 2 | 3 | 0 | - | - | - | - | - |
| 1959-60 | Montréal (Canadiens) | LNH | 70 | 30 | 43 | 73 | 66 | 8 | 3 | 9 | *12 | 9 |
| | Match des étoiles | LNH | 1 | 0 | 0 | 0 | 0 | - | - | - | - | - |
| 1960-61 | Montréal (Canadiens) | LNH | 70 | 24 | 44 | 68 | 91 | 6 | 2 | 4 | 6 | 22 |
| | Match des étoiles | LNH | 1 | 0 | 0 | 0 | 0 | - | - | - | - | - |
| 1961-62 | Montréal (Canadiens) | LNH | 54 | 21 | 29 | 50 | 48 | - | - | - | - | - |
| 1962-63 | Montréal (Canadiens) | LNH | 67 | 23 | *50 | 73 | 57 | 5 | 1 | 1 | 2 | 2 |
| 1963-64 | Montréal (Canadiens) | LNH | 66 | 14 | 39 | 53 | 73 | 7 | 1 | 1 | 2 | 9 |
| | Match des étoiles | LNH | 1 | 1 | 0 | 1 | 0 | - | - | - | - | - |
| 1964-65 | Montréal (Canadiens) | LNH | 53 | 23 | 29 | 52 | 43 | 13 | 4 | 7 | 11 | 24 |
| 1965-66 | Montréal (Canadiens) | LNH | 62 | 22 | 39 | 61 | 47 | 8 | 1 | 4 | 5 | 2 |
| | Match des étoiles | LNH | 1 | 0 | 0 | 0 | 0 | - | - | - | - | - |
| 1966-67 | Montréal (Canadiens) | LNH | 65 | 21 | 34 | 55 | 28 | 10 | 4 | 6 | 10 | 2 |
| | Match des étoiles | LNH | 1 | 1 | 1 | 2 | 2 | - | - | - | - | - |
| 1967-68 | Montréal (Canadiens) | LNH | 54 | 9 | 19 | 28 | 16 | 13 | 4 | 6 | 10 | 8 |
| 1968-69 | Montréal (Canadiens) | LNH | 64 | 15 | 37 | 52 | 45 | 14 | 2 | 4 | 6 | 8 |
| 1969-70 | Montréal (Canadiens) | LNH | 62 | 16 | 36 | 52 | 61 | - | - | - | - | - |
| 1970-71 | Montréal (Canadiens) | LNH | 75 | 12 | 37 | 49 | 46 | 20 | 5 | 7 | 12 | 20 |
| 1971-72 | Montréal (Canadiens) | LNH | 75 | 12 | 32 | 44 | 48 | 6 | 3 | 0 | 3 | 4 |
| 1972-73 | Montréal (Canadiens) | LNH | 71 | 8 | 35 | 43 | 21 | 17 | 6 | 4 | 10 | 14 |
| 1973-74 | Montréal (Canadiens) | LNH | 75 | 19 | 36 | 55 | 28 | | | | | |

| SAISON | CLUB | LIGUE | PJ | B | A | PTS | PUN | PJ | B | A | PTS | PUN |
|---|---|---|---|---|---|---|---|---|---|---|---|---|
| Match des étoiles | | LNH | 1 | 0 | 0 | 0 | 0 | | | | | |
| 1974-75 | Montréal (Canadiens) | LNH | 16 | 3 | 10 | 13 | 4 | 6 | 1 | 2 | 3 | 4 |
| | | LNH | 1256 | 358 | 688 | 1046 | 928 | 180 | 49 | 80 | 129 | 181 |
| | | Montréal | 1256 | 358 | 688 | 1046 | 928 | 180 | 49 | 80 | 129 | 181 |

• Coupe Stanley (LNH) en 1955-56, 1956-57, 1957-58, 1958-59, 1959-60, 1964-65, 1965-66, 1967-68, 1968-69, 1970-71, 1972-73 • Match des étoiles (LNH) en 1956-57, 1957-58, 1958-59, 1959-60, 1960-61, 1961-62, 1963-64, 1965-66, 1966-67, 1973-74 • Première équipe d'étoiles (LNH) en 1957-58 • Deuxième équipe d'étoiles (LNH) en 1958-59, 1960-61, 1962-63 • Trophée Bill-Masterton (LNH) en 1973-74 • Temple de la Renommée (LNH) en 1979

## RICHARD, MAURICE (ROCKET)

Né à Montréal, Québec, le 4 août 1921, décédé le 27 mai 2000
Ailier droit, lance de la gauche, 5'10", 195 lb

| SAISON | CLUB | LIGUE | PJ | B | A | PTS | PUN | PJ | B | A | PTS | PUN |
|---|---|---|---|---|---|---|---|---|---|---|---|---|
| 1938-39 | Saint-Georges (Norchet) | AHAQ | 46 | 90 | 46 | 136 | - | | | | | |
| 1939-40 | Verdun (Maple Leafs Jr) | LHJQ | 10 | 4 | 1 | 5 | 2 | 4 | *6 | *3 | *9 | 2 |
| | Verdun (Maple Leafs) | LHSQ | 1 | 0 | 0 | 0 | 0 | | | | | |
| | Verdun (Maple Leafs Jr) | Mem. | 7 | 7 | 9 | 16 | 16 | | | | | |
| 1940-41 | Montréal (Canadien Sr) | LHSQ | 1 | 0 | 1 | 1 | 0 | | | | | |
| 1941-42 | Montréal (Canadien Sr) | LHSQ | 31 | 8 | 9 | 17 | 27 | 6 | 2 | 1 | 3 | 6 |
| 1942-43 | Montréal (Canadiens) | LNH | 16 | 5 | 6 | 11 | 4 | - | | | | |
| 1943-44 | Montréal (Canadiens) | LNH | 46 | 32 | 22 | 54 | 45 | 9 | *12 | 5 | 17 | 10 |
| 1944-45 | Montréal (Canadiens) | LNH | 50 | *50 | 23 | 73 | 46 | 6 | 6 | 2 | 8 | 10 |
| 1945-46 | Montréal (Canadiens) | LNH | 50 | 27 | 21 | 48 | 50 | 9 | *7 | 4 | 11 | 15 |
| 1946-47 | Montréal (Canadiens) | LNH | 60 | *45 | 26 | 71 | 69 | 10 | *6 | 5 | *11 | *44 |
| 1947-48 | Montréal (Canadiens) | LNH | 53 | 28 | 25 | 53 | 89 | - | | | | |
| | Match des étoiles | LNH | 1 | 1 | 1 | 2 | 0 | | | | | |
| 1948-49 | Montréal (Canadiens) | LNH | 59 | 20 | 18 | 38 | 110 | 7 | 2 | 1 | 3 | 14 |
| | Match des étoiles | LNH | 1 | 0 | 1 | 1 | 0 | | | | | |
| 1949-50 | Montréal (Canadiens) | LNH | 70 | *43 | 22 | 65 | 114 | 5 | 1 | 1 | 2 | 6 |
| | Match des étoiles | LNH | 1 | 0 | 0 | 0 | 0 | | | | | |
| 1950-51 | Montréal (Canadiens) | LNH | 65 | 42 | 24 | 66 | 97 | 11 | *9 | 4 | *13 | 13 |
| | Match des étoiles | LNH | 1 | 0 | 0 | 0 | 0 | | | | | |
| 1951-52 | Montréal (Canadiens) | LNH | 48 | 27 | 17 | 44 | 44 | 11 | 4 | 2 | 6 | 6 |
| | Match des étoiles | LNH | 1 | 0 | 1 | 1 | 0 | | | | | |
| 1952-53 | Montréal (Canadiens) | LNH | 70 | 28 | 33 | 61 | *112 | 12 | 7 | 1 | 8 | 2 |
| | Match des étoiles | LNH | 1 | 1 | 0 | 1 | 2 | | | | | |
| 1953-54 | Montréal (Canadiens) | LNH | 70 | *37 | 30 | 67 | 112 | 11 | 3 | 0 | 3 | 22 |
| | Match des étoiles | LNH | 1 | 1 | 1 | 2 | 0 | | | | | |
| 1954-55 | Montréal (Canadiens) | LNH | 67 | *38 | 36 | 74 | 125 | - | | | | |
| | Match des étoiles | LNH | 1 | 0 | 0 | 0 | 0 | | | | | |
| 1955-56 | Montréal (Canadiens) | LNH | 70 | 38 | 33 | 71 | 89 | 10 | 5 | 9 | 14 | *24 |
| | Match des étoiles | LNH | 1 | 0 | 1 | 1 | 0 | | | | | |
| 1956-57 | Montréal (Canadiens) | LNH | 63 | 33 | 29 | 62 | 74 | 10 | 8 | 3 | 11 | 8 |
| | Match des étoiles | LNH | 1 | 0 | 1 | 1 | 0 | | | | | |
| 1957-58 | Montréal (Canadiens) | LNH | 28 | 15 | 19 | 34 | 28 | 10 | *11 | 4 | 15 | 10 |
| | Match des étoiles | LNH | 1 | 0 | 0 | 0 | 0 | | | | | |
| 1958-59 | Montréal (Canadiens) | LNH | 42 | 17 | 21 | 38 | 27 | 4 | 0 | 0 | 0 | 2 |
| | Match des étoiles | LNH | 1 | 2 | 0 | 2 | 0 | | | | | |
| 1959-60 | Montréal (Canadiens) | LNH | 51 | 19 | 16 | 35 | 50 | 8 | 1 | 3 | 4 | 2 |
| | Match des étoiles | LNH | 1 | 0 | 0 | 0 | 0 | | | | | |
| | | LNH | 978 | 544 | 421 | 965 | 1285 | 133 | 82 | 44 | 126 | 188 |
| | | Montréal | 978 | 544 | 421 | 965 | 1285 | 133 | 82 | 44 | 126 | 188 |

• Première équipe d'étoiles (LNH) en 1944-45, 1945-46, 1946-47, 1947-48, 1948-49, 1949-50, 1954-55, 1955-56 • Deuxième équipe d'étoiles (LNH) en 1943-44, 1950-51, 1951-52, 1952-53, 1953-54, 1956-57 • Coupe Stanley (LNH) en 1943-44, 1945-46, 1952-53, 1955-56, 1956-57, 1957-58, 1958-59, 1959-60 • Trophée Hart (LNH) en 1946-47 • Match des étoiles (LNH) en 1947-48, 1948-49, 1949-50, 1950-51, 1951-52, 1952-53, 1953-54, 1954-55, 1955-56, 1956-57, 1957-58, 1958-59, 1959-60 • Temple de la Renommée (LNH) en 1961
• Signe avec Montréal le 29 octobre 1942

## RICHER, STÉPHANE

Né à Ripon, Québec, le 7 juin 1966. Ailier droit, lance de la droite, 6'2", 215 lb
(3e choix de Montréal, 29e au total lors du repêchage de 1984)

| SAISON | CLUB | LIGUE | PJ | B | A | PTS | PUN | PJ | B | A | PTS | PUN |
|---|---|---|---|---|---|---|---|---|---|---|---|---|
| 1982-83 | Laval (Insulaires) | QAAA | 48 | 47 | 54 | 101 | 86 | - | | | | |
| 1983-84 | Granby (Bisons) | LHJMQ | 67 | 39 | 37 | 76 | 58 | 3 | 1 | 1 | 2 | 4 |
| 1984-85 | Granby (Bisons) | LHJMQ | 30 | 30 | 27 | 57 | 31 | - | | | | |
| | Chicoutimi (Saguenéens) | LHJMQ | 27 | 31 | 32 | 63 | 40 | 12 | 13 | 13 | 26 | 25 |
| | Canada | CMJ | 7 | 4 | 3 | 7 | 2 | - | | | | |
| | Montréal (Canadiens) | LNH | 1 | 0 | 0 | 0 | 0 | - | | | | |
| | Sherbrooke (Canadien) | AHL | - | | | | | 9 | 6 | 3 | 9 | 10 |
| 1985-86 | Montréal (Canadiens) | LNH | 65 | 21 | 16 | 37 | 50 | 16 | 4 | 1 | 5 | 23 |
| 1986-87 | Montréal (Canadiens) | LNH | 57 | 20 | 19 | 39 | 80 | 5 | 3 | 2 | 5 | 0 |
| | Sherbrooke (Canadien) | AHL | 12 | 10 | 4 | 14 | 11 | - | | | | |
| 1987-88 | Montréal (Canadiens) | LNH | 72 | 50 | 28 | 78 | 72 | 8 | 7 | 5 | 12 | 6 |
| 1988-89 | Montréal (Canadiens) | LNH | 68 | 25 | 35 | 60 | 61 | 21 | 6 | 5 | 11 | 14 |
| 1989-90 | Montréal (Canadiens) | LNH | 75 | 51 | 40 | 91 | 46 | 9 | 7 | 3 | 10 | 2 |
| | Match des étoiles | LNH | 1 | 0 | 0 | 0 | 0 | | | | | |
| 1990-91 | Montréal (Canadiens) | LNH | 75 | 31 | 30 | 61 | 53 | 13 | 9 | 5 | 14 | 6 |
| 1991-92 | New Jersey (Devils) | LNH | 74 | 29 | 35 | 64 | 25 | 7 | 1 | 2 | 3 | 0 |
| 1992-93 | New Jersey (Devils) | LNH | 78 | 38 | 35 | 73 | 44 | 5 | 2 | 2 | 4 | 2 |
| 1993-94 | New Jersey (Devils) | LNH | 80 | 36 | 36 | 72 | 16 | 20 | 7 | 5 | 12 | 6 |
| 1994-95 | New Jersey (Devils) | LNH | 45 | 23 | 16 | 39 | 10 | 19 | 6 | 15 | 21 | 2 |
| 1995-96 | New Jersey (Devils) | LNH | 73 | 20 | 12 | 32 | 30 | - | | | | |
| 1996-97 | Montréal (Canadiens) | LNH | 63 | 22 | 24 | 46 | 32 | 5 | 0 | 0 | 0 | 0 |
| 1997-98 | Montréal (Canadiens) | LNH | 14 | 1 | 6 | 7 | 9 | - | | | | |
| | Tampa Bay (Lightning) | LNH | 26 | 9 | 11 | 20 | 6 | - | | | | |
| 1998-99 | Tampa Bay (Lightning) | LNH | 64 | 12 | 21 | 33 | 22 | - | | | | |
| 1999-20 | Tampa Bay (Lightning) | LNH | 20 | 7 | 9 | 16 | 6 | - | | | | |
| | Detroit (Vipers) | IHL | 2 | 0 | 0 | 0 | 0 | - | | | | |
| | St. Louis (Blues) | LNH | 36 | 8 | 17 | 25 | 14 | 3 | 1 | 0 | 1 | |
| 2000-01 | | | N'a pas joué | | | | | | | | | |
| 2001-02 | Pittsburgh (Penguins) | LNH | 58 | 13 | 12 | 25 | 14 | - | | | | |
| | New Jersey (Devils) | LNH | 10 | 1 | 2 | 3 | 0 | 3 | 0 | 0 | 0 | 0 |
| | | LNH | 1054 | 421 | 398 | 819 | 614 | 134 | 53 | 45 | 98 | 61 |
| | | Montréal | 490 | 225 | 196 | 421 | 399 | 77 | 36 | 21 | 57 | 51 |

• Trophée Michel-Bergeron (LHJMQ) en 1983-84 • Meilleur joueur offensif (LHJMQ) en 1983-84 • Coupe Calder (AHL) en 1984-85 • Médaille d'or (CMJ) en 1985 • Deuxième équipe d'étoiles (LHJMQ) en 1984-85 • Coupe Stanley (LNH) en 1985-86, 1994-95 • Match des étoiles (LNH) en 1989-90
• Échangé au New Jersey par Montréal avec Tom Chorske pour Kirk Muller et Roland Melanson le 20 septembre 1991 • Échangé à Montréal par New Jersey pour Lyle Odelein le 22 août 1996 • Échangé à Tampa Bay par Montréal avec Darcy Tucker et David Wilkie pour Igor Ulanov, Patrick Poulin et Mick Vukota le 15 janvier 1998 • Échangé à St. Louis par Tampa Bay pour Rich Parent et Chris McAlpine le 13 janvier 2000 • Signe avec Washington comme agent libre le 25 août 2000 • Signe avec Pittsburgh comme agent libre le 2 octobre 2001 • Échangé au New Jersey par Pittsburgh pour un choix au repêchage de 2003 le 19 mars 2002

## RICHTER, BARRY

Né à Madison, Wisconsin, le 11 septembre 1970. Défenseur, lance de la gauche, 6'2", 200 lb (2e choix de Hartford, 32e au total lors du repêchage de 1988)

| SAISON | CLUB | LIGUE | PJ | B | A | PTS | PUN | PJ | B | A | PTS | PUN |
|---|---|---|---|---|---|---|---|---|---|---|---|---|
| 1986-87 | Culver Academy Eagles | H.S. | 39 | 15 | 30 | 45 | | - | | | | |
| 1987-88 | Culver Academy Eagles | H.S. | 35 | 24 | 29 | 53 | 18 | - | | | | |
| 1988-89 | Culver Academy Eagles | H.S. | 19 | 21 | 29 | 50 | 16 | - | | | | |
| | États-Unis | CMJ | 7 | 0 | 0 | 0 | 2 | - | | | | |
| 1989-90 | Wisconsin University | WCHA | 42 | 13 | 23 | 36 | 36 | - | | | | |
| | États-Unis | CMJ | 7 | 3 | 1 | 4 | 0 | - | | | | |
| 1990-91 | Wisconsin University | WCHA | 43 | 15 | 20 | 35 | 42 | - | | | | |
| 1991-92 | Wisconsin University | WCHA | 39 | 10 | 25 | 35 | 62 | - | | | | |
| | États-Unis | CM | 4 | 1 | 0 | 1 | 4 | - | | | | |
| 1992-93 | Wisconsin University | WCHA | 42 | 14 | 32 | 46 | 74 | - | | | | |
| | États-Unis | CM | 6 | 0 | 0 | 0 | 0 | - | | | | |
| 1993-94 | États-Unis | Éq. nat. | 56 | 7 | 16 | 23 | 50 | - | | | | |
| | États-Unis | JO | 8 | 0 | 3 | 3 | 4 | - | | | | |
| | États-Unis | CM | 7 | 0 | 0 | 0 | 2 | - | | | | |
| | Binghamton (Rangers) | AHL | 21 | 0 | 3 | 3 | 8 | - | | | | |
| 1994-95 | Binghamton (Rangers) | AHL | 73 | 15 | 41 | 56 | 54 | 11 | 4 | 5 | 9 | 12 |
| 1995-96 | New York (Rangers) | LNH | 4 | 0 | 1 | 1 | 0 | - | | | | |
| | Binghamton (Rangers) | AHL | 69 | 20 | 61 | 81 | 64 | 3 | 0 | 3 | 3 | 0 |
| 1996-97 | Boston (Bruins) | LNH | 50 | 5 | 13 | 18 | 32 | - | | | | |
| | Providence (Bruins) | AHL | 19 | 2 | 6 | 8 | 4 | 10 | 4 | 4 | 8 | 4 |
| 1997-98 | Providence (Bruins) | AHL | 75 | 16 | 29 | 45 | 47 | - | | | | |
| 1998-99 | New York (Islanders) | LNH | 72 | 6 | 18 | 24 | 34 | - | | | | |
| | États-Unis | CM | 9 | 0 | 0 | 0 | 0 | - | | | | |
| 1999-20 | Montréal (Canadiens) | LNH | 23 | 0 | 2 | 2 | 8 | - | | | | |
| | Québec (Citadelles) | AHL | 2 | 0 | 0 | 0 | 0 | - | | | | |
| | Manitoba (Moose) | IHL | 19 | 5 | 4 | 9 | 6 | 2 | 1 | 1 | 2 | 0 |
| 2000-01 | Montréal (Canadiens) | LNH | 2 | 0 | 0 | 0 | 2 | - | | | | |
| | Québec (Citadelles) | AHL | 68 | 4 | 47 | 51 | 45 | 6 | 0 | 3 | 3 | 2 |
| 2001-02 | Linkopings HC | SWE | 44 | 5 | 12 | 17 | 82 | - | | | | |
| 2002-03 | Linkopings HC | SWE | 44 | 6 | 10 | 16 | 74 | - | | | | |
| | HC Lucano | SUI | | | | | | 9 | 2 | 1 | 3 | 8 |
| | | LNH | 151 | 11 | 34 | 45 | 76 | - | | | | |
| | | Montréal | 25 | 0 | 2 | 2 | 10 | - | | | | |

• Équipe d'étoiles du championnat de la NCAA en 1991-92 • Première équipe d'étoiles (WCHA) en 1992-93 • Première équipe d'étoiles All-American Division Ouest (NCAA) en 1992-93 • Première équipe d'étoiles (AHL) en 1995-96 • Trophée Eddie-Shore (AHL) en 1995-96
• Échangé à New York (Rangers) par Hartford avec Steve Larmer, Nick Kypreos et le 6e choix de Hartford au repêchage de 1994 (Yuri Litinov) pour Darren Turcotte et James Patrick le 2 novembre 1993 • Signe avec Boston comme agent libre le 19 juillet 1996 • Signe avec New York (Islanders) comme agent libre le 17 août 1998 • Signe avec Montréal comme agent libre le 20 août 1999 • Prêté au Manitoba (IHL) par Montréal pour le prêt de Patrice Tardif à Québec (AHL) le 3 mars 2000

## RILEY, JOHN (JACK)

Né à Berckenla, Irlande, le 29 décembre 1910. Centre, lance de la gauche, 5'11", 160 lb

| SAISON | CLUB | LIGUE | PJ | B | A | PTS | PUN | PJ | B | A | PTS | PUN |
|---|---|---|---|---|---|---|---|---|---|---|---|---|
| 1926-27 | Calgary (Canadians) | CCJHL | 6 | 11 | 3 | 14 | | - | | | | |
| | Calgary (Canadians) | Mem. | 2 | 0 | 0 | 0 | 0 | - | | | | |
| 1927-28 | Vancouver (King George) | VCAHL | 8 | 5 | 0 | 5 | 2 | 3 | 3 | 0 | 3 | 0 |
| 1928-29 | Calgary (Canadians) | CCJHL | Statistiques non disponibles | | | | | | | | | |
| 1929-30 | Seattle (Eskimos) | PCHL | 5 | 0 | 0 | 0 | 0 | - | | | | |
| 1930-31 | Minneapolis (Millers) | AHA | 16 | 4 | 2 | 6 | 0 | - | | | | |
| | Chicago (Shamrocks) | AHA | 26 | 8 | 6 | 14 | 0 | - | | | | |
| 1931-32 | Chicago (Shamrocks) | AHA | 46 | 17 | 16 | 33 | 28 | 4 | 3 | 0 | 3 | 0 |
| 1932-33 | Detroit/Cleveland | IHL | 42 | 10 | 15 | 25 | 20 | - | | | | |
| | Detroit (Red Wings) | LNH | | | | | | - | | | | |
| 1933-34 | Montréal (Canadiens) | LNH | 48 | 6 | 11 | 17 | 4 | 2 | 0 | 1 | 1 | 0 |
| 1934-35 | Montréal (Canadiens) | LNH | 47 | 4 | 11 | 15 | 4 | 2 | 0 | 2 | 2 | 0 |
| 1935-36 | Boston (Cubs) | Can-Am | 30 | 3 | 10 | 13 | 8 | - | | | | |
| | Boston (Bruins) | LNH | | | | | | - | | | | |
| 1936-37 | Tulsa (Oilers) | AHA | 48 | 14 | 17 | 31 | 16 | - | | | | |
| 1937-38 | Tulsa (Oilers) | AHA | 47 | 13 | 23 | 36 | 19 | 4 | 1 | 0 | 1 | 2 |
| 1938-39 | Tulsa (Oilers) | AHA | 43 | 16 | 25 | 41 | 14 | 6 | 1 | 0 | 1 | 2 |
| 1939-40 | Wichita (Skyhawks) | AHA | 44 | 19 | 18 | 37 | 19 | - | | | | |
| 1940-41 | Vancouver (Lions) | PCHL | 37 | 16 | *40 | 56 | 14 | 6 | 2 | 1 | 3 | 0 |
| 1941-42 | Philadelphie (Rockets) | AHL | 2 | 1 | 0 | 1 | 0 | - | | | | |
| | Hershey (Bears) | AHL | 6 | 3 | 0 | 3 | 0 | 10 | 0 | 0 | 0 | 0 |
| | Montréal (Pats) | LHCM | 31 | 15 | 11 | 26 | 6 | - | | | | |

| SAISON | CLUB | LIGUE | PJ | B | A | PTS | PUN | PJ | B | A | PTS | PUN |
|---|---|---|---|---|---|---|---|---|---|---|---|---|
| | | | SAISONS RÉGULIÈRES | | | | | SÉRIES ÉLIMINATOIRES | | | | |

## (suite)

| SAISON | CLUB | LIGUE | PJ | B | A | PTS | PUN | PJ | B | A | PTS | PUN |
|---|---|---|---|---|---|---|---|---|---|---|---|---|
| 1942-43 | Cornwall (Army) | LHCM | 20 | 7 | 13 | 20 | 11 | 6 | 0 | 1 | 1 | 0 |
| | Vancouver (Norvans) | PCHL | 6 | 5 | 9 | 14 | 0 | 3 | 0 | 1 | 1 | 0 |
| 1943-44 | Vancouver (St. Regis) | PCHL | 2 | 0 | 0 | 0 | 0 | - | - | - | - | - |
| 1944-45 | Hershey (Bears) | AHL | 35 | 5 | 7 | 12 | 7 | 6 | 0 | 3 | 3 | 0 |
| | **LNH** | | 104 | 10 | 22 | 32 | 8 | 4 | 0 | 3 | 3 | 0 |
| | **Montréal** | | 95 | 10 | 22 | 32 | 8 | 4 | 0 | 3 | 3 | 0 |

• Échangé à Chicago (AHA) par Minneapolis (AHA) pour George Burland et Stan Fuller le 6 janvier 1931 • Droits cédés à Détroit (LNH) à l'achat des concessions de Détroit (LNH et IHL) par les propriétaires de Chicago (AHA) le 2 septembre 1932 • Échangé à Cleveland (IHL) par Detroit avec Tony Prelesnik pour Deacon Waite le 2 décembre 1932 • Droits vendus à Montréal par Cleveland (IHL) le 11 octobre 1933 • Échangé à Boston par Montréal pour Paul Haynes le 30 septennbre 1935

### RIOPELLE, HOWARD (RIP)
**Né à Ottawa, Ontario, le 30 janvier 1922**
**Ailier gauche, lance de la gauche, 5'11", 165 lb**

| SAISON | CLUB | LIGUE | PJ | B | A | PTS | PUN | PJ | B | A | PTS | PUN |
|---|---|---|---|---|---|---|---|---|---|---|---|---|
| 1937-38 | Ottawa (Lasalle) | OCJHL | 13 | 7 | 2 | 9 | 4 | - | - | - | - | - |
| | Ottawa (Lasalle) | OCHL | 1 | 0 | 0 | 0 | 0 | - | - | - | - | - |
| 1938-39 | Ottawa (St. Pats) | OCHJL | *Statistiques non disponibles* | | | | | | | | | |
| 1939-40 | Ottawa (St. Pats) | OCJHL | *Statistiques non disponibles* | | | | | | | | | |
| 1940-41 | Ottawa (St. Pats) | OCHL | *Statistiques non disponibles* | | | | | | | | | |
| | Ottawa (Car Bombers) | UOVHL | 1 | 0 | 1 | 1 | 2 | - | - | - | - | - |
| 1941-42 | Ottawa (St. Pats) | OCJHL | - | - | - | - | - | 5 | 2 | 5 | 7 | 2 |
| 1942-43 | Toronto (RCAF) | OHA Sr | 10 | 14 | 6 | 20 | 2 | 9 | 5 | 4 | 9 | 2 |
| 1943-44 | Arnprior (RCAF) | UOVHL | 5 | 6 | 6 | 12 | 2 | - | - | - | - | - |
| 1944-45 | | | *Service militaire* | | | | | | | | | |
| 1945-46 | Montréal (Royals) | LHSQ | 36 | 20 | 21 | 41 | 16 | 11 | 7 | 6 | 13 | 4 |
| 1946-47 | Montréal (Royals) | LHSQ | 34 | 10 | 19 | 29 | 26 | 11 | 3 | 6 | 9 | 4 |
| | Montréal (Royals) | Allan | 14 | 0 | 6 | 6 | 8 | - | - | - | - | - |
| 1947-48 | **Montréal (Canadiens)** | **LNH** | 55 | 5 | 2 | 7 | 12 | - | - | - | - | - |
| 1948-49 | **Montréal (Canadiens)** | **LNH** | 48 | 10 | 6 | 16 | 34 | 7 | 1 | 1 | 2 | 2 |
| 1949-50 | **Montréal (Canadiens)** | **LNH** | 66 | 12 | 8 | 20 | 27 | 1 | 0 | 0 | 0 | 0 |
| 1950-51 | | | *N'a pas joué – Blessé* | | | | | | | | | |
| 1951-52 | Ottawa (Senators) | LHMQ | 54 | 18 | 28 | 46 | 18 | 7 | 1 | 4 | 5 | 0 |
| 1952-53 | Ottawa (Senators) | LHMQ | 60 | 20 | 31 | 51 | 20 | 11 | 3 | 7 | 10 | 4 |
| 1953-54 | Ottawa (Senators) | LHQ | 72 | 31 | *60 | *91 | 46 | 22 | 3 | 9 | 12 | 4 |
| 1954-55 | Ottawa (Senators) | LHQ | 20 | 4 | 4 | 8 | 12 | - | - | - | - | - |
| | **LNH** | | 169 | 27 | 16 | 43 | 73 | 8 | 1 | 1 | 2 | 2 |
| | **Montréal** | | 169 | 27 | 16 | 43 | 73 | 8 | 1 | 1 | 2 | 2 |

• **Deuxième équipe d'étoiles (LHMQ) en 1952-53** • **Première équipe d'étoiles (LHQ) en 1953-54** • **Trophée du Président (LHQ) en 1953-54**
• Droits vendus à Ottawa par Montréal le 4 octobre 1951

### RISEBROUGH, DOUGLAS (DOUG)
**Né à Kitchener, Ontario, le 29 janvier 1954. Centre, lance de la gauche, 5'11", 180 lb**
**(2e choix de Montréal, 7e au total lors du repêchage de 1974)**

| SAISON | CLUB | LIGUE | PJ | B | A | PTS | PUN | PJ | B | A | PTS | PUN |
|---|---|---|---|---|---|---|---|---|---|---|---|---|
| 1971-72 | Guelph GMCs | OJHL | 56 | 19 | 33 | 52 | 127 | - | - | - | - | - |
| 1972-73 | Guelph (Biltmores) | OJHL | 60 | *47 | *60 | *107 | 229 | - | - | - | - | - |
| 1973-74 | Kitchener (Rangers) | OMJHL | 46 | 25 | 27 | 52 | 114 | - | - | - | - | - |
| 1974-75 | Nlle-Écosse (Voyageurs) | AHL | 7 | 5 | 4 | 9 | 55 | - | - | - | - | - |
| | **Montréal (Canadiens)** | **LNH** | 64 | 15 | 32 | 47 | 198 | 11 | 3 | 5 | 8 | 37 |
| 1975-76 | **Montréal (Canadiens)** | **LNH** | 80 | 16 | 28 | 44 | 180 | 13 | 0 | 3 | 3 | 30 |
| 1976-77 | **Montréal (Canadiens)** | **LNH** | 78 | 22 | 38 | 60 | 132 | 12 | 2 | 3 | 5 | 16 |
| 1977-78 | **Montréal (Canadiens)** | **LNH** | 72 | 18 | 23 | 41 | 97 | 15 | 2 | 2 | 4 | 17 |
| 1978-79 | **Montréal (Canadiens)** | **LNH** | 48 | 10 | 15 | 25 | 62 | 15 | 1 | 6 | 7 | 32 |
| 1979-80 | **Montréal (Canadiens)** | **LNH** | 44 | 8 | 10 | 18 | 81 | - | - | - | - | - |
| 1980-81 | **Montréal (Canadiens)** | **LNH** | 48 | 13 | 21 | 34 | 93 | 3 | 1 | 0 | 1 | 0 |
| 1981-82 | **Montréal (Canadiens)** | **LNH** | 59 | 15 | 18 | 33 | 116 | 5 | 2 | 1 | 3 | 11 |
| 1982-83 | Calgary (Flames) | LNH | 71 | 21 | 37 | 58 | 138 | 9 | 1 | 3 | 4 | 18 |
| 1983-84 | Calgary (Flames) | LNH | 77 | 23 | 28 | 51 | 161 | 11 | 2 | 1 | 3 | 25 |
| 1984-85 | Calgary (Flames) | LNH | 15 | 7 | 5 | 12 | 49 | 4 | 0 | 3 | 3 | 12 |
| 1985-86 | Calgary (Flames) | LNH | 62 | 15 | 28 | 43 | 169 | 22 | 7 | 9 | 16 | 38 |
| 1986-87 | Calgary (Flames) | LNH | 22 | 3 | 3 | 6 | 44 | 4 | 0 | 1 | 1 | 9 |
| | **LNH** | | 740 | 185 | 286 | 471 | 1542 | 124 | 21 | 37 | 58 | 238 |
| | **Montréal** | | 493 | 117 | 185 | 302 | 959 | 74 | 11 | 20 | 31 | 143 |

• **Coupe Stanley (LNH) en 1975-76, 1976-77, 1977-78, 1978-79**
• Échangé à Calgary par Montréal avec le 2e choix de Montréal au repêchage de 1983 (cédé au Minnesota qui sélectionne Franktisek Musil) pour le 2e choix de Washington (propriété de Calgary à la suite d'une transaction antérieure) de 1983 (Todd Francis) et du 3e choix de Calgary au repêchage de 1984 (Graeme Bonar) le 10 septembre 1982

### RITCHIE, DAVID (DAVE)
**Né à Montréal, Québec, le 12 janvier 1892, décédé**
**Défenseur, lance de la droite, 5'7", 180 lb**

| SAISON | CLUB | LIGUE | PJ | B | A | PTS | PUN | PJ | B | A | PTS | PUN |
|---|---|---|---|---|---|---|---|---|---|---|---|---|
| 1909-10 | Montréal (Westmount) | LVSL | *Statistiques non disponibles* | | | | | | | | | |
| 1910-11 | Grand-Mère HC | IPAHU | *Statistiques non disponibles* | | | | | | | | | |
| 1911-12 | Grand-Mère HC | IPAHU | 8 | 13 | 0 | 13 | - | 2 | 5 | 0 | 5 | - |
| 1912-13 | Grand-Mère HC | IPAHU | 5 | 3 | 0 | 3 | - | 4 | 4 | 0 | 4 | 0 |
| | Grand-Mère HC | Allan | 2 | 1 | 0 | 1 | 0 | - | - | - | - | - |
| 1913-14 | Grand-Mère HC | IPAHU | *Statistiques non disponibles* | | | | | | | | | |
| 1914-15 | Québec (Bulldogs) | NHA | 14 | 2 | 1 | 3 | 0 | - | - | - | - | - |
| 1915-16 | Québec (Bulldogs) | NHA | 17 | 8 | 2 | 10 | 38 | - | - | - | - | - |
| 1916-17 | Québec (Bulldogs) | NHA | 19 | 17 | 10 | 27 | 20 | - | - | - | - | - |
| 1917-18 | Montréal (Wanderers) | LNH | 4 | 5 | 1 | 6 | 9 | - | - | - | - | - |
| | Ottawa (Senators) | | 14 | 1 | 0 | 1 | 14 | - | - | - | - | - |
| 1918-19 | Toronto (Arenas) | LNH | | | | | | | | | | |
| 1919-20 | Québec (Bulldogs) | LNH | 23 | 5 | 3 | 9 | 18 | - | - | - | - | - |
| 1920-21 | **Montréal (Canadiens)** | **LNH** | 6 | 0 | 0 | 0 | 2 | - | - | - | - | - |
| 1921-22 | | | *N'a pas joué* | | | | | | | | | |

---

## (suite)

| SAISON | CLUB | LIGUE | PJ | B | A | PTS | PUN | PJ | B | A | PTS | PUN |
|---|---|---|---|---|---|---|---|---|---|---|---|---|
| 1922-23 | | | *N'a pas joué* | | | | | | | | | |
| 1923-24 | | | *N'a pas joué* | | | | | | | | | |
| 1924-25 | **Montréal (Canadiens)** | **LNH** | 5 | 0 | 0 | 0 | 0 | 1 | 0 | 0 | 0 | 0 |
| 1925-26 | **Montréal (Canadiens)** | **LNH** | 2 | 0 | 0 | 0 | 0 | - | - | - | - | - |
| | **NHA** | | 56 | 27 | 15 | 43 | 58 | - | - | - | - | - |
| | **LNH** | | 58 | 15 | 6 | 21 | 50 | 1 | 0 | 0 | 0 | 0 |
| | **Montréal** | | 13 | 0 | 0 | 0 | 2 | 1 | 0 | 0 | 0 | 0 |

• Signe avec Québec (NHA) le 1er décembre 1914 • Réclamé par Montréal (Wanderers) avec George Carey, Jack Marks et Jack MacDonald lors du repêchage de dispersion de Québec le 26 novembre 1917 • Réclamé par Ottawa avec Harry Hyland lors du repêchage de dispersion de Montréal (Wanderers) le 4 janvier 1918 • Signe avec Toronto le 17 janvier 1919 • Droits transférés à Québec au retour de la concession de Québec dans la LNH le 25 novembre 1919 • Transfert de la concession de Québec à Hamilton le 27 novembre 1920 • Prêté à Hamilton par Montréal pour Billy Couture le 21 décembre 1920 • Signe avec Montréal le 17 février 1925 • Signe avec Montréal le 13 janvier 1926

### RIVERS, GEORGE (GUS)
**Né à Winnipeg, Manitoba, le 19 novembre 1909, décédé le 15 octobre 1985**
**Ailier droit, lance de la droite, 5'11", 180 lb**

| SAISON | CLUB | LIGUE | PJ | B | A | PTS | PUN | PJ | B | A | PTS | PUN |
|---|---|---|---|---|---|---|---|---|---|---|---|---|
| 1925-26 | Winnipeg (Vics) | WJHL | *Statistiques non disponibles* | | | | | | | | | |
| 1926-27 | Elmwood (Millionaires) | WJHL | *Statistiques non disponibles* | | | | | | | | | |
| 1927-28 | Elmwood (Millionaires) | WJHL | 5 | 2 | 1 | 3 | 6 | 2 | 2 | 1 | 3 | 0 |
| | Winnipeg (Eaton's) | WSHL | 6 | 1 | 2 | 3 | 8 | 2 | 1 | 1 | 2 | 4 |
| | Elmwood (Millionaires) | Mem. | 3 | 2 | 0 | 2 | 0 | - | - | - | - | - |
| 1928-29 | Manitoba University | MTBHL | 5 | 6 | 2 | 8 | 4 | 1 | 0 | 0 | 0 | 0 |
| | Winnipeg (CPR) | WSHL | 9 | 7 | 5 | 12 | 8 | 3 | 0 | 2 | 2 | 2 |
| 1929-30 | Winnipeg (Winnipegs) | MHL SR | 4 | 1 | 5 | 12 | | - | - | - | - | - |
| | **Montréal (Canadiens)** | **LNH** | 19 | 1 | 0 | 1 | 2 | 6 | 1 | 0 | 1 | 2 |
| 1930-31 | **Montréal (Canadiens)** | **LNH** | 44 | 2 | 5 | 7 | 6 | 10 | 1 | 0 | 1 | 0 |
| 1931-32 | **Montréal (Canadiens)** | **LNH** | 25 | 1 | 0 | 1 | 4 | - | - | - | - | - |
| | Providence (Reds) | Can-Am | 19 | 11 | 12 | 23 | 10 | 5 | 1 | 2 | 3 | 2 |
| 1932-33 | Providence (Reds) | Can-Am | 43 | 11 | 18 | 29 | 25 | 2 | 1 | 1 | 2 | 0 |
| 1933-34 | Providence (Reds) | Can-Am | 35 | 11 | 8 | 19 | 17 | 3 | 1 | 0 | 1 | 0 |
| 1934-35 | Providence (Reds) | Can-Am | 45 | 18 | 23 | 41 | 8 | 6 | 1 | 1 | 2 | 2 |
| 1935-36 | Providence (Reds) | Can-Am | 45 | 13 | 17 | 30 | 25 | 7 | 3 | 4 | 7 | 0 |
| 1936-37 | Providence (Reds) | IAHL | 46 | 8 | 14 | 22 | 17 | 3 | 2 | 1 | 3 | 0 |
| | **LNH** | | 88 | 4 | 5 | 9 | 12 | 16 | 2 | 0 | 2 | 2 |
| | **Montréal** | | 88 | 4 | 5 | 9 | 12 | 16 | 2 | 0 | 2 | 2 |

• **Coupe Stanley (LNH) en 1929-30, 1930-31**
• Signe avec Montréal le 21 janvier 1930 • Prêté à Providence (Can-Am) par Montréal pour Art Lesieur le 18 janvier 1932 • Droits vendus à Providence (Can-Am) par Montréal avec Art Alexandre, Art Giroux et Art Lesieur le 8 mai 1932

### RIVET, CRAIG
**Né à North Bay, Ontario, le 13 septembre 1974. Défenseur, lance de la droite, 6'2", 197 lb (4e choix de Montréal, 68e au total lors du repêchage de 1992)**

| SAISON | CLUB | LIGUE | PJ | B | A | PTS | PUN | PJ | B | A | PTS | PUN |
|---|---|---|---|---|---|---|---|---|---|---|---|---|
| 1990-91 | Barrie (Colts) | OJHL B | 42 | 9 | 17 | 26 | 55 | - | - | - | - | - |
| 1991-92 | Kingston (Frontenacs) | OHL | 66 | 5 | 21 | 26 | 97 | - | - | - | - | - |
| 1992-93 | Kingston (Frontenacs) | OHL | 64 | 19 | 55 | 74 | 117 | 16 | 5 | 7 | 12 | 39 |
| 1993-94 | Kingston (Frontenacs) | OHL | 61 | 12 | 52 | 64 | 100 | 6 | 0 | 3 | 3 | 6 |
| | Fredericton (Canadien) | AHL | 4 | 0 | 2 | 2 | 2 | - | - | - | - | - |
| 1994-95 | Fredericton (Canadien) | AHL | 78 | 5 | 27 | 32 | 126 | 12 | 0 | 4 | 4 | 17 |
| | **Montréal (Canadiens)** | **LNH** | 5 | 0 | 1 | 1 | 5 | - | - | - | - | - |
| 1995-96 | Fredericton (Canadien) | AHL | 49 | 5 | 18 | 23 | 189 | 6 | 0 | 0 | 0 | 12 |
| | **Montréal (Canadiens)** | **LNH** | 19 | 1 | 4 | 5 | 54 | - | - | - | - | - |
| 1996-97 | Fredericton (Canadien) | AHL | 23 | 3 | 12 | 15 | 99 | - | - | - | - | - |
| | **Montréal (Canadiens)** | **LNH** | 35 | 0 | 4 | 4 | 54 | 5 | 1 | 1 | 2 | 14 |
| 1997-98 | **Montréal (Canadiens)** | **LNH** | 61 | 0 | 2 | 2 | 93 | 5 | 0 | 0 | 0 | 12 |
| 1998-99 | **Montréal (Canadiens)** | **LNH** | 66 | 2 | 8 | 10 | 66 | - | - | - | - | - |
| 1999-20 | **Montréal (Canadiens)** | **LNH** | 61 | 3 | 14 | 17 | 76 | - | - | - | - | - |
| 2000-01 | **Montréal (Canadiens)** | **LNH** | 26 | 1 | 2 | 3 | 36 | - | - | - | - | - |
| 2001-02 | **Montréal (Canadiens)** | **LNH** | 82 | 8 | 17 | 25 | 76 | 12 | 0 | 3 | 3 | 4 |
| 2002-03 | **Montréal (Canadiens)** | **LNH** | 82 | 7 | 15 | 22 | 71 | - | - | - | - | - |
| | Canada | CM | 9 | 0 | 1 | 1 | 6 | - | - | - | - | - |
| | **LNH** | | 437 | 22 | 67 | 89 | 531 | 22 | 0 | 4 | 4 | 20 |
| | **Montréal** | | 437 | 22 | 67 | 89 | 531 | 22 | 0 | 4 | 4 | 20 |

• **Médaille d'or 2002-03 (CM)**

### ROBERGE, MARIO
**Né à Québec, Québec, le 25 janvier 1964**
**Ailier gauche, lance de la gauche, 5'11", 193 lb**

| SAISON | CLUB | LIGUE | PJ | B | A | PTS | PUN | PJ | B | A | PTS | PUN |
|---|---|---|---|---|---|---|---|---|---|---|---|---|
| 1981-82 | Québec (Remparts) | LHJMQ | 8 | 0 | 3 | 3 | 2 | - | - | - | - | - |
| 1982-83 | Québec (Remparts) | LHJMQ | 69 | 3 | 27 | 30 | 153 | - | - | - | - | - |
| 1983-84 | Québec (Remparts) | LHJMQ | 60 | 12 | 28 | 40 | 253 | 5 | 0 | 1 | 1 | 22 |
| 1984-85 | Rivière-Du-Loup (3 L) | LHR | *Statistiques non disponibles* | | | | | | | | | |
| 1985-86 | Rivière-Du-Loup (3 L) | LHR | 31 | 16 | 41 | 57 | 94 | - | - | - | - | - |
| | St-John's (Capitals) | NFLD | 2 | 1 | 0 | 1 | 2 | - | - | - | - | - |
| 1986-87 | Virginie (Lancers) | ACHL | 52 | 25 | 43 | 68 | 178 | - | - | - | - | - |
| 1987-88 | Port-Aux-Basques (Mariners) | NFLD | 37 | 24 | 64 | 88 | 152 | - | - | - | - | - |
| 1988-89 | Sherbrooke (Canadien) | AHL | 58 | 4 | 9 | 13 | 249 | 6 | 0 | 2 | 2 | 8 |
| 1989-90 | Sherbrooke (Canadien) | AHL | 73 | 13 | 27 | 40 | 247 | 12 | 5 | 2 | 7 | 53 |
| 1990-91 | Sherbrooke (Canadien) | AHL | 68 | 12 | 27 | 39 | *365 | - | - | - | - | - |
| | **Montréal (Canadiens)** | **LNH** | 5 | 0 | 0 | 0 | 21 | 12 | 0 | 0 | 0 | 24 |
| 1991-92 | Fredericton (Canadien) | AHL | 46 | 1 | 2 | 3 | 20 | 7 | 0 | 2 | 2 | 20 |
| | **Montréal (Canadiens)** | **LNH** | 20 | 1 | 2 | 3 | 62 | - | - | - | - | - |
| 1992-93 | **Montréal (Canadiens)** | **LNH** | 50 | 4 | 4 | 8 | 142 | 3 | 0 | 0 | 0 | 6 |
| 1993-94 | **Montréal (Canadiens)** | **LNH** | 28 | 1 | 2 | 3 | 55 | - | - | - | - | - |
| 1994-95 | **Montréal (Canadiens)** | **LNH** | 9 | 0 | 0 | 0 | 34 | - | - | - | - | - |
| | Fredericton (Canadien) | AHL | 28 | 8 | 12 | 20 | 91 | 6 | 1 | 1 | 2 | 6 |

| SAISON | CLUB | LIGUE | PJ | B | A | PTS | PUN | PJ | B | A | PTS | PUN |
|---|---|---|---|---|---|---|---|---|---|---|---|---|
| | | | **SAISONS RÉGULIÈRES** | | | | | **SÉRIES ÉLIMINATOIRES** | | | | |

| SAISON | CLUB | LIGUE | SAISONS RÉGULIÈRES | | | | | SÉRIES ÉLIMINATOIRES | | | | |
|---|---|---|---|---|---|---|---|---|---|---|---|---|
| | | | PJ | B | A | PTS | PUN | PJ | B | A | PTS | PUN |
| 1995-96 | Fredericton (Canadien) | AHL | 74 | 9 | 24 | 33 | 205 | 4 | 0 | 2 | 2 | 14 |
| 1996-97 | Québec (Rafales) | IHL | 68 | 8 | 17 | 25 | 256 | 5 | 0 | 1 | 1 | 5 |
| 1997-98 | | | | | | N'a pas joué | | | | | | |
| 1998-99 | Saint-Georges (Garaga) | LHSPQ | 34 | 5 | 24 | 29 | 214 | - | - | - | - | - |
| 1999-20 | Saint-Georges (Garaga) | LHSPQ | 26 | 5 | 22 | 27 | 106 | - | - | - | - | - |
| | Mohawk Valley (Prowlers) | UHL | 36 | 7 | 14 | 21 | 100 | 7 | 0 | 3 | 3 | 27 |
| 2000-01 | Saint-Georges (Garaga) | LHSPQ | 43 | 8 | 15 | 23 | 129 | - | - | - | - | - |
| 2001-02 | Québec (As) | LHSPQ | 17 | 5 | 7 | 12 | 93 | - | - | - | - | - |
| | **LNH** | | **112** | **7** | **7** | **14** | **314** | **15** | **0** | **0** | **0** | **24** |
| | **Montréal** | | **112** | **7** | **7** | **14** | **314** | **15** | **0** | **0** | **0** | **24** |

• Coupe Stanley (LNH) en 1992-93
• Signe avec Montréal comme agent libre le 5 octobre 1988 • Signe avec Mohawk Valley comme agent libre le 10 janvier 2000

### ROBERT, CLAUDE

Né à Montréal, Québec, le 10 août 1928. Ailier gauche, lance de la gauche, 5'11", 175 lb

| SAISON | CLUB | LIGUE | PJ | B | A | PTS | PUN | PJ | B | A | PTS | PUN |
|---|---|---|---|---|---|---|---|---|---|---|---|---|
| 1947-48 | Montréal (National) | LHJQ | 32 | 21 | 22 | 43 | 41 | 12 | 4 | 11 | 15 | 8 |
| | Montréal (National) | Mem. | 8 | 4 | 6 | 10 | 10 | - | - | - | - | - |
| 1948-49 | Montréal (Royals) | LHSQ | 44 | 14 | 7 | 21 | 28 | - | - | - | - | - |
| 1949-50 | Chicoutimi (Saguenéens) | LHSQ | 60 | 31 | 25 | 56 | 79 | 5 | 1 | 6 | 7 | 2 |
| 1950-51 | Cincinnati (Mohawks) | AHL | 26 | 5 | 5 | 10 | 28 | - | - | - | - | - |
| | **Montréal (Canadiens)** | LNH | 23 | 1 | 0 | 1 | 9 | - | - | - | - | - |
| 1951-52 | Québec (As) | AHL | 60 | 22 | 27 | 49 | 53 | 15 | 6 | 7 | 13 | 20 |
| | Québec (As) | Alex. | 5 | 2 | 0 | 2 | 14 | - | - | - | - | - |
| 1952-53 | Québec (As) | AHL | 29 | 3 | 12 | 15 | 35 | - | - | - | - | - |
| | New Westminster (Royal) | WHL | 29 | 8 | 11 | 19 | 37 | 7 | 0 | 4 | 4 | 0 |
| 1953-54 | Ottawa (Senators) | LHQ | 19 | 3 | 6 | 9 | 20 | - | - | - | - | - |
| | Charlottetown (Islanders) | MMHL | 38 | 23 | 32 | 55 | 34 | 7 | 2 | 0 | 2 | 4 |
| 1954-55 | North Bay (Trappers) | NOHA | 16 | 4 | 9 | 13 | 7 | - | - | - | - | - |
| | Fort Wayne/Toledo | IHL | 19 | 3 | 5 | 8 | 12 | - | - | - | - | - |
| | **LNH** | | **23** | **1** | **0** | **1** | **9** | **-** | **-** | **-** | **-** | **-** |
| | **Montréal** | | **23** | **1** | **0** | **1** | **9** | **-** | **-** | **-** | **-** | **-** |

• Échangé à New Westminter (WHL) par Québec (AHL) pour Gordie Fashoway le 4 janvier 1953

### ROBERTO, PHILLIP (PHIL)

Né à Niagara Falls, Ontario, le 1er janvier 1949
Ailier droit, lance de la droite, 6'1", 190 lb

| SAISON | CLUB | LIGUE | PJ | B | A | PTS | PUN | PJ | B | A | PTS | PUN |
|---|---|---|---|---|---|---|---|---|---|---|---|---|
| 1965-66 | Niagara Falls (Canucks) | OHA B | | | | Statistiques non disponibles | | | | | | |
| | Niagara Falls (Flyers) | OHA Jr | 2 | 2 | 0 | 2 | 0 | 6 | 1 | 1 | 2 | 6 |
| 1966-67 | Niagara Falls (Canucks) | OHA B | | | | Statistiques non disponibles | | | | | | |
| | Niagara Falls (Flyers) | OHA Jr | 14 | 1 | 0 | 1 | 6 | - | - | - | - | - |
| 1967-68 | Niagara Falls (Flyers) | OHA Jr | 53 | 19 | 20 | 39 | 92 | 19 | 13 | 14 | 27 | *71 |
| | Niagara Falls (Flyers) | Mem. | 10 | 4 | 8 | 12 | 15 | - | - | - | - | - |
| 1968-69 | Niagara Falls (Flyers) | OHA Jr | 52 | 29 | 65 | 94 | 152 | 14 | 7 | 15 | 22 | 38 |
| 1969-70 | Montréal (Voyageurs) | AHL | 54 | 19 | 19 | 39 | 160 | 8 | 3 | 1 | 4 | 19 |
| | **Montréal (Canadiens)** | LNH | 8 | 0 | 1 | 1 | 8 | - | - | - | - | - |
| 1970-71 | Montréal (Voyageurs) | AHL | 32 | 19 | 22 | 41 | 127 | - | - | - | - | - |
| | **Montréal (Canadiens)** | LNH | 39 | 14 | 7 | 21 | 76 | 15 | 0 | 1 | 1 | 36 |
| 1971-72 | **Montréal (Canadiens)** | LNH | 27 | 3 | 2 | 5 | 22 | - | - | - | - | - |
| | St. Louis (Blues) | LNH | 49 | 12 | 13 | 25 | 76 | 11 | 7 | 6 | 13 | 29 |
| 1972-73 | St. Louis (Blues) | LNH | 77 | 20 | 22 | 42 | 99 | 5 | 2 | 1 | 3 | 4 |
| 1973-74 | St. Louis (Blues) | LNH | 15 | 1 | 1 | 2 | 10 | - | - | - | - | - |
| | Denver (Spurs) | WHL | 8 | 5 | 4 | 9 | 40 | - | - | - | - | - |
| 1974-75 | St. Louis (Blues) | LNH | 7 | 0 | 2 | 2 | 2 | - | - | - | - | - |
| | Denver (Spurs) | WHL | 8 | 3 | 2 | 5 | 12 | - | - | - | - | - |
| | Detroit (Red Wings) | LNH | 46 | 13 | 27 | 40 | 30 | - | - | - | - | - |
| 1975-76 | Detroit (Red Wings) | LNH | 37 | 1 | 7 | 8 | 68 | - | - | - | - | - |
| | Kansas City (Scouts) | LNH | 37 | 7 | 15 | 22 | 42 | - | - | - | - | - |
| 1976-77 | Colorado (Rockies) | LNH | 22 | 1 | 5 | 6 | 23 | - | - | - | - | - |
| | Cleveland (Barons) | LNH | 21 | 3 | 4 | 7 | 8 | - | - | - | - | - |
| 1977-78 | Birmingham (Bulls) | AMH | 53 | 8 | 20 | 28 | 91 | 4 | 1 | 0 | 1 | 20 |
| | **LNH** | | **385** | **75** | **106** | **181** | **464** | **31** | **9** | **8** | **17** | **69** |
| | **Montréal** | | **74** | **17** | **10** | **27** | **106** | **15** | **0** | **1** | **1** | **36** |

• Coupe Memorial en 1967-68 • Deuxième équipe d'étoiles (OHA Jr) en 1968-69 • Coupe Stanley (LNH) en 1970-71
• Échangé à St. Louis par Montréal pour Jim Roberts le 13 décembre 1971 • Échangé à Detroit par St. Louis avec le choix de 3e ronde de St. Louis au repêchage de 1975 (Blair Davidson) pour Red Berenson le 30 décembre 1974 • Échangé à Kansas City par Detroit pour Buster Harvey le 14 janvier 1976 • Transfert de la concession du Colorado à Kansas City le 15 juillet 1976 • Signe avec Cleveland comme agent libre le 24 décembre 1976 • Signe avec Birmingham (AMH) comme agent libre en juillet 1977

### ROBERTS, JAMES (JIM)

Né à Toronto, Ontario, le 9 avril 1940
Défenseur/Ailier droit, lance de la droite, 5'10", 185 lb

| SAISON | CLUB | LIGUE | PJ | B | A | PTS | PUN | PJ | B | A | PTS | PUN |
|---|---|---|---|---|---|---|---|---|---|---|---|---|
| 1958-59 | Peterborough (Petes) | OHA Jr | 54 | 2 | 8 | 10 | 34 | 19 | 0 | 0 | 0 | 2 |
| | Peterborough (Petes) | Mem. | | | | | | | | | | |
| 1959-60 | Peterborough (Petes) | OHA Jr | 48 | 6 | 21 | 27 | 55 | 12 | 2 | 7 | 9 | 18 |
| | Montréal (Royals) | EPHL | - | - | - | - | - | 4 | 0 | 0 | 0 | 4 |
| 1960-61 | Montréal (Royals) | EPHL | 57 | 18 | 25 | 55 | | - | - | - | - | - |
| 1961-62 | Hull-Ottawa (Canadien) | EPHL | 67 | 11 | 28 | 39 | 42 | 13 | 3 | 0 | 3 | 6 |
| 1962-63 | Hull-Ottawa (Canadien) | EPHL | 72 | 2 | 27 | 29 | 78 | 3 | 0 | 3 | 3 | 10 |
| | Cleveland (Barons) | AHL | | | | | | 1 | 0 | 0 | 0 | 2 |
| 1963-64 | **Montréal (Canadiens)** | LNH | 15 | 0 | 1 | 1 | 2 | 7 | 0 | 1 | 1 | 14 |
| | Cleveland (Barons) | AHL | | | | | | 1 | 0 | 0 | 0 | 0 |
| | Québec (As) | AHL | 2 | 0 | 0 | 0 | 2 | - | - | - | - | - |
| | Omaha (Knights) | CPHL | 46 | 18 | 19 | 37 | 47 | - | - | - | - | - |
| 1964-65 | **Montréal (Canadiens)** | LNH | 70 | 3 | 10 | 13 | 40 | 13 | 0 | 0 | 0 | 30 |

### ROBERTSON, GEORGE

Né à Winnipeg, Manitoba, le 11 mai 1928. Centre, lance de la gauche, 6'1", 170 lb

| SAISON | CLUB | LIGUE | PJ | B | A | PTS | PUN | PJ | B | A | PTS | PUN |
|---|---|---|---|---|---|---|---|---|---|---|---|---|
| 1944-45 | Winnipeg (Monarchs) | MJHL | 7 | 7 | 6 | 13 | 6 | 6 | 0 | 3 | 3 | 8 |
| | Winnipeg (Monarchs) | Mem. | 10 | 4 | 7 | 11 | 12 | - | - | - | - | - |
| 1945-46 | Winnipeg (Monarchs) | MJHL | 9 | 8 | 2 | 10 | 12 | 7 | 5 | 5 | 10 | 12 |
| | Winnipeg (Monarchs) | Mem. | 16 | 12 | 7 | 19 | 12 | - | - | - | - | - |
| 1946-47 | Stratford (Kroehlers) | OHA Jr | 30 | 20 | 27 | 47 | 20 | 2 | 1 | 3 | 4 | 0 |
| 1947-48 | Montréal (Royals) | LHSQ | 47 | 11 | 27 | 38 | 18 | 3 | 0 | 0 | 0 | 0 |
| | **Montréal (Canadiens)** | LNH | 1 | 0 | 0 | 0 | 0 | - | - | - | - | - |
| 1948-49 | Buffalo (Bisons) | AHL | 4 | 0 | 1 | 1 | 0 | - | - | - | - | - |
| | Washington (Lions) | AHL | 20 | 4 | 16 | 20 | 2 | - | - | - | - | - |
| | **Montréal (Canadiens)** | LNH | 30 | 2 | 5 | 7 | 6 | - | - | - | - | - |
| 1949-50 | Cincinnati (Mohawks) | AHL | 26 | 3 | 5 | 8 | 0 | - | - | - | - | - |
| | Victoria (Cougars) | PCHL | 24 | 1 | 11 | 12 | 0 | - | - | - | - | - |
| 1950-51 | Springfield (Indians) | AHL | 5 | 1 | 3 | 4 | 0 | - | - | - | - | - |
| | Sydney (Millionaires) | CBMHL | 26 | 12 | 20 | 32 | 25 | 5 | 2 | 2 | 4 | 4 |
| | Sydney (Millionaires) | Alex. | 12 | 3 | 7 | 10 | 12 | - | - | - | - | - |
| 1951-52 | Sydney (Millionaires) | MMHL | 86 | 26 | 44 | 70 | 56 | - | - | - | - | - |
| 1952-53 | Sydney (Millionaires) | MMHL | 74 | 18 | 48 | 66 | 24 | 6 | 1 | 2 | 3 | 0 |
| 1953-54 | Sydney (Millionaires) | MMHL | 70 | 32 | 48 | 80 | 30 | 14 | 4 | 2 | 6 | 2 |
| 1954-55 | Saskatoon (Quakers) | WHL | 35 | 4 | 15 | 19 | 8 | - | - | - | - | - |
| | Grand Rapids (Rockets) | IHL | 23 | 7 | 8 | 15 | 4 | 4 | 0 | 0 | 0 | 2 |
| 1955-56 | S.S. Marie Greyhounds | NOHA | 60 | 12 | 34 | 46 | 14 | 5 | 1 | 4 | 5 | 0 |
| | **LNH** | | **31** | **2** | **5** | **7** | **6** | **-** | **-** | **-** | **-** | **-** |
| | **Montréal** | | **31** | **2** | **5** | **7** | **6** | **-** | **-** | **-** | **-** | **-** |

• Deuxième équipe d'étoiles (MMHL) en 1953-54
• Échangé à Montréal par New York (Rangers) avec Hal Laycoe et Joe Bell pour Buddy O'Connor et Frank Eddols le 19 août 1947 • Échangé à Washington (AHL) par Montréal (Buffalo – AHL) pour Ab DeMarco avec droit de rappel le 28 janvier 1949 • Droits vendus à Victoria (PCHL) par Montréal le 11 décembre 1949 • Signe avec Sydney (CBMHL) le 7 janvier 1951

### ROBIDAS, STÉPHANE

Né à Sherbrooke, Québec, le 3 mars 1977. Défenseur, lance de la droite, 5'10", 180 lb
(7e choix de Montréal, 164e au total lors du repêchage de 1995)

| SAISON | CLUB | LIGUE | PJ | B | A | PTS | PUN | PJ | B | A | PTS | PUN |
|---|---|---|---|---|---|---|---|---|---|---|---|---|
| 1992-93 | Magog (Cantonniers) | QAAA | 41 | 3 | 18 | 21 | | - | - | - | - | - |
| 1993-94 | Shawinigan (Cataractes) | LHJMQ | 67 | 3 | 18 | 21 | 33 | 1 | 0 | 0 | 0 | 0 |
| 1994-95 | Shawinigan (Cataractes) | LHJMQ | 71 | 13 | 56 | 69 | 44 | 15 | 7 | 12 | 19 | 4 |
| 1995-96 | Shawinigan (Cataractes) | LHJMQ | 67 | 23 | 56 | 79 | 53 | 6 | 1 | 5 | 6 | 10 |
| 1996-97 | Shawinigan (Cataractes) | LHJMQ | 67 | 24 | 51 | 75 | 59 | 7 | 4 | 6 | 10 | 14 |
| 1997-98 | Fredericton (Canadien) | AHL | 79 | 10 | 21 | 31 | 50 | 4 | 0 | 2 | 2 | 0 |
| 1998-99 | Fredericton (Canadien) | AHL | 79 | 8 | 33 | 41 | 59 | 15 | 1 | 5 | 6 | 10 |
| 1999-20 | Québec (Citadelle) | AHL | 74 | 11 | 45 | 36 | 3 | 0 | 1 | 1 | 0 | |
| | **Montréal (Canadiens)** | LNH | 1 | 0 | 0 | 0 | 0 | - | - | - | - | - |
| 2000-01 | **Montréal (Canadiens)** | LNH | 65 | 6 | 6 | 12 | 14 | - | - | - | - | - |
| 2001-02 | **Montréal (Canadiens)** | LNH | 56 | 1 | 10 | 11 | 14 | 2 | 0 | 0 | 0 | 4 |
| 2002-03 | Dallas (Stars) | LNH | 76 | 3 | 7 | 10 | 35 | 12 | 0 | 1 | 1 | 20 |
| | **LNH** | | **198** | **10** | **23** | **33** | **63** | **14** | **0** | **1** | **1** | **24** |
| | **Montréal** | | **122** | **7** | **16** | **23** | **28** | **2** | **0** | **0** | **0** | **4** |

• Première équipe d'étoiles (LHJMQ) en 1995-96, 1996-97 • Trophée Émile-Bouchard (LHJMQ) en 1996-97

### ROBINSON, EARLE (EARL)

Né à Montréal, Québec, le 11 mars 1907, décédé le 8 septembre 1986
Ailier droit, lance de la droite, 5'10", 160 lb

| SAISON | CLUB | LIGUE | PJ | B | A | PTS | PUN | PJ | B | A | PTS | PUN |
|---|---|---|---|---|---|---|---|---|---|---|---|---|
| 1925-26 | Montréal (Royal Bank) | LHBCM | 9 | 5 | 2 | 7 | 4 | - | - | - | - | - |
| | Montréal (Royals) | LHJMC | 9 | *9 | *6 | *15 | 4 | 4 | *17 | 2 | *19 | 7 |
| 1926-27 | Montréal (Royal Bank) | LHBCM | 4 | 7 | 4 | *11 | 2 | - | - | - | - | - |
| | Montréal (Victorias) | Exh. | 15 | *48 | - | *48 | | - | - | - | - | - |
| | Montréal (Victorias) | LHCM | | | | | | - | - | - | - | - |
| 1927-28 | Philadelphie (Arrows) | Can-Am | 34 | 18 | 7 | 25 | 21 | - | - | - | - | - |
| 1928-29 | Montréal (Maroons) | LNH | 38 | 2 | 1 | 3 | 4 | - | - | - | - | - |
| 1929-30 | Montréal (Maroons) | LNH | 31 | 3 | 4 | 7 | 4 | - | - | - | - | - |

| SAISON | CLUB | LIGUE | PJ | B | A | PTS | PUN | PJ | B | A | PTS | PUN |
|---|---|---|---|---|---|---|---|---|---|---|---|---|
| 1965-66 | **Montréal (Canadiens)** | LNH | 70 | 5 | 5 | 10 | 20 | 10 | 1 | 1 | 2 | 10 |
| | Match des étoiles | LNH | 1 | 0 | 0 | 0 | 0 | - | - | - | - | - |
| 1966-67 | **Montréal (Canadiens)** | LNH | 63 | 3 | 0 | 3 | 16 | 4 | 1 | 0 | 1 | 0 |
| 1967-68 | St. Louis (Blues) | LNH | 74 | 14 | 23 | 37 | 66 | 18 | 4 | 1 | 5 | 20 |
| 1968-69 | St. Louis (Blues) | LNH | 72 | 14 | 19 | 33 | 81 | 12 | 1 | 4 | 5 | 10 |
| | Match des étoiles | LNH | 1 | 1 | 0 | 1 | 0 | - | - | - | - | - |
| 1969-70 | St. Louis (Blues) | LNH | 76 | 13 | 17 | 30 | 51 | 16 | 2 | 3 | 5 | 29 |
| | Match des étoiles | LNH | 1 | 0 | 0 | 0 | 0 | - | - | - | - | - |
| 1970-71 | St. Louis (Blues) | LNH | 72 | 13 | 18 | 31 | 77 | 6 | 2 | 1 | 3 | 11 |
| 1971-72 | St. Louis (Blues) | LNH | 26 | 5 | 7 | 12 | 4 | - | - | - | - | - |
| | **Montréal (Canadiens)** | LNH | 51 | 7 | 15 | 22 | 53 | 6 | 1 | 0 | 1 | 0 |
| 1972-73 | **Montréal (Canadiens)** | LNH | 77 | 14 | 18 | 32 | 28 | 17 | 0 | 2 | 2 | 22 |
| 1973-74 | **Montréal (Canadiens)** | LNH | 67 | 8 | 16 | 24 | 39 | 6 | 0 | 0 | 0 | 4 |
| 1974-75 | **Montréal (Canadiens)** | LNH | 79 | 5 | 13 | 18 | 52 | 11 | 2 | 2 | 4 | 2 |
| 1975-76 | **Montréal (Canadiens)** | LNH | 74 | 13 | 8 | 21 | 35 | 13 | 3 | 1 | 4 | 2 |
| 1976-77 | **Montréal (Canadiens)** | LNH | 45 | 5 | 14 | 19 | 18 | 14 | 3 | 0 | 3 | 6 |
| 1977-78 | St. Louis (Blues) | LNH | 75 | 4 | 10 | 14 | 39 | - | - | - | - | - |
| | **LNH** | | **1006** | **126** | **194** | **320** | **621** | **153** | **20** | **16** | **36** | **160** |
| | **Montréal** | | **611** | **63** | **100** | **163** | **299** | **101** | **11** | **7** | **18** | **90** |

• Coupe Stanley (LNH) en 1964-65, 1965-66, 1972-73, 1975-76, 1976-77 • Match des étoiles (LNH) en 1965-66, 1968-69, 1969-70
• Réclamé par St. Louis de Montréal lors de l'expansion de la LNH le 6 juin 1967 • Échangé à Montréal par St. Louis pour Phil Roberto le 13 décembre 1971 • Échangé à St. Louis par Montréal pour le choix de 3e ronde de St. Louis au repêchage de 1979 (Guy Carbonneau) le 18 août 1977

| SAISON | CLUB | LIGUE | PJ | B | A | PTS | PUN | PJ | B | A | PTS | PUN |
|---|---|---|---|---|---|---|---|---|---|---|---|---|
| | | | SAISONS RÉGULIÈRES | | | | | SÉRIES ÉLIMINATOIRES | | | | |

| SAISON | CLUB | LIGUE | SAISONS RÉGULIÈRES | | | | | SÉRIES ÉLIMINATOIRES | | | | |
|---|---|---|---|---|---|---|---|---|---|---|---|---|
| | | | PJ | B | A | PTS | PUN | PJ | B | A | PTS | PUN |
| | Windsor (Bulldogs) | IHL | 5 | 3 | 2 | 5 | 0 | - | - | - | - | - |
| 1930-31 | Windsor (Bulldogs) | IHL | 48 | *44 | 19 | *63 | 18 | 6 | 6 | 4 | 10 | 0 |
| 1931-32 | Montréal (Maroons) | LNH | 26 | 0 | 3 | 3 | 2 | - | - | - | - | - |
| | Windsor (Bulldogs) | IHL | 21 | 10 | 4 | 14 | 8 | 6 | 2 | 3 | 5 | 4 |
| 1932-33 | Montréal (Maroons) | LNH | 44 | 15 | 9 | 24 | 6 | 2 | 0 | 0 | 0 | 0 |
| 1933-34 | Montréal (Maroons) | LNH | 47 | 12 | 16 | 28 | 14 | 4 | 2 | 0 | 2 | 0 |
| 1934-35 | Montréal (Maroons) | LNH | 48 | 17 | 18 | 35 | 23 | 7 | 2 | 2 | 4 | 0 |
| 1935-36 | Montréal (Maroons) | LNH | 39 | 6 | 14 | 20 | 27 | 3 | 0 | 0 | 0 | 0 |
| 1936-37 | Montréal (Maroons) | LNH | 47 | 16 | 18 | 34 | 19 | 5 | 1 | 2 | 3 | 0 |
| 1937-38 | Montréal (Maroons) | LNH | 39 | 4 | 7 | 11 | 13 | - | - | - | - | - |
| | Match des étoiles | LNH | 1 | 0 | 0 | 0 | 0 | - | - | - | - | - |
| 1938-39 | Chicago (Black Hawks) | LNH | 47 | 9 | 6 | 15 | 13 | - | - | - | - | - |
| 1939-40 | **Montréal (Canadiens)** | **LNH** | **11** | **1** | **4** | **5** | **4** | - | - | - | - | - |
| | Match des étoiles | LNH | 1 | 1 | 0 | 1 | 0 | - | - | - | - | - |
| | New Haven (Eagles) | IAHL | 26 | 11 | 14 | 25 | 2 | 3 | 2 | 2 | 4 | 0 |
| 1940-41 | New Haven (Eagles) | AHL | 56 | 16 | 19 | 35 | 19 | 2 | 0 | 0 | 0 | 0 |
| 1941-42 | Providence (Reds) | AHL | 1 | 0 | 0 | 0 | 0 | - | - | - | - | - |
| | New Haven (Eagles) | AHL | 48 | 13 | 20 | 33 | 2 | 2 | 0 | 0 | 0 | 0 |
| 1942-43 | Toronto (Colonels) | OHA Sr | 10 | 13 | *16 | 29 | 6 | - | - | - | - | - |
| | Toronto (Staffords) | TIHL | 16 | 13 | 5 | 18 | 8 | 2 | 2 | 0 | 2 | 2 |
| 1943-44 | Toronto (Army Daggers) | OHA Sr1 | 0 | 0 | 0 | 0 | 0 | - | - | - | - | - |
| | Toronto (Army Shamrocks) | TIHL | 25 | 13 | 11 | 24 | 20 | 4 | 3 | 1 | 4 | 2 |
| | **LNH** | | **417** | **83** | **98** | **181** | **133** | **25** | **5** | **4** | **9** | **0** |
| | **Montréal** | | **11** | **1** | **4** | **5** | **4** | - | - | - | - | - |

• Première équipe d'étoiles (MCBHL) en 1926-27 • Coupe Stanley (LNH) en 1934-35.
• Match des étoiles (LNH) en 1937-38, 1939-40
• Droits vendus à Chicago par Montréal (Maroons) avec Baldy Northcott et Russ Blinco pour une somme d'argent le 15 septembre 1938 • Droits vendus à Montréal par Chicago le 11 octobre 1939

## ROBINSON, LARRY

**Né à Winchester, Ontario, le 2 juin 1951. Défenseur, lance de la gauche, 6'4", 225 lb**
**(4e choix de Montréal, 20e au total lors du repêchage de 1971)**

| SAISON | CLUB | LIGUE | PJ | B | A | PTS | PUN | PJ | B | A | PTS | PUN |
|---|---|---|---|---|---|---|---|---|---|---|---|---|
| 1969-70 | Brockville (Braves) | OJHL | 40 | 22 | 29 | 51 | 74 | - | - | - | - | - |
| | Ottawa M & W Rangers | Cent. | 5 | 2 | 1 | 3 | 2 | - | - | - | - | - |
| 1970-71 | Kitchener (Rangers) | OMJHL | 61 | 12 | 39 | 51 | 65 | 4 | 1 | 2 | 3 | 5 |
| 1971-72 | Nlle-Écosse (Voyageurs) | AHL | 74 | 10 | 14 | 24 | 54 | 15 | 2 | 10 | 12 | 31 |
| 1972-73 | Nlle-Écosse (Voyageurs) | AHL | 38 | 6 | 33 | 39 | 33 | - | - | - | - | - |
| | **Montréal (Canadiens)** | **LNH** | **36** | **2** | **4** | **6** | **20** | **11** | **1** | **4** | **5** | **9** |
| 1973-74 | **Montréal (Canadiens)** | **LNH** | **78** | **6** | **20** | **26** | **66** | **6** | **0** | **1** | **1** | **26** |
| | Match des étoiles | LNH | 1 | 0 | 0 | 0 | 0 | - | - | - | - | - |
| 1974-75 | **Montréal (Canadiens)** | **LNH** | **80** | **14** | **47** | **61** | **76** | **11** | **0** | **4** | **4** | **27** |
| 1975-76 | **Montréal (Canadiens)** | **LNH** | **80** | **10** | **30** | **40** | **59** | **13** | **3** | **3** | **6** | **10** |
| | Match des étoiles | LNH | 1 | 0 | 0 | 0 | 0 | - | - | - | - | - |
| 1976-77 | Canada | CC | 7 | 0 | 0 | 0 | 0 | - | - | - | - | - |
| | **Montréal (Canadiens)** | **LNH** | **77** | **19** | **66** | **85** | **45** | **14** | **2** | **10** | **12** | **12** |
| | Match des étoiles | LNH | 1 | 0 | 2 | 2 | 0 | - | - | - | - | - |
| 1977-78 | **Montréal (Canadiens)** | **LNH** | **80** | **13** | **52** | **65** | **39** | **15** | **4** | ***17** | ***21** | **6** |
| | Match des étoiles | LNH | 1 | 0 | 1 | 1 | 0 | - | - | - | - | - |
| 1978-79 | **Montréal (Canadiens)** | **LNH** | **67** | **16** | **45** | **61** | **33** | **16** | **6** | **9** | **15** | **8** |
| | Étoiles LNH | Défi 79 | 3 | 1 | 0 | 1 | 0 | - | - | - | - | - |
| 1979-80 | **Montréal (Canadiens)** | **LNH** | **72** | **14** | **61** | **75** | **39** | **10** | **0** | **4** | **4** | **2** |
| | Match des étoiles | LNH | 1 | 0 | 1 | 1 | 0 | - | - | - | - | - |
| 1980-81 | **Montréal (Canadiens)** | **LNH** | **65** | **12** | **38** | **50** | **37** | **3** | **0** | **1** | **1** | **2** |
| | Canada | CM | 6 | 1 | 1 | 2 | 2 | - | - | - | - | - |
| 1981-82 | **Montréal (Canadiens)** | **LNH** | **71** | **12** | **47** | **59** | **41** | **5** | **0** | **1** | **1** | **8** |
| | Match des étoiles | LNH | 1 | 0 | 1 | 1 | 0 | - | - | - | - | - |
| | Canada | CC | 7 | 0 | 1 | 1 | 2 | - | - | - | - | - |
| 1982-83 | **Montréal (Canadiens)** | **LNH** | **71** | **14** | **49** | **63** | **33** | **3** | **0** | **0** | **0** | **2** |
| 1983-84 | **Montréal (Canadiens)** | **LNH** | **74** | **9** | **34** | **43** | **39** | **15** | **0** | **5** | **5** | **22** |
| 1984-85 | **Montréal (Canadiens)** | **LNH** | **76** | **14** | **33** | **47** | **44** | **12** | **3** | **8** | **11** | **8** |
| | Canada | CC | 8 | 1 | 2 | 3 | 2 | - | - | - | - | - |
| 1985-86 | **Montréal (Canadiens)** | **LNH** | **78** | **19** | **63** | **82** | **39** | **20** | **0** | **13** | **13** | **22** |
| | Match des étoiles | LNH | 1 | 0 | 2 | 2 | 0 | - | - | - | - | - |
| 1986-87 | **Montréal (Canadiens)** | **LNH** | **70** | **13** | **37** | **50** | **44** | **17** | **3** | **17** | **20** | **6** |
| 1987-88 | **Montréal (Canadiens)** | **LNH** | **53** | **6** | **34** | **40** | **30** | **11** | **1** | **4** | **5** | **4** |
| | Match des étoiles | LNH | 1 | 0 | 1 | 1 | 0 | - | - | - | - | - |
| 1988-89 | **Montréal (Canadiens)** | **LNH** | **74** | **4** | **26** | **30** | **22** | **21** | **2** | **8** | **10** | **12** |
| | Match des étoiles | LNH | 1 | 0 | 0 | 0 | 0 | - | - | - | - | - |
| 1989-90 | Los Angeles (Kings) | LNH | 64 | 7 | 32 | 39 | 34 | 10 | 2 | 3 | 5 | 10 |
| 1990-91 | Los Angeles (Kings) | LNH | 62 | 1 | 22 | 23 | 16 | 12 | 1 | 4 | 5 | 15 |
| 1991-92 | Los Angeles (Kings) | LNH | 56 | 3 | 10 | 13 | 37 | 2 | 0 | 0 | 0 | 0 |
| | Match des étoiles | LNH | 1 | 0 | 1 | 1 | 0 | - | - | - | - | - |
| | **LNH** | | **1384** | **208** | **750** | **958** | **793** | **227** | **28** | **116** | **144** | **211** |
| | **Montréal** | | **1202** | **197** | **686** | **883** | **706** | **203** | **25** | **109** | **134** | **186** |

• **Coupe Calder (AHL) en 1971-72** • **Coupe Stanley (LNH) en 1972-73, 1975-76, 1976-77, 1977-78, 1978-79, 1985-86** • **Match des étoiles (LNH) en 1973-74, 1975-76, 1976-77, 1977-78, 1979-80, 1981-82, 1985-86, 1987-88, 1988-89, 1991-92** • **Première équipe d'étoiles (LNH) en 1976-77, 1978-79, 1979-80** • **Deuxième équipe d'étoiles (LNH) en 1977-78, 1980-81, 1985-86** • **Trophée James-Norris (LNH) en 1976-77, 1979-80** • **Coupe Canada en 1977, 1985** • **Trophée Conn-Smythe (LNH) en 1977-78** • **Équipe d'étoiles (CM) en 1981** • **Nommé meilleur défenseur (CM) en 1981** • **Temple de la Renommée (LNH) en 1995**
• Signe avec Los Angeles comme agent libre le 26 juillet 1989

676

## ROBINSON, MORRIS (MOE)

**Né à Winchester, Ontario, le 29 mai 1957. Défenseur, lance de la droite, 6'4", 175 lb**
**(6e choix de Montréal, 49e au total lors du repêchage de 1977)**

| SAISON | CLUB | LIGUE | PJ | B | A | PTS | PUN | PJ | B | A | PTS | PUN |
|---|---|---|---|---|---|---|---|---|---|---|---|---|
| 1976-77 | Kingston (Canadien) | OHA | 48 | 5 | 15 | 20 | 35 | - | - | - | - | - |
| 1977-78 | Nlle-Écosse (Voyageurs) | AHL | 75 | 6 | 23 | 29 | 68 | 11 | 0 | 1 | 1 | 7 |
| 1978-79 | Nlle-Écosse (Voyageurs) | AHL | 78 | 4 | 23 | 27 | 92 | 9 | 1 | 1 | 2 | 6 |
| 1979-80 | Nlle-Écosse (Voyageurs) | AHL | 64 | 5 | 35 | 40 | 82 | 6 | 0 | 2 | 2 | 4 |
| | **Montréal (Canadiens)** | **LNH** | **1** | **0** | **0** | **0** | **0** | - | - | - | - | - |
| 1980-81 | Oklahoma City (Stars) | CHL | 56 | 4 | 22 | 26 | 55 | 3 | 0 | 2 | 2 | 0 |
| | **LNH** | | **1** | **0** | **0** | **0** | **0** | - | - | - | - | - |
| | **Montréal** | | **1** | **0** | **0** | **0** | **0** | - | - | - | - | - |

## ROCHE, DESMOND (DES)

**Né à Kemptville, Ontario, le 1er février 1909, décédé**
**Ailier droit, lance de la droite, 5'7", 165 lb**

| SAISON | CLUB | LIGUE | PJ | B | A | PTS | PUN | PJ | B | A | PTS | PUN |
|---|---|---|---|---|---|---|---|---|---|---|---|---|
| 1925-26 | Montréal (Victorias) | LHJCM | 6 | 4 | 1 | 5 | 2 | 4 | 3 | 1 | 4 | 2 |
| 1926-27 | Montréal (Victorias) | LHCM | 1 | 0 | 0 | 0 | 0 | - | - | - | - | - |
| 1927-28 | Montréal (Bell Téléphone) | LHTRM | | *Statistiques non disponibles* | | | | | | | | |
| | Montréal (St-Anthony) | LHTRM | 13 | 7 | 0 | 7 | - | | | | | |
| 1928-29 | Montréal (Bell Téléphone) | LHTRM | - | 5 | 4 | 9 | 20 | | | | | |
| | Montréal (Martin) | LHTRM | - | 7 | 0 | 7 | - | | | | | |
| 1929-30 | Montréal (Bell Téléphone) | LHTRM | 10 | 6 | 0 | 6 | 8 | 2 | 1 | 0 | 1 | 2 |
| 1930-31 | Montréal (Maroons) | LNH | 19 | 0 | 1 | 1 | 6 | - | - | - | - | - |
| | Windsor (Bulldogs) | IHL | 26 | 10 | 2 | 12 | 16 | 6 | 1 | 0 | 1 | 2 |
| 1931-32 | Windsor (Bulldogs) | IHL | 42 | 11 | 12 | 23 | 42 | 6 | 2 | 0 | 2 | 6 |
| 1932-33 | Windsor (Bulldogs) | IHL | 20 | 7 | 4 | 11 | 32 | - | - | - | - | - |
| | Montréal (Maroons) | LNH | 5 | 0 | 0 | 0 | 0 | - | - | - | - | - |
| | Ottawa (Senators) | LNH | 16 | 3 | 6 | 9 | 6 | - | - | - | - | - |
| 1933-34 | Ottawa (Senators) | LNH | 46 | 14 | 10 | 24 | 22 | - | - | - | - | - |
| 1934-35 | St. Louis (Eagles) | LNH | 7 | 0 | 0 | 0 | 0 | - | - | - | - | - |
| | **Montréal (Canadiens)** | **LNH** | **5** | **0** | **1** | **1** | **0** | - | - | - | - | - |
| | Buffalo (Bisons) | IHL | 1 | 1 | 1 | 2 | 2 | - | - | - | - | - |
| | Detroit (Red Wings) | LNH | 15 | 3 | 0 | 3 | 10 | - | - | - | - | - |
| | Detroit (Olympics) | IHL | 7 | 0 | 3 | 3 | 6 | 5 | *6 | 2 | *8 | 4 |
| 1935-36 | Pittsburgh (Shamrocks) | IHL | 25 | 7 | 14 | 26 | | - | - | - | - | - |
| | Cleveland (Falcons) | IHL | 19 | 3 | 8 | 11 | 6 | 2 | 0 | 0 | 0 | 0 |
| 1936-37 | St. Louis (Flyers) | AHA | 4 | 3 | 0 | 3 | 2 | - | - | - | - | - |
| 1937-38 | Tulsa (Oilers) | AHA | 32 | 12 | 9 | 21 | 27 | - | - | - | - | - |
| 1938-39 | Spokane (Clippers) | PCHL | 45 | 14 | 11 | 25 | 33 | - | - | - | - | - |
| | **LNH** | | **113** | **20** | **18** | **38** | **44** | - | - | - | - | - |
| | **Montréal** | | **5** | **0** | **1** | **1** | **0** | - | - | - | - | - |

• Signe avec Montréal (Maroons) le 2 septembre 1930 • Échangé à Ottawa par Montréal (Maroons) pour Wally Kilrea le 3 février 1933 • Transfert de la concession d'Ottawa à St. Louis le 22 septembre 1934 • Échangé à Boston par St. Louis avec Max Kaminsky pour Joe Lamb le 4 décembre 1934 • Droits vendus à Montréal par Boston le 8 décembre 1934 • Droits vendus à Buffalo (IHL) par Montréal le 26 décembre 1934 • Droits vendus à Detroit par Buffalo (IHL) avec Earl Roche le 1er janvier 1935 • Droits vendus à Pittsburgh (IHL) par Detroit le 17 octobre 1935 • Droits vendus à Cleveland (IHL) par Pittsburgh (IHL) le 3 février 1936

## ROCHE, ERNEST (ERNIE)

**Né à Montréal, Québec, le 4 février 1930. Défenseur, lance de la gauche, 6'1", 170 lb**

| SAISON | CLUB | LIGUE | PJ | B | A | PTS | PUN | PJ | B | A | PTS | PUN |
|---|---|---|---|---|---|---|---|---|---|---|---|---|
| 1946-47 | Montréal (Canadien Jr) | LHJQ | 27 | 3 | 9 | 12 | 52 | 8 | 2 | 9 | 11 | 14 |
| | Montréal (Canadien Jr) | Mem. | 8 | 1 | 6 | 7 | 16 | - | - | - | - | - |
| 1947-48 | Montréal (Canadien Jr) | LHJQ | 32 | 10 | 19 | 29 | 58 | 5 | 0 | 0 | 0 | 6 |
| 1948-49 | Montréal (Canadien Jr) | LHJQ | 48 | 11 | 23 | 34 | 73 | 4 | 1 | 1 | 2 | 2 |
| 1949-50 | Montréal (Canadien Jr) | LHJQ | 36 | 12 | 12 | 24 | 81 | 15 | 5 | 13 | 18 | 26 |
| | Montréal (Canadien Jr) | Mem. | 3 | 1 | 10 | 11 | 30 | - | - | - | - | - |
| 1950-51 | Cincinnati (Mohawks) | AHL | 60 | 10 | 13 | 23 | 71 | - | - | - | - | - |
| | **Montréal (Canadiens)** | **LNH** | **4** | **0** | **0** | **0** | **2** | - | - | - | - | - |
| 1951-52 | Buffalo (Bisons) | AHL | 4 | 0 | 1 | 1 | 2 | - | - | - | - | - |
| | Victoria (Cougars) | PCHL | 64 | 6 | 17 | 23 | 60 | 10 | 0 | 1 | 1 | 4 |
| 1952-53 | Victoria (Cougars) | PCHL | 65 | 10 | 25 | 35 | 69 | - | - | - | - | - |
| 1953-54 | Victoria (Cougars) | WHL | 5 | 0 | 0 | 0 | 4 | - | - | - | - | - |
| | Montréal (Royals) | LHQ | 51 | 1 | 15 | 16 | 48 | 1 | 1 | 3 | 4 | 6 |
| 1954-55 | Montréal (Royals) | LHQ | 71 | 11 | 11 | 22 | 52 | 14 | 1 | 4 | 5 | 14 |
| 1955-56 | Springfield (Indians) | AHL | 22 | 3 | 4 | 7 | 12 | - | - | - | - | - |
| | Shawinigan (Cataractes) | LHQ | 24 | 6 | 10 | 16 | - | 0 | 1 | 1 | 4 | |
| 1956-57 | Montréal (Royals) | LHQ | 64 | 21 | 25 | 46 | - | 4 | 0 | 0 | 0 | 0 |
| 1957-58 | Montréal (Royals) | LHQ | 25 | 5 | 20 | 40 | - | 7 | 1 | 1 | 2 | 2 |
| 1958-59 | Montréal (Royals) | LHQ | 51 | 9 | 16 | 25 | - | 9 | 1 | 4 | 5 | 4 |
| 1959-60 | Sudbury (Wolves) | EPHL | 62 | 4 | 29 | 33 | 38 | 14 | 1 | 3 | 5 | 22 |
| 1960-61 | Sudbury (Wolves) | EPHL | 5 | 2 | 0 | 2 | 4 | - | - | - | - | - |
| | Windsor (Maple Leafs) | NSSHL | 22 | 4 | 10 | 14 | 10 | 10 | 0 | 0 | 0 | 0 |
| | Milwaukee (Falcons) | IHL | 10 | 2 | 0 | 2 | 4 | - | - | - | - | - |
| | **LNH** | | **4** | **0** | **0** | **0** | **2** | - | - | - | - | - |
| | **Montréal** | | **4** | **0** | **0** | **0** | **2** | - | - | - | - | - |

• **Coupe Memorial en 1949-50**
• Réclamé par Springfield (AHL) de Montréal (Royals – LHQ) lors du repêchage intra-ligue le 30 mai 1955 • Droits vendus à Montréal par Springfield (AHL) le 10 janvier 1956 • Droits vendus à Shawinigam (LHQ) par Montréal le 10 janvier 1956 • Échangé à Montréal (Royals – LHQ) par Shawinigan (LHQ) pour Léo Amadio le 29 novembre 1956

## ROCHEFORT, LÉON

**Né à Cap-de-la-Madeleine, Québec, le 4 mai 1939**
**Ailier droit, lance de la droite, 6', 185 lb**

| SAISON | CLUB | LIGUE | PJ | B | A | PTS | PUN | PJ | B | A | PTS | PUN |
|---|---|---|---|---|---|---|---|---|---|---|---|---|
| 1957-58 | Guelph (Biltmores) | OHA Jr | 52 | 17 | 18 | 35 | 19 | - | - | - | - | - |
| 1958-59 | Guelph (Biltmores) | OHA Jr | 54 | 16 | 19 | 35 | 16 | 10 | 8 | 4 | 12 | 4 |
| 1959-60 | Trois-Rivières (Lions) | EPHL | 70 | 27 | 22 | 49 | 35 | 4 | 0 | 0 | 0 | 9 |
| 1960-61 | Kitchener/Waterloo | EPHL | 65 | 20 | 18 | 38 | 33 | 7 | 3 | 1 | 4 | 14 |
| | New York (Rangers) | LNH | - | - | - | - | - | - | - | - | - | - |
| 1961-62 | Kitchener/Waterloo | EPHL | 69 | 33 | 27 | 60 | 29 | - | - | - | - | - |
| 1962-63 | Baltimore (Clippers) | AHL | 50 | 12 | 22 | 34 | 24 | - | - | - | - | - |
| | New York (Rangers) | LNH | 2 | 0 | 0 | 0 | 0 | - | - | - | - | - |
| 1963-64 | Québec (As) | AHL | 71 | 27 | 25 | 52 | 14 | 9 | 4 | 3 | 7 | 2 |

| SAISON | CLUB | LIGUE | PJ | B | A | PTS | PUN | PJ | B | A | PTS | PUN |
|---|---|---|---|---|---|---|---|---|---|---|---|---|
| | Montréal (Canadiens) | LNH | 3 | 0 | 0 | 0 | 0 | - | - | - | - | - |
| 1964-65 | Québec (As) | AHL | 41 | 18 | 21 | 39 | 12 | 5 | 0 | 3 | 3 | 6 |
| | Montréal (Canadiens) | LNH | 9 | 2 | 0 | 2 | 0 | - | - | - | - | - |
| 1965-66 | Québec (As) | AHL | 71 | 35 | 37 | 72 | 12 | 6 | 5 | 3 | 8 | 0 |
| | Montréal (Canadiens) | LNH | 1 | 0 | 1 | 1 | 0 | 4 | 1 | 1 | 2 | 4 |
| 1966-67 | Québec (As) | AHL | 8 | 3 | 2 | 5 | 2 | - | - | - | - | - |
| | Montréal (Canadiens) | LNH | 27 | 9 | 7 | 16 | 16 | 10 | 1 | 1 | 2 | 4 |
| 1967-68 | Philadelphie (Flyers) | LNH | 74 | 21 | 21 | 42 | 16 | 7 | 2 | 0 | 2 | 2 |
| | Match des étoiles | LNH | 1 | 0 | 0 | 0 | 0 | - | - | - | - | - |
| 1968-69 | Philadelphie (Flyers) | LNH | 65 | 14 | 21 | 35 | 10 | 3 | 0 | 0 | 0 | 0 |
| 1969-70 | Los Angeles (Kings) | LNH | 76 | 9 | 23 | 32 | 14 | - | - | - | - | - |
| 1970-71 | Montréal (Voyageurs) | AHL | 10 | 1 | 6 | 7 | 0 | - | - | - | - | - |
| | Montréal (Canadiens) | LNH | 57 | 5 | 10 | 15 | 4 | 10 | 0 | 0 | 0 | 6 |
| 1971-72 | Detroit (Red Wings) | LNH | 64 | 17 | 12 | 29 | 10 | - | - | - | - | - |
| 1972-73 | Detroit (Red Wings) | LNH | 20 | 2 | 4 | 6 | 2 | - | - | - | - | - |
| | Atlanta (Flames) | LNH | 54 | 9 | 18 | 27 | 10 | - | - | - | - | - |
| 1973-74 | Atlanta (Flames) | LNH | 56 | 10 | 12 | 22 | 13 | - | - | - | - | - |
| 1974-75 | Vancouver (Canucks) | LNH | 76 | 18 | 11 | 29 | 2 | 5 | 0 | 2 | 2 | 0 |
| 1975-76 | Vancouver (Canucks) | LNH | 11 | 0 | 3 | 3 | 0 | - | - | - | - | - |
| | Tulsa (Oilers) | CHL | 60 | 25 | 40 | 65 | 2 | 9 | 2 | 5 | 7 | 6 |
| | | LNH | 617 | 121 | 147 | 268 | 93 | 39 | 4 | 4 | 8 | 16 |
| | | Montréal | 97 | 16 | 18 | 34 | 10 | 24 | 2 | 2 | 4 | 14 |

• Coupe Stanley (LNH) en 1965-66 • Match des étoiles (LNH) en 1967-68
• Échangé à Montréal par New York avec Dave Balon, Len Ronson et Lorne Worsley, pour Phil Goyette, Don Marshall et Jacques Plante le 4 juin 1963 • Réclamé par Philadelphie de Montréal lors de l'expansion de la LNH le 6 juin 1967 • Échangé à New York par Philadelphie avec Don Blackburn pour Reggie Fleming le 6 juin 1969 • Échangé à Los Angeles par New York avec Dennis Hextall pour Réal Lemieux le 9 juin 1969 • Échangé à Montréal par Los Angeles avec Wayne Thomas et Gregg Boddy pour Larry Mickey, Lucien Grenier et Jack Norris le 22 mai 1970 • Échangé à Detroit par Montréal pour Kerry Ketter et une somme d'argent le 25 mai 1971 • Échangé à Atlanta par Detroit pour Bill Hogaboam le 28 novembre 1972 • Droits vendus à Vancouver par Atlanta le 4 octobre 1974

## ROCHON, JULES
**Décédé. Défenseur**

| SAISON | CLUB | LIGUE | PJ | B | A | PTS | PUN | PJ | B | A | PTS | PUN |
|---|---|---|---|---|---|---|---|---|---|---|---|---|
| 1915-16 | Québec (Bulldogs) | NHA | 2 | 0 | 0 | 0 | 0 | - | - | - | - | - |
| 1916-17 | Montréal (Canadiens) | NHA | 1 | 0 | 0 | 0 | 0 | - | - | - | - | - |
| | | NHA | 3 | 0 | 0 | 0 | 0 | - | - | - | - | - |
| | | Montréal | 1 | 0 | 0 | 0 | 0 | - | - | - | - | - |

• Signe avec Québec (NHA) en décembre 1915 • Signe avec Montréal (NHA) le 8 janvier 1917

## RONAN, EDWARD (ED)
**Né à Quincy, Massachusetts, le 21 mars 1968. Ailier droit, lance de la droite, 6', 197 lb (13e choix de Montréal, 227e au total lors du repêchage de 1987)**

| SAISON | CLUB | LIGUE | PJ | B | A | PTS | PUN | PJ | B | A | PTS | PUN |
|---|---|---|---|---|---|---|---|---|---|---|---|---|
| 1986-87 | Andover Academy | H.S. | 22 | 10 | 22 | 32 | 10 | - | - | - | - | - |
| 1987-88 | Boston University | H-East | 31 | 2 | 5 | 7 | 20 | - | - | - | - | - |
| 1988-89 | Boston University | H-East | 36 | 4 | 11 | 15 | 34 | - | - | - | - | - |
| 1989-90 | Boston University | H-East | 44 | 17 | 23 | 40 | 50 | - | - | - | - | - |
| 1990-91 | Boston University | H-East | 41 | 16 | 19 | 35 | 38 | - | - | - | - | - |
| 1991-92 | Fredericton (Canadien) | AHL | 78 | 25 | 34 | 59 | 82 | 7 | 5 | 1 | 6 | 6 |
| | Montréal (Canadiens) | LNH | 3 | 0 | 0 | 0 | 0 | - | - | - | - | - |
| 1992-93 | Fredericton (Canadien) | AHL | 16 | 10 | 5 | 15 | 15 | 5 | 2 | 4 | 6 | 6 |
| | Montréal (Canadiens) | LNH | 53 | 5 | 7 | 12 | 20 | 14 | 2 | 3 | 5 | 10 |
| 1993-94 | Montréal (Canadiens) | LNH | 61 | 6 | 8 | 14 | 42 | 7 | 1 | 0 | 1 | 0 |
| 1994-95 | Montréal (Canadiens) | LNH | 30 | 1 | 4 | 5 | 12 | - | - | - | - | - |
| 1995-96 | Winnipeg (Jets) | LNH | 17 | 0 | 0 | 0 | 16 | - | - | - | - | - |
| | Springfield (Falcons) | AHL | 31 | 8 | 16 | 24 | 50 | 10 | 7 | 6 | 13 | 4 |
| 1996-97 | Buffalo (Sabres) | LNH | 18 | 1 | 4 | 5 | 11 | 6 | 1 | 0 | 1 | 6 |
| | Rochester (Americans) | AHL | 47 | 13 | 21 | 34 | 62 | - | - | - | - | - |
| 1997-98 | Providence (Reds) | AHL | 49 | 13 | 15 | 28 | 48 | - | - | - | - | - |
| | | LNH | 182 | 13 | 23 | 36 | 101 | 27 | 4 | 3 | 7 | 16 |
| | | Montréal | 147 | 12 | 19 | 31 | 74 | 21 | 3 | 3 | 6 | 10 |

• Coupe Stanley (LNH) en 1992-93
• Signe avec Winnipeg comme agent libre 13 octobre 1995 • Signe avec Buffalo comme agent libre le 5 septembre 1996

## RONAN, ERSKINE (SKENE)
**Né à Ottawa, Ontario. Défenseur/Avant, lance de la gauche, 5'6", 150 lb**

| SAISON | CLUB | LIGUE | PJ | B | A | PTS | PUN | PJ | B | A | PTS | PUN |
|---|---|---|---|---|---|---|---|---|---|---|---|---|
| 1906-07 | Pembroke (Lumber Kings) | UOVHL | 1 | 1 | 0 | 1 | 0 | - | - | - | - | - |
| 1907-08 | Ottawa (Primrose) | OCHL | 8 | *15 | 0 | *15 | - | - | - | - | - | - |
| 1908-09 | Pittsburgh (Bankers) | WPHL | 8 | 5 | 0 | 5 | - | - | - | - | - | - |
| | Toronto (Professionals) | OPHL | 7 | 4 | 0 | 4 | - | - | - | - | - | - |
| | Haileybury (Silver Kings) | TPHL | 9 | 6 | 0 | 6 | 7 | 2 | 1 | 0 | 1 | 6 |
| 1909-10 | Haileybury (Comets) | NHA | 11 | 9 | 0 | 3 | 21 | - | - | - | - | - |
| 1910-11 | Renfrew (Creamery Kings) | NHA | 5 | 3 | 0 | 3 | 9 | - | - | - | - | - |
| 1911-12 | Ottawa (Senators) | NHA | 18 | *35 | 0 | *35 | - | - | - | - | - | - |
| 1912-13 | Ottawa (Senators) | NHA | 20 | 18 | 0 | 18 | - | - | - | - | - | - |
| 1913-14 | Ottawa (Senators) | NHA | 19 | 18 | 5 | 23 | - | - | - | - | - | - |
| 1914-15 | Toronto (Ontarios/ Shamrocks) | NHA | 18 | 21 | 4 | 25 | 55 | - | - | - | - | - |
| 1915-16 | Toronto (Blueshirts) | NHA | 9 | 6 | 0 | 3 | 48 | - | - | - | - | - |
| | Montréal (Canadiens) | NHA | 12 | 6 | 4 | 10 | 14 | 2 | 1 | 0 | 1 | 0 |
| 1916-17 | Ottawa (Munitions) | OCHL | *Statistiques non disponibles* | | | | | | | | | |
| 1917-18 | Ottawa (Munitions) | OCHL | *Statistiques non disponibles* | | | | | | | | | |
| 1918-19 | Ottawa (Senators) | LNH | 11 | 0 | 0 | 0 | 6 | - | - | - | - | - |
| | | NHA | 112 | 104 | 16 | 120 | 107 | 2 | 1 | 0 | 1 | 0 |
| | | LNH | 11 | 0 | 0 | 0 | 6 | - | - | - | - | - |
| | | Montréal | 12 | 6 | 4 | 10 | 14 | 2 | 1 | 0 | 1 | 0 |

• Coupe Stanley (NHA) en 1915-16
• Signe avec Toronto le 22 décembre 1908 • Signe avec Haileybury (TPHL) le 27 janvier 1909 • Signe avec Haileybury (NHA) en décembre 1909 • Signe avec Renfrew (NHA) en 1910. • Réclamé par Ottawa (NHA) lors du repêchage de dispersion de Renfrew (NHA) le 12 novembre 1911 • Échangé à Toronto (NHA) par Ottawa (NHA) pour Sammy Hebert et une somme d'argent le 25 décembre 1914 • Échangé à Montréal (NHA) par Toronto (NHA) pour Ernie Dubeau le 17 janvier 1916 • Échangé à Ottawa par Montréal pour les droits sur Harry Hyland le 9 décembre 1918

## RONTY, PAUL
**Né à Toronto, Ontario, le 12 juin 1928. Centre, lance de la gauche, 6', 160 lb**

| SAISON | CLUB | LIGUE | PJ | B | A | PTS | PUN | PJ | B | A | PTS | PUN |
|---|---|---|---|---|---|---|---|---|---|---|---|---|
| 1944-45 | Toronto (Chevies Aces) | OHA B | 9 | 7 | 6 | 13 | 7 | 5 | *6 | *6 | *12 | 0 |
| | Toronto (Uptown Tires) | TMHL | 1 | 1 | 0 | 1 | 0 | - | - | - | - | - |
| 1945-46 | Boston (Olympics) | EAHL | 49 | 19 | 25 | 44 | 14 | 12 | 6 | 11 | 17 | 2 |
| 1946-47 | Hershey (Bears) | AHL | 64 | 19 | 40 | 59 | 12 | 11 | 0 | 2 | 2 | 2 |
| 1947-48 | Boston (Bruins) | LNH | 24 | 11 | 14 | 25 | 6 | 5 | 0 | 4 | 4 | 0 |
| | Hershey (Bears) | AHL | 31 | 15 | 24 | 39 | 2 | - | - | - | - | - |
| 1948-49 | Boston (Bruins) | LNH | 60 | 20 | 29 | 49 | 11 | 5 | 1 | 2 | 3 | 2 |
| 1949-50 | Boston (Bruins) | LNH | 70 | 23 | 36 | 59 | 8 | - | - | - | - | - |
| | Match des étoiles | LNH | 1 | 1 | 0 | 1 | 0 | - | - | - | - | - |
| 1950-51 | Boston (Bruins) | LNH | 70 | 10 | 22 | 32 | 20 | 6 | 0 | 1 | 1 | 2 |
| | Match des étoiles | LNH | 1 | 0 | 0 | 0 | 0 | - | - | - | - | - |
| 1951-52 | New York (Rangers) | LNH | 65 | 12 | 31 | 43 | 16 | - | - | - | - | - |
| 1952-53 | New York (Rangers) | LNH | 70 | 16 | 38 | 54 | 20 | - | - | - | - | - |
| 1953-54 | New York (Rangers) | LNH | 70 | 13 | 33 | 46 | 18 | - | - | - | - | - |
| | Match des étoiles | LNH | 1 | 0 | 1 | 1 | 0 | - | - | - | - | - |
| 1954-55 | New York (Rangers) | LNH | 54 | | | | | - | - | - | - | - |
| | Match des étoiles | LNH | 1 | 0 | 0 | 0 | 0 | - | - | - | - | - |
| | Montréal (Canadiens) | LNH | 4 | 0 | 0 | 0 | 2 | 5 | 0 | 0 | 0 | 2 |
| | | LNH | 488 | 101 | 211 | 312 | 103 | 21 | 1 | 7 | 8 | 6 |
| | | Montréal | 4 | 0 | 0 | 0 | 2 | 5 | 0 | 0 | 0 | 2 |

• Coupe Calder (AHL) en 1946-47 • Match des étoiles (LNH) en 1949-50, 1950-51, 1953-54, 1954-55
• Échangé à New York par Boston pour Gus Kyle et Pentti Lund le 20 septembre 1951 • Droits vendus à Montréal par New York le 20 février 1955

## ROONEY, STEVE
**Né à Canton, Massachusetts, le 28 juin 1962. Ailier gauche, lance de la gauche, 6'2", 205 lb (8e choix de Montréal, 88e au total lors du repêchage de 1981)**

| SAISON | CLUB | LIGUE | PJ | B | A | PTS | PUN | PJ | B | A | PTS | PUN |
|---|---|---|---|---|---|---|---|---|---|---|---|---|
| 1980-81 | Wexford (Raiders) | OHA B | 36 | 13 | 20 | 33 | 58 | - | - | - | - | - |
| 1981-82 | Providence College | ECAC | 31 | 7 | 10 | 17 | 41 | - | - | - | - | - |
| 1982-83 | Providence College | ECAC | 42 | 10 | 20 | 30 | 31 | - | - | - | - | - |
| 1983-84 | Providence College | ECAC | 33 | 11 | 16 | 27 | 46 | - | - | - | - | - |
| 1984-85 | Providence (College) | H-East | 31 | 7 | 10 | 17 | 41 | - | - | - | - | - |
| | Montréal (Canadiens) | LNH | 3 | 1 | 0 | 1 | 7 | 11 | 2 | 2 | 4 | 19 |
| 1985-86 | Montréal (Canadiens) | LNH | 38 | 2 | 3 | 5 | 114 | 1 | 0 | 0 | 0 | 0 |
| 1986-87 | Montréal (Canadiens) | LNH | 2 | 0 | 0 | 0 | 22 | - | - | - | - | - |
| | Sherbrooke (Canadien) | AHL | 22 | 4 | 11 | 15 | 66 | - | - | - | - | - |
| | Winnipeg (Jets) | LNH | 30 | 2 | 3 | 5 | 57 | 8 | 0 | 0 | 0 | 34 |
| 1987-88 | Winnipeg (Jets) | LNH | 56 | 6 | 7 | 13 | 217 | 5 | 1 | 0 | 1 | 33 |
| 1988-89 | New Jersey (Devils) | LNH | 25 | 3 | 1 | 4 | 79 | - | - | - | - | - |
| 1989-90 | Utica (Devils) | AHL | 59 | 9 | 16 | 25 | 134 | 5 | 0 | 1 | 1 | 19 |
| 1990-91 | Phoenix (Roadrunners) | IHL | 5 | 1 | 0 | 1 | 76 | - | - | - | - | - |
| | New Haven (Nighthawks) | AHL | 44 | 14 | 17 | 31 | 141 | - | - | - | - | - |
| 1991-92 | Maine (Mariners) | AHL | 13 | 2 | 3 | 5 | 17 | - | - | - | - | - |
| | | LNH | 154 | 15 | 13 | 28 | 496 | 25 | 3 | 2 | 5 | 86 |
| | | Montréal | 43 | 3 | 3 | 6 | 143 | 12 | 2 | 2 | 4 | 19 |

• Coupe Stanley (LNH) en 1985-86
• Échangé à Winnipeg de Montréal pour le choix de 3e ronde de Winnipeg au repêchage de 1987 (François Gravel) le 8 janvier 1987 • Échangé à New Jersey de Winnipeg avec le choix de 3e ronde de Winnipeg au repêchage de 1990 (Brad Bombardir), Alain Chevrier et le choix de 7e ronde du New Jersey au repêchage de 1990 (Doug Evans) le 19 juillet 1988

## ROOT, WILLIAM (BILL)
**Né à Toronto, Ontario, le 6 septembre 1959. Défenseur, lance de la droite, 6', 210 lb**

| SAISON | CLUB | LIGUE | PJ | B | A | PTS | PUN | PJ | B | A | PTS | PUN |
|---|---|---|---|---|---|---|---|---|---|---|---|---|
| 1975-76 | Don Mills (Flyers) | MTHL | 46 | 6 | 39 | 45 | 102 | - | - | - | - | - |
| 1976-77 | Niagara Falls (Flyers) | OMJHL | 66 | 3 | 19 | 22 | 114 | - | - | - | - | - |
| 1977-78 | Niagara Falls (Flyers) | OMJHL | 67 | 6 | 11 | 17 | 61 | - | - | - | - | - |
| 1978-79 | Niagara Falls (Flyers) | OMJHL | 67 | 4 | 31 | 35 | 119 | 20 | 4 | 7 | 11 | 42 |
| 1979-80 | Nlle-Écosse (Voyageurs) | AHL | 55 | 4 | 19 | 19 | 57 | 6 | 1 | 1 | 2 | 2 |
| 1980-81 | Nlle-Écosse (Voyageurs) | AHL | 63 | 3 | 12 | 15 | 76 | 6 | 1 | 1 | 2 | 2 |
| 1981-82 | Nlle-Écosse (Voyageurs) | AHL | 77 | 6 | 25 | 31 | 105 | 9 | 1 | 0 | 1 | 4 |
| 1982-83 | Montréal (Canadiens) | LNH | 46 | 2 | 3 | 5 | 24 | - | - | - | - | - |
| | Nlle-Écosse (Voyageurs) | AHL | 24 | 3 | 4 | 7 | 29 | - | - | - | - | - |
| 1983-84 | Montréal (Canadiens) | LNH | 72 | 4 | 13 | 17 | 45 | - | - | - | - | - |
| 1984-85 | Toronto (Maple Leafs) | LNH | 35 | 1 | 1 | 2 | 23 | - | - | - | - | - |
| | St. Catharines (Saints) | AHL | 28 | 5 | 9 | 14 | 10 | - | - | - | - | - |
| 1985-86 | Toronto (Maple Leafs) | LNH | 27 | 0 | 1 | 1 | 29 | 7 | 0 | 2 | 2 | 13 |
| | St. Catharines (Saints) | AHL | 14 | 0 | 11 | 11 | 4 | - | - | - | - | - |
| 1986-87 | Toronto (Maple Leafs) | LNH | 34 | 3 | 3 | 6 | 37 | 13 | 1 | 0 | 1 | 12 |
| | Newmarket (Saints) | AHL | 32 | 4 | 11 | 15 | 23 | - | - | - | - | - |
| 1987-88 | St. Louis (Blues) | LNH | 9 | 0 | 0 | 0 | 16 | - | - | - | - | - |
| | Philadelphie (Flyers) | LNH | 24 | 1 | 2 | 3 | 16 | - | - | - | - | - |
| 1988-89 | Newmarket (Saints) | AHL | 66 | 10 | 22 | 32 | 39 | 5 | 0 | 0 | 0 | 18 |
| 1989-90 | Newmarket (Saints) | AHL | 47 | 8 | 7 | 15 | 20 | - | - | - | - | - |
| 1990-91 | Newmarket (Saints) | AHL | 36 | 6 | 4 | 10 | 39 | - | - | - | - | - |
| | | LNH | 247 | 11 | 23 | 34 | 180 | 22 | 1 | 2 | 3 | 25 |
| | | Montréal | 118 | 6 | 16 | 22 | 69 | - | - | - | - | - |

• Signe avec Montréal comme agent libre le 4 octobre 1979 • Échangé à Toronto par Montréal pour le choix de 4e ronde de Toronto au repêchage de 1986 (cédé à Toronto qui sélectionne Ken Hulst le 17 août 1984 • Échangé à Hartford par Toronto pour Dave Semenko le 8 septembre 1987 • Réclamé par St. Louis de Hartford au repêchage inter-équipes le 5 octobre 1987 • Réclamé au ballottage par Philadelphie de St. Louis le 26 novembre 1987 • Échangé à Toronto par Philadelphie pour Mike Stothers le 21 juin 1988

## ROSSIGNOL, ROLLAND

Né à Edmundston, Nouveau-Brunswick, le 18 octobre 1921
Ailier droit, lance de la droite, 5'9", 165 lb

| | | | SAISONS RÉGULIÈRES | | | | | SÉRIES ÉLIMINATOIRES | | | | |
| SAISON | CLUB | LIGUE | PJ | B | A | PTS | PUN | PJ | B | A | PTS | PUN |
|---|---|---|---|---|---|---|---|---|---|---|---|---|
| 1936-37 | Edmundston High School | H.S. | 1 | 0 | 0 | 0 | | 3 | 1 | 0 | 1 | 2 |
| 1937-38 | Edmundston (Fraser Pulp) | NNBHL | 8 | 7 | 2 | 9 | 6 | 2 | 1 | 0 | 1 | 6 |
| 1938-39 | Edmundston (Fraser Pulp) | NNBHL | 5 | 5 | 8 | 13 | 2 | 2 | 2 | 0 | 2 | 0 |
| | Edmundston (Eskimos) | NNBHL | 3 | 1 | 1 | 2 | | 4 | 1 | 2 | 3 | 2 |
| | Edmundston High School | H.S. | | | | | | 1 | 1 | 1 | 2 | 0 |
| 1939-40 | Verdun (Maple Leafs) | LHJQ | 12 | 2 | 5 | 7 | 10 | 4 | 1 | 2 | 3 | 11 |
| | Verdun (Maple Leafs) | Mem. | 7 | 7 | 4 | 11 | 8 | | | | | |
| 1940-41 | Verdun (Maple Leafs) | LHJQ | 1 | 0 | 0 | 0 | | | | | | |
| | Washington (Eagles) | EAHL | 65 | 23 | 23 | 46 | 44 | 2 | 0 | 0 | 0 | 0 |
| 1941-42 | Québec (As) | LHSQ | 32 | 12 | 10 | 22 | 30 | 7 | 1 | 1 | 2 | 0 |
| | Québec (As) | Allan | 6 | 0 | 1 | 1 | 0 | | | | | |
| 1942-43 | Québec (As) | LHSQ | 34 | 16 | 16 | 32 | 18 | 4 | 1 | 1 | 2 | 4 |
| 1943-44 | Québec (As) | LHSQ | 25 | 22 | 18 | 40 | 20 | 6 | 3 | 7 | 10 | 0 |
| | Detroit (Red Wings) | LNH | 1 | 0 | 1 | 1 | 0 | | | | | |
| | Québec (As) | Allan | 9 | 10 | 8 | 18 | 6 | | | | | |
| 1944-45 | Pittsburgh (Hornets) | AHL | 38 | 19 | 24 | 43 | 29 | | | | | |
| | **Montréal (Canadiens)** | **LNH** | **5** | **2** | **2** | **4** | **2** | **1** | **0** | **0** | **0** | **2** |
| 1945-46 | Indianapolis (Capitols) | AHL | 48 | 26 | 21 | 47 | 25 | 5 | 1 | 2 | 3 | 4 |
| | Detroit (Red Wings) | LNH | 8 | 1 | 2 | 3 | 4 | | | | | |
| 1946-47 | St. Louis (Flyers) | AHL | 31 | 6 | 9 | 15 | 15 | | | | | |
| | Providence (Reds) | AHL | 27 | 11 | 10 | 21 | 10 | | | | | |
| 1947-48 | Providence (Reds) | AHL | 6 | 2 | 2 | 4 | 2 | | | | | |
| 1948-49 | N'a pas joué | | | | | | | | | | | |
| 1949-50 | Québec (As) | LHSQ | 42 | 12 | 23 | 35 | 17 | 9 | 1 | 1 | 2 | |
| 1950-51 | Jonquière (As) | LHPQ | Statistiques non disponibles | | | | | | | | | |
| 1951-52 | Jonquière (As) | LSSL | Statistiques non disponibles | | | | | | | | | |
| 1952-53 | Mont-Joli (Castors) | LSSL | 58 | 42 | 59 | 101 | 75 | | | | | |
| 1953-54 | Rivière-du-Loup (3 L) | LSSL | 8 | 2 | 5 | 7 | 4 | | | | | |
| | Dalhousie (Rangers) | NNBHL | 32 | 25 | 24 | 49 | 41 | | | | | |
| 1954-55 | Dalhousie (Rangers) | NNBHL | 32 | *43 | *62 | *105 | 28 | | | | | |
| 1955-56 | Bathurst (Papermakers) | NNBHL | 36 | 40 | 42 | 82 | 24 | | | | | |
| 1956-57 | Bathurst (Papermakers) | NNBHL | 48 | 21 | 42 | 63 | 34 | 6 | 4 | 4 | 8 | 2 |
| 1957-58 | Bathurst (Papermakers) | NNBHL | 36 | 12 | 53 | 65 | 37 | | | | | |
| 1958-59 | Bathurst (Papermakers) | NNBHL | 36 | 13 | 23 | 36 | 30 | | | | | |
| 1959-60 | Bathurst (Papermakers) | NNBHL | Statistiques non disponibles | | | | | | | | | |
| 1960-61 | Bathurst (Papermakers) | NNBHL | Statistiques non disponibles | | | | | | | | | |
| 1961-62 | Bathurst (Papermakers) | NNBHL | 36 | 17 | 27 | 44 | 16 | | | | | |
| 1962-63 | Bathurst (Papermakers) | NNBHL | 36 | 6 | 12 | 18 | 14 | | | | | |
| | **LNH** | | **14** | **3** | **5** | **8** | **6** | **1** | **0** | **0** | **0** | **2** |
| | **Montréal** | | **5** | **2** | **2** | **4** | **2** | **1** | **0** | **0** | **0** | **2** |

• Prêté à Detroit par Québec (LHSQ) le 11 mars 1944 • Signe avec Montréal le 13 avril 1944 • Prêté à Pittsburgh (AHL) par Montréal le 2 décembre 1944 • Échangé à Detroit par Montréal avec Ray Getliffe et une somme d'argent pour Billy Reay le 11 septembre 1945 (Detroit obtiendra finalement les droits sur Fern Gauthier) • Signe avec St. Louis (AHL) en octobre 1946 • Échangé à Providence (AHL) par St. Louis (AHL) avec Carl Liscombe, Eddie Bush et une somme d'argent pour Bill McComb et Russ Brayshaw en janvier 1947

## ROTA, RANDY

Né à Creston, Colombie-Britannique, le 16 août 1950. Ailier gauche, lance de la gauche, 5'8", 170 lb (3e choix de la Californie, 33e au total lors du repêchage de 1970)

| | | | SAISONS RÉGULIÈRES | | | | | SÉRIES ÉLIMINATOIRES | | | | |
| SAISON | CLUB | LIGUE | PJ | B | A | PTS | PUN | PJ | B | A | PTS | PUN |
|---|---|---|---|---|---|---|---|---|---|---|---|---|
| 1967-68 | Kamloops (Rockets) | BCJHL | 40 | *45 | 28 | 73 | 22 | | | | | |
| 1968-69 | Calgary (Centennials) | WCJHL | 33 | 20 | 18 | 38 | 2 | 11 | 0 | 3 | 3 | |
| 1969-70 | Calgary (Centennials) | WCJHL | 60 | 43 | 47 | 90 | 43 | 15 | 3 | 8 | 11 | 12 |
| 1970-71 | Providence (Reds) | AHL | 68 | 31 | 34 | 65 | 31 | 4 | 4 | 3 | 7 | 4 |
| 1971-72 | Nlle-Écosse (Voyageurs) | AHL | 72 | 32 | 23 | 55 | 24 | 15 | 6 | 4 | 10 | 2 |
| 1972-73 | Nlle-Écosse (Voyageurs) | AHL | 73 | 34 | 38 | 72 | 23 | 13 | *10 | 7 | 17 | 10 |
| | **Montréal (Canadiens)** | **LNH** | **2** | **1** | **1** | **2** | **0** | | | | | |
| 1973-74 | Los Angeles (Kings) | LNH | 58 | 10 | 6 | 16 | 16 | 5 | 0 | 1 | 1 | 0 |
| 1974-75 | Kansas City (Scouts) | LNH | 80 | 15 | 18 | 33 | 30 | | | | | |
| 1975-76 | Kansas City (Scouts) | LNH | 71 | 12 | 14 | 26 | 14 | | | | | |
| 1976-77 | Colorado (Rockies) | LNH | 1 | 0 | 0 | 0 | 0 | | | | | |
| | Oklahoma City (Blazers) | CHL | 12 | 4 | 4 | 8 | 0 | | | | | |
| | Edmonton (Oilers) | AMH | 40 | 9 | 6 | 15 | 8 | 5 | 3 | 2 | 5 | 0 |
| 1977-78 | Edmonton (Oilers) | AMH | 53 | 8 | 22 | 30 | 12 | 5 | 1 | 1 | 2 | 4 |
| | **LNH** | | **212** | **38** | **39** | **77** | **60** | **5** | **0** | **1** | **1** | **0** |
| | **Montréal** | | **2** | **1** | **1** | **2** | **0** | | | | | |

• Coupe Calder (AHL) en 1971-72
• Échangé à Montréal par la Californie pour Lyle Carter et John French le 8 octobre 1971 • Échangé à Los Angeles par Montréal avec Bob Murdock et le 1er choix de Los Angeles au repêchage de 1974 (Mario Tremblay) et une compensation financière le 29 mai 1973 • Réclamé par Kansas City de Los Angeles lors de l'expansion de la LNH le 12 juin 1974 • Transfert de la concession de Kansas City au Colorado le 15 juillet 1976 • Droits vendus à Edmonton (AMH) par Colorado le 30 novembre 1976

## ROUSSEAU, GUY

Né à Montréal, Québec, le 21 décembre 1934
Ailier gauche, lance de la gauche, 5'6", 140 lb

| | | | SAISONS RÉGULIÈRES | | | | | SÉRIES ÉLIMINATOIRES | | | | |
| SAISON | CLUB | LIGUE | PJ | B | A | PTS | PUN | PJ | B | A | PTS | PUN |
|---|---|---|---|---|---|---|---|---|---|---|---|---|
| 1950-51 | Verdun (LaSalle) | LHJQ | 41 | 6 | 21 | 27 | 21 | 3 | 0 | 1 | 1 | 0 |
| 1951-52 | Saint-Jérome (Aigles) | LHJQ | 50 | 33 | *66 | 99 | 28 | | | | | |
| 1952-53 | Québec (Citadelle) | LHJQ | 46 | 43 | *52 | *95 | 12 | 7 | 4 | 5 | 9 | 8 |
| 1953-54 | Québec (Frontenacs) | LHJQ | 51 | 42 | 47 | 89 | 21 | 8 | *11 | 10 | *21 | 4 |
| | Québec (Frontenacs) | Mem. | 8 | 5 | 13 | 18 | 8 | | | | | |
| 1954-55 | Québec (Frontenacs) | LHJQ | 40 | 22 | 33 | 55 | 42 | 9 | 8 | 7 | 15 | 6 |
| | **Montréal (Canadiens)** | **LNH** | **2** | **0** | **1** | **1** | **0** | | | | | |
| | Québec (Frontenacs) | Mem. | 9 | 3 | *11 | 14 | 6 | | | | | |
| 1955-56 | Montréal (Royals) | LHQ | 61 | 11 | 27 | 38 | 36 | 13 | 1 | 6 | 7 | 4 |
| | Montréal (Royals) | Édin. | 6 | 1 | 1 | 2 | 2 | | | | | |
| 1956-57 | Montréal (Royals) | LHQ | 66 | 15 | 27 | 42 | 48 | 4 | 0 | 1 | 1 | 4 |
| | **Montréal (Canadiens)** | **LNH** | **2** | **0** | **0** | **0** | **0** | | | | | |
| 1957-58 | Chicoutimi (Saguenéens) | LHQ | 63 | 29 | 41 | 70 | 30 | 6 | 0 | 2 | 2 | 0 |
| 1958-59 | Rochester (Americans) | AHL | 65 | 20 | 20 | 40 | 22 | 3 | 2 | 1 | 3 | 4 |
| 1959-60 | Rochester (Americans) | AHL | 42 | 15 | 16 | 31 | 16 | 11 | 7 | 4 | 11 | 2 |
| 1960-61 | Rochester (Americans) | AHL | 71 | 26 | 41 | 67 | 30 | | | | | |
| 1961-62 | Québec (As) | AHL | 63 | 19 | 21 | 40 | 26 | | | | | |
| 1962-63 | Québec (As) | AHL | 47 | 7 | 21 | 28 | 0 | | | | | |
| 1963-64 | Cleveland (Barons) | AHL | 70 | 18 | 16 | 34 | 11 | 9 | 6 | 3 | 9 | 4 |
| 1964-65 | Cleveland (Barons) | AHL | 41 | 10 | 18 | 28 | 10 | 5 | 1 | 0 | 1 | 0 |
| 1965-66 | Sherbrooke (Saints) | LHSQ | 40 | 8 | 10 | 18 | 10 | | | | | |
| 1966-67 | Saint-Hyacinthe (Gaulois) | LHSQ | Statistiques non disponibles | | | | | | | | | |
| 1967-68 | Saint-Hyacinthe (Gaulois) | LHSQ | Statistiques non disponibles | | | | | | | | | |
| 1968-69 | Saint-Hyacinthe (Gaulois) | LHSQ | Statistiques non disponibles | | | | | | | | | |
| | **LNH** | | **4** | **0** | **1** | **1** | **0** | | | | | |
| | **Montréal** | | **4** | **0** | **1** | **1** | **0** | | | | | |

• Deuxième équipe d'étoiles (LHJQ) en 1951-52 • Première équipe d'étoiles (LHJQ) en 1952-53 • Première équipe d'étoiles (LHQ) en 1957-58 • Coupe Calder (AHL) en 1963-64
• Prêté à Montréal par Québec (LHJQ) le 16 décembre 1954 • Signe avec Montréal le 20 juillet 1955 • Échangé à Chicoutimi (LHQ) par Montréal avec Jack Leclair et Jacques Deslauriers pour Stan Smrke en octobre 1957

## ROUSSEAU, ROBERT (BOBBY)

Né à Montréal, Québec, le 26 juillet 1940. Ailier droit, lance de la droite, 5'10", 180 lb

| | | | SAISONS RÉGULIÈRES | | | | | SÉRIES ÉLIMINATOIRES | | | | |
| SAISON | CLUB | LIGUE | PJ | B | A | PTS | PUN | PJ | B | A | PTS | PUN |
|---|---|---|---|---|---|---|---|---|---|---|---|---|
| 1955-56 | Saint-Jean (Castors) | LHJMM | Statistiques non disponibles | | | | | | | | | |
| | Saint-Jean (Braves) | LHJQ | 44 | *53 | 32 | 85 | 25 | | | | | |
| 1956-57 | Hull-Ottawa (Canadien) | OHA Jr | 28 | 7 | 15 | 22 | 18 | | | | | |
| | Hull-Ottawa (Canadien) | EOHL | 15 | 4 | 2 | 6 | 2 | | | | | |
| | Hull-Ottawa (Canadien) | Mem. | 8 | 7 | 4 | 11 | 4 | | | | | |
| 1957-58 | Hull-Ottawa (Canadien) | OHA Jr | 27 | 24 | 27 | 51 | 64 | | | | | |
| | Hull-Ottawa (Canadien) | EOHL | 36 | 26 | 26 | 52 | 14 | | | | | |
| | Hull-Ottawa (Canadien) | Mem. | 13 | 7 | 17 | 24 | 6 | | | | | |
| 1958-59 | Hull-Ottawa (Canadien) | Exh. | Statistiques non disponibles | | | | | | | | | |
| | Hull-Ottawa (Canadien) | EOHL | 18 | 15 | 25 | 40 | 3 | 3 | 1 | 1 | 2 | 2 |
| | Rochester (Americans) | AHL | 2 | 0 | 0 | 0 | 0 | | | | | |
| | Hull-Ottawa (Canadien) | Mem. | 9 | 2 | 6 | 8 | 19 | | | | | |
| 1959-60 | Brockville (Canadien) | MMJHL | Statistiques non disponibles | | | | | | | | | |
| | Canada | JO | 7 | 5 | 4 | 9 | 2 | | | | | |
| | Hull-Ottawa (Canadien) | EPHL | 4 | 4 | 3 | 7 | 2 | | | | | |
| | Brockville (Canadien) | Mem. | | 14 | 9 | 23 | 14 | | | | | |
| 1960-61 | Hull-Ottawa (Canadien) | EPHL | 38 | 34 | 26 | 60 | 18 | 14 | *12 | 7 | *19 | 10 |
| | **Montréal (Canadiens)** | **LNH** | **15** | **1** | **2** | **3** | **4** | | | | | |
| 1961-62 | **Montréal (Canadiens)** | **LNH** | **70** | **21** | **24** | **45** | **46** | **6** | **0** | **2** | **2** | **0** |
| 1962-63 | **Montréal (Canadiens)** | **LNH** | **62** | **19** | **18** | **37** | **15** | **5** | **0** | **1** | **1** | **2** |
| 1963-64 | **Montréal (Canadiens)** | **LNH** | **70** | **25** | **31** | **56** | **32** | **7** | **1** | **1** | **2** | **2** |
| 1964-65 | **Montréal (Canadiens)** | **LNH** | **66** | **12** | **35** | **47** | **26** | **13** | **5** | **8** | **13** | **24** |
| 1965-66 | **Montréal (Canadiens)** | **LNH** | **70** | **30** | ***48** | **78** | **20** | **10** | **4** | **4** | **8** | **6** |
| | Match des étoiles | LNH | 1 | 0 | 0 | 0 | 0 | | | | | |
| 1966-67 | **Montréal (Canadiens)** | **LNH** | **68** | **19** | **44** | **63** | **58** | **10** | **1** | **7** | **8** | **4** |
| | Match des étoiles | LNH | 1 | 0 | 1 | 1 | 0 | | | | | |
| 1967-68 | **Montréal (Canadiens)** | **LNH** | **74** | **19** | **46** | **65** | **47** | **13** | **2** | **4** | **6** | **8** |
| 1968-69 | **Montréal (Canadiens)** | **LNH** | **76** | **30** | **40** | **70** | **59** | **14** | **3** | **2** | **5** | **8** |
| | Match des étoiles | LNH | 1 | 0 | 1 | 1 | 0 | | | | | |
| 1969-70 | **Montréal (Canadiens)** | **LNH** | **72** | **24** | **34** | **58** | **30** | | | | | |
| 1970-71 | Minnesota (North Stars) | LNH | 63 | 4 | 20 | 24 | 12 | 12 | 6 | 4 | 10 | 0 |
| 1971-72 | New York (Rangers) | LNH | 78 | 21 | 36 | 57 | 12 | 16 | 6 | 11 | 17 | 7 |
| 1972-73 | New York (Rangers) | LNH | 78 | 8 | 37 | 45 | 14 | 10 | 2 | 3 | 5 | 4 |
| 1973-74 | New York (Rangers) | LNH | 72 | 10 | 41 | 51 | 4 | 12 | 1 | 8 | 9 | 4 |
| 1974-75 | New York (Rangers) | LNH | 8 | 2 | 2 | 4 | 0 | | | | | |
| | **LNH** | | **942** | **245** | **458** | **703** | **359** | **128** | **27** | **57** | **84** | **69** |
| | **Montréal** | | **643** | **200** | **322** | **522** | **317** | **78** | **16** | **29** | **45** | **54** |

• Coupe Memorial en 1957-58 • Médaille d'argent (JO) en 1960 • Deuxième équipe d'étoiles (EPHL) en 1960-61 • Trophée Calder (LNH) en 1961-62 • Deuxième équipe d'étoiles (LNH) en 1965-66 • Match des étoiles (LNH) en 1965-66, 1966-67, 1968-69 • Coupe Stanley (LNH) en 1964-65, 1965-66, 1967-68, 1968-69
• Échangé au Minnesota par Montréal pour Claude Larose le 10 juin 1970 • Échangé à New York par Minnesota pour compléter la transaction qui envoyait Bob Nevin au Minnesota (le 25 mai 1971) le 8 juin 1971

## ROUSSEAU, ROLLAND

Né à Montréal, Québec, le 1er décembre 1929
Défenseur, lance de la gauche, 5'8", 160 lb

| | | | SAISONS RÉGULIÈRES | | | | | SÉRIES ÉLIMINATOIRES | | | | |
| SAISON | CLUB | LIGUE | PJ | B | A | PTS | PUN | PJ | B | A | PTS | PUN |
|---|---|---|---|---|---|---|---|---|---|---|---|---|
| 1947-48 | Verdun (Maple Leafs) | LHJQ | 32 | 3 | 7 | 10 | 20 | 4 | 0 | 0 | 0 | 2 |
| 1948-49 | Montréal (Royals) | LHJQ | 47 | 5 | 8 | 13 | 73 | 10 | 2 | 3 | 5 | 6 |
| | Montréal (Royals) | LHSQ | | | | | | 2 | 0 | 0 | 0 | 0 |
| | Montréal (Royals) | Mem. | 15 | 1 | 2 | 3 | 42 | | | | | |
| 1949-50 | Montréal (Royals) | LHJQ | 1 | | | | | | | | | |
| | Laval (National) | LHCM | 34 | 9 | 16 | 25 | 81 | 7 | 2 | 3 | 5 | 10 |
| | Montréal (Royals) | LHSQ | 2 | | | | | | | | | |
| 1950-51 | Montréal (Royals) | LHMQ | 56 | 3 | 14 | 17 | 53 | 2 | 0 | 0 | 0 | 0 |
| 1951-52 | Montréal (Royals) | LHMQ | 54 | 3 | 22 | 24 | 86 | 7 | 0 | 2 | 2 | 0 |
| | Cincinnati (Mohawks) | AHL | | | | | | 16 | 1 | 1 | 2 | 14 |
| 1952-53 | Montréal (Royals) | LHMQ | 49 | 4 | 15 | 19 | 48 | 5 | 2 | 1 | 3 | 14 |
| | **Montréal (Canadiens)** | **LNH** | **2** | **0** | **0** | **0** | **0** | | | | | |

| SAISON | CLUB | LIGUE | PJ | B | A | PTS | PUN | PJ | B | A | PTS | PUN |
|---|---|---|---|---|---|---|---|---|---|---|---|---|
| 1953-54 | Buffalo (Bisons) | AHL | 66 | 5 | 10 | 15 | 64 | 3 | 2 | 0 | 2 | 2 |
| 1954-55 | Montréal (Royals) | LHQ | 59 | 3 | 11 | 14 | 78 | 10 | 0 | 1 | 1 | 4 |
| 1955-56 | Montréal (Royals) | LHQ | 63 | 5 | 9 | 14 | 58 | 13 | 1 | 2 | 3 | 8 |
| | Montréal (Royals) | Édin. | 6 | 0 | 1 | 1 | 2 | - | - | - | - | - |
| 1956-57 | Chicoutimi (Saguenéens) | LHQ | 65 | 1 | 16 | 17 | 74 | 10 | 2 | 1 | 3 | 2 |
| 1957-58 | Chicoutimi (Saguenéens) | LHQ | 60 | 1 | 11 | 12 | 87 | 6 | 0 | 0 | 0 | 0 |
| 1958-59 | N'a pas joué | | | | | | | | | | | |
| 1959-60 | N'a pas joué | | | | | | | | | | | |
| 1960-61 | Granby (Vics) | LHSQ | 30 | 3 | 15 | 18 | 15 | 9 | 1 | 2 | 3 | 2 |
| | Granby (Vics) | Allan | 7 | 0 | 5 | 5 | 14 | - | - | - | - | - |
| 1961-62 | Granby (Vics) | LHSQ | 20 | 0 | 5 | 5 | 14 | 7 | 2 | 2 | 4 | 12 |
| | Montréal (Olympiques) | Allan | 16 | 0 | 3 | 3 | 12 | - | - | - | - | - |
| 1962-63 | N'a pas joué | | | | | | | | | | | |
| 1963-64 | N'a pas joué | | | | | | | | | | | |
| 1964-65 | N'a pas joué | | | | | | | | | | | |
| 1965-66 | N'a pas joué | | | | | | | | | | | |
| 1966-67 | N'a pas joué | | | | | | | | | | | |
| 1967-68 | Granby (Vics) | LHSQ | 46 | 17 | 31 | 48 | 8 | | | | | |
| | **LNH** | | **2** | **0** | **0** | **0** | **0** | **-** | **-** | **-** | **-** | **-** |
| | **Montréal** | | **2** | **0** | **0** | **0** | **0** | **-** | **-** | **-** | **-** | **-** |

**• Coupe Memorial en 1948-49**
• Prêté à Montréal par Montréal (Royals — LHMQ) le 31 décembre 1952 • Réclamé par Montréal de Montréal (Royals — LHMQ) au repêchage inter-ligues le 10 juin 1953

## RUCINSKY, MARTIN

**Né à Most, Tchécoslovaquie, le 11 mars 1971. Ailier gauche, lance de la gauche, 6', 198 lb**
**(2e choix d'Edmonton, 20e au total lors du repêchage de 1991)**

| SAISON | CLUB | LIGUE | PJ | B | A | PTS | PUN | PJ | B | A | PTS | PUN |
|---|---|---|---|---|---|---|---|---|---|---|---|---|
| 1988-89 | CHZ Litvinov | CSK | 3 | 1 | 0 | 1 | 2 | | | | | |
| 1989-90 | CHZ Litvinov | CSK | 39 | 12 | 6 | 18 | - | 8 | 5 | 3 | 8 | - |
| 1990-91 | CHZ Litvinov | CSK | 56 | 24 | 20 | 44 | 69 | | | | | |
| | Tchécoslovaquie | CMJ | 7 | 9 | 5 | 14 | 2 | | | | | |
| | Tchécoslovaquie | CC | 4 | 0 | 2 | 2 | 4 | | | | | |
| 1991-92 | Cap-Breton (Oilers) | AHL | 35 | 11 | 12 | 23 | 34 | | | | | |
| | Edmonton (Oilers) | LNH | 2 | 0 | 0 | 0 | 0 | | | | | |
| | Halifax (Citadels) | AHL | 7 | 1 | 1 | 2 | 6 | | | | | |
| | Québec (Nordiques) | LNH | 4 | 1 | 1 | 2 | 2 | | | | | |
| 1992-93 | Québec (Nordiques) | LNH | 77 | 18 | 30 | 48 | 51 | 6 | 1 | 1 | 2 | 4 |
| 1993-94 | Québec (Nordiques) | LNH | 60 | 9 | 23 | 32 | 58 | | | | | |
| | République tchèque | CM | 6 | 2 | 2 | 4 | 8 | | | | | |
| 1994-95 | CHZ Litvinov | CZE | 13 | 12 | 10 | 22 | 54 | - | | | | |
| | Québec (Nordiques) | LNH | 20 | 3 | 6 | 9 | 14 | | | | | |
| 1995-96 | Zbrojovka Vsetin | CZE | 1 | 1 | 1 | 2 | 0 | | | | | |
| | Colorado (Avalanche) | LNH | 22 | 4 | 11 | 15 | 14 | | | | | |
| | **Montréal (Canadiens)** | LNH | 56 | 25 | 35 | 60 | 54 | | | | | |
| 1996-97 | République tchèque | CDM | 3 | 0 | 0 | 0 | 2 | | | | | |
| | **Montréal (Canadiens)** | LNH | 70 | 28 | 27 | 55 | 62 | 5 | 0 | 0 | 0 | 4 |
| 1997-98 | **Montréal (Canadiens)** | LNH | 78 | 21 | 32 | 53 | 84 | 10 | 3 | 0 | 3 | 4 |
| | République tchèque | JO | 6 | 3 | 1 | 4 | 4 | | | | | |
| 1998-99 | **Montréal (Canadiens)** | LNH | 73 | 17 | 17 | 34 | 50 | | | | | |
| | République tchèque | CM | 12 | 4 | 6 | 10 | 14 | | | | | |
| 1999-20 | **Montréal Canadien)** | LNH | 80 | 25 | 24 | 49 | 70 | | | | | |
| | Match des étoiles | LNH | 1 | 0 | 1 | 1 | 0 | | | | | |
| 2000-01 | **Montréal Canadien)** | LNH | 57 | 16 | 22 | 38 | 66 | | | | | |
| | République tchèque | CM | 9 | 2 | 4 | 6 | 30 | | | | | |
| 2001-02 | **Montréal Canadien)** | LNH | 18 | 2 | 6 | 8 | 12 | | | | | |
| | Dallas (Stars) | LNH | 42 | 6 | 11 | 17 | 24 | | | | | |
| | République tchèque | JO | 3 | 0 | 3 | 3 | 2 | | | | | |
| | New York (Rangers) | LNH | 15 | 3 | 10 | 13 | 6 | | | | | |
| 2002-03 | St. Louis (Blues) | LNH | 61 | 16 | 14 | 30 | 38 | 7 | 4 | 2 | 6 | 4 |
| | HC Chemopetrol Litvinov | CZE | 2 | 1 | 0 | 1 | 2 | | | | | |
| | **LNH** | | **735** | **194** | **269** | **463** | **605** | **28** | **8** | **3** | **11** | **16** |
| | **Montréal** | | **432** | **134** | **163** | **297** | **398** | **15** | **3** | **0** | **3** | **8** |

• Équipe d'étoiles (CMJ) en 1991 • Médaille de bronze (CMJ) en 1991 • Médaille d'or (JO) en 1998 • Médaille d'or (CM) en 1999, 2001 • Match des étoiles 1999-20 (LNH)
• Échangé à Québec par Edmonton pour Ron Tugnutt et Brad Zavisha le 10 mars 1992 • Transfert de la concession de Québec au Colorado le 21 juin 1995 • Échangé à Montréal par Colorado avec Andrei Kovalenko et Jocelyn Thibault pour Patrick Roy et Mike Keane le 6 décembre 1995 • Échangé à Dallas par Montréal avec Benoît Brunet pour Donald Audette et Shaun Van Allen le 21 novembre 2001 • Échangé aux Rangers de New York par Dallas avec Roman Lyashenko pour Manny Malhotra et Barrett Heisten le 12 mars 2002 • Signe avec St. Louis comme agent libre le 25 octobre 2002

## RUNDQVIST, THOMAS

**Né à Vimmerby, Suède, le 4 mai 1960. Centre, lance de la gauche, 6'3", 195 lb**
**(12e choix de Montréal, 198e au total lors du repêchage de 1983)**

| SAISON | CLUB | LIGUE | PJ | B | A | PTS | PUN | PJ | B | A | PTS | PUN |
|---|---|---|---|---|---|---|---|---|---|---|---|---|
| 1975-76 | Vimmerby IF | SWE | 3 | 14 | 6 | 0 | 6 | | | | | |
| 1976-77 | Vimmerby IF | SWE | 22 | 29 | 13 | 42 | | | | | | |
| 1977-78 | Suède | EJC | 5 | 3 | 2 | 5 | | | | | | |
| 1978-79 | Farjestad Karlstad BK | SWE | 15 | 5 | 7 | 8 | - | 0 | 1 | 1 | 2 | |
| 1979-80 | Farjestad Karlstad BK | SWE | 36 | 6 | 9 | 13 | 14 | | | | | |
| | Suède | CMJ | 5 | 1 | 2 | 3 | 6 | | | | | |
| 1980-81 | Farjestad Karlstad BK | SWE | 36 | 15 | 19 | 34 | 22 | 7 | 1 | 2 | 3 | 0 |
| 1981-82 | Farjestad Karlstad BK | SWE | 36 | 14 | 13 | 27 | 30 | 2 | 0 | 1 | 1 | 2 |
| | Suède | CM | 9 | 1 | 8 | 9 | 6 | | | | | |
| 1982-83 | Farjestad Karlsatd BK | SWE | 36 | 22 | 21 | 43 | 28 | 8 | 3 | 8 | 11 | 6 |
| | Suède | CM | 10 | 1 | 4 | 5 | 2 | | | | | |
| 1983-84 | Farjestad Karlsad BK | SWE | 36 | 13 | 22 | 35 | 38 | | | | | |
| 1984-85 | Sherbrooke (Canadien) | AHL | 73 | 19 | 39 | 58 | 16 | 17 | 5 | 4 | 19 | 4 |
| | **Montréal (Canadiens)** | LNH | 2 | 0 | 1 | 1 | 0 | | | | | |
| 1985-86 | Farjestad Karlsad BK | SWE | 32 | 9 | 17 | 26 | 27 | 8 | 2 | 4 | 6 | 2 |
| | Suède | CM | 10 | 2 | 3 | 5 | 8 | | | | | |
| 1986-87 | Farjestad Karlsad BK | SWE | 35 | 13 | 22 | 35 | 38 | 7 | 2 | 5 | 7 | 2 |
| | Suède | CM | 10 | 1 | 2 | 3 | 4 | | | | | |
| 1987-88 | Farjestad Karlsad BK | SWE | 40 | 15 | 22 | 37 | 40 | 9 | 3 | 7 | 10 | 6 |
| | Suède | CC | 6 | 0 | 2 | 2 | 10 | | | | | |
| | Suède | JO | 8 | 0 | 3 | 3 | 6 | | | | | |
| 1988-89 | Farjestad Karlsad BK | SWE | 37 | 15 | 26 | 41 | 44 | 2 | 2 | 1 | 3 | 2 |
| | Suède | CM | 9 | 1 | 2 | 3 | 6 | | | | | |
| 1989-90 | Farjestad Karlsad BK | SWE | 40 | 16 | 29 | 45 | 30 | 10 | 8 | 4 | 12 | 0 |
| | Suède | CM | 10 | 3 | 8 | 11 | 6 | | | | | |
| 1990-91 | Farjestad Karlsad BK | SWE | 39 | 12 | 21 | 33 | 22 | 8 | 5 | 7 | 12 | 6 |
| | Suède | CM | 10 | 6 | 4 | 10 | 4 | | | | | |
| 1991-92 | Farjestad Karlsad BK | SWE | 39 | 10 | 28 | 38 | 54 | 6 | 3 | 2 | 5 | 8 |
| | Suède | CC | 2 | 2 | 2 | 4 | 2 | | | | | |
| | Suède | JO | 8 | 3 | 4 | 7 | 4 | | | | | |
| 1992-93 | Farjestad Karlsad BK | SWE | 37 | 8 | 17 | 25 | 40 | 3 | 0 | 0 | 0 | 0 |
| | Suède | CM | 8 | 1 | 4 | 5 | 0 | | | | | |
| 1993-94 | VEU Feldkrich | Alpes | 27 | 9 | 20 | 29 | 10 | | | | | |
| | VEU Feldkrich | AUT | 26 | 11 | 18 | 29 | 8 | | | | | |
| 1994-95 | VEU Feldkrich | AUT | 28 | 9 | 15 | 24 | 32 | 8 | 2 | 3 | 5 | 6 |
| 1995-96 | VEU Feldkrich | Alpes | 5 | 2 | 9 | 11 | 2 | | | | | |
| | VEU Feldkrich | AUT | 34 | 13 | 30 | 43 | 33 | | | | | |
| 1996-97 | VEU Feldkrich | Alpes | 41 | 9 | 25 | 34 | 53 | | | | | |
| | VEU Feldkrich | AUT | 11 | 2 | 9 | 11 | 0 | | | | | |
| 1997-98 | VEU Feldkrich | Alpes | 9 | 6 | 9 | 15 | 6 | | | | | |
| | VEU Feldkrich | EuroHL | 10 | 6 | 7 | 13 | 4 | | | | | |
| | VEU Feldkrich | AUT | 27 | 2 | 16 | 18 | | | | | | |
| | **LNH** | | **2** | **0** | **1** | **1** | **0** | **-** | **-** | **-** | **-** | **-** |
| | **Montréal** | | **2** | **0** | **1** | **1** | **0** | **-** | **-** | **-** | **-** | **-** |

• Médaille de bronze (CMJ) en 1980 • Coupe Calder (AHL) en 1984-85 • Médaille d'argent (CM) en 1986, 1990 • Médaille d'or (CM) en 1987, 1991 • Équipe d'étoiles (SWE) en 1987-88, 1988-89, 1989-90, 1990-91 • Médaille de bronze (JO) en 1988 • Nommé joueur de l'année (SWE) en 1990-91 • Équipe d'étoiles (CM) en 1991 • Médaille d'argent (CM) en 1993

## RUNGE, PAUL

**Né à Edmonton, Alberta, le 10 septembre 1908, décédé le 27 avril 1972**
**Ailier gauche/Centre, lance de la gauche, 5'11", 167 lb**

| SAISON | CLUB | LIGUE | PJ | B | A | PTS | PUN | PJ | B | A | PTS | PUN |
|---|---|---|---|---|---|---|---|---|---|---|---|---|
| 1927-28 | Edmonton (Superiors) | EJHL | Statistiques non disponibles | | | | | | | | | |
| 1928-29 | Portland (Buckaroos) | PCHL | 6 | 1 | 0 | 1 | 0 | | | | | |
| | Victoria (Cubs) | PCHL | 26 | 3 | 0 | 3 | 0 | | | | | |
| 1929-30 | Victoria (Cubs) | PCHL | 36 | 5 | 5 | 10 | 35 | | | | | |
| 1930-31 | Boston (Cubs) | Can-Am | 39 | 9 | 11 | 20 | 35 | 9 | 7 | 2 | 9 | 17 |
| | Boston (Bruins) | LNH | 1 | 0 | 0 | 0 | 0 | | | | | |
| 1931-32 | Boston (Cubs) | Can-Am | 29 | 11 | 11 | 22 | 29 | | | | | |
| | Boston (Bruins) | LNH | 5 | 0 | 0 | 0 | 0 | | | | | |
| 1932-33 | Philadelphie (Arrows) | Can-Am | 44 | 21 | *27 | *48 | 38 | 5 | 2 | 1 | 3 | 2 |
| 1933-34 | Windsor (Bulldogs) | IHL | 25 | 7 | 12 | 19 | 10 | | | | | |
| | Montréal (Maroons) | LNH | 4 | 0 | 0 | 0 | 0 | | | | | |
| | Québec (Castors) | Can-Am | 8 | 1 | 3 | 4 | 2 | | | | | |
| 1934-35 | Québec (Castors) | Can-Am | 48 | 25 | 33 | *58 | 28 | 3 | 0 | 1 | 1 | 0 |
| | **Montréal (Canadiens)** | LNH | 3 | 0 | 0 | 0 | 2 | | | | | |
| 1935-36 | **Montréal (Canadiens)** | LNH | 12 | 0 | 2 | 2 | 4 | | | | | |
| | Boston (Bruins) | LNH | 33 | 4 | 10 | 14 | 12 | | | | | |
| 1936-37 | **Montréal (Canadiens)** | LNH | 4 | 1 | 0 | 1 | 2 | | | | | |
| | Montréal (Maroons) | LNH | 30 | 4 | 10 | 14 | 4 | 5 | 0 | 0 | 0 | 4 |
| | New Haven (Eagles) | IAHL | 3 | 1 | 2 | 3 | 0 | | | | | |
| 1937-38 | Montréal (Maroons) | LNH | 39 | 5 | 7 | 12 | 21 | | | | | |
| | Cleveland (Barons) | IAHL | 54 | 7 | 28 | 35 | 26 | 8 | 1 | 4 | 5 | 4 |
| 1938-39 | Cleveland (Barons) | IAHL | 48 | 7 | 15 | 22 | 7 | | | | | |
| 1939-40 | Buffalo (Bisons) | AHL | 20 | 3 | 6 | 9 | 4 | | | | | |
| | Minneapolis (Millers) | AHA | 29 | 12 | 14 | 26 | 4 | 3 | 0 | 0 | 0 | 2 |
| 1941-42 | Dallas (Texans) | AHA | 46 | 16 | 41 | 57 | 29 | | | | | |
| 1942-43 | N'a pas joué | | | | | | | | | | | |
| 1943-44 | Edmonton (Vics) | Exh. | Statistiques non disponibles | | | | | | | | | |
| | Edmonton (Vics) | Allan | 3 | 0 | 2 | 0 | 2 | | | | | |
| | **LNH** | | **140** | **18** | **22** | **40** | **57** | **7** | **0** | **0** | **0** | **6** |
| | **Montréal** | | **19** | **1** | **2** | **3** | **8** | | | | | |

• Coupe Calder (AHL) en 1938-39
• Échangé à Victoria (PCHL) par Portland (PCHL) pour Dave Downie le 21 décembre 1928 • Signe avec Boston le 5 novembre 1930 • Droits vendus à Philadelphie par Boston en septembre 1932 • Droits vendus à Montréal (Maroons) par Philadelphie le 25 novembre 1933 • Échangé à Montréal (Québec – Can-Am) par Montréal (Maroons) pour Stan Mccabe le 6 décembre 1933 • Prêté à Boston par Montréal le 24 décembre 1935 • Échangé à Montréal (Maroons) par Montréal (Canadiens) pour Bill MacKenzie le 3 décembre 1936 • Droits vendus à Cleveland (AHL) par Montréal (Maroons) le 3 octobre 1938 • Prêté à Minneapolis (AHA) par Buffalo (AHL) avec une somme d'argent pour Bob Blake le 27 décembre 1940

## RYAN, TERRY

**Né à St. John's, Terre-Neuve, le 14 janvier 1977. Ailier gauche, lance de la gauche, 6'1", 201 lb (1er choix de Montréal, 8e au total lors du repêchage de 1995)**

| SAISON | CLUB | LIGUE | PJ | B | A | PTS | PUN | PJ | B | A | PTS | PUN |
|---|---|---|---|---|---|---|---|---|---|---|---|---|
| 1991-92 | Quesnel (Millionaires) | RMJHL | 49 | 26 | 41 | 67 | 217 | | | | | |
| 1992-93 | Quesnel (Millionaires) | RMJHL | 29 | 31 | 25 | 56 | 222 | | | | | |
| | Vernon (Lakers) | BCJHL | 9 | 5 | 6 | 11 | 15 | | | | | |
| 1993-94 | Tri-City (Americans) | WHL | 61 | 16 | 17 | 33 | 176 | 4 | 0 | 1 | 1 | 25 |
| 1994-95 | Tri-City (Americans) | WHL | 70 | 50 | 60 | 110 | 207 | 17 | 12 | 15 | 27 | 36 |
| 1995-96 | Tri-City (Americans) | WHL | 59 | 32 | 37 | 69 | 133 | 5 | 0 | 0 | 0 | 4 |
| | Fredericton (Canadien) | AHL | | | | | | 3 | 0 | 0 | 0 | 2 |
| 1996-97 | Red Deer (Rebels) | WHL | 16 | 13 | 22 | 35 | 10 | 16 | 18 | 6 | 24 | 32 |
| | **Montréal (Canadiens)** | LNH | 3 | 0 | 0 | 0 | 0 | | | | | |

| SAISON | CLUB | LIGUE | PJ | B | A | PTS | PUN | PJ | B | A | PTS | PUN |
|---|---|---|---|---|---|---|---|---|---|---|---|---|
| 1997-98 Fredericton (Canadien) | | AHL | 71 | 21 | 18 | 39 | 256 | 3 | 1 | 1 | 2 | 0 |
| **Montréal (Canadiens)** | | **LNH** | **4** | **0** | **0** | **0** | **31** | - | - | - | - | - |
| 1998-99 Fredericton (Canadien) | | AHL | 55 | 16 | 27 | 43 | 189 | 11 | 1 | 3 | 4 | 10 |
| **Montréal (Canadiens)** | | **LNH** | **1** | **0** | **0** | **0** | **5** | - | - | - | - | - |
| 1999-20 Utah (Grizzlies) | | IHL | 6 | 0 | 3 | 3 | 24 | - | - | - | - | - |
| Long Beach (Ice Dogs) | | IHL | 1 | 0 | 0 | 0 | 4 | - | - | - | - | - |
| St. John's (Maple Leafs) | | AHL | 50 | 7 | 17 | 24 | 176 | - | - | - | - | - |
| 2000-01 Colorado (Kings) | | WCHA | 31 | 15 | 25 | 40 | 140 | 8 | 6 | 4 | 10 | 34 |
| Hershey (Bears) | | AHL | 8 | 0 | 1 | 1 | 36 | - | - | - | - | - |
| 2001-02 Idaho (Steelheads) | | WCHL | 30 | 10 | 10 | 20 | 94 | - | - | - | - | - |
| | | **LNH** | **8** | **0** | **0** | **0** | **36** | - | - | - | - | - |
| | **Montréal** | | **8** | **0** | **0** | **0** | **36** | - | - | - | - | - |

• Deuxième équipe d'étoiles de l'Est (WHL) en 1994-95
• Signe avec Utah (IHL) comme agent libre (Montréal conserve les droits dans la LNH) le 15 octobre 1999 • Signe avec St-John's (AHL) comme agent libre (Montréal conserve les droits dans la LNH) le 12 novembre 1999

### SAINT-LAURENT, DOLLARD
**Né à Verdun, Québec, le 12 mai 1929. Défenseur, lance de la gauche, 5'11", 180 lb**

| SAISON | CLUB | LIGUE | PJ | B | A | PTS | PUN | PJ | B | A | PTS | PUN |
|---|---|---|---|---|---|---|---|---|---|---|---|---|
| 1947-48 Montréal (Canadien Jr) | | LHJQ | 15 | 3 | 10 | 13 | 12 | - | - | - | - | - |
| 1948-49 Montréal (Canadien Jr) | | LHJQ | 44 | 15 | 27 | 42 | 77 | 4 | 0 | 4 | 4 | 8 |
| 1949-50 Montréal (Royals) | | LHSQ | 45 | 7 | 15 | 22 | 66 | - | - | - | - | - |
| 1950-51 Montréal (Royals) | | LHMQ | 57 | 12 | 30 | 42 | 69 | 7 | 3 | 2 | 5 | 14 |
| **Montréal (Canadiens)** | | **LNH** | **3** | **0** | **0** | **0** | **0** | - | - | - | - | - |
| 1951-52 Montréal (Royals) | | LHMQ | 27 | 10 | 16 | 26 | 22 | - | - | - | - | - |
| **Montréal (Canadiens)** | | **LNH** | **40** | **3** | **10** | **13** | **30** | 9 | 0 | 3 | 3 | 6 |
| 1952-53 **Montréal (Canadiens)** | | **LNH** | **54** | **2** | **6** | **8** | **34** | 12 | 0 | 3 | 3 | 4 |
| 1953-54 **Montréal (Canadiens)** | | **LNH** | **53** | **3** | **12** | **15** | **43** | 10 | 1 | 2 | 3 | 8 |
| Match des étoiles | | LNH | 1 | 0 | 0 | 0 | 2 | - | - | - | - | - |
| 1954-55 **Montréal (Canadiens)** | | **LNH** | **58** | **3** | **14** | **17** | **24** | 12 | 0 | 5 | 5 | 12 |
| 1955-56 **Montréal (Canadiens)** | | **LNH** | **46** | **4** | **9** | **13** | **58** | 4 | 0 | 0 | 0 | 2 |
| 1956-57 **Montréal (Canadiens)** | | **LNH** | **64** | **1** | **11** | **12** | **49** | 7 | 0 | 1 | 1 | 13 |
| Match des étoiles | | LNH | 1 | 0 | 0 | 0 | 0 | - | - | - | - | - |
| 1957-58 **Montréal (Canadiens)** | | **LNH** | **65** | **3** | **20** | **23** | **68** | 5 | 0 | 0 | 0 | 10 |
| Match des étoiles | | LNH | 1 | 0 | 0 | 0 | 0 | - | - | - | - | - |
| 1958-59 Chicago (Black Hawks) | | LNH | 70 | 4 | 8 | 12 | 28 | 6 | 0 | 1 | 1 | 2 |
| Match des étoiles | | LNH | 1 | 0 | 0 | 0 | 0 | - | - | - | - | - |
| 1959-60 Chicago (Black Hawks) | | LNH | 68 | 4 | 13 | 17 | 60 | 4 | 0 | 1 | 1 | 0 |
| 1960-61 Chicago (Black Hawks) | | LNH | 67 | 2 | 17 | 19 | 58 | 11 | 1 | 2 | 3 | 12 |
| 1961-62 Chicago (Black Hawks) | | LNH | 64 | 0 | 13 | 13 | 44 | 12 | 0 | 4 | 4 | 18 |
| Match des étoiles | | LNH | 1 | 0 | 0 | 0 | 0 | - | - | - | - | - |
| 1962-63 Québec (As) | | AHL | 54 | 3 | 14 | 17 | 34 | - | - | - | - | - |
| | | **LNH** | **652** | **29** | **133** | **162** | **496** | 92 | 2 | 22 | 24 | 87 |
| | **Montréal** | | **383** | **19** | **82** | **101** | **306** | 59 | 1 | 14 | 15 | 55 |

• Première équipe d'étoiles (LHJQ) en 1948-49 • Deuxième équipe d'étoiles (LHMQ) en 1950-51 • Coupe Stanley (LNH) en 1952-53, 1955-56, 1956-57, 1957-58, 1960-61.
• Match des étoiles (LNH) en 1953-54, 1956-57, 1957-58, 1958-59, 1961-62
• Prêté à Montréal par Montréal (Royals - LHMQ) le 28 février 1951 • Signe avec Montréal le 26 décembre 1951 • Échangé à Chicago par Montréal pour une somme d'argent et des considérations futures (Norm Johnson 20 février 1959) le 3 juin 1958 • Droits vendus à Québec (AHL) par Chicago le 6 septembre 1962

### SANDELIN, SCOTT
**Né à Hibbing, Minnesota, le 8 août 1964. Défenseur, lance de la droite, 6', 200 lb (5e choix de Montréal, 40e au total lors du repêchage de 1982)**

| SAISON | CLUB | LIGUE | PJ | B | A | PTS | PUN | PJ | B | A | PTS | PUN |
|---|---|---|---|---|---|---|---|---|---|---|---|---|
| 1981-82 Hibbing (Blue Jackets) | | H.S. | 20 | 5 | 15 | 20 | 30 | - | - | - | - | - |
| 1982-83 North Dakota University | | WCHA | 21 | 0 | 4 | 4 | 10 | - | - | - | - | - |
| 1983-84 North Dakota University | | WCHA | 41 | 4 | 23 | 27 | 24 | - | - | - | - | - |
| États-Unis | | CMJ | 7 | 0 | 1 | 1 | 10 | - | - | - | - | - |
| 1984-85 North Dakota University | | WCHA | 38 | 4 | 17 | 21 | 30 | - | - | - | - | - |
| 1985-86 North Dakota University | | WCHA | 40 | 7 | 31 | 38 | 38 | - | - | - | - | - |
| Sherbrooke (Canadien) | | AHL | 6 | 0 | 2 | 2 | 4 | - | - | - | - | - |
| États-Unis | | CM | 10 | 2 | 0 | 2 | 2 | - | - | - | - | - |
| 1986-87 Sherbrooke (Canadien) | | AHL | 74 | 7 | 22 | 29 | 35 | 16 | 2 | 4 | 6 | 2 |
| **Montréal (Canadiens)** | | **LNH** | **1** | **0** | **0** | **0** | **0** | - | - | - | - | - |
| 1987-88 Sherbrooke (Canadien) | | AHL | 58 | 8 | 14 | 22 | 35 | 4 | 0 | 2 | 2 | 0 |
| **Montréal (Canadiens)** | | **LNH** | **8** | **0** | **1** | **1** | **2** | - | - | - | - | - |
| 1988-89 Sherbrooke (Canadien) | | AHL | 12 | 0 | 9 | 9 | 8 | - | - | - | - | - |
| Hershey (Bears) | | AHL | 39 | 6 | 9 | 15 | 38 | 8 | 2 | 1 | 3 | 4 |
| 1989-90 Hershey (Bears) | | AHL | 70 | 4 | 27 | 31 | 38 | - | - | - | - | - |
| 1990-91 Hershey (Bears) | | AHL | 39 | 3 | 10 | 13 | 21 | 7 | 1 | 2 | 3 | 0 |
| Philadelphie (Flyers) | | LNH | 15 | 0 | 2 | 2 | 4 | - | - | - | - | - |
| 1991-92 Kalamazoo (Wings) | | IHL | 49 | 3 | 18 | 21 | 32 | 11 | 1 | 1 | 2 | 2 |
| Minnesota (North Stars) | | LNH | 1 | 0 | 0 | 0 | 0 | - | - | - | - | - |
| | | **LNH** | **25** | **0** | **4** | **4** | **2** | - | - | - | - | - |
| | **Montréal** | | **9** | **0** | **1** | **1** | **2** | - | - | - | - | - |

• Première équipe d'étoiles (WCHA) en 1985-86
• Échangé à Philadelphie par Montréal pour Jean-Jacques Daigneault le 7 novembre 1988
• Signe avec Minnesota comme agent libre le 21 août 1991

### SANDS, CHARLES (CHARLIE)
**Né à Forth William, Ontario, le 23 mars 1911, décédé Centre/Ailier droit, lance de la droite, 5'9", 160 lb**

| SAISON | CLUB | LIGUE | PJ | B | A | PTS | PUN | PJ | B | A | PTS | PUN |
|---|---|---|---|---|---|---|---|---|---|---|---|---|
| 1929-30 Fort William (Forts) | | TBSHL | 14 | 1 | 1 | 2 | 0 | - | - | - | - | - |
| 1930-31 Port Arthur (Ports) | | TBSHL | 22 | 10 | 1 | 11 | 25 | 2 | 0 | 0 | 0 | 0 |
| 1931-32 Port Arthur (Ports) | | TBSHL | 17 | 6 | 3 | 9 | 10 | 1 | 0 | 1 | 1 | 9 |
| 1932-33 Syracuse (Stars) | | IHL | 37 | 10 | 5 | 15 | 10 | 1 | 0 | 0 | 0 | 4 |
| Toronto (Maple Leafs) | | LNH | 3 | 0 | 3 | 3 | 0 | 9 | 2 | 2 | 4 | 2 |
| 1933-34 Toronto (Maple Leafs) | | LNH | 45 | 8 | 8 | 16 | 15 | 5 | 1 | 0 | 1 | 0 |

---

| SAISON | CLUB | LIGUE | PJ | B | A | PTS | PUN | PJ | B | A | PTS | PUN |
|---|---|---|---|---|---|---|---|---|---|---|---|---|
| Match des étoiles | | LNH | 1 | 0 | 0 | 0 | 0 | - | - | - | - | - |
| 1934-35 Boston (Bruins) | | LNH | 41 | 15 | 12 | 27 | 0 | 4 | 0 | 0 | 0 | 0 |
| 1935-36 Boston (Bruins) | | LNH | 40 | 5 | 10 | 8 | 2 | 0 | 0 | 0 | 0 | |
| Boston (Cubs) | | Can-Am | 5 | 1 | 3 | 4 | 0 | - | - | - | - | - |
| 1936-37 Boston (Bruins) | | LNH | 47 | 18 | 8 | 23 | 6 | 3 | 1 | 2 | 3 | 0 |
| 1937-38 Boston (Bruins) | | LNH | 46 | 17 | 12 | 29 | 12 | 3 | 1 | 1 | 2 | 0 |
| 1938-39 Boston (Bruins) | | LNH | 37 | 5 | 12 | 10 | 1 | 0 | 0 | 0 | 0 | |
| Hershey (Bears) | | IAHL | 3 | 1 | 4 | 0 | - | - | - | - | - | |
| 1939-40 **Montréal (Canadiens)** | | **LNH** | **47** | **9** | **20** | **29** | **10** | - | - | - | - | - |
| 1940-41 **Montréal (Canadiens)** | | **LNH** | **43** | **5** | **13** | **18** | **4** | 2 | 1 | 0 | 1 | 0 |
| 1941-42 **Montréal (Canadiens)** | | **LNH** | **38** | **11** | **16** | **27** | **6** | 3 | 0 | 1 | 1 | 2 |
| 1942-43 **Montréal (Canadiens)** | | **LNH** | **31** | **3** | **9** | **12** | **0** | 2 | 0 | 0 | 0 | 0 |
| Washington (Lions) | | AHL | 1 | 0 | 1 | 1 | 0 | - | - | - | - | - |
| San Diego (Skyhawks) | | Exh. | | | *Statistiques non disponibles* | | | | | | | |
| 1943-44 New York (Rangers) | | LNH | 9 | 0 | 2 | 2 | 0 | - | - | - | - | - |
| Pasadena (Panthers) | | CalHL | | | *Statistiques non disponibles* | | | | | | | |
| 1944-45 Pasadena (Panthers) | | PCHL | 15 | 14 | 24 | 38 | 0 | - | - | - | - | - |
| 1945-46 Los Angeles (Monarchs) | | PCHL | 11 | 3 | 3 | 6 | 0 | - | - | - | - | - |
| 1946-47 Fresno (Falcons) | | PCHL | 3 | 1 | 6 | 7 | 0 | - | - | - | - | - |
| | | **LNH** | **427** | **99** | **109** | **208** | **58** | 34 | 6 | 6 | 12 | 4 |
| | **Montréal** | | **159** | **28** | **58** | **86** | **20** | 7 | 1 | 1 | 2 | 2 |

• Match des étoiles (LNH) en 1933-34 • Coupe Stanley (LNH) en 1938-39
• Droits vendus à Boston par Toronto le 12 mai 1934 • Échangé à Montréal par Boston pour Herbie Cain le 1er novembre 1939 • Prêté à New York (Rangers) par Montréal avec Dutch Hiller pour Phil Watson le 27 octobre 1943

### SARAULT, YVES
**Né à Valleyfield, Québec, le 23 décembre 1972. Ailier gauche, lance de la gauche, 6'1", 200 lb (4e choix de Montréal, 61e au total lors du repêchage de 1991)**

| SAISON | CLUB | LIGUE | PJ | B | A | PTS | PUN | PJ | B | A | PTS | PUN |
|---|---|---|---|---|---|---|---|---|---|---|---|---|
| 1988-89 Lac-Saint-Louis (Lions) | | QAAA | 42 | 23 | 30 | 53 | 64 | - | - | - | - | - |
| 1989-90 Victoriaville (Tigres) | | LHJMQ | 70 | 12 | 28 | 40 | 140 | 16 | 0 | 3 | 3 | 26 |
| 1990-91 Saint-Jean (Lynx) | | LHJMQ | 56 | 22 | 24 | 46 | 113 | - | - | - | - | - |
| 1991-92 Saint-Jean (Lynx) | | LHJMQ | 50 | 28 | 38 | 66 | 96 | - | - | - | - | - |
| Trois-Rivières (Draveurs) | | LHJMQ | 18 | 15 | 14 | 29 | 12 | 15 | 10 | 10 | 20 | 18 |
| 1992-93 Fredericton (Canadiens) | | LNH | 59 | 14 | 17 | 31 | 41 | 3 | 0 | 1 | 1 | 2 |
| Wheeling (Thunderbirds) | | ECHL | 2 | 1 | 3 | 4 | 0 | - | - | - | - | - |
| 1993-94 Fredericton (Canadiens) | | LNH | 60 | 13 | 14 | 27 | 72 | - | - | - | - | - |
| 1994-95 Fredericton (Canadiens) | | LNH | 69 | 24 | 21 | 45 | 96 | 13 | 2 | 1 | 3 | 33 |
| **Montréal (Canadiens)** | | **LNH** | **8** | **0** | **1** | **1** | **0** | - | - | - | - | - |
| 1995-96 **Montréal (Canadiens)** | | **LNH** | **14** | **0** | **0** | **0** | **4** | - | - | - | - | - |
| Calgary (Flames) | | LNH | 11 | 2 | 1 | 3 | 4 | - | - | - | - | - |
| Saint John (Flames) | | AHL | 26 | 10 | 12 | 22 | 34 | 16 | 6 | 2 | 8 | 33 |
| 1996-97 Colorado (Avalanche) | | LNH | 28 | 2 | 1 | 3 | 16 | 5 | 0 | 0 | 0 | 0 |
| Hershey (Bears) | | AHL | 6 | 2 | 3 | 5 | 8 | - | - | - | - | - |
| 1997-98 Colorado (Avalanche) | | LNH | 2 | 1 | 0 | 1 | 0 | - | - | - | - | - |
| Hershey (Bears) | | AHL | 63 | 23 | 36 | 59 | 43 | 7 | 1 | 2 | 3 | 14 |
| 1998-99 Detroit (Vipers) | | IHL | 36 | 11 | 12 | 23 | 52 | 11 | 7 | 2 | 9 | 40 |
| Ottawa (Sénateurs) | | LNH | 11 | 0 | 1 | 1 | 4 | - | - | - | - | - |
| 1999-20 Ottawa (Sénateurs) | | LNH | 11 | 0 | 2 | 2 | 7 | - | - | - | - | - |
| Grand Rapids (Griffins) | | IHL | 62 | 17 | 26 | 43 | 77 | 17 | 7 | 4 | 11 | 32 |
| 2000-01 Atlanta (Thrashers) | | LNH | 20 | 5 | 4 | 9 | 26 | - | - | - | - | - |
| Orlando (Solar Bears) | | IHL | 35 | 17 | 17 | 34 | 42 | - | - | - | - | - |
| 2001-02 Nashville (Predators) | | LNH | 1 | 0 | 0 | 0 | 0 | - | - | - | - | - |
| Milwaukee (Admirals) | | AHL | 27 | 5 | 5 | 10 | 24 | - | - | - | - | - |
| Philadelphie (Phantoms) | | AHL | 7 | 0 | 2 | 2 | 9 | - | - | - | - | - |
| | | **LNH** | **106** | **10** | **10** | **20** | **51** | 5 | 0 | 0 | 0 | 2 |
| | **Montréal** | | **22** | **0** | **1** | **1** | **4** | - | - | - | - | - |

• Deuxième équipe d'étoiles (LHJMQ) en 1991-92
• Échangé à Calgary par Montréal avec Craig Ferguson pour le choix de 8e ronde de Calgary au repêchage de 1997 (Petr Kubos) le 25 novembre 1995 • Signe avec Colorado comme agent libre le 13 septembre 1996 • Signe avec Ottawa comme agent libre le 7 août 1998 • Signe avec Atlanta comme agent libre le 20 juillet 2000 • Réclamé au ballottage par Nashville d'Atlanta le 19 juin 2001 • Échangé à Philadelphie par Nashville avec un choix au repêchage de 2003 pour Petr Hubacek et Jason Beckett le 11 janvier 2002

### SATHER, GLEN
**Né à High River, Alberta, le 2 septembre 1943 Ailier gauche, lance de la gauche, 5'11", 180 lb**

| SAISON | CLUB | LIGUE | PJ | B | A | PTS | PUN | PJ | B | A | PTS | PUN |
|---|---|---|---|---|---|---|---|---|---|---|---|---|
| 1961-62 Edmonton (Oil Kings) | | CAHL | | | *Statistiques non disponibles* | | | | | | | |
| Edmonton (Oil Kings) | | Mem. | 19 | 5 | 5 | 10 | 14 | - | - | - | - | - |
| 1962-63 Edmonton (Oil Kings) | | CAHL | | | *Statistiques non disponibles* | | | | | | | |
| Edmonton (Oil Kings) | | Mem. | 20 | 9 | 13 | 22 | 26 | - | - | - | - | - |
| 1963-64 Edmonton (Oil Kings) | | CAHL | 40 | 31 | 34 | 65 | 30 | 1 | 0 | 0 | 0 | 0 |
| Edmonton (Oil Kings) | | Mem. | 19 | 8 | 17 | 25 | 30 | - | - | - | - | - |
| 1964-65 Memphis (Wings) | | CPHL | 69 | 19 | 29 | 48 | 98 | - | - | - | - | - |
| 1965-66 Oklahoma City (Blazers) | | CPHL | 64 | 13 | 12 | 25 | 76 | 9 | 4 | 4 | 8 | 14 |
| 1966-67 Oklahoma City (Blazers) | | CPHL | 57 | 14 | 19 | 33 | 147 | 11 | 2 | 6 | 8 | 24 |
| Boston (Bruins) | | LNH | | | | | | | | | | |
| 1967-68 Boston (Bruins) | | LNH | 65 | 9 | 12 | 21 | 34 | 3 | 0 | 0 | 0 | 0 |
| 1968-69 Boston (Bruins) | | LNH | 76 | 4 | 11 | 15 | 67 | 10 | 0 | 0 | 0 | 0 |
| 1969-70 Pittsburgh (Penguins) | | LNH | 76 | 12 | 14 | 26 | 114 | 10 | 0 | 2 | 2 | 17 |
| 1970-71 Pittsburgh (Penguins) | | LNH | 46 | 8 | 3 | 11 | 96 | - | - | - | - | - |
| New York (Rangers) | | LNH | 31 | 0 | 2 | 2 | 52 | 13 | 0 | 1 | 1 | 18 |
| 1971-72 New York (Rangers) | | LNH | 76 | 5 | 9 | 14 | 77 | 16 | 0 | 1 | 1 | 22 |
| 1972-73 New York (Rangers) | | LNH | 77 | 11 | 15 | 26 | 64 | 9 | 0 | 0 | 0 | 7 |
| 1973-74 New York (Rangers) | | LNH | 2 | 0 | 0 | 0 | 0 | - | - | - | - | - |
| St. Louis (Blues) | | LNH | 69 | 15 | 29 | 44 | 82 | - | - | - | - | - |
| 1974-75 **Montréal (Canadiens)** | | **LNH** | **63** | **6** | **10** | **16** | **44** | 11 | 1 | 1 | 2 | 4 |
| 1975-76 Minnesota (North Stars) | | LNH | 72 | 9 | 10 | 19 | 94 | - | - | - | - | - |

**SAISONS RÉGULIÈRES** — **SÉRIES ÉLIMINATOIRES**

| SAISON CLUB | LIGUE | PJ | B | A | PTS | PUN | PJ | B | A | PTS | PUN |
|---|---|---|---|---|---|---|---|---|---|---|---|
| 1976-77 Edmonton (Oilers) | AMH | 81 | 19 | 34 | 53 | 77 | 5 | 1 | 1 | 2 | 2 |
| | LNH | 658 | 80 | 113 | 193 | 724 | 72 | 1 | 5 | 6 | 86 |
| Montréal | | 63 | 6 | 10 | 16 | 44 | 11 | 1 | 1 | 2 | 4 |

• Coupe Memorial en 1962-63
• Réclamé par Boston de Memphis (CPHL) lors du repêchage inter-ligues le 8 juin 1965
• Réclamé par Pittsburgh de Boston lors du repêchage intra-ligue le 11 juin 1969
• Échangé à New York par Pittsburgh pour Syl Apps et Sheldon Kannegiesser le 26 janvier 1971 • Sélectionné par Edmonton lors de l'expansion de l'AMH le 12 février 1972
• Échangé à St. Louis par New York avec René Villemure pour Jack Egers le 28 octobre 1973
• Échangé à Montréal par St. Louis pour compléter la transaction de Rick Wilson à St. Louis (27 mai 1974) le 14 juin 1974 • Échangé à Minnesota par Montréal pour le choix de 3e ronde au Minnesota au repêchage de 1977 (Alain Côté) et une somme d'argent le 9 juillet 1975

### SAVAGE, ANTHONY (TONY)

**Né à Calgary, Alberta, le 18 juillet 1906, décédé le 28 février 1974**
**Défenseur, lance de la gauche, 5'11", 175 lb**

| SAISON CLUB | LIGUE | PJ | B | A | PTS | PUN | PJ | B | A | PTS | PUN |
|---|---|---|---|---|---|---|---|---|---|---|---|
| 1925-26 Calgary (Canadien) | CCJHL | *Statistiques non disponibles* | | | | | | | | | |
| Calgary (Canadien) | Mem. | 9 | 3 | 3 | 6 | 18 | - | - | - | - | - |
| 1926-27 Calgary (Tigers) | PrHL | 29 | 1 | 2 | 3 | 27 | 2 | 0 | 0 | 0 | 0 |
| 1927-28 London/Kitchener | Can-Pro | 32 | 1 | 4 | 5 | 59 | - | - | - | - | - |
| 1928-29 Kitchener (Dutchmen) | Can-Pro | 37 | 8 | 1 | 9 | 33 | 3 | 0 | 0 | 0 | 4 |
| 1929-30 Seattle (Eskimos) | PCHL | 35 | 7 | 1 | 8 | 28 | - | - | - | - | - |
| 1930-31 Seattle (Eskomos) | PCHL | 33 | 11 | 5 | 16 | 83 | 4 | 2 | 0 | 2 | 10 |
| 1931-32 Syracuse (Stars) | IHL | 48 | 8 | 13 | 21 | 58 | - | - | - | - | - |
| 1932-33 Syracuse (Stars) | IHL | 35 | 9 | 6 | 15 | 75 | 6 | 1 | 2 | 3 | 8 |
| 1933-34 Calgary (Tigers) | NWHL | 29 | 9 | 12 | 21 | 48 | 5 | 3 | 1 | 4 | 4 |
| 1934-35 Boston (Bruins) | LNH | 8 | 0 | 0 | 0 | 0 | - | - | - | - | - |
| Montréal (Canadiens) | LNH | 41 | 1 | 5 | 6 | 4 | 2 | 0 | 0 | 0 | 0 |
| 1935-36 Calgary (Tigers) | NWHL | 34 | 22 | 17 | 39 | 45 | - | - | - | - | - |
| 1936-37 Réintégré comme amateur | | | | | | | | | | | |
| 1937-38 Olds (Elks) | ASHL | 25 | 13 | 9 | 22 | 25 | 3 | 0 | 1 | 1 | 6 |
| 1938-39 Saskatoon (Quakers) | N-SSHL | 7 | 1 | 3 | 4 | 2 | - | - | - | - | - |
| 1939-40 Lethbridge (Maple Leafs) | ASHL5 | 0 | 2 | 2 | 2 | - | - | - | - | - | - |
| | LNH | 49 | 1 | 5 | 6 | 4 | 2 | 0 | 0 | 0 | 0 |
| Montréal | | 41 | 1 | 5 | 6 | 4 | 2 | 0 | 0 | 0 | 0 |

• Droits vendus à Kitchener (Can-Pro) par Calgary (PrHL) le 16 octobre 1927 • Droits vendus à Seattle (PCHL) par Kitchener (Can-Pro) le 31 octobre 1929 • Droits vendus à Montréal par Calgary (NWHL) le 4 octobre 1934 • Échangé à Boston par Montréal pour Tommy Filmore le 5 novembre 1934 • Échangé à Montréal par Boston pour Jack Portland le 3 décembre 1934 • Échangé à Calgary (NWHL) par Montréal pour Morey Reimstead le 8 janvier 1936

### SAVAGE, BRIAN

**Né à Sudbury, Ontario, le 24 février 1971. Ailier gauche, lance de la gauche, 6'1", 192 lb (11e choix de Montréal, 171e au total lors du repêchage de 1991)**

| SAISON CLUB | LIGUE | PJ | B | A | PTS | PUN | PJ | B | A | PTS | PUN |
|---|---|---|---|---|---|---|---|---|---|---|---|
| 1989-90 Sudbury (Cubs) | NOJHA | 32 | 45 | 40 | 85 | 61 | - | - | - | - | - |
| 1990-91 Miami-Ohio University | CCHA | 28 | 5 | 6 | 11 | 26 | - | - | - | - | - |
| 1991-92 Miami-Ohio University | CCHA | 40 | 24 | 16 | 40 | 43 | - | - | - | - | - |
| 1992-93 Miami-Ohio University | CCHA | 38 | *37 | 21 | 58 | 44 | - | - | - | - | - |
| Canada | Éq. nat. | 8 | 1 | 0 | 1 | 2 | - | - | - | - | - |
| 1993-94 Canada | Éq. nat. | 51 | 20 | 26 | 46 | 38 | - | - | - | - | - |
| Canada | JO | 8 | 3 | 2 | 5 | 4 | - | - | - | - | - |
| Montréal (Canadiens) | LNH | 3 | 1 | 0 | 1 | 0 | 3 | 0 | 2 | 2 | 0 |
| Fredericton (Canadien) | AHL | 17 | 12 | 15 | 27 | 4 | - | - | - | - | - |
| 1994-95 Montréal (Canadiens) | LNH | 37 | 12 | 7 | 19 | 27 | - | - | - | - | - |
| 1995-96 Montréal (Canadiens) | LNH | 75 | 25 | 8 | 33 | 28 | 6 | 0 | 2 | 2 | 2 |
| 1996-97 Montréal (Canadiens) | LNH | 81 | 23 | 37 | 60 | 39 | 5 | 1 | 1 | 2 | 0 |
| 1997-98 Montréal (Canadiens) | LNH | 64 | 26 | 17 | 43 | 36 | 9 | 0 | 2 | 2 | 6 |
| 1998-99 Montréal (Canadiens) | LNH | 54 | 16 | 10 | 26 | 20 | - | - | - | - | - |
| Canada | CM | 4 | 1 | 0 | 1 | 0 | - | - | - | - | - |
| 1999-20 Montréal (Canadiens) | LNH | 38 | 17 | 12 | 29 | 19 | - | - | - | - | - |
| 2000-01 Montréal (Canadiens) | LNH | 62 | 21 | 24 | 45 | 26 | - | - | - | - | - |
| 2001-02 Montréal (Canadiens) | LNH | 47 | 14 | 15 | 29 | 30 | - | - | - | - | - |
| Phoenix (Coyotes) | LNH | 30 | 6 | 6 | 12 | 8 | 5 | 0 | 0 | 0 | 0 |
| 2002-03 Phoenix (Coyotes) | LNH | 43 | 6 | 10 | 16 | 22 | - | - | - | - | - |
| | LNH | 534 | 167 | 146 | 313 | 255 | 28 | 1 | 7 | 8 | 8 |
| Montréal | | 461 | 155 | 130 | 285 | 225 | 23 | 1 | 7 | 8 | 8 |

• Première équipe d'étoiles (CCHA) en 1992-93 • Deuxième équipe d'étoiles de l'Est (NCAA) en 1992-93 • Médaille d'argent (JO) en 1994
• Échangé à Phoenix par Montréal avec le choix de 3e ronde de Montréal au repêchage de 2002 (Matt Jones) et des considérations futures pour Sergei Berezin le 25 janvier 2002

### SAVARD, DENIS

**Né à Pointe-Gatineau, Québec, le 4 février 1961. Centre, lance de la droite, 5'10", 175 lb (1er choix de Chicago, 3e au total lors du repêchage de 1980)**

| SAISON CLUB | LIGUE | PJ | B | A | PTS | PUN | PJ | B | A | PTS | PUN |
|---|---|---|---|---|---|---|---|---|---|---|---|
| 1977-78 Montréal (Junior) | LHJMQ | 37 | 37 | 79 | 116 | 22 | - | - | - | - | - |
| 1978-79 Montréal (Junior) | LHJMQ | 70 | 46 | *112 | 158 | 88 | 11 | 5 | 6 | 11 | 46 |
| 1979-80 Montréal (Junior) | LHJMQ | 72 | 63 | 118 | 181 | 93 | 10 | 7 | 16 | 23 | 8 |
| 1980-81 Chicago (Black Hawks) | LNH | 76 | 28 | 47 | 75 | 47 | 3 | 0 | 0 | 0 | 0 |
| 1981-82 Chicago (Black Hawks) | LNH | 80 | 32 | 87 | 119 | 82 | 15 | 11 | 7 | 18 | 52 |
| Match des étoiles | LNH | 1 | 0 | 0 | 0 | 0 | - | - | - | - | - |
| 1982-83 Chicago (Black Hawks) | LNH | 78 | 35 | 86 | 121 | 99 | 13 | 8 | 9 | 17 | 22 |
| Match des étoiles | LNH | 1 | 0 | 0 | 0 | 0 | - | - | - | - | - |
| 1983-84 Chicago (Black Hawks) | LNH | 75 | 37 | 57 | 94 | 71 | 5 | 9 | 20 | 29 | 20 |
| Match des étoiles | LNH | 1 | 1 | 1 | 2 | 0 | - | - | - | - | - |
| 1984-85 Chicago (Black Hawks) | LNH | 79 | 38 | 67 | 105 | 56 | 15 | 9 | 20 | 29 | 20 |
| 1985-86 Chicago (Black Hawks) | LNH | 80 | 47 | 69 | 116 | 111 | 3 | 4 | 1 | 5 | 6 |

---

**SAISONS RÉGULIÈRES** — **SÉRIES ÉLIMINATOIRES**

| SAISON CLUB | LIGUE | PJ | B | A | PTS | PUN | PJ | B | A | PTS | PUN |
|---|---|---|---|---|---|---|---|---|---|---|---|
| Match des étoiles | LNH | 1 | 0 | 2 | 2 | 0 | - | - | - | - | - |
| 1986-87 Chicago (Blackhawks) | LNH | 70 | 40 | 50 | 90 | 108 | 4 | 1 | 0 | 1 | 12 |
| 1987-88 Chicago (Blackhawks) | LNH | 80 | 44 | 87 | 131 | 95 | 5 | 4 | 3 | 7 | 17 |
| Match des étoiles | LNH | 1 | 1 | 2 | 3 | 0 | - | - | - | - | - |
| 1988-89 Chicago (Blackhawks) | LNH | 58 | 23 | 59 | 82 | 110 | 16 | 8 | 11 | 19 | 10 |
| 1989-90 Chicago (Blackhawks) | LNH | 60 | 27 | 53 | 80 | 56 | 20 | 7 | 15 | 22 | 41 |
| 1990-91 Montréal (Canadiens) | LNH | 70 | 28 | 31 | 59 | 52 | 13 | 2 | 11 | 13 | 35 |
| Match des étoiles | LNH | 1 | 0 | 0 | 0 | 0 | - | - | - | - | - |
| 1991-92 Montréal (Canadiens) | LNH | 77 | 28 | 42 | 70 | 73 | 11 | 3 | 9 | 12 | 8 |
| 1992-93 Montréal (Canadiens) | LNH | 63 | 16 | 34 | 50 | 90 | 14 | 0 | 5 | 5 | 4 |
| 1993-94 Tampa Bay (Lightning) | LNH | 74 | 18 | 28 | 46 | 106 | - | - | - | - | - |
| 1994-95 Tampa Bay (Lightning) | LNH | 31 | 6 | 11 | 17 | 10 | - | - | - | - | - |
| Chicago (Blackhawks) | LNH | 12 | 4 | 4 | 8 | 8 | 16 | 7 | 11 | 18 | 10 |
| 1995-96 Chicago (Blackhawks) | LNH | 69 | 13 | 35 | 48 | 102 | 10 | 1 | 2 | 3 | 8 |
| Match des étoiles | LNH | 1 | 0 | 0 | 0 | 0 | - | - | - | - | - |
| 1996-97 Chicago (Blackhawks) | LNH | 64 | 9 | 18 | 27 | 60 | 6 | 0 | 2 | 2 | 2 |
| | LNH | 1196 | 473 | 865 | 1338 | 1336 | 169 | 66 | 109 | 175 | 256 |
| Montréal | | 210 | 72 | 107 | 179 | 215 | 38 | 5 | 25 | 30 | 47 |

• Trophée Michel-Bergeron (LHJMQ) en 1977-78 • Première équipe d'étoiles (LHJMQ) en 1979-80 • Troisième équipe d'étoiles (LHJMQ) en 1978-79 • Trophée Michel-Brière (LHJMQ) en 1979-80 • Deuxième équipe d'étoiles (LNH) en 1982-83 • Match des étoiles (LNH) en 1981-82, 1982-83, 1983-84, 1985-86, 1987-88, 1990-91, 1995-96 • Coupe Stanley (LNH) en 1992-93
• Échangé à Montréal par Chicago pour Chris Chelios et le choix de 2e ronde de Montréal au repêchage de 1991 (Michael Pomichter) le 29 juin 1990 • Signe avec Tampa Bay comme agent libre le 29 juillet 1993 • Échangé à Chicago par Tampa Bay pour le choix de 6e ronde de Chicago au repêchage de 1996 (Xavier Delisle) le 6 avril 1995

### SAVARD, SERGE

**Né à Montréal, Québec, le 22 janvier 1946. Défenseur, lance de la gauche, 6'2", 210 lb**

| SAISON CLUB | LIGUE | PJ | B | A | PTS | PUN | PJ | B | A | PTS | PUN |
|---|---|---|---|---|---|---|---|---|---|---|---|
| 1963-64 Montréal (Canadien Jr) | OHA Jr | 56 | 3 | 31 | 34 | 72 | 17 | 1 | 7 | 8 | 30 |
| 1964-65 Montréal (Canadien Jr) | OHA Jr | 56 | 14 | 33 | 47 | 81 | 7 | 2 | 3 | 5 | 8 |
| Omaha (Knights) | CPHL | 2 | 0 | 0 | 0 | 4 | 0 | 1 | 1 | 4 | |
| 1965-66 Montréal (Canadien Jr) | OHA Jr | 20 | 8 | 10 | 18 | 33 | 10 | 1 | 4 | 5 | 20 |
| Houston (Apollos) | CPHL | 68 | 7 | 25 | 32 | 155 | 5 | 1 | 3 | 4 | 17 |
| Québec (As) | AHL | - | - | - | - | - | 1 | 0 | 0 | 0 | 2 |
| Montréal (Canadiens) | LNH | 2 | 0 | 0 | 0 | 0 | - | - | - | - | - |
| 1967-68 Montréal (Canadiens) | LNH | 67 | 2 | 13 | 15 | 34 | 6 | 2 | 0 | 2 | 0 |
| 1968-69 Montréal (Canadiens) | LNH | 74 | 8 | 23 | 31 | 73 | 14 | 4 | 6 | 10 | 24 |
| 1969-70 Montréal (Canadiens) | LNH | 64 | 12 | 19 | 31 | 38 | - | - | - | - | - |
| Match des étoiles | LNH | 1 | 0 | 0 | 0 | 0 | - | - | - | - | - |
| 1970-71 Montréal (Canadiens) | LNH | 37 | 5 | 10 | 15 | 30 | - | - | - | - | - |
| 1971-72 Montréal (Canadiens) | LNH | 23 | 1 | 8 | 9 | 16 | 6 | 0 | 0 | 0 | 10 |
| 1972-73 Montréal (Canadiens) | LNH | 74 | 7 | 32 | 39 | 58 | 17 | 3 | 8 | 11 | 22 |
| Match des étoiles | LNH | 1 | 0 | 1 | 1 | 0 | - | - | - | - | - |
| Canada | Siècle | 5 | 0 | 2 | 2 | 0 | - | - | - | - | - |
| 1973-74 Montréal (Canadiens) | LNH | 67 | 4 | 14 | 18 | 49 | 6 | 1 | 1 | 2 | 4 |
| 1974-75 Montréal (Canadiens) | LNH | 80 | 20 | 40 | 60 | 64 | 11 | 1 | 7 | 8 | 2 |
| 1975-76 Montréal (Canadiens) | LNH | 71 | 8 | 39 | 47 | 38 | 13 | 3 | 6 | 9 | 6 |
| 1976-77 Montréal (Canadiens) | LNH | 78 | 9 | 33 | 42 | 35 | 14 | 2 | 7 | 9 | 6 |
| Match des étoiles | LNH | 1 | 0 | 0 | 0 | 0 | - | - | - | - | - |
| Canada | CC | 7 | 0 | 3 | 3 | 0 | - | - | - | - | - |
| 1977-78 Montréal (Canadiens) | LNH | 77 | 8 | 34 | 42 | 24 | 15 | 1 | 7 | 8 | 4 |
| Match des étoiles | LNH | 1 | 0 | 0 | 0 | 0 | - | - | - | - | - |
| 1978-79 Montréal (Canadiens) | LNH | 80 | 7 | 26 | 33 | 30 | 16 | 2 | 7 | 9 | 6 |
| Étoiles LNH | Défi 79 | 3 | 0 | 0 | 0 | 0 | - | - | - | - | - |
| 1979-80 Montréal (Canadiens) | LNH | 46 | 5 | 13 | 18 | 22 | 10 | 0 | 3 | 3 | 0 |
| 1980-81 Montréal (Canadiens) | LNH | 77 | 4 | 13 | 17 | 30 | 3 | 0 | 0 | 0 | 0 |
| 1981-82 Winnipeg (Jets) | LNH | 47 | 2 | 5 | 7 | 26 | 4 | 0 | 0 | 0 | 2 |
| 1982-83 Winnipeg (Jets) | LNH | 76 | 4 | 16 | 20 | 28 | 3 | 0 | 0 | 0 | 0 |
| | LNH | 1040 | 106 | 333 | 439 | 592 | 130 | 19 | 49 | 68 | 88 |
| Montréal | | 917 | 100 | 312 | 412 | 537 | 123 | 19 | 49 | 68 | 84 |

• Deuxième équipe d'étoiles (OHA Jr) en 1965-66 • Deuxième équipe d'étoiles (CPHL) en 1966-67 • Trophée Ken-McKenzie (CPHL) en 1966-67 • Coupe Stanley (LNH) en 1967-68, 1968-69, 1970-71, 1972-73, 1975-76, 1976-77, 1977-78, 1978-79 • Trophée Conn-Smythe (LNH) en 1968-69 • Match des étoiles (LNH) en 1969-70, 1972-73, 1976-77, 1977-78 • Deuxième équipe d'étoiles (LNH) en 1979 • Trophée Bill-Masterton (LNH) en 1978-79 • Temple de la Renommée (LNH) en 1986
• Droits cédés à Winnipeg par Montréal pour le choix de 6e ronde de Winnipeg au repêchage de 1982 (Ernie Vargas) le 9 décembre 1981 • Échangé à Montréal par Winnipeg pour le choix de 3e ronde de Pittsburgh (propriété des Canadiens suite à une transaction antérieure, Winnipeg sélectionne Peter Taglianetti) et une somme d'argent au repêchage de 1983 le 28 avril 1983

### SCHNEIDER, MATHIEU

**Né à New York, New York, le 12 juin 1969. Défenseur, lance de la gauche, 5'10", 192 lb (4e choix de Montréal, 44e au total lors du repêchage de 1987)**

| SAISON CLUB | LIGUE | PJ | B | A | PTS | PUN | PJ | B | A | PTS | PUN |
|---|---|---|---|---|---|---|---|---|---|---|---|
| 1986-87 Cornwall (Royals) | OHL | 63 | 7 | 29 | 36 | 75 | 5 | 0 | 0 | 0 | 22 |
| 1987-88 Cornwall (Royals) | OHL | 48 | 21 | 40 | 61 | 83 | 11 | 2 | 6 | 8 | 14 |
| États-Unis | CMJ | 7 | 0 | 2 | 2 | 16 | - | - | - | - | - |
| Montréal (Canadiens) | LNH | 4 | 0 | 0 | 0 | 2 | - | - | - | - | - |
| Sherbrooke (Canadien) | AHL | - | - | - | - | - | 3 | 0 | 3 | 3 | 12 |
| 1988-89 Cornwall (Royals) | OHL | 59 | 16 | 57 | 73 | 96 | 18 | 7 | 20 | 27 | 30 |
| 1989-90 Sherbrooke (Canadien) | AHL | 28 | 6 | 13 | 19 | 20 | - | - | - | - | - |
| Montréal (Canadiens) | LNH | 44 | 7 | 14 | 21 | 25 | 9 | 1 | 3 | 4 | 31 |
| 1990-91 Montréal (Canadiens) | LNH | 69 | 10 | 20 | 30 | 63 | 13 | 2 | 7 | 9 | 18 |
| 1991-92 Montréal (Canadiens) | LNH | 78 | 8 | 24 | 32 | 72 | 11 | 2 | 3 | 5 | 16 |
| 1992-93 Montréal (Canadiens) | LNH | 60 | 13 | 44 | 91 | 91 | 11 | 3 | 5 | 8 | 16 |
| 1993-94 Montréal (Canadiens) | LNH | 75 | 20 | 32 | 52 | 62 | 7 | 0 | 0 | 0 | 16 |
| 1994-95 Montréal (Canadiens) | LNH | 30 | 5 | 15 | 20 | 49 | - | - | - | - | - |

| SAISON | CLUB | LIGUE | PJ | B | A | PTS | PUN | PJ | B | A | PTS | PUN |
|---|---|---|---|---|---|---|---|---|---|---|---|---|
| | New York (Rangers) | LNH | 13 | 3 | 6 | 9 | 30 | - | - | - | - | - |
| 1995-96 | New York (Rangers) | LNH | 65 | 11 | 36 | 47 | 93 | - | - | - | - | - |
| | Match des étoiles | LNH | 1 | 0 | 1 | 1 | 0 | - | - | - | - | - |
| | Toronto (Maple Leafs) | LNH | 13 | 2 | 5 | 7 | 10 | 6 | 0 | 4 | 4 | 8 |
| 1996-97 | Toronto (Maple Leafs) | LNH | 26 | 5 | 7 | 12 | 20 | - | - | - | - | - |
| | États-Unis | CM | 7 | 2 | 0 | 2 | 8 | | | | | |
| 1997-98 | Toronto (Maple Leafs) | LNH | 76 | 11 | 26 | 37 | 44 | - | - | - | - | - |
| | États-Unis | JO | 4 | 0 | 0 | 0 | 6 | | | | | |
| 1998-99 | New York (Rangers) | LNH | 75 | 10 | 24 | 34 | 71 | - | - | - | - | - |
| 1999-20 | New York (Rangers) | LNH | 80 | 10 | 20 | 30 | 78 | - | - | - | - | - |
| 2000-01 | Los Angeles (Kings) | LNH | 73 | 16 | 35 | 51 | 56 | 13 | 0 | 9 | 9 | 10 |
| 2001-02 | Los Angeles (Kings) | LNH | 55 | 7 | 23 | 30 | 68 | 7 | 0 | 1 | 1 | 18 |
| 2002-03 | Los Angeles (Kings) | LNH | 65 | 14 | 29 | 43 | 57 | - | - | - | - | - |
| | Detroit (Red Wings) | LNH | 13 | 2 | 5 | 7 | 16 | 4 | 0 | 0 | 0 | 6 |
| | **LNH** | | **914** | **154** | **352** | **506** | **907** | **74** | **5** | **30** | **35** | **113** |
| | **Montréal** | | **360** | **63** | **136** | **199** | **364** | **44** | **5** | **16** | **21** | **71** |

• **Première équipe d'étoiles (OHL) en 1987-88, 1988-89 • Coupe Stanley (LNH) en 1992-93 • Match des étoiles (LNH) en 1995-96 • Champion du monde (CM) en 1997**
• Échangé à New York (Islanders) par Montréal avec Kirk Muller et Craig Darby pour Pierre Turgeon et Vladimir Malakhov le 5 avril 1995 • Échangé à Toronto par New York (Islanders) avec Wendel Clark et Denis J. Smith pour Darby Hendrickson, Sean Haggerty, Kenny Jonsson et le 1er choix de Toronto au repêchage de 1997 (Roberto Luongo) le 13 mars 1996. • Échangé à New York (Rangers) par Toronto pour Alexander Karpovtsev et le choix de 4e ronde de New York au repêchage de 1999 (Mirko Murovic) le 14 octobre 1998 • Sélectionné par Columbus de New York (Rangers) lors de l'expansion de la LNH le 23 juin 2000 • Signe avec Los Angeles comme agent libre le 14 août 2000 • Échangé à Detroit par Los Angeles Kings pour Sean Avery, Maxim Kuznetsov, le choix de 1re ronde de Detroit au repêchage de 2003 et le choix de 2e ronde de Detroit au repêchage de 2004 le 11 mars 2003

## SCHOFIELD, DWIGHT

**Né à Waltham, Massachusetts, le 25 mars 1956. Défenseur, lance de la gauche, 6'3", 195 lb (5e choix de Detroit, 76e au total lors du repêchage de 1976)**

| SAISON | CLUB | LIGUE | PJ | B | A | PTS | PUN | PJ | B | A | PTS | PUN |
|---|---|---|---|---|---|---|---|---|---|---|---|---|
| 1974-75 | London (Knights) | OMJHL | 70 | 6 | 16 | 22 | 124 | - | - | - | - | - |
| 1975-76 | London (Knights) | OMJHL | 59 | 14 | 29 | 43 | 121 | 5 | 0 | 1 | 1 | 15 |
| 1976-77 | Kalamazoo (Wings) | IHL | 73 | 20 | 41 | 61 | 180 | 10 | 4 | 7 | 11 | 61 |
| | Detroit (Red Wings) | LNH | 3 | 1 | 0 | 1 | 4 | - | - | - | - | - |
| 1977-78 | Kalamazoo (Wings) | IHL | 3 | 3 | 6 | 9 | 21 | - | - | - | - | - |
| | Kansas City (Red Wings) | CHL | 22 | 3 | 7 | 10 | 58 | - | - | - | - | - |
| 1978-79 | Kansas City (Red Wings) | CHL | 13 | 1 | 4 | 5 | 20 | - | - | - | - | - |
| | Kalamazoo (Wings) | IHL | 47 | 8 | 29 | 37 | 199 | - | - | - | - | - |
| | Fort Wayne (Komets) | IHL | 14 | 2 | 3 | 5 | 54 | 13 | 0 | 9 | 9 | 28 |
| 1979-80 | Dayton (Gems) | IHL | 71 | 15 | 47 | 62 | 257 | - | - | - | - | - |
| | Tulsa (Oilers) | CHL | | | | | | | | | | |
| 1980-81 | Milwaukee (Admirals) | IHL | 82 | 18 | 41 | 59 | 327 | 7 | 2 | 5 | 7 | 28 |
| 1981-82 | Nlle-Écosse (Voyageurs) | AHL | 75 | 7 | 24 | 31 | *335 | 9 | 1 | 3 | 4 | 41 |
| 1982-83 | Nlle-Écosse (Voyageurs) | AHL | 73 | 10 | 21 | 31 | 248 | 7 | 0 | 3 | 3 | 21 |
| | Montréal (Canadiens) | LNH | 2 | 0 | 0 | 0 | 7 | - | - | - | - | - |
| 1983-84 | St. Louis (Blues) | LNH | 70 | 4 | 10 | 14 | 219 | 4 | 0 | 0 | 0 | 26 |
| | Toledo (Goaldiggers) | IHL | 3 | 2 | 2 | 4 | 4 | - | - | - | - | - |
| 1984-85 | St. Louis (Blues) | LNH | 43 | 1 | 4 | 5 | 184 | 2 | 0 | 0 | 0 | 15 |
| 1985-86 | Washington (Capitals) | LNH | 50 | 1 | 3 | 4 | 127 | 3 | 0 | 0 | 0 | 14 |
| 1986-87 | Pittsburgh (Penguins) | LNH | 25 | 1 | 4 | 5 | 59 | - | - | - | - | - |
| | Baltimore (Skipjacks) | AHL | 20 | 1 | 5 | 6 | 58 | - | - | - | - | - |
| 1987-88 | Winnipeg (Jets) | LNH | 18 | 0 | 0 | 0 | 33 | - | - | - | - | - |
| | Kalamazoo (Wings) | IHL | 34 | 2 | 7 | 9 | 150 | - | - | - | - | - |
| | **LNH** | | **211** | **8** | **22** | **30** | **631** | **9** | **0** | **0** | **0** | **55** |
| | **Montréal** | | **2** | **0** | **0** | **0** | **7** | | | | | |

• Signe avec Montréal comme agent libre le 20 septembre 1982 • Réclamé par St. Louis de Montréal lors du repêchage inter-équipes le 3 octobre 1983 • Réclamé par Washington de St. Louis lors du repêchage inter-équipes le 7 octobre 1985 • Droits vendus à Pittsburgh par Washington le 8 octobre 1986 • Signe avec Winnipeg comme agent libre le 10 juillet 1987

## SCHUTT, RODNEY (ROD)

**Né à Bancroft, Ontario, le 13 octobre 1956. Ailier gauche, lance de la gauche, 5'10", 185 lb (2e choix de Montréal, 13e au total lors du repêchage de 1976)**

| SAISON | CLUB | LIGUE | PJ | B | A | PTS | PUN | PJ | B | A | PTS | PUN |
|---|---|---|---|---|---|---|---|---|---|---|---|---|
| 1972-73 | Pembroke (Lumber Kings) | OJHL | 55 | 31 | 55 | 86 | 61 | - | - | - | - | - |
| 1973-74 | Sudbury (Wolves) | OMJHL | 67 | 15 | 41 | 56 | 47 | 4 | 0 | 0 | 0 | 2 |
| 1974-75 | Sudbury (Wolves) | OMJHL | 69 | 43 | 61 | 104 | 66 | 15 | 13 | 9 | 22 | 8 |
| 1975-76 | Sudbury (Wolves) | OMJHL | 63 | 72 | 63 | 135 | 42 | 17 | 18 | 16 | 34 | 13 |
| 1976-77 | Nlle-Écosse (Voyageurs) | AHL | 80 | 33 | 51 | 84 | 56 | 12 | 8 | 8 | 16 | 4 |
| 1977-78 | Nlle-Écosse (Voyageurs) | AHL | 77 | 36 | 44 | 80 | 57 | 11 | 4 | 7 | 11 | 2 |
| | **Montréal (Canadiens)** | **LNH** | 2 | 0 | 0 | 0 | 0 | - | - | - | - | - |
| 1978-79 | Pittsburgh (Penguins) | LNH | 74 | 24 | 21 | 45 | 33 | 7 | 2 | 0 | 2 | 4 |
| 1979-80 | Pittsburgh (Penguins) | LNH | 73 | 18 | 21 | 39 | 43 | 5 | 2 | 1 | 3 | 6 |
| 1980-81 | Pittsburgh (Penguins) | LNH | 80 | 25 | 35 | 60 | 55 | 5 | 3 | 3 | 6 | 16 |
| 1981-82 | Erie (Blades) | AHL | 35 | 12 | 15 | 27 | 40 | - | - | - | - | - |
| | Pittsburgh (Penguins) | LNH | 35 | 9 | 12 | 21 | 42 | 5 | 1 | 2 | 3 | 0 |
| 1982-83 | Baltimore (Skipjacks) | AHL | 64 | 34 | 53 | 87 | 24 | - | - | - | - | - |
| | Pittsburgh (Penguins) | LNH | 5 | 0 | 0 | 0 | 0 | - | - | - | - | - |
| 1983-84 | Baltimore (Skipjacks) | AHL | 36 | 15 | 19 | 34 | 48 | 10 | 3 | 1 | 4 | 22 |
| | Pittsburgh (Penguins) | LNH | 11 | 1 | 3 | 4 | 4 | - | - | - | - | - |
| 1984-85 | Muskegon (Mohawks) | IHL | 79 | 44 | 46 | 90 | 58 | 17 | 10 | 13 | 23 | 10 |
| 1985-86 | Toronto (Maple Leafs) | LNH | 6 | 0 | 0 | 0 | 0 | - | - | - | - | - |
| | St. Catharines (Saints) | AHL | 70 | 21 | 28 | 49 | 44 | 13 | 7 | 4 | 11 | 18 |
| | **LNH** | | **286** | **77** | **92** | **169** | **177** | **22** | **8** | **6** | **14** | **26** |
| | **Montréal** | | **2** | **0** | **0** | **0** | **0** | | | | | |

• **Première équipe d'étoiles (OMJHL) en 1974-75, 1975-76 • Trophée Dudley-Garrett (AHL) en 1976-77 • Coupe Calder (AHL) en 1976-77**

---

• Échangé à Pittsburgh par Montréal pour le 1er choix de Pittsburgh au repêchage de 1981 (Mark Hunter) le 18 octobre 1978 • Signe avec Toronto comme agent libre le 3 octobre 1985

## SCOTT, HARRY

**Né à Moncton, Nouveau-Brunswick, en 1887, décédé le 22 octobre 1954**
**Centre/Ailier, lance de la droite, 5'10", 180 lb**

| SAISON | CLUB | LIGUE | PJ | B | A | PTS | PUN | PJ | B | A | PTS | PUN |
|---|---|---|---|---|---|---|---|---|---|---|---|---|
| 1906-07 | Portage-La-Prairie | Man-Pro | 2 | 1 | 0 | 1 | | - | - | - | - | - |
| | Winnipeg (Strathconas) | MMHL | 1 | 1 | 0 | 1 | | - | - | - | - | - |
| | Pembroke (Lumber Kings) | UOVHL | *Statistiques non disponibles* | | | | | | | | | |
| 1907-08 | Fort William (Wanderers) | NOHL | 10 | *18 | 0 | *18 | - | 4 | 5 | 0 | 5 | - |
| 1908-09 | Fort William (Wanderers) | NOHL | 12 | 21 | 0 | 21 | - | 2 | 1 | 0 | 1 | - |
| | Winnipeg (Maple Leafs) | Man-Pro | *Statistiques non disponibles* | | | | | | | | | |
| 1909-10 | Fort William (Forts) | NOHL | 11 | 10 | 0 | 10 | 26 | - | - | - | - | - |
| 1910-11 | Fort William (Forts) | NOHL | 1 | 1 | 0 | 1 | 0 | - | - | - | - | - |
| | Moncton (Victorias) | MPHL | 8 | *20 | 0 | *20 | 16 | 4 | 6 | 0 | 6 | - |
| 1911-12 | New Glasgow (Cubs) | MPHL | 18 | *54 | 0 | *54 | 21 | - | - | - | - | - |
| 1912-13 | Sydney (Millionaires) | MPHL | 1 | 2 | 0 | 2 | 0 | - | - | - | - | - |
| | Halifax (Crescents) | MPHL | 9 | 6 | 0 | 6 | 25 | - | - | - | - | - |
| | Moncton (Victorias) | MPHL | 3 | 4 | 0 | 4 | 4 | - | - | - | - | - |
| 1913-14 | Toronto (Ontarios) | NHA | 7 | 4 | 1 | 5 | 9 | - | - | - | - | - |
| | **Montréal (Canadiens)** | **NHA** | 11 | 9 | 2 | 11 | - | 2 | 1 | 0 | 1 | - |
| 1914-15 | **Montréal (Canadiens)** | **NHA** | 16 | 9 | 0 | 9 | 35 | - | - | - | - | - |
| 1915-16 | | | | | *Service militaire* | | | | | | | |
| 1916-17 | | | | | *Service militaire* | | | | | | | |
| 1917-18 | Winnipeg (Vimy) | MHL Sr | 7 | 18 | 1 | 19 | 6 | - | - | - | - | - |
| | **NHA** | | **34** | **22** | **3** | **25** | **35** | **2** | **1** | **0** | **1** | **-** |
| | **Montréal** | | **27** | **18** | **2** | **20** | **35** | **2** | **1** | **0** | **1** | **-** |

• **Première équipe d'étoiles (NOHL) en 1908-09 • Première équipe d'étoiles (MPHL) en 1910-11**
• Signe avec Toronto (NHA) en décembre 1913 • Droits vendus à Montréal (NHA) par Toronto (NHA) le 20 janvier 1914 • Libéré par Montréal (NHA) avec Alphonse Jetté le 18 janvier 1915 • Réengagé par Montréal (NHA) le 2 février 1915

## SÉGUIN, PATSY

**Décédé le 22 août 1918. Centre**

| SAISON | CLUB | LIGUE | PJ | B | A | PTS | PUN | PJ | B | A | PTS | PUN |
|---|---|---|---|---|---|---|---|---|---|---|---|---|
| 1909-10 | **Montréal (Canadiens)** | **NHA** | 2 | 1 | 0 | 1 | 12 | - | - | - | - | - |
| | **NHA** | | **2** | **1** | **0** | **1** | **12** | | | | | |
| | **Montréal** | | **2** | **1** | **0** | **1** | **12** | | | | | |

• Signe avec Montréal (NHA) le 16 février 1910 • Signe avec Montréal (NHA) le 23 novembre 1911 • Droits vendus à Montréal (National – LHCM) par Montréal (NHA) le 30 janvier 1912

## SÉVIGNY, PIERRE

**Né à Trois-Rivières, Québec, le 8 septembre 1971. Ailier gauche, lance de la gauche, 6', 194 lb (4e choix de Montréal, 51e au total lors du repêchage de 1989)**

| SAISON | CLUB | LIGUE | PJ | B | A | PTS | PUN | PJ | B | A | PTS | PUN |
|---|---|---|---|---|---|---|---|---|---|---|---|---|
| 1987-88 | Montréal (Cantonniers) | QAAA | 40 | 43 | 78 | 121 | 72 | - | - | - | - | - |
| 1988-89 | Verdun (Canadien Junior) | LHJMQ | 67 | 27 | 43 | 70 | 88 | - | - | - | - | - |
| 1989-90 | Saint-Hyacinthe (Laser) | LHJMQ | 67 | 47 | 72 | 119 | 205 | 12 | 8 | 8 | 16 | 42 |
| 1990-91 | Saint-Hyacinthe (Laser) | LHJMQ | 60 | 36 | 46 | 82 | 203 | - | - | - | - | - |
| | Canada | CMJ | 7 | 4 | 2 | 6 | 8 | - | - | - | - | - |
| 1991-92 | Fredericton (Canadien) | AHL | 74 | 22 | 37 | 59 | 145 | 7 | 1 | 1 | 2 | 26 |
| 1992-93 | Fredericton (Canadien) | AHL | 80 | 36 | 40 | 76 | 113 | 5 | 1 | 1 | 2 | 2 |
| 1993-94 | **Montréal (Canadiens)** | **LNH** | 43 | 4 | 5 | 9 | 42 | 3 | 0 | 1 | 1 | 0 |
| 1994-95 | **Montréal (Canadiens)** | **LNH** | 19 | 0 | 0 | 0 | 15 | - | - | - | - | - |
| 1995-96 | Fredericton (Canadien) | AHL | 76 | 39 | 42 | 81 | 188 | 10 | 5 | 9 | 14 | 90 |
| 1996-97 | **Montréal (Canadiens)** | **LNH** | 13 | 0 | 0 | 0 | 5 | - | - | - | - | - |
| | Fredericton (Canadien) | AHL | 32 | 9 | 17 | 26 | 58 | - | - | - | - | - |
| 1997-98 | New York (Rangers) | LNH | 3 | 0 | 0 | 0 | 0 | - | - | - | - | - |
| | Hartford (Wolf Pack) | AHL | 71 | 13 | 18 | 31 | 94 | 12 | 3 | 5 | 8 | 14 |
| 1998-99 | Long Beach (Ice Dogs) | IHL | 6 | 1 | 3 | 4 | 7 | - | - | - | - | - |
| | Orlando (Solar Bears) | IHL | 43 | 11 | 21 | 32 | 44 | 15 | 4 | 5 | 9 | 32 |
| 1999-20 | Québec (Citadelles) | AHL | 78 | 24 | 43 | 67 | 154 | 3 | 3 | 0 | 3 | 17 |
| 2000-01 | Québec (Citadelles) | AHL | 80 | 11 | 37 | 66 | 138 | 8 | 0 | 1 | 1 | 17 |
| 2001-02 | Québec (Citadelles) | AHL | 66 | 13 | 17 | 30 | 76 | 3 | 0 | 0 | 0 | 0 |
| 2002-03 | EHC Straubing | EHC | 54 | 31 | 48 | 49 | 150 | 3 | 0 | 3 | 3 | 8 |
| | **LNH** | | **78** | **4** | **5** | **9** | **64** | **3** | **0** | **1** | **1** | **0** |
| | **Montréal** | | **75** | **4** | **5** | **9** | **62** | **3** | **0** | **1** | **1** | **0** |

• **Équipe d'étoiles des recrues (LHJMQ) en 1988-89 • Deuxième équipe d'étoiles (LHJMQ) en 1989-90, 1990-91 • Médaille d'or (CMJ) en 1991**
• Signe avec New York (Rangers) comme agent libre le 26 août 1997

## SHANAHAM, SEAN

**Né à Toronto, Ontario, le 8 février 1951**
**Centre/ailier gauche, lance de la droite, 6'3", 205 lb**

| SAISON | CLUB | LIGUE | PJ | B | A | PTS | PUN | PJ | B | A | PTS | PUN |
|---|---|---|---|---|---|---|---|---|---|---|---|---|
| 1968-69 | Kitchener (Rangers) | OHA Jr | 50 | 3 | 8 | 11 | 37 | - | - | - | - | - |
| 1969-70 | Markham (Waxers) | OHA B | *Statistiques non disponibles* | | | | | | | | | |
| | Toronto (Marlboros) | OHA Jr | 19 | 2 | 4 | 6 | 5 | - | - | - | - | - |
| 1970-71 | Toronto (Marlboros) | OHA Jr | 6 | 0 | 0 | 0 | 0 | - | - | - | - | - |
| | Oshawa (Generals) | OHA | 24 | 1 | 4 | 5 | 14 | - | - | - | - | - |
| 1971-72 | Providence College | ECAC | 23 | 13 | 15 | 28 | | - | - | - | - | - |
| 1972-73 | Providence College | ECAC | 25 | 13 | 23 | 36 | 8 | - | - | - | - | - |
| 1973-74 | Nlle-Écosse (Voyageurs) | AHL | 63 | 13 | 14 | 27 | 65 | 6 | 1 | 0 | 1 | 6 |
| 1974-75 | Nlle-Écosse (Voyageurs) | AHL | 67 | 12 | 10 | 22 | 159 | 6 | 0 | 0 | 0 | 58 |
| 1975-76 | Nlle-Écosse (Voyageurs) | AHL | 64 | 18 | 26 | 44 | 91 | 9 | 4 | 7 | 11 | 11 |
| | **Montréal (Canadiens)** | **LNH** | 4 | 0 | 0 | 0 | 0 | - | - | - | - | - |
| 1976-77 | Colorado (Rockies) | LNH | 30 | 1 | 3 | 4 | 40 | - | - | - | - | - |
| | Rhode Island (Reds) | AHL | 1 | 1 | 1 | | 11 | - | - | - | - | - |
| | Dallas (Black Hawks) | CHL | 7 | 0 | 0 | 0 | 25 | 1 | 0 | 1 | 1 | 19 |
| 1977-78 | Boston (Bruins) | LNH | 6 | 0 | 0 | 0 | 7 | - | - | - | - | - |
| | Rochester (Americans) | AHL | 66 | 20 | 23 | 43 | 156 | 6 | 2 | 3 | 5 | 10 |

| SAISON | CLUB | LIGUE | PJ | B | A | PTS | PUN | PJ | B | A | PTS | PUN |
|---|---|---|---|---|---|---|---|---|---|---|---|---|
| 1978-79 | Cincinnati (Stingers) | AMH | 4 | 0 | 0 | 0 | 7 | - | - | - | - | - |
| | **LNH** | | 40 | 1 | 3 | 4 | 47 | - | - | - | - | - |
| | **Montréal** | | 4 | 0 | 0 | 0 | 0 | - | - | - | - | - |

• Coupe Calder (AHL) en 1977-76
• Signe avec Montréal comme agent libre le 20 août 1973 • Échangé au Colorado par Montréal avec Ron Andruff et le 1er choix de Montréal au repêchage de 1980 (Paul Gagné) pour le 1er choix du Colorado au repêchage de 1980 (Doug Wickenheiser) le 13 septembre 1976 • Signe avec Boston comme agent libre le 13 octobre 1977 • Signe avec Detroit comme agent libre le 6 juin 1978 • Signe avec Indianapolis (AMH) comme agent libre le 24 octobre 1978

### SHANNON, DARRYL

Né à Barrie, Ontario, le 21 juin 1968. Défenseur, lance de la gauche, 6'2", 210 lb (2e choix de Toronto, 36e au total lors du repêchage de 1986)

| SAISON | CLUB | LIGUE | PJ | B | A | PTS | PUN | PJ | B | A | PTS | PUN |
|---|---|---|---|---|---|---|---|---|---|---|---|---|
| 1983-84 | Alliston (Hornets) | OJHL-C | 30 | 18 | 22 | 40 | 70 | - | - | - | - | - |
| 1984-85 | Richmond (Hill Dynes) | OJHL | 1 | 0 | 0 | 0 | 0 | - | - | - | - | - |
| | Barrie (Colts) | OJHL-B | 39 | 5 | 23 | 28 | 50 | - | - | - | - | - |
| 1985-86 | Windsor (Spitfires) | OHL | 57 | 6 | 21 | 27 | 52 | 16 | 5 | 6 | 11 | 22 |
| 1986-87 | Windsor (Spitfires) | OHL | 64 | 23 | 27 | 50 | 83 | 14 | 4 | 8 | 12 | 18 |
| 1987-88 | Windsor (Spitfires) | OHL | 60 | 16 | 67 | 83 | 116 | 12 | 3 | 8 | 11 | 17 |
| | Windsor (Spitfires) | Mem. | 4 | 0 | 7 | 7 | 8 | - | - | - | - | - |
| 1988-89 | Toronto (Maple Leafs) | LNH | 14 | 1 | 3 | 4 | 6 | - | - | - | - | - |
| | Newmarket (Saints) | AHL | 61 | 5 | 24 | 29 | 37 | 5 | 0 | 3 | 3 | 10 |
| 1989-90 | Toronto (Maple Leafs) | LNH | 10 | 0 | 1 | 1 | 12 | - | - | - | - | - |
| | Newmarket (Saints) | AHL | 47 | 4 | 15 | 19 | 58 | - | - | - | - | - |
| 1990-91 | Toronto (Maple Leafs) | LNH | 10 | 0 | 1 | 1 | 0 | - | - | - | - | - |
| | Newmarket (Saints) | AHL | 47 | 2 | 14 | 16 | 51 | - | - | - | - | - |
| 1991-92 | Toronto (Maple Leafs) | LNH | 48 | 2 | 8 | 10 | 23 | - | - | - | - | - |
| 1992-93 | Toronto (Maple Leafs) | LNH | 16 | 0 | 0 | 0 | 11 | - | - | - | - | - |
| | St. John's (Maple Leafs) | AHL | 7 | 1 | 1 | 2 | 4 | - | - | - | - | - |
| 1993-94 | Winnipeg (Jets) | LNH | 20 | 0 | 4 | 4 | 18 | - | - | - | - | - |
| | Moncton (Hawks) | AHL | 37 | 1 | 10 | 11 | 62 | 20 | 1 | 7 | 8 | 32 |
| 1994-95 | Winnipeg (Jets) | LNH | 40 | 5 | 9 | 14 | 48 | - | - | - | - | - |
| 1995-96 | Winnipeg (Jets) | LNH | 48 | 2 | 9 | 11 | 72 | - | - | - | - | - |
| | Buffalo (Sabres) | LNH | 26 | 2 | 6 | 8 | 20 | - | - | - | - | - |
| 1996-97 | Buffalo (Sabres) | LNH | 82 | 4 | 19 | 23 | 112 | 12 | 2 | 3 | 5 | 8 |
| 1997-98 | Buffalo (Sabres) | LNH | 76 | 3 | 19 | 22 | 56 | 15 | 2 | 4 | 6 | 8 |
| 1998-99 | Buffalo (Sabres) | LNH | 71 | 3 | 12 | 15 | 52 | 2 | 0 | 0 | 0 | 0 |
| 1999-00 | Atlanta (Thrashers) | LNH | 49 | 5 | 13 | 18 | 65 | - | - | - | - | - |
| | Calgary (Flames) | LNH | 27 | 1 | 8 | 9 | 22 | - | - | - | - | - |
| 2000-01 | **Montréal (Canadiens)** | LNH | 7 | 0 | 1 | 1 | 6 | - | - | - | - | - |
| | Québec (Citadelles) | AHL | 4 | 0 | 1 | 1 | 4 | - | - | - | - | - |
| 2001-02 | Krefeld Pinguine | GER | 38 | 1 | 18 | 19 | 49 | 3 | 1 | 1 | 2 | 0 |
| 2002-03 | Krefeld Pinguine | GER | 52 | 3 | 9 | 12 | 56 | 14 | 3 | 4 | 7 | 20 |
| | **LNH** | | 544 | 28 | 111 | 139 | 523 | 29 | 4 | 7 | 11 | 16 |
| | **Montréal** | | 7 | 0 | 1 | 1 | 6 | - | - | - | - | - |

• Première équipe d'étoiles (OHL) en 1987-88 • Deuxième équipe d'étoiles (OHL) en 1986-87 • Trophée Max-Kaminski (OHL) en 1987-88 • Trophée Bobby-Smith (OHL) en 1987-88 • Équipe d'étoiles de la coupe Memorial en 1987-88
• Signe avec Winnipeg comme agent libre le 30 juin 1993 • Échangé à Buffalo par Winnipeg avec Michal Grosek pour Craig Muni le 15 février 1996 • Réclamé par Atlanta de Buffalo au repêchage de l'expansion de la LNH le 25 juin 1999 • Échangé à Calgary par Atlanta avec Jason Botterill pour Hnat Domenichelli et Dmitri Vlasenkov le 11 février 2000 • Signe avec Montréal comme agent libre le 25 septembre 2000

### SHEEHAN, ROBERT (BOBBY)

Né à Weymouth, Massachusetts, le 11 janvier 1949. Centre, lance de la gauche, 5'7", 155 lb (3e choix de Montréal, 32e au total lors du repêchage de 1969)

| SAISON | CLUB | LIGUE | PJ | B | A | PTS | PUN | PJ | B | A | PTS | PUN |
|---|---|---|---|---|---|---|---|---|---|---|---|---|
| 1966-67 | Halifax (Canadien) | MJHL | 50 | *64 | 51 | 115 | 21 | 17 | *24 | *28 | *52 | 19 |
| 1967-68 | Halifax (Canadien) | MJHL | 44 | 51 | 47 | 98 | 25 | 4 | 6 | 5 | 11 | 0 |
| 1968-69 | St. Catharines (Black Hawks) | OHA Jr | 44 | 44 | 41 | 85 | 6 | 18 | 10 | 13 | 23 | 2 |
| 1969-70 | Montréal (Voyageurs) | AHL | 46 | 16 | 27 | 43 | 8 | 8 | 2 | 2 | 4 | 4 |
| | **Montréal (Canadiens)** | LNH | 16 | 2 | 1 | 3 | 2 | - | - | - | - | - |
| 1970-71 | **Montréal (Canadiens)** | LNH | 29 | 6 | 5 | 11 | 2 | 6 | 0 | 0 | 0 | 0 |
| | Montréal (Voyageurs) | AHL | 35 | 24 | 21 | 45 | 14 | - | - | - | - | - |
| 1971-72 | Californie (Golden Seals) | LNH | 78 | 20 | 26 | 46 | 12 | - | - | - | - | - |
| 1972-73 | New York (Raiders) | AMH | 75 | 35 | 53 | 88 | 34 | - | - | - | - | - |
| 1973-74 | New York/New Jersey | AMH | 50 | 12 | 8 | 20 | 16 | - | - | - | - | - |
| | Edmonton (Oilers) | AMH | 10 | 1 | 3 | 4 | 12 | 5 | 1 | 3 | 4 | 0 |
| 1974-75 | Edmonton (Oilers) | AMH | 77 | 19 | 39 | 58 | 16 | - | - | - | - | - |
| 1975-76 | Chicago (Black Hawks) | LNH | 78 | 11 | 20 | 31 | 8 | 4 | 0 | 0 | 0 | 0 |
| 1976-77 | Detroit (Red Wings) | LNH | 34 | 5 | 4 | 9 | 2 | - | - | - | - | - |
| | Rhode Island (Reds) | AHL | 36 | 28 | 26 | 54 | 18 | - | - | - | - | - |
| 1977-78 | Indianapolis (Racers) | WHL | 29 | 7 | 15 | 22 | 6 | - | - | - | - | - |
| | New Haven (Nighthawks) | AHL | 43 | 13 | 26 | 39 | 14 | 15 | 7 | 5 | 12 | 4 |
| 1978-79 | New Haven (Nighthawks) | AHL | 70 | 11 | 20 | 31 | 42 | - | - | - | - | - |
| | New York (Rangers) | LNH | - | - | - | - | - | 15 | 4 | 3 | 7 | 8 |
| 1979-80 | Colorado (Rockies) | LNH | 30 | 3 | 4 | 7 | 2 | - | - | - | - | - |
| | New Haven (Nighthawks) | AHL | 13 | 8 | 7 | 15 | 10 | - | - | - | - | - |
| | Fort Worth (Texans) | CHL | 31 | 20 | 18 | 38 | 14 | - | - | - | - | - |
| 1980-81 | Colorado (Rockies) | LNH | 41 | 1 | 3 | 4 | 10 | - | - | - | - | - |
| | États-Unis | CM | 8 | 0 | 0 | 0 | 2 | - | - | - | - | - |
| 1981-82 | Los Angeles (Kings) | LNH | 4 | 0 | 0 | 0 | 2 | - | - | - | - | - |
| | New Haven (Nighthawks) | AHL | 74 | 21 | 17 | 38 | 32 | 4 | 0 | 2 | 2 | 0 |
| 1982-83 | Binghamton (Whalers) | AHL | 48 | 7 | 18 | 25 | 6 | 5 | 1 | 1 | 2 | 0 |
| | **LNH** | | 310 | 48 | 63 | 111 | 40 | 25 | 4 | 3 | 7 | 8 |
| | **Montréal** | | 45 | 8 | 6 | 14 | 4 | 6 | 0 | 0 | 0 | 0 |

• Coupe Stanley (LNH) en 1970-71 • Deuxième équipe d'étoiles (AHL) en 1978-79
• Droits vendus à la Californie par Montréal le 25 mai 1971 • Sélectionné par la Nlle-Angleterre lors de l'expansion de l'AMH le 12 février 1972 • Échangé à Chicago par Californie avec Dick

Redmond pour Darryl Maggs le 5 décembre 1972 • Échangé à New York (AMH) par New England (AMH) pour le 1er choix (Glenn Goldup) et celui de 4e ronde (Tom Colley) de New York au repêchage de 1973 le 15 août 1972 • Échangé à Edmonton (AMH) par New York/New Jersey (AMH) pour des considérations futures (Bob Falkenberg, en mai 1974) le 17 mars 1974 • Signe avec Detroit comme agent libre le 8 octobre 1976 • Signe avec Indianapolis (AMH) comme agent libre le 17 juillet 1977 • Signe avec New York (Rangers) comme agent libre le 1er octobre 1978 • Échangé au Colorado par New Haven (AHL) pour Dennis Owchar et Larry Skinner le 12 mai 1979 • Signe avec Los Angeles comme agent libre le 8 juillet 1981

### SHUTT, STEPHEN (STEVE)

Né à Toronto, Ontario, le 1er juillet 1952. Ailier gauche, lance de la gauche, 5'11", 185 lb (1er choix de Montréal, 4e au total lors du repêchage de 1972)

| SAISON | CLUB | LIGUE | PJ | B | A | PTS | PUN | PJ | B | A | PTS | PUN |
|---|---|---|---|---|---|---|---|---|---|---|---|---|
| 1968-69 | North York (Rangers) | OHA B | 17 | 10 | 17 | 27 | - | - | - | - | - | - |
| | Toronto (Marlboros) | OMJHL | - | - | - | - | - | 5 | 1 | 3 | 4 | 2 |
| 1969-70 | Toronto (Marlboros) | OMJHL | 49 | 11 | 14 | 25 | 93 | 18 | 10 | 9 | 19 | 13 |
| 1970-71 | Toronto (Marlboros) | OMJHL | 70 | 70 | 53 | 123 | 85 | 13 | 11 | 11 | 22 | 20 |
| 1971-72 | Toronto (Marlboros) | OMJHL | 58 | 63 | 49 | 112 | 60 | 10 | 8 | 6 | 14 | 12 |
| 1972-73 | Nlle-Écosse (Voyageurs) | AHL | 6 | 4 | 1 | 5 | 2 | - | - | - | - | - |
| | **Montréal (Canadiens)** | LNH | 50 | 8 | 8 | 16 | 24 | 1 | 0 | 0 | 0 | 0 |
| 1973-74 | **Montréal (Canadiens)** | LNH | 70 | 15 | 20 | 35 | 17 | 6 | 5 | 3 | 8 | 9 |
| 1974-75 | **Montréal (Canadiens)** | LNH | 77 | 30 | 35 | 65 | 40 | 9 | 1 | 6 | 7 | 4 |
| 1975-76 | **Montréal (Canadiens)** | LNH | 80 | 45 | 34 | 79 | 47 | 13 | 7 | 8 | 15 | 2 |
| | Match des étoiles | LNH | 1 | 0 | 0 | 0 | 0 | - | - | - | - | - |
| 1976-77 | **Montréal (Canadiens)** | LNH | 80 | *60 | 45 | 105 | 28 | 14 | 8 | 10 | 18 | 2 |
| | Canada | CC | 6 | 1 | 2 | 3 | 8 | - | - | - | - | - |
| 1977-78 | **Montréal (Canadiens)** | LNH | 80 | 49 | 37 | 86 | 24 | 15 | 9 | 8 | 17 | 20 |
| | Match des étoiles | LNH | 1 | 0 | 1 | 1 | 0 | - | - | - | - | - |
| 1978-79 | **Montréal (Canadiens)** | LNH | 72 | 37 | 40 | 77 | 31 | 11 | 4 | 7 | 11 | 6 |
| | Étoiles LNH | Défi 79 | 2 | 1 | 1 | 2 | 0 | - | - | - | - | - |
| 1979-80 | **Montréal (Canadiens)** | LNH | 77 | 47 | 42 | 89 | 34 | 10 | 6 | 3 | 9 | 6 |
| 1980-81 | **Montréal (Canadiens)** | LNH | 77 | 35 | 38 | 73 | 51 | 3 | 1 | 2 | 3 | 4 |
| | Match des étoiles | LNH | 1 | 0 | 0 | 0 | 0 | - | - | - | - | - |
| 1981-82 | **Montréal (Canadiens)** | LNH | 57 | 31 | 24 | 55 | 40 | - | - | - | - | - |
| 1982-83 | **Montréal (Canadiens)** | LNH | 78 | 35 | 22 | 57 | 26 | 3 | 1 | 0 | 1 | 0 |
| 1983-84 | **Montréal (Canadiens)** | LNH | 63 | 14 | 23 | 37 | 29 | 11 | 7 | 2 | 9 | 8 |
| 1984-85 | **Montréal (Canadiens)** | LNH | 10 | 2 | 0 | 2 | 6 | - | - | - | - | - |
| | Los Angeles (Kings) | LNH | 59 | 16 | 25 | 41 | 10 | 3 | 0 | 0 | 0 | 4 |
| | **LNH** | | 930 | 424 | 393 | 817 | 410 | 99 | 50 | 48 | 98 | 65 |
| | **Montréal** | | 871 | 408 | 368 | 776 | 400 | 96 | 50 | 48 | 98 | 61 |

• Première équipe d'étoiles (OMJHL) en 1971-72 • Deuxième équipe d'étoiles (OMJHL) en 1970-71 • Coupe Stanley (LNH) en 1972-73, 1975-76, 1976-77, 1977-78, 1978-79 • Match des étoiles (LNH) en 1975-76, 1977-78, 1980-81 • Première équipe d'étoiles (LNH) en 1976-77 • Deuxième équipe d'étoiles (LNH) en 1977-78, 1979-80 • Coupe Canada en 1977 • Temple de la Renommée (LNH) en 1993
• Échangé à Los Angeles par Montréal pour le choix de 10e ronde de Los Angeles au repêchage de 1985 (Maurice Mansi) le 18 novembre 1984 • Réclamé au ballottage par Montréal de Los Angeles le 18 juin 1985

### SIEBERT, ALBERT (BABE)

Né à Plattsville, Ontario, le 14 janvier 1904, décédé le 25 août 1939
Ailier gauche/Défenseur, lance de la gauche, 5'10", 182 lb

| SAISON | CLUB | LIGUE | PJ | B | A | PTS | PUN | PJ | B | A | PTS | PUN |
|---|---|---|---|---|---|---|---|---|---|---|---|---|
| 1920-21 | Zurich (Intermediates) | OIHA | *Statistiques non disponibles* | | | | | | | | | |
| 1921-22 | Exeter (Hawks) | OIHA | *Statistiques non disponibles* | | | | | | | | | |
| 1922-23 | Kitchener (Greenshirts) | OHA Jr | - | - | - | - | - | 8 | 6 | 4 | 10 | - |
| 1923-24 | Kitchener (Twin City) | OHA Sr | 10 | 9 | 4 | 13 | - | - | - | - | - | - |
| 1924-25 | Niagara Falls (Cataracts) | OHA Sr | 20 | 9 | 2 | 11 | 26 | 2 | 2 | 0 | 2 | 3 |
| | Niagara Falls (Cataracts) | Allan | 8 | 5 | 0 | 5 | - | - | - | - | - | - |
| 1925-26 | **Montréal (Maroons)** | LNH | 35 | 16 | 8 | 24 | 108 | 8 | 2 | 2 | 4 | 6 |
| 1926-27 | **Montréal (Maroons)** | LNH | 42 | 5 | 3 | 8 | 116 | 2 | 1 | 0 | 1 | 2 |
| 1927-28 | **Montréal (Maroons)** | LNH | 39 | 8 | 9 | 17 | 109 | 9 | 2 | 0 | 2 | *26 |
| 1928-29 | **Montréal (Maroons)** | LNH | 40 | 8 | 3 | 11 | 52 | 3 | 0 | 0 | 0 | 0 |
| 1929-30 | **Montréal (Maroons)** | LNH | 39 | 14 | 19 | 33 | 94 | 3 | 0 | 0 | 0 | 0 |
| 1930-31 | **Montréal (Maroons)** | LNH | 43 | 16 | 12 | 28 | 76 | 2 | 0 | 0 | 0 | 4 |
| 1931-32 | **Montréal (Maroons)** | LNH | 48 | 21 | 18 | 39 | 64 | 4 | 0 | 1 | 1 | 4 |
| 1932-33 | New York (Rangers) | LNH | 43 | 9 | 10 | 19 | 38 | 8 | 0 | 1 | 1 | 12 |
| 1933-34 | New York (Rangers) | LNH | 13 | 0 | 1 | 1 | 10 | - | - | - | - | - |
| | Boston (Bruins) | LNH | 32 | 5 | 6 | 11 | 31 | - | - | - | - | - |
| 1934-35 | Boston (Bruins) | LNH | 48 | 6 | 18 | 24 | 40 | 4 | 0 | 0 | 0 | 6 |
| 1935-36 | Boston (Bruins) | LNH | 45 | 9 | 21 | 30 | 66 | 2 | 0 | 1 | 1 | 0 |
| 1936-37 | **Montréal (Canadiens)** | LNH | 44 | 8 | 20 | 28 | 38 | 5 | 1 | 2 | 3 | 2 |
| 1937-38 | **Montréal (Canadiens)** | LNH | 37 | 8 | 11 | 19 | 56 | 3 | 1 | 1 | 2 | 0 |
| | Match des étoiles | LNH | 1 | 1 | 1 | 2 | 0 | - | - | - | - | - |
| 1938-39 | **Montréal (Canadiens)** | LNH | 44 | 9 | 7 | 16 | 36 | - | - | - | - | - |
| | **LNH** | | 592 | 140 | 156 | 296 | 982 | 53 | 8 | 7 | 15 | 64 |
| | **Montréal** | | 125 | 25 | 38 | 63 | 130 | 11 | 2 | 3 | 5 | 2 |

• Coupe Stanley (LNH) en 1925-26, 1932-33 • Première équipe d'étoiles (LNH) en 1935-36, 1936-37, 1937-38 • Trophée Hart (LNH) en 1936-37 • Match des étoiles (LNH) en 1937-38 • Temple de la Renommée (LNH) en 1964
• Signe avec Montréal (Maroons) le 16 mars 1925 • Droits vendus à New York (Rangers) par Montréal (Maroons) le 2 juillet 1933 • Échangé à Boston par New York (Rangers) pour Vic Ripley et Roy Burmeister le 18 décembre 1933 • Échangé à Montréal par Boston avec Roger Jenkins pour Leroy Goldsworthy, Sammy McManus et une somme d'argent le 10 septembre 1936

### SIMPSON, REID

Né à Flin Flon, Manitoba, le 21 mai 1969. Ailier gauche, lance de la gauche, 6'2", 217 lb (3e choix de Philadelphie, 72e au total lors du repêchage de 1989)

| SAISON | CLUB | LIGUE | PJ | B | A | PTS | PUN | PJ | B | A | PTS | PUN |
|---|---|---|---|---|---|---|---|---|---|---|---|---|
| 1984-85 | Flin Flon (Bombers) | MAHA | 50 | 60 | 70 | 130 | 100 | - | - | - | - | - |
| 1985-86 | Flin Flon (Bombers) | MJHL | 40 | 20 | 21 | 41 | 200 | - | - | - | - | - |
| | New Westminster (Bruins) | WHL | 2 | 0 | 0 | 0 | 0 | - | - | - | - | - |

| SAISON | CLUB | LIGUE | SAISONS RÉGULIÈRES | | | | | SÉRIES ÉLIMINATOIRES | | | | |
|---|---|---|---|---|---|---|---|---|---|---|---|---|
| | | | PJ | B | A | PTS | PUN | PJ | B | A | PTS | PUN |
| 1986-87 | Prince Albert (Raiders) | WHL | 47 | 3 | 8 | 11 | 105 | 8 | 2 | 3 | 5 | 13 |
| 1987-88 | Prince Albert (Raiders) | WHL | 72 | 13 | 14 | 27 | 164 | 10 | 1 | 0 | 1 | 43 |
| 1988-89 | Prince Albert (Raiders) | WHL | 59 | 26 | 29 | 55 | 264 | 4 | 2 | 1 | 3 | 30 |
| 1989-90 | Prince Albert (Raiders) | WHL | 29 | 15 | 17 | 32 | 121 | 14 | 4 | 7 | 11 | 34 |
| | Hershey (Bears) | AHL | 28 | 2 | 2 | 4 | 175 | - | - | - | - | - |
| 1990-91 | Hershey (Bears) | AHL | 54 | 9 | 15 | 24 | 183 | 1 | 0 | 0 | 0 | 0 |
| 1991-92 | Philadelphia (Flyers) | LNH | 1 | 0 | 0 | 0 | 0 | - | - | - | - | - |
| | Hershey (Bears) | AHL | 60 | 11 | 7 | 18 | 145 | - | - | - | - | - |
| 1992-93 | Minnesota (North Stars) | LNH | 1 | 0 | 0 | 0 | 5 | - | - | - | - | - |
| | Kalamazoo (Wings) | IHL | 45 | 5 | 5 | 10 | 193 | - | - | - | - | - |
| 1993-94 | Kalamazoo (Wings) | IHL | 5 | 0 | 0 | 0 | 16 | - | - | - | - | - |
| | Albany (River Rats) | AHL | 37 | 9 | 5 | 14 | 135 | 5 | 1 | 1 | 2 | 18 |
| 1994-95 | Albany (River Rats) | AHL | 70 | 18 | 25 | 43 | 268 | 14 | 1 | 8 | 9 | 13 |
| 1994-95 | New Jersey (Devils) | LNH | 9 | 0 | 0 | 0 | 27 | - | - | - | - | - |
| 1995-96 | New Jersey (Devils) | LNH | 23 | 1 | 5 | 6 | 79 | - | - | - | - | - |
| | Albany (River Rats) | AHL | 6 | 1 | 3 | 4 | 17 | - | - | - | - | - |
| 1996-97 | New Jersey (Devils) | LNH | 27 | 0 | 4 | 4 | 60 | 5 | 0 | 0 | 0 | 29 |
| 1996-97 | Albany (River Rats) | AHL | 3 | 0 | 0 | 0 | 10 | - | - | - | - | - |
| 1997-98 | New Jersey (Devils) | LNH | 0 | 0 | 0 | 0 | 16 | - | - | - | - | - |
| | Chicago (Blackhawks) | LNH | 38 | 3 | 2 | 5 | 102 | - | - | - | - | - |
| 1998-99 | Chicago (Blackhawks) | LNH | 53 | 5 | 4 | 9 | 145 | - | - | - | - | - |
| 1999-00 | Cleveland (Lumberjacks) | IHL | 12 | 2 | 2 | 4 | 56 | - | - | - | - | - |
| | Tampa Bay (Lightning) | LNH | 26 | 1 | 0 | 1 | 103 | - | - | - | - | - |
| 2000-01 | St. Louis (Blues) | LNH | 38 | 2 | 1 | 3 | 96 | 5 | 0 | 0 | 0 | 2 |
| 2001-02 | **Montréal (Canadiens)** | **LNH** | **25** | **1** | **1** | **2** | **63** | **-** | **-** | **-** | **-** | **-** |
| | Nashville (Predators) | LNH | 26 | 5 | 0 | 5 | 69 | - | - | - | - | - |
| | Milwaukee (Admirals) | AHL | 2 | 1 | 0 | 1 | 37 | - | - | - | - | - |
| 2002-03 | Nashville (Predators) | LNH | 26 | 0 | 1 | 1 | 56 | - | - | - | - | - |
| | Milwaukee (Admirals) | AHL | 17 | 6 | 6 | 12 | 40 | - | - | - | - | - |
| | **LNH** | | **299** | **18** | **18** | **36** | **821** | **10** | **0** | **0** | **0** | **31** |
| | **Montréal** | | **25** | **1** | **1** | **2** | **63** | | | | | |

• Signe avec Minnesota comme agent libre le 14 décembre 1992 • Transfert de la concession du Minnesota à Dallas le 9 juin 1993 • Échangé au New Jersey par Dallas avec Roy Mitchell pour des considérations futures le 21 mars 1994 • Échangé à Chicago par New Jersey pour le choix de 4e ronde de Chicago au repêchage de 1998 (Mikko Jokela) et des considérations futures le 8 janvier 1998 • Échangé à Tampa Bay par Chicago avec Bryan Muir pour Michael Nylander le 12 novembre 1999 • Signe avec St. Louis comme agent libre le 24 août 2000 • Signe avec Montréal comme agent libre le 10 septembre 2001 • Réclamé au ballottage par Nashville de Montréal le 28 janvier 2002

### SINGBUSH, ALEXANDER (ALEX)
**Né à Winnipeg, Manitoba, le 31 janvier 1914, décédé le 8 mars 1969**
**Défenseur, lance de la gauche, 5'11", 180 lb**

| SAISON | CLUB | LIGUE | PJ | B | A | PTS | PUN | PJ | B | A | PTS | PUN |
|---|---|---|---|---|---|---|---|---|---|---|---|---|
| 1932-33 | Winnipeg (K of C) | MJHL | 6 | 0 | 0 | 0 | 2 | 2 | 0 | 0 | 0 | 0 |
| 1933-34 | Portage (Terriers) | MJHL | 14 | 5 | 7 | 12 | *48 | 2 | 0 | 0 | 0 | 4 |
| 1934-35 | Sudbury (Refinery ORC) | NBHL | 6 | 1 | 1 | 2 | 18 | - | - | - | - | - |
| 1935-36 | Sudbury (Refinery ORC) | NBHL | 9 | 3 | 4 | 7 | 26 | - | - | - | - | - |
| 1936-37 | Sudbury (Refinery ORC) | NBHL | 17 | 4 | 6 | 10 | *64 | - | - | - | - | - |
| 1937-38 | New Haven (Eagles) | IAHL | 43 | 4 | 3 | 7 | 44 | - | - | - | - | - |
| 1938-39 | New Haven (Eagles) | IAHL | 18 | 0 | 0 | 0 | 25 | - | - | - | - | - |
| | Philadelphie (Rams) | IAHL | 38 | 2 | 1 | 3 | 52 | 9 | 0 | 1 | 1 | 6 |
| 1939-40 | New Haven (Eagles) | IAHL | 54 | 12 | 14 | 26 | 76 | 3 | 0 | 0 | 0 | 2 |
| 1940-41 | New Haven (Eagles) | AHL | 8 | 0 | 2 | 2 | 2 | - | - | - | - | - |
| | **Montréal (Canadiens)** | **LNH** | **32** | **0** | **5** | **5** | **15** | **3** | **0** | **0** | **0** | **4** |
| 1941-42 | Washington (Lions) | AHL | 55 | 6 | 7 | 13 | 50 | 2 | 0 | 0 | 0 | 0 |
| 1942-43 | Washington (Lions) | AHL | 11 | 1 | 5 | 6 | 31 | - | - | - | - | - |
| | Providence (Reds) | AHL | 35 | 6 | 6 | 12 | 32 | 2 | 0 | 0 | 0 | 0 |
| 1943-44 | Sudbury (Open Pit) | NBHL | 8 | 1 | 0 | 1 | 6 | - | - | - | - | - |
| | Sudbury (Open Pit) | Allan | 16 | 4 | 4 | 8 | 30 | - | - | - | - | - |
| 1944-45 | Sudbury (Open Pit) | NBHL | 8 | 0 | 4 | 4 | 2 | 7 | 0 | 0 | 0 | 10 |
| 1945-46 | Providence (Reds) | AHL | 1 | 0 | 0 | 0 | 0 | - | - | - | - | - |
| | Hull (Volants) | LHSQ | 4 | 0 | 0 | 0 | 4 | - | - | - | - | - |
| | North Bay (CPR) | NOHA | *Statistiques non disponibles* | | | | | | | | | |
| | **LNH** | | **32** | **0** | **5** | **5** | **15** | **3** | **0** | **0** | **0** | **4** |
| | **Montréal** | | **32** | **0** | **5** | **5** | **15** | **3** | **0** | **0** | **0** | **4** |

• Droits vendus à Washington (AHL) par Montréal le 9 octobre 1941

### SKOV, GLEN
**Né à Weatley, Ontario, le 26 janvier 1931**
**Centre/ailier gauche, lance de la gauche, 6'2", 180 lb**

| SAISON | CLUB | LIGUE | PJ | B | A | PTS | PUN | PJ | B | A | PTS | PUN |
|---|---|---|---|---|---|---|---|---|---|---|---|---|
| 1946-47 | Windsor (Spitfires) | OHA Jr | 2 | 0 | 0 | 0 | 0 | - | - | - | - | - |
| 1947-48 | Detroit (Hettche) | IHL | 18 | 4 | 4 | 8 | 8 | 8 | 5 | 3 | 8 | 6 |
| 1948-49 | Windsor (Spitfires) | OHA Jr | 35 | 16 | 12 | 28 | 42 | 4 | 0 | 0 | 0 | 2 |
| | Windsor (Ryancretes) | IHL | 11 | 2 | 7 | 9 | 4 | 3 | 0 | 6 | 6 | 0 |
| 1949-50 | Windsor (Spitfires) | OHA Jr | 47 | 51 | 51 | 102 | 23 | 8 | 7 | 2 | 9 | 0 |
| | Detroit (Red Wings) | LNH | 2 | 0 | 0 | 0 | 0 | - | - | - | - | - |
| 1950-51 | Omaha (Knights) | USHL | 45 | 26 | 33 | 59 | 55 | - | - | - | - | - |
| | Detroit (Red Wings) | LNH | 19 | 7 | 6 | 13 | 13 | 6 | 0 | 0 | 0 | 0 |
| 1951-52 | Detroit (Red Wings) | LNH | 70 | 12 | 14 | 26 | 48 | 8 | 1 | 4 | 5 | 16 |
| 1952-53 | Detroit (Red Wings) | LNH | 70 | 12 | 15 | 27 | 54 | 6 | 1 | 0 | 1 | 2 |
| 1953-54 | Detroit (Red Wings) | LNH | 70 | 17 | 10 | 27 | 95 | 12 | 1 | 2 | 3 | 16 |
| 1954-55 | Detroit (Red Wings) | LNH | 70 | 14 | 16 | 30 | 53 | 11 | 2 | 0 | 2 | 8 |
| | Match des étoiles | LNH | 1 | 0 | 0 | 0 | 0 | - | - | - | - | - |
| 1955-56 | Chicago (Black Hawks) | LNH | 70 | 7 | 20 | 27 | 26 | - | - | - | - | - |
| 1956-57 | Chicago (Black Hawks) | LNH | 67 | 14 | 28 | 42 | 69 | - | - | - | - | - |
| 1957-58 | Chicago (Black Hawks) | LNH | 70 | 17 | 18 | 35 | 35 | - | - | - | - | - |
| 1958-59 | Chicago (Black Hawks) | LNH | 70 | 3 | 4 | 7 | 16 | - | - | - | - | - |
| 1959-60 | Chicago (Black Hawks) | LNH | 69 | 5 | 4 | 7 | 16 | - | - | - | - | - |
| 1960-61 | **Montréal (Canadiens)** | **LNH** | **3** | **0** | **0** | **0** | **0** | **-** | **-** | **-** | **-** | **-** |
| | Hull-Ottawa (Canadien) | EPHL | 67 | 16 | 26 | 42 | 24 | 14 | 2 | 6 | 8 | 2 |

| SAISON | CLUB | LIGUE | SAISONS RÉGULIÈRES | | | | | SÉRIES ÉLIMINATOIRES | | | | |
|---|---|---|---|---|---|---|---|---|---|---|---|---|
| | | | PJ | B | A | PTS | PUN | PJ | B | A | PTS | PUN |
| | **LNH** | | **650** | **106** | **136** | **242** | **413** | **53** | **7** | **7** | **14** | **48** |
| | **Montréal** | | **3** | **0** | **0** | **0** | **0** | **-** | **-** | **-** | **-** | **-** |

• Coupe Stanley (LNH) 1951-52, 1953-54, 1954-55 • Match des étoiles (LNH) en 1954-55
• Échangé à Chicago par Detroit avec Tony Leswick, John Wilson et Ben Woit pour Dave Creighton, Gord Hollingworth, John McCormack et Jerry Toppazzini le 28 mai 1955 • Échangé à Montréal par Chicago avec Terry Gray, Danny Lewicki, Bob Bailey et Lorne Ferguson pour Ab McDonald, Reg Flemming, Bob Courcy et Cec Hoekstra le 7 juin 1960

### SKRUDLAND, BRIAN
**Né à Peace River, Alberta, le 31 juillet 1963. Centre, lance de la gauche, 6', 195 lb**

| SAISON | CLUB | LIGUE | PJ | B | A | PTS | PUN | PJ | B | A | PTS | PUN |
|---|---|---|---|---|---|---|---|---|---|---|---|---|
| 1980-81 | Saskatoon (Blades) | WHL | 66 | 15 | 27 | 42 | 97 | - | - | - | - | - |
| 1981-82 | Saskatoon (Blades) | WHL | 71 | 27 | 29 | 56 | 135 | 5 | 0 | 1 | 1 | 2 |
| 1982-83 | Saskatoon (Blades) | WHL | 71 | 35 | 59 | 94 | 42 | 6 | 1 | 3 | 4 | 19 |
| 1983-84 | Nlle-Écosse (Voyageurs) | AHL | 56 | 13 | 12 | 25 | 55 | 12 | 2 | 8 | 10 | 14 |
| 1984-85 | Sherbrooke (Canadiens) | AHL | 70 | 22 | 28 | 50 | 109 | 17 | 9 | 8 | 17 | 23 |
| 1985-86 | **Montréal (Canadiens)** | **LNH** | **65** | **9** | **13** | **22** | **57** | **20** | **2** | **4** | **6** | **76** |
| 1986-87 | **Montréal (Canadiens)** | **LNH** | **79** | **11** | **17** | **28** | **107** | **14** | **1** | **5** | **6** | **29** |
| 1987-88 | **Montréal (Canadiens)** | **LNH** | **79** | **12** | **24** | **36** | **112** | **11** | **1** | **5** | **6** | **24** |
| 1988-89 | **Montréal (Canadiens)** | **LNH** | **71** | **12** | **29** | **41** | **84** | **21** | **3** | **7** | **10** | **40** |
| 1989-90 | **Montréal (Canadiens)** | **LNH** | **59** | **11** | **31** | **42** | **56** | **11** | **3** | **5** | **8** | **30** |
| 1990-91 | **Montréal (Canadiens)** | **LNH** | **57** | **15** | **19** | **34** | **85** | **13** | **3** | **10** | **13** | **42** |
| 1991-92 | **Montréal (Canadiens)** | **LNH** | **42** | **3** | **3** | **6** | **36** | **11** | **1** | **1** | **2** | **20** |
| 1992-93 | **Montréal (Canadiens)** | **LNH** | **23** | **3** | **8** | **8** | **55** | **-** | **-** | **-** | **-** | **-** |
| | Calgary (Flames) | LNH | 16 | 2 | 4 | 6 | 10 | 6 | 0 | 3 | 3 | 12 |
| 1993-94 | Floride (Panthers) | LNH | 79 | 15 | 25 | 40 | 136 | - | - | - | - | - |
| 1994-95 | Floride (Panthers) | LNH | 47 | 5 | 9 | 14 | 88 | - | - | - | - | - |
| 1995-96 | Floride (Panthers) | LNH | 79 | 7 | 20 | 27 | 129 | 21 | 1 | 3 | 4 | 18 |
| 1996-97 | Floride (Panthers) | LNH | 51 | 5 | 13 | 18 | 48 | - | - | - | - | - |
| 1997-98 | New York (Rangers) | LNH | 59 | 5 | 6 | 11 | 39 | - | - | - | - | - |
| | Dallas (Stars) | LNH | 13 | 2 | 0 | 2 | 10 | 17 | 0 | 1 | 1 | 16 |
| 1998-99 | Dallas (Stars) | LNH | 40 | 4 | 1 | 5 | 33 | 19 | 0 | 2 | 2 | 16 |
| 1999-20 | Dallas (Stars) | LNH | 22 | 1 | 2 | 3 | 22 | - | - | - | - | - |
| | **LNH** | | **881** | **124** | **219** | **343** | **1107** | **164** | **15** | **46** | **61** | **323** |
| | **Montréal** | | **475** | **78** | **139** | **217** | **592** | **101** | **14** | **37** | **51** | **261** |

• Coupe Calder (AHL) en 1984-85 • Trophée Jack-A.-Butterfield (AHL) en 1984-85 • Coupe Stanley (LNH) en 1985-86, 1998-99
• Signe avec Montréal comme agent libre le 13 septembre 1983 • Échangé à Calgary par Montréal pour Gary Leeman le 28 janvier 1993 • Réclamé par la Floride de Calgary lors de l'expansion de la LNH le 24 juin 1993 • Signe avec New York (Rangers) comme agent libre le 21 août 1997 • Échangé à Dallas par New York (Rangers) avec Mike Keane et le choix de 6e ronde des Rangers au repêchage de 1998 (Pavel Patera) pour Todd Harvey, Bob Errey et le choix de 4e ronde de Dallas au repêchage de 1998 (Boyd Kane) le 24 mars 1998

### SMART, ALEXANDER (ALEX)
**Né à Brandon, Manitoba, le 29 mai 1918**
**Ailier gauche, lance de la gauche, 5'10", 150 lb**

| SAISON | CLUB | LIGUE | PJ | B | A | PTS | PUN | PJ | B | A | PTS | PUN |
|---|---|---|---|---|---|---|---|---|---|---|---|---|
| 1935-36 | Portage (Terriers) | LHJM | 16 | 10 | 4 | 14 | 6 | 4 | *9 | *6 | *15 | 2 |
| 1936-37 | Portage (Terriers) | LHJM | 16 | 15 | 4 | 19 | 10 | 4 | 0 | 2 | 2 | 6 |
| 1937-38 | Toronto (Marlboros) | OHA Sr | 12 | 12 | 11 | 23 | 10 | 6 | 4 | 8 | 12 | 9 |
| 1938-39 | Verdun (Maple Leafs) | LHJM | 22 | 6 | 9 | 15 | 18 | 2 | 1 | 1 | 2 | 4 |
| 1939-40 | Verdun (Maple Leafs) | LHJM | 21 | 8 | 9 | 17 | 13 | 8 | 7 | 1 | 8 | 9 |
| 1940-41 | **Montréal (Canadiens)** | **LHJM** | **33** | **7** | **15** | **22** | **21** | **-** | **-** | **-** | **-** | **-** |
| 1941-42 | **Montréal (Canadiens)** | **LHJM** | **36** | **15** | **6** | **21** | **40** | **6** | **4** | **4** | **8** | **4** |
| 1942-43 | Montréal (Canadien Sr) | LHSQ | 23 | 12 | 11 | 23 | 8 | - | - | - | - | - |
| | **Montréal (Canadiens)** | **LNH** | **8** | **5** | **2** | **7** | **0** | **-** | **-** | **-** | **-** | **-** |
| 1943-44 | Montréal (Royals) | LHSQ | 20 | 9 | 14 | 23 | 9 | 5 | 4 | 3 | 7 | 2 |
| | Montréal (Vickers) | LHCM | 21 | 13 | | 21 | 12 | - | - | - | - | - |
| 1944-45 | Montréal (Royals) | LHSQ | 24 | 19 | 19 | 38 | 12 | 4 | 3 | 5 | 8 | 4 |
| 1945-46 | Montréal (Royals) | LHSQ | 37 | 16 | 24 | 40 | 33 | 11 | 5 | 5 | 10 | 6 |
| 1946-47 | Ottawa (Senators) | LHSQ | 38 | 14 | 21 | 35 | 26 | 4 | 2 | 2 | 4 | 4 |
| 1947-48 | Ottawa (Senators) | LHSQ | 47 | 28 | 38 | 66 | 11 | 12 | 2 | 8 | 10 | 6 |
| | Ottawa (Senators) | Allan | 10 | 4 | 7 | 11 | 2 | - | - | - | - | - |
| 1948-49 | Ottawa (Senators) | LHSQ | 40 | 14 | 27 | 41 | 29 | 11 | 4 | 5 | 9 | 4 |
| | Ottawa (Senators) | Allan | 14 | 1 | 4 | 5 | 2 | - | - | - | - | - |
| 1949-50 | Ottawa (Senators) | LHSQ | 28 | 8 | 12 | 20 | 28 | 7 | 4 | 1 | 5 | 12 |
| | **LNH** | | **8** | **5** | **2** | **7** | **0** | **-** | **-** | **-** | **-** | **-** |
| | **Montréal** | | **8** | **5** | **2** | **7** | **0** | | | | | |

• Prêté à Montréal par les Canadiens Sr de Montréal (LHSQ) le 14 janvier 1943 • Signe avec Montréal le 1er février 1943

### SMITH, DESMOND (DES)
**Né à Ottawa, Ontario, le 22 février 1914, décédé**
**Défenseur, lance de la gauche, 6', 185 lb**

| SAISON | CLUB | LIGUE | PJ | B | A | PTS | PUN | PJ | B | A | PTS | PUN |
|---|---|---|---|---|---|---|---|---|---|---|---|---|
| 1930-31 | Ottawa (St-Malachys) | OCHL | 13 | 1 | 0 | 1 | 32 | - | - | - | - | - |
| 1931-32 | Ottawa (Montagnards Jr) | OCJHL | 12 | 2 | 4 | 6 | 18 | 2 | 0 | 0 | 0 | 11 |
| | Ottawa (Montagnards) | OCHL | 1 | 0 | 0 | 0 | 0 | - | - | - | - | - |
| 1932-33 | Ottawa (Montagnards Jr) | OCJHL | 15 | 3 | 5 | 8 | 25 | 2 | 0 | 0 | 0 | 4 |
| | Ottawa (Montagnards) | OCHL | 1 | 0 | 0 | 0 | 0 | 1 | 0 | 0 | 0 | 0 |
| 1933-34 | Ottawa (Montagnards) | OCHL | 21 | 6 | 5 | 11 | 37 | 3 | 0 | 1 | 1 | 4 |
| 1934-35 | Charlottetown (Abegweits) | MSHL | 19 | 0 | 2 | 2 | 54 | - | - | - | - | - |
| | St. John (St-Peters) | SJCHL | 14 | 6 | 15 | 21 | *19 | 12 | 4 | 1 | 5 | *21 |
| 1935-36 | Wembley (Lions) | Ln-Cup | | 4 | 1 | 5 | | - | - | - | - | - |
| | Wembley (Lions) | GBR | | 7 | 4 | 11 | | - | - | - | - | - |
| 1936-37 | Wembley (Lions) | GBR | 34 | 8 | 8 | 16 | 40 | - | - | - | - | - |
| 1937-38 | Montréal (Maroons) | LNH | 14 | 1 | 4 | 5 | 40 | - | - | - | - | - |
| 1938-39 | **Montréal (Canadiens)** | **LNH** | **16** | **3** | **3** | **6** | **8** | **3** | **0** | **0** | **0** | **4** |
| | New Haven (Eagles) | IAHL | 34 | 4 | 9 | 13 | 34 | - | - | - | - | - |
| 1939-40 | Chicago (Black Hawks) | LNH | 24 | 1 | 4 | 5 | 27 | - | - | - | - | - |

| SAISON | CLUB | LIGUE | PJ | B | A | PTS | PUN | PJ | B | A | PTS | PUN |
|---|---|---|---|---|---|---|---|---|---|---|---|---|
| | Boston (Bruins) | LNH | 20 | 2 | 2 | 4 | 23 | 6 | 0 | 0 | 0 | 0 |
| 1940-41 | Boston (Bruins) | LNH | 48 | 6 | 8 | 14 | 61 | 11 | 0 | 2 | 2 | 12 |
| 1941-42 | Boston (Bruins) | LNH | 48 | 7 | 7 | 14 | 70 | 5 | 1 | 2 | 3 | 2 |
| 1942-43 | Ottawa (Army) | OCHL | | | | | N'a pas joué – entraîneur-chef | | | | | |
| 1943-44 | Ottawa (Army) | OCHL | | | | | N'a pas joué – entraîneur-chef | | | | | |
| 1944-45 | Montréal (Army) | LHCM | 10 | 6 | 2 | 8 | 10 | 3 | 0 | 1 | 1 | 4 |
| 1945-46 | Shawinigan (Cataractes) | LHSQ | 14 | 0 | 3 | 3 | 12 | - | - | - | - | - |
| 1946-47 | Springfield (Indians) | AHL | 2 | 1 | 0 | 1 | 0 | - | - | - | - | - |
| | **LNH** | | 196 | 22 | 25 | 47 | 236 | 25 | 1 | 4 | 5 | 18 |
| | **Montréal** | | 16 | 3 | 3 | 6 | 8 | 3 | 0 | 0 | 0 | 4 |

• Signe avec Montréal (Maroons) le 7 octobre 1937 • Droits vendus à Montréal (Canadiens) par Montréal (Maroons) avec Bob Gracie, Ernie Cain, Jimmy Ward, Stew Evans, Cy Wentworth, Lester Brennan et les droits sur Claude Bourque le 14 septembre 1938 • Droits vendus à Chicago par Montréal le 15 mai 1939 • Échangé à Boston par Chicago pour Jack Portland le 27 janvier 1940

## SMITH, DONALD (DON)

**Né à Cornwall, Ontario en 1889, décédé**
**Centre/Ailier gauche, lance de la gauche, 5'7", 160 lb**

| SAISON | CLUB | LIGUE | PJ | B | A | PTS | PUN | PJ | B | A | PTS | PUN |
|---|---|---|---|---|---|---|---|---|---|---|---|---|
| 1904-05 | Cornwall (Seniors) | FAHL | 7 | 4 | 0 | 4 | | - | - | - | - | - |
| 1905-06 | Cornwall (Hockey Club) | FAHL | 5 | 7 | 0 | 7 | | - | - | - | - | - |
| 1906-07 | Cornwall (Hockey Club) | FAHL | 9 | *16 | 0 | *16 | | - | - | - | - | - |
| 1907-08 | Portage la Prairie | MPHL | 14 | 19 | 0 | 19 | | - | - | - | - | - |
| 1908-09 | St. Catharines (Pros) | OPHL | 6 | 10 | 0 | 10 | 12 | - | - | - | - | - |
| | Toronto (Maple Leafs) | OPHL | 8 | 11 | 0 | 11 | 15 | - | - | - | - | - |
| 1909-10 | Montréal (Shamrocks) | CHA | 3 | 7 | 0 | 7 | 3 | - | - | - | - | - |
| | Montréal (Shamrocks) | NHA | 12 | 14 | 0 | 14 | *58 | - | - | - | - | - |
| | Montréal (ACB) | LHCM | 7 | 6 | 0 | 6 | | - | - | - | - | - |
| 1910-11 | Renfrew (Creamery Kings) | NHA | 16 | 26 | 0 | 26 | 49 | - | - | - | - | - |
| 1911-12 | Victoria (Aristocrats) | PCHA | 16 | 19 | 0 | 19 | 22 | - | - | - | - | - |
| 1912-13 | **Montréal (Canadiens)** | NHA | 20 | 19 | 0 | 19 | | - | - | - | - | - |
| 1913-14 | **Montréal (Canadiens)** | NHA | 20 | 18 | 10 | 28 | - | 2 | 1 | 0 | 1 | - |
| 1914-15 | **Montréal (Canadiens)** | NHA | 11 | 2 | 5 | 7 | 18 | - | - | - | - | - |
| | Montréal (Wanderers) | NHA | 8 | 4 | 3 | 7 | 21 | 2 | 1 | 0 | 1 | 12 |
| 1915-16 | Montréal (Wanderers) | NHA | 23 | 13 | 2 | 15 | 56 | - | - | - | - | - |
| 1916-17 | | | | | | | Service militaire | | | | | |
| 1917-18 | | | | | | | Service militaire | | | | | |
| 1918-19 | | | | | | | Service militaire | | | | | |
| 1919-20 | **Montréal (Canadiens)** | LNH | 12 | 1 | 0 | 1 | 6 | - | - | - | - | - |
| | **NHA** | | 110 | 96 | 20 | 116 | 202 | 4 | 2 | 0 | 2 | 12 |
| | **LNH** | | 12 | 1 | 0 | 1 | 6 | - | - | - | - | - |
| | **Montréal** | | 63 | 40 | 15 | 55 | 24 | 2 | 1 | 0 | 1 | 0 |

• Signe avec St. Catharines (OPHL) le 8 décembre 1908 • Signe avec Toronto (OPHL) le 22 janvier 1909 • Signe avec Trenton (EOPHL) le 22 décembre 1910 • Signe avec Renfrew (NHA) le 27 décembre 1910 • Réclamé par Montréal (Wanderers – NHA) (NHA) lors du repêchage de dispersion de Renfrew (NHA) le 12 novembre 1911 • Signe avec Victoria (PCHA) en décembre 1911 • Signe avec Montréal (Canadiens) (NHA) le 26 novembre 1912 • Droits vendus à Montréal (Wanderers) (NHA) par Montréal (Canadiens) (NHA) le 31 janvier 1915 • Signe avec Montréal (Canadiens) le 11 décembre 1919

## SMITH, ROBERT (BOBBY)

**Né à North Sydney, Nouvelle-Écosse, le 12 février 1958. Centre, lance de la gauche, 6'4", 210 lb (1er choix du Minnesota, 1er au total lors du repêchage de 1978)**

| SAISON | CLUB | LIGUE | PJ | B | A | PTS | PUN | PJ | B | A | PTS | PUN |
|---|---|---|---|---|---|---|---|---|---|---|---|---|
| 1974-75 | Ottawa (Golden Knights) | OMHA | 58 | 74 | 64 | 138 | | - | - | - | - | - |
| 1975-76 | Ottawa (67's) | OMJHL | 62 | 24 | 34 | 58 | 21 | - | - | - | - | - |
| 1976-77 | Ottawa (67's) | OMJHL | 64 | *65 | 70 | 135 | 52 | 19 | 16 | 16 | 32 | 29 |
| | Ottawa (67's) | Mem. | 5 | 6 | 6 | 12 | 4 | - | - | - | - | - |
| 1977-78 | Ottawa (67's) | OMJHL | 61 | 69 | *123 | *192 | 44 | 16 | 15 | 15 | 30 | 10 |
| | Canada | CMJ | 3 | 1 | 4 | 5 | 0 | - | - | - | - | - |
| 1978-79 | Minnesota (North Stars) | LNH | 80 | 30 | 44 | 74 | 39 | - | - | - | - | - |
| | Canada | CM | 8 | 5 | 3 | 8 | 6 | - | - | - | - | - |
| 1979-80 | Minnesota (North Stars) | NNL | 61 | 27 | 56 | 83 | 24 | 15 | 1 | 13 | 14 | 9 |
| 1980-81 | Minnesota (North Stars) | LNH | 78 | 29 | 64 | 93 | 73 | 19 | 8 | 17 | 25 | 13 |
| | Match des étoiles | LNH | 1 | 0 | 0 | 0 | 0 | - | - | - | - | - |
| 1981-82 | Minnesota (North Stars) | LNH | 80 | 43 | 71 | 114 | 82 | 4 | 2 | 4 | 6 | 5 |
| | Match des étoiles | LNH | 1 | 0 | 0 | 0 | 0 | - | - | - | - | - |
| | Canada | CM | 10 | 1 | 5 | 6 | 4 | - | - | - | - | - |
| 1982-83 | Minnesota (North Stars) | LNH | 77 | 24 | 53 | 77 | 80 | 9 | 6 | 4 | 10 | 17 |
| 1983-84 | Minnesota (North Stars) | LNH | 10 | 3 | 6 | 9 | 9 | - | - | - | - | - |
| | **Montréal (Canadiens)** | LNH | 70 | 26 | 37 | 63 | 62 | 15 | 2 | 7 | 9 | 8 |
| 1984-85 | **Montréal (Canadiens)** | LNH | 65 | 16 | 40 | 56 | 59 | 12 | 5 | 6 | 11 | 30 |
| 1985-86 | **Montréal (Canadiens)** | LNH | 79 | 31 | 55 | 86 | 55 | 20 | 7 | 8 | 15 | 22 |
| 1986-87 | **Montréal (Canadiens)** | LNH | 80 | 28 | 47 | 75 | 72 | 17 | 9 | 9 | 18 | 19 |
| 1987-88 | **Montréal (Canadiens)** | LNH | 78 | 27 | 66 | 93 | 78 | 11 | 3 | 4 | 7 | 8 |
| 1988-89 | **Montréal (Canadiens)** | LNH | 80 | 32 | 51 | 83 | 69 | 21 | 11 | 8 | 19 | 46 |
| | Match des étoiles | LNH | 1 | 0 | 0 | 0 | 0 | - | - | - | - | - |
| 1989-90 | **Montréal (Canadiens)** | LNH | 53 | 12 | 14 | 26 | 35 | 11 | 1 | 4 | 5 | 6 |
| 1990-91 | Minnesota (North Stars) | LNH | 73 | 15 | 31 | 46 | 60 | 23 | 8 | 8 | 16 | 56 |
| | Match des étoiles | LNH | 1 | 0 | 0 | 0 | 0 | - | - | - | - | - |
| 1991-92 | Minnesota (North Stars) | LNH | 68 | 9 | 37 | 46 | 109 | 7 | 1 | 4 | 5 | 6 |
| 1992-93 | Minnesota (North Stars) | LNH | 45 | 5 | 7 | 12 | 10 | - | - | - | - | - |
| | **LNH** | | 1077 | 357 | 679 | 1036 | 917 | 184 | 64 | 96 | 160 | 245 |
| | **Montréal** | | 505 | 172 | 310 | 482 | 430 | 107 | 38 | 46 | 84 | 139 |

• Première équipe d'étoiles (OMJHL) en 1977-78 • Deuxième équipe d'étoiles (OMJHL) en 1975-76, 1976-77 • Équipe d'Étoiles (Mem.) en 1976-77 • Trophée George-Parsons (Mem.) en 1976-77 • Sélectionné Joueur junior canadien de l'année en 1977-78 • Médaille de bronze (CMJ) en 1978 • Trophée Calder (LNH) en 1978-79 • Match des étoiles (LNH) en 1980-81, 1981-82, 1988-89, 1990-91 • Médaille de bronze (CM) en 1982 • Coupe Stanley (LNH) en 1985-86 • Échangé à Montréal par Minnesota pour Keith Acton, Mark Napier et le choix de 3e ronde de Toronto (propriété du Canadien suite à une transaction antérieure, Minnesota sélectionne Ken

Hodge Jr) au repêchage de 1984 le 28 octobre 1983 • Échangé au Minnesota par Montréal pour le choix de 4e ronde du Minnesota au repêchage de 1992 (Louis Bernard) le 7 août 1990

## SMITH, STUART (STU)

**Né à Basswood, Manitoba, le 25 septembre 1918**
**Ailier gauche, lance de la gauche, 5'8", 165 lb**

| SAISON | CLUB | LIGUE | PJ | B | A | PTS | PUN | PJ | B | A | PTS | PUN |
|---|---|---|---|---|---|---|---|---|---|---|---|---|
| 1932-33 | Kenora (Thistles) | NOJHA | 10 | *12 | 1 | *13 | 4 | 7 | 3 | 1 | 4 | 6 |
| 1933-34 | Kenora (Thistles) | NOJHA | 16 | *22 | 6 | *28 | 10 | 9 | *11 | 1 | *12 | 12 |
| | Kenora (Thistles) | Mem. | 4 | 1 | 1 | 2 | 4 | - | - | - | - | - |
| 1934-35 | Kenora (Canadien) | TBSHL | 11 | 9 | 4 | 13 | 5 | - | - | - | - | - |
| 1935-36 | Kenora (Thistles) | MTBHL | 12 | *11 | 2 | 13 | 5 | - | - | - | - | - |
| 1936-37 | Sudbury (Creighton Mines) | NBHL | 14 | *13 | 5 | 18 | 20 | 2 | 2 | 0 | 2 | 0 |
| 1937-38 | Sudbury (Creighton Mines) | NBHL | 9 | 5 | 2 | 7 | 2 | 5 | 3 | 0 | 3 | 8 |
| 1938-39 | Kirkland Lake (Blue Devils) | GBHL | 7 | 13 | 8 | 21 | 2 | 2 | *6 | 0 | 6 | 2 |
| | Kirkland Lake (Blue Devils) | Allan | 6 | 4 | 2 | 6 | 2 | - | - | - | - | - |
| 1939-40 | Kirkland Lake (Blue Devils) | Exh. | 15 | 8 | 9 | 17 | 8 | - | - | - | - | - |
| | Kirkland Lake (Blue Devils) | Allan | 20 | 8 | 9 | 17 | 12 | - | - | - | - | - |
| 1940-41 | Québec (Royals Rifles) | LHCQ | 35 | *33 | 26 | *59 | 37 | 4 | 0 | 0 | 0 | 4 |
| | **Montréal (Canadiens)** | LNH | 3 | 2 | 1 | 3 | 2 | 1 | 0 | 0 | 0 | 0 |
| 1941-42 | Washington (Lions) | AHL | 55 | 22 | 28 | 50 | 2 | 1 | 0 | 0 | 0 | 0 |
| | **Montréal (Canadiens)** | LNH | 1 | 0 | 1 | 1 | 0 | - | - | - | - | - |
| 1942-43 | Ottawa (Canadien) | OCHL | 10 | 11 | 14 | 25 | 6 | 8 | 6 | 7 | 13 | 2 |
| | Washington (Lions) | AHL | 42 | 14 | 26 | 40 | 28 | - | - | - | - | - |
| 1943-44 | Ottawa (Commandos) | OCHL | 25 | 10 | 17 | 27 | 2 | 3 | 1 | 1 | 2 | 2 |
| | Hull (Volants) | Allan | 4 | 3 | 3 | 6 | 0 | - | - | - | - | - |
| 1944-45 | Ottawa (Commandos) | OCHL | 24 | 20 | 25 | 45 | 11 | 2 | 2 | 0 | 2 | 0 |
| 1945-46 | Ottawa (Senators) | LHSQ | 36 | 29 | 35 | 64 | 10 | 7 | 7 | 2 | 9 | 9 |
| 1946-47 | Ottawa (Senators) | LHSQ | 34 | 20 | 27 | 47 | 14 | 8 | 2 | 1 | 3 | 2 |
| 1947-48 | Ottawa (Senators) | LHSQ | 45 | 21 | 42 | 63 | 6 | 12 | 5 | 7 | 12 | 8 |
| | Ottawa (Senators) | Allan | 14 | 3 | 7 | 10 | 11 | - | - | - | - | - |
| 1948-49 | Ottawa (Senators) | LHSQ | 40 | 12 | 18 | 30 | 2 | - | - | - | - | - |
| | Ottawa (Senators) | Allan | 11 | 5 | 5 | 10 | 4 | - | - | - | - | - |
| 1949-50 | Ottawa (Senators) | LHSQ | 53 | 27 | 22 | 49 | 6 | 5 | 2 | 4 | 6 | 0 |
| 1950-51 | Smith Falls (Rideaus) | ECSHL | 17 | 25 | 11 | 36 | | 5 | 10 | 4 | 14 | 0 |
| | Smith Falls (Rideaus) | Allan | 16 | 12 | 12 | 24 | 14 | - | - | - | - | - |
| 1951-52 | Smith Falls (Rideaus) | ECSHL | 43 | 38 | 46 | 84 | 6 | 3 | 4 | 3 | 5 | 0 |
| 1952-53 | Smith Falls (Rideaus) | ECSHL | 47 | 38 | 38 | *76 | 12 | 13 | 8 | 7 | *15 | 2 |
| | Smith Falls (Rideaus) | Allan | 11 | 5 | *9 | 14 | 4 | - | - | - | - | - |
| 1953-54 | Smith Falls (Rideaus) | ECSHL | 19 | 19 | 23 | 42 | 6 | 13 | 0 | 5 | 5 | 12 |
| | **LNH** | | 4 | 2 | 2 | 4 | 2 | 1 | 0 | 0 | 0 | 0 |
| | **Montréal** | | 4 | 2 | 2 | 4 | 2 | 1 | 0 | 0 | 0 | 0 |

• Signe avec Montréal le 4 mars 1940

## SMITH, THOMAS (TOMMY)

**Né à Ottawa, Ontario, le 27 septembre 1886, décédé le 1er août 1966**
**Centre, lance de la gauche, 5'6", 150 lb**

| SAISON | CLUB | LIGUE | PJ | B | A | PTS | PUN | PJ | B | A | PTS | PUN |
|---|---|---|---|---|---|---|---|---|---|---|---|---|
| 1905-06 | Ottawa (Vics) | FAHL | 8 | 12 | 0 | 12 | | - | - | - | - | - |
| | Ottawa (Senators) | ECAHA | 3 | 6 | 0 | 6 | 12 | 1 | 0 | 0 | 0 | 9 |
| 1906-07 | Pittsburgh (Hockey Club) | IHL | 23 | 13 | 0 | 13 | 44 | 47 | - | - | - | - |
| 1907-08 | Pittsburgh (Lyceum) | WPHL | 16 | *33 | 0 | *33 | | 1 | 2 | 0 | 2 | 0 |
| 1908-09 | Pittsburgh (Lyceum) | WPHL | 6 | 15 | 0 | 15 | | - | - | - | - | - |
| | Brantford (Indians) | OPHL | 13 | *40 | 0 | *40 | 30 | - | - | - | - | - |
| | Haileybury (Silver Kings) | TPHL | 1 | 3 | 0 | 3 | 2 | - | - | - | - | - |
| | Pittsburgh (Bankers) | WPHL | | | | | | 3 | 3 | 0 | 3 | 0 |
| 1909-10 | Brantford (Indians) | OPHL | 2 | 1 | 0 | 1 | 3 | - | - | - | - | - |
| 1910-11 | Galt (Professionals) | OPHL | 18 | 22 | 0 | 22 | | 3 | 7 | 0 | 7 | 0 |
| 1911-12 | Moncton (Victorias) | MPHL | 18 | 53 | 0 | 53 | 48 | 2 | 2 | 0 | 2 | 4 |
| 1912-13 | Québec (Bulldogs) | NHA | 18 | 39 | 0 | 39 | | 2 | 4 | 0 | 4 | 0 |
| 1913-14 | Québec (Bulldogs) | NHA | 20 | *39 | 6 | *45 | | - | - | - | - | - |
| 1914-15 | Québec (Bulldogs) | NHA | 9 | *23 | 2 | 25 | 29 | - | - | - | - | - |
| | Toronto (Ontarios/Shamrocks) | NHA | 10 | *17 | 2 | *19 | 14 | - | - | - | - | - |
| 1915-16 | Québec (Bulldogs) | NHA | 22 | 16 | 3 | 19 | 30 | - | - | - | - | - |
| 1916-17 | **Montréal (Canadiens)** | NHA | 14 | 7 | 4 | 11 | 32 | 6 | 4 | 0 | 4 | 14 |
| 1917-18 | | | | | | | N'a pas joué | | | | | |
| 1918-19 | | | | | | | N'a pas joué | | | | | |
| 1919-20 | Québec (Bulldogs) | LNH | 10 | 0 | 1 | 1 | 11 | - | - | - | - | - |
| | **NHA** | | 93 | 141 | 17 | 158 | 105 | 8 | 8 | 0 | 8 | 14 |
| | **LNH** | | 10 | 0 | 1 | 1 | 11 | - | - | - | - | - |
| | **Montréal** | | 14 | 7 | 4 | 11 | 32 | 6 | 4 | 0 | 4 | 14 |

• Coupe Stanley (NHA) en 1912-13
• Signe avec Pittsburgh (WPHL) le 10 décembre 1907 • Signe avec Brantford (OPHL) le 18 décembre 1908 • Signe avec Haileybury (TPHL) le 14 février 1909 • Signe avec Brantford (OPHL) le 25 janvier 1910 • Signe avec Québec (NHA) le 1er décembre 1912 • Échangé à Toronto (NHA) par Québec (NHA) pour Jack McDonald le 21 décembre 1914 • Droits vendus à Québec (NHA) par Toronto le 29 janvier 1915 • Droits vendus à Montréal par Québec le 7 janvier 1917 • Droits vendus à Ottawa par Montréal le 28 novembre 1918 • Droits transférés à Québec au retour de la concession dans la LNH le 25 novembre 1919

## SMRKE, STANLEY (STAN)

**Né à Belgrade, Yougoslavie, le 2 septembre 1928, décédé le 14 avril 1977**
**Ailier gauche, lance de la gauche, 5'11", 180 lb**

| SAISON | CLUB | LIGUE | PJ | B | A | PTS | PUN | PJ | B | A | PTS | PUN |
|---|---|---|---|---|---|---|---|---|---|---|---|---|
| 1945-46 | Copper Cliff Jr Redmen | NOJHA | 3 | 4 | 0 | 4 | | - | - | - | - | - |
| 1946-47 | Toronto Young Rangers | OHA Jr | 5 | 0 | 0 | 0 | | - | - | - | - | - |
| 1947-48 | Atlantic City-Baltimore | EAHL | 28 | 9 | 16 | 25 | 14 | - | - | - | - | - |
| 1948-49 | Chicoutimi (Volants) | LSSL | 36 | 27 | 18 | 45 | | - | - | - | - | - |
| 1949-50 | Chicoutimi (Saguenéens) | LSSL | 58 | 24 | 26 | 50 | 64 | 5 | 5 | 0 | 5 | 0 |
| 1950-51 | Chicoutimi (Saguenéens) | LHMQ | 36 | 16 | 36 | 52 | 48 | 6 | 0 | 2 | 2 | 2 |
| 1951-52 | Chicoutimi (Saguenéens) | LHMQ | 40 | 10 | 13 | 23 | 25 | 18 | 5 | 6 | 11 | 15 |

| SAISON | CLUB | LIGUE | PJ | B | A | PTS | PUN | PJ | B | A | PTS | PUN |
|---|---|---|---|---|---|---|---|---|---|---|---|---|
| | | | | SAISONS RÉGULIÈRES | | | | | SÉRIES ÉLIMINATOIRES | | | |

| SAISON | CLUB | LIGUE | PJ | B | A | PTS | PUN | PJ | B | A | PTS | PUN |
|---|---|---|---|---|---|---|---|---|---|---|---|---|
| 1952-53 | Chicoutimi (Saguenéens) | LHMQ | 59 | 35 | 46 | 81 | 28 | 20 | 5 | 8 | 13 | 13 |
| 1953-54 | Chicoutimi (Saguenéens) | LHQ | 62 | 11 | 32 | 43 | 24 | 7 | 0 | 2 | 2 | 0 |
| 1954-55 | Chicoutimi (Saguenéens) | LHQ | 60 | 25 | 36 | 61 | 34 | 7 | 2 | 2 | 4 | 2 |
| 1955-56 | Chicoutimi (Saguenéens) | LHQ | 45 | 26 | 32 | 58 | 20 | 5 | 1 | 3 | 4 | 7 |
| 1956-57 | Chicoutimi (Saguenéens) | LHQ | 33 | 20 | 18 | 38 | 22 | - | - | - | - | - |
| | **Montréal (Canadiens)** | **LNH** | **4** | **0** | **0** | **0** | **0** | - | - | - | - | - |
| 1957-58 | Rochester (Americans) | AHL | 63 | 20 | 19 | 39 | 32 | | | | | |
| | **Montréal (Canadiens)** | **LNH** | **5** | **0** | **3** | **3** | **0** | - | - | - | - | - |
| | Match des étoiles | LNH | 1 | 1 | 0 | 1 | 0 | | | | | |
| 1958-59 | Chicoutimi (Saguenéens) | LHQ | 57 | 36 | 32 | 68 | 40 | | | | | |
| 1959-60 | Rochester (Americans) | AHL | 67 | *40 | 36 | 76 | 18 | 11 | *7 | 6 | 13 | 2 |
| 1960-61 | Rochester (Americans) | AHL | 21 | 10 | 12 | 22 | 6 | | | | | |
| 1961-62 | Rochester (Americans) | AHL | 40 | 7 | 19 | 26 | 14 | 2 | 0 | 0 | 0 | 0 |
| 1962-63 | Rochester (Americans) | AHL | 71 | 22 | 25 | 47 | 16 | 2 | 1 | 0 | 1 | 0 |
| 1963-64 | Rochester (Americans) | AHL | 59 | 23 | 19 | 42 | 26 | 2 | 0 | 0 | 0 | 0 |
| 1964-65 | Rochester (Americans) | AHL | 71 | 33 | 59 | 92 | 28 | 10 | 5 | 4 | 9 | 4 |
| 1965-66 | Rochester (Americans) | AHL | 50 | 11 | 20 | 31 | 8 | 8 | 0 | 1 | 1 | 0 |
| 1966-67 | Rochester (Americans) | AHL | 71 | 31 | 30 | 61 | 24 | 13 | 2 | 7 | 9 | 2 |
| | | **LNH** | **9** | **0** | **3** | **3** | **0** | - | - | - | - | - |
| | | **Montréal** | **9** | **0** | **3** | **3** | **0** | - | - | - | - | - |

• **Première équipe d'étoiles (LHMQ) en 1952-53** • **Deuxième équipe d'étoiles (LHMQ) en 1950-51** • **Deuxième équipe d'étoiles (LHQ) en 1955-56, 1958-59** • **Première équipe d'étoiles (AHL) en 1959-60** • **Match des étoiles (LNH) en 1957-58** • **Coupe Calder (AHL) en 1964-65, 1965-66**
• Échangé à Montréal par Chicoutimi (LHQ) pour Jackie Leclair, Jacques Dealauriers et Guy Rousseau le 27 octobre 1957 • Échangé à Toronto par Montréal pour Al MacNeil le 7 juin 1960

### SOURAY, SHELDON

**Né à Elk Point, Alberta, le 13 juillet 1976. Défenseur, lance de la gauche, 6'4", 230 lb (3e choix du New Jersey, 71e au total lors du repêchage de 1994)**

| SAISON | CLUB | LIGUE | PJ | B | A | PTS | PUN | PJ | B | A | PTS | PUN |
|---|---|---|---|---|---|---|---|---|---|---|---|---|
| 1990-91 | Bonneyville (Sabres) | AAHA | 30 | 15 | 20 | 35 | 100 | | | | | |
| 1991-92 | Quesnel (Millionaires) | BCAHA | 20 | 5 | 15 | 20 | 200 | | | | | |
| | Alberta (Cycle) | AAHA | 11 | 0 | 5 | 5 | 47 | | | | | |
| 1992-93 | Fort Saskatchewan (Traders) | AJHL | 35 | 0 | 12 | 12 | 125 | | | | | |
| | Tri-City (Americans) | WHL | 2 | 0 | 0 | 0 | 0 | | | | | |
| 1993-94 | Tri-City (Americans) | WHL | 42 | 3 | 6 | 9 | 122 | | | | | |
| 1994-95 | Tri-city (Americans) | WHL | 40 | 2 | 24 | 26 | 140 | | | | | |
| | Georges (Cougars) | WHL | 11 | 2 | 3 | 5 | 23 | | | | | |
| | Albany (River Rats) | AHL | 7 | 0 | 2 | 2 | 8 | | | | | |
| 1995-96 | Prince George (Cougars) | WHL | 32 | 9 | 18 | 27 | 91 | | | | | |
| | Kelowna (Rockets) | WHL | 27 | 7 | 20 | 27 | 94 | 6 | 0 | 5 | 5 | 2 |
| | Albany (River Rats) | AHL | 6 | 0 | 2 | 2 | 12 | 4 | 0 | 1 | 1 | 4 |
| 1996-97 | Albany (River Rats) | AHL | 70 | 2 | 11 | 13 | 160 | 16 | 2 | 3 | 5 | 47 |
| 1997-98 | New Jersey (Devils) | LNH | 60 | 3 | 7 | 10 | 85 | 3 | 0 | 1 | 1 | 2 |
| | Albany (River Rats) | AHL | 6 | 0 | 0 | 0 | 0 | | | | | |
| 1998-99 | New Jersey (Devils) | LNH | 70 | 1 | 7 | 8 | 110 | 2 | 0 | 1 | 1 | 0 |
| 1999-20 | New Jersey (Devils) | LNH | 52 | 0 | 8 | 8 | 70 | | | | | |
| | **Montréal (Canadiens)** | **LNH** | **19** | **3** | **0** | **3** | **44** | - | - | - | - | - |
| 2000-01 | **Montréal (Canadiens)** | **LNH** | **52** | **3** | **8** | **11** | **95** | - | - | - | - | - |
| 2001-02 | **Montréal (Canadiens)** | **LNH** | **34** | **3** | **5** | **8** | **62** | **12** | **0** | **1** | **1** | **16** |
| | | **LNH** | **287** | **13** | **35** | **48** | **466** | **17** | **0** | **3** | **3** | **18** |
| | | **Montréal** | **105** | **9** | **13** | **22** | **201** | **12** | **0** | **1** | **1** | **16** |

• **Deuxième équipe d'étoiles de l'Ouest (WHL) en 1995-96**
• Échangé à Montréal par New Jersey avec Josh DeWolf et le choix de 2e ronde du New Jersey au repêchage de 2001 pour Vladimir Malakhov le 1er mars 2000

### STAHAN, FRANCIS (BUTCH)

**Né à Minnedosa, Manitoba, le 29 octobre 1918, décédé le 25 mai 1995. Défenseur, lance de la gauche, 6'1", 195 lb**

| SAISON | CLUB | LIGUE | PJ | B | A | PTS | PUN | PJ | B | A | PTS | PUN |
|---|---|---|---|---|---|---|---|---|---|---|---|---|
| 1934-35 | Portage (Terriers) | MJHL | 16 | 2 | 3 | 5 | 18 | | | | | |
| 1935-36 | Portage (Terriers) | MJHL | 16 | 6 | 5 | 11 | 17 | 6 | 1 | 1 | 2 | 4 |
| 1936-37 | Portage (Terriers) | MJHL | 6 | 0 | 0 | 0 | 2 | | | | | |
| | Flin Flon (Bombers) | N-SSHL | 18 | 6 | 4 | 10 | 43 | 6 | 0 | 0 | 0 | 8 |
| 1937-38 | Brandon (Wheat Kings) | MJHL | 16 | 1 | 6 | 7 | 16 | 5 | 0 | 0 | 0 | 0 |
| | Flin Flon (Bombers) | N-SSHL | 24 | 0 | 1 | 1 | 6 | 8 | 2 | 0 | 2 | 10 |
| 1938-39 | Creighton (Eagles) | GBHL | 7 | 3 | 0 | 3 | 27 | 1 | 0 | 0 | 0 | 2 |
| 1939-40 | Kirkland Lake (Blue Devils) | Exh. | 13 | 2 | 2 | 4 | 32 | | | | | |
| | Kirkland Lake (Blue Devils) | Allan | 5 | 1 | 1 | 2 | 4 | | | | | |
| 1940-41 | Québec (As) | LHSQ | 36 | 6 | 12 | 18 | 60 | 4 | 0 | 1 | 1 | 22 |
| 1941-42 | Québec (As) | Allan | 8 | 1 | 4 | 5 | 18 | | | | | |
| 1942-43 | Québec (As) | LHSQ | 34 | 12 | 23 | 35 | 83 | 4 | 3 | 1 | 4 | 8 |
| | Port Arthur (Bearcats) | Allan | 3 | 0 | 0 | 0 | 6 | | | | | |
| 1943-44 | Québec (As) | LHSQ | 25 | 7 | 21 | 28 | 74 | 6 | 1 | 2 | 3 | 20 |
| | Québec (As) | Allan | 9 | 6 | 5 | 11 | *24 | | | | | |
| 1944-45 | Québec (Royals) | LHSQ | 19 | 7 | 11 | 18 | 72 | 4 | 0 | 1 | 1 | 14 |
| | **Montréal (Canadiens)** | **LNH** | - | - | - | - | - | **3** | **0** | **1** | **1** | **2** |
| | Sudbury (Open Pit) | Allan | 1 | 0 | 0 | 0 | 0 | | | | | |
| 1945-46 | Montréal (Royals) | LHSQ | 39 | 9 | 15 | 24 | 76 | 11 | 3 | 2 | 5 | 34 |
| 1946-47 | Ottawa (Senators) | LHSQ | 40 | 10 | 26 | 36 | 116 | 9 | 2 | 8 | 10 | 30 |
| 1947-48 | Ottawa (Senators) | LHSQ | 41 | 12 | 21 | 33 | 44 | 12 | 1 | 7 | 8 | *23 |
| | Ottawa (Senators) | Allan | 13 | 1 | 4 | 5 | *44 | | | | | |
| 1948-49 | Ottawa (Senators) | LHSQ | 62 | 9 | 34 | 43 | 92 | 11 | 0 | 3 | 3 | 14 |
| | Ottawa (Senators) | Allan | 3 | 0 | 0 | 0 | 0 | | | | | |
| 1949-50 | Ottawa (Senators) | LHSQ | 60 | 9 | 18 | 27 | 116 | 7 | 0 | 4 | 4 | 16 |
| 1950-51 | Ottawa (Senators) | LHSQ | 56 | 3 | 22 | 24 | 106 | 11 | 3 | 2 | 5 | 18 |
| 1951-52 | Ottawa (Senators) | LHQ | 50 | 10 | 16 | 26 | 76 | 7 | 2 | 0 | 2 | 4 |
| 1952-53 | Ottawa (Senators) | LHSQ | 56 | 3 | 16 | 113 | 118 | 9 | 0 | 2 | 2 | 14 |
| 1953-54 | Ottawa (Senators) | LHQ | 34 | 0 | 5 | 5 | 56 | 2 | 0 | 0 | 0 | 4 |

| SAISON | CLUB | LIGUE | PJ | B | A | PTS | PUN | PJ | B | A | PTS | PUN |
|---|---|---|---|---|---|---|---|---|---|---|---|---|
| | Pembroke (Lumber Kings) | NOHA | 11 | 1 | 1 | 2 | 24 | - | - | - | - | - |
| 1954-55 | Ottawa (Senators) | LHQ | 8 | 0 | 1 | 1 | 23 | | | | | |
| | Toledo (Mercurys) | IHL | 30 | 0 | 13 | 13 | 63 | 2 | 0 | 1 | 1 | 4 |
| 1955-56 | Toledo (Mercurys) | IHL | 59 | 4 | 29 | 33 | 198 | 9 | 2 | 3 | 5 | 12 |
| 1956-57 | Toledo (Mercurys) | IHL | 60 | 7 | 22 | 29 | 96 | 5 | 1 | 2 | 3 | 4 |
| | | **LNH** | - | - | - | - | - | **3** | **0** | **1** | **1** | **2** |
| | **Montréal** | | - | - | - | - | - | **3** | **0** | **1** | **1** | **2** |

• **Deuxième équipe d'étoiles (LHSQ) en 1940-41, 1947-48**
• Prêté à Montréal par Montréal (Royals – LHSQ) le 22 mars 1945 • Échangé à Buffalo (AHL) par Montréal avec Moe White et Jimmy McFadden pour Tom Rockey et une somme d'argent le 8 octobre 1946

### STARR, HAROLD

**Né à Ottawa, Ontario, le 6 juillet 1906, décédé. Défenseur, lance de la gauche, 5'11", 175 lb**

| SAISON | CLUB | LIGUE | PJ | B | A | PTS | PUN | PJ | B | A | PTS | PUN |
|---|---|---|---|---|---|---|---|---|---|---|---|---|
| 1921-22 | Ottawa (Gunners) | OCHL | 1 | 0 | 0 | 0 | | - | - | - | - | - |
| 1922-23 | Ottawa (St-Brigids) | OCHL | 2 | 0 | 0 | 0 | 0 | - | - | - | - | - |
| 1923-24 | Ottawa (Gunners) | OCHL | | | *Statistiques non disponibles* | | | | | | | |
| 1924-25 | Ottawa (Gunners) | OCHL | | | *Statistiques non disponibles* | | | | | | | |
| 1925-26 | Ottawa (Shamrocks) | OCHL | 2 | 1 | 0 | 1 | 0 | - | - | - | - | - |
| 1926-27 | Ottawa (Shamrocks) | OCHL | 15 | 3 | 2 | 5 | | - | - | - | - | - |
| 1927-28 | Ottawa (Shamrocks) | OCHL | | | *Statistiques non disponibles* | | | | | | | |
| 1928-29 | Ottawa (Shamrocks) | OCHL | 11 | 1 | 1 | 2 | | 5 | 4 | 0 | 4 | 10 |
| 1929-30 | London (Panthers) | IHL | 13 | 2 | 4 | 22 | | | | | | |
| | Ottawa (Senators) | LNH | 28 | 0 | 2 | 3 | 12 | 2 | 1 | 0 | 1 | 0 |
| 1930-31 | Ottawa (Senators) | LNH | 35 | 2 | 1 | 3 | 48 | | | | | |
| 1931-32 | Ottawa (Maroons) | LNH | 47 | 2 | 1 | 3 | 47 | 4 | 0 | 0 | 0 | 0 |
| 1932-33 | Ottawa (Senators) | LNH | 31 | 0 | 0 | 0 | 30 | | | | | |
| | **Montréal (Canadiens)** | **LNH** | **15** | **0** | **0** | **0** | **6** | **2** | **0** | **0** | **0** | **2** |
| 1933-34 | Windsor (Bulldogs) | IHL | 41 | 5 | 2 | 7 | 40 | | | | | |
| | Montréal (Maroons) | LNH | | | | | | **3** | **0** | **0** | **0** | **0** |
| 1934-35 | Windsor (Bulldogs) | IHL | 15 | 0 | 0 | 0 | 12 | | | | | |
| | Detroit (Red Wings) | LNH | 3 | 1 | 1 | 2 | 5 | | | | | |
| | New York (Rangers) | LNH | 30 | 0 | 0 | 0 | 26 | 4 | 0 | 0 | 0 | 2 |
| 1935-36 | Cleveland (Falcons) | IHL | 16 | 1 | 1 | 2 | 19 | 2 | 0 | 0 | 0 | 0 |
| | New York (Rangers) | LNH | 16 | 0 | 0 | 0 | 12 | | | | | |
| 1936-37 | | | | | *Réintégré comme amateur* | | | | | | | |
| 1937-38 | Ottawa (Senators) | OCHL | 22 | 1 | 2 | 3 | 12 | 5 | 0 | 0 | 0 | 0 |
| 1938-39 | Ottawa (LaSalle) | OCHL | 16 | 3 | 0 | 3 | 12 | 5 | 1 | 2 | 3 | 10 |
| | | **LNH** | **205** | **6** | **5** | **11** | **186** | **15** | **1** | **0** | **1** | **4** |
| | **Montréal** | | **15** | **0** | **0** | **0** | **6** | **2** | **0** | **0** | **0** | **2** |

• Réclamé par Montréal (Maroons) avec Darcy Coulson lors du repêchage de dispersion d'Ottawa pour la saison 1931-32 le 26 septembre 1931 • Prêté à Montréal par Ottawa avec Léo Bourgault pour Marty Burke le 15 février 1933 • Échangé à Montréal par Ottawa avec Léo Bourgault pour Nick Wasnie le 23 mars 1933 • Prêté à Windsor (IHL) par Montréal le 22 octobre 1933 • Droits vendus à Montréal (Maroons) de Montréal (Canadiens) le 5 décembre 1933 • Droits vendus à New York (Rangers) par Montréal (Maroons) le 23 décembre 1934 • Droits vendus à Cleveland par New York (Rangers) le 30 janvier 1936

### STEVENS, PHILIP (PHIL)

**Né à St-Lambert, Québec, le 15 février 1893, décédé le 8 avril 1968. Centre/Défenseur, lance de la droite, 5'11", 165 lb**

| SAISON | CLUB | LIGUE | PJ | B | A | PTS | PUN | PJ | B | A | PTS | PUN |
|---|---|---|---|---|---|---|---|---|---|---|---|---|
| 1911-12 | Montréal (AAA) | IPAHU | 5 | 3 | 0 | 3 | 15 | - | - | - | - | - |
| | Montréal (Saint-Jacques) | LHCM | | | *Statistiques non disponibles* | | | | | | | |
| 1912-13 | Grand-Mère (AAA) | IPAHU | 5 | 0 | 0 | 0 | 12 | - | - | - | - | - |
| | Grand-Mère (AAA) | Allan | 2 | 0 | 0 | 0 | 0 | | | | | |
| 1913-14 | Grand-Mère (AAA) | IPAHU | | | *Statistiques non disponibles* | | | | | | | |
| 1914-15 | Montréal (Wanderers) | NHA | 15 | 0 | 1 | 1 | 6 | 2 | 0 | 0 | 0 | 0 |
| 1915-16 | Montréal (Wanderers) | NHA | 22 | 3 | 0 | 4 | 33 | | | | | |
| 1916-17 | Montréal (Wanderers) | NHA | 15 | 4 | 0 | 4 | 38 | | | | | |
| 1917-18 | Montréal (Wanderers) | LNH | 4 | 1 | 0 | 1 | 0 | | | | | |
| 1918-19 | | | | | *Service militaire* | | | | | | | |
| 1919-20 | | | | | *N'a pas joué* | | | | | | | |
| 1920-21 | | | | | *N'a pas joué* | | | | | | | |
| 1921-22 | **Montréal (Canadiens)** | **LNH** | **4** | **0** | **0** | **0** | **0** | - | - | - | - | - |
| 1922-23 | Saskatoon (Sheiks) | WCHL | 15 | 0 | 1 | 1 | 0 | | | | | |
| 1923-24 | Saskatoon (Crescents) | WCHL | 26 | 6 | 8 | 14 | | | | | | |
| 1924-25 | Saskatoon (Crescents) | WCHL | 25 | 2 | 0 | 30 | | | | | | |
| 1925-26 | Boston (Bruins) | LNH | 17 | 0 | 0 | 0 | 0 | | | | | |
| 1926-27 | Springfield (Indians) | Can-Am | 6 | 0 | 1 | 1 | 0 | | | | | |
| | Saskatoon (Sheiks) | PHL | 23 | 8 | 2 | 10 | 11 | 4 | 1 | 1 | 2 | 6 |
| 1927-28 | Saskatoon (Sheiks) | PHL | 28 | 3 | 1 | 4 | 8 | | | | | |
| 1928-29 | Oakland (Shieks) | Cal-Pro | | | 6 | 2 | 8 | - | - | - | - | - |
| 1929-30 | Oakland (Shieks) | Cal-Pro | | | *Statistiques non disponibles* | | | | | | | |
| 1930-31 | Oakland (Sheiks) | Cal-Pro | - | 12 | 4 | 16 | | 4 | 0 | 1 | 1 | 0 |
| 1931-32 | Oakland (Sheiks) | Cal-Pro | - | 1 | 0 | 1 | | | | | | |
| | | **NHA** | **52** | **6** | **5** | **11** | **77** | **2** | **0** | **0** | **0** | **0** |
| | | **LNH** | **25** | **1** | **0** | **1** | **3** | | | | | |
| | **Montréal** | | **4** | **0** | **0** | **0** | **0** | | | | | |

• **Première équipe d'étoiles (PHL) en 1926-27**
• Signe avec Montréal (Wanderers – NHA) le 14 décembre 1914 • Signe avec Montréal (Canadiens – AHL) le 6 décembre 1921 • Réclamé par Saskatoon (PHL) de Montréal le 13 novembre 1922 • Signe avec Boston le 14 novembre 1925 • Signe avec New York (Rangers) en octobre 1926 • Prêté à Springfield (Can-Am) par New York (Rangers) le 15 novembre 1926 • Signe avec Saskatoon (PHL) le 29 décembre 1926

### STEVENSON, TURNER

**Né à Prince George, Colombie-Britannique, le 18 mai 1972. Ailier droit, lance de la droite, 6'3", 226 lb (1er choix de Montréal, 12e au total lors du repêchage de 1990)**

| | | | SAISONS RÉGULIÈRES | | | | | SÉRIES ÉLIMINATOIRES | | | | |
|---|---|---|---|---|---|---|---|---|---|---|---|---|
| SAISON | CLUB | LIGUE | PJ | B | A | PTS | PUN | PJ | B | A | PTS | PUN |
| 1987-88 Prince George (Kings) | | BCAHA | 53 | 45 | 46 | 91 | 127 | - | - | - | - | - |
| 1988-89 Seattle (Thunderbirds) | | WHL | 69 | 15 | 12 | 27 | 84 | - | - | - | - | - |
| 1989-90 Seattle (Thunderbirds) | | WHL | 62 | 29 | 32 | 61 | 276 | 13 | 3 | 2 | 5 | 35 |
| 1990-91 Seattle (Thunderbirds) | | WHL | 57 | 36 | 27 | 63 | 222 | 6 | 1 | 5 | 6 | 15 |
| | Fredericton (Canadien) | AHL | - | - | - | - | - | 4 | 0 | 0 | 0 | 5 |
| 1991-92 Seattle (Thunderbirds) | | WHL | 58 | 20 | 32 | 52 | 264 | 15 | 9 | 3 | 12 | 55 |
| | Seattle (Thunderbirds) | Mem. | 4 | 2 | 0 | 2 | 18 | - | - | - | - | - |
| | Canada | CMJ | 7 | 0 | 2 | 2 | 14 | - | - | - | - | - |
| 1992-93 Fredericton (Canadien) | | AHL | 79 | 25 | 34 | 59 | 102 | 5 | 2 | 3 | 5 | 11 |
| | **Montréal (Canadiens)** | LNH | 1 | 0 | 0 | 0 | 0 | - | - | - | - | - |
| 1993-94 Fredericton (Canadien) | | AHL | 66 | 19 | 28 | 47 | 155 | - | - | - | - | - |
| | **Montréal (Canadiens)** | LNH | 2 | 0 | 0 | 0 | 2 | 3 | 0 | 2 | 2 | 0 |
| 1994-95 Fredericton (Canadien) | | AHL | 37 | 12 | 12 | 24 | 109 | - | - | - | - | - |
| | **Montréal (Canadiens)** | LNH | 41 | 6 | 1 | 7 | 86 | - | - | - | - | - |
| 1995-96 **Montréal (Canadiens)** | | LNH | 80 | 9 | 16 | 25 | 167 | 6 | 0 | 1 | 1 | 2 |
| 1996-97 **Montréal (Canadiens)** | | LNH | 65 | 8 | 13 | 21 | 97 | 5 | 1 | 1 | 2 | 2 |
| 1997-98 **Montréal (Canadiens)** | | LNH | 63 | 4 | 6 | 10 | 110 | 10 | 3 | 4 | 7 | 12 |
| 1998-99 **Montréal (Canadiens)** | | LNH | 69 | 10 | 17 | 27 | 88 | - | - | - | - | - |
| 1999-20 **Montréal (Canadiens)** | | LNH | 64 | 8 | 13 | 21 | 61 | - | - | - | - | - |
| 2000-01 New Jersey (Devils) | | LNH | 69 | 8 | 18 | 26 | 97 | 23 | 1 | 3 | 4 | 20 |
| 2001-02 New Jersey (Devils) | | LNH | 21 | 0 | 2 | 2 | 25 | 1 | 0 | 0 | 0 | 4 |
| 2002-03 New Jersey (Devils) | | LNH | 77 | 7 | 13 | 20 | 115 | 14 | 1 | 1 | 2 | 26 |
| | | **LNH** | 552 | 60 | 99 | 159 | 848 | 62 | 6 | 12 | 18 | 66 |
| | | **Montréal** | 385 | 45 | 66 | 111 | 611 | 24 | 4 | 8 | 12 | 16 |

• Première équipe d'étoiles, Division Ouest (WHL) en 1991-92 • Équipe d'étoiles de la coupe Memorial en 1991-92 • Deuxième équipe d'étoiles (CHL) en 1991-92 • Coupe Stanley (LNH) en 2002-03
• Sélectionné par Columbus de Montréal lors de l'expansion de la LNH le 23 juin 2000
• Échangé au New Jersey par Columbus pour compléter la transaction qui a envoyé Krysztof Oliwa à Columbus (12 juin 2000) le 23 juin 2000

## STEWART, GAYE

**Né à Fort William, Ontario, le 28 juin 1923**
**Ailier gauche, lance de la gauche, 5'11", 175 lb**

| SAISON | CLUB | LIGUE | PJ | B | A | PTS | PUN | PJ | B | A | PTS | PUN |
|---|---|---|---|---|---|---|---|---|---|---|---|---|
| 1939-40 Port Arthur (Bruins) | | TBJHL | 16 | *17 | 6 | 23 | 18 | 5 | *8 | 2 | *10 | 4 |
| 1940-41 Toronto (Marlboros) | | OHA Jr | 16 | *31 | 13 | *44 | 16 | 12 | 13 | 7 | 20 | 10 |
| 1941-42 Toronto (Marlboros) | | OHA Jr | 13 | 13 | 8 | 21 | 2 | 6 | 3 | 4 | 7 | 4 |
| | Hershey (Bears) | AHL | 5 | 4 | 2 | 6 | 0 | 10 | 4 | 5 | 9 | 0 |
| | Toronto (Maple Leafs) | LNH | - | - | - | - | - | 1 | 0 | 0 | 0 | 0 |
| 1942-43 Toronto (Maple Leafs) | | LNH | 48 | 24 | 23 | 47 | 20 | 4 | 0 | 2 | 2 | 4 |
| 1943-44 Montréal (Royals) | | LHSQ | 10 | 4 | 7 | 11 | 8 | 4 | 6 | 2 | 8 | 0 |
| | Toronto (Navy) | LHCM | 6 | 5 | 7 | 12 | 2 | 5 | 7 | 4 | 11 | 4 |
| 1944-45 Cornwall (Navy) | | NSDHL | 11 | 9 | 7 | 16 | 12 | 3 | 3 | 4 | 7 | 2 |
| 1945-46 Toronto (Maple Leafs) | | LNH | 50 | *37 | 15 | 52 | 8 | - | - | - | - | - |
| 1946-47 Toronto (Maple Leafs) | | LNH | 19 | 14 | 13 | 33 | 15 | 11 | 2 | 5 | 7 | 8 |
| | Valleyfield (Braves) | LHSQ | 1 | 1 | 0 | 1 | 0 | - | - | - | - | - |
| 1947-48 Toronto (Maple Leafs) | | LNH | 7 | 1 | 0 | 1 | 9 | - | - | - | - | - |
| | Chicago (Black Hawks) | LNH | 54 | 26 | 29 | 55 | 83 | - | - | - | - | - |
| | Match des étoiles | LNH | 1 | 0 | 0 | 0 | 0 | - | - | - | - | - |
| 1948-49 Chicago (Black Hawks) | | LNH | 54 | 20 | 18 | 38 | 57 | - | - | - | - | - |
| | Match des étoiles | LNH | 1 | 0 | 1 | 1 | 0 | - | - | - | - | - |
| 1949-50 Chicago (Black Hawks) | | LNH | 70 | 24 | 19 | 43 | 43 | - | - | - | - | - |
| 1950-51 Detroit (Red Wings) | | LNH | 67 | 18 | 13 | 31 | 18 | 6 | 0 | 2 | 2 | 4 |
| | Match des étoiles | LNH | 1 | 1 | 0 | 1 | 0 | - | - | - | - | - |
| 1951-52 New York (Rangers) | | LNH | 69 | 15 | 25 | 40 | 22 | - | - | - | - | - |
| | Match des étoiles | LNH | 1 | 0 | 1 | 1 | 0 | - | - | - | - | - |
| 1952-53 New York (Rangers) | | LNH | 18 | 1 | 2 | 3 | 8 | - | - | - | - | - |
| | **Montréal (Canadiens)** | LNH | 5 | 0 | 1 | 1 | 0 | - | - | - | - | - |
| | Québec (As) | LHMQ | 29 | 13 | 20 | 33 | 28 | 22 | *16 | 12 | 28 | 8 |
| 1953-54 Buffalo (Bisons) | | AHL | 70 | 42 | 53 | 95 | 38 | 3 | 0 | 2 | 2 | 4 |
| | **Montréal (Canadiens)** | LNH | - | - | - | - | - | 3 | 0 | 0 | 0 | 0 |
| 1954-55 Buffalo (Bisons) | | AHL | 60 | 17 | 19 | 36 | 36 | - | - | - | - | - |
| | | **LNH** | 502 | 185 | 159 | 344 | 274 | 25 | 2 | 9 | 11 | 16 |
| | | **Montréal** | 5 | 0 | 1 | 1 | 0 | 3 | 0 | 0 | 0 | 0 |

• Coupe Stanley (LNH) en 1941-42, 1946-47 • Trophée Calder (LNH) en 1942-43 • Première équipe d'étoiles (LNH) en 1945-46 • Deuxième équipe d'étoiles (LNH) en 1947-48 • Match des étoiles (LNH) en 1947-48, 1948-49, 1950-51, 1951-52 • Première équipe d'étoiles (AHL) en 1953-54
• Signe avec Toronto le 6 mars 1942 • Échangé à Chicago par Toronto avec Bud Poile, Bob Goldham, Gus Bodnar et Ernie Dickens pour Max Bentley et Cy Thomas le 2 novembre 1947 • Échangé à Detroit par Chicago avec Metro Prystai, Bob Goldham et Jim Henry pour Harry Lumley, Jack Stewart, Al Dewsbury, Pete Babando et Don Morrison le 13 juillet 1950 • Échangé à New York (Rangers) par Detroit pour Tony Leswick le 8 juin 1951 • Réclamé au ballottage par Montréal de New York (Rangers) le 1er décembre 1952 • Échangé à Buffalo (AHL) par Montréal avec Eddie Slowinski et Pete Babando pour Jackie Leclair et une somme d'argent le 17 août 1954

## STOCK, PHILLIP JOSEPH (P. J.)

**Né à Montréal, Québec, le 26 mai 1975. Ailier gauche, lance de la gauche, 5'10", 192 lb**

| SAISON | CLUB | LIGUE | PJ | B | A | PTS | PUN | PJ | B | A | PTS | PUN |
|---|---|---|---|---|---|---|---|---|---|---|---|---|
| 1992-93 Pembroke (Lumber Kings) | | OCJHL | 55 | 10 | 38 | 48 | 189 | - | - | - | - | - |
| 1993-94 Pembroke (Lumber Kings) | | OCJHL | 52 | 25 | 48 | 73 | 262 | - | - | - | - | - |
| 1994-95 Victoriaville (Tigres) | | LHJMQ | 70 | 9 | 46 | 55 | 386 | 4 | 0 | 4 | 4 | 60 |
| 1995-96 Victoriaville (Tigres) | | LHJMQ | 67 | 19 | 43 | 62 | 432 | 12 | 5 | 4 | 9 | 79 |
| 1996-97 St. FX University | | AUAA | 27 | 11 | 20 | 31 | 110 | 3 | 0 | 4 | 4 | 14 |
| 1997-98 Hartford (Wolf Pack) | | AHL | 41 | 8 | 16 | 24 | 202 | 11 | 1 | 3 | 4 | 79 |
| | New York (Rangers) | LNH | 38 | 5 | 3 | 8 | 114 | - | - | - | - | - |
| 1998-99 New York (Rangers) | | LNH | 0 | 0 | 0 | 0 | 6 | - | - | - | - | - |
| | Hartford (Wolf Pack) | AHL | 55 | 4 | 14 | 18 | 202 | 6 | 0 | 1 | 1 | 35 |
| 1999-00 New York (Rangers) | | LNH | 1 | 0 | 1 | 1 | 11 | - | - | - | - | - |
| | Hartford (Wolf Pack) | AHL | 64 | 13 | 23 | 36 | 290 | 23 | 1 | 11 | 12 | 69 |
| 2000-01 **Montréal (Canadiens)** | | LNH | 20 | 1 | 2 | 3 | 32 | - | - | - | - | - |
| | Philadelphe (Flyers) | LNH | 31 | 1 | 3 | 4 | 78 | 2 | 0 | 0 | 0 | 0 |
| 2000-01 Philadelphia (Phantoms) | | AHL | 9 | 1 | 2 | 3 | 37 | - | - | - | - | - |
| 2001-02 Boston (Bruins) | | LNH | 58 | 0 | 3 | 3 | 122 | 6 | 1 | 0 | 1 | 19 |
| 2002-03 Boston (Bruins) | | LNH | 71 | 1 | 9 | 10 | 160 | - | - | - | - | - |
| | | **LNH** | 234 | 5 | 21 | 26 | 523 | 8 | 1 | 0 | 1 | 19 |
| | | **Montréal** | 20 | 1 | 2 | 3 | 32 | - | - | - | - | - |

• Signe avec New York (Rangers) comme agent libre le 18 novembre 1997 • Signe avec Montréal le 7 juillet 2000 • Échangé à Philadelphie par Montréal avec le choix de 6e ronde de Montréal au repêchage de 2001 (Dennis Seidenberg) pour Gino Odjick le 7 décembre 2000 • Signe avec New York (Rangers) comme agent libre le 23 août 2001 • Réclamé par Boston de New York (Rangers) lors du repêchage inter-équipes le 28 septembre 2001

## SUMMERHILL, WILLIAM (BILL)

**Né à Toronto, Ontario, le 9 juillet 1915, décédé le 29 octobre 1978**
**Ailier droit, lance de la droite, 5'9", 170 lb**

| SAISON | CLUB | LIGUE | PJ | B | A | PTS | PUN | PJ | B | A | PTS | PUN |
|---|---|---|---|---|---|---|---|---|---|---|---|---|
| 1937-38 Verdun (Maple Leafs) | | LHCM | 22 | 16 | 20 | *36 | 20 | 8 | *8 | 1 | 9 | 18 |
| | **Montréal (Canadiens)** | LNH | - | - | - | - | - | 1 | 0 | 0 | 0 | 0 |
| 1938-39 **Montréal (Canadiens)** | | LNH | 43 | 6 | 10 | 16 | 28 | 2 | 0 | 0 | 0 | 2 |
| | New Haven (Eagles) | IAHL | 6 | 1 | 2 | 3 | 0 | - | - | - | - | - |
| 1939-40 **Montréal (Canadiens)** | | LNH | 13 | 3 | 2 | 5 | 24 | - | - | - | - | - |
| | New Haven (Eagles) | IAHL | 27 | 14 | 27 | 41 | 16 | 3 | 1 | 1 | 2 | 2 |
| 1940-41 Cleveland (Barons) | | AHL | 49 | 14 | 13 | 27 | 48 | 8 | 2 | 2 | 4 | 4 |
| 1941-42 Brooklyn (Americans) | | LNH | 5 | 5 | 0 | 5 | 18 | - | - | - | - | - |
| | Springfield (Indians) | AHL | 36 | 21 | 28 | 49 | 42 | 5 | 5 | 1 | 6 | 2 |
| 1942-43 Buffalo (Bisons) | | AHL | 56 | 41 | 27 | 68 | 64 | 9 | *5 | 9 | *14 | 2 |
| 1943-44 Toronto Army Daggers | | OHA Sr | 1 | 0 | 0 | 0 | 0 | - | - | - | - | - |
| 1944-45 Toronto (Shamrocks) | | TIHL | 14 | 13 | 11 | 24 | 16 | 4 | 7 | 2 | 9 | 4 |
| | Toronto Army | TNDHL | - | - | - | - | - | 3 | 5 | 5 | 10 | 0 |
| 1945-46 New Haven (Eagles) | | AHL | 21 | 5 | 7 | 12 | 16 | - | - | - | - | - |
| | Fort Worth (Rangers) | USHL | 13 | 4 | 3 | 7 | 8 | - | - | - | - | - |
| 1946-47 Springfield (Indians) | | AHL | 61 | 26 | 30 | 56 | 37 | 2 | 1 | 1 | 2 | 0 |
| 1947-48 Springfield (Indians) | | AHL | 67 | 47 | 27 | 74 | 22 | - | - | - | - | - |
| 1948-49 Springfield (Indians) | | AHL | 65 | 30 | 36 | 66 | 36 | 3 | 4 | 2 | 6 | 0 |
| 1949-50 Springfield (Indians) | | AHL | 50 | 16 | 15 | 31 | 10 | - | - | - | - | - |
| | New Haven (Ramblers) | AHL | 27 | 12 | 11 | 23 | 16 | - | - | - | - | - |
| 1950-51 Portland (Eagles) | | PCHL | 40 | 15 | 16 | 31 | 10 | 6 | 1 | 0 | 1 | 4 |
| | | **LNH** | 72 | 14 | 17 | 31 | 70 | 3 | 0 | 0 | 0 | 2 |
| | | **Montréal** | 56 | 9 | 12 | 21 | 52 | 3 | 0 | 0 | 0 | 2 |

• Première équipe d'étoiles (LHCM) en 1937-38 • Coupe Calder (AHL) en 1940-41, 1942-43 • Deuxième équipe d'étoiles (AHL) en 1942-43
• Signe avec Montréal le 25 mars 1938 • Échangé à Cleveland (AHL) par Montréal pour Peggy O'Neil le 17 mai 1940 • Droits vendus à Brooklyn par Cleveland (AHL) le 6 octobre 1941

## SUNDSTROM, NIKLAS

**Né à Ornskoldsvik, Suède, le 6 juin 1975. Ailier gauche, lance de la gauche, 6', 190 lb**
**(1er choix des Rangers de New York, 8e au total lors du repêchage de 1993)**

| SAISON | CLUB | LIGUE | PJ | B | A | PTS | PUN | PJ | B | A | PTS | PUN |
|---|---|---|---|---|---|---|---|---|---|---|---|---|
| 1991-92 MoDo Hockey | | SWE | 9 | 1 | 3 | 4 | 0 | - | - | - | - | - |
| | Suède | CEJ | 6 | 1 | 0 | 1 | 6 | - | - | - | - | - |
| 1992-93 MoDo Hockey | | SWE Jr. | 2 | 3 | 1 | 4 | 0 | - | - | - | - | - |
| | MoDo Hockey | SWE | 40 | 7 | 11 | 18 | 18 | 3 | 0 | 0 | 0 | 0 |
| 1992-93 Suède | | CMJ | 7 | 10 | 4 | 14 | 0 | - | - | - | - | - |
| | Suède | CEJ | 5 | 4 | 9 | 13 | 10 | - | - | - | - | - |
| 1993-94 MoDo Hockey | | SWE Jr. | 3 | 3 | 4 | 7 | 2 | - | - | - | - | - |
| | MoDo Hockey | SWE | 37 | 7 | 12 | 19 | 28 | 11 | 4 | 3 | 7 | 0 |
| | Suède | CMJ | 7 | 4 | 7 | 11 | 0 | - | - | - | - | - |
| 1994-95 MoDo Hockey | | SWE | 33 | 8 | 11 | 19 | 30 | - | - | - | - | - |
| | Suède | CMJ | 7 | 4 | 4 | 8 | 4 | - | - | - | - | - |
| 1995-96 New York (Rangers) | | LNH | 82 | 9 | 12 | 21 | 14 | 11 | 4 | 3 | 7 | 6 |
| 1996-97 Suède | | CM | 2 | 4 | 0 | 4 | 0 | - | - | - | - | - |
| 1996-97 New York (Rangers) | | LNH | 82 | 24 | 28 | 52 | 20 | 15 | 4 | 4 | 8 | 4 |
| 1997-98 New York (Rangers) | | LNH | 70 | 19 | 28 | 47 | 24 | - | - | - | - | - |
| 1997-98 Suède | | JO | 4 | 1 | 1 | 2 | 0 | - | - | - | - | - |
| | Suède | CMH | 5 | 1 | 0 | 1 | 2 | - | - | - | - | - |
| 1998-99 New York (Rangers) | | LNH | 81 | 13 | 30 | 43 | 20 | - | - | - | - | - |
| | Suède | CMH | 6 | 1 | 1 | 2 | 0 | - | - | - | - | - |
| 1999-00 San Jose (Sharks) | | LNH | 79 | 12 | 25 | 37 | 22 | 12 | 0 | 3 | 3 | 2 |
| 2000-01 San Jose (Sharks) | | LNH | 82 | 10 | 39 | 49 | 28 | 6 | 0 | 3 | 3 | 2 |
| 2001-02 San Jose (Sharks) | | LNH | 73 | 9 | 30 | 39 | 50 | 12 | 1 | 6 | 7 | 6 |
| | Suède | JO | 4 | 1 | 1 | 2 | 0 | - | - | - | - | - |
| 2002-03 San Jose (Sharks) | | LNH | 47 | 2 | 10 | 12 | 22 | - | - | - | - | - |
| | **Montréal (Canadiens)** | LNH | 33 | 5 | 9 | 14 | 8 | - | - | - | - | - |
| | | **LNH** | 629 | 103 | 211 | 314 | 208 | 50 | 5 | 19 | 24 | 16 |
| | | **Montréal** | 33 | 5 | 9 | 14 | 8 | - | - | - | - | - |

• Équipe d'étoiles (CEJ) en 1992-93 • Équipe d'étoiles (CMJ) en 1993-94 • Nommé meilleur joueur d'avant (CMJ) en 1993-94
• Échangé à Tampa Bay par New York (Rangers) avec Dan Cloutier, le 1er choix de New York (Rangers) au repêchage de 2000 (Nikita Alexeev) et le choix de 3e ronde de New York au repêchage de 2000 (cédé à San Jose, cédé à Chicago qui sélectionne Igor Radulov) pour le 1er choix du Chicago au repêchage de 1999 (propriété de Tampa Bay suite à une transaction antérieure, New York sélectionne Pavel Brendl) le 26 juin 1999 • Échangé à San Jose par Tampa Bay avec le choix de 3e ronde de New York (Rangers) au repêchage de 2000 (cédé à San Jose, cédé à Chicago qui sélectionne Igor Radulov) pour Bill Houlder, Andrei Zyuzin, Shawn Burr et Steve Guolla le 4 août 1999 • Échangé à Montréal par San Jose pour Jeff Hackett le 23 janvier 2003

## SUTHERLAND, WILLIAM (BILL)

**Né à Regina, Saskatchewan, le 10 novembre 1934**
**Centre, lance de la gauche, 5'10", 160 lb**

| SAISON | CLUB | LIGUE | PJ | B | A | PTS | PUN | PJ | B | A | PTS | PUN |
|---|---|---|---|---|---|---|---|---|---|---|---|---|
| 1952-53 St. Boniface (Canadien) | | MJHL | 1 | 0 | 1 | 1 | 0 | - | - | - | - | - |
| 1953-54 St. Boniface (Canadien) | | MJHL | 25 | 25 | 18 | 43 | 42 | 10 | *5 | *12 | *17 | 24 |

| SAISON | CLUB | LIGUE | PJ | B | A | PTS | PUN | PJ | B | A | PTS | PUN |
|---|---|---|---|---|---|---|---|---|---|---|---|---|
| | St. Boniface (Canadien) | Mem. | 8 | *6 | *6 | *12 | 10 | - | - | - | - | - |
| 1954-55 | St. Boniface (Canadien) | MJHL | 25 | 25 | 35 | 60 | 33 | - | - | - | - | - |
| 1955-56 | Cincinnati (Mohawks) | IHL | 53 | 25 | 31 | 56 | 24 | - | - | - | - | - |
| 1956-57 | Cincinnati (Mohawks) | IHL | 58 | 27 | 26 | 53 | 30 | 7 | 1 | 1 | 2 | 4 |
| 1957-58 | Cincinnati (Mohawks) | IHL | 60 | *55 | 39 | 94 | 43 | - | - | - | - | - |
| | Shawinigan (Cataractes) | LHQ | 2 | 0 | 1 | 1 | 0 | - | - | - | - | - |
| 1958-59 | Rochester (Americans) | AHL | 1 | 0 | 0 | 0 | 0 | - | - | - | - | - |
| | Montréal (Royals) | LHQ | 47 | 27 | 16 | 43 | 32 | 7 | *7 | 3 | *10 | 13 |
| 1959-60 | Montréal (Royals) | EPHL | 65 | 35 | 40 | 75 | 40 | 14 | 3 | 7 | 10 | 13 |
| 1960-61 | Cleveland (Barons) | AHL | 58 | 19 | 14 | 33 | 30 | 4 | 0 | 0 | 0 | 12 |
| 1961-62 | Cleveland (Barons) | AHL | 70 | 20 | 28 | 48 | 49 | 6 | 2 | 0 | 2 | 4 |
| 1962-63 | Québec (As) | AHL | 45 | 21 | 17 | 38 | 22 | - | - | - | - | - |
| | **Montréal (Canadiens)** | LNH | - | - | - | - | - | 2 | 0 | 0 | 0 | 0 |
| 1963-64 | Québec (As) | AHL | 49 | 22 | 33 | 55 | 32 | 9 | 2 | 7 | 9 | 22 |
| 1964-65 | Québec (As) | AHL | 58 | 25 | 35 | 60 | 50 | 5 | 3 | 2 | 5 | 6 |
| 1965-66 | Québec (As) | AHL | 48 | 24 | 25 | 49 | 24 | 6 | 3 | 3 | 6 | 2 |
| 1966-67 | Québec (As) | AHL | 67 | 40 | 38 | 78 | 27 | 5 | 3 | 4 | 7 | 4 |
| 1967-68 | Philadelphie (Flyers) | LNH | 60 | 20 | 9 | 29 | 6 | 7 | 1 | 3 | 4 | 0 |
| 1968-69 | Toronto (Maple Leafs) | LNH | 44 | 7 | 5 | 12 | 14 | - | - | - | - | - |
| | Philadelphie (Flyers) | LNH | 12 | 7 | 3 | 10 | 4 | 1 | 1 | 1 | 2 | 0 |
| 1969-70 | Philadelphie (Flyers) | LNH | 51 | 15 | 17 | 32 | 30 | - | - | - | - | - |
| 1970-71 | Philadelphie (Flyers) | LNH | 1 | 0 | 0 | 0 | 0 | - | - | - | - | - |
| | St. Louis (Blues) | LNH | 68 | 19 | 20 | 39 | 41 | 1 | 0 | 0 | 0 | 0 |
| 1971-72 | St. Louis (Blues) | LNH | 9 | 2 | 3 | 5 | 2 | - | - | - | - | - |
| | Detroit (Red Wings) | LNH | 5 | 0 | 1 | 1 | 2 | - | - | - | - | - |
| | Tidewater (Wings) | AHL | 10 | 0 | 16 | 16 | 26 | - | - | - | - | - |
| 1972-73 | Winnipeg (Jets) | AMH | 48 | 6 | 16 | 22 | 34 | 14 | 5 | 9 | 14 | 9 |
| 1973-74 | Winnipeg (Jets) | AMH | 12 | 4 | 5 | 9 | 6 | 4 | 0 | 0 | 0 | 4 |
| | **LNH** | | 250 | 70 | 58 | 128 | 99 | 14 | 2 | 4 | 6 | 0 |
| | **Montréal** | | - | - | - | - | - | 2 | 0 | 0 | 0 | 0 |

• Deuxième équipe d'étoiles (IHL) en 1957-58
• Droits vendus à Québec (AHL) par Montréal en juillet 1962 • Droits dans la LNH cédés à Philadelphie lors de l'achat de la concession de Québec (AHL) le 8 mai 1967 • Réclamé par le Minnesota de Philadelphie lors du repêchage intra-ligue le 12 juin 1968 • Réclamé par Toronto du Minnesota lors du repêchage intra-ligue le 12 juin 1968 • Échangé à Philadelphie par Toronto avec Mike Byers et Gerry Meehan pour Brit Selby et Forbes Kennedy le 2 mars 1969 • Droits vendus à St. Louis par Philadelphie le 19 octobre 1970 • Droits vendus à Detroit par St. Louis le 9 novembre 1971 • Sélectionné par Winnipeg lors de l'expansion de l'AMH le 12 février 1972

**SVO-TEA**

### SVOBODA, PETR

Né à Most, TchécoslovaQuie, le 14 février 1966. Défenseur, lance de la gauche, 6'1", 195 lb (1er choix de Montréal, 5e au total lors du repêchage de 1984)

| SAISON | CLUB | LIGUE | PJ | B | A | PTS | PUN | PJ | B | A | PTS | PUN |
|---|---|---|---|---|---|---|---|---|---|---|---|---|
| 1982-83 | Litvinov CHZ | CSK | 4 | 0 | 0 | 0 | 2 | - | - | - | - | - |
| | Tchécoslovaquie | EJC | 5 | 0 | 0 | 0 | 8 | - | - | - | - | - |
| 1983-84 | Litvinov CHZ | CSK | 18 | 3 | 1 | 4 | 20 | - | - | - | - | - |
| | Tchécoslovaquie | CMJ | 7 | 0 | 4 | 4 | 16 | - | - | - | - | - |
| | Tchécoslovaquie | EJC | 5 | 1 | 1 | 2 | 16 | - | - | - | - | - |
| 1984-85 | **Montréal (Canadiens)** | LNH | 73 | 4 | 27 | 31 | 65 | 7 | 1 | 1 | 2 | 12 |
| 1985-86 | **Montréal (Canadiens)** | LNH | 73 | 1 | 18 | 19 | 93 | 8 | 0 | 0 | 0 | 21 |
| 1986-87 | **Montréal (Canadiens)** | LNH | 70 | 5 | 17 | 22 | 63 | 14 | 0 | 5 | 5 | 10 |
| 1987-88 | **Montréal (Canadiens)** | LNH | 69 | 7 | 22 | 29 | 149 | 10 | 0 | 5 | 5 | 12 |
| 1988-89 | **Montréal (Canadiens)** | LNH | 71 | 8 | 37 | 45 | 147 | 21 | 1 | 11 | 12 | 16 |
| 1989-90 | **Montréal (Canadiens)** | LNH | 60 | 5 | 31 | 36 | 98 | 10 | 0 | 5 | 5 | 7 |
| 1990-91 | **Montréal (Canadiens)** | LNH | 60 | 4 | 22 | 26 | 52 | 2 | 0 | 1 | 1 | 2 |
| 1991-92 | **Montréal (Canadiens)** | LNH | 58 | 5 | 16 | 21 | 94 | - | - | - | - | - |
| | Buffalo (Sabres) | LNH | 13 | 1 | 6 | 7 | 52 | 7 | 1 | 4 | 5 | 6 |
| 1992-93 | Buffalo (Sabres) | LNH | 40 | 2 | 24 | 26 | 59 | - | - | - | - | - |
| 1993-94 | Buffalo (Sabres) | LNH | 60 | 2 | 14 | 16 | 89 | 3 | 0 | 0 | 0 | 4 |
| 1994-95 | Litvinov CHZ | CZE | 8 | 2 | 0 | 2 | 50 | - | - | - | - | - |
| | Buffalo (Sabres) | LNH | 26 | 0 | 5 | 5 | 60 | - | - | - | - | - |
| | Philadelphie (Flyers) | LNH | 11 | 0 | 3 | 3 | 10 | 14 | 0 | 4 | 4 | 8 |
| 1995-96 | Philadelphie (Flyers) | LNH | 73 | 1 | 28 | 29 | 105 | 12 | 0 | 6 | 6 | 22 |
| 1996-97 | Philadelphie (Flyers) | LNH | 67 | 2 | 12 | 14 | 94 | 16 | 1 | 2 | 3 | 16 |
| 1997-98 | Philadelphie (Flyers) | LNH | 56 | 3 | 15 | 18 | 83 | 3 | 0 | 1 | 1 | 4 |
| | République tchèque | JO | 6 | 1 | 1 | 2 | 39 | - | - | - | - | - |
| 1998-99 | Philadelphie (Flyers) | LNH | 25 | 4 | 2 | 6 | 38 | - | - | - | - | - |
| | Tampa Bay (Lightning) | LNH | 34 | 1 | 16 | 17 | 53 | - | - | - | - | - |
| 1999-20 | Tampa Bay (Lightning) | LNH | 70 | 2 | 23 | 25 | 170 | - | - | - | - | - |
| | Match des étoiles | LNH | 1 | 0 | 0 | 0 | | - | - | - | - | - |
| 2000-01 | Tampa Bay (Lightning) | LNH | 19 | 1 | 3 | 4 | 41 | - | - | - | - | - |
| | **LNH** | | 1028 | 58 | 341 | 399 | 1605 | 127 | 4 | 45 | 49 | 140 |
| | **Montréal** | | 534 | 39 | 190 | 229 | 761 | 72 | 2 | 28 | 30 | 75 |

• Équipe d'étoiles (EJC) en 1982-83 • Médaille d'argent (CMJ) en 1983-84 • Coupe Stanley (LNH) en 1985-86 • Médaille d'or (JO) en 1998 • Match des étoiles 1999-00
• Échangé à Buffalo par Montréal pour Kevin Haller le 10 mars 1992 • Échangé à Philadelphie par Buffalo pour Garry Gailley le 7 avril 1995 • Échangé à Tampa Bay par Philadelphie pour Karl Dykhuis le 28 décembre 1998

### TALBOT, JEAN-GUY

Né à Cap-de-la-Madeleine, Québec, le 11 juillet 1932
Défenseur, lance de la gauche, 5'11", 170 lb

| SAISON | CLUB | LIGUE | PJ | B | A | PTS | PUN | PJ | B | A | PTS | PUN |
|---|---|---|---|---|---|---|---|---|---|---|---|---|
| 1949-50 | Trois-Rivières (Reds) | LHJQ | 36 | 3 | 4 | 7 | 79 | 9 | 0 | 3 | 3 | 12 |
| 1950-51 | Trois-Rivières (Reds) | LHJQ | 44 | 7 | 22 | 29 | *136 | 8 | 0 | 1 | 1 | 18 |
| | Shawinigan (Cataractes) | LHSQ | 1 | 0 | 0 | 0 | 0 | - | - | - | - | - |
| 1951-52 | Trois-Rivières (Reds) | LHJQ | 43 | 12 | 36 | 48 | 102 | 4 | 1 | 0 | 1 | 12 |
| 1952-53 | Québec (As) | LHQ | 24 | 2 | 4 | 6 | 33 | - | - | - | - | - |
| 1953-54 | Québec (As) | LHQ | 67 | 9 | 11 | 20 | 59 | 16 | 0 | 2 | 2 | 12 |
| | Québec (As) | Edin. | 7 | 2 | 0 | 2 | 2 | - | - | - | - | - |
| 1954-55 | Shawinigan (Cataractes) | LHQ | 59 | 6 | 28 | 34 | 82 | 13 | 2 | 5 | 7 | 14 |
| | **Montréal (Canadiens)** | LNH | 3 | 0 | 1 | 1 | 0 | - | - | - | - | - |
| | Shawinigan (Cataractes) | Edin. | 7 | 0 | 2 | 2 | 6 | - | - | - | - | - |
| 1955-56 | **Montréal (Canadiens)** | LNH | 66 | 1 | 13 | 14 | 80 | 9 | 0 | 2 | 2 | 4 |
| 1956-57 | **Montréal (Canadiens)** | LNH | 59 | 0 | 13 | 13 | 70 | 10 | 0 | 2 | 2 | 10 |
| | Match des étoiles | LNH | 1 | 0 | 0 | 0 | 0 | - | - | - | - | - |
| 1957-58 | **Montréal (Canadiens)** | LNH | 55 | 4 | 15 | 19 | 65 | 10 | 0 | 3 | 3 | 12 |
| | Match des étoiles | LNH | 1 | 0 | 0 | 0 | 4 | - | - | - | - | - |
| 1958-59 | **Montréal (Canadiens)** | LNH | 69 | 4 | 17 | 21 | 77 | 11 | 0 | 1 | 1 | 10 |
| | Match des étoiles | LNH | 1 | 0 | 1 | 1 | 0 | - | - | - | - | - |
| 1959-60 | **Montréal (Canadiens)** | LNH | 69 | 1 | 14 | 15 | 60 | 8 | 1 | 1 | 2 | 8 |
| 1960-61 | **Montréal (Canadiens)** | LNH | 70 | 5 | 26 | 31 | 143 | 6 | 1 | 1 | 2 | 0 |
| | Match des étoiles | LNH | 1 | 0 | 0 | 0 | 2 | - | - | - | - | - |
| 1961-62 | **Montréal (Canadiens)** | LNH | 70 | 5 | 42 | 47 | 90 | 6 | 1 | 1 | 2 | 10 |
| 1962-63 | **Montréal (Canadiens)** | LNH | 70 | 3 | 22 | 25 | 51 | 5 | 0 | 0 | 0 | 8 |
| | Match des étoiles | LNH | 1 | 0 | 0 | 0 | 0 | - | - | - | - | - |
| 1963-64 | **Montréal (Canadiens)** | LNH | 66 | 1 | 13 | 14 | 83 | 7 | 0 | 2 | 2 | 10 |
| 1964-65 | **Montréal (Canadiens)** | LNH | 67 | 8 | 14 | 22 | 64 | 13 | 0 | 1 | 1 | 22 |
| 1965-66 | **Montréal (Canadiens)** | LNH | 59 | 1 | 14 | 15 | 50 | 10 | 0 | 2 | 2 | 8 |
| | Match des étoiles | LNH | 1 | 0 | 0 | 0 | 0 | - | - | - | - | - |
| 1966-67 | **Montréal (Canadiens)** | LNH | 68 | 3 | 5 | 8 | 51 | 10 | 0 | 0 | 0 | 0 |
| | Match des étoiles | LNH | 1 | 0 | 0 | 0 | 0 | - | - | - | - | - |
| 1967-68 | Minnesota (North Stars) | LNH | 4 | 0 | 1 | 1 | 0 | - | - | - | - | - |
| | Detroit (Red Wings) | LNH | 32 | 0 | 3 | 3 | 10 | - | - | - | - | - |
| | St. Louis (Blues) | LNH | 23 | 0 | 4 | 4 | 12 | 17 | 0 | 2 | 2 | 8 |
| 1968-69 | St. Louis (Blues) | LNH | 69 | 5 | 4 | 9 | 24 | 12 | 0 | 2 | 2 | 6 |
| 1969-70 | St. Louis (Blues) | LNH | 75 | 2 | 15 | 17 | 40 | 16 | 1 | 5 | 7 | 16 |
| 1970-71 | St. Louis (Blues) | LNH | 5 | 0 | 1 | 1 | 0 | - | - | - | - | - |
| | Buffalo (Sabres) | LNH | 57 | 0 | 7 | 7 | 36 | - | - | - | - | - |
| | **LNH** | | 1056 | 43 | 242 | 285 | 1006 | 150 | 4 | 26 | 30 | 142 |
| | **Montréal** | | 791 | 36 | 209 | 245 | 884 | 105 | 3 | 16 | 19 | 112 |

• Première équipe d'étoiles (LHQ) en 1954-55 • Coupe Stanley (LNH) en 1955-56, 1956-57, 1957-58, 1958-59, 1959-60, 1964-65, 1965-66 • Match des étoiles (LNH) en 1956-57, 1957-58, 1958-59, 1960-61, 1962-63, 1965-66, 1966-67 • Première équipe d'étoiles (LNH) en 1962
• Réclamé par Minnesota de Montréal lors de l'expansion de la LNH le 6 juin 1967 • Échangé à Detroit par Minnesota avec Dave Richardson pour Bob McCord et Duke Harris le 19 octobre 1967 • Réclamé au ballottage par St. Louis de Detroit le 13 janvier 1968 • Échangé à Buffalo par St. Louis avec Larry Keenan pour Bob Baun le 4 novembre 1970

### TARDIF, MARC

Né à Granby, Québec, le 12 juin 1949. Ailier gauche, lance de la gauche, 6', 195 lb (2e choix de Montréal, 2e au total lors du repêchage de 1969)

| SAISON | CLUB | LIGUE | PJ | B | A | PTS | PUN | PJ | B | A | PTS | PUN |
|---|---|---|---|---|---|---|---|---|---|---|---|---|
| 1966-67 | Thetford-Mines (Canadien) | LHJQ | 40 | 36 | 44 | 80 | 89 | 11 | 13 | 13 | 26 | 2 |
| | Thetford-Mines (Canadien) | Mem. | 19 | 11 | 14 | 25 | 42 | - | - | - | - | - |
| 1967-68 | Montréal (Canadien Jr) | OHA Jr | 54 | 32 | 34 | 66 | 62 | 11 | 3 | 9 | 12 | 18 |
| 1968-69 | Montréal (Canadien Jr) | OHA Jr | 51 | 31 | 41 | 72 | 121 | 14 | 19 | 12 | 31 | 60 |
| | Montréal (Canadien Jr) | Mem. | 5 | 2 | 2 | 4 | 16 | - | - | - | - | - |
| 1969-70 | Montréal (Voyageurs) | AHL | 45 | 27 | 31 | 58 | 70 | 8 | 3 | 6 | 9 | 29 |
| | **Montréal (Canadiens)** | LNH | 18 | 3 | 2 | 5 | 27 | - | - | - | - | - |
| 1970-71 | **Montréal (Canadiens)** | LNH | 76 | 19 | 30 | 49 | 133 | 20 | 3 | 1 | 4 | 40 |
| 1971-72 | **Montréal (Canadiens)** | LNH | 75 | 31 | 22 | 53 | 81 | 6 | 2 | 3 | 5 | 9 |
| 1972-73 | **Montréal (Canadiens)** | LNH | 76 | 25 | 25 | 50 | 48 | 14 | 6 | 6 | 12 | 6 |
| 1973-74 | Los Angeles (Sharks) | AMH | 75 | 40 | 30 | 70 | 47 | - | - | - | - | - |
| 1974-75 | Canada | Siècle | 5 | 0 | 2 | 2 | 10 | - | - | - | - | - |
| | Michigan (Stags) | AMH | 23 | 12 | 5 | 17 | 9 | - | - | - | - | - |
| | Québec (Nordiques) | AMH | 53 | 38 | 34 | 72 | 70 | 15 | *10 | 11 | 21 | 10 |
| 1975-75 | Québec (Nordiques) | AMH | 81 | *71 | *77 | *148 | 79 | 2 | 1 | 0 | 1 | 2 |
| 1976-77 | Québec (Nordiques) | AMH | 62 | 49 | 60 | 109 | 65 | 12 | 4 | 10 | 14 | 8 |
| 1977-78 | Québec (Nordiques) | AMH | 78 | *65 | *89 | *154 | 50 | 11 | 6 | 9 | 15 | 11 |
| 1978-79 | Québec (Nordiques) | AMH | 74 | 41 | 55 | 96 | 98 | 4 | 6 | 2 | 8 | 4 |
| 1979-80 | Québec (Nordiques) | LNH | 58 | 33 | 35 | 68 | 30 | - | - | - | - | - |
| 1980-81 | Québec (Nordiques) | LNH | 63 | 23 | 31 | 54 | 35 | 5 | 1 | 3 | 4 | 2 |
| 1981-82 | Québec (Nordiques) | LNH | 75 | 39 | 31 | 70 | 55 | 13 | 1 | 2 | 3 | 16 |
| | Match des étoiles | LNH | 1 | 1 | 0 | 1 | 0 | - | - | - | - | - |
| 1982-83 | Québec (Nordiques) | LNH | 76 | 21 | 31 | 52 | 34 | 4 | 0 | 0 | 0 | 2 |
| | **LNH** | | 517 | 194 | 207 | 401 | 443 | 62 | 13 | 15 | 28 | 75 |
| | **Montréal** | | 245 | 78 | 79 | 157 | 289 | 40 | 11 | 10 | 21 | 55 |

• Première équipe d'étoiles (OHA Jr) en 1968-69 • Coupe Memorial en 1968-69 • Coupe Stanley (LNH) en 1970-71, 1972-73 • Deuxième équipe d'étoiles (AMH) en 1974-75 • Première équipe d'étoiles (AMH) en 1975-76, 1976-77, 1977-78 • Trophée W.-D.-Bill-Hunter (AMH) en 1975-76, 1977-78 • Trophée Gary-Davidson (AMH) en 1975-76, 1977-78 • Coupe Avco (AMH) en 1976-77 • Match des étoiles (LNH) en 1981-82
• Réclamé par Los Angeles lors de l'expansion de l'AMH le 12 février 1972 • Transfert de la concession de Los Angeles (AMH) au Michigan (AMH) le 11 avril 1974 • Échangé à Québec (AMH) par Michigan (AMH) avec Steve Sutherland pour Alain Caron, Pierre Guité et Michel Rouleau en décembre 1974 • Réclamé par Québec de Montréal lors de l'expansion de la LNH le 13 juin 1979

### TEAL, JEFFERSON (JEFF)

Né à Edina, Minnesota, le 30 mai 1960. Ailier droit, lance de la gauche, 6'3", 205 lb (6e choix de Montréal, 82e au total lors du repêchage de 1980)

| SAISON | CLUB | LIGUE | PJ | B | A | PTS | PUN | PJ | B | A | PTS | PUN |
|---|---|---|---|---|---|---|---|---|---|---|---|---|
| 1979-80 | Minnesota University | WCHA | 37 | 10 | 15 | 25 | 30 | - | - | - | - | - |
| 1980-81 | Minnesota University | WCHA | 45 | 15 | 9 | 24 | 38 | - | - | - | - | - |
| 1981-82 | Minnesota University | WCHA | 37 | 13 | 9 | 22 | 36 | - | - | - | - | - |
| | Nlle-Écosse (Voyageurs) | AHL | 7 | 1 | 0 | 1 | 0 | 6 | 1 | 1 | 2 | 2 |
| 1982-83 | Nlle-Écosse (Voyageurs) | AHL | 76 | 8 | 20 | 28 | 14 | 7 | 0 | 1 | 1 | 2 |
| 1983-84 | Nlle-Écosse (Voyageurs) | AHL | 15 | 8 | 4 | 12 | 2 | - | - | - | - | - |
| 1984-85 | Sherbrooke (Canadien) | AHL | 69 | 18 | 24 | 42 | 16 | 17 | 4 | 8 | 12 | 8 |
| | **Montréal (Canadiens)** | LNH | 6 | 0 | 1 | 1 | 0 | - | - | - | - | - |
| | **LNH** | | 6 | 0 | 1 | 1 | 0 | - | - | - | - | - |
| | **Montréal** | | 6 | 0 | 1 | 1 | 0 | - | - | - | - | - |

• Coupe Calder (AHL) en 1984-85

688

| | | | SAISONS RÉGULIÈRES | | | | | SÉRIES ÉLIMINATOIRES | | | | |
|---|---|---|---|---|---|---|---|---|---|---|---|---|
| SAISON | CLUB | LIGUE | PJ | B | A | PTS | PUN | PJ | B | A | PTS | PUN |

## TESSIER, ORVAL
**Né à Cornwall, Ontario, le 30 juin 1933. Centre, lance de la gauche, 5'8", 160 lb**

| SAISON | CLUB | LIGUE | PJ | B | A | PTS | PUN | PJ | B | A | PTS | PUN |
|---|---|---|---|---|---|---|---|---|---|---|---|---|
| 951-52 | Kitchener (Greenshirts) | OHA Jr | 52 | *62 | 25 | 87 | 18 | 4 | 3 | 1 | 4 | 8 |
| 1952-53 | Kitchener/Barrie | OHA Jr | 55 | 54 | 40 | 94 | 19 | 15 | 7 | 13 | 20 | 12 |
| | Barrie (Flyers) | Mem. | 10 | 10 | 18 | 28 | 14 | | | | | |
| 1953-54 | Montréal (Royals) | LHQ | 60 | 21 | 18 | 39 | 13 | 9 | 2 | 1 | 3 | 6 |
| 1954-55 | Montréal (Royals) | LHQ | 60 | *36 | 30 | 66 | 8 | 12 | 4 | 7 | 11 | 0 |
| | **Montréal (Canadiens)** | LNH | 4 | 0 | 0 | 0 | 0 | – | – | – | – | – |
| 1955-56 | Boston (Bruins) | LNH | 23 | 3 | 3 | 6 | 6 | | | | | |
| | Hershey (Bears) | AHL | 2 | 0 | 1 | 1 | 0 | | | | | |
| | Québec (As) | LHQ | 28 | 5 | 10 | 15 | 4 | 7 | 1 | 2 | 3 | 2 |
| 1956-57 | Québec (As) | LHQ | 36 | *43 | 38 | *81 | 24 | 10 | 7 | 5 | 12 | 0 |
| | Québec (As) | Edin. | 6 | *9 | 5 | *12 | 0 | | | | | |
| 1957-58 | Springfield (Indians) | AHL | 12 | 5 | 3 | 8 | 2 | | | | | |
| 1958-59 | Trois-Rivières (Lions) | LHQ | 62 | 27 | 39 | 66 | 4 | 8 | 2 | 3 | 5 | 9 |
| 1959-60 | Kingston (Frontenacs) | EPHL | 70 | *59 | *67 | *126 | 10 | | | | | |
| 1960-61 | Boston (Bruins) | LNH | 32 | 3 | 4 | 7 | 0 | | | | | |
| | Kingston (Frontenacs) | EPHL | 34 | 22 | 21 | 43 | 6 | 5 | 4 | 2 | 6 | 0 |
| 1961-62 | Kingston (Frontenacs) | EPHL | 66 | *54 | 60 | *114 | 12 | 11 | 5 | 9 | 14 | 0 |
| 1962-63 | Portland (Buckaroos) | WHL | 36 | 15 | 21 | 36 | 9 | 7 | 0 | 0 | 0 | 0 |
| 1963-64 | Portland (Buckaroos) | WHL | 66 | 14 | 34 | 48 | 4 | 5 | 1 | 2 | 3 | 0 |
| 1964-65 | Clinton (Comets) | EHL | 66 | 60 | 58 | 118 | 6 | 8 | 11 | 5 | 16 | 2 |
| | | **LNH** | 59 | 5 | 7 | 12 | 6 | – | – | – | – | – |
| | | **Montréal** | 4 | 0 | 0 | 0 | 0 | – | – | – | – | – |

• Coupe Memorial en 1952-53 • Première équipe d'étoiles (LHQ) en 1954-55, 1956-57 • Trophée du Président (LHQ) en 1956-57 • Deuxième équipe d'étoiles (LHQ) en 1958-59 • Nommé joueur le plus utile (EPHL) en 1961-62 • Deuxième équipe d'étoiles, division nord (EHL) en 1965
• Réclamé par Boston de Montréal (Royals – LHQ) lors du repêchage inter-ligues le 30 mai 1955 • Droits vendus à Montréal par Boston (Portland – WHL) en août 1964

## THIBAUDEAU, GILLES
**Né à Montréal, Québec, le 4 mars 1963. Centre, lance de la gauche, 5'10", 165 lb**

| SAISON | CLUB | LIGUE | PJ | B | A | PTS | PUN | PJ | B | A | PTS | PUN |
|---|---|---|---|---|---|---|---|---|---|---|---|---|
| 1983-84 | Saint-Antoine (Saints) | LHJQ B | 38 | 63 | 77 | 140 | 146 | – | – | – | – | – |
| 1984-85 | Sherbrooke (Canadien) | AHL | 7 | 2 | 4 | 6 | 2 | | | | | |
| | Flint (Generals) | IHL | 71 | 52 | 45 | 97 | 81 | 7 | 3 | 1 | 4 | 18 |
| 1985-86 | Sherbrooke (Canadien) | AHL | 61 | 15 | 23 | 38 | 20 | | | | | |
| 1986-87 | Sherbrooke (Canadien) | AHL | 62 | 27 | 40 | 67 | 26 | | | | | |
| | **Montréal (Canadiens)** | LNH | 9 | 1 | 3 | 4 | 0 | | | | | |
| 1987-88 | Sherbrooke (Canadien) | AHL | 59 | 39 | 57 | 96 | 45 | | | | | |
| | **Montréal (Canadiens)** | LNH | 17 | 5 | 6 | 11 | 0 | 8 | 3 | 3 | 6 | 2 |
| 1988-89 | **Montréal (Canadiens)** | LNH | 32 | 6 | 6 | 12 | 6 | | | | | |
| 1989-90 | New York (Islanders) | LNH | 20 | 4 | 4 | 8 | 17 | | | | | |
| | Springfield (Indians) | AHL | 6 | 5 | 8 | 13 | 0 | | | | | |
| | Toronto (Maple Leafs) | LNH | 21 | 7 | 11 | 18 | 13 | | | | | |
| | Newmarket (Saints) | AHL | 10 | 7 | 13 | 20 | 4 | | | | | |
| 1990-91 | Toronto (Maple Leafs) | LNH | 20 | 2 | 7 | 9 | 4 | | | | | |
| | Newmarket (Saints) | AHL | 60 | 34 | 37 | 71 | 28 | | | | | |
| 1991-92 | HC Lugano | SUI | 33 | 29 | 17 | 46 | 12 | 4 | 6 | 3 | 9 | 2 |
| 1992-93 | HC Davos | SUI 2 | 36 | *51 | 25 | 76 | | – | – | – | – | – |
| 1993-94 | HC Davos | SUI 2 | 36 | 32 | 15 | 47 | 8 | 4 | 2 | 0 | 2 | 6 |
| 1994-95 | HC Davos | SUI | 36 | 17 | 20 | 37 | 24 | 5 | 5 | 4 | 9 | 0 |
| | Canada | Éq. nat. | 3 | 1 | 1 | 2 | 0 | | | | | |
| 1995-96 | SC Rapperswill-Jona | SUI | 36 | 26 | 27 | 53 | 12 | 4 | 4 | 1 | 5 | 4 |
| 1996-97 | SC Rapperswill-Jona | SUI | 45 | 25 | 16 | 41 | 26 | 3 | 0 | 1 | 1 | 25 |
| 1997-98 | SC Rapperswill-Jona | SUI | 40 | 18 | 29 | 47 | 32 | 7 | 6 | 3 | 9 | 2 |
| 1998-99 | HC Sierre | SUI 2 | 35 | 21 | 25 | 46 | 26 | 3 | 2 | 1 | 3 | 2 |
| 1999-20 | HC Sierre | SUI 2 | 35 | 23 | 19 | 42 | 40 | | | | | |
| 2000-01 | Laval (Chiefs) | LHSPQ | 23 | 10 | 9 | 19 | 8 | | | | | |
| | | **LNH** | 119 | 25 | 37 | 62 | 40 | 8 | 3 | 3 | 6 | 2 |
| | | **Montréal** | 58 | 12 | 15 | 27 | 6 | 8 | 3 | 3 | 6 | 2 |

• Deuxième équipe d'étoiles (IHL) en 1984-85 • Trophée Garry-F.-Longman (IHL) en 1984-85
• Signe avec Montréal comme agent libre le 9 octobre 1984 • Signe avec New York (Islanders) comme agent libre le 26 septembre 1989 • Échangé à Toronto par New York (Islanders) avec Mike Stevens pour Jack Capuano, Paul Gagné et Derek Laxdal le 20 décembre 1989

## THIBEAULT, LAURENCE LORRAIN
**Né à Charletone, Ontario, le 2 octobre 1918. Ailier gauche, lance de la gauche, 5'7", 180 lb**

| SAISON | CLUB | LIGUE | PJ | B | A | PTS | PUN | PJ | B | A | PTS | PUN |
|---|---|---|---|---|---|---|---|---|---|---|---|---|
| 1936-37 | Cornwall (Flyers) | OCHL | 23 | 3 | 4 | 7 | 10 | 6 | 0 | 0 | 0 | 0 |
| 1937-38 | Hull (Volants) | OCHL | 20 | 10 | 4 | 14 | 6 | 9 | 2 | 2 | 4 | 5 |
| 1938-39 | Hull (Volants) | OCHL | 9 | 15 | 2 | 17 | 14 | | | | | |
| | Springfield (Indians) | IAHL | 8 | 0 | 1 | 1 | 7 | 3 | 0 | 0 | 0 | 0 |
| 1939-40 | Springfield (Indians) | IAHL | 29 | 11 | 14 | 25 | 6 | 3 | 0 | 0 | 0 | 2 |
| 1940-41 | Springfield (Indians) | AHL | 54 | 14 | 18 | 32 | 32 | 3 | 1 | 0 | 1 | 2 |
| 1941-42 | Cornwall (Flyers) | LHSQ | 36 | 17 | 18 | 35 | 45 | 5 | 1 | 4 | 5 | 6 |
| 1942-43 | Cornwall (Flyers) | LHSQ | 33 | 21 | 27 | *48 | 23 | 6 | 1 | 2 | 3 | 6 |
| 1943-44 | Buffalo (Bisons) | AHL | 51 | 18 | 45 | 63 | 46 | 9 | 7 | 10 | 17 | 14 |
| 1944-45 | Indianapolis (Capitols) | AHL | 31 | 2 | 12 | 14 | 20 | 2 | 0 | 0 | 0 | 2 |
| | Detroit (Red Wings) | LNH | 4 | 0 | 2 | 2 | 0 | | | | | |
| 1945-46 | **Montréal (Canadiens)** | LNH | 1 | 0 | 0 | 0 | 0 | | | | | |
| | Buffalo (Bisons) | AHL | 6 | 2 | 1 | 3 | 6 | | | | | |
| | Hull (Volants) | LHSQ | 25 | 9 | 18 | 27 | 48 | | | | | |
| 1946-47 | Victoriaville (Tigers) | LHPQ | 35 | 21 | 41 | 62 | 40 | 3 | 3 | 2 | 5 | 2 |
| 1947-48 | Houston (Huskies) | USHL | 38 | 20 | 21 | 41 | 50 | 4 | 0 | 0 | 0 | 0 |
| 1948-49 | Houston (Huskies) | USHL | 22 | 5 | 9 | 14 | 18 | | | | | |
| | San Diego (Skyhawks) | PCHL | 15 | 6 | 4 | 10 | 18 | | | | | |
| 1949-50 | Victoria (Cougars) | AHL | 66 | 20 | 28 | 48 | 46 | | | | | |
| 1950-51 | Buckingham (Beavers) | ECSHL | *N'a pas joué – Entraîneur* | | | | | | | | | |
| 1951-52 | Buckingham (Beavers) | ECSHL | 24 | 10 | 16 | 26 | 24 | | | | | |
| | Thurso Lumber (Kings) | ECSHL | 10 | 3 | 5 | 8 | 15 | 6 | 1 | 1 | 2 | 4 |
| 1952-53 | Thurso Lumber (Kings) | ECSHL | *Statistiques non disponibles* | | | | | | | | | |
| 1953-54 | Edmonton (Flyers) | WHL | 61 | 4 | 8 | 12 | 16 | 13 | 2 | 1 | 3 | 2 |
| 1954-55 | Québec (As) | LHQ | 39 | 1 | 8 | 9 | 27 | 1 | 0 | 0 | 0 | 0 |
| 1955-56 | Québec (As) | LHQ | 28 | 1 | 5 | 6 | 12 | | | | | |
| | | **LNH** | 5 | 0 | 2 | 2 | 2 | – | – | – | – | – |
| | | **Montréal** | 1 | 0 | 0 | 0 | 0 | – | – | – | – | – |

• Signe avec Detroit le 21 octobre 1944 • Droits vendus à Buffalo (AHL) par Detroit le 17 octobre 1945 • Prêté à Montréal par Buffalo (AHL) pour le prêt de Wielf Field, Ken Mosdell et Frank Eddolls le 29 octobre 1945 • Réintégré comme amateur le 6 novembre 1945 • Signe avec Hull (LHSQ) en novembre 1945

## THOMSON, RHYS
**Né à Toronto, Ontario, le 9 août 1918, décédé. Défenseur, lance de la gauche, 6'1", 195 lb**

| SAISON | CLUB | LIGUE | PJ | B | A | PTS | PUN | PJ | B | A | PTS | PUN |
|---|---|---|---|---|---|---|---|---|---|---|---|---|
| 1935-36 | Toronto (Rangers) | OHA B | 9 | 3 | 2 | 5 | 20 | 2 | 0 | 0 | 0 | 2 |
| 1936-37 | Toronto (Rangers) | OHA B | 11 | 1 | 2 | 3 | 13 | 3 | 0 | 0 | 0 | 2 |
| 1937-38 | Toronto (Rangers) | OHA Jr | 9 | 5 | 2 | 7 | 13 | 3 | 2 | 1 | 3 | 8 |
| 1838-39 | New Haven (Eagles) | IAHL | 19 | 1 | 3 | 4 | 11 | | | | | |
| 1939-40 | New Haven (Eagles) | IAHL | 18 | 0 | 1 | 1 | 10 | | | | | |
| | **Montréal (Canadiens)** | LNH | 7 | 0 | 0 | 0 | 16 | | | | | |
| 1940-41 | Springfield (Indians) | AHL | 51 | 3 | 7 | 10 | 30 | | | | | |
| 1941-42 | Springfield (Indians) | AHL | 56 | 1 | 16 | 17 | 57 | 3 | 0 | 0 | 0 | 2 |
| 1942-43 | Providence (Reds) | AHL | 23 | 2 | 12 | 14 | 48 | 2 | 0 | 0 | 0 | 0 |
| | Toronto (Maple Leafs) | LNH | 18 | 0 | 2 | 2 | 22 | | | | | |
| 1943-44 | Kingston (Frontenacs) | OHA Sr | 2 | 0 | 0 | 0 | 4 | | | | | |
| | Petawawa (Grenades) | UOVHL | 5 | 1 | 6 | 7 | 17 | | | | | |
| 1944-45 | Toronto Army Daggers | OHA Sr | 2 | 1 | 3 | 4 | | | | | | |
| | Toronto Army Daggers | TNDHL | – | – | – | – | – | 2 | 1 | 3 | 4 | 2 |
| | Toronto Army Shamrocks | TIHL | 18 | 2 | 4 | 6 | 26 | 1 | 0 | 2 | 2 | 0 |
| 1945-46 | Toronto (Staffords) | TIHL | 18 | 2 | 17 | 19 | 10 | 2 | 0 | 2 | 2 | 4 |
| | | **LNH** | 25 | 0 | 2 | 2 | 38 | – | – | – | – | – |
| | | **Montréal** | 7 | 0 | 0 | 0 | 16 | – | – | – | – | – |

• Signe avec New Haven (IAHL) le 18 janvier 1939 • Prêté à Montréal par New Haven (IAHL) le 11 février 1940 • Droits vendus à Springfield (AHL) du New Haven (AHL) en octobre 1940

## THORNTON, SCOTT
**Né à London, Ontario, le 9 janvier 1971. Centre, lance de la gauche, 6'3", 216 lb**
*(1er choix de Toronto, 3e au total lors du repêchage de 1989)*

| SAISON | CLUB | LIGUE | PJ | B | A | PTS | PUN | PJ | B | A | PTS | PUN |
|---|---|---|---|---|---|---|---|---|---|---|---|---|
| 1986-87 | London Diamonds | OJHL B | 31 | 11 | 6 | 17 | 10 | | | | | |
| 1987-88 | Belleville (Bulls) | OHL | 62 | 11 | 19 | 30 | 54 | 6 | 0 | 1 | 1 | 2 |
| 1988-89 | Belleville (Bulls) | OHL | 59 | 28 | 34 | 62 | 103 | 5 | 1 | 1 | 2 | 6 |
| 1989-90 | Belleville (Bulls) | OHL | 47 | 21 | 28 | 49 | 91 | 11 | 2 | 10 | 12 | 15 |
| | Canada | CMJ | 7 | 3 | 1 | 4 | 0 | | | | | |
| | Toronto (Maple Leafs) | LNH | 33 | 1 | 3 | 4 | 30 | | | | | |
| | Newmarket (Saints) | AHL | 5 | 1 | 0 | 1 | 4 | | | | | |
| 1991-92 | Cap-Breton (Oilers) | AHL | 49 | 9 | 14 | 23 | 40 | 5 | 1 | 0 | 1 | 8 |
| | Edmonton (Oilers) | LNH | 15 | 0 | 1 | 1 | 43 | 1 | 0 | 0 | 0 | 0 |
| 1992-93 | Cap-Breton (Oilers) | AHL | 58 | 23 | 27 | 50 | 102 | 4 | 2 | 3 | 5 | 35 |
| | Edmonton (Oilers) | LNH | 9 | 0 | 1 | 1 | 0 | | | | | |
| 1993-94 | Cap-Breton (Oilers) | AHL | 2 | 1 | 1 | 2 | 31 | | | | | |
| | Edmonton (Oilers) | LNH | 61 | 4 | 7 | 11 | 104 | | | | | |
| 1994-95 | Edmonton (Oilers) | LNH | 47 | 10 | 12 | 22 | 89 | | | | | |
| 1995-96 | Edmonton (Oilers) | LNH | 77 | 9 | 9 | 18 | 149 | | | | | |
| 1996-97 | **Montréal (Canadiens)** | LNH | 73 | 10 | 10 | 20 | 128 | 5 | 1 | 0 | 1 | 2 |
| 1997-98 | **Montréal (Canadiens)** | LNH | 67 | 6 | 9 | 15 | 158 | 9 | 0 | 2 | 2 | 10 |
| 1998-99 | **Montréal (Canadiens)** | LNH | 47 | 7 | 4 | 11 | 87 | | | | | |
| | Canada | CM | 5 | 3 | 6 | 9 | 4 | | | | | |
| 1999-20 | **Montréal (Canadiens)** | LNH | 35 | 2 | 3 | 5 | 70 | | | | | |
| | Dallas (Stars) | LNH | 30 | 6 | 3 | 9 | 38 | 23 | 2 | 7 | 9 | 28 |
| 2000-01 | San Jose (Sharks) | LNH | 73 | 19 | 17 | 36 | 114 | 6 | 3 | 0 | 3 | 8 |
| 2001-02 | San Jose (Sharks) | LNH | 77 | 26 | 16 | 42 | 116 | 12 | 3 | 3 | 6 | 16 |
| 2002-03 | San Jose (Sharks) | LNH | 41 | 9 | 12 | 21 | 41 | | | | | |
| | | **LNH** | 685 | 109 | 107 | 216 | 1167 | 56 | 9 | 12 | 21 | 54 |
| | | **Montréal** | 222 | 25 | 26 | 51 | 443 | 14 | 1 | 2 | 3 | 12 |

• Médaille d'or (CMJ) en 1991
• Échangé à Edmonton par Toronto avec Vincent Damphousse, Peter Ing, Luke Richardson et des considérations futures pour Grant Fuhr, Glenn Anderson et Craig Berube le 19 septembre 1991 • Échangé à Montréal par Edmonton pour Andrei Kovalenko le 6 septembre 1996 • Échangé à Dallas par Montréal pour Juha Lind le 22 janvier 2000 • Signe avec San Jose comme agent libre le 1er juillet 2000

## TRADER, LARRY
**Né à Barry's Bay, Ontario, le 7 juillet 1963. Défenseur, lance de la gauche, 6'1", 180 lb**
*(3e choix de Detroit, 86e au total lors du repêchage de 1981)*

| SAISON | CLUB | LIGUE | PJ | B | A | PTS | PUN | PJ | B | A | PTS | PUN |
|---|---|---|---|---|---|---|---|---|---|---|---|---|
| 1979-80 | Gloucester (Rangers) | LHJQ | 50 | 11 | 22 | 33 | 70 | | | | | |
| 1980-81 | London (Knights) | OHA | 68 | 5 | 23 | 28 | 132 | | | | | |
| 1981-82 | London (Knights) | OHL | 68 | 19 | 37 | 56 | 161 | 4 | 0 | 1 | 1 | 6 |
| 1982-83 | London (Knights) | OHL | 39 | 16 | 28 | 44 | 67 | 3 | 0 | 1 | 1 | 6 |
| | Canada | CMJ | 7 | 2 | 3 | 5 | 0 | | | | | |
| | Detroit (Red Wings) | LNH | 15 | 0 | 2 | 2 | 0 | | | | | |
| 1983-84 | Adirondack (Red Wings) | AHL | 80 | 13 | 28 | 41 | 89 | 6 | 1 | 2 | 3 | 4 |
| 1984-85 | Detroit (Red Wings) | LNH | 40 | 3 | 7 | 10 | 37 | | | | | |
| | Adirondack (Red Wings) | AHL | 6 | 1 | 2 | 3 | 6 | | | | | |
| 1985-86 | Adirondack (Red Wings) | AHL | 64 | 10 | 46 | 56 | 77 | 17 | 6 | *16 | *22 | 14 |

| Saison | Club | Ligue | SAISONS RÉGULIÈRES | | | | | SÉRIES ÉLIMINATOIRES | | | | |
|---|---|---|---|---|---|---|---|---|---|---|---|---|
| | | | PJ | B | A | PTS | PUN | PJ | B | A | PTS | PUN |
| 1986-87 | Canada | Éq. nat. | 48 | 4 | 16 | 20 | 56 | - | - | - | - | - |
| | St. Louis (Blues) | LNH | 5 | 0 | 0 | 0 | 8 | | | | | |
| 1987-88 | St. Louis (Blues) | LNH | 1 | 0 | 0 | 0 | 2 | | | | | |
| | **Montréal (Canadiens)** | LNH | 30 | 2 | 4 | 6 | 19 | | | | | |
| | Sherbrooke (Canadien) | AHL | 11 | 2 | 2 | 4 | 25 | | | | | |
| 1988-89 | Binghamton (Whalers) | AHL | 65 | 11 | 40 | 51 | 72 | | | | | |
| 1989-90 | KAC Klagenfurt | AUT | 35 | 12 | 22 | 34 | 79 | | | | | |
| 1990-91 | SG Bruneck | ITA | 36 | 8 | 23 | 31 | 44 | 6 | 5 | 4 | 9 | 18 |
| 1991-92 | SG Bruneck | Alpes | 18 | 3 | 13 | 16 | 56 | | | | | |
| | SG Bruneck | ITA | 18 | 2 | 12 | 14 | 29 | 3 | 1 | 4 | 5 | 2 |
| 1992-93 | SG Bruneck | Alpes | 19 | 2 | 15 | 17 | 83 | | | | | |
| | EK Zell-am-Zee | AUT | 4 | 1 | 1 | 2 | - | | | | | |
| | SG Bruneck | ITA | 14 | 10 | 13 | 23 | 18 | 3 | 1 | 1 | 2 | 6 |
| 1993-94 | HC Varese | ITA | 4 | 1 | 3 | 4 | 8 | 3 | 1 | 1 | 1 | 32 |
| | **LNH** | | 91 | 5 | 13 | 18 | 74 | 3 | 0 | 0 | 0 | 0 |
| | **Montréal** | | 30 | 2 | 4 | 6 | 19 | | | | | |

• **Médaille de bronze (CMJ) en 1983** • **Deuxième équipe d'étoiles (AHL) en 1985-86**
• Échangé à St. Louis pour Lee Norwood le 7 août 1986 • Échangé à Montréal par St. Louis avec le choix de 3e ronde de St. Louis au repêchage de 1989 (Pierre Sevigny) pour Gaston Gingras et le choix de 3e ronde de Montréal au repêchage de 1989 (cédé à Winnipeg qui sélectionne Kris Draper) le 13 octobre 1987 • Signe avec Hartford comme agent libre le 3 août 1988

## TRAPP, ROBERT (BOB)

Né à Pembroke, Ontario, le 16 décembre 1899, décédé le 20 novembre 1979
Défenseur, lance de la gauche, 5'10", 170 lb

| Saison | Club | Ligue | PJ | B | A | PTS | PUN | PJ | B | A | PTS | PUN |
|---|---|---|---|---|---|---|---|---|---|---|---|---|
| 1914-15 | Toronto (R & AA) | OHA Sr | *Statistiques non disponibles* | | | | | | | | | |
| 1915-16 | Toronto (R & AA) | OHA Sr | 8 | 4 | 0 | 4 | - | | | | | |
| 1916-17 | | | *Service militaire* | | | | | | | | | |
| 1917-18 | | | *Service militaire* | | | | | | | | | |
| 1918-19 | Toronto (Veterans) | OHA Sr | 3 | 2 | 1 | 3 | 0 | | | | | |
| 1919-20 | Edmonton (Eskimos) | Big 4 | 12 | 2 | 4 | 6 | - | 2 | 0 | 0 | 0 | 0 |
| 1920-21 | Edmonton (Dominions) | Big 4 | 16 | 6 | 1 | 7 | 2 | | | | | |
| 1921-22 | Edmonton (Eskimos) | WCHL | 24 | 5 | 4 | 9 | 5 | 2 | 1 | 0 | 1 | 0 |
| 1922-23 | Edmonton (Eskimos) | WCHL | 26 | 5 | 5 | 10 | 14 | 4 | 0 | 1 | 1 | 2 |
| 1923-24 | Edmonton (Eskimos) | WCHL | 30 | 4 | 0 | 4 | 20 | | | | | |
| 1924-25 | Edmonton (Eskimos) | WCHL | 27 | 8 | 11 | 19 | 33 | | | | | |
| 1925-26 | Portland (Rosebuds) | WHL | 30 | 4 | 12 | 16 | 59 | | | | | |
| 1926-27 | Chicago (Black Hawks) | LNH | 44 | 4 | 2 | 6 | 92 | 2 | 0 | 0 | 0 | 4 |
| 1927-28 | Chicago (Black Hawks) | LNH | 38 | 0 | 2 | 2 | 37 | | | | | |
| 1928-29 | Tulsa (Oilers) | AHA | 40 | 4 | 10 | 14 | 30 | 4 | 1 | 0 | 1 | 14 |
| 1929-30 | Tulsa (Oilers) | AHA | 23 | 1 | 3 | 4 | 10 | | | | | |
| 1930-31 | Tulsa (Oilers) | AHA | 45 | 8 | 13 | 21 | 54 | 4 | 0 | 0 | 0 | 2 |
| 1931-32 | Tulsa (Oilers) | AHA | 25 | 4 | 3 | 7 | 30 | | | | | |
| | Providence (Reds) | Can-Am | 14 | 2 | 3 | 5 | 22 | 5 | 0 | 2 | 2 | 6 |
| 1932-33 | Providence (Reds) | Can-Am | 44 | 3 | 11 | 14 | 50 | 2 | 1 | 0 | 1 | 0 |
| | **Montréal (Canadiens)** | LNH | 1 | 0 | 0 | 0 | 0 | | | | | |
| 1933-34 | Providence (Reds) | Can-Am | 17 | 0 | 1 | 1 | 2 | | | | | |
| | **LNH** | | 83 | 4 | 4 | 8 | 129 | 2 | 0 | 0 | 0 | 4 |
| | **Montréal** | | 1 | 0 | 0 | 0 | 0 | | | | | |

• **Deuxième équipe d'étoiles (WCHL) en 1921-22** • **Première équipe d'étoiles (WCHL) en 1922-23** • **Première équipe d'étoiles (WHL) en 1923-24**
• Signe avec Edmonton (WCHL) le 5 décembre 1921 • Échangé à Portland (WHL) par Edmonton (WHL) avec Joe McCormick pour Eddie Shore et Art Gagné le 7 octobre 1925 • Achat de la concession de Portland (WHL) par Chicago le 16 mai 1926 • Prêté à Montréal par Providence (Can-AM) avec Gissy Hart et Art Alexandre le 6 février 1933

## TRAVERSE, PATRICK

Né à Montréal, Québec, le 14 mars 1974. Défenseur, lance de la gauche, 6'4", 223 lb
(3e choix d'Ottawa, 50e au total lors du repêchage de 1992)

| Saison | Club | Ligue | PJ | B | A | PTS | PUN | PJ | B | A | PTS | PUN |
|---|---|---|---|---|---|---|---|---|---|---|---|---|
| 1990-91 | Montreal-Bourassa | QAAA | 42 | 4 | 19 | 23 | 10 | 5 | 0 | 3 | 3 | 2 |
| 1991-92 | Shawinigan (Cataractes) | LHJMQ | 59 | 3 | 11 | 14 | 14 | 10 | 0 | 1 | 1 | 0 |
| 1992-93 | Shawinigan (Cataractes) | LHJMQ | 53 | 5 | 24 | 29 | 24 | - | - | - | - | - |
| | New Haven (Senators) | AHL | 2 | 0 | 0 | 0 | 2 | | | | | |
| | Saint-Jean (Lynx) | LHJMQ | 15 | 1 | 6 | 7 | 0 | 4 | 0 | 1 | 1 | 2 |
| 1993-94 | Saint-Jean (Lynx) | LHJMQ | 66 | 15 | 37 | 52 | 30 | 5 | 0 | 4 | 4 | 4 |
| | I.P.É. (Senators) | AHL | 3 | 0 | 1 | 1 | 2 | | | | | |
| 1994-95 | I.P.É. (Senators) | AHL | 70 | 5 | 13 | 18 | 19 | 7 | 0 | 2 | 2 | 0 |
| 1995-96 | Ottawa (Sénateurs) | LNH | 5 | 0 | 0 | 0 | 0 | | | | | |
| | I.P.É. (Senators) | AHL | 55 | 4 | 21 | 25 | 32 | 5 | 1 | 2 | 3 | 2 |
| 1996-97 | Worcester (IceCats) | AHL | 24 | 0 | 4 | 4 | 23 | | | | | |
| | Grand Rapids (Griffins) | IHL | 50 | 1 | 9 | 10 | | 2 | 0 | 1 | 1 | 2 |
| 1997-98 | Hershey (Bears) | AHL | 71 | 14 | 15 | 29 | 67 | 7 | 1 | 3 | 4 | 4 |
| 1998-99 | Ottawa (Sénateurs) | LNH | 46 | 1 | 9 | 10 | 22 | | | | | |
| 1999-00 | Ottawa (Sénateurs) | LNH | 66 | 6 | 17 | 23 | 21 | 6 | 0 | 0 | 0 | 0 |
| 1999-00 | Canada | CM | 8 | 1 | 0 | 1 | 6 | | | | | |
| 2000-01 | Anaheim (Mighty Ducks) | LNH | 15 | 0 | 1 | 1 | 6 | | | | | |
| | Boston (Bruins) | LNH | 37 | 3 | 5 | 8 | 14 | | | | | |
| | **Montréal (Canadiens)** | LNH | 19 | 2 | 3 | 5 | 10 | | | | | |
| 2001-02 | **Montréal (Canadiens)** | LNH | 25 | 2 | 3 | 5 | 14 | | | | | |
| | Québec (Citadelles) | AHL | 4 | 0 | 2 | 2 | 4 | | | | | |
| 2002-03 | **Montréal (Canadiens)** | LNH | 65 | 0 | 13 | 13 | 24 | | | | | |
| | **LNH** | | 278 | 14 | 51 | 65 | 113 | 6 | 0 | 0 | 0 | 2 |
| | **Montréal** | | 109 | 4 | 19 | 23 | 48 | | | | | |

• Échangé à Anaheim par Ottawa pour Joel Kwiatkowski le 12 juin 2000 • Échangé à Boston par Anaheim avec Andrei Nazarov pour Sami Pahlsson le 18 novembre 2000 • Échangé à Montréal par Boston pour Eric Weinrich le 21 février 2001

## TREMBLAY, GILLES

Né à Montmorency, Québec, le 17 décembre 1938
Ailier gauche, lance de la gauche, 5'10", 175 lb

| Saison | Club | Ligue | PJ | B | A | PTS | PUN | PJ | B | A | PTS | PUN |
|---|---|---|---|---|---|---|---|---|---|---|---|---|
| 1956-57 | Hull-Ottawa (Canadien) | OHA JR | 18 | 3 | 4 | 7 | 2 | - | - | - | - | - |
| | Hull-Ottawa (Canadien) | EOHL | 8 | 0 | 2 | 2 | 4 | | | | | |
| | Hull-Ottawa (Canadien) | LHQ | 14 | 2 | 1 | 3 | 0 | | | | | |
| | Hull-Ottawa (Canadien) | Mem. | 15 | 5 | 4 | 9 | 4 | | | | | |
| 1957-58 | Hull-Ottawa (Canadien) | OHA Jr | 27 | 15 | 12 | 27 | 6 | | | | | |
| | Hull-Ottawa (Canadien) | EOHL | 36 | 13 | 19 | 32 | 10 | | | | | |
| | Hull-Ottawa (Canadien) | Mem. | 13 | 6 | 11 | 17 | 6 | | | | | |
| 1958-59 | Hull-Ottawa (Canadien) | Exh. | *Statistiques non disponibles* | | | | | | | | | |
| | Hull-Ottawa (Canadien) | EOHL | 3 | 1 | 0 | 1 | 4 | 3 | 1 | 0 | 1 | 0 |
| | Rochester (Americans) | AHL | 3 | 1 | 1 | 2 | 2 | | | | | |
| | Hull-Ottawa (Canadien) | Mem. | 9 | 3 | 5 | 8 | 6 | | | | | |
| 1959-60 | Hull-Ottawa (Canadien) | EPHL | 67 | 32 | 51 | 83 | 45 | 7 | 4 | 3 | 7 | 8 |
| 1960-61 | Hull-Ottawa (Canadien) | EPHL | 14 | 9 | 11 | 20 | 12 | | | | | |
| | **Montréal (Canadiens)** | LNH | 45 | 7 | 11 | 18 | 4 | 6 | 1 | 3 | 4 | 0 |
| 1961-62 | **Montréal (Canadiens)** | LNH | 70 | 32 | 22 | 54 | 28 | 6 | 1 | 0 | 1 | 2 |
| 1962-63 | **Montréal (Canadiens)** | LNH | 60 | 25 | 24 | 49 | 42 | 5 | 2 | 0 | 2 | 0 |
| 1963-64 | **Montréal (Canadiens)** | LNH | 61 | 22 | 15 | 37 | 21 | 2 | 0 | 0 | 0 | 0 |
| 1964-65 | **Montréal (Canadiens)** | LNH | 26 | 9 | 7 | 16 | 16 | | | | | |
| 1965-66 | **Montréal (Canadiens)** | LNH | 70 | 27 | 21 | 48 | 24 | 10 | 4 | 5 | 9 | 0 |
| | Match des étoiles | LNH | 1 | 0 | 0 | 0 | 0 | | | | | |
| 1966-67 | **Montréal (Canadiens)** | LNH | 62 | 13 | 19 | 32 | 16 | 10 | 1 | 0 | 1 | 0 |
| | Match des étoiles | LNH | 1 | 0 | 0 | 0 | 0 | | | | | |
| 1967-68 | **Montréal (Canadiens)** | LNH | 71 | 23 | 28 | 51 | 8 | 9 | 1 | 5 | 6 | 2 |
| 1968-69 | **Montréal (Canadiens)** | LNH | 44 | 10 | 15 | 25 | 2 | | | | | |
| | **LNH** | | 509 | 168 | 162 | 330 | 161 | 48 | 9 | 14 | 23 | 4 |
| | **Montréal** | | 509 | 168 | 162 | 330 | 161 | 48 | 9 | 14 | 23 | 4 |

• **Coupe Memorial en 1957-58** • **Match des étoiles (LNH) en 1964-65, 1966-67** • **Coupe Stanley (LNH) en 1965-66, 1967-68**

## TREMBLAY, JEAN-CLAUDE

Né à Bagotville, Québec, le 22 janvier 1939, décédé le 7 décembre 1994
Défenseur, lance de la gauche, 5'11", 190 lb

| Saison | Club | Ligue | PJ | B | A | PTS | PUN | PJ | B | A | PTS | PUN |
|---|---|---|---|---|---|---|---|---|---|---|---|---|
| 1957-58 | Hull-Ottawa (Canadien) | OHA Jr | 24 | 7 | 12 | 19 | 8 | - | - | - | - | - |
| | Hull-Ottawa (Canadien) | EOHL | 34 | 5 | 17 | 22 | 16 | | | | | |
| | Hull-Ottawa (Canadien) | Mem. | 13 | 2 | 5 | 7 | 10 | | | | | |
| 1958-59 | Hull-Ottawa (Canadien) | Exh. | *Statistiques non disponibles* | | | | | | | | | |
| | Hull-Ottawa (Canadien) | EOHL | 26 | 4 | 13 | 17 | 22 | 1 | 0 | 1 | 1 | 9 |
| | Rochester (Americans) | AHL | 3 | 0 | 0 | 0 | 0 | | | | | |
| | Hull-Ottawa (Canadien) | Mem. | 9 | 4 | 5 | 9 | 7 | | | | | |
| 1959-60 | **Montréal (Canadiens)** | LNH | 11 | 0 | 1 | 1 | 0 | | | | | |
| | Match des étoiles | LNH | 1 | 0 | 0 | 0 | 0 | | | | | |
| 1960-61 | Hull-Ottawa (Canadien) | EPHL | 37 | 7 | 33 | 40 | 28 | | | | | |
| | **Montréal (Canadiens)** | LNH | 29 | 1 | 3 | 4 | 18 | 5 | 0 | 0 | 0 | 2 |
| 1961-62 | **Montréal (Canadiens)** | LNH | 70 | 3 | 17 | 20 | 18 | 6 | 0 | 2 | 2 | 2 |
| 1962-63 | **Montréal (Canadiens)** | LNH | 69 | 4 | 17 | 21 | 10 | 5 | 0 | 0 | 0 | 0 |
| 1963-64 | **Montréal (Canadiens)** | LNH | 70 | 5 | 16 | 21 | 24 | 7 | 2 | 1 | 3 | 9 |
| 1964-65 | **Montréal (Canadiens)** | LNH | 68 | 3 | 17 | 20 | 22 | 13 | 1 | 9 | 10 | 18 |
| 1965-66 | **Montréal (Canadiens)** | LNH | 59 | 6 | 29 | 35 | 8 | 10 | 2 | 9 | 11 | 2 |
| | Match des étoiles | LNH | 1 | 0 | 0 | 0 | 0 | | | | | |
| 1966-67 | **Montréal (Canadiens)** | LNH | 60 | 8 | 26 | 34 | 14 | 10 | 2 | 4 | 6 | 2 |
| | Match des étoiles | LNH | 1 | 0 | 0 | 0 | 0 | | | | | |
| 1967-68 | **Montréal (Canadiens)** | LNH | 73 | 4 | 26 | 30 | 18 | 13 | 3 | 6 | 9 | 2 |
| | Match des étoiles | LNH | 1 | 0 | 1 | 1 | 0 | | | | | |
| 1968-69 | **Montréal (Canadiens)** | LNH | 75 | 7 | 32 | 39 | 18 | 1 | 1 | 0 | 1 | 4 |
| | Match des étoiles | LNH | 1 | 0 | 0 | 0 | 0 | | | | | |
| 1969-70 | **Montréal (Canadiens)** | LNH | 58 | 2 | 19 | 21 | 7 | | | | | |
| 1970-71 | **Montréal (Canadiens)** | LNH | 76 | 11 | 52 | 63 | 23 | 20 | 3 | 14 | 17 | 15 |
| | Match des étoiles | LNH | 1 | 0 | 0 | 0 | 0 | | | | | |
| 1971-72 | **Montréal (Canadiens)** | LNH | 76 | 6 | 51 | 57 | 24 | 6 | 0 | 2 | 2 | 0 |
| | Match des étoiles | LNH | 1 | 0 | 1 | 1 | 2 | | | | | |
| 1972-73 | Québec (Nordiques) | AMH | 75 | 14 | *75 | 89 | 32 | | | | | |
| 1973-74 | Québec (Nordiques) | AMH | 68 | 9 | 44 | 53 | 10 | | | | | |
| 1974-75 | Québec (Nordiques) | AMH | 68 | 16 | 56 | 72 | 18 | 11 | 0 | 10 | 10 | 2 |
| | Canada | Défi 74 | 8 | 1 | 4 | 5 | 8 | | | | | |
| 1975-76 | Québec (Nordiques) | AMH | 80 | 12 | *77 | 89 | 16 | 5 | 0 | 3 | 3 | 0 |
| 1976-77 | Québec (Nordiques) | AMH | 53 | 4 | 35 | 39 | 16 | 17 | 2 | 9 | 11 | 2 |
| 1977-78 | Québec (Nordiques) | AMH | 54 | 5 | 37 | 42 | 26 | 1 | 0 | 1 | 1 | 0 |
| 1978-79 | Québec (Nordiques) | AMH | 56 | 6 | 38 | 44 | 8 | | | | | |
| | **LNH** | | 794 | 57 | 306 | 363 | 204 | 108 | 14 | 51 | 65 | 58 |
| | **Montréal** | | 794 | 57 | 306 | 363 | 204 | 108 | 14 | 51 | 65 | 58 |

• **Coupe Memorial en 1957-58** • **Match des étoiles (LNH) en 1959-60, 1965-66, 1966-67, 1967-68, 1968-69, 1970-71, 1971-72** • **Coupe Stanley (LNH) en 1963-64, 1965-66, 1967-68, 1968-69, 1970-71** • **Première équipe d'étoiles (LNH) en 1970-71** • **Deuxième équipe d'étoiles (LNH) en 1967-68** • **Première équipe d'étoiles (AMH) en 1972-73, 1974-75, 1975-76** • **Trophée Dennis-A. Murphy (AMH) en 1972-73, 1974-75** • **Deuxième équipe d'étoiles (AMH) en 1973-74** • **Coupe Avco (AMH) en 1976-77**
• Sélectionné par Los Angeles lors de l'expansion de l'AMH le 12 février 1972 • Échangé à Québec (AMH) par Los Angeles pour des considérations futures le 21 août 1972

## TREMBLAY, MARCEL

Né à St. Boniface, Manitoba, le 4 juillet 1915
Ailier droit, lance de la droite, 5'11", 165 lb

| Saison | Club | Ligue | PJ | B | A | PTS | PUN | PJ | B | A | PTS | PUN |
|---|---|---|---|---|---|---|---|---|---|---|---|---|
| 1932-33 | Winnipeg (Monarchs) | WJHL | 10 | 8 | 1 | 9 | 2 | - | - | - | - | - |
| 1933-34 | Winnipeg (Monarchs) | WJHL | 14 | 6 | 4 | 10 | 2 | 3 | 1 | 1 | 2 | 4 |
| 1934-35 | | | *N'a pas joué* | | | | | | | | | |

## (suite)

| SAISON | CLUB | LIGUE | SAISONS RÉGULIÈRES | | | | | SÉRIES ÉLIMINATOIRES | | | | |
|---|---|---|---|---|---|---|---|---|---|---|---|---|
| | | | PJ | B | A | PTS | PUN | PJ | B | A | PTS | PUN |
| 1935-36 | | | *N'a pas joué* | | | | | | | | | |
| 1936-37 | Flin Flon (Bombers) | N-SSHL | 16 | 11 | 5 | 16 | 14 | 6 | 5 | 2 | 7 | 2 |
| 1937-38 | Flin Flon (Bombers) | N-SSHL | 19 | *19 | 10 | 29 | 22 | - | - | - | - | - |
| 1938-39 | Montréal (Canadiens) | LNH | 10 | 0 | 2 | 2 | 0 | - | - | - | - | - |
| | New Haven (Eagles) | IAHL | 26 | 5 | 13 | 18 | 6 | - | - | - | - | - |
| 1939-40 | New Haven (Eagles) | IAHL | 51 | 23 | 24 | 47 | 23 | 3 | 2 | 0 | 2 | 0 |
| 1940-41 | New Haven (Eagles) | AHL | 48 | 11 | 18 | 29 | 24 | 2 | 0 | 0 | 0 | 0 |
| 1941-42 | New Haven (Eagles) | AHL | 20 | 7 | 5 | 12 | 18 | - | - | - | - | - |
| 1942-43 | | | *Service militaire* | | | | | | | | | |
| 1943-44 | | | *Service militaire* | | | | | | | | | |
| 1944-45 | Montréal (Armée) | LHCM | 2 | 0 | 0 | 0 | 0 | - | - | - | - | - |
| | **LNH** | | 10 | 0 | 2 | 2 | 0 | - | - | - | - | - |
| | **Montréal** | | 10 | 0 | 2 | 2 | 0 | - | - | - | - | - |

• Deuxième équipe d'étoiles (LHSQ) en 1948-49
• Signe avec Montréal le 25 octobre 1938

### TREMBLAY, MARIO

**Né à Alma, Québec, le 2 septembre 1956. Ailier droit, lance de la droite, 6', 190 lb**
**(4e choix de Montréal, 12e au total lors du repêchage de 1974)**

| SAISON | CLUB | LIGUE | SAISONS RÉGULIÈRES | | | | | SÉRIES ÉLIMINATOIRES | | | | |
|---|---|---|---|---|---|---|---|---|---|---|---|---|
| | | | PJ | B | A | PTS | PUN | PJ | B | A | PTS | PUN |
| 1972-73 | Montréal (Bleu-Blanc-Rouge) | LHJMQ | 56 | 43 | 37 | 80 | 155 | 4 | 0 | 1 | 1 | 4 |
| 1973-74 | Montréal (Junior) | LHJMQ | 47 | 49 | 51 | 100 | 154 | 7 | 1 | 3 | 4 | 17 |
| 1974-75 | Nlle-Écosse (Voyageurs) | AHL | 15 | 10 | 8 | 18 | 47 | - | - | - | - | - |
| | **Montréal (Canadiens)** | **LNH** | 63 | 21 | 18 | 39 | 108 | 11 | 0 | 1 | 1 | 7 |
| 1975-76 | **Montréal (Canadiens)** | **LNH** | 71 | 11 | 16 | 27 | 88 | 10 | 0 | 1 | 1 | 27 |
| 1976-77 | **Montréal (Canadiens)** | **LNH** | 74 | 18 | 28 | 46 | 61 | 14 | 3 | 0 | 3 | 9 |
| 1977-78 | **Montréal (Canadiens)** | **LNH** | 56 | 10 | 14 | 24 | 44 | 5 | 2 | 1 | 3 | 16 |
| 1978-79 | **Montréal (Canadiens)** | **LNH** | 76 | 30 | 29 | 59 | 74 | 13 | 3 | 4 | 7 | 13 |
| 1979-80 | **Montréal (Canadiens)** | **LNH** | 77 | 16 | 26 | 42 | 105 | 10 | 0 | 11 | 11 | 14 |
| 1980-81 | **Montréal (Canadiens)** | **LNH** | 77 | 25 | 38 | 63 | 123 | 3 | 0 | 0 | 0 | 9 |
| 1981-82 | **Montréal (Canadiens)** | **LNH** | 80 | 33 | 40 | 73 | 66 | 5 | 4 | 1 | 5 | 24 |
| 1982-83 | **Montréal (Canadiens)** | **LNH** | 80 | 30 | 37 | 67 | 87 | 3 | 0 | 1 | 1 | 7 |
| 1983-84 | **Montréal (Canadiens)** | **LNH** | 67 | 14 | 25 | 39 | 112 | 15 | 3 | 3 | 9 | 31 |
| 1984-85 | **Montréal (Canadiens)** | **LNH** | 75 | 31 | 35 | 66 | 120 | 12 | 2 | 6 | 8 | 30 |
| 1985-86 | **Montréal (Canadiens)** | **LNH** | 56 | 19 | 20 | 39 | 55 | - | - | - | - | - |
| | **LNH** | | 852 | 258 | 326 | 584 | 1043 | 101 | 20 | 29 | 49 | 187 |
| | **Montréal** | | 852 | 258 | 326 | 584 | 1043 | 101 | 20 | 29 | 49 | 187 |

• Coupe Stanley (LNH) en 1975-76, 1976-77, 1977-78, 1978-79, 1985-86

### TREMBLAY, NILS

**Né à Matane, Québec, 26 juillet 1923, décédé**
**Centre, lance de la gauche, 5,8", 155 lb**

| SAISON | CLUB | LIGUE | SAISONS RÉGULIÈRES | | | | | SÉRIES ÉLIMINATOIRES | | | | |
|---|---|---|---|---|---|---|---|---|---|---|---|---|
| | | | PJ | B | A | PTS | PUN | PJ | B | A | PTS | PUN |
| 1941-42 | Québec (As) | LHSQ | 1 | 0 | 1 | 1 | 0 | - | - | - | - | - |
| 1942-43 | Québec (As) | LHSQ | 17 | 8 | 6 | 14 | 8 | - | - | - | - | - |
| 1943-44 | Québec (As) | LHSQ | 25 | 19 | 28 | *47 | 15 | 6 | 5 | 4 | 9 | 2 |
| | Québec (As) | Allan | 9 | 10 | 11 | 21 | 12 | - | - | - | - | - |
| 1944-45 | Québec (As) | LHSQ | 21 | 23 | 31 | *54 | 37 | 7 | 4 | 5 | 9 | 2 |
| | **Montréal (Canadiens)** | **LNH** | 1 | 0 | 1 | 1 | 0 | 2 | 0 | 0 | 0 | 0 |
| | Québec (As) | Allan | 3 | 2 | 4 | 6 | 2 | - | - | - | - | - |
| 1945-46 | Québec (As) | LHSQ | 32 | 19 | 20 | 39 | 51 | 6 | 3 | 5 | 8 | 18 |
| 1946-47 | Québec (As) | LHSQ | 37 | 25 | 35 | 60 | 43 | 4 | 3 | 5 | 8 | 10 |
| 1947-48 | Québec (As) | LHSQ | 2 | 0 | 2 | 2 | 2 | - | - | - | - | - |
| | Seattle (Ironmen) | PCHL | 3 | 0 | 2 | 2 | 12 | - | - | - | - | - |
| 1948-49 | Ottawa (Senators) | LHSQ | 60 | 35 | *71 | 106 | 51 | 11 | 3 | 7 | 10 | 8 |
| | Ottawa (Senators) | Allan | 12 | *11 | *9 | *20 | 2 | - | - | - | - | - |
| 1949-50 | Ottawa (Senators) | LHSQ | 59 | 15 | 38 | 53 | 69 | 7 | 4 | 4 | 8 | 4 |
| 1950-51 | Ottawa (Senators) | LHMQ | 52 | 21 | 29 | 50 | 22 | 11 | 2 | 2 | 4 | 4 |
| 1951-52 | Sherbrooke (Saints) | LHMQ | 47 | 9 | 28 | 37 | 21 | 9 | 2 | 3 | 5 | 4 |
| 1952-53 | Sherbrooke (Saints) | LHMQ | 46 | 13 | 18 | 31 | 21 | 7 | 0 | 5 | 5 | 2 |
| 1953-54 | Rivière-du-Loup (Raiders) | LSSL | 57 | 15 | 33 | 48 | 8 | - | - | - | - | - |
| | **LNH** | | 3 | 0 | 1 | 1 | 0 | 2 | 0 | 0 | 0 | 0 |
| | **Montréal** | | 1 | 0 | 1 | 1 | 0 | 2 | 0 | 0 | 0 | 0 |

• Prêté à Montréal par Québec (LHSQ) le 12 mars 1945 • Prêté à Montréal par Québec (LHSQ) avec Ed Emberg le 21 mars 1945

### TRUDEL, LOUIS

**Né à Salem, Massachusetts, le 21 juillet 1912, décédé le 19 mars 1972**
**Ailier gauche, lance de la gauche, 5'11", 165 lb**

| SAISON | CLUB | LIGUE | SAISONS RÉGULIÈRES | | | | | SÉRIES ÉLIMINATOIRES | | | | |
|---|---|---|---|---|---|---|---|---|---|---|---|---|
| | | | PJ | B | A | PTS | PUN | PJ | B | A | PTS | PUN |
| 1929-30 | Edmonton (Poolers) | EJHL | 2 | *4 | 0 | *4 | 0 | - | - | - | - | - |
| | Edmonton (Poolers) | Mem. | 2 | 1 | 0 | 1 | 4 | - | - | - | - | - |
| 1930-31 | Edmonton (Poolers) | EJHL | 13 | 7 | 3 | 10 | 8 | - | - | - | - | - |
| 1931-32 | Edmonton (Poolers) | EJHL | 10 | 10 | 1 | 11 | - | 4 | *3 | 0 | *3 | 4 |
| | Edmonton (Poolers) | Mem. | 5 | 4 | 0 | 4 | 12 | - | - | - | - | - |
| 1932-33 | St. Paul (Greyhounds) | AHA | 16 | 5 | 4 | 9 | 11 | - | - | - | - | - |
| | Tulsa (Oilers) | AHA | 15 | 5 | 2 | 7 | 8 | 4 | 1 | 0 | 1 | 4 |
| 1933-34 | Chicago (Black Hawks) | LNH | 31 | 1 | 3 | 4 | 13 | 7 | 0 | 0 | 0 | 0 |
| | Syracuse (Stars) | IHL | 5 | 0 | 0 | 0 | 2 | - | - | - | - | - |
| 1934-35 | Chicago (Black Hawks) | LNH | 47 | 11 | 11 | 22 | 28 | 2 | 0 | 0 | 0 | 0 |
| 1935-36 | Chicago (Black Hawks) | LNH | 45 | 1 | 3 | 4 | 27 | - | - | - | - | - |
| 1936-37 | Chicago (Black Hawks) | LNH | 45 | 6 | 12 | 18 | 11 | - | - | - | - | - |
| 1937-38 | Chicago (Black Hawks) | LNH | 42 | 6 | 16 | 22 | 15 | 10 | 0 | 3 | 3 | 2 |
| 1938-39 | **Montréal (Canadiens)** | **LNH** | 31 | 8 | 13 | 21 | 21 | 3 | 1 | 0 | 1 | 0 |
| | New Haven (Eagles) | IAHL | 8 | 6 | 9 | 15 | 7 | - | - | - | - | - |
| 1939-40 | **Montréal (Canadiens)** | **LNH** | 47 | 12 | 7 | 19 | 24 | - | - | - | - | - |
| | Match des étoiles | LNH | 1 | 1 | 0 | 1 | 0 | - | - | - | - | - |
| 1940-41 | **Montréal (Canadiens)** | **LNH** | 16 | 2 | 3 | 5 | 2 | - | - | - | - | - |
| | New Haven (Eagles) | IAHL | 20 | 22 | 13 | 35 | 11 | 2 | 1 | 1 | 2 | 6 |
| 1941-42 | Washington (Lions) | AHL | 54 | *37 | 29 | 66 | 11 | 4 | 1 | 2 | 3 | 0 |
| 1942-43 | Washington (Lions) | AHL | 37 | 21 | 29 | 50 | 7 | - | - | - | - | - |
| | Cleveland (Barons) | AHL | 18 | 8 | 5 | 13 | 0 | 4 | 0 | 1 | 1 | 2 |
| 1943-44 | Cleveland (Barons) | AHL | 52 | 29 | 47 | 76 | 13 | 11 | 4 | 2 | 6 | 2 |
| 1944-45 | Cleveland (Barons) | AHL | 60 | *45 | 48 | 93 | 25 | 12 | 8 | 5 | 13 | 6 |
| 1945-46 | Cleveland (Barons) | AHL | 61 | 33 | 46 | 79 | 24 | 12 | 7 | 4 | 11 | 8 |
| 1946-47 | Cleveland (Barons) | AHL | 50 | 20 | 29 | 49 | 12 | - | - | - | - | - |
| 1947-48 | Cleveland (Barons) | AHL | 13 | 1 | 6 | 7 | 6 | - | - | - | - | - |
| 1948-49 | Cleveland (Royals) | LHSQ | 2 | 0 | 1 | 1 | 0 | 3 | 0 | 0 | 0 | 0 |
| 1949-50 | Cleveland (Knights) | EAHL | *Statistiques non disponibles* | | | | | | | | | |
| 1950-51 | Grand Rapids (Rockets) | IHL | 19 | 10 | 25 | 35 | 10 | 3 | 0 | 0 | 0 | 0 |
| 1951-52 | Grand Rapids (Rockets) | IHL | 17 | 2 | 10 | 12 | 20 | 13 | 2 | 3 | 5 | 12 |
| 1952-53 | Saint-Jérôme (Alouettes) | LHPQ | 62 | 18 | 25 | 43 | - | - | - | - | - | - |
| 1953-54 | Milwaukee (Chiefs) | IHL | 11 | 1 | 6 | 7 | 4 | - | - | - | - | - |
| | **LNH** | | 306 | 49 | 69 | 118 | 122 | 24 | 1 | 3 | 4 | 4 |
| | **Montréal** | | 94 | 22 | 23 | 45 | 28 | 3 | 1 | 0 | 1 | 0 |

• Coupe Stanley (LNH) en 1933-34, 1937-38 • Match des étoiles (LNH) en 1939-40
• Première équipe d'étoiles (AHL) en 1944-45 • Deuxième équipe d'étoiles (AHL) en 1941-42, 1944-45, 1945-46 • Coupe Calder (AHL) en 1944-45
• Échangé à Montréal par Chicago pour Joffre Desilets le 26 août 1938 • Droits vendus à Washington (AHL) par Montréal le 9 octobre 1941 • Échangé à Cleveland (AHL) par Washington (AHL) pour Herb Foster et des considérations futures le 2 février 1943

### TUCKER, DARCY

**Né à Castor, Alberta, le 15 mars 1975. Centre, lance de la gauche, 5'10", 179 lb**
**(8e choix de Montréal, 151e au total lors du repêchage de 1993)**

| SAISON | CLUB | LIGUE | SAISONS RÉGULIÈRES | | | | | SÉRIES ÉLIMINATOIRES | | | | |
|---|---|---|---|---|---|---|---|---|---|---|---|---|
| | | | PJ | B | A | PTS | PUN | PJ | B | A | PTS | PUN |
| 1990-91 | Red Deer (Chiefs) | AAHA | 47 | 70 | 90 | 160 | 48 | - | - | - | - | - |
| 1991-92 | Kamloops (Blazers) | WHL | 26 | 3 | 10 | 13 | 32 | 9 | 0 | 1 | 1 | 16 |
| | Kamloops (Blazers) | Mem. | 3 | 0 | 0 | 0 | 0 | - | - | - | - | - |
| 1992-93 | Kamloops (Blazers) | WHL | 67 | 31 | 58 | 89 | 155 | 13 | 7 | 6 | 13 | 34 |
| | Kamloops (Blazers) | Mem. | 4 | 3 | 6 | 9 | 6 | - | - | - | - | - |
| 1993-94 | Kamloops (Blazers) | WHL | 66 | 52 | 88 | 140 | 143 | 19 | 9 | *18 | *27 | 43 |
| | Kamloops (Blazers) | Mem. | 4 | 2 | 4 | 6 | 4 | - | - | - | - | - |
| | Canada | CMJ | 7 | 0 | 4 | 4 | 0 | - | - | - | - | - |
| 1994-95 | Kamloops (Blazers) | WHL | 64 | 64 | 73 | 137 | 94 | 21 | *16 | 15 | *31 | 19 |
| | Kamloops (Blazers) | Mem. | 4 | 1 | 4 | 6 | 4 | - | - | - | - | - |
| 1995-96 | Fredericton (Canadien) | AHL | 74 | 29 | 64 | 93 | 174 | 7 | 7 | 3 | 10 | 14 |
| | **Montréal (Canadiens)** | **LNH** | 3 | 0 | 0 | 0 | 0 | - | - | - | - | - |
| 1996-97 | **Montréal (Canadiens)** | **LNH** | 73 | 7 | 13 | 20 | 110 | 4 | 0 | 0 | 0 | 0 |
| 1997-98 | **Montréal (Canadiens)** | **LNH** | 39 | 1 | 5 | 6 | 57 | - | - | - | - | - |
| | Tampa Bay (Lightning) | LNH | 18 | 6 | 8 | 14 | 89 | - | - | - | - | - |
| 1998-99 | Tampa Bay (Lightning) | LNH | 82 | 21 | 22 | 43 | 176 | - | - | - | - | - |
| 1999-20 | Tampa Bay (Lightning) | LNH | 50 | 14 | 20 | 34 | 108 | - | - | - | - | - |
| | Toronto (Maple Leafs) | LNH | 27 | 7 | 10 | 17 | 55 | 12 | 4 | 2 | 6 | 15 |
| 2000-01 | Toronto (Maple Leafs) | LNH | 82 | 16 | 21 | 37 | 141 | 11 | 0 | 2 | 2 | 6 |
| 2001-02 | Toronto (Maple Leafs) | LNH | 77 | 24 | 35 | 59 | 92 | 17 | 4 | 4 | 8 | 38 |
| 2002-03 | Toronto (Maple Leafs) | LNH | 77 | 10 | 26 | 36 | 119 | 6 | 0 | 3 | 3 | 6 |
| | **LNH** | | 545 | 106 | 160 | 266 | 947 | 50 | 8 | 11 | 19 | 65 |
| | **Montréal** | | 115 | 8 | 18 | 26 | 167 | 4 | 0 | 0 | 0 | 0 |

• Coupe Memorial en 1991-92, 1993-94, 1994-95 • Première équipe d'étoiles, Division Ouest (WHL) en 1993-94, 1994-95 • Équipe d'étoiles de la coupe Memorial en 1993-94, 1994-95 • Joueur le plus utile de la coupe Memorial en 1993-94 • Trophée Stafford-Smythe (Mem.) en 1993-94 • Médaille d'or (CMJ) en 1995 • Trophée Dudley-Garrett (AHL) en 1995-96
• Échangé à Tampa Bay par Montréal avec Stéphane Richer et David Wilkie pour Patrick Poulin, Mick Vukota et Igor Ulanov le 15 janvier 1998 • Échangé à Toronto par Tampa Bay avec le choix de 4e ronde de Tampa Bay au repêchage de 2000 (Miguel Delisle) et des considérations futures pour Mike Johnson, Marek Posmyk, le 5e choix de Toronto (Pavel Sedov), le choix de 6e ronde (Aaron Gionet) au repêchage de 2000 et des considérations futures le 9 février 2000

### TUDIN, CORNELL (CONNIE)

**Né à Ottawa, Ontario, le 21 septembre 1917, décédé**
**Centre, lance de la gauche, 5'11", 170 lb**

| SAISON | CLUB | LIGUE | SAISONS RÉGULIÈRES | | | | | SÉRIES ÉLIMINATOIRES | | | | |
|---|---|---|---|---|---|---|---|---|---|---|---|---|
| | | | PJ | B | A | PTS | PUN | PJ | B | A | PTS | PUN |
| 1936-37 | Ottawa (Rideaux) | OCJHL | 15 | *31 | *15 | *46 | 4 | 4 | *8 | *4 | *12 | 4 |
| | Ottawa (Rideaux) | Mem. | 4 | 4 | *8 | 16 | 4 | - | - | - | - | - |
| 1937-38 | Amprior (Greenshirts) | UOVHL | 16 | 18 | *17 | *35 | 12 | 3 | 0 | 2 | 2 | 0 |
| | Amprior (Greenshirts) | Allan | 4 | 2 | 8 | 10 | 2 | - | - | - | - | - |
| 1938-39 | Wembley (Lions) | Ln-Cup | 1 | 1 | 2 | 2 | - | - | - | - | - | - |
| | Harringay (Greyhounds) | GBR | - | 6 | 7 | 13 | 14 | - | - | - | - | - |
| | Wembley (Lions) | Éq. nat. | - | 4 | 3 | 7 | 6 | - | - | - | - | - |
| 1939-40 | Lachine (Rapides) | LHPQ | 41 | 27 | 12 | 39 | 76 | 9 | 5 | 4 | 9 | 10 |
| 1940-41 | **Montréal (Canadiens)** | LHSQ | 31 | 11 | 9 | 20 | 52 | - | - | - | - | - |
| | New Haven (Eagles) | AHL | 10 | 2 | 7 | 9 | 2 | 2 | 1 | 0 | 1 | 0 |
| 1941-42 | Washington (Lions) | AHL | 42 | 9 | 12 | 21 | 20 | 2 | 0 | 0 | 0 | 0 |
| | **Montréal (Canadiens)** | **LNH** | 1 | 1 | 0 | 1 | 4 | - | - | - | - | - |
| 1942-43 | Ottawa (RCAF) | OHA Sr | 14 | 15 | 14 | 29 | 19 | 8 | 4 | 3 | 7 | 13 |
| | Ottawa (RCAF) | Allan | 7 | 1 | 2 | 3 | 6 | - | - | - | - | - |
| 1943-44 | Amprior (RCAF) | OHA Sr | 7 | 9 | 12 | 21 | 10 | - | - | - | - | - |
| 1944-45 | Rockcliffe (RCAF) | ONDHL | 12 | 16 | 21 | 37 | 7 | 3 | 7 | 6 | 13 | 4 |
| | Ottawa (Commandos) | LHSQ | 1 | 0 | 0 | 0 | 0 | - | - | - | - | - |
| 1945-46 | Ottawa-Hull | LHSQ | 25 | 9 | 22 | 31 | 2 | - | - | - | - | - |
| | Amprior (Rams) | UOVHL | 4 | 0 | 2 | 2 | 0 | - | - | - | - | - |
| | Ottawa (RCAF) | OCHL | 9 | 0 | 8 | 8 | - | 4 | 0 | 4 | 4 | 0 |
| 1946-47 | Ottawa (Senators) | LHSQ | - | - | - | - | - | - | - | - | - | - |
| | Ottawa (Senators) | UOVHL | 18 | 19 | 15 | 34 | 22 | 9 | 7 | 7 | 14 | 12 |
| 1947-48 | Ottawa (Senators) | LHSQ | 43 | 24 | 30 | 54 | 18 | 12 | *12 | 11 | *23 | 6 |
| | Ottawa (Senators) | Allan | 14 | 4 | 6 | 10 | 10 | - | - | - | - | - |
| 1948-49 | Ottawa (Senators) | LHSQ | 57 | 22 | 36 | 58 | 19 | 11 | 4 | 6 | 10 | 0 |
| | Ottawa (Senators) | Allan | 6 | 3 | 3 | 6 | 6 | - | - | - | - | - |
| 1949-50 | Ottawa (Senators) | LHSQ | 41 | 10 | 14 | 24 | 52 | 7 | 0 | 1 | 1 | 4 |
| 1950-51 | Ottawa (Senators) | LHMQ | 43 | 9 | 23 | 32 | 18 | 5 | 2 | 3 | 5 | 0 |
| 1951-52 | Smith Falls (Rideaux) | ECSHL | 43 | 11 | 33 | 44 | 63 | 5 | 2 | 2 | 4 | 0 |
| 1952-53 | Smith Falls (Rideaux) | ECSHL | 45 | 16 | 27 | 43 | 22 | 13 | *4 | 4 | 8 | 7 |

| SAISON | CLUB | LIGUE | SAISONS RÉGULIÈRES | | | | | SÉRIES ÉLIMINATOIRES | | | | |
|---|---|---|---|---|---|---|---|---|---|---|---|---|
| | | | PJ | B | A | PTS | PUN | PJ | B | A | PTS | PUN |

| SAISON CLUB | LIGUE | PJ | B | A | PTS | PUN | PJ | B | A | PTS | PUN |
|---|---|---|---|---|---|---|---|---|---|---|---|
| Smith Falls (Rideaus) | Allan | 11 | *6 | 4 | 10 | 8 | - | - | - | - | - |
| 1953-54 Brockville (Magadonas) | NYOHL | 30 | 18 | 39 | 57 | 18 | - | - | - | - | - |
| LNH | | 4 | 0 | 1 | 1 | 4 | - | - | - | - | - |
| Montréal | | 4 | 0 | 1 | 1 | 4 | - | - | - | - | - |

• Signe avec Montréal le 25 février 1941 • Prêté à New Haven (AHL) par Montréal le 25 février 1941 • Prêté à Washington (AHL) par Montréal avec Paul Bibeault et Paul Gauthier le 29 octobre 1941

### TURCOTTE, ALFIE

Né à Gary, Indiana, le 5 juin 1965. Centre, lance de la gauche, 5'11", 185 lb
(1er choix de Montréal, 17e au total lors du repêchage de 1983)

| SAISON CLUB | LIGUE | PJ | B | A | PTS | PUN | PJ | B | A | PTS | PUN |
|---|---|---|---|---|---|---|---|---|---|---|---|
| 1981-82 Detroit (Compuware) | MNHL | 93 | 131 | 152 | 283 | 40 | - | - | - | - | - |
| 1982-83 Nanaimo (Islanders) | WHL | 36 | 23 | 27 | 50 | 26 | - | - | - | - | - |
| Portland (Winter Hawks) | WHL | 39 | 26 | 51 | 77 | 26 | 14 | 14 | 18 | 32 | 9 |
| Portland (Winter Hawks) | Mem. | 4 | 5 | 3 | 8 | 6 | - | - | - | - | - |
| 1983-84 Portland (Winter Hawks) | WHL | 32 | 22 | 41 | 63 | 39 | - | - | - | - | - |
| États-Unis | CMJ | 7 | 2 | 9 | 11 | 2 | - | - | - | - | - |
| **Montréal (Canadiens)** | LNH | 30 | 7 | 7 | 14 | 10 | - | - | - | - | - |
| 1984-85 **Montréal (Canadiens)** | LNH | 53 | 8 | 16 | 24 | 35 | 5 | 0 | 0 | 0 | 0 |
| 1985-86 **Montréal (Canadiens)** | LNH | 2 | 0 | 0 | 0 | 0 | - | - | - | - | - |
| Sherbrooke (Canadien) | AHL | 75 | 29 | 36 | 65 | 60 | - | - | - | - | - |
| États-Unis | CM | 9 | 0 | 2 | 2 | 8 | - | - | - | - | - |
| 1986-87 Nlle-Écosse (Oilers) | AHL | 70 | 27 | 41 | 68 | 37 | 5 | 2 | 4 | 6 | 2 |
| 1987-88 Winnipeg (Jets) | LNH | 3 | 0 | 1 | 1 | 0 | - | - | - | - | - |
| Baltimore (Skipjacks) | AHL | 33 | 21 | 33 | 54 | 42 | - | - | - | - | - |
| Moncton (Hawks) | AHL | 25 | 12 | 25 | 37 | 18 | - | - | - | - | - |
| Sherbrooke (Canadien) | AHL | 3 | 3 | 8 | 11 | 4 | - | - | - | - | - |
| 1988-89 Winnipeg (Jets) | LNH | 14 | 1 | 3 | 4 | 2 | - | - | - | - | - |
| Moncton (Hawks) | AHL | 54 | 27 | 39 | 66 | 74 | 10 | 3 | 9 | 12 | 17 |
| 1989-90 Washington (Capitals) | LNH | 4 | 0 | 2 | 2 | 0 | - | - | - | - | - |
| Baltimore (Skipjacks) | AHL | 65 | 26 | 40 | 66 | 42 | 12 | 7 | 9 | 16 | 14 |
| 1990-91 Washington (Capitals) | LNH | 6 | 1 | 1 | 2 | 0 | - | - | - | - | - |
| Baltimore (Skipjacks) | AHL | 65 | 33 | 52 | 85 | 20 | 6 | 3 | 3 | 6 | 4 |
| 1991-92 VSV Villach | AUT | 45 | 43 | *61 | *104 | - | - | - | - | - | - |
| HC Lugano | SUI | - | - | - | - | - | - | - | - | - | - |
| 1992-93 VSV Villach | AUT | 56 | 26 | *75 | 101 | - | - | - | - | - | - |
| 1993-94 VSV Villach | AUT | 51 | 26 | *63 | *89 | - | - | - | - | - | - |
| 1994-95 Frankfurt Lions | GER | 33 | 7 | 40 | 47 | 30 | 11 | 7 | 5 | 12 | 12 |
| 1995-96 Orlando (Solar Bears) | IHL | 73 | 22 | 47 | 69 | 44 | 23 | 3 | 10 | 13 | 8 |
| 1996-97 Schwenningen Wil Wings | GER | 1 | 0 | 0 | 0 | 0 | - | - | - | - | - |
| HC Geneve-Servette | SUI2 | 5 | 1 | 1 | 2 | 4 | - | - | - | - | - |
| HC Lausanne | SUI2 | 45 | 25 | 45 | 70 | 26 | - | - | - | - | - |
| 1997-98 Frankfurt (Lions) | GER | 26 | 4 | 8 | 12 | 0 | 7 | 0 | 0 | 0 | 0 |
| Indianapolis (Ice) | IHL | 17 | 5 | 6 | 11 | 26 | - | - | - | - | - |
| 1998-99 Arkansas (Glaciercats) | WPHL | 1 | 0 | 0 | 0 | 0 | - | - | - | - | - |
| LNH | | 112 | 17 | 29 | 46 | 49 | 5 | 0 | 0 | 0 | 0 |
| Montréal | | 85 | 15 | 23 | 38 | 47 | 5 | 0 | 0 | 0 | 0 |

• Coupe Memorial en 1982-83 • Trophée Stafford-Smythe (Mem.) en 1982-83 • Choisi le joueur par excellence à la Coupe Memorial en 1982-83 • Deuxième équipe d'étoiles (AHL) en 1987-88
• Échangé à Edmonton par Montréal pour des considérations futures le 25 juin 1986 • Droits vendus à Montréal par Edmonton le 14 mai 1987 • Échangé à Winnipeg par Montréal pour des considérations futures le 14 janvier 1988 • Signe avec Boston comme agent libre le 27 juin 1989 • Échangé à Washington par Boston pour Mike Millar le 2 octobre 1989

### TURGEON, PIERRE

Né à Rouyn, Québec, le 28 août 1969. Centre, lance de la gauche, 6'1", 195 lb
(1er choix de Buffalo et 1er au total lors du repêchage de 1987)

| SAISON CLUB | LIGUE | PJ | B | A | PTS | PUN | PJ | B | A | PTS | PUN |
|---|---|---|---|---|---|---|---|---|---|---|---|
| 1984-85 Bourassa (Angevins) | QAAA | 41 | 49 | 52 | 101 | - | - | - | - | - | - |
| 1985-86 Granby (Bisons) | LHJMQ | 69 | 47 | 67 | 114 | 31 | - | - | - | - | - |
| Canada | Éq. nat. | 11 | 2 | 4 | 6 | 2 | - | - | - | - | - |
| 1986-87 Granby (Bisons) | LHJMQ | 58 | 69 | 85 | 154 | 8 | 7 | 9 | 6 | 15 | 15 |
| Canada | CMJ | 6 | 3 | 0 | 3 | 2 | - | - | - | - | - |
| 1987-88 Buffalo (Sabres) | LNH | 76 | 14 | 28 | 42 | 34 | 6 | 4 | 3 | 7 | 4 |
| 1988-89 Buffalo (Sabres) | LNH | 80 | 34 | 54 | 88 | 26 | 5 | 3 | 5 | 8 | 2 |
| 1989-90 Buffalo (Sabres) | LNH | 80 | 40 | 66 | 106 | 29 | 6 | 2 | 4 | 6 | 2 |
| Match des étoiles | LNH | 1 | 2 | 0 | 2 | 0 | - | - | - | - | - |
| 1990-91 Buffalo (Sabres) | LNH | 78 | 32 | 47 | 79 | 26 | 6 | 3 | 1 | 4 | 6 |
| 1991-92 Buffalo (Sabres) | LNH | 8 | 2 | 6 | 8 | 4 | - | - | - | - | - |
| New York (Islanders) | LNH | 69 | 38 | 49 | 87 | 16 | - | - | - | - | - |
| 1992-93 New York (Islanders) | LNH | 83 | 58 | 74 | 132 | 26 | 11 | 6 | 7 | 13 | 0 |
| Match des étoiles | LNH | 1 | 3 | 2 | 5 | 0 | - | - | - | - | - |
| 1993-94 New York (Islanders) | LNH | 69 | 38 | 56 | 94 | 18 | 4 | 0 | 1 | 1 | 0 |
| Match des étoiles | LNH | 1 | 0 | 4 | 4 | 0 | - | - | - | - | - |
| 1994-95 New York (Islanders) | LNH | 34 | 13 | 14 | 27 | 10 | - | - | - | - | - |
| **Montréal (Canadiens)** | LNH | 15 | 11 | 9 | 20 | 4 | - | - | - | - | - |
| 1995-96 **Montréal (Canadiens)** | LNH | 80 | 38 | 58 | 96 | 44 | 6 | 2 | 4 | 6 | 2 |
| Match des étoiles | LNH | 1 | 0 | 1 | 1 | 0 | - | - | - | - | - |
| 1996-97 **Montréal (Canadiens)** | LNH | 9 | 1 | 10 | 11 | 2 | - | - | - | - | - |
| St. Louis (Blues) | LNH | 69 | 25 | 49 | 74 | 12 | 5 | 1 | 1 | 2 | 2 |
| 1997-98 St. Louis (Blues) | LNH | 60 | 22 | 46 | 68 | 24 | 10 | 4 | 4 | 8 | 2 |
| 1998-99 St. Louis (Blues) | LNH | 67 | 31 | 34 | 65 | 36 | 13 | 4 | 9 | 13 | 6 |
| 1999-20 St. Louis (Blues) | LNH | 52 | 26 | 40 | 66 | 8 | 7 | 0 | 7 | 7 | 0 |
| 2000-01 St. Louis (Blues) | LNH | 79 | 30 | 52 | 82 | 37 | 15 | 5 | 10 | 15 | 2 |
| 2001-02 Dallas (Stars) | LNH | 66 | 15 | 32 | 47 | 16 | - | - | - | - | - |
| 2002-03 Dallas (Stars) | LNH | 65 | 12 | 30 | 42 | 18 | 5 | 0 | 1 | 1 | 0 |
| LNH | | 1139 | 480 | 754 | 1234 | 390 | 99 | 34 | 57 | 91 | 28 |
| Montréal | | 104 | 50 | 77 | 127 | 50 | 6 | 2 | 4 | 6 | 2 |

• Troisième équipe d'étoiles (LHJMQ) en 1985-86, 1986-87 • Trophée Michel-Bergeron (LHJMQ) en 1985-86 • Trophée Micheal-Bossy (LHJMQ) en 1986-87 • Trophée Lady-Byng

(LNH) en 1992-93 • Match des étoiles (LNH) en 1989-90, 1992-93, 1993-94, 1995-96
• Échangé à New York (Islanders) par Buffalo avec Uwe Krupp, Dave McLlwain et Benoit Hogue pour Pat LaFontaine, Randy Hillier, Randy Wood et le choix de 4e ronde de New York (Islanders) au repêchage de 1992 (Dean Melanson) le 25 octobre 1991 • Échangé à Montréal par New York (Islanders) avec Vladimir Malakhov pour Kirk Muller, Mathieu Schneider et Craig Darby le 5 avril 1995 • Échangé à St. Louis par Montréal avec Rory Fitzpatrick et Craig Conroy pour Murray Baron, Shayne Corson et le choix de 5e ronde de St. Louis au repêchage de 1997 (Gennady Razin) le 29 octobre 1996 • Signe avec Dallas comme agent libre le 1er juillet 2001

### TURGEON, SYLVAIN

Né à Noranda, Québec, le 17 janvier 1965. Ailier gauche, lance de la gauche, 6', 200 lb
(1er choix de Hartford, 2e au total lors du repêchage de 1983)

| SAISON CLUB | LIGUE | PJ | B | A | PTS | PUN | PJ | B | A | PTS | PUN |
|---|---|---|---|---|---|---|---|---|---|---|---|
| 1980-81 Bourassa (Angevins) | QAAA | 43 | 34 | 44 | 78 | - | - | - | - | - | - |
| 1981-82 Hull (Olympiques) | LHJMQ | 57 | 33 | 40 | 73 | 78 | 14 | 11 | 11 | 22 | 16 |
| 1982-83 Hull (Olympiques) | LHJMQ | 67 | 54 | 109 | 163 | 103 | 7 | 8 | 7 | 15 | 10 |
| Canada | CMJ | 7 | 4 | 2 | 6 | 8 | - | - | - | - | - |
| 1983-84 Hartford (Whalers) | LNH | 76 | 40 | 32 | 72 | 55 | - | - | - | - | - |
| 1984-85 Hartford (Whalers) | LNH | 64 | 31 | 31 | 62 | 67 | - | - | - | - | - |
| 1985-86 Hartford (Whalers) | LNH | 76 | 45 | 34 | 79 | 88 | 9 | 2 | 3 | 5 | 4 |
| Match des étoiles | LNH | 1 | 0 | 1 | 1 | 2 | - | - | - | - | - |
| 1986-87 Hartford (Whalers) | LNH | 41 | 23 | 13 | 36 | 45 | 6 | 1 | 2 | 3 | 4 |
| 1987-88 Hartford (Whalers) | LNH | 71 | 23 | 26 | 49 | 71 | 6 | 0 | 0 | 0 | 4 |
| Hartford (Whalers) | LNH | 42 | 16 | 14 | 30 | 40 | 4 | 0 | 2 | 2 | 4 |
| 1989-90 New Jersey (Devils) | LNH | 72 | 30 | 17 | 47 | 81 | 1 | 0 | 0 | 0 | 0 |
| 1990-91 **Montréal (Canadiens)** | LNH | 19 | 5 | 7 | 12 | 20 | 5 | 0 | 0 | 0 | 2 |
| 1991-92 **Montréal (Canadiens)** | LNH | 56 | 9 | 11 | 20 | 39 | 5 | 1 | 0 | 1 | 4 |
| 1992-93 Ottawa (Senateurs) | LNH | 72 | 25 | 18 | 43 | 104 | - | - | - | - | - |
| 1993-94 Ottawa (Senateurs) | LNH | 47 | 11 | 15 | 26 | 52 | - | - | - | - | - |
| 1994-95 Ottawa (Senateurs) | LNH | 33 | 11 | 8 | 19 | 29 | - | - | - | - | - |
| 1995-96 Houston (Aeros) | IHL | 65 | 28 | 31 | 59 | 66 | - | - | - | - | - |
| 1996-97 HC Bolzano | Alpes | 23 | 14 | 11 | 25 | 22 | - | - | - | - | - |
| EHC Olten | SUI | *Statistiques non disponibles* | | | | | | | | | |
| Wedemark Scorpions | GER | 10 | 4 | 6 | 10 | 12 | 8 | 5 | 2 | 7 | 41 |
| 1997-98 Revier Lowen | GER | 27 | 11 | 15 | 26 | 24 | - | - | - | - | - |
| SC Herisau | SUI | 5 | 4 | 1 | 5 | 26 | - | - | - | - | - |
| 1998-99 SC Langnau | SUI | 14 | 3 | 2 | 5 | 4 | - | - | - | - | - |
| Kassel Huskies | GER | 34 | 20 | 8 | 28 | 32 | - | - | - | - | - |
| 1999-20 Kassel Huskies | GER | 49 | 32 | 13 | 45 | 49 | 8 | 2 | 2 | 4 | 10 |
| 2000-01 Kassel Huskies | GER | 58 | 15 | 20 | 35 | 44 | 8 | 0 | 3 | 3 | 2 |
| 2001-02 HC Thurgau | GER | 19 | 8 | 7 | 15 | 4 | - | - | - | - | - |
| LNH | | 669 | 269 | 226 | 495 | 691 | 36 | 4 | 7 | 11 | 22 |
| Montréal | | 75 | 14 | 18 | 32 | 59 | 10 | 1 | 0 | 1 | 6 |

• Troisième équipe d'étoiles (LHJMQ) en 1981-82 • Trophée Michel-Bergeron (LHJMQ) en 1981-82 • Première équipe d'étoiles (LHJMQ) en 1982-83 • Trophée Michael-Bossy (LHJMQ) en 1982-83 • Médaille de bronze (CMJ) en 1983 • Équipe des recrues (LNH) en 1983-84 • Match des étoiles (LNH) en 1985-86
• Échangé au New Jersey par Hartford pour Pat Verbeek le 17 juin 1989 • Échangé à Montréal par New Jersey pour Claude Lemieux le 4 septembre 1990 • Réclamé par Ottawa de Montréal lors de l'expansion de la LNH le 18 juin 1992

### TURNBULL, PERRY

Né à Bentley, Alberta, le 9 mars 1959. Centre, lance de la gauche, 6'2", 200 lb
(1er choix du St. Louis, 2e au total lors du repêchage de 1979)

| SAISON CLUB | LIGUE | PJ | B | A | PTS | PUN | PJ | B | A | PTS | PUN |
|---|---|---|---|---|---|---|---|---|---|---|---|
| 1974-75 The Pas (Blue Devils) | AJHL | | 10 | 4 | 0 | 134 | - | - | - | - | - |
| 1975-76 The Pas (Blue Devils) | AJHL | 45 | 27 | 23 | 50 | 140 | - | - | - | - | - |
| Calgary (Centennials) | WHL | 19 | 6 | 7 | 13 | 14 | - | - | - | - | - |
| 1976-77 Calgary (Centennials) | WCJHL | 13 | 8 | 5 | 13 | 33 | - | - | - | - | - |
| Portland (Winter Hawks) | WCJHL | 58 | 23 | 30 | 53 | 249 | 10 | 2 | 1 | 3 | 36 |
| 1977-78 Portland (Winter Hawks) | WCJHL | 57 | 36 | 27 | 63 | 318 | 8 | 2 | 3 | 5 | 44 |
| 1978-79 Portland (Winter Hawks) | WHL | 70 | 75 | 43 | 118 | 191 | 20 | 10 | 8 | 18 | 33 |
| 1979-80 St. Louis (Blues) | LNH | 19 | 16 | 9 | 25 | 124 | 3 | 1 | 1 | 2 | 7 |
| 1980-81 St. Louis (Blues) | LNH | 75 | 34 | 22 | 56 | 209 | - | - | - | - | - |
| 1981-82 St. Louis (Blues) | LNH | 79 | 33 | 26 | 59 | 161 | 5 | 3 | 2 | 5 | 11 |
| 1982-83 St. Louis (Blues) | LNH | 79 | 32 | 15 | 47 | 172 | 4 | 1 | 0 | 1 | 14 |
| 1983-84 St. Louis (Blues) | LNH | 32 | 14 | 8 | 22 | 81 | - | - | - | - | - |
| **Montréal (Canadiens)** | LNH | 40 | 6 | 7 | 13 | 59 | 9 | 1 | 2 | 3 | 10 |
| 1984-85 Winnipeg (Jets) | LNH | 66 | 22 | 21 | 43 | 130 | 8 | 0 | 1 | 1 | 26 |
| 1985-86 Winnipeg (Jets) | LNH | 80 | 20 | 31 | 51 | 183 | 3 | 0 | 1 | 1 | 11 |
| 1986-87 Winnipeg (Jets) | LNH | 26 | 0 | 3 | 3 | 10 | 1 | 0 | 0 | 0 | 10 |
| 1987-88 St. Louis (Blues) | LNH | 51 | 0 | 0 | 0 | 81 | 1 | 0 | 0 | 0 | 0 |
| Peoria (Rivermen) | IHL | 3 | 5 | 4 | 9 | 13 | - | - | - | - | - |
| 1988-89 HC Asiago | ITA | 32 | 31 | 27 | 58 | 131 | - | - | - | - | - |
| 1989-90 ZSC Zurich | SUI | 1 | 0 | 0 | 0 | 0 | - | - | - | - | - |
| HC Alleghe | ITA | 34 | 24 | 29 | 53 | 68 | 1 | 1 | 1 | 2 | 5 |
| 1990-91 HC Bolzano | ITA | 18 | 14 | 8 | 22 | 29 | 10 | 8 | 3 | 11 | 41 |
| 1991-92 EC Dorsten | GER | 42 | 55 | 50 | 105 | 187 | - | - | - | - | - |
| LNH | | 608 | 188 | 163 | 351 | 1245 | 34 | 6 | 7 | 13 | 86 |
| Montréal | | 40 | 6 | 7 | 13 | 59 | 9 | 1 | 2 | 3 | 10 |

• Deuxième équipe d'étoiles (WHL) en 1978-79 • Joueur le plus utile (WHL) en 1978-79
• Échangé à Montréal par St. Louis pour Doug Wickenheiser, Gilbert Delorme et Greg Paslawski le 21 décembre 1983 • Échangé à Winnipeg par Montréal pour Lucien Deblois le 13 juin 1984 • Échangé à St. Louis par Winnipeg pour le choix de 5e ronde de St. Louis au repêchage de 1987 (Ken Gernander) le 5 juin 1987

### TURNER, ROBERT (BOB)

Né à Regina, Saskatchewan, le 31 janvier 1934
Défenseur, lance de la gauche, 6', 170 lb

| SAISON CLUB | LIGUE | PJ | B | A | PTS | PUN | PJ | B | A | PTS | PUN |
|---|---|---|---|---|---|---|---|---|---|---|---|
| 1951-52 Regina (Pats) | WCJHL | 31 | 2 | 10 | 12 | 40 | 6 | 0 | 1 | 1 | 4 |
| 1952-53 Regina (Pats) | WCJHL | 33 | 10 | 4 | 14 | 90 | 7 | 0 | 2 | 2 | 16 |

| | | | SAISONS RÉGULIÈRES | | | | | SÉRIES ÉLIMINATOIRES | | | | |
|---|---|---|---|---|---|---|---|---|---|---|---|---|
| SAISON | CLUB | LIGUE | PJ | B | A | PTS | PUN | PJ | B | A | PTS | PUN |
| | Regina (Capitals) | SSHL | - | - | - | - | - | 2 | 0 | 1 | 1 | 0 |
| | Regina (Capitals) | Allan | 12 | 1 | 0 | 1 | 19 | - | - | - | - | - |
| 1953-54 | Regina (Pats) | WCJHL | 36 | 15 | 14 | 29 | 55 | 16 | 1 | 5 | 6 | 48 |
| 1954-55 | Shawinigan (Cataractes) | LHQ | 61 | 4 | 14 | 18 | 98 | 13 | 0 | 2 | 2 | 4 |
| | Shawinigan (Cataractes) | Édin. | 7 | 0 | 1 | 1 | 24 | - | - | - | - | - |
| 1955-56 | Shawinigan (Cataractes) | LHQ | 37 | 6 | 12 | 18 | 55 | - | - | - | - | - |
| | **Montréal (Canadiens)** | LNH | 33 | 1 | 4 | 5 | 35 | 10 | 0 | 1 | 1 | 10 |
| 1956-57 | Rochester (Americans) | AHL | 8 | 0 | 2 | 2 | 4 | - | - | - | - | - |
| | **Montréal (Canadiens)** | LNH | 58 | 1 | 4 | 5 | 48 | 6 | 0 | 1 | 1 | 0 |
| | Match des étoiles | LNH | 1 | 0 | 0 | 0 | 0 | - | - | - | - | - |
| 1957-58 | **Montréal (Canadiens)** | LNH | 66 | 3 | 0 | 3 | 30 | 10 | 0 | 0 | 0 | 2 |
| | Match des étoiles | LNH | 1 | 0 | 0 | 0 | 0 | - | - | - | - | - |
| 1958-59 | **Montréal (Canadiens)** | LNH | 68 | 4 | 24 | 28 | 66 | 11 | 0 | 2 | 2 | 20 |
| | Match des étoiles | LNH | 1 | 0 | 0 | 0 | 0 | - | - | - | - | - |
| 1959-60 | **Montréal (Canadiens)** | LNH | 54 | 0 | 9 | 9 | 40 | 8 | 0 | 0 | 0 | 0 |
| | Match des étoiles | LNH | 1 | 0 | 0 | 0 | 0 | - | - | - | - | - |
| 1960-61 | **Montréal (Canadiens)** | LNH | 60 | 2 | 2 | 4 | 16 | 5 | 0 | 0 | 0 | 0 |
| | Match des étoiles | LNH | 1 | 0 | 0 | 0 | 0 | - | - | - | - | - |
| 1961-62 | Chicago (Black Hawks) | LNH | 69 | 8 | 2 | 10 | 52 | 12 | 1 | 0 | 1 | 6 |
| | Match des étoiles | LNH | 1 | 0 | 0 | 0 | 0 | - | - | - | - | - |
| 1962-63 | Chicago (Black Hawks) | LNH | 70 | 3 | 3 | 6 | 20 | 6 | 0 | 0 | 0 | 0 |
| 1963-64 | Buffalo (Bisons) | AHL | 68 | 6 | 15 | 21 | 84 | - | - | - | - | - |
| | **LNH** | | 478 | 19 | 51 | 70 | 307 | 68 | 1 | 4 | 5 | 44 |
| | **Montréal** | | 339 | 8 | 46 | 54 | 235 | 50 | 0 | 4 | 4 | 32 |

• Première équipe d'étoiles (WCJHL) en 1953-54 • Coupe Stanley (LNH) en 1955-56, 1956-57, 1957-58, 1958-59, 1959-60 • Match des étoiles (LNH) en 1956-57, 1957-58, 1958-59, 1959-60, 1960-61, 1961-62
• Échangé à Chicago par Montréal pour Fred Hilts le 13 juin 1961 • Droits vendus à Los Angeles (WHL) par Chicago le 6 août 1964

## ULANOV, IGOR

Né à Krasnokamsk, Russie, le 1er octobre 1969. Défenseur, lance de la gauche, 6'3", 211 lb (8e choix de Winnipeg, 203e au total lors du repêchage de 1991)

| | | | SAISONS RÉGULIÈRES | | | | | SÉRIES ÉLIMINATOIRES | | | | |
|---|---|---|---|---|---|---|---|---|---|---|---|---|
| SAISON | CLUB | LIGUE | PJ | B | A | PTS | PUN | PJ | B | A | PTS | PUN |
| 1990-91 | Khimik (Voskresenk) | URSS | 41 | 2 | 2 | 4 | 52 | - | - | - | - | - |
| | Klimik (Voskresenk) | Super S | 6 | 0 | 1 | 1 | 6 | - | - | - | - | - |
| 1991-92 | Khimik (Voskresenk) | CIS | 27 | 1 | 4 | 5 | 24 | - | - | - | - | - |
| | Winnipeg (Jets) | LNH | 27 | 2 | 9 | 11 | 67 | 7 | 0 | 0 | 0 | 39 |
| | Moncton (Hawks) | AHL | 3 | 0 | 1 | 1 | 16 | - | - | - | - | - |
| 1992-93 | Moncton (Hawks) | AHL | 3 | 1 | 3 | 4 | 26 | - | - | - | - | - |
| | Fort Wayne (Komets) | IHL | 3 | 0 | 1 | 1 | 29 | - | - | - | - | - |
| | Winnipeg (Jets) | LNH | 56 | 2 | 14 | 16 | 124 | 4 | 0 | 0 | 0 | 4 |
| 1993-94 | Winnipeg (Jets) | LNH | 74 | 0 | 17 | 17 | 165 | - | - | - | - | - |
| | Russie | CDM | 6 | 1 | 0 | 1 | 20 | - | - | - | - | - |
| 1994-95 | Winnipeg (Jets) | LNH | 19 | 1 | 3 | 4 | 27 | - | - | - | - | - |
| | Washington (Capitals) | LNH | 3 | 0 | 1 | 1 | 2 | 2 | 0 | 0 | 0 | 4 |
| 1995-96 | Chicago (Blackhawks) | LNH | 53 | 1 | 8 | 9 | 92 | - | - | - | - | - |
| | Indianapolis (Ice) | IHL | 1 | 0 | 0 | 0 | 0 | - | - | - | - | - |
| | Tampa Bay (Lightning) | LNH | 11 | 2 | 1 | 3 | 24 | 5 | 0 | 0 | 0 | 15 |
| 1996-97 | Tampa Bay (Lightning) | LNH | 59 | 1 | 7 | 8 | 108 | - | - | - | - | - |
| | Russie | CDM | 1 | 0 | 0 | 0 | 4 | - | - | - | - | - |
| 1997-98 | Tampa Bay (Lightning) | LNH | 45 | 2 | 7 | 9 | 85 | - | - | - | - | - |
| | **Montréal (Canadiens)** | LNH | 4 | 0 | 1 | 1 | 12 | 10 | 1 | 4 | 5 | 12 |
| 1998-99 | **Montréal (Canadiens)** | LNH | 76 | 3 | 9 | 12 | 109 | - | - | - | - | - |
| 1999-00 | **Montréal (Canadiens)** | LNH | 43 | 4 | 2 | 6 | 76 | - | - | - | - | - |
| | Edmonton (Oilers) | LNH | 14 | 0 | 3 | 3 | 10 | 5 | 0 | 0 | 0 | 6 |
| 2000-01 | Edmonton (Oilers) | LNH | 67 | 3 | 20 | 23 | 90 | 6 | 0 | 0 | 0 | 4 |
| 2001-02 | New York (Rangers) | LNH | 39 | 0 | 6 | 6 | 53 | - | - | - | - | - |
| | Hartford (Wolf Pack) | AHL | 6 | 1 | 1 | 2 | 2 | - | - | - | - | - |
| | Floride (Panthers) | LNH | 14 | 0 | 4 | 4 | 11 | - | - | - | - | - |
| 2002-03 | Floride (Panthers) | LNH | 56 | 1 | 1 | 2 | 39 | - | - | - | - | - |
| | San Antonio (Rampage) | AHL | 5 | 1 | 0 | 1 | 4 | - | - | - | - | - |
| | **LNH** | | 660 | 19 | 116 | 135 | 1094 | 39 | 1 | 4 | 5 | 84 |
| | **Montréal** | | 123 | 4 | 15 | 19 | 197 | 10 | 1 | 4 | 5 | 12 |

• Échangé à Washington par Winnipeg avec Mike Eagles pour le choix de 3e ronde (cédé à Dallas qui sélectionne Sergie Gusev) et le choix de 5e ronde (Brian Elder) de Washington au repêchage de 1995 le 7 avril 1995 • Échangé à Chicago par Washington pour le choix de 3e ronde de Chicago au repêchage de 1996 (Dave Weninger) le 17 octobre 1995 • Échangé à Tampa Bay par Chicago avec Patrick Poulin et le choix de 2e ronde de Chicago au repêchage de 1996 (cédé au Tampa Bay qui sélectionne Pierre Dagenais) pour Enrico Ciccone et le choix de 2e ronde de Tampa Bay au repêchage de 1996 (Jeff Paul) le 20 mars 1996 • Échangé à Montréal par Tampa Bay avec Patrick Poulin et Mick Vukota pour Stéphane Richer, Darcy Tucker et David Wilkie le 15 janvier 1998 • Échangé à Edmonton par Montréal avec Alain Nasreddine pour Christian Laflamme et Matthieu Descoteaux le 9 mars 2000 • Signe avec les Rangers de New York comme agent libre le 20 juillet 2001. • Échangé en Floride par New York (Rangers) avec Filip Novak, le 1er choix de New York au repêchage de 2002 (cédé à Calgary qui sélectionne Eric Nystrom), le choix de 2e ronde de New York au repêchage de 2002 (Rob Globke) et le choix de 4e ronde de New York au repêchage de 2003 pour Pavel Bure et le choix de 2e ronde de la Floride au repêchage de 2002 (Lee Falardeau) le 18 mars 2002

## VADNAIS, CAROL

Né à Montréal, Québec, le 25 septembre 1945
Défenseur, lance de la gauche, 6'1", 185 lb

| | | | SAISONS RÉGULIÈRES | | | | | SÉRIES ÉLIMINATOIRES | | | | |
|---|---|---|---|---|---|---|---|---|---|---|---|---|
| SAISON | CLUB | LIGUE | PJ | B | A | PTS | PUN | PJ | B | A | PTS | PUN |
| 1963-64 | Montréal NDG Monarchs | LHJMM | 44 | 39 | 49 | 88 | 90 | 17 | 7 | 15 | 22 | 34 |
| | Montréal NDG Monarchs | Mem. | 13 | 13 | 11 | 24 | 12 | - | - | - | - | - |
| 1964-65 | Montréal (Canadien Jr) | OHA Jr | 56 | 9 | 16 | 25 | 74 | 7 | 1 | 0 | 1 | 13 |
| 1965-66 | Montréal (Canadien Jr) | OHA Jr | 48 | 9 | 14 | 23 | 184 | 10 | 1 | 4 | 5 | 24 |
| 1966-67 | Houston (Apollos) | CPHL | 21 | 5 | 5 | 10 | 45 | - | - | - | - | - |
| | **Montréal (Canadiens)** | LNH | 11 | 0 | 3 | 3 | 35 | 1 | 0 | 0 | 0 | 0 |
| 1967-68 | Houston (Apollos) | CPHL | 36 | 5 | 21 | 26 | 178 | - | - | - | - | - |
| | **Montréal (Canadiens)** | LNH | 31 | 1 | 1 | 2 | 31 | 1 | 0 | 0 | 0 | 0 |
| 1968-69 | Oakland (Seals) | LNH | 76 | 15 | 27 | 42 | 151 | 7 | 1 | 4 | 5 | 10 |
| | Match des étoiles | LNH | 1 | 0 | 0 | 0 | 2 | - | - | - | - | - |
| 1969-70 | Oakland (Seals) | LNH | 76 | 24 | 20 | 44 | 212 | 4 | 2 | 1 | 3 | 15 |
| | Match des étoiles | LNH | 1 | 0 | 0 | 0 | 0 | - | - | - | - | - |
| 1970-71 | Californie (Golden Seals) | LNH | 42 | 10 | 16 | 26 | 91 | - | - | - | - | - |
| 1971-72 | Californie (Golden Seals) | LNH | 52 | 14 | 20 | 34 | 106 | - | - | - | - | - |
| | Match des étoiles | LNH | 1 | 0 | 0 | 0 | 0 | - | - | - | - | - |
| | Boston (Bruins) | LNH | 16 | 4 | 6 | 10 | 37 | 15 | 0 | 2 | 2 | 43 |
| 1972-73 | Boston (Bruins) | LNH | 78 | 7 | 24 | 31 | 127 | 5 | 0 | 0 | 0 | 8 |
| 1973-74 | Boston (Bruins) | LNH | 78 | 16 | 43 | 59 | 123 | 16 | 1 | 12 | 13 | 42 |
| 1974-75 | Boston (Bruins) | LNH | 79 | 18 | 56 | 74 | 129 | 3 | 1 | 5 | 6 | 0 |
| | Match des étoiles | LNH | 1 | 0 | 1 | 1 | 0 | - | - | - | - | - |
| 1975-76 | Boston (Bruins) | LNH | 12 | 2 | 5 | 7 | 17 | - | - | - | - | - |
| | New York (Rangers) | LNH | 64 | 20 | 30 | 50 | 104 | - | - | - | - | - |
| | Match des étoiles | LNH | 1 | 0 | 0 | 0 | 0 | - | - | - | - | - |
| 1976-77 | New York (Rangers) | LNH | 74 | 11 | 37 | 48 | 131 | - | - | - | - | - |
| | Canada | CM | 10 | 3 | 1 | 4 | 33 | - | - | - | - | - |
| 1977-78 | New York (Rangers) | LNH | 80 | 6 | 40 | 46 | 115 | 3 | 0 | 2 | 2 | 16 |
| | Match des étoiles | LNH | 1 | 0 | 0 | 0 | 2 | - | - | - | - | - |
| 1978-79 | New York (Rangers) | LNH | 77 | 8 | 37 | 45 | 86 | 18 | 2 | 9 | 11 | 13 |
| 1979-80 | New York (Rangers) | LNH | 66 | 3 | 20 | 23 | 118 | 9 | 1 | 2 | 3 | 6 |
| 1980-81 | New York (Rangers) | LNH | 74 | 3 | 20 | 23 | 91 | 14 | 1 | 3 | 4 | 26 |
| 1981-82 | New York (Rangers) | LNH | 50 | 5 | 6 | 11 | 45 | 10 | 1 | 0 | 1 | 4 |
| 1982-83 | New Jersey (Devils) | LNH | 51 | 2 | 7 | 9 | 64 | - | - | - | - | - |
| | **LNH** | | 1087 | 169 | 418 | 587 | 1813 | 106 | 10 | 40 | 50 | 185 |
| | **Montréal** | | 42 | 1 | 4 | 5 | 66 | 2 | 0 | 0 | 0 | 2 |

• Coupe Stanley (LNH) en 1967-68, 1971-72 • Match des étoiles (LNH) en 1968-69, 1969-70, 1971-72, 1974-75, 1975-76, 1977-78
• Réclamé par Oakland de Montréal au repêchage intra-ligue le 12 juin 1968 • Échangé à Boston par la Californie (Oakland) avec Don O'Donoghue pour Reggie Leach, Rick Smith et Bob Stewart le 23 février 1972 • Échangé à New York (Rangers) par Boston avec Phil Esposito pour Brad Park, Joe Zanussi et Jean Ratelle le 7 novembre 1975 • Réclamé par New Jersey de New York (Rangers) lors du repêchage inter-équipes le 4 octobre 1982

## VALLIS, LINDSAY

Né à Winnipeg, Manitoba, le 12 janvier 1971. Défenseur, lance de la droite, 6'3", 207 lb (1er choix de Montréal, 13e au total lors du repêchage de 1989)

| | | | SAISONS RÉGULIÈRES | | | | | SÉRIES ÉLIMINATOIRES | | | | |
|---|---|---|---|---|---|---|---|---|---|---|---|---|
| SAISON | CLUB | LIGUE | PJ | B | A | PTS | PUN | PJ | B | A | PTS | PUN |
| 1986-87 | Winnipeg (Mavericks) | MAHA | 59 | 16 | 49 | 65 | 95 | - | - | - | - | - |
| 1987-88 | Seattle (Thunderbirds) | WHL | 68 | 31 | 45 | 76 | 65 | - | - | - | - | - |
| 1988-89 | Seattle (Thunderbirds) | WHL | 63 | 21 | 32 | 53 | 48 | - | - | - | - | - |
| 1989-90 | Seattle (Thunderbirds) | WHL | 65 | 34 | 43 | 77 | 68 | 13 | 6 | 5 | 11 | 14 |
| 1990-91 | Seattle (Thunderbirds) | WHL | 72 | 41 | 38 | 79 | 119 | 6 | 1 | 3 | 4 | 17 |
| | Fredericton (Canadien) | AHL | - | - | - | - | - | 7 | 0 | 0 | 0 | 6 |
| 1991-92 | Fredericton (Canadien) | AHL | 71 | 10 | 19 | 29 | 84 | 4 | 0 | 1 | 1 | 7 |
| 1992-93 | Fredericton (Canadien) | AHL | 65 | 18 | 16 | 34 | 38 | 5 | 0 | 2 | 2 | 10 |
| 1993-94 | Fredericton (Canadien) | AHL | 79 | 9 | 30 | 39 | 103 | - | - | - | - | - |
| | **Montréal (Canadiens)** | LNH | 1 | 0 | 0 | 0 | 0 | - | - | - | - | - |
| 1994-95 | Worcester (IceCats) | AHL | 14 | 0 | 7 | 7 | 28 | - | - | - | - | - |
| 1995-96 | Worcester (IceCats) | AHL | 19 | 1 | 9 | 10 | 81 | 4 | 0 | 2 | 2 | 4 |
| 1996-97 | Bakersfield (Fog) | WCHL | 58 | 26 | 65 | 91 | 82 | 4 | 0 | 3 | 3 | 2 |
| 1997-98 | Bakersfield (Fog) | WCHL | 41 | 21 | 24 | 45 | 34 | 4 | 1 | 2 | 3 | 26 |
| 1998-99 | Hershey (Bears) | AHL | 4 | 1 | 0 | 1 | 0 | - | - | - | - | - |
| | Asheville (Smoke) | UHL | 66 | 27 | 73 | 100 | 46 | 4 | 3 | 0 | 3 | 0 |
| 1999-00 | Asheville (Smoke) | UHL | 69 | 24 | 52 | 76 | 54 | 2 | 0 | 1 | 1 | 2 |
| | **LNH** | | 1 | 0 | 0 | 0 | 0 | - | - | - | - | - |
| | **Montréal** | | 1 | 0 | 0 | 0 | 0 | - | - | - | - | - |

• Deuxième équipe d'étoiles (WCHL) en 1996-97

## VAN ALLEN, SHAUN

Né à Calgary, Alberta, le 29 août 1967. Centre, lance de la gauche, 6'01", 204 lb (5e choix Edmonton, 105e au total lors du repêchage de 1987)

| | | | SAISONS RÉGULIÈRES | | | | | SÉRIES ÉLIMINATOIRES | | | | |
|---|---|---|---|---|---|---|---|---|---|---|---|---|
| SAISON | CLUB | LIGUE | PJ | B | A | PTS | PUN | PJ | B | A | PTS | PUN |
| 1984-85 | Swift Current (Indians) | SJHL | 61 | 12 | 20 | 32 | 136 | - | - | - | - | - |
| 1985-86 | Saskatoon (Blades) | WHL | 55 | 12 | 11 | 23 | 43 | 13 | 4 | 8 | 12 | 28 |
| 1986-87 | Saskatoon (Blades) | WHL | 72 | 38 | 59 | 97 | 116 | 11 | 4 | 6 | 10 | 24 |
| 1987-88 | Milwaukee (Admirals) | IHL | 40 | 14 | 28 | 42 | 34 | - | - | - | - | - |
| | Nlle-Écosse (Oilers) | AHL | 19 | 4 | 10 | 14 | 17 | 4 | 1 | 1 | 2 | 4 |
| 1988-89 | Cap-Breton (Oilers) | AHL | 76 | 32 | 42 | 74 | 81 | - | - | - | - | - |
| 1989-90 | Cap-Breton (Oilers) | AHL | 61 | 25 | 44 | 69 | 83 | 4 | 0 | 2 | 2 | 8 |
| 1990-91 | Edmonton (Oilers) | LNH | 2 | 0 | 0 | 0 | 0 | - | - | - | - | - |
| | Cap-Breton (Oilers) | AHL | 76 | 25 | 75 | 100 | 182 | 5 | 0 | 4 | 4 | 8 |
| 1991-92 | Cap-Breton (Oilers) | AHL | 77 | 29 | 84 | 113 | 80 | 5 | 3 | 7 | 10 | 14 |
| 1992-93 | Edmonton (Oilers) | LNH | 21 | 1 | 4 | 5 | 0 | - | - | - | - | - |
| | Cap-Breton (Oilers) | AHL | 43 | 14 | 62 | 76 | 68 | 15 | 8 | 9 | 17 | 18 |
| 1993-94 | Anaheim (Mighty Ducks) | LNH | 80 | 8 | 25 | 33 | 64 | - | - | - | - | - |
| 1994-95 | Anaheim (Mighty Ducks) | LNH | 45 | 8 | 21 | 29 | 32 | - | - | - | - | - |
| 1995-96 | Anaheim (Mighty Ducks) | LNH | 49 | 8 | 17 | 25 | 34 | - | - | - | - | - |
| 1996-97 | Ottawa (Senateurs) | LNH | 80 | 11 | 14 | 25 | 35 | 7 | 0 | 1 | 1 | 0 |
| 1997-98 | Ottawa (Senateurs) | LNH | 80 | 9 | 11 | 20 | 48 | 11 | 0 | 1 | 1 | 0 |
| 1998-99 | Ottawa (Senateurs) | LNH | 79 | 6 | 11 | 17 | 30 | 4 | 0 | 0 | 0 | 0 |
| 1999-00 | Ottawa (Senateurs) | LNH | 75 | 9 | 19 | 28 | 37 | 6 | 1 | 1 | 2 | 9 |
| 2000-01 | Dallas (Stars) | LNH | 59 | 7 | 16 | 23 | 16 | 10 | 0 | 1 | 1 | 2 |
| 2001-02 | Dallas (Stars) | LNH | 19 | 2 | 4 | 6 | 6 | - | - | - | - | - |
| | **Montréal (Canadiens)** | LNH | 54 | 6 | 9 | 15 | 20 | 7 | 0 | 1 | 1 | 2 |
| 2002-03 | Ottawa (Sénateurs) | LNH | 76 | 12 | 20 | 32 | 66 | 18 | 1 | 1 | 2 | 12 |
| | **LNH** | | 721 | 82 | 175 | 257 | 401 | 63 | 1 | 7 | 8 | 45 |
| | **Montréal** | | 54 | 6 | 9 | 15 | 20 | 7 | 0 | 1 | 1 | 2 |

• Première équipes d'étoiles (AHL) en 1991-92 • Deuxième équipe d'étoiles (AHL) en 1990-91 • Trophée John-B.-Sollenberger (AHL) en 1991-92 • Coupe Calder (AHL) en 1992-93
• Signe avec Anaheim comme agent libre le 22 juillet 1993 • Échangé à Ottawa par Anaheim avec Jason York pour Ted Drury et les droits sur Marc Moro le 1er octobre 1996 • Signe

693

avec Dallas comme agent libre le 12 juillet 2000 • Échangé à Montréal par Dallas avec Donald Audette pour Benoît Brunet et Martin Rucinsky le 21 novembre 2001 • Signe avec Ottawa comme agent libre le 24 juillet 2002

## VAN BOXMEER, JOHN

**Né à Pétrolia, Ontario, le 20 novembre 1952. Défenseur, lance de la droite, 6', 190 lb
(4e choix de Montréal, 14e au total lors du repêchage de 1972)**

| SAISON | CLUB | LIGUE | PJ | B | A | PTS | PUN | PJ | B | A | PTS | PUN |
|---|---|---|---|---|---|---|---|---|---|---|---|---|
| 1971-72 | Guelph (CMC's) | OJHL | 56 | 30 | 42 | 72 | 160 | - | - | - | - | - |
| 1972-73 | Nlle-Écosse (Voyageurs) | AHL | 76 | 5 | 29 | 34 | 139 | 13 | 1 | 6 | 7 | 26 |
| 1973-74 | Nlle-Écosse (Voyageurs) | AHL | 47 | 8 | 20 | 28 | 78 | - | - | - | - | - |
| | **Montréal (Canadiens)** | **LNH** | **20** | **1** | **4** | **5** | **18** | **1** | **0** | **0** | **0** | **0** |
| 1974-75 | Nlle-Écosse (Voyageurs) | AHL | 43 | 4 | 15 | 19 | 68 | 6 | 1 | 3 | 4 | 9 |
| | **Montréal (Canadiens)** | **LNH** | **9** | **0** | **2** | **2** | **0** | - | - | - | - | - |
| 1975-76 | **Montréal (Canadiens)** | **LNH** | **46** | **6** | **11** | **17** | **31** | - | - | - | - | - |
| 1976-77 | **Montréal (Canadiens)** | **LNH** | **4** | **0** | **1** | **1** | **0** | - | - | - | - | - |
| | Colorado (Rockies) | LNH | 42 | 1 | 12 | 13 | 32 | | | | | |
| 1977-78 | Colorado (Rockies) | LNH | 80 | 12 | 42 | 54 | 87 | 2 | 0 | 1 | 1 | 2 |
| 1978-79 | Colorado (Rockies) | LNH | 76 | 9 | 34 | 43 | 46 | - | - | - | - | - |
| 1979-80 | Buffalo (Sabres) | LNH | 80 | 11 | 40 | 51 | 55 | 14 | 3 | 5 | 8 | 12 |
| 1980-81 | Buffalo (Sabres) | LNH | 80 | 18 | 51 | 69 | 69 | 8 | 1 | 8 | 9 | 7 |
| 1981-82 | Buffalo (Sabres) | LNH | 69 | 14 | 54 | 68 | 62 | 4 | 0 | 1 | 1 | 6 |
| | Canada | CM | 8 | 2 | 0 | 2 | 8 | | | | | |
| 1982-83 | Buffalo (Sabres) | LNH | 65 | 6 | 21 | 27 | 53 | 9 | 1 | 0 | 1 | 10 |
| 1983-84 | Québec (Nordiques) | LNH | 18 | 5 | 3 | 8 | 12 | - | - | - | - | - |
| | Fredericton (Express) | AHL | 45 | 10 | 34 | 44 | 48 | 7 | 2 | 5 | 7 | 8 |
| 1984-85 | Rochester (Americans) | AHL | 2 | 0 | 0 | 0 | 2 | - | - | - | - | - |
| | **LNH** | | **588** | **84** | **274** | **358** | **465** | **38** | **5** | **15** | **20** | **37** |
| | **Montréal** | | **79** | **7** | **18** | **25** | **49** | **1** | **0** | **0** | **0** | **0** |

• Première équipe d'étoiles (OJHL) en 1971-72 • Coupe Stanley (LNH) en 1975-76 • Médaille de bronze (CM) en 1981-82
• Échangé au Colorado par Montréal pour le choix de 3e ronde du Colorado au repêchage de 1979 (Craig Levie) et une somme d'argent le 24 novembre 1976 • Échangé à Buffalo par Colorado pour René Robert le 5 octobre 1979 • Réclamé par Québec de Buffalo au repêchage inter-équipes le 3 octobre 1983

**VAN - WAL**

## VÉZINA, PIERRE

**Né à Chicoutimi, Québec, décédé. *Cover***

| SAISON | CLUB | LIGUE | PJ | B | A | PTS | PUN | PJ | B | A | PTS | PUN |
|---|---|---|---|---|---|---|---|---|---|---|---|---|
| 1911-12 | **Montréal (Canadiens)** | **NHA** | **1** | **0** | **0** | **0** | **0** | - | - | - | - | - |
| | **NHA** | | **1** | **0** | **0** | **0** | **0** | | | | | |
| | **Montréal** | | **1** | **0** | **0** | **0** | **0** | | | | | |

• Prêté à Montréal (NHA) par Chicoutimi le 9 février 1912

## VUJTEK, VLADIMIR

**Né à Ostrava, Tchécoslovaquie, le 17 février 1972. Ailier gauche, lance de la gauche, 6'1", 190 lb (5e choix de Montréal, 73e au total lors du repêchage de 1991)**

| SAISON | CLUB | LIGUE | PJ | B | A | PTS | PUN | PJ | B | A | PTS | PUN |
|---|---|---|---|---|---|---|---|---|---|---|---|---|
| 1988-89 | HC Vitkovice | CSK | 3 | 0 | 1 | 1 | 0 | - | - | - | - | - |
| 1989-90 | HC Vitkovice | CSK | 22 | 3 | 4 | 7 | - | 7 | 4 | 3 | 7 | - |
| 1990-91 | HC Vitkovice | CSK | 26 | 4 | 7 | 11 | - | - | - | - | - | - |
| | Tri-City (Americans) | WHL | 37 | 26 | 18 | 44 | 74 | 7 | 2 | 3 | 5 | 4 |
| 1991-92 | Tri-City (Americans) | WHL | 53 | 41 | 61 | 102 | 114 | - | - | - | - | - |
| | **Montréal (Canadiens)** | **LNH** | **2** | **0** | **0** | **0** | **0** | - | - | - | - | - |
| 1992-93 | Edmonton (Oilers) | LNH | 30 | 1 | 10 | 11 | 8 | - | - | - | - | - |
| | Cap-Breton (Oilers) | AHL | 20 | 10 | 9 | 19 | 14 | 1 | 0 | 0 | 0 | 0 |
| 1993-94 | Edmonton (Oilers) | LNH | 40 | 4 | 15 | 19 | 14 | - | - | - | - | - |
| 1994-95 | HC Vitkovice | CZE | 18 | 5 | 7 | 12 | 51 | - | - | - | - | - |
| | Cap-Breton (Oilers) | AHL | 30 | 10 | 11 | 21 | 30 | - | - | - | - | - |
| | Las Vegas (Thunder) | LIH | 1 | 0 | 0 | 0 | 0 | - | - | - | - | - |
| 1995-96 | HC Vitkovice | CZE | 26 | 6 | 7 | 13 | - | 4 | 1 | 1 | 2 | - |
| 1996-97 | HC Assat-Pori | FIN | 50 | 27 | 31 | 58 | 48 | 4 | 1 | 2 | 3 | 2 |
| | République tchèque | CM | 8 | 7 | 7 | 14 | 31 | | | | | |
| 1997-98 | Tampa Bay (Lightning) | LNH | 30 | 2 | 4 | 6 | 16 | - | - | - | - | - |
| | Adirondack (Red Wings) | AHL | 2 | 1 | 2 | 3 | 0 | - | - | - | - | - |
| 1998-99 | HC Vitkovice | CZE | 47 | 20 | 35 | 55 | 75 | - | - | - | - | - |
| 1999-20 | Atlanta (Thrashers) | LNH | 3 | 0 | 0 | 0 | 0 | - | - | - | - | - |
| | HC Sparta Praha | CZE | 21 | 12 | 19 | 31 | 10 | 8 | 2 | 3 | 5 | 10 |
| | HC Sparta Praha | EuroHL | 1 | 0 | 0 | 0 | 2 | 4 | 2 | 2 | 4 | 0 |
| 2000-01 | HC Sparta Praha | CZE | 38 | 11 | 18 | 29 | 28 | 13 | 3 | 6 | 9 | 4 |
| 2001-02 | HPK Hameenlinna | FIN | 45 | 19 | 39 | 58 | 38 | 8 | 4 | 7 | 11 | 6 |
| 2002-03 | Pittsburgh (Penguins) | LNH | 5 | 0 | 1 | 1 | 0 | - | - | - | - | - |
| | HC Vitkovice | CZE | 3 | 0 | 0 | 0 | 0 | - | - | - | - | - |
| | Severstal Cherepovets | RUS | 16 | 7 | 14 | 21 | 12 | 12 | 2 | 4 | 6 | 8 |
| | **LNH** | | **110** | **7** | **30** | **37** | **38** | - | - | - | - | - |
| | **Montréal** | | **2** | **0** | **0** | **0** | **0** | - | - | - | - | - |

• Première équipe d'étoiles de l'Ouest (WHL) en 1991-92 • Coupe Calder (AHL) en 1992-93 • Équipe d'étoiles (CM) en 1997 • Médaille de bronze (CM) en 1997
• Échangé à Edmonton par Montréal avec Shayne Corson et Brent Gilchrist pour Vincent Damphousse et le choix de 4e ronde d'Edmonton au repêchage de 1993 (Adam Wiesell) le 27 août 1992 • Échangé à Tampa Bay par Edmonton avec le choix de 3e ronde d'Edmonton au repêchage de 1998 (Dmitri Afanasenkov) et le choix de 3e ronde de Toronto (propriété de Tampa Bay à la suite d'une transaction antérieure, Edmonton sélectionne Alex Henry pour Brantt Myhres le 16 juillet 1997 • Signe avec Atlanta comme agent libre le 29 juillet 1999 • Signe avec Pittsburgh comme agent libre le 15 juillet 2002

## VUKOTA, MICK

**Né à Saskatoon, Saskatchewan, le 14 septembre 1966. Ailier droit, lance de la droite, 6'1", 225 lb**

| SAISON | CLUB | LIGUE | PJ | B | A | PTS | PUN | PJ | B | A | PTS | PUN |
|---|---|---|---|---|---|---|---|---|---|---|---|---|
| 1983-84 | Winnipeg (Warriors) | WHL | 3 | 1 | 1 | 2 | 10 | - | - | - | - | - |
| 1984-85 | Kelowna (Wings) | WHL | 66 | 10 | 6 | 16 | 247 | - | - | - | - | - |
| 1985-86 | Spokane (Chiefs) | WHL | 64 | 19 | 14 | 33 | 369 | 9 | 6 | 4 | 10 | 68 |
| 1986-87 | Spokane (Chiefs) | WHL | 61 | 25 | 28 | 53 | *337 | 4 | 0 | 0 | 0 | 40 |
| 1987-88 | Springfield (Indians) | AHL | 52 | 7 | 9 | 16 | 375 | - | - | - | - | - |
| | New York (Islanders) | LNH | 17 | 1 | 0 | 1 | 82 | 2 | 0 | 0 | 0 | 23 |
| 1988-89 | Springfield (Indians) | AHL | 3 | 1 | 0 | 1 | 33 | - | - | - | - | - |
| | New York (Islanders) | LNH | 48 | 2 | 2 | 4 | 237 | - | - | - | - | - |
| 1989-90 | New York (Islanders) | LNH | 76 | 4 | 8 | 12 | 290 | 1 | 0 | 0 | 0 | 17 |
| 1990-91 | New York (Islanders) | LNH | 60 | 2 | 4 | 6 | 238 | - | - | - | - | - |
| 1991-92 | New York (Islanders) | LNH | 74 | 0 | 6 | 6 | 293 | - | - | - | - | - |
| 1992-93 | New York (Islanders) | LNH | 74 | 2 | 5 | 7 | 216 | 15 | 0 | 0 | 0 | 16 |
| 1993-94 | New York (Islanders) | LNH | 72 | 3 | 1 | 4 | 237 | 4 | 0 | 0 | 0 | 17 |
| 1994-95 | New York (Islanders) | LNH | 40 | 2 | 0 | 2 | 109 | - | - | - | - | - |
| 1995-96 | New York (Islanders) | LNH | 32 | 1 | 1 | 2 | 106 | - | - | - | - | - |
| 1996-97 | New York (Islanders) | LNH | 17 | 0 | 1 | 1 | 71 | - | - | - | - | - |
| | Utah (Grizzlies) | IHL | 43 | 11 | 11 | 22 | 185 | 7 | 1 | 2 | 3 | 20 |
| 1997-98 | Tampa Bay (Lightning) | LNH | 42 | 1 | 0 | 1 | 116 | - | - | - | - | - |
| | **Montréal (Canadiens)** | **LNH** | **22** | **0** | **0** | **0** | **76** | **1** | **0** | **0** | **0** | **0** |
| 1998-99 | Utah (Grizzlies) | IHL | 48 | 8 | 7 | 15 | 226 | - | - | - | - | - |
| 1999-20 | Utah (Grizzlies) | IHL | 71 | 6 | 15 | 21 | 249 | 4 | 0 | 0 | 0 | 2 |
| | **LNH** | | **574** | **17** | **29** | **46** | **2071** | **23** | **0** | **0** | **0** | **73** |
| | **Montréal** | | **22** | **0** | **0** | **0** | **76** | **1** | **0** | **0** | **0** | **0** |

• Signe avec New York (Islanders) comme agent libre le 2 mars 1987 • Réclamé par Tampa Bay de New York (Islanders) au repêchage inter-équipes le 28 septembre 1997 • Échangé à Montréal par Tampa Bay avec Patrick Poulin et Igor Ulanov pour Stéphane Richer, Darcy Tucker et David Wilkie le 15 janvier 1998

## WALTER, RYAN

**Né à New Westminster, Colombie-Britannique, le 23 avril 1958. Centre/ailier gauche, lance de la gauche, 6', 200 lb (1er choix de Washington, 2e au total lors du repêchage de 1978)**

| SAISON | CLUB | LIGUE | PJ | B | A | PTS | PUN | PJ | B | A | PTS | PUN |
|---|---|---|---|---|---|---|---|---|---|---|---|---|
| 1973-74 | Langley (Lords) | BCJHL | 62 | 40 | 62 | 102 | - | - | - | - | - | - |
| | Kamloops (Chiefs) | WCJHL | 2 | 0 | 0 | 0 | 0 | - | - | - | - | - |
| 1974-75 | Langley (Lords) | BCJHL | 52 | 32 | 60 | 92 | 111 | - | - | - | - | - |
| | Kamloops (Chiefs) | WCJHL | 9 | 8 | 4 | 12 | 2 | 2 | 1 | 1 | 2 | 2 |
| 1975-76 | Kamloops (Chiefs) | WCJHL | 72 | 35 | 49 | 84 | 96 | 12 | 3 | 9 | 12 | 10 |
| 1976-77 | Kamloops (Chiefs) | WCJHL | 53 | 41 | 58 | 99 | 100 | 5 | 1 | 3 | 4 | 11 |
| 1977-78 | Seattle (Breakers) | WCJHL | 62 | 54 | 71 | 125 | 148 | - | - | - | - | - |
| | Canada | CMJ | 6 | 5 | 3 | 8 | 4 | | | | | |
| 1978-79 | Washington (Capitals) | LNH | 69 | 28 | 28 | 56 | 70 | - | - | - | - | - |
| | Canada | CM | 8 | 1 | 5 | 4 | | | | | | |
| 1979-80 | Washington (Capitals) | LNH | 80 | 24 | 42 | 66 | 106 | - | - | - | - | - |
| 1980-81 | Washington (Capitals) | LNH | 80 | 24 | 44 | 68 | 150 | - | - | - | - | - |
| | Canada | CM | 8 | 0 | 1 | 1 | 2 | | | | | |
| 1981-82 | Washington (Capitals) | LNH | 78 | 38 | 49 | 87 | 142 | - | - | - | - | - |
| | Canada | CM | 4 | 1 | 3 | 4 | | | | | | |
| 1982-83 | **Montréal (Canadiens)** | **LNH** | **80** | **29** | **46** | **75** | **40** | **3** | **0** | **0** | **0** | **11** |
| | Match des étoiles | LNH | 1 | 0 | 0 | 0 | 0 | | | | | |
| 1983-84 | **Montréal (Canadiens)** | **LNH** | **73** | **20** | **29** | **49** | **83** | **15** | **2** | **1** | **3** | **4** |
| 1984-85 | **Montréal (Canadiens)** | **LNH** | **72** | **19** | **19** | **38** | **59** | **12** | **2** | **7** | **9** | **13** |
| 1985-86 | **Montréal (Canadiens)** | **LNH** | **69** | **15** | **34** | **49** | **45** | **5** | **0** | **1** | **1** | **2** |
| 1986-87 | **Montréal (Canadiens)** | **LNH** | **76** | **23** | **23** | **46** | **34** | **17** | **7** | **12** | **19** | **10** |
| 1987-88 | **Montréal (Canadiens)** | **LNH** | **61** | **13** | **23** | **36** | **39** | **11** | **2** | **4** | **6** | **6** |
| 1988-89 | **Montréal (Canadiens)** | **LNH** | **78** | **14** | **17** | **31** | **48** | **21** | **3** | **5** | **8** | **6** |
| 1989-90 | **Montréal (Canadiens)** | **LNH** | **70** | **8** | **16** | **24** | **59** | **11** | **0** | **2** | **2** | **0** |
| 1990-91 | **Montréal (Canadiens)** | **LNH** | **25** | **0** | **1** | **1** | **12** | **5** | **0** | **0** | **0** | **2** |
| 1991-92 | Vancouver (Canucks) | LNH | 67 | 6 | 11 | 17 | 49 | 13 | 0 | 3 | 3 | 8 |
| 1992-93 | Vancouver (Canucks) | LNH | 25 | 0 | 3 | 3 | 10 | - | - | - | - | - |
| | **LNH** | | **1003** | **264** | **382** | **646** | **946** | **113** | **16** | **35** | **51** | **62** |
| | **Montréal** | | **604** | **141** | **208** | **349** | **419** | **100** | **16** | **32** | **48** | **54** |

• Joueur le plus utile à son équipe (WCJHL) en 1977-78 • Équipe d'étoiles (WCJHL) en 1977-78 • Joueur de l'année (WCJHL) en 1977-78 • Médaille de bronze (CMJ) en 1978. • Médaille de bronze (CM) en 1982 • Match des étoiles (LNH) en 1982-83 • Coupe Stanley (LNH) en 1985-86
• Échangé à Montréal par Washington avec Rick Green pour Rod Langway, Brian Engblom, Doug Jarvis et Craig Laughlin le 9 septembre 1982 • Signe avec Vancouver comme agent libre le 26 juillet 1991

## WALTON, ROBERT (BOB)

**Né à Ottawa, Ontario, le 5 août 1912, décédé le 3 septembre 1992. Ailier droit, lance de la droite, 5'9", 165 lb**

| SAISON | CLUB | LIGUE | PJ | B | A | PTS | PUN | PJ | B | A | PTS | PUN |
|---|---|---|---|---|---|---|---|---|---|---|---|---|
| 1929-30 | Ottawa (Canoe Club) | OCJHL | 11 | 1 | 5 | 6 | - | - | - | - | - | - |
| 1930-31 | Ottawa (Rideaus) | OCJHL | 16 | *14 | 5 | 19 | 20 | 2 | 0 | 1 | 1 | 4 |
| | Ottawa (Rideaus) | OCHL | - | - | - | - | - | 2 | 0 | 0 | 0 | 2 |
| | Ottawa (Rideaus) | Mem. | 3 | 0 | 0 | 0 | 2 | | | | | |
| 1931-32 | Ottawa (New Edinburghs) | OCHL | 26 | 6 | 4 | 10 | 77 | 2 | 0 | 0 | 0 | 4 |
| 1932-33 | Ottawa (New Edinburghs) | OCHL | 14 | 6 | 5 | 11 | 12 | - | - | - | - | - |
| 1933-34 | Ottawa (Montagnards) | OCHL | 21 | *17 | *13 | *30 | 12 | 3 | 0 | 0 | 0 | 2 |
| 1934-35 | Wembley (Lions) | GBR | *Statistiques non disponibles* | | | | | | | | | |
| 1935-36 | Wembley (Lions) | Ln-Cup | - | 6 | 9 | 15 | - | | | | | |
| | Wembley (Lions) | GBR | - | 14 | 9 | 23 | 15 | | | | | |
| 1936-37 | Wembley (Lions) | GBR | - | 27 | 17 | 44 | 52 | | | | | |
| 1937-38 | Kirkland Lake (Blue Devils) | GBHL | 10 | 8 | 8 | 16 | 10 | 2 | 0 | 1 | 1 | 6 |
| 1938-39 | Kirkland Lake (Blue Devils) | GBHL | 16 | 6 | 16 | 22 | 3 | 4 | 0 | 1 | 1 | 6 |
| 1939-40 | Kirkland Lake (Blue Devils) | GBHL | 15 | 6 | 14 | 20 | 9 | 9 | 13 | 9 | 22 | 0 |
| 1940-41 | Niagara Falls (Brights) | OHA Sr | 24 | 15 | 11 | 26 | 10 | 3 | 0 | 1 | 1 | 6 |
| | Sydney (Millionaires) | CBSHL | - | 5 | 7 | 12 | 4 | 2 | 4 | 2 | 6 | 0 |
| | Sydney (Millionaires) | Allan | 17 | 16 | 17 | 33 | 8 | | | | | |
| 1941-42 | Montréal (Royals) | LHSQ | 29 | 6 | 17 | 23 | 22 | | | | | |
| 1942-43 | Sudbury (Pit Miners) | NBHL | 5 | 6 | 4 | 10 | 4 | | | | | |
| 1943-44 | **Montréal (Canadiens)** | **LNH** | **4** | **0** | **0** | **0** | **0** | - | - | - | - | - |
| | Buffalo (Bisons) | AHL | 32 | 7 | 14 | 21 | 9 | 9 | 4 | 0 | 4 | 0 |

| SAISON CLUB | LIGUE | SAISONS RÉGULIÈRES | | | | | SÉRIES ÉLIMINATOIRES | | | | |
|---|---|---|---|---|---|---|---|---|---|---|---|
| | | PJ | B | A | PTS | PUN | PJ | B | A | PTS | PUN |
| 1944-45 Pittsburgh (Hornets) | AHL | 58 | 37 | 58 | *95 | 27 | - | - | - | - | - |
| 1945-46 Pittsburgh (Hornets) | AHL | 47 | 25 | 26 | 51 | 22 | 6 | 1 | 5 | 6 | 4 |
| 1946-47 Cleveland (Barons) | AHL | 62 | 20 | 28 | 48 | 22 | 4 | 0 | 1 | 1 | 0 |
| 1947-48 Washington (Lions) | AHL | 66 | 20 | 23 | 43 | 8 | - | - | - | - | - |
| **LNH** | | **4** | **0** | **0** | **0** | **0** | - | - | - | - | - |
| **Montréal** | | **4** | **0** | **0** | **0** | **0** | - | - | - | - | - |

• Coupe Calder (AHL) en 1943-44 • Première équipe d'étoiles (AHL) en 1944-45
• Signe avec Montréal le 26 octobre 1943

## WARD, JAMES (JIMMY)
**Né à Fort William, le 1er septembre 1906, décédé le 15 novembre 1990**
**Ailier droit, lance de la droite, 5'11", 165 lb**

| SAISON CLUB | LIGUE | PJ | B | A | PTS | PUN | PJ | B | A | PTS | PUN |
|---|---|---|---|---|---|---|---|---|---|---|---|
| 1925-26 Kenora (Thistles) | TBJHL | 16 | 10 | 3 | 13 | 16 | - | - | - | - | - |
| 1926-27 Fort Williams (Forts) | TBSHL | 20 | 18 | 5 | 23 | 20 | 2 | 0 | 0 | 0 | 0 |
| 1927-28 Montréal (Maroons) | LNH | 42 | 10 | 2 | 12 | 44 | 9 | 1 | 1 | 2 | 6 |
| 1928-29 Montréal (Maroons) | LNH | 43 | 14 | 8 | 22 | 46 | - | - | - | - | - |
| 1929-30 Montréal (Maroons) | LNH | 44 | 10 | 7 | 17 | 54 | 4 | 0 | 1 | 1 | 12 |
| 1930-31 Montréal (Maroons) | LNH | 41 | 14 | 8 | 22 | 52 | 2 | 0 | 0 | 0 | 2 |
| 1931-32 Montréal (Maroons) | LNH | 48 | 19 | 19 | 38 | 39 | 4 | 2 | 1 | 3 | 0 |
| 1932-33 Montréal (Maroons) | LNH | 48 | 16 | 17 | 33 | 52 | 2 | 0 | 0 | 0 | 2 |
| 1933-34 Montréal (Maroons) | LNH | 48 | 14 | 9 | 23 | 46 | 4 | 0 | 0 | 0 | 0 |
| Match des étoiles | LNH | 1 | 0 | 1 | 1 | 0 | - | - | - | - | - |
| 1934-35 Montréal (Maroons) | LNH | 41 | 9 | 6 | 15 | 24 | 7 | 1 | 1 | 2 | 0 |
| 1935-36 Montréal (Maroons) | LNH | 42 | 12 | 19 | 31 | 30 | 3 | 0 | 0 | 0 | 6 |
| 1936-37 Montréal (Maroons) | LNH | 40 | 14 | 14 | 28 | 34 | - | - | - | - | - |
| 1937-38 Montréal (Canadiens) | LNH | 48 | 11 | 15 | 26 | 34 | - | - | - | - | - |
| Match des étoiles | LNH | 1 | 0 | 1 | 1 | 0 | - | - | - | - | - |
| 1938-39 Montréal (Canadiens) | LNH | 36 | 4 | 3 | 7 | 0 | 1 | 0 | 0 | 0 | 0 |
| 1939-40 New Haven (Eagles) | IAHL | 49 | 5 | 14 | 19 | 28 | - | - | - | - | - |
| **LNH** | | **527** | **147** | **127** | **274** | **455** | **36** | **4** | **4** | **8** | **26** |
| **Montréal** | | **36** | **4** | **3** | **7** | **0** | **1** | **0** | **0** | **0** | **0** |

• Match des étoiles (LNH) en 1933-34, 1936-37 • Coupe Stanley (LNH) en 1934-35
• Signe avec Montréal (Maroons) le 26 août 1927 • Droits vendus à Montréal (Canadiens) par Montréal (Maroons) avec Bob Gracie, Ernie Cain, Cy Wentworth, Stew Evans, Des Smith et les droits sur Claude Bourque le 14 septembre 1938

## WARD, JASON
**Né à Chapleau, Ontario le 16 janvier 1979. Ailier droit, lance de la droite, 6'2", 192 lb**
**(1er choix de Montréal, 11e au total lors du repêchage de 1997)**

| SAISON CLUB | LIGUE | PJ | B | A | PTS | PUN | PJ | B | A | PTS | PUN |
|---|---|---|---|---|---|---|---|---|---|---|---|
| 1994-95 Oshawa (Legionaires) | OJHL | 47 | 30 | 31 | 61 | 75 | - | - | - | - | - |
| 1995-96 Niagara Falls (Thunder) | OHL | 64 | 15 | 35 | 50 | 139 | 10 | 6 | 4 | 10 | 23 |
| 1996-97 Erie (Cotters) | OHL | 58 | 25 | 39 | 64 | 137 | 5 | 1 | 2 | 3 | 2 |
| 1997-98 Erie (Cotters) | OHL | 21 | 7 | 9 | 16 | 40 | - | - | - | - | - |
| Windsor (Spitfires) | OHL | 26 | 19 | 27 | 46 | 34 | - | - | - | - | - |
| Fredericton (Canadien) | AHL | 7 | 1 | 0 | 1 | 2 | 1 | 0 | 0 | 0 | 2 |
| Canada | CMJ | 7 | 1 | 0 | 1 | 2 | - | - | - | - | - |
| 1998-99 Windsor (Spitfires) | OHL | 12 | 8 | 11 | 19 | 25 | - | - | - | - | - |
| Plymouth (Whalers) | OHL | 23 | 14 | 13 | 27 | 28 | 11 | 6 | 8 | 14 | 12 |
| Fredericton (Canadien) | AHL | - | - | - | - | - | 10 | 4 | 2 | 6 | 22 |
| Canada | CMJ | 7 | 1 | 1 | 2 | 4 | - | - | - | - | - |
| 1999-20 Québec (Citadelles) | AHL | 40 | 14 | 12 | 26 | 30 | 3 | 2 | 1 | 3 | 4 |
| Montréal (Canadiens) | LNH | 32 | 2 | 1 | 3 | 10 | - | - | - | - | - |
| 2000-01 Montréal (Canadiens) | LNH | 12 | 0 | 0 | 0 | 12 | - | - | - | - | - |
| Québec (Citadelles) | AHL | 23 | 7 | 12 | 19 | 69 | - | - | - | - | - |
| 2001-02 Québec (Citadelles) | AHL | 78 | 24 | 33 | 57 | 128 | 3 | 0 | 0 | 0 | 2 |
| 2002-03 Montréal (Canadiens) | LNH | 8 | 3 | 2 | 5 | 0 | - | - | - | - | - |
| Hamilton (Bulldogs) | AHL | 69 | 31 | 41 | 72 | 78 | 23 | 12 | 9 | 21 | 20 |
| **LNH** | | **52** | **5** | **3** | **8** | **22** | - | - | - | - | - |
| **Montréal** | | **52** | **5** | **3** | **8** | **22** | - | - | - | - | - |

• Médaille d'argent (CMJ) en 1999

## WARWICK, GRANT
**Né à Regina, Saskatchewan, le 11 octobre 1921**
**Ailier droit, lance de la droite, 5'6", 155 lb**

| SAISON CLUB | LIGUE | PJ | B | A | PTS | PUN | PJ | B | A | PTS | PUN |
|---|---|---|---|---|---|---|---|---|---|---|---|
| 1938-39 Regina (Abbotts) | S-SSJHL | 4 | 0 | 0 | 0 | 2 | - | - | - | - | - |
| 1939-40 Regina (Abbotts) | S-SSJHL | 11 | 0 | 0 | 0 | 0 | 2 | 2 | 4 | 6 | 11 |
| Regina (Abbotts) | Mem. | 6 | 2 | 4 | 6 | 12 | - | - | - | - | - |
| 1940-41 Regina (Rangers) | S-SSJHL | 31 | 14 | 18 | 32 | 16 | 8 | 5 | 1 | 6 | 2 |
| Regina (Rangers) | Allan | 14 | 6 | 9 | 15 | 8 | - | - | - | - | - |
| 1941-42 New York (Rangers) | LNH | 44 | 16 | 17 | 33 | 36 | 6 | 0 | 1 | 1 | 4 |
| 1942-43 New York (Rangers) | LNH | 50 | 16 | 18 | 35 | 31 | - | - | - | - | - |
| 1943-44 New York (Rangers) | LNH | 18 | 8 | 9 | 17 | 14 | - | - | - | - | - |
| 1944-45 New York (Rangers) | LNH | 42 | 20 | 22 | 42 | 10 | - | - | - | - | - |
| 1945-46 New York (Rangers) | LNH | 45 | 19 | 18 | 37 | 19 | - | - | - | - | - |
| 1946-47 New York (Rangers) | LNH | 54 | 20 | 20 | 40 | 24 | - | - | - | - | - |
| 1947-48 New York (Rangers) | LNH | 40 | 17 | 12 | 29 | 30 | - | - | - | - | - |
| Match des étoiles | LNH | 1 | 1 | 0 | 1 | 0 | - | - | - | - | - |
| Boston (Bruins) | LNH | 18 | 6 | 5 | 11 | 8 | 5 | 0 | 3 | 3 | 4 |
| 1948-49 Boston (Bruins) | LNH | 58 | 15 | 22 | 37 | 14 | 5 | 2 | 0 | 2 | 0 |
| 1949-50 Montréal (Canadiens) | LNH | 26 | 2 | 6 | 8 | 19 | - | - | - | - | - |
| Buffalo (Bisons) | AHL | 37 | 19 | 28 | 47 | 33 | 3 | 2 | 1 | 3 | 2 |
| 1950-51 Buffalo (Bisons) | AHL | 65 | 34 | 65 | 99 | 43 | 4 | 2 | 1 | 3 | 2 |
| 1951-52 Buffalo (Bisons) | AHL | 55 | 24 | 41 | 65 | 35 | 3 | 0 | 0 | 0 | 2 |
| Halifax (St-Mary's) | MMHL | - | - | - | - | - | 5 | 1 | 0 | 1 | 2 |
| 1952-53 Penticton (Vees) | OSHL | 31 | 19 | 27 | 46 | 49 | 11 | 7 | 8 | 15 | 15 |
| Penticton (Vees) | Allan | 18 | 8 | *13 | *21 | 16 | - | - | - | - | - |
| 1953-54 Penticton (Vees) | OSHL | 54 | 36 | 43 | 79 | 79 | 10 | *11 | 7 | *18 | 8 |
| Penticton (Vees) | Allan | 23 | *16 | *30 | *46 | 28 | - | - | - | - | - |
| 1954-55 Penticton (Vees) | OSHL | 38 | 22 | 34 | 56 | 62 | - | - | - | - | - |
| Canada | CM | 8 | 6 | 11 | 17 | 5 | - | - | - | - | - |
| 1955-56 Penticton (Vees) | OSHL | 54 | *54 | 59 | *113 | 44 | 7 | 5 | 3 | 8 | 16 |
| 1956-57 Trail Smoke Eaters | WHL | 43 | 18 | 30 | 48 | 70 | 8 | 5 | 5 | 10 | 8 |
| 1957-58 Kamloops (Chiefs) | OSHL | 49 | 31 | 34 | 65 | 40 | 15 | 1 | 13 | 14 | 14 |
| **LNH** | | **395** | **147** | **142** | **289** | **220** | **16** | **2** | **4** | **6** | **6** |
| **Montréal** | | **26** | **2** | **6** | **8** | **19** | - | - | - | - | - |

• Trophée Calder (LNH) en 1941-42 • Match des étoiles (LNH) en 1947-48 • Première équipe d'étoiles (OSHL) en 1952-53, 1953-54, 1954-55, 1955-56 • Médaille d'or (CM) en 1955
• Réclamé par New York (Rangers) de Cleveland (AHL) lors du repêchage intra-ligue le 27 juin 1941 • Échangé à Boston par New York (Rangers) pour Billy Taylor, Pentti Lund et Ray Manson le 6 février 1948 • Droits vendus à Montréal par Boston avec Ivan Irwin le 10 octobre 1949 • Droits vendus à Buffalo (AHL) par Montréal le 12 avril 1950

## WASNIE, NICHOLAS (NICK)
**Né à Winnipeg, Manitoba, le 1er janvier 1904, décédé le 26 mai 1991**
**Ailier droit, lance de la droite, 5'10", 175 lb**

| SAISON CLUB | LIGUE | PJ | B | A | PTS | PUN | PJ | B | A | PTS | PUN |
|---|---|---|---|---|---|---|---|---|---|---|---|
| 1925-26 Winnipeg (Maroons) | CHL | 31 | 7 | 1 | 8 | 35 | 5 | 1 | 0 | 1 | 0 |
| 1926-27 Winnipeg (Maroons) | AHA | 21 | 7 | 3 | 10 | 33 | - | - | - | - | - |
| 1927-28 Québec (Castors) | Can-Am | 22 | 8 | 3 | 11 | 32 | 6 | 3 | 0 | 3 | 18 |
| Chicago (Black Hawks) | LNH | 14 | 1 | 0 | 1 | 22 | - | - | - | - | - |
| 1928-29 Newark (Bulldogs) | Can-Am | 40 | 14 | 6 | 20 | 76 | - | - | - | - | - |
| 1929-30 Montréal (Canadiens) | LNH | 44 | 12 | 11 | 23 | 64 | 6 | 2 | 2 | 4 | 12 |
| 1930-31 Montréal (Canadiens) | LNH | 44 | 9 | 2 | 11 | 26 | 10 | 4 | 1 | 5 | 8 |
| 1931-32 Montréal (Canadiens) | LNH | 48 | 10 | 2 | 12 | 16 | 4 | 0 | 0 | 0 | 0 |
| 1932-33 New York (Americans) | LNH | 48 | 11 | 12 | 23 | 36 | - | - | - | - | - |
| 1933-34 Ottawa (Senators) | LNH | 48 | 11 | 6 | 17 | 10 | - | - | - | - | - |
| 1934-35 St. Louis (Eagles) | LNH | 13 | 3 | 1 | 4 | 2 | - | - | - | - | - |
| Minneapolis (Millers) | CHL | 33 | 16 | 19 | 35 | 32 | 5 | 2 | 3 | 5 | 4 |
| 1935-36 Rochester (Cardinals) | IHL | 7 | 3 | 4 | 7 | 0 | - | - | - | - | - |
| Pittsburgh (Shamrocks) | IHL | 31 | 11 | 5 | 16 | 35 | - | - | - | - | - |
| 1936-37 Kansas City (Greyhounds) | AHA | 46 | 18 | 19 | 37 | 53 | 3 | 0 | 1 | 1 | 0 |
| 1937-38 Kansas City (Greyhounds) | AHA | 45 | 9 | 12 | 21 | 14 | - | - | - | - | - |
| 1938-39 Kansas City (Greyhounds) | AHA | 48 | 34 | 27 | 61 | 19 | - | - | - | - | - |
| 1939-40 Kansas City (Greyhounds) | AHA | 48 | 21 | 18 | 39 | 36 | - | - | - | - | - |
| **LNH** | | **248** | **57** | **34** | **91** | **176** | **20** | **6** | **3** | **9** | **20** |
| **Montréal** | | **136** | **31** | **15** | **46** | **106** | **20** | **6** | **3** | **9** | **20** |

• Coupe Stanley (LNH) en 1929-30, 1930-31 • Première équipe d'étoiles (CHL) en 1934-35 • Première équipe d'étoiles (AHA) en 1936-37
• Signe avec Chicago le 12 octobre 1927 • Échangé à Saskatoon (PrHL) par Chicago avec Corb Denneny pour Cally McCalmon et Earl Miller le 11 janvier 1928 • Signe avec Montréal le 10 novembre 1929 • Prêté à New York (Americans) par Montréal le 8 octobre 1932. • Échangé à Ottawa par Montréal pour Léo Bourgault et Harold Starr le 24 mai 1933. • Transfert de la concession d'Ottawa à St. Louis le 11 mai 1934 • Échangé à Minneapolis (CHL) par St. Louis avec une somme d'argent pour Fido Purpur le 28 décembre 1934 • Transfert de la concession de Minneapolis (CHL) à Rochester (IHL) le 16 octobre 1935 • Échangé à Pittsburgh (IHL) par Rochester (IHL) pour Roger Cormier le 12 décembre 1935

## WATSON, BRYAN
**Né à Brancroft, Ontario, le 14 novembre 1942**
**Défenseur, lance de la droite, 5'9", 175 lb**

| SAISON CLUB | LIGUE | PJ | B | A | PTS | PUN | PJ | B | A | PTS | PUN |
|---|---|---|---|---|---|---|---|---|---|---|---|
| 1960-61 Peterborough (Petes) | OHA Jr | 18 | 0 | 1 | 1 | 4 | - | - | - | - | - |
| 1961-62 Peterborough (Petes) | OHA Jr | 50 | 3 | 16 | 19 | 129 | - | - | - | - | - |
| 1962-63 Peterborough (Petes) | OHA Jr | 49 | 9 | 22 | 31 | 80 | 6 | 0 | 3 | 3 | 10 |
| Hull-Ottawa (Canadien) | EPHL | - | - | - | - | - | 3 | 1 | 1 | 2 | 0 |
| 1963-64 Omaha (Knights) | CPHL | 9 | 1 | 2 | 3 | 12 | - | - | - | - | - |
| Montréal (Canadiens) | LNH | 39 | 0 | 2 | 2 | 18 | 6 | 0 | 0 | 0 | 2 |
| 1964-65 Québec (As) | AHL | 64 | 1 | 16 | 17 | 186 | 5 | 0 | 0 | 0 | 35 |
| Montréal (Canadiens) | LNH | 5 | 0 | 1 | 1 | 7 | - | - | - | - | - |
| 1965-66 Detroit (Red Wings) | LNH | 70 | 2 | 7 | 9 | 133 | 12 | 2 | 0 | 2 | 30 |
| 1966-67 Memphis (Wings) | CPHL | 16 | 1 | 3 | 4 | 76 | - | - | - | - | - |
| Detroit (Red Wings) | LNH | 1 | 0 | 1 | 1 | 66 | - | - | - | - | - |
| 1967-68 Montréal (Canadiens) | LNH | 12 | 0 | 1 | 1 | 9 | - | - | - | - | - |
| Cleveland (Barons) | AHL | 12 | 0 | 4 | 4 | 22 | - | - | - | - | - |
| Houston (Apollos) | CPHL | 50 | 2 | 37 | 39 | *239 | - | - | - | - | - |
| 1968-69 Oakland (Seals) | LNH | 50 | 3 | 5 | 8 | 97 | - | - | - | - | - |
| Pittsburgh (Penguins) | LNH | 18 | 0 | 4 | 4 | 35 | - | - | - | - | - |
| 1969-70 Baltimore (Clippers) | AHL | 5 | 1 | 2 | 3 | 8 | - | - | - | - | - |
| Pittsburgh (Penguins) | LNH | 61 | 1 | 9 | 10 | 189 | 10 | 0 | 0 | 0 | 17 |
| 1970-71 Pittsburgh (Penguins) | LNH | 74 | 1 | 11 | 12 | 179 | - | - | - | - | - |
| 1971-72 Pittsburgh (Penguins) | LNH | 75 | 3 | 17 | 20 | *212 | 4 | 0 | 0 | 0 | 21 |
| 1972-73 Pittsburgh (Penguins) | LNH | 69 | 2 | 17 | 19 | 179 | - | - | - | - | - |
| 1973-74 Pittsburgh (Penguins) | LNH | 38 | 1 | 4 | 5 | 137 | - | - | - | - | - |
| St. Louis (Blues) | LNH | 11 | 0 | 1 | 1 | 19 | - | - | - | - | - |
| Detroit (Red Wings) | LNH | 21 | 0 | 4 | 4 | 99 | - | - | - | - | - |
| 1974-75 Detroit (Red Wings) | LNH | 70 | 1 | 13 | 14 | 238 | - | - | - | - | - |
| 1975-76 Detroit (Red Wings) | LNH | 79 | 0 | 18 | 18 | 322 | - | - | - | - | - |
| 1976-77 Detroit (Red Wings) | LNH | 11 | 0 | 1 | 1 | 39 | - | - | - | - | - |
| Washington (Capitals) | LNH | 56 | 1 | 14 | 15 | 91 | - | - | - | - | - |
| 1977-78 Washington (Capitals) | LNH | 79 | 3 | 11 | 14 | 167 | - | - | - | - | - |
| 1978-79 Washington (Capitals) | LNH | 21 | 0 | 1 | 1 | 36 | - | - | - | - | - |
| Cincinnati (Stingers) | AMH | 21 | 0 | 2 | 2 | 56 | 3 | 0 | 1 | 1 | 2 |
| **LNH** | | **878** | **17** | **135** | **152** | **2212** | **32** | **2** | **0** | **2** | **70** |
| **Montréal** | | **56** | **0** | **4** | **4** | **34** | **6** | **0** | **0** | **0** | **2** |

• Première équipe d'étoiles (CPHL) en 1967-68 • Nommé meilleur défenseur (CPHL) en 1967-68 • Trophée Tommy-Ivan (CPHL) en 1967-68
• Échangé à Chicago par Montréal pour Don Johns le 8 juin 1965 • Réclamé par Detroit de Chicago lors du repêchage intra-ligue le 9 juin 1965 • Réclamé par Minnesota de Detroit lors de l'expansion de la LNH le 6 juin 1967 • Échangé à Montréal par Minnesota pour Bill Plager, Léo Thiffault et Barrie Meissner le 6 juin 1967 • Échangé à Oakland par Montréal avec une somme d'argent pour le 1er choix d'Oakland au repêchage de 1972 (Michel

Laroque) le 10 juin 1968 • Échangé à Pittsburgh par Oakland avec George Swarbrick et Tracy Pratt pour Earl Ingarfield, Gene Ubriaco et Dick Mattiussi le 30 janvier 1969 • Échangé à St. Louis par Pittsburgh avec Greg Polis et le choix de 2e ronde de Pittsburgh au repêchage de 1974 (Bob Hess) pour Steve Durbano, Ab DeMarco et Bob Kelly le 17 janvier 1974 • Échangé à Detroit par St. Louis avec Chris Evans et Jean Hamel pour Ted Harris, Bill Collins et Garnet Bailey le 14 février 1974 • Échangé à Washington par Detroit pour Greg Joly le 30 novembre 1976 • Signe avec Cincinnati (AMH) comme agent libre le 2 mars 1979

## WATSON, PHILLIP (PHIL)

**Né à Montréal, Québec, le 24 avril 1914, décédé**
**Centre, lance de la droite, 5'11", 170 lb**

| Saison | Club | Ligue | PJ | B | A | PTS | PUN | PJ | B | A | PTS | PUN |
|---|---|---|---|---|---|---|---|---|---|---|---|---|
| 1932-33 | Montréal (Saint-François) | LHJHL | 11 | 10 | 5 | 15 | 16 | 2 | 0 | 0 | 0 | 0 |
| 1933-34 | Montréal (Saint-François) | LHJHL | 16 | 7 | 6 | 13 | 14 | - | - | - | - | - |
| 1934-35 | Montréal (Royals) | LHJQ | 19 | 7 | 7 | 14 | 24 | 7 | 1 | 2 | 3 | 4 |
| 1935-36 | Philadelphie (Arrows) | Can-Am | 22 | 9 | 5 | 14 | 32 | - | - | - | - | - |
|  | New York (Rangers) | LNH | 24 | 0 | 2 | 2 | 24 | - | - | - | - | - |
| 1936-37 | New York (Rangers) | LNH | 48 | 11 | 17 | 28 | 22 | 9 | 0 | 2 | 2 | 9 |
| 1937-38 | New York (Rangers) | LNH | 48 | 7 | 25 | 32 | 52 | 3 | 0 | 2 | 2 | 0 |
| 1938-39 | New York (Rangers) | LNH | 48 | 15 | 22 | 37 | 42 | 7 | 1 | 1 | 2 | 7 |
| 1939-40 | New York (Rangers) | LNH | 48 | 7 | 28 | 35 | 42 | 12 | 3 | 6 | 9 | 16 |
| 1940-41 | New York (Rangers) | LNH | 40 | 11 | 25 | 36 | 49 | 3 | 0 | 2 | 2 | 0 |
| 1941-42 | New York (Rangers) | LNH | 48 | 15 | *37 | 52 | 58 | 6 | 1 | 4 | 5 | 8 |
| 1942-43 | New York (Rangers) | LNH | 46 | 14 | 28 | 42 | 44 | - | - | - | - | - |
| 1943-44 | **Montréal (Canadiens)** | **LNH** | **44** | **17** | **32** | **49** | **61** | **9** | **3** | **5** | **8** | **16** |
| 1944-45 | New York (Rangers) | LNH | 45 | 11 | 8 | 19 | 24 | - | - | - | - | - |
| 1945-46 | New York (Rangers) | LNH | 49 | 12 | 14 | 26 | 43 | - | - | - | - | - |
| 1946-47 | New York (Rangers) | LNH | 48 | 6 | 12 | 18 | 17 | - | - | - | - | - |
| 1947-48 | New York (Rangers) | LNH | 54 | 15 | 18 | 33 | 54 | 5 | 2 | 3 | 5 | 2 |
|  |  | **LNH** | **590** | **144** | **265** | **409** | **532** | **54** | **10** | **25** | **35** | **67** |
|  |  | **Montréal** | **44** | **17** | **32** | **49** | **61** | **9** | **3** | **5** | **8** | **16** |

• Coupe Stanley (LNH) en 1939-40, 1943-44 • Deuxième équipe d'étoiles (LNH) en 1941-42
• Signe avec New York (Rangers) le 27 octobre 1935 • Prêté à Montréal par New York (Rangers) sous certaines conditions pour la saison 1943-44 • Retourné à New York (Rangers) pour la saison 1944-45

## WEINRICH, ERIC

**Né à Roanoke, Virginie, le 19 décembre 1966. Défenseur, lance de la gauche, 6'1", 210 lb (3e choix de New Jersey, 32e au total lors du repêchage de 1985)**

| Saison | Club | Ligue | PJ | B | A | PTS | PUN | PJ | B | A | PTS | PUN |
|---|---|---|---|---|---|---|---|---|---|---|---|---|
| 1983-84 | Yarmouth Academy | Hi-School | 17 | 23 | 33 | 56 | - | - | - | - | - | - |
| 1984-85 | Yarmouth Academy | Hi-School | 20 | 6 | 21 | 27 | - | - | - | - | - | - |
|  | États-Unis | CMJ | 7 | 1 | 1 | 2 | 8 | - | - | - | - | - |
| 1985-86 | Maine University | H-East | 34 | 0 | 14 | 14 | 26 | - | - | - | - | - |
|  | États-Unis | CMJ | 7 | 1 | 0 | 1 | 4 | - | - | - | - | - |
| 1986-87 | Maine University | H-East | 41 | 12 | 32 | 44 | 59 | - | - | - | - | - |
| 1987-88 | Maine University | H-East | 8 | 4 | 7 | 11 | 22 | - | - | - | - | - |
|  | États-Unis | Éq. nat. | 38 | 3 | 9 | 12 | 24 | - | - | - | - | - |
|  | États-Unis | JO | 3 | 0 | 0 | 0 | 0 | - | - | - | - | - |
| 1988-89 | New Jersey (Devils) | LNH | 2 | 0 | 0 | 0 | 0 | - | - | - | - | - |
|  | Utica (Devils) | AHL | 80 | 17 | 27 | 44 | 70 | 5 | 0 | 1 | 1 | 4 |
| 1989-90 | New Jersey (Devils) | LNH | 19 | 2 | 7 | 9 | 11 | 6 | 1 | 3 | 4 | 17 |
|  | Utica (Devils) | AHL | 57 | 12 | 48 | 60 | 38 | - | - | - | - | - |
| 1990-91 | New Jersey (Devils) | LNH | 76 | 4 | 34 | 38 | 48 | 7 | 1 | 2 | 3 | 6 |
|  | États-Unis | CM | 10 | 1 | 3 | 4 | 6 | - | - | - | - | - |
| 1991-92 | New Jersey (Devils) | LNH | 76 | 7 | 25 | 32 | 55 | 7 | 0 | 2 | 2 | 4 |
|  | États-Unis | CC | 8 | 0 | 0 | 0 | 0 | - | - | - | - | - |
| 1992-93 | Hartford (Whalers) | LNH | 79 | 7 | 29 | 36 | 76 | - | - | - | - | - |
|  | États-Unis | CM | 6 | 0 | 1 | 1 | 0 | - | - | - | - | - |
| 1993-94 | Hartford (Whalers) | LNH | 8 | 1 | 1 | 2 | 2 | - | - | - | - | - |
|  | Chicago (Blackhawks) | LNH | 54 | 3 | 23 | 26 | 31 | 6 | 0 | 2 | 2 | 6 |
| 1994-95 | Chicago (Blackhawks) | LNH | 48 | 3 | 10 | 13 | 33 | 16 | 1 | 5 | 6 | 4 |
| 1995-96 | Chicago (Blackhawks) | LNH | 77 | 5 | 10 | 15 | 65 | 10 | 1 | 4 | 5 | 10 |
| 1996-97 | Chicago (Blackhawks) | LNH | 81 | 7 | 25 | 32 | 62 | 6 | 0 | 1 | 1 | 4 |
|  | États-Unis | CDM | 6 | 0 | 4 | 4 | 2 | - | - | - | - | - |
| 1997-98 | Chicago (Blackhawks) | LNH | 82 | 2 | 21 | 23 | 106 | - | - | - | - | - |
|  | États-Unis | CM | 6 | 0 | 2 | 2 | 16 | - | - | - | - | - |
| 1998-99 | Chicago (Blackhawks) | LNH | 14 | 1 | 3 | 4 | 12 | - | - | - | - | - |
|  | **Montréal (Canadiens)** | **LNH** | **66** | **6** | **12** | **18** | **77** | - | - | - | - | - |
|  | États-Unis | CM | 6 | 1 | 2 | 3 | 2 | - | - | - | - | - |
| 1999-20 | **Montréal (Canadiens)** | **LNH** | **77** | **4** | **25** | **29** | **39** | - | - | - | - | - |
|  | États-Unis | CM | 7 | 0 | 2 | 2 | 4 | - | - | - | - | - |
| 2000-01 | **Montréal (Canadiens)** | **LNH** | **60** | **6** | **19** | **25** | **34** | - | - | - | - | - |
|  | Boston (Bruins) | LNH | 22 | 1 | 5 | 6 | 10 | - | - | - | - | - |
| 2001-02 | Philadelphie (Flyers) | LNH | 80 | 4 | 20 | 24 | 26 | 5 | 0 | 0 | 0 | 4 |
| 2002-03 | Philadelphie (Flyers) | LNH | 81 | 2 | 18 | 20 | 40 | 13 | 2 | 3 | 5 | 12 |
|  |  | **LNH** | **1002** | **65** | **287** | **352** | **727** | **76** | **6** | **22** | **28** | **67** |
|  |  | **Montréal** | **203** | **16** | **56** | **72** | **150** | | | | | |

• Médaille de bronze (CMJ) en 1985-86 • Première équipe d'étoiles (H-East) en 1986-87 • Deuxième équipe d'étoiles All-American, Division Est (NCAA) en 1986-87 • Première équipe d'étoiles (AHL) en 1989-90 • Trophée Eddie-Shore (AHL) en 1989-90 • Équipe d'étoiles des recrues (LNH) en 1990-91
• Échangé à Hartford par New Jersey avec Sean Burke pour Bobby Holik, le choix de 2e ronde de Hartford au repêchage (Jay Pandolfo) et des considérations futures le 28 août 1992 • Échangé à Chicago par Hartford avec Patrick Poulin pour Steve Larmer et Bryan Marchment le 2 novembre 1993 • Échangé à Montréal par Chicago avec Jeff Hackett, Alain Nasreddine et le choix de 4e ronde de Tampa Bay (propriété de Chicago à la suite d'une transaction antérieure, Montréal sélectionne Chris Dyment) au repêchage de 1999 pour Dave Manson, Jocelyn Thibault et Brad Brown le 16 novembre 1998 • Échangé à Boston par Montréal pour Patrick Traverse le 21 février 2001 • Signe avec Philadelphie comme agent libre le 5 juillet 2001

## WENTWORTH, MARVIN (CY)

**Né à Grimsby, Ontario, le 24 janvier 1905, décédé**
**Défenseur, lance de la droite, 5'10", 170 lb**

| Saison | Club | Ligue | PJ | B | A | PTS | PUN | PJ | B | A | PTS | PUN |
|---|---|---|---|---|---|---|---|---|---|---|---|---|
| 1925-26 | Windsor (Hornets) | OHA Sr | 20 | 6 | 5 | 11 | 9 | - | - | - | - | - |
| 1926-27 | Chicago (Cardinals) | AHA | 34 | 8 | 4 | 12 | 40 | - | - | - | - | - |
| 1927-28 | Chicago (Black Hawks) | LNH | 43 | 5 | 5 | 10 | 31 | - | - | - | - | - |
| 1928-29 | Chicago (Black Hawks) | LNH | 44 | 2 | 1 | 3 | 44 | - | - | - | - | - |
| 1929-30 | Chicago (Black Hawks) | LNH | 37 | 3 | 4 | 7 | 28 | - | - | - | - | - |
| 1930-31 | Chicago (Black Hawks) | LNH | 44 | 4 | 4 | 8 | 12 | 9 | 1 | 1 | 2 | 14 |
| 1931-32 | Chicago (Black Hawks) | LNH | 48 | 3 | 10 | 13 | 30 | 2 | 0 | 0 | 0 | 0 |
| 1932-33 | Montréal (Maroons) | LNH | 47 | 4 | 10 | 14 | 48 | 2 | 0 | 1 | 1 | 0 |
| 1933-34 | Montréal (Maroons) | LNH | 48 | 2 | 5 | 7 | 31 | 4 | 0 | 2 | 2 | 2 |
| 1934-35 | Montréal (Maroons) | LNH | 48 | 4 | 9 | 13 | 28 | 7 | 3 | 2 | 5 | 0 |
| 1935-36 | Montréal (Maroons) | LNH | 48 | 5 | 9 | 14 | 24 | 3 | 0 | 0 | 0 | 0 |
| 1936-37 | Montréal (Maroons) | LNH | 43 | 3 | 4 | 7 | 29 | 5 | 1 | 0 | 1 | 0 |
| 1937-38 | Montréal (Maroons) | LNH | 48 | 5 | 9 | 14 | 32 | - | - | - | - | - |
|  | Match des étoiles | LNH | 1 | 0 | 0 | 0 | 0 | | | | | |
| 1938-39 | **Montréal (Canadiens)** | **LNH** | **45** | **0** | **3** | **3** | **12** | **3** | **0** | **0** | **0** | **4** |
| 1939-40 | **Montréal (Canadiens)** | **LNH** | **32** | **1** | **3** | **4** | **6** | - | - | - | - | - |
|  | Match des étoiles | LNH | | | | | | | | | | |
|  |  | **LNH** | **575** | **39** | **68** | **107** | **355** | **35** | **5** | **6** | **11** | **20** |
|  |  | **Montréal** | **77** | **1** | **6** | **7** | **18** | **3** | **0** | **0** | **0** | **4** |

• Deuxième équipe d'étoiles (LNH) en 1934-35 • Coupe Stanley (LNH) en 1934-35 • Match des étoiles (LNH) en 1937-38, 1939-40
• Droits vendus à Chicago par Windsor (Can-Pro) le 20 décembre 1926 • Droits vendus à Montréal (Maroons) par Chicago pour une somme d'argent le 24 octobre 1932 • Droits vendus à Montréal (Canadiens) par Montréal (Maroons) avec Bob Gracie, Ernie Cain, Jimmy Ward, Stew Evans, Des Smith et les droits sur Claude Bourque le 14 septembre 1938

## WHITE, LEONARD (MOE)

**Né à Verdun, Québec, le 28 juillet 1919**
**Centre, lance de la gauche, 5'11", 180 lb**

| Saison | Club | Ligue | PJ | B | A | PTS | PUN | PJ | B | A | PTS | PUN |
|---|---|---|---|---|---|---|---|---|---|---|---|---|
| 1935-36 | Verdun (Maple Leafs) | LHJQ | 9 | 1 | 3 | 4 | 0 | 2 | 0 | 2 | 2 | 0 |
| 1936-37 | Montréal (Victorias) | LHJCM | 11 | 2 | 5 | 7 | 19 | 2 | 2 | 1 | 3 | 2 |
|  | Montréal (Victorias) | Mem. | 4 | 1 | 2 | 3 | 2 | | | | | |
| 1937-38 | Montréal (Victorias) | LHJCM | 19 | 7 | 5 | 12 | 19 | 6 | 6 | 2 | 8 | 16 |
|  | Montréal (Victorias) | Mem. | 4 | 2 | 2 | 4 | 2 | | | | | |
| 1938-39 | Montréal (Victorias) | LHCM | 22 | 9 | 10 | 19 | 19 | - | - | - | - | - |
| 1939-40 | Verdun (Maple Leafs) | LHSQ | 30 | 14 | 14 | 28 | 20 | 8 | 3 | 3 | 6 | 10 |
| 1940-41 | Glace Bay (Miners) | CBSHL | 11 | 4 | 5 | 9 | 14 | - | - | - | - | - |
| 1941-42 | Glace bay (Miners) | CBSHL | 40 | 31 | 31 | 62 | 44 | 7 | 5 | 4 | 9 | 6 |
| 1942-43 | Montréal (Armée) | LHCM | 33 | 13 | 20 | 33 | 16 | 7 | 1 | 2 | 3 | 16 |
|  | Montréal (Armée) | LHCM | 6 | 6 | 7 | 13 | 2 | 5 | 6 | 4 | 10 | 0 |
| 1943-44 | Kingston (Army) | OHA Sr | 13 | 7 | 8 | 15 | 6 | - | - | - | - | - |
|  | Montréal (Arme) | LHCM | 1 | 0 | 0 | 0 | 0 | - | - | - | - | - |
| 1944-45 | | | | | | *Service militaire* | | | | | | |
| 1945-46 | Buffalo (Bisons) | AHL | 11 | 2 | 2 | 4 | 2 | - | - | - | - | - |
|  | **Montréal (Canadiens)** | **LNH** | **4** | **0** | **1** | **1** | **2** | - | - | - | - | - |
|  | Montréal (Royals) | LHSQ | 1 | 1 | 0 | 1 | 2 | - | - | - | - | - |
| 1946-47 | Houston (Huskies) | USHL | 60 | 28 | 34 | 62 | 27 | - | - | - | - | - |
| 1947-48 | Valleyfield (Braves) | LHSQ | 46 | 23 | 29 | 52 | 37 | 6 | 0 | 2 | 2 | 10 |
| 1948-49 | Glace Bay (Miners) | CBSHL | 57 | 6 | *44 | 50 | 111 | 12 | 1 | 3 | 4 | *33 |
| 1949-50 | Glace Bay (Miners) | CBSHL | 70 | 18 | 27 | 45 | 33 | 10 | 0 | 9 | 9 | 2 |
|  |  | **LNH** | **4** | **0** | **1** | **1** | **2** | - | - | - | - | - |
|  |  | **Montréal** | **4** | **0** | **1** | **1** | **2** | - | - | - | - | - |

• Échangé à Montréal par Buffalo (AHL) avec Murdo MacKay pour Jack Adams le 14 janvier 1946 • Échangé à Buffalo (AHL) par Montréal avec Jimmy McFadden et les droits sur Frank Stahan pour Tom Rockey le 8 octobre 1946

## WICKENHEISER, DOUGLAS (DOUG)

**Né à Regina, Saskatchewan, le 30 mars 1961, décédé le 12 janvier 1999**
**Centre, lance de la gauche, 6'1", 200 lb**
**(1er choix de Montréal, 1er au total lors du repêchage de 1980)**

| Saison | Club | Ligue | PJ | B | A | PTS | PUN | PJ | B | A | PTS | PUN |
|---|---|---|---|---|---|---|---|---|---|---|---|---|
| 1976-77 | Regina (Blues) | SJHL | 59 | 42 | 46 | 88 | 63 | - | - | - | - | - |
| 1977-78 | Regina (Pats) | WCJHL | 68 | 37 | 51 | 88 | 49 | 13 | 4 | 5 | 9 | 4 |
| 1978-79 | Regina (Pats) | WHL | 68 | 32 | 62 | 94 | 141 | - | - | - | - | - |
| 1979-80 | Regina (Pats) | WHL | 71 | *89 | 81 | *170 | 99 | 18 | 14 | *26 | *40 | 20 |
|  | Regina (Pats) | Mem. | 4 | 1 | 4 | 5 | 8 | - | - | - | - | - |
| 1980-81 | **Montréal (Canadiens)** | **LNH** | **41** | **7** | **8** | **15** | **20** | - | - | - | - | - |
| 1981-82 | **Montréal (Canadiens)** | **LNH** | **56** | **12** | **23** | **35** | **43** | - | - | - | - | - |
| 1982-83 | **Montréal (Canadiens)** | **LNH** | **78** | **25** | **30** | **55** | **49** | - | - | - | - | - |
| 1983-84 | **Montréal (Canadiens)** | **LNH** | **27** | **5** | **5** | **10** | **6** | - | - | - | - | - |
|  | St. Louis (Blues) | LNH | 46 | 7 | 21 | 28 | 19 | 11 | 2 | 2 | 4 | 2 |
| 1984-85 | St. Louis (Blues) | LNH | 68 | 23 | 20 | 43 | 36 | - | - | - | - | - |
| 1985-86 | St. Louis (Blues) | LNH | 36 | 8 | 11 | 19 | 16 | 19 | 5 | 7 | 12 | 6 |
| 1986-87 | St. Louis (Blues) | LNH | 80 | 13 | 15 | 28 | 37 | 6 | 0 | 0 | 0 | 2 |
| 1987-88 | Vancouver (Canucks) | LNH | 80 | 7 | 19 | 26 | 36 | - | - | - | - | - |
| 1988-89 | New York (Rangers) | LNH | 1 | 1 | 0 | 1 | 0 | - | - | - | - | - |
|  | Flin (Spirits) | IHL | 21 | 9 | 7 | 16 | 18 | - | - | - | - | - |
|  | Canada | Éq. Nat. | 26 | 7 | 15 | 22 | 40 | - | - | - | - | - |
|  | Washington (Capitals) | LNH | 16 | 0 | 5 | 5 | 4 | 5 | 0 | 0 | 0 | 2 |
|  | Baltimore (Skipjacks) | AHL | 2 | 0 | 1 | 1 | 0 | - | - | - | - | - |
| 1989-90 | Washington (Capitals) | LNH | 27 | 1 | 8 | 9 | 20 | - | - | - | - | - |
|  | Baltimore (Skipjacks) | AHL | 35 | 9 | 19 | 28 | 22 | 12 | 2 | 5 | 7 | 22 |
| 1990-91 | HC Asiago | ITA | 35 | 25 | 32 | 57 | 9 | - | - | - | - | - |
| 1991-92 | EHC Unna | GER | 8 | 14 | 6 | 20 | 36 | - | - | - | - | - |
|  | SV Bayreuth | GER | 4 | 4 | 3 | 7 | 0 | - | - | - | - | - |
|  | KAC Klagenfurt | AUT | 22 | 7 | 12 | 19 | - | - | - | - | - | - |
| 1992-93 | Peoria (Rivermen) | IHL | 80 | 30 | 45 | 75 | 30 | 4 | 0 | 2 | 2 | 2 |

| | | SAISONS RÉGULIÈRES | | | | | SÉRIES ÉLIMINATOIRES | | | | |
|---|---|---|---|---|---|---|---|---|---|---|---|
| SAISON CLUB | LIGUE | PJ | B | A | PTS | PUN | PJ | B | A | PTS | PUN |
| 1993-94 Fort Wayne (Komets) | IHL | 73 | 22 | 37 | 59 | 22 | 14 | 2 | 2 | 4 | 4 |
| LNH | | 556 | 111 | 165 | 276 | 286 | 41 | 4 | 7 | 11 | 18 |
| Montréal | | 202 | 49 | 66 | 115 | 118 | | | | | |

• Équipe d'étoiles (WHL) en 1979-80 • Joueur junior par excellence au Canada en 1979-80
• Échangé à St. Louis par Montréal avec Gilbert Delorme et Greg Paslawski pour Perry Turnbull le 21 décembre 1983 • Réclamé par Hartford de St. Louis lors du repêchage inter-équipes le 5 octobre 1987 • Réclamé par Vancouver de Hartford lors du repêchage inter-équipes le 5 octobre 1987 • Signe avec New York (Rangers) comme agent libre le 12 août 1988 • Signe avec Washington comme agent libre le 28 février 1989

## WILKIE, DAVID
Né à Ellensburgh, Washington, le 30 mai 1974. Défenseur, lance de la droite, 6'2", 210 lb (1er choix de Montréal, 20e au total lors du repêchage de 1992)

| SAISON CLUB | LIGUE | PJ | B | A | PTS | PUN | PJ | B | A | PTS | PUN |
|---|---|---|---|---|---|---|---|---|---|---|---|
| 1990-91 Omaha (Lancers) | USHL | 19 | 2 | 2 | 4 | 18 | - | - | - | - | - |
| Seattle (Thunderbirds) | WHL | 25 | 1 | 1 | 2 | 22 | - | - | - | - | - |
| 1991-92 Kamloops (Blazers) | WHL | 71 | 12 | 28 | 40 | 153 | 16 | 6 | 5 | 11 | 19 |
| Kamloops (Blazers) | Mem. | 5 | 1 | 1 | 2 | 4 | - | | | | |
| 1992-93 Kamloops (Blazers) | WHL | 53 | 11 | 26 | 37 | 109 | 6 | 4 | 2 | 6 | 2 |
| États-Unis | CMJ | 7 | 0 | 2 | 2 | 2 | - | | | | |
| 1993-94 Kamloops (Blazers) | WHL | 27 | 11 | 18 | 29 | 18 | - | | | | |
| États-Unis | CMJ | 6 | 2 | 1 | 3 | 0 | - | | | | |
| Regina (Pats) | WHL | 29 | 27 | 21 | 48 | 16 | 4 | 1 | 4 | 5 | 4 |
| 1994-95 Fredericton (Canadien) | AHL | 70 | 10 | 43 | 53 | 34 | 1 | 0 | 0 | 0 | 0 |
| Montréal (Canadiens) | LNH | 1 | 0 | 0 | 0 | 0 | - | | | | |
| 1995-96 Fredericton (Canadien) | AHL | 23 | 5 | 12 | 17 | 20 | - | | | | |
| Montréal (Canadiens) | LNH | 24 | 1 | 5 | 6 | 10 | 6 | 1 | 2 | 3 | 12 |
| 1996-97 Montréal (Canadiens) | LNH | 61 | 6 | 9 | 15 | 63 | 2 | 0 | 0 | 0 | 2 |
| 1997-98 Montréal (Canadiens) | LNH | 5 | 1 | 0 | 1 | 4 | - | | | | |
| Tampa Bay (Lightning) | LNH | 29 | 1 | 5 | 6 | 17 | - | | | | |
| 1998-99 Cleveland (Lumberjacks) | IHL | 2 | 0 | 2 | 2 | 0 | - | | | | |
| Tampa Bay (Lightning) | LNH | 46 | 1 | 7 | 8 | 69 | - | | | | |
| 1999-20 Houston (Aeros) | IHL | 57 | 4 | 24 | 28 | 71 | 11 | 1 | 8 | 9 | 10 |
| Hartford (Wolf Pack) | AHL | 1 | 0 | 2 | 2 | 0 | - | | | | |
| Chicago (Wolves) | IHL | 1 | 0 | 0 | 0 | 0 | - | | | | |
| 2000-01 New York (Rangers) | LNH | 1 | 0 | 0 | 0 | 2 | - | | | | |
| Houston (Aeros) | IHL | 49 | 8 | 11 | 19 | 29 | 7 | 1 | 2 | 4 | 9 |
| 2001-02 Augusta (Lynx) | ECHL | 72 | 11 | 34 | 45 | 86 | - | | | | |
| LNH | | 167 | 10 | 26 | 36 | 165 | 8 | 1 | 2 | 3 | 14 |
| Montréal | | 91 | 8 | 14 | 22 | 77 | 8 | 1 | 2 | 3 | 14 |

• Coupe Memorial en 1991-92
• Échangé à Tampa Bay par Montréal avec Stéphane Richer et Darcy Tucker pour Patrick Poulin, Mick Vukota et Igor Ulanov le 15 janvier 1998 • Signe avec les Rangers de New York le 29 septembre 1999 • Signe comme joueur et entraîneur-adjoint avec Augusta le 11 août 2001

## WILSON, CAROL (CULLY)
Né à Winnipeg, Manitoba en 1893, décédé
Centre/Ailier droit, lance de la droite, 5,8", 180 lb

| SAISON CLUB | LIGUE | PJ | B | A | PTS | PUN | PJ | B | A | PTS | PUN |
|---|---|---|---|---|---|---|---|---|---|---|---|
| 1910-11 Winnipeg (Falcons) | MIPHL | 4 | 4 | 0 | 4 | | - | | | | |
| Kenora (Thistles) | MIPHL | 2 | 0 | 0 | 0 | | - | | | | |
| Winnipeg (Monarchs) | MHL SR | 1 | 2 | 0 | 2 | | - | | | | |
| 1911-12 Winnipeg (Falcons) | MHL SR | 8 | 11 | 0 | 11 | | - | | | | |
| 1912-13 Toronto (Blueshirts) | NHA | 19 | 12 | 0 | 12 | | - | | | | |
| 1913-14 Toronto (Blueshirts) | NHA | 20 | 9 | 4 | 13 | | 2 | 0 | 0 | 0 | 2 |
| 1914-15 Toronto (Blueshirts) | NHA | 20 | 22 | 5 | 27 | *138 | - | | | | |
| 1915-15 Seattle (Metropolitans) | PCHA | 18 | 12 | 5 | 17 | 57 | - | | | | |
| Toronto (Blueshirts) | NHA | 5 | 0 | 0 | 0 | | - | | | | |
| 1916-17 Seattle (Metropolitans) | PCHA | 15 | 13 | 7 | 20 | 58 | 4 | 1 | 4 | 5 | 6 |
| 1917-18 Seattle (Metropolitans) | PCHA | 17 | 8 | 6 | 14 | 46 | 2 | 0 | 0 | 0 | 3 |
| 1918-19 Seattle (Metropolitans) | PCHA | 18 | 11 | 5 | 16 | *37 | 7 | 4 | 2 | 6 | 6 |
| 1919-20 Toronto (St. Patricks) | LNH | 23 | 20 | 6 | 26 | 79 | - | | | | |
| 1920-21 Toronto (St. Patricks) | LNH | 8 | 3 | 2 | 5 | 22 | - | | | | |
| Montréal (Canadiens) | LNH | 11 | 6 | 1 | 7 | 29 | - | | | | |
| 1921-22 Hamilton (Tigers) | LNH | 23 | 7 | 9 | 16 | 20 | - | | | | |
| 1922-23 Hamilton (Tigers) | LNH | 23 | 16 | 5 | 21 | 46 | - | | | | |
| 1923-24 Calgary (Tigers) | WCHL | 30 | 16 | 7 | 23 | 37 | 7 | 4 | 0 | 4 | 6 |
| 1924-25 Calgary (Tigers) | WCHL | 28 | 14 | 6 | 20 | 20 | 2 | 1 | 0 | 1 | 6 |
| 1925-26 Calgary (Tigers) | WHL | 30 | 11 | 4 | 15 | 63 | - | | | | |
| 1926-27 Chicago (Black Hawks) | LNH | 39 | 8 | 4 | 12 | 40 | 2 | 1 | 0 | 1 | 4 |
| 1927-28 St. Paul (Saints) | AHA | 38 | 10 | 2 | 12 | 64 | - | | | | |
| 1928-29 St. Paul (Saints) | AHA | 40 | 11 | 4 | 15 | 40 | 8 | 2 | 2 | 4 | 14 |
| 1929-30 St. Paul (Saints) | AHA | | 6 | 6 | 13 | 57 | - | | | | |
| 1930-31 San-Francisco (Tigers) | Cal-Pro | - | 10 | 2 | 12 | | - | | | | |
| Duluth (Hornets) | AHA | 24 | 10 | 6 | 16 | 24 | 4 | 0 | 0 | 0 | 2 |
| 1931-32 Kansas City (Pla-Mors) | AHA | 34 | 1 | 2 | 3 | 28 | 4 | 0 | 0 | 0 | 0 |
| NHA | | 62 | 43 | 9 | 52 | 138 | 2 | 0 | 0 | 0 | 2 |
| LNH | | 127 | 59 | 28 | 87 | 243 | 2 | 1 | 0 | 1 | 6 |
| Montréal | | 11 | 6 | 1 | 7 | 29 | - | | | | |

• Coupe Stanley (NHA) en 1913-14 • Coupe Stanley (PCHA) en 1916-17 • Première équipe d'étoiles (PCHA) en 1918-19 • Deuxième équipe d'étoiles (WCHL) en 1924-25
• Signe avec Toronto (NHA) en décembre 1912 • Signe avec Seattle (PCHA) en décembre 1915 • Signe avec Toronto (NHA) le 25 février 1916 • Signe avec Seattle (PCHA) en décembre 1916 • Prêté à Montréal par Toronto le 21 janvier 1921 • Échangé à Hamilton par Toronto pour Eddie Carpenter le 9 novembre 1921 • Droits vendus à Calgary (WCHL) par Hamilton le 22 novembre 1923 • Droits vendus à Chicago par Calgary (WHL) le 25 octobre 1926 • Droits vendus à St. Paul (AHA) par Chicago en septembre 1927 • Signe avec San Francisco (Cal-Pro) en octobre 1930 • Droits vendus à Duluth (AHA) par San Francisco (Cal-Pro) le 7 février 1931

## WILSON, DONALD (DON)
Né à Chatham, Ontario, le 1er janvier 1914. Centre, lance de la gauche, 5'8", 157 lb

| SAISON CLUB | LIGUE | PJ | B | A | PTS | PUN | PJ | B | A | PTS | PUN |
|---|---|---|---|---|---|---|---|---|---|---|---|
| 1931-32 Newmarket (Redmen) | Exh. | 7 | 6 | 0 | 6 | 2 | - | | | | |
| Newmarket (Redmen) | Mem. | 6 | *11 | 1 | *12 | 2 | - | | | | |
| 1932-33 Newmarket (Redmen) | Exh. | 17 | *15 | 5 | *20 | 2 | - | | | | |
| Newmarket (Redmen) | Mem. | 19 | 9 | 1 | 9 | 10 | - | | | | |
| 1933-34 St. Michael's (Majors) | OHA Jr | 8 | 9 | 9 | 18 | 0 | 3 | 1 | 1 | 2 | 0 |
| St. Michael's (Majors) | Mem. | 11 | 7 | 12 | 19 | 8 | - | | | | |
| 1934-35 Oshawa (Chevies) | OHA Jr | 15 | 10 | 6 | 16 | 8 | - | | | | |
| 1935-36 Earls Court Rangers | Ln-Cup | - | 15 | 7 | 22 | - | - | | | | |
| Earls Court Rangers | GBR | - | 22 | *16 | 38 | 10 | - | | | | |
| 1936-37 Earls Court Rangers | GBR | 38 | 37 | *28 | 65 | 16 | - | | | | |
| 1937-38 Verdun (Maple Leafs) | LHSQ | 14 | 9 | 13 | 22 | 2 | - | | | | |
| Montréal (Canadiens) | LNH | 18 | 2 | 7 | 9 | 0 | 3 | 0 | 0 | 0 | 0 |
| 1938-39 Montréal (Canadiens) | LNH | 4 | 0 | 0 | 0 | 0 | - | | | | |
| New Haven (Eagles) | IAHL | 42 | 10 | 10 | 20 | 2 | - | | | | |
| 1939-40 New Haven (Eagles) | IAHL | 54 | 12 | 32 | 44 | 6 | 3 | 0 | 3 | 3 | 0 |
| 1940-41 New Haven (Eagles) | AHL | 49 | 11 | 19 | 30 | 6 | - | | | | |
| 1941-42 New Haven (Eagles) | AHL | 53 | 16 | 24 | 40 | 10 | 5 | 0 | 1 | 1 | 0 |
| 1942-43 Toronto (RCAF) | OHA Sr | 9 | 7 | 9 | 16 | 2 | 2 | 1 | 0 | 2 | 0 |
| 1943-44 | | Service militaire | | | | | | | | | |
| 1944-45 | | Service militaire | | | | | | | | | |
| 1945-46 Toronto (Staffords) | OHA Sr | 16 | 18 | 9 | 27 | 4 | 10 | 6 | 10 | 16 | 0 |
| 1946-47 Toronto (Staffords) | OHA Sr | 24 | 2 | 5 | 7 | 20 | 5 | 1 | 2 | 3 | 0 |
| 1947-48 Toronto (Marlboros) | OHA Sr | 11 | 0 | 2 | 2 | 5 | - | | | | |
| LNH | | 22 | 2 | 7 | 9 | 0 | 3 | 0 | 0 | 0 | 0 |
| Montréal | | 22 | 2 | 7 | 9 | 0 | 3 | 0 | 0 | 0 | 0 |

• Première équipe d'étoiles (LHSQ) en 1937-38
• Signe avec Montréal le 15 janvier 1938

## WILSON, JEROLD (JERRY)
Né à Edmonton, Alberta, le 10 avril 1937. Centre, lance de la gauche, 6'2", 200 lb

| SAISON CLUB | LIGUE | PJ | B | A | PTS | PUN | PJ | B | A | PTS | PUN |
|---|---|---|---|---|---|---|---|---|---|---|---|
| 1951-52 Winnipeg (Canadiens) | MAHA | 20 | 12 | 7 | 19 | 19 | - | | | | |
| 1952-53 Winnipeg (Canadiens) | WJrHL | Statistiques non disponibles | | | | | | | | | |
| 1953-54 St. Boniface (Canadien) | MJHL | 31 | 12 | 16 | 28 | 50 | 10 | 6 | 8 | 14 | 19 |
| St. Boniface (Canadien) | Mem. | 2 | 3 | 5 | 4 | | - | | | | |
| 1954-55 St. Boniface (Canadien) | MJHL | 31 | 35 | 32 | 67 | 59 | - | | | | |
| 1955-56 Montréal (Canadien Jr) | LHJQ | N'a pas joué – Blessé | | | | | | | | | |
| Montréal (Canadien Jr) | Mem. | 10 | 3 | 4 | 7 | 10 | - | | | | |
| 1956-57 Hull-Ottawa (Canadien) | OHA Jr | 24 | 9 | 19 | 28 | 47 | - | | | | |
| Montréal (Canadiens) | LNH | 3 | 0 | 0 | 0 | 2 | - | | | | |
| Hull-Ottawa (Canadien) | EOHL | 14 | 10 | 8 | 18 | 13 | - | | | | |
| Hull-Ottawa (Chevies) | LHQ | 12 | 5 | 5 | 10 | 8 | - | | | | |
| Hull-Ottawa (Canadien) | Mem. | | | | | | - | | | | |
| 1957-58 | | N'a pas joué – Blessé | | | | | | | | | |
| 1958-59 | | N'a pas joué – Blessé | | | | | | | | | |
| 1959-60 Minneapolis (Millers) | IHL | 2 | 0 | 3 | 3 | 2 | - | | | | |
| LNH | | 3 | 0 | 0 | 0 | 2 | - | | | | |
| Montréal | | 3 | 0 | 0 | 0 | 2 | - | | | | |

• Prêté à Montréal par Hull-Ottawa (OHA Jr) le 23 octobre 1956

## WILSON, MURRAY
Né à Toronto, Ontario, le 7 novembre 1951. Ailier gauche, lance de la gauche, 6'1", 185 lb (3e choix de Montréal, 11e au total lors du repêchage de 1971)

| SAISON CLUB | LIGUE | PJ | B | A | PTS | PUN | PJ | B | A | PTS | PUN |
|---|---|---|---|---|---|---|---|---|---|---|---|
| 1968-69 Ottawa (67) | OHA Jr | 24 | 7 | 11 | 18 | 8 | - | | | | |
| 1969-70 Ottawa (67) | OHA Jr | 46 | 24 | 26 | 50 | 48 | 7 | 2 | 2 | 4 | 10 |
| 1970-71 Ottawa (67) | OHA Jr | 44 | 26 | 32 | 58 | 36 | - | | | | |
| 1971-72 Nlle-Écosse (Voyageurs) | AHL | 65 | 11 | 21 | 32 | 30 | 15 | 2 | 7 | 9 | 11 |
| 1972-73 Montréal (Canadiens) | LNH | 52 | 18 | 9 | 27 | 16 | 16 | 2 | 4 | 6 | 6 |
| 1973-74 Montréal (Canadiens) | LNH | 72 | 17 | 14 | 31 | 26 | 5 | 1 | 0 | 1 | 2 |
| 1974-75 Montréal (Canadiens) | LNH | 73 | 24 | 18 | 42 | 44 | 5 | 0 | 3 | 3 | 4 |
| 1975-76 Montréal (Canadiens) | LNH | 59 | 11 | 24 | 35 | 36 | 12 | 1 | 1 | 2 | 6 |
| 1976-77 Montréal (Canadiens) | LNH | 60 | 13 | 14 | 27 | 26 | 14 | 1 | 6 | 7 | 14 |
| 1977-78 Montréal (Canadiens) | LNH | 12 | 0 | 1 | 1 | 0 | - | | | | |
| 1978-79 Los Angeles (Kings) | LNH | 58 | 11 | 15 | 26 | 14 | 1 | 0 | 0 | 0 | 0 |
| LNH | | 386 | 94 | 95 | 189 | 162 | 53 | 5 | 14 | 19 | 32 |
| Montréal | | 328 | 83 | 80 | 163 | 148 | 52 | 5 | 14 | 19 | 32 |

• Coupe Calder (AHL) en 1971-72 • Coupe Stanley (LNH) en 1972-73, 1975-76, 1976-77
• Échangé à Los Angeles par Montréal avec le 1er choix de Montréal au repêchage de 1979 (Jay Wells) pour le 1er choix de Los Angeles au repêchage de 1981 (Gilbert Delorme) le 5 octobre 1978

## WILSON, RICHARD (RICK)
Né à Prince Albert, Saskatchewan, le 10 août 1950. Défenseur, lance de la gauche, 6'1", 195 lb (6e choix de Montréal, 66e au total lors du repêchage de 1970)

| SAISON CLUB | LIGUE | PJ | B | A | PTS | PUN | PJ | B | A | PTS | PUN |
|---|---|---|---|---|---|---|---|---|---|---|---|
| 1969-70 North Dakota University | WCHA | 30 | 2 | 9 | 11 | 32 | - | | | | |
| 1970-71 North Dakota University | WCHA | 33 | 6 | 9 | 15 | 113 | - | | | | |
| 1971-72 North Dakota University | WCHA | 25 | 7 | 19 | 26 | 38 | - | | | | |
| 1972-73 Nlle-Écosse (Voyageurs) | AHL | 70 | 4 | 11 | 15 | 163 | 12 | 1 | 0 | 1 | 56 |
| 1973-74 Nlle-Écosse (Voyageurs) | AHL | 47 | 6 | 19 | 23 | 65 | - | | | | |
| Montréal (Canadiens) | LNH | 21 | 0 | 2 | 2 | 6 | - | | | | |
| 1974-75 St. Louis (Blues) | LNH | 76 | 2 | 5 | 7 | 83 | 2 | 0 | 0 | 0 | 0 |
| 1975-76 St. Louis (Blues) | LNH | 65 | 1 | 7 | 8 | 20 | - | | | | |
| 1976-77 Detroit (Red Wings) | LNH | 77 | 3 | 13 | 16 | 56 | - | | | | |
| 1977-78 Philadelphie (Firebirds) | AHL | 75 | 4 | 28 | 32 | 101 | 4 | 0 | 1 | 1 | 2 |
| LNH | | 239 | 6 | 26 | 32 | 165 | 3 | 0 | 0 | 0 | 0 |
| Montréal | | 21 | 0 | 2 | 2 | 6 | - | | | | |

• Première équipe d'étoiles (WCHA) en 1971-72 • Première équipe d'étoiles (AHL) en 1977-78

• Échangé à St. Louis par Montréal avec le choix de 5e ronde de Montréal au repêchage de 1974 (Don Wheldon) pour le choix de 4e ronde de St. Louis au repêchage de 1974 (Barry Legge) et des considérations futures (Glen Sather le 14 juin 1974) le 27 mai 1974 • Échangé à Detroit par St. Louis pour compléter la transaction de Doug Grant (le 9 mars 1976) le 16 juin 1976

## WILSON, RONALD (RON)

**Né à Toronto, Ontario, le 13 mai 1956. Centre, lance de la gauche, 5'9", 180 lb**
**(15e choix de Montréal, 133e au total lors du repêchage de 1976)**

| SAISON | CLUB | LIGUE | SAISONS RÉGULIÈRES | | | | | SÉRIES ÉLIMINATOIRES | | | | |
|---|---|---|---|---|---|---|---|---|---|---|---|---|
| | | | PJ | B | A | PTS | PUN | PJ | B | A | PTS | PUN |
| 1973-74 | Markham (Waxers) | OHA B | Statistiques non disponibles | | | | | | | | | |
| | Hamilton (Red Wings) | OMJHL | 6 | 1 | 0 | 1 | 2 | - | - | - | - | - |
| 1974-75 | Markham (Waxers) | OHA B | 43 | 26 | 28 | 54 | 24 | - | - | - | - | - |
| | Toronto (Marlboros) | OMJHL | 16 | 6 | 12 | 18 | 6 | 23 | 9 | 17 | 26 | 6 |
| | Toronto (Marlboros) | Mem. | 4 | 0 | 3 | 3 | 2 | - | - | - | - | - |
| 1975-76 | St. Catharines | OMJHL | 64 | 37 | 62 | 99 | 44 | 4 | 1 | 6 | 7 | 7 |
| 1976-77 | Nlle-Écosse (Voyageurs) | AHL | 67 | 15 | 21 | 36 | 18 | 6 | 0 | 0 | 0 | 0 |
| 1977-78 | Nlle-Écosse (Voyageurs) | AHL | 59 | 15 | 25 | 40 | 17 | 11 | 4 | 4 | 8 | 9 |
| 1978-79 | Nlle-Écosse (Voyageurs) | AHL | 77 | 33 | 42 | 75 | 91 | 10 | 5 | 6 | 11 | 14 |
| 1979-80 | Winnipeg (Jets) | LNH | 79 | 21 | 36 | 57 | 28 | - | - | - | - | - |
| 1980-81 | Winnipeg (Jets) | LNH | 77 | 18 | 33 | 51 | 55 | - | - | - | - | - |
| 1981-82 | Winnipeg (Jets) | LNH | 39 | 3 | 13 | 16 | 49 | - | - | - | - | - |
| | Tulsa (Oilers) | CHL | 41 | 20 | 38 | 58 | 22 | 3 | 1 | 0 | 1 | 2 |
| 1982-83 | Winnipeg (Jets) | LNH | 12 | 6 | 3 | 9 | 4 | 3 | 2 | 2 | 4 | 2 |
| | Sherbrooke (Jets) | AHL | 65 | 30 | 55 | 85 | 71 | - | - | - | - | - |
| 1983-84 | Winnipeg (Jets) | LNH | 51 | 3 | 12 | 15 | 12 | - | - | - | - | - |
| | Sherbrooke (Jets) | AHL | 22 | 10 | 30 | 40 | 16 | - | - | - | - | - |
| 1984-85 | Winnipeg (Jets) | LNH | 75 | 10 | 9 | 19 | 31 | 8 | 4 | 2 | 6 | 2 |
| 1985-86 | Winnipeg (Jets) | LNH | 54 | 6 | 7 | 13 | 16 | 1 | 0 | 0 | 0 | 0 |
| | Sherbrooke (Canadien) | AHL | 10 | 9 | 8 | 17 | 9 | - | - | - | - | - |
| 1986-87 | Winnipeg (Jets) | LNH | 80 | 3 | 13 | 16 | 13 | 10 | 1 | 2 | 3 | 0 |
| 1987-88 | Winnipeg (Jets) | LNH | 69 | 5 | 8 | 13 | 28 | 1 | 0 | 0 | 0 | 2 |
| 1988-89 | Moncton (Hawks) | AHL | 80 | 31 | 61 | 92 | 110 | 8 | 1 | 4 | 5 | 20 |
| 1989-90 | Moncton (Hawks) | AHL | 47 | 16 | 37 | 53 | 39 | - | - | - | - | - |
| | St. Louis (Blues) | LNH | 33 | 3 | 17 | 20 | 23 | 12 | 3 | 5 | 8 | 18 |
| 1990-91 | St. Louis (Blues) | LNH | 73 | 10 | 27 | 37 | 54 | 7 | 0 | 0 | 0 | 28 |
| 1991-92 | St. Louis (Blues) | LNH | 64 | 12 | 17 | 29 | 46 | 6 | 0 | 1 | 1 | 0 |
| 1992-93 | St. Louis (Blues) | LNH | 78 | 8 | 11 | 19 | 44 | 11 | 0 | 0 | 0 | 12 |
| **1993-94** | **Montréal (Canadiens)** | **LNH** | **48** | **2** | **10** | **12** | **12** | **4** | **0** | **0** | **0** | **0** |
| 1994-95 | Detroit (Vipers) | IHL | 12 | 6 | 9 | 15 | 10 | - | - | - | - | - |
| | San Diego (Gulls) | IHL | 58 | 8 | 25 | 33 | 60 | 2 | 0 | 0 | 2 | 8 |
| 1995-96 | Wheeling (Thunderbirds) | ECHL | 46 | 12 | 30 | 42 | 72 | 2 | 0 | 3 | 3 | 6 |
| | **LNH** | | **832** | **110** | **216** | **326** | **415** | **63** | **10** | **12** | **22** | **64** |
| | **Montréal** | | **48** | **2** | **10** | **12** | **12** | **4** | **0** | **0** | **0** | **0** |

• Coupe Memorial en 1974-75 • Coupe Calder (AHL) en 1976-77 • Deuxième équipe d'étoiles (AHL) en 1988-89
• Droits vendus à Winnipeg par Montréal le 4 octobre 1979 • Échangé à St. Louis par Winnipeg pour Doug Evans le 22 janvier 1990 • Signe avec Montréal comme agent libre le 20 août 1993

## WITEHALL, JOHAN

**Né à Goteborg, Suède, le 7 janvier 1972. Ailier gauche, lance de la gauche, 6'1", 198 lb (8e choix des Rangers de New York, 207e au total lors du repêchage de 1998)**

| SAISON | CLUB | LIGUE | SAISONS RÉGULIÈRES | | | | | SÉRIES ÉLIMINATOIRES | | | | |
|---|---|---|---|---|---|---|---|---|---|---|---|---|
| | | | PJ | B | A | PTS | PUN | PJ | B | A | PTS | PUN |
| 1991-92 | Hanhals IF | SWE | 32 | 23 | 14 | 37 | 52 | - | - | - | - | - |
| 1992-93 | Hanhals IF | SWE | 29 | 12 | 7 | 19 | 34 | - | - | - | - | - |
| 1993-94 | Hanhals IF | SWE | 30 | 13 | 12 | 25 | 66 | - | - | - | - | - |
| 1994-95 | Hanhals IF | SWE | 32 | 38 | 13 | 51 | 44 | - | - | - | - | - |
| 1995-96 | Hanhals IF | SWE | 36 | 43 | 17 | 60 | 48 | - | - | - | - | - |
| 1996-97 | IK Oskarsham | SWE | 32 | 19 | 16 | 35 | 38 | - | - | - | - | - |
| 1997-98 | Leksands IF | SWE | 42 | 12 | 4 | 16 | 34 | 2 | 0 | 0 | 0 | 2 |
| 1997-98 | Leksands IF | EuroHL | 5 | 3 | 0 | 3 | 2 | - | - | - | - | - |
| 1998-99 | New York (Rangers) | LNH | 4 | 0 | 0 | 0 | 0 | - | - | - | - | - |
| | Hartford (Wolf Pack) | AHL | 62 | 14 | 15 | 29 | 56 | 7 | 1 | 2 | 3 | 6 |
| 1999-00 | New York (Rangers) | LNH | 9 | 1 | 1 | 2 | 2 | - | - | - | - | - |
| 1999-00 | Hartford (Wolf Pack) | AHL | 73 | 17 | 24 | 41 | 65 | 17 | 6 | 7 | 13 | 10 |
| 2000-01 | New York (Rangers) | LNH | 15 | 0 | 3 | 3 | 8 | - | - | - | - | - |
| | Hartford (Wolf Pack) | AHL | 19 | 10 | 8 | 18 | 19 | - | - | - | - | - |
| | **Montréal (Canadiens)** | **LNH** | **26** | **1** | **1** | **2** | **6** | - | - | - | - | - |
| | Québec (Citadelles) | AHL | 1 | 0 | 0 | 0 | 0 | 9 | 3 | 5 | 8 | 6 |
| 2001-02 | EHC Chur | SUI | 43 | 22 | 16 | 38 | 36 | 9 | 3 | 1 | 4 | 2 |
| 2002-03 | Hamburg Freezers | GER | 48 | 4 | 12 | 16 | 32 | 5 | 0 | 0 | 0 | 2 |
| | **LNH** | | **54** | **2** | **5** | **7** | **16** | - | - | - | - | - |
| | **Montréal** | | **26** | **1** | **1** | **2** | **6** | - | - | - | - | - |

• Réclamé au ballottage par Montréal de New York (Rangers) le 12 janvier 2001

## YOUNG, DOUGLAS (DOUG)

**Né à Medecine Hat, Alberta, le 1er octobre 1908, décédé le 15 mai 1990**
**Défenseur, lance de la droite, 5'10", 190 lb**

| SAISON | CLUB | LIGUE | SAISONS RÉGULIÈRES | | | | | SÉRIES ÉLIMINATOIRES | | | | |
|---|---|---|---|---|---|---|---|---|---|---|---|---|
| | | | PJ | B | A | PTS | PUN | PJ | B | A | PTS | PUN |
| 1926-27 | Calgary (Canadians) | CCJHL | Statistiques non disponibles | | | | | | | | | |
| | Calgary (Canadians) | Mem. | 2 | 0 | 1 | 1 | 2 | - | - | - | - | - |
| 1927-28 | Kitchener (Millionaires) | Can-Pro | 8 | 1 | 1 | 2 | 10 | 5 | 0 | 1 | 1 | 12 |
| 1928-29 | Toronto (Millionaires) | Can-Pro | 41 | 7 | 3 | 10 | 75 | 2 | 0 | 0 | 0 | 8 |
| 1929-30 | Cleveland (Indians) | IHL | 41 | 13 | 5 | 18 | 68 | 6 | 2 | 0 | 2 | 4 |
| 1930-31 | Cleveland (Indians) | IHL | 47 | 16 | 6 | 22 | 46 | 6 | 3 | 1 | 4 | 8 |
| 1931-32 | Detroit (Falcons) | LNH | 47 | 10 | 2 | 12 | 45 | 2 | 0 | 0 | 0 | 2 |
| 1932-33 | Detroit (Red Wings) | LNH | 48 | 5 | 6 | 11 | 59 | 4 | 1 | 1 | 2 | 0 |
| 1933-34 | Detroit (Red Wings) | LNH | 47 | 4 | 16 | 20 | 36 | 9 | 0 | 0 | 0 | 10 |
| 1934-35 | Detroit (Red Wings) | LNH | 48 | 4 | 16 | 20 | 37 | - | - | - | - | - |
| | Detroit (Olympics) | IHL | 1 | 0 | 0 | 0 | 0 | - | - | - | - | - |
| 1935-36 | Detroit (Red Wings) | LNH | 47 | 2 | 17 | 19 | 54 | 7 | 0 | 2 | 2 | 0 |
| 1936-37 | Detroit (Red Wings) | LNH | 11 | 0 | 0 | 0 | 6 | - | - | - | - | - |
| 1937-38 | Detroit (Red Wings) | LNH | 48 | 3 | 5 | 8 | 24 | - | - | - | - | - |
| 1938-39 | Detroit (Red Wings) | LNH | 42 | 1 | 5 | 6 | 16 | 6 | 0 | 2 | 2 | 4 |
| 1939-40 | **Montréal (Canadiens)** | **LNH** | **47** | **3** | **9** | **12** | **22** | - | - | - | - | - |
| | Match des étoiles | LNH | 1 | 0 | 0 | 0 | 0 | - | - | - | - | - |
| 1940-41 | **Montréal (Canadiens)** | **LNH** | **3** | **0** | **0** | **0** | **4** | - | - | - | - | - |
| | Providence (Reds) | AHL | 42 | 9 | 13 | 22 | 22 | 4 | 0 | 1 | 1 | 7 |
| | **LNH** | | **388** | **35** | **45** | **80** | **303** | **28** | **1** | **5** | **6** | **16** |
| | **Montréal** | | **50** | **3** | **9** | **12** | **26** | - | - | - | - | - |

• Première équipe d'étoiles (IHL) en 1929-30 • Coupe Stanley (LNH) en 1935-36 • Match des étoiles (LNH) en 1939-40 • Première équipe d'étoiles (AHL) en 1940-41
• Signe avec Kitchener (Can-Pro) le 5 février 1928 • Réclamé par Philadelphie de Cleveland (IHL) lors du repêchage intra-ligue le 9 mai 1931 • Réclamé par New York (Americans) lors du repêchage de dispersion de Philadelphie le 17 septembre 1931 • Échangé à Detroit par New York (Americans) pour Ron Martin le 18 octobre 1931 • Signe avec Montréal le 21 octobre 1939

## ZALAPSKI, ZARLEY

**Né à Edmonton, Alberta, le 22 avril 1968. Défenseur, lance de la gauche, 6'1", 215 lb (1er choix de Pittsburgh, 4e au total lors du repêchage de 1986)**

| SAISON | CLUB | LIGUE | SAISONS RÉGULIÈRES | | | | | SÉRIES ÉLIMINATOIRES | | | | |
|---|---|---|---|---|---|---|---|---|---|---|---|---|
| | | | PJ | B | A | PTS | PUN | PJ | B | A | PTS | PUN |
| 1984-85 | Fort Saskatchewan (Traders) | AJHL | 23 | 17 | 30 | 47 | 14 | - | - | - | - | - |
| 1985-86 | Fort Saskatchewan (Traders) | AJHL | 27 | 20 | 33 | 53 | 46 | - | - | - | - | - |
| | Canada | Éq. nat. | 32 | 2 | 4 | 6 | 10 | - | - | - | - | - |
| 1986-87 | Canada | Éq. nat. | 74 | 11 | 29 | 40 | 28 | - | - | - | - | - |
| | Canada | CM | 10 | 0 | 3 | 3 | 2 | - | - | - | - | - |
| 1987-88 | Canada | Éq. nat. | 47 | 3 | 13 | 16 | 32 | - | - | - | - | - |
| | Canada | JO | 8 | 1 | 3 | 4 | 2 | - | - | - | - | - |
| | Pittsburgh (Penguins) | LNH | 15 | 3 | 8 | 11 | 7 | - | - | - | - | - |
| 1988-89 | Pittsburgh (Penguins) | LNH | 58 | 12 | 33 | 45 | 57 | 11 | 1 | 8 | 9 | 13 |
| 1989-90 | Pittsburgh (Penguins) | LNH | 51 | 6 | 25 | 31 | 37 | - | - | - | - | - |
| 1990-91 | Pittsburgh (Penguins) | LNH | 66 | 12 | 36 | 48 | 59 | - | - | - | - | - |
| | Hartford (Whalers) | LNH | 11 | 3 | 3 | 6 | 6 | 6 | 1 | 3 | 4 | 8 |
| 1991-92 | Hartford (Whalers) | LNH | 79 | 20 | 37 | 57 | 120 | 7 | 2 | 3 | 5 | 6 |
| 1992-93 | Hartford (Whalers) | LNH | 83 | 14 | 51 | 65 | 94 | - | - | - | - | - |
| | Match des étoiles | LNH | 1 | 0 | 0 | 0 | 0 | - | - | - | - | - |
| 1993-94 | Hartford (Whalers) | LNH | 56 | 7 | 30 | 37 | 56 | - | - | - | - | - |
| | Calgary (Flames) | LNH | 13 | 3 | 7 | 10 | 18 | 7 | 0 | 3 | 3 | 2 |
| 1994-95 | Calgary (Flames) | LNH | 48 | 4 | 24 | 28 | 46 | 7 | 0 | 4 | 4 | 4 |
| 1995-96 | Calgary (Flames) | LNH | 80 | 12 | 17 | 29 | 115 | 4 | 0 | 1 | 1 | 10 |
| 1996-97 | Calgary (Flames) | LNH | 2 | 0 | 0 | 0 | 0 | - | - | - | - | - |
| 1997-98 | Calgary (Flames) | LNH | 35 | 2 | 7 | 9 | 41 | - | - | - | - | - |
| | **Montréal (Canadiens)** | **LNH** | **28** | **1** | **5** | **6** | **22** | **6** | **0** | **1** | **1** | **4** |
| 1998-99 | ZSC Lions Zurich | SUI | 11 | 1 | 5 | 6 | 37 | 3 | 1 | 0 | 1 | 6 |
| 1999-20 | Long Beach (Ice Dogs) | IHL | 7 | 0 | 5 | 5 | 6 | - | - | - | - | - |
| | Utah (Grizzlies) | IHL | 56 | 4 | 24 | 28 | 69 | 5 | 1 | 1 | 2 | 4 |
| | Philadelphie (Flyers) | LNH | 12 | 0 | 2 | 2 | 6 | - | - | - | - | - |
| 2000-01 | Houston (Aeros) | IHL | 9 | 0 | 2 | 2 | 12 | - | - | - | - | - |
| | Munchen (Barons) | GER | 20 | 3 | 6 | 9 | 43 | 3 | 0 | 0 | 0 | 2 |
| 2001-02 | HC Merano | ITA | 26 | 5 | 9 | 14 | 12 | 2 | 0 | 0 | 0 | 0 |
| 2002-03 | Esbtergik | DEN | 5 | 0 | 6 | 6 | 0 | - | - | - | - | - |
| | If Björklöven | SWE | 7 | 2 | 3 | 5 | 10 | 3 | 0 | 0 | 0 | 4 |
| | **LNH** | | **637** | **99** | **285** | **384** | **684** | **48** | **4** | **23** | **27** | **47** |
| | **Montréal** | | **28** | **1** | **5** | **6** | **22** | **6** | **0** | **1** | **1** | **4** |

• Équipe d'étoiles des recrues (LNH) en 1988-89 • Match des étoiles (LNH) en 1992-93
• Échangé à Hartford par Pittsburgh avec John Cullen et Jeff Parker pour Ron Francis, Grant Jennings et Ulf Samuelsson le 4 mars 1991 • Échangé à Calgary par Hartford avec James Patrick et Michael Nylander pour Gary Suter, Paul Ranheim et Ted Drury le 10 mars 1994 • Échangé à Montréal par Calgary avec Jonas Hoglund pour Valeri Bureau et le choix de 4e ronde au repêchage de 1998 (Shaun Sutter) le 1er février 1998 • Signe avec New York (Rangers) comme agent libre le 31 août 1998 • Signe avec Long Beach (IHL) à titre d'essai le 14 septembre 1999 • Signe avec Utah comme agent libre le 5 novembre 1999 • Signe avec Philadelphie comme agent libre le 15 février 2000

## ZEDNIK, RICHARD

**Né à Bystrica, Slovaquie, le 6 janvier 1976. Ailier droit, lance de la gauche, 6', 200 lb (10e choix Washington, 249e au total lors du repêchage de 1994)**

| SAISON | CLUB | LIGUE | SAISONS RÉGULIÈRES | | | | | SÉRIES ÉLIMINATOIRES | | | | |
|---|---|---|---|---|---|---|---|---|---|---|---|---|
| | | | PJ | B | A | PTS | PUN | PJ | B | A | PTS | PUN |
| 1992-93 | SK Banska | SVK2 | Statistiques non disponibles | | | | | | | | | |
| | Slovaquie | CEH | 4 | 8 | 2 | 10 | 6 | - | - | - | - | - |
| 1993-94 | SK Banska | SVK2 | 25 | 3 | 6 | 9 | - | - | - | - | - | - |
| | Slovaquie | CEH | 6 | 8 | 12 | 20 | 10 | - | - | - | - | - |
| 1994-95 | Portland (Winter Hawks) | WHL | 65 | 35 | 51 | 86 | 89 | 9 | 5 | 5 | 10 | 20 |
| 1995-96 | Portland (Winter Hawks) | WHL | 61 | 44 | 37 | 81 | 154 | 7 | 8 | 4 | 12 | 23 |
| 1995-96 | Slovaquie | CMJ | 6 | 5 | 2 | 7 | 10 | - | - | - | - | - |
| | Washington (Capitals) | LNH | 2 | 0 | 0 | 0 | 0 | - | - | - | - | - |
| | Portland (Pirates) | AHL | 1 | 1 | 1 | 2 | 0 | 21 | 4 | 5 | 9 | 26 |
| 1996-97 | Slovaquie | CDM | 3 | 0 | 1 | 1 | 0 | - | - | - | - | - |
| | Washington (Capitals) | LNH | 11 | 2 | 1 | 3 | 4 | - | - | - | - | - |
| | Portland (Pirates) | AHL | 56 | 15 | 20 | 35 | 70 | 5 | 1 | 0 | 1 | 6 |
| 1997-98 | Washington (Capitals) | LNH | 65 | 17 | 9 | 26 | 28 | 17 | 7 | 3 | 10 | 16 |
| 1998-99 | Washington (Capitals) | LNH | 49 | 9 | 8 | 17 | 50 | - | - | - | - | - |
| 1999-00 | Washington (Capitals) | LNH | 54 | 19 | 16 | 35 | 54 | 5 | 0 | 1 | 1 | 4 |
| 2000-01 | Washington (Capitals) | LNH | 62 | 16 | 19 | 35 | 60 | - | - | - | - | - |
| | **Montréal (Canadiens)** | **LNH** | **12** | **3** | **6** | **9** | **10** | - | - | - | - | - |
| | Slovaquie | CMH | 9 | 3 | 4 | 7 | 6 | - | - | - | - | - |
| 2001-02 | **Montréal (Canadiens)** | **LNH** | **82** | **22** | **22** | **44** | **59** | **4** | **4** | **4** | **8** | **6** |
| 2002-03 | **Montréal (Canadiens)** | **LNH** | **80** | **31** | **19** | **50** | **79** | - | - | - | - | - |
| | Slovaquie | CM | 9 | 3 | 6 | 9 | 4 | - | - | - | - | - |
| | **LNH** | | **431** | **119** | **100** | **219** | **345** | **26** | **11** | **7** | **18** | **27** |
| | **Montréal** | | **174** | **56** | **47** | **103** | **148** | **4** | **4** | **4** | **8** | **6** |

SAISON CLUB LIGUE PJ B A PTS PUN PJ B A PTS PUN — SAISONS RÉGULIÈRES SÉRIES ÉLIMINATOIRES

• Deuxième équipe d'étoiles de l'Ouest (WHL) en 1995-96 • Médaille de bronze (CM) 2002-03
• Échangé à Montréal par Washington avec Jan Bulis et le 1er choix de Washington au repêchage de 2001 (Alexander Perezhogin) pour Trevor Linden, Dainius Zubrus et le choix de 2e ronde du New Jersey au repêchage de 2001 (propriété de Montréal à la suite d'une transaction antérieure, échangé à Tampa Bay qui sélectionne Andreas Holmqvist) le 13 mars 2001

## ZHOLTOK, SERGEI

**Né à Riga, Lettonie, le 12 février 1972. Centre, lance de la droite, 6', 190 lb**
**(2e choix de Boston, 55e au total lors du repêchage de 1992)**

| SAISON | CLUB | LIGUE | PJ | B | A | PTS | PUN | PJ | B | A | PTS | PUN |
|---|---|---|---|---|---|---|---|---|---|---|---|---|
| 1990-91 | Dynamo Riga | URSS | 39 | 4 | 0 | 4 | 16 | - | - | - | - | - |
| | USSR | CMJ | 7 | 2 | 2 | 4 | 2 | - | - | - | - | - |
| 1991-92 | HC Riga | CIS | 27 | 6 | 3 | 9 | 6 | - | - | - | - | - |
| | Russie | CMJ | 7 | 2 | 4 | 6 | 6 | - | - | - | - | - |
| 1992-93 | Boston (Bruins) | LNH | 1 | 0 | 1 | 1 | 0 | - | - | - | - | - |
| | Providence (Bruins) | AHL | 64 | 31 | 35 | 66 | 57 | 6 | 3 | 5 | 8 | 4 |
| 1993-94 | Boston (Bruins) | LNH | 24 | 2 | 1 | 3 | 2 | - | - | - | - | - |
| | Providence (Bruins) | AHL | 54 | 29 | 33 | 62 | 16 | - | - | - | - | - |
| | Lettonie | CM-B | 4 | 6 | 1 | 7 | 4 | - | - | - | - | - |
| 1994-95 | Providence (Bruins) | AHL | 78 | 23 | 35 | 58 | 42 | 13 | 8 | 5 | 13 | 6 |
| 1995-96 | Las Vegas (Thunder) | IHL | 82 | 51 | 50 | 101 | 30 | 15 | 7 | 13 | 20 | 6 |
| 1996-97 | Ottawa (Senateurs) | LNH | 57 | 12 | 16 | 28 | 19 | 7 | 1 | 1 | 2 | 0 |
| | Las Vegas (Thunder) | IHL | 19 | 13 | 14 | 27 | 20 | - | - | - | - | - |
| | Lettonie | CM | 5 | 3 | 3 | 6 | 2 | - | - | - | - | - |
| 1997-98 | Ottawa (Senateurs) | LNH | 78 | 10 | 13 | 23 | 16 | 11 | 0 | 2 | 2 | 0 |
| 1998-99 | **Montréal (Canadiens)** | **LNH** | 70 | 7 | 15 | 22 | 6 | - | - | - | - | - |
| | Fredericton (Canadien) | AHL | 7 | 3 | 4 | 7 | 0 | - | - | - | - | - |
| | Lettonie | CM | 6 | 4 | 0 | 4 | 0 | - | - | - | - | - |
| 1999-20 | **Montréal (Canadiens)** | **LNH** | 68 | 26 | 12 | 38 | 28 | - | - | - | - | - |
| | Québec (Citadelles) | AHL | 1 | 0 | 1 | 1 | 2 | - | - | - | - | - |
| 2000-01 | **Montréal (Canadiens)** | **LNH** | 32 | 1 | 10 | 11 | 8 | - | - | - | - | - |
| | Edmonton (Oilers) | LNH | 37 | 4 | 16 | 20 | 22 | 3 | 0 | 0 | 0 | 0 |
| 2001-02 | Minnesota (Wild) | LNH | 73 | 19 | 20 | 39 | 28 | - | - | - | - | - |
| 2002-03 | Minnesota (Wild) | LNH | 78 | 16 | 26 | 42 | 18 | 18 | 2 | 11 | 13 | 0 |
| | **LNH** | | **518** | **97** | **130** | **227** | **147** | **39** | **3** | **14** | **17** | **0** |
| | **Montréal** | | **170** | **34** | **37** | **71** | **42** | - | - | - | - | - |

• Médaille d'argent (CMJ) en 1991 • Médaille d'or (CMJ) en 1992
• Signe avec Ottawa comme agent libre le 10 juillet 1996 • Signe avec Montréal comme agent libre le 9 septembre 1998 • Échangé à Edmontom par Montréal pour Chad Kilger le 18 décembre 2000 • Échangé au Minnesota par Edmonton pour le choix de 7e ronde du Minnesota au repêchage de 2002 (J.F. Dufort) le 29 juin 2001

## ZUBRUS, DAINIUS

**Né à Elektrenai, Russie, le 16 juin 1978. Ailier droit, lance de la droite, 6'3", 220 lb**
**(1er choix de Philadelphie, 15e au total lors du repêchage de 1996)**

| SAISON | CLUB | LIGUE | PJ | B | A | PTS | PUN | PJ | B | A | PTS | PUN |
|---|---|---|---|---|---|---|---|---|---|---|---|---|
| 1995-96 | Pembroke (Lumber Kings) | OJHL | 28 | 19 | 13 | 32 | 73 | - | - | - | - | - |
| | Caledon (Canadians) | OJHL | 7 | 3 | 7 | 10 | 2 | 17 | 11 | 12 | 23 | 4 |
| 1996-97 | Philadelphie (Flyers) | LNH | 68 | 8 | 13 | 21 | 22 | 19 | 5 | 4 | 9 | 12 |
| 1997-98 | Philadelphie (Flyers) | LNH | 69 | 8 | 25 | 33 | 42 | 5 | 0 | 1 | 1 | 2 |
| 1998-99 | Philadelphie (Flyers) | LNH | 63 | 3 | 5 | 8 | 25 | - | - | - | - | - |
| | **Montréal (Canadiens)** | **LNH** | 17 | 3 | 5 | 8 | 4 | - | - | - | - | - |
| 1999-20 | **Montréal (Canadiens)** | **LNH** | 73 | 14 | 28 | 42 | 54 | - | - | - | - | - |
| 2000-01 | **Montréal (Canadiens)** | **LNH** | 49 | 12 | 12 | 24 | 30 | - | - | - | - | - |
| | Washington (Capitals) | LNH | 12 | 1 | 1 | 2 | 7 | 6 | 0 | 0 | 0 | 2 |
| 2001-02 | Washington (Capitals) | LNH | 71 | 17 | 26 | 43 | 38 | - | - | - | - | - |
| 2002-03 | Washington (Capitals) | LNH | 63 | 13 | 22 | 35 | 43 | 6 | 2 | 2 | 4 | 4 |
| | **LNH** | | **485** | **79** | **137** | **216** | **265** | **36** | **7** | **7** | **14** | **20** |
| | **Montréal** | | **139** | **29** | **45** | **74** | **88** | - | - | - | - | - |

• Échangé à Montréal par Philadelphie avec le choix de 2e ronde de Philadelphie au repêchage de 1999 (Matt Carkner) et le choix de 6e ronde des Islanders de New York (propriété de Philadelphie à suite d'une transaction antérieure, Montréal sélectionne Scott Selig) pour Mark Recchi le 10 mars 1999 • Échangé à Washington par Montréal avec Trevor Linden et le choix de 2e ronde du New Jersey au repêchage de 2001 (propriété de Montréal à suite d'une transaction antérieure, cédé plus tard à Tampa Bay qui sélectionne Andreas Holmqvist) pour Richard Zednik, Jan Bulis et le 1er choix de Washington au repêchage de 2001 (Alexander Perezhogin) le 13 mars 2001

ZHO-ZUB

| SAISON | CLUB | LIGUE | PJ | MIN | BC | G | P | N | BL | MOY | A | PUN | PJ | MIN | BC | G | P | N | BL | MOY | A | PUN |
|---|---|---|---|---|---|---|---|---|---|---|---|---|---|---|---|---|---|---|---|---|---|---|
| | | | | | SAISONS RÉGULIÈRES | | | | | | | | | | | SÉRIES ÉLIMINATOIRES | | | | | | |

## AIKEN, DONALD (DON)

**Né à Arlington, Massachusetts, le 1er janvier 1932. Gardien, attrape de la gauche, 5'11", 165 lb**

| SAISON | CLUB | LIGUE | PJ | MIN | BC | G | P | N | BL | MOY | A | PUN | PJ | MIN | BC | G | P | N | BL | MOY | A | PUN |
|---|---|---|---|---|---|---|---|---|---|---|---|---|---|---|---|---|---|---|---|---|---|---|
| 1949-50 Arlington High | H.S. | | | | *Statistiques non disponibles* | | | | | | | | | | | | | | | | |
| 1950-51 Boston (Calculators) | MBAHL | | | | *Statistiques non disponibles* | | | | | | | | | | | | | | | | |
| 1951-52 Boston (Calculators) | MBAHL | | | | *Statistiques non disponibles* | | | | | | | | | | | | | | | | |
| 1952-53 USA Military Academy | NCAA | | | | *Statistiques non disponibles* | | | | | | | | | | | | | | | | |
| 1953-54 Boston University | NCAA | | | | *Statistiques non disponibles* | | | | | | | | | | | | | | | | |
| 1954-55 Boston University | NCAA | 23 | 1380 | 163 | 4 | 19 | 0 | 0 | 7.09 | - | - | | | | | | | | | | | |
| 1955-56 Boston (Calculators) | MBAHL | | | | *Statistiques non disponibles* | | | | | | | | | | | | | | | | |
| 1956-57 Boston (Calculators) | MBAHL | | | | *Statistiques non disponibles* | | | | | | | | | | | | | | | | |
| **1957-58 Montréal (Canadiens)** | **LNH** | **1** | **34** | **6** | **0** | **1** | **0** | **0** | **10.59** | **0** | **0** | - | - | - | - | - | - | - | - | - | - |
| | **LNH** | **1** | **34** | **6** | **0** | **1** | **0** | **0** | **10.59** | **0** | **0** | - | - | - | - | - | - | - | - | - | - |
| | **Montréal** | **1** | **34** | **6** | **0** | **1** | **0** | **0** | **10.59** | **0** | **0** | - | - | - | - | - | - | - | - | - | - |

• Prêté à Montréal par Boston pour remplacer Jacques Plante à 6 min 15 s à la 2e période le 13 mars 1958

## BAUMAN, GARRY

**Né à Innisfail, Alberta, le 21 juillet 1940. Gardien, attrape de la gauche, 5'11", 175 lb**

| SAISON | CLUB | LIGUE | PJ | MIN | BC | G | P | N | BL | MOY | A | PUN | PJ | MIN | BC | G | P | N | BL | MOY | A | PUN |
|---|---|---|---|---|---|---|---|---|---|---|---|---|---|---|---|---|---|---|---|---|---|---|
| 1958-59 Prince Albert (Mintos) | SJHL | 25 | 1500 | 104 | - | - | - | 0 | 4.16 | - | - | 4 | 240 | 10 | - | - | - | 0 | 2.50 | - | - |
| 1959-60 Prince Albert (Mintos) | SJHL | 55 | 3320 | 212 | - | - | - | 4 | 3.83 | - | - | 7 | 420 | 28 | - | - | - | 0 | 4.00 | - | - |
| 1960-61 | | | | | *N'a pas joué* | | | | | | | | | | | | | | | | |
| 1961-62 Michigan (Huskies) | WCHA | 25 | 1500 | 61 | 24 | 1 | 0 | 0 | 2.44 | - | - | - | - | - | - | - | - | - | - | - | - |
| 1962-63 Michigan (Huskies) | WCHA | 26 | 1560 | 70 | 16 | 9 | 1 | 3 | 2.69 | - | - | - | - | - | - | - | - | - | - | - | - |
| 1963-64 Michigan (Huskies) | NCAA | 24 | 1440 | 67 | 12 | 12 | 0 | 3 | 2.79 | - | - | - | - | - | - | - | - | - | - | - | - |
| 1964-65 Omaha (Knights) | CPHL | 43 | 2580 | 159 | 22 | 16 | 5 | 1 | 3.70 | - | - | 6 | 360 | 19 | 2 | 4 | 0 | *1 | 3.17 | - | - |
| 1965-66 Québec (As) | AHL | 52 | 3142 | 154 | *36 | 11 | 4 | 4 | 2.94 | - | - | 6 | 360 | 25 | 2 | 4 | 0 | 0 | 4.17 | - | - |
| 1966-67 Québec (As) | AHL | 40 | 2330 | 128 | 21 | 15 | 4 | 2 | 3.30 | - | - | 5 | 300 | 18 | 2 | 3 | 0 | 0 | 3.60 | - | - |
| **Montréal (Canadiens)** | **LNH** | **2** | **120** | **5** | **1** | **1** | **0** | **0** | **2.50** | **0** | **0** | - | - | - | - | - | - | - | - | - | - |
| Match des étoiles | LNH | 1 | 20 | 0 | 0 | 0 | 0 | 0 | 0.00 | 0 | 0 | - | - | - | - | - | - | - | - | - | - |
| 1967-68 Rochester (Americans) | AHL | 3 | 140 | 10 | 0 | 2 | 0 | 0 | 4.29 | - | - | - | - | - | - | - | - | - | - | - | - |
| Minnesota (North Stars) | LNH | 26 | 1294 | 75 | 5 | 13 | 5 | 0 | 3.48 | 0 | 2 | - | - | - | - | - | - | - | - | - | - |
| 1968-69 Minnesota (North Stars) | LNH | 7 | 304 | 22 | 0 | 4 | 1 | 0 | 4.34 | 0 | 2 | - | - | - | - | - | - | - | - | - | - |
| Memphis (South Stars) | CHL | 6 | 360 | 30 | - | - | - | 0 | 5.00 | - | - | - | - | - | - | - | - | - | - | - | - |
| 1969-70 | | | | | *Statistiques non disponibles* | | | | | | | | | | | | | | | | |
| 1970-71 Calgary (Stampeders) | ASHL | | | | *Statistiques non disponibles* | | | | | | | | | | | | | | | | |
| 1971-72 Calgary (Stampeders) | PrSHL | 3 | 180 | 6 | 3 | 0 | 0 | 0 | 2.00 | - | - | - | - | - | - | - | - | - | - | - | - |
| | **LNH** | **35** | **1718** | **102** | **6** | **18** | **6** | **0** | **3.56** | **0** | **4** | - | - | - | - | - | - | - | - | - | - |
| | **Montréal** | **2** | **120** | **5** | **1** | **1** | **0** | **0** | **2.50** | **0** | **0** | - | - | - | - | - | - | - | - | - | - |

• Première équipe d'étoiles (WCHA) en 1961-62, 1962-63, 1963-64 • Première équipe d'étoiles All-American (NCAA) en 1962-63, 1963-64 • Match des étoiles (LNH) en 1966-67
• Signe avec Montréal le 20 septembre 1964 • Réclamé par Minnesota de Montréal lors de l'expansion de la LNH le 6 juin 1967 • Réclamé par Vancouver du Minnesota lors du repêchage inversé le 12 juin 1969

## BERGERON, JEAN-CLAUDE

**Né à Hauterive, Québec, le 14 octobre 1968. Gardien, attrape de la gauche, 6'2", 192 lb (6e choix de Montréal, 104e au total lors du repêchage de 1998)**

| SAISON | CLUB | LIGUE | PJ | MIN | BC | G | P | N | BL | MOY | A | PUN | PJ | MIN | BC | G | P | N | BL | MOY | A | PUN |
|---|---|---|---|---|---|---|---|---|---|---|---|---|---|---|---|---|---|---|---|---|---|---|
| 1985-86 Shawinigan (Cataractes) | LHJMQ | 33 | 1796 | 156 | 33 | 13 | 16 | 0 | 5.21 | - | - | - | - | - | - | - | - | - | - | - | - |
| 1986-87 Verdun (Canadien Junior) | LHJMQ | 52 | 2991 | 306 | 16 | 32 | 2 | 0 | 6.14 | - | - | - | - | - | - | - | - | - | - | - | - |
| 1987-88 Verdun (Canadien Junior) | LHJMQ | 49 | 2715 | 265 | 13 | 31 | 3 | 0 | 5.86 | - | - | - | - | - | - | - | - | - | - | - | - |
| 1988-89 Verdun (Canadien Junior) | LHJMQ | 44 | 2417 | 199 | 8 | 34 | 1 | 0 | 4.94 | - | - | - | - | - | - | - | - | - | - | - | - |
| Sherbrooke (Canadien) | AHL | 5 | 302 | 18 | 4 | 1 | 0 | 0 | 3.58 | - | - | - | - | - | - | - | - | - | - | - | - |
| 1989-90 Sherbrooke (Canadien) | AHL | 40 | 2254 | 103 | 21 | 8 | 7 | 2 | *2.74 | - | - | 9 | 497 | 28 | 6 | 2 | - | 0 | 3.38 | - | - |
| **1990-91 Montréal (Canadiens)** | **LNH** | **18** | **941** | **59** | **7** | **6** | **2** | **0** | **3.76** | **1** | **0** | - | - | - | - | - | - | - | - | - | - |
| Fredericton (Canadien) | AHL | 18 | 1083 | 59 | 12 | 6 | 0 | 1 | 3.27 | 0 | 0 | 10 | 546 | 32 | 5 | 5 | - | 0 | 3.52 | - | - |
| 1991-92 Fredericton (Canadien) | AHL | 13 | 791 | 57 | 5 | 7 | 1 | 0 | 4.32 | - | - | - | - | - | - | - | - | - | - | - | - |
| Peoria (Rivermen) | IHL | 27 | 1632 | 96 | 14 | 9 | 3 | 1 | 3.53 | - | - | 6 | 352 | 24 | 3 | 3 | - | 0 | 4.09 | - | - |
| 1992-93 Tampa Bay (Lightning) | LNH | 21 | 1163 | 71 | 8 | 10 | 1 | 0 | 3.66 | - | - | - | - | - | - | - | - | - | - | - | - |
| Atlanta (Knights) | IHL | 31 | 1722 | 92 | 21 | 7 | 1 | 1 | 3.21 | - | - | 6 | 368 | 19 | 3 | 3 | - | 0 | 3.10 | - | - |

| SAISON | CLUB | LIGUE | PJ | MIN | BC | G | P | N | BL | MOY | A | PUN | PJ | MIN | BC | G | P | N | BL | MOY | A | PUN |
|---|---|---|---|---|---|---|---|---|---|---|---|---|---|---|---|---|---|---|---|---|---|---|
| | | | | | SAISONS RÉGULIÈRES | | | | | | | | | | | SÉRIES ÉLIMINATOIRES | | | | | | |

| SAISON | CLUB | LIGUE | PJ | MIN | BC | G | P | N | BL | MOY | A | PUN | PJ | MIN | BC | G | P | N | BL | MOY | A | PUN |
|---|---|---|---|---|---|---|---|---|---|---|---|---|---|---|---|---|---|---|---|---|---|---|
| 1993-94 | Tampa Bay (Lightning) | LNH | 3 | 134 | 7 | 1 | 1 | 1 | 0 | 3.13 | - | - | - | - | - | - | - | - | - | - | - | - |
| | Atlanta (Knights) | IHL | 48 | 2755 | 141 | 27 | 11 | 7 | 0 | 3.07 | - | - | 2 | 153 | 6 | 1 | 1 | - | 0 | 2.34 | - | - |
| 1994-95 | Atlanta (Knights) | IHL | 6 | 324 | 24 | 3 | 3 | 0 | 0 | 4.44 | - | - | - | - | - | - | - | - | - | - | - | - |
| | Tampa Bay (Lightning) | LNH | 17 | 883 | 49 | 3 | 9 | 1 | 1 | 3.33 | - | - | - | - | - | - | - | - | - | - | - | - |
| 1995-96 | Tampa Bay (Lightning) | LNH | 12 | 595 | 42 | 2 | 6 | 2 | 0 | 4.24 | - | - | - | - | - | - | - | - | - | - | - | - |
| | Atlanta (Knights) | IHL | 25 | 1326 | 92 | 9 | 10 | 3 | 0 | 4.16 | - | - | - | - | - | - | - | - | - | - | - | - |
| 1996-97 | Los Angeles (Kings) | LNH | 1 | 56 | 4 | 0 | 1 | 0 | 0 | 4.29 | 0 | 0 | - | - | - | - | - | - | - | - | - | - |
| | Phoenix (Roadrunners) | IHL | 42 | 2296 | 127 | 11 | 19 | 7 | 0 | 3.32 | - | - | - | - | - | - | - | - | - | - | - | - |
| 1997-98 | N'a pas joué | | | | | | | | | | | | | | | | | | | | | |
| 1998-99 | Joliette (Blizzard) | LHSPQ | 15 | 850 | 45 | 12 | 1 | 1 | 0 | 3.18 | - | - | 11 | 199 | 27 | 9 | 2 | - | 1 | 2.38 | - | - |
| 1999-00 | Joliette (Blizzard) | LHSPQ | 13 | 732 | 50 | 8 | 5 | 0 | 0 | 4.10 | - | - | - | - | - | - | - | - | - | - | - | - |
| | **LNH** | | 72 | 3772 | 232 | 21 | 33 | 7 | 1 | 3.69 | - | - | - | - | - | - | - | - | - | - | - | - |
| | **Montréal** | | 18 | 941 | 59 | 7 | 6 | 2 | 0 | 3.76 | 1 | 0 | | | | | | | | | | |

• Première équipe d'étoiles (AHL) en 1989-90 • Trophée Harry-Holmes (AHL) avec André Racicot en 1989-90 • Trophée Aldège-Bastien (AHL) en 1989-90 • Trophée James-Norris (IHL) avec Mike Greenlay en 1993-94
• Échangé à Tampa Bay par Montréal pour Frédéric Chabot le 18 juin 1992 • Signe avec Los Angeles comme agent libre le 28 août 1996

### BIBEAULT, PAUL-ÉMILE

Né à Montréal, Québec, le 13 avril 1919, décédé le 2 août 1970. Gardien, attrape de la gauche, 5'9", 160 lb

| SAISON | CLUB | LIGUE | PJ | MIN | BC | G | P | N | BL | MOY | A | PUN | PJ | MIN | BC | G | P | N | BL | MOY | A | PUN |
|---|---|---|---|---|---|---|---|---|---|---|---|---|---|---|---|---|---|---|---|---|---|---|
| 1938-39 | Verdun (Maple Leafs) | LHJQ | 11 | 660 | 23 | *9 | 0 | 2 | 1 | *2.09 | - | - | 3 | 180 | 10 | 2 | 1 | - | 0 | 3.33 | - | - |
| | Verdun (Maple Leafs) | Mem. | 7 | 420 | 19 | 4 | 3 | 0 | 0 | 2.71 | - | - | | | | | | | | | | |
| | Verdun (Maple Leafs) | LHSQ | - | - | - | - | - | - | - | - | - | - | 1 | 60 | 4 | 0 | 1 | 0 | 0 | 4.00 | - | - |
| 1939-40 | Verdun (Maple Leafs) | LHSQ | 30 | 1800 | 112 | 11 | 11 | 8 | 0 | 3.73 | - | - | 8 | 480 | 26 | 3 | 5 | 0 | *1 | *3.25 | - | - |
| 1940-41 | **Montréal (Canadiens)** | LHSQ | 34 | 2040 | 121 | - | - | - | 0 | 3.56 | - | - | - | - | - | - | - | - | - | - | - | - |
| | **Montréal (Canadiens)** | LNH | 4 | 210 | 15 | 1 | 2 | 0 | 0 | 4.29 | 0 | 0 | - | - | - | - | - | - | - | - | - | - |
| 1941-42 | Washington (Lions) | LHSQ | 13 | 820 | 39 | 3 | 7 | 3 | 0 | 2.85 | - | - | - | - | - | - | - | - | - | - | - | - |
| | **Montréal (Canadiens)** | LNH | 38 | 2380 | 131 | 17 | 19 | 2 | 1 | 3.30 | 0 | 0 | 3 | 180 | 8 | 1 | 2 | - | *1 | 2.67 | 0 | 0 |
| 1942-43 | **Montréal (Canadiens)** | LNH | 50 | 3010 | 191 | 19 | 19 | 12 | 1 | 3.81 | 0 | 0 | 5 | 320 | 18 | 1 | 4 | - | 1 | 3.38 | 0 | 0 |
| 1943-44 | Toronto (Maple Leafs) | LNH | 29 | 1740 | 87 | 13 | 14 | 2 | *5 | 3.00 | 0 | 0 | 5 | 300 | 23 | 1 | 4 | - | 0 | 4.60 | 0 | 0 |
| 1944-45 | Boston (Bruins) | LNH | 26 | 1530 | 116 | 6 | 18 | 2 | 0 | 4.55 | 0 | 0 | 7 | 437 | 22 | 3 | 4 | - | 0 | 3.02 | 0 | 0 |
| 1945-46 | Boston (Bruins) | LNH | 16 | 960 | 45 | 8 | 4 | 4 | 2 | 2.81 | 0 | 0 | - | - | - | - | - | - | - | - | - | - |
| | **Montréal (Canadiens)** | LNH | 10 | 660 | 30 | 4 | 6 | 0 | 0 | 3.00 | 0 | 0 | - | - | - | - | - | - | - | - | - | - |
| 1946-47 | Chicago (Black Hawks) | LNH | 41 | 2460 | 170 | 13 | 25 | 3 | 1 | 4.15 | 0 | 2 | - | - | - | - | - | - | - | - | - | - |
| | Fort Worth (Rangers) | USHL | 11 | 600 | 30 | - | - | - | 1 | 2.73 | - | - | 9 | 540 | 30 | 4 | 5 | 0 | *1 | 3.33 | - | - |
| 1947-48 | Buffalo (Bisons) | AHL | 25 | 1500 | 83 | 15 | 8 | 2 | 0 | 3.32 | - | - | - | - | - | - | - | - | - | - | - | - |
| 1948-49 | Dallas (Texans) | USHL | 65 | 3900 | 246 | 24 | 26 | 15 | 2 | 3.78 | - | - | 4 | 240 | 11 | 2 | 2 | 0 | *1 | *2.75 | - | - |
| 1949-50 | Cincinnati (Mohawks) | AHL | 15 | 900 | 51 | 7 | 7 | 1 | 0 | 3.40 | - | - | - | - | - | - | - | - | - | - | - | - |
| 1950-51 | Cincinnati (Mohawks) | AHL | 18 | 1099 | 58 | 8 | 8 | 1 | 0 | 3.17 | - | - | 1 | 94 | 1 | 0 | 1 | 0 | 0 | 0.64 | - | - |
| 1951-52 | Cincinnati (Mohawks) | AHL | 16 | 980 | 60 | 5 | 10 | 1 | 0 | 3.67 | - | - | - | - | - | - | - | - | - | - | - | - |
| 1952-53 | | | | | | | N'a pas joué | | | | | | | | | | | | | | | | |
| 1953-54 | Cincinnati (Mohawks) | AHL | 3 | 180 | 8 | | | | 0 | 2.67 | - | - | - | - | - | - | - | - | - | - | - | - |
| 1954-55 | Cincinnati (Mohawks) | AHL | 2 | 120 | 5 | | | | 0 | 2.50 | - | - | - | - | - | - | - | - | - | - | - | - |
| | **LNH** | | 214 | 12890 | 785 | 81 | 107 | 25 | 10 | 3.65 | 0 | 2 | 20 | 1237 | 71 | 6 | 14 | - | 2 | 3.44 | 0 | 0 |
| | **Montréal** | | 102 | 6200 | 367 | 41 | 46 | 14 | 2 | 3.55 | 0 | 0 | 8 | 500 | 26 | 2 | 6 | - | 2 | 3.12 | 0 | 0 |

• Deuxième équipe d'étoiles (LHSQ) en 1939-40 • Deuxième équipe d'étoiles (LNH) en 1943-44 • Première équipe d'étoiles (USHL) en 1948-49 • Trophée Charles-Gardiner (USHL) en 1948-49 • Trophée Herman-W.-Paterson (USHL) en 1948-49
• Signe avec Montréal le 6 mars 1940 • Prêté à Toronto par Montréal le 22 décembre 1943 • Prêté à Boston par Montréal le 27 décembre 1944 • Droits vendus à Boston par Montréal le 25 septembre 1945 • Échangé à Montréal par Boston pour Mike McMahon le 8 janvier 1946 • Échangé à Chicago par Montréal pour George Allen le 23 septembre 1946

### BINETTE, ANDRÉ

Né à Montréal, Québec, le 2 décembre 1933. Gardien, attrape de la gauche, 5'8", 140 lb

| SAISON | CLUB | LIGUE | PJ | MIN | BC | G | P | N | BL | MOY | A | PUN | PJ | MIN | BC | G | P | N | BL | MOY | A | PUN |
|---|---|---|---|---|---|---|---|---|---|---|---|---|---|---|---|---|---|---|---|---|---|---|
| 1953-54 | Trois-Rivières (Reds) | LHJQ | 48 | 2850 | 180 | 24 | 22 | 2 | 1 | 3.79 | - | - | 3 | 180 | 22 | - | - | - | 0 | 7.33 | - | - |
| 1954-55 | **Montréal (Canadiens)** | LNH | 1 | 60 | 4 | 1 | 0 | 0 | 0 | 4.00 | 0 | 0 | - | - | - | - | - | - | - | - | - | - |
| | Shawinigan (Cataractes) | LHQ | 4 | 240 | 16 | 2 | 2 | 0 | 0 | 4.00 | - | - | 1 | 60 | 4 | 0 | 1 | 0 | 0 | 4.00 | - | - |
| 1955-56 | Cornwall (Colts) | EOHL | 2 | 120 | 16 | 0 | 2 | 0 | 0 | 8.00 | - | - | - | - | - | - | - | - | - | - | - | - |
| 1956-57 | Troy (Bruins) | IHL | 20 | 1200 | 75 | | | | 1 | 3.75 | - | - | - | - | - | - | - | - | - | - | - | - |
| | Clinton (Comets) | EHL | 38 | 2280 | 181 | | | | 0 | 4.76 | - | - | - | - | - | - | - | - | - | - | - | - |
| 1957-58 | Chatham (Maroons) | NOHA | 1 | 60 | 2 | 1 | 0 | 0 | 0 | 2.00 | - | - | - | - | - | - | - | - | - | - | - | - |
| | Toledo (Mercurys) | IHL | 46 | 2740 | 174 | | | | 3 | 3.81 | - | - | - | - | - | - | - | - | - | - | - | - |
| 1958-59 | | | | | | | N'a pas joué | | | | | | | | | | | | | | | | |
| 1959-60 | | | | | | | N'a pas joué | | | | | | | | | | | | | | | | |
| 1960-61 | | | | | | | N'a pas joué | | | | | | | | | | | | | | | | |
| 1961-62 | Montréal (Olympiques) | LHSQ | 3 | 180 | 12 | 2 | 1 | 0 | 0 | 4.00 | - | - | 13 | 780 | 33 | *8 | 5 | 0 | *2 | *2.54 | - | - |
| | Montréal (Olympiques) | Allan | 16 | 971 | 11 | 5 | 0 | 0 | 4 | 2.60 | | | | | | | | | | | | | |
| | **LNH** | | 1 | 60 | 4 | 1 | 0 | 0 | 0 | 4.00 | 0 | 0 | - | - | - | - | - | - | - | - | - | - |
| | **Montréal** | | 1 | 60 | 4 | 1 | 0 | 0 | 0 | 4.00 | 0 | 0 | - | - | - | - | - | - | - | - | - | - |

• Prêté à Montréal par Montréal (Royals – LHQ) le 11 novembre 1954

### BOURQUE, CLAUDE

Né à Oxford, Nouvelle-Écosse, le 31 mars 1915, décédé. Gardien, attrape de la gauche, 5'6", 140 lb

| SAISON | CLUB | LIGUE | PJ | MIN | BC | G | P | N | BL | MOY | A | PUN | PJ | MIN | BC | G | P | N | BL | MOY | A | PUN |
|---|---|---|---|---|---|---|---|---|---|---|---|---|---|---|---|---|---|---|---|---|---|---|
| 1928-29 | Moncton (St-Mary's) | NBAHA | 6 | 360 | 8 | 3 | 2 | 1 | *2 | 1.33 | - | - | - | - | - | - | - | - | - | - | - | - |
| 1929-30 | Moncton (St-Mary's) | NBAHA | 6 | 280 | 11 | 3 | 2 | 1 | 0 | 2.36 | - | - | - | - | - | - | - | - | - | - | - | - |
| 1930-31 | Moncton (CCJA) | MCJHL | 4 | 240 | 2 | 3 | 1 | 0 | *3 | *0.50 | - | - | - | - | - | - | - | - | - | - | - | - |
| | Moncton (CNR) | MCIHL | 2 | 120 | 4 | 1 | 1 | 0 | 0 | 2.00 | - | - | - | - | - | - | - | - | - | - | - | - |
| | Moncton (Aberdeen) | HS | 4 | 240 | 5 | *4 | 0 | 0 | *2 | *1.25 | - | - | 1 | 60 | 3 | 0 | 1 | 0 | 0 | 3.00 | - | - |
| 1931-32 | Moncton (CCJA) | MCJHL | 6 | 360 | 13 | *6 | 0 | 0 | 2 | *2.11 | - | - | 3 | 180 | 10 | 2 | 1 | 0 | 0 | *3.33 | - | - |
| 1932-33 | Moncton (Red Indians) | MCJHL | 5 | 330 | 8 | *4 | 0 | 1 | *2 | *1.46 | - | - | 2 | 120 | 5 | 2 | 0 | 0 | 0 | *2.50 | - | - |
| | Moncton (Red Indians) | Mem. | 8 | 480 | 18 | 6 | 1 | 1 | 0 | 2.25 | - | - | - | - | - | - | - | - | - | - | - | - |
| 1933-34 | **Montréal (Canadiens)** | LHJQ | 8 | 480 | 14 | - | - | - | 1 | *1.75 | - | - | 2 | 120 | 5 | - | - | - | 0 | *2.50 | - | - |
| 1934-35 | **Montréal (Canadiens)** | LHJQ | 10 | 600 | 46 | - | - | - | 0 | 4.60 | - | - | 1 | 60 | 5 | - | - | - | 0 | 5.00 | - | - |
| 1935-36 | **Montréal (Canadiens)** | LHSQ | 21 | 1260 | 73 | - | - | - | 1 | 3.56 | - | - | - | - | - | - | - | - | - | - | - | - |
| 1936-37 | Montréal (Royals) | LHSQ | 19 | 1140 | 44 | - | - | - | 2 | 2.32 | - | - | 5 | 300 | 13 | - | - | - | 0 | 2.60 | - | - |
| 1937-38 | Verdun (Maple Leafs) | LHCM | 18 | 1080 | 52 | - | - | - | 1 | 2.89 | - | - | 8 | 480 | 26 | - | - | - | 0 | 3.25 | - | - |
| 1938-39 | Verdun (Maple Leafs) | LHSQ | 2 | 120 | 4 | - | - | - | 0 | 2.00 | - | - | - | - | - | - | - | - | - | - | - | - |
| | **Montréal (Canadiens)** | LNH | 25 | 1560 | 69 | 9 | 12 | 4 | 2 | 2.65 | 0 | 0 | 3 | 188 | 8 | 1 | 2 | 0 | 1 | 2.55 | - | - |
| | Kansas City (Greyhounds) | AHA | 3 | 214 | 15 | 0 | 3 | 0 | 0 | 4.21 | - | - | - | - | - | - | - | - | - | - | - | - |
| 1939-40 | **Montréal (Canadiens)** | LNH | 36 | 2210 | 120 | 9 | 24 | 3 | 3 | 3.26 | 0 | 0 | - | - | - | - | - | - | - | - | - | - |
| | Detroit (Red Wings) | LNH | 1 | 60 | 3 | 0 | 1 | 0 | 0 | 3.00 | 0 | 0 | - | - | - | - | - | - | - | - | - | - |

BIB·BOU

| SAISON | CLUB | LIGUE | PJ | MIN | BC | G | P | N | BL | MOY | A | PUN | PJ | MIN | BC | G | P | N | BL | MOY | A | PUN |
|---|---|---|---|---|---|---|---|---|---|---|---|---|---|---|---|---|---|---|---|---|---|---|
| | New Haven (Eagles) | IAHL | 6 | 360 | 26 | 1 | 5 | 0 | 0 | 4.33 | 0 | 0 | - | - | - | - | - | - | - | - | - | - |
| 1940-41 | Philadelphie (Rockets) | AHL | 56 | *3470 | 167 | 25 | 25 | 6 | 1 | 2.89 | - | - | - | - | - | - | - | - | - | - | - | - |
| 1941-42 | Buffalo (Bisons) | AHL | 54 | 3350 | 150 | 24 | 24 | 5 | 4 | 2.69 | - | - | - | - | - | - | - | - | - | - | - | - |
| 1942-43 | Lachine (RCAF) | LHCM | 34 | 2040 | 142 | | | 1 | | 4.18 | - | - | 12 | 720 | 24 | | | | 0 | 2.83 | - | - |
| | **LNH** | | 62 | 3830 | 192 | 18 | 37 | 7 | 5 | 3.01 | 0 | 0 | 3 | 188 | 8 | 1 | 2 | - | 1 | 2.55 | 0 | 0 |
| | **Montréal** | | 61 | 3770 | 189 | 18 | 36 | 7 | 5 | 3.01 | 0 | 0 | 3 | 188 | 8 | 1 | 2 | - | 1 | 2.55 | 0 | 0 |

• **Première équipe d'étoiles (MCHL) en 1937-38** • **Deuxième équipe d'étoiles (AHL) en 1941-42**
• Droits vendus à Montréal par Montréal (Maroons) avec Bob Gracie, Ernie Cain, Jimmy Ward, Steve Evans, Cy Wentworth et Dessie Smith le 15 septembre 1938 • Prêté à Detroit par Montréal le 15 février 1940 • Droits vendus à Philadelphie (AHL) par Montréal le 22 mai 1940

## BRODERICK, LEN

### Né à Toronto, Ontario, le 11 octobre 1930. Gardien, attrape de la gauche, 5'11", 175 lb

| SAISON | CLUB | LIGUE | PJ | MIN | BC | G | P | N | BL | MOY | A | PUN | PJ | MIN | BC | G | P | N | BL | MOY | A | PUN |
|---|---|---|---|---|---|---|---|---|---|---|---|---|---|---|---|---|---|---|---|---|---|---|
| 1955-56 | Toronto (Marlboros) | OHA Jr | 5 | 300 | 8 | 4 | 1 | 0 | 1 | 1.60 | - | - | 11 | 660 | 26 | 8 | 2 | 1 | 1 | *2.36 | - | - |
| 1956-57 | Toronto (Marlboros) | OHA Jr | 42 | 2520 | 104 | 28 | 11 | 3 | *8 | *2.48 | - | - | 9 | 540 | 27 | 5 | 4 | 0 | 1 | 3.00 | - | - |
| | Toronto (Marlboros) | Mem. | 11 | 670 | 20 | *8 | 1 | 2 | *4 | *1.79 | - | - | - | - | - | - | - | - | - | - | - | - |
| 1957-58 | Toronto (Marlboros) | OHA Jr | 40 | 2400 | 131 | 16 | 15 | 9 | 1 | *3.28 | - | - | 18 | 1062 | 62 | 9 | 7 | 2 | 0 | 3.50 | - | - |
| | **Montréal (Canadiens)** | **LNH** | 1 | 60 | 2 | 1 | 0 | 0 | 0 | 2.00 | 0 | 0 | - | - | - | - | - | - | - | - | - | - |
| 1958-59 | Toronto (Marlboros) | OHA Jr | 23 | 1380 | 72 | - | - | - | 1 | 3.13 | - | - | 5 | 300 | 24 | 1 | 4 | 0 | 0 | 4.80 | - | - |
| | Toronto (Marlboros) | Mem. | 5 | 282 | 23 | 1 | 4 | 0 | 0 | 4.89 | - | - | - | - | - | - | - | - | - | - | - | - |
| 1959-60 | Oakville (Oaks) | OHA Sr | | | | Statistiques non disponibles | | | | | | | | - | - | - | - | - | - | - | - | - | - |
| | St. Paul (Saints) | IHL | 3 | 180 | 16 | | | | 0 | 5.33 | | | - | - | - | - | - | - | - | - | - | - |
| | **LNH** | | 1 | 60 | 2 | 1 | 0 | 0 | 0 | 2.00 | 0 | 0 | - | - | - | - | - | - | - | - | - | - |
| | **Montréal** | | 1 | 60 | 2 | 1 | 0 | 0 | 0 | 2.00 | 0 | 0 | - | - | - | - | - | - | - | - | - | - |

• **Coupe Memorial en 1955-56**
• Prêté à Montréal par Toronto (Marlboros – OHA Jr) le 30 octobre 1957

## CATTARINICH, JOSEPH (JOS)

### Né à Lévis, Québec, le 13 novembre 1881, décédé le 8 décembre 1938. Gardien, attrape de gauche, 5'10", 167 lb

| SAISON | CLUB | LIGUE | PJ | MIN | BC | G | P | N | BL | MOY | A | PUN | PJ | MIN | BC | G | P | N | BL | MOY | A | PUN |
|---|---|---|---|---|---|---|---|---|---|---|---|---|---|---|---|---|---|---|---|---|---|---|
| 1904-05 | Montréal (National) | CAHL | 4 | 240 | 42 | 0 | 4 | 0 | 0 | 10.50 | 0 | 0 | - | - | - | - | - | - | - | - | - | - |
| 1905-06 | | | | | | Statistiques non disponibles | | | | | | | | - | - | - | - | - | - | - | - | - | - |
| 1906-07 | | | | | | Statistiques non disponibles | | | | | | | | - | - | - | - | - | - | - | - | - | - |
| 1907-08 | | | | | | Statistiques non disponibles | | | | | | | | - | - | - | - | - | - | - | - | - | - |
| 1908-09 | | | | | | Statistiques non disponibles | | | | | | | | - | - | - | - | - | - | - | - | - | - |
| 1909-10 | **Montréal (Canadiens)** | NHA | 4 | 240 | 34 | 0 | 4 | 0 | 0 | 8.50 | 0 | 0 | - | - | - | - | - | - | - | - | - | - |
| | **NHA** | | 4 | 240 | 34 | 0 | 4 | 0 | 0 | 8.50 | 0 | 0 | 0 | - | - | - | - | - | - | - | - | - |
| | **Montréal** | | 4 | 240 | 34 | 0 | 4 | 0 | 0 | 8.50 | 0 | 0 | 0 | - | - | - | - | - | - | - | - | - |

• **Temple de la Renommée (LNH) en 1977**
• Signe avec Montréal le 13 décembre 1909

## CHABOT, FRÉDÉRIC

### Né à Hebertville-Station, Québec, le 12 février 1968. Gardien, attrape de la gauche, 5'11", 175 lb (10e choix du New Jersey, 192e au total lors du repêchage de 1986)

| SAISON | CLUB | LIGUE | PJ | MIN | BC | G | P | N | BL | MOY | A | PUN | PJ | MIN | BC | G | P | N | BL | MOY | A | PUN |
|---|---|---|---|---|---|---|---|---|---|---|---|---|---|---|---|---|---|---|---|---|---|---|
| 1985-86 | Trois-Rivières (Sélects) | QAAA | 34 | 2038 | 139 | 25 | 9 | 0 | 0 | 3.90 | - | - | - | - | - | - | - | - | - | - | - | - |
| 1986-87 | Drummondville (Voltigeurs) | LHJMQ | 62 | 3508 | 293 | 31 | 29 | 0 | 1 | 5.01 | - | - | 8 | 481 | 40 | 2 | 6 | | 0 | 4.99 | - | - |
| 1987-88 | Drummondville (Voltigeurs) | LHJMQ | 58 | 3276 | 237 | 27 | 24 | 4 | 1 | 4.34 | - | - | 16 | 1019 | 56 | 10 | 6 | | *1 | *3.30 | - | - |
| | Drummondville (Voltigeurs) | Mem. | 3 | 158 | 18 | 0 | 3 | 0 | 0 | 6.86 | 0 | 0 | - | - | - | - | - | - | - | - | - | - |
| 1988-89 | Moose Jay (Warriors) | WHL | 26 | 1385 | 114 | - | - | - | - | 4.94 | - | - | - | - | - | - | - | - | - | - | - | - |
| | Prince Albert (Raiders) | WHL | 28 | 1572 | 88 | - | - | - | - | 3.36 | - | - | 4 | 199 | 16 | 1 | 1 | | 0 | 4.82 | - | - |
| 1989-90 | Sherbrooke (Canadien) | AHL | 2 | 119 | 8 | 1 | 1 | 0 | 0 | 4.03 | - | - | - | - | - | - | - | - | - | - | - | - |
| | Fort Wayne (Komets) | IHL | 23 | 1208 | 87 | 6 | 13 | 3 | 1 | 4.32 | - | - | - | - | - | - | - | - | - | - | - | - |
| 1990-91 | Fredericton (Canadien) | AHL | 35 | 1800 | 122 | 9 | 15 | 5 | 0 | 4.07 | - | - | - | - | - | - | - | - | - | - | - | - |
| | **Montréal (Canadiens)** | **LNH** | 3 | 108 | 6 | 0 | 0 | 1 | 0 | 3.33 | 0 | 0 | - | - | - | - | - | - | - | - | - | - |
| 1991-92 | Fredericton (Canadien) | AHL | 30 | 1761 | 79 | 17 | 9 | 4 | 2 | *2.69 | - | - | 7 | 457 | 20 | 3 | 4 | | 0 | 2.63 | - | - |
| | Winston-Salem | ECHL | 24 | 1449 | 71 | 15 | 7 | 2 | 0 | *2.94 | - | - | - | - | - | - | - | - | - | - | - | - |
| 1992-93 | **Montréal (Canadiens)** | **LNH** | 1 | 40 | 1 | 0 | 0 | 0 | 0 | 1.50 | 0 | 0 | - | - | - | - | - | - | - | - | - | - |
| | Fredericton (Canadien) | AHL | 45 | 2544 | 141 | 22 | 17 | 4 | 0 | 3.33 | - | - | 4 | 261 | 16 | 1 | 3 | | 0 | 3.68 | - | - |
| 1993-94 | **Montréal (Canadiens)** | **LNH** | 1 | 60 | 5 | 0 | 1 | 0 | 0 | 5.00 | 0 | 0 | - | - | - | - | - | - | - | - | - | - |
| | Fredericton (Canadien) | AHL | 3 | 143 | 12 | 0 | 1 | 1 | 0 | 5.03 | - | - | - | - | - | - | - | - | - | - | - | - |
| | Las Vegas (Thunder) | IHL | 2 | 110 | 5 | 1 | 1 | 0 | 0 | 2.72 | - | - | - | - | - | - | - | - | - | - | - | - |
| | Philadelphie (Flyers) | LNH | 4 | 70 | 5 | 0 | 1 | 1 | 0 | 4.29 | 0 | 0 | - | - | - | - | - | - | - | - | - | - |
| | Hershey (Bears) | AHL | 28 | 1464 | 63 | 13 | 5 | 6 | 2 | *2.58 | - | - | 11 | 665 | 32 | 7 | 4 | | 0 | 2.89 | - | - |
| 1994-95 | Cincinnati (Cyclones) | IHL | 48 | 2622 | 128 | 25 | 12 | 7 | 1 | 2.93 | - | - | 5 | 326 | 16 | 3 | 2 | | 0 | 2.94 | - | - |
| 1995-96 | Cincinnati (Cyclones) | IHL | 38 | 2147 | 88 | 23 | 9 | 4 | 2 | *2.46 | - | - | 14 | 854 | 37 | 9 | 5 | | 1 | 2.60 | - | - |
| 1996-97 | Houston (Aeros) | IHL | *72 | *4265 | 180 | *39 | 26 | 7 | *7 | 2.53 | - | - | 13 | 777 | 34 | 8 | 5 | | *2 | 2.63 | - | - |
| 1997-98 | Los Angeles (Kings) | LNH | 12 | 554 | 29 | 3 | 3 | 2 | 0 | 3.14 | - | - | - | - | - | - | - | - | - | - | - | - |
| | Houston (Aeros) | IHL | 22 | 1237 | 46 | 12 | 7 | 2 | 1 | 2.23 | - | - | 4 | 238 | 11 | 1 | 3 | | 0 | 2.77 | - | - |
| 1998-99 | Houston (Aeros) | IHL | 21 | 1298 | 49 | 16 | 4 | 1 | 3 | 2.34 | 0 | 6 | - | - | - | - | - | - | - | - | - | - |
| | **Montréal (Canadiens)** | **LNH** | 11 | 430 | 16 | 1 | 3 | 0 | 0 | 2.23 | 0 | 2 | - | - | - | - | - | - | - | - | - | - |
| 1999-00 | Houston (Aeros) | IHL | *62 | *3695 | 131 | *36 | 19 | 7 | 4 | 2.13 | - | - | 11 | 658 | 20 | 6 | 5 | | *3 | 1.82 | - | - |
| 2000-01 | Houston (Aeros) | IHL | 47 | 2705 | 119 | 23 | 16 | 5 | 3 | 2.64 | - | - | 7 | 482 | 15 | 3 | 4 | | 0 | *1.87 | - | - |
| 2001-02 | Nuremberg (Ice Tigers) | GER | 29 | 1698 | 56 | - | - | - | 4 | 1.97 | - | - | 3 | - | - | | 0 | 3 | | 3.03 | - | - |
| 2002-03 | Nuremberg (Ice Tigers) | GER | 25 | - | - | - | - | - | | 1.81 | - | - | 5 | - | - | | | | | 3.41 | - | - |
| | **LNH** | | 32 | 1262 | 62 | 4 | 8 | 4 | 0 | 2.95 | 0 | 2 | - | - | - | - | - | - | - | - | - | - |
| | **Montréal** | | 16 | 638 | 28 | 1 | 4 | 1 | 0 | 2.63 | 0 | 2 | - | - | - | - | - | - | - | - | - | - |

• **Équipe d'étoiles, Division Est (WHL) en 1988-89** • **Trophée Aldège-Bastien (AHL) en 1993-94** • **Première équipe d'étoiles (IHL) en 1996-97, 1999-00** • **Deuxième équipe d'étoiles (IHL) en 1995-96** • **Trophée James-Gatschene (IHL) en 1996-97, 1999-00** • **Trophée James-Norris (IHL) en 1999-00**
• Signe avec Montréal comme agent libre le 16 janvier 1990 • Réclamé par Tampa Bay de Montréal lors de l'expansion de la LNH le 18 juin 1992 • Échangé à Montréal par Tampa Bay pour Jean-Claude Bergeron le 19 juin 1992 • Droits vendus à Philadelphie par Montréal le 21 février 1994 • Signe avec la Floride comme agent libre le 11 août 1994 • Signe avec Los Angeles comme agent libre le 3 septembre 1997 • Réclamé par Nashville de Los Angeles lors de l'expansion de la LNH le 26 juin 1998 • Réclamé au ballottage par Los Angeles de Nashville le 20 juillet 1998 • Réclamé par Montréal de Los Angeles au repêchage inter-ligues le 5 octobre 1998 • Réclamé par Columbus de Montréal lors de l'expansion de la LNH le 23 juin 2000

## CHABOT, LORNE

### Né à Montréal, Québec, le 5 octobre 1900, décédé le 10 octobre 1946. Gardien, attrape de la gauche, 6'1", 185 lb

| SAISON | CLUB | LIGUE | PJ | MIN | BC | G | P | N | BL | MOY | A | PUN | PJ | MIN | BC | G | P | N | BL | MOY | A | PUN |
|---|---|---|---|---|---|---|---|---|---|---|---|---|---|---|---|---|---|---|---|---|---|---|
| 1919-20 | Laval (Université) | LHCM | | | | Statistiques non disponibles | | | | | | | | - | - | - | - | - | - | - | - | - | - |
| | Brandon (Wheat Kings) | MHL SR | | | | Statistiques non disponibles | | | | | | | | - | - | - | - | - | - | - | - | - | - |
| 1920-21 | Brandon (Wheat Kings) | MHL SR | 1 | 60 | 3 | 1 | 0 | 0 | 0 | 3.00 | - | - | - | - | - | - | - | - | - | - | - | - |
| 1921-22 | Brandon (Wheat Kings) | MHL SR | | | | Statistiques non disponibles | | | | | | | | - | - | - | - | - | - | - | - | - | - |
| 1922-23 | Port Arthur (Ports) | MHL SR | 16 | 960 | 57 | 11 | 5 | 0 | 0 | 3.56 | - | - | 2 | 120 | 3 | 1 | 1 | 0 | *1 | 1.50 | - | - |
| 1923-24 | Port Arthur (Ports) | MHL SR | 15 | 900 | 37 | 11 | 4 | 0 | 1 | 2.46 | - | - | 2 | 120 | 6 | 0 | 1 | 1 | 0 | 3.00 | - | - |
| 1924-25 | Port Arthur (Ports) | MHL SR | 20 | 1200 | 51 | 12 | 8 | 0 | *3 | 2.55 | - | - | 2 | 120 | 4 | 2 | 0 | 0 | 0 | 2.00 | - | - |

| | | | SAISONS RÉGULIÈRES | | | | | | | | | | SÉRIES ÉLIMINATOIRES | | | | | | | | |
|---|---|---|---|---|---|---|---|---|---|---|---|---|---|---|---|---|---|---|---|---|---|
| SAISON | CLUB | LIGUE | PJ | MIN | BC | G | P | N | BL | MOY | A | PUN | PJ | MIN | BC | G | P | N | BL | MOY | A | PUN |
| | Port Arthur (Ports) | Allan | 8 | 480 | 16 | 6 | 1 | 1 | 1 | 2.00 | - | - | - | - | - | - | - | - | - | - | - | - |
| 1925-26 | Port Arthur (Ports) | TBSHL | 20 | 1200 | 42 | *14 | 6 | 0 | 2 | 2.10 | - | - | 3 | 180 | 4 | 2 | 0 | 1 | 1 | 1.33 | - | - |
| | Port Arthur (Ports) | Allan | 6 | 360 | 13 | 5 | 1 | 0 | 1 | 2.17 | - | - | - | - | - | - | - | - | - | - | - | - |
| 1926-27 | New York (Rangers) | LNH | 36 | 2307 | 56 | 22 | 9 | 5 | 10 | 1.46 | 0 | 0 | 2 | 120 | 3 | 0 | 1 | 1 | 1 | 1.50 | 0 | 0 |
| | Springfield (Indians) | Can-Am | 1 | 60 | 2 | 1 | 0 | 0 | 0 | 2.00 | - | - | - | - | - | - | - | - | - | - | - | - |
| 1927-28 | New York (Rangers) | LNH | *44 | 2730 | 79 | 19 | 16 | 5 | 11 | 1.74 | 0 | 0 | 6 | 321 | 8 | 2 | 2 | 1 | 1 | 1.50 | 0 | 0 |
| 1928-29 | Toronto (Maple Leafs) | LNH | 43 | 2458 | 66 | 20 | 18 | 5 | 12 | 1.61 | 0 | 2 | 4 | 242 | 5 | 2 | 2 | 0 | 0 | 1.24 | 0 | 0 |
| 1929-30 | Toronto (Maple Leafs) | LNH | 42 | 2620 | 113 | 16 | 20 | 6 | 6 | 2.59 | 0 | 0 | - | - | - | - | - | - | - | - | - | - |
| 1930-31 | Toronto (Maple Leafs) | LNH | 37 | 2300 | 80 | 21 | 8 | 8 | 6 | 2.09 | 0 | 0 | 2 | 139 | 4 | 0 | 1 | 1 | 0 | 1.73 | 0 | 0 |
| 1931-32 | Toronto (Maple Leafs) | LNH | 44 | 2698 | 106 | 22 | 16 | 6 | 4 | 2.36 | 0 | 2 | 7 | 438 | 15 | *5 | 1 | 1 | 0 | 2.05 | 0 | 0 |
| 1932-33 | Toronto (Maple Leafs) | LNH | *48 | 2946 | 111 | 24 | 18 | 6 | 5 | 2.26 | 0 | 2 | 9 | *686 | 18 | 4 | 5 | 0 | *2 | 1.57 | 0 | 0 |
| 1933-34 | Montréal (Canadiens) | LNH | 47 | 2928 | 101 | 21 | 20 | 6 | 8 | 2.07 | 0 | 2 | 2 | 131 | 4 | 0 | 1 | 1 | 0 | 1.83 | 0 | 0 |
| 1934-35 | Chicago (Black Hawks) | LNH | *48 | 2940 | 88 | 26 | 17 | 5 | 8 | *1.80 | 0 | 0 | 2 | 124 | 1 | 0 | 1 | 1 | 1 | 0.48 | 0 | 0 |
| 1935-36 | Montréal (Maroons) | LNH | 16 | 1010 | 35 | 8 | 3 | 5 | 2 | 2.08 | 0 | 0 | 3 | 297 | 6 | 0 | 3 | 0 | | *1.21 | 0 | 0 |
| 1936-37 | New York (Americans) | LNH | 6 | 370 | 25 | 2 | 3 | 1 | 1 | 4.05 | 0 | 0 | 2 | 131 | 4 | 0 | 1 | 1 | 0 | 1.83 | 0 | 0 |
| | **LNH** | | 411 | 25307 | 860 | 201 | 148 | 62 | 73 | 2.04 | 0 | 8 | 37 | 2498 | 64 | 13 | 17 | 6 | 5 | 1.54 | 0 | 0 |
| | **Montréal** | | 47 | 2928 | 101 | 21 | 20 | 6 | 8 | 2.07 | 0 | 2 | 2 | 131 | 4 | 0 | 1 | 1 | 0 | 1.83 | 0 | 0 |

**Coupe Stanley (LNH) en 1927-28, 1931-32 • Première équipe d'étoiles (LNH) en 1934-35 • Trophée Georges-Vézina (LNH) en 1934-35**
• Signe avec New York (Rangers) le 2 septembre 1926 • Échangé à Toronto par New York (Rangers) avec une somme d'argent pour John Roach le 18 octobre 1928 • Échangé à Montréal par Toronto pour George Hainsworth le 1er octobre 1933 • Échangé à Chicago par Montréal avec Howie Morenz, Marty Burke pour Lionel Conacher, Leroy Goldsworthy et Roger Jenkins le 1er octobre 1934 • Droits vendus à Montréal par Chicago le 8 février 1936 • Échangé au Montréal (Maroons) par Montréal (Canadiens) pour Bill Miller, Toe Blake et les droits sur Ken Gravel le 13 février 1936 • Signe avec New York (Americans) comme agent libre le 7 janvier 1937

## CLEGHORN, SPRAGUE

**Né à Montréal, Québec, le 11 mars 1890, décédé le 11 juillet 1956. Défenseur, lance de la gauche, 5'10", 190 lb**

| SAISON | CLUB | LIGUE | PJ | MIN | BC | G | P | N | BL | MOY | A | PUN | PJ | MIN | BC | G | P | N | BL | MOY | A | PUN |
|---|---|---|---|---|---|---|---|---|---|---|---|---|---|---|---|---|---|---|---|---|---|---|
| 1918-19 | Ottawa (Senators) | LNH | 1 | 3 | 0 | 0 | 0 | 0 | 0 | 0.00 | - | - | - | - | - | - | - | - | - | - | - | - |
| 1921-22 | **Montréal (Canadiens)** | LNH | 1 | 2 | 0 | 0 | 0 | 0 | 0 | 0.00 | - | - | - | - | - | - | - | - | - | - | - | - |
| | **LNH** | | 2 | 5 | 0 | 0 | 0 | 0 | 0 | 0.00 | - | - | - | - | - | - | - | - | - | - | - | - |
| | **Montréal** | | 1 | 2 | 0 | 0 | 0 | 0 | 0 | 0.00 | - | - | - | - | - | - | - | - | - | - | - | - |

• A remplacé Clint Benedict suite à une punition le 18 février 1919 • A remplacé Georges Vézina suite à une punition le 1er février 1922.

## COX, AB (ABBIE)

**Né à London, Ontario, le 19 juillet 1904. Gardien, attrape de la gauche, 5'6", 140 lb**

| SAISON | CLUB | LIGUE | PJ | MIN | BC | G | P | N | BL | MOY | A | PUN | PJ | MIN | BC | G | P | N | BL | MOY | A | PUN |
|---|---|---|---|---|---|---|---|---|---|---|---|---|---|---|---|---|---|---|---|---|---|---|
| 1921-22 | Ottawa (Munitions) | OCHL | 12 | 720 | 42 | 4 | 7 | 2 | 1 | 3.50 | - | - | 2 | 120 | 11 | 0 | 2 | 0 | 0 | 5.50 | - | - |
| 1922-23 | Iroquois Falls (Papermakers) | NOJHA | | | | Statistiques non disponibles | | | | | | | | | | | | | | | | | |
| 1923-24 | New Haven (Bears) | USAHA | 12 | 730 | 21 | *6 | 6 | 0 | 0 | 1.73 | - | - | - | - | - | - | - | - | - | - | - | - |
| 1924-25 | Boston (Maples) | USAHA | 21 | 995 | 58 | 6 | 15 | 0 | 0 | 2.21 | - | - | - | - | - | - | - | - | - | - | - | - |
| 1925-26 | | | | | | N'a pas joué | | | | | | | | | | | | | | | | | |
| 1926-27 | Springfield (Indians) | Can-Am | 31 | 1950 | 51 | 14 | 12 | 5 | 6 | 1.57 | - | - | 6 | 360 | 6 | *3 | 1 | 2 | *2 | *1.00 | - | - |
| 1927-28 | Springfield (Indians) | Can-Am | 40 | 2450 | 71 | *24 | 13 | 3 | 12 | 1.74 | - | - | 4 | 240 | 7 | 2 | 2 | 0 | *1 | *1.75 | - | - |
| 1928-29 | Windsor (Bulldogs) | Can-Pro | 34 | 2100 | 64 | 22 | 9 | 3 | 7 | 1.83 | - | - | 8 | 530 | 7 | *5 | 3 | 0 | *3 | *0.79 | - | - |
| 1929-30 | Windsor (Bulldogs) | IHL | 41 | 2440 | 89 | 20 | 13 | 8 | 3 | 2.19 | - | - | - | - | - | - | - | - | - | - | - | - |
| | Montréal (Maroons) | LNH | 1 | 60 | 2 | 1 | 0 | 0 | 0 | 2.00 | 0 | 0 | - | - | - | - | - | - | - | - | - | - |
| 1930-31 | Windsor (Bulldogs) | IHL | 1 | 70 | 4 | 0 | 0 | 0 | 0 | 3.43 | - | - | - | - | - | - | - | - | - | - | - | - |
| | Detroit (Olympics) | IHL | 39 | 2470 | 78 | 19 | 11 | 9 | 8 | 1.89 | - | - | 6 | 370 | 19 | 0 | 6 | 0 | 0 | 3.08 | - | - |
| 1931-32 | Pittsburgh (Yellowjackets) | IHL | 31 | 1930 | 84 | 12 | 13 | 5 | 5 | 2.61 | - | - | - | - | - | - | - | - | - | - | - | - |
| 1932-33 | Detroit (Olympics) | IHL | 13 | 780 | 51 | - | - | - | 2 | 3.92 | - | - | - | - | - | - | - | - | - | - | - | - |
| | Windsor (Bulldogs) | IHL | 2 | 120 | 2 | 2 | 0 | 0 | 0 | 1.00 | - | - | - | - | - | - | - | - | - | - | - | - |
| 1933-34 | Detroit (Olympics) | IHL | 38 | 2280 | 80 | - | - | - | 5 | 2.11 | - | - | 6 | 360 | 17 | 3 | 3 | 0 | 0 | 2.83 | - | - |
| | New York (Americans) | LNH | 1 | 24 | 3 | 0 | 1 | 0 | 0 | 7.50 | 0 | 0 | - | - | - | - | - | - | - | - | - | - |
| | Detroit (Red Wings) | LNH | 2 | 109 | 5 | 0 | 0 | 1 | 0 | 2.75 | 0 | 0 | - | - | - | - | - | - | - | - | - | - |
| | Cleveland (Indians) | IHL | 1 | 60 | 4 | 0 | 1 | 0 | 0 | 4.00 | - | - | - | - | - | - | - | - | - | - | - | - |
| 1934-35 | Québec (Castors) | Can-Am | 43 | 2660 | 114 | 19 | 18 | 6 | *5 | 2.57 | - | - | 3 | 180 | 6 | 1 | 2 | 0 | *1 | 2.00 | - | - |
| 1935-36 | Springfield (Indians) | Can-Am | 38 | 2320 | 108 | 15 | 20 | 3 | *6 | 2.79 | - | - | - | - | - | - | - | - | - | - | - | - |
| | Philadelphie (Ramblers) | Can-Am | 1 | 60 | 4 | - | - | - | - | 4.00 | - | - | - | - | - | - | - | - | - | - | - | - |
| | **Montréal (Canadiens)** | LNH | 1 | 70 | 1 | 0 | 0 | 1 | 0 | 0.86 | 0 | 0 | - | - | - | - | - | - | - | - | - | - |
| 1936-37 | Kansas City (Greyhounds) | AHA | 10 | 646 | 31 | 0 | 8 | 2 | 0 | 2.88 | - | - | - | - | - | - | - | - | - | - | - | - |
| | **LNH** | | 5 | 263 | 11 | 1 | 1 | 2 | 0 | 2.51 | 0 | 0 | - | - | - | - | - | - | - | - | - | - |
| | **Montréal** | | 1 | 70 | 1 | 0 | 0 | 1 | 0 | 0.86 | 0 | 0 | - | - | - | - | - | - | - | - | - | - |

• Signe avec New York (Rangers) le 9 novembre 1926 • Droits vendus à Windsor (IHL) par New York (Rangers) en septembre 1928 • Prêté à Montréal (Maroons) par Windsor (IHL) le 1er février 1930 • Prêté à Detroit (IHL) par Windsor (IHL) le 21 novembre 1930 • Prêté à New York (Americans) par Windsor (IHL) le 12 novembre 1933 • Prêté à Detroit par Windsor (IHL) le 10 décembre 1933 • Prêté à Detroit par Windsor (IHL) le 17 décembre 1933 • Prêté à Montréal par Springfield (Can-Am) le 16 février 1936

## CUDE, WILFRED (WILF)

**Né à South Wales, Angleterre, le 4 juillet 1910, décédé le 5 mai 1968. Gardien, attrape de la gauche, 5'9", 146 lb**

| SAISON | CLUB | LIGUE | PJ | MIN | BC | G | P | N | BL | MOY | A | PUN | PJ | MIN | BC | G | P | N | BL | MOY | A | PUN |
|---|---|---|---|---|---|---|---|---|---|---|---|---|---|---|---|---|---|---|---|---|---|---|
| 1929-30 | Melville (Millionaires) | S-SSHL | 20 | 1290 | 40 | 13 | 6 | 1 | 3 | 1.86 | - | - | 2 | 120 | 3 | 1 | 1 | 0 | *1 | 1.50 | - | - |
| 1930-31 | Philadelphie (Quakers) | LNH | 30 | 1850 | 130 | 2 | 25 | 3 | 1 | 4.22 | 0 | 0 | - | - | - | - | - | - | - | - | - | - |
| 1931-32 | Boston (Bruins) | LNH | 2 | 120 | 6 | 1 | 1 | 0 | 1 | 3.00 | 0 | 0 | - | - | - | - | - | - | - | - | - | - |
| | Chicago (Black Hawks) | LNH | 1 | 41 | 9 | 0 | 0 | 0 | 0 | 13.17 | 0 | 0 | - | - | - | - | - | - | - | - | - | - |
| | Syracuse (Stars) | IHL | 1 | 60 | 1 | 1 | 0 | 0 | 0 | 1.00 | - | - | - | - | - | - | - | - | - | - | - | - |
| | Boston (Cubs) | Can-Am | 15 | 900 | 46 | 7 | 7 | 1 | 1 | 3.00 | - | - | - | - | - | - | - | - | - | - | - | - |
| 1932-33 | Philadelphie (Arrows) | Can-Am | 32 | 1950 | 64 | 21 | 9 | 2 | *4 | *1.97 | - | - | 5 | 300 | 15 | 2 | 3 | 0 | *1 | 3.00 | - | - |
| 1933-34 | Syracuse (Stars) | IHL | 19 | 1140 | 39 | - | - | - | 3 | 2.05 | - | - | - | - | - | - | - | - | - | - | - | - |
| | **Montréal (Canadiens)** | LNH | 1 | 60 | 0 | 1 | 0 | 0 | 1 | *0.00 | 0 | 0 | - | - | - | - | - | - | - | - | - | - |
| | Detroit (Red Wings) | LNH | 29 | 1860 | 47 | 15 | 6 | 8 | 4 | *1.52 | 0 | 0 | 9 | *593 | 21 | 4 | 5 | 0 | 1 | 2.12 | 0 | 0 |
| 1934-35 | **Montréal (Canadiens)** | LNH | 48 | 2960 | 145 | 19 | 23 | 6 | 1 | 2.94 | 0 | 0 | 2 | 120 | 6 | 0 | 1 | 1 | 0 | 3.00 | 0 | 0 |
| 1935-36 | **Montréal (Canadiens)** | LNH | 47 | 2940 | 122 | 11 | 26 | 10 | 6 | 2.49 | 0 | 0 | - | - | - | - | - | - | - | - | - | - |
| 1936-37 | **Montréal (Canadiens)** | LNH | 44 | 2730 | 99 | 22 | 17 | 5 | 5 | 2.18 | 0 | 0 | 5 | 352 | 13 | 2 | 3 | - | 0 | 2.22 | 0 | 0 |
| 1937-38 | **Montréal (Canadiens)** | LNH | 47 | 2990 | 126 | 18 | 17 | 12 | 3 | 2.53 | 0 | 0 | 3 | 192 | 11 | 1 | 2 | - | 0 | 3.44 | 0 | 0 |
| | Match des étoiles | LNH | 1 | 60 | 6 | 0 | 1 | 0 | 0 | 6.00 | 0 | 0 | - | - | - | - | - | - | - | - | - | - |
| 1938-39 | **Montréal (Canadiens)** | LNH | 23 | 1440 | 77 | 6 | 12 | 5 | 2 | 3.21 | 0 | 0 | - | - | - | - | - | - | - | - | - | - |
| 1939-40 | **Montréal (Canadiens)** | LNH | 7 | 415 | 24 | 1 | 5 | 1 | 0 | 3.47 | 0 | 0 | - | - | - | - | - | - | - | - | - | - |
| | Match des étoiles | LNH | 1 | 60 | 5 | 0 | 1 | 0 | 0 | 5.00 | 0 | 0 | - | - | - | - | - | - | - | - | - | - |
| | New Haven (Eagles) | AHL | 44 | 2690 | 146 | 23 | 18 | 3 | 3 | 3.26 | - | - | 3 | 180 | 11 | 1 | 2 | 0 | 0 | 3.44 | - | - |
| 1940-41 | **Montréal (Canadiens)** | LNH | 3 | 180 | 13 | 2 | 1 | 0 | 0 | 4.33 | 0 | 0 | - | - | - | - | - | - | - | - | - | - |
| | **LNH** | | 282 | 17586 | 798 | 98 | 133 | 50 | 24 | 2.72 | 0 | 0 | 19 | 1257 | 51 | 7 | 11 | 1 | 1 | 2.43 | 0 | 0 |
| | **Montréal** | | 220 | 13715 | 606 | 80 | 101 | 39 | 18 | 2.65 | 0 | 0 | 10 | 664 | 30 | 3 | 6 | 1 | 0 | 2.71 | 0 | 0 |

• Deuxième équipe d'étoiles (LNH) en 1935-36, 1936-37 • Match des étoiles (LNH) en 1937-38, 1939-40

| SAISON | CLUB | LIGUE | PJ | MIN | BC | G | P | N | BL | MOY | A | PUN | PJ | MIN | BC | G | P | N | BL | MOY | A | PUN |
|---|---|---|---|---|---|---|---|---|---|---|---|---|---|---|---|---|---|---|---|---|---|---|
| | | | | | SAISONS RÉGULIÈRES | | | | | | | | | | | | SÉRIES ÉLIMINATOIRES | | | | | |

| | | | SAISONS RÉGULIÈRES | | | | | | | | | | SÉRIES ÉLIMINATOIRES | | | | | | | | | |
|---|---|---|---|---|---|---|---|---|---|---|---|---|---|---|---|---|---|---|---|---|---|---|
| SAISON | CLUB | LIGUE | PJ | MIN | BC | G | P | N | BL | MOY | A | PUN | PJ | MIN | BC | G | P | N | BL | MOY | A | PUN |

• Signe avec Pittsburgh le 18 février 1930 • Transfert de la concession de Pittsburgh à Philadelphie le 18 octobre 1930 • Devient gardien substitut de la LNH pour la saison 1931-32 au retrait de la concession de Philadelphie le 27 septembre 1931 • Prêté à Boston par LNH le 5 février 1932 • Prêté à Chicago par LNH le 21 mars 1932 • Droits vendus à Montréal par Philadelphie le 19 octobre 1933 • Prêté à Detroit par Montréal le 2 janvier 1934

## CYR, CLAUDE

Né à Montréal, Québec, le 27 mars 1939, décédé. Gardien, attrape de la gauche, 5'10", 180 lb

| SAISON | CLUB | LIGUE | PJ | MIN | BC | G | P | N | BL | MOY | A | PUN | PJ | MIN | BC | G | P | N | BL | MOY | A | PUN |
|---|---|---|---|---|---|---|---|---|---|---|---|---|---|---|---|---|---|---|---|---|---|---|
| 1957-58 | Hull-Ottawa (Canadien) | Exib. | 13 | 780 | 57 | - | - | - | 0 | 4.38 | - | - | - | - | - | - | - | - | - | - | - | - |
| | Hull-Ottawa (Canadien) | EOHL | 11 | 660 | 59 | - | - | - | 1 | 5.36 | - | - | - | - | - | - | - | - | - | - | - | - |
| 1958-59 | Hull-Ottawa (Canadien) | EOHL | 26 | 1560 | 114 | - | - | - | 0 | 4.38 | - | | 1 | 60 | 4 | - | - | - | - | 4.00 | - | - |
| | **Montréal (Canadiens)** | **LNH** | **1** | **20** | **1** | **0** | **0** | **0** | **0** | **3.00** | **0** | **0** | - | - | - | - | - | - | - | - | - | - |
| | Hull-Ottawa (Canadien) | Mem. | 9 | 550 | 21 | 4 | 4 | 1 | 1 | 2.29 | | | - | - | - | - | - | - | - | - | - | - |
| 1959-60 | Hull-Ottawa (Canadien) | EPHL | 6 | 360 | 22 | 2 | 4 | 0 | 0 | 3.67 | | | - | - | - | - | - | - | - | - | - | - |
| | Montréal (Royals) | EPHL | 7 | 420 | 27 | 2 | 4 | 1 | 0 | 3.86 | | | - | - | - | - | - | - | - | - | - | - |
| | Cleveland (Barons) | AHL | 2 | 120 | 7 | 0 | 2 | 0 | 0 | 3.50 | | | - | - | - | - | - | - | - | - | - | - |
| | Calgary (Stampeders) | WHL | 4 | 240 | 15 | 1 | 3 | 0 | 0 | 3.75 | | | - | - | - | - | - | - | - | - | - | - |
| 1960-61 | Montréal (Royals) | PHL | 13 | 780 | 41 | 3 | 6 | 4 | 0 | 3.15 | | | - | - | - | - | - | - | - | - | - | - |
| | Trail Smoke Eaters | WHL | 7 | 420 | 19 | 6 | 1 | 0 | 0 | 2.71 | | | 2 | 74 | 4 | 1 | 0 | | 0 | 3.24 | - | - |
| | Canada | CM | 3 | 134 | 5 | 2 | 0 | 0 | 0 | 2.24 | | | - | - | - | - | - | - | - | - | - | - |
| 1961-62 | Knoxville (Knights) | EHL | 61 | 3660 | 211 | - | - | - | 3 | 3.46 | | | 8 | 480 | 17 | 4 | 4 | | 1 | *2.12 | - | - |
| 1962-63 | Philadelphie/Knoxville | EHL | 36 | 2160 | 118 | - | - | - | 2 | 3.28 | | | - | - | - | - | - | - | - | - | - | - |
| 1963-64 | Verdun (Pirates) | LHSQ | | | | *Statistiques non disponibles* | | | | | | | | | | | | | | | | | |
| 1964-65 | Sherbrooke (Castors) | LHSQ | | | | *Statistiques non disponibles* | | | | | | | | | | | | | | | | | |
| 1965-66 | Victoriaville (Tigers) | LHSQ | 16 | 960 | 82 | - | - | - | 1 | 5.13 | | | - | - | - | - | - | - | - | - | - | - |
| 1966-67 | Drummondville (Eagles) | LHSQ | 27 | 1620 | 96 | - | - | - | 2 | 3.50 | | | 9 | 540 | 19 | *8 | 1 | | *1 | *2.11 | - | - |
| | Drummondville (Eagles) | Allan | 11 | 677 | 23 | *10 | 1 | 0 | *2 | 2.04 | | | - | - | - | - | - | - | - | - | - | - |
| 1967-68 | Drummondville (Eagles) | LHSQ | 23 | 1380 | 93 | 13 | 9 | | 2 | 4.04 | | | 9 | 546 | 40 | 5 | 4 | | 0 | 4.60 | - | - |
| | **LNH** | | **1** | **20** | **1** | **0** | **0** | **0** | **0** | **3.00** | **0** | **0** | **-** | **-** | **-** | **-** | **-** | **-** | **-** | **-** | **-** | **-** |
| | **Montréal** | | **1** | **20** | **1** | **0** | **0** | **0** | **0** | **3.00** | **0** | **0** | **-** | **-** | **-** | **-** | **-** | **-** | **-** | **-** | **-** | **-** |

• Coupe Memorial en 1957-58 • Médaille d'or (CM) en 1961 • Coupe Allan en 1966-67 • Première équipe d'étoiles (LHSQ) en 1967-68
• Prêté à Montréal par Hull-Ottawa, il remplace Claude Pronovost à la 3e période le 19 mars 1959

## DeJORDY, DENIS

Né à St-Hyacinthe, Québec, le 12 novembre 1938. Gardien, attrape de la gauche, 5'9", 185 lb

| SAISON | CLUB | LIGUE | PJ | MIN | BC | G | P | N | BL | MOY | A | PUN | PJ | MIN | BC | G | P | N | BL | MOY | A | PUN |
|---|---|---|---|---|---|---|---|---|---|---|---|---|---|---|---|---|---|---|---|---|---|---|
| 1957-58 | St. Catharines (Teepees) | OHA Jr | 52 | 3120 | 174 | *32 | 14 | 6 | 1 | 3.35 | - | - | 8 | 480 | 36 | 3 | 4 | 1 | 0 | 4.50 | - | - |
| | Buffalo (Bisons) | AHL | 1 | 60 | 5 | 0 | 1 | 0 | 0 | 5.00 | 0 | 0 | - | - | - | - | - | - | - | - | - | - |
| 1958-59 | St. Catharines (Teepees) | OHA Jr | 53 | 3180 | 169 | *40 | 10 | 3 | 1 | 3.19 | - | - | 7 | 420 | 18 | 2 | 4 | 1 | 0 | 2.57 | - | - |
| | Peterborough (Petes) | Mem. | 5 | 300 | 23 | 1 | 4 | 0 | 0 | 4.60 | - | - | - | - | - | - | - | - | - | - | - | - |
| 1959-60 | Sault Ste. Marie | EPHL | 69 | 4140 | 258 | 27 | 31 | 11 | 1 | 3.74 | 0 | | - | - | - | - | - | - | - | - | - | - |
| 1960-61 | Sault Ste. Marie | EPHL | 33 | 1980 | 115 | 16 | 14 | 3 | 2 | 3.48 | 0 | | - | - | - | - | - | - | - | - | - | - |
| | Buffalo (Bisons) | AHL | 40 | 2400 | 127 | 20 | 18 | 2 | 3 | 3.18 | | | 4 | 264 | 18 | 0 | 4 | 0 | 0 | 4.09 | 0 | 0 |
| 1961-62 | Buffalo (Bisons) | AHL | 69 | *4170 | 210 | *36 | 30 | 3 | *8 | 3.02 | 1 | 0 | 11 | 706 | 20 | 6 | 5 | 0 | *2 | 1.70 | 0 | 0 |
| 1962-63 | Buffalo (Bisons) | AHL | 67 | 4020 | 187 | *37 | 23 | 7 | *6 | 2.79 | 0 | 0 | 13 | 802 | 28 | *8 | 5 | 0 | 1 | *2.09 | 0 | 0 |
| | Chicago (Black Hawks) | LNH | 5 | 290 | 12 | 2 | 1 | 2 | 0 | 2.48 | 0 | 0 | - | - | - | - | - | - | - | - | - | - |
| 1963-64 | Chicago (Black Hawks) | LNH | 6 | 340 | 19 | 2 | 3 | 1 | 0 | 3.35 | 0 | 0 | 1 | 20 | 2 | 0 | 0 | | 0 | 6.00 | 0 | 0 |
| | St. Louis (Braves) | CPHL | 1 | 60 | 5 | 0 | 1 | 0 | 0 | 5.00 | 0 | 0 | - | - | - | - | - | - | - | - | - | - |
| 1964-65 | Buffalo (Bisons) | AHL | 7 | 450 | 20 | 3 | 4 | 0 | 1 | 2.67 | 0 | | - | - | - | - | - | - | - | - | - | - |
| | Chicago (Black Hawks) | LNH | 30 | 1760 | 74 | 16 | 11 | 3 | 3 | 2.52 | 1 | 0 | 2 | 80 | 9 | 0 | 1 | | 0 | 6.75 | 0 | 0 |
| 1965-66 | St. Louis (Braves) | CPHL | 70 | *4200 | 217 | 30 | 31 | 9 | 6 | 3.10 | 0 | 0 | 5 | 300 | 18 | 1 | 4 | | 0 | 3.60 | 0 | 0 |
| 1966-67 | Chicago (Black Hawks) | LNH | 44 | 2536 | 104 | 22 | 12 | 7 | 4 | 2.46 | 0 | 0 | 4 | 184 | 10 | 1 | 2 | | 0 | 3.26 | 0 | 0 |
| 1967-68 | Chicago (Black Hawks) | LNH | 50 | 2838 | 128 | 23 | 15 | 11 | 4 | 2.71 | 0 | 0 | 11 | 662 | 34 | 6 | 5 | | 0 | 3.08 | 0 | 0 |
| 1968-69 | Chicago (Black Hawks) | LNH | 53 | 2981 | 156 | 22 | 22 | 7 | 2 | 3.14 | 1 | 2 | - | - | - | - | - | - | - | - | - | - |
| | Dallas (Black Hawks) | CHL | 15 | 899 | 41 | 8 | 4 | 3 | 1 | 2.74 | 0 | 0 | - | - | - | - | - | - | - | - | - | - |
| 1969-70 | Chicago (Black Hawks) | LNH | 10 | 577 | 25 | 3 | 5 | 1 | 0 | 2.69 | 0 | 0 | - | - | - | - | - | - | - | - | - | - |
| | Los Angeles (Kings) | LNH | 21 | 1147 | 62 | 5 | 11 | 4 | 0 | 3.24 | 0 | 0 | - | - | - | - | - | - | - | - | - | - |
| 1970-71 | Los Angeles (Kings) | LNH | 60 | 3375 | 214 | 18 | 29 | 11 | 1 | 3.80 | 0 | 0 | - | - | - | - | - | - | - | - | - | - |
| 1971-72 | Los Angeles (Kings) | LNH | 5 | 291 | 23 | 0 | 5 | 0 | 0 | 4.74 | 0 | 0 | - | - | - | - | - | - | - | - | - | - |
| | **Montréal (Canadiens)** | **LNH** | **7** | **332** | **25** | **3** | **2** | **1** | **0** | **4.52** | **1** | **0** | - | - | - | - | - | - | - | - | - | - |
| 1972-73 | Fort Worth (Wings) | CHL | 10 | 560 | 41 | - | - | - | 0 | 4.39 | 1 | 0 | - | - | - | - | - | - | - | - | - | - |
| | Detroit (Red Wings) | LNH | 24 | 1331 | 83 | 8 | 11 | 3 | 1 | 3.74 | 1 | 0 | - | - | - | - | - | - | - | - | - | - |
| 1973-74 | Detroit (Red Wings) | LNH | 1 | 20 | 4 | 0 | 1 | 0 | 0 | 12.00 | 0 | 0 | - | - | - | - | - | - | - | - | - | - |
| | Baltimore (Clippers) | AHL | 42 | 2428 | 131 | 21 | 13 | 6 | 1 | 3.23 | 0 | 0 | 4 | 252 | 22 | 1 | 3 | 0 | 0 | 5.23 | 0 | 0 |
| | **LNH** | | **316** | **17998** | **929** | **124** | **128** | **51** | **15** | **3.13** | **3** | **2** | **18** | **946** | **55** | **6** | **9** | **-** | **0** | **3.49** | **0** | **0** |
| | **Montréal** | | **7** | **332** | **25** | **3** | **2** | **1** | **0** | **4.52** | **1** | **0** | | | | | | | | | | |

• Première équipe d'étoiles (OHA Jr) en 1958-59 • Première équipe d'étoiles (AHL) en 1962-63 • Deuxième équipe d'étoiles (AHL) en 1973-74 • Trophée Harry-Holmes (AHL) en 1962-63 • Trophée Les-Cunningham (AHL) en 1962-63 • Coupe Calder (AHL) en 1962-63 • Première équipe d'étoiles (CPHL) en 1965-66 • Trophée Georges-Vézina (LNH) avec Glenn Hall en 1966-67
• Échangé à Los Angeles par Chicago avec Gilles Marotte et Jim Stanfield pour Bill White, Bryan Campbell et Gerry Desjardins le 20 février 1970 • Échangé à Montréal par Los Angeles avec Dale Hoganson, Noel Price et Doug Robinson pour Rogatien Vachon le 4 novembre 1971 • Droits vendus à New York (Islanders) par Montréal avec Glenn Resch, Germain Gagnon, Murray Anderson, Tony Featherstone et Alex Campbell le 6 juin 1972 • Échangé à Detroit par New York (Islanders) avec Don McLaughlin pour Arnie Brown et Gerry Gray le 4 octobre 1972

## DRYDEN, KENNETH (KEN)

Né à Hamilton, Ontario, le 8 août 1947. Gardien, attrape de la gauche, 6'4", 205 lb (3e choix de Boston, 14e au total lors du repêchage de 1964)

| SAISON | CLUB | LIGUE | PJ | MIN | BC | G | P | N | BL | MOY | A | PUN | PJ | MIN | BC | G | P | N | BL | MOY | A | PUN |
|---|---|---|---|---|---|---|---|---|---|---|---|---|---|---|---|---|---|---|---|---|---|---|
| 1966-67 | Cornell University | ECAC | 27 | 1646 | 40 | 26 | 0 | 1 | 4 | 1.46 | - | - | - | - | - | - | - | - | - | - | - | - |
| 1967-68 | Cornell University | ECAC | 29 | 1620 | 41 | 25 | 2 | 0 | 6 | 1.52 | - | - | - | - | - | - | - | - | - | - | - | - |
| 1968-69 | Cornell University | ECAC | 27 | 1578 | 47 | 25 | 2 | 0 | 4 | 1.79 | - | - | - | - | - | - | - | - | - | - | - | - |
| | Canada | CM | 2 | 120 | 4 | 1 | 1 | 0 | 1 | 2.00 | - | - | - | - | - | - | - | - | - | - | - | - |
| 1969-70 | Canada | Éq. nat. | | | | *Statistique non disponible* | | | | | | | | | | | | | | | | | |
| 1970-71 | Montréal (Voyageurs) | AHL | 33 | 1899 | 84 | 16 | 7 | 8 | 3 | 2.68 | 0 | | - | - | - | - | - | - | - | - | - | - |
| | **Montréal (Canadiens)** | **LNH** | **6** | **327** | **9** | **6** | **0** | **0** | **0** | **1.65** | **0** | **0** | ***20** | ***1221** | **61** | ***12** | **8** | | **0** | **3.00** | **1** | **0** |
| 1971-72 | **Montréal (Canadiens)** | **LNH** | **64** | ***3800** | **142** | ***39** | **8** | **15** | **8** | **2.24** | **3** | **4** | **6** | **360** | **17** | **2** | **4** | | **0** | **2.83** | **0** | **0** |
| | Match des étoiles | LNH | 1 | 31 | 2 | 0 | 0 | 0 | 0 | 3.95 | 0 | 0 | | | | | | | | | | |
| 1972-73 | **Montréal (Canadiens)** | **LNH** | **54** | **3165** | **119** | ***33** | **7** | **13** | ***6** | **2.26** | ***4** | **2** | ***17** | ***1039** | **50** | ***12** | **5** | | **1** | **2.89** | **0** | **2** |
| | Canada | Siècle | 4 | 240 | 19 | 2 | 2 | 0 | 0 | 4.75 | 0 | 0 | | | | | | | | | | |
| 1973-74 | | | | | | *N'a pas joué* | | | | | | | | | | | | | | | | | |
| 1974-75 | **Montréal (Canadiens)** | **LNH** | **56** | **3320** | **149** | **30** | **9** | **16** | **4** | **2.69** | **3** | **2** | **11** | **688** | **29** | **6** | **5** | **-** | **2** | **2.53** | **0** | **0** |
| | Match des étoiles | LNH | 1 | 30 | 0 | 0 | 0 | 0 | 0 | 0.00 | 0 | 0 | | | | | | | | | | |
| 1975-76 | **Montréal (Canadiens)** | **LNH** | **62** | **3580** | **121** | ***42** | **10** | **8** | ***8** | ***2.03** | **2** | **0** | ***13** | ***780** | **25** | ***12** | **1** | | **1** | ***1.92** | **0** | **0** |
| | Match des étoiles | LNH | 1 | 30 | 1 | 0 | 0 | 0 | 0 | 2.03 | 0 | 0 | | | | | | | | | | |
| 1976-77 | **Montréal (Canadiens)** | **LNH** | **56** | **3275** | **117** | ***41** | **6** | **8** | ***10** | **2.14** | **2** | **0** | ***14** | **849** | **22** | ***12** | **2** | | ***4** | ***1.92** | **0** | **0** |
| | Match des étoiles | LNH | 1 | 20 | 1 | 0 | 0 | 0 | 0 | 1.91 | 0 | 0 | | | | | | | | | | |
| 1977-78 | **Montréal (Canadiens)** | **LNH** | **53** | **3071** | **105** | **37** | **7** | **7** | **5** | ***2.05** | **2** | **0** | ***15** | ***919** | **29** | ***12** | **3** | | ***2** | **1.89** | **0** | **0** |

| | | | SAISONS RÉGULIÈRES | | | | | | | | | | SÉRIES ÉLIMINATOIRES | | | | | | | | | |
|---|---|---|---|---|---|---|---|---|---|---|---|---|---|---|---|---|---|---|---|---|---|---|
| SAISON | CLUB | LIGUE | PJ | MIN | BC | G | P | N | BL | MOY | A | PUN | PJ | MIN | BC | G | P | N | BL | MOY | A | PUN |

| SAISON | CLUB | LIGUE | SAISONS RÉGULIÈRES PJ | MIN | BC | G | P | N | BL | MOY | A | PUN | SÉRIES ÉLIMINATOIRES PJ | MIN | BC | G | P | N | BL | MOY | A | PUN |
|---|---|---|---|---|---|---|---|---|---|---|---|---|---|---|---|---|---|---|---|---|---|---|
| | Match des étoiles | LNH | 1 | 30 | 2 | 0 | 0 | 0 | 0 | 4.08 | 0 | 0 | - | | | | | | | | | |
| 1978-79 | Montréal (Canadiens) | LNH | 47 | 2814 | 108 | 30 | 10 | 7 | *5 | *2.30 | 3 | 4 | 16 | 990 | 41 | *12 | 4 | - | 0 | 2.48 | 3 | 4 |
| | Étoiles LNH | Défi 79 | 2 | 120 | 7 | 1 | 0 | 0 | 0 | 3.50 | 0 | 0 | - | | | | | | | | | |
| | LNH | | 397 | 23352 | 870 | 258 | 57 | 74 | 46 | 2.24 | 19 | 12 | 112 | 6846 | 274 | 80 | 32 | - | 10 | 2.40 | 4 | 6 |
| | Montréal | | 397 | 23352 | 870 | 258 | 57 | 74 | 46 | 2.24 | 19 | 12 | 112 | 6846 | 274 | 80 | 32 | - | 10 | 2.40 | 4 | 6 |

• Première équipe d'étoiles (ECAC) en 1966-67, 1967-68, 1968-69 • Première équipe All-American (NCAA) en 1966-67, 1967-68, 1968-69 • Champion All-Tournament (NCAA) en 1966-67 • Coupe Stanley (LNH) en 1970-71, 1972-73, 1975-76, 1976-77, 1977-78, 1978-79 • Trophée Conn-Smythe (LNH) en 1970-71 • Première équipe d'étoiles (LNH) en 1972-73, 1975-76, 1976-77, 1977-78, 1978-79 • Deuxième équipe d'étoiles (LNH) en 1971-72 • Trophée Calder (LNH) en 1971-72 • Match des étoiles (LNH) en 1971-72, 1974-75, 1975-76, 1976-77, 1977-78 • Trophée Georges-Vézina (LNH) en 1972-73, 1975-76 • Trophée Georges-Vézina (LNH) avec Michel Larocque en 1976-77, 1977-78, 1978-79 • Temple de la Renommée (LNH) en 1983
• Droits cédés à Montréal par Boston avec Alex Campbell pour Guy Allen et Paul Reid en juin 1964

## DURNAN, WILLIAM (BILL)

### Né à Toronto, Ontario, le 22 janvier 1915, décédé le 31 octobre 1972. Gardien, attrape de la droite, 6', 190 lb

| SAISON | CLUB | LIGUE | PJ | MIN | BC | G | P | N | BL | MOY | A | PUN | PJ | MIN | BC | G | P | N | BL | MOY | A | PUN |
|---|---|---|---|---|---|---|---|---|---|---|---|---|---|---|---|---|---|---|---|---|---|---|
| 1932-33 | Sudbury (Wolves) | NOJHA | 6 | 360 | 6 | - | - | - | 2 | 1.00 | - | - | 2 | 120 | 4 | - | - | - | 0 | 2.00 | - | - |
| 1933-34 | Toronto (Torontos) | TIHL | 11 | 660 | 21 | - | - | - | 4 | 1.91 | - | - | 1 | 60 | 5 | 0 | 1 | 0 | 0 | 5.00 | - | - |
| | Toronto (British Consols) | TMHL | 15 | 910 | 31 | *12 | 2 | 1 | 1 | *2.04 | - | - | 5 | 350 | 21 | 0 | 2 | 3 | 0 | 3.60 | - | - |
| 1934-35 | Toronto (All-Stars) | TIHL | 2 | 120 | 9 | - | - | - | 0 | 4.50 | - | - | | | | | | | | | | |
| | Toronto (McColl) | TMHL | 15 | 900 | 62 | - | - | - | 0 | 4.13 | - | - | | | | | | | | | | |
| 1935-36 | Toronto (Dominions) | TMHL | 1 | 60 | 6 | 0 | 1 | 0 | 0 | 6.00 | - | - | | | | | | | | | | |
| 1936-37 | Kirkland Lake (Blue Devils) | NOHA | 4 | 240 | 5 | 4 | 0 | 0 | 0 | 1,25 | - | - | 4 | 240 | 8 | 1 | 0 | 3 | 1 | 2.00 | - | - |
| 1937-38 | Kirkland Lake (Blue Devils) | NOHA | 11 | 610 | 27 | *8 | 1 | 1 | 1 | 2.66 | - | - | 2 | 120 | 2 | *2 | 0 | 0 | *1 | *1.00 | - | - |
| | Kirkland Lake (Blue Devils) | Allan | 2 | 120 | 11 | - | - | - | 0 | 5.50 | - | - | | | | | | | | | | |
| 1938-39 | Kirkland Lake (Blue Devils) | NOHA | 7 | 420 | 7 | *7 | 0 | 0 | *3 | *1.00 | - | - | 2 | 120 | 3 | *2 | 0 | 0 | *1 | *1.50 | - | - |
| | Kirkland Lake (Blue Devils) | Allan | 5 | 299 | 12 | 3 | 0 | 0 | 2 | 2.41 | - | - | | | | | | | | | | |
| 1939-40 | Kirkland Lake (Blue Devils) | NOHA | 6 | 360 | 12 | - | - | - | 1 | 2.00 | - | - | | | | | | | | | | |
| | Kirkland Lake (Blue Devils) | Allan | 17 | 1040 | 35 | 14 | 1 | 2 | 1 | 2.02 | - | - | | | | | | | | | | |
| 1940-41 | Montréal (Royals) | LHSQ | 34 | 2000 | 100 | - | - | - | 1 | 3.00 | - | - | 8 | 480 | 24 | 8 | 0 | 0 | *1 | 3.00 | - | - |
| | Montréal (Royals) | Allan | 14 | 850 | 49 | 8 | 5 | 1 | 1 | 3.46 | - | - | | | | | | | | | | |
| 1941-42 | Montréal (Royals) | LHSQ | 39 | 2340 | 143 | - | - | - | 0 | 3.67 | - | - | | | | | | | | | | |
| 1942-43 | Montréal (Royals) | LHSQ | 31 | 1860 | 130 | - | - | - | 0 | 4.19 | - | - | 4 | 240 | 11 | - | - | - | 0 | 2.75 | - | - |
| 1943-44 | Montréal (Canadiens) | LNH | *50 | *3000 | 109 | *38 | 5 | 7 | 2 | *2.18 | 0 | 0 | *9 | *549 | 14 | *8 | 1 | - | *1 | *1.53 | 0 | 0 |
| 1944-45 | Montréal (Canadiens) | LNH | *50 | *3000 | 121 | *38 | 8 | 4 | 1 | *2.42 | 0 | 0 | 6 | 373 | 15 | 2 | 4 | - | 0 | 2.41 | 0 | 0 |
| 1945-46 | Montréal (Canadiens) | LNH | 40 | 2400 | 104 | *24 | 11 | 5 | *4 | *2.60 | 0 | 0 | 9 | 581 | 20 | *8 | 1 | - | 0 | 2.07 | 0 | 0 |
| 1946-47 | Montréal (Canadiens) | LNH | *60 | *3600 | 138 | *34 | 16 | 10 | 4 | *2.30 | 0 | 0 | *11 | *720 | 23 | 6 | 5 | - | *1 | *1.92 | 0 | 0 |
| 1947-48 | Montréal (Canadiens) | LNH | 59 | 3505 | 162 | 20 | 28 | 10 | 5 | 2.77 | 0 | 5 | | | | | | | | | | |
| | Match des étoiles | LNH | 1 | 31 | 3 | 0 | 0 | 0 | 0 | 5.81 | 0 | 0 | | | | | | | | | | |
| 1948-49 | Montréal (Canadiens) | LNH | *60 | *3600 | 126 | 28 | 23 | 9 | *10 | *2.10 | 0 | 0 | 7 | 468 | 17 | 3 | 4 | - | 0 | 2.18 | 0 | 0 |
| | Match des étoiles | LNH | 1 | 30 | 0 | 0 | 0 | 0 | 0 | 0.00 | 0 | 0 | | | | | | | | | | |
| 1949-50 | Montréal (Canadiens) | LNH | 64 | 3840 | 141 | 26 | 21 | 17 | 8 | *2.20 | 1 | 2 | 3 | 180 | 10 | 0 | 3 | - | 0 | 3.33 | 0 | 0 |
| | Match des étoiles | LNH | 1 | 30 | 1 | 0 | 0 | 0 | 0 | 2.03 | 0 | 0 | | | | | | | | | | |
| | LNH | | 383 | 22945 | 901 | 208 | 112 | 62 | 34 | 2.36 | 1 | 7 | 45 | 2871 | 99 | 27 | 18 | - | 2 | 2.07 | 0 | 0 |
| | Montréal | | 383 | 22945 | 901 | 208 | 112 | 62 | 34 | 2.36 | 1 | 7 | 45 | 2871 | 99 | 27 | 18 | - | 2 | 2.07 | 0 | 0 |

• Coupe Stanley (LNH) en 1942-43, 1945-46 • Première équipe d'étoiles (LNH) en 1943-44, 1944-45, 1945-46, 1946-47, 1948-49, 1949-50 • Trophée Georges-Vézina (LNH) 1943-44, 1944-45, 1945-46, 1946-47, 1948-49, 1949-50 • Match des étoiles (LNH) en 1947-48, 1948-49, 1949-50 • Temple de la Renommée (LNH) en 1964
• Signe avec Montréal le 30 octobre 1943

## ESPOSITO, ANTHONY (TONY)

### Né à Sault Ste. Marie, Ontario, le 23 avril 1943. Gardien, attrape de la droite, 5'11", 185 lb

| SAISON | CLUB | LIGUE | PJ | MIN | BC | G | P | N | BL | MOY | A | PUN | PJ | MIN | BC | G | P | N | BL | MOY | A | PUN |
|---|---|---|---|---|---|---|---|---|---|---|---|---|---|---|---|---|---|---|---|---|---|---|
| 1964-65 | Michigan (Huskies) | WCHA | 17 | 1020 | 40 | - | - | - | 1 | 2.35 | 0 | 0 | | | | | | | | | | |
| 1965-66 | Michigan (Huskies) | WCHA | 19 | 1140 | 51 | - | - | - | 1 | 2.68 | 0 | 0 | | | | | | | | | | |
| 1966-67 | Michigan (Huskies) | WCHA | 15 | 900 | 39 | - | - | - | 0 | 2.60 | 0 | 0 | | | | | | | | | | |
| 1967-68 | Vancouver (Canucks) | WHL | *63 | *3734 | 199 | *25 | *33 | 4 | *4 | 3.20 | 0 | 0 | | | | | | | | | | |
| 1968-69 | Montréal (Canadiens) | LNH | 13 | 746 | 34 | 5 | 4 | 4 | 2 | 2.73 | 0 | 0 | | | | | | | | | | |
| | Houston (Apollos) | CHL | 19 | 1139 | 46 | - | - | - | 1 | 2.42 | 0 | 0 | 1 | 59 | 3 | 0 | 1 | - | 0 | 3.05 | 0 | 0 |
| 1969-70 | Chicago (Black Hawks) | LNH | 63 | 3763 | 136 | *38 | 17 | 8 | *15 | 2.17 | 2 | 0 | 8 | 480 | 27 | 4 | 4 | - | 0 | 3.38 | 0 | 0 |
| | Match des étoiles | LNH | 1 | 31 | 0 | 0 | 0 | 0 | 0 | 0.00 | 0 | 0 | | | | | | | | | | |
| 1970-71 | Chicago (Black Hawks) | LNH | 57 | 3325 | 126 | *35 | 14 | 6 | 6 | 2.27 | 1 | 4 | 18 | 1151 | 42 | 11 | 7 | - | *2 | *2.19 | 0 | 0 |
| | Match des étoiles | LNH | 1 | 31 | 1 | 1 | 0 | 0 | 0 | 1.96 | 0 | 0 | | | | | | | | | | |
| 1971-72 | Chicago (Black Hawks) | LNH | 48 | 2780 | 82 | 31 | 10 | 6 | *9 | *1.77 | 0 | 0 | 5 | 300 | 16 | 2 | 3 | - | 0 | 3.20 | 0 | 0 |
| | Match des étoiles | LNH | 1 | 31 | 1 | 0 | 0 | 0 | 0 | 1.97 | 0 | 0 | | | | | | | | | | |
| 1972-73 | Chicago (Black Hawks) | LNH | 56 | 3340 | 140 | 32 | 17 | 7 | 4 | 2.51 | 2 | 0 | 15 | 895 | 46 | 10 | 5 | - | 1 | 3.08 | 0 | 0 |
| | Match des étoiles | LNH | 1 | 30 | 1 | 0 | 0 | 0 | 0 | 2.05 | 0 | 0 | | | | | | | | | | |
| | Canada | Siècle | 4 | 240 | 13 | 2 | 1 | 1 | 0 | 3.25 | 0 | 0 | | | | | | | | | | |
| 1973-74 | Chicago (Black Hawks) | LNH | 70 | 4143 | 141 | 34 | 14 | 21 | 10 | 2.04 | 1 | 0 | 10 | 584 | 28 | 6 | 4 | - | *2 | 2.88 | 0 | 0 |
| | Match des étoiles | LNH | 1 | 30 | 2 | 1 | 0 | 0 | 0 | 4.00 | 0 | 0 | | | | | | | | | | |
| 1974-75 | Chicago (Black Hawks) | LNH | 71 | *4219 | 193 | 34 | 30 | 7 | 6 | 2.74 | 1 | 11 | 4 | 472 | 34 | 3 | 5 | - | 0 | 4.32 | 0 | 0 |
| 1975-76 | Chicago (Black Hawks) | LNH | *68 | *4003 | 198 | 30 | 23 | 13 | 4 | 2.97 | 1 | 2 | 4 | 240 | 13 | 0 | 4 | - | 0 | 3.25 | 0 | 0 |
| 1976-77 | Chicago (Black Hawks) | LNH | *69 | *4067 | 234 | 25 | 36 | 8 | 2 | 3.45 | 0 | 0 | 2 | 120 | 6 | 0 | 2 | - | 0 | 3.00 | 0 | 0 |
| | Canada | CM | 9 | 510 | 27 | - | - | - | 0 | 3.17 | 0 | 0 | | | | | | | | | | |
| 1977-78 | Chicago (Black Hawks) | LNH | 64 | 3840 | 168 | 28 | 22 | 14 | 5 | 2.63 | *4 | 0 | 4 | 252 | 19 | 0 | 4 | - | 0 | 4.52 | 0 | 0 |
| 1978-79 | Chicago (Black Hawks) | LNH | 63 | *3780 | 206 | 24 | 28 | 11 | 4 | 3.27 | 0 | 0 | 4 | 243 | 14 | 0 | 4 | - | 0 | 3.46 | 0 | 0 |
| 1979-80 | Chicago (Black Hawks) | LNH | *69 | *4140 | 205 | 31 | 22 | 16 | *6 | 2.97 | 1 | 2 | 6 | 373 | 14 | 3 | 3 | - | 0 | 2.25 | 0 | 0 |
| | Match des étoiles | LNH | 1 | 16 | 2 | 0 | 0 | 0 | 0 | 7.91 | 0 | 0 | | | | | | | | | | |
| 1980-81 | Chicago (Black Hawks) | LNH | 66 | *3935 | 246 | 29 | 23 | 14 | 0 | 3.75 | 3 | 0 | 3 | 215 | 15 | 0 | 4 | - | 0 | 4.19 | 0 | 0 |
| 1981-82 | Chicago (Black Hawks) | LNH | 52 | 3069 | 231 | 19 | 25 | 8 | 1 | 4.52 | 2 | 0 | 7 | 381 | 16 | 3 | 3 | - | *1 | 2.52 | 0 | 0 |
| | États-Unis | CC | 5 | 300 | 20 | 2 | 3 | 0 | 0 | 4.00 | 0 | 0 | | | | | | | | | | |
| 1982-83 | Chicago (Black Hawks) | LNH | 39 | 2340 | 135 | 23 | 11 | 5 | 1 | 3.46 | 0 | 0 | 5 | 311 | 18 | 3 | 2 | - | 0 | 3.47 | 0 | 0 |
| 1983-84 | Chicago (Black Hawks) | LNH | 18 | 1095 | 88 | 5 | 9 | 2 | 1 | 4.82 | 0 | 0 | | | | | | | | | | |
| | LNH | | 886 | 52585 | 2563 | 423 | 306 | 151 | 76 | 2.92 | 19 | 29 | 99 | 6017 | 308 | 45 | 53 | - | 6 | 3.07 | 0 | 0 |
| | Montréal | | 13 | 746 | 34 | 5 | 4 | 4 | 2 | 2.73 | 0 | 0 | | | | | | | | | | |

• Première équipe d'étoiles (WCHA) en 1964-65, 1965-66, 1966-67 • Première équipe All-American (NCAA) 1964-65, 1965-66, 1966-67 • Champion All-Tournament (NCAA) en

**1964-65** • Première équipe d'étoiles (LNH) en 1969-70, 1971-72, 1979-80 • Deuxième équipe d'étoiles (LNH) en 1972-73, 1973-74 • Trophée Calder (LNH) en 1969-70 • Trophée Georges-Vézina (LNH) en 1969-70 • Match des étoiles (LNH) en 1969-70, 1970-71, 1971-72, 1972-73, 1973-74, 1979-80 • Trophée Georges-Vézina (LNH) avec Gary Smith en 1971-72 • Trophée Georges-Vézina (LNH) avec Bernard Parent en 1973-74 • Temple de la Renommée (LNH) en 1988
• Signe avec Montréal le 29 septembre 1967 • Réclamé par Chicago de Montréal au repêchage intra-ligue le 11 juin 1969

## EVANS, CLAUDE

Né à Longueuil, Québec, le 28 avril 1933, décédé. Gardien, attrape de la gauche, 5'8", 165 lb

| SAISON | CLUB | LIGUE | PJ | MIN | BC | G | P | N | BL | MOY | A | PUN | PJ | MIN | BC | G | P | N | BL | MOY | A | PUN |
|---|---|---|---|---|---|---|---|---|---|---|---|---|---|---|---|---|---|---|---|---|---|---|
| 1949-50 | Montréal (National) | LHJQ | 1 | 60 | 1 | 1 | 0 | 0 | 0 | 1.00 | 0 | 0 | 3 | 180 | 14 | 1 | 2 | - | 0 | 4.67 | 0 | 0 |
| 1950-51 | Montréal (National) | LHJQ | 44 | 2670 | 186 | 25 | 19 | 0 | 0 | 4.18 | 0 | 0 | - | - | - | - | - | - | - | - | - | - |
| 1951-52 | Montréal (National) | LHJQ | 50 | 3000 | 198 | 28 | 21 | 1 | 1 | 3.96 | 0 | 0 | 9 | 544 | 33 | 4 | 5 | - | 0 | 3.64 | 0 | 0 |
| 1952-53 | Cincinnati (Mohawks) | IHL | *60 | *3600 | 152 | *43 | 13 | 4 | *5 | *2.53 | 0 | 0 | 9 | 540 | 19 | *8 | 1 | - | *1 | *2.11 | 0 | 0 |
| 1953-54 | Montréal (Royals) | LHQ | 14 | 870 | 43 | 6 | 5 | 3 | 2 | 2.97 | 0 | 0 | 2 | 120 | 5 | 1 | 1 | - | 0 | 2.50 | 0 | 0 |
| | Valleyfield (Braves) | LHQ | 8 | 480 | 31 | 3 | 5 | 0 | 0 | 3.88 | 0 | 0 | - | - | - | - | - | - | - | - | - | - |
| | Providence (Reds) | AHL | 3 | 180 | 14 | 0 | 3 | 0 | 0 | 4.67 | 0 | 0 | - | - | - | - | - | - | - | - | - | - |
| | Victoria (Cougars) | WHL | 14 | 840 | 46 | 7 | 6 | 1 | 0 | 3.28 | 0 | 0 | 5 | 300 | 28 | 1 | 4 | - | 0 | 5.60 | 0 | 0 |
| 1954-55 | Montréal (Royals) | LHQ | 21 | 1270 | 73 | 10 | 8 | 3 | 0 | 3.45 | 0 | 0 | - | - | - | - | - | - | - | - | - | - |
| | **Montréal (Canadiens)** | **LNH** | **4** | **200** | **12** | **1** | **2** | **0** | **0** | **3.60** | **0** | **0** | - | - | - | - | - | - | - | - | - | - |
| | Québec (As) | LHQ | 13 | 750 | 40 | 9 | 3 | 1 | 0 | 3.20 | 0 | 0 | 4 | 240 | 11 | 2 | 2 | - | 1 | 2.75 | 0 | 0 |
| | Chicoutimi (Saguenéens) | LHQ | 4 | 240 | 15 | 2 | 2 | 0 | 0 | 3.75 | 0 | 0 | - | - | - | - | - | - | - | - | - | - |
| 1955-56 | Québec (As) | LHQ | 57 | 3410 | 199 | 21 | 33 | 8 | 2 | 3.50 | 0 | 0 | - | - | - | - | - | - | - | - | - | - |
| 1956-57 | Springfield (Indians) | AHL | 32 | 1960 | 143 | 8 | 23 | 0 | 1 | 4.47 | 0 | 0 | - | - | - | - | - | - | - | - | - | - |
| 1957-58 | Springfield (Indians) | AHL | 53 | 3252 | 173 | 27 | 21 | 5 | 1 | 3.19 | 0 | 0 | *13 | *783 | 40 | 6 | 7 | - | *3 | 3.07 | 0 | 0 |
| | Boston (Bruins) | LNH | 1 | 60 | 4 | 0 | 0 | 1 | 0 | 4.00 | 0 | 0 | - | - | - | - | - | - | - | - | - | - |
| 1958-59 | Springfield (Indians) | AHL | 21 | 1220 | 84 | 9 | 11 | 0 | 2 | 4.13 | 0 | 0 | *8 | *484 | 26 | 3 | 5 | - | 0 | 3.22 | 0 | 0 |
| | Trois-Rivières (Lions) | LHQ | 38 | 2280 | 116 | *21 | 16 | 1 | *3 | 3.05 | 0 | 0 | - | - | - | - | - | - | - | - | - | - |
| 1959-60 | Trois-Rivière (Lions) | EPHL | 62 | 3720 | 207 | 28 | 25 | 9 | 4 | 3.34 | 0 | 0 | 7 | 422 | 15 | 3 | 4 | - | 0 | *2.13 | 0 | 0 |
| 1960-61 | Kitchener-Waterloo | EPHL | 17 | 1020 | 69 | 6 | 7 | 4 | 0 | 4.06 | 0 | 0 | - | - | - | - | - | - | - | - | - | - |
| | Vancouver (Canucks) | WHL | 53 | 3180 | 147 | 27 | 23 | 3 | 6 | 2.77 | 0 | 0 | 9 | 575 | 24 | 4 | 5 | - | 0 | 2.50 | 0 | 0 |
| 1961-62 | Vancouver (Canucks) | WHL | 40 | 2427 | 165 | 11 | 26 | 3 | 2 | 4.08 | 0 | 0 | - | - | - | - | - | - | - | - | - | - |
| | Pittsburgh (Hornets) | AHL | 19 | 1140 | 132 | 2 | 17 | 0 | 0 | 6.95 | 0 | 0 | - | - | - | - | - | - | - | - | - | - |
| 1962-63 | Drummondville (Aigles) | LHSQ | | | Statistiques non disponibles | | | | | | | | | | | | | | | | | | |
| 1963-64 | Drummondville (Aigles) | LHSQ | | | Statistiques non disponibles | | | | | | | | | | | | | | | | | | |
| 1964-65 | Drummondville (Aigles) | LHSQ | | | Statistiques non disponibles | | | | | | | | | | | | | | | | | | |
| 1965-66 | Victoriaville (Tigres) | LHSQ | 3 | 180 | 20 | - | - | - | - | 6.67 | | | - | - | - | - | - | - | - | - | - | - |
| | Trois-Rivières (Leafs) | AHIQ | 24 | 1440 | 128 | 10 | 12 | 2 | 0 | 5.33 | | | - | - | - | - | - | - | - | - | - | - |
| | **LNH** | | **5** | **260** | **16** | **1** | **2** | **1** | **0** | **3.69** | **0** | **0** | - | - | - | - | - | - | - | - | - | - |
| | **Montréal** | | **4** | **200** | **12** | **1** | **2** | **0** | **0** | **3.60** | **0** | **0** | - | - | - | - | - | - | - | - | - | - |

• Deuxième équipe d'étoiles (LHJQ) en 1951-52 • Deuxième équipe d'étoiles (IHL) en 1952-53 • Deuxième équipe d'étoiles (LHQ) en 1958-59
• Prêté à Montréal par Montréal (Royals - LHQ) le 13 novembre 1954 • Prêté à Boston par Springfield (AHL) le 6 mars 1958

## EXELBY, RANDY

Né à Toronto, Ontario, le 13 août 1965. Gardien, attrape de la gauche, 5'9", 170 lb (1er choix de Montréal, 20e au total lors du repêchage complémentaire de 1986)

| SAISON | CLUB | LIGUE | PJ | MIN | BC | G | P | N | BL | MOY | A | PUN | PJ | MIN | BC | G | P | N | BL | MOY | A | PUN |
|---|---|---|---|---|---|---|---|---|---|---|---|---|---|---|---|---|---|---|---|---|---|---|
| 1982-83 | Streetsville (Derbys) | OJHL | 17 | 971 | 64 | - | - | - | 0 | 3.96 | - | - | - | - | - | - | - | - | - | - | - | - |
| | Richmond Hill Dynes | OJHL | 3 | 160 | 22 | 0 | 3 | 0 | 0 | 8.07 | - | - | - | - | - | - | - | - | - | - | - | - |
| 1983-84 | Lake Superior State | CCHA | 21 | 905 | 75 | 6 | 10 | 0 | 0 | 4.97 | 0 | 0 | - | - | - | - | - | - | - | - | - | - |
| 1984-85 | Lake Superior State | CCHA | 36 | 1999 | 112 | 22 | 11 | 1 | 0 | 3.36 | 0 | 0 | - | - | - | - | - | - | - | - | - | - |
| 1985-86 | Lake Superior State | CCHA | 28 | 1625 | 98 | 14 | 11 | 1 | 0 | 3.62 | 0 | 0 | - | - | - | - | - | - | - | - | - | - |
| 1986-87 | Lake Superior State | CCHA | 28 | 1357 | 91 | 12 | 9 | 1 | 0 | 4.02 | 0 | 0 | - | - | - | - | - | - | - | - | - | - |
| 1987-88 | Sherbrooke (Canadien) | AHL | 19 | 1050 | 49 | 7 | 10 | 0 | 0 | 2.80 | 0 | 0 | 4 | 212 | 13 | 2 | 2 | - | 0 | 3.68 | 0 | 0 |
| 1988-89 | **Montréal (Canadiens)** | **LNH** | **1** | **3** | **0** | **0** | **0** | **0** | **0** | **0.00** | **0** | **0** | - | - | - | - | - | - | - | - | - | - |
| | Sherbrooke (Canadien) | AHL | 52 | 2935 | 146 | 31 | 13 | 6 | 0 | 2.98 | 0 | 0 | 6 | 329 | 24 | 1 | 4 | - | 0 | 4.38 | 0 | 0 |
| 1989-90 | Edmonton (Oilers) | LNH | 1 | 60 | 5 | 0 | 1 | 0 | 0 | 5.00 | 0 | 0 | - | - | - | - | - | - | - | - | - | - |
| | Phoenix (Roadrunners) | IHL | 41 | 2146 | 163 | 11 | 18 | 5 | 0 | 4.56 | 0 | 0 | - | - | - | - | - | - | - | - | - | - |
| 1990-91 | Springfield (Indians) | AHL | 4 | 245 | 20 | 1 | 2 | 1 | 0 | 4.90 | 0 | 0 | - | - | - | - | - | - | - | - | - | - |
| | Kansas City (Blades) | IHL | 16 | 785 | 65 | 0 | 13 | 0 | 0 | 4.97 | 0 | 0 | - | - | - | - | - | - | - | - | - | - |
| | Louisville (IceHawks) | ECHL | 13 | 743 | 60 | 6 | 5 | 1 | 0 | 4.84 | 0 | 0 | - | - | - | - | - | - | - | - | - | - |
| | **LNH** | | **2** | **63** | **5** | **0** | **1** | **0** | **0** | **4.76** | **0** | **0** | - | - | - | - | - | - | - | - | - | - |
| | **Montréal** | | **1** | **3** | **0** | **0** | **0** | **0** | **0** | **0.00** | **0** | **0** | - | - | - | - | - | - | - | - | - | - |

• Première équipe d'étoiles (AHL) en 1988-89 • Trophée Harry-Holmes (AHL) avec François Gravel en 1988-89 • Trophée Aldege-Bastien (AHL) en 1988-89
• Échangé à Edmonton par Montréal pour des considérations futures le 2 octobre 1989

## FICHAUD, ÉRIC

Né à Anjou, Québec, le 4 novembre 1975. Gardien, attrape de la gauche, 5'11", 179 lb (1er choix de Toronto, 16e au total lors du repêchage de 1994)

| SAISON | CLUB | LIGUE | PJ | MIN | BC | G | P | N | BL | MOY | A | PUN | PJ | MIN | BC | G | P | N | BL | MOY | A | PUN |
|---|---|---|---|---|---|---|---|---|---|---|---|---|---|---|---|---|---|---|---|---|---|---|
| 1991-92 | Montréal-Bourassa (Canadien) | QAAA | 28 | 1678 | 110 | 12 | 15 | 1 | 0 | 3.95 | - | - | 9 | 567 | 32 | 5 | 4 | - | 0 | 3.39 | - | - |
| 1992-93 | Chicoutimi (Saguenéens) | LHJMQ | 43 | 2039 | 149 | 18 | 13 | 1 | 0 | 4.38 | - | - | - | - | - | - | - | - | - | - | - | - |
| 1993-94 | Chicoutimi (Saguenéens) | LHJMQ | *63 | *3493 | 192 | *37 | 21 | 3 | 4 | 3.30 | - | - | *26 | *1560 | 86 | *16 | 10 | - | *1 | 3.31 | - | - |
| | Chicoutimi (Saguenéens) | Mem. | 4 | 240 | 10 | 2 | 2 | 0 | 1 | 2.50 | - | - | - | - | - | - | - | - | - | - | - | - |
| 1994-95 | Chicoutimi (Saguenéens) | LHJMQ | 46 | 2637 | 151 | 21 | 19 | 4 | 4 | 3.44 | - | - | 7 | 428 | 20 | 2 | 5 | - | 0 | 2.80 | - | - |
| 1995-96 | New York (Islanders) | LNH | 24 | 1234 | 68 | 7 | 12 | 2 | 1 | 3.31 | 1 | 0 | - | - | - | - | - | - | - | - | - | - |
| | Worcester (IceCats) | AHL | 34 | 1989 | 97 | 13 | 15 | 6 | 1 | 2.93 | - | - | 2 | 127 | 7 | 1 | 1 | - | 0 | 3.30 | - | - |
| 1996-97 | New York (Islanders) | LNH | 34 | 1759 | 91 | 9 | 14 | 4 | 0 | 3.10 | 0 | 2 | - | - | - | - | - | - | - | - | - | - |
| 1997-98 | New York (Islanders) | LNH | 17 | 807 | 40 | 3 | 8 | 3 | 0 | 2.97 | 0 | 0 | - | - | - | - | - | - | - | - | - | - |
| | Utah (Grizzlies) | IHL | 1 | 40 | 3 | 0 | 0 | 0 | 0 | 4.45 | - | - | - | - | - | - | - | - | - | - | - | - |
| 1998-99 | Nashville (Predators) | LNH | 9 | 447 | 24 | 0 | 6 | 0 | 0 | 3.22 | 0 | 0 | - | - | - | - | - | - | - | - | - | - |
| | Milwaukee (Admirals) | IHL | 8 | 480 | 25 | 5 | 2 | 1 | 0 | 3.12 | - | - | - | - | - | - | - | - | - | - | - | - |
| 1999-00 | Caroline (Hurricanes) | LNH | 9 | 490 | 24 | 3 | 5 | 1 | 1 | 2.94 | 0 | 0 | - | - | - | - | - | - | - | - | - | - |
| | Québec (Citadelles) | AHL | 6 | 368 | 17 | 4 | 1 | 1 | 0 | 2.77 | - | - | 3 | 177 | 10 | 0 | 3 | - | 0 | 3.39 | 0 | 10 |
| 2000-01 | **Montréal (Canadiens)** | **LNH** | **2** | **62** | **4** | **0** | **2** | **0** | **0** | **3.87** | **0** | **0** | - | - | - | - | - | - | - | - | - | - |
| | Québec (Citadelles) | AHL | 42 | 2441 | 127 | 19 | 19 | 2 | 1 | 3.12 | 2 | 6 | 2 | 98 | 3 | 0 | 1 | - | 0 | 1.84 | 0 | 0 |
| 2001-02 | Manitoba | AHL | 5 | 279 | 13 | 2 | 3 | 0 | 0 | 2.80 | - | - | - | - | - | - | - | - | - | - | - | - |
| | Krefeld | GER | 16 | 402 | 11 | - | - | - | 0 | 1.64 | - | - | 3 | 197 | 8 | - | - | - | 0 | 2.44 | - | - |
| 2002-03 | Hamilton (Bulldogs) | AHL | 27 | 1447 | 55 | 14 | 7 | 3 | 4 | 2.28 | 0 | 2 | 8 | 472 | 17 | 5 | 3 | - | 0 | 2.16 | 0 | 2 |
| | **NHL** | | **95** | **4799** | **251** | **22** | **47** | **10** | **2** | **3.13** | **1** | **2** | - | - | - | - | - | - | - | - | - | - |
| | **Montreal** | | **2** | **62** | **4** | **0** | **2** | **0** | **0** | **3.87** | **0** | **0** | - | - | - | - | - | - | - | - | - | - |

• Coupe du Président (LHJMQ) en 1993-94 • Trophée Michael-Bossy (LHJMQ) en 1993-94 • Trophée Guy-Lafleur (LHJMQ) en 1993-94 • Équipe d'étoiles de la coupe Memorial en 1993-94 • Trophée Hap-Emms, coupe Memorial en 1993-94 • Deuxième équipe d'étoiles du hokey junior canadien en 1993-94 • Première équipes d'étoiles (LHJMQ) en 1994-95
• Échangé aux Islanders de New York par Toronto pour Benoit Hogue, le choix de 3e ronde de New York (Islanders) au repêchage de 1995 (Ryan Pepperall) et le choix de 5e ronde (Islanders) au repêchage de 1996 (Brandon Sugden) le 6 avril 1995 • Échangé à Edmonton par New York (Islanders) pour Mike Watt le 18 juin 1998 • Échangé à Nashville par Edmonton avec Drake

| SAISON | CLUB | LIGUE | PJ | MIN | BC | G | P | N | BL | MOY | A | PUN | PJ | MIN | BC | G | P | N | BL | MOY | A | PUN |

| SAISONS RÉGULIÈRES | SÉRIES ÉLIMINATOIRES |

Berehowsky et Greg de Vries pour Mikhail Shtalenkov et Jim Dowd le 1er octobre 1998 • Échangé à la Caroline par Nashville pour le choix de 4e ronde du Toronto au repêchage de 1999 (propriété de la Caroline suite à une transaction antérieure, Nashville sélectionne Yevgeny Pavlov) et des considérations futures le 26 juin 1999 • Réclamé au ballottage par Montréal de la Caroline le 11 février 2000

## FISET, STÉPHANE

### Né à Montréal, Québec, le 17 juin 1970. Gardien, attrape de la gauche, 6'01", 215 lb (3e choix de Québec, 24e au total lors du repêchage de 1988)

| SAISON | CLUB | LIGUE | PJ | MIN | BC | G | P | N | BL | MOY | A | PUN | PJ | MIN | BC | G | P | N | BL | MOY | A | PUN |
|---|---|---|---|---|---|---|---|---|---|---|---|---|---|---|---|---|---|---|---|---|---|---|
| 1986-87 | Montréal-Bourassa (Canadien) | QAAA | 30 | 1689 | 155 | 8 | 21 | 1 | 0 | 5.51 | - | - | - | - | - | - | - | - | - | - | - | - |
| 1987-88 | Victoriaville (Tigres) | LHJMQ | 40 | 2221 | 146 | 15 | 17 | 4 | 1 | 3.94 | - | - | 2 | 163 | 10 | 0 | 2 | - | 0 | 3.68 | - | - |
| 1988-89 | Victoriaville (Tigres) | LHJMQ | 43 | 2401 | 138 | 25 | 14 | 0 | 1 | 3.45 | - | - | 12 | 711 | 33 | 9 | 2 | - | 0 | 2.78 | - | - |
| 1988-89 | Canada | CMJ | 6 | 329 | 18 | 3 | 2 | 1 | 0 | 3.28 | - | - | - | - | - | - | - | - | - | - | - | - |
| 1989-90 | Québec (Nordiques) | LNH | 6 | 342 | 34 | 0 | 5 | 1 | 0 | 5.96 | 0 | 0 | - | - | - | - | - | - | - | - | - | - |
| | Victoriaville (Tigres) | LHJMQ | 24 | 1383 | 63 | 14 | 6 | 3 | 1 | 2.73 | - | - | *14 | *790 | 49 | 7 | 6 | - | 0 | 3.72 | - | - |
| | Canada | CMJ | 7 | 420 | 18 | *5 | 1 | 1 | *1 | 2.57 | - | - | - | - | - | - | - | - | - | - | - | - |
| 1990-91 | Québec (Nordiques) | LNH | 3 | 186 | 12 | 0 | 2 | 1 | 0 | 3.87 | 0 | 0 | - | - | - | - | - | - | - | - | - | - |
| | Halifax (Citadels) | AHL | 36 | 1902 | 131 | 10 | 15 | 8 | 0 | 4.13 | - | - | - | - | - | - | - | - | - | - | - | - |
| 1991-92 | Québec (Nordiques) | LNH | 23 | 1133 | 71 | 7 | 10 | 2 | 1 | 3.76 | 0 | 6 | - | - | - | - | - | - | - | - | - | - |
| | Halifax (Citadels) | AHL | 29 | 1675 | 110 | 8 | 14 | 6 | 3 | 3.94 | - | - | - | - | - | - | - | - | - | - | - | - |
| 1992-93 | Québec (Nordiques) | LNH | 37 | 1939 | 110 | 18 | 9 | 4 | 2 | 3.40 | 2 | 2 | 1 | 21 | 1 | 0 | 0 | - | 0 | 2.86 | 0 | 0 |
| | Halifax (Citadels) | AHL | 3 | 180 | 11 | 2 | 1 | 0 | 0 | 3.67 | - | - | - | - | - | - | - | - | - | - | - | - |
| 1993-94 | Québec (Nordiques) | LNH | 50 | 2798 | 158 | 20 | 25 | 4 | 2 | 3.39 | 3 | 8 | - | - | - | - | - | - | - | - | - | - |
| | Cornwall (Aces) | AHL | 1 | 60 | 4 | 0 | 1 | 0 | 0 | 4.00 | - | - | - | - | - | - | - | - | - | - | - | - |
| | Canada | CM | 2 | 120 | 3 | 2 | 0 | 0 | 0 | 1.50 | - | - | - | - | - | - | - | - | - | - | - | - |
| 1994-95 | Québec (Nordiques) | LNH | 32 | 1879 | 87 | 17 | 10 | 3 | 2 | 2.78 | 1 | 2 | 4 | 209 | 16 | 1 | 2 | - | 0 | 4.59 | 0 | 0 |
| 1995-96 | Colorado (Avalanche) | LNH | 37 | 2107 | 103 | 22 | 6 | 7 | 1 | 2.93 | 1 | 2 | 1 | 1 | 0 | 0 | 0 | - | 0 | 0.00 | 0 | 0 |
| 1996-97 | Los Angeles (Kings) | LNH | 44 | 2482 | 132 | 13 | 24 | 5 | 4 | 3.19 | 2 | 0 | - | - | - | - | - | - | - | - | - | - |
| 1997-98 | Los Angeles (Kings) | LNH | 60 | 3497 | 158 | 26 | 25 | 8 | 1 | 2.71 | 1 | 8 | 2 | 93 | 7 | 0 | 2 | - | 0 | 4.52 | 0 | 0 |
| 1998-99 | Los Angeles (Kings) | LNH | 42 | 2403 | 104 | 18 | 21 | 1 | 3 | 2.60 | 0 | 2 | - | - | - | - | - | - | - | - | 0 | 0 |
| 1999-00 | Los Angeles (Kings) | LNH | 47 | 2592 | 119 | 20 | 15 | 7 | 1 | 2.75 | 2 | 4 | 4 | 200 | 10 | 0 | 3 | - | 0 | 3.00 | 0 | 0 |
| 2000-01 | Los Angeles (Kings) | LNH | 7 | 318 | 19 | 3 | 0 | 1 | 0 | 3.58 | 0 | 2 | 2 | 1 | 0 | 0 | 0 | - | 0 | 0.00 | 0 | 0 |
| | Lowell Lock (Monsters) | AHL | 3 | 190 | 9 | 1 | 0 | 2 | 0 | 2.84 | - | - | - | - | - | - | - | - | - | - | - | - |
| 2001-02 | **Montréal (Canadiens)** | **LNH** | **2** | **109** | **7** | **0** | **1** | **0** | **0** | **3.85** | **0** | **0** | **1** | **38** | **3** | **0** | **0** | **-** | **0** | **4.74** | **0** | **0** |
| | **LNH** | | **390** | **21785** | **1114** | **164** | **153** | **44** | **16** | **3.07** | **12** | **38** | **14** | **563** | **37** | **1** | **7** | **-** | **0** | **3.94** | **0** | **0** |
| | **Montréal** | | **2** | **109** | **7** | **0** | **1** | **0** | **0** | **3.85** | **0** | **0** | **1** | **38** | **3** | **0** | **0** | **-** | **0** | **4.74** | **0** | **0** |

• Première équipe d'étoiles (LHJMQ) en 1988-89 • Troisième équipe d'étoiles (LHJMQ) en 1987-88 • Trophée Jacques-Plante (LHJMQ) en 1988-89 • Gardien par excellence au hockey junior canadien en 1989 • Trophée Paul-Dumont (LHJMQ) en 1989-90 • Équipe d'étoiles (CMJ) en 1989-90 • Nommé meilleur gardien du tournoi (CMJ) en 1989-90
• Transfert de la concession de Québec au Colorado le 21 juin 1995 • Échangé à Los Angeles par Colorado avec le 1er choix du Colorado au repêchage de 1998 (Mathieu Biron) pour Éric Lacroix et le 1er choix de Los Angeles au repêchage de 1998 (Martin Skoula) le 20 juin 1996 • Échangé à Montréal par Los Angeles pour des considérations futures le 19 mars 2002

## GARDINER, WILBERT (BERT)

### Né à Saskatoon, Saskatchewan, le 25 mars 1913. Gardien, attrape de la gauche, 5'11", 160 lb

| SAISON | CLUB | LIGUE | PJ | MIN | BC | G | P | N | BL | MOY | A | PUN | PJ | MIN | BC | G | P | N | BL | MOY | A | PUN |
|---|---|---|---|---|---|---|---|---|---|---|---|---|---|---|---|---|---|---|---|---|---|---|
| 1931-32 | Saskatoon (Mercuries) | SCJHL | 3 | 210 | 18 | 1 | 2 | 0 | 0 | 5.14 | - | - | - | - | - | - | - | - | - | - | - | - |
| | Calgary (Jimmies) | CCJHL | 2 | 120 | 2 | 2 | 0 | 0 | 0 | 1.00 | - | - | - | - | - | - | - | - | - | - | - | - |
| | Calgary (Jimmies) | Mem. | 5 | 300 | 11 | 2 | 3 | 0 | 0 | 2.20 | - | - | - | - | - | - | - | - | - | - | - | - |
| 1932-33 | Calgary (Jimmies) | CCJHL | 2 | 120 | 2 | 2 | 0 | 0 | 0 | 1.00 | - | - | - | - | - | - | - | - | - | - | - | - |
| | Calgary (Jimmies) | Mem. | 7 | 420 | 16 | 5 | 2 | 0 | 1 | 2.29 | - | - | - | - | - | - | - | - | - | - | - | - |
| 1933-34 | Saskatoon (Quakers) | N-SSHL | 14 | 910 | 35 | 1 | 2 | 0 | 0 | 1.00 | - | - | 4 | 240 | 8 | 3 | 1 | 0 | 1 | 2.00 | - | - |
| 1934-35 | Brooklyn (Crescents) | EAHL | 21 | 1260 | 35 | *15 | 5 | 1 | *6 | *1.67 | - | - | 8 | 560 | 13 | *7 | 1 | 0 | *1 | *1.39 | - | - |
| 1935-36 | New York (Rangers) | LNH | 1 | 60 | 1 | 1 | 0 | 0 | 0 | 1.00 | 0 | 0 | - | - | - | - | - | - | - | - | - | - |
| | Philadelphie (Arrows) | Can-Am | 45 | 2760 | 94 | 26 | 16 | 3 | 5 | *2.04 | - | - | 4 | 265 | 4 | 3 | 1 | 0 | *1 | 0.91 | - | - |
| 1936-37 | Philadelphie (Ramblers) | IAHL | 47 | 2900 | 105 | 26 | 13 | 8 | 4 | *2.17 | - | - | 6 | 360 | 15 | 3 | 3 | 0 | *2 | 2.50 | - | - |
| 1937-38 | Philadelphie (Ramblers) | IAHL | *48 | *2950 | 126 | *26 | 18 | 4 | *8 | 2.56 | - | - | 5 | 369 | 10 | 3 | 2 | 0 | *2 | *1.63 | - | - |
| 1938-39 | Philadelphie (Ramblers) | IAHL | 52 | 3230 | 150 | *32 | 16 | 4 | 2 | 2.79 | - | - | 5 | 335 | 11 | 3 | 2 | 0 | 1 | 1.97 | - | - |
| | New York (Rangers) | LNH | | | | | | | | | | | 6 | 433 | 12 | 3 | 3 | - | 0 | 1.66 | 0 | 0 |
| 1939-40 | Philadelphie (Rockets) | IAHL | 54 | 3350 | 170 | 15 | 31 | 8 | 4 | 3.04 | - | - | - | - | - | - | - | - | - | - | - | - |
| | New Haven (Eagles) | IAHL | 3 | 180 | 4 | 3 | 0 | 0 | 1 | 1.67 | - | - | - | - | - | - | - | - | - | - | - | - |
| 1940-41 | **Montréal (Canadiens)** | **LNH** | **42** | **2600** | **119** | **13** | **23** | **6** | **2** | **2.75** | **0** | **0** | **3** | **214** | **8** | **1** | **2** | **-** | **0** | **2.24** | **0** | **0** |
| 1941-42 | **Montréal (Canadiens)** | **LNH** | **10** | **620** | **42** | **1** | **8** | **1** | **0** | **4.06** | **0** | **0** | **2** | **120** | **7** | **0** | **2** | **-** | **0** | **3.50** | | |
| | Washington (Lions) | AHL | 34 | 2080 | 99 | 12 | 19 | 3 | 4 | 2.86 | - | - | - | - | - | - | - | - | - | - | - | - |
| 1942-43 | Chicago (Black Hawks) | LNH | *50 | *3020 | 180 | 17 | 18 | 15 | 1 | 3.58 | 0 | 0 | - | - | - | - | - | - | - | - | - | - |
| 1943-44 | Boston (Bruins) | LNH | 41 | 2460 | 212 | 17 | 19 | 5 | 1 | 5.17 | 1 | 0 | - | - | - | - | - | - | - | - | - | - |
| | **LNH** | | **144** | **8760** | **554** | **49** | **68** | **27** | **4** | **3.79** | **1** | **0** | **9** | **647** | **20** | **4** | **5** | **-** | **0** | **1.85** | **0** | **0** |
| | **Montréal** | | **52** | **3220** | **161** | **14** | **31** | **7** | **2** | **3.00** | **0** | **0** | **3** | **214** | **8** | **1** | **2** | **-** | **0** | **2.24** | **0** | **0** |

• Première équipe d'étoiles (EAHL) en 1934-35 • Trophée George-L.-Davis Jr (EAHL) en 1934-35 • Première équipe d'étoiles (Can-Am) en 1935-36 • Première équipe d'étoiles (IAHL) en 1938-39 • Deuxième équipe d'étoiles (IAHL) en 1939-40
• Signe avec New York le 18 octobre 1935 • Droits vendus à Montréal par New York le 26 avril 1940 • Prêté à Chicago par Montréal le 14 octobre 1942 • Droits vendus à Boston par Montréal le 29 octobre 1943

## GARON, MATHIEU

### Né à Chandler, Québec, le 9 janvier 1978. Gardien, attrape de la droite, 6'2", 199 lb (2e choix de Montréal, 44e au total lors du repêchage de 1996)

| SAISON | CLUB | LIGUE | PJ | MIN | BC | G | P | N | BL | MOY | A | PUN | PJ | MIN | BC | G | P | N | BL | MOY | A | PUN |
|---|---|---|---|---|---|---|---|---|---|---|---|---|---|---|---|---|---|---|---|---|---|---|
| 1993-94 | Jonquière (Élites) | QAAA | 17 | 0 | 13 | 0 | 0 | | | 6.33 | - | - | - | - | - | - | - | - | - | - | - | - |
| 1994-95 | Jonquière (Élites) | QAAA | 27 | 1554 | 94 | 13 | 13 | 0 | 1 | 3.63 | - | - | 9 | 467 | 26 | 6 | 2 | - | 0 | 3.34 | - | - |
| 1995-96 | Victoriaville (Tigres) | LHJMQ | 51 | 2709 | 189 | 18 | 27 | 0 | 1 | 4.19 | - | - | 12 | 676 | 38 | 7 | 4 | - | 1 | 3.39 | - | - |
| 1996-97 | Victoriaville (Tigres) | LHJMQ | 53 | 3032 | 150 | 29 | 18 | 3 | 6 | 2.97 | - | - | 6 | 330 | 23 | 2 | 4 | - | 0 | 4.18 | - | - |
| 1997-98 | Victoriaville (Tigres) | LHJMQ | 47 | 2802 | 125 | 27 | 18 | 2 | 5 | 2.68 | - | - | 6 | 345 | 22 | 2 | 4 | - | 0 | 3.82 | - | - |
| | Canada | CMJ | 5 | | | | | | | 1.91 | - | - | - | - | - | - | - | - | - | - | - | - |
| 1998-99 | Fredericton (Canadien) | AHL | 40 | 2222 | 114 | 14 | 22 | 2 | 3 | 3.08 | 1 | 8 | 6 | 208 | 12 | 1 | 1 | - | 0 | 3.47 | 0 | 0 |
| 1999-00 | Québec (Citadelles) | AHL | 53 | 2884 | 149 | 17 | 28 | 3 | 2 | 3.10 | 1 | 6 | 1 | 20 | 3 | 0 | 0 | - | 0 | 8.82 | 0 | 0 |
| 2000-01 | **Montréal (Canadiens)** | **LNH** | **11** | **589** | **24** | **4** | **5** | **1** | **2** | **2.44** | **0** | **0** | - | - | - | - | - | - | - | - | - | - |
| | Québec (Citadelles) | AHL | 31 | 1768 | 86 | 16 | 13 | 1 | 1 | 2.92 | 0 | 14 | 8 | 459 | 22 | 4 | 4 | - | 1 | 2.88 | 1 | 4 |
| 2001-02 | **Montréal (Canadiens)** | **LNH** | **5** | **261** | **19** | **1** | **4** | **0** | **0** | **4.37** | **0** | **0** | - | - | - | - | - | - | - | - | - | - |
| | Québec (Citadelles) | AHL | 47 | 2988 | 136 | 21 | 15 | 2 | 2 | 2.73 | 1 | 6 | 3 | 198 | 12 | 0 | 3 | - | 0 | 3.63 | 0 | 0 |
| 2002-03 | **Montréal (Canadiens)** | **LNH** | **8** | **482** | **16** | **3** | **5** | **0** | **2** | **1.99** | **0** | **0** | - | - | - | - | - | - | - | - | - | - |
| | Hamilton (Bulldogs) | AHL | 20 | 1150 | 34 | 15 | 2 | 2 | 4 | 1.77 | | | - | - | - | - | - | - | - | - | - | - |
| | **LNH** | | **24** | **1332** | **59** | **8** | **14** | **1** | **4** | **2.66** | **0** | **0** | - | - | - | - | - | - | - | - | - | - |
| | **Montréal** | | **24** | **1332** | **59** | **8** | **14** | **1** | **4** | **2.66** | **0** | **0** | - | - | - | - | - | - | - | - | - | - |

• Trophée Raymond-Lagacé (LHJMQ) en 1995-96 • Équipe d'étoiles des recrues (LHJMQ) en 1995-96 • Première équipe d'étoiles (LHJMQ) en 1997-98 • Joueur défensif de l'année (LHJMQ) en 1997-98 • Trophée Jacques-Plante (LHJMQ) en 1997-98 • Première équipe d'étoiles du hockey junior canadien en 1997-98 • Gardien par excellence au hockey junior canadien en 1997-98

## GAUTHIER, PAUL

**Né à Winnipeg, Manitoba, le 6 mars 1915. Gardien, attrape de la gauche, 5'5", 125 lb**

| SAISON | CLUB | LIGUE | PJ | MIN | BC | G | P | N | BL | MOY | A | PUN | PJ | MIN | BC | G | P | N | BL | MOY | A | PUN |
|---|---|---|---|---|---|---|---|---|---|---|---|---|---|---|---|---|---|---|---|---|---|---|
| 1932-33 | Winnipeg (Monarchs) | MJHL | 1 | 60 | 1 | 1 | 0 | - | 0 | 1.00 | - | - | - | - | - | - | - | - | - | - | - | - |
| 1933-34 | Winnipeg (Monarchs) | MJHL | | | | *Statistique non disponible* | | | | | | | | | | | | | | | | |
| 1934-35 | Winnipeg (Monarchs) | MJHL | 7 | 420 | 15 | - | - | - | 0 | *2.14 | - | - | 4 | 240 | 12 | 4 | 0 | 0 | 0 | 3.00 | - | - |
| | Winnipeg (Monarchs) | Mem. | 8 | 480 | 25 | *6 | 2 | 0 | 1 | 3.13 | - | - | - | - | - | - | - | - | - | - | - | - |
| 1935-36 | **Montréal (Canadiens)** | LHCM | 1 | 30 | 3 | 0 | 1 | 0 | 0 | 6.00 | - | - | - | - | - | - | - | - | - | - | - | - |
| | Pittsburgh (Shamrocks) | IHL | 16 | 960 | 56 | - | - | - | 0 | 3.50 | | | - | - | - | - | - | - | - | - | - | - |
| 1936-37 | Minneapolis (Millers) | AHA | 48 | 2880 | 105 | 23 | 21 | 4 | 6 | 2.19 | - | - | 6 | 408 | 8 | *6 | 0 | 0 | *1 | *1.18 | - | - |
| 1937-38 | New Haven (Eagles) | IAHL | 47 | 2910 | 126 | 13 | 27 | 7 | 5 | 2.60 | - | - | 1 | 60 | 2 | 0 | 1 | 0 | 0 | 2.00 | - | - |
| | **Montréal (Canadiens)** | LNH | 1 | 70 | 2 | 0 | 0 | 1 | 0 | 1.71 | 0 | 0 | - | - | - | - | - | - | - | - | - | - |
| 1938-39 | Spokane (Clippers) | PCHL | 34 | 2040 | 105 | - | - | - | 3 | 3.09 | | | - | - | - | - | - | - | - | - | - | - |
| | New Haven (Eagles) | IAHL | 6 | 370 | 30 | 1 | 5 | 0 | 0 | 4.86 | | | - | - | - | - | - | - | - | - | - | - |
| 1939-40 | Kansas City (Greyhounds) | AHA | 47 | 2871 | 163 | 20 | 27 | 0 | 6 | 3.41 | | | - | - | - | - | - | - | - | - | - | - |
| 1940-41 | Seattle (Olympics) | PCHL | 41 | 2460 | 131 | - | - | - | 1 | 3.20 | | | 2 | 120 | 5 | 1 | 1 | 0 | 0 | 2.50 | - | - |
| 1941-42 | Washington (Lions) | AHL | 9 | 540 | 34 | 5 | 4 | 0 | 0 | 3.78 | | | - | - | - | - | - | - | - | - | - | - |
| | New Haven (Eagles) | AHL | 1 | 60 | 8 | 0 | 1 | 0 | 0 | 8.00 | | | - | - | - | - | - | - | - | - | - | - |
| 1942-43 | Washington (Lions) | AHL | 41 | 2460 | 203 | 10 | 26 | 5 | 0 | 4.95 | | | - | - | - | - | - | - | - | - | - | - |
| 1943-44 | Buffalo (Bisons) | AHL | 1 | 60 | 3 | 1 | 0 | 0 | 0 | 3.00 | | | - | - | - | - | - | - | - | - | - | - |
| | Cleveland (Barons) | AHL | 46 | 2760 | 139 | 29 | 10 | 7 | 4 | 3.02 | | | 4 | 240 | 25 | 1 | 3 | 0 | 0 | 6.25 | - | - |
| 1944-45 | Cleveland (Barons) | AHL | 4 | 240 | 15 | 3 | 0 | 0 | 1 | 3.75 | | | - | - | - | - | - | - | - | - | - | - |
| 1945-46 | Service militaire | | | | | | | | | | | | | | | | | | | | | |
| 1946-47 | Houston (Huskies) | USHL | 16 | 960 | 69 | 4 | 10 | 2 | 1 | 4.31 | | | - | - | - | - | - | - | - | - | - | - |
| | Philadelphie (Rockets) | AHL | 1 | 60 | 9 | 0 | 1 | 0 | 0 | 9.00 | | | - | - | - | - | - | - | - | - | - | - |
| | Buffalo (Bisons) | AHL | 3 | 180 | 7 | 3 | 0 | 0 | 0 | 2.33 | | | - | - | - | - | - | - | - | - | - | - |
| | San Francisco (Shamrocks) | PCHL | 5 | 300 | 19 | - | - | - | 0 | 3.80 | | | - | - | - | - | - | - | - | - | - | - |
| 1947-48 | Houston (Huskies) | USHL | 27 | 1640 | 112 | 16 | 9 | 1 | 1 | 4.10 | | | 7 | 423 | 19 | 5 | 2 | 0 | 0 | 2.70 | - | - |
| | Omaha (Knights) | USHL | 5 | 310 | 29 | 1 | 3 | 1 | 0 | 5.61 | | | - | - | - | - | - | - | - | - | - | - |
| 1948-49 | Washington (Lions) | AHL | 13 | 716 | 72 | 1 | 9 | 0 | 0 | 6.03 | | | - | - | - | - | - | - | - | - | - | - |
| | **LNH** | | 1 | 70 | 2 | 0 | 0 | 1 | 0 | 1.71 | 0 | 0 | - | - | - | - | - | - | - | - | - | - |
| | **Montréal** | | 1 | 70 | 2 | 0 | 0 | 1 | 0 | 1.71 | 0 | 0 | - | - | - | - | - | - | - | - | - | - |

• Coupe Memorial en 1934-35
• Signe avec Montréal (LHCM) le 26 janvier 1936 • Prêté à Pittsburgh (IHL) par Montréal (LHCM) le 6 février 1936 • Signe avec Montréal (LNH) en octobre 1937 • Prêté à New Haven (IAHL) par Montréal en octobre 1937 • Prêté à Kansas City (AHA) par Montréal en octobre 1939 • Prêté à Seattle (PCHL) par Montréal en octobre 1940 • Échangé à Boston par Montréal pour Terry Reardon le 5 novembre 1941

GAU · HAI

## GROULX, TED (TEDDY)

**Décédé. Gardien**

| SAISON | CLUB | LIGUE | PJ | MIN | BC | G | P | N | BL | MOY | A | PUN | PJ | MIN | BC | G | P | N | BL | MOY | A | PUN |
|---|---|---|---|---|---|---|---|---|---|---|---|---|---|---|---|---|---|---|---|---|---|---|
| 1909-10 | **Montréal (Canadiens)** | NHA | 7 | 420 | 62 | 1 | 6 | 0 | 0 | 8.86 | 0 | 0 | - | - | - | - | - | - | - | - | - | - |
| | **NHA** | | 7 | 420 | 62 | 1 | 6 | 0 | 0 | 8.86 | 0 | 0 | - | - | - | - | - | - | - | - | - | - |
| | **Montréal** | | 7 | 420 | 62 | 1 | 6 | 0 | 0 | 8.86 | 0 | 0 | - | - | - | - | - | - | - | - | - | - |

• Signe avec Montréal le 29 janvier 1910

## HACKETT, JEFF

**Né à London, Ontario, le 1er juillet 1968. Gardien, attrape de la gauche, 6'1", 195 lb (2e choix de New York (Islanders) et 34e au total lors du repêchage de 1987)**

| SAISON | CLUB | LIGUE | PJ | MIN | BC | G | P | N | BL | MOY | A | PUN | PJ | MIN | BC | G | P | N | BL | MOY | A | PUN |
|---|---|---|---|---|---|---|---|---|---|---|---|---|---|---|---|---|---|---|---|---|---|---|
| 1984-85 | London (Diamonds) | OJHL-B | 18 | 1078 | 73 | - | - | - | 1 | 4.06 | - | - | - | - | - | - | - | - | - | - | - | - |
| 1985-86 | London (Diamonds) | OJHL-B | 19 | 1150 | 66 | - | - | - | 0 | 3.43 | - | - | - | - | - | - | - | - | - | - | - | - |
| 1986-87 | Oshawa (Generals) | OHL | 31 | 1672 | 85 | 18 | 9 | 2 | 2 | 3.05 | - | - | 15 | 895 | 40 | 8 | 7 | - | 0 | 2.68 | - | - |
| | Oshawa (Generals) | Mem. | 3 | 180 | 12 | 2 | 1 | 0 | 0 | 4.00 | 0 | 0 | - | - | - | - | - | - | - | - | - | - |
| 1987-88 | Oshawa (Generals) | OHL | 53 | 3165 | 205 | 30 | 21 | 2 | 0 | 3.89 | - | - | 7 | 438 | 31 | 3 | 4 | - | 0 | 4.25 | - | - |
| | Canada | CMJ | - | - | - | - | - | - | - | - | - | - | - | - | - | - | - | - | - | - | - | - |
| 1988-89 | New York (Islanders) | LNH | 13 | 662 | 39 | 4 | 7 | 0 | 0 | 3.53 | 1 | 2 | - | - | - | - | - | - | - | - | - | - |
| | Springfield (Indians) | AHL | 29 | 1667 | 116 | 12 | 14 | 2 | 0 | 4.15 | - | - | - | - | - | - | - | - | - | - | - | - |
| 1989-90 | Springfield (Indians) | AHL | 54 | 3045 | 187 | 24 | 25 | 3 | 1 | 3.68 | - | - | 17 | 934 | 60 | 10 | 5 | - | 0 | 3.85 | - | - |
| 1990-91 | New York (Islanders) | LNH | 30 | 1508 | 91 | 5 | 18 | 1 | 0 | 3.62 | 0 | 4 | - | - | - | - | - | - | - | - | - | - |
| 1991-92 | San Jose (Sharks) | LNH | 42 | 2314 | 148 | 11 | 27 | 1 | 0 | 3.84 | 2 | 8 | - | - | - | - | - | - | - | - | - | - |
| 1992-93 | San Jose (Sharks) | LNH | 36 | 2000 | 176 | 2 | 30 | 1 | 0 | 5.28 | 1 | 4 | - | - | - | - | - | - | - | - | - | - |
| 1993-94 | Chicago (Blackhawks) | LNH | 22 | 1084 | 62 | 2 | 12 | 3 | 0 | 3.43 | 1 | 2 | - | - | - | - | - | - | - | - | - | - |
| 1994-95 | Chicago (Blackhawks) | LNH | 7 | 328 | 13 | 1 | 3 | 2 | 0 | 2.38 | - | - | 2 | 26 | 1 | 0 | 0 | - | 0 | 2.31 | 0 | 0 |
| 1995-96 | Chicago (Blackhawks) | LNH | 35 | 2000 | 80 | 18 | 11 | 4 | 4 | 2.40 | 1 | - | 1 | 60 | 5 | 0 | 1 | - | 0 | 5.00 | 0 | 0 |
| 1996-97 | Chicago (Blackhawks) | LNH | 41 | 2473 | 89 | 19 | 18 | 4 | 2 | 2.16 | 1 | 6 | 6 | 345 | 25 | 2 | 4 | - | 0 | 4.35 | 0 | 0 |
| 1997-98 | Chicago (Blackhawks) | LNH | 58 | 3441 | 126 | 21 | 25 | 11 | 8 | 2.20 | 0 | 8 | - | - | - | - | - | - | - | - | - | - |
| | Canada | CM | 2 | 120 | 9 | 0 | 1 | 1 | 0 | 4.50 | 0 | 0 | - | - | - | - | - | - | - | - | - | - |
| 1998-99 | Chicago (Blackhawks) | LNH | 10 | 524 | 33 | 2 | 6 | 1 | 0 | 3.78 | 0 | 6 | - | - | - | - | - | - | - | - | - | - |
| | **Montréal (Canadiens)** | LNH | 53 | 3091 | 117 | 24 | 20 | 9 | 5 | 2.27 | 1 | 6 | - | - | - | - | - | - | - | - | - | - |
| 1999-00 | **Montréal (Canadiens)** | LNH | 56 | 3301 | 132 | 23 | 25 | 7 | 3 | 2.40 | 0 | 4 | - | - | - | - | - | - | - | - | - | - |
| 2000-01 | **Montréal (Canadiens)** | LNH | 19 | 998 | 54 | 4 | 10 | 2 | 0 | 3.25 | 1 | 0 | - | - | - | - | - | - | - | - | - | - |
| 2001-02 | **Montréal (Canadiens)** | LNH | 15 | 716 | 38 | 5 | 5 | 0 | 0 | 3.18 | 0 | 2 | - | - | - | - | - | - | - | - | - | - |
| 2002-03 | **Montréal (Canadiens)** | LNH | 18 | 1049 | 45 | 7 | 8 | 2 | 0 | 2.54 | 0 | 2 | - | - | - | - | - | - | - | - | - | - |
| | Boston (Bruins) | LNH | 18 | 991 | 53 | 8 | 9 | 0 | 1 | 3.20 | - | - | 3 | 179 | 5 | 1 | 2 | - | 0 | 1.67 | 0 | 0 |
| | **LNH** | | 473 | 26554 | 1296 | 156 | 234 | 50 | 23 | 2.93 | 9 | 62 | 12 | 610 | 36 | 3 | 7 | - | 0 | 3.54 | 0 | 0 |
| | **Montréal** | | 161 | 9169 | 386 | 63 | 68 | 22 | 9 | 2.53 | 2 | 12 | - | - | - | - | - | - | - | - | - | - |

• Trophée F. D.-Dinty-Moore (OHL) en 1986-87 • Trophée Dave-Pinkney (OHL) avec Sean Evoy en 1986-87 • Médaille d'or (CMJ) en 1988 • Trophée Jack-A.-Butterfield (AHL) en 1989-90 • Coupe Calder (AHL) en 1989-90
• Réclamé par San Jose de New York (Islanders) lors de l'expansion de la LNH le 30 mai 1991 • Échangé à Chicago par San Jose pour le choix de 3e ronde de Chicago au repêchage de 1994 (Alexei Yegorov) le 13 juillet 1993 • Échangé à Montréal par Chicago avec Eric Weinrich, Alain Nasreddine et le choix de 4e ronde de Tampa Bay (propriété de Chicago suite à une transaction antérieure, Montréal sélectionne Chris Dyment) au repêchage de 1999 pour Jocelyn Thibault, Brad Brown et Dave Manson le 16 novembre 1998 • Échangé à San Jose par Montréal pour Niklas Sundstrom et le choix de 4e ronde de San Jose au repêchage de 2004 le 23 janvier 2003 • Échangé à Boston par San Jose avec Jeff Jillson pour Kyle McLaren et le choix de 4e ronde de Boston au repêchage de 2004 le 23 janvier 2003

## HAINSWORTH, GEORGE

**Né à Toronto, Ontario, le 26 juin 1895, décédé le 9 octobre 1950. Gardien, attrape de la gauche, 5'6", 150 lb**

| SAISON | CLUB | LIGUE | PJ | MIN | BC | G | P | N | BL | MOY | A | PUN | PJ | MIN | BC | G | P | N | BL | MOY | A | PUN |
|---|---|---|---|---|---|---|---|---|---|---|---|---|---|---|---|---|---|---|---|---|---|---|
| 1911-12 | Berlin (Union Jacks) | OHA Jr | 4 | 240 | 13 | *3 | 1 | 0 | 0 | 3.25 | - | - | 6 | 360 | 30 | 2 | 3 | 1 | 0 | 5.00 | - | - |
| 1912-13 | Berlin (City Seniors) | OHA Sr | 4 | 240 | 12 | *3 | 1 | 0 | 0 | 3.00 | - | - | 8 | 480 | 35 | 4 | 3 | 1 | 1 | 4.38 | - | - |
| 1913-14 | Berlin (City Seniors) | OHA Sr | 7 | 420 | 11 | *7 | 0 | 0 | 0 | *1.57 | - | - | 9 | 590 | 31 | 7 | 1 | 1 | 1 | 3.15 | - | - |
| 1914-15 | Berlin (City Seniors) | OHA Sr | 5 | 300 | 9 | *5 | 0 | 0 | 0 | *1.80 | - | - | 4 | 240 | 19 | 2 | 1 | 1 | 1 | 4.75 | - | - |
| 1915-16 | Berlin (City Seniors) | OHA Sr | 8 | 480 | 18 | *8 | 0 | 0 | *1 | 2.85 | - | - | 4 | 280 | 18 | 2 | 2 | 0 | 0 | 3.86 | - | - |
| 1916-17 | Toronto Kew Beach | TIHL | | | | *Statistiques non disponibles* | | | | | | | | | | | | | | | | |
| 1917-18 | Kitchener (Greenshirts) | OHA Sr | 9 | 540 | 31 | *9 | 0 | 0 | 0 | *3.44 | - | - | 5 | 298 | 10 | 3 | 1 | 1 | 1 | 2.01 | - | - |

| SAISON | CLUB | LIGUE | PJ | MIN | BC | G | P | N | BL | MOY | A | PUN | PJ | MIN | BC | G | P | N | BL | MOY | A | PUN |
|---|---|---|---|---|---|---|---|---|---|---|---|---|---|---|---|---|---|---|---|---|---|---|
| | | | | | | | | | | | | | | | SÉRIES ÉLIMINATOIRES | | | | | | | |
| 1918-19 | Kitchener (Greenshirts) | OHA Sr | 9 | 570 | 28 | 5 | 3 | 1 | 0 | 2.95 | - | - | - | - | - | - | - | - | - | - | - | - |
| 1919-20 | Kitchener (Greenshirts) | OHA Sr | 8 | 480 | 16 | *6 | 2 | 0 | *1 | *2.00 | - | - | 2 | 150 | 6 | 0 | 1 | 1 | 0 | 2.40 | - | - |
| 1920-21 | Kitchener (Greenshirts) | OHA Sr | 10 | 600 | 22 | 7 | 3 | 0 | *3 | 2.20 | - | - | 1 | 60 | 6 | 0 | 1 | 0 | 0 | 6.00 | - | - |
| 1921-22 | Kitchener (Greenshirts) | OHA Sr | 10 | 600 | 38 | 3 | 7 | 0 | *1 | 3.80 | - | - | - | - | - | - | - | - | - | - | - | - |
| 1922-23 | Kitchener (Greenshirts) | OHA Sr | 12 | 720 | 32 | 8 | 4 | 0 | 1 | 2.67 | - | - | - | - | - | - | - | - | - | - | - | - |
| 1923-24 | Saskatoon (Crescents) | WCHL | *30 | *1871 | 73 | 15 | 12 | 3 | *4 | 2.34 | - | - | - | - | - | - | - | - | - | - | - | - |
| 1924-25 | Saskatoon (Crescents) | WCHL | *28 | *1698 | 75 | 16 | 11 | 1 | 2 | 2.65 | - | - | 2 | 120 | 6 | 0 | 1 | 1 | 0 | 3.00 | - | - |
| 1925-26 | Saskatoon (Crescents) | WHL | *30 | 1821 | 64 | 17 | 12 | 1 | 4 | 2.11 | - | - | 2 | 129 | 4 | 0 | 1 | 1 | 0 | 1.86 | - | - |
| 1926-27 | **Montréal (Canadiens)** | **LNH** | *44 | 2732 | 67 | 28 | 14 | 2 | *14 | 1.47 | 0 | 0 | 4 | 252 | 6 | 1 | 1 | 2 | 1 | 1.43 | 0 | 0 |
| 1927-28 | **Montréal (Canadiens)** | **LNH** | *44 | 2730 | 48 | 26 | 11 | 7 | 13 | *1.05 | 0 | 0 | 2 | 128 | 3 | 0 | 1 | 1 | 0 | 1.41 | 0 | 0 |
| 1928-29 | **Montréal (Canadiens)** | **LNH** | *44 | 2800 | 43 | 22 | 7 | 15 | *22 | *0.92 | 0 | 0 | 3 | 180 | 5 | 0 | 3 | 0 | 0 | 1.67 | 0 | 0 |
| 1929-30 | **Montréal (Canadiens)** | **LNH** | 42 | 2680 | 108 | 20 | 13 | 9 | *4 | 2.42 | 0 | 0 | *6 | *481 | 6 | *5 | 0 | 1 | *3 | *0.75 | 0 | 0 |
| 1930-31 | **Montréal (Canadiens)** | **LNH** | *44 | 2740 | 89 | 26 | 10 | 8 | 8 | 1.95 | 0 | 0 | *10 | *722 | 21 | *6 | 4 | 0 | *2 | 1.75 | 0 | 0 |
| 1931-32 | **Montréal (Canadiens)** | **LNH** | *48 | 2998 | 110 | *25 | 16 | 7 | 6 | 2.20 | 0 | 2 | 4 | 300 | 13 | 1 | 3 | 0 | 0 | 2.60 | 0 | 0 |
| 1932-33 | **Montréal (Canadiens)** | **LNH** | *48 | 2980 | 115 | 18 | 25 | 5 | 8 | 2.32 | 0 | 0 | 2 | 120 | 8 | 0 | 1 | 1 | 0 | 4.00 | 0 | 0 |
| 1933-34 | Toronto (Maple Leafs) | LNH | *48 | *3010 | 119 | *26 | 13 | 9 | 3 | 2.37 | 0 | 0 | 5 | 302 | 11 | 2 | 3 | 0 | 0 | 2.19 | 0 | 0 |
| | Match des étoiles | LNH | 1 | 60 | 3 | 1 | 0 | 0 | 0 | 3.00 | 0 | 0 | - | - | - | - | - | - | - | - | - | - |
| 1934-35 | Toronto (Maple Leafs) | LNH | *48 | 2957 | 111 | *30 | 14 | 4 | 8 | 2.25 | 0 | 0 | *7 | *460 | 12 | 3 | 4 | 0 | *2 | 1.57 | 0 | 0 |
| 1935-36 | Toronto (Maple Leafs) | LNH | *48 | 3000 | 106 | 23 | 19 | 6 | 8 | 2.12 | 0 | 0 | *9 | *541 | 27 | 4 | 5 | 0 | 0 | 2.99 | 0 | 0 |
| 1936-37 | Toronto (Maple Leafs) | LNH | 3 | 190 | 9 | 0 | 2 | 1 | 0 | 2.84 | 0 | 0 | - | - | - | - | - | - | - | - | - | - |
| | **Montréal (Canadiens)** | **LNH** | 4 | 270 | 12 | 2 | 1 | 1 | 0 | 2.67 | 0 | 0 | - | - | - | - | - | - | - | - | - | - |
| | | **LNH** | **465** | **29087** | **937** | **246** | **145** | **74** | **94** | **1.93** | **0** | **2** | **52** | **3486** | **112** | **22** | **25** | **5** | **8** | **1.93** | **0** | **0** |
| | **Montréal** | | **318** | **19930** | **595** | **167** | **97** | **54** | **75** | **1.79** | **0** | **2** | **31** | **2183** | **62** | **13** | **13** | **5** | **6** | **1.70** | **0** | **0** |

• **Équipe d'étoiles (WHL) en 1925-26 • Trophée Georges-Vézina (LNH) en 1926-27, 1927-28, 1928-29 • Coupe Stanley (LNH) en 1929-30, 1930-31 • Match des étoiles (LNH) en 1933-34 • Temple de la Renommée (LNH) en 1961**
• Signe avec Saskatoon (WCHL) le 11 octobre 1923 • Signe avec Montréal le 28 octobre 1926 • Échangé à Toronto par Montréal pour Lorne Chabot le 1er octobre 1933 • Signe avec Montréal le 14 décembre 1936

## HAYWARD, BRIAN

### Né à Toronto, Ontario, le 25 juin 1960. Gardien, attrape de la gauche, 5'10", 180 lb

| SAISON | CLUB | LIGUE | PJ | MIN | BC | G | P | N | BL | MOY | A | PUN | PJ | MIN | BC | G | P | N | BL | MOY | A | PUN |
|---|---|---|---|---|---|---|---|---|---|---|---|---|---|---|---|---|---|---|---|---|---|---|
| 1978-79 | Cornell University | ECAC | 25 | 1469 | 95 | 18 | 6 | 0 | 0 | 3.88 | - | - | 3 | 179 | 14 | 2 | 1 | 0 | 0 | 4.66 | - | - |
| 1979-80 | Cornell University | ECAC | 12 | 508 | 52 | 2 | 7 | 0 | 0 | 6.02 | - | - | - | - | - | - | - | - | - | - | - | - |
| 1980-81 | Cornell University | ECAC | 19 | 967 | 58 | 11 | 4 | 1 | 1 | 3.54 | - | - | 4 | 181 | 18 | 2 | 1 | 0 | 0 | 4.50 | - | - |
| 1981-82 | Cornell University | ECAC | 22 | 1249 | 66 | 11 | 10 | 1 | 0 | 3.17 | - | - | - | - | - | - | - | - | - | - | - | - |
| 1982-83 | Winnipeg (Jets) | LNH | 24 | 1440 | 89 | 10 | 12 | 2 | 1 | 3.71 | 1 | 0 | 3 | 160 | 14 | 0 | 3 | - | 0 | 5.25 | 0 | 0 |
| | Sherbrooke (Jets) | AHL | 22 | 1208 | 89 | 6 | 11 | 3 | 0 | 4.42 | - | - | - | - | - | - | - | - | - | - | - | - |
| 1983-84 | Winnipeg (Jets) | LNH | 28 | 1530 | 124 | 7 | 18 | 2 | 0 | 4.86 | 1 | 2 | - | - | - | - | - | - | - | - | - | - |
| | Sherbrooke (Jets) | AHL | 15 | 781 | 69 | 4 | 8 | 0 | 0 | 5.30 | - | - | - | - | - | - | - | - | - | - | - | - |
| 1984-85 | Winnipeg (Jets) | LNH | 61 | 3436 | 220 | 33 | 17 | 7 | 0 | 3.84 | 4 | 10 | 6 | 309 | 23 | 2 | 4 | - | 0 | 4.47 | 0 | 0 |
| 1985-86 | Winnipeg (Jets) | LNH | 52 | 2721 | 217 | 13 | 28 | 5 | 0 | 4.79 | 2 | 25 | 2 | 68 | 6 | 0 | 1 | - | 0 | 5.29 | 0 | 0 |
| | Sherbrooke (Jets) | AHL | 3 | 185 | 5 | 2 | 0 | 1 | 0 | 1.62 | - | - | - | - | - | - | - | - | - | - | - | - |
| 1986-87 | **Montréal (Canadiens)** | **LNH** | 37 | 2178 | 102 | 19 | 13 | 4 | 1 | *2,81 | 2 | 2 | 13 | 708 | 32 | 6 | 5 | - | 0 | 2.71 | 0 | 2 |
| 1987-88 | **Montréal (Canadiens)** | **LNH** | 39 | 2247 | 107 | 22 | 10 | 4 | 2 | 2.86 | 2 | 14 | 4 | 230 | 9 | 2 | 2 | - | 0 | 2.35 | 0 | 0 |
| 1988-89 | **Montréal (Canadiens)** | **LNH** | 36 | 2091 | 101 | 20 | 13 | 3 | 1 | 2.90 | 0 | 10 | 2 | 124 | 7 | 1 | 1 | - | 0 | 3.39 | 0 | 0 |
| 1989-90 | **Montréal (Canadiens)** | **LNH** | 29 | 1674 | 94 | 10 | 12 | 6 | 1 | 3.37 | 0 | 4 | 1 | 33 | 2 | 0 | 0 | - | 0 | 3.64 | 0 | 0 |
| 1990-91 | Kalamazoo (Wings) | IHL | 2 | 120 | 5 | 2 | 0 | 0 | 0 | 2.50 | - | - | - | - | - | - | - | - | - | - | - | - |
| | Minnesota (North Stars) | LNH | 26 | 1473 | 77 | 6 | 15 | 3 | 2 | 3.14 | 0 | 2 | 6 | 171 | 11 | 0 | 2 | - | 0 | 3.86 | 0 | 0 |
| 1991-92 | San Jose (Sharks) | LNH | 7 | 305 | 25 | 1 | 4 | 0 | 0 | 4.92 | 0 | 14 | - | - | - | - | - | - | - | - | - | - |
| | Kansas City (Blades) | IHL | 2 | 119 | 3 | 1 | 1 | 0 | 1 | 1.51 | - | - | - | - | - | - | - | - | - | - | - | - |
| 1992-93 | San Jose (Sharks) | LNH | 18 | 930 | 86 | 2 | 14 | 1 | 0 | 5.55 | 1 | 2 | - | - | - | - | - | - | - | - | - | - |
| | | **LNH** | **357** | **20025** | **1242** | **143** | **156** | **37** | **8** | **3.72** | **13** | **85** | **37** | **1803** | **104** | **11** | **18** | **-** | **0** | **3.46** | **0** | **2** |
| | **Montréal** | | **141** | **8190** | **404** | **71** | **48** | **17** | **5** | **2.96** | **4** | **30** | **20** | **1095** | **50** | **9** | **8** | **-** | **0** | **2.74** | **0** | **2** |

• **Première équipe d'étoiles (ECAC) en 1981-82 • Première équipe All-American (NCAA) en 1981-82 • Trophée William-M.-Jennings (LNH) avec Patrick Roy en 1986-87, 1987-88, 1988-89**
• Signe avec Winnipeg comme agent libre le 5 mai 1982 • Échangé à Montréal par Winnipeg pour Steve Penny et les droits sur Jan Ingman le 15 août 1986 • Échangé à Minnesota par Montréal pour Jayson More le 7 novembre 1990 • Réclamé par San Jose au repêchage de dispersion de Minnesota le 30 mai 1991

## HERRON, DENIS

### Né à Chambly, Québec, le 18 juin 1952. Gardien, attrape de la gauche, 5'11", 165 lb (3e choix du Pittsburgh, 40e au total lors du repêchage de 1972)

| SAISON | CLUB | LIGUE | PJ | MIN | BC | G | P | N | BL | MOY | A | PUN | PJ | MIN | BC | G | P | N | BL | MOY | A | PUN |
|---|---|---|---|---|---|---|---|---|---|---|---|---|---|---|---|---|---|---|---|---|---|---|
| 1969-70 | Trois-Rivières (Ducs) | LHJMQ | 2 | 96 | 10 | 0 | 1 | 0 | 0 | 6.25 | - | - | - | - | - | - | - | - | - | - | - | - |
| 1970-71 | Trois-Rivières (Ducs) | LHMJQ | 33 | 1980 | 136 | - | - | - | 0 | 4.12 | - | - | 7 | 420 | 23 | - | - | - | 1 | 3.29 | - | - |
| 1971-72 | Trois-Rivières (Ducs) | LHMJQ | 40 | 2400 | 160 | - | - | - | 2 | 4.00 | - | - | 4 | 200 | 19 | - | - | - | 0 | 5.70 | - | - |
| 1972-73 | Pittsburgh (Penguins) | LNH | 18 | 967 | 55 | 6 | 7 | 2 | 2 | 3.41 | 1 | 0 | - | - | - | - | - | - | - | - | - | - |
| | Hershey (Bears) | AHL | 21 | 1185 | 63 | - | - | - | 0 | 3.19 | - | - | 4 | 240 | 16 | - | - | - | 0 | 4.00 | - | - |
| 1973-74 | Pittsburgh (Penguins) | LNH | 5 | 260 | 18 | 5 | 1 | 0 | 0 | 4.15 | 0 | 0 | - | - | - | - | - | - | - | - | - | - |
| | Salt Lake (Golden Eagles) | WHL | 9 | 530 | 32 | 6 | 2 | 1 | 0 | 3.62 | - | - | - | - | - | - | - | - | - | - | - | - |
| | Hershey (Bears) | AHL | 17 | 967 | 52 | 10 | 4 | 1 | 0 | 3.22 | - | - | 4 | 242 | 7 | 4 | 0 | - | 0 | *1.73 | - | - |
| 1974-75 | Hershey (Bears) | AHL | 12 | 615 | 45 | 2 | 7 | 2 | 0 | 4.39 | - | - | - | - | - | - | - | - | - | - | - | - |
| | Pittsburgh (Penguins) | LNH | 3 | 108 | 11 | 1 | 1 | 0 | 0 | 6.11 | 1 | 0 | - | - | - | - | - | - | - | - | - | - |
| | Kansas City (Scouts) | LNH | 22 | 1280 | 80 | 4 | 13 | 4 | 0 | 3.75 | 1 | 2 | - | - | - | - | - | - | - | - | - | - |
| 1975-76 | Kansas City (Scouts) | LNH | 64 | 3620 | 243 | 11 | 39 | 11 | 0 | 4.03 | 0 | 16 | - | - | - | - | - | - | - | - | - | - |
| 1976-77 | Pittsburgh (Penguins) | LNH | 34 | 1920 | 94 | 15 | 11 | 5 | 1 | 2.94 | 1 | 4 | 3 | 180 | 11 | 1 | 2 | - | 0 | 3.67 | 0 | 5 |
| 1977-78 | Pittsburgh (Penguins) | LNH | 60 | 3534 | 210 | 20 | 25 | 15 | 0 | 3.57 | 1 | 6 | - | - | - | - | - | - | - | - | - | - |
| | Canada | CM | 5 | 255 | 12 | 3 | 1 | 0 | 0 | 2.82 | - | - | - | - | - | - | - | - | - | - | - | - |
| 1978-79 | Pittsburgh (Penguins) | LNH | 56 | 3208 | 180 | 22 | 19 | 12 | 2 | 3.37 | 2 | 18 | 7 | 421 | 24 | 2 | 5 | - | 0 | 3.42 | 0 | 0 |
| 1979-80 | **Montréal (Canadiens)** | **LNH** | 34 | 1909 | 80 | 25 | 3 | 3 | 0 | 2.51 | 0 | 0 | 5 | 300 | 15 | 2 | 3 | - | 0 | 3.00 | 0 | 0 |
| 1980-81 | **Montréal (Canadiens)** | **LNH** | 25 | 1147 | 67 | 6 | 9 | 6 | 1 | 3.50 | 2 | 0 | - | - | - | - | - | - | - | - | - | - |
| 1981-82 | **Montréal (Canadiens)** | **LNH** | 27 | 1547 | 68 | 12 | 6 | 8 | *3 | *2.64 | 0 | 0 | - | - | - | - | - | - | - | - | - | - |
| 1982-83 | Pittsburgh (Penguins) | LNH | 31 | 1707 | 151 | 5 | 18 | 5 | 0 | 5.31 | 0 | 0 | - | - | - | - | - | - | - | - | - | - |
| 1983-84 | Pittsburgh (Penguins) | LNH | 38 | 2028 | 138 | 8 | 24 | 2 | 1 | 4.08 | 0 | 21 | - | - | - | - | - | - | - | - | - | - |
| 1984-85 | Pittsburgh (Penguins) | LNH | 42 | 2193 | 170 | 10 | 22 | 3 | 1 | 4.65 | 0 | 4 | - | - | - | - | - | - | - | - | - | - |
| 1985-86 | Pittsburgh (Penguins) | LNH | 3 | 140 | 14 | 0 | 3 | 0 | 0 | 4.67 | 0 | 0 | - | - | - | - | - | - | - | - | - | - |
| | Baltimore (Clippers) | AHL | 27 | 1510 | 86 | 10 | 11 | 4 | 0 | 3.42 | - | - | - | - | - | - | - | - | - | - | - | - |
| | | **LNH** | **462** | **25608** | **1579** | **146** | **203** | **76** | **10** | **3.70** | **9** | **71** | **15** | **901** | **50** | **5** | **10** | **-** | **0** | **3.33** | **0** | **5** |
| | **Montréal** | | **86** | **4603** | **215** | **43** | **18** | **17** | **4** | **2.80** | **2** | **4** | **5** | **300** | **15** | **2** | **3** | **-** | **0** | **3.00** | **0** | **0** |

• **Deuxième équipe d'étoiles (LHJMQ) en 1971-72 • Coupe Calder (AHL) en 1973-74 • Trophée Georges-Vézina (LNH) avec Michel Larocque et Richard Sévigny en 1980-81 • Trophée William-M.-Jennings (LNH) avec Rick Wamsley en 1981-82 • Partage un blanchissage avec Richard Sévigny le 11 novembre 1981**
• Échangé à Kansas City par Pittsburgh avec Jean-Guy Lagacé pour Michel Plasse le 10 janvier 1975 • Signe avec Pittsburgh comme agent libre le 7 août 1976 • Échangé à Montréal par Pittsburgh avec le choix de 2e ronde de Pittsburgh au repêchage de 1982 (Jocelyn Gauvreau) pour Pat Hughes et Robbie Holland le 30 août 1979 • Échangé à Pittsburgh par Montréal pour le choix de 3e ronde de Pittsburgh au repêchage de 1985 (cédé à St. Louis qui sélectionne Nelson Emerson) le 15 septembre 1982

| SAISON | CLUB | LIGUE | PJ | MIN | BC | G | P | N | BL | MOY | A | PUN | PJ | MIN | BC | G | P | N | BL | MOY | A | PUN |
|---|---|---|---|---|---|---|---|---|---|---|---|---|---|---|---|---|---|---|---|---|---|---|
| | | | | | SAISONS RÉGULIÈRES | | | | | | | | | | SÉRIES ÉLIMINATOIRES | | | | | | | |

## HODGE, CHARLES (CHARLIE)

Né à Lachine, Québec, le 28 juillet 1933. Gardien, attrape de la gauche, 5'6", 150 lb

| SAISON | CLUB | LIGUE | PJ | MIN | BC | G | P | N | BL | MOY | A | PUN | PJ | MIN | BC | G | P | N | BL | MOY | A | PUN |
|---|---|---|---|---|---|---|---|---|---|---|---|---|---|---|---|---|---|---|---|---|---|---|
| 1949-50 | Montréal (Canadiens) | LHJQ | | | | | *Statistiques non disponibles* | | | | | | | | | | | | | | | |
| | Montréal (Canadiens) | Mem. | 2 | 122 | 11 | 0 | 2 | 0 | 0 | 5.41 | | | | | | | | | | | | |
| 1950-51 | Montréal (Canadiens) | LHJQ | 23 | 1320 | 57 | 14 | 8 | 0 | 1 | *2.59 | - | - | 9 | 564 | 31 | 4 | 5 | 0 | 0 | 3.30 | | |
| 1951-52 | Montréal (Canadiens) | LHJQ | 45 | 2700 | 100 | 32 | 10 | 3 | 3 | *2.22 | - | - | 11 | 669 | 19 | *9 | 2 | 0 | 0 | *1.70 | - | - |
| | Montréal (Royals) | LHMQ | 1 | 40 | 3 | 0 | 0 | 0 | 0 | 4.50 | | | | | | | | | | | | |
| | Montréal (Canadiens) | Mem. | 8 | 480 | 32 | 4 | 4 | 0 | 1 | 4.00 | | | | | | | | | | | | |
| 1952-53 | Montréal (Canadiens) | LHJQ | 44 | 2640 | 100 | *35 | 9 | - | *5 | 2.27 | - | - | 7 | 560 | 18 | - | - | - | 0 | 2.57 | - | - |
| | Montréal (Royals) | LHMQ | 1 | 60 | 4 | 0 | 1 | 0 | 0 | 4.00 | | | | | | | | | | | | |
| 1953-54 | Cincinnati (Mohawks) | IHL | 62 | 3720 | 145 | - | - | - | *10 | *2.34 | - | - | 11 | 660 | 19 | *8 | 3 | 0 | *2 | *1.73 | - | - |
| | Buffalo (Bisons) | AHL | 3 | 180 | 10 | 2 | 1 | 0 | 0 | 3.33 | | | | | | | | | | | | |
| 1954-55 | Providence (Reds) | AHL | 5 | 300 | 18 | 3 | 2 | 0 | 1 | 3.60 | | | | | | | | | | | | |
| | **Montréal (Canadiens)** | **LNH** | **14** | **820** | **31** | **6** | **4** | **4** | **1** | **2.27** | **0** | **0** | **4** | **84** | **6** | **1** | **2** | **-** | **0** | **4.34** | **0** | **0** |
| | Montréal | LHQ | 35 | 2100 | 113 | 17 | 17 | 1 | 2 | 3.23 | | | | | | | | | | | | |
| 1955-56 | Seattle (Americans) | WHL | 70 | 4245 | 239 | 31 | 37 | 2 | 6 | 3.38 | - | - | | | | | | | | | | |
| 1956-57 | Rocherster (Americans) | AHL | 41 | 2460 | 132 | 18 | 18 | 4 | 2 | 3.22 | - | - | | | | | | | | | | |
| | Shawinigan (Cataracts) | LHQ | 14 | 859 | 39 | 7 | 5 | 2 | 2 | 2.72 | - | - | | | | | | | | | | |
| 1957-58 | **Montréal (Canadiens)** | **LNH** | **12** | **720** | **31** | **8** | **2** | **2** | **1** | **2.58** | **0** | **0** | | | | | | | | | | |
| | Montréal (Royals) | LHQ | 48 | 2880 | 153 | 23 | 21 | 4 | 4 | 3.19 | - | - | 7 | 380 | 25 | 2 | 4 | - | 1 | 3.95 | | |
| 1958-59 | Montréal (Royals) | LHQ | 24 | 1440 | 67 | 15 | 8 | 1 | 1 | 2.79 | - | - | 2 | 120 | 4 | 2 | 0 | 0 | 0 | *2.00 | | |
| | Rochester (Americans) | AHL | 4 | 240 | 12 | 0 | 4 | 0 | 0 | 3.00 | - | - | | | | | | | | | | |
| | **Montréal (Canadiens)** | **LNH** | **2** | **120** | **6** | **1** | **1** | **0** | **0** | **3.00** | **0** | **0** | | | | | | | | | | |
| 1959-60 | Montréal (Royals) | ÉPHL | 33 | 1980 | 96 | 15 | 12 | 6 | *5 | 2.91 | - | - | 7 | 430 | 24 | 3 | 4 | - | 0 | 3.35 | | |
| | Hull-Ottawa (Canadien) | ÉPHL | 26 | 1560 | 74 | 15 | 6 | 5 | *2 | 2.85 | - | - | | | | | | | | | | |
| | **Montréal (Canadiens)** | **LNH** | **1** | **60** | **3** | **0** | **1** | **0** | **0** | **3.00** | **0** | **0** | | | | | | | | | | |
| 1960-61 | Montréal (Royals) | ÉPHL | 22 | 1320 | 74 | 5 | 13 | 4 | 0 | 3.36 | - | - | | | | | | | | | | |
| | **Montréal (Canadiens)** | **LNH** | **30** | **1800** | **74** | **18** | **8** | **4** | **4** | **2.47** | **0** | **0** | | | | | | | | | | |
| 1961-62 | Québec (As) | AHL | 65 | 3900 | 185 | 28 | 33 | 4 | 5 | 2.85 | - | - | | | | | | | | | | |
| 1962-63 | Québec (As) | AHL | 67 | 4020 | 190 | 31 | 25 | 11 | 4 | 2.84 | - | - | | | | | | | | | | |
| 1963-64 | Québec (As) | AHL | 10 | 600 | 32 | 4 | 6 | 0 | 1 | 3.20 | - | - | | | | | | | | | | |
| | **Montréal (Canadiens)** | **LNH** | **62** | **3720** | **140** | **33** | **18** | **11** | ***8** | **2.26** | **0** | **2** | **7** | **420** | **16** | **3** | **4** | **-** | **1** | **2.29** | **0** | **0** |
| 1964-65 | Match des étoiles | LNH | 1 | 30 | 2 | 1 | 0 | 0 | 0 | 4.00 | 0 | 0 | | | | | | | | | | |
| | **Montréal (Canadiens)** | **LNH** | **53** | **3180** | **135** | **26** | **16** | **10** | **3** | **2.55** | **0** | **0** | **5** | **300** | **10** | **3** | **2** | **-** | **1** | **2.00** | **0** | **0** |
| 1965-66 | Match des étoiles | LNH | 1 | 30 | 4 | 0 | 1 | 0 | 0 | 8.21 | 0 | 0 | | | | | | | | | | |
| | **Montréal (Canadiens)** | **LNH** | **26** | **1301** | **56** | **12** | **7** | **2** | **1** | **2.58** | **0** | **0** | | | | | | | | | | |
| 1966-67 | Match des étoiles | LNH | 1 | 40 | 0 | 0 | 1 | 0 | 1 | 0.00 | 0 | 0 | | | | | | | | | | |
| | **Montréal (Canadiens)** | **LNH** | **37** | **2055** | **88** | **11** | **15** | **7** | **3** | **2.57** | **0** | **2** | | | | | | | | | | |
| 1967-68 | Oakland (Seals) | LNH | 58 | 3311 | 158 | 13 | 29 | 13 | 3 | 2.86 | 0 | 4 | | | | | | | | | | |
| 1968-69 | Oakland (Seals) | LNH | 14 | 781 | 48 | 4 | 6 | 1 | 0 | 3.69 | 0 | 0 | | | | | | | | | | |
| | Vancouver (Canucks) | WHL | 13 | 779 | 32 | 7 | 2 | 4 | 0 | 2.54 | - | - | 8 | *497 | 12 | *8 | 0 | 0 | *1 | *1.45 | | |
| 1969-70 | Oakland (Seals) | LNH | 14 | 738 | 43 | 3 | 5 | 2 | 0 | 3.50 | 0 | 0 | | | | | | | | | | |
| 1970-71 | Vancouver (Canucks) | LNH | 35 | 1967 | 112 | 15 | 13 | 5 | 0 | 3.42 | 0 | 0 | | | | | | | | | | |
| | | **LNH** | **358** | **20573** | **925** | **150** | **125** | **61** | **24** | **2.70** | **0** | **10** | **16** | **804** | **32** | **7** | **8** | **-** | **2** | **2.39** | **0** | **0** |
| | **Montréal** | | **237** | **13776** | **564** | **115** | **72** | **40** | **21** | **2.46** | **0** | **6** | **16** | **804** | **32** | **7** | **8** | **-** | **2** | **2.39** | **0** | **0** |

• Coupe Memorial en 1949-50 • Première équipe d'étoiles (LHJQ) en 1951-52, 1952-53 • Deuxième équipe d'étoiles (IHL) en 1953-54 • Première équipe d'étoiles (LHQ) en 1957-58
• Deuxième équipe d'étoiles (LHQ) en 1954-55 • Coupe Stanley (LNH) en 1958-59, 1964-65, 1965-66 • Deuxième équipe d'étoiles (AHL) en 1962-63 • Deuxième équipe d'étoiles (LNH)
en 1963-64, 1964-65 • Match des étoiles (LNH) en 1964-65, 1965-66, 1966-67 • Trophée Georges-Vézina (LNH) en 1963-64 • Trophée Georges-Vézina (LNH) avec Gump Worsley en 1965-66
• Réclamé par Oakland de Montréal au repêchage d'expansion de la LNH le 6 juin 1967 • Réclamé par Vancouver de Oakland au repêchage d'expansion de la LNH le 10 juin 1970

## HOLDEN, MARK

Né à Weymouth, Massachusetts, le 12 juin 1957. Gardien, attrape de la gauche, 5'10", 165 lb (16e choix de Montréal, 160e au total lors du repêchage de 1970)

| SAISON | CLUB | LIGUE | PJ | MIN | BC | G | P | N | BL | MOY | A | PUN | PJ | MIN | BC | G | P | N | BL | MOY | A | PUN |
|---|---|---|---|---|---|---|---|---|---|---|---|---|---|---|---|---|---|---|---|---|---|---|
| 1976-77 | Brown University | ÉCAC | 5 | 82 | 5 | 0 | 0 | 0 | 0 | 3.68 | - | - | | | | | | | | | | |
| 1977-78 | Brown University | ÉCAC | 10 | 590 | 33 | 4 | 6 | 0 | 1 | 3.36 | - | - | | | | | | | | | | |
| 1978-79 | Brown University | ÉCAC | 13 | 755 | 49 | 7 | 6 | 0 | 0 | 3.90 | - | - | | | | | | | | | | |
| 1979-80 | Brown University | ÉCAC | 26 | 1508 | 93 | 10 | 14 | 2 | 0 | 3.70 | - | - | | | | | | | | | | |
| 1980-81 | Nlle-Écosse (Voyageurs) | AHL | 42 | 2223 | 127 | 20 | 17 | 1 | 2 | 3.43 | - | - | 3 | 159 | 12 | 0 | 3 | - | 0 | 4.53 | | |
| 1981-82 | **Montréal (Canadiens)** | **LNH** | **1** | **20** | **0** | **0** | **0** | **0** | **0** | **0.00** | **0** | **0** | | | | | | | | | | |
| | Nlle-Écosse (Voyageurs) | AHL | 44 | 2534 | 142 | 19 | 19 | 5 | 0 | 3.36 | - | - | 7 | 435 | 21 | 2 | 5 | - | 0 | 2.90 | | |
| 1982-83 | **Montréal (Canadiens)** | **LNH** | **2** | **87** | **6** | **0** | **1** | **1** | **0** | **4.14** | **0** | **0** | | | | | | | | | | |
| | Nlle-Écosse (Voyageurs) | AHL | 41 | 2369 | 160 | 21 | 16 | 1 | 0 | 4.05 | - | - | 6 | 319 | 13 | 3 | 2 | - | 0 | 2.44 | | |
| 1983-84 | **Montréal (Canadiens)** | **LNH** | **1** | **52** | **4** | **0** | **1** | **0** | **0** | **4.62** | **0** | **0** | | | | | | | | | | |
| | Nlle-Écosse (Voyageurs) | AHL | 47 | 2739 | 153 | 19 | 8 | 7 | 0 | 3.35 | - | - | 10 | 534 | 40 | 4 | 6 | - | 0 | 4.49 | | |
| 1984-85 | Winnipeg (Jets) | LNH | 4 | 213 | 15 | 2 | 0 | 0 | 0 | 4.23 | 0 | 0 | | | | | | | | | | |
| | Nlle-Écosse (Oilers) | AHL | 22 | 1261 | 87 | 8 | 12 | 1 | 1 | 4.14 | - | - | | | | | | | | | | |
| 1985-86 | Sherbrooke (Canadien) | AHL | 12 | 696 | 52 | 5 | 7 | 0 | 0 | 4.48 | - | - | | | | | | | | | | |
| | Fort Wayne (Komets) | IHL | 9 | 496 | 26 | 3 | 3 | 0 | 1 | 3.14 | - | - | | | | | | | | | | |
| | | **LNH** | **8** | **372** | **25** | **2** | **2** | **1** | **0** | **4.03** | **0** | **0** | | | | | | | | | | |
| | **Montréal** | | **4** | **159** | **10** | **0** | **2** | **1** | **0** | **3.77** | **0** | **0** | | | | | | | | | | |

• Première équipe All-American (NCAA) en 1979-80
• Échangé à Winnipeg par Montréal pour Doug Soetaert le 9 octobre 1984

## JABLONSKI, PAT

Né à Toledo, Ohio, le 20 juin 1967. Gardien, attrape de la droite, 6', 180 lb (6e choix de St. Louis, 138e au total lors du repêchage de 1985)

| SAISON | CLUB | LIGUE | PJ | MIN | BC | G | P | N | BL | MOY | A | PUN | PJ | MIN | BC | G | P | N | BL | MOY | A | PUN |
|---|---|---|---|---|---|---|---|---|---|---|---|---|---|---|---|---|---|---|---|---|---|---|
| 1984-85 | Detroit (Compuware) | NAJHL | 29 | 1483 | 95 | - | - | - | - | 3.84 | - | - | | | | | | | | | | |
| 1985-86 | Windsor (Spitfires) | OHL | 29 | 1660 | 119 | 6 | 16 | 4 | 1 | 4.46 | - | - | 6 | 263 | 20 | 0 | 3 | - | 0 | 4.56 | | |
| 1986-87 | Windsor (Spitfires) | OHL | 41 | 2328 | 128 | 22 | 14 | 2 | *3 | 3.30 | - | - | 12 | 710 | 38 | 8 | 4 | - | 0 | 3.21 | | |
| | États-Unis | CMJ | 4 | 200 | 13 | | | | | 3.90 | - | - | | | | | | | | | | |
| 1987-88 | Peoria (Rivermen) | IHL | 5 | 285 | 17 | 2 | 2 | 1 | 0 | 3.58 | - | - | | | | | | | | | | |
| | Windsor (Spitfires) | OHL | 18 | 994 | 48 | 14 | 3 | 0 | 2 | 2.90 | - | - | 9 | 537 | 28 | *8 | 0 | - | 0 | 3.13 | | |
| | Windsor (Spitfires) | Mem. | 4 | 240 | 16 | 3 | 1 | 0 | 0 | 4.00 | - | - | | | | | | | | | | |
| 1988-89 | Peoria (Rivermen) | IHL | 35 | 2051 | 163 | 11 | 20 | 0 | 1 | 4.77 | - | - | 3 | 130 | 13 | 0 | 2 | - | 0 | 6.00 | | |
| 1989-90 | St. Louis (Blues) | LNH | 4 | 208 | 17 | 0 | 3 | 0 | 0 | 4.90 | 0 | 0 | | | | | | | | | | |
| | Peoria (Rivermen) | IHL | 36 | 2023 | 165 | 14 | 17 | 4 | 0 | 4.89 | - | - | 4 | 223 | 19 | 1 | 3 | - | 0 | 5.11 | | |
| 1990-91 | St. Louis (Blues) | LNH | 8 | 492 | 25 | 2 | 3 | 3 | 0 | 3.05 | 1 | 0 | 3 | 90 | 5 | 0 | 0 | - | 0 | 3.33 | 0 | 0 |
| | Peoria (Rivermen) | IHL | 29 | 1738 | 87 | 23 | 3 | 2 | 0 | 3.00 | - | - | 10 | 532 | 23 | 7 | 2 | - | 0 | 2.59 | | |
| 1991-92 | St. Louis (Blues) | LNH | 10 | 468 | 38 | 3 | 6 | 0 | 0 | 4.87 | 0 | 4 | | | | | | | | | | |
| | Peoria (Rivermen) | IHL | 8 | 493 | 29 | 6 | 1 | 1 | 1 | 3.53 | - | - | | | | | | | | | | |
| 1992-93 | Tampa Bay (Lightning) | LNH | 43 | 2268 | 150 | 8 | 24 | 4 | 1 | 3.97 | 2 | 7 | | | | | | | | | | |

| SAISON | CLUB | LIGUE | PJ | MIN | BC | G | P | N | BL | MOY | A | PUN | PJ | MIN | BC | G | P | N | BL | MOY | A | PUN |
|---|---|---|---|---|---|---|---|---|---|---|---|---|---|---|---|---|---|---|---|---|---|---|
| | États-Unis | CM | 2 | 62 | 1 | - | - | - | 0 | 0.96 | | | - | - | - | - | - | - | - | - | | |
| 1993-94 | Tampa Bay (Lightning) | LNH | 15 | 834 | 54 | 5 | 6 | 3 | 0 | 3.88 | - | - | - | - | - | - | - | - | - | - | | |
| | St. John's (Maple Leafs) | AHL | 16 | 962 | 49 | 12 | 3 | 1 | 1 | 3.05 | | | 11 | 676 | 36 | 6 | 5 | | 0 | 3.19 | | |
| 1994-95 | Chicago (Wolves) | IHL | 4 | 216 | 17 | 0 | 4 | 0 | 0 | 4.71 | | | - | - | - | - | - | - | - | - | | |
| | Houston (Aeros) | IHL | 3 | 179 | 9 | 1 | 1 | 1 | 0 | 3.01 | | | - | - | - | - | - | - | - | - | | |
| | États-Unis | CM | 6 | 360 | 15 | - | - | - | 0 | 2.50 | | | - | - | - | - | - | - | - | - | | |
| 1995-96 | St. Louis (Blues) | LNH | 1 | 8 | 1 | 0 | 0 | 0 | 0 | 7.50 | 0 | 0 | - | - | - | - | - | - | - | - | | |
| | **Montréal (Canadiens)** | **LNH** | **23** | **1264** | **62** | **5** | **9** | **6** | **0** | **2.94** | **1** | **2** | **1** | **49** | **1** | **0** | **0** | | **0** | **1.22** | **0** | **0** |
| 1996-97 | **Montréal (Canadiens)** | **LNH** | **17** | **754** | **50** | **4** | **6** | **2** | **0** | **3.98** | **0** | **0** | - | - | - | - | - | - | - | - | | |
| | Phoenix (Coyotes) | LNH | 2 | 59 | 2 | 0 | 1 | 0 | 0 | 2.03 | 0 | 0 | - | - | - | - | - | - | - | - | | |
| 1997-98 | Caroline (Hurricanes) | LNH | 5 | 279 | 14 | 1 | 4 | 0 | 0 | 3.01 | 0 | 0 | - | - | - | - | - | - | - | - | | |
| | Cleveland (Lumberjacks) | IHL | 34 | 1950 | 98 | 13 | 13 | 6 | 0 | 3.01 | | | - | - | - | - | - | - | - | - | | |
| | Québec (Rafales) | IHL | 7 | 368 | 21 | 3 | 3 | 0 | 0 | 3.42 | | | - | - | - | - | - | - | - | - | | |
| 1998-99 | Chicago (Wolves) | IHL | 36 | 2118 | 106 | 22 | 7 | 7 | 1 | 3.00 | 2 | 12 | 3 | 185 | 11 | 2 | 1 | | 0 | 3.57 | 0 | 0 |
| 1999-00 | Vastra (Frolunda) | SWE | 27 | 1624 | 65 | - | - | - | 4 | 2.40 | - | - | 5 | 298 | 18 | - | - | | 0 | 3.62 | - | - |
| 2000-01 | Vastra (Frolunda) | SWE | 22 | 1328 | 64 | - | - | - | 1 | 2.89 | - | - | 1 | 40 | 3 | - | - | | 0 | 4.50 | - | - |
| | **LNH** | | **128** | **6634** | **413** | **28** | **62** | **18** | **1** | **3.74** | **4** | **13** | **4** | **139** | **6** | **0** | **0** | - | **0** | **2.59** | **0** | **0** |
| | **Montréal** | | **40** | **2018** | **112** | **9** | **15** | **8** | **0** | **3.33** | **1** | **2** | **1** | **49** | **1** | **0** | **0** | | **0** | **1.22** | **0** | **0** |

- Trophée James-Norris (IHL) avec Guy Hebert en 1990-91
- Échangé à Tampa Bay par St. Louis avec Steve Tuttle, Rob Robinson et Darin Kimble pour des considérations futures le 19 juin 1992 • Droits vendus à Toronto par Tampa Bay le 21 février 1994 • Réclamé par St. Louis de Toronto au repêchage inter-équipes le 2 octobre 1995 • Échangé à Montréal par St. Louis pour Jean-Jacques Daigneault le 7 novembre 1995 • Échangé à Phoenix par Montréal pour Steve Cheredaryk le 18 mars 1997 • Signe avec la Caroline comme agent libre le 12 août 1997

## KARAKAS, MICHAEL (MIKE)

### Né à Aurora, Minnesota, le 12 décembre 1911, décédé. Gardien, attrape de la gauche, 5'10", 160 lb

| SAISON | CLUB | LIGUE | PJ | MIN | BC | G | P | N | BL | MOY | A | PUN | PJ | MIN | BC | G | P | N | BL | MOY | A | PUN |
|---|---|---|---|---|---|---|---|---|---|---|---|---|---|---|---|---|---|---|---|---|---|---|
| 1930-31 | Chicago (Shamrocks) | AHA | 8 | 435 | 16 | 5 | 2 | 0 | 0 | 2.21 | - | - | - | - | - | - | - | - | - | - | | |
| 1931-32 | Chicago (Shamrocks) | AHA | 45 | 2624 | 65 | *29 | 11 | 5 | 9 | 1.59 | - | - | 4 | 242 | 10 | *3 | 1 | 0 | 0 | 2.48 | - | - |
| 1932-33 | St. Louis (Flyers) | AHA | 43 | 2702 | 85 | 23 | 19 | 1 | *5 | 1.89 | - | - | 4 | 284 | 6 | 2 | 2 | 0 | *1 | 1.27 | - | - |
| 1933-34 | Tulsa (Oilers) | AHA | 48 | 2918 | 110 | 23 | 25 | 0 | 7 | 2.26 | - | - | 4 | 260 | 7 | 2 | 2 | 0 | *1 | 1.62 | - | - |
| 1934-35 | Tulsa (Oilers) | AHA | 41 | 2640 | 77 | 20 | 17 | 4 | 4 | *1.52 | - | - | 2 | 130 | 8 | 0 | 2 | 0 | 0 | 3.69 | - | - |
| 1935-36 | Chicago (Black Hawks) | LNH | *48 | 2990 | 92 | 21 | 19 | 8 | 9 | 1.85 | 0 | 0 | 2 | 120 | 7 | 1 | 1 | 0 | 0 | 3.50 | 0 | 0 |
| 1936-37 | Chicago (Black Hawks) | LNH | *48 | 2978 | 131 | 14 | 27 | 7 | 5 | 2.64 | 0 | 2 | - | - | - | - | - | - | - | - | | |
| 1937-38 | Chicago (Black Hawks) | LNH | *48 | 2980 | 139 | 14 | 25 | 9 | 1 | 2.80 | 0 | 0 | *8 | *525 | 15 | *6 | 2 | 0 | *2 | 1.71 | - | - |
| 1938-39 | Chicago (Black Hawks) | LNH | *48 | 2988 | 132 | 12 | 28 | 8 | 5 | 2.65 | 0 | 2 | - | - | - | - | - | - | - | - | | |
| 1939-40 | Chicago (Black Hawks) | LNH | 17 | 1050 | 58 | 7 | 9 | 1 | 0 | 3.31 | 0 | 0 | - | - | - | - | - | - | - | - | | |
| | Providence (Reds) | AHL | 14 | 860 | 43 | 7 | 5 | 2 | 1 | 3.00 | - | - | 8 | 545 | 21 | *6 | 2 | 0 | *2 | 2.31 | - | - |
| | **Montréal (Canadiens)** | **LNH** | **5** | **310** | **18** | **0** | **4** | **1** | **0** | **3.48** | **0** | **0** | - | - | - | - | - | - | - | - | | |
| 1940-41 | Providence (Reds) | AHL | *56 | *3450 | 171 | *31 | 21 | 4 | 0 | 2.97 | - | - | 4 | 279 | 13 | 1 | 3 | 0 | 0 | 2.60 | - | - |
| 1941-42 | Providence (Reds) | AHL | *56 | *3470 | 237 | 17 | 32 | 7 | 1 | 4.10 | - | - | 3 | 160 | 7 | 0 | 2 | 0 | 0 | 2.63 | - | - |
| | New Haven (Eagles) | AHL | 1 | 60 | 7 | 0 | 1 | 0 | 0 | 7.00 | - | - | - | - | - | - | - | - | - | - | | |
| 1942-43 | Providence (Reds) | AHL | *56 | *3360 | 216 | 27 | 27 | 2 | 2 | 3.86 | - | - | 2 | 120 | 7 | 0 | 2 | 0 | 0 | 3.50 | - | - |
| 1943-44 | Providence (Reds) | AHL | 24 | 1440 | 67 | 6 | 15 | 3 | 0 | 3.63 | - | - | - | - | - | - | - | - | - | - | | |
| | Chicago (Black Hawks) | LNH | 26 | 1560 | 79 | 12 | 9 | 5 | 3 | 3.04 | 0 | 0 | *9 | *549 | 24 | 4 | 5 | | *1 | 2.62 | 0 | 0 |
| 1944-45 | Chicago (Black Hawks) | LNH | 48 | 2880 | 187 | 12 | 29 | 7 | *4 | 3.90 | 1 | 0 | - | - | - | - | - | - | - | - | | |
| 1945-46 | Chicago (Black Hawks) | LNH | 48 | 2880 | 186 | 22 | 19 | 7 | 1 | 3.46 | 0 | 5 | 4 | 240 | 26 | 0 | 4 | | 0 | 6.50 | 0 | 0 |
| 1946-47 | Providence (Reds) | AHL | 62 | 3720 | 266 | 21 | 31 | 10 | 0 | 4.29 | - | - | - | - | - | - | - | - | - | - | | |
| 1947-48 | Providence (Reds) | AHL | 2 | 120 | 7 | 1 | 1 | 0 | 0 | 3.50 | - | - | - | - | - | - | - | - | - | - | | |
| | **LNH** | | **336** | **20616** | **1002** | **114** | **169** | **53** | **28** | **2.92** | **1** | **9** | **23** | **1434** | **72** | **11** | **12** | - | **3** | **3.01** | **0** | **0** |
| | **Montréal** | | **5** | **310** | **18** | **0** | **4** | **1** | **0** | **3.48** | **0** | **0** | - | - | - | - | - | - | - | - | | |

- Première équipe d'étoiles (AHA) en 1934-35 • Trophée Calder (LNH) en 1935-36 • Première équipe d'étoiles (AHL) en 1940-41 • Deuxième équipe d'étoiles (AHL) en 1942-43
- Deuxième équipe d'étoiles (LNH) en 1944-45
- Signe avec Chicago le 28 octobre 1935 • Prêté à Providence (AHL) par Chicago pour Paul Goodman le 27 décembre 1939 • Prêté à Montréal par Chicago le 23 février 1940 • Droits vendus à Providence (AHL) par Chicago le 14 mai 1940 • Échangé à Chicago par Providence (AHL) pour Hec Highton, Gord Buttrey et une somme d'argent le 7 janvier 1944

## KUNTAR, LES

### Né à Elma, New York, le 28 juillet 1969. Gardien, attrape de la gauche, 6'2", 195 lb (8e choix de Montréal, 122e au total lors du repêchage de 1987)

| SAISON | CLUB | LIGUE | PJ | MIN | BC | G | P | N | BL | MOY | A | PUN | PJ | MIN | BC | G | P | N | BL | MOY | A | PUN |
|---|---|---|---|---|---|---|---|---|---|---|---|---|---|---|---|---|---|---|---|---|---|---|
| 1987-88 | St-Lawrence University | ECAC | 10 | 488 | 27 | 6 | 1 | 0 | 0 | 3.32 | - | - | - | - | - | - | - | - | - | - | | |
| 1988-89 | St-Lawrence University | ECAC | 14 | 786 | 31 | 11 | 2 | 0 | 0 | 2.37 | - | - | - | - | - | - | - | - | - | - | | |
| 1989-90 | St-Lawrence University | ECAC | 20 | 1136 | 80 | 7 | 11 | 1 | 0 | 4.23 | - | - | - | - | - | - | - | - | - | - | | |
| 1990-91 | St-Lawrence University | ECAC | *33 | *1797 | 97 | *19 | 11 | 1 | *1 | *3.24 | - | - | - | - | - | - | - | - | - | - | | |
| 1991-92 | Fredericton (Canadien ) | AHL | 11 | 638 | 26 | 7 | 3 | 0 | 0 | 2.45 | - | - | - | - | - | - | - | - | - | - | | |
| | États-Unis | Éq. nat. | 13 | 725 | 57 | 3 | 5 | 3 | 0 | 4.72 | - | - | - | - | - | - | - | - | - | - | | |
| 1992-93 | Fredericton (Canadien) | AHL | 42 | 2315 | 130 | 16 | 14 | 7 | 0 | 3.37 | - | - | 1 | 64 | 6 | 0 | 1 | | 0 | 5.63 | 0 | 0 |
| 1993-94 | **Montréal (Canadiens)** | **LNH** | **6** | **302** | **16** | **2** | **2** | **0** | **0** | **3.18** | **0** | **2** | - | - | - | - | - | - | - | - | | |
| | Fredericton (Canadien) | AHL | 34 | 1804 | 109 | 10 | 17 | 3 | 1 | 3.62 | - | - | - | - | - | - | - | - | - | - | | |
| | États-Unis | CM | 4 | 135 | 11 | - | - | - | - | 4.89 | - | - | - | - | - | - | - | - | - | - | | |
| 1994-95 | Worcester (IceCats) | AHL | 24 | 1241 | 77 | 6 | 10 | 5 | 2 | 3.72 | - | - | - | - | - | - | - | - | - | - | | |
| | Hershey (Bears) | AHL | 32 | 1802 | 89 | 15 | 13 | 2 | 0 | 2.96 | - | - | 2 | 70 | 5 | 0 | 1 | | 0 | 4.28 | 0 | 0 |
| 1995-96 | Hershey (Bears) | AHL | 20 | 1020 | 71 | 7 | 8 | 2 | 0 | 4.18 | - | - | - | - | - | - | - | - | - | - | | |
| | Fort Wayne (Komets) | IHL | 8 | 387 | 26 | 2 | 3 | 1 | 1 | 4.03 | - | - | - | - | - | - | - | - | - | - | | |
| 1996-97 | Rochester (Americans) | AHL | 21 | 1052 | 60 | 6 | 9 | 3 | 1 | 3.42 | - | - | - | - | - | - | - | - | - | - | | |
| | Pensacola (Ice Pilots) | ECHL | 4 | 220 | 13 | 2 | 2 | 0 | 0 | 3.55 | - | - | - | - | - | - | - | - | - | - | | |
| | Cleveland (Lumberjacks) | IHL | 1 | 60 | 4 | 1 | 0 | 0 | 0 | 4.00 | - | - | - | - | - | - | - | - | - | - | | |
| | Utah (Grizzlies) | IHL | 3 | 87 | 1 | 1 | 0 | 0 | 0 | 0.69 | - | - | - | - | - | - | - | - | - | - | | |
| | **LNH** | | **6** | **302** | **16** | **2** | **2** | **0** | **0** | **3.18** | **0** | **2** | | | | | | | | | | |
| | **Montréal** | | **6** | **302** | **16** | **2** | **2** | **0** | **0** | **3.18** | **0** | **2** | | | | | | | | | | |

- Première équipe d'étoiles (ECAC) en 1990-91 • Première équipe d'étoiles All American (NCAA) en 1990-91
- Signe avec Philadelphie comme agent libre le 30 juin 1995

## LABRECQUE, PATRICK

### Né à Laval, Québec, le 6 mars 1971. Gardien, attrape de la gauche, 6', 190 lb (5e choix de Québec et 90e choix au repêchage d'entrée de 1991)

| SAISON | CLUB | LIGUE | PJ | MIN | BC | G | P | N | BL | MOY | A | PUN | PJ | MIN | BC | G | P | N | BL | MOY | A | PUN |
|---|---|---|---|---|---|---|---|---|---|---|---|---|---|---|---|---|---|---|---|---|---|---|
| 1987-88 | Laval-Laurentides | QAAA | 21 | 1274 | 81 | 17 | 3 | 1 | 0 | 3.82 | - | - | - | - | - | - | - | - | - | - | | |
| 1988-89 | Saint-Jean (Castors) | LHJMQ | 30 | 1417 | 140 | - | - | - | - | 5.93 | - | - | - | - | - | - | - | - | - | - | | |
| 1989-90 | Saint-Jean (Lynx) | LHJMQ | 48 | 2630 | 196 | 21 | 24 | 0 | 1 | 4.47 | - | - | - | - | - | - | - | - | - | - | | |
| 1990-91 | Saint-Jean (Lynx) | LHJMQ | 59 | 3375 | 216 | 17 | 34 | 6 | 1 | 3.84 | - | - | - | - | - | - | - | - | - | - | | |
| 1991-92 | Halifax (Citadels) | AHL | 29 | 1570 | 114 | 5 | 12 | 8 | 0 | 4.36 | - | - | - | - | - | - | - | - | - | - | | |
| 1992-93 | Greensboro (Monarchs) | ECHL | 11 | 650 | 31 | 6 | 3 | 2 | 0 | 2.86 | - | - | 1 | 59 | 5 | 0 | 1 | | 0 | 5.08 | | |
| | Halifax (Citadels) | AHL | 20 | 914 | 76 | 3 | 12 | 0 | 0 | 4.99 | - | - | - | - | - | - | - | - | - | - | | |
| 1993-94 | Cornwall (Aces) | AHL | 4 | 198 | 8 | 1 | 2 | 0 | 0 | 2.42 | - | - | - | - | - | - | - | - | - | - | | |

| SAISON | CLUB | LIGUE | PJ | MIN | BC | G | P | N | BL | MOY | A | PUN | PJ | MIN | BC | G | P | N | BL | MOY | A | PUN |
|---|---|---|---|---|---|---|---|---|---|---|---|---|---|---|---|---|---|---|---|---|---|---|

| | | | SAISONS RÉGULIÈRES | | | | | | | | | | SÉRIES ÉLIMINATOIRES | | | | | | | | | |
|---|---|---|---|---|---|---|---|---|---|---|---|---|---|---|---|---|---|---|---|---|---|---|
| SAISON | CLUB | LIGUE | PJ | MIN | BC | G | P | N | BL | MOY | A | PUN | PJ | MIN | BC | G | P | N | BL | MOY | A | PUN |
| | Greensboro (Monarchs) | ECHL | 29 | 1609 | 89 | 17 | 8 | 2 | 0 | 3.32 | - | - | 1 | 22 | 4 | 0 | 0 | - | 0 | 10.80 | - | - |
| 1994-95 | Fredericton (Canadien) | AHL | 35 | 1913 | 104 | 15 | 17 | 1 | 1 | 3.26 | 3 | 20 | *16 | *967 | 40 | *10 | 6 | - | 1 | 2.48 | 1 | 2 |
| | Wheeling (Thunderbirds) | ECHL | 5 | 281 | 22 | 2 | 3 | 0 | 0 | 4.69 | - | - | - | - | - | - | - | - | - | - | - | - |
| 1995-96 | **Montréal (Canadiens)** | **LHN** | **2** | **98** | **7** | **0** | **1** | **0** | **0** | **4.29** | **0** | **2** | - | - | - | - | - | - | - | - | - | - |
| | Fredericton (Canadien) | AHL | 48 | 2686 | 153 | 23 | 18 | 6 | 3 | 3.42 | - | - | 7 | 405 | 31 | 3 | 3 | - | 0 | 4.59 | - | - |
| 1996-97 | Fredericton (Canadien) | AHL | 12 | 602 | 31 | 1 | 7 | 1 | 0 | 3.09 | 1 | 4 | - | - | - | - | - | - | - | - | - | - |
| | Québec (Rafales) | IHL | 9 | 482 | 29 | 2 | 6 | 0 | 0 | 3.61 | - | - | - | - | - | - | - | - | - | - | - | - |
| 1997-98 | Baton Rouge (Kingfish) | ECHL | 34 | 1935 | 107 | 17 | 13 | 4 | 0 | 3.32 | - | - | - | - | - | - | - | - | - | - | - | - |
| | Hershey (Bears) | AHL | - | - | - | - | - | - | - | - | - | - | 1 | 10 | 0 | 0 | 0 | - | 0 | 0.00 | - | - |
| 1998-99 | SC Bietigheim | GER | 40 | 2404 | 124 | - | - | - | 2 | 3.09 | - | - | 13 | 783 | 47 | - | - | - | 0 | 3.60 | - | - |
| 1999-00 | EHC Hartz | GER | 11 | 657 | 43 | 7 | 4 | 0 | 0 | 3.93 | - | - | - | - | - | - | - | - | - | - | - | - |
| | San Angelo (Outlaws) | WPHL | 8 | 428 | 34 | 2 | 6 | 0 | 0 | 4.76 | - | - | - | - | - | - | - | - | - | - | - | - |
| | Fort Wayne (Komets) | UHL | 7 | 337 | 11 | 4 | 1 | 0 | 1 | 1.96 | - | - | 1 | 59 | 3 | 0 | 1 | - | 0 | 3.07 | - | - |
| | Bakersfield (Condors) | WCHL | 5 | 297 | 17 | 2 | 2 | 1 | 0 | 3.43 | - | - | 4 | 200 | 14 | 1 | 3 | - | 0 | 4.20 | - | - |
| 2000-01 | Sorel (Royaux) | LHSPQ | - | - | - | - | - | - | - | - | - | - | 6 | - | - | 1 | 4 | - | 1 | 4.01 | - | - |
| 2001-02 | Sorel (Royaux) | LHSPQ | 39 | 2302 | 142 | 20 | 12 | 3 | 1 | 3.70 | - | - | 10 | - | - | 4 | 6 | - | 0 | 4.52 | - | - |
| 2002-03 | Neftek himik Nizhnekamsk | RUS | 3 | - | - | - | - | - | - | 2.92 | - | - | - | - | - | - | - | - | - | - | - | - |
| | **LHN** | | **2** | **98** | **7** | **0** | **1** | **0** | **0** | **4.29** | **0** | **2** | **-** | **-** | **-** | **-** | **-** | **-** | **-** | **-** | **-** | **-** |
| | **Montréal** | | **2** | **98** | **7** | **0** | **1** | **0** | **0** | **4.29** | **0** | **2** | **-** | **-** | **-** | **-** | **-** | **-** | **-** | **-** | **-** | **-** |

• Signe avec Montréal comme agent libre le 21 juin 1994

## LACROIX, ALPHONSE (FRENCHIE)

Né à Newton, Massachusetts, le 21 octobre 1897, décédé. Gardien, attrape de la gauche, 5'7", 136 lb

| SAISON | CLUB | LIGUE | PJ | MIN | BC | G | P | N | BL | MOY | A | PUN | PJ | MIN | BC | G | P | N | BL | MOY | A | PUN |
|---|---|---|---|---|---|---|---|---|---|---|---|---|---|---|---|---|---|---|---|---|---|---|
| 1914-15 | Newton High School | HS | 7 | 294 | 15 | 5 | 1 | 1 | 0 | 2.04 | - | - | 1 | 40 | 1 | 0 | 0 | 0 | 0 | 1.00 | | |
| 1915-16 | Newton High School | HS | 7 | 280 | 9 | 5 | 2 | 0 | 2 | 1.29 | - | - | - | - | - | - | - | - | - | - | | |
| 1916-17 | Newton High School | HS | 8 | 320 | 10 | 7 | 0 | 1 | 4 | 1.25 | - | - | - | - | - | - | - | - | - | - | | |
| 1917-18 | Boston (Navy Yard) | USLHN | 11 | 455 | 22 | 7 | 4 | 0 | *3 | *1.93 | - | - | - | - | - | - | - | - | - | - | | |
| 1918-19 | Boston (Navy Yard) | Exhib. | Statistiques non disponibles | | | | | | | | | | | | | | | | | | | |
| 1919-20 | Boston (AA Unicorn) | Exhib. | 3 | 135 | 8 | 2 | 1 | 0 | 0 | 2.67 | - | - | - | - | - | - | - | - | - | - | | |
| 1920-21 | | | N'a pas joué | | | | | | | | | | | | | | | | | | | |
| 1921-22 | Boston (AA Unicorn) | USAHA | 1 | 45 | 2 | 1 | 0 | 0 | 0 | 2.00 | - | - | - | - | - | - | - | - | - | - | | |
| 1922-23 | Boston (AA Unicorn) | USAHA | 9 | 405 | 10 | *9 | 0 | 0 | *4 | *1.11 | - | - | 4 | 180 | 4 | *3 | 1 | 0 | *1 | *1.00 | | |
| 1923-24 | Boston (AA Unicorn) | USAHA | 6 | 270 | 10 | 3 | 3 | 0 | 1 | 1.67 | - | - | 3 | 180 | 8 | 1 | 2 | 0 | 0 | 2.67 | | |
| | États-Unis | JO | 5 | 225 | 6 | 4 | 1 | 0 | 4 | 1.60 | - | - | - | - | - | - | - | - | - | - | | |
| 1924-25 | Boston (AA Unicorn) | USAHA | 21 | 955 | 40 | 15 | 6 | 0 | *4 | 1.88 | - | - | 4 | 150 | 10 | 1 | 3 | 0 | *1 | 3.00 | | |
| 1925-26 | **Montréal (Canadiens)** | **LHN** | **5** | **280** | **16** | **1** | **4** | **0** | **0** | **3.43** | **0** | **0** | - | - | - | - | - | - | - | - | | |
| 1926-27 | | | N'a pas joué | | | | | | | | | | | | | | | | | | | |
| 1927-28 | Providence (Reds) | Can-Am | 4 | 250 | 12 | 1 | 3 | 0 | 0 | 2.88 | - | - | - | - | - | - | - | - | - | - | | |
| | Lewiston (St-Doms) | NEHL | 22 | 1350 | 42 | 8 | 12 | 2 | 5 | 1.87 | - | - | 5 | 305 | 16 | - | - | - | 0 | 3.15 | | |
| 1928-29 | Lewiston (St-Doms) | NEHL | 4 | 240 | 9 | 3 | 1 | 0 | 0 | 2.25 | - | - | 3 | 240 | 8 | 2 | 1 | 0 | *1 | *2.67 | | |
| 1929-30 | Providence (Reds) | Can-Am | 1 | 60 | 2 | 1 | 0 | 0 | 0 | 2.00 | - | - | - | - | - | - | - | - | - | - | | |
| 1930-31 | Boston (Tigers) | Can-Am | 4 | 240 | 13 | 1 | 3 | 0 | 0 | 3.25 | - | - | - | - | - | - | - | - | - | - | | |
| | **LHN** | | **5** | **280** | **16** | **1** | **4** | **0** | **0** | **3.43** | **0** | **0** | **-** | **-** | **-** | **-** | **-** | **-** | **-** | **-** | **-** | **-** |
| | **Montréal** | | **5** | **280** | **16** | **1** | **4** | **0** | **0** | **3.43** | **0** | **0** | **-** | **-** | **-** | **-** | **-** | **-** | **-** | **-** | **-** | **-** |

• **Première équipe d'étoiles (USLHN) en 1917-18 • Médaille d'argent en 1924**
• Signe avec Montréal le 10 novembre 1925

## LAROCHELLE, M.

| SAISON | CLUB | LIGUE | PJ | MIN | BC | G | P | N | BL | MOY | A | PUN | PJ | MIN | BC | G | P | N | BL | MOY | A | PUN |
|---|---|---|---|---|---|---|---|---|---|---|---|---|---|---|---|---|---|---|---|---|---|---|
| 1909-10 | Montréal (National) | LHCM | Statistiques non disponibles | | | | | | | | | | | | | | | | | | | |
| | **Montréal (Canadiens)** | **NHA** | **1** | **67** | **4** | **0** | **0** | **0** | **0** | **3.58** | **0** | **5** | - | - | - | - | - | - | - | - | - | - |
| | **NHA** | | **1** | **67** | **4** | **0** | **0** | **0** | **0** | **3.58** | **0** | **5** | **-** | **-** | **-** | **-** | **-** | **-** | **-** | **-** | **-** | **-** |
| | **Montréal** | | **1** | **67** | **4** | **0** | **0** | **0** | **0** | **3.58** | **0** | **5** | **-** | **-** | **-** | **-** | **-** | **-** | **-** | **-** | **-** | **-** |

• Prêté à Montréal par Montréal (National - LHCM) le 11 mars 1910

## LAROCQUE, MICHEL (BUNNY)

Né à Hull, Québec, le 6 avril 1952, décédé le 29 juillet 1992. Gardien, attrape de la gauche, 5'10", 185 lb (2e choix de Montréal et 6e choix au repêchage amateur de 1972)

| SAISON | CLUB | LIGUE | PJ | MIN | BC | G | P | N | BL | MOY | A | PUN | PJ | MIN | BC | G | P | N | BL | MOY | A | PUN |
|---|---|---|---|---|---|---|---|---|---|---|---|---|---|---|---|---|---|---|---|---|---|---|
| 1967-68 | Ottawa (67's) | OHA Jr | 4 | 210 | 32 | - | - | - | 0 | 9.14 | | | - | - | - | - | - | - | - | - | | |
| 1968-69 | Ottawa (67's) | OHA Jr | 4 | 190 | 24 | - | - | - | 0 | 7.58 | | | - | - | - | - | - | - | - | - | | |
| 1969-70 | Ottawa (67's) | OHA Jr | *51 | *3060 | 185 | - | - | - | *3 | 3.63 | | | - | - | - | - | - | - | - | - | | |
| 1970-71 | Ottawa (67's) | OHA Jr | 56 | 3345 | 189 | - | - | - | *5 | 3.39 | | | - | - | - | - | - | - | - | - | | |
| 1971-72 | Ottawa (67's) | OMJHL | 55 | 3287 | 189 | - | - | - | *4 | *3.45 | | | - | - | - | - | - | - | - | - | | |
| 1972-73 | Nlle-Écosse (Voyageurs) | AHL | 47 | 2705 | 113 | - | - | - | 1 | *2.50 | - | - | 13 | *760 | 36 | - | - | - | 0 | 2.84 | | |
| 1973-74 | **Montréal (Canadiens)** | **LHN** | **27** | **1431** | **69** | **15** | **8** | **2** | **0** | **2.89** | **2** | **0** | **6** | **364** | **18** | **2** | **4** | **-** | **0** | **2.97** | **2** | **0** |
| 1974-75 | **Montréal (Canadiens)** | **LHN** | **25** | **1480** | **74** | **17** | **5** | **3** | **3** | **3.00** | **1** | **2** | - | - | - | - | - | - | - | - | - | - |
| 1975-76 | **Montréal (Canadiens)** | **LHN** | **22** | **1220** | **50** | **16** | **1** | **3** | **2** | **2.46** | **2** | **4** | - | - | - | - | - | - | - | - | - | - |
| 1976-77 | **Montréal (Canadiens)** | **LHN** | **26** | **1525** | **53** | **19** | **2** | **4** | **4** | ***2.09** | **0** | **0** | - | - | - | - | - | - | - | - | - | - |
| 1977-78 | **Montréal (Canadiens)** | **LHN** | **30** | **1729** | **77** | **22** | **3** | **4** | **1** | **2.67** | **4** | **0** | - | - | - | - | - | - | - | - | - | - |
| 1978-79 | **Montréal (Canadiens)** | **LHN** | **34** | **1986** | **94** | **22** | **7** | **4** | **3** | **2.84** | **3** | **2** | **1** | **20** | **0** | **1** | **0** | **-** | **0** | **0.00** | **0** | **0** |
| 1979-80 | **Montréal (Canadiens)** | **LHN** | **39** | **2259** | **125** | **17** | **13** | **8** | **3** | **3.32** | **2** | **4** | **5** | **300** | **11** | **4** | **1** | **-** | **1** | **2.20** | **0** | **0** |
| 1980-81 | **Montréal (Canadiens)** | **LHN** | **28** | **1623** | **82** | **16** | **9** | **3** | **1** | **3.03** | **1** | **2** | - | - | - | - | - | - | - | - | - | - |
| | Toronto (Maple Leafs) | LHN | 8 | 460 | 40 | 3 | 3 | 2 | 0 | 5,22 | 0 | 0 | 2 | 75 | 8 | 0 | 1 | - | 0 | 6.40 | 0 | 0 |
| 1981-82 | Toronto (Maple Leafs) | LHN | 50 | 2647 | 207 | 10 | 24 | 8 | 0 | 4.69 | 3 | 2 | - | - | - | - | - | - | - | - | - | - |
| 1982-83 | Toronto (Maple Leafs) | LHN | 16 | 835 | 68 | 3 | 8 | 3 | 0 | 4.89 | 0 | 0 | - | - | - | - | - | - | - | - | - | - |
| | Philadelphie (Flyers) | LHN | 2 | 120 | 8 | 0 | 1 | 1 | 0 | 4.00 | 0 | 0 | - | - | - | - | - | - | - | - | - | - |
| 1983-84 | Springfield (Indians) | AHL | 5 | 301 | 21 | 3 | 2 | 0 | 0 | 4.18 | - | - | - | - | - | - | - | - | - | - | - | - |
| | St. Louis (Blues) | LHN | 5 | 300 | 31 | 0 | 5 | 0 | 0 | 6.20 | 0 | 0 | - | - | - | - | - | - | - | - | - | - |
| 1984-85 | Peoria (Rivermen) | IHL | 13 | 786 | 41 | 7 | 3 | 3 | 0 | 3.13 | - | - | - | - | - | - | - | - | - | - | - | - |
| | **LHN** | | **312** | **17615** | **978** | **160** | **89** | **45** | **17** | **3.33** | **18** | **18** | **14** | **759** | **37** | **6** | **6** | **-** | **1** | **2.92** | **2** | **0** |
| | **Montréal** | | **231** | **13253** | **624** | **144** | **48** | **31** | **17** | **2.83** | **15** | **14** | **12** | **684** | **29** | **6** | **5** | **-** | **1** | **2.54** | **2** | **0** |

• Deuxième équipe d'étoiles (OHA Jr) en 1970-71 • Première équipe d'étoiles (OMJHL) en 1971-72 • Deuxième équipe d'étoiles (AHL) en 1972-73 • Trophée Harry-Holmes (AHL) avec Michel Deguise en 1972-73 • Coupe Stanley (LHN) en 1975-76, 1976-77, 1977-78, 1978-79 • Trophée Georges-Vézina (LHN) avec Ken Dryden en 1976-77, 1977-78, 1978-79 • Trophée Georges-Vézina (LHN) avec Denis Herron et Richard Sévigny en 1980-81
• Échangé à Toronto par Montréal pour Robert Picard le 10 mars 1981 • Échangé à Philadelphie par Toronto pour Rick St-Croix le 11 janvier 1983 • Droits vendus à St. Louis par Philadelphie le 5 janvier 1984

| | | | SAISONS RÉGULIÈRES | | | | | | | | | | SÉRIES ÉLIMINATOIRES | | | | | | | | | |
|---|---|---|---|---|---|---|---|---|---|---|---|---|---|---|---|---|---|---|---|---|---|---|
| SAISON | CLUB | LIGUE | PJ | MIN | BC | G | P | N | BL | MOY | A | PUN | PJ | MIN | BC | G | P | N | BL | MOY | A | PUN |

## LAVIOLETTE, JEAN-BAPTISTE (JACK)

Né à Belleville, Ontario, le 27 juillet 1879, décédé le 9 janvier 1960. Défenseur/Ailier droit, lance de la droite, 5'11", 170 lb

| SAISON | CLUB | LIGUE | PJ | MIN | BC | G | P | N | BL | MOY | A | PUN | PJ | MIN | BC | G | P | N | BL | MOY | A | PUN |
|---|---|---|---|---|---|---|---|---|---|---|---|---|---|---|---|---|---|---|---|---|---|---|
| 1909-10 Montréal (Canadiens) | NHA | 1 | 5 | 0 | 1 | 0 | 0 | 0 | 0.00 | 0 | 0 | - | - | - | - | - | - | - | - | - | - |
| | NHA | 1 | 5 | 0 | 1 | 0 | 0 | 0 | 0.00 | 0 | 0 | - | - | - | - | - | - | - | - | - | - |
| | Montréal | 1 | 5 | 0 | 1 | 0 | 0 | 0 | 0.00 | 0 | 0 | - | - | - | - | - | - | - | - | - | - |

• A remplacé Larochelle suite à une punition le 11 mars 1910

## LEDUC, ALBERT

Né à Valleyfield, Québec, le 22 novembre 1902, décédé le 31 juillet 1990. Défenseur, lance de la droite, 5'9", 180 lb

| SAISON | CLUB | LIGUE | PJ | MIN | BC | G | P | N | BL | MOY | A | PUN | PJ | MIN | BC | G | P | N | BL | MOY | A | PUN |
|---|---|---|---|---|---|---|---|---|---|---|---|---|---|---|---|---|---|---|---|---|---|---|
| 1931-32 Montréal (Canadiens) | LNH | 1 | 2 | 1 | 0 | 0 | 0 | 0 | 30.00 | 0 | 0 | - | - | - | - | - | - | - | - | - | - |
| | LNH | 1 | 2 | 1 | 0 | 0 | 0 | 0 | 30.00 | 0 | 0 | - | - | - | - | - | - | - | - | - | - |
| | Montréal | 1 | 2 | 1 | 0 | 0 | 0 | 0 | 30.00 | 0 | 0 | - | - | - | - | - | - | - | - | - | - |

• A remplacé George Hainsworth suite à une punition le 2 décembre 1931.

## MANIAGO, CESARE

Né à Trail, Colombie-Britannique, le 13 janvier 1939. Gardien, attrape de la gauche, 6'3", 195 lb

| SAISON | CLUB | LIGUE | PJ | MIN | BC | G | P | N | BL | MOY | A | PUN | PJ | MIN | BC | G | P | N | BL | MOY | A | PUN |
|---|---|---|---|---|---|---|---|---|---|---|---|---|---|---|---|---|---|---|---|---|---|---|
| 1957-58 St-Michael's (Majors) | OHA | 48 | 2880 | 173 | 21 | 19 | 7 | *2 | 3.60 | - | | - | - | - | - | - | - | - | - | - | - |
| 1958-59 St-Michael's (Majors) | OHA | 42 | 2520 | 131 | - | - | - | *4 | 3.12 | - | | - | - | - | - | - | - | - | - | - | - |
| 1959-60 Kitchener-Waterloo | OHA Sr | 38 | 2240 | 149 | - | - | - | 0 | 3.99 | - | | - | - | - | - | - | - | - | - | - | - |
| Chatham (Maroons) | Allan | 14 | 850 | 40 | 10 | 3 | 1 | *3 | *2.82 | - | | - | - | - | - | - | - | - | - | - | - |
| 1960-61 Vancouver (Canucks) | WHL | 2 | 120 | 5 | 2 | 0 | 0 | 0 | 2.50 | - | | - | - | - | - | - | - | - | - | - | - |
| Spokane (Comets) | WHL | 30 | 1800 | 90 | 17 | 10 | 3 | 1 | 3.00 | - | | 4 | 240 | 19 | 1 | 3 | | 0 | 4.75 | - | - |
| Toronto (Maple Leafs) | LNH | 7 | 420 | 18 | 4 | 2 | 1 | 0 | 2.57 | 0 | 2 | 2 | 145 | 6 | 1 | 1 | | 0 | 2.48 | 0 | 0 |
| Sudbury (Wolves) | EPHL | 11 | 660 | 19 | 7 | 3 | 1 | 3 | 1.73 | - | | - | - | - | - | - | - | - | - | - | - |
| 1961-62 Hull-Ottawa (Canadien) | EPHL | 68 | 4080 | 168 | *37 | 21 | 10 | 3 | *2.47 | - | | *13 | *823 | 32 | *8 | 5 | | 0 | *2.33 | - | - |
| 1962-63 **Montréal (Canadiens)** | **LNH** | **14** | **820** | **42** | **5** | **5** | **4** | **0** | **3.07** | **0** | **2** | - | - | - | - | - | - | - | - | - | - |
| Québec (As) | AHL | 5 | 300 | 19 | 2 | 3 | 0 | 0 | 3.80 | - | | - | - | - | - | - | - | - | - | - | - |
| Spokane (Comets) | WHL | 1 | 60 | 4 | 0 | 1 | 0 | 0 | 4.00 | - | | - | - | - | - | - | - | - | - | - | - |
| Hull-Ottawa (Canadien) | EPHL | 28 | 1680 | 86 | 13 | 11 | 4 | 1 | 3.07 | - | | 3 | 185 | 9 | 0 | 3 | | 0 | 2.92 | - | - |
| 1963-64 Buffalo (Bisons) | AHL | 27 | 1630 | 103 | 11 | 13 | 1 | 0 | 3.82 | - | | - | - | - | - | - | - | - | - | - | - |
| Omaha (Knights) | CPHL | 6 | 360 | 23 | 2 | 2 | 2 | 0 | 3.83 | - | | - | - | - | - | - | - | - | - | - | - |
| 1964-65 Minneapolis (Bruins) | CPHL | 67 | 4020 | 184 | 34 | 26 | 7 | *6 | *2.75 | - | | 5 | 300 | 19 | 1 | 4 | | *1 | 3.80 | - | - |
| 1965-66 Baltimore (Clippers) | AHL | 27 | 1572 | 83 | 11 | 16 | 0 | 1 | 3.17 | - | | - | - | - | - | - | - | - | - | - | - |
| New York (Rangers) | LNH | 28 | 1613 | 94 | 9 | 16 | 3 | 2 | 3.50 | 2 | 2 | - | - | - | - | - | - | - | - | - | - |
| 1966-67 New York (Rangers) | LNH | 6 | 219 | 14 | 0 | 3 | 1 | 0 | 3.84 | - | | - | - | - | - | - | - | - | - | - | - |
| 1967-68 Minnesota (North Stars) | LNH | 52 | 2877 | 133 | 21 | 17 | 9 | 6 | 2.77 | 0 | 12 | 14 | 893 | 39 | 7 | 7 | | 0 | 2.62 | 0 | 0 |
| 1968-69 Minnesota (North Stars) | LNH | 64 | 3599 | 198 | 18 | 33 | 10 | 1 | 3.30 | 0 | 12 | - | - | - | - | - | - | - | - | - | - |
| 1969-70 Minnesota (North Stars) | LNH | 50 | 2887 | 163 | 9 | 24 | 16 | 2 | 3.39 | 2 | 2 | 3 | 180 | 6 | 1 | 2 | | *1 | 2.00 | 0 | 0 |
| 1970-71 Minnesota (North Stars) | LNH | 40 | 2380 | 107 | 19 | 15 | 6 | 5 | 2.70 | 1 | 2 | 8 | 480 | 28 | 3 | 5 | | 0 | 3.50 | 0 | 0 |
| 1971-72 Minnesota (North Stars) | LNH | 43 | 2539 | 112 | 20 | 17 | 4 | 5 | 2.65 | 0 | 4 | 4 | 238 | 12 | 1 | 3 | | 0 | 3.03 | 0 | 0 |
| 1972-73 Minnesota (North Stars) | LNH | 47 | 2736 | 132 | 21 | 18 | 6 | 5 | 2.89 | 0 | 2 | 5 | 309 | 9 | 2 | 3 | ù*2 | *1.75 | 0 | 2 |
| 1973-74 Minnesota (North Stars) | LNH | 40 | 2378 | 138 | 12 | 18 | 10 | 1 | 3.48 | 0 | 2 | - | - | - | - | - | - | - | - | - | - |
| 1974-75 Minnesota (North Stars) | LNH | 37 | 2129 | 149 | 11 | 21 | 4 | 1 | 4.20 | 0 | 2 | - | - | - | - | - | - | - | - | - | - |
| 1975-76 Minnesota (North Stars) | LNH | 47 | 2704 | 151 | 13 | 27 | 5 | 2 | 3.35 | 0 | 11 | - | - | - | - | - | - | - | - | - | - |
| 1976-77 Vancouver (Canucks) | LNH | 47 | 2699 | 151 | 17 | 21 | 9 | 1 | 3.36 | 1 | 0 | - | - | - | - | - | - | - | - | - | - |
| 1977-78 Vancouver (Canucks) | LNH | 46 | 2570 | 172 | 10 | 24 | 8 | 1 | 4.02 | 0 | 18 | - | - | - | - | - | - | - | - | - | - |
| | LNH | 568 | 32570 | 1773 | 189 | 259 | 96 | 30 | 3.27 | 4 | 71 | 36 | 2245 | 100 | 15 | 21 | - | 3 | 2.67 | 0 | 2 |
| | Montréal | 14 | 820 | 42 | 5 | 5 | 4 | 0 | 3.07 | 0 | 2 | - | - | - | - | - | - | - | - | - | - |

• Deuxième équipe d'étoiles (EPHL) en 1961-62 • Première équipe d'étoiles (CPHL) en 1964-65 • Trophée Terry-Sawchuk (CPHL) en 1964-65 • Trophée Tommy-Ivan (CPHL) en 1964-65
• Réclamé par Montréal de Toronto au repêchage intra-ligue le 12 juin 1961 • Échangé à New York (Rangers) par Montréal avec Garry Peters pour Noel Price, Dave McComb, Earl Ingarfield, et Gord Labossière le 8 juin 1965 • Réclamé par Minnesota de New York au repêchage d'expansion de la LNH le 6 juin 1967 • Échangé à Vancouver par Minnesota pour Gary Smith le 23 août 1976

## McNEIL, GÉRARD (GERRY)

Né à Québec, Québec, le 17 avril 1926. Gardien, attrape de la gauche, 5'7", 155 lb

| SAISON | CLUB | LIGUE | PJ | MIN | BC | G | P | N | BL | MOY | A | PUN | PJ | MIN | BC | G | P | N | BL | MOY | A | PUN |
|---|---|---|---|---|---|---|---|---|---|---|---|---|---|---|---|---|---|---|---|---|---|---|
| 1943-44 Montréal (Royals) | LHJQ | 3 | 180 | 10 | - | - | - | 0 | 3.33 | - | | 7 | 420 | 30 | - | - | | 0 | 4.29 | - | - |
| Montréal (Royals) | LHSQ | 21 | 1260 | 110 | - | - | - | 1 | 5.24 | - | | - | - | - | - | - | - | - | - | - | - |
| 1944-45 Montréal (Royals) | LHSQ | 23 | 1350 | 90 | - | - | - | 0 | 4.00 | - | | 7 | 420 | 30 | - | - | | *1 | 4.29 | - | - |
| 1945-46 Montréal (Royals) | LHSQ | 26 | 1560 | 87 | - | - | - | 1 | *3.35 | - | | 11 | 660 | 31 | - | - | | 0 | *2.82 | - | - |
| 1946-47 Montréal (Royals) | LHSQ | 40 | 2400 | 124 | - | - | - | *2 | *3.10 | - | | 11 | 660 | 22 | - | - | | 0 | 2.00 | - | - |
| 1947-48 Montréal (Royals) | LHSQ | 47 | 2820 | 156 | - | - | - | *3 | 3.32 | - | | 3 | 180 | 9 | 0 | 3 | 0 | 0 | 3.00 | - | - |
| **Montréal (Canadiens)** | **LNH** | **2** | **95** | **7** | **0** | **1** | **1** | **0** | **4.42** | **0** | **0** | - | - | - | - | - | - | - | - | - | - |
| 1948-49 Montréal (Royals) | LHSQ | 59 | 3540 | 178 | 35 | 19 | 5 | *5 | 3.02 | - | | 9 | 540 | 25 | 3 | 4 | 0 | 1 | 2.78 | - | - |
| 1949-50 Cincinnati (Mohawks) | AHL | 55 | 3300 | 201 | 12 | 30 | 13 | 3 | 3.65 | - | | - | - | - | - | - | - | - | - | - | - |
| **Montréal (Canadiens)** | **LNH** | **6** | **360** | **9** | **3** | **1** | **2** | **1** | **1.50** | **0** | **0** | 2 | 135 | 5 | 1 | 1 | | 0 | 2.22 | 0 | 0 |
| 1950-51 **Montréal (Canadiens)** | **LNH** | ***70** | ***4200** | **184** | **25** | **30** | **15** | **6** | **2.63** | **0** | **0** | *11 | *785 | 25 | *5 | 6 | | 1 | 1.91 | 0 | 0 |
| 1951-52 **Montréal (Canadiens)** | **LNH** | ***70** | ***4200** | **164** | **34** | **26** | **10** | **5** | **2.34** | **0** | **0** | *11 | *688 | 23 | 4 | 7 | | 1 | 2.01 | 0 | 0 |
| Match des étoiles | LNH | 1 | 31 | 1 | 0 | 1 | 0 | 0 | 1.97 | 0 | | - | - | - | - | - | - | - | - | - | - |
| 1952-53 **Montréal (Canadiens)** | **LNH** | **66** | **3960** | **140** | **25** | **23** | **18** | ***10** | **2.12** | **0** | **0** | 8 | 486 | 16 | *5 | 3 | | *2 | 1.98 | 0 | 0 |
| Match des étoiles | LNH | 1 | 30 | 0 | 0 | 0 | 0 | 0 | 0.00 | 0 | | - | - | - | - | - | - | - | - | - | - |
| 1953-54 **Montréal (Canadiens)** | **LNH** | **53** | **3180** | **114** | **28** | **19** | **6** | **6** | **2.15** | **0** | **0** | 3 | 190 | 3 | 2 | 1 | | 1 | 0.95 | 0 | 0 |
| Match des étoiles | LNH | 1 | 60 | 2 | 1 | 0 | 0 | 0 | 2.00 | 0 | | - | - | - | - | - | - | - | - | - | - |
| 1954-55 | | | | | | N'a pas joué | | | | | | | | | | | | | | | | |
| 1955-56 Montréal (Royals) | LHQ | 54 | 3330 | 128 | 30 | 17 | 7 | *5 | *2.31 | - | | 19 | 1161 | 63 | 9 10 | | | 1 | 3.26 | - | - |
| 1956-57 Montréal (Royals) | LHQ | 59 | 3610 | 175 | 26 | 28 | 4 | 3 | 2.91 | - | | 4 | 245 | 11 | 0 | 4 | 0 | 0 | 2.69 | - | - |
| **Montréal (Canadiens)** | **LNH** | **9** | **540** | **31** | **4** | **5** | **0** | **0** | **3.56** | **0** | **2** | - | - | - | - | - | - | - | - | - | - |
| 1957-58 Rochester (Americans) | AHL | *68 | *4158 | 229 | 28 | 34 | 6 | 5 | 3.30 | - | | 5 | 304 | 12 | 1 | 4 | 0 | 0 | *2.37 | - | - |
| 1958-59 Rochester (Americans) | AHL | 66 | 4010 | 199 | 31 | 30 | 5 | 2 | 2.98 | - | | - | - | - | - | - | - | - | - | - | - |
| 1959-60 Montréal (Royals) | EPHL | 28 | 1680 | 67 | 13 | 9 | 6 | 5 | *2.39 | - | | *14 | 842 | 34 | *8 | 6 | 0 | *1 | 2.42 | - | - |
| 1960-61 Québec (As) | AHL | 50 | 2933 | 176 | 21 | 27 | 1 | 3 | 3.60 | - | | - | - | - | - | - | - | - | - | - | - |
| | LNH | 276 | 16535 | 649 | 119 | 105 | 52 | 28 | 2.36 | 0 | 2 | 35 | 2284 | 72 | 17 | 18 | - | 5 | 1.89 | 0 | 0 |
| | Montréal | 276 | 16535 | 649 | 119 | 105 | 52 | 28 | 2.36 | 0 | 2 | 35 | 2284 | 72 | 17 | 18 | - | 5 | 1.89 | 0 | 0 |

• Première équipe d'étoiles (LHSQ) 1946-47, 1947-48, 1948-49 • Trophée Vimy (LHSQ) en 1946-47, 1947-48, 1948-49 • Match des étoiles (LNH) en 1951-52, 1952-53, 1953-54
• Coupe Stanley (LNH) en 1952-53 • Deuxième équipe d'étoiles (LNH) en 1952-53 • Première équipe d'étoiles (LHQ) en 1955-56 • Trophée Georges-Vézina (LHQ) en 1955-56
• Deuxième équipe d'étoiles (AHL) en 1957-58
• Signe avec Montréal en septembre 1950

| SAISON | CLUB | LIGUE | PJ | MIN | BC | G | P | N | BL | MOY | A | PUN | PJ | MIN | BC | G | P | N | BL | MOY | A | PUN |
|---|---|---|---|---|---|---|---|---|---|---|---|---|---|---|---|---|---|---|---|---|---|---|

SAISONS RÉGULIÈRES · SÉRIES ÉLIMINATOIRES

## MELANSON, ROLAND

Né à Moncton, Nouveau-Brunswick, le 28 juin 1960. Gardien, attrape de la gauche, 5'10", 185 lb (4e choix de New York (Islanders), 59e au total lors du repêchage de 1979)

| SAISON | CLUB | LIGUE | PJ | MIN | BC | G | P | N | BL | MOY | A | PUN | PJ | MIN | BC | G | P | N | BL | MOY | A | PUN |
|---|---|---|---|---|---|---|---|---|---|---|---|---|---|---|---|---|---|---|---|---|---|---|
| 1976-77 | Moncton (Century Flyers) | NBAHA | 70 | 4198 | 147 | - | - | - | *14 | 2.09 | - | - | 6 | 360 | 14 | 4 | 1 | 1 | 0 | 2.33 | - | - |
| 1977-78 | Windsor (Spitfires) | OMJHL | 44 | 2592 | 195 | - | - | - | 1 | 4.51 | - | - | 5 | 258 | 13 | 1 | 2 | 1 | 0 | 3.02 | - | - |
| 1978-79 | Windsor (Spitfires) | OMJHL | *62 | *3461 | 254 | - | - | - | 1 | 4.40 | - | - | 7 | 392 | 31 | - | - | - | 0 | 4.74 | - | - |
| 1979-80 | Windsor (Spitfires) | OMJHL | 22 | 1099 | 90 | 11 | 8 | 0 | 0 | 4.91 | - | - | - | | | | | | | | | |
| | Oshawa (Generals) | OMJHL | 38 | 2240 | 136 | 26 | 12 | 0 | *3 | 3.64 | - | - | 7 | 420 | 32 | 3 | 4 | - | 0 | 4.57 | - | - |
| 1980-81 | New York (Islanders) | LNH | 11 | 620 | 32 | 8 | 1 | 1 | 0 | 3.10 | - | - | 3 | 92 | 6 | 1 | 0 | - | 0 | 3.91 | - | - |
| | Indianapolis (Checkers) | CHL | *52 | *3056 | 131 | 31 | 16 | 3 | 2 | *2.57 | - | - | - | | | | | | | | | |
| 1981-82 | New York (Islanders) | LNH | 36 | 2115 | 114 | 22 | 7 | 6 | 0 | 3.23 | 0 | 14 | 3 | 64 | 5 | 0 | 1 | - | 0 | 4.69 | - | - |
| 1982-83 | New York (Islanders) | LNH | 44 | 2460 | 109 | 24 | 12 | 5 | 1 | 2.66 | 3 | 22 | 5 | 238 | 10 | 2 | 2 | - | 0 | 2.52 | - | - |
| 1983-84 | New York (Islanders) | LNH | 37 | 2019 | 110 | 20 | 11 | 4 | 0 | 3.27 | 2 | 10 | 6 | 87 | 5 | - | 1 | - | 0 | 3.45 | 0 | 2 |
| 1984-85 | New York (Islanders) | LNH | 8 | 425 | 35 | 3 | 3 | 0 | 0 | 4.94 | 0 | 0 | - | | | | | | | | | |
| | Minnesota (North Stars) | LNH | 20 | 1142 | 78 | 5 | 10 | 4 | 0 | 4.10 | 0 | 9 | - | | | | | | | | | |
| 1985-86 | Minnesota (North Stars) | LNH | 6 | 325 | 24 | 2 | 1 | 2 | 0 | 4.43 | 0 | 0 | - | | | | | | | | | |
| | Los Angeles (Kings) | LNH | 22 | 1246 | 87 | 4 | 16 | 1 | 0 | 4.19 | 0 | 8 | - | | | | | | | | | |
| | New Haven (Nighthawks) | AHL | 3 | 179 | 13 | 1 | 2 | 0 | 0 | 4.36 | 0 | 0 | - | | | | | | | | | |
| 1986-87 | Los Angeles (Kings) | LNH | 46 | 2734 | 168 | 18 | 21 | 6 | 1 | 3.69 | 6 | 22 | 5 | 260 | 24 | 1 | 4 | - | 0 | 5.54 | 0 | 4 |
| 1987-88 | Los Angeles (Kings) | LNH | 47 | 2676 | 195 | 17 | 20 | 7 | 2 | 4.37 | 0 | 16 | 1 | 60 | 9 | 0 | 1 | - | 0 | 9.00 | 0 | 0 |
| 1988-89 | Los Angeles (Kings) | LNH | 4 | 178 | 19 | 1 | 1 | 0 | 0 | 6.40 | 0 | 4 | - | | | | | | | | | |
| | New Haven (Nighthawks) | LNH | 29 | 1734 | 106 | 11 | 15 | 3 | 1 | 3.67 | - | - | 17 | 1019 | 74 | 9 | 8 | - | 1 | 4.36 | - | - |
| 1989-90 | Utica (Devils) | AHL | 48 | 2737 | 167 | 24 | 19 | 3 | 1 | 3.66 | - | - | 5 | 298 | 20 | 1 | 4 | - | 0 | 4.03 | - | - |
| 1990-91 | New Jersey (Devils) | LNH | 1 | 20 | 2 | 0 | 0 | 0 | 0 | 6.00 | 0 | 0 | - | | | | | | | | | |
| | Utica (Devils) | AHL | 54 | 3058 | 208 | 23 | 28 | 1 | 0 | 4.08 | - | - | - | | | | | | | | | |
| 1991-92 | Montréal (Canadiens) | LNH | 9 | 492 | 22 | 5 | 3 | 0 | 2 | 2.68 | 0 | 0 | - | | | | | | | | | |
| 1992-93 | Brantford (Smoke) | ColHL | 14 | 811 | 54 | - | - | - | *1 | 4.00 | - | - | 15 | 844 | 50 | *11 | 3 | - | 0 | 3.55 | - | - |
| 1993-94 | Saint-John (Flames) | AHL | 7 | 270 | 20 | 1 | 2 | 0 | 0 | 4.44 | - | - | - | | | | | | | | | |
| | **LNH** | | 291 | 16452 | 995 | 129 | 106 | 33 | 6 | 3.63 | 11 | 105 | 23 | 801 | 59 | 4 | 9 | - | 0 | 4.42 | 0 | 6 |
| | **Montréal** | | 9 | 492 | 22 | 5 | 3 | 0 | 2 | 2.68 | 0 | 0 | - | | | | | | | | | |

• Deuxième équipe d'étoiles (OMJHL) en 1978-79 • Première équipe d'étoiles (CHL) en 1980-81 • Trophée Ken-McKenzie (CHL) en 1980-81 • Coupe Stanley (LNH) en 1980-81, 1981-82, 1982-83 • Deuxième équipe d'étoiles (LNH) en 1982-83 • Trophée William-M.-Jennings (LNH) avec Billy Smith en 1982-83
• Échangé au Minnesota par New York (Islanders) pour le 1er choix du Minnesota au repêchage de 1985 (Brad Dalgarno) le 19 novembre 1984 • Échangé à New York (Rangers) par Minnesota pour le choix de 2e ronde de New York (Rangers) au repêchage de 1986 (Neil Wilkinson) et le choix de 4e ronde (Rangers) au repêchage de 1987 (John Weisbrod) le 9 décembre 1985 • Signe avec New Jersey comme agent libre le 10 août 1989 • Échangé à Montréal par New Jersey avec Kirk Muller pour Stéphane Richer et Tom Chorske le 20 septembre 1991

**MEL·MOO**

## MICHAUD, OLIVIER

Né à Beloeil, Québec, le 14 septembre 1983. Gardien, attrape de la gauche, 5'11", 179 lb

| SAISON | CLUB | LIGUE | PJ | MIN | BC | G | P | N | BL | MOY | A | PUN | PJ | MIN | BC | G | P | N | BL | MOY | A | PUN |
|---|---|---|---|---|---|---|---|---|---|---|---|---|---|---|---|---|---|---|---|---|---|---|
| 1998-99 | Charles-Lemoyne | QAAA | 7 | 420 | 15 | 6 | 1 | 0 | 1 | 2.14 | - | - | - | | | | | | | | | |
| 1999-00 | Charles-Lemoyne | QAAA | 16 | 886 | 57 | 8 | 4 | 2 | 0 | 3.86 | - | - | 16 | 1015 | 29 | 8 | 8 | - | 2 | 1.71 | - | - |
| | Shawinigan (Cataractes) | LHJMQ | 1 | 49 | 2 | 0 | 1 | 0 | 0 | 2.44 | - | - | - | | | | | | | | | |
| 2000-01 | Shawinigan (Cataractes) | LHJMQ | 21 | 1096 | 54 | 12 | 4 | 4 | 1 | 2.96 | - | - | 3 | 150 | 6 | 1 | 2 | - | 0 | 2.41 | - | - |
| 2001-02 | Shawinigan (Cataractes) | LHJMQ | 46 | 2650 | 108 | 29 | 11 | 3 | 3 | *2.45 | - | - | 12 | 744 | 36 | 7 | 5 | - | 0 | 2.91 | - | - |
| | **Montréal (Canadiens)** | LNH | 1 | 18 | 0 | 0 | 0 | 0 | 0 | 0.00 | 0 | 0 | - | | | | | | | | | |
| | Canada | CMJ | 2 | 120 | 5 | - | - | - | 0 | 2.50 | - | - | - | | | | | | | | | |
| 2002-03 | Shawinigan (Cataractes) | LHJMQ | 27 | 1497 | 82 | 8 | 13 | 3 | 1 | 3.28 | 0 | 0 | - | | | | | | | | | |
| | Baie-Comeau (Drakkar) | LHJMQ | 31 | 1775 | 90 | 23 | 5 | 2 | 3 | 3.04 | 0 | 0 | 12 | 748 | 38 | 7 | 5 | - | 0 | 3.05 | 0 | 0 |
| | **LNH** | | 1 | 18 | 0 | 0 | 0 | 0 | 0 | 0.00 | 0 | 0 | - | | | | | | | | | |
| | **Montréal** | | 1 | 18 | 0 | 0 | 0 | 0 | 0 | 0.00 | 0 | 0 | - | | | | | | | | | |

• Trophée Jacques-Plante (LHJMQ) en 2001-02 • Trophée Marcel-Robert (LHJMQ) en 2001-02 • Trophée Paul-Dumont (LHJMQ) en 2001-02
• Signe avec Montréal comme agent libre le 18 septembre 2001

## MOOG, ANDY

Né à Penticton, Colombie-Britannique, le 18 février 1960. Gardien, attrape de la gauche, 5'8", 175 lb (6e choix d'Edmonton, 132e au total lors du repêchage de 1980)

| SAISON | CLUB | LIGUE | PJ | MIN | BC | G | P | N | BL | MOY | A | PUN | PJ | MIN | BC | G | P | N | BL | MOY | A | PUN |
|---|---|---|---|---|---|---|---|---|---|---|---|---|---|---|---|---|---|---|---|---|---|---|
| 1976-77 | Kamloops (Braves) | BCJHL | 44 | 2735 | 173 | 18 | 26 | 0 | 1 | 3.81 | - | - | - | | | | | | | | | |
| 1977-78 | Penticton (Vees) | BCJHL | 38 | 2280 | 194 | 19 | 19 | 0 | 0 | 5.11 | - | - | - | | | | | | | | | |
| 1978-79 | Billings (Bighorns) | WHL | 26 | 1306 | 90 | 13 | 5 | 4 | 4 | 4.13 | - | - | 5 | 229 | 21 | 1 | 3 | - | 0 | 5.50 | - | - |
| 1979-80 | Billings (Bighorns) | WHL | 46 | 2435 | 149 | 23 | 14 | 1 | 1 | 3.67 | - | - | 3 | 190 | 10 | 2 | 1 | - | 0 | 3.16 | - | - |
| 1980-81 | Edmonton (Oilers) | LNH | 7 | 313 | 20 | 3 | 3 | 0 | 0 | 3.83 | 1 | - | 9 | 526 | 32 | 5 | 4 | - | 0 | 3.65 | - | - |
| | Wichita (Wind) | CHL | 29 | 1602 | 89 | 14 | 13 | 1 | 0 | 3.33 | - | - | 5 | 300 | 16 | 3 | 2 | - | 0 | 3.20 | - | - |
| 1981-82 | Edmonton (Oilers) | LNH | 8 | 399 | 32 | 3 | 5 | 0 | 0 | 4.81 | 1 | 2 | - | | | | | | | | | |
| | Wichita (Wind) | CHL | 40 | 2391 | 119 | 23 | 13 | 3 | 1 | 2.99 | - | - | 7 | 434 | 23 | 3 | 4 | - | 0 | 3.18 | - | - |
| 1982-83 | Edmonton (Oilers) | LNH | 50 | 2833 | 167 | 33 | 8 | 7 | 1 | 3.54 | 4 | 16 | 16 | 949 | 48 | 11 | 5 | - | 0 | 3.03 | - | - |
| 1983-84 | Edmonton (Oilers) | LNH | 38 | 2212 | 139 | 27 | 8 | 1 | 1 | 3.77 | 1 | 4 | 7 | 263 | 12 | 4 | 0 | - | 0 | 2.74 | 0 | 2 |
| 1984-85 | Edmonton (Oilers) | LNH | 39 | 2019 | 111 | 22 | 9 | 3 | 1 | 3.30 | 1 | 4 | 2 | 20 | 0 | 0 | 0 | - | 0 | 0.00 | 0 | 0 |
| | Match des étoiles | LNH | 1 | 31 | 2 | 0 | 0 | 0 | 0 | 3.89 | 0 | 0 | - | | | | | | | | | |
| 1985-86 | Edmonton (Oilers) | LNH | 47 | 2664 | 164 | 27 | 9 | 7 | 1 | 3.69 | 4 | 8 | 1 | 60 | 1 | 0 | 0 | - | 0 | 1.00 | 0 | 0 |
| | Match des étoiles | LNH | 1 | 32 | 4 | 0 | 1 | 0 | 0 | 7.49 | 0 | 0 | - | | | | | | | | | |
| 1986-87 | Edmonton (Oilers) | LNH | 46 | 2461 | 144 | 28 | 11 | 3 | 0 | 3.51 | 2 | 8 | 2 | 120 | 8 | 2 | 0 | - | 0 | 4.00 | 0 | 0 |
| 1987-88 | Canada | Éq. nat. | 27 | 1438 | 86 | 10 | 7 | 0 | 1 | 3.58 | - | - | - | | | | | | | | | |
| | Canada | JO | 4 | 240 | 9 | 4 | 0 | 0 | 1 | 2.55 | - | - | - | | | | | | | | | |
| | Boston (Bruins) | LNH | 6 | 360 | 17 | 4 | 2 | 0 | 0 | 2.83 | 0 | 0 | 7 | 354 | 25 | 1 | 4 | - | 0 | 4.24 | 0 | 0 |
| 1988-89 | Boston (Bruins) | LNH | 41 | 2482 | 133 | 18 | 14 | 8 | 1 | 3.22 | 1 | 6 | 6 | 359 | 14 | 4 | 2 | - | 0 | 2.34 | 1 | 0 |
| 1989-90 | Boston (Bruins) | LNH | 46 | 2536 | 122 | 24 | 10 | 7 | 3 | 2.89 | 3 | 18 | 20 | 1195 | 44 | 13 | 7 | - | 2 | *2.21 | 0 | 6 |
| 1990-91 | Boston (Bruins) | LNH | 51 | 2844 | 136 | 25 | 13 | 9 | 4 | 2.87 | 2 | 20 | 19 | 1133 | 60 | 10 | 9 | - | 0 | 3.18 | 0 | 4 |
| | Match des étoiles | LNH | 1 | 30 | 6 | 0 | 1 | 0 | 0 | 11.92 | 0 | 0 | - | | | | | | | | | |
| 1991-92 | Boston (Bruins) | LNH | 62 | 3640 | 196 | 28 | 22 | 9 | 1 | 3.23 | 3 | 52 | 15 | 866 | 46 | 8 | 7 | - | 1 | 3.19 | 1 | 17 |
| 1992-93 | Boston (Bruins) | LNH | 55 | 3194 | 168 | 37 | 14 | 3 | 3 | 3.16 | 1 | 14 | 3 | 161 | 14 | 0 | 3 | - | 0 | 5.22 | 0 | 0 |
| 1993-94 | Dallas (Stars) | LNH | 55 | 3121 | 170 | 24 | 20 | 7 | 2 | 3.27 | 1 | 14 | 4 | 246 | 12 | 1 | 3 | - | 0 | 2.93 | 0 | 0 |
| 1994-95 | Dallas (Stars) | LNH | 31 | 1770 | 72 | 10 | 12 | 7 | 2 | 2.44 | 1 | 14 | 5 | 277 | 16 | 1 | 4 | - | 0 | 3.47 | 0 | 0 |
| 1995-96 | Dallas (Stars) | LNH | 41 | 2228 | 111 | 13 | 19 | 7 | 1 | 2.99 | 0 | 28 | - | | | | | | | | | |
| 1996-97 | Dallas (Stars) | LNH | 48 | 2738 | 98 | 28 | 13 | 5 | 3 | 2.15 | 1 | 12 | 7 | 449 | 21 | 3 | 4 | - | 0 | 2.81 | 1 | 0 |
| | Match des étoiles | LNH | 1 | 20 | 6 | 0 | 0 | 0 | 0 | 18.00 | 0 | 0 | - | | | | | | | | | |
| 1997-98 | **Montréal (Canadiens)** | LNH | 42 | 2337 | 97 | 18 | 17 | 5 | 3 | 2.49 | 0 | 4 | 9 | 474 | 24 | 4 | 5 | - | 1 | 3.04 | 0 | 0 |
| | **LNH** | | 713 | 40151 | 2097 | 372 | 209 | 88 | 28 | 3.13 | 24 | 230 | 132 | 7452 | 377 | 68 | 57 | - | 4 | 3.04 | 3 | 31 |
| | **Montréal** | | 42 | 2337 | 97 | 18 | 17 | 5 | 3 | 2.49 | 0 | 4 | 9 | 474 | 24 | 4 | 5 | - | 1 | 3.04 | 0 | 0 |

• Deuxième équipe d'étoiles (WHL) en 1979-80 • Deuxième équipe d'étoiles (CHL) en 1981-82 • Match des étoiles (LNH) en 1984-85, 1985-86, 1990-91, 1996-97 • Coupe Stanley (LNH) en 1983-84, 1984-85, 1986-87 • Trophée William-M.-Jennings (LNH) avec Réjean Lemelin en 1989-90
• Échangé à Boston par Edmonton pour Geoff Courtnall, Bill Ranford et le choix de 3e ronde de Boston au repêchage de 1988 (Petro Koivunen) le 8 mars 1988 • Échangé à Dallas par Boston avec des considérations futures (Gord Murphy le 25 juin 1993) pour Jon Casey le 20 juin 1993 • Signe avec Montréal comme agent libre le 17 juillet 1997

## MORISSETTE, JEAN-GUY

**Né à Causapscal, Nouveau-Brunswick, le 16 décembre 1937. Gardien, attrape de la gauche, 5'8", 140 lb**

| SAISON | CLUB | LIGUE | PJ | MIN | BC | G | P | N | BL | MOY | A | PUN | PJ | MIN | BC | G | P | N | BL | MOY | A | PUN |
|---|---|---|---|---|---|---|---|---|---|---|---|---|---|---|---|---|---|---|---|---|---|---|
| 1961-62 | Amherts (Ramblers) | NSSHL | 7 | 420 | 20 | - | - | - | 1 | 2.85 | - | - | 9 | 540 | 26 | *8 | 1 | 0 | *2 | 2.89 | - | - |
| | Amherts (Ramblers) | Allan | 8 | 491 | 29 | 5 | 3 | 0 | 0 | 3.54 | - | - | - | - | - | - | - | - | - | - | - | - |
| 1962-63 | Amherts/Moncton | NSSHL | 55 | 3300 | 228 | - | - | - | *1 | 4.15 | - | - | 26 | 1570 | 82 | *18 | 8 | 0 | 0 | 3.13 | - | - |
| | Moncton (Hawks) | Allan | 15 | 910 | 51 | 10 | 5 | 0 | 0 | 3.36 | - | - | - | - | - | - | - | - | - | - | - | - |
| 1963-64 | Omaha (Knights) | CPHL | 7 | 420 | 22 | 4 | 1 | 2 | 0 | 3.14 | - | - | - | - | - | - | - | - | - | - | - | - |
| | **Montréal (Canadiens)** | **LNH** | 1 | 36 | 4 | 0 | 1 | 0 | 0 | 6.67 | 0 | 0 | - | - | - | - | - | - | - | - | - | - |
| | Cleveland (Barons) | AHL | 5 | 310 | 14 | 2 | 2 | 1 | 1 | 2.71 | - | - | *9 | 540 | 17 | *9 | 0 | 0 | 0 | *1.89 | - | - |
| | Québec (As) | AHL | 1 | 60 | 2 | 1 | 0 | 0 | 0 | 2.00 | - | - | - | - | - | - | - | - | - | - | - | - |
| 1964-65 | Cleveland (Barons) | AHL | 11 | 670 | 38 | 4 | 6 | 1 | 0 | 3.40 | - | - | - | - | - | - | - | - | - | - | - | - |
| | Baltimore (Clippers) | AHL | 20 | 1173 | 70 | 9 | 10 | 0 | 1 | 3.58 | - | - | - | - | - | - | - | - | - | - | - | - |
| | Omaha (Knights) | CPHL | 12 | 720 | 39 | 4 | 6 | 2 | 3 | 3.25 | - | - | - | - | - | - | - | - | - | - | - | - |
| | Victoria (Maple Leafs) | WHL | - | - | - | - | - | - | - | - | - | - | 2 | 125 | 6 | 1 | 1 | 0 | 0 | 2.88 | - | - |
| 1965-66 | Cleveland (Barons) | AHL | 8 | 398 | 24 | 4 | 2 | 0 | 0 | 3.62 | - | - | 1 | 24 | 1 | 0 | 0 | 0 | 0 | 2.50 | - | - |
| 1966-67 | Californie (Seals) | WHL | 8 | 440 | 21 | 5 | 2 | 0 | 1 | 2.86 | - | - | - | - | - | - | - | - | - | - | - | - |
| | Québec (As) | AHL | 9 | 409 | 19 | 3 | 2 | 1 | 0 | 2.79 | - | - | - | - | - | - | - | - | - | - | - | - |
| 1967-68 | Vancouver (Canucks) | WHL | 11 | 638 | 58 | 1 | 8 | 1 | 0 | 5.45 | - | - | - | - | - | - | - | - | - | - | - | - |
| 1968-69 | | | | | | *N'a pas joué* | | | | | | | | | | | | | | | | |
| 1969-70 | Victoriaville (Tigers) | LHSQ | | | | *Statistiques non disponibles* | | | | | | | | | | | | | | | | |
| 1970-71 | Grand Falls (Cataracts) | NFLD Sr | 35 | 2100 | 144 | 14 | 16 | 5 | 1 | 4.11 | - | - | 19 | 1140 | 47 | *13 | 6 | 0 | 2 | *2.47 | - | - |
| | Grand Falls (Cataracts) | Allan | 5 | 380 | 19 | 2 | 3 | 0 | 0 | 3.00 | - | - | - | - | - | - | - | - | - | - | - | - |
| 1971-72 | Grand Falls (Cataracts) | NFLD Sr | 33 | 1980 | 77 | *25 | 5 | 3 | *5 | *2.33 | - | - | 11 | 660 | 22 | *11 | 0 | 0 | *2 | 2.00 | - | - |
| | Grand Falls (Cataracts) | Allan | 3 | 164 | 15 | 0 | 3 | 0 | 0 | 5.49 | - | - | - | - | - | - | - | - | - | - | - | - |
| | **LNH** | | 1 | 36 | 4 | 0 | 1 | 0 | 0 | 6.67 | 0 | 0 | - | - | - | - | - | - | - | - | - | - |
| | **Montréal** | | 1 | 36 | 4 | 0 | 1 | 0 | 0 | 6.67 | 0 | 0 | - | - | - | - | - | - | - | - | - | - |

- **Coupe Calder (AHL) en 1963-64**
- Échangé à New York par Montréal avec Bill Hicke pour Dick Duff et Dave McComb le 22 décembre 1964 • Réclamé par Hershey (AHL) de Montréal le 15 juin 1966

## MURPHY, HAROLD (HAL)

**Né à Montréal, Québec, le 6 juillet 1927, décédé. Gardien, attrape de la droite, 5'9", 140 lb**

| SAISON | CLUB | LIGUE | PJ | MIN | BC | G | P | N | BL | MOY | A | PUN | PJ | MIN | BC | G | P | N | BL | MOY | A | PUN |
|---|---|---|---|---|---|---|---|---|---|---|---|---|---|---|---|---|---|---|---|---|---|---|
| 1952-53 | Montréal (Royals) | LHSQ | 3 | 180 | 6 | 2 | 1 | 0 | 0 | 2.00 | - | - | - | - | - | - | - | - | - | - | - | - |
| | **Montréal (Canadiens)** | **LNH** | 1 | 60 | 4 | 1 | 0 | 0 | 0 | 4.00 | 0 | 0 | - | - | - | - | - | - | - | - | - | - |
| 1953-54 | George Williams | QUAA | | | | *Statistiques non disponibles* | | | | | | | | | | | | | | | | |
| | Ottawa (Senators) | LHQ | 3 | 180 | 11 | 2 | 1 | 0 | 0 | 3.67 | - | - | - | - | - | - | - | - | - | - | - | - |
| | **LNH** | | 1 | 60 | 4 | 1 | 0 | 0 | 0 | 4.00 | 0 | 0 | - | - | - | - | - | - | - | - | - | - |
| | **Montréal** | | 1 | 60 | 4 | 1 | 0 | 0 | 0 | 4.00 | 0 | 0 | - | - | - | - | - | - | - | - | - | - |

- Prêté à Montréal par Montréal (Royals - LHSQ) le 8 novembre 1952

## MURRAY, THOMAS (TOM, MICKEY)

**Né à Peterbourgh, Ontario, le 14 octobre 1898, décédé. Gardien, attrape de la droite, 5'10", 160 lb**

| SAISON | CLUB | LIGUE | PJ | MIN | BC | G | P | N | BL | MOY | A | PUN | PJ | MIN | BC | G | P | N | BL | MOY | A | PUN |
|---|---|---|---|---|---|---|---|---|---|---|---|---|---|---|---|---|---|---|---|---|---|---|
| 1916-17 | Peterborough (Juniors) | OHA Jr | 3 | 180 | 15 | 2 | 1 | 0 | 0 | 5.00 | - | - | 2 | 120 | 21 | 0 | 2 | 0 | 0 | 10.50 | - | - |
| 1917-18 | Peterborough (Juniors) | OHA Jr | 3 | 180 | 7 | *3 | 0 | 0 | 0 | 2.33 | - | - | 4 | 240 | 37 | 1 | 3 | 0 | 0 | 9.25 | - | - |
| 1918-19 | | | | | | *Statistiques non disponibles* | | | | | | | | | | | | | | | | |
| 1919-20 | Peterborough (Seniors) | OHA Sr | - | - | - | - | - | - | - | - | - | - | 5 | 300 | 24 | 3 | 2 | 0 | 0 | 4.80 | - | - |
| 1920-21 | Peterborough (Seniors) | OHA Sr | 4 | 240 | 22 | 1 | 3 | 0 | 0 | 5.50 | - | - | - | - | - | - | - | - | - | - | - | - |
| 1921-22 | | | | | | *Statistiques non disponibles* | | | | | | | | | | | | | | | | |
| 1922-23 | North Toronto (Rangers) | OHA Sr | | | | *Statistiques non disponibles* | | | | | | | | | | | | | | | | |
| 1923-24 | North Toronto (Rangers) | OHA Sr | | | | *Statistiques non disponibles* | | | | | | | | | | | | | | | | |
| 1924-25 | Galt (Terriers) | OHA Sr | 20 | 1200 | 48 | 7 | 12 | 1 | 1 | *2.48 | - | - | 2 | 120 | 8 | 0 | 1 | 1 | 0 | 4.00 | - | - |
| 1925-26 | Galt (Terriers) | OHA Sr | 20 | 1200 | 33 | *14 | 4 | 2 | 3 | *1.65 | - | - | - | - | - | - | - | - | - | - | - | - |
| 1926-27 | Galt (Terriers) | OHA Sr | 10 | 600 | 30 | 4 | 6 | 0 | 0 | 3.00 | - | - | - | - | - | - | - | - | - | - | - | - |
| 1927-28 | Philadelphie (Arrows) | Can-Am | 3 | 200 | 4 | 1 | 2 | 0 | 1 | 1.20 | - | - | - | - | - | - | - | - | - | - | - | - |
| | Providence (Reds) | Can-Am | 21 | 1310 | 42 | 6 | 10 | 5 | 1 | 1.92 | - | - | - | - | - | - | - | - | - | - | - | - |
| 1928-29 | Providence (Reds) | Can-Am | 40 | 2540 | 58 | 18 | 12 | 0 | *12 | 1.37 | - | - | 6 | 363 | 14 | 1 | 3 | 2 | 1 | 2.31 | - | - |
| 1929-30 | Providence (Reds) | Can-Am | 39 | 2394 | 96 | *23 | 11 | 5 | *6 | *2.41 | - | - | 3 | 180 | 4 | *3 | 0 | 0 | 0 | *1.33 | - | - |
| | **Montréal (Canadiens)** | **LNH** | 1 | 60 | 4 | 0 | 1 | 0 | 0 | 4.00 | 0 | 0 | - | - | - | - | - | - | - | - | - | - |
| 1930-31 | Providence (Reds) | Can-Am | 40 | 2470 | 96 | 23 | 11 | 6 | *4 | *2.33 | - | - | 2 | 142 | 7 | 1 | 1 | 0 | 0 | 2.96 | - | - |
| 1931-32 | Philadelphie (Arrows) | Can-Am | 38 | 2352 | 97 | 13 | *20 | 5 | 3 | 2.48 | - | - | - | - | - | - | - | - | - | - | - | - |
| 1932-33 | | | | | | *N'a pas joué* | | | | | | | | | | | | | | | | |
| 1933-34 | St. Louis (Flyers) | AHA | 48 | 3050 | 84 | *26 | 18 | 4 | 7 | *1.65 | - | - | 7 | 460 | 12 | 2 | 4 | 1 | 1 | 1.57 | - | - |
| 1934-35 | St. Louis (Flyers) | AHA | 46 | 2920 | 97 | *29 | 14 | 3 | 6 | 1.99 | - | - | 6 | 370 | 18 | 3 | 3 | 0 | 0 | 2.92 | - | - |
| 1935-36 | St. Louis (Flyers) | AHA | 47 | 2941 | 87 | 27 | 16 | 4 | *9 | 1.78 | - | - | 1 | 80 | 1 | 0 | 0 | 1 | 0 | 0.75 | - | - |
| 1936-37 | Kansas City (Greyhounds) | AHA | 36 | 2189 | 54 | 21 | 13 | 2 | *11 | *1.48 | - | - | 3 | 180 | 10 | 0 | 3 | 0 | 0 | 3.33 | - | - |
| 1937-37 | Kansas City (Greyhounds) | AHA | 48 | 3005 | 120 | 21 | 22 | 5 | 0 | 2.40 | - | - | - | - | - | - | - | - | - | - | - | - |
| 1938-39 | St. Paul (Saints) | AHA | 4 | 240 | 20 | 1 | 3 | 0 | 0 | 5.00 | - | - | - | - | - | - | - | - | - | - | - | - |
| | **LNH** | | 1 | 60 | 4 | 0 | 1 | 0 | 0 | 4.00 | 0 | 0 | - | - | - | - | - | - | - | - | - | - |
| | **Montréal** | | 1 | 60 | 4 | 0 | 1 | 0 | 0 | 4.00 | 0 | 0 | - | - | - | - | - | - | - | - | - | - |

- **Deuxième équipe d'étoiles (Can-Am) en 1929-30 • Deuxième équipe d'étoiles (AHA) en 1934-35, 1935-36, 1937-38**
- Signe avec Providence (AHL) comme agent libre le 6 décembre 1927 • Prêté à Montréal par Providence (AHL) le 25 février 1930

## MYRE, PHILIPPE (PHIL)

**Né à Sainte-Anne-de-Bellevue, Québec, le 1er novembre 1948. Gardien, attrape de la gauche, 6'1", 185 lb (1er choix de Montréal, 5e au total lors du repêchage de 1966)**

| SAISON | CLUB | LIGUE | PJ | MIN | BC | G | P | N | BL | MOY | A | PUN | PJ | MIN | BC | G | P | N | BL | MOY | A | PUN |
|---|---|---|---|---|---|---|---|---|---|---|---|---|---|---|---|---|---|---|---|---|---|---|
| 1963-64 | Victoriaville (Bruins) | Mem. | 1 | 60 | 8 | 0 | 1 | 0 | 0 | 8.00 | - | - | 2 | 120 | 12 | 1 | 1 | - | 0 | 6.00 | - | - |
| 1964-65 | Victoriaville (Bruins) | LHJQ | 21 | 1260 | 82 | 14 | 7 | 0 | *3 | 3.91 | - | - | 9 | 540 | 36 | 7 | 2 | - | 0 | 4.00 | - | - |
| | Victoriaville (Bruins) | Mem. | 3 | 180 | 24 | 0 | 3 | 0 | 0 | 8.00 | - | - | - | - | - | - | - | - | - | - | - | - |
| 1965-66 | Shawinigan (Bruins) | LHJQ | 44 | 2620 | 136 | *38 | 6 | 0 | 1 | 3.11 | - | - | 12 | 730 | 34 | *8 | 4 | - | *3 | *2.79 | - | - |
| | Shawinigan (Bruins) | Mem. | 15 | 900 | 41 | 11 | 4 | 0 | 0 | 2.73 | - | - | - | - | - | - | - | - | - | - | - | - |
| 1966-67 | Niagara Falls (Flyers) | OHA Jr | 34 | 2010 | 135 | - | - | - | 1 | 4.03 | - | - | 9 | 540 | 44 | - | - | - | 0 | 4.89 | - | - |
| 1967-68 | Niagara Falls (Flyers) | OHA Jr | 50 | 2970 | 153 | - | - | - | 4 | 3.09 | - | - | 19 | 1140 | 72 | - | - | - | 0 | 3.79 | - | - |
| | Niagara Falls (Flyers) | Mem. | 10 | 621 | 34 | 7 | 3 | 0 | 1 | 3.29 | - | - | - | - | - | - | - | - | - | - | - | - |
| 1968-69 | Houston (Apollos) | CHL | 53 | 3150 | 150 | - | - | - | 2 | 2.83 | - | - | 2 | 119 | 7 | - | - | - | 0 | 3.53 | - | - |
| 1969-70 | Montréal (Voyageurs) | AHL | 15 | 900 | 37 | - | - | - | 0 | 2.47 | - | - | - | - | - | - | - | - | - | - | - | - |
| | **Montréal (Canadiens)** | **LNH** | 10 | 503 | 19 | 4 | 3 | 2 | 0 | 2.27 | 0 | 2 | - | - | - | - | - | - | - | - | - | - |
| 1970-71 | **Montréal (Canadiens)** | **LNH** | 30 | 1677 | 87 | 13 | 11 | 4 | 1 | 3.11 | 1 | 17 | - | - | - | - | - | - | - | - | - | - |
| 1971-72 | **Montréal (Canadiens)** | **LNH** | 9 | 528 | 32 | 4 | 5 | 0 | 0 | 3.64 | 0 | 4 | - | - | - | - | - | - | - | - | - | - |
| 1972-73 | Atlanta (Flames) | LNH | 46 | 2736 | 138 | 16 | 23 | 5 | 2 | 3.03 | 1 | 5 | - | - | - | - | - | - | - | - | - | - |
| 1973-74 | Atlanta (Flames) | LNH | 36 | 2020 | 112 | 11 | 16 | 6 | 0 | 3.33 | 0 | 4 | 3 | 186 | 13 | 0 | 3 | - | 0 | 4.19 | 0 | 0 |
| 1974-75 | Atlanta (Flames) | LNH | 40 | 2400 | 114 | 14 | 16 | 10 | 5 | 2.85 | 1 | 6 | - | - | - | - | - | - | - | - | - | - |

| SAISON | CLUB | LIGUE | PJ | MIN | BC | G | P | N | BL | MOY | A | PUN | PJ | MIN | BC | G | P | N | BL | MOY | A | PUN |
|---|---|---|---|---|---|---|---|---|---|---|---|---|---|---|---|---|---|---|---|---|---|---|

| | | | | | | SAISONS RÉGULIÈRES | | | | | | | | | | | SÉRIES ÉLIMINATOIRES | | | | | |

| SAISON | CLUB | LIGUE | PJ | MIN | BC | G | P | N | BL | MOY | A | PUN | PJ | MIN | BC | G | P | N | BL | MOY | A | PUN |
|---|---|---|---|---|---|---|---|---|---|---|---|---|---|---|---|---|---|---|---|---|---|---|
| 1975-76 | Atlanta (Flames) | LNH | 37 | 2129 | 123 | 16 | 16 | 4 | 1 | 3.47 | 1 | 0 | - | - | - | - | - | - | - | - | - | - |
| 1976-77 | Atlanta (Flames) | LNH | 43 | 2422 | 124 | 17 | 17 | 7 | 3 | 3.07 | 2 | 6 | 2 | 120 | 5 | 1 | 1 | - | 0 | 2.50 | 0 | 0 |
| 1977-78 | Atlanta (Flames) | LNH | 9 | 523 | 43 | 2 | 7 | 0 | 0 | 4.93 | 0 | 2 | - | - | - | - | - | - | - | - | - | - |
| | St. Louis (Blues) | LNH | 44 | 2620 | 159 | 11 | 25 | 8 | 1 | 3.64 | 2 | 10 | - | - | - | - | - | - | - | - | - | - |
| 1978-79 | St. Louis (Blues) | LNH | 39 | 2259 | 163 | 9 | 22 | 8 | 1 | 4.33 | 0 | 6 | - | - | - | - | - | - | - | - | - | - |
| 1979-80 | Philadelphie (Flyers) | LNH | 41 | 2367 | 141 | 18 | 7 | 15 | 0 | 3.57 | 0 | 37 | 6 | 384 | 16 | 5 | 1 | - | 1 | 2.50 | 0 | 0 |
| 1980-81 | Philadelphie (Flyers) | LNH | 16 | 900 | 61 | 6 | 5 | 4 | 0 | 4.07 | 0 | 0 | - | - | - | - | - | - | - | - | - | - |
| | Colorado (Rockies) | LNH | 10 | 580 | 33 | 3 | 6 | 1 | 0 | 3.41 | 0 | 0 | - | - | - | - | - | - | - | - | - | - |
| | Canada | CM | 7 | 359 | 26 | - | - | - | - | 4.34 | | | - | - | - | - | - | - | - | - | - | - |
| 1981-82 | Fort Worth (Texans) | CHL | 10 | 615 | 40 | 4 | 5 | 1 | 0 | 3.90 | - | - | - | - | - | - | - | - | - | - | - | - |
| | Colorado (Rockies) | LNH | 24 | 1256 | 112 | 2 | 17 | 2 | 0 | 5.35 | 2 | 0 | - | - | - | - | - | - | - | - | - | - |
| 1982-83 | Rochester (Americans) | AHL | 43 | 2541 | 156 | 28 | 8 | 5 | 0 | 3.68 | | | - | - | - | - | - | - | - | - | - | - |
| | Buffalo (Sabres) | LNH | 5 | 300 | 21 | 3 | 2 | 0 | 0 | 4.20 | 0 | 0 | 1 | 57 | 7 | 0 | 0 | - | 0 | 7.37 | 0 | 0 |
| 1983-84 | Rochester (Americans) | AHL | 33 | 1803 | 104 | 19 | 9 | 1 | 0 | 3.46 | | | - | - | - | - | - | - | - | - | - | - |
| | **LNH** | | 439 | 25220 | 1482 | 149 | 198 | 76 | 14 | 3.53 | 10 | 101 | 12 | 747 | 41 | 6 | 5 | - | 1 | 3.29 | 0 | 0 |
| | **Montréal** | | 49 | 2708 | 138 | 21 | 19 | 6 | 1 | 3.06 | 1 | 23 | - | - | - | - | - | - | - | - | - | - |

- **Deuxième équipe d'étoiles (LHJQ) en 1964-65, 1965-66** • **Deuxième équipe d'étoiles (OHA Jr) en 1967-68** • **Coupe Memorial en 1967-68** • **Deuxième équipe d'étoiles (CHL) en 1968-69** • **Trophée Terry-Sawchuk (CHL) en 1968-69**
- Réclamé par Atlanta de Montréal au repêchage d'expansion de la LNH le 6 juin 1972 • Échangé à St. Louis par Atlanta avec Curt Bennett et Barry Gibbs pour Yves Bélanger, Dick Redmond, Bob MacMillan et le choix de 2e ronde du St. Louis au repêchage de 1979 (Mike Perovich) le 12 décembre 1977 • Échangé à Philadelphie par St. Louis pour Blake Dunlop et Rick Lapointe le 7 juin 1979 • Droits vendus au Colorado par Philadelphie le 26 février 1981 • Signe avec Buffalo comme agent libre le 11 septembre 1982

## PENNEY, STEVE

**Né à Sainte-Foy, Québec, le 2 février 1961. Gardien, attrape de la gauche, 6'1", 190 lb (10e choix de Montréal, 166e au total lors du repêchage de 1980)**

| SAISON | CLUB | LIGUE | PJ | MIN | BC | G | P | N | BL | MOY | A | PUN | PJ | MIN | BC | G | P | N | BL | MOY | A | PUN |
|---|---|---|---|---|---|---|---|---|---|---|---|---|---|---|---|---|---|---|---|---|---|---|
| 1978-79 | Shawinigan (Cataractes) | LHJMQ | 36 | 1631 | 180 | - | - | - | 0 | 6.62 | | | 1 | 4 | 0 | 0 | 0 | - | 0 | 0.00 | - | - |
| 1979-80 | Shawinigan (Cataractes) | LHJMQ | 31 | 1682 | 143 | 9 | 14 | 5 | 0 | 5.10 | | | - | - | - | - | - | - | - | - | - | - |
| 1980-81 | Shawinigan (Cataractes) | LHJMQ | 62 | 3456 | 244 | 30 | 25 | 4 | 0 | 4.24 | | | 5 | 279 | 21 | 1 | 4 | - | 0 | 4.52 | | |
| 1981-82 | Nouvelle-Écosse (Voyageurs) | AHL | 6 | 308 | 22 | 2 | 1 | 1 | 0 | 4.29 | | | 4 | 222 | 17 | 0 | 4 | - | 0 | 4.59 | | |
| | Flint (Generals) | IHL | 36 | 2040 | 147 | - | - | - | 1 | 4.32 | | | - | - | - | - | - | - | - | - | - | - |
| 1982-83 | Flint (Generals) | IHL | 48 | 2552 | 179 | - | - | - | 1 | 4.21 | | | 2 | 111 | 10 | 0 | 2 | - | 0 | 5.40 | | |
| 1983-84 | Nouvelle-Écosse (Voyageurs) | AHL | 27 | 1571 | 92 | 11 | 12 | 4 | 0 | 3.51 | | | - | - | - | - | - | - | - | - | - | - |
| | **Montréal (Canadiens)** | LNH | 4 | 240 | 19 | 0 | 4 | 0 | 0 | 4.75 | - | - | 15 | 871 | 32 | 9 | 6 | - | *3 | *2.20 | 2 | 2 |
| 1984-85 | **Montréal (Canadiens)** | LNH | 54 | 3252 | 167 | 26 | 18 | 8 | 1 | 3.08 | 1 | 10 | 12 | 733 | 40 | 6 | 6 | - | 1 | 3.27 | 0 | 0 |
| 1985-86 | **Montréal (Canadiens)** | LNH | 18 | 990 | 72 | 6 | 8 | 2 | 0 | 4.36 | 0 | 0 | - | - | - | - | - | - | - | - | - | - |
| 1986-87 | Winnipeg (Jets) | LNH | 7 | 327 | 25 | 1 | 4 | 1 | 0 | 4.59 | 0 | 7 | - | - | - | - | - | - | - | - | - | - |
| | Sherbrooke (Canadien) | AHL | 4 | 199 | 12 | 1 | 2 | 0 | 0 | 3.62 | | | - | - | - | - | - | - | - | - | - | - |
| 1987-88 | Winnipeg (Jets) | LNH | 8 | 385 | 30 | 2 | 4 | 1 | 0 | 4.68 | 0 | 0 | - | - | - | - | - | - | - | - | - | - |
| | Moncton (Hawks) | AHL | 28 | 1541 | 107 | 9 | 14 | 4 | 0 | 4.17 | | | - | - | - | - | - | - | - | - | - | - |
| | **LNH** | | 91 | 5194 | 313 | 35 | 38 | 12 | 1 | 3.62 | 1 | 17 | 27 | 1604 | 72 | 15 | 12 | - | 4 | 2.69 | 2 | 2 |
| | **Montréal** | | 76 | 4482 | 258 | 32 | 30 | 10 | 1 | 3.45 | 1 | 10 | 27 | 1604 | 72 | 15 | 12 | - | 4 | 2.69 | 2 | 2 |

- **Équipe d'étoiles des recrues (LNH) en 1984-85**
- Échangé à Winnipeg par Montréal avec les droits sur Jan Ingman pour Brian Hayward le 15 août 1986

## PERREAULT, ROBERT (BOB)

**Né à Trois-Rivières, Québec, le 28 janvier 1931, décédé. Gardien, attrape de la gauche, 5'8", 170 lb**

| SAISON | CLUB | LIGUE | PJ | MIN | BC | G | P | N | BL | MOY | A | PUN | PJ | MIN | BC | G | P | N | BL | MOY | A | PUN |
|---|---|---|---|---|---|---|---|---|---|---|---|---|---|---|---|---|---|---|---|---|---|---|
| 1948-49 | Trois-Rivières (Reds) | LHJQ | 46 | 2830 | 142 | 26 | 16 | 4 | 6 | 3.01 | - | - | 8 | 490 | 29 | 4 | 4 | - | 0 | 3.55 | - | - |
| 1949-50 | Trois-Rivières (Reds) | LHJQ | 36 | 2190 | 91 | 22 | 12 | 2 | *4 | 2.49 | - | - | 9 | 549 | 30 | 4 | 5 | - | 0 | 3.28 | - | - |
| 1950-51 | Trois-Rivières (Reds) | LHJQ | 35 | 2108 | 96 | 25 | 10 | 0 | 2 | 2.73 | - | - | 8 | 517 | 30 | 4 | 4 | - | 0 | 3.48 | - | - |
| 1851-52 | Providence (Reds) | AHL | 22 | 1250 | 95 | 8 | 13 | 0 | 0 | 4.56 | - | - | 1 | 60 | 7 | 0 | 1 | - | 0 | 7.00 | - | - |
| 1952-53 | Providence (Reds) | AHL | 6 | 360 | 26 | 1 | 5 | 0 | 0 | 4.33 | - | - | - | - | - | - | - | - | - | - | - | - |
| | Sherbrooke (Saints) | LHMQ | 29 | 1780 | 84 | 15 | 11 | 3 | 1 | 2.83 | | | - | - | - | - | - | - | - | - | - | - |
| 1953-54 | Montréal (Royals) | LHQ | 58 | 3528 | 160 | 34 | 20 | 4 | 4 | 2.72 | - | - | 9 | 544 | 22 | 5 | 4 | - | 2 | 2.43 | - | - |
| 1954-55 | Shawinigan (Cataractes) | LHQ | 58 | 3490 | 129 | *37 | 18 | 3 | *10 | *2.22 | - | - | 12 | 720 | 31 | *9 | 3 | - | 1 | *2.58 | - | - |
| 1955-56 | Shawinigan (Cataractes) | LHQ | 57 | 3450 | 146 | *40 | 14 | 3 | 1 | 2.54 | - | - | 11 | 665 | 24 | 6 | 5 | - | *2 | *2.17 | - | - |
| | **Montréal (Canadiens)** | LNH | 6 | 360 | 12 | 3 | 3 | 0 | 1 | 2.00 | 0 | 0 | - | - | - | - | - | - | - | - | - | - |
| 1956-57 | Shawinigan (Cataractes) | LHQ | 41 | 2556 | 132 | 12 | 22 | 7 | 0 | 3.10 | | | - | - | - | - | - | - | - | - | - | - |
| | Rochester (Americans) | AHL | 24 | 1440 | 66 | 6 | 7 | 1 | 3 | 2.75 | - | - | 10 | 637 | 27 | 5 | 5 | - | *2 | 2.54 | - | - |
| 1957-58 | Hershey (Bears) | AHL | 47 | - | 128 | - | - | - | 3 | 2.72 | - | - | 11 | 660 | 31 | *8 | 3 | - | 0 | 2.82 | - | - |
| 1958-59 | Hershey (Bears) | AHL | 52 | 3000 | 134 | - | - | - | *6 | *2.68 | - | - | *13 | *780 | 35 | *8 | 5 | - | *1 | 2.69 | - | - |
| | Detroit (Red Wings) | LNH | 3 | 180 | 9 | 2 | 1 | 0 | 1 | 3.00 | 0 | 0 | - | - | - | - | - | - | - | - | - | - |
| 1959-60 | Hershey (Bears) | AHL | 66 | 3960 | 205 | 26 | 33 | 7 | *5 | 3.11 | | | - | - | - | - | - | - | - | - | - | - |
| 1960-61 | Hershey (Bears) | AHL | 41 | 2460 | 116 | 22 | 16 | 3 | 3 | 2.83 | - | - | 8 | *504 | 24 | *4 | 4 | - | 0 | 2.86 | - | - |
| 1961-62 | Hershey (Bears) | AHL | 66 | 3960 | 189 | *36 | 25 | 5 | 4 | 2.86 | - | - | 7 | 451 | 17 | 3 | 4 | - | 0 | 2.26 | - | - |
| 1962-63 | Boston (Bruins) | LNH | 22 | 1287 | 85 | 3 | 12 | 7 | 1 | 3.86 | 0 | 0 | - | - | - | - | - | - | - | - | - | - |
| | Rochester (Americans) | AHL | 10 | 600 | 27 | 3 | 4 | 2 | 0 | 2.70 | - | - | 2 | 120 | 11 | 0 | 2 | - | 0 | 5.50 | - | - |
| 1963-64 | San Francisco (Seals) | WHL | *70 | 4230 | 257 | 32 | 35 | 3 | 0 | 3.65 | - | - | 11 | *677 | 41 | *8 | 3 | - | 0 | 3.63 | - | - |
| 1964-65 | San Francisco (Seals) | WHL | *69 | *4164 | 268 | 30 | 37 | 2 | 0 | 3.86 | | | - | - | - | - | - | - | - | - | - | - |
| 1965-66 | Rochester (Americans) | AHL | 41 | 2361 | 121 | 26 | 10 | 1 | 3 | 3.07 | - | - | 9 | 532 | 17 | 7 | 2 | - | *2 | *1.92 | - | - |
| 1966-67 | Rochester (Americans) | AHL | 54 | 3149 | 158 | 30 | 17 | 5 | *4 | 3.01 | - | - | 13 | *785 | 38 | 6 | 7 | - | *2 | 2.90 | - | - |
| 1967-68 | Rochester (Americans) | AHL | 57 | 3101 | 149 | *31 | 15 | 7 | *6 | 2.88 | - | - | 9 | 515 | 28 | 5 | 3 | - | 1 | 3.26 | - | - |
| 1968-69 | Rochester (Americans) | AHL | 19 | 913 | 63 | 5 | 10 | 1 | 0 | 4.14 | | | - | - | - | - | - | - | - | - | - | - |
| 1969-70 | Des Moines (Oak Leafs) | IHL | 27 | 1467 | 66 | - | - | - | 1 | *2.70 | | | - | - | - | - | - | - | - | - | - | - |
| 1970-71 | Des Moines (Oak Leafs) | IHL | 19 | 1062 | 57 | - | - | - | 1 | 3.22 | - | - | 8 | 478 | 21 | - | - | - | 0 | 2.63 | - | - |
| 1971-72 | Des Moines (Oak Leafs) | IHL | 51 | 3139 | 176 | - | - | - | 3 | 3.36 | - | - | 3 | 180 | 15 | 0 | 3 | - | 0 | 5.00 | - | - |
| 1972-73 | Los Angeles (Sharks) | AMH | 1 | 60 | 2 | 1 | 0 | 0 | 0 | 2.00 | | | - | - | - | - | - | - | - | - | - | - |
| 1973-74 | Greensboro (Generals) | SHL | 16 | 930 | 62 | - | - | - | 0 | 4.01 | | | - | - | - | - | - | - | - | - | - | - |
| | **LNH** | | 31 | 1827 | 106 | 8 | 16 | 7 | 3 | 3.48 | 0 | 0 | - | - | - | - | - | - | - | - | - | - |
| | **Montréal** | | 6 | 360 | 12 | 3 | 3 | 0 | 1 | 2.00 | 0 | 0 | - | - | - | - | - | - | - | - | - | - |

- **Première équipe d'étoiles (LHJQ) en 1949-50, 1950-51** • **Première équipe d'étoiles (LHQ) en 1954-55** • **Trophée Georges-Vézina (LHQ) en 1954-55** • **Deuxième équipe d'étoiles (LHQ) en 1955-56** • **Deuxième équipe d'étoiles (AHL) en 1957-58, 1958-59, 1961-62, 1962-63** • **Coupe Calder (AHL) en 1957-58, 1958-59, 1965-66, 1967-68** • **Trophée Harry-Holmes (AHL) en 1958-59, 1967-68** • **Trophée James-Norris (IHL) avec Gaye Cooley en 1969-70**
- Signe avec Providence (AHL) le 30 mai 1951 • Échangé à Montréal par Providence (AHL) pour George McAvoy le 11 juin 1953 • Réclamé par Hershey (AHL) de Shawinigan (LHQ) au repêchage inter-ligues le 4 juin 1957 • Prêté à Detroit par Hershey le 20 janvier 1959 • Échangé à Boston par Hershey pour Ed Chadwick et Barry Ashbee le 7 juin 1962 • Droits vendus à San Francisco par Boston le 4 juin 1963 • Sélectionné par Los Angeles lors de l'expansion de l'AMH le 12 février 1972

| | | | SAISONS RÉGULIÈRES | | | | | | | | | | SÉRIES ÉLIMINATOIRES | | | | | | | | |
|---|---|---|---|---|---|---|---|---|---|---|---|---|---|---|---|---|---|---|---|---|---|
| SAISON | CLUB | LIGUE | PJ | MIN | BC | G | P | N | BL | MOY | A | PUN | PJ | MIN | BC | G | P | N | BL | MOY | A | PUN |

## PLANTE, JACQUES

**Né à Shawinigan, Québec, le 17 janvier 1929, décédé le 26 février 1986. Gardien, attrape de la gauche, 6', 175 lb**

| SAISON | CLUB | LIGUE | PJ | MIN | BC | G | P | N | BL | MOY | A | PUN | PJ | MIN | BC | G | P | N | BL | MOY | A | PUN |
|---|---|---|---|---|---|---|---|---|---|---|---|---|---|---|---|---|---|---|---|---|---|---|
| 1947-48 | Québec (Citadelle) | LHJQ | 31 | 1840 | 87 | 18 | 11 | 1 | 2 | 2.84 | - | - | 9 | 545 | 28 | 4 | 5 | - | 2 | 3.08 | - | - |
| | Montréal (Canadiens) | LHJQ | 2 | 120 | 5 | 0 | 0 | 0 | 0 | 2.50 | - | - | - | - | - | - | - | - | - | - | - | - |
| 1948-49 | Québec (Citadelle) | LHJQ | 47 | 2860 | 95 | 35 | 8 | 4 | 8 | 1.99 | - | - | 13 | 790 | 43 | 7 | 6 | - | 0 | 3.27 | - | - |
| 1949-50 | Montréal (Royals) | LHSQ | 58 | 3480 | 180 | 27 | 22 | 9 | 0 | 3.10 | - | - | 6 | 360 | 20 | - | - | - | 0 | 3.33 | - | - |
| 1950-51 | Montréal (Royals) | LHMQ | 60 | 3670 | 201 | 28 | 29 | 3 | 4 | 3.29 | - | - | 7 | 420 | 26 | 2 | 5 | - | 1 | 3.71 | - | - |
| 1951-52 | Montréal (Royals) | LHMQ | 60 | 3560 | 201 | 30 | 24 | 6 | 4 | 3.39 | - | - | 7 | 420 | 21 | 3 | 4 | - | 1 | 3.00 | - | - |
| 1952-53 | Montréal (Royals) | LHMQ | 29 | 1760 | 61 | 20 | 8 | 1 | 4 | 2.08 | - | - | - | - | - | - | - | - | - | - | - | - |
| | Montréal (Canadiens) | LNH | 3 | 180 | 4 | 2 | 0 | 1 | 0 | 1.33 | 0 | 0 | 4 | 240 | 7 | 3 | 1 | - | 1 | *1.75 | 0 | 0 |
| | Buffalo (Bisons) | AHL | 33 | 2000 | 114 | 13 | 19 | 1 | 2 | 3.42 | - | - | - | - | - | - | - | - | - | - | - | - |
| 1953-54 | Buffalo (Bisons) | AHL | 55 | 3370 | 148 | 32 | 17 | 6 | 3 | *2.64 | - | - | - | - | - | - | - | - | - | - | - | - |
| | Montréal (Canadiens) | LNH | 17 | 1020 | 27 | 7 | 5 | 5 | 5 | 1.59 | 0 | 0 | 8 | 480 | 15 | 5 | 3 | - | *2 | 1.88 | 0 | 0 |
| 1954-55 | Montréal (Canadiens) | LNH | 52 | 3080 | 110 | 33 | 12 | 7 | 5 | 2.14 | 0 | 2 | *12 | 639 | 30 | 6 | 3 | - | 0 | 2.81 | 0 | 0 |
| 1955-56 | Montréal (Canadiens) | LNH | 64 | 3840 | 119 | *42 | 12 | 10 | 7 | *1.86 | 0 | 10 | *10 | 600 | 18 | *8 | 2 | - | *2 | *1.80 | 0 | 0 |
| 1956-57 | Montréal (Canadiens) | LNH | 61 | 3660 | 122 | 31 | 18 | 12 | *9 | *2.00 | 0 | 16 | *10 | *616 | 17 | *8 | 2 | - | 1 | 1.75 | 0 | 4 |
| | Match des étoiles | LNH | 1 | 60 | 1 | 0 | 0 | 1 | | 1.00 | | | - | - | - | - | - | - | - | - | - | - |
| 1957-58 | Montréal (Canadiens) | LNH | 57 | 3386 | 119 | *34 | 14 | 8 | *9 | *2.11 | 0 | 13 | 10 | 618 | 20 | *8 | 2 | - | *1 | 1.94 | 0 | 2 |
| | Match des étoiles | LNH | 1 | 60 | 5 | 0 | 1 | 0 | | 5.00 | | | - | - | - | - | - | - | - | - | - | - |
| 1958-59 | Montréal (Canadiens) | LNH | 67 | 4000 | 144 | *38 | 16 | 13 | *9 | *2.16 | 1 | 11 | 11 | 670 | 26 | *8 | 3 | - | 0 | *2.51 | 0 | 2 |
| | Match des étoiles | LNH | 1 | 60 | 3 | 1 | 0 | 0 | | 3.00 | | | - | - | - | - | - | - | - | - | - | - |
| 1959-60 | Montréal (Canadiens) | LNH | 69 | 4140 | 175 | *40 | 17 | 12 | 3 | *2.54 | 0 | 2 | 8 | 489 | 11 | *8 | 0 | - | *3 | *1.35 | 0 | 0 |
| | Match des étoiles | LNH | 1 | 60 | 1 | 1 | 0 | 0 | | 1.00 | | | - | - | - | - | - | - | - | - | - | - |
| 1960-61 | Montréal (Canadiens) | LNH | 40 | 2400 | 112 | 23 | 11 | 6 | 2 | 2.80 | 0 | 0 | 6 | 412 | 16 | 2 | 4 | - | 0 | 2.33 | 0 | 2 |
| | Montréal (Royals) | EPHL | 8 | 480 | 24 | 3 | 4 | 1 | 0 | 3.00 | - | - | - | - | - | - | - | - | - | - | - | - |
| | Match des étoiles | LNH | 1 | 60 | 1 | 0 | 0 | 0 | | 1.00 | | | - | - | - | - | - | - | - | - | - | - |
| 1961-62 | Montréal (Canadiens) | LNH | *70 | *4200 | 166 | *42 | 14 | 14 | 4 | *2.37 | 0 | 14 | 6 | 360 | 19 | 2 | 4 | - | 0 | 3.17 | 0 | 0 |
| 1962-63 | Montréal (Canadiens) | LNH | 56 | 3320 | 138 | 22 | 14 | 19 | *5 | *2.49 | 1 | 2 | 5 | 300 | 14 | 1 | 4 | - | 0 | 2.80 | 0 | 0 |
| | Match des étoiles | LNH | 1 | 20 | 4 | - | 1 | 0 | | 12.00 | | | - | - | - | - | - | - | - | - | - | - |
| 1963-64 | New York (Rangers) | LNH | 65 | 3900 | 220 | 22 | 36 | 7 | 3 | 3.38 | 0 | 6 | - | - | - | - | - | - | - | - | - | - |
| 1964-65 | New York (Rangers) | LNH | 33 | 1938 | 109 | 10 | 17 | 5 | 2 | 3.37 | 1 | 6 | - | - | - | - | - | - | - | - | - | - |
| | Baltimore (Clippers) | AHL | 17 | 1018 | 51 | 6 | 9 | 1 | 1 | 3.01 | 1 | 0 | 5 | 315 | 14 | 2 | 3 | - | 1 | 2.67 | - | - |
| | | | | | *N'a pas joué de 1965 à 1968* | | | | | | | | | | | | | | | | | |
| 1968-69 | St. Louis (Blues) | LNH | 37 | 2139 | 70 | 18 | 12 | 6 | 5 | *1.96 | 0 | 2 | *10 | *589 | 14 | *8 | 1 | - | *3 | 1.43 | 0 | 0 |
| | Match des étoiles | LNH | 1 | 20 | 2 | 0 | 0 | 1 | | 6.00 | | | - | - | - | - | - | - | - | - | - | - |
| 1969-70 | St. Louis (Blues) | LNH | 32 | 1839 | 67 | 18 | 9 | 5 | 5 | 2.19 | 2 | 0 | 6 | 324 | 8 | 4 | 1 | - | *1 | *1.48 | 0 | 2 |
| | Match des étoiles | LNH | 1 | 30 | 0 | 0 | 0 | 0 | | 0.00 | | | - | - | - | - | - | - | - | - | - | - |
| 1970-71 | Toronto (Maple Leafs) | LNH | 40 | 2329 | 73 | 24 | 11 | 4 | 4 | *1.88 | 0 | 2 | 3 | 134 | 7 | 0 | 2 | - | 0 | 3.13 | 0 | 0 |
| 1971-72 | Toronto (Maple Leafs) | LNH | 34 | 1965 | 86 | 16 | 13 | 5 | 2 | 2.63 | 0 | 2 | 1 | 60 | 5 | 0 | 1 | - | 0 | 5.00 | 0 | 0 |
| 1972-73 | Toronto (Maple Leafs) | LNH | 32 | 1717 | 87 | 8 | 14 | 6 | 1 | 3.04 | 0 | 0 | 2 | 120 | 10 | 0 | 2 | - | 0 | 5.00 | 0 | 0 |
| | Boston (Bruins) | LNH | 8 | 480 | 16 | 7 | 1 | 0 | 2 | 2.00 | 0 | 0 | - | - | - | - | - | - | - | - | - | - |
| 1973-74 | | | | | *N'a pas joué* | | | | | | | | | | | | | | | | | |
| 1974-75 | Edmonton (Oilers) | AMH | 31 | 1592 | 88 | 15 | 14 | 1 | 1 | 3.32 | 1 | 2 | - | - | - | - | - | - | - | - | - | - |
| | **LNH** | | **837** | **49533** | **1964** | **437** | **246** | **145** | **82** | **2.38** | **5** | **90** | **112** | **6651** | **237** | **71** | **36** | **-** | **14** | **2.14** | **0** | **14** |
| | **Montréal** | | **556** | **33226** | **1236** | **314** | **133** | **107** | **58** | **2.23** | **2** | **72** | **90** | **5424** | **193** | **59** | **28** | **-** | **10** | **2.17** | **0** | **12** |

• Première équipe d'étoiles (LHJQ) en 1948-49, 1948-49 • Trophée Georges-Vézina (LHMQ) en 1952-53 • Coupe Stanley (LNH) en 1952-53, 1955-56, 1956-57, 1957-58, 1958-59, 1959-60 • Match des étoiles (LNH) 1956-57, 1957-58, 1958-59, 1959-60, 1960-61, 1962-63, 1968-69, 1969-70 • Première équipe d'étoiles (LNH) en 1955-56, 1958-59, 1961-62
• Deuxième équipe d'étoiles (LNH) en 1956-57, 1957-58, 1959-60, 1966-67 • Trophée Georges-Vézina (LNH) en 1955-56, 1956-57, 1957-58, 1958-59, 1959-60, 1961-62 • Trophée Georges-Vézina (LNH) avec Glenn Hall en 1968-69 • Trophé Hart (LNH) en 1961-62 • Temple de la Renommée (LNH) en 1978
• Signe avec Montréal le 17 août 1949 • Échangé à New York par Montréal avec Don Marshall et Phil Goyette pour Lorne Worsley, Dave Balon, Léon Rochefort et Len Ronson le 4 juin 1963
• Réclamé par St. Louis de New York au repêchage intra-ligue le 12 juin 1968 • Droits vendus à Toronto par St. Louis le 18 mai 1970 • Échangé à Boston par Toronto avec le choix de
3e ronde de Toronto au repêchage de 1973 (Doug Gibson) pour le 1er choix de Boston au repêchage de 1973 (Ian Turnbull) et des considérations futures (Ed Johnston, le 22 mai 1973) le
3 mars 1973

## PLASSE, MICHEL

**Né à Montréal, Québec, le 1er juin 1948. Gardien, attrape de la gauche, 5'11", 172 lb (1er choix de Montréal, 1er au total lors du repêchage de 1968)**

| SAISON | CLUB | LIGUE | PJ | MIN | BC | G | P | N | BL | MOY | A | PUN | PJ | MIN | BC | G | P | N | BL | MOY | A | PUN |
|---|---|---|---|---|---|---|---|---|---|---|---|---|---|---|---|---|---|---|---|---|---|---|
| 1967-68 | Drummondville (Rangers) | LHJQ | 30 | 1800 | 63 | - | - | - | 3 | *2.10 | - | - | 10 | 600 | 32 | 8 | 2 | - | 1 | 3.20 | - | - |
| | Drummondville (Rangers) | Mem. | 4 | 250 | 19 | 1 | 3 | 0 | 0 | 4.56 | - | - | - | - | - | - | - | - | - | - | - | - |
| 1968-69 | Cleveland (Barons) | AHL | 7 | 320 | 27 | 2 | 4 | 0 | 0 | 5.06 | - | - | 4 | 240 | 35 | 0 | 4 | - | 0 | 8.75 | - | - |
| 1969-70 | Jacksonville (Rockets) | EHL | 61 | 3660 | 297 | - | - | - | 0 | 4.87 | - | - | - | - | - | - | - | - | - | - | - | - |
| 1970-71 | St. Louis (Blues) | LNH | 1 | 60 | 3 | 1 | 0 | 0 | 0 | 3.00 | 0 | 0 | - | - | - | - | - | - | - | - | - | - |
| | Kansas City (Blues) | CHL | 16 | 960 | 42 | - | - | - | 0 | 2.63 | 1 | 0 | - | - | - | - | - | - | - | - | - | - |
| 1971-72 | Nlle-Écosse (Voyageurs) | AHL | 36 | 2036 | 94 | 17 | 13 | 4 | 1 | 2.77 | - | - | 15 | 912 | 19 | *12 | 3 | - | *3 | *1.25 | - | - |
| 1972-73 | Montréal (Canadiens) | LNH | 17 | 932 | 40 | 11 | 2 | 3 | 0 | 2.58 | 0 | 4 | - | - | - | - | - | - | - | - | - | - |
| 1973-74 | Montréal (Canadiens) | LNH | 15 | 839 | 57 | 7 | 4 | 2 | 0 | 4.08 | 0 | 0 | - | - | - | - | - | - | - | - | - | - |
| 1974-75 | Kansas City (Scouts) | LNH | 24 | 1420 | 96 | 4 | 16 | 3 | 0 | 4.06 | 1 | 18 | - | - | - | - | - | - | - | - | - | - |
| | Pittsburgh (Penguins) | LNH | 20 | 1094 | 73 | 9 | 5 | 4 | 0 | 4.00 | 1 | 6 | - | - | - | - | - | - | - | - | - | - |
| 1975-76 | Hershey (Bears) | AHL | 5 | 278 | 25 | 0 | 5 | 0 | 0 | 5.40 | - | - | - | - | - | - | - | - | - | - | - | - |
| | Pittsburgh (Penguins) | LNH | 55 | 3096 | 178 | 24 | 19 | 10 | 2 | 3.45 | 1 | 18 | 3 | 180 | 8 | 1 | 2 | - | 1 | 2.67 | 0 | 0 |
| 1976-77 | Colorado (Rockies) | LNH | 54 | 2986 | 190 | 12 | 29 | 10 | 2 | 3.82 | 1 | 0 | - | - | - | - | - | - | - | - | - | - |
| 1977-78 | Colorado (Rockies) | LNH | 25 | 1383 | 90 | 3 | 12 | 8 | 0 | 3.90 | 0 | 12 | - | - | - | - | - | - | - | - | - | - |
| | Hampton (Gulls) | AHL | 2 | 124 | 5 | 0 | 1 | 1 | 0 | 2.42 | - | - | - | - | - | - | - | - | - | - | - | - |
| 1978-79 | Philadelphie (Firebirds) | AHL | 7 | 423 | 31 | 0 | 6 | 1 | 0 | 4.39 | - | - | - | - | - | - | - | - | - | - | - | - |
| | Colorado (Rockies) | LNH | 41 | 2302 | 152 | 9 | 29 | 2 | 0 | 3.96 | 2 | 4 | - | - | - | - | - | - | - | - | - | - |
| 1979-80 | Colorado (Rockies) | LNH | 6 | 327 | 26 | 0 | 3 | 2 | 0 | 4.77 | 0 | 0 | - | - | - | - | - | - | - | - | - | - |
| | Fort Worth (Texans) | CHL | 32 | 1632 | 113 | 9 | 13 | 3 | 0 | 4.15 | - | - | 14 | *827 | 41 | *8 | 5 | - | *1 | 2.97 | - | - |
| 1980-81 | Québec (Nordiques) | LNH | 33 | 1933 | 118 | 10 | 14 | 9 | 0 | 3.66 | 1 | 0 | 1 | 15 | 1 | 0 | 0 | - | 0 | 4.00 | 0 | 0 |
| 1981-82 | Québec (Nordiques) | LNH | 8 | 388 | 35 | 2 | 3 | 1 | 0 | 5.41 | 0 | 0 | - | - | - | - | - | - | - | - | - | - |
| | Binghamton (Whalers) | AHL | 8 | 444 | 32 | 3 | 3 | 1 | 0 | 4.32 | - | - | - | - | - | - | - | - | - | - | - | - |
| | **LNH** | | **299** | **16760** | **1058** | **92** | **136** | **54** | **2** | **3.79** | **7** | **62** | **4** | **195** | **9** | **1** | **2** | **-** | **1** | **2.77** | **0** | **0** |
| | **Montréal** | | **32** | **1771** | **97** | **18** | **6** | **5** | **0** | **3.29** | **0** | **4** | | | | | | | | | | |

• Deuxième équipe d'étoiles (LHJQ) en 1967-68 • Coupe Calder (AHL) en 1971-72 • Compte un but avec Kansas City (CHL) le 21 février 1971
• Prêté à Kansas City (CHL) par Montréal le 1er octobre 1970 • Droits vendus à St. Louis par Montréal le 11 décembre 1970 • Droits vendus à Montréal par St. Louis le 23 août 1971
• Réclamé par Kansas City de Montréal au repêchage d'expansion de la LNH le 12 juin 1974 • Échangé à Pittsburgh par Kansas City pour Jean-Guy Lagacé et Denis Herron le 10 janvier
1975 • Échangé au Colorado par Pittsburgh avec Simon Nolet en compensation pour la signature de Denis Herron avec Pittsburgh le 7 août 1976 • Signe avec Québec comme agent libre
le 14 septembre 1980 • Échangé à Hartford par Québec avec le choix de 4e ronde de Québec au repêchage de 1983 (Ron Chyzowski) pour John Garret le 12 janvier 1982

| SAISON | CLUB | LIGUE | PJ | MIN | BC | G | P | N | BL | MOY | A | PUN | PJ | MIN | BC | G | P | N | BL | MOY | A | PUN |
|---|---|---|---|---|---|---|---|---|---|---|---|---|---|---|---|---|---|---|---|---|---|---|
| | | | | | SAISONS RÉGULIÈRES | | | | | | | | | | | SÉRIES ÉLIMINATOIRES | | | | | | |

| SAISON | CLUB | LIGUE | PJ | MIN | BC | G | P | N | BL | MOY | A | PUN | PJ | MIN | BC | G | P | N | BL | MOY | A | PUN |
|---|---|---|---|---|---|---|---|---|---|---|---|---|---|---|---|---|---|---|---|---|---|---|

## PRONOVOST, CLAUDE

### Né à Shawinigan, Québec, le 22 juillet 1935. Gardien, attrape de la gauche, 5'9", 190 lb

| SAISON | CLUB | LIGUE | PJ | MIN | BC | G | P | N | BL | MOY | A | PUN | PJ | MIN | BC | G | P | N | BL | MOY | A | PUN |
|---|---|---|---|---|---|---|---|---|---|---|---|---|---|---|---|---|---|---|---|---|---|---|
| 1952-53 | Shawinigan (Cataractes) | LHMQ | 2 | 120 | 5 | 0 | 2 | 0 | 0 | 2.50 | - | - | - | - | - | - | - | - | - | - | - | - |
| 1953-54 | Montréal (Royals) | LHJQ | 21 | 1260 | 80 | - | - | - | 1 | 3.81 | - | - | - | - | - | - | - | - | - | - | - | - |
| | Kitchener (Greenshirts) | OHA Jr | 33 | 1980 | 122 | - | - | - | 2 | 3.70 | - | - | - | - | - | - | - | - | - | - | - | - |
| 1954-55 | **Montréal (Canadiens)** | LHJQ | 46 | 2760 | 143 | 24 | 21 | 1 | 2 | 3.10 | - | - | 5 | 315 | 23 | 1 | 4 | 0 | 0 | 4.38 | - | - |
| | Chicoutimi (Saguenéens) | LHQ | 3 | 180 | 10 | 1 | 2 | 0 | 0 | 3.33 | - | - | - | - | - | - | - | - | - | - | - | - |
| 1955-56 | Montréal (Royals) | LHQ | 9 | 540 | 31 | 4 | 5 | 0 | 0 | 3.44 | - | - | - | - | - | - | - | - | - | - | - | - |
| | Boston (Bruins) | LNH | 1 | 60 | 0 | 1 | 0 | 0 | 1 | 0.00 | 0 | 2 | - | - | - | - | - | - | - | - | - | - |
| | Chicoutimi (Saguenéens) | LHQ | 2 | 108 | 7 | 0 | 2 | 0 | 0 | 3.89 | - | - | - | - | - | - | - | - | - | - | - | - |
| 1956-57 | Chicoutimi (Saguenéens) | LHQ | 1 | 60 | 1 | 1 | 0 | 0 | 0 | 1.00 | - | - | - | - | - | - | - | - | - | - | - | - |
| | Montréal (Royals) | LHQ | 9 | 554 | 36 | 2 | 6 | 1 | 0 | 3.90 | - | - | 1 | 46 | 1 | 1 | 0 | 0 | 0 | 1.30 | - | - |
| | Shawinigan (Cataractes) | LHQ | 11 | 662 | 37 | 4 | 7 | 0 | 1 | 3.35 | - | - | - | - | - | - | - | - | - | - | - | - |
| | Edmonton (Flyers) | WHL | 3 | 190 | 10 | 1 | 2 | 0 | 0 | 3.16 | - | - | - | - | - | - | - | - | - | - | - | - |
| 1957-58 | Montréal (Royals) | LHQ | 16 | 960 | 66 | 6 | 9 | 1 | 1 | 4.13 | - | - | - | - | - | - | - | - | - | - | - | - |
| | Shawinigan (Cataractes) | LHQ | 1 | 60 | 5 | 0 | 1 | 0 | 0 | 5.00 | - | - | - | - | - | - | - | - | - | - | - | - |
| 1958-59 | Montréal (Royals) | LHQ | 37 | 2220 | 91 | 18 | 14 | 5 | 2 | *2.46 | - | - | 6 | 364 | 15 | *3 | 3 | 0 | *1 | *2.47 | - | - |
| | **Montréal (Canadiens)** | LNH | 2 | 60 | 7 | 0 | 1 | 0 | 0 | 7.00 | 0 | 0 | - | - | - | - | - | - | - | - | - | - |
| 1959-60 | Calgary (Stampeders) | WHL | 37 | 2220 | 125 | 15 | 21 | 0 | 3 | 3.37 | - | - | - | - | - | - | - | - | - | - | - | - |
| 1960-61 | Montréal (Royals) | EPHL | 27 | 1620 | 85 | - | - | - | 1 | 3.15 | - | - | - | - | - | - | - | - | - | - | - | - |
| 1961-62 | North Bay (Trappers) | EPHL | 4 | 240 | 16 | 1 | 3 | 0 | 0 | 4.00 | - | - | - | - | - | - | - | - | - | - | - | - |
| 1962-63 | Hull-Ottawa (Canadien) | EPHL | 1 | 60 | 5 | 0 | 1 | 0 | 0 | 5.00 | - | - | - | - | - | - | - | - | - | - | - | - |
| | **LNH** | | 3 | 120 | 7 | 1 | 1 | 0 | 1 | 3.50 | 0 | 2 | - | - | - | - | - | - | - | - | - | - |
| | **Montréal** | | 2 | 60 | 7 | 0 | 1 | 0 | 0 | 7.00 | 0 | 0 | - | - | - | - | - | - | - | - | - | - |

• **Première équipe d'étoiles (LHQ) en 1958-59 • Trophée Georges-Vézina (LHQ) en 1958-59**
• Prêté à Boston par Montréal le 14 janvier 1956 • Droits vendus à Chicago par Montréal le 3 septembre 1959

## RACICOT, ANDRÉ

### Né à Rouyn-Noranda, Québec, le 9 juin 1969. Gardien, attrape de la gauche, 5'11", 165 lb (6e choix de Montréal, 83e au total lors du repêchage de 1989)

| SAISON | CLUB | LIGUE | PJ | MIN | BC | G | P | N | BL | MOY | A | PUN | PJ | MIN | BC | G | P | N | BL | MOY | A | PUN |
|---|---|---|---|---|---|---|---|---|---|---|---|---|---|---|---|---|---|---|---|---|---|---|
| 1986-87 | Longueuil (Chevaliers) | LHJMQ | 3 | 180 | 19 | 1 | 2 | 0 | 0 | 6.33 | - | | - | - | - | - | - | - | - | - | - | - |
| 1987-88 | Victoriaville (Tigres) | LHJMQ | 8 | 469 | 28 | - | - | - | 1 | 3.44 | - | | - | - | - | - | - | - | - | - | - | - |
| | Hull (Olympiques) | LHJMQ | 14 | 668 | 43 | - | - | - | - | 3.86 | - | | - | - | - | - | - | - | - | - | - | - |
| | Granby (Bisons) | LHJMQ | 8 | 390 | 34 | - | - | - | - | 5.23 | - | | 5 | 298 | 23 | 1 | 4 | - | 0 | 4.63 | - | - |
| 1988-89 | Granby (Bisons) | LHJMQ | 54 | 2944 | 198 | 22 | 24 | 3 | 0 | 4.04 | - | | 4 | 218 | 18 | 0 | 4 | - | 0 | 4.95 | - | - |
| 1989-90 | **Montréal (Canadiens)** | LNH | 1 | 13 | 3 | 0 | 0 | 0 | 0 | 13.85 | 0 | 0 | - | - | - | - | - | - | - | - | - | - |
| | Sherbrooke (Canadien) | AHL | 33 | 1948 | 97 | 19 | 11 | 2 | 1 | 2.99 | 1 | 2 | 5 | 227 | 18 | 0 | 4 | - | 0 | 4.76 | - | - |
| 1990-91 | **Montréal (Canadiens)** | LNH | 21 | 975 | 52 | 7 | 9 | 2 | 1 | 3.20 | 1 | 0 | 2 | 12 | 2 | 0 | 1 | - | 0 | 10.00 | 0 | 0 |
| | Fredericton (Canadien) | AHL | 22 | 1252 | 60 | 13 | 8 | 1 | 1 | 2.88 | 0 | 8 | - | - | - | - | - | - | - | - | - | - |
| 1991-92 | **Montréal (Canadiens)** | LNH | 9 | 436 | 23 | 0 | 3 | 3 | 0 | 3.17 | 0 | 0 | 1 | 1 | 0 | 0 | 0 | - | 0 | 0.00 | 0 | 0 |
| | Fredericton (Canadien) | AHL | 28 | 1666 | 86 | 14 | 8 | 5 | 0 | 3.10 | 2 | 6 | - | - | - | - | - | - | - | - | - | - |
| 1992-93 | **Montréal (Canadiens)** | LNH | 26 | 1433 | 81 | 17 | 5 | 1 | 1 | 3.39 | 1 | 6 | 1 | 18 | 2 | 0 | 0 | - | 0 | 6.67 | 0 | 0 |
| 1993-94 | **Montréal (Canadiens)** | LNH | 11 | 500 | 37 | 2 | 6 | 2 | 0 | 4.44 | 0 | 0 | - | - | - | - | - | - | - | - | - | - |
| | Fredericton (Canadien) | AHL | 6 | 292 | 16 | 1 | 4 | 0 | 0 | 3.28 | 0 | 0 | - | - | - | - | - | - | - | - | - | - |
| 1994-95 | Portland (Pirates) | AHL | 19 | 1080 | 53 | 10 | 7 | 0 | 0 | 2.94 | - | | - | - | - | - | - | - | - | - | - | - |
| | Phoenix (Roadrunners) | IHL | 3 | 132 | 8 | 1 | 0 | 0 | 0 | 3.62 | - | | 2 | 20 | 0 | 0 | 0 | - | 0 | 0.00 | - | - |
| 1995-96 | Albany (River Rats) | AHL | 2 | 120 | 4 | 2 | 0 | 0 | 0 | 2.00 | - | | - | - | - | - | - | - | - | - | - | - |
| | Columbus (Chill) | ECHL | 1 | 60 | 2 | 1 | 0 | 0 | 0 | 2.00 | - | | - | - | - | - | - | - | - | - | - | - |
| | Indianapolis (Ice) | IHL | 11 | 547 | 43 | 3 | 6 | 0 | 0 | 4.71 | - | | - | - | - | - | - | - | - | - | - | - |
| | Peoria (Rivermen) | IHL | 4 | 240 | 14 | 2 | 1 | 1 | 0 | 3.50 | - | | 11 | 654 | 34 | 6 | 5 | - | 1 | 3.12 | - | - |
| 1996-97 | Indianapolis (Ice) | IHL | 2 | 120 | 3 | 1 | 0 | 1 | 0 | 1.50 | - | | - | - | - | - | - | - | - | - | - | - |
| | Kansas City (Blades) | IHL | 6 | 273 | 21 | 1 | 4 | 0 | 0 | 4.60 | - | | - | - | - | - | - | - | - | - | - | - |
| | Las Vegas (Thunder) | IHL | 13 | 759 | 40 | 6 | 5 | 1 | 1 | 3.16 | - | | - | - | - | - | - | - | - | - | - | - |
| 1997-98 | Monroe (Moccasins) | WPHL | 31 | 1789 | 80 | 16 | 12 | 2 | 1 | *2.68 | - | | - | - | - | - | - | - | - | - | - | - |
| | Basingtoke (Bisons) | GRB | 3 | 186 | 11 | - | - | - | - | 3.55 | - | | 5 | 303 | 21 | 0 | 5 | - | 0 | 4.16 | - | - |
| 1998-99 | Monroe (Moccasins) | WPHL | 48 | 2806 | 148 | 25 | 18 | 5 | 1 | 3.16 | - | | 6 | 380 | 21 | 2 | 4 | - | 1 | 3.32 | - | - |
| 1999-00 | Neftekhimik Nizhnekamsk | RUS | 20 | 1133 | 49 | - | - | - | 1 | 2.59 | - | | 4 | 240 | 16 | - | - | - | - | 4.00 | - | - |
| 2000-01 | Bakersfield Condors | WCHL | 18 | 984 | 59 | 5 | 11 | 1 | 1 | 3.60 | - | | - | - | - | - | - | - | - | - | - | - |
| 2001-02 | Greensboro Generals | ECHL | 2 | 90 | 9 | 0 | 1 | 1 | 0 | 6.01 | - | | - | - | - | - | - | - | - | - | - | - |
| 2002-03 | Saint-Georges (Garaga) | LHSPQ | 15 | 832 | 44 | 12 | 2 | 0 | 1 | 3.18 | 0 | 0 | 8 | 477 | 20 | 4 | 4 | - | 2 | 2.52 | 0 | 0 |
| | Canada | CN | 2 | 120 | 8 | 0 | 1 | 1 | 0 | 4.00 | - | | - | - | - | - | - | - | - | - | - | - |
| | **LNH** | | 68 | 3357 | 196 | 26 | 23 | 8 | 2 | 3.50 | 2 | 6 | 4 | 31 | 4 | 0 | 1 | - | 0 | 7.74 | 0 | 0 |
| | **Montréal** | | 68 | 3357 | 196 | 26 | 23 | 8 | 2 | 3.50 | 2 | 6 | 4 | 31 | 4 | 0 | 1 | - | 0 | 7.74 | 0 | 0 |

• **Coupe du Président (LHJMQ) en 1986-87 • Deuxième équipe d'étoiles (LHJMQ) en 1988-89 • Trophée Harry-Holmes (AHL) avec Jean-Claude Bergeron en 1989-90 • Coupe Stanley (LNH) en 1992-93. Médaille d'argent (Coupe Nagano) en 2002-03**
• Signe avec Los Angeles comme agent libre le 22 septembre 1994 • Signe avec Chicago comme agent libre le 25 août 1995

## RHÉAUME, HERBERT (HERB)

### Né à Manson, Québec, le 12 janvier 1900, décédé. Gardien, attrape de la gauche, 6', 200 lb

| SAISON | CLUB | LIGUE | PJ | MIN | BC | G | P | N | BL | MOY | A | PUN | PJ | MIN | BC | G | P | N | BL | MOY | A | PUN |
|---|---|---|---|---|---|---|---|---|---|---|---|---|---|---|---|---|---|---|---|---|---|---|
| 1915-16 | Ottawa (Grand Trunk) | OCHL | 3 | 180 | 9 | 2 | 1 | 0 | 1 | 3.00 | - | - | - | - | - | - | - | - | - | - | - | - |
| 1916-17 | Ottawa (Grand Trunk) | OCHL | 8 | 480 | 22 | 2 | 5 | 1 | 1 | 2.75 | - | - | - | - | - | - | - | - | - | - | - | - |
| 1917-18 | Hull (Canadien) | OCHL | 4 | 240 | 11 | 0 | 4 | 0 | 0 | 2.75 | - | - | - | - | - | - | - | - | - | - | - | - |
| | Hull (Canadien) | HOHL | 5 | 300 | 10 | - | - | - | 0 | 2.00 | - | - | - | - | - | - | - | - | - | - | - | - |
| 1918-19 | Hamilton (Tigers) | OHA Sr | 8 | 480 | 35 | *6 | 2 | 0 | 0 | 4.38 | - | - | 4 | 240 | 13 | 2 | 2 | 0 | 0 | 3.25 | - | - |
| | Hamilton (Tigers) | Allan | 2 | 130 | 6 | 1 | 1 | 0 | 0 | 2.77 | - | - | - | - | - | - | - | - | - | - | - | - |
| 1919-20 | Hamilton (Tigers) | OHA Sr | 6 | 360 | 17 | *5 | 4 | 0 | 0 | *2.83 | - | - | 2 | 120 | 6 | 1 | 1 | 0 | 0 | 3.00 | - | - |
| 1920-21 | Hamilton (Tigers) | OHA Sr | 9 | 540 | 39 | 3 | 6 | 0 | 0 | 4.33 | - | - | - | - | - | - | - | - | - | - | - | - |
| 1921-22 | Boston (Westmimsters) | USAHA | *Statistiques non disponibles* | | | | | | | | | | | | | | | | | | | |
| 1922-23 | New Haven (Westminsters) | USAHA | *Statistiques non disponibles* | | | | | | | | | | | | | | | | | | | |
| 1923-24 | Trois-Rivières (Renards) | ECHA | 2 | 120 | 1 | 1 | 1 | 0 | 1 | 0.50 | - | - | - | - | - | - | - | - | - | - | - | - |
| 1924-25 | Québec (Sons of Ireland) | ECHA | 8 | 480 | 23 | 4 | 4 | 0 | 0 | 2.88 | - | - | - | - | - | - | - | - | - | - | - | - |
| 1925-26 | **Montréal (Canadiens)** | LNH | 31 | 1889 | 92 | 10 | 20 | 1 | 0 | 2.92 | 0 | 0 | - | - | - | - | - | - | - | - | - | - |
| 1926-27 | Boston (Tigers) | Can-Am | 32 | 1980 | 46 | 14 | 15 | 3 | 5 | *1.39 | - | - | - | - | - | - | - | - | - | - | - | - |
| 1927-28 | Boston (Tigers) | Can-Am | 40 | 2500 | 71 | 21 | 14 | 5 | 6 | 1.70 | - | - | 2 | 120 | 4 | 2 | 0 | 0 | 0 | 2.00 | - | - |
| 1928-29 | Boston (Tigers) | Can-Am | 40 | 2474 | 56 | *21 | 15 | 4 | *11 | 1.36 | - | - | 4 | 240 | *4 | 4 | 0 | 0 | *1 | *1.00 | - | - |
| 1929-30 | Boston (Tigers) | Can-Am | 40 | 2471 | 129 | 17 | 18 | 5 | 1 | 3.13 | - | - | 3 | 180 | 7 | 2 | 1 | 0 | 1 | 2.33 | - | - |
| 1930-31 | St. Louis (Flyers) | AHA | 34 | 2043 | 101 | 10 | 21 | 3 | 3 | 2.97 | - | - | 2 | 120 | 8 | 0 | 1 | 0 | 0 | 4.00 | - | - |
| 1931-32 | St. Louis (Flyers) | AHA | 35 | 2159 | 62 | 13 | 14 | 8 | 7 | 1.70 | - | - | - | - | - | - | - | - | - | - | - | - |
| 1932-33 | Regina/Vancouver | WCHL | 30 | 1800 | 102 | 15 | 13 | 2 | 0 | 3.40 | - | - | - | - | - | - | - | - | - | - | - | - |

| SAISON | CLUB | LIGUE | PJ | MIN | BC | G | P | N | BL | MOY | A | PUN | PJ | MIN | BC | G | P | N | BL | MOY | A | PUN |

SAISONS RÉGULIÈRES — SÉRIES ÉLIMINATOIRES

719

PRO-RHÉ

| SAISON CLUB | LIGUE | PJ | MIN | BC | G | P | N | BL | MOY | A | PUN | PJ | MIN | BC | G | P | N | BL | MOY | A | PUN |
|---|---|---|---|---|---|---|---|---|---|---|---|---|---|---|---|---|---|---|---|---|---|
| 1933-34 Portland (Buckaroos) | NWHL | 34 | 2040 | 118 | - | - | - | 1 | 3.47 | - | - | - | - | - | - | - | - | - | - | - | - |
| 1934-35 Edmonton (Eskimos) | NWH | 21 | 1260 | 79 | - | - | - | 1 | 3.76 | - | - | - | - | - | - | - | - | - | - | - | - |
| 1935-36 Vancouver (Lions) | NWH | 10 | 600 | 22 | 7 | 1 | 2 | 2 | 2.22 | - | - | 7 | 420 | 19 | *5 | 2 | 0 | *1 | 2.71 | - | - |
| **LNH** | | 31 | 1889 | 92 | 10 | 20 | 1 | 0 | 2.92 | 0 | 0 | - | - | - | - | - | - | - | - | - | - |
| **Montréal** | | 31 | 1889 | 92 | 10 | 20 | 1 | 0 | 2.92 | 0 | 0 | - | - | - | - | - | - | - | - | - | - |

• Signe avec Montréal le 13 décembre 1925

## RIENDEAU, VINCENT

### Né à Saint-Hyacinthe, Québec, le 20 avril 1966. Gardien, attrape de la gauche, 5', 10", 185 lb

| SAISON CLUB | LIGUE | PJ | MIN | BC | G | P | N | BL | MOY | A | PUN | PJ | MIN | BC | G | P | N | BL | MOY | A | PUN |
|---|---|---|---|---|---|---|---|---|---|---|---|---|---|---|---|---|---|---|---|---|---|
| 1983-84 Des Moines (Buccaneers) | USHL | 15 | 753 | 63 | - | - | - | 0 | 5.02 | - | - | - | - | - | - | - | - | - | - | - | - |
| Verdun (Junior) | LHJMQ | 41 | 2133 | 147 | 22 | 13 | 2 | 2 | 4.14 | - | - | - | - | - | - | - | - | - | - | - | - |
| 1984-85 Sherbrooke (Collège) CEGEP | | | | *Statistiques non disponibles* | | | | | | | | | | | | | | | | | |
| 1985-86 Drummondville (Voltigeurs) LHJMQ | | 57 | 3336 | 215 | 33 | 20 | 3 | 2 | 3.87 | - | - | 23 | 1271 | 106 | 10 | 13 | - | 1 | 5.00 | - | - |
| 1986-87 Sherbrooke (Canadien) | AHL | 41 | 2363 | 114 | 25 | 14 | 0 | 2 | 2.89 | - | - | 13 | 742 | 47 | 8 | 5 | - | 0 | 3.80 | - | - |
| 1987-88 **Montréal (Canadiens)** | LNH | 1 | 36 | 5 | 0 | 0 | 0 | 0 | 8.33 | 0 | 0 | - | - | - | - | - | - | - | - | - | - |
| Sherbrooke (Canadien) | AHL | 44 | 2521 | 112 | 27 | 13 | 3 | *4 | *2.67 | - | - | 2 | 127 | 7 | 0 | 2 | - | 0 | 3.31 | - | - |
| 1988-89 St. Louis (Blues) | LNH | 32 | 1842 | 108 | 11 | 15 | 5 | 0 | 3.52 | 1 | 4 | - | - | - | - | - | - | - | - | - | - |
| 1989-90 St. Louis (Blues) | LNH | 43 | 2551 | 149 | 17 | 19 | 5 | 1 | 3.50 | 0 | 6 | 8 | 397 | 24 | 3 | 4 | - | 0 | 3.63 | 0 | 0 |
| 1990-91 St. Louis (Blues) | LNH | 44 | 2671 | 134 | 29 | 9 | 6 | 3 | 3.01 | 0 | 2 | 13 | 687 | 35 | 6 | 7 | - | *1 | 3.06 | 0 | 0 |
| 1991-92 St. Louis (Blues) | LNH | 3 | 157 | 11 | 1 | 2 | 0 | 0 | 4.20 | 0 | 0 | - | - | - | - | - | - | - | - | - | - |
| Detroit (Red Wings) | LNH | 2 | 87 | 2 | 2 | 0 | 0 | 0 | 1.38 | 0 | 0 | 2 | 73 | 4 | 1 | 0 | - | 0 | 3.29 | 0 | 0 |
| Adirondack (Red Wings) | AHL | 3 | 179 | 8 | 2 | 1 | 0 | 0 | 2.68 | | | - | - | - | - | - | - | - | - | - | - |
| 1992-93 Detroit (Red Wings) | LNH | 22 | 1193 | 64 | 13 | 4 | 2 | 0 | 3.22 | 0 | 2 | - | - | - | - | - | - | - | - | - | - |
| 1993-94 Detroit (Red Wings) | LNH | 8 | 345 | 23 | 2 | 4 | 0 | 0 | 4.00 | 0 | 0 | - | - | - | - | - | - | - | - | - | - |
| Adirondack (Red Wings) | AHL | 10 | 582 | 30 | 6 | 3 | 0 | 0 | 3.09 | | | - | - | - | - | - | - | - | - | - | - |
| Boston (Bruins) | LNH | 18 | 976 | 50 | 7 | 6 | 1 | 1 | 3.07 | 1 | 0 | 2 | 120 | 8 | 1 | 1 | - | 0 | 4.00 | 0 | 0 |
| 1994-95 Boston (Bruins) | LNH | 11 | 565 | 27 | 3 | 6 | 1 | 0 | 2.87 | 0 | 2 | - | - | - | - | - | - | - | - | - | - |
| Providence (Bruins) | AHL | - | - | - | - | - | - | - | - | | | 1 | 60 | 3 | 1 | 0 | - | 0 | 3.00 | - | - |
| 1995-96 SC Riessersee | GER | 47 | 2776 | 184 | - | - | - | - | 4.00 | - | - | 3 | 189 | 20 | - | - | - | 0 | 6.35 | - | - |
| 1996-97 Manitoba (Moose) | IHL | 41 | 1941 | 113 | 10 | 18 | 5 | 0 | 3.49 | | | - | - | - | - | - | - | - | - | - | - |
| 1997-98 Reiver Lowen | GER | 14 | 750 | 38 | - | - | - | 0 | 3.04 | | | - | - | - | - | - | - | - | - | - | - |
| HC Lugano | SUI | 1 | 65 | 2 | 0 | 0 | 1 | 0 | 1.85 | | | - | - | - | - | - | - | - | - | - | - |
| 1998-99 Ayr Scottish Eagles | GBR-Cup | 9 | 531 | 23 | 5 | 2 | 2 | 1 | 2.60 | | | - | - | - | - | - | - | - | - | - | - |
| Ayr Scottish Eagles | GBR | 18 | 1120 | 58 | 8 | 7 | 3 | 0 | 3.11 | | | - | - | - | - | - | - | - | - | - | - |
| Ayr Scottish Eagles | EuroHL | 5 | 309 | 20 | 2 | 3 | 0 | 0 | 3.88 | | | - | - | - | - | - | - | - | - | - | - |
| Lada Togliatti | RUS | 5 | 235 | 6 | - | - | - | - | 1.53 | 0 | 2 | 7 | 407 | 14 | - | - | - | 1 | 2.06 | - | - |
| 1999-00 Lada Togliatti | RUS | 16 | 722 | 26 | - | - | - | 4 | 2.16 | 1 | 0 | 1 | 14 | 2 | 0 | 1 | - | 0 | 8.57 | - | - |
| 2000-01 Anchorage (Aces) | WCHL | 21 | - | - | 8 | 10 | 2 | 0 | 4.13 | | | - | - | - | - | - | - | - | - | - | - |
| **LNH** | | 184 | 10423 | 573 | 85 | 65 | 20 | 5 | 3.30 | 2 | 16 | 25 | 1277 | 71 | 11 | 12 | - | 1 | 3.34 | - | - |
| **Montréal** | | 1 | 36 | 5 | 0 | 0 | 0 | 0 | 8.33 | 0 | 0 | - | - | - | - | - | - | - | - | - | - |

• **Deuxième équipe d'étoiles (LHJMQ) en 1985-86** • **Trophée Harry-Holmes (AHL) en 1986-87** • **Trophée Harry-Holmes (AHL) avec Jocelyn Perreault en 1987-88** • **Deuxième équipe d'étoiles (AHL) en 1987-88**

• Signe avec Montréal comme agent libre le 9 octobre 1985 • Échangé à St. Louis par Montréal avec Sergio Momesso pour Jocelyn Lemieux, Darrell May et le choix de 2e ronde de St. Louis au repêchage de 1989 (Patrice Brisebois) le 9 août 1988 • Échangé à Detroit par St. Louis pour Rick Zombo le 18 octobre 1991 • Échangé à Boston par Detroit pour le choix de 5e ronde de Boston au repêchage de 1995 (Chad Wilchynski) le 17 janvier 1994 • Signe avec Anchorage comme agent libre le 14 décembre 2000

## ROY, PATRICK

### Né à Québec, Québec, le 5 octobre 1965. Gardien, attrape de la gauche, 6', 192 lb (4e choix de Montréal, 51e au total lors du repêchage de 1984)

| SAISON CLUB | LIGUE | PJ | MIN | BC | G | P | N | BL | MOY | A | PUN | PJ | MIN | BC | G | P | N | BL | MOY | A | PUN |
|---|---|---|---|---|---|---|---|---|---|---|---|---|---|---|---|---|---|---|---|---|---|
| 1981-82 Sainte-Foy (Gouverneurs) | QAAA | 40 | 2400 | 156 | 27 | 3 | 10 | 0 | 2.63 | - | - | - | - | - | - | - | - | - | - | - | - |
| 1982-83 Granby (Bisons) | LHJMQ | 54 | 2808 | 293 | 13 | 35 | 1 | 0 | 6.26 | - | - | - | - | - | - | - | - | - | - | - | - |
| 1983-84 Granby (Bisons) | LHJMQ | 61 | 3585 | 265 | 29 | 29 | 1 | 0 | 4.44 | - | - | 4 | 244 | 22 | 0 | 4 | - | 0 | 5.41 | - | - |
| Sherbrooke (Canadien) | AHL | - | - | - | - | - | - | - | - | | | 13 | *769 | 37 | 10 | 30 | - | - | *2.89 | - | - |
| 1984-85 **Montréal (Canadiens)** | LNH | 1 | 20 | 0 | 1 | 0 | 0 | 0 | 0.00 | 0 | 0 | - | - | - | - | - | - | - | - | - | - |
| Granby (Bisons) | LHJMQ | 44 | 2463 | 228 | 16 | 25 | 1 | 0 | 5.55 | | | - | - | - | - | - | - | - | - | - | - |
| Sherbrooke (Canadien) | AHL | 1 | 60 | 4 | 1 | 0 | 0 | 0 | 4.00 | | | - | - | - | - | - | - | - | - | - | - |
| 1985-86 **Montréal (Canadiens)** | LNH | 47 | 2649 | 148 | 23 | 18 | 3 | 1 | 3.35 | 3 | 4 | 20 | 1215 | 39 | *15 | 5 | - | *1 | 1.92 | 0 | 10 |
| 1986-87 **Montréal (Canadiens)** | LNH | 46 | 2681 | 131 | 22 | 16 | 6 | 1 | 2.93 | 1 | 8 | 6 | 330 | 22 | 4 | 2 | - | 0 | 4.00 | 0 | 0 |
| 1987-88 **Montréal (Canadiens)** | LNH | 45 | 2586 | 125 | 23 | 12 | 9 | 3 | 2.90 | 2 | 14 | 8 | 430 | 24 | 3 | 4 | - | 0 | 3.35 | 0 | 0 |
| Match des étoiles | LNH | 1 | 30 | 3 | 1 | 0 | 0 | 0 | 6.03 | 0 | 0 | | | | | | | | | | |
| 1988-89 **Montréal (Canadiens)** | LNH | 48 | 2744 | 113 | 33 | 5 | 6 | 4 | *2.47 | 6 | 2 | 19 | 1206 | 42 | 13 | 6 | - | 2 | *2.09 | 2 | 16 |
| 1989-90 **Montréal (Canadiens)** | LNH | 54 | 3173 | 134 | *31 | 16 | 5 | 3 | 2.53 | 5 | 0 | 11 | 641 | 26 | 5 | 6 | - | 1 | 2.43 | 1 | 0 |
| Match des étoiles | LNH | 1 | 29 | 3 | 1 | 0 | 0 | 0 | 6.16 | 0 | 0 | | | | | | | | | | |
| 1990-91 **Montréal (Canadiens)** | LNH | 48 | 2835 | 128 | 25 | 15 | 6 | 1 | 2.71 | 2 | 6 | 13 | 785 | 40 | 7 | 5 | - | 0 | 3.06 | 0 | 2 |
| Match des étoiles | LNH | 1 | 30 | 5 | 0 | 0 | 0 | 0 | 10.07 | 0 | 0 | | | | | | | | | | |
| 1991-92 **Montréal (Canadiens)** | LNH | 67 | 3935 | 155 | 36 | 22 | 8 | *5 | *2.36 | 5 | 4 | 11 | 686 | 30 | 4 | 7 | - | 1 | 2.62 | 0 | 2 |
| Match des étoiles | LNH | 1 | 20 | 2 | 0 | 0 | 0 | 0 | 6.00 | 0 | 0 | | | | | | | | | | |
| 1992-93 **Montréal (Canadiens)** | LNH | 62 | 3595 | 192 | 31 | 25 | 5 | 2 | 3.20 | 2 | 16 | 20 | 1293 | 46 | *16 | 4 | - | 0 | *2.13 | 1 | 4 |
| Match des étoiles | LNH | 1 | 20 | 0 | 0 | 0 | 0 | 0 | 0.00 | 0 | 0 | | | | | | | | | | |
| 1993-94 **Montréal (Canadiens)** | LNH | 68 | 3867 | 161 | 35 | 17 | 11 | *7 | 2.50 | 1 | 30 | 6 | 375 | 16 | 3 | 3 | - | 0 | 2.56 | 0 | 0 |
| Match des étoiles | LNH | 1 | 20 | 4 | 0 | 0 | 0 | 0 | 12.00 | 0 | 0 | | | | | | | | | | |
| 1994-95 **Montréal (Canadiens)** | LNH | 43 | 2566 | 127 | 17 | 20 | 6 | 1 | 2.97 | 1 | 20 | - | - | - | - | - | - | - | - | - | - |
| 1995-96 **Montréal (Canadiens)** | LNH | 22 | 1260 | 62 | 12 | 9 | 1 | 1 | 2.95 | 0 | 6 | - | - | - | - | - | - | - | - | - | - |
| Colorado (Avalanche) | LNH | 39 | 2304 | 103 | 22 | 15 | 1 | 1 | 2.68 | 0 | 4 | *22 | *1454 | 51 | *16 | 6 | - | *3 | 2.10 | 0 | 0 |
| 1996-97 Colorado (Avalanche) | LNH | 62 | 3698 | 143 | *38 | 15 | 7 | 7 | 2.32 | 1 | 15 | 17 | 1034 | 38 | 10 | 7 | - | *3 | 2.21 | 0 | 12 |
| Match des étoiles | LNH | 1 | 20 | 4 | 0 | 0 | 0 | 0 | 12.00 | 0 | 0 | | | | | | | | | | |
| 1997-98 Colorado (Avalanche) | LNH | 65 | 3835 | 153 | 31 | 19 | 13 | 4 | 2.39 | 3 | 39 | 7 | 430 | 18 | 3 | 4 | - | 0 | 2.51 | 1 | 0 |
| Match des étoiles | LNH | 1 | 20 | 3 | 0 | 0 | 0 | 0 | 9.00 | 0 | 0 | | | | | | | | | | |
| Canada | JO | 6 | 369 | 9 | 3 | 3 | 0 | 1 | 1.46 | 0 | 0 | | | | | | | | | | |
| 1998-99 Colorado (Avalanche) | LNH | 61 | 3648 | 139 | 32 | 19 | 8 | 5 | 2.29 | 2 | 28 | 19 | 1173 | 52 | 11 | 8 | - | 1 | 2.66 | 2 | 4 |
| 1999-00 Colorado (Avalanche) | LNH | 63 | 3704 | 141 | 32 | 21 | 8 | 2 | 2.28 | 3 | 10 | 17 | 1039 | 31 | 11 | 6 | - | 3 | 1.79 | 0 | 4 |
| 2000-01 Colorado (Avalanche) | LNH | 62 | 3585 | 132 | 40 | 13 | 7 | 4 | 2.21 | 5 | 10 | 23 | 1451 | 41 | *16 | 7 | - | *4 | *1.70 | 1 | 0 |
| Match des étoiles | LNH | 1 | 20 | 3 | 0 | 0 | 0 | 0 | 9.00 | 0 | 0 | | | | | | | | | | |
| 2001-02 Colorado (Avalanche) | LNH | 63 | 3774 | 122 | 32 | 23 | 8 | *9 | *1.94 | 3 | 26 | 21 | 1241 | 52 | 11 | 10 | - | 3 | 2.51 | 2 | 0 |
| Match des étoiles | LNH | 1 | 20 | 2 | 0 | 0 | 0 | 0 | 6.00 | 0 | 0 | | | | | | | | | | |
| 2002-03 Colorado (Avalanche) | LNH | 63 | 3768 | 137 | 35 | 15 | 13 | 5 | 2.18 | 0 | 20 | 7 | 423 | 16 | 3 | 4 | - | 1 | 2.26 | 0 | 0 |
| **LNH** | | 1029 | 60228 | 2546 | *551 | 315 | 131 | 66 | 2.54 | 45 | 262 | *247 | 15206 | 584 | 151 | 94 | - | *23 | 2.30 | 11 | 54 |
| **Montréal** | | 551 | 31911 | 1476 | 289 | 175 | 65 | 29 | 2.77 | 28 | 110 | 114 | 6761 | 285 | 70 | 42 | - | 5 | 2.46 | 4 | 34 |

• **Troisième équipe d'étoiles (LHJMQ) en 1982-83** • **Coupe Calder (AHL) en 1984-85** • **Équipe d'étoiles des recrues (LNH) en 1985-86** • **Coupe Stanley (LNH) en 1985-86, 1992-93, 1995-96** • **Trophée Conn-Smythe (LNH) en 1985-86, 1992-93, 2000-01** • **Trophée William-M.-Jenning (LNH) avec Brian Hayward en 1986-87, 1987-88, 1988-89** • **Match des étoiles (LNH)**

RIE·ROY

| SAISON | CLUB | LIGUE | PJ | MIN | BC | G | P | N | BL | MOY | A | PUN | PJ | MIN | BC | G | P | N | BL | MOY | A | PUN |
|---|---|---|---|---|---|---|---|---|---|---|---|---|---|---|---|---|---|---|---|---|---|---|

en 1987-88, 1989-90, 1990-91, 1991-92, 1992-93, 1993-94, 1996-97, 1997-98, 2000-01, 2001-02 • Première équipe d'étoiles (LNH) en 1988-89, 1989-90, 1991-92, 2001-02
• Deuxième équipe d'étoiles (LNH) en 1987-88, 1990-91 • Trophée Georges-Vézina (LNH) en 1988-89, 1989-90, 1991-92 • Trophée William-M.-Jenning (LNH) en 1991-92, 2001-02
• Échangé au Colorado par Montréal avec Mike Keane pour Andrei Kovalenko, Martin Rucinsky et Jocelyn Thibault le 6 décembre 1995

## SANDS, CHARLES (CHARLIE)

Né à Forth William, Ontario, le 23 mars 1911. Centre/Ailier droit, lance de la droite, 5'9", 160 lb

| SAISON | CLUB | LIGUE | PJ | MIN | BC | G | P | N | BL | MOY | A | PUN | PJ | MIN | BC | G | P | N | BL | MOY | A | PUN |
|---|---|---|---|---|---|---|---|---|---|---|---|---|---|---|---|---|---|---|---|---|---|---|
| 1939-40 | Montréal (Canadiens) | LNH | 1 | 25 | 0 | 1 | 0 | 0 | 0 | 12.00 | 0 | 0 | - | - | - | - | - | - | - | - | - | - |
| | | LNH | 1 | 25 | 0 | 1 | 0 | 0 | 0 | 12.00 | 0 | 0 | - | - | - | - | - | - | - | - | - | - |
| | Montréal | | 1 | 25 | 0 | 1 | 0 | 0 | 0 | 12.00 | 0 | 0 | - | - | - | - | - | - | - | - | - | - |

• A remplacé Wilf Cude suite à une punition le 22 février 1940

## SÉVIGNY, RICHARD

Né à Montréal, Québec, le 11 avril 1957. Gardien, attrape de la gauche, 5'8", 175 lb (11e choix de Montréal, 124e au total lors du repêchage de 1977)

| SAISON | CLUB | LIGUE | PJ | MIN | BC | G | P | N | BL | MOY | A | PUN | PJ | MIN | BC | G | P | N | BL | MOY | A | PUN |
|---|---|---|---|---|---|---|---|---|---|---|---|---|---|---|---|---|---|---|---|---|---|---|
| 1974-75 | Granby (Vics) | LHJQ | 50 | 2966 | 240 | - | - | - | *2 | 4.85 | - | - | - | - | - | - | - | - | - | - | - | - |
| | Sherbrooke (Castors) | LHJMQ | 2 | 62 | 4 | - | - | - | 0 | 3.87 | - | - | - | - | - | - | - | - | - | - | - | - |
| 1975-76 | Sherbrooke (Castors) | LHJMQ | 55 | 3058 | 196 | - | - | - | 2 | 3.85 | - | - | 15 | 797 | 56 | - | - | - | 0 | 4.22 | - | - |
| | Canada | CMJ | 4 | 226 | 23 | - | - | - | - | 6.10 | - | - | - | - | - | - | - | - | - | - | - | - |
| 1976-77 | Sherbrooke (Castors) | LHJMQ | 65 | 3656 | 248 | - | - | - | *2 | 4.07 | - | - | 18 | 1058 | 60 | - | - | - | 2 | 3.40 | - | - |
| | Sherbrooke (Castors) | Mem. | 4 | 240 | 19 | 0 | 4 | 0 | 0 | 4.75 | 0 | 0 | - | - | - | - | - | - | - | - | - | - |
| 1977-78 | Kalamazoo (Wings) | IHL | 35 | 1897 | 95 | - | - | - | 1 | 3.01 | - | - | 7 | 296 | 12 | - | - | - | 0 | *2.43 | - | - |
| 1978-79 | Springfield (Indians) | AHL | 22 | 1302 | 77 | 6 | 12 | 3 | 0 | 3.55 | - | - | - | - | - | - | - | - | - | - | - | - |
| | Nlle-Écosse (Voyageurs) | AHL | 20 | 1169 | 57 | 12 | 6 | 1 | 1 | 2.93 | - | - | 10 | 607 | 37 | 5 | 5 | - | 0 | 3.66 | - | - |
| 1979-80 | Montréal (Canadiens) | LNH | 11 | 632 | 31 | 5 | 4 | 2 | 0 | 2.94 | 0 | 4 | - | - | - | - | - | - | - | - | - | - |
| | Nlle-Écosse (Voyageurs) | AHL | 35 | 2104 | 114 | 17 | 12 | 4 | *3 | 3.25 | - | - | 4 | 239 | 15 | 1 | 3 | - | 0 | 3.77 | - | - |
| 1980-81 | Montréal (Canadiens) | LNH | 33 | 1777 | 71 | 20 | 4 | 3 | 2 | *2.40 | 0 | 30 | 3 | 180 | 13 | 0 | 3 | - | 0 | 4.33 | 1 | 0 |
| 1981-82 | Montréal (Canadiens) | LNH | 19 | 1027 | 53 | 11 | 4 | 2 | 0 | 3.10 | 0 | 10 | - | - | - | - | - | - | - | - | - | - |
| 1982-83 | Montréal (Canadiens) | LNH | 38 | 2130 | 122 | 15 | 11 | 8 | 1 | 3.44 | 1 | 18 | 1 | 28 | 0 | 0 | 0 | - | 0 | 0.00 | 0 | 0 |
| 1983-84 | Montréal (Canadiens) | LNH | 40 | 2203 | 124 | 16 | 18 | 4 | 1 | 3.38 | 0 | 12 | - | - | - | - | - | - | - | - | - | - |
| 1984-85 | Québec (Nordiques) | LNH | 20 | 1104 | 62 | 10 | 6 | 2 | 1 | 3.37 | 0 | 8 | - | - | - | - | - | - | - | - | - | - |
| 1985-86 | Québec (Nordiques) | LNH | 11 | 468 | 33 | 3 | 5 | 1 | 0 | 4.23 | 0 | 8 | - | - | - | - | - | - | - | - | - | - |
| | Fredericton (Express) | AHL | 6 | 362 | 21 | 3 | 3 | 0 | 0 | 3.48 | - | - | - | - | - | - | - | - | - | - | - | - |
| 1986-87 | Québec (Nordiques) | LNH | 4 | 144 | 11 | 0 | 2 | 0 | 0 | 4.58 | 0 | 14 | - | - | - | - | - | - | - | - | - | - |
| | Fredericton (Express) | AHL | 16 | 884 | 62 | 4 | 10 | 0 | 0 | 4.21 | - | - | - | - | - | - | - | - | - | - | - | - |
| 1987-88 | Fredericton (Express) | AHL | 1 | 16 | 2 | 0 | 0 | 0 | 0 | 7.50 | - | - | - | - | - | - | - | - | - | - | - | - |
| | | LNH | 176 | 9485 | 507 | 80 | 54 | 20 | 5 | 3.21 | 1 | 94 | 4 | 208 | 13 | 0 | 3 | - | 0 | 3.75 | 1 | 0 |
| | Montréal | | 141 | 7769 | 401 | 67 | 41 | 17 | 4 | 3.10 | 1 | 64 | 4 | 208 | 13 | 0 | 3 | - | 0 | 3.75 | 1 | 0 |

• Première équipe d'étoiles, Division Ouest (LHJMQ) en 1975-76 • Médaille d'argent (CMJ) en 1975-76 • Coupe du Président (LHJMQ) en 1976-77 • Deuxième équipe d'étoiles (IHL) en 1977-78 • Trophée Georges-Vézina (LNH) avec Denis Herron et Michel Larocque en 1980-81. Partage un blanchissage avec Denis Herron le 11 novembre 1981
• Signe avec Québec comme agent libre le 4 juillet 1984

## SOETAERT, DOUGLAS (DOUG)

Né à Edmonton, Alberta, le 21 avril 1955. Gardien, attrape de la gauche, 6', 180 lb (2e choix de New York (Rangers), 30e au total lors du repêchage de 1975)

| SAISON | CLUB | LIGUE | PJ | MIN | BC | G | P | N | BL | MOY | A | PUN | PJ | MIN | BC | G | P | N | BL | MOY | A | PUN |
|---|---|---|---|---|---|---|---|---|---|---|---|---|---|---|---|---|---|---|---|---|---|---|
| 1971-72 | Edmonton (Oil Kings) | WCJHL | 37 | 1738 | 105 | - | - | - | 3 | 3.62 | - | - | 6 | 267 | 13 | - | - | - | 0 | 2.92 | - | - |
| 1972-73 | Edmonton (Oil Kings) | WCJHL | 43 | 2111 | 129 | - | - | - | 1 | 3.67 | - | - | 6 | 339 | 33 | - | - | - | 0 | 5.84 | - | - |
| 1973-74 | Edmonton (Oil Kings) | WCJHL | 39 | 2190 | 163 | - | - | - | 1 | 4.47 | - | - | 3 | 141 | 9 | - | - | - | 0 | 3.83 | - | - |
| 1974-75 | Edmonton (Oil Kings) | WCJHL | 65 | 3706 | 273 | - | - | - | 1 | 4.42 | - | - | - | - | - | - | - | - | - | - | - | - |
| | Canada | CMJ | 2 | 120 | 5 | - | - | - | - | 2.50 | - | - | - | - | - | - | - | - | - | - | - | - |
| 1975-76 | New York (Rangers) | LNH | 8 | 273 | 24 | 2 | 2 | 0 | 0 | 5.27 | 1 | 0 | - | - | - | - | - | - | - | - | - | - |
| | Providence (Reds) | AHL | 16 | 896 | 65 | 6 | 9 | 1 | 0 | 4.35 | - | - | 1 | 59 | 6 | 0 | 1 | - | 0 | 6.10 | - | - |
| 1976-77 | New York (Rangers) | LNH | 12 | 570 | 28 | 3 | 4 | 1 | 1 | 2.95 | 0 | 0 | - | - | - | - | - | - | - | - | - | - |
| | New Haven (Nighthawks) | AHL | 16 | 947 | 61 | 6 | 9 | 0 | 0 | 3.86 | - | - | - | - | - | - | - | - | - | - | - | - |
| 1977-78 | New York (Rangers) | LNH | 6 | 360 | 20 | 2 | 2 | 2 | 0 | 3.33 | 0 | 0 | - | - | - | - | - | - | - | - | - | - |
| | New Haven (Nighthawks) | AHL | 38 | 2252 | 141 | 16 | 16 | 6 | 0 | 3.75 | - | - | 15 | 916 | 53 | 8 | 7 | - | 0 | 3.47 | - | - |
| 1978-79 | New Haven (Nighthawks) | AHL | 3 | 180 | 11 | 2 | 1 | 0 | 0 | 3.67 | - | - | - | - | - | - | - | - | - | - | - | - |
| | New York (Rangers) | LNH | 17 | 900 | 57 | 5 | 7 | 3 | 0 | 3.80 | 0 | 4 | - | - | - | - | - | - | - | - | - | - |
| 1979-80 | New York (Rangers) | LNH | 8 | 435 | 33 | 5 | 2 | 0 | 0 | 4.55 | 0 | 0 | - | - | - | - | - | - | - | - | - | - |
| | New Haven (Nighthawks) | AHL | 32 | 1808 | 108 | 17 | 8 | 5 | *3 | 3.58 | - | - | 8 | 478 | 24 | 5 | 3 | - | 0 | 3.01 | - | - |
| 1980-81 | New York (Rangers) | LNH | 39 | 2320 | 152 | 16 | 15 | 8 | 0 | 3.93 | 0 | 2 | - | - | - | - | - | - | - | - | - | - |
| | New Haven (Nighthawks) | AHL | 12 | 668 | 35 | 5 | 5 | 1 | 2 | 3.14 | - | - | 4 | 220 | 19 | 0 | 3 | - | 0 | 5.18 | - | - |
| 1981-82 | Winnipeg (Jets) | LNH | 39 | 2157 | 155 | 13 | 14 | 8 | 2 | 4.31 | 2 | 14 | 2 | 120 | 8 | 1 | 1 | - | 0 | 4.00 | 0 | 0 |
| 1982-83 | Winnipeg (Jets) | LNH | 44 | 2533 | 174 | 19 | 19 | 6 | 0 | 4.12 | 1 | 10 | 1 | 20 | 0 | 0 | 0 | - | 0 | 0.00 | 0 | 0 |
| 1983-84 | Winnipeg (Jets) | LNH | 47 | 2539 | 182 | 18 | 15 | 7 | 0 | 4.30 | 3 | 14 | 1 | 20 | 5 | 0 | 1 | - | 0 | 15.15 | 0 | 0 |
| 1984-85 | Montréal (Canadiens) | LNH | 28 | 1606 | 91 | 14 | 9 | 4 | 0 | 3.40 | 0 | 4 | 1 | 20 | 1 | 0 | 0 | - | 0 | 3.00 | 0 | 0 |
| 1985-86 | Montréal (Canadiens) | LNH | 23 | 1215 | 56 | 11 | 7 | 3 | 3 | 2.77 | 0 | 6 | - | - | - | - | - | - | - | - | - | - |
| 1986-87 | New York (Rangers) | LNH | 13 | 675 | 58 | 2 | 7 | 2 | 0 | 5.16 | 0 | 14 | - | - | - | - | - | - | - | - | - | - |
| | | LNH | 284 | 15583 | 1030 | 110 | 104 | 42 | 6 | 3.97 | 7 | 68 | 5 | 180 | 14 | 1 | 2 | - | 0 | 4.67 | 0 | 0 |
| | Montréal | | 51 | 2821 | 147 | 25 | 16 | 6 | 3 | 3.13 | 0 | 10 | 1 | 20 | 1 | 0 | 0 | - | 0 | 3.00 | 0 | 0 |

• Échangé à Winnipeg par New York (Rangers) pour le choix de 3e ronde du Winnipeg au repêchage de 1983 (Vesa Salo) le 8 septembre 1981 • Échangé à Montréal par Winnipeg pour Mark Holden le 9 octobre 1984 • Signe avec New York (Rangers) comme agent libre le 24 juillet 1986

## THÉODORE, JOSÉ

Né à Laval, Québec, le 13 septembre 1976. Gardien, attrape de la droite, 5'11", 181 lb (2e choix de Montréal, 44e au total lors du repêchage de 1994)

| SAISON | CLUB | LIGUE | PJ | MIN | BC | G | P | N | BL | MOY | A | PUN | PJ | MIN | BC | G | P | N | BL | MOY | A | PUN |
|---|---|---|---|---|---|---|---|---|---|---|---|---|---|---|---|---|---|---|---|---|---|---|
| 1991-92 | Richelieu (Riverains) | QAAA | 24 | 1474 | 98 | 9 | 13 | 2 | 0 | 3.99 | - | - | 5 | 175 | 11 | 2 | 3 | - | 0 | 5.28 | - | - |
| 1992-93 | Saint-Jean (Lynx) | LHJMQ | 34 | 1776 | 112 | 12 | 16 | 2 | 0 | 3.78 | - | - | - | - | - | - | - | - | - | - | - | - |
| 1993-94 | Saint-Jean (Lynx) | LHJMQ | 57 | 3225 | 194 | 20 | 29 | 6 | 0 | 3.61 | - | - | 5 | 296 | 18 | 1 | 0 | - | 0 | 3.65 | - | - |
| 1994-95 | Hull (Olympiques) | LHJMQ | *58 | *3348 | 193 | *32 | 22 | 2 | 5 | 3.46 | - | - | *21 | *1263 | 59 | *15 | 6 | - | *1 | 2.80 | - | - |
| | Hull (Olympiques) | Mem. | 3 | 150 | 13 | 0 | 3 | 0 | 0 | 5.20 | - | - | 1 | 60 | 3 | 0 | 1 | - | 0 | 3.00 | 0 | 0 |
| 1995-96 | Montréal (Canadiens) | LNH | 1 | 9 | 1 | 0 | 0 | 0 | 0 | 6.67 | 0 | 0 | - | - | - | - | - | - | - | - | - | - |
| | Hull (Olympiques) | LHJMQ | 48 | 2807 | 158 | 33 | 11 | 2 | 0 | 3.38 | 0 | 0 | 5 | 299 | 20 | 2 | 3 | - | 0 | 4.01 | - | - |
| | Canada | CMJ | 4 | 240 | 6 | 4 | 0 | 0 | 0 | 1.50 | - | - | - | - | - | - | - | - | - | - | - | - |
| 1996-97 | Montréal (Canadiens) | LNH | 16 | 821 | 53 | 5 | 6 | 2 | 0 | 3.87 | 0 | 0 | 2 | 168 | 7 | 1 | 1 | - | 0 | 2.50 | 0 | 0 |
| | Fredericton (Canadien) | AHL | 26 | 1469 | 87 | 12 | 12 | 0 | 0 | 3.55 | - | - | - | - | - | - | - | - | - | - | - | - |
| 1997-98 | Fredericton (Canadien) | AHL | 53 | 3053 | 145 | 20 | 23 | 8 | 2 | 2.85 | - | - | 4 | 237 | 13 | 1 | 3 | - | 0 | 3.28 | - | - |
| | Montréal (Canadiens) | LNH | - | - | - | - | - | - | - | - | - | - | 3 | 120 | 1 | 0 | 1 | - | 0 | 0.50 | 0 | 0 |
| 1998-99 | Montréal (Canadiens) | LNH | 18 | 913 | 50 | 4 | 12 | 0 | 1 | 3.29 | 0 | 0 | - | - | - | - | - | - | - | - | - | - |
| | Fredericton (Canadien) | AHL | 27 | 1609 | 77 | 12 | 13 | 2 | 0 | 2.87 | 1 | 6 | 13 | 694 | 35 | 8 | 5 | - | 1 | 3.03 | 1 | 2 |
| 1999-00 | Montréal (Canadiens) | LNH | 30 | 1655 | 58 | 12 | 13 | 2 | 5 | 2.10 | 0 | 0 | - | - | - | - | - | - | - | - | - | - |
| | Canada | CM | 8 | 478 | 13 | 5 | 3 | 0 | 2 | 1.63 | - | - | - | - | - | - | - | - | - | - | - | - |
| 2000-01 | Montréal (Canadiens) | LNH | 59 | 3298 | 141 | 20 | 29 | 5 | 2 | 2.57 | 0 | • | - | - | - | - | - | - | - | - | - | - |

| SAISON | CLUB | LIGUE | PJ | MIN | BC | G | P | N | BL | MOY | A | PUN | PJ | MIN | BC | G | P | N | BL | MOY | A | PUN |
|---|---|---|---|---|---|---|---|---|---|---|---|---|---|---|---|---|---|---|---|---|---|---|

| SAISON | CLUB | LIGUE | PJ | MIN | BC | G | P | N | BL | MOY | A | PUN | PJ | MIN | BC | G | P | N | BL | MOY | A | PUN |
|---|---|---|---|---|---|---|---|---|---|---|---|---|---|---|---|---|---|---|---|---|---|---|
| 2001-02 | Montréal (Canadiens) | LNH | 67 | 3863 | 136 | 30 | 24 | 10 | 7 | 2.11 | 2 | 2 | 12 | 685 | 35 | 6 | 6 | - | 0 | 3.06 | 0 | 0 |
| | Match des étoiles | LNH | 1 | 20 | 1 | 0 | 0 | 0 | 0 | 3.00 | 0 | 0 | - | - | - | - | - | - | - | - | - | - |
| 2002-03 | Montréal (Canadiens) | LNH | 57 | 3419 | 165 | 20 | 31 | 6 | 2 | 2.89 | 2 | 6 | - | - | - | - | - | - | - | - | - | - |
| | | LNH | 248 | 13978 | 604 | 91 | 115 | 25 | 17 | 2.59 | 4 | 14 | 17 | 973 | 43 | 7 | 8 | - | 0 | 2.65 | 0 | 0 |
| | Montréal | | 248 | 13978 | 604 | 91 | 115 | 25 | 17 | 2.59 | 4 | 14 | 17 | 973 | 43 | 7 | 8 | - | 0 | 2.65 | 0 | 0 |

• Coupe du Président (LHJMQ) en 1994-95 • Trophée Guy-Lafleur (LHJMQ) en 1994-95 • Joueur défensif de l'année (LHJMQ) en 1994-95 • Deuxième équipe d'étoiles (LHJMQ) en 1994-95, 1995-96 • Équipe d'étoiles (CMJ) en 1996 • Gardien par excellence (CMJ) en 1996 • Médaille d'or (CMJ) en 1996 • Troisième équipe d'étoiles (CHL) en 1995-96 • Deuxième équipe d'étoiles (CM) en 2000 • Match des étoiles (LNH) en 2001-02 • Trophée Hart en 2001-02 • Trophée Georges-Vézina en 2001-02 • Trophée Roger-Crozier en 2001-02
• Sixième gardien de l'histoire de la LNH à compter un but en saison le 2 janvier 2000

## THIBAULT, JOCELYN

Né à Montréal, Québec, le 12 janvier 1975. Gardien, attrape de la gauche, 5'11", 170 lb (1er choix de Québec, 10e au total lors du repêchage de 1993)

| SAISON | CLUB | LIGUE | PJ | MIN | BC | G | P | N | BL | MOY | A | PUN | PJ | MIN | BC | G | P | N | BL | MOY | A | PUN |
|---|---|---|---|---|---|---|---|---|---|---|---|---|---|---|---|---|---|---|---|---|---|---|
| 1990-91 | Laval (Régents) | QAAA | 20 | 1178 | 78 | 14 | 5 | 0 | 0 | 3.94 | 0 | 0 | 5 | - | - | - | 2 | 3 | - | - | 4.00 | 0 | 0 |
| 1991-92 | Trois-Rivières (Draveurs) | LHJMQ | 30 | 1496 | 77 | 14 | 7 | 1 | 0 | 3.09 | - | - | 3 | 110 | 4 | 1 | 1 | - | 0 | 2.19 | - | - |
| 1992-93 | Sherbrooke (Faucons) | LHJMQ | 56 | 3190 | 159 | 34 | 14 | 5 | 5 | 2.99 | - | - | 15 | 882 | 57 | 9 | 6 | - | 0 | 3.87 | - | - |
| 1993-94 | Québec (Nordiques) | LNH | 29 | 1504 | 83 | 8 | 13 | 3 | 0 | 3.31 | 0 | 2 | - | - | - | - | - | - | - | - | - | - |
| | Cornwall (Aces) | AHL | 4 | 240 | 9 | 4 | 0 | 0 | 1 | 2.25 | | | - | - | - | - | - | - | - | - | - | - |
| 1994-95 | Sherbrooke (Faucons) | LHJMQ | 13 | 776 | 38 | 6 | 6 | 1 | 1 | 2.94 | | | - | - | - | - | - | - | - | - | - | - |
| | Québec (Nordiques) | LNH | 18 | 898 | 35 | 12 | 2 | 1 | 0 | 2.34 | 0 | 0 | 3 | 148 | 8 | 1 | 2 | - | 0 | 3.24 | 0 | 0 |
| 1995-96 | Colorado (Avalanche) | LNH | 10 | 588 | 28 | 3 | 4 | 2 | 0 | 3.01 | 0 | 0 | - | - | - | - | - | - | - | - | - | - |
| | Montréal (Canadiens) | LNH | 40 | 2334 | 110 | 23 | 13 | 3 | 3 | 2.83 | 0 | 2 | 6 | 311 | 18 | 2 | 4 | - | 0 | 3.47 | 0 | 0 |
| 1996-97 | Montréal (Canadiens) | LNH | 61 | 3397 | 164 | 22 | 24 | 11 | 1 | 2.90 | 0 | 0 | 3 | 179 | 13 | 0 | 3 | - | 0 | 4.36 | 0 | 0 |
| 1997-98 | Montréal (Canadiens) | LNH | 47 | 2652 | 109 | 19 | 15 | 8 | 2 | 2.47 | 2 | 0 | 2 | 43 | 4 | 0 | 0 | - | 0 | 5.58 | 1 | 0 |
| 1998-99 | Montréal (Canadiens) | LNH | 10 | 529 | 23 | 3 | 4 | 2 | 1 | 2.61 | 0 | 0 | - | - | - | - | - | - | - | - | - | - |
| | Chicago (Blackhawks) | LNH | 52 | 3014 | 136 | 21 | 26 | 5 | 4 | 2.71 | 1 | 2 | - | - | - | - | - | - | - | - | - | - |
| 1999-00 | Chicago (Blackhawks) | LNH | 60 | 3438 | 158 | 25 | 26 | 7 | 3 | 2.76 | 0 | 2 | - | - | - | - | - | - | - | - | - | - |
| 2000-01 | Chicago (Blackhawks) | LNH | 66 | 3844 | 180 | 27 | 32 | 7 | 6 | 2.81 | 3 | 2 | - | - | - | - | - | - | - | - | - | - |
| 2001-02 | Chicago (Blackhawks) | LNH | 67 | 3837 | 159 | 33 | 23 | 9 | 6 | 2.49 | 0 | 2 | 3 | 158 | 7 | 1 | 2 | - | 0 | 2.64 | 0 | 0 |
| 2002-03 | Chicago (Blackhawks) | LNH | 62 | 3709 | 144 | 26 | 28 | 7 | 8 | 2.33 | 0 | 4 | - | - | - | - | - | - | - | - | - | - |
| | | LNH | 522 | 29715 | 1329 | 222 | 210 | 66 | 35 | 2.68 | 6 | 16 | 17 | 839 | 50 | 4 | 11 | - | 0 | 3.57 | 1 | 0 |
| | Montréal | | 158 | 8912 | 406 | 67 | 56 | 24 | 7 | 2.73 | 2 | 2 | 11 | 533 | 35 | 2 | 7 | - | 0 | 3.94 | 1 | 0 |

• Équipe d'étoiles des recrues (LHJMQ) en 1991-92 • Première équipe d'étoiles (LHJMQ) en 1992-93 • Joueur défensif de l'année (LHJMQ) en 1992-93 • Gardien par excellence du hockey junior canadien en 1992-93 • Équipe d'étoiles du hockey junior canadien en 1992-93 • Trophée Michel-Brière (LHJMQ) en 1992-93 • Trophée Jacques-Plante (LHJMQ) en 1992-93 • Trophée Marcel-Robert (LHJMQ) en 1992-93
• Transfert de la concession de Québec au Colorado le 21 juin 1995 • Échangé à Montréal par Colorado avec Andrei Kovalenko et Martin Rucinsky pour Patrick Roy et Mike Keane le 6 décembre 1995 • Échangé à Chicago par Montréal avec Brad Brown et Dave Manson pour Jeff Hackett, Eric Weinrich, Alain Nasreddine et le choix de 4e ronde de Tampa Bay (propriété de Chicago suite à une transaction antérieure, Montréal sélectionne Chris Dyment) au repêchage de 1999 le 16 novembre 1998

## THOMAS, WAYNE

Né à Ottawa, Ontario, le 9 octobre 1947. Gardien, attrape de la gauche, 6'2", 195 lb

| SAISON | CLUB | LIGUE | PJ | MIN | BC | G | P | N | BL | MOY | A | PUN | PJ | MIN | BC | G | P | N | BL | MOY | A | PUN |
|---|---|---|---|---|---|---|---|---|---|---|---|---|---|---|---|---|---|---|---|---|---|---|
| 1968-69 | Wisconsin University | WCHA | 16 | 943 | 44 | 9 | 6 | 1 | 2 | 2.80 | | | - | - | - | - | - | - | - | - | - | - |
| 1969-70 | Wisconsin University | WCHA | 21 | 1250 | 60 | 14 | 7 | 0 | 1 | 2.88 | - | - | 4 | 240 | 10 | 3 | 1 | - | 0 | 2.50 | - | - |
| 1970-71 | Montréal (Voyageurs) | AHL | 33 | 1845 | 111 | 8 | 17 | 6 | 1 | 3.57 | 0 | 0 | 3 | 179 | 12 | 0 | 3 | - | 0 | 4.02 | 0 | 0 |
| 1971-72 | Nlle-Écosse (Voyageurs) | AHL | 41 | 2393 | 100 | 22 | 8 | 10 | 1 | 2.51 | 1 | 0 | - | - | - | - | - | - | - | - | - | - |
| 1972-73 | Nlle-Écosse (Voyageurs) | AHL | 6 | 300 | 8 | - | - | - | 1 | 1.60 | 1 | 0 | - | - | - | - | - | - | - | - | - | - |
| | Montréal (Canadiens) | LNH | 10 | 583 | 23 | 8 | 1 | 0 | 1 | 2.37 | 1 | 2 | - | - | - | - | - | - | - | - | - | - |
| 1973-74 | Montréal (Canadiens) | LNH | 42 | 2410 | 111 | 23 | 12 | 5 | 1 | 2.76 | 2 | 6 | - | - | - | - | - | - | - | - | - | - |
| 1974-75 | N'a pas joué | | | | | | | | | | | | | | | | | | | | | |
| 1975-76 | Toronto (Maple Leafs) | LNH | 64 | 3684 | 196 | 28 | 24 | 12 | 2 | 3.19 | 0 | 18 | 10 | 587 | 34 | 5 | 5 | - | 1 | 3.48 | 0 | 0 |
| | Match des étoiles | LNH | 1 | 31 | 4 | 1 | 0 | 0 | 0 | 7.89 | 0 | 0 | - | - | - | - | - | - | - | - | - | - |
| 1976-77 | Toronto (Maple Leafs) | LNH | 33 | 1803 | 116 | 10 | 13 | 6 | 1 | 3.86 | 1 | 4 | 4 | 202 | 12 | 1 | 2 | - | 0 | 3.56 | 0 | 0 |
| 1977-78 | New York (Rangers) | LNH | 41 | 2352 | 141 | 12 | 20 | 7 | 4 | 3.60 | 2 | 9 | 1 | 60 | 4 | 0 | 1 | - | 0 | 4.00 | 0 | 0 |
| 1978-79 | New York (Rangers) | LNH | 31 | 1668 | 101 | 15 | 10 | 3 | 1 | 3.63 | 0 | 0 | - | - | - | - | - | - | - | - | - | - |
| 1979-80 | New York (Rangers) | LNH | 12 | 668 | 44 | 4 | 7 | 0 | 0 | 3.95 | 0 | 0 | - | - | - | - | - | - | - | - | - | - |
| | New Haven (Nighthawks) | AHL | 5 | 280 | 11 | 5 | 0 | 0 | 0 | 2.36 | 0 | 0 | - | - | - | - | - | - | - | - | - | - |
| 1980-81 | New York (Rangers) | LNH | 10 | 600 | 34 | 3 | 6 | 1 | 0 | 3.40 | 2 | 2 | - | - | - | - | - | - | - | - | - | - |
| | | LNH | 243 | 13768 | 766 | 103 | 93 | 34 | 10 | 3.34 | 6 | 41 | 15 | 849 | 50 | 6 | 8 | - | 1 | 3.53 | 0 | 0 |
| | Montréal | | 52 | 2993 | 134 | 31 | 13 | 5 | 2 | 2.69 | 3 | 8 | - | - | - | - | - | - | - | - | - | - |

• Deuxième équipe d'étoiles (WCHA) en 1969-70 • Match des étoiles (LNH) en 1975-76
• Échangé à Los Angeles par Toronto avec Brian Murphy et Gary Croteau pour Grant Moore et Lou Deveault en septembre 1968 • Échangé à Montréal par Los Angeles avec Léon Rochefort et Greg Boddy pour Jack Norris, Larry Mickey et Lucien Grenier le 22 mai 1970 • Échangé à Toronto par Montréal pour le 1er choix de Toronto au repêchage de 1976 (Peter Lee) le 17 juin 1975 • Réclamé par New York (Rangers) de Toronto au repêchage inter-équipes le 10 octobre 1977

## TUGNUTT, RON

Né à Scarborough, Ontario, le 22 octobre 1967. Gardien, attrape de la gauche, 5'11", 155 lb (4e choix de Québec, 81e au total lors du repêchage de 1986)

| SAISON | CLUB | LIGUE | PJ | MIN | BC | G | P | N | BL | MOY | A | PUN | PJ | MIN | BC | G | P | N | BL | MOY | A | PUN |
|---|---|---|---|---|---|---|---|---|---|---|---|---|---|---|---|---|---|---|---|---|---|---|
| 1984-85 | Peterborough (Petes) | OHL | 18 | 938 | 59 | 7 | 4 | 2 | 0 | 3.77 | - | - | - | - | - | - | - | - | - | - | - | - |
| 1985-86 | Peterborough (Petes) | OHL | 26 | 1543 | 74 | 18 | 7 | 0 | 1 | 2.88 | - | - | 3 | 133 | 6 | 2 | 0 | - | 0 | 2.71 | - | - |
| 1986-87 | Peterborough (Petes) | OHL | 31 | 1891 | 88 | 21 | 7 | 2 | 2 | *2.79 | - | - | 6 | 374 | 21 | 3 | 3 | - | 1 | 3.37 | - | - |
| 1987-88 | Québec (Nordiques) | LNH | 6 | 284 | 16 | 2 | 3 | 0 | 0 | 3.38 | 1 | 0 | - | - | - | - | - | - | - | - | - | - |
| | Fredericton (Express) | AHL | 34 | 1964 | 118 | 20 | 9 | 4 | 1 | 3.60 | - | - | 4 | 204 | 11 | 1 | 2 | - | 0 | 3.24 | - | - |
| 1988-89 | Québec (Nordiques) | LNH | 26 | 1367 | 82 | 10 | 10 | 3 | 0 | 3.60 | 3 | 2 | - | - | - | - | - | - | - | - | - | - |
| | Halifax (Citadels) | AHL | 24 | 1368 | 79 | 14 | 7 | 2 | 1 | 3.46 | 0 | 0 | - | - | - | - | - | - | - | - | - | - |
| 1989-90 | Québec (Nordiques) | LNH | 35 | 1978 | 152 | 5 | 24 | 3 | 0 | 4.61 | 0 | 0 | - | - | - | - | - | - | - | - | - | - |
| | Halifax (Citadels) | AHL | 6 | 360 | 23 | 1 | 5 | 0 | 0 | 3.77 | | | - | - | - | - | - | - | - | - | - | - |
| 1990-91 | Québec (Nordiques) | LNH | 56 | 3144 | 212 | 12 | 29 | 10 | 0 | 4.05 | 0 | 0 | - | - | - | - | - | - | - | - | - | - |
| | Halifax (Citadels) | AHL | 2 | 100 | 8 | 0 | 1 | 0 | 0 | 4.80 | | | - | - | - | - | - | - | - | - | - | - |
| 1991-92 | Québec (Nordiques) | LNH | 30 | 1583 | 106 | 6 | 17 | 3 | 1 | 4.02 | 0 | 0 | - | - | - | - | - | - | - | - | - | - |
| | Halifax (Citadels) | AHL | 8 | 447 | 30 | 1 | 5 | 1 | 0 | 4.03 | | | - | - | - | - | - | - | - | - | - | - |
| | Edmonton (Oilers) | LNH | 3 | 124 | 10 | 1 | 1 | 0 | 0 | 4.84 | 0 | 0 | 2 | 60 | 3 | 0 | 0 | - | 0 | 3.00 | 0 | 0 |
| 1992-93 | Edmonton (Oilers) | LNH | 26 | 1338 | 93 | 9 | 12 | 2 | 0 | 4.17 | 0 | 0 | - | - | - | - | - | - | - | - | - | - |
| | Canada | CM | 4 | 125 | 6 | - | - | - | - | 2.87 | | | - | - | - | - | - | - | - | - | - | - |
| 1993-94 | Anaheim (Mighty Ducks) | LNH | 28 | 1520 | 76 | 10 | 15 | 1 | 1 | 3.00 | 0 | 0 | - | - | - | - | - | - | - | - | - | - |
| | Montréal (Canadiens) | LNH | 8 | 378 | 24 | 2 | 3 | 1 | 0 | 3.81 | 0 | 0 | 1 | 59 | 5 | 0 | 1 | - | 0 | 5.08 | 0 | 0 |
| 1994-95 | Montréal (Canadiens) | LNH | 7 | 346 | 18 | 1 | 3 | 1 | 0 | 3.12 | 0 | 0 | - | - | - | - | - | - | - | - | - | - |
| 1995-96 | Portland (Pirates) | AHL | 58 | 3083 | 171 | 21 | 23 | 6 | 2 | 3.34 | - | - | 13 | 782 | 36 | 7 | 6 | - | 1 | 2.76 | - | - |
| 1996-97 | Ottawa (Sénateurs) | LNH | 37 | 1991 | 93 | 17 | 15 | 1 | 3 | 2.80 | 1 | 0 | 7 | 425 | 14 | 3 | 4 | - | 0 | 1.98 | 0 | 0 |
| 1997-98 | Ottawa (Sénateurs) | LNH | 42 | 2336 | 84 | 15 | 14 | 8 | 3 | 2.25 | 0 | 0 | 2 | 74 | 6 | 0 | 1 | - | 0 | 4.86 | 0 | 0 |
| 1998-99 | Ottawa (Sénateurs) | LNH | 43 | 2508 | 75 | 22 | 10 | 8 | 3 | 1.79 | 0 | 0 | 2 | 118 | 6 | 0 | 2 | - | 0 | 3.05 | 0 | 0 |
| | Match des étoiles | LNH | 1 | 20 | 3 | 1 | 0 | 0 | 0 | 9.00 | | | - | - | - | - | - | - | - | - | - | - |

| SAISON | CLUB | LIGUE | PJ | MIN | BC | G | P | N | BL | MOY | A | PUN | PJ | MIN | BC | G | P | N | BL | MOY | A | PUN |

SAISONS RÉGULIÈRES — SÉRIES ÉLIMINATOIRES

| SAISON | CLUB | LIGUE | SAISONS RÉGULIÈRES | | | | | | | | | | SÉRIES ÉLIMINATOIRES | | | | | | | | |
|---|---|---|---|---|---|---|---|---|---|---|---|---|---|---|---|---|---|---|---|---|---|
| | | | PJ | MIN | BC | G | P | N | BL | MOY | A | PUN | PJ | MIN | BC | G | P | N | BL | MOY | A | PUN |
| | Canada | CM | 7 | 328 | 11 | - | - | - | - | 2.01 | 1 | 0 | - | - | - | - | - | - | - | - | - | - |
| 1999-00 | Ottawa (Sénateurs) | LNH | 44 | 2435 | 103 | 18 | 12 | 8 | 4 | 2.54 | 0 | 0 | - | - | - | - | - | - | - | - | - | - |
| | Pittsburgh (Penguins) | LNH | 7 | 374 | 15 | 4 | 2 | 0 | 0 | 2.41 | 0 | 0 | 11 | 746 | 22 | 6 | 5 | - | 2 | 1.77 | 0 | 2 |
| 2000-01 | Columbus (Blue Jackets) | LNH | 53 | 3129 | 127 | 22 | 25 | 5 | 4 | 2.44 | 1 | 2 | - | - | - | - | - | - | - | - | - | - |
| 2001-02 | Columbus (Blue Jackets) | LNH | 44 | 2501 | 119 | 12 | 27 | 3 | 2 | 2.85 | 1 | 0 | - | - | - | - | - | - | - | - | - | - |
| 2002-03 | Dallas (Stars) | LNH | 31 | 1701 | 70 | 15 | 10 | 5 | 4 | 2.47 | 0 | 0 | - | - | - | - | - | - | - | - | - | - |
| | LNH | | 526 | 28937 | 1475 | 183 | 232 | 62 | 25 | 3.06 | 7 | 12 | 25 | 1482 | 56 | 9 | 13 | - | 3 | 2.27 | 0 | 2 |
| | Montréal | | 15 | 724 | 42 | 3 | 6 | 2 | 0 | 3.48 | 0 | 0 | 1 | 59 | 5 | 0 | 1 | - | 0 | 5.08 | 0 | 0 |

• Trophée F. W.-Moore (OHL) en 1984-85 • Trophée Dave-Pinkney (OHL) en 1985-86 • Première équipe d'étoiles (OHL) en 1986-87 • Match des étoiles (LNH) en 1998-99
• Échangé à Edmonton par Québec avec Brad Zavisha pour Martin Rucinsky le 10 mars 1992 • Réclamé par Anaheim d'Edmonton au repêchage d'expansion de la LNH le 24 juin 1993 • Échangé à Montréal par Anaheim pour Stéphan Lebeau le 20 février 1994 • Signe avec Washington comme agent libre le 25 septembre 1995 • Signe avec Ottawa comme agent libre le 14 août 1996 • Échangé à Pittsburgh par Ottawa avec Janne Laukkanen pour Tom Barrasso le 14 mars 2000 • Signe avec Columbus comme agent libre le 4 juillet 2000 • Échangé à Dallas par Columbus avec le choix de 2e ronde de Columbus au repêchage de 2002 (Janos Vas) pour le 1er choix du New Jersey au repêchage de 2002 (propriété de Dallas suite à une transaction antérieure, cédé à Buffalo qui sélectionne Dan Paille) le 18 juin 2002

## VACHON, ROGATIEN (ROGIE)

### Né à Palmarolle, Québec, le 8 septembre 1945. Gardien, attrape de la gauche, 5'7", 165 lb

| SAISON | CLUB | LIGUE | PJ | MIN | BC | G | P | N | BL | MOY | A | PUN | PJ | MIN | BC | G | P | N | BL | MOY | A | PUN |
|---|---|---|---|---|---|---|---|---|---|---|---|---|---|---|---|---|---|---|---|---|---|---|
| 1963-64 | Montréal (Monarques) | LHJMM | 29 | 1740 | 71 | - | - | - | *4 | 2.45 | - | - | - | - | - | - | - | - | - | - | - | - |
| | Montréal (Canadiens) | OHA Jr | 7 | 400 | 29 | - | - | - | 0 | 4.35 | - | - | - | - | - | - | - | - | - | - | - | - |
| | Montréal (Canadiens) | Mem. | 10 | 600 | 34 | 7 | 3 | 0 | *4 | 3.40 | - | - | - | - | - | - | - | - | - | - | - | - |
| 1964-65 | Thetford Mines (Canadien) | LHJQ | 13 | 780 | 35 | 10 | 3 | 0 | 0 | 2.69 | - | - | - | - | - | - | - | - | - | - | - | - |
| | Montréal (Canadiens) | OHA | 14 | 840 | 58 | - | - | - | 0 | 4.14 | - | - | - | - | - | - | - | - | - | - | - | - |
| 1965-66 | Thetford Mines (Canadien) | LHJQ | 39 | 2340 | 117 | *25 | 13 | 1 | *2 | 3.00 | - | - | - | - | - | - | - | - | - | - | - | - |
| | Québec (As) | AHL | 10 | 601 | 30 | 6 | 4 | 0 | 0 | 3.00 | 0 | 0 | - | - | - | - | - | - | - | - | - | - |
| 1966-67 | Houston (Apollos) | CPHL | 34 | 2020 | 99 | 17 | 12 | 5 | 2 | 2.91 | 1 | 0 | - | - | - | - | - | - | - | - | - | - |
| | Montréal (Canadiens) | LNH | 19 | 1137 | 47 | 11 | 3 | 4 | 1 | 2.48 | 1 | 0 | 9 | 555 | 22 | *6 | 3 | - | 0 | *2.38 | 0 | 0 |
| 1967-68 | Montréal (Canadiens) | LNH | 39 | 2227 | 92 | 23 | 13 | 2 | 4 | 2.48 | 0 | 2 | 2 | 113 | 4 | 1 | 1 | - | 0 | 2.12 | 0 | 0 |
| 1968-69 | Montréal (Canadiens) | LNH | 36 | 2051 | 98 | 22 | 9 | 3 | 2 | 2.87 | 0 | 2 | 8 | 507 | 12 | 7 | 1 | - | 1 | 1.42 | 0 | 2 |
| 1969-70 | Montréal (Canadiens) | LNH | 64 | 3697 | 162 | 31 | 18 | 12 | 4 | 2.63 | 0 | 0 | - | - | - | - | - | - | - | - | - | - |
| 1970-71 | Montréal (Canadiens) | LNH | 47 | 2676 | 118 | 23 | 12 | 9 | 2 | 2.65 | 0 | 0 | - | - | - | - | - | - | - | - | - | - |
| 1971-72 | Montréal (Canadiens) | LNH | 1 | 20 | 4 | 0 | 1 | 0 | 0 | 12.00 | 0 | 0 | - | - | - | - | - | - | - | - | - | - |
| | Los Angeles (Kings) | LNH | 28 | 1586 | 107 | 6 | 18 | 3 | 0 | 4.05 | 0 | 0 | - | - | - | - | - | - | - | - | - | - |
| 1972-73 | Los Angeles (Kings) | LNH | 53 | 3120 | 148 | 22 | 20 | 10 | 4 | 2.85 | 1 | 2 | - | - | - | - | - | - | - | - | - | - |
| | Match des étoiles | LNH | 1 | 31 | 4 | 0 | 1 | 0 | 0 | 7.81 | 0 | 0 | - | - | - | - | - | - | - | - | - | - |
| 1973-74 | Los Angeles (Kings) | LNH | 65 | 3751 | 175 | 28 | 26 | 10 | 5 | 2.80 | 0 | 6 | 4 | 240 | 7 | 0 | 4 | - | 0 | 1.75 | 0 | 0 |
| 1974-75 | Los Angeles (Kings) | LNH | 54 | 3239 | 121 | 27 | 14 | 13 | 6 | 2.24 | 1 | 2 | 3 | 199 | 7 | 1 | 2 | - | 0 | 2.11 | 0 | 0 |
| | Match des étoiles | LNH | 1 | 30 | 1 | 1 | 0 | 0 | 0 | 2.04 | 0 | 0 | - | - | - | - | - | - | - | - | - | - |
| 1975-76 | Los Angeles (Kings) | LNH | 51 | 3060 | 160 | 26 | 20 | 5 | 5 | 3.14 | 0 | 0 | 7 | 438 | 17 | 4 | 3 | - | 1 | 2.33 | 0 | 0 |
| 1976-77 | Los Angeles (Kings) | LNH | 68 | 4059 | 184 | 33 | 23 | 12 | 8 | 2.72 | 1 | 0 | 9 | 520 | 36 | 4 | 5 | - | 0 | 4.15 | 0 | 0 |
| | Canada | CC | 7 | 432 | 10 | 6 | 1 | 0 | 2 | 1.39 | - | - | - | - | - | - | - | - | - | - | - | - |
| 1977-78 | Los Angeles (Kings) | LNH | 70 | 4107 | 196 | 29 | 27 | 13 | 4 | 2.86 | 0 | 0 | 2 | 120 | 11 | 0 | 2 | - | 0 | 5.50 | 0 | 2 |
| | Match des étoiles | LNH | 1 | 35 | 0 | 0 | 0 | 0 | 0 | 0.00 | 0 | 0 | - | - | - | - | - | - | - | - | - | - |
| 1978-79 | Detroit (Red Wings) | LNH | 50 | 2908 | 189 | 10 | 27 | 11 | 0 | 3.90 | 1 | 21 | - | - | - | - | - | - | - | - | - | - |
| 1979-80 | Detroit (Red Wings) | LNH | 59 | 3474 | 209 | 20 | 30 | 8 | 4 | 3.61 | 3 | 2 | - | - | - | - | - | - | - | - | - | - |
| 1980-81 | Boston (Bruins) | LNH | 53 | 3021 | 168 | 25 | 19 | 6 | 1 | 3.34 | 1 | 0 | 3 | 164 | 16 | 0 | 2 | - | 0 | 5.85 | 0 | 0 |
| 1981-82 | Boston (Bruins) | LNH | 38 | 2165 | 132 | 19 | 11 | 6 | 0 | 3.66 | 1 | 0 | 1 | 20 | 1 | 0 | 0 | - | 0 | 3.00 | 0 | 0 |
| | LNH | | 795 | 46298 | 2310 | 355 | 291 | 127 | 51 | 2.99 | 10 | 45 | 48 | 2876 | 133 | 23 | 23 | - | 2 | 2.77 | 0 | 4 |
| | Montréal | | 206 | 11808 | 521 | 110 | 56 | 30 | 13 | 2.65 | 1 | 4 | 19 | 1175 | 38 | 14 | 5 | - | 1 | 1.94 | 0 | 2 |

• Première équipe d'étoiles (LHJQ) en 1965-66 • Coupe Stanley (LNH) en 1967-68, 1968-69 • Trophée Georges-Vézina (LNH) avec Gump Worsley en 1967-68 • Match des étoiles (LNH) en 1972-73, 1974-75, 1977-78 • Deuxième équipe d'étoiles (LNH) en 1974-75, 1976-77 • Équipe d'étoiles (Coupe Canada) en 1976 • Coupe Canada en 1976
• Échangé à Los Angeles par Montréal pour Denis Dejordy, Dale Hoganson, Noel Price et Doug Robinson le 4 novembre 1971 • Signe avec Detroit comme agent libre le 8 août 1978 • Échangé à Boston par Detroit pour Gilles Gilbert le 15 juillet 1980

## VÉZINA, GEORGES

### Né à Chicoutimi, Québec, le 21 janvier 1887, décédé le 27 mars 1926. Gardien, attrape de la gauche, 5'6", 185 lb

| SAISON | CLUB | LIGUE | PJ | MIN | BC | G | P | N | BL | MOY | A | PUN | PJ | MIN | BC | G | P | N | BL | MOY | A | PUN |
|---|---|---|---|---|---|---|---|---|---|---|---|---|---|---|---|---|---|---|---|---|---|---|
| 1910-11 | Montréal (Canadiens) | NHA | 16 | *980 | 62 | 8 | 8 | 0 | 0 | *3.80 | 0 | 2 | - | - | - | - | - | - | - | - | - | - |
| 1911-12 | Montréal (Canadiens) | NHA | 18 | 1109 | 66 | 8 | 10 | 0 | 0 | *3.57 | 0 | 0 | - | - | - | - | - | - | - | - | - | - |
| 1912-13 | Montréal (Canadiens) | NHA | 20 | 1217 | 81 | 11 | 9 | 0 | 1 | 3.99 | 0 | 0 | - | - | - | - | - | - | - | - | - | - |
| 1913-14 | Montréal (Canadiens) | NHA | 20 | 1209 | 65 | *13 | 7 | 0 | *1 | *3.23 | 0 | 0 | 2 | 120 | 6 | 1 | 1 | 0 | 1 | 3.00 | 0 | 0 |
| 1914-15 | Montréal (Canadiens) | NHA | 20 | 1254 | 81 | 6 | 14 | 0 | 0 | 3.88 | 0 | 3 | - | - | - | - | - | - | - | - | - | - |
| 1915-16 | Montréal (Canadiens) | NHA | 24 | 1468 | 76 | *16 | 7 | 1 | 0 | 3.11 | 0 | 0 | 5 | 300 | 13 | 3 | 2 | 0 | 0 | 2.60 | 0 | 0 |
| 1916-17 | Montréal (Canadiens) | NHA | 20 | 1218 | 80 | 10 | 10 | 0 | 0 | 3.94 | 0 | 0 | 6 | 360 | 29 | 2 | 4 | 0 | 0 | 4.83 | 0 | 0 |
| 1917-18 | Montréal (Canadiens) | LNH | 21 | *1282 | 84 | *12 | 9 | 0 | *1 | *3.93 | 0 | 0 | 2 | 120 | 10 | 1 | 1 | 0 | 0 | 5.00 | 0 | 0 |
| 1918-19 | Montréal (Canadiens) | LNH | *18 | *1117 | 78 | 10 | 8 | 0 | 1 | 4.19 | 0 | 0 | *10 | *636 | 37 | 6 | 3 | 1 | 1 | 3.49 | 0 | 0 |
| 1919-20 | Montréal (Canadiens) | LNH | *24 | *1453 | 113 | 13 | 11 | 0 | 0 | 4.67 | 0 | 0 | - | - | - | - | - | - | - | - | - | - |
| 1920-21 | Montréal (Canadiens) | LNH | *24 | 1436 | 99 | 13 | 11 | 0 | 1 | 4.14 | 0 | 0 | - | - | - | - | - | - | - | - | - | - |
| 1921-22 | Montréal (Canadiens) | LNH | *24 | 1470 | 94 | 12 | 11 | 1 | 0 | 3.84 | 0 | 2 | - | - | - | - | - | - | - | - | - | - |
| 1922-23 | Montréal (Canadiens) | LNH | *24 | 1488 | 61 | 13 | 9 | 2 | 2 | 2.46 | 0 | 0 | 2 | 120 | 3 | 1 | 1 | 0 | 0 | 1.50 | 0 | 0 |
| 1923-24 | Montréal (Canadiens) | LNH | *24 | 1459 | 48 | 13 | 11 | 0 | *3 | *1.97 | 0 | 0 | 6 | 360 | 6 | 6 | 0 | 0 | 2 | 1.00 | 0 | 0 |
| 1924-25 | Montréal (Canadiens) | LNH | *30 | *1860 | 56 | 17 | 11 | 2 | 5 | *1.81 | 0 | 0 | 6 | 360 | 18 | 3 | 3 | 0 | 1 | 3.00 | 0 | 0 |
| 1925-26 | Montréal (Canadiens) | LNH | 1 | 20 | 0 | 0 | 0 | 0 | 0 | 0.00 | 0 | 0 | - | - | - | - | - | - | - | - | - | - |
| | NHA | | 138 | 8455 | 511 | 72 | 65 | 1 | 2 | 3.63 | 0 | 5 | 13 | 780 | 48 | 6 | 7 | 0 | 1 | 3.69 | 0 | 0 |
| | LNH | | 190 | 11585 | 633 | 103 | 81 | 5 | 13 | 3.28 | 0 | 2 | 26 | 1596 | 74 | 17 | 8 | 1 | 4 | 2.78 | 0 | 0 |
| | Montréal | | 328 | 20040 | 1144 | 175 | 146 | 6 | 15 | 3.43 | 0 | 7 | 39 | 2376 | 122 | 23 | 15 | 1 | 5 | 3.08 | 0 | 0 |

• Coupe Stanley (NHA) en 1915-16 • Coupe Stanley (LNH) en 1922-23 • Membre du Temple de la Renommée (LNH) en 1945
• Signe avec Montréal le 27 décembre 1910

## VOKOUN, TOMAS

### Né à Karlovy Vary, Tchécoslovaquie, le 2 juillet 1976. Gardien, attrape de la droite, 5'11", 208 lb (11e choix de Montréal, 226e au total lors repêchage de 1994)

| SAISON | CLUB | LIGUE | PJ | MIN | BC | G | P | N | BL | MOY | A | PUN | PJ | MIN | BC | G | P | N | BL | MOY | A | PUN |
|---|---|---|---|---|---|---|---|---|---|---|---|---|---|---|---|---|---|---|---|---|---|---|
| 1993-94 | Poldi Kladno | CZE | 1 | 20 | 2 | 0 | 0 | 0 | 0 | 6.01 | - | - | - | - | - | - | - | - | - | - | - | - |
| | République tchèque | EJC | 5 | 300 | 11 | - | - | - | - | 2.20 | - | - | - | - | - | - | - | - | - | - | - | - |
| 1994-95 | Poldi Kladno | CZE | 26 | 1368 | 70 | - | - | - | - | 3.07 | - | - | 5 | 240 | 19 | - | - | - | - | 4.75 | - | - |
| 1995-96 | Wheeling (Thunderbirds) | ECHL | 35 | 1912 | 117 | 20 | 10 | 2 | 0 | 3.67 | - | - | 7 | 436 | 19 | 4 | 3 | - | 0 | 2.61 | - | - |
| | République tchèque | CMJ | 6 | 356 | 21 | - | - | - | - | 3.54 | - | - | - | - | - | - | - | - | - | - | - | - |
| 1996-97 | Montréal (Canadiens) | LNH | 1 | 20 | 4 | 0 | 0 | 0 | 0 | 12.00 | 0 | 0 | - | - | - | - | - | - | - | - | - | - |
| | Fredericton (Canadien) | AHL | 47 | 2645 | 154 | 12 | 26 | 7 | 2 | 3.49 | - | - | 1 | 59 | 4 | 0 | 1 | - | 0 | 4.09 | - | - |
| 1997-98 | Fredericton (Canadien) | AHL | 31 | 1735 | 90 | 13 | 13 | 2 | 0 | 3.11 | - | - | - | - | - | - | - | - | - | - | - | - |
| 1998-99 | Nashville (Predators) | LNH | 37 | 1954 | 96 | 12 | 18 | 4 | 1 | 2.95 | 1 | 6 | - | - | - | - | - | - | - | - | - | - |
| | Milwaukee (Admirals) | IHL | 9 | 539 | 22 | 3 | 2 | 4 | 1 | 2.45 | - | 0 | 2 | 149 | 8 | 2 | 0 | - | 0 | 3.22 | 0 | 2 |

| SAISON | CLUB | LIGUE | PJ | MIN | BC | G | P | N | BL | MOY | A | PUN | PJ | MIN | BC | G | P | N | BL | MOY | A | PUN |
|---|---|---|---|---|---|---|---|---|---|---|---|---|---|---|---|---|---|---|---|---|---|---|
| | | | SAISONS RÉGULIÈRES | | | | | | | | | | SÉRIES ÉLIMINATOIRES | | | | | | | | | |

| | | | SAISONS RÉGULIÈRES | | | | | | | | | | SÉRIES ÉLIMINATOIRES | | | | | | | | | |
|---|---|---|---|---|---|---|---|---|---|---|---|---|---|---|---|---|---|---|---|---|---|---|
| SAISON | CLUB | LIGUE | PJ | MIN | BC | G | P | N | BL | MOY | A | PUN | PJ | MIN | BC | G | P | N | BL | MOY | A | PUN |
| 1999-00 Nashville (Predators) | | LNH | 33 | 1879 | 87 | 9 | 20 | 1 | 1 | 2.78 | 1 | 8 | - | - | - | - | - | - | - | - | - | - |
| Milwaukee (Admirals) | | IHL | 7 | 364 | 17 | 5 | 2 | 0 | 0 | 2.80 | - | - | | | | | | | | | | |
| 2000-01 Nashville (Predators) | | LNH | 37 | 2088 | 85 | 13 | 17 | 5 | 2 | 2.44 | 0 | 2 | | | | | | | | | | |
| 2001-02 Nashville (Predators) | | LNH | 29 | 1470 | 66 | 5 | 14 | 4 | 2 | 2.69 | 0 | 2 | | | | | | | | | | |
| 2002-03 Nashville (Predators) | | LNH | 69 | 3971 | 146 | 25 | 31 | 11 | 3 | 2.20 | 1 | 28 | | | | | | | | | | |
| République tchèque | | CM | 7 | - | | | | | | 2.16 | | | | | | | | | | | | |
| | **LNH** | | 206 | 11382 | 484 | 64 | 100 | 25 | 9 | 2.55 | 3 | 46 | - | - | - | - | - | - | - | - | - | - |
| | **Montréal** | | 1 | 20 | 4 | 0 | 0 | 0 | 0 | 12.00 | 0 | 0 | | | | | | | | | | |

- Équipe d'étoiles (EJC) en 1993-94 • Nommé meilleur gardien (EJC) en 1994
- Réclamé par Nashville de Montréal au repêchage d'expansion de la LNH le 26 juin 1998

## WAKELY, ERNEST (ERNIE)

**Né à Flin Flon, Manitoba, le 27 novembre 1940. Gardien, attrape de la gauche, 5'11", 160 lb**

| SAISON | CLUB | LIGUE | PJ | MIN | BC | G | P | N | BL | MOY | A | PUN | PJ | MIN | BC | G | P | N | BL | MOY | A | PUN |
|---|---|---|---|---|---|---|---|---|---|---|---|---|---|---|---|---|---|---|---|---|---|---|
| 1957-58 Winnipeg (Braves) | | MJHL | 27 | 1640 | 121 | 12 | 14 | 1 | *1 | 4.48 | - | - | 5 | 300 | 20 | 2 | 3 | - | 0 | 4.00 | - | - |
| 1958-59 Winnipeg (Braves) | | MJHL | 30 | 1810 | 107 | *22 | 7 | 1 | 1 | 3.54 | - | - | 8 | 490 | *7 | 1 | 0 | - | *1 | *2.69 | - | - |
| Winnipeg (Braves) | | Mem. | 16 | 960 | 45 | *12 | 4 | 0 | 1 | 2.81 | - | - | | | | | | | | | | |
| 1959-60 Winnipeg (Braves) | | MJHL | 27 | 1640 | 99 | 15 | 11 | 1 | 1 | 3.62 | - | - | 4 | 250 | 15 | 1 | 3 | - | 0 | 3.60 | - | - |
| Winnipeg (Warriors) | | WHL | 4 | 240 | 16 | 1 | 3 | 0 | 0 | 4.00 | - | - | | | | | | | | | | |
| 1960-61 Winnipeg (Braves) | | MJHL | 31 | 1860 | 111 | 18 | 13 | 0 | *2 | *3.57 | - | - | 3 | 210 | 14 | 1 | 2 | - | 0 | 4.00 | - | - |
| Winnipeg (Warriors) | | WHL | 9 | 540 | 43 | 4 | 5 | 0 | 0 | 4.77 | - | - | | | | | | | | | | |
| 1961-62 Hull-Ottawa (Canadien) | | EPHL | 2 | 120 | 4 | 1 | 0 | 1 | 0 | 2.00 | - | - | | | | | | | | | | |
| Kingston (Frontenacs) | | EPHL | 3 | 180 | 10 | 2 | 1 | 0 | 0 | 3.33 | - | - | | | | | | | | | | |
| North Bay (Trappers) | | EPHL | 6 | 360 | 18 | 1 | 4 | 1 | 0 | 3.00 | - | - | | | | | | | | | | |
| 1962-63 Montréal (Canadiens) | | LNH | 1 | 60 | 3 | 1 | 0 | 0 | 0 | 3.00 | 0 | 0 | - | - | - | - | - | - | - | - | - | - |
| Hull-Ottawa (Canadien) | | EPHL | 41 | 2460 | 122 | 26 | 12 | 3 | *2 | *2.97 | - | - | | | | | | | | | | |
| Spokane (Comets) | | WHL | 3 | 180 | 16 | 1 | 2 | 0 | 0 | 5.33 | - | - | | | | | | | | | | |
| 1963-64 Québec (As) | | AHL | 8 | 480 | 33 | 3 | 5 | 0 | 0 | 4.12 | - | - | | | | | | | | | | |
| Omaha (Knights) | | CPHL | 59 | 3540 | 173 | *38 | 16 | 5 | 2 | *2.93 | - | - | 10 | 600 | 19 | *8 | 2 | - | *3 | *1.90 | - | - |
| 1964-65 Omaha (Knights) | | CPHL | 15 | 900 | 40 | 11 | 3 | 1 | 0 | 2.67 | - | - | | | | | | | | | | |
| Cleveland (Barons) | | AHL | 10 | 600 | 49 | 2 | 8 | 0 | 0 | 4.90 | - | - | | | | | | | | | | |
| Québec (As) | | AHL | 20 | 1228 | 77 | 9 | 10 | 1 | 1 | 3.76 | - | - | 4 | 240 | 17 | 1 | 3 | - | 0 | 4.25 | - | - |
| 1965-66 Cleveland (Barons) | | AHL | 1 | 20 | 1 | 0 | 0 | 0 | 0 | 3.00 | - | - | | | | | | | | | | |
| Québec (As) | | AHL | 1 | 60 | 6 | 0 | 1 | 0 | 0 | 6.00 | - | - | | | | | | | | | | |
| Seattle (Totems) | | WHL | 27 | 1617 | 83 | 12 | 14 | 1 | 0 | 3.08 | - | - | | | | | | | | | | |
| 1966-67 Cleveland (Barons) | | AHL | *70 | *4187 | 216 | *36 | 25 | 9 | 0 | 3.10 | - | - | 5 | 301 | 10 | 2 | 3 | - | 0 | 1.99 | - | - |
| 1967-68 Houston (Apollos) | | CPHL | *57 | *3312 | 163 | 24 | 21 | 10 | 1 | 2.95 | - | - | | | | | | | | | | |
| 1968-69 Montréal (Canadiens) | | LNH | 1 | 60 | 4 | 0 | 1 | 0 | 0 | 4.00 | 0 | 0 | - | - | - | - | - | - | - | - | - | - |
| Cleveland (Barons) | | AHL | *65 | *3852 | 210 | 25 | 28 | 11 | 1 | 3.27 | - | - | 5 | 304 | 20 | 2 | 3 | - | 0 | 3.95 | - | - |
| 1969-70 St. Louis (Blues) | | LNH | 30 | 1651 | 58 | 12 | 9 | 4 | 4 | *2.11 | 0 | 0 | 4 | 216 | 17 | 0 | 4 | - | 0 | 4.72 | 0 | 0 |
| 1970-71 St. Louis (Blues) | | LNH | 51 | 2859 | 133 | 20 | 14 | 11 | 2 | 2.79 | 2 | 0 | 3 | 180 | 7 | 2 | 1 | - | 1 | 2.33 | 0 | 0 |
| Match des Étoiles | | LNH | 1 | 29 | 0 | 0 | 0 | 0 | 0 | 0.00 | 0 | 0 | | | | | | | | | | |
| 1971-72 St. Louis (Blues) | | LNH | 30 | 1614 | 92 | 8 | 18 | 2 | 1 | 3.42 | 1 | 2 | 1 | 113 | 13 | 0 | 1 | - | 0 | 6.90 | 0 | 0 |
| 1972-73 Winnipeg (Jets) | | AMH | 49 | 2889 | 152 | 26 | 19 | 3 | 2 | 3.16 | 0 | 0 | 7 | 420 | 22 | 4 | 3 | - | *2 | 3.14 | 0 | 0 |
| 1973-74 Winnipeg (Jets) | | AMH | 37 | 2254 | 123 | 15 | 18 | 4 | 3 | 3.27 | 0 | 0 | | | | | | | | | | |
| 1974-75 Winnipeg (Jets) | | AMH | 6 | 355 | 16 | 3 | 0 | 1 | 2 | 2.70 | 0 | 0 | | | | | | | | | | |
| San Diego (Mariners) | | AMH | 35 | 2062 | 115 | 20 | 12 | 2 | 2 | 3.35 | 0 | 0 | 10 | 520 | 39 | 4 | 6 | - | 0 | 4.50 | 0 | 0 |
| 1975-76 San Diego (Mariners) | | AMH | 67 | 3824 | 208 | 35 | 27 | 4 | 3 | 3.26 | 2 | 0 | 11 | 640 | 39 | 5 | 6 | - | 0 | 3.66 | 0 | 0 |
| 1976-77 San Diego (Mariners) | | AMH | 46 | 2506 | 129 | 22 | 18 | 3 | 3 | 3.09 | 0 | 0 | 3 | 160 | 9 | 2 | 1 | - | 0 | 3.38 | 0 | 0 |
| 1977-78 Cincinnati (Stingers) | | AMH | 6 | 311 | 26 | 0 | 5 | 0 | 0 | 5.02 | 0 | 0 | | | | | | | | | | |
| Houston (Aeros) | | AMH | 51 | *3070 | 166 | 28 | 18 | 4 | 2 | 3.24 | 4 | 0 | | | | | | | | | | |
| 1978-79 Birmingham (Bulls) | | AMH | 37 | 2060 | 129 | 15 | 17 | 1 | 0 | 3.76 | 3 | 0 | | | | | | | | | | |
| Phoenix (Roadrunners) | | PHL | 1 | 60 | 4 | - | - | - | 0 | 4.00 | - | - | | | | | | | | | | |
| | **LNH** | | 113 | 6244 | 290 | 41 | 42 | 17 | 8 | 2.79 | 3 | 2 | 10 | 509 | 37 | 2 | 6 | - | 1 | 4.36 | 0 | 0 |
| | **Montréal** | | 2 | 120 | 7 | 1 | 1 | 0 | 0 | 3.50 | 0 | 0 | - | - | - | - | - | - | - | - | - | - |

- Coupe Memorial en 1958-59 • Trophée Terry-Sawchuk (CPHL) en 1963-64 • Deuxième équipe d'étoiles (CPHL) en 1967-68 • Deuxième équipe d'étoiles (AHL) en 1968-69 • Match des étoiles (LNH) en 1970-71 • Deuxième équipe d'étoiles (AMH) en 1977-78
- Échangé à St. Louis par Montréal avec Norm Beaudin et Bobby Schmautz le 27 juin 1969 • Sélectionné par Winnipeg au repêchage d'expansion de l'AMH le 12 février 1972 • Droits vendus à San Diego par Winnipeg le 18 janvier 1975 • Réclamé par Cincinnati de San Diego en août 1977 • Échangé à Houston par Cincinnati pour des considérations futures en novembre 1977 • Signe avec Birmingham comme agent libre le 6 juillet 1978

## WAMSLEY, RICK

**Né à Simcoe, Ontario, le 25 mai 1959. Gardien, attrape de la gauche, 5'11", 185 lb (5e choix de Montréal, 58e au total lors du repêchage de 1979)**

| SAISON | CLUB | LIGUE | PJ | MIN | BC | G | P | N | BL | MOY | A | PUN | PJ | MIN | BC | G | P | N | BL | MOY | A | PUN |
|---|---|---|---|---|---|---|---|---|---|---|---|---|---|---|---|---|---|---|---|---|---|---|
| 1976-77 St. Catharines (Fincups) | | OMJHL | 12 | 647 | 36 | - | - | - | 0 | 3.34 | - | - | | | | | | | | | | |
| 1977-78 Hamilton (Fincups) | | OMJHL | 25 | 1495 | 74 | - | - | - | 2 | *2.97 | - | - | | | | | | | | | | |
| 1978-79 Brantford (Alexanders) | | OMJHL | 24 | 1444 | 128 | - | - | - | 0 | 5.32 | - | - | | | | | | | | | | |
| 1979-80 Nlle-Écosse (Voyageurs) | | OMJHL | 40 | 2305 | 125 | 19 | 16 | 2 | 2 | 3.25 | - | - | 3 | 143 | 12 | 1 | 1 | - | 0 | 5.03 | - | - |
| 1980-81 Montréal (Canadiens) | | LNH | 5 | 253 | 8 | 3 | 0 | 1 | 1 | 1.90 | 0 | 0 | - | - | - | - | - | - | - | - | - | - |
| Nlle-Écosse (Voyageurs) | | AHL | 43 | 2372 | 155 | 17 | 19 | 3 | 0 | 3.92 | - | - | 4 | 199 | 6 | 2 | 1 | - | *1 | 1.81 | - | - |
| 1981-82 Montréal (Canadiens) | | LNH | 38 | 2206 | 101 | 23 | 7 | 7 | 2 | 2.75 | 2 | 4 | 5 | 300 | 11 | 2 | 3 | - | 0 | *2.20 | 0 | 2 |
| 1982-83 Montréal (Canadiens) | | LNH | 46 | 2583 | 151 | 27 | 12 | 5 | 0 | 3.51 | 1 | 4 | 3 | 152 | 7 | 0 | 3 | - | 0 | 2.76 | 0 | 0 |
| Canada | | CM | 10 | 600 | 30 | - | - | - | 0 | 3.00 | - | - | | | | | | | | | | |
| 1983-84 Montréal (Canadiens) | | LNH | 42 | 2333 | 144 | 19 | 17 | 3 | 2 | 3.70 | 3 | 6 | 1 | 32 | 0 | 0 | 0 | - | 0 | 0.00 | 0 | 0 |
| 1984-85 St. Louis (Blues) | | LNH | 40 | 2319 | 126 | 23 | 12 | 5 | 1 | 3.26 | 1 | 0 | 2 | 120 | 7 | 0 | 2 | - | 0 | 3.50 | 0 | 0 |
| Canada | | CM | 2 | 120 | 11 | - | - | - | 0 | 5.50 | - | - | | | | | | | | | | |
| 1985-86 St. Louis (Blues) | | LNH | 42 | 2517 | 144 | 22 | 16 | 3 | 1 | 3.43 | 0 | 2 | 10 | 569 | 37 | 4 | 6 | - | 0 | 3.90 | 0 | 0 |
| 1986-87 St. Louis (Blues) | | LNH | 41 | 2410 | 142 | 17 | 15 | 6 | 0 | 3.54 | 0 | 10 | 2 | 120 | 5 | 1 | 1 | - | 0 | 2.50 | 0 | 0 |
| 1987-88 St. Louis (Blues) | | LNH | 31 | 1818 | 103 | 13 | 16 | 1 | 2 | 3.40 | 0 | 14 | | | | | | | | | | |
| Calgary (Flames) | | LNH | 2 | 73 | 5 | 1 | 0 | 0 | 0 | 4.11 | 0 | 0 | 1 | 33 | 2 | 0 | 1 | - | 0 | 3.64 | 0 | 0 |
| 1988-89 Calgary (Flames) | | LNH | 35 | 1927 | 95 | 17 | 11 | 4 | 2 | 2.96 | 1 | 8 | 1 | 20 | 2 | 0 | 1 | - | 0 | 6.00 | 0 | 0 |
| 1989-90 Calgary (Flames) | | LNH | 36 | 1969 | 107 | 18 | 8 | 6 | 2 | 3.26 | 0 | 2 | 1 | 49 | 9 | 0 | 1 | - | 0 | 11.02 | 0 | 0 |
| 1990-91 Calgary (Flames) | | LNH | 29 | 1670 | 85 | 14 | 7 | 5 | 0 | 3.05 | 1 | 0 | 1 | 2 | 1 | 0 | 0 | - | 0 | 30.00 | 0 | 0 |
| 1991-92 Calgary (Flames) | | LNH | 9 | 457 | 34 | 3 | 4 | 0 | 0 | 4.46 | 0 | 0 | | | | | | | | | | |
| Toronto (Maple Leafs) | | LNH | 8 | 428 | 27 | 4 | 3 | 0 | 0 | 3.79 | 0 | 0 | | | | | | | | | | |
| 1992-93 Toronto (Maple Leafs) | | LNH | 3 | 160 | 15 | 0 | 3 | 0 | 0 | 5.63 | 0 | 0 | | | | | | | | | | |
| St. John's (Maple Leafs) | | AHL | 2 | 112 | 8 | - | - | - | 0 | 4.29 | - | - | | | | | | | | | | |
| | **LNH** | | 407 | 23123 | 1287 | 204 | 31 | 46 | 12 | 3.34 | 9 | 52 | 27 | 1397 | 81 | 7 | 18 | - | 0 | 3.48 | 0 | 2 |
| | **Montréal** | | 131 | 7375 | 404 | 72 | 36 | 16 | 5 | 3.29 | 6 | 14 | 9 | 482 | 18 | 2 | 6 | - | 0 | 2.24 | 0 | 2 |

- Trophée William-M.-Jennings (LNH) avec Denis Herron en 1981-82
- Échangé à St. Louis par Montréal avec le choix de 2e ronde de Hartford (propriété du Canadien suite à une transaction antérieure, St. Louis sélectionne Brian Benning) au repêchage de 1984, le choix de 2e ronde (Tony Hrkac) et le choix de 3e ronde (Robert Dirk) de Montréal au repêchage de 1984 pour le 1er choix (Shayne Corson) et le choix de 2e ronde (Stéphane

| SAISON | CLUB | LIGUE | PJ | MIN | BC | G | P | N | BL | MOY | A | PUN | PJ | MIN | BC | G | P | N | BL | MOY | A | PUN |
|---|---|---|---|---|---|---|---|---|---|---|---|---|---|---|---|---|---|---|---|---|---|---|
| | | | SAISONS RÉGULIÈRES | | | | | | | | | | SÉRIES ÉLIMINATOIRES | | | | | | | | | |

SAISONS RÉGULIÈRES          SÉRIES ÉLIMINATOIRES

| SAISON | CLUB | LIGUE | PJ | MIN | BC | G | P | N | BL | MOY | A | PUN | PJ | MIN | BC | G | P | N | BL | MOY | A | PUN |

Richer) de St. Louis au repêchage de 1984 le 9 juin 1984 • Échangé à Calgary par St. Louis avec Rob Ramage pour Brett Hull et Steve Bozek le 7 mars 1988 • Échangé à Toronto par Calgary avec Doug Gilmour, Jamie Macoun, Ric Nattress et Kent Manderville pour Gary Leeman. Alexander Godynyuk, Jeff Reese, Michel Petit et Craig Berube le 2 janvier 1992

## WORSLEY, LORNE (GUMP)

**Né à Montréal, Québec, le 14 mai 1929. Gardien, attrape de la gauche, 5'7", 180 lb**

| SAISON | CLUB | LIGUE | PJ | MIN | BC | G | P | N | BL | MOY | A | PUN | PJ | MIN | BC | G | P | N | BL | MOY | A | PUN |
|---|---|---|---|---|---|---|---|---|---|---|---|---|---|---|---|---|---|---|---|---|---|---|
| 1946-47 | Verdun (Cyclones) | LHJQ | 25 | 1500 | 138 | 6 | 18 | 1 | 3 | 5.52 | - | - | - | - | - | - | - | - | - | - | - | - |
| 1947-48 | Verdun (Cyclones) | LHJQ | 29 | 1740 | 95 | 13 | 11 | 5 | 1 | 3.28 | - | - | 5 | 317 | 21 | 1 | 4 | - | 0 | 3.97 | - | - |
| 1948-49 | Saint-François-Xavier | LHJMM | 47 | 2840 | 122 | 24 | 21 | 2 | 7 | 2.58 | - | - | 5 | 310 | 16 | 2 | 3 | - | 0 | 3.10 | - | - |
| | New York (Rovers) | LHSQ | 2 | 120 | 5 | - | - | - | 0 | 2.50 | - | - | - | - | - | - | - | - | - | - | - | - |
| 1949-50 | New York (Rovers) | EAHL | 47 | 2830 | 133 | 25 | 17 | 5 | *7 | 2.86 | - | - | 12 | 720 | 27 | *8 | 2 | - | *1 | *2.25 | - | - |
| | New Haven (Ramblers) | AHL | 2 | 120 | 4 | 2 | 0 | 0 | 0 | 2.00 | - | - | - | - | - | - | - | - | - | - | - | - |
| 1950-51 | St. Paul (Saints) | USHL | 64 | *3920 | 184 | 33 | 26 | 5 | *3 | 2.82 | - | - | 4 | 247 | 9 | 1 | 3 | - | 0 | *2.19 | - | - |
| 1951-52 | Saskatoon (Quakers) | PCHL | 66 | 3960 | 206 | 33 | 19 | 14 | *5 | 3.07 | - | - | 13 | 818 | 31 | *10 | 3 | - | *1 | 2.27 | - | - |
| 1952-53 | Saskatoon (Quakers) | WHL | 13 | 780 | 50 | 5 | 7 | 1 | 0 | 3.84 | - | - | - | - | - | - | - | - | - | - | - | - |
| | Edmonton (Flyers) | WHL | 1 | 60 | 2 | 1 | 0 | 0 | 0 | 2.00 | - | - | - | - | - | - | - | - | - | - | - | - |
| | New York (Rangers) | LNH | 50 | 3000 | 153 | 13 | 29 | 8 | 2 | 3.06 | 0 | 2 | - | - | - | - | - | - | - | - | - | - |
| 1953-54 | Vancouver (Canucks) | WHL | 70 | 4200 | 168 | *39 | 24 | 7 | 4 | *2.40 | - | - | 12 | 709 | 29 | 7 | 4 | - | 0 | 2.45 | - | - |
| 1954-55 | New York (Rangers) | LNH | 65 | 3900 | 197 | 15 | 33 | 17 | 4 | 3.03 | 0 | 2 | - | - | - | - | - | - | - | - | - | - |
| 1955-56 | New York (Rangers) | LNH | *70 | *4200 | 198 | 32 | 28 | 10 | 4 | 2.90 | 0 | 2 | 3 | 180 | 14 | 0 | 3 | - | 0 | 5.00 | 0 | 2 |
| 1956-57 | New York (Rangers) | LNH | 68 | 4080 | 216 | 26 | 28 | 14 | 3 | 3.24 | 0 | 19 | 5 | 316 | 21 | 1 | 4 | - | 0 | 4.18 | 0 | 0 |
| 1957-58 | New York (Rangers) | LNH | 37 | 2220 | 86 | 21 | 10 | 6 | 4 | 2.32 | 0 | 0 | 6 | 365 | 28 | 2 | 4 | - | 0 | 4.60 | 0 | 0 |
| | Providence (Reds) | AHL | 25 | 1528 | 83 | 12 | 11 | 2 | 0 | 3.26 | 0 | 10 | - | - | - | - | - | - | - | - | - | - |
| 1958-59 | New York (Rangers) | LNH | 67 | 4001 | 198 | 26 | 30 | 11 | 2 | 3.07 | 0 | 10 | - | - | - | - | - | - | - | - | - | - |
| 1959-60 | New York (Rangers) | LNH | 39 | 2301 | 135 | 7 | 23 | 8 | 0 | 3.57 | 0 | 12 | - | - | - | - | - | - | - | - | - | - |
| | Springfield (Indians) | AHL | 15 | 900 | 33 | 11 | 3 | 1 | 3 | 2.20 | - | - | - | - | - | - | - | - | - | - | - | - |
| 1960-61 | New York (Rangers) | LNH | 59 | 3473 | 190 | 20 | 29 | 8 | 1 | 3.33 | 0 | 10 | - | - | - | - | - | - | - | - | - | - |
| 1961-62 | New York (Rangers) | LNH | 60 | 3531 | 172 | 22 | 27 | 9 | 2 | 2.96 | 0 | 12 | 6 | 384 | 22 | 1 | 4 | - | 0 | 3.44 | 0 | 0 |
| | Match des Etoiles | LNH | 1 | 30 | 0 | 0 | 0 | 0 | 0 | 0.00 | 0 | 0 | - | - | - | - | - | - | - | - | - | - |
| 1962-63 | New York (Rangers) | LNH | *67 | *3980 | 217 | 22 | 34 | 10 | 2 | 3.30 | 0 | 14 | - | - | - | - | - | - | - | - | - | - |
| | Match des étoiles | LNH | 1 | 20 | 0 | 0 | 0 | 0 | 0 | 0.00 | 0 | 0 | - | - | - | - | - | - | - | - | - | - |
| 1963-64 | **Montréal (Canadiens)** | LNH | 8 | 444 | 22 | 3 | 2 | 2 | 1 | 2.97 | 0 | 0 | - | - | - | - | - | - | - | - | - | - |
| | Québec (As) | AHL | 47 | 2820 | 128 | 30 | 16 | 1 | 5 | 2.72 | - | - | *9 | *543 | 29 | 4 | 5 | - | 0 | 3.20 | - | - |
| 1964-65 | Québec (As) | AHL | 37 | 2247 | 101 | 24 | 12 | 1 | 2 | 2.70 | - | - | - | - | - | - | - | - | - | - | - | - |
| | **Montréal (Canadiens)** | LNH | 19 | 1020 | 50 | 10 | 7 | 1 | 1 | 2.94 | 0 | 0 | 8 | 501 | 14 | 5 | 3 | - | *2 | *1.68 | 0 | 0 |
| 1965-66 | **Montréal (Canadiens)** | LNH | 51 | 2899 | 114 | 29 | 14 | 6 | 2 | 2.36 | 1 | 4 | 10 | 602 | 20 | *8 | 2 | - | *1 | *1.99 | 0 | 0 |
| | Match des étoiles | LNH | 1 | 31 | 1 | 0 | 0 | 0 | 0 | 1.95 | 0 | 0 | - | - | - | - | - | - | - | - | - | - |
| 1966-67 | **Montréal (Canadiens)** | LNH | 18 | 888 | 47 | 9 | 6 | 2 | 1 | 3.18 | 0 | 0 | 2 | 80 | 2 | 0 | 0 | - | 0 | 1.50 | 0 | 0 |
| 1967-68 | **Montréal (Canadiens)** | LNH | 40 | 2213 | 73 | 19 | 9 | 8 | 6 | *1.98 | 0 | 10 | 12 | 672 | 21 | *11 | 0 | - | *1 | 1.88 | 0 | 0 |
| 1968-69 | **Montréal (Canadiens)** | LNH | 30 | 1703 | 64 | 19 | 5 | 4 | 5 | 2.25 | 0 | 0 | 7 | 370 | 14 | 5 | 1 | - | 0 | 2.27 | 0 | 0 |
| 1969-70 | **Montréal (Canadiens)** | LNH | 6 | 360 | 14 | 3 | 1 | 2 | 0 | 2.33 | 0 | 0 | - | - | - | - | - | - | - | - | - | - |
| | Minnesota (North Stars) | LNH | 8 | 453 | 20 | 5 | 1 | 1 | 1 | 2.65 | 0 | 0 | 3 | 180 | 14 | 1 | 2 | - | 0 | 4.67 | 0 | 0 |
| 1970-71 | Minnesota (North Stars) | LNH | 24 | 1369 | 57 | 4 | 10 | 8 | 0 | 2.50 | 0 | 10 | 4 | 240 | 13 | 3 | 1 | - | 0 | 3.25 | 0 | 0 |
| 1971-72 | Minnesota (North Stars) | LNH | 34 | 1923 | 68 | 16 | 10 | 7 | 2 | 2.12 | 0 | 2 | 4 | 194 | 7 | 2 | 1 | - | 1 | 2.16 | 0 | 0 |
| | Match des étoiles | LNH | 1 | 30 | 2 | 0 | 1 | 0 | 0 | 4.05 | 0 | 0 | - | - | - | - | - | - | - | - | - | - |
| 1972-73 | Minnesota (North Stars) | LNH | 12 | 624 | 30 | 6 | 2 | 3 | 0 | 2.88 | 0 | 22 | - | - | - | - | - | - | - | - | - | - |
| 1973-74 | Minnesota (North Stars) | LNH | 29 | 1601 | 86 | 8 | 14 | 5 | 0 | 3.22 | 0 | 0 | - | - | - | - | - | - | - | - | - | - |
| | **LNH** | | 861 | 50183 | 2407 | 335 | 352 | 150 | 43 | 2.88 | 1 | 145 | 70 | 4084 | 189 | 40 | 26 | - | 5 | 2.78 | 0 | 17 |
| | **Montréal** | | 172 | 9527 | 384 | 92 | 44 | 25 | 16 | 2.42 | 1 | 18 | 39 | 2225 | 71 | 29 | 7 | - | 4 | 1.92 | 0 | 15 |

• **Première équipe d'étoiles (LHJQ) en 1948-49 • Première équipe d'étoiles (EAHL) en 1949-50 • Première équipe d'étoiles (USHL) en 1950-51 • Trophée Charles-Gardiner (USHL) en 1950-51 • Deuxième équipe d'étoiles (PCHL) en 1951-52 • Trophée Calder (LNH) en 1952-53 • Première équipe d'étoiles (WHL) en 1953-54 • Match des étoiles (LNH) en 1960-61, 1961-62, 1964-65, 1971-72 • Première équipe d'étoiles (AHL) en 1963-64 • Coupe Stanley (LNH) en 1964-65, 1965-66, 1967-68, 1968-69 • Trophée Georges-Vézina (LNH) avec Charlie Hodge en 1965-66 • Trophée Georges-Vézina (LNH) avec Rogatien Vachon en 1967-68 • Première équipe d'étoiles (LNH) en 1967-68 • Deuxième équipe d'étoiles (LNH) en 1965-66 • Membre du Temple de la Renommée (LNH) en 1980**

• Échangé à Montréal par New York avec Dave Balon, Léon Rochefort et Len Ronson pour Jacques Plante, Phil Goyette et Don Marshall le 4 juin 1963 • Droits vendus au Minnesota par Montréal le 27 février 1970

## WORTERS, ROY

**Né à Toronto, Ontario, le 19 octobre 1900, décédé le 7 novembre 1957. Gardien, attrape de la gauche, 5'3", 135 lb**

| SAISON | CLUB | LIGUE | PJ | MIN | BC | G | P | N | BL | MOY | A | PUN | PJ | MIN | BC | G | P | N | BL | MOY | A | PUN |
|---|---|---|---|---|---|---|---|---|---|---|---|---|---|---|---|---|---|---|---|---|---|---|
| 1918-19 | Parkdale (Canoe Club) | OHA Jr | 8 | 480 | 22 | *7 | 1 | 0 | 0 | 2.75 | - | - | 2 | 120 | 6 | 1 | 1 | 0 | 0 | 3.00 | - | - |
| 1919-20 | Parkdale (Canoe Club) | OHA Jr | 3 | 180 | 14 | 3 | 0 | 0 | 0 | 4.67 | - | - | 4 | 240 | 16 | *4 | 0 | 0 | 0 | 4.00 | - | - |
| | Parkdale (Canoe Club) | Mem. | 3 | 180 | 9 | 3 | 0 | 0 | 0 | 3.00 | - | - | - | - | - | - | - | - | - | - | - | - |
| 1920-21 | Porcupine Miners | GBHL | 10 | 630 | 27 | 7 | 2 | 1 | 0 | 2.57 | - | - | - | - | - | - | - | - | - | - | - | - |
| 1921-22 | N'a pas joué | | | | | | | | | | | | | | | | | | | | | |
| 1922-23 | Toronto (Argonauts) | TIHL | 10 | 558 | 37 | - | - | - | 0 | 3.98 | - | - | - | - | - | - | - | - | - | - | - | - |
| 1923-24 | Pittsburgh (Yellowjackets) | USAHA | 20 | 1225 | 25 | *15 | 5 | 0 | *7 | *1.23 | - | - | 13 | 840 | 12 | *9 | 3 | 1 | *5 | *0.86 | - | - |
| 1924-25 | Pittsburgh (Yellowjackets) | USAHA | 39 | 1895 | 34 | *25 | 10 | 4 | *17 | *0.81 | - | - | 8 | 400 | 8 | *6 | 1 | 1 | 1 | *1.20 | - | - |
| 1925-26 | Pittsburgh (Pirates) | LNH | 35 | 2145 | 68 | 18 | 16 | 1 | 7 | 1.90 | 0 | 0 | 2 | 120 | 6 | 0 | 1 | 1 | 0 | 3.00 | - | - |
| 1926-27 | Pittsburgh (Pirates) | LNH | *44 | 2711 | 108 | 15 | 26 | 3 | 4 | 2.39 | 0 | 0 | - | - | - | - | - | - | - | - | - | - |
| 1927-28 | Pittsburgh (Pirates) | LNH | *44 | 2740 | 76 | 19 | 17 | 8 | 8 | 1.66 | 0 | 0 | 2 | 120 | 6 | 1 | 1 | 0 | | 3.00 | - | - |
| 1928-29 | New York (Americans) | LNH | 38 | 2390 | 46 | 16 | 10 | 12 | 13 | 1.15 | 0 | 0 | 2 | 150 | 1 | 0 | 1 | 1 | 1 | 0.40 | - | - |
| 1929-30 | New York (Americans) | LNH | 36 | 2270 | 135 | 11 | 21 | 4 | 2 | 3.57 | 0 | 0 | - | - | - | - | - | - | - | - | - | - |
| | **Montréal (Canadiens)** | LNH | 1 | 60 | 2 | 1 | 0 | 0 | 0 | 2.00 | 0 | 0 | - | - | - | - | - | - | - | - | - | - |
| 1930-31 | New York (Americans) | LNH | *44 | *2760 | 74 | 18 | 16 | 10 | 8 | *1.61 | 0 | 0 | - | - | - | - | - | - | - | - | - | - |
| 1931-32 | New York (Americans) | LNH | 40 | 2459 | 110 | 12 | 20 | 8 | 5 | 2.68 | 0 | 0 | - | - | - | - | - | - | - | - | - | - |
| 1932-33 | New York (Americans) | LNH | 47 | 2970 | 116 | 15 | 22 | 10 | 5 | 2.34 | 0 | 0 | - | - | - | - | - | - | - | - | - | - |
| | Québec (Castors) | Can-Am | 1 | 60 | 3 | 0 | 1 | 0 | 0 | 3.00 | - | - | - | - | - | - | - | - | - | - | - | - |
| 1933-34 | New York (Americans) | LNH | 36 | 2240 | 75 | 12 | 13 | 10 | 4 | 2.01 | 0 | 0 | - | - | - | - | - | - | - | - | - | - |
| 1934-35 | New York (Americans) | LNH | *48 | *3000 | 142 | 12 | 27 | 9 | 2 | 2.84 | 0 | 0 | - | - | - | - | - | - | - | - | - | - |
| 1935-36 | New York (Americans) | LNH | *48 | 3000 | 122 | 16 | 25 | 7 | 3 | 2.44 | 0 | 0 | 5 | 300 | 11 | 2 | 3 | 0 | *2 | 2.20 | - | - |
| 1936-37 | New York (Americans) | LNH | 23 | 1430 | 69 | 6 | 14 | 3 | 2 | 2.90 | 0 | 0 | - | - | - | - | - | - | - | - | - | - |
| | **LNH** | | 484 | 30175 | 1143 | 171 | 229 | 83 | 66 | 2.27 | 0 | 0 | 11 | 690 | 24 | 3 | 6 | 2 | 3 | 2.09 | 0 | 0 |
| | **Montréal** | | 1 | 60 | 2 | 1 | 0 | 0 | 0 | 2.00 | 0 | 0 | - | - | - | - | - | - | - | - | - | - |

• **Coupe Memorial en 1919-20 • Trophée Hart (LNH) en 1928-29 • Trophée Georges-Vézina (LNH) en 1930-31 • Deuxième équipe d'étoiles (LNH) en 1931-32, 1933-34 • Membre du Temple de la Renommée (LNH) en 1969**

• Signe avec Pittsburgh le 26 septembre 1925 • Échangé à New York (Americans) par Pittsburgh pour Joe Miller et une somme d'argent le 1er novembre 1928 • Prêté à Montréal par New York (Americans) le 27 février 1930

SAISONS RÉGULIÈRES          SÉRIES ÉLIMINATOIRES

| SAISON | CLUB | LIGUE | PJ | MIN | BC | G | P | N | BL | MOY | A | PUN | PJ | MIN | BC | G | P | N | BL | MOY | A | PUN |

# LES DIRIGEANTS
## LES PROPRIÉTAIRES
## LES PRÉSIDENTS
## LES DIRECTEURS GÉNÉRAUX
## LES ENTRAÎNEURS
## LES CAPITAINES

| SAISON | PROPRIÉTAIRES | PRÉSIDENTS | DIRECTEURS GÉNÉRAUX | ENTRAÎNEURS | CAPITAINES |
|---|---|---|---|---|---|
| 1909-1910 | John Ambrose O'Brien | | J. Laviolette et Jos Cattarinich | Jack Laviolette | Jack Laviolette |
| 1910-1911 | Le Club athlétique Canadien inc. | Hector Bisaillon | George Kennedy | Adolphe Lecours | Newsy Lalonde |
| 1911-1912 | | Hector Bisaillon | George Kennedy | Napoléon Dorval | Jack Laviolette |
| 1912-1913 | | Hector Bisaillon | George Kennedy | Napoléon Dorval | Newsy Lalonde |
| 1913-1914 | | Urgèle Boucher | George Kennedy | Jimmy Gardner | Jimmy Gardner |
| 1914-1915 | | Urgèle Boucher | George Kennedy | Jimmy Gardner | Jimmy Gardner |
| 1915-1916 | Le Club athlétique Canadien inc. The Canadian Hockey Club Inc. | Urgèle Boucher | George Kennedy | Newsy Lalonde | Howard McNamara |
| 1916-1917 | The Canadian Hockey Club Inc. | Urgèle Boucher | George Kennedy | Newsy Lalonde | Newsy Lalonde |
| 1917-1918 | George Kennedy | George Kennedy | George Kennedy | Newsy Lalonde | Newsy Lalonde |
| 1918-1919 | | George Kennedy | George Kennedy | Newsy Lalonde | Newsy Lalonde |
| 1919-1920 | | George Kennedy | George Kennedy | Newsy Lalonde | Newsy Lalonde |
| 1920-1921 | | George Kennedy | George Kennedy | Newsy Lalonde | Newsy Lalonde |
| 1921-1922 | Léo Dandurand, Jos Cattarinich et Louis Létourneau | Athanase David | Léo Dandurand | Léo Dandurand | Newsy Lalonde |
| 1922-1923 | | Athanase David | Léo Dandurand | Léo Dandurand | Sprague Cleghorn |
| 1923-1924 | | Athanase David | Léo Dandurand | Léo Dandurand | Sprague Cleghorn |
| 1924-1925 | | Athanase David | Léo Dandurand | Léo Dandurand | Sprague Cleghorn |
| 1925-1926 | | Athanase David | Léo Dandurand | Léo Dandurand | Billy Coutu |
| 1926-1927 | | Athanase David | Léo Dandurand | Cecil Hart | Sylvio Mantha |
| 1927-1928 | | Athanase David | Léo Dandurand | Cecil Hart | Sylvio Mantha |
| 1928-1929 | | Athanase David | Léo Dandurand | Cecil Hart | Sylvio Mantha |
| 1929-1930 | | Athanase David | Léo Dandurand | Cecil Hart | Sylvio Mantha |
| 1930-1931 | | Athanase David | Léo Dandurand | Cecil Hart | Sylvio Mantha |
| 1931-1932 | | Athanase David | Léo Dandurand | Cecil Hart | Sylvio Mantha |
| 1932-1933 | | Athanase David | Léo Dandurand | Newsy Lalonde | George Hainsworth |
| 1933-1934 | | Athanase David | Léo Dandurand | Newsy Lalonde | Sylvio Mantha |
| 1934-1935 | | Athanase David | Léo Dandurand | N. Lalonde et L. Dandurand | Sylvio Mantha |
| 1935-1936 | Ernest Savard, Louis Gélinas, et Maurice Forget (au nom de la Canadian Arena Company) | Ernest Savard | Ernest Savard | Sylvio Mantha | Sylvio Mantha |
| 1936-1937 | | Ernest Savard | Cecil Hart | Cecil Hart | Albert Siebert |
| 1937-1938 | | Ernest Savard | Cecil Hart | Cecil Hart | Albert Siebert |
| 1938-1939 | | Ernest Savard | Cecil Hart | Cecil Hart et Jules Dugal | Albert Siebert |
| 1939-1940 | | Ernest Savard | Jules Dugal | Albert Siebert* / Alfred Lépine | Walter Buswell |
| 1940-1941 | Canadian Arena Company | Donat Raymond | Tommy Gorman | Dick Irvin | Toe Blake |
| 1941-1942 | | Donat Raymond | Tommy Gorman | Dick Irvin | Toe Blake |
| 1942-1943 | | Donat Raymond | Tommy Gorman | Dick Irvin | Toe Blake |
| 1943-1944 | | Donat Raymond | Tommy Gorman | Dick Irvin | Toe Blake |
| 1944-1945 | | Donat Raymond | Tommy Gorman | Dick Irvin | Toe Blake |
| 1945-1946 | | Donat Raymond | Tommy Gorman | Dick Irvin | Toe Blake |
| SAISON | PROPRIÉTAIRES | PRÉSIDENTS | DIRECTEURS GÉNÉRAUX | ENTRAÎNEURS | CAPITAINES |

| SAISON | PROPRIÉTAIRES | PRÉSIDENTS | DIRECTEURS GÉNÉRAUX | ENTRAÎNEURS | CAPITAINES |
|---|---|---|---|---|---|
| 1946-1947 | Canadian Arena Company | Donat Raymond | Frank Selke | Dick Irvin | Toe Blake |
| 1947-1948 | | Donat Raymond | Frank Selke | Dick Irvin | Toe Blake et Bill Durnan |
| 1948-1949 | | Donat Raymond | Frank Selke | Dick Irvin | Émile Bouchard |
| 1949-1950 | | Donat Raymond | Frank Selke | Dick Irvin | Émile Bouchard |
| 1950-1951 | | Donat Raymond | Frank Selke | Dick Irvin | Émile Bouchard |
| 1951-1952 | | Donat Raymond | Frank Selke | Dick Irvin | Émile Bouchard |
| 1952-1953 | | Donat Raymond | Frank Selke | Dick Irvin | Émile Bouchard |
| 1953-1954 | | Donat Raymond | Frank Selke | Dick Irvin | Émile Bouchard |
| 1954-1955 | | Donat Raymond | Frank Selke | Dick Irvin | Émile Bouchard |
| 1955-1956 | | Donat Raymond | Frank Selke | Toe Blake | Émile Bouchard |
| 1956-1957 | | Donat Raymond | Frank Selke | Toe Blake | Maurice Richard |
| 1957-1958 | Hartland de Montarville Molson et Thomas H. Pentland Molson | Hartland de Montarville Molson | Frank Selke | Toe Blake | Maurice Richard |
| 1958-1959 | | Hartland de Montarville Molson | Frank Selke | Toe Blake | Maurice Richard |
| 1959-1960 | | Hartland de Montarville Molson | Frank Selke | Toe Blake | Maurice Richard |
| 1960-1961 | | Hartland de Montarville Molson | Frank Selke | Toe Blake | Doug Harvey |
| 1961-1962 | | Hartland de Montarville Molson | Frank Selke | Toe Blake | Jean Béliveau |
| 1962-1963 | | Hartland de Montarville Molson | Frank Selke | Toe Blake | Jean Béliveau |
| 1963-1964 | | Hartland de Montarville Molson | Frank Selke | Toe Blake | Jean Béliveau |
| 1964-1965 | David, William et Peter Molson | David Molson | Sam Pollock | Toe Blake | Jean Béliveau |
| 1965-1966 | | David Molson | Sam Pollock | Toe Blake | Jean Béliveau |
| 1966-1967 | | David Molson | Sam Pollock | Toe Blake | Jean Béliveau |
| 1967-1968 | | David Molson | Sam Pollock | Toe Blake | Jean Béliveau |
| 1968-1969 | | David Molson | Sam Pollock | Claude Ruel | Jean Béliveau |
| 1969-1970 | | David Molson | Sam Pollock | Claude Ruel | Jean Béliveau |
| 1970-1971 | | David Molson | Sam Pollock | Claude Ruel et Al MacNeil | Jean Béliveau |
| 1971-1972 | Edward et Peter Bronfman | Jacques Courtois | Sam Pollock | Scotty Bowman | Henri Richard |
| 1972-1973 | | Jacques Courtois | Sam Pollock | Scotty Bowman | Henri Richard |
| 1973-1974 | | Jacques Courtois | Sam Pollock | Scotty Bowman | Henri Richard |
| 1974-1975 | | Jacques Courtois | Sam Pollock | Scotty Bowman | Henri Richard |
| 1975-1976 | | Jacques Courtois | Sam Pollock | Scotty Bowman | Yvan Cournoyer |
| 1976-1977 | | Jacques Courtois | Sam Pollock | Scotty Bowman | Yvan Cournoyer |
| 1977-1978 | | Jacques Courtois | Sam Pollock | Scotty Bowman | Yvan Cournoyer |
| 1978-1979 | La Brasserie Molson du Canada ltée | Jacques Courtois | Irving Grundman | Scotty Bowman | Yvan Cournoyer |
| 1979-1980 | | Morgan McCammon | Irving Grundman | B. Geoffrion et C. Ruel | Serge Savard |
| 1980-1981 | | Morgan McCammon | Irving Grundman | Claude Ruel | Serge Savard |
| 1981-1982 | | Morgan McCammon | Irving Grundman | Bob Berry | Bob Gainey |
| 1982-1983 | | Ronald Corey | Irving Grundman | Bob Berry | Bob Gainey |
| 1983-1984 | | Ronald Corey | Serge Savard | Bob Berry et Jacques Lemaire | Bob Gainey |
| 1984-1985 | | Ronald Corey | Serge Savard | Jacques Lemaire | Bob Gainey |
| 1985-1986 | | Ronald Corey | Serge Savard | Jean Perron | Bob Gainey |
| 1986-1987 | | Ronald Corey | Serge Savard | Jean Perron | Bob Gainey |
| 1987-1988 | | Ronald Corey | Serge Savard | Jean Perron | Bob Gainey |
| 1988-1989 | | Ronald Corey | Serge Savard | Pat Burns | Bob Gainey |
| 1989-1990 | | Ronald Corey | Serge Savard | Pat Burns | G. Carbonneau et C. Chelios |
| 1990-1991 | | Ronald Corey | Serge Savard | Pat Burns | Guy Carbonneau |
| 1991-1992 | | Ronald Corey | Serge Savard | Pat Burns | Guy Carbonneau |
| 1992-1993 | | Ronald Corey | Serge Savard | Jacques Demers | Guy Carbonneau |
| 1993-1994 | | Ronald Corey | Serge Savard | Jacques Demers | Guy Carbonneau |
| 1994-1995 | | Ronald Corey | Serge Savard | Jacques Demers | Kirk Muller et Mike Keane |
| 1995-1996 | | Ronald Corey | S. Savard et R. Houle | J. Demers et M. Tremblay | Mike Keane et Pierre Turgeon |
| 1996-1997 | | Ronald Corey | Réjean Houle | Mario Tremblay | P. Turgeon et V. Damphousse |
| 1997-1998 | | Ronald Corey | Réjean Houle | Alain Vigneault | Vincent Damphousse |
| 1998-1999 | | Ronald Corey | Réjean Houle | Alain Vigneault | Vincent Damphousse |
| 1999-2000 | | Pierre Boivin | Réjean Houle | Alain Vigneault | Saku Koivu |
| 2000-2001 | | Pierre Boivin | André Savard | A. Vigneault et M. Therrien | Saku Koivu |
| 2001-2002 | George Gillett | Pierre Boivin | André Savard | Michel Therrien | Saku Koivu |
| 2002-2003 | | Pierre Boivin | André Savard | M. Therrien et C. Julien | Saku Koivu |
| 2003-2004 | | Pierre Boivin | Bob Gainey | Claude Julien | Saku Koivu |
| SAISON | PROPRIÉTAIRES | PRÉSIDENTS | DIRECTEURS GÉNÉRAUX | ENTRAÎNEURS | CAPITAINES |

728

\* Albert Siebert a été nommé entraîneur au cours de l'été mais est décédé avant le début de la saison.

# LE TABLEAU D'HONNEUR
## AU TEMPLE DE LA RENOMMÉE
## LES TROPHÉES
## LES ÉQUIPES D'ÉTOILES

| AU TEMPLE DE LA RENOMMÉE | | |
|---|---|---|

### Joueurs des Canadiens

| | | | | | |
|---|---|---|---|---|---|
| 1945 | Howie Morenz | 1964 | Bill Durnan | 1981 | Frank Mahovlich |
| | Georges Vézina | | Babe Siebert | 1982 | Yvan Cournoyer |
| 1947 | Aurèle Joliat | 1966 | Toe Blake | 1983 | Ken Dryden |
| 1950 | Newsy Lalonde | | Émile Bouchard | 1984 | Jacques Lemaire |
| | Joe Malone | | Elmer Lach | 1985 | Bert Olmstead |
| 1958 | Sprague Cleghorn | | Ken Reardon | 1986 | Serge Savard |
| | Herb Gardiner | 1970 | Tom Johnson | 1987 | Jacques Laperrière |
| 1960 | Sylvio Mantha | 1972 | Jean Béliveau | 1988 | Guy Lafleur |
| 1961 | Joe Hall | | Bernard Geoffrion | | Buddy O'Connor |
| | George Hainsworth | 1973 | Doug Harvey | 1992 | Bob Gainey |
| | Maurice Richard | 1974 | Dickie Moore | 1993 | Guy Lapointe |
| 1962 | Jack Laviolette | 1978 | Jacques Plante | | Steve Shutt |
| | Didier Pitre | 1979 | Henri Richard | 1995 | Larry Robinson |
| | | 1980 | Lorne Worsley | 2000 | Denis Savard |

### Bâtisseurs des Canadiens

| | | | | | |
|---|---|---|---|---|---|
| 1945 | William Northey | 1963 | Léo Dandurand | 1977 | Jos Cattarinich |
| 1958 | Donat Raymond | | Tommy Gorman | 1978 | Sam Pollock |
| 1960 | Frank-J.-Selke | 1973 | Hartland de | 1991 | Scotty Bowman |
| 1962 | John Ambrose O'Brien | | Montarville Molson | | |

### Journalistes québécois

DIVISION RADIO TÉLÉVISION

| | | | | | |
|---|---|---|---|---|---|
| 1984 | Danny Gallivan | 1985 | Doug Smith | 1999 | Richard Garneau |
| | René Lecavalier | 1988 | Dick Irvin | 2002 | Gilles Tremblay |

DIVISION PRESSE ÉCRITE

| | | | | | |
|---|---|---|---|---|---|
| 1984 | Jacques Beauchamp: | 1985 | Red Fisher, | 1990 | Bertrand Raymond: |
| | *Montréal-Matin* | | *Montreal Star* | | *Le Journal de* |
| | *Le Journal de* | | *The Gazette* | | *Montréal* |
| | *Montréal* | | Zotique L'Espérance: | 1998 | Yvon Pedneault: |
| | Dick Carroll: | | *Le Journal de* | | *La Presse* |
| | *The Gazette* | | *Montréal* | | *Le Journal de* |
| | Marcel Desjardins: | | *Le Petit Journal* | | *Montréal* |
| | *La Presse* | | Charles Mayer: | | |
| | Elmer Ferguson: | | *La Patrie* | | |
| | *Montreal Herald* | 1989 | Claude Larochelle: | | |
| | *Montreal Star* | | *Le Soleil* | | |
| | Basil O'Meara: | | | | |
| | *Montreal Star* | | | | |

| LES TROPHÉES | |
|---|---|

### Trophées d'équipe

#### Coupe Stanley

1892-93 à 1908-09 : Champions du hockey amateur canadien
1908-09 à 1925-26 : Champions du hockey professionnel canadien
Depuis 1926-27 :       Champions des éliminatoires de la LNH

| | | | | | |
|---|---|---|---|---|---|
| 1915-16 | 1943-44 | 1956-57 | 1964-65 | 1970-71 | 1977-78 |
| 1923-24 | 1945-46 | 1957-58 | 1965-66 | 1972-73 | 1978-79 |
| 1929-30 | 1952-53 | 1958-59 | 1967-68 | 1975-76 | 1985-86 |
| 1930-31 | 1955-56 | 1959-60 | 1968-69 | 1976-77 | 1992-93 |

#### Trophée Prince-de-Galles

1925-26 à 1926-27 : Champions de la Ligue
1927-28 à 1937-38 : Champions de la Division américaine en saison régulière
1938-39 à 1966-67 : Champions de la saison régulière
1967-68 à 1973-74 : Champions de la Division Est
1974-75 à 1980-81 : Champions de l'Association Prince-de-Galles (saison rég.)
1981-82 à 1992-93 : Champions des séries de l'Association Prince-de-Galles
Depuis 1993-94 :       Champions des séries de l'Association de l'Est

| | | | | | |
|---|---|---|---|---|---|
| 1924-25* | 1946-47 | 1959-60 | 1965-66 | 1975-76 | 1980-81 |
| 1943-44 | 1955-56 | 1960-61 | 1967-68 | 1976-77 | 1985-86 |
| 1944-45 | 1957-58 | 1961-62 | 1968-69 | 1977-78 | 1988-89 |
| 1945-46 | 1958-59 | 1963-64 | 1972-73 | 1978-79 | 1992-93 |

* Attribué ultérieurement aux Canadiens à titre de vainqueur du match inaugural du Madison Square Garden le 7 décembre 1925.

#### Coupe O'Brien

1909-10 à 1915-16 : Champions de la saison régulière
1916-17 à 1926-27 : Champions des séries
1927-28 à 1937-38 : Champions de la Division canadienne en saison régulière
1938-39 à 1949-50 : Retirée en 1950
Perdants de la finale

| | | | | | |
|---|---|---|---|---|---|
| 1915-16 | 1918-19 | 1924-25 | 1928-29 | 1931-32 | 1946-47 |
| 1916-17 | 1923-24 | 1927-28 | 1930-31 | 1936-37 | |

#### Coupe Kennedy

Attribuée à l'équipe qui remporte le plus de victoires en saison lors des matchs entre les Canadiens et les Maroons de Montréal. Retirée à la dissolution des Maroons en 1938

| | | | | | |
|---|---|---|---|---|---|
| 1927-28 | Canadiens | 1931-32 | Canadiens | 1935-36 | Maroons |
| 1928-29 | Canadiens | 1932-33 | Maroons | 1936-37 | Maroons |
| 1929-30 | Maroons | 1933-34 | Maroons | 1937-38 | Canadien |
| 1930-31 | Canadiens | 1934-35 | Canadiens | | |

### Trophées individuels

#### Trophée Art-Ross

Champion marqueur en saison régulière

| | | | | | |
|---|---|---|---|---|---|
| 1917-18* | Joe Malone | 1944-45* | Elmer Lach | 1960-61 | Bernard Geoffrion |
| 1918-19* | Newsy Lalonde | 1947-48 | Elmer Lach | 1975-76 | Guy Lafleur |
| 1920-21* | Newsy Lalonde | 1954-55 | Bernard Geoffrion | 1976-77 | Guy Lafleur |
| 1927-28* | Howie Morenz | 1955-56 | Jean Béliveau | 1977-78 | Guy Lafleur |
| 1930-31* | Howie Morenz | 1957-58 | Dickie Moore | * Meilleur marqueur avant |
| 1938-39* | Toe Blake | 1958-59 | Dickie Moore | l'attribution du trophée |

#### Trophée Hart

Attribué au joueur le plus utile à son équipe

| | | | | | |
|---|---|---|---|---|---|
| 1926-27 | Herb Gardiner | 1938-39 | Toe Blake | 1963-64 | Jean Béliveau |
| 1927-28 | Howie Morenz | 1944-45 | Elmer Lach | 1976-77 | Guy Lafleur |
| 1930-31 | Howie Morenz | 1946-47 | Maurice Richard | 1977-78 | Guy Lafleur |
| 1931-32 | Howie Morenz | 1955-56 | Jean Béliveau | 2001-02 | José Théodore |
| 1933-34 | Aurèle Joliat | 1960-61 | Bernard Geoffrion | | |
| 1936-37 | Albert Siebert | 1961-62 | Jacques Plante | | |

#### Trophée Lester-B.-Pearson

Attribué au joueur le plus spectaculaire par l'Association des joueurs

| | | | | | |
|---|---|---|---|---|---|
| 1975-76 | Guy Lafleur | 1976-77 | Guy Lafleur | 1977-78 | Guy Lafleur |

## Trophée Georges-Vézina

1926-27 à 1981-82 Attribué au (x) gardien(s) de l'équipe ayant alloué le moins de buts
Depuis 1982-83    Attribué au meilleur gardien par vote des directeurs généraux

| | | | | | |
|---|---|---|---|---|---|
| 1926-27 | George Hainsworth | 1958-59 | Jacques Plante | 1977-78 | Ken Dryden et |
| 1927-28 | George Hainsworth | 1959-60 | Jacques Plante | | Michel Larocque |
| 1928-29 | George Hainsworth | 1961-62 | Jacques Plante | 1978-79 | Ken Dryden et |
| 1943-44 | Bill Durnan | 1963-64 | Charlie Hodge | | Michel Larocque |
| 1944-45 | Bill Durnan | 1965-66 | Lorne Worsey et | 1980-81 | Richard Sévigny, |
| 1945-46 | Bill Durnan | | Charlie Hodge | | Denis Herron et |
| 1946-47 | Bill Durnan | 1967-68 | Lorne Worsley et | | Michel Larocque |
| 1048-49 | Bill Durnan | | Rogatien Vachon | 1988-89 | Patrick Roy |
| 1949-50 | Bill Durnan | 1972-73 | Ken Dryden | 1989-90 | Patrick Roy |
| 1955-56 | Jacques Plante | 1975-76 | Ken Dryden | 1991-92 | Patrick Roy |
| 1956-57 | Jacques Plante | 1976-77 | Ken Dryden et | 2001-02 | José Théodore |
| 1957-58 | Jacques Plante | | Michel Larocque | | |

## Trophée William-M.-Jennings

Attribué au (x) gardien(s) de l'équipe ayant alloué le moins de buts

| | | | | | |
|---|---|---|---|---|---|
| 1981-82 | Denis Herron et | 1987-88 | Patrick Roy et | 1991-82 | Patrick Roy |
| | Rick Wamsley | | Brian Hayward | | |
| 1986-87 | Patrick Roy et | 1988-89 | Patrick Roy et | | |
| | Brian Hayward | | Brian Hayward | | |

## Prix Roger-Crozier

(Prix Trico de 1988-89 à 1990-91)
Attribué depuis 1999-00 au gardien ayant conservé le meilleur pourcentage d'arrêts

| | | | | | |
|---|---|---|---|---|---|
| 1988-89 | Patrick Roy | 1989-90 | Patrick Roy | 2001-02 | José Théodore |

## Trophée Calder

Attribué au meilleur joueur recrue

| | | | | | |
|---|---|---|---|---|---|
| 1940-41 | John Quilty | 1958-59 | Ralph Backstrom | 1963-64 | Jacques Laperrière |
| 1951-52 | Bernard Geoffrion | 1961-62 | Robert Rousseau | 1971-72 | Ken Dryden |

## Trophée Lady-Byng

Attribué au joueur le plus gentilhomme

| | | | |
|---|---|---|---|
| 1945-46 | Toe Blake | 1987-88 | Mats Näslund |

## Trophée James-Norris

Attribué au meilleur défenseur

| | | | | | |
|---|---|---|---|---|---|
| 1954-55 | Doug Harvey | 1958-59 | Tom Johnson | 1976-77 | Larry Robinson |
| 1955-56 | Doug Harvey | 1959-60 | Doug Harvey | 1979-80 | Larry Robinson |
| 1956-57 | Doug Harvey | 1960-61 | Doug Harvey | 1988-89 | Chris Chelios |
| 1957-58 | Doug Harvey | 1965-66 | Jacques Laperrière | | |

## Trophée Jack-Adams

Attribué à l'entraîneur de l'année

| | | | |
|---|---|---|---|
| 1976-77 | Scotty Bowman | 1988-89 | Pat Burns |

## Trophée Frank-J.-Selke

Attribué au meilleur attaquant défensif

| | | | | | |
|---|---|---|---|---|---|
| 1977-78 | Bob Gainey | 1980-81 | Bob Gainey | 1991-92 | Guy Carbonneau |
| 1978-79 | Bob Gainey | 1987-88 | Guy Carbonneau | | |
| 1979-80 | Bob Gainey | 1988-89 | Guy Carbonneau | | |

## Trophée Bill-Masterton

Attribué au joueur alliant persévérance, esprit sportif et dévouement au hockey

| | | | |
|---|---|---|---|
| 1967-68 | Claude Provost | 1978-79 | Serge Savard |
| 1973-74 | Henri Richard | 2001-02 | Saku Koivu |

## Trophée Conn-Smythe

Attribué au joueur le plus utile à son équipe durant les séries

| | | | | | |
|---|---|---|---|---|---|
| 1964-65 | Jean Béliveau | 1972-73 | Yvan Cournoyer | 1978-79 | Bob Gainey |
| 1968-69 | Serge Savard | 1976-77 | Guy Lafleur | 1985-86 | Patrick Roy |
| 1970-71 | Ken Dryden | 1977-78 | Larry Robinson | 1992-93 | Patrick Roy |

## Prix Bud Light du match des étoiles

Attribué au meilleur joueur du match des étoiles

| | | | |
|---|---|---|---|
| 1964 | Jean Béliveau | 1976 | Peter Mahovlich |
| 1967 | Henri Richard | 1997 | Mark Recchi |

## Coupe Molson

Attribuée au joueur des Canadiens ayant accumulé le plus de points lors de la sélection des trois étoiles de chaque match

| | | | | | |
|---|---|---|---|---|---|
| 1972-73 | Ken Dryden | 1982-83 | Mario Tremblay | 1992-93 | Kirk Muller |
| 1973-74 | Wayne Thomas | 1983-84 | Guy Carbonneau | 1993-94 | Patrick Roy |
| 1974-75 | Guy Lafleur | 1984-85 | Steve Penny | 1994-95 | Patrick Roy |
| 1975-76 | Guy Lafleur | 1985-86 | Mats Näslund | 1995-96 | Pierre Turgeon |
| 1976-77 | Guy Lafleur | 1986-87 | Mats Näslund | 1996-97 | Mark Recchi |
| 1977-78 | Guy Lafleur | 1987-88 | Stéphane Richer | 1997-98 | Mark Recchi |
| 1978-79 | Guy Lafleur | 1988-89 | Patrick Roy | 1998-99 | Jeff Hackett |
| 1979-80 | Guy Lafleur | 1989-90 | Stéphane Richer | 1999-00 | Jeff Hackett |
| 1980-81 | Larry Robinson | 1990-91 | Russ Courtnall | 2000-01 | José Théodore |
| 1981-82 | Guy Lafleur | 1991-92 | Patrick Roy | 2001-02 | José Théodore |

## Trophée Jacques-Beauchamp

Attribué au joueur des Canadiens ayant joué un rôle déterminant sans en retirer d'honneur particulier

| | | | | | |
|---|---|---|---|---|---|
| 1981-82 | Doug Jarvis | 1989-90 | Mike McPhee | 1997-98 | Patrice Brisebois |
| 1982-83 | Craig Ludwig | 1990-91 | Mike McPhee | | et Marc Bureau |
| 1983-84 | Jean Hamel | 1991-92 | Brent Gilchrist | 1998-99 | Benoît Brunet |
| 1984-85 | Craig Ludwig | 1992-93 | Mike Keane | 1999-00 | Éric Weinrich |
| 1985-86 | Craig Ludwig | 1993-94 | Lyle Odelein | 2000-01 | Oleg Petrov |
| 1986-87 | Rick Green | 1994-95 | Benoît Brunet | 2001-02 | Joé Juneau |
| 1987-88 | Mike McPhee | 1995-96 | Peter Popovic | | |
| 1988-89 | Petr Svoboda | 1996-97 | Stéphane Quintal | | |

| | Première équipe | Deuxième équipe | | Première équipe | Deuxième équipe | | Première équipe | Deuxième équipe |
|---|---|---|---|---|---|---|---|---|
| 1930-31 | Howie Morenz | Sylvio Mantha | 1953-54 | Doug Harvey | Maurice Richard | 1971-72 | | Ken Dryden |
| | Aurèle Joliat | | | | Ken Mosdell | | | Yvan Cournoyer |
| 1931-32 | Howie Morenz | Aurèle Joliat, | 1954-55 | Doug Harvey | Ken Mosdell | 1972-73 | Ken Dryden | Yvan Cournoyer |
| | | Sylvio Mantha | | Jean Béliveau | Bernard Geoffrion | | Guy Lapointe | |
| 1932-33 | | Howie Morenz | | Maurice Richard | | | Frank Mahovlich | |
| 1933-34 | | Aurèle Joliat | 1955-56 | Jacques Plante | Tom Johnson | 1974-75 | Guy Lafleur | Guy Lapointe |
| 1934-35 | | Aurèle Joliat | | Doug Harvey | Bert Olmstead | 1975-76 | Ken Dryden | Guy Lapointe |
| 1935-36 | | Wilf Cude | | Maurice Richard | | | Guy Lafleur | |
| 1936-37 | Babe Siebert | Wilf Cude | | Jean Béliveau | | 1976-77 | Ken Dryden | Guy Lapointe |
| 1937-38 | Babe Siebert | Toe Blake | 1956-57 | Doug Harvey | Jacques Plante | | Larry Robinson | |
| 1938-39 | Toe Blake | | | Maurice Richard | | | Guy Lafleur | |
| 1939-40 | Toe Blake | | 1957-58 | Doug Harvey | Jacques Plante | | Steve Shutt | |
| 1943-44 | Bill Durnan | Émile Bouchard, | | Henri Richard | Jean Béliveau | 1977-78 | Ken Dryden | Larry Robinson |
| | | Elmer Lach | 1958-59 | Jacques Plante | Doug Harvey | | Guy Lafleur | Steve Shutt |
| | | Maurice Richard | | Tom Johnson | Henri Richard | 1978-79 | Ken Dryden | Serge Savard |
| 1944-45 | Bill Durnan | Glen Harmon | | Dickie Moore | | | Larry Robinson | |
| | Émile Bouchard | | | | Jean Béliveau | | Guy Lafleur | |
| | Elmer Lach | | 1959-60 | Doug Harvey | Jacques Plante | 1979-80 | Larry Robinson | Steve Shutt |
| | Maurice Richard | | | Jean Béliveau | Bernard Geoffrion | | Guy Lafleur | |
| | Toe Blake | | 1960-61 | Doug Harvey | Henri Richard | 1980-81 | | Larry Robinson |
| 1945-46 | Bill Durnan | Ken Reardon | | Jean Béliveau | Dickie Moore | 1981-82 | | Brian Engblom |
| | Émile Bouchard | Elmer Lach | | | Bernard Geoffrion | 1985-86 | | Larry Robinson |
| | Maurice Richard | Toe Blake | 1961-62 | Jacques Plante | | | | Mats Näslund |
| 1946-47 | Bill Durnan | | | Jean-Guy Talbot | | 1987-88 | | Patrick Roy |
| | Ken Reardon | | 1962-63 | | Henri Richard | 1988-89 | Patrick Roy | |
| | Émile Bouchard | | 1963-64 | | Charlie Hodge, | | | Chris Chelios |
| | Maurice Richard | | | | Jean Béliveau | 1989-90 | Patrick Roy | |
| 1947-48 | Elmer Lach | Ken Reardon | | | Jacques Laperrière | 1990-91 | | Patrick Roy |
| | Maurice Richard | | 1964-65 | Claude Provost | Charlie Hodge | 1991-92 | | Patrick Roy |
| 1948-49 | Bill Durnan | Glen Harmon | | Jacques Laperrière | | 2001-02 | José Théodore | |
| | Maurice Richard | Ken Reardon | 1965-66 | Jacques Laperrière | Jean Béliveau | | | |
| 1949-50 | Bill Durnan | | | | Robert Rousseau | | | |
| | Ken Reardon | | | | Lorne Worsley | 1982-83 | Mats Näslund | |
| | Maurice Richard | | 1967-68 | Lorne Worsley | Jean-Claude Tremblay | 1984-85 | Steve Penny | |
| 1950-51 | | Maurice Richard | 1968-69 | | Jean Béliveau | | Chris Chelios | |
| 1951-52 | Doug Harvey | Maurice Richard | | | Ted Harris | 1985-86 | | Patrick Roy |
| | Elmer Lach | | | | Yvan Cournoyer | | | Kjell Dahlin |
| 1952-53 | Doug Harvey | Gerry McNeil | 1969-70 | | Jacques Laperrière | 1991-92 | | Gilbert Dionne |
| | | Bert Olmstead | 1970-71 | J.-C. Tremblay | Yvan Cournoyer | 1993-94 | | Oleg Petrov |
| | | Maurice Richard | | | | | | |

### Les équipes d'étoiles des recrues

**AAHA :** Association de hockey amateur d'Alberta

**AAHL :** Ligue de hockey amateur d'Alaska

**ACH :** Association canadienne de hockey

**ACHL :** Ligue de hockey de la côte de l'Atlantique

**ACSHL :** Ligue de hockey senior de la côte de l'Atlantique

**A-Cup :** Coupe britannique d'automne (1930-1960)

**AHA :** Association américaine de hockey

**AHAQ :** Association de hockey amateur du Québec

**AHIQ :** Association de hockey intermédiaire du Québec

**AHL :** Ligue américaine de hockey

**AJHL :** Ligue de hockey junior d'Alberta

**Alexa. :** Coupe Alexander (Championnat senior canadien 1950-1953)

**Allan :** Coupe Allan (Championnat senior canadien)

**Alpes :** Ligue des Alpes (Autriche, Italie, Slovénie)

**AMH :** Association mondiale de hockey

**ASHL :** Ligue de hockey senior d'Alberta

**AUAA :** Association athlétique de l'Université Atlantic

**AUT :** Autriche

**BCAHA :** Association de hockey amateur de Colombie-Britannique

**BCBHL :** Ligue de hockey de la frontière de la Colombie-Britannique

**BCJHL :** Ligue de hockey junior de la Colombie-Britannique

**BEL :** Belgique

**Big-3 :** Ligue de hockey Big-3 des Maritimes

**Big-4 :** Ligue de hockey Big-4 d'Alberta

**Big-6 :** Ligue de hockey Big-6 du Manitoba

**BISL :** Superligue britannique de hockey

**CAHL :** Ligue canadienne de hockey amateur

**CalHL :** Ligue de hockey de la Californie

**Cal-Pro :** Ligue de hockey professionnel de Californie

**Can-Am :** Ligue canadienne-américaine de hockey

**Can-Pro :** Ligue canadienne de hockey professionnel

**CBJHL :** Ligue de hockey junior du Cap-Breton

**CBMHL :** Ligue de hockey majeur du Cap-Breton

**CBSHL :** Ligue de hockey senior du Cap-Breton

**CC :** Coupe Canada

**CCHA :** Association centrale de hockey collégial

**CCJHL :** Ligue de hockey junior de la cité de Calgary

**CCSHL :** Ligue de hockey senior de la cité de Calgary

**CDM :** Coupe du monde

**CEGEP :** Ligue collégiale du Québec

**CEH :** Championnat d'Europe

**Cen-Cup :** Coupe du centenaire (Championnat canadien junior A)

**CHA :** Association canadienne de hockey

**CHL :** Ligue centrale de hockey

**CIS :** Commonwealth des États indépendants

**CM :** Championnat du monde

**CMJ :** Championnat du monde junior

**CN :** Coupe Nagano

**CNDHL :** Ligue de hockey de la Défense nationale de Calgary

**ColHL :** Ligue coloniale de hockey

**ContHL :** Ligue continentale de hockey

**CPHL :** Ligue centrale de hockey professionnel

**CSK :** Tchécoslovaquie

**CZE :** République tchèque

**Défi74 :** Défi 1974

**Défi79 :** Défi 1979

**DEN :** Danemark

**EAHL :** Ligue de hockey amateur de l'Est

**EAST :** Ligue de l'Est des États-Unis

**ECAC :** Conférence athlétique collégiale de l'Est

**ECAHA :** Association de hockey amateur de l'Est du Canada

**ECAHL :** Ligue de hockey amateur de l'Est du Canadien

**ECHA :** Association de hockey de l'Est du Canada

**ECHL :** Ligue de hockey de la Côte Est (depuis 1988)

**ECHL :** Ligue de hockey professionnel de l'Est du Canada (1914-1915)

**ECSHL :** Ligue de hockey senior de l'Est du Canada

**Edin :** Coupe Édimbourg (Série LHQ-WHL 1953-1956)

**EHL :** Ligue de hockey de l'Est

**EJC :** Championnat d'Europe

**EJHL :** Ligue de hockey junior d'Edmonton

**ENG :** Angleterre

**EOHL :** Ligue de hockey senior de l'Est de l'Ontario

**EOPHL :** Ligue de hockey professionnel de l'Est de l'Ontario

**EPHL :** Ligue de hockey professionnel de l'Est

**Éq. nat. :** Équipe nationale

**ESHL :** Ligue de hockey senior d'Edmonton

**EuroHL :** Ligue européenne de hockey

**Exh. :** Match d'exhibition

**FAHL :** Ligue fédérale de hockey amateur

**FIN :** Finlande

**FRA :** France

**GBHL :** Ligue de hockey de la Gold Belt

**GBR :** Grande-Bretagne

**GBR-Cup :** Coupe de Grande-Bretagne

**GER :** Allemagne

**H.S. :** High School

**HCSHL :** Ligue de hockey senior de la cité de Halifax

**H-East :** Hockey de l'Est

**HOHL :** Ligue de hockey de Hull-Ottawa

**IAHL :** Ligue internationale américaine de hockey

**IHL :** Ligue internationale de hockey

**IJHL :** Ligue de hockey junior inter-états

**IPAHU :** Union de hockey inter-provinciale

**IPHL :** Ligue de hockey inter-provinciale

**IPSHL :** Ligue de hockey senior inter-provinciale

**ITA :** Italie

**JAP :** Japon

**JO :** Jeux olympiques

**LCHA :** Ligue canadienne de hockey amateur

**LHBM :** Ligue de hockey des banques de Montréal

**LHCE :** Ligue senior des Cantons-de-l'Est

**LHCM/LHMC :** Ligue de la cité de Montréal

**LHICQ :** Ligue de hockey intermédiaire de Québec

**LHJCM/LHJMC :** Ligue de hockey junior de la cité de Montréal

**LHJMM :** Ligue de hockey junior métropolitaine de Montréal

**LHJMQ :** Ligue de hockey junior majeur du Québec

**LHJQ :** Ligue de hockey junior A du Québec

**LHMCM/LMCM :** Ligue de hockey métropolitaine de la cité de Montréal

**LHMQ :** Ligue de hockey métropolitaine de Québec

**LHPQ :** Ligue de hockey professionnel du Québec

**LHQ :** Ligue de hockey du Québec

**LHR :** Ligue de hockey républicaine

**LHRTM :** Ligue de hockey radio-téléphonique de Montréal

**LHSEC :** Ligue de hockey senior de l'Est du Canada

**LHSPQ :** Ligue de hockey semi-pro du Québec

**LHSQ :** Ligue de hockey senior du Québec

**Ln-Cup :** Coupe de Londres (Tournoi pré-saison britannique 1930-1960)

**LNH :** Ligue nationale de hockey

**LOHA :** Association de hockey du Bas-Ottawa

**LOVHL :** Ligue de hockey de la Basse-Vallée d'Ottawa

**LSSL :** Ligue senior du Saint-Laurent

**LVSL :** Ligue de la Vallée du Saint-Laurent

**MAAA :** Association athlétique amateur de Montréal

**MAHA :** Association de hockey amateur du Manitoba

**Man-Pro :** Ligue de hockey professionnel du Manitoba

**MBAHL :** Ligue de hockey amateur métropolitaine de Boston

**MCIHL :** Ligue de hockey industriel de la cité de Moncton

**MCJHL :** Ligue de hockey junior de la cité de Moncton

**MCSHL :** Ligue de hockey senior de la cité de Montréal

**MEM :** Coupe Memorial (championnat junior canadien)

**MHL-Sr. :** Ligue de hockey senior du Manitoba

**MIHC :** Conférence de hockey intercollégial des Maritimes**

**MIPHL :** Ligue de hockey inter-provinciale du Manitoba

**MJHL :** Ligue de hockey junior du Manitoba

**MMHL :** Ligue de hockey majeur des Maritimes

**MMJHL :** Ligue de hockey junior métropolitaine de Montréal

**MOHL :** Ligue de hockey Michigan-Ontario

**MPHL :** Ligue de hockey professionnel des Maritimes

**MSBL :** Ligue scolaire des Maritimes

**MSHL :** Ligue de hockey senior des Maritimes

**MTHL :** Ligue de hockey métropolitaine de Toronto

**MWJHL :** Ligue de hockey junior du Midwest

**NAHL :** Ligue nord-américaine de hockey

**NAJHL :** Ligue de hockey junior du Nord des États-Unis

**NAJHL :** Ligue nord-américaine de hockey junior

**NBAHA :** Association de hockey amateur du Nouveau-Brunswick

**NBHL :** Ligue de hockey de la Nickel Belt

**NBJHL :** Ligue de hockey junior du Nouveau-Brunswick

**NBSHL :** Ligue de hockey senior du Nouveau-Brunswick

**NCAA :** Association athlétique collégiale nationale

**NED :** Pays-Bas

**NEHL :** Ligue de hockey du Nord-Est

**NEJHL :** Ligue de hockey junior du Nord-Est des États-Unis

**NFLD :** Terre-Neuve

**NHA :** Association nationale de hockey

**NMHL :** Ligue de hockey du Nord du Michigan

**NNBHL/NNBSL :** Ligue de hockey senior du Nord du Nouveau-Brunswick

**NNDHL :** Ligue de hockey de la Défense nationale du Nord

**NOHA :** Association de hockey du Nord de l'Ontario

**NOHL :** Ligue de hockey du Nord de l'Ontario

**NOJHA :** Association de hockey junior du Nord de l'Ontario

**NOR :** Norvège

**NSAPC :** Ligue de hockey du comté d'Annapolis-Pictou de la Nouvelle-Écosse

**N-SJHL :** Ligue de hockey junior du Nord de la Saskatchewan

**NSNDHL :** Ligue de la Défense nationale de la Nouvelle-Écosse

**NSSHL :** Ligue de hockey senior de la Nouvelle-Écosse

**N-SSHL :** Ligue de hockey senior du Nord de la Saskatchewan

**NWHL :** Ligue de hockey du Nord-Ouest

**NYOHL :** Ligue de hockey senior de New York-Ontario

**OCHL :** Ligue de hockey de la cité d'Ottawa

**OCJHL :** Ligue de hockey junior de la cité d'Ottawa

**OHA :** Association de hockey de l'Ontario

**OHA-Jr. :** Ligue de hockey junior A de l'Ontario

**OHA-Sr. :** Ligue de hockey senior A de l'Ontario

**OHL :** Ligue de hockey de l'Ontario

**OHL-Sr. :** Ligue de hockey senior de l'Ontario

**OIHA :** Association de hockey intermédiaire de l'Ontario

**OJHL :** Ligue de hockey junior A de l'Ontario

**OMHA :** Association de hockey mineur de l'Ontario

**OMJHL :** Ligue de hockey junior majeur de l'Ontario

**ONDHL :** Ligue de hockey de la Défense nationale d'Ottawa

**OPHL :** Ligue de hockey professionnel de l'Ontario

**OPJHL :** Ligue provinciale de hockey junior A de l'Ontario

**OQAA :** Association athlétique Ontario-Québec

**OSHL :** Ligue de hockey senior de l'Okanagan

**OVHL :** Ligue de la Vallée d'Ottawa

**OVJHL :** Ligue de hockey junior de la Vallée d'Ottawa

**OVSHL :** Ligue de hockey senior de la Vallée d'Ottawa

**PCHA :** Association de hockey de la côte du Pacifique

**PCHL :** Ligue de hockey de la côte du Pacifique

**PHL :** Ligue de hockey du Pacifique

**POL :** Pologne

**PrHL :** Ligue de hockey des Prairies

**PrSHL :** Ligue de hockey senior professionnel des Prairies

**QAAA :** Ligue de hockey midget AAA du Québec

**RJHL :** Ligue de hockey junior de Regina

**RUS :** Russie

733

**RV87 :** Rendez-vous 1987

**SAHA :** Association de hockey amateur de la Saskatchewan

**SCJHL :** Ligue de hockey junior de la cité de Saskatoon

**SCSHL :** Ligue de hockey senior du Sud de la Californie

**SCT :** Écosse

**SHL :** Ligue de hockey du Sud

**Siècle :** Série du siècle

**SIHL :** Ligue de hockey intermédiaire de la Saskatchewan

**SJCSL :** Ligue de hockey de la cité de St. John's

**SJHL :** Ligue de hockey junior de la Saskatchewan

**SLO :** Slovaquie

**SNBHL :** Ligue de hockey du Sud du Nouveau-Brunswick

**SNBJL :** Ligue de hockey junior du Sud du Nouveau-Brunswick

**SPHL :** Ligue de hockey professionnel de la Saskatchewan

**SSHL :** Ligue de hockey senior de la Saskatchewan

**S-SJHL :** Ligue de hockey junior du Sud de la Saskatchewan

**S-SSHL :** Ligue de hockey senior du Sud de la Saskatchewan

**SUI :** Suisse

**SunHL :** Ligue de hockey Sunshine

**Super S :** Super série

**SWE :** Suède

**TBIHL :** Association de hockey intermédiaire de Thunder Bay

**TBJHL :** Association de hockey junior de Thunder Bay

**TBSHL :** Ligue de hockey senior de Thunder Bay

**THL :** Ligue de hockey tropicale

**TIHL :** Ligue de hockey indépendante de Toronto

**TMHL :** Ligue de hockey mercantile de Toronto

**TNDHL :** Ligue de hockey de la Défense nationalede Toronto

**TPHL :** Ligue de hockey professionnel de Temiskaming

**UHL :** Ligue de hockey unie

**UOVHL :** Ligue de hockey de la Haute-Vallée d'Ottawa

**URSS :** Union des républiques socialistes soviétiques

734 **USAHA :** Association de hockey amateur des États-Unis

**USDP :** Programme de développement des États-Unis

**USHL :** Ligue de hockey des États-Unis

**USLHN :** Ligue de hockey navale des États-Unis

**VCAHL :** Ligue de hockey amateur de la cité de Vancouver

**WCHA :** Association de hockey collégial de l'Ouest

**WCHL :** Ligue de hockey de la côte Ouest (depuis 1995)

**WCHL :** Ligue de hockey de l'Ouest du Canada (1921-1925)

**WCJHL :** Ligue de hockey junior de la Côte Ouest

**WCJHL :** Ligue de hockey junior de l'Ouest du Canada

**WCSHL :** Ligue de hockey senior de l'Ouest du Canada

**WHA :** Association mondiale de hockey

**WHL :** Ligue de hockey de l'Ouest

**WJHL :** Ligue de hockey junior de l'Ouest

**WJHL :** Ligue de hockey junior de Winnipeg

**WKHL :** Ligue de hockey de Kootenay-Ouest

**WNDHL :** Ligue de hockey de la Défense nationale de Winnipeg

**WPHL :** Ligue de hockey professionnel de l'Ouest

**WSHL :** Ligue de hockey senior de Winnipeg

**YCHL :** Ligue de hockey du comté de York (Nouveau-Brunswick)

# BIBLIOGRAPHIE

**ARCHIVES**
Archives de l'hôtel de Ville de Montréal
Archives de *La Presse,* Montréal
Archives nationales du Canada, Ottawa
Bibliothèque nationale du Québec, Montréal

**LIVRES**
BRUNET, Mathias, *Mario Tremblay, le bagarreur,* Québec-
Amérique, 1997, 330 p.

CARRIER, Roch, *Le Rocket,* Les Éditions internationales Alain
Stanké, 2000, 271 p.

CLAIROUX, Benoît, *Les Nordiques de Québec: toute l'histoire de
1972 à 1995,* Les Éditions de l'Homme, 2001, 416 p.

COLEMAN, Charles L., *The Trail of the Stanley Cup,* vol. 1-2-3,
National Hockey League, 1968.

DIAMOND, Dan, éditeur, *Cent ans de Coupe Stanley,* Les Éditions
Tormont, 1992, 278 p.

En collaboration, *100 ans d'actualités 1900-2000,* La Presse,
1999, 376 p.

En collaboration, *Century of Hockey, Collector's Edition,* The
Hockey News, 1999, 144 p.

En collaboration, *Forum: soirée d'adieu,* Les Éditions Effix,
1996, 176 p.

FISCHLER, Stan et Pierre A. ARCHAMBAULT, *Les 100 plus grands du
hockey,* A & W Publishers, 1983, 414 p.

FISCHLER, Stan et Shirley FISCHLER, *Great Book of Hockey,*
Publications International, 1991, 320 p.

FISCHLER, Stan et Shirley, en collaboration, *20th century Hockey
Chronicle,* Prospero Books, 1999, 624 p.

FORTIER, Marius et Claude LAROCHELLE, *Les Nordiques et le circuit
maudit,* Lotographie, 1978, 226 p.

GERMAIN, Georges-Hébert, *Guy Lafleur: l'ombre et la lumière,*
Art Global/Libre Expression, 1990, 407 p.

GOYENS, Christyan et Frank ORR, *Maurice Richard,* Team Power
Publishing, 2000, 160 p.

GOYENS, Christian et Allan TUROWETZ, *Jean Béliveau: une époque
un regard,* Art Global/Libre Expression, 1994, 299 p.

GOYENS, Chrystian, Allan TUROWETZ et Jean-Luc DUGAY, *Le Forum de
Montréal,* Les Éditions Effix, 1996, 264 p.

HOOD, Hugh, *Puissance au centre: Jean Béliveau,* Les Éditions
de l'Homme, 1972, 193 p.

LAFLEUR, Réjean, *Guy Lafleur, mon fils,* Desclez, 1981, 127 p.

LAROCHELLE, Claude, *Guy Lafleur le démon blond,* Lotographie,
1978, 250 p.

LAROCHELLE, Claude, *Les Nordiques,* France-Amérique, 1982, 358 p.

MAYER, Charles, *L'épopée des Canadiens, 40 ans d'histoire,*
publié à compte d'auteur, 1949, 122 p.

MOLSON, Karen, *L'histoire des Molson 1790-2000,* Les Éditions
de L'Homme, 2001, 527 p.

MOUTON, Claude, *Les Canadiens de Montréal, une dynastie du
hockey,* Van Nostrand Reinhold, 1981, 286 p.

MOUTON, Claude, *Toute l'histoire illustre et merveilleuse du
Canadien,* Les Éditions La Presse, 1986, 258 p.

O'BRIEN, Andy, *Les Canadiens,* McGraw Hill, 1973, 188 p.

OUELLETTE, Rolland, *Les 100 plus grands Québécois du hockey,*
Les Éditions Alain Stanké, 2000, 384 p.

PELLERIN Jean-Marie, *L'idole d'un peuple: Maurice Richard,*
Les Éditions de l'Homme, 1976, 520 p.

PODNIEKS, Andrew, *The NHL All Star game,* Harper Collins
Publishers, 2000, 311 p.

PROULX, Gilles, *L'aventure de la radio,* Les Éditions La Presse, 1979, 144 p.

RICHARD, Maurice et Stan FISCHLER, *Les Canadiens sont là : la plus grande dynastie du hockey,* Prentice-Hall of Canada, 1971, 296 p.

ROMAIN, Joseph, *The Pictorial History of Hockey,* Thunder Bay Press, 1987 et 2002, 256 p.

TARDIF, Jean-François, *Le Canadien : la reconstruction d'une dynastie,* Les Presses libres, 1984, 166 p.

TERROUX, Gilles et Denis BRODEUR, *Le match du siècle : Canada URSS,* Les Éditions de l'Homme, 1972, 96 p.

TREMBLAY, Réjean et Ronald KING, *Les Glorieux,* Les Éditions Transcontinental, 1996, 167 p.

TUROWETZ, Allan et Chrystian GOYENS, *Les Canadiens de 1910 à nos jours,* Les Éditions de l'Homme, 1986, 392 p.

### GUIDES

Official Guide & Record Book, *The National Hockey League,* 1949 à 2003.

FISCHLER, Stan et Shirley WALTON FISCHLER, *The Hockey Encyclopedia,* MacMillan Publishing, 1983, 720 p.

DIAMOND, Dan, éditeur, *Total Hockey,* Total Sports Publishing, 1998 et 2000, 1974 p.

DIAMOND, Dan, éditeur, *Total Stanley Cup,* Total Sports Publishing, 2000, 218 p.

### JOURNAUX ET PÉRIODIQUES

*Dimanche Matin,* Montréal
*Globe and Mail,* Toronto
*La Patrie,* Montréal
*La Patrie du dimanche,* Montréal
*La Presse,* Montréal
*Le Canada,* Montréal
*Le Devoir,* Montréal
*Le Journal de Montréal,* Montréal
*Le Journal de Québec,* Québec
*Le Petit Journal,* Montréal
*Le Progrès du Saguenay,* Chicoutimi
*Le Soleil,* Québec
*Les Sports,* Québec
*Magazine Les Canadiens,* Montréal
*Montreal Daily Star,* Montréal
*Montreal Herald,* Montréal
*Montréal Matin,* Montréal
*Parlons Sport,* Montréal
*Photo Journal,* Montréal
*Samedi-Dimanche,* Montréal
*Sport Revue,* Québec
*Sports illustrés,* Montréal
*The Gazette,* Montréal
*The Hockey News,* Montréal et Toronto
*The Standard,* Montréal

Les noms des joueurs mention- nés dans l'index sont suivis du numéro de page où se trouve leur fiche personnelle. Il suffit de consulter ces fiches pour connaître les années au cours desquelles ils ont fait partie des Canadiens. On se référera ensuite aux pages du livre cor- respondant à ces années pour lire les textes et les anecdotes consacrés spécifiquement à ces joueurs.

## D

Dackell, Andreas, 602
Dahlin, Kjell, 602
Daigneault, Jean-Jacques, 602
Dallaire, Hector, 603
Dame, Aurella (Bunny), 603
Damphousse, Vincent, 603
Daoust, Daniel (Dan), 603
Darby, Craig, 603
Davis, Lorne, 604
Dawe, Jason, 604
Dawes, Robert (Bob), 604
DeBlois, Lucien, 604
Décarie, Ed, 605
Delisle, Jonathan, 605
Delisle, Xavier, 605
Delorme, Gilbert, 605
Demers, Antonio (Tony), 605
Denis, Louis (Lulu), 605
Desaulniers, Gérard, 605
Descoteaux, Mathieu, 606
Desilets, Joffre, 606
Desjardins, Éric, 606
Desjardins, Martin, 606
Deslauriers, Jacques, 606
Dheere, Marcel, 606
Diduck, Gerald, 607
Dionne, Gilbert, 607
Di Pietro, Paul, 607
Dirk, Robert, 607
Doherty, Fred, 607
Doran, John (Red), 608
Dorohoy, Edward (Ed), 608
Drillon, Gordon (Gord), 608
Drouin, Jude, 608
Drouin, Paul-Émile (Polly), 608
Dubé, Gilles, 609
Dubeau, Ernest (Ernie), 609
Duff, Richard (Dick), 609
Dufresne, Donald, 609
Dupont, Normand, 609

Dussault, Normand, 610
Dwyer, Gordie, 610
Dykhuis, Karl, 610

## E

Eddolls, Frank, 610
Edmundson, Garry, 610
Emberg, Edwin (Ed), 610
Engblom, Brian, 611
Evans, Stewart (Stew), 611
Ewen, Todd, 611

## F

Ferguson, Craig, 611
Ferguson, John, 611
Field, Wilfred (Wilf), 612
Fillion, Robert, 612
Fitzpatrick, Rory, 612
Fleming, Gerry, 612
Fleming, Reginald (Reggie), 612
Fletcher, Steven, 613
Flockhart, Ronald (Ron), 613
Fogarty, Bryan, 613
Fontinato, Louis (Lou), 613
Fournier, Jacques (Jack), 613
Frampton, Robert (Bob), 613
Fraser, Gordon (Gord), 613
Fraser, Scott, 614
Fréchette, Clayton, 614
Frew, Irvine (Irv), 614
Fryday, Robert (Bob), 614

## G

Gagné, Arthur (Art), 614
Gagnon, Germain, 615
Gagnon, John (Johnny), 615
Gainey, Robert (Bob), 615
Gamble, Richard (Dick), 615
Ganchar, Perry, 616
Gardiner, Herbert (Herb), 616

Gardner, David (Dave), 616
Gardner, James (Jimmy), 616
Gaudreault, Léonard (Léo), 616
Gauthier, Arthur (Art), 616
Gauthier, Fernand (Fern), 617
Gauthier, Jean-Philippe, 617
Gauthier, Luc, 617
Gauvreau, Jocelyn, 617
Gendron, Jean-Guy, 617
Geoffrion, Bernard, 618
Geoffrion, Daniel (Danny), 618
Getliffe, Raymond (Ray), 618
Gilchrist, Brent, 618
Gilmour, Doug, 618
Gingras, Gaston, 618
Giroux, Arthur (Art), 619
Glass, Frank (Pud), 619
Glover, Howard (Howie), 619
Godin, Samuel (Sam), 619
Goldsworthy, Leroy, 620
Goldup, Glenn, 620
Goupille, Clifford (Red), 620
Goyette, Philippe (Phil), 620
Graboski, Anthony (Tony), 620
Gracie, Robert (Bob), 621
Grant, Daniel (Danny), 621
Gratton, Benoît, 621
Gravelle, Léo, 621
Gray, Terrence (Terry), 621
Green, Richard (Rick), 622
Grenier, Lucien, 622
Groleau, François, 622
Grosvenor, Léonard (Len), 622
Guèvremont, Hyacinthe, 622
Guren, Miloslav, 622

## H

Haggerty, James (Jim), 623
Hainsey, Ron, 623
Hall, Joseph (Joe), 623
Haller, Kevin, 623
Hamel, Jean, 623

Hamilton, Charles (Chuck), 624
Hanna, John, 624
Harmon, Glen, 624
Harper, Terrance (Terry), 624
Harrington, Leland (Hago), 624
Harris, Edward (Ted), 625
Hart, Wilfred (Gizzy), 625
Harvey, Douglas (Doug), 625
Haynes, Paul, 625
Headley, Fern (Curley), 626
Heffernan, Gerald (Gerry), 626
Heron, Robert (Red), 626
Hicke, William (Bill), 626
Hicks, Wayne, 626
Higgins, Matt, 627
Hill, Sean, 627
Hiller, Wilbert (Dutch), 627
Hillman, Larry, 627
Hirschfeld, John (Bert), 628
Hoekstra, Cecil (Cec), 628
Hoganson, Dale, 628
Hoglund, Jonas, 628
Holmes, William (Bill), 628
Horvath, Bronco, 629
Hossa, Marcel, 629
Houde, Éric, 629
Houle, Réjean, 629
Huck, Francis (Fran), 629
Hughes, Patrick (Pat), 629
Hunt, Bert, 630
Hunter, Mark, 630

## I

Irwin, Ivan, 630

## J

Järventie, Martti, 630
Jarvis, Douglas (Doug), 630
Jenkins, Roger, 630
Jetté, Alphonse, 631
Joanette, Rosario, 631

741

## PROPRIÉTAIRES, DIRECTEURS GÉNÉRAUX ET ENTRAÎNEURS